「新しいリテール金融」を創造する

りそなグループが目指す変革

りそなグループが、変革を加速させている。2003年の公的資金の注入、いわゆる“りそなショック”以降、さまざまな改革に取り組んできたが、2023年5月に公表した中期経営計画（以下、中計）は「コーポレートトランスフォーメーション（CX）に取り組む最初の1,000日」と位置づけた。りそなが目指す姿とはどのようなものなのか。社長の南昌宏氏に聞いた。 制作：東洋経済企画広告制作チーム

りそなホールディングス
社長
南 昌宏

りそなは新しいフェーズに入り大きな変革を目指していく

「CXに取り組む最初の1,000日」には、「『再生』から『新たな挑戦』へ」という副題がある。攻めの姿勢をにじませる新たなフェーズに入ったことを印象づけるものだが、りそなショックから20年という節目に中計をリリースしたことに、南氏は「巡り合わせを感じる」と明かした。

「世の中では情報産業革命や脱炭素といったメガトレンドの流れが加速しており、社会・産業構造やお客さまの金融行動も変化し続けています。こうした中で重要なことは、世の中の変化にいち早く適応していくための構造変革です。『CXに取り組む最初の1,000日』には、変革に終わりがないこと、そして変化のスピードが加速する時代に、グループの全役職員が『1日』という時間を大切にしながら変革にチャレンジしてほしいという想いを込めています。

また、新たな挑戦に踏み出すに当たって、グループの理念体系についても改めて整理を行いました。新たに、グループのパーパス『金融＋で、未来をプラスに。』と、長期ビジョン『リテールNo.1 〜お客さま・地域社会にもっとも支持され、ともに未来に歩み続けるソリューショングループ〜』を制定しました。われわれの『パーパス』は、お客さまや社会にどのように貢献するのかを示した、お客さま・社会起点の『志』であり、それを実現するための『覚悟』です。

一方、経営理念は、社会の中で私たちがどうありたいか、何をするのかを示した企業・経営者起点の『信念』だと整理しており、経営の意思として、過去からの学びを正しく伝えていくために一字一句変えることなく次世代に引き継いでいきます。

パーパスと経営理念、長期ビジョンの下で、グループの総力を結集して、新たな変革に挑戦していきたいと考えています」

コンサルティング強化でお客さまに寄り添ったソリューションを

具体的に何を変革していくのか。中計で掲げているのは「価値創造力の強化」と「経営基盤の次世代化」だ。まず「価値創造力」について、南氏は次のように語っている。

「お客さまのこまりごとや社会課題を起点にビジネスを考え抜くとともに、イノベーションを掛け合わせて新たな価値を提供していくこ

とが、りそなグループのサステナビリティ経営の根幹です。誰かの未来を豊かにするためのソリューションは無限に存在します。そして、ソリューションの一つひとつが、われわれの『価値創造力』です。そのために、一人ひとりがこれまでの金融の枠組みにとどまらない発想を起点として、新たな可能性を探り続ける姿勢を持ち続けたいと考えています。

ニーズが多様化、高度化し続けている今の時代に、りそなは「コンサルティング」についてどう捉えているのか。

「デジタル化が加速する中にあっても、差別化の最後の柱は、深いコンサルティング力だと考えています。『リアル』と『デジタル』の一体化をベースに、お客さまのこまりごとに深く寄り添い、お客さまと共に考え、最高のソリューション提供を目指したいと考えています。

今後、コンサルティングのフィールドもさらに拡大していきます。これまでの発想や価値観にとらわれることなく、『金融+』の力を磨き続けることで、新しいリテール金融の創造を目指したいと思います。2024年7月には国内男子プロバスケットボールリーグ『B.LEAGUE』のタイトルパートナーに就任しました。金融の枠にとどまらない発想で、ワクワクする未来の実現に向けた挑戦の始まりです」

人財には多様性と専門性が必要 Well-being も戦略の1つに

中計でもう1つの柱に据えられている「経営基盤の次世代化」はどうか。

「リテールNo.1の実現をより確かなものにしていくためには、その土台となる経営基盤についても新しい時代に適応させていく必要があります。経営基盤を構成する要素はどれも重要ですが、中でも注目したいのは『人財』です。中計では、3年間累計で330億円を人的資本に投資します。お客さまに最高のソリューションを提供していくのも、持続的な成長を支えるのも、そしてイノベーションを生み出し続けるのも、すべて人財が起点です」

人的資本強化のアクションで興味深いのは、サステナビリティ長期指標として新たに設定した「Well-being 指数」だ。価値創造力の強化や経営基盤の次世代化を担う従業員には「仕事と生活の充実」が欠かせないという考え方の下、指数の向上を長期指標に掲げている。Well-being を経営戦略の1つに掲げる企業はあっても、指数化して本気でコミットする企業はそう多くない中、りそなの本気と覚悟が垣間見える。

りそなが求めるのはどのような人財なのか。南氏に想いを語ってもらった。

「最も重視しているのは、多様性と専門性です。イノベーションを起こし続けるには、異なる意見や考えをぶつけ合う必要があります。同質の集団から、イノベーションは生まれにくいということです。2023年11月には勤務時の服装を自由化しました。学生の皆さんには、『金融機関にはこういうタイプ』という固定観念をいったん外して、ぜひニュートラルな目線で銀行を見てほしいと思います。

最後に、私が一緒に働きたいと思う人は、新しい挑戦にワクワク感を持って取り組める人です。人は、階段を1つ上がるたびに、新しい風景が見えるものです。だからこそ、つねに新しいチャレンジをサポートしていく柔軟性を持った環境が必要だと考えています。

りそなグループは、一人ひとりの個性を大切にし、自律的にキャリア形成を目指せる環境を整え、組織としても全面的なサポートを行っていきます。なぜなら、人財が新しいリテール金融を創造していくからです」

スーパーゼネコンの一角を占める竹中工務店は東京ドームをはじめとする国内5大ドーム球場や著名なオフィスビル、美術館などを手がけている。自らの建築物を「作品」と呼び、見事な設計力と技術力を誇る。この財産を未来につなぐため、同社は独自のキャリア開発プログラムを実施している。

制作：東洋経済企画広告制作チーム

よい仕事がよい人を育て、よい人がよい仕事を生む 独自のキャリア開発プログラム

竹中工務店

この会社で自分はどう活躍できるのか

竹中工務店が導入しているキャリア開発プログラムは、30歳までに一人前になることを目指す中長期視点だ。しかし、狙いは若手が「納得して」早期に活躍できることである。その背景について同社人事室人事開発部主任で新卒採用担当の夛田皓秋氏はこう語る。

「30歳までは活躍できないという意味ではありません。会社が手厚くサポートしながら、1年目からさまざまなフィールドで活躍することが可能です。ただ、知識だけではなく経験則も少なからず必要な事業領域のため、社員が自分自身と向き合い、技能の習得とともにさまざまな経験を積んでいただくことで、組織に適応してもらう仕組みを、会社として用意しています。この仕組みを設けることで社員に迷いなく活躍してほしいという意図があります」

ではどのような仕組みを用意しているのか。その1つは活躍の場を探るための取り組みだ。まず、30歳前後になるまでの間にジョブローテーションを経て、自分の活躍の場を探る。

「竹中工務店は建築やものづくりが好きな理系学生が集まる一方、さまざまな業界を研究していく中で、現場チームが一丸となって建築物を完成させる姿に共感し、入社を希望する文系学生も少なくありません。

だからこそ、この会社で自分はどう活躍できるのか。1年に1回、現職務における自身の適性や、今後どのような部門にチャレンジしたいか等を自己申告する制度があります。なんとなく申告するのではなく、上長との面談を通して自身のキャリアを考え、さまざまな情報を会社としても社員に提供することで、自分の指針を持てるように工夫しています」（夛田氏）

キャリア開発の基盤となる1年目の過ごし方

もう1つの特徴的な取り組みとして、毎年

250名前後の全新社員が神戸にある教育寮・深江竹友寮で1年間生活し、新社員教育制度の中で2つまたは3つの部門をジョブローテーションして実務研修を行っていることだ。また、2019年に建て替えられた教育寮は、全室個室としながら寮生同士が交流しやすい開放的な施設である。

2023年に新卒入社後、現在は大阪本店人事部人材開発グループに所属する平川巧氏は今年24年4月から1年間寮長を務める。

「私はカタチに残る仕事がしたくて、規模の大きな建築物に興味を抱くようになり、最終的に竹中工務店に入社することになりました。寮生活も魅力的でした。実際、同じ事務職だけでなく、設計や設備、建築技術といった異なる職能の同期とも絆を深める1年間を過ごしました」

1年目の実務研修と並行してさまざまな研修が行われるが、目的別研修として、役員寮会（役員から担当分野の話を直接聞く場）や各部門長との定期的な交流会が開催され、タテ・ヨコ・ナナメと幅広い人的ネットワークを形成できる研修を実施している。そんな1年間を過ごした平川氏は、同期と一緒に自分たちのキャリア開発について語り合うキャリア研修が印象的だったという。

「5〜10年後、自分はこんなキャリアを歩んでみたいけれど、皆はどう思うのか。同期と意見交換をしながら自分のキャリアについて深められたことは、同期との距離が近いからこそ、できたことです。そこでさらに同期と互いの理解を深めたことも今の仕事にも役立っていますし、この先も自分が仕事で困ったことがあれば相談できることは心強いです」（平川氏）

竹中工務店で入社後の1年間を過ごす深江竹友寮

平川氏の将来の目標はスタジアム建設のような大きなプロジェクトに携わること。

「ゼネコンだと建築学科出身でなければ活躍できないと思われがちですが、そうではありません。いろんなバックグラウンドを持った人たちが得意なことを生かしながら、よりよい作品をつくることがゴールです。文系・理系関係なく同期が研修や寮生活を通じてつながる文化があるからこそ幅広いキャリアの目標を持つことができます」（平川氏）

「よい仕事がよい人を育て、よい人がよい仕事を生む」という思想を人材育成においてまさに体現している。

「社員一人ひとりが、ビジョンを持って仕事に取り組めばおのずと活躍できます。そのための場を整えるために、同期や先輩、後輩との深い交流を通じてしっかりとした基盤づくりを行います。実際、キャリアのホップ、ステップの7年間を過ごしたあとは、ジャンプのときに大きく飛躍できる人が多いと感じています」（夛田氏）

音響×映像×無線の技術力で「感動」と「安心」を世界の人々へ

JVCケンウッド

JVCケンウッド
代表取締役 社長執行役員
最高経営責任者(CEO)
江口祥一郎氏

日本ビクターとケンウッドが経営統合して約16年。JVCケンウッドは、2024年3月期に統合後の最高益を上げるなど業績堅調だ。その理由はどこにあるのか。強みと今後の成長戦略を、社長の江口祥一郎氏に聞いた。

制作：東洋経済企画広告制作チーム

防災・BCP・サステナブルに貢献！競争力が高い「無線システム」

カーナビゲーションやイヤホン、音楽コンテンツなどで知られるJVCケンウッド。「感動と安心を世界の人々へ」を企業理念に掲げ、「KENWOOD」「JVC」「Victor」の3つのブランドを軸に多様な事業を展開している。「日本ビクターの設立から約100年、ケンウッドの前身の春日無線電機商会の設立から約80年、培ってきた音響、映像、無線の技術力を強みに、『感動』と『安心』を提供する製品やソリューションを生み出してきました」と江口祥一郎氏は語る。

特に存在感を放つのが、海外で40年以上にわたり実績と信頼を積み重ねてきた無線システム事業だ。紛争や災害などの影響により、世界各国で防災やBCP（事業継続計画）への機運が高まる中で、業務用無線の需要が拡大。とりわけ米国では、3000以上あるカウンティ（郡）でアナログ無線からデジタル無線への切り替えが急増している。さらに、技術者が米国現地でニーズをヒアリングして開発・設計したデジタル無線機「VP8000」の機能性と品質が高評価を得て、入札案件の獲得が増加しているという。

「無線機は警察官や消防士の方々が現場で通信を確保するための命綱ともいえる存在で、われわれは正確に、確実に音声を伝える使命を果たすべく、製品を提供しています。当社が現在目指しているのは、北米の公共安全市場で売上高4億ドル（約570億円＝1ドル143円計算）、シェア10％です。今期は、日米で約100名の人員を増強するなど投資を進め、電気、機構からソフトウェア、情報まで多様な技術者や、案件をマネージするスタッフの力を結集して、『安心・安全な』まちづくりに貢献していきます」

重点領域としているのは、競争力を確保していることも要因だと江口氏は明かす。

「無線システムは競合が限定されているうえに、新規参入障壁が高く代替品もないため、長年の実績を持つ当社に際立った競争力があります。高いROIC（投下資本利益率）も確保できており、中長期的な成長牽引ドライバーとして位置づけています。今後は、防災意識の高まっている日本でもさらに事業を拡大していく考えです」

価値創造拠点とキャリア開発で「将来ありたい姿」の実現を支援

大きな成長を見据えるのは、無線システム事業を中心とする「セーフティ&セキュリティ分野」だけではない。カーナビゲーションやドライブレコーダーなど、「安心」を担う車載機器を展開する「モビリティ&テレマティクスサービス分野」では、EV市場の拡大やグローバルで事業を展開する強みを生かし、需要拡大が見込まれる海外OEM事業を強化。「エンタテインメント ソリューションズ分野」では、ヘッドホン・イヤホンやプロジェクターなどの製品と、ストリーミング市場に強い次世代アーティスト発掘などによるコンテンツ拡充で「感動」を提供していく。

事業を継続的に成長させ、企業の価値を最大化するために、人材育成にも注力している。「イノベーションを実現する人材の育成と組織能力の強化」を経営方針の1つに掲げ、顧客視点で考え、新たな課題を発見し、その解決に積極的・継続的に取り組む意欲のある人材を幅広く採用し、多様な戦力として育成する仕組みを整えてきた。

「2024年度からは、経営戦略と連動させた人材要件定義を行い、職種ごとに必須の能力や経験、研修などを定義することでキャリアの見える化を実現しました。一人ひとりが自らの経験を生かしながら『将来のありたい姿』を実現できるよう、キャリア面談やキャリア開発講座の受講機会を用意しており、将来の目標に向けた自己啓発やワークライフバランスを統合的に考えられる環境を整えています」

働きがいのある職場づくりにも積極的に取り組んでいる。24年10月には横浜本社地区に新ビルが完成し、価値創造拠点「Value Creation Square（VCS）」を創設した。リモートワーク率は40%以上、ハイブリッドワークを含めスーパーフレックスや中抜け制度など多様な働き方に対応し、異なる経験値・知性を持つ技術者同士や、外部の異業種企業とも交流しやすくなるなど、「さまざまな人が交流し建設的な意見を出し合って、未来を先取りする発想を醸成できるような共創の場となった」と江口氏は胸を張る。

2024年10月に竣工した「Value Creation Square」

「JVCケンウッドは、音響と映像、無線の技術資産、知的財産を生かして、持続的にイノベーションを創出してきました。主体的に行動を起こせる人にとっては、どの分野でも活躍できるフィールドがあります。これから社会に飛び込む皆さんと共にVCSを『創造躍動の場』とし、夢を現実に引き寄せて社会課題を解決する活気あふれる企業風土をぜひつくっていきたいですね」

新卒採用ページはこちら▶

AD

UBE三菱セメント株式会社

https://www.mu-cc.com/
〒100-8521　東京都千代田区内幸町二丁目１番１号 飯野ビルディング
問い合わせ：mb-saiyou@mu-cc.com

webページを見

セメントをはじめとする基礎素材で社会インフラを支えるとともに循環型社会の構築に貢献

UBE三菱セメント株式会社は、三菱マテリアル株式会社と宇部興産株式会社（現：UBE株式会社）のセメント事業およびその関連事業等を統合し、2022年４月に始動しました。主要事業であるセメント事業は100年を超える歴史と実績があり、セメント業界をリードする会社です。

私たちは、企業理念『最高の品質を最高の技術とサービスで提供し、地球の未来を支えつづける。』のもと、「セメント・生コンクリート事業」「環境エネルギー事業」「資源事業」の3つの事業を展開し、セメントをはじめとする基礎素材を安定供給し、社会インフラを支えています。

また、廃プラスチック、廃タイヤ、下水汚泥等、様々な廃棄物・副産物を独自の処理システムによりセメント原料や熱エネルギーとして再資源化することで循環型社会の構築に大きく貢献しているほか、CO_2の削減と利用技術の開発を推進し、カーボンニュートラルの実現に向けて様々な挑戦を続けています。

セメントおよび関連技術は、無限の可能性を秘めています。セメントの力で、誰もが予想しない驚くような未来をつくりたい。そんな社員一人ひとりの志を結集し、私たちは新しい価値を創造していきます。

POINT

高い技術力で、循環型社会・カーボンニュートラルの実現に挑戦

長年の知見を結集した高い技術力で、流動性、強度、耐久性や低環境負荷等、社会ニーズに応える高性能なセメント・コンクリートを開発しているほか、多様な廃棄物のリサイクル技術を開発して循環型社会の構築に貢献しています。また、地球温暖化対策を最重要施策の一つに位置づけ、工場から排出されるCO_2を利用したメタネーション技術やセメントキルンでのアンモニア混焼技術の開発等、カーボンニュートラルの実現に向けて積極的に取り組んでいます。

国内外33拠点で、世界の社会インフラを支えつづける

国内においては、日本一の生産量を誇る九州工場をはじめ、豊富な石灰石資源を有する東谷鉱山、宇部地区の大型港湾施設等のインフラ設備等、様々な製造・販売ネットワークにより、人の命と社会を守るセメントを安定供給します。

海外においては、主力とする米国で原料の調達からセメント・生コンクリートの生産・販売におよぶ川上から川下に至る事業基盤を確立し、高い競争力を誇っています。今後は、米国事業の更なる成長と新規拠点の探索により、海外事業の拡大を推進していきます。

今よりもっとワクワクする未来をつくるために

当社は、皆さんが学んできた知識や経験をベースに幅広い分野にチャレンジすることができる会社です。

失敗を恐れる必要はありません。多様なバックグラウンドを持つ人材が個性を輝かせ、それぞれの夢に向かって突き進んでいます。

『すべての個性が、すべての夢が、私たちUBE三菱セメントの原動力となる。』驚くような未来を、驚くような自分自身の成長を、UBE三菱セメントで一緒につくり上げていきませんか。

コーポレートDATA（実績）

業種…製造業（セメント製造業）
設立…2021年4月14日
資本金…502億5千万円（2024年3月末現在）
売上高…連結：5,853億円（2024年3月期）
従業員数…連結：8,065人、単体：1,871人（2024年3月末現在）
代表者…代表取締役社長　小山 誠
事業所…国内24拠点、海外9拠点
本社／東京、工場・鉱山／岩手・埼玉・山口・福岡、研究所／埼玉・山口 他、支店／東京・大阪・名古屋・福岡 他、海外／アメリカ他
採用人数…24名（2025年卒予定）
募集職種…総合職技術系／研究開発、生産技術、生産管理、設備管理、技術営業、エンジニアリング、資源開発、鉱山管理、情報システム等
総合職事務系／営業、購買調達、物流、人事、総務、法務、経理財務、情報システム等
初任給…（総合職）学士卒：月給 267,000円、修士卒：月給 275,000円、博士卒：月給 302,000円
※2024年度実績
昇給・賞与…昇給年1回・賞与年2回
勤務時間…7時間45分（フレックスタイム制あり）
※就業時間は事業所ごとに設定
休日・休暇…土日祝、年末年始他（年間休日122日［2024年度本社休日数］）年次有給休暇（入社1年目18日、最大22日）、積立休暇、慶弔休暇、ボランティア休暇、生理休暇、子の看護休暇、介護休暇等
福利厚生…寮・社宅制度、福利厚生パッケージプラン、GLTD制度（団体長期障害所得補償保険）、保育料補助、永年勤続表彰、企業年金、慶弔見舞金、財形貯蓄、健康保険組合 等
教育制度…新入社員研修、階層別研修、DX研修、CSR研修、コンプライアンス研修、人権研修、キャリアコンサルティング制度、通信教育受講支援制度、資格取得支援制度、TOEIC公開テスト受験支援制度

伊藤忠エネクス株式会社

https://www.itcenex.com/
〒100-6028　東京都千代田区霞が関3丁目2番5号　霞が関ビルディング27～29階
問い合わせ：人事総務部 人事課　recruit@itcenex.com

webページを見る

地域のくらし・産業を支えるエネルギーの専門商社
～事業ポートフォリオを多様化させ、更なる飛躍へ～

1961年の設立以来、「社会とくらしのパートナー」として、石油・ガス・電力を中心とした生活に欠かせないエネルギーやサービスを広く供給してきました。

石油業界の再編、ガス・電力業界の自由化、世界的な環境意識の高まり等、エネルギー業界は急激な変化を迎えています。このような著しい変化に加え、新型コロナウイルスの流行やロシアのウクライナ侵攻など、昨今のエネルギー業界を取り巻く環境は決して安定的なものではありませんでした。そのような外部環境においても堅調に成長し続けられたのは、設立時より続く石油・ガスはもちろん、電力小売自由化に伴いスタートさせた電力事業など、エネルギーのコア事業により築き上げてきた強固な顧客基盤をもとに事業を拡大・深化させ続けたためです。

今後は、2023年度より新たに策定した中期経営計画「ENEX2030」のもと、コア事業における基盤により安定的に収益を積み上げながら、新たなビジネス創出に向けた投資推進体制を整えます。新たな価値創造を国内外において挑み続けることで、常に変化を伴う社会・地域を強固に支えるエネルギーの専門商社として飛躍していきます。

POINT

新中期経営計画「ENEX2030」
“くらしの原動力を創る”

事業環境の変化の中、当社はコア事業を活かし新たな価値創造に挑み続けています。その1つである環境・エネルギービジネスでは、再生可能エネルギー由来の電源開発や電力の販売、GTL燃料やリニューアブルディーゼル等の低炭素・脱炭素商材の販路拡大、水素やアンモニア船用燃料のサプライチェーン構築等を推進しており、今後更なる事業拡大を目指しています。

新中期経営計画「ENEX2030」“くらしの原動力を創る”を掲げ、まず2023～2024年度の2年間において、現場力と収益基盤の強化に取り組み、成長戦略実現への体制を構築していきます。

人材の多様化による価値創造と次世代人材の育成

2016年より働き方改革「ENEX EARLY BIRD」を開始し、長時間労働の防止、健康増進、仕事の質向上の3本柱を軸に抜本的な改革を実施しており、ワークライフバランスを重視した経営に取り組んでいます。

制度としては部門間ローテーションや、部門横断型のクロスファンクション研修により、多様な視点や感性、知性、キャリア、価値観、行動力を持つ人材が活躍できる環境を整えています。また、2018年度から海外事業の開発・運営ができる人材の育成に注力すべく海外就労研修制度を設けており、これまでに8か国へ派遣、計20名が選抜を経て研修に参加しました。

伊藤忠エネクスの採用活動について

当社の仕事において「絶対の正解」というものは存在しません。そのため当社の求める人材についても決まった答えはなく、ぜひ学生のみなさまには自分のありのままを、自分の言葉で自信をもって発信していただきたいです。私たちは固定概念に捉われず、みなさまと真摯に向き合い、対話する事を重視しています。お会いできる日を楽しみにしています。

コーポレートDATA（実績）

業種…専門商社
設立…1961年1月28日
資本金…198億7,767万円
売上高…9,633億200万円（2024年3月期/連結）
従業員数…640人（2024年3月31日時点/単体）
代表者…吉田 朋史
事業所…（支店）札幌、仙台、東京、名古屋、大阪、広島、福岡その他国内外に拠点を有しています。
採用人数…17人（2024年4月入社実績）
募集職種…ゼネラル職（総合職）
初任給…大学卒：月給260,000円
　　　　大学院了：月給269,000円（2024年度）
昇給・賞与…昇給：年一回（4月）、賞与：年二回（6月、12月）
勤務時間…9：00～17：30（休憩時間12：00～13：00）
休日・休暇…休日：土日祝　完全週休二日制
　　　　休暇：有給休暇（年間20日）・年末年始休暇・慶弔休暇など
福利厚生…社会保険完備・確定拠出年金・社員持株会・社内融資制度・子女育英資金制度・見舞金制度・共済保険・積立貯蓄・財形貯蓄・JTBベネフィット（会員制福利厚生サービス）など。対象者には社宅制度あり
教育制度…（2023年度実績例）
①新入社員研修：年3回の集合教育
②階層別研修：各役割等級別研修、管理職研修、その他部門別研修多数
③社会人大学院制度：MBA取得、会計ファイナンスプログラムなどの履修を通して、社員のより高度なキャリアアップを目指すことを目的に、大学院へ派遣（2年間/実績：中央大学、早稲田大学、神戸大学など）
④資格取得一時金：会社の指定する公的資格・免許を取得した場合は一時金を支給
⑤英語学習支援制度：国内で英語を学ぼうとする社員を経済面からサポート

AD

株式会社構造計画研究所

https://www.kke.co.jp/　https://www.kke-hd.co.jp/
〒164-0012　東京都中野区本町4-38-13 日本ホルスタイン会館内
問い合わせ：リクルート部 新卒採用担当　TEL：03-5342-1340　E-mail：saiyou@kke.co.jp

webページを見

21世紀の日本を代表する知識集約型企業を目指して

構造計画研究所は「大学、研究機関と実業界をブリッジするProfessional Design & Engineering Firm」として、21世紀の日本を代表する知識集約型企業を目指し、工学知を活用し社会の諸問題の解決に挑む技術コンサルティングファームです。

いつの時代も私たちの根底にあるものは、「学問に社会性を与え、社会に役立つ知を創造する」という創業時からの想いです。社会をより良くするために必要なものは何か？愚直にその問いを繰り返し、本質的な課題解決の在り方をデザインする。そして、学術的な知見をベースにソリューションを生み出し、社会の課題をエンジニアリングで解決する。この過程こそが私たちを技術コンサルティングファームたらしめるものです。

さらに近年では、エンジニアリングコンサルに加え、クラウドサービス型ビジネスを多く立ち上げ、事業領域をさらに幅広く拡大しています。

2024年7月に、企業グループとして持続的成長を遂げていくために持株会社体制に移行しました。

POINT

学術界と産業界をブリッジする
デザイン&エンジニアリング企業

構造計画研究所の創業の理念、立脚点は「大学・研究機関と産業界をブリッジする」ことにあります。大学・研究機関に存在する「学問知」と、産業界で実践されている「経験知」、その両者を取り込んで昇華させ、「工学知」として、組織的に「知」をビジネスする組織です。あなたがこれまでに身に付けてきたこと、仕事を通じてこれから身に付けることで、社会が抱えている複雑な課題の解決に携わることができます。

クラウドサービス型の新規ビジネスが
次々と成長を続けています！

当社は、5年後・10年後に真に社会に役立つ価値を提供し、より安全で快適な社会の実現に貢献すべく、新規ビジネスにも注力しています。

従来より海外パートナーとの連携を大切にし、様々な分野のソリューションを展開してきましが、特に近年ではクラウドサービス型の新規ビジネスを展開しており、例ばSendGrid(メール配信)、RemoteLOCK（クラウ型入退室管理システム)、NavVis（3Dデジタルデータといったクラウドサービス型ビジネスの合計は、年20%を超える著しい成長を実現しています。

上記３つの他、現在も様々な新しい技術やソリュションの創出を進めています。こういった新規ビジスに携わり、今後の価値創造を進めていいただけるも募集しています。

やりたいことをシゴトにしよう！

入社すると、くどいくらい聞かれるのが「構造計画究所を利用して何がやりたいの？」という質問。やりいことが明確な人は、どんどん自分の活躍する場を分で創っている、そんな感じの職場です。業務時間の間に論文を書く人、仕事に全身全霊を傾ける人、新規業のネタを仕込む人、何かに使えそうなプログラムツ

ルを作る人。んな放っていても何かやています。そいった多様「場」が開かている、それ構造計画研所です。

コーポレートDATA（実績）

事業…技術コンサルティング、クラウドサービス
設立…1959年5月6日
資本金…10億1,000万円（2020年9月）
売上高…179億円（2024年6月期）
従業員数…644名（2024年6月期）
代表者…代表取締役社長 湯口 達夫
事業所…本所／本所新館／中野坂上別館（東京都中野区）、熊本構造計画研究所（熊本県菊池郡大津町）、大阪支社（大阪府大阪市中央区）、名古屋支社（愛知県名古屋市中村区）、福岡支社（福岡県福岡市博多区）、上海駐在員事務所（中華人民共和国上海市）、スペイン駐在員事務所（タラゴーナ）
採用人数…23名（2025年卒予定）
募集職種…総合職（エンジニアリングコンサルタント、システムエンジニア、セールスエンジニア、セールスマーケター、企画管理）
初任給…大卒、高専（専攻科）卒：月給280,000円
修士了：月給290,000円
博士了：月給300,000円
（東京勤務の場合 2025年4月予定）
※上記には、一律地域手当（東京）33,500円を含む。
※一律非喫煙手当5,000円を含む。
昇給・賞与…昇給：年1回（7月）・賞与：原則年2回（7月・12月）
勤務時間…フレックスタイム制（コアタイム9:00～16:00　標準働時間8.0時間／日）
休日・休暇…週休二日制（土日・祝日は休み）、年末年始の一斉休業有給休暇、その他特別休暇等あり
福利厚生…社会保険完備、退職金制度（401k）、財形貯蓄制度、借げ社宅制度、ベネフィット・ワン導入、食事補助制度、保養（全国各地）、メンタルヘルス、健康診断、各種クラブ活動
教育制度…ベーシックスタンス研修（新人／3年目）、キャリアサポート修（20～30代）、マネジメントスキル研修（室長／部長）、ノベーション・戦略策定研修（プロジェクトリーダー／部長）公的資格取得費補助／公的資格取得祝い金、各種外部セミナ受講費補助、語学学習補助（英語、および外国籍所員は日語）、通信教育団体割引、異業種交流／国内外留学支援

大和証券グループ

https://www.daiwa-grp.jp/recruit/
〒100-6752　東京都千代田区丸の内1-9-1　グラントウキョウノースタワー
問い合わせ：recruit@daiwa.co.jp

webページを見る

サステナブルで豊かな社会の実現へ

大和証券グループは、ウェルスマネジメント部門（旧リテール部門）、グローバル・マーケッツ＆インベストメント・バンキング部門（旧ホールセール部門）、およびアセット・マネジメント部門を中核に据え、日本全国の店舗網による強力な国内基盤と、日本・アジア・欧州・米州の4極体制のグローバルネットワークを有する総合証券グループです。

当社グループは企業と投資家を資本市場へとつなぐ重要な役割を担っており、投資家の運用ニーズに対しては最適な商品・サービスを、企業の事業拡大ニーズに対してはファイナンスやM＆Aを提供するなど、お客様が抱える課題に対してベストなソリューションを提供しています。企業の経済活動を資本の面からサポートし、企業価値の向上による豊かなリターンを投資家に還元すること、経済の成長と投資家の資産形成の側面から支援することが、当社グループの務めです。そして、伝統的な証券ビジネスを核に、外部ネットワークや周辺ビジネスの拡大・強化によるハイブリッド戦略では、次世代金融サービスの開発や再生可能エネルギーへの投資など、新たな価値を提供しています。

世界的に働き方改革やデジタル化の進展が加速し、社会全体が変貌を遂げようとしている中で、「クオリティNo.1」「ハイブリッド戦略」「デジタル戦略」を基本方針に、サステナブルで豊かな社会を実現すべく、新たな資金循環の仕組みづくりに取り組んでいきます。

POINT

クオリティNo.1に向けた5年間の若手研修

新入社員の入社後2年間を基礎教育期間と位置づけ、「ダイワベーシックプログラム」において、金融のプロとして必要とされる知識を習得。

さらに入社3～5年目の社員に対して、教育プログラム「Q-Road」を実施。ナレッジ・テクニック・マインドを向上させるプログラムとなっており、本部ごとに習得テーマおよび高いレベルのゴールを設定し、業務内容に応じた専門性を身に着けると同時に業務に活用することで、社員の成長をさらに促進していく内容としています。

デジタルトランスフォーメーション（DX）の推進

2in1タブレット端末の導入を機に、デジタルと対面によるお客様との接点拡大や、テレワークにおいてオフィス出社時と同一環境での業務が可能となるなど、DXの進展により、さらなるお客様の利便性および生産性の向上を目指します。また、当社ビジネスを変革できる人材を育成するための「デジタルITマスター認定制度」を導入しており、積極的なDXへの取組みによる、お客様サービスの高度化や革新的なサービスの開発等に取り組んでいきます。

貯蓄からSDGsへ

今後の世界を牽引する重要な目標であるSDGsについて、経営戦略の根底にSDGsの観点を取り入れ、企業として経済的価値の追求と社会課題解決の推進を両立することで、持続可能な資金循環を促進する仕組みづくりを進めています。2020年、大和証券グループでは、大和証券の引受体制を更に発展させ、SDGsファイナンス専門チームを設置しました。

お客様である投資家、発行体のニーズに合ったSDGsファイナンスに係る商品・サービス・ご提案を提供するとともに、SDGsファイナンスの普及・拡大に貢献すべく、努めています。

コーポレートDATA（実績）

業種…証券
設立…1943年12月27日（創立1902年）
資本金…2,473億円（2024年3月末現在）
売上高…12,775億円（2024年3月末現在）
従業員数…14,544名（2024年3月末現在）
代表者…執行役社長　CEO　荻野 明彦
事業所…東京、大阪、名古屋をはじめ全国各地および海外
採用人数…465名（2024年4月入社実績）
募集職種…総合職、総合職エキスパート・コース、広域エリア総合職、エリア総合職、カスタマーサービス職
初任給…総合職、広域エリア総合職、エリア総合職：大学卒 月給290,000円/月
総合職エキスパート・コース：原則博士課程後期修了 月給480,000円～/月
（固定残業代30時間分を含む、超過時間分は追加支給
※詳細は当社規程による）
カスタマーサービス職：大学卒　月給245,000円/月
昇給・賞与…昇給：年1回（6月）、賞与：年2回（6月、12月）
勤務時間…8：40～17：10（部署によりフレックス勤務制度あり）
休日・休暇…完全週休2日制、祝日、年末年始、夏季休暇（連続7日～10日間）およびリフレッシュ休暇（連続5日間）またはフレックス休暇（連続12日間）、有給休暇17～23日（初年度15日）、結婚準備休暇、ファミリー・デイ休暇、キッズセレモニー休暇、親の長寿祝い休暇、勤続感謝休暇、ボランティア休暇、エル休暇、健診休暇　他
福利厚生…通勤・超過勤務・家族手当、寮・住宅補助、介護帰省手当、保育施設費用補助、ベビーシッター制度、ベビーサロン、出産一時金、医療（定期検診、人間ドック等）、確定拠出年金、保養所、奨学金返済サポート制度　他
教育制度…ダイワベーシックプログラム（1・2年次対象基礎教育）、Q-Road（クオリティNo.1に向け部門毎に一層専門性を高める3～5年次対象研修）、チューター制度、集合研修、eラーニング、資格取得支援制度、英会話、海外留学制度（MBA）、デジタルITマスター認定制度、プレゼンテーション・ロジカルシンキングなどのスキル研修修、Udemy Business　他

日本生命保険相互会社

https://www.nissay-saiyo.com/
〒100-8288　東京都千代田区丸の内１－６－６
問い合わせ：人材開発部　採用担当

webページを見

日本生命

日本生命は、約1,492万名の個人、約34万の法人のお客様に、生命保険を通じて「安心」をお届けする生命保険業界のリーディングカンパニーです。また、お客様からお預かりした97兆円を超える資産を運用する、世界有数の機関投資家という一面もあります。創業135年を超えた今、「保障責任を全うし、お客様に安心・安全をお届けし続ける」という変わらぬ理念を持ち、世界一の安心を提供することを目指して、グローバルに成長し続けています。（数値はいずれも2023年度末時点連結）

POINT

"安心の多面体"の実現に向けた多様な業務フィールド

日本生命グループは、「誰もが、ずっと、安心して暮らせる社会」の実現を目指しています。人々の生活・働き方、お客様のニーズの変化等、経営環境や社会課題が急速に変化する中、あらゆる変化に柔軟に対応するため、生命保険を中心に、アセットマネジメント・ヘルスケア・介護・保育等の様々な安心を提供する“安心の多面体”として、世界のお客様の生活と安心を支えています。フィールドの広さに応じて仕事の幅やキャリアも多岐にわたります。リーテイル、ホールセール、資産運用、海外事業など、様々な業務フィールドが広がっており、職員は各部門のプロフェッショナルとして活躍しています。

一緒に未来を育てよう。
にっせーのせ!
ニッセイサステナプロジェクト

人は力、人が全て

日本生命は、「人が全て」の会社です。家庭と仕事の両立が当たり前にできる環境整備に会社を挙げて取組み続けています。男性による育児を通じて女性の働き方への理解を深めること等を目的とした「男性職員の育児休業」は、2013年度から対象
100%が取得。また、“子育ての不安がない社会”
共に作っていく「NISSAYペンギンプロジェクト」
始動。日本生命が世の中をリードし、“みんなで子ど
を育てる社会”の実現に向け、様々な情報発信や商品
サービスの提供に取組んでいます。新卒採用においても
ロケーション（全国または地域限定）や業務（ゼネ
リストまたはスペシャリスト）によって複数の職種
用意しており、日本生命で働く職員の多様な働き方
生き方を後押ししたいと考えています。

求める人材

広範な業務フィールドで、多様な人材が多彩に活
する。それが日本生命の強みです。採用においても、多様な個性、スキル、価値観を持った人材を求めています。皆さんとの出会いを、楽しみにしています！

コーポレートDATA（実績）

業種…金融（生命保険）
設立…1889年7月4日
基金・基金償却積立金…1兆4,500億円（2023年度末）
保険料…［連結］8兆8,888億円　［単体］6兆3,735億円（2023年度）
従業員数…［単体］68,072名（2023年度末）
代表者…代表取締役社長　社長執行役員　清水 博
事業所…本店（大阪）・東京本部、支社等108、営業部1,466、代理店19,162、海外事務所・現地法人等（ニューヨーク・シリコンバレー・ロサンゼルス・ロンドン・フランクフルト・北京・上海・蘇州・シンガポール・ヤンゴン・バンコク・ムンバイ・ジャカルタ・メルボルン・シドニー等）
採用人数…739名（2024年4月実績）
募集職種…総合職、営業総合職、エリア総合職、法人職域ファイナンシャルコーディネーター、エリア業務職（2024年11月時点）
初任給…【総合職】大卒以上 246,000円（基準内賃金のみ 諸手当除く）
【営業総合職】大卒以上295,100円　※拠点長候補職手当（64,100円・翌月支給）を含む。※拠点長候補職手当は、時間外勤務約35時間相当として支給。実際の時間外勤務手当が上記金額を超過する場合は、別途時間外勤務手当を支給。
【エリア総合職】大卒以上 226,000円（基準内賃金のみ 諸手当除く）
【法人職域ファイナンシャルコーディネーター】
（1）東京、神奈川、千葉、さいたま、名古屋、浜松、大阪、京都、神戸　大卒以上 263,200円
（2）札幌、仙台、新潟、静岡、岡山、広島、北九州、福岡、熊本　大卒以上253,200
※営業職務手当（47,200円・翌月支給）を含む
※営業職務手当は、時間外勤務約30時間相当として支給。実際の時
外勤務手当が上記金額を超過する場合は、別途時間外勤務手当を支給
【エリア業務職】
（1）首都圏・東海・近畿 大卒以上 221,000円　（2）首都圏・東海・近畿以外の
域 大卒以上 211,000円　（基準内賃金のみ 諸手当除く）※2024年11月時
昇給・賞与…昇給：年1回、賞与：年2回（2023年度実績）
勤務時間…原則として9:00-17:00（休憩時間1時間）
※営業総合職：事業場外みなし労働時間制を適用
※法人職域ファイナンシャルコーディネーター（一部地区は9:30-17:3
または10:00-18:00、事業場外みなし労働時間制を適用）
休日・休暇…完全週休2日制、祝日、年末年始　等
有給休暇：年間21日（連続1週間程度夏季休暇を含む）/長期勤続休暇
産前産後休暇（出産前6週間、出産後8週間）/介護休暇　等
福利厚生…独身寮（東京・大阪）、社宅、各種福利厚生施設、社内預金
度、社内財形制度、社内保険制度　等　※一部職種により異なる。
教育制度…新入職員導入研修、階層別研修、留学・派遣オープンエントリー
制度、グローバルインターンシップ制度　等

就職四季報

総合版

2026 2027 年版

東洋経済新報社

CONTENTS

働くリアルや選考情報が満載

会社研究1292社

就職四季報 総合版の見方・使い方

この本は、内容の大半を2024年7〜8月に実施した独自調査によって作成しています。掲載にあたっては、一定の編集方針のもと、回答企業の記述を内容に則して変更している（回答そのままでない）場合があります。

掲載項目のうち、「特色」と「記者評価」は東洋経済の『会社四季報』『会社四季報・未上場会社版』記者が執筆しています。執筆以降の会社の状況の変化には対応できていない場合があることにご注意ください。

また、「上場市場」を含めた会社データの一部は同誌調査等に基づく東洋経済の企業データベースを引用しています。

調査先は原則として、実際に採用活動を行う個別の会社です。ただし、グループ採用などはグループ単位もあります。

各データは正社員のもので、主要な読者である大学生・大学院生が就く職場環境を把握するため、メーカーなどでは主に工場ラインに就く現場技能職を除いた「非現業者」を対象に回答を依頼しました。

この『就職四季報　総合版』では**総合職・技術職についての情報を優先的に掲載**し、一般職の採用・試験情報は姉妹誌『就職四季報　働きやすさ・女性活躍版』巻末に詳しく掲載しています。

なお「総合職」「技術職」「一般職」の区分は待遇や職責でいずれかに当てはめたもので、その会社の呼称とは異なる場合があります。

凡例

「NA」………非公開（No Answer）

「ND」………該当データなし（No Data）

「−」…………未定、算出・表示不能

①………注記があるデータ（本文のカッコ書きを参照）

◇………『会社四季報』、有価証券報告書などからの引用データ（全従業員ベース）、またはメーカー等で現業者含むデータ

[総]………総合職（総合職全般、技術系がある場合技術系以外）

[技]………技術系職種

(文)………文系

(理)………理系

[ES]……エントリーシート

[筆]………筆記試験

[面]………面接

[GD作]……グループディスカッションおよび論作文

『業界地図』ページ
上場区分・予定
情報開示度
業種

2172 ▶『業界地図』p.67　開示 ★★★★★　〔通信サービス〕

エヌティティにし に ほん
ＮＴＴ西日本　持株会社 傘下

【特色】NTT傘下の通信大手。東海以西30府県で展開

修士・大卒採用数	3年後離職率	有休取得年平均	平均年収（平均44歳）
178名	3.3→5.1％	18.7日	㊅887万円

残業（月） 20.6時間 ㊅20.6時間

●エントリー情報と採用プロセス●

【受付開始～終了】㊅3月～8月【採用プロセス】㊅ES提出・Web適性検査（3～8月）→面接（複数回）→内々定（6～9月）【交通費支給】なし

試　重視科目　㊅面接　㊅ ES ⇒巻末㊥Web適性検査（自社オリジナル）㊐複数回（Webあり）

記者評価 正式社名は西日本電信電話。日本電信電話（NTT）傘下の電気通信事業者。北陸・東海以西の30府県で事業を展開。FTTH契約数はNTT東日本と合わせて市場の約6割と独占的。担当エリアに離島が多く、東日本より採

注目4データ

【修士・大卒採用数】 本文項目【男女・文理別採用実績】から修士了・大卒採用人数の合計を算出。詳細は【男女・文理別採用実績】と同じ。

【3年後離職率】 20年４月、21年４月の新卒入社者（単独ベース、非現業者）を対象に、入社３年以内に離職した人の割合を、20年入社者→21年入社者の形で表示。

【有休取得年平均】 前年度に従業員が取得した有給休暇日数の平均。「本文参照」は注記のあるデータなので、本文項目【有休取得】を参照のこと。

【平均年収】 総合職の平均年収を第一優先とし（㊅で表示）、「ＮＡ」「ＮＤ」と回答した会社は非現業部門の平均年収と平均年齢。残業代や賞与を含む。

現業者を含むデータしか得られない場合は、全従業員ベースのデータに「◇」を付して掲載した。同様に『会社四季報』や有価証券報告書から引用したものも「◇」を付した。持株会社は単体あるいは主要子会社の数値の場合もある。「①」は注記のついたデータで、本文（「給与、ボーナス、週休、有休ほか」項目の最後）に詳細を記載した。「ＮＡ」および「ＮＤ」は、総合職、非現業部門、全従業員ベースのいずれも情報が得られない場合の記載。平均年収が総合職の数字で、平均年齢が非現業部門従業員の数字の場合は、年齢の前に「＊」をつけて掲載。

【**業種**】就職活動の観点から区分した本書独自の業種分類で、標準産業分類や証券取引所の定める業種分類などとは異なる。

【**情報開示度**】調査項目回答率。５段階（最高★５つ、最低★1つ）で評価。

【**『業界地図』ページ**】東洋経済『会社四季報 業界地図 2025年版』におけるその会社の掲載ページ。同書で業界・会社の関係性をつかみ、本書で詳細な会社情報を把握するとよい。

【**社名**】株式会社は（株）、相互会社は（相）、独立行政法人は（独法）で表示。通称やグループ名などの場合もある。

【**上場区分・予定**】上場会社は24年10月時点でわかりうる24年11月現在の上場市場と証券コード。未上場会社は上場予定・意向を『会社四季報・未上場会社版2025年版』より転載。

【**特色**】『会社四季報』『会社四季報未上場会社版』の記者が簡潔にまとめたもの。【記者評価】と併せて見るとよい。

エントリー情報と採用プロセス

24年実施分（25年採用）について掲載。25年採用を実施しなかった場合、注記のうえ前年実施分について掲載したものもある。本選考と別に早期選考を実施した場合、原則として本選考について掲載。

【**受付開始～終了**】本エントリー受付の開始と終了時期。選考に直結するエントリーで、プレエントリー（応募登録）とは異なるので注意。「継続中」は24年8月時点で受付終了していない場合。

【**採用プロセス**】エントリーから内々定までの節目となるイベントとその時期や回数。

【**交通費支給**】支給対象となるイベントと条件、金額など。Web面接の場合、支給されない。

試験情報

24年実施分（25年採用）について掲載。25年採用を実施しなかった場合、注記のうえ前年実施分について掲載したものもある。本選考と別に早期選考を実施した場合、原則として本選考について掲載。

【**重視科目**】選考プロセス中の重視科目。

【**試験内容**】ESはエントリーシートのテーマ、字数。筆は筆記試験の種類。面は面接回数、Web面接を実施した場合（Webあり）と表記。GD作はグループディスカッションおよび論作文のテーマ、字数、時間。ESとGD作の内容は、⇒**巻末**として一覧ページに掲載。

【**選考ポイント**】ES、面はそれぞれポイント（何を見ているのか）を掲載。

【**通過率**】エントリーシートの受付数と通過数を基に算出し、受付数→通過数の形でそれぞれ件数を記載（「選考なし」の場合は受付数＝通過数なので、受付数のみ）。エントリーシートの提出自体ないなどで通過率が計算できない場合は、「—」とし

応募者数を記載。

【倍率】本エントリー（正式応募）数と内定者数を基に算出。24年８月時点で採用継続中の場合は応募者数、内定者数とも暫定値の場合がある。

【早期選考】早期選考の対象者や採用プロセスの情報がある場合、⇒**巻末**として一覧ページに掲載。

男女別採用数と配属先ほか

【男女・文理別採用実績】それぞれ入社年の採用活動についての実績。25年について、調査時点で採用活動中のときは、計画、見込み、予定人数の場合がある。「—」は未定。

【25年4月入社者の採用実績校】25年４月入社者の採用実績（内定）校名と人数を、原則として採用人数の多い順に掲載。一般職は対象から除き、『働きやすさ・女性活躍版』巻末に掲載した。校名は略名。25年採用実績なしの場合は、注記のうえ24年入社者について記載したケースもある。

【24年4月入社者の配属先】24年４月入社者についての配属勤務地・部署とその人数。研修中などで未定の場合は、注記のうえ23年４月入社者としたケースもある。

残業（月）、記者評価

【残業（月）】非現業部門従業員および総合職従業員（㊧で表示）の月平均残業時間。記載が枠に収まりきらない場合は【３年後新卒定着率】の後ろに記載した。

【記者評価】『会社四季報』『会社四季報・未上場会社版』の記者が各社の状況を客観的に評価したもの。【特色】と併せてみるとよい。

給与、ボーナス、週休、有休ほか

【30歳総合職平均年収】30歳総合職の平均年収。モデル年収の場合は、項目名に「モデル」と記載。

【初任給】24年４月入社の「博士総合職」「修士総合職」「大卒総合職」について、それぞれ実績ベースの基準内月例賃金を調査。原則、赴任地手当など特定の人にしかつかない手当は除く。

【ボーナス】23年の従業員平均額と月数（ボーナス基準給の何カ月分か）。原則、非現業部門ベース。

【25、30、35歳賃金】大卒総合職の月例賃金。時間外勤務手当や賞与をはじめ、赴任地手当や特定の人にしか支払われない住宅手当などは除く。全社員平均、組合員平均など基準の違う場合は注記。モデル賃金の場合は、項目名に「モデル」と記載。

【週休】完全週休２日は「完全２日」。その他、「２日」や会社カレンダーで週２日休める「会社暦２日」などがある。土日休や祝日休の場合、カッコ内に記載。

【夏期休暇】【年末年始休暇】それぞれ調査時点直近ベース。日数、期間は原則として有休とは別途に取得できる分を記載。

【有休取得】23年度について、繰り越し

分を除いた最大取得日数（A）と非現業部門従業員平均の取得日数（B）をB／A日の形で表示。

【平均年収】「注目４データ」の平均年収に注記がある場合のみ、注記を添えたデータを記した。

従業員数、離職率、勤続年数ほか

【男女別従業員数、平均年齢、平均勤続年数】 原則として直近本決算期末時点の単独ベース、非現業者対象。役員や臨時雇用者は除く。小数位は月数でなく、年率で換算した十進法の小数第１位まで表示。メーカーなどで現業部門を含む値しか得られない場合は、数字の頭に◇を付して掲載した。

【離職率と離職者数】 非現業部門全体の23年度離職者数の、同年度期首従業員数（前年度末従業員数＋前年度男女計離職者数）に対する割合（％）と、離職者数。会社全体で年間何人離職しているかを示す。原則、定年退職者は離職者に含まない。リストラ実施など特殊要因がある場合は注記。

【3年後新卒定着率】 21年４月入社者のうち、24年４月１日に何人在籍していたかの割合。男女別の３年前入社者数と定着率も掲載。巻頭のランキングも同様。

【組合】 労働組合の有無。

求める人材

会社が新卒採用者に求める人物像。

会社データ

【本社】 回答先による本社所在地、本社電話番号、URL。

【社長（会長ほか）】 回答先による代表者の役職と氏名。役職は原則として代表権の有無や執行役など会社法規定の名称は省略し、「社長」「会長」などの呼称で簡潔に記した。

【設立】 西暦表示。原則、法人組織として登記された設立年月。合併等で登記上の設立年月が名目的な場合は、実質的な設立年月を記載しているケースがある。

【今後力を入れる事業】 原則として特定の事業分野。

【資本金】【業績】 直近３期の本決算実績数字。単位100万円。単独、連結、SEC、IFRSの決算種別を「業績」の後にカッコ書きで記した。業績は売上高、営業利益、経常利益、純利益について調査。業種や会社によって、資本金に代わる出資金、売上高に代わる営業収入や営業収益、経常収益、また、営業利益に代わる業務純益などの決算項目で表記。決算年月右の「変」は、変則決算を表す。上場会社は決算短信や『会社四季報』調査などに基づく東洋経済の企業データベースを引用。純粋持株会社の完全子会社を含む未上場会社は、本調査での回答をベースに、一部を『会社四季報・未上場会社版』および決算公告などの公表資料より転載。

【全体注記】 掲載会社の範囲など、データ全体にかかる注記があるときのみ、※を付けて太字注記した。

★ 社名索引（50音順） 

社名前の●印は上場企業を示す

※地域別・採用データを含めた総合索引は1124ページ以降に掲載しています。

〔ス〕

〔セ〕

〔ソ〕

〔タ〕

〔ネ〕

〔ノ〕

〔ハ〕

〔ヒ〕

〔フ〕

〔へ〕

〔ホ〕

〔マ〕

〔ミ〕

★ 業種別会社索引 ★

社名前の●印は上場企業を示す

商社・卸

〔商社・卸売業〕

コンサル等

〔シンクタンク〕

〔コンサルティング〕

〔リサーチ〕

通信・ソフト

〔通信サービス〕

〔システム・ソフト〕

金融

〔銀行〕

〔政策金融・金庫〕

〔共済〕

〔証券〕

〔生保〕

〔損保〕

〔代理店〕

〔信販・カード・リース他〕

マスコミ

〔テレビ〕

〔住宅・医療機器他〕

〔自動車〕

〔自動車部品〕

〔輸送用機器〕

〔機械〕

メーカーⅡ

〔食品・水産〕

〔農林〕

〔印刷・紙パルプ〕

〔化粧品・トイレタリー〕

〔医薬品〕

〔化学〕

〔衣料・繊維〕

〔ガラス・土石〕

〔金属製品〕

〔鉄鋼〕

〔非鉄〕

〔その他メーカー〕

建設

〔建設〕

〔住宅・マンション〕

〔不動産〕

エネルギー

〔電力・ガス〕

〔石油〕

小売

〔デパート〕

サービス

先輩就活生が選んだ

重要データランキングベスト ほぼ 100社

SHUSHOKU SHIKIHO

★ 採用人数ベスト100 ★

順位	社名	業種名	採用人数	掲載ページ
1	ソニーグループ㈱	電機・事務機器	1,200	306
2	ニトリグループ	その他小売業	1,135	663
3	パナソニックグループ	電機・事務機器	1,000	307
4	三菱電機㈱	電機・事務機器	850	304
5	西日本旅客鉄道㈱	鉄道	810	715
6	富士通㈱	電機・事務機器	800	305
7	㈱スギ薬局	家電量販・薬局・HC	785	646
8	㈱日立製作所	電機・事務機器	730	304
9	富士ソフト㈱	システム・ソフト	700	162
9	NEC	電機・事務機器	700	305
11	本田技研工業㈱	自動車	689	360
12	大和ハウス工業㈱	住宅・マンション	686	588
13	全日本空輸㈱	海運・空運	683	693
14	㈱東芝	電機・事務機器	670	306
15	東海旅客鉄道㈱	鉄道	600	710
15	ALSOK	その他サービス	600	732
17	㈱NTTドコモ	通信サービス	597	150
18	りそなグループ	銀行	595	201
19	NECソリューションイノベータ㈱	システム・ソフト	577	162
20	三菱重工業㈱	機械	570	399
21	積水ハウス㈱	住宅・マンション	565	588
22	大和証券グループ	証券	560	237
23	㈱三井住友銀行	銀行	550	200
24	㈱エイチ・アイ・エス	レジャー	540	683
25	㈱メイテック	人材・教育	520	669
26	東京海上日動火災保険㈱	損保	518	253
27	㈱野村総合研究所	シンクタンク	512	140
28	㈱良品計画	その他小売業	505	663
29	㈱みずほ銀行	銀行	500	200
30	㈱一条工務店	住宅・マンション	476	590
31	東京エレクトロン㈱	電子部品・機器	463	350
32	東京電力ホールディングス㈱	電力・ガス	447	609
33	清水建設㈱	建設	436	555
34	大成建設㈱	建設	406	555
35	三井住友信託銀行㈱	銀行	400	203
35	㈱マツキヨココカラ&カンパニー	家電量販・薬局・HC	400	646
35	日本年金機構	その他サービス	400	731
38	㈱大林組	建設	397	554
39	SCSK㈱	システム・ソフト	382	159
40	㈱クリエイトエス・ディー	家電量販・薬局・HC	380	647
41	ダイキン工業㈱	機械	367	405
42	三井住友海上火災保険㈱	損保	360	254
43	㈱村田製作所	電子部品・機器	357	327
44	鹿島	建設	352	554
45	山崎製パン㈱	食品・水産	351	458
45	TOPPANホールディングス㈱	印刷・紙パルプ	351	463
47	㈱アルプス技研	人材・教育	350	670
48	㈱デンソー	自動車部品	343	369
49	㈱大塚商会	システム・ソフト	340	158
50	㈱日本総合研究所	シンクタンク	338	140

順位	社名	業種名	採用人数	掲載ページ
51	㈱日立システムズ	システム・ソフト	328	160
52	みずほ証券㈱	証券	325	239
52	関西電力㈱	電力・ガス	325	611
54	野村證券㈱	証券	310	238
55	SMBC日興証券㈱	証券	306	239
56	伊藤忠テクノソリューションズ㈱	システム・ソフト	305	158
56	川崎重工業㈱	機械	305	400
58	明治安田生命保険(相)	生保	約300	246
58	あいおいニッセイ同和損害保険㈱	損保	約300	254
58	総合メディカル㈱	家電量販・薬局・HC	300	648
58	日本通運㈱	運輸・倉庫	300	694
62	NTTコムウェア㈱	システム・ソフト	298	163
63	㈱キーエンス	電機・事務機器	294	317
64	三菱UFJ信託銀行㈱	銀行	290	204
64	㈱ライフコーポレーション	スーパー	290	639
64	セコム㈱	その他サービス	290	732
67	㈱クボタ	機械	288	401
68	㈱サイバーエージェント	メディア・映像・音楽	287	300
69	NTT東日本	通信サービス	280	152
69	㈱SUBARU	自動車	280	362
69	㈱ノジマ	家電量販・薬局・HC	280	645
72	住友生命保険(相)	生保	270	246
73	大東建託㈱	住宅・マンション	269	589
74	中部電力㈱	電力・ガス	264	611
75	KDDI㈱	通信サービス	263	151
76	㈱千葉銀行	銀行	262	211
77	青山商事㈱	その他小売業	257	656
77	全国農業協同組合連合会	その他サービス	257	723
79	京セラ㈱	電子部品・機器	256	327
80	シミックグループ	その他サービス	255	738
81	㈱竹中工務店	建設	250	556
82	住友林業㈱	住宅・マンション	248	589
83	ミネベアミツミ㈱	電子部品・機器	246	328
84	セイコーエプソン㈱	電機・事務機器	242	312
85	三井不動産リアルティ㈱	不動産	240	606
86	㈱長谷工コーポレーション	建設	235	556
87	㈱アイシン	自動車部品	233	369
88	富士電機㈱	電機・事務機器	231	317
89	ニデック㈱	電子部品・機器	230	326
89	スターツグループ	住宅・マンション	230	597
91	住友電気工業㈱	非鉄	227	532
92	日本製鉄㈱	鉄鋼	226	527
93	㈱豊田自動織機	自動車部品	224	370
94	渡辺パイプ㈱	商社・卸売業	222	108
94	㈱カインズ	家電量販・薬局・HC	222	650
96	東急リバブル㈱	不動産	221	606
97	三菱電機ビルソリューションズ㈱	機械	219	416
98	三菱自動車工業㈱	自動車	215	363
99	キヤノン㈱	電機・事務機器	214	310
100	JFEスチール㈱	鉄鋼	209	527

※本編項目「修士・大卒採用数」より作成。単位:人。

★ 新卒定着率ベスト100 ★

順位	社　名	業種名	新卒定着率	掲載ページ
1	西華産業(株)	商社・卸売業	100(10/10)	95
1	エプソン販売(株)	商社・卸売業	100(16/16)	100
1	東京エレクトロンデバイス(株)	商社・卸売業	100(18/18)	102
1	丸文(株)	商社・卸売業	100(1/1)	103
1	稲畑産業(株)	商社・卸売業	100(24/24)	105
1	ＣＢＣ(株)	商社・卸売業	100(4/4)	106
1	伊藤忠食品(株)	商社・卸売業	100(30/30)	113
1	木徳神糧(株)	商社・卸売業	100(5/5)	118
1	(株)ＧＳＩクレオス	商社・卸売業	100(5/5)	125
1	郵船商事(株)	商社・卸売業	100(1/1)	130
1	トヨタモビリティパーツ(株)	商社・卸売業	100(15/15)	132
1	インフォコム(株)	通信サービス	100(20/20)	156
1	(株)中電シーティーアイ	システム・ソフト	100(32/32)	175
1	全国生活協同組合連合会	共済	100(5/5)	236
1	(株)日本取引所グループ	証券	100(29/29)	240
1	松井証券(株)	証券	100(9/9)	242
1	トーア再保険(株)	損保	100(9/9)	255
1	三菱ＨＣキャピタル(株)	信販・カード・リース他	100(58/58)	259
1	東京センチュリー(株)	信販・カード・リース他	100(17/17)	259
1	(株)ＪＥＣＣ	信販・カード・リース他	100(5/5)	262
1	(株)テレビ静岡	テレビ	100(1/1)	275
1	朝日放送テレビ(株)	テレビ	100(10/10)	276
1	讀賣テレビ放送(株)	テレビ	100(16/16)	276
1	テレビ大阪(株)	テレビ	100(3/3)	278
1	岡山放送(株)	テレビ	100(5/5)	279
1	(株)朝日広告社	広告	100(10/10)	283
1	(株)大広	広告	100(21/21)	286
1	(株)電通ＰＲコンサルティング	広告	100(10/10)	288
1	(株)河北新報社	新聞	100(8/8)	293
1	(株)東洋経済新報社	出版	100(9/9)	297
1	(株)医学書院	出版	100(2/2)	298
1	東京書籍(株)	出版	100(9/9)	299
1	(株)文溪堂	出版	100(4/4)	299
1	ソニーミュージックグループ	メディア・映像・音楽	100(39/39)	301
1	(株)ＪＶＣケンウッド	電機・事務機器	100(3/3)	309
1	アジレント・テクノロジー(株)	電機・事務機器	100(9/9)	325
1	セイコーグループ(株)	電子部品・機器	100(1/1)	334
1	サンケン電気(株)	電子部品・機器	100(17/17)	334
1	マブチモーター(株)	電子部品・機器	100(8/8)	339
1	ＮＩＳＳＨＡ(株)	電子部品・機器	100(11/11)	339
1	(株)エヌエフホールディングス	電子部品・機器	100(2/2)	349
1	日本テキサス・インスツルメンツ(合同)	電子部品・機器	100(32/32)	349
1	ローツェ(株)	電子部品・機器	100(5/5)	355
1	アイホン(株)	住宅・医療機器他	100(12/12)	356
1	(株)タチエス	自動車部品	100(6/6)	375
1	トピー工業(株)	自動車部品	100(15/15)	382
1	プレス工業(株)	自動車部品	100(5/5)	384
1	ジヤトコ(株)	自動車部品	100(23/23)	385
1	カヤバ(株)	自動車部品	100(6/6)	387
1	(株)エフテック	自動車部品	100(2/2)	389
1	オートリブ(株)	自動車部品	100(13/13)	391
1	ＴＰＲ(株)	自動車部品	100(9/9)	394
1	ジャパン マリンユナイテッド(株)	輸送用機器	100(11/11)	396
1	三井海洋開発(株)	機械	100(9/9)	401
1	ホシザキ(株)	機械	100(15/15)	406
1	中外炉工業(株)	機械	100(10/10)	409
1	オイレス工業(株)	機械	100(9/9)	413
1	(株)ミツトヨ	機械	100(16/16)	419

ranking

順位	社　名	業種名	新卒定着率	掲載ページ
1	㈱小森コーポレーション	機械	**100**(17/17)	421
1	サノヤスホールディングス㈱	機械	**100**(5/5)	423
1	三木プーリ㈱	機械	**100**(3/3)	424
1	㈱神鋼環境ソリューション	機械	**100**(23/23)	431
1	アサヒ飲料㈱	食品・水産	**100**(43/43)	438
1	不二製油㈱	食品・水産	**100**(21/21)	443
1	日清製粉グループ	食品・水産	**100**(7/7)	457
1	フジパングループ本社㈱	食品・水産	**100**(6/6)	460
1	共同印刷㈱	印刷・紙パルプ	**100**(17/17)	465
1	㈱クラレ	化学	**100**(50/50)	489
1	ＪＳＲ㈱	化学	**100**(23/23)	491
1	住友ベークライト㈱	化学	**100**(31/31)	494
1	クミアイ化学工業㈱	化学	**100**(25/25)	497
1	タキロンシーアイ㈱	化学	**100**(13/13)	498
1	ニチバン㈱	化学	**100**(9/9)	501
1	東亞合成㈱	化学	**100**(35/35)	505
1	日本曹達㈱	化学	**100**(19/19)	505
1	日本農薬㈱	化学	**100**(19/19)	506
1	関西ペイント㈱	化学	**100**(25/25)	508
1	㈱オンワード樫山	衣料・繊維	**100**(11/11)	513
1	東海カーボン㈱	ガラス・土石	**100**(3/3)	519
1	ＳＷＣＣ㈱	非鉄	**100**(10/10)	534
1	デサントジャパン㈱	その他メーカー	**100**(8/8)	540
1	ヨネックス㈱	その他メーカー	**100**(5/5)	541
1	㈱バンダイ	その他メーカー	**100**(63/63)	542
1	三菱鉛筆㈱	その他メーカー	**100**(10/10)	550
1	ヒューリック㈱	不動産	**100**(12/12)	600
1	森ビル㈱	不動産	**100**(33/33)	602
1	ＮＴＴ都市開発㈱	不動産	**100**(30/30)	603
1	㈱サンケイビル	不動産	**100**(7/7)	604
1	沖縄電力㈱	電力・ガス	**100**(16/16)	613
1	京葉瓦斯㈱	電力・ガス	**100**(19/19)	614
1	㈱ハンズ	家電量販・薬局・ＨＣ	**100**(12/12)	652
1	ジュピターショップチャンネル㈱	その他小売業	**100**(14/14)	665
1	(学校法人)慶應義塾	人材・教育	**100**(9/9)	670
1	(学校法人)北里研究所	人材・教育	**100**(11/11)	671
1	(学校法人)立命館	人材・教育	**100**(6/6)	672
1	(学校法人)明治大学	人材・教育	**100**(9/9)	672
1	(学校法人)法政大学	人材・教育	**100**(10/10)	673
1	(学校法人)中央大学	人材・教育	**100**(11/11)	673
1	(学校法人)立教学院	人材・教育	**100**(5/5)	674
1	(学校法人)龍谷大学	人材・教育	**100**(8/8)	675
1	(学校法人)神奈川大学	人材・教育	**100**(9/9)	675
1	日本中央競馬会	レジャー	**100**(49/49)	685
1	㈱東京ドーム	レジャー	**100**(9/9)	687
1	東宝㈱	レジャー	**100**(10/10)	688
1	東映㈱	レジャー	**100**(11/11)	688
1	名港海運㈱	運輸・倉庫	**100**(19/19)	703
1	京成電鉄㈱	鉄道	**100**(10/10)	709
1	㈱西武ホールディングス	鉄道	**100**(5/5)	711
1	阪急阪神ホールディングス㈱	鉄道	**100**(43/43)	716
1	京阪ホールディングス㈱	鉄道	**100**(13/13)	717
1	日本商工会議所	その他サービス	**100**(3/3)	726
1	東京商工会議所	その他サービス	**100**(5/5)	727
1	(独法)中小企業基盤整備機構	その他サービス	**100**(31/31)	731
1	ぴあ㈱	その他サービス	**100**(9/9)	743
1	㈱乃村工藝社	その他サービス	**100**(36/36)	744

※本編項目「3年後新卒定着率」より作成。単位：%、人。

★ 平均勤続年数ベスト100 ★

順位	社名	業種名	平均勤続年数	掲載ページ
1	大阪市高速電気軌道㈱	鉄道	◇29.1	718
2	京阪電気鉄道㈱	鉄道	◇28.8	718
3	東武鉄道㈱	鉄道	◇27.1	711
4	富士通フロンテック㈱	電子部品・機器	◇26.0	344
5	名古屋鉄道㈱	鉄道	◇25.9	715
6	㈱髙島屋	デパート	25.4	622
7	キヤノンマーケティングジャパン㈱	商社・卸売業	25.2	97
8	㈱JVCケンウッド	電機・事務機器	◇24.7	309
9	㈱そごう・西武	デパート	24.4	625
10	エフサステクノロジーズ㈱	システム・ソフト	24.1	164
10	NECプラットフォームズ㈱	電子部品・機器	◇24.1	332
12	東京電力ホールディングス㈱	電力・ガス	24.0	609
13	㈱朝日新聞社	新聞	23.9	290
13	TOPPANクロレ㈱	印刷・紙パルプ	◇23.9	465
15	読売新聞社	新聞	23.6	290
15	中国電力ネットワーク㈱	電力・ガス	23.6	612
17	㈱河北新報社	新聞	23.3	293
17	住友ベークライト㈱	化学	◇23.3	494
19	㈱東急百貨店	デパート	23.2	625
19	㈱ハンズ	家電量販・薬局・HC	23.2	652
21	㈱山陽新聞社	新聞	23.1	294
22	㈱丸井グループ	デパート	23.0	623
23	帝人㈱	化学	22.9	487
24	㈱近鉄百貨店	デパート	22.8	624
25	ルネサスエレクトロニクス㈱	電子部品・機器	22.7	328

順位	社名	業種名	平均勤続年数	掲載ページ
26	㈱北海道新聞社	新聞	22.6	292
26	南海電気鉄道㈱	鉄道	◇22.6	717
28	宝ホールディングス㈱	食品・水産	22.5	436
28	三協立山㈱	金属製品	◇22.5	525
30	㈱エイチワン	自動車部品	◇22.4	383
30	丸大食品㈱	食品・水産	22.4	453
30	東芝プラントシステム㈱	建設	22.4	577
30	㈱松屋	デパート	22.4	626
34	㈱日立システムズ	システム・ソフト	22.3	160
34	㈱日立国際電気	電子部品・機器	22.3	346
34	田辺三菱製薬㈱	医薬品	22.3	472
34	㈱阪急阪神百貨店	デパート	22.3	624
38	日本電気硝子㈱	ガラス・土石	◇22.2	515
39	マザーサンヤチヨ・オートモーティブシステムズ㈱	自動車部品	◇22.0	368
40	三菱食品㈱	商社・卸売業	21.9	111
40	花王グループカスタマーマーケティング㈱	商社・卸売業	21.9	123
40	丸紅エネルギー㈱	商社・卸売業	21.9	132
40	㈱西日本新聞社	新聞	21.9	295
40	静岡ガス㈱	電力・ガス	21.9	616
45	㈱スズケン	商社・卸売業	21.8	121
46	日本紙パルプ商事㈱	商社・卸売業	21.7	119
46	スルガ銀行㈱	銀行	21.7	220
46	㈱YKベーキングカンパニー	食品・水産	21.7	459
46	沖縄電力㈱	電力・ガス	21.7	613
46	小田急電鉄㈱	鉄道	◇21.7	712

ranking

順位	社名	業種名	平均勤続年数	掲載ページ
51	シャープ㈱	電機・事務機器	◇21.6	307
51	メクテック㈱	電子部品・機器	◇21.6	348
53	中央発條㈱	自動車部品	21.5	387
53	artience㈱	化学	21.5	509
55	トヨタ車体㈱	自動車部品	21.4	366
55	東洋水産㈱	食品・水産	21.4	451
55	ノリタケ㈱	ガラス・土石	◇21.4	521
58	NX商事㈱	商社・卸売業	21.3	128
58	㈱産業経済新聞社	新聞	21.3	292
58	㈱東芝	電機・事務機器	◇21.3	306
58	㈱PFU	電機・事務機器	21.3	315
58	富士精工㈱	機械	◇21.3	423
58	パナソニック ホームズ㈱	住宅・マンション	21.3	591
64	㈱イトーヨーカ堂	スーパー	21.2	629
65	AGS㈱	システム・ソフト	21.1	189
65	㈱栗本鐵工所	鉄鋼	◇21.1	532
65	㈱大京	住宅・マンション	21.1	594
65	ユニー㈱	スーパー	21.1	629
65	西武鉄道㈱	鉄道	◇21.1	708
70	BIPROGY㈱	システム・ソフト	21.0	160
70	朝日放送テレビ㈱	テレビ	21.0	276
70	コニカミノルタ㈱	電機・事務機器	◇21.0	312
70	㈱デンソー	自動車部品	21.0	369
74	カナカン㈱	商社・卸売業	20.9	117
74	NTT西日本	通信サービス	20.9	153
74	三菱製鋼㈱	鉄鋼	◇20.9	531
74	三井住友建設㈱	建設	20.9	558
74	北海道電力㈱	電力・ガス	20.9	608
79	富士電機㈱	電機・事務機器	20.8	317
79	中部電力㈱	電力・ガス	20.8	611
79	(一社)日本自動車連盟	その他サービス	20.8	724
82	NTTコムウェア㈱	システム・ソフト	20.7	163
82	東芝情報システム㈱	システム・ソフト	20.7	182
82	㈱ゆうちょ銀行	銀行	20.7	201
82	㈱日本経済新聞社	新聞	20.7	289
82	アイシンシロキ㈱	自動車部品	20.7	375
82	キーコーヒー㈱	食品・水産	20.7	439
82	日本製紙㈱	印刷・紙パルプ	◇20.7	466
82	京葉瓦斯㈱	電力・ガス	20.7	614
90	日本酒類販売㈱	商社・卸売業	20.6	114
90	太陽生命保険㈱	生保	20.6	250
90	㈱リコー	電機・事務機器	20.6	311
90	グローリー㈱	機械	◇20.6	416
90	㈱LIXIL	金属製品	20.6	522
90	中国電力㈱	電力・ガス	20.6	612
90	㈱大丸松坂屋百貨店	デパート	20.6	622
97	㈱トーハン	商社・卸売業	20.5	119
97	㈱中日新聞社	新聞	20.5	291
97	理想科学工業㈱	電機・事務機器	20.5	316
97	㈱ヤナセ	その他小売業	20.5	658

※本編項目「平均勤続年数(計)」より作成。頭に◇のついているものはメーカー等で現業者含む数字。単位:年。

★ 平均年収ベスト100 ★

順位	社名	業種名	平均年収	掲載ページ
1	**三菱商事㈱**	商社・卸売業	**2,090**(42.7歳)	82
2	**㈱キーエンス**	電機・事務機器	**2,067**(35.2歳)	317
3	**ヒューリック㈱**	不動産	(総)**1,907**(38.7歳)	600
4	**三井物産㈱**	商社・卸売業	**1,900**(42.3歳)	83
5	**伊藤忠商事㈱**	商社・卸売業	(総)**1,823**(41.0歳)	82
6	**住友商事㈱**	商社・卸売業	(総)**1,809**(41.0歳)	84
7	**伊藤忠丸紅鉄鋼㈱**	商社・卸売業	(総)**1,808**(*40.3歳)	86
8	**㈱商船三井**	海運・空運	(総)**1,741**(37.0歳)	691
9	**㈱ディスコ**	電子部品・機器	(総)**1,716**(39.9歳)	352
10	**丸紅㈱**	商社・卸売業	**1,655**(42.4歳)	84
11	**レーザーテック㈱**	電子部品・機器	(総)**1,638**(*39.9歳)	353
12	**飯野海運㈱**	海運・空運	(総)**1,524**(37.9歳)	692
13	**ファナック㈱**	機械	(総)**1,502**(42.1歳)	424
14	**日本郵船㈱**	海運・空運	(総)**1,443**(38.2歳)	690
15	**川崎汽船㈱**	海運・空運	(総)**1,429**(39.0歳)	691
16	**住友不動産㈱**	不動産	(総)**1,412**(45.0歳)	599
17	**東京エレクトロン㈱**	電子部品・機器	(総)**1,394**(*43.7歳)	350
18	**東京建物㈱**	不動産	(総)**1,348**(39.7歳)	601
19	**日鉄興和不動産㈱**	不動産	(総)**1,333**(43.2歳)	602
20	**長瀬産業㈱**	商社・卸売業	(総)**1,296**(41.3歳)	105
21	**三井不動産㈱**	不動産	**1,289**(40.3歳)	597
22	**三菱地所㈱**	不動産	**1,273**(42.1歳)	598
23	**㈱野村総合研究所**	シンクタンク	**1,271**(40.2歳)	140
24	**森トラスト㈱**	不動産	(総)**1,270**(37.4歳)	603
25	**鹿島**	建設	(総)**1,256**(43.5歳)	554
26	**日本製鉄㈱**	鉄鋼	(総)**1,251**(*39.9歳)	527
27	**双日㈱**	商社・卸売業	**1,245**(41.4歳)	85
28	**三井不動産レジデンシャル㈱**	住宅・マンション	(総)**1,219**(NA)	593
29	**日鉄物産㈱**	商社・卸売業	(総)**1,203**(43.6歳)	87
30	**ＪＦＥ商事㈱**	商社・卸売業	(総)**1,202**(*38.4歳)	88
31	**㈱日本経済新聞社**	新聞	**1,199**(45.5歳)	289
32	**中外製薬㈱**	医薬品	(総)**1,198**(42.7歳)	473
33	**野村不動産㈱**	不動産	(総)**1,185**(40.9歳)	600
34	**日鉄エンジニアリング㈱**	建設	(総)**1,167**(43.3歳)	573
35	**森ビル㈱**	不動産	(総)**1,161**(*43.1歳)	602
36	**日本オラクル㈱**	システム・ソフト	◇**1,160**(44.2歳)	164
37	**㈱朝日新聞社**	新聞	(総)**1,148**(46.8歳)	290
38	**㈱ファーストリテイリング**	その他小売業	◇**1,147**(38.3歳)	653
39	**佐藤商事㈱**	商社・卸売業	(総)**1,144**(44.2歳)	91
39	**㈱サンケイビル**	不動産	**1,144**(43.5歳)	604
41	**ＮＳユナイテッド海運㈱**	海運・空運	**1,143**(40.2歳)	692
42	**神鋼商事㈱**	商社・卸売業	(総)**1,140**(39.6歳)	89
43	**㈱電通総研**	システム・ソフト	(総)**1,134**(40.6歳)	167
44	**サントリーホールディングス㈱**	食品・水産	(総)**1,133**(*43.1歳)	434
45	**ＡＧＣ㈱**	ガラス・土石	(総)**1,127**(44.7歳)	514
46	**ＣＢＣ㈱**	商社・卸売業	(総)**1,124**(43.0歳)	106
47	**㈱三菱総合研究所**	シンクタンク	(総)**1,120**(41.5歳)	141
48	**大成建設㈱**	建設	(総)**1,117**(42.5歳)	555
48	**㈱ＩＮＰＥＸ**	石油	◇**1,117**(39.7歳)	620
50	**ソニーグループ㈱**	電機・事務機器	(総)**1,113**(42.4歳)	306

ranking

順位	社名	業種名	平均年収	掲載ページ
51	アステラス製薬㈱	医薬品	(総)1,110(42.7歳)	473
52	アストモスエネルギー㈱	電力・ガス	(総)1,107(41.1歳)	615
53	東京エレクトロンデバイス㈱	商社・卸売業	(総)1,105(44.2歳)	102
54	岡谷鋼機㈱	商社・卸売業	(総)1,100(40.6歳)	89
55	オリックス㈱	信販・カード・リース他	(総)1,098(42.6歳)	258
56	三菱オブリ㈱	商社・卸売業	(総)1,096(44.7歳)	128
57	㈱西武ホールディングス	鉄道	(総)1,088(41.8歳)	711
58	野村證券㈱	証券	1,087(42.9歳)	238
59	日本曹達㈱	化学	(総)1,086(44.2歳)	505
60	住友金属鉱山㈱	非鉄	(総)1,084(42.3歳)	535
61	㈱オービック	システム・ソフト	(総)1,078(36.1歳)	170
62	稲畑産業㈱	商社・卸売業	(総)1,077(41.5歳)	105
62	㈱竹中工務店	建設	(総)1,077(43.3歳)	556
64	伊藤忠テクノソリューションズ㈱	システム・ソフト	(総)1,076(40.6歳)	158
65	SMC㈱	機械	(総)1,075(46.0歳)	414
66	みずほリース㈱	信販・カード・リース他	(総)1,074(43.0歳)	260
67	㈱建設技術研究所	コンサルティング	(総)1,073(39.2歳)	145
68	味の素㈱	食品・水産	◇1,072(44.5歳)	441
69	伯東㈱	商社・卸売業	(総)1,070(44.3歳)	103
69	JFEスチール㈱	鉄鋼	(総)1,070(*42.2歳)	527
71	三井化学㈱	化学	(総)1,068(45.0歳)	486
71	㈱大気社	建設	(総)1,068(42.5歳)	579
73	㈱日本取引所グループ	証券	(総)1,067(47.0歳)	240
74	日本紙パルプ商事㈱	商社・卸売業	(総)1,066(*45.6歳)	119
74	㈱大林組	建設	(総)1,066(42.6歳)	554
76	エーザイ㈱	医薬品	(総)1,053(44.2歳)	474
77	㈱デンソー	自動車部品	(総)1,048(43.3歳)	369
77	㈱クラレ	化学	(総)1,048(39.8歳)	489
77	安藤ハザマ	建設	(総)1,048(43.3歳)	560
80	J－POWER	電力・ガス	(総)1,046(*41.7歳)	610
81	㈱東洋経済新報社	出版	(総)1,043(41.6歳)	297
82	オリンパス㈱	住宅・医療機器他	(総)1,041(43.0歳)	356
83	JFEエンジニアリング㈱	建設	(総)1,040(43.0歳)	572
84	第一実業㈱	商社・卸売業	(総)1,035(39.9歳)	94
84	加賀電子㈱	商社・卸売業	(総)1,035(41.9歳)	101
84	㈱朝日工業社	建設	(総)1,035(44.2歳)	578
87	阪和興業㈱	商社・卸売業	(総)1,034(38.8歳)	86
87	伊藤忠エネクス㈱	商社・卸売業	(総)1,034(41.1歳)	127
87	カワサキモータース㈱	輸送用機器	(総)1,034(41.8歳)	366
90	蝶理㈱	商社・卸売業	(総)1,033(39.6歳)	124
91	東洋エンジニアリング㈱	建設	(総)1,032(40.0歳)	574
92	㈱構造計画研究所	システム・ソフト	(総)1,031(41.7歳)	192
93	㈱ヤクルト本社	食品・水産	(総)1,030(42.9歳)	437
93	東宝㈱	レジャー	(総)1,030(39.0歳)	688
95	高砂熱学工業㈱	建設	(総)1,028(42.2歳)	578
96	JA三井リース㈱	信販・カード・リース他	(総)1,025(43.9歳)	261
96	スカパーJSAT㈱	メディア・映像・音楽	(総)1,025(43.7歳)	300
96	千代田化工建設㈱	建設	(総)1,025(41.0歳)	573
99	日本電信電話㈱	通信サービス	(総)1,024(41.9歳)	150
99	東急㈱	鉄道	(総)1,024(41.0歳)	710

※本編項目「平均年収」より作成。ただし、条件付回答データは除く。カッコ内は平均年齢。単位：万円。
(総)は総合職ベース、◇は『会社四季報』からの引用または現業者含むベース。

★ 有休取得ベスト100 ★

順位	社名	業種名	有休取得	掲載ページ
1	東日本高速道路㈱	その他サービス	26.0	720
2	東武鉄道㈱	鉄道	25.1	711
3	(一財)関東電気保安協会	その他サービス	22.2	725
4	パナソニック インフォメーションシステムズ㈱	システム・ソフト	21.5	168
5	トヨタモビリティパーツ㈱	商社・卸売業	21.4	132
6	ENEOS㈱	石油	21.2	618
7	住友生命保険(相)	生保	21.1	246
8	京阪電気鉄道㈱	鉄道	21.0	718
9	コマツ	機械	20.9	406
10	横河電機㈱	電子部品・機器	20.8	350
11	トヨタ車体㈱	自動車部品	20.7	366
12	ダイキン工業㈱	機械	20.6	405
13	㈱クボタ	機械	20.3	401
14	SOMPOひまわり生命保険㈱	生保	20.2	252
14	アジレント・テクノロジー㈱	電機・事務機器	20.2	325
16	東京地下鉄㈱	鉄道	20.1	713
17	㈱エイチワン	自動車部品	20.0	383
18	三井住友信託銀行㈱	銀行	19.8	203
18	テイ・エス テック㈱	自動車部品	19.8	374
18	カナデビア㈱	機械	19.8	428
18	AGC㈱	ガラス・土石	19.8	514
22	三菱UFJニコス㈱	信販・カード・リース他	19.7	266
22	ダイハツ九州㈱	自動車部品	19.7	367
22	㈱小田急百貨店	デパート	19.7	626
25	大阪市高速電気軌道㈱	鉄道	19.6	718
26	SMBC日興証券㈱	証券	19.5	239
26	日立建機㈱	機械	19.5	402
28	日野自動車㈱	自動車	19.4	364
28	㈱三井E&S	輸送用機器	19.4	395
28	JFEエンジニアリング㈱	建設	19.4	572
28	関西電力㈱	電力・ガス	19.4	611
32	㈱ゆうちょ銀行	銀行	19.3	201
32	㈱デンソー	自動車部品	19.3	369
32	日本発条㈱	自動車部品	19.3	386
32	ジャパン マリンユナイテッド㈱	輸送用機器	19.3	396
32	中国電力ネットワーク㈱	電力・ガス	19.3	612
37	住友電気工業㈱	非鉄	19.2	532
38	損害保険ジャパン㈱	損保	19.0	253
38	三井住友海上火災保険㈱	損保	19.0	254
38	キオクシア㈱	電子部品・機器	19.0	329
38	㈱アドバンテスト	電子部品・機器	19.0	351
38	日産自動車㈱	自動車	19.0	361
38	東亞合成㈱	化学	19.0	505
38	沖縄電力㈱	電力・ガス	19.0	613
45	㈱かんぽ生命保険	生保	18.9	245
45	NTTファイナンス㈱	信販・カード・リース他	18.9	263
45	三菱電機㈱	電機・事務機器	18.9	304
45	㈱SCREENホールディングス	電子部品・機器	18.9	351
45	㈱豊田自動織機	自動車部品	18.9	370
50	㈱JVCケンウッド	電機・事務機器	18.8	309

順位	社名	業種名	有休取得	掲載ページ	順位	社名	業種名	有休取得	掲載ページ
50	日本電気硝子㈱	ガラス・土石	18.8	515	76	東京海上日動火災保険㈱	損保	18.3	253
52	㈱大和総研	シンクタンク	18.7	142	76	オムロン㈱	電機・事務機器	18.3	318
52	ＮＴＴ西日本	通信サービス	18.7	153	76	㈱日立パワーソリューションズ	電機・事務機器	18.3	323
52	㈱さくらケーシーエス	システム・ソフト	18.7	187	76	トヨタ自動車東日本㈱	自動車部品	18.3	368
52	豊田鉄工㈱	自動車部品	18.7	380	76	㈱アイシン	自動車部品	18.3	369
52	㈱エフ・シー・シー	自動車部品	18.7	390	76	㈱エフテック	自動車部品	18.3	389
52	東レ㈱	化学	18.7	484	76	サノヤスホールディングス㈱	機械	18.3	423
52	㈱アトレ	不動産	18.7	605	76	ＪＳＲ㈱	化学	18.3	491
52	㈱ファーストリテイリング	その他小売業	18.7	653	76	北海道旅客鉄道㈱	鉄道	18.3	708
60	㈱朝日新聞社	新聞	18.6	290	85	㈱日立ハイテク	商社・卸売業	18.2	96
60	富士電機㈱	電機・事務機器	18.6	317	85	花王グループカスタマーマーケティング㈱	商社・卸売業	18.2	123
60	キヤノンメディカルシステムズ㈱	住宅・医療機器他	18.6	358	85	日本生命保険㈿	生保	18.2	245
60	㈱エクセディ	自動車部品	18.6	389	85	トーア再保険㈱	損保	18.2	255
60	ＴＯＴＯ㈱	その他メーカー	18.6	547	85	フタバ産業㈱	自動車部品	18.2	379
60	㈱ＮＴＴファシリティーズ	建設	18.6	575	85	㈱レゾナック	化学	18.2	486
66	カワサキモータース㈱	輸送用機器	18.5	366	85	三菱ガス化学㈱	化学	18.2	488
66	川崎重工業㈱	機械	18.5	400	85	ＪＦＥスチール㈱	鉄鋼	18.2	527
66	ＪＸ金属㈱	非鉄	18.5	535	85	東京ガス㈱	電力・ガス	18.2	614
66	㈱三越伊勢丹	デパート	18.5	623	85	西日本旅客鉄道㈱	鉄道	18.2	715
66	南海電気鉄道㈱	鉄道	18.5	717	95	㈱日立システムズ	システム・ソフト	18.1	160
66	三菱電機エンジニアリング㈱	その他サービス	18.5	735	95	ウシオ電機㈱	電子部品・機器	18.1	354
72	ＮＴＴコムウェア㈱	システム・ソフト	18.4	163	95	㈱ＳＵＢＡＲＵ	自動車	18.1	362
72	大同生命保険㈱	生保	18.4	249	95	イーグル工業㈱	自動車部品	18.1	378
72	ＮＴＴ・ＴＣリース㈱	信販・カード・リース他	18.4	261	95	ＤＭＧ森精機㈱	機械	18.1	425
72	ヤマハ発動機㈱	輸送用機器	18.4	365	95	レイズネクスト㈱	建設	18.1	574
					95	西武鉄道㈱	鉄道	18.1	708
					95	東日本旅客鉄道㈱	鉄道	18.1	709

※本編項目「有休取得年平均」より作成。ただし、条件付回答データは除く。単位：日。

会社比較372社

学生のための気になるデータくらべ

会社比較 372 社　～学生のための気になるデータくらべ～

業種名	社名	25年4月入社予定(人) 大卒計	修士卒計	初任給(大卒総合職)
商社・卸売業	住友商事(株)	69	36	305,000
	神鋼商事(株)	14	1	270,000
	佐藤商事(株)	16	0	260,000
	ユアサ商事(株)	83	1	268,000
	(株)ミスミ	52	4	279,000
	トラスコ中山(株)	110	0	245,000
	第一実業(株)	32	6	234,000
	(株)日立ハイテク	52	122	255,500
	シークス(株)	13	0	240,000
	(株)ＲＹＯＤＥＮ	20	1	240,000
	サンワテクノス(株)	50	0	239,000
	エプソン販売(株)	24	6	253,000
	(株)カナデン	24	0	260,000
	加賀電子(株)	26	0	250,000
	新光商事(株)	1	0	240,000
	オー・ジー(株)	11	2	260,000
	明和産業(株)	6	0	250,000
	ＪＫホールディングス(株)	64	0	242,000
	(株)サンゲツ	40	1	270,000
	(株)デザインアーク	—	—	224,000
	三菱食品(株)	—	—	250,000

賃金・年収（円・万円）			入社3年後離職率（%）	平均勤続年数（年）	平均残業時間（時間／月）	有休取得実績（日／年）	掲載ページ
30歳賃金（大卒総合職）	平均ボーナス（年）	平均年収					
504,680	903	(総)1,809	3.8	17.1	36.9	14.3	84
372,500	444	(総)1,140	18.2	15.0	(総)27.1	15.3	89
297,700	NA	(総)1,144	30.8	13.9	(総)10.7	12.9	91
396,000	266	(総)973	16.9	12.5	(総)14.7	12.1	92
NA	186	(総)732	15.0	7.6	(総)26.9	11.7	93
328,378	167	(総)823	11.4	15.4	(総)20.2	12.2	93
427,680	350	(総)1,035	46.2	12.0	(総)25.1	12.1	94
302,439	283	(総)990	3.0	17.4	(総)26.9	18.2	96
271,266	247	(総)720	38.5	7.8	(総)23.5	12.8	98
(モデル) 409,058	240	(総)759	21.7	17.7	13.3	14.8	98
343,819	312	(総)852	14.3	12.9	(総)21.7	12.9	99
330,494	239	(総)858	0	18.2	(総)14.5	14.5	100
261,622	287	(総)844	28.6	17.3	(総)19.3	12.5	100
(!)422,222	NA	(総)1,035	20.0	14.5	(総)17.3	12.8	101
339,000	331	(総)918	25.0	15.3	(総)25.8	14.9	104
347,000	251	(総)921	12.5	15.1	(総)9.2	13.6	106
(モデル) 375,000	222	(総)874	33.3	17.0	(総)13.4	11.3	107
303,000	139	(総)681	33.3	13.3	(総)14.0	9.6	107
286,200	271	(総)772	24.2	15.7	(総)24.8	12.7	109
258,250	164	(総)638	8.7	14.5	(総)19.0	13.4	110
272,100	220	(総)828	9.9	21.9	(総)31.4	9.6	111

会社比較 372 社　～学生のための気になるデータくらべ～

業種名	社名	25年4月入社予定(人) 大卒計	修士卒計	初任給(大卒総合職)
商社・卸売業	スターゼン㈱	52	1	231,000
	㈱マルイチ産商	28	1	214,000
	横浜冷凍㈱	46	0	(!)245,000
	㈱トーハン	22	0	220,000
	アルフレッサ㈱	66	0	(!)220,000
	花王グループカスタマーマーケティング㈱	14	0	229,200
	興和㈱	61	32	260,000
	蝶理㈱	17	3	265,000
	帝人フロンティア㈱	24	3	252,000
	㈱ＧＳＩクレオス	15	1	240,000
	伊藤忠エネクス㈱	9	4	260,000
	三愛オブリ㈱	20	0	260,000
	ＮＸ商事㈱	80	—	237,900
	郵船商事㈱	4	0	250,500
	鈴与商事㈱	18	0	250,000
	㈱巴商会	43	2	(!)245,500
	丸紅エネルギー㈱	6	0	240,000
	㈱オートバックスセブン	10	1	231,762
	㈱ドウシシャ	50	0	302,670
コンサルティング	ＩＤ＆Ｅグループ	74	106	267,000
通信サービス	ＮＴＴ西日本	97	81	298,990

賃金・年収（円・万円）			入社3年後離職率（%）	平均勤続年数（年）	平均残業時間（時間／月）	有休取得実績（日／年）	掲載ページ
30歳賃金（大卒総合職）	平均ボーナス（年）	平均年収					
244,851	152	(総)654	23.1	14.0	(総)32.2	9.8	115
267,094	185	(総)713	32.0	16.1	(総)32.9	9.7	115
272,700	184	(総)653	32.3	◇12.1	(総)19.4	9.0	117
296,000	123	(総)581	14.8	20.5	(総)9.7	10.1	119
283,000	186	(総)688	14.3	19.9	(総)15.0	10.5	120
293,532	234	(総)722	4.3	21.9	(総)5.3	18.2	123
(モデル) 324,000	235	(総)865	(!)10.7	16.5	(総)3.2	12.1	123
456,000	355	(総)1,033	8.3	13.6	(総)15.8	14.1	124
325,857	314	(総)929	7.1	17.3	(総)9.9	13.7	125
305,100	202	(総)738	0	15.7	10.0	12.4	125
320,444	364	(総)1,034	15.4	17.2	(総)8.0	17.7	127
386,085	332	(総)1,096	23.3	17.8	(総)4.0	11.9	128
301,353	226	(総)793	15.4	21.3	(総)22.0	14.7	128
(!)(モデル) 324,000	NA	(総)743	0	14.7	(総)16.8	17.2	130
297,250	201	(総)720	17.2	14.7	(総)19.8	11.5	131
271,970	NA	(総)733	34.8	16.2	(総)9.6	9.4	131
(!)357,000	312	(総)940	28.6	21.9	(総)18.6	13.0	132
322,255	156	743	10.0	17.2	(総)7.7	9.6	135
541,287	NA	(総)738	33.3	12.9	(総)16.5	10.4	136
294,200	NA	(総)940	10.6	11.5	(総)33.0	11.2	144
372,897	236	(総)887	5.1	20.9	(総)20.6	18.7	153

業種名	社名	25年4月入社予定(人) 大卒計	修士卒計	初任給(大卒総合職)
通信サービス	㈱ティーガイア	26	0	230,000
	インフォコム㈱	22	11	250,000
システム・ソフト	ＮＥＣネッツエスアイ㈱	127	22	254,200
	ＮＥＣソリューションイノベータ㈱	405	172	254,200
	富士ソフト㈱	—	—	234,000
	エフサステクノロジーズ㈱	75	10	264,000
	㈱日立ソリューションズ	145	56	250,000
	㈱トヨタシステムズ	105	41	237,000
	京セラコミュニケーションシステム㈱	82	19	260,000
	都築電気㈱	25	5	250,500
	㈱ＤＴＳ	184	14	238,000
	ＪＦＥシステムズ㈱	70	14	262,000
	㈱シーイーシー	96	1	235,000
	㈱オージス総研	41	15	228,000
	ｔｄｉグループ	63	17	230,000
	ＴＤＣソフト㈱	156	12	250,000
	東芝情報システム㈱	63	20	250,000
	スミセイ情報システム㈱	62	1	225,000
	トーテックアメニティ㈱	171	0	212,000
	㈱ソフトウェア・サービス	150	10	320,000
	㈱ＩＤホールディングス	92	4	226,000

賃金・年収(円・万円)			入社3年後離職率(%)	平均勤続年数(年)	平均残業時間(時間/月)	有休取得実績(日/年)	掲載ページ
30歳賃金(大卒総合職)	平均ボーナス(年)	平均年収					
267,400	116	(総)725	37.5	11.8	(総)13.0	14.2	154
237,000	232	(総)791	0	15.0	(総)16.2	11.8	156
292,558	200	(総)775	8.4	17.9	(総)23.3	14.0	161
306,602	239	(総)759	9.7	17.3	(総)25.2	14.0	162
292,898	143	(総)602	20.6	9.8	(総)24.5	11.2	162
352,870	262	(総)893	34.5	24.1	(総)26.4	14.6	164
300,207	203	(総)905	9.9	19.9	(総)23.6	17.3	165
306,588	210	(総)715	9.8	12.3	(総)25.1	16.1	166
(!)319,655	194	(総)751	13.6	11.7	(総)16.1	16.4	166
281,700	230	(総)946	7.0	18.9	(総)37.8	17.0	168
273,033	138	(総)612	16.5	15.2	(総)22.7	14.7	169
301,776	267	(総)777	12.5	18.0	(総)21.9	16.4	174
(!)281,636	172	(総)632	12.3	15.0	(総)19.1	16.4	175
273,949	262	(総)785	9.8	17.1	(総)22.4	13.9	177
276,166	205	(総)704	27.3	15.4	(総)14.9	15.7	178
(!)304,000	136	(総)622	16.1	11.1	(総)24.6	12.1	179
293,200	194	(総)800	15.6	20.7	(総)24.2	17.9	182
307,800	164	(総)707	5.2	18.5	(総)29.8	16.0	182
248,100	NA	(総)527	30.2	9.0	(総)17.4	13.8	183
403,726	—	(総)541	22.4	8.3	(総)16.5	13.5	184
267,117	109	(総)525	40.0	16.7	(総)15.3	15.9	184

会社比較 372 社 ～学生のための気になるデータくらべ～

業種名	社名	25年4月入社予定(人) 大卒計	修士卒計	初任給(大卒総合職)
システム・ソフト	㈱フォーカスシステムズ	94	2	230,000
	㈱シーエーシー	54	6	235,000
	クオリカ㈱	34	2	237,000
	さくら情報システム㈱	52	0	215,500
	㈱エヌアイデイ	83	6	232,500
	AGS㈱	31	1	235,000
	アイエックス・ナレッジ㈱	63	2	221,000
	㈱ジャステック	103	14	230,000
	ビジネスエンジニアリング㈱	18	5	261,000
	NCS&A㈱	67	1	229,300
	㈱構造計画研究所	5	15	280,000
	サイバーコム㈱	82	4	!202,000
	㈱ハイマックス	43	1	230,000
	㈱東邦システムサイエンス	35	1	225,000
	㈱クロスキャット	55	5	239,000
	㈱SCC	61	0	240,050
	㈱アドービジネスコンサルタント	38	2	226,200
	㈱SI&C	43	4	240,000
	三和コンピュータ㈱	9	0	213,000
銀行	㈱千葉興業銀行	61	0	230,000
	㈱北國フィナンシャルホールディングス	20	1	277,500

賃金・年収 (円・万円)							
30歳賃金 (大卒総合職)	平均ボーナス (年)	平均年収	入社3年後離職率 (%)	平均勤続年数 (年)	平均残業時間 (時間/月)	有休取得実績 (日/年)	掲載ページ
(!)269,045	123	(総)570	23.0	11.4	(総)22.9	11.0	185
381,000	160	(総)627	23.6	14.2	(総)13.9	12.0	186
282,857	202	(総)696	15.6	14.3	(総)16.7	14.4	186
264,100	127	(総)612	26.1	16.6	(総)24.5	15.0	188
251,242	165	(総)569	36.6	14.1	(総)16.3	12.2	188
278,000	164	(総)605	24.2	21.1	(総)18.5	17.7	189
292,168	165	(総)588	17.6	15.3	(総)13.5	14.7	189
(モデル) 264,300	130	(総)524	35.1	12.9	(総)26.4	13.0	190
373,564	NA	(総)785	14.3	11.2	(総)16.5	15.4	191
268,050	NA	(総)723	10.0	17.2	(総)12.1	17.9	192
284,578	286	(総)1,031	14.3	14.6	(総)26.7	15.8	192
246,682	150	(総)505	24.6	10.0	(総)17.5	13.1	193
243,284	151	(総)612	23.3	12.7	23.8	11.3	193
(モデル) 363,740	115	(総)582	36.1	12.4	(総)18.8	8.8	194
272,778	112	(総)546	26.1	11.4	(総)18.7	11.9	194
(モデル) 389,960	167	(総)627	20.6	15.8	(総)20.7	13.5	195
(!)284,800	126	(総)513	25.5	11.0	(総)16.0	14.0	196
266,643	70	(総)557	39.1	7.1	(総)11.2	13.9	196
231,600	118	(総)525	47.1	20.4	(総)15.6	11.0	197
326,128	138	(総)630	10.0	16.4	(総)15.6	14.5	212
314,238	151	(総)691	8.8	16.1	(総)3.5	17.8	216

会社比較 372 社 ～学生のための気になるデータくらべ～

業種名	社名	25年4月入社予定(人) 大卒計	修士卒計	初任給(大卒総合職)
銀行	(株)伊予銀行	156	6	!255,000
	(株)四国銀行	52	0	!215,000
	(株)肥後銀行	108	3	!230,000
政策金融・金庫	(株)日本貿易保険	13	2	240,800
	中央労働金庫	109	0	230,000
証券	東洋証券(株)	42	0	256,000
代理店	(株)アドバンスクリエイト	16	0	243,400
信販・カード・リース他	芙蓉総合リース(株)	48	3	!260,000
	イオンフィナンシャルサービス(株)	113	10	265,000
	アコム(株)	98	1	260,000
出版	(株)東洋経済新報社	3	3	280,030
電機・事務機器	(株)ＪＶＣケンウッド	39	22	250,000
	沖電気工業(株)	78	37	253,000
	(株)安川電機	28	38	250,000
	(株)明電舎	43	27	250,000
	(株)ダイヘン	10	15	250,000
	日東工業(株)	16	2	230,000
	(株)イシダ	90	23	280,000
	日新電機(株)	29	11	250,000
	能美防災(株)	65	6	230,000
	古野電気(株)	16	19	250,500

賃金・年収(円・万円)			入社3年後離職率(%)	平均勤続年数(年)	平均残業時間(時間/月)	有休取得実績(日/年)	掲載ページ
30歳賃金(大卒総合職)	平均ボーナス(年)	平均年収					
(!)322,421	217	(総)794	22.0	15.7	(総)6.1	15.7	228
280,727	88	654	21.3	14.7	(総)10.5	14.5	228
269,357	251	(総)736	4.1	14.9	(総)7.3	15.9	231
338,300	244	(総)969	20.0	7.7	(総)22.2	11.9	234
293,311	191	(総)731	23.6	16.3	(総)17.1	17.0	235
360,678	133	(総)675	60.9	18.1	(総)24.4	9.0	243
299,682	112	(総)631	48.3	6.7	(総)24.3	9.7	257
(モデル)377,300	NA	(総)962	5.3	14.1	(総)17.5	17.7	260
320,853	129	(総)638	15.4	8.1	(総)20.3	14.3	266
300,000	153	(総)715	21.1	15.5	(総)23.3	15.3	269
(モデル)373,350	(!)249	(総)1,043	0	13.4	(総)24.2	12.8	297
318,267	185	(総)784	0	◇24.7	(総)13.1	18.8	309
323,495	173	(総)752	8.2	◇19.6	(総)27.9	13.4	314
318,641	231	(総)924	5.8	18.6	(総)20.4	15.4	318
291,796	216	(総)791	6.8	19.7	(総)24.6	17.0	320
283,305	NA	(総)966	7.9	19.9	(総)25.1	13.3	321
283,556	186	(総)714	3.8	16.6	(総)20.6	13.3	322
343,125	234	(総)787	17.2	15.5	(総)20.7	12.1	322
299,970	180	(総)732	3.3	◇18.2	(総)23.7	17.2	323
258,690	172	(総)646	7.1	◇16.4	(総)21.0	12.4	324
(モデル)343,000	162	(総)731	6.9	15.7	(総)19.6	15.8	324

会社比較 372 社 ～学生のための気になるデータくらべ～

業種名	社名	25年4月入社予定(人) 大卒計	修士卒計	初任給(大卒総合職)
電子部品・機器	ミネベアミツミ(株)	134	112	250,000
	アルプスアルパイン(株)	55	58	250,000
	日東電工(株)	21	82	260,000
	日亜化学工業(株)	68	70	250,000
	ローム(株)	22	121	247,000
	(株)トプコン	4	15	230,000
	(株)三井ハイテック	58	15	247,000
	マブチモーター(株)	20	7	250,000
	フォスター電機(株)	15	7	250,300
	アンリツ(株)	21	14	250,000
	新電元工業(株)	20	14	237,500
	オリエンタルモーター(株)	43	8	255,200
	SMK(株)	10	2	232,000
	(株)アルバック	4	13	224,700
	(株)KOKUSAI ELECTRIC	16	24	268,500
住宅・医療機器他	ホーチキ(株)	81	6	231,000
	アイホン(株)	14	2	230,000
	オリンパス(株)	9	94	236,000
	シスメックス(株)	46	83	250,000
自動車	マツダ(株)	89	119	236,000
自動車部品	ダイハツ九州(株)	8	0	225,560

賃金・年収（円・万円） 30歳賃金（大卒総合職）	平均ボーナス（年）	平均年収	入社3年後離職率（%）	平均勤続年数（年）	平均残業時間（時間／月）	有休取得実績（日／年）	掲載ページ
(!)309,659	229	(総)726	18.8	◇18.4	(総)7.9	14.4	328
310,709	156	(総)737	17.2	◇17.7	(総)18.2	15.3	329
312,062	241	(総)944	9.2	◇12.6	15.3	16.7	330
271,534	NA	(総)757	21.6	15.0	14.1	17.2	330
365,519	227	(総)941	14.7	14.1	(総)18.7	15.2	331
313,000	NA	(総)822	5.6	◇12.4	22.4	11.3	336
290,000	158	(総)642	9.2	14.1	(総)19.6	11.7	337
299,304	192	(総)734	0	18.6	(総)19.4	16.0	339
(!)300,367	150	(総)700	14.3	15.2	(総)10.9	13.5	341
307,850	235	(総)744	2.3	20.3	(総)9.6	16.5	342
307,177	157	(総)753	11.5	17.0	(総)13.5	14.0	343
343,773	276	(総)811	4.4	◇16.4	(総)7.2	14.7	345
333,233	(!)144	(総)720	16.7	20.0	(総)4.9	14.0	347
326,700	173	(総)751	33.3	17.2	(総)22.9	13.3	352
303,200	326	(総)922	4.2	19.6	(総)19.9	17.7	353
294,450	172	(総)758	30.0	◇14.0	(総)23.4	15.3	355
255,983	170	(総)610	0	17.3	(総)18.0	15.1	356
314,183	(!)245	(総)1,041	25.7	14.4	(総)18.9	12.6	356
300,700	289	(総)874	18.3	13.0	(総)20.9	14.3	358
321,152	208	(総)767	6.8	19.0	(総)19.3	17.0	362
279,840	227	(総)709	18.8	13.8	(総)16.4	19.7	367

業種名	社名	25年4月入社予定(人) 大卒計	修士卒計	初任給(大卒総合職)
自動車部品	マザーサンヤチヨ・オートモーティブシステムズ㈱	5	1	217,460
	豊田合成㈱	59	44	254,000
	㈱ブリヂストン	23	44	264,200
	住友ゴム工業㈱	21	21	234,100
	横浜ゴム㈱	28	24	230,600
	㈱タチエス	18	2	204,500
	アイシンシロキ㈱	3	0	220,000
	住友電装㈱	84	36	260,000
	矢崎総業㈱	115	32	240,200
	スタンレー電気㈱	73	27	234,805
	フタバ産業㈱	25	8	254,000
	㈱三五	19	1	254,000
	豊田鉄工㈱	35	3	257,000
	㈱ジーテクト	11	2	240,000
	ユニプレス㈱	17	4	240,000
	太平洋工業㈱	21	0	238,000
	ジヤトコ㈱	46	10	222,000
	日清紡ホールディングス㈱	5	12	240,450
	日本発条㈱	48	26	230,120
	㈱ヨロズ	19	1	225,500
	中央発條㈱	11	4	254,000

賃金・年収 (円・万円)							
30歳賃金 (大卒総合職)	平均ボーナス (年)	平均年収	入社3年後離職率(%)	平均勤続年数 (年)	平均残業時間 (時間/月)	有休取得実績 (日/年)	掲載ページ
289,885	85	[総]606	23.8	◇22.0	[総]15.0	18.0	368
308,300	186	[総]799	10.0	◇19.5	[総]14.8	17.9	370
(モデル) 340,100	262	[総]1,004	4.3	16.5	[総]12.7	18.0	372
[!]296,500	204	[総]784	11.8	13.2	[総]22.7	16.9	372
(モデル) 329,700	154	[総]750	15.4	17.9	[総]21.2	13.3	373
260,177	109	[総]644	0	15.2	17.8	13.0	375
276,000	168	[総]687	50.0	20.7	[総]22.5	16.3	375
326,000	187	[総]759	9.2	16.9	[総]20.0	17.0	377
267,186	136	[総]775	13.9	◇18.6	[総]12.7	14.8	377
273,174	194	[総]710	12.1	◇16.3	[総]27.5	12.1	379
290,992	167	[総]646	9.7	14.4	[総]19.1	18.2	379
269,601	169	[総]676	7.7	17.8	[総]27.2	17.2	380
[!]310,800	253	[総]794	12.1	16.7	[総]31.8	18.7	380
281,000	181	[総]666	35.7	17.8	[総]22.5	15.5	381
292,273	143	[総]653	22.0	19.7	[総]19.7	18.0	382
278,030	215	[総]663	27.8	15.7	[総]19.1	14.5	383
293,800	184	[総]771	0	19.3	[総]22.8	16.8	385
337,350	NA	[総]772	13.0	◇20.0	[総]9.5	13.0	385
300,900	194	[総]782	17.6	15.1	[総]25.7	19.3	386
255,736	152	[総]626	50.0	11.6	[総]19.6	14.0	386
287,546	198	[総]693	12.5	21.5	[総]28.4	13.1	387

会社比較 372 社　～学生のための気になるデータくらべ～

業種名	社名	25年4月入社予定(人)		初任給(大卒総合職)
		大卒計	修士卒計	
自動車部品	武蔵精密工業㈱	12	6	250,000
	㈱エクセディ	2	1	238,000
	㈱エフテック	8	0	210,370
	㈱エフ・シー・シー	8	1	224,600
	バンドー化学㈱	23	10	260,800
	三ツ星ベルト㈱	21	6	254,600
	ダイキョーニシカワ㈱	26	3	213,600
	リョービ㈱	29	4	230,000
	ＴＰＲ㈱	6	1	240,000
輸送用機器	ジャパン　マリンユナイテッド㈱	15	17	229,000
	㈱名村造船所	13	2	225,000
	極東開発工業㈱	8	3	227,500
	㈱モリタホールディングス	10	5	240,930
機械	㈱クボタ	88	200	274,000
	ダイキン工業㈱	150	217	280,000
	ホシザキ㈱	11	3	235,600
	㈱富士通ゼネラル	26	12	250,000
	㈱キッツ	15	4	230,000
	アマノ㈱	46	4	240,000
	㈱東光高岳	25	11	242,000
	中外炉工業㈱	6	5	251,500

賃金・年収（円・万円）							
30歳賃金（大卒総合職）	平均ボーナス（年）	平均年収	入社3年後離職率（%）	平均勤続年数（年）	平均残業時間（時間／月）	有休取得実績（日／年）	掲載ページ
296,428	155	(総)652	15.4	◇16.6	(総)21.5	15.4	388
(モデル)303,000	177	(総)647	18.2	16.1	(総)11.6	18.6	389
250,934	141	(総)593	0	◇18.4	(総)9.4	18.3	389
268,639	220	(総)735	45.0	◇20.0	(総)10.0	18.7	390
266,600	160	(総)677	16.0	◇16.1	21.0	14.1	391
277,000	210	(総)696	13.6	◇18.0	(総)16.3	13.2	392
264,000	130	(総)534	17.4	15.0	(総)19.0	15.0	393
286,659	189	(総)701	7.1	19.1	(総)18.6	13.4	393
330,870	179	(総)737	0	◇20.1	(総)16.4	16.6	394
336,875	203	(総)742	0	9.2	(総)9.4	19.3	396
269,200	124	(総)576	20.0	◇17.9	(総)28.2	16.5	396
267,786	160	(総)714	20.7	◇16.8	(総)28.3	13.6	397
257,875	156	(総)691	14.3	12.3	(総)12.9	12.8	398
340,000	204	(総)911	8.0	13.7	(総)23.1	20.3	401
(!)372,000	225	(総)912	5.3	◇16.3	(総)17.7	20.6	405
(!)275,846	(!)249	(総)751	0	◇17.8	(総)18.5	14.8	406
(モデル)327,400	157	(総)722	12.0	17.7	(総)17.3	15.7	407
290,736	189	(総)684	13.8	14.0	(総)13.5	11.6	407
277,000	191	(総)745	14.3	19.3	(総)13.7	9.7	408
285,494	138	(総)657	15.2	◇19.0	(総)18.3	16.2	409
280,600	189	(総)866	0	16.6	(総)28.5	11.3	409

会社比較 372 社 ～学生のための気になるデータくらべ～

業種名	社名	25年4月入社予定(人) 大卒計	修士卒計	初任給(大卒総合職)
機械	㈱ジェイテクト	55	28	254,000
	SMC㈱	46	49	255,500
	㈱ダイフク	45	43	256,000
	ナブテスコ㈱	18	13	250,200
	㈱椿本チエイン	27	12	258,000
	オーエスジー㈱	10	5	220,710
	㈱FUJI	15	16	248,000
	JUKI㈱	7	2	235,000
	三木プーリ㈱	5	0	212,600
	DMG森精機㈱	16	19	300,000
	㈱アマダ	30	7	242,200
	㈱荏原製作所	94	85	239,000
	栗田工業㈱	9	16	250,000
	三浦工業㈱	92	15	242,100
	オルガノ㈱	16	30	269,000
	㈱タクマ	13	8	242,180
食品・水産	アサヒビール㈱	67	21	273,000
	サッポロビール㈱	13	10	245,000
	宝ホールディングス㈱	27	18	240,590
	ダイドードリンコ㈱	6	0	222,000
	味の素AGF㈱	12	8	229,000

賃金・年収(円・万円)			辞表				
30歳賃金(大卒総合職)	平均ボーナス(年)	平均年収	入社3年後離職率(%)	平均勤続年数(年)	平均残業時間(時間/月)	有休取得実績(日/年)	掲載ページ
313,443	177	(総)692	(!)12.7	◇17.4	(総)20.2	14.9	410
400,800	266	(総)1,075	10.1	◇19.9	(総)11.7	15.3	414
302,503	NA	(総)776	15.9	15.3	(総)19.5	13.8	415
286,464	196	(総)732	4.2	17.1	(総)24.4	16.4	417
NA	144	(総)700	2.9	◇16.5	(総)9.4	15.6	417
254,182	233	(総)725	18.9	18.4	(総)15.0	15.7	418
326,344	204	(総)824	2.6	◇19.5	(総)19.4	17.7	420
265,858	NA	(総)587	—	◇19.5	(総)9.0	13.2	422
270,766	161	(総)632	0	◇19.0	(総)13.6	13.5	424
418,333	107	(総)892	16.7	◇17.3	(総)21.8	18.1	425
303,548	216	(総)770	12.5	17.6	(総)15.1	13.7	425
(モデル) 285,485	302	(総)908	16.2	◇15.8	(総)28.3	17.0	427
(モデル) 328,800	190	(総)958	6.7	17.4	(総)27.7	12.7	428
(モデル) 377,100	NA	(総)792	13.8	14.1	(総)28.5	13.7	429
(!)(モデル) 362,970	254	(総)936	6.1	16.6	(総)28.6	11.7	430
(!)(モデル) 418,000	190	(総)905	12.0	14.6	(総)30.9	10.5	430
330,499	NA	(総)950	10.2	◇19.0	(総)23.9	9.2	434
341,000	224	(総)882	20.8	18.0	(総)17.0	15.0	435
(モデル) 276,580	NA	(総)743	(!)7.1	22.5	(総)11.1	12.5	436
368,489	164	(総)710	15.8	20.3	(総)27.2	11.2	438
325,333	228	(総)834	12.5	16.6	(総)31.9	14.6	439

会社比較 372 社　～学生のための気になるデータくらべ～

業種名	社名	25年4月入社予定(人) 大卒計	修士卒計	初任給(大卒総合職)
食品・水産	ハウス食品㈱	23	25	227,900
	カゴメ㈱	24	12	227,500
	理研ビタミン㈱	20	12	235,150
	昭和産業㈱	18	14	228,000
	山崎製パン㈱	325	26	254,100
	敷島製パン㈱	56	4	237,400
	㈱ＹＫベーキングカンパニー	24	3	222,800
	マルハニチロ㈱	77	24	261,000
印刷・紙パルプ	共同印刷㈱	29	4	240,000
化粧品・トイレタリー	㈱ミルボン	36	4	240,600
	花王㈱	46	97	240,000
医薬品	ロート製薬㈱	22	13	240,000
	日本ケミファ㈱	0	2	223,000
化学	三菱ケミカル㈱	26	62	260,000
	三井化学㈱	18	93	256,000
	㈱クラレ	21	56	270,000
	㈱ダイセル	7	28	250,000
	ＵＢＥ㈱	13	23	258,000
	㈱ＡＤＥＫＡ	15	38	237,190
	㈱トクヤマ	11	27	264,000
	住友ベークライト㈱	11	21	242,530

賃金・年収（円・万円）			辞表				
30歳賃金（大卒総合職）	平均ボーナス（年）	平均年収	入社3年後離職率（%）	平均勤続年数（年）	平均残業時間（時間/月）	有休取得実績（日/年）	掲載ページ
302,223	234	(総)813	5.9	◇18.8	(総)21.2	11.9	444
320,300	288	(総)956	4.3	◇16.7	(総)11.2	14.2	445
296,813	250	(総)772	9.1	◇16.0	(総)8.4	14.9	450
(モデル) 289,000	NA	(総)797	10.8	◇16.5	(総)10.3	12.3	458
333,000	121	(総)706	29.4	◇15.3	(総)21.1	13.4	458
271,116	139	(総)565	24.2	17.9	(総)23.0	12.8	459
255,151	63	(総)601	ND	21.7	30.7	8.9	459
284,988	263	(総)759	8.6	16.2	(総)18.8	14.0	460
(!)269,172	127	(総)627	0	◇16.2	(総)18.2	12.4	465
297,427	236	(総)831	17.1	12.5	(総)26.5	11.5	470
314,671	274	(総)866	2.5	17.7	(総)11.9	16.0	470
341,713	NA	(総)947	3.8	15.8	(総)13.3	14.4	476
280,412	136	(総)621	6.3	15.5	(総)5.0	11.6	482
344,300	132	(総)851	10.2	◇19.7	19.4	17.5	483
373,000	176	(総)1,068	9.0	◇16.2	(総)19.0	17.3	486
369,900	199	(総)1,048	0	17.9	13.8	17.3	489
333,300	184	(総)814	3.3	◇16.1	(総)20.1	16.3	490
339,183	167	(総)952	6.1	◇16.0	(総)18.5	17.4	490
(モデル) 360,470	164	(総)719	8.6	◇16.8	(総)13.4	13.7	492
(モデル) 359,092	(!)149	(総)790	6.8	◇17.0	(総)15.5	15.9	493
(!)311,996	(!)342	(総)911	0	◇23.3	(総)(!)12.0	(!)14.7	494

会社比較 372 社　～学生のための気になるデータくらべ～

業種名	社名	25年4月入社予定(人) 大卒計	修士卒計	初任給(大卒総合職)
化学	リンテック(株)	19	27	236,400
	(株)エフピコ	41	4	238,100
	日本化薬(株)	12	29	238,000
	東京応化工業(株)	9	24	230,600
	三洋化成工業(株)	4	6	255,500
	タキロンシーアイ(株)	6	8	240,000
	藤倉化成(株)	0	2	213,000
	ニチバン(株)	7	8	221,950
	エア・ウォーター(株)	37	51	260,000
	日産化学(株)	11	30	266,600
	高砂香料工業(株)	14	13	221,000
	(株)クレハ	6	16	251,500
	日本曹達(株)	4	15	253,700
	日本パーカライジング(株)	9	11	239,210
	日本農薬(株)	4	11	251,200
	荒川化学工業(株)	3	8	235,000
	日本ペイントホールディングス(株)	9	17	257,320
	サカタインクス(株)	8	11	247,100
衣料・繊維	クラボウ	8	11	253,100
	セーレン(株)	33	12	277,000
	グンゼ(株)	23	12	240,000

賃金・年収 (円・万円)							
30歳賃金 (大卒総合職)	平均ボーナス (年)	平均年収	入社3年後離職率 (%)	平均勤続年数 (年)	平均残業時間 (時間/月)	有休取得実績 (日/年)	掲載ページ
321,738	149	(総)793	17.1	◇19.8	(総)17.1	15.0	494
299,092	204	(総)802	8.8	16.0	(総)10.0	11.7	495
335,000	(!)161	(総)749	9.7	◇15.1	(総)11.2	13.3	496
302,024	155	(総)994	10.6	◇17.5	(総)22.6	15.1	497
330,121	187	(総)750	19.6	◇17.8	(総)5.5	13.5	498
(!)266,123	161	(総)732	0	◇19.7	(総)10.1	16.7	498
240,187	(!)152	(総)678	16.7	◇16.6	(総)12.9	16.3	500
(モデル) 321,750	198	(総)688	0	◇16.8	(総)6.7	12.6	501
273,247	241	(総)877	14.3	11.9	(総)14.8	12.1	502
(モデル) 356,100	(!)200	(総)1,010	7.5	◇15.7	(総)19.4	16.2	503
(!)271,600	(!)186	(総)824	10.5	◇17.5	9.4	16.0	504
(モデル) 339,200	180	(総)907	12.9	19.6	(総)13.6	16.1	504
302,900	478	(総)1,086	0	◇20.0	(総)10.8	16.6	505
295,867	274	(総)749	20.0	◇16.8	(総)12.5	13.0	506
(!)(モデル) 322,400	175	(総)774	0	15.0	(総)13.6	12.8	506
302,850	(!)113	(総)752	13.3	◇18.0	(総)9.6	16.7	507
391,783	233	(総)842	(!)7.4	9.3	(総)20.5	13.1	507
(モデル) 281,800	167	(総)784	8.7	◇18.5	(総)18.3	12.3	509
302,310	185	(総)705	10.0	19.1	(総)11.9	14.6	510
(!)319,000	176	(総)662	25.0	◇18.7	(総)1.7	10.3	511
304,000	183	(総)740	18.8	19.9	6.0	14.9	511

会社比較 372 社 ～学生のための気になるデータくらべ～

業種名	社名	25年4月 入社予定(人) 大卒計	修士卒計	初任給 (大卒総合職)
衣料・繊維	岡本㈱	17	0	226,100
	㈱三陽商会	7	0	235,000
	クロスプラス㈱	26	0	240,000
ガラス・土石	UBE三菱セメント㈱	10	10	267,000
	日本特殊陶業㈱	13	17	244,000
	日本ガイシ㈱	33	94	263,000
	ニチアス㈱	24	30	253,000
	日本コークス工業㈱	7	2	242,100
金属製品	㈱SUMCO	9	22	250,000
	三和シヤッター工業㈱	70	2	234,200
	文化シヤッター㈱	37	1	236,000
	アルインコ㈱	17	0	276,700
鉄鋼	㈱神戸製鋼所	54	72	257,060
	合同製鐵㈱	3	1	270,000
	㈱プロテリアル	2	17	250,600
	大同特殊鋼㈱	16	20	242,000
	山陽特殊製鋼㈱	9	9	243,000
	愛知製鋼㈱	6	11	254,000
	㈱栗本鐵工所	15	7	250,000
非鉄	SWCC㈱	4	11	241,000
	DOWAホールディングス㈱	22	46	254,000

賃金・年収（円・万円）			辞表				
30歳賃金（大卒総合職）	平均ボーナス（年）	平均年収	入社3年後離職率（%）	平均勤続年数（年）	平均残業時間（時間／月）	有休取得実績（日／年）	掲載ページ
254,800	175	(総)534	22.2	14.8	(総)9.6	12.0	512
310,900	150	(総)766	—	16.7	(総)16.7	12.2	513
268,000	132	(総)540	28.6	16.1	(総)5.9	12.0	514
338,000	159	(総)767	ND	19.2	(総)19.7	18.0	517
304,254	357	(総)902	13.1	17.5	(総)19.0	16.4	518
348,176	201	(総)892	3.7	15.0	(総)21.6	14.1	519
(モデル)367,100	215	(総)823	20.7	14.2	(総)14.9	14.9	520
284,317	174	(総)685	33.3	◇16.7	(総)11.3	15.2	522
323,680	220	(総)873	3.4	13.7	(総)13.9	16.1	524
278,500	171	(総)778	17.3	14.0	(総)37.2	9.3	525
269,418	163	(総)717	7.4	◇16.1	(総)22.8	12.8	526
(!)317,958	135	(総)711	7.1	◇14.0	(総)14.8	10.5	526
362,500	375	(総)988	(!)10.7	15.8	(総)18.9	16.5	528
334,000	318	831	14.3	17.4	(総)21.3	14.0	528
322,000	(!)144	(総)903	7.8	◇19.9	(総)22.6	15.4	529
345,250	363	(総)934	18.9	16.8	(総)27.7	13.5	529
NA	182	(総)890	19.0	19.8	(総)16.7	15.1	530
321,749	(!)227	(総)800	6.5	◇18.2	(総)14.1	15.8	530
308,718	190	(総)891	13.8	◇21.1	(総)15.9	15.9	532
339,201	145	(総)716	0	16.8	17.0	15.5	534
300,808	299	(総)918	6.1	15.8	(総)19.4	16.1	536

会社比較 372 社 ～学生のための気になるデータくらべ～

業種名	社名	25年4月入社予定(人) 大卒計	修士卒計	初任給(大卒総合職)
非鉄	三井金属	10	33	254,000
	日鉄鉱業㈱	11	8	253,000
	日本軽金属㈱	24	18	241,000
その他メーカー	ピジョン㈱	10	1	265,000
	㈱河合楽器製作所	35	7	221,000
	フランスベッド㈱	55	0	207,700
	大建工業㈱	38	6	250,000
	㈱ウッドワン	22	0	225,000
	㈱パロマ	8	0	230,450
	リンナイ㈱	84	14	235,000
	タカラスタンダード㈱	94	7	230,000
建設	大成建設㈱	256	150	(!)280,000
	㈱竹中工務店	126	124	280,000
	前田建設工業㈱	73	25	261,000
	三井住友建設㈱	66	17	265,000
	㈱熊谷組	72	21	265,000
	㈱奥村組	116	21	260,000
	東急建設㈱	66	25	265,000
	㈱鴻池組	78	14	260,000
	㈱福田組	16	2	230,000
	佐藤工業㈱	34	8	265,000

賃金・年収 (円・万円)			入社3年後離職率(%)	平均勤続年数(年)	平均残業時間(時間/月)	有休取得実績(日/年)	掲載ページ
30歳賃金(大卒総合職)	平均ボーナス(年)	平均年収					
333,575	(!)182	(総)983	23.1	◇14.4	(総)18.6	15.1	536
411,500	170	(総)949	20.0	◇17.1	(総)9.3	12.7	537
321,137	130	(総)725	11.4	◇15.8	(総)20.7	15.4	539
360,420	201	(総)807	12.5	15.5	(総)5.3	14.8	542
272,589	NA	(総)790	22.2	◇20.1	8.2	10.4	544
281,274	185	(総)664	6.1	15.9	(総)13.9	8.1	545
283,732	181	(総)730	20.7	◇18.6	(総)11.2	12.2	545
228,080	86	(総)548	26.9	16.4	(総)19.6	11.4	546
352,807	NA	(総)750	15.4	16.3	(総)6.9	14.0	546
300,936	187	(総)792	14.3	◇18.8	(総)24.0	12.4	547
365,360	142	(総)711	22.8	15.6	(総)14.3	12.5	548
(!)416,400	322	(総)1,117	9.6	17.9	(総)37.2	14.7	555
(モデル) 426,000	261	(総)1,077	1.6	18.5	(総)31.2	13.0	556
358,066	258	(総)1,002	5.4	17.4	(総)19.2	15.0	557
405,000	268	(総)930	10.3	20.9	(総)23.8	11.3	558
NA	215	(総)879	15.6	18.9	(総)21.5	11.3	559
406,000	NA	(総)983	19.3	15.8	(総)26.1	9.9	560
397,000	192	(総)852	7.5	18.7	(総)29.6	11.6	561
350,000	NA	(総)915	14.7	18.7	(総)31.7	13.6	561
NA	175	(総)713	15.6	◇18.0	(総)34.6	9.8	562
326,900	179	(総)860	20.3	16.5	(総)28.7	11.4	563

会社比較 372 社 ～学生のための気になるデータくらべ～

業種名	社名	25年4月入社予定(人) 大卒計	修士卒計	初任給(大卒総合職)
建設	ピーエス・コンストラクション㈱	45	0	270,000
	㈱錢高組	17	6	270,000
	松井建設㈱	24	2	265,000
	五洋建設㈱	154	34	280,000
	東亜建設工業㈱	64	10	280,000
	東洋建設㈱	73	11	270,000
	㈱横河ブリッジホールディングス	36	22	257,500
	㈱ＮＩＰＰＯ	55	4	270,000
	前田道路㈱	51	3	260,000
	日本道路㈱	29	0	260,000
	大成ロテック㈱	40	0	250,000
	大林道路㈱	41	2	255,200
	世紀東急工業㈱	30	2	245,000
	ＪＦＥエンジニアリング㈱	46	62	265,000
	東洋エンジニアリング㈱	13	46	237,900
	新菱冷熱工業㈱	70	8	280,000
	三機工業㈱	70	11	280,000
	三建設備工業㈱	37	2	270,000
	㈱朝日工業社	40	1	280,000
	高砂熱学工業㈱	102	24	270,000
	㈱大気社	84	16	243,000

賃金・年収 (円・万円)			辞表				
30歳賃金 (大卒総合職)	平均ボーナス (年)	平均年収	入社3年後離職率 (%)	平均勤続年数 (年)	平均残業時間 (時間/月)	有休取得実績 (日/年)	掲載ページ
333,000	268	(総)939	22.6	18.8	(総)27.0	12.1	563
311,156	211	(総)825	31.4	16.5	(総)31.3	12.0	564
304,088	210	(総)831	13.8	19.3	(総)24.0	10.5	565
(モデル) 347,900	(!)230	(総)932	12.7	17.0	(総)15.5	11.7	565
(!)(モデル) 339,740	212	(総)920	15.1	18.8	(総)31.5	10.2	566
344,300	251	(総)877	22.8	17.9	(総)31.0	9.5	566
327,367	261	(総)924	9.2	15.5	(総)21.8	11.8	567
354,053	298	(総)988	15.9	17.7	(総)28.8	13.3	568
337,194	287	(総)1,013	18.0	17.1	(総)32.2	11.1	569
(モデル) 339,100	182	(総)847	30.0	◇14.4	(総)27.2	13.2	569
331,200	(!)237	(総)873	13.2	17.0	(総)41.5	10.0	570
341,433	198	(総)842	22.6	◇18.1	(総)27.1	12.4	571
302,800	230	(総)840	(!)19.5	◇13.6	(総)33.4	14.0	571
NA	370	(総)1,040	4.0	15.8	(総)26.4	19.4	572
337,367	272	(総)1,032	7.1	15.9	(総)19.8	12.5	574
325,257	361	(総)1,007	11.1	18.7	(総)33.6	17.6	576
311,765	360	(総)967	17.4	◇17.9	(総)32.6	12.7	576
327,000	228	(総)836	23.6	17.3	(総)28.3	12.0	577
324,300	405	(総)1,035	15.6	19.7	(総)36.0	12.1	578
(モデル) 307,000	296	(総)1,028	7.1	15.5	(総)37.2	13.2	578
283,952	NA	(総)1,068	14.9	15.9	(総)22.2	12.2	579

会社比較 372 社 ～学生のための気になるデータくらべ～

業種名	社名	25年4月入社予定(人) 大卒計	修士卒計	初任給(大卒総合職)
建設	ダイダン(株)	100	6	270,000
	新日本空調(株)	42	5	265,000
	東洋熱工業(株)	49	1	256,000
	エクシオグループ(株)	35	2	232,200
	(株)ミライト・ワン	114	2	232,200
	日本コムシス(株)	74	4	232,200
	日本電設工業(株)	110	0	230,930
	(株)HEXEL Works	16	0	225,000
	(株)トーエネック	—	—	240,000
	大和リース(株)	52	2	246,000
住宅・マンション	大和ハウス工業(株)	—	—	250,000
	大東建託(株)	263	6	240,000
	ミサワホーム(株)	70	3	230,000
	トヨタホーム(株)	6	2	231,000
	穴吹興産(株)	39	0	273,600
電力・ガス	アストモスエネルギー(株)	9	1	248,580
石油	コスモ石油(株)	18	13	306,050
デパート	(株)三越伊勢丹	48	1	250,000
	(株)丸井グループ	37	4	272,000
	(株)そごう・西武	40	0	238,000
コンビニ	(株)ファミリーマート	91	3	245,000

賃金・年収 (円・万円) 30歳賃金 (大卒総合職)	平均ボーナス (年)	平均年収	入社3年後離職率(%)	平均勤続年数 (年)	平均残業時間 (時間/月)	有休取得実績 (日/年)	掲載ページ
(モデル) 323,000	282	(総)905	19.8	16.9	(総)30.1	10.0	579
284,564	362	(総)993	13.6	16.4	(総)35.0	12.8	580
390,535	343	(総)877	22.7	18.4	(総)26.1	15.6	580
307,000	(!)137	(総)745	6.7	18.3	29.5	15.8	581
277,200	149	(総)720	11.0	16.9	(総)20.1	14.2	581
330,301	168	(総)733	15.7	16.8	(総)27.5	14.3	582
281,013	256	(総)836	8.4	15.0	(総)20.1	13.3	582
260,313	238	(総)786	21.1	◇15.1	(総)35.2	10.5	584
284,000	170	(総)708	20.6	19.4	(総)27.8	14.4	586
287,000	284	(総)854	19.1	16.8	(総)23.4	15.3	587
326,000	270	(総)965	23.1	15.5	(総)16.2	12.3	588
(!)268,386	163	(総)838	(!)30.7	11.6	(総)32.4	13.9	589
292,000	242	(総)833	25.6	20.3	(総)22.4	8.2	591
289,825	233	(総)704	21.1	9.3	(総)24.0	18.0	592
248,076	134	(総)622	27.6	8.1	(総)6.7	9.6	594
380,070	316	(総)1,107	40.0	15.8	20.3	13.0	615
364,571	382	(総)1,000	6.3	18.4	(総)22.2	17.6	619
319,529	171	(総)744	10.3	19.8	(総)6.0	18.5	623
351,386	128	(総)651	20.8	23.0	(総)5.3	14.1	623
294,000	131	(総)642	29.7	24.4	(総)14.3	10.9	625
(!)335,339	197	(総)677	23.3	13.1	(総)19.7	12.2	628

業種名	社名	25年4月入社予定(人) 大卒計	修士卒計	初任給(大卒総合職)
コンビニ	ミニストップ㈱	28	1	ⓘ250,000
スーパー	㈱イトーヨーカ堂	36	0	230,000
スーパー	㈱フジ	44	0	255,000
スーパー	㈱イズミ	130	0	245,000
スーパー	㈱平和堂	—	—	230,000
スーパー	㈱ユニバース	20	0	215,000
スーパー	㈱ヨークベニマル	90	0	226,400
スーパー	㈱ベイシア	—	—	213,000
スーパー	㈱ヤオコー	120	0	234,000
スーパー	㈱ベルク	140	4	236,000
スーパー	サミット㈱	120	0	250,000
スーパー	㈱いなげや	20	0	ⓘ242,500
スーパー	㈱東急ストア	20	0	228,100
スーパー	㈱スーパーアルプス	15	0	238,900
スーパー	アクシアル リテイリンググループ	21	1	223,650
スーパー	マックスバリュ東海㈱	43	1	232,500
スーパー	㈱ライフコーポレーション	290	0	ⓘ235,000
スーパー	㈱関西スーパーマーケット	70	0	222,000
スーパー	㈱ハローズ	110	0	250,000
外食・中食	㈱モスフードサービス	20	0	240,140
外食・中食	㈱松屋フーズ	—	—	250,000

賃金・年収 (円・万円)			[辞表]				
30歳賃金 (大卒総合職)	平均ボーナス (年)	平均年収	入社3年後離職率 (%)	平均勤続年数 (年)	平均残業時間 (時間／月)	有休取得実績 (日／年)	掲載ページ
320,000	109	[総]605	50.0	17.1	[総]13.1	7.3	628
317,000	127	[総]576	29.5	21.2	[総]16.9	8.1	629
295,000	NA	[総]469	19.3	18.9	[総]12.0	11.0	630
[!]270,566	155	[総]608	26.1	16.1	[総]15.8	9.8	630
279,413	133	[総]569	33.5	18.5	[総]15.5	9.4	631
258,373	130	[総]491	44.4	16.3	20.0	10.8	632
266,700	180	[総]614	17.1	◇16.8	[総]30.2	7.5	632
256,233	132	[総]567	31.6	11.6	[総]20.4	8.5	633
[!]367,722	250	[総]724	35.4	11.5	[総]23.2	8.2	634
308,024	146	[総]585	23.9	9.3	[総]11.4	8.8	634
[!]296,264	142	[総]596	39.3	12.8	[総]25.1	13.4	635
307,325	121	[総]573	41.3	19.5	[総]16.8	8.0	636
261,514	125	[総]562	31.1	20.1	[総]19.5	17.7	636
271,300	130	[総]580	28.6	◇17.1	[総]23.5	13.4	637
278,207	142	[総]562	32.2	13.7	[総]21.4	15.5	637
260,312	56	[総]558	34.9	8.6	[総]13.8	8.7	638
318,800	141	[総]610	22.1	15.3	[総]13.2	10.5	639
253,000	134	[総]568	57.4	19.7	[総]19.6	10.0	640
264,882	108	[総]505	21.7	11.0	[総]24.7	8.4	640
[!]235,400	148	[総]635	20.0	14.9	[総]15.3	11.1	641
260,635	120	[総]485	44.2	9.7	[総]23.6	7.5	642

会社比較 372 社 ～学生のための気になるデータくらべ～

業種名	社名	25年4月入社予定(人) 大卒計	修士卒計	初任給(大卒総合職)
外食・中食	㈱ドトールコーヒー	42	0	220,000
	テンアライド㈱	10	0	217,200
	㈱Genki Global Dining Concepts	9	0	❗238,000
	㈱プレナス	31	3	255,000
家電量販・薬局・HC	㈱ノジマ	270	10	265,000
	総合メディカル㈱	—	—	230,000
	㈱サッポロドラッグストアー	30	0	223,000
	DCM㈱	100	0	217,000
	アークランズ㈱	26	0	221,600
その他小売業	㈱しまむら	—	—	290,400
	青山商事㈱	257	0	222,680
	㈱三洋堂ホールディングス	10	0	214,000
	㈱あさひ	99	1	220,000
	㈱はせがわ	13	1	237,600
人材・教育	㈱ステップ	29	0	❗290,000
	㈱秀英予備校	46	3	230,000
レジャー	セントラルスポーツ㈱	25	2	218,500
	㈱ルネサンス	56	5	❗211,000
海運・空運	飯野海運㈱	6	1	295,710
運輸・倉庫	日本通運㈱	—	—	243,300
	山九㈱	106	11	253,890

賃金・年収 (円・万円)							
30歳賃金 (大卒総合職)	平均ボーナス (年)	平均年収	入社3年後離職率 (%)	平均勤続年数 (年)	平均残業時間 (時間/月)	有休取得実績 (日/年)	掲載ページ
274,814	137	(総)523	63.6	9.8	(総)13.9	10.4	642
304,307	0	(総)518	53.8	15.3	(総)18.1	NA	643
254,000	139	(総)582	56.5	10.7	(総)18.5	9.1	643
261,910	114	(総)649	37.9	15.2	(総)29.9	12.7	644
358,000	66	(総)501	49.2	8.1	(総)13.2	8.5	645
270,000	107	(総)577	24.9	9.0	(総)16.4	11.2	648
(!)259,100	114	(総)508	30.3	10.5	(総)4.3	11.2	649
256,384	126	(総)511	28.6	20.3	(総)8.5	8.9	650
258,386	114	(総)579	34.9	12.8	(総)9.8	9.9	651
410,235	202	(総)689	30.3	16.2	0.7	10.5	654
241,188	87	(総)496	36.0	14.1	(総)19.6	12.7	656
229,450	51	(総)437	50.0	17.7	(総)8.6	12.1	662
260,000	104	(総)487	23.0	9.1	(総)16.5	15.2	665
229,758	105	(総)582	19.0	17.0	(総)16.2	8.9	666
347,241	167	(総)679	17.2	11.6	(総)8.3	7.5	678
293,058	73	(総)465	43.1	11.9	(総)18.2	9.7	678
254,067	85	(総)687	23.8	16.4	(総)14.1	9.9	689
316,825	96	(総)536	37.5	11.4	(総)16.1	9.6	690
(モデル) 393,810	NA	(総)1,524	11.1	12.8	(総)30.3	10.8	692
(モデル) 321,200	115	(総)721	23.0	19.7	(総)23.3	16.6	694
(!)283,600	90	(総)822	25.0	14.6	(総)29.0	15.0	697

会社比較 372 社 ～学生のための気になるデータくらべ～

業種名	社名	25年4月入社予定(人) 大卒計	修士卒計	初任給(大卒総合職)
運輸・倉庫	㈱キユーソー流通システム	18	0	225,000
	㈱日新	62	2	242,000
	丸全昭和運輸㈱	41	0	240,000
	㈱上組	80	0	235,000
	名港海運㈱	26	0	243,000
その他サービス	（一財） 日本品質保証機構	19	6	230,000
	（独法） 国際交流基金	5	2	210,100
	㈱カナモト	31	0	220,000
	西尾レントオール㈱	31	0	228,400
	サコス㈱	29	0	218,000
	㈱白洋舎	28	0	231,000
	㈱ノバレーゼ	20	0	245,000
	㈱共立メンテナンス	110	0	[!]226,000
	㈱パスコ	43	21	242,000
	㈱エフアンドエム	40	0	255,000

掲載基準は本編開示度４（★４つ）以上の会社。

注）数値以外の表記や前付け記号などは原則として本文どおり。

（NA：非開示、ND：データなし、―：未定、算出・表示不能、

◇：『会社四季報』からの引用など現業者含むベース、[総]：総合職、

[!]：注記付きなど本文参照）

賃金・年収（円・万円）			辞表				
30歳賃金（大卒総合職）	平均ボーナス（年）	平均年収	入社3年後離職率（%）	平均勤続年数（年）	平均残業時間（時間／月）	有休取得実績（日／年）	掲載ページ
(!)338,200	99	(総)705	26.3	15.6	(総)26.1	11.3	699
285,200	193	(総)705	11.3	14.2	(総)24.3	11.6	700
287,500	212	(総)695	22.9	14.7	(総)30.7	9.8	700
279,000	160	(総)792	27.3	14.3	(総)32.6	11.7	703
279,000	282	(総)858	0	16.1	(総)24.0	11.6	703
300,682	236	(総)809	11.8	15.2	(総)20.0	12.4	725
281,200	211	(総)779	20.0	15.1	(総)14.5	13.2	729
278,300	116	(総)542	38.8	12.9	(総)22.5	9.6	733
262,923	132	(総)524	31.2	11.6	(総)29.5	8.2	734
282,752	108	(総)539	25.0	◇15.5	(総)16.0	11.0	735
236,825	NA	(総)614	31.3	◇14.8	(総)24.4	11.4	737
303,085	28	(総)365	43.8	5.9	(総)18.3	12.9	741
(!)366,021	72	(総)575	59.4	◇6.5	(総)15.2	10.4	741
245,122	175	(総)736	11.3	12.9	(総)22.9	11.3	745
409,127	318	(総)875	7.1	7.5	(総)22.0	11.9	745

書き込むだけで理解が深まる「会社研究シート」を作ってみよう

『就職四季報』だけではわからないところは、『会社四季報　業界地図』や『会社四季報』その他の情報源を使って調べて書き込んでみてください。

（80 ページにサンプルがあります）

志望度　A　B　C

[　　　　　]業界[　　　]位　社名＿＿＿＿＿＿＿＿＿＿＿＿

＊関心を持った理由

＊どんな会社か　主な商品・サービス／B to BかB to Cか／従業員数

＊業績は？　直近の数字・推移

＊強み

＊課題・弱み

＊今後力を入れる事業

＊業界内外のライバル企業

＊試験情報の MyTopics

＊待遇面の MyTopics

会社研究
1292社

SHUSHOKU SHIKIHO

書き込むだけで理解が深まる「会社研究シート」を作ってみよう

『就職四季報』だけではわからないところは、『会社四季報　業界地図』や『会社四季報』その他の情報源を使って調べて書き込んでみてください。

（78ページにシートの原型があります。サンプル企業はダミーです）

志望度 Ⓐ　B　C

[出版卸] 業界 [1] 位　社名 西洋出版販売

＊関心を持った理由

書店でアルバイトをしていて、この業界の大切さを知った。本の流通を担うことで、出版社以上に時代を担う演出ができるのではないかと思った。

＊どんな会社か　主な商品・サービス／B to BかB to Cか／従業員数

出版社から仕入れて書店に販売するBtoB。従業員2500人、専門商社のなかでも大企業。平均年齢42歳、成熟産業。

＊業績は？　直近の数字・推移

連結売上は3000億円、利益は横ばい。

＊強み

大きな書店と提携して、情報共有が進んでいる。

＊課題・弱み

電子書籍の流通システムが競合よりも遅れている。業界の利益率？

＊今後力を入れる事業

取引先との情報共有による物流の効率化

＊業界内外のライバル企業

東洋出版販売

＊試験情報の MyTopics

独自の筆記試験を実施している。対策重要！

＊待遇面の MyTopics

土曜出勤がある。平均年収はXXX円で同業他社より高水準。

商社・卸売業

商社・卸売業

総合商社

各社は事業の選別を強化し、資産効率を磨くことによって資源市況によらない高収益体質を確立しつつある

専門商社

食品や日用品は価格転嫁が寄与。製造業向けは中国経済や半導体市況の底打ちで数量が回復。緩やかな成長が続きそう

(天気図は24年度後半⇒25年度、続きは東洋経済『会社四季報業界地図 2025年版』で)

開示 ★★☆☆☆ ▶『業界地図』p.282,28,42… 765

三菱商事(株)

みつびししょうじ

東京P 8058

【特色】財閥系総合商社。資源から小売まで事業基盤厚い

修士・大卒採用数	3年後離職率	有休取得年平均	平均年収(平均43歳)
未定	4.0→1.6%	13.6日	2,090万円

●エントリー情報と採用プロセス●

【受付開始～終了】㊑2月～3月【採用プロセス】㊑ES提出・Webテスト(2月中下旬～3月下旬)→面接(3回、3月中下旬または6月上旬～)→内々定(3月下旬、6月上旬～)【交通費支給】最終面接、交通費実費・宿泊費実費(上限あり)【早期選考】⇒巻末

試験情報

重視科目 ㊑面接 筆記 Web試験 ES 学業成績

㊑ ESNA 筆C-GAB WebGAB 面3回(Webあり)

選考ポイント ㊑ ES NA(提出あり) 面NA

通過率 ㊑ ES NA

倍率(応募/内定) ㊑NA

●男女別採用数と配属先ほか●

【男女・文理別採用実績】

	大卒男	大卒女	修士男	修士女
23年	72(文 65理 7)	22(文 22理 0)	24(文 4理 20)	9(文 1理 8)
24年	65(文 56理 9)	34(文 34理 0)	32(文 1理 31)	8(文 2理 6)
25年	-(文 -理 -)	-(文 -理 -)	-(文 -理 -)	-(文 -理 -)

※25年:前年並みを採用予定

【25年4月入社者の採用実績校】

文未定 理未定

【24年4月入社者の配属先】

㊑勤務地:東京139 部署:コーポレートスタッフ部門35 地球環境エネルギーグループ11 SLCグループ13 マテリアルソリューション18 自動車・モビリティグループ15 金属資源グループ11 社会インフラグループ18 食品産業グループ9 電力ソリューショングループ9

残業(月) 29.2時間 ㊑33.3時間

記者評価 三菱重工業、三菱UFJ銀行と並ぶ三菱グループの中核。事業基盤の厚み、収益力、財務体質は商社首位級。豪資源メジャーとの合弁で行う原料炭、石油・天然ガスなどの資源分野のほか、化学品、機械、自動車、食品など非資源分野も強い。ローソンはKDDIと共同経営。

●給与、ボーナス、週休、有休ほか●

【30歳総合職平均年収】NA【初任給】(博士)360,000円(修士)360,000円(大卒)325,000円【ボーナス(年)】NA【25、30、35歳賃金】NA【週休】完全2日(土日祝)【夏期休暇】有休で取得【年末年始休暇】12月29日～1月3日【有休取得】13.6/20日

●従業員数、勤続年数、離職率ほか●

【男女別従業員数、平均年齢、平均勤続年数】計 5,421(42.7歳 18.3年) 男 4,038(42.9歳 18.3年) 女 1,383(42.2歳 18.1年)【離職率と離職者数】2.2%、124名【3年後新卒定着率】98.4%(男98.9%、女97.1%、3年前入社:男88名・女35名)【組合】あり

求める人材 多様な人材と組織を牽引し、分野を問わず事業価値向上にコミットする人材

会社データ (金額は百万円)

【本社】100-8086 東京都千代田区丸の内2-3-1 三菱商事ビルディング ☎03-3210-2121 https://www.mitsubishicorp.com/

【社長】中西 勝也【設立】1950.4【資本金】204,447【今後力を入れる事業】EXとDXの一体推進による新産業創出/地域創生

【業績(IFRS)】	営業収益	営業利益	税前利益	純利益
22.3	17,264,828	759,463	1,293,116	937,529
23.3	21,571,973	1,092,186	1,680,631	1,180,694
24.3	19,567,601	803,976	1,362,594	964,034

伊藤忠商事(株)

いとうちゅうしょうじ

東京P 8001

【特色】非財閥系。コンビニなど非資源事業に強み

修士・大卒採用数	3年後離職率	有休取得年平均	平均年収(平均41歳)
150名	6.7→6.9%	12.2日	㊑1,823万円

●エントリー情報と採用プロセス●

【受付開始～終了】㊑3月～3月〈夏期〉5月～6月【採用プロセス】㊑ES提出(3月)→筆記(3月)→面接(複数回、6月)→内々定(6月)【交通費支給】1次面接以降、新幹線・飛行機代実費

試験情報

重視科目 ㊑筆記 面接

㊑ ES ⇒巻末 筆WebGAB 面複数回(Webあり)

選考ポイント ㊑ ES 志望動機 自己PR 学生時代に力を入れてきたこと 他 面人柄 志望動機 基礎的能力

通過率 ㊑ ES NA

倍率(応募/内定) ㊑NA

●男女別採用数と配属先ほか●

【男女・文理別採用実績】

	大卒男	大卒女	修士男	修士女
23年	68(文 60理 8)	49(文 47理 2)	14(文 1理 13)	4(文 2理 2)
24年	74(文 65理 9)	51(文 47理 4)	21(文 1理 20)	9(文 3理 6)
25年	-(文 -理 -)	-(文 -理 -)	-(文 -理 -)	-(文 -理 -)

※25年:総合職130名程度、事務職20名程度採用予定

【25年4月入社者の採用実績校】

文(大)東大 一橋大 慶大 早大 上智大 東京外大 ICU 明大 青学大 立教大 都立大 京大 阪大 神戸大 同大 関西学大 大阪市大 北大 名大 国際教養大 立命館APU 延世大 理(院)早大 東京科学大 都立大 京大 阪大 神戸大 北大 東北大 名大 九大 (大)東大 早大 慶大 東京科学大 筑波大 京大

【24年4月入社者の配属先】

㊑勤務地:東京本社125 大阪本社5 横浜分室4 部署:営業111 職能23

残業(月) (法定外)12.4時間 ㊑26.0時間

記者評価 伊藤忠兵衛が1858年創業。丸紅と同根で非財閥系総合商社の雄。他商社に比べて祖業の繊維に強み。ファミリーマートは実質完全子会社。伊藤忠テクノソリューションズ、大建工業なども相次いで完全子会社化。旧ビッグモーターの事業を引き継ぎ新会社を発足。

●給与、ボーナス、週休、有休ほか●

【30歳総合職平均年収】NA【初任給】(修士)340,000円(大卒)305,000円【ボーナス(年)】NA【25、30、35歳賃金】NA【週休】完全2日(土日祝)【夏期休暇】有休で取得【年末年始休暇】12月29日～1月3日【有休取得】12.2/20日

●従業員数、勤続年数、離職率ほか●

【男女別従業員数、平均年齢、平均勤続年数】計 4,098(42.3歳 18.2年) 男 3,072(42.6歳 18.2年) 女 1,026(41.6歳 18.0年)【離職率と離職者数】1.5%、61名【3年後新卒定着率】93.1%(男91.3%、女97.2%、3年前入社:男80名・女36名)【組合】あり

求める人材 世の中の流れや各々の対面業界の変化に対応し、マーケットインの発想で新たなビジネスモデルを推進していく人材

会社データ (金額は百万円)

【本社】107-8077 東京都港区北青山2-5-1 伊藤忠商事東京本社ビル ☎03-3497-7521 https://www.itochu.co.jp/

【会長】岡藤 正広【設立】1949.12【資本金】253,448【今後力を入れる事業】マーケットインの事業変革 SDGsへの貢献

【業績(IFRS)】	営業収益	営業利益	税前利益	純利益
22.3	12,293,348	786,417	1,150,029	820,269
23.3	13,945,633	734,023	1,106,861	800,519
24.3	14,029,910	744,827	1,095,707	801,770

開示 ★★★☆☆ ▶『業界地図』p.282,22,46… 745

755 ▶『業界地図』p.282,120… 開示 ★★

三井物産(株)（みついぶっさん）

東京P 8031

【特色】財閥系総合商社。鉄鉱石など資源分野に強み

修士・大卒採用数	3年後離職率	有休取得年平均	平均年収(平均42歳)
約110〜140名	2.3→2.4%	13.6日	1,900万円

●エントリー情報と採用プロセス●

【受付開始〜終了】㊕11月〜3月【採用プロセス】㊕〈第1クール〉ES提出・筆記(11〜1月)→面接(1月)→インターンシップ(2月)→面接(3月)→内々定(3月)〈第2クール〉ES提出・筆記(2〜3月)→面接(4月)→インターンシップ(5月)→面接(6月)→内々定(6月)【交通費支給】インターンシップ以降、地方からの参加者、在住地域に応じた定額

試験情報

重視科目 総NA

総 ES ⇒巻末 筆 C-GAB 面 複数回(Webあり)

選考ポイント 総 ES NA(提出あり) 面 NA

通過率 総 ES NA

倍率(応募/内定) 総 NA

●男女別採用数と配属先ほか●

【男女・文理別採用実績】

	大卒男	大卒女	修士男	修士女
23年	36(文 30 理 6)	47(文 42 理 5)	32(文 1 理 31)	5(文 0 理 5)
24年	45(文 41 理 4)	47(文 47 理 0)	26(文 2 理 24)	7(文 1 理 6)
25年	−(文 − 理 −)	−(文 − 理 −)	−(文 − 理 −)	−(文 − 理 −)

※25年:約110〜140名採用予定

【25年4月入社者の採用実績校】

㊫未定 ㊮未定

【24年4月入社者の配属先】

総 勤務地:東京・千代田126 部署:コーポレート29 営業97

残業(月) 28.0時間 ㊕28.0時間

記者評価 総合商社の草分けで三井グループ中核。金属資源・エネルギーなど資源事業に強く、鉄鉱石、原油は断トツの生産権益規模を持つ。世界各地のLNGプロジェクトに参画。生活産業など非資源事業も強化。ヘルスケア領域は、アジア最大手の民間病院グループIHH社が中心。

●給与、ボーナス、週休、有休ほか●

【30歳総合職平均年収】NA【初任給】(博士)310,000円(修士)310,000円 (大卒)270,000円【ボーナス(年)】NA【25、30、35歳賃金】NA【週休】完全2日(土日祝)【夏期休暇】有休で取得【年末年始休暇】12月29日〜1月3日【有休取得】13.6／20日

●従業員数、勤続年数、離職率ほか●

【男女別従業員数、平均年齢、平均勤続年数】計 5,419(42.3歳 17.9年) 男 3,799(43.1歳 18.8年) 女 1,620(40.2歳 15.9年)【離職率と離職者数】2.0%、109名(早期退職男42名、女6名含む)【3年後新卒定着率】97.6%(男97.2%、女98.2%、3年前入社:男71名・女55名)【組合】あり

求める人材 多様な強い「個」

会社データ (金額は百万円)

【本社】100-8631 東京都千代田区大手町1-2-1
☎03-3285-1111 https://www.mitsui.com/jp/

【社長】堀 健一【設立】1947.7【資本金】343,442【今後力を入れる事業】金属資源 エネルギー 機械・インフラ 化学品 モビリティ ヘルスケア ニュートリション・アグリカルチャー リテール・サービス

【業績(IFRS)】	営業収益	営業利益	税前利益	純利益
22.3	11,757,559	564,037	1,164,480	914,722
23.3	14,306,402	751,652	1,395,295	1,130,630
24.3	13,324,942	703,920	1,302,393	1,063,684

豊田通商(株)（とよたつうしょう）

東京P 8015

【特色】トヨタ系商社。主力は自動車関連の調達や販売

修士・大卒採用数	3年後離職率	有休取得年平均	平均年収(平均43歳)
78名	4.9→8.1%	12.7日	㊕!1,416万円

●エントリー情報と採用プロセス●

【受付開始〜終了】㊕3月〜4月【採用プロセス】㊕ES提出・筆記→面接(複数回)→内々定【交通費支給】対面の面接、実費【早期選考】⇒巻末

試験情報

重視科目 総NA

総 ES NA 筆 GAB C-GAB plus 面 複数回(Webあり) GD 作 NA

選考ポイント 総 ES NA(提出あり) 面 人物重視

通過率 総 ES 42%(受付:(早期選考含む)4,329→通過:(早期選考含む)1,816)

倍率(応募/内定) 総 NA

●男女別採用数と配属先ほか●

【男女・文理別採用実績】

	大卒男	大卒女	修士男	修士女
23年	32(文 31 理 1)	20(文 19 理 1)	14(文 5 理 9)	2(文 0 理 2)
24年	30(文 25 理 5)	16(文 16 理 0)	19(文 0 理 19)	5(文 1 理 4)
25年	33(文 26 理 7)	26(文 25 理 1)	16(文 1 理 15)	3(文 2 理 1)

【25年4月入社者の採用実績校】

㊫(院)お茶女大 復旦大(大)慶大 早大 中大 明大 同大 名大 関西学大 近大 立命館大 京大 神戸大 青学大 筑波大 東京外大 立教大 愛媛大 鹿児島大 神戸市外大 名古屋市大 立命館APU アビエルタ・インテルアメリカーナ大 ㊮(院)九大 北大 名大 京大 東京科学大 都立大 早大 横国大 東北大 阪大 神戸大 奈良先端科技院大(大)慶大 早大 上智大 阪大 名大 千葉大

【24年4月入社者の配属先】

総 勤務地:東京 愛知 大阪 部署:営業本部 コーポレート部門

残業(月) 22.1時間 ㊕24.9時間

記者評価 トヨタグループの原料や設備の調達、物流、海外の自動車販売展開など支援。06年トーメンと合併し総合商社の一角に。自動車関連が利益柱。19年トヨタからアフリカ市場の営業業務を全面移管。風力など再エネ事業やリチウム生産などグローバルで成長領域を強化。

●給与、ボーナス、週休、有休ほか●

【30歳総合職平均年収】NA【初任給】(修士)305,000円(大卒)285,000円【ボーナス(年)】NA【25、30、35歳賃金】NA【週休】完全2日(土日祝)【夏期休暇】3日【年末年始休暇】12月29日〜1月4日【有休取得】12.7／22日【平均年収(総合職)】〈グローバル職〉1,416万円

●従業員数、勤続年数、離職率ほか●

【男女別従業員数、平均年齢、平均勤続年数】計 3,292(43.2歳 17.1年) 男 2,271(43.5歳 17.5年) 女 1,021(42.4歳 16.2年)【離職率と離職者数】1.8%、60名(早期退職男5名、女1名含む 他に男1名転籍)【3年後新卒定着率】91.9%(男88.0%、女100%、3年前入社:男25名・女12名)【組合】あり

求める人材 変化に挑みともに未来を切り拓いていける人 社会課題に対して一人称で能動的に取り組める人

会社データ (金額は百万円)

【本社】450-8575 愛知県名古屋市中村区名駅4-9-8 センチュリー豊田ビル
☎052-584-5000 https://www.toyota-tsusho.com/

【社長】貸谷 伊知郎【設立】1948.7【資本金】64,936【今後力を入れる事業】ネクストモビリティ 再エネ アフリカ 他

【業績(IFRS)】	営業収益	営業利益	税前利益	純利益
22.3	8,028,000	294,141	330,132	222,235
23.3	9,848,560	388,753	427,126	284,155
24.3	10,188,980	441,589	469,639	331,444

750 ▶『業界地図』p.28,44,282 開示 ★★★

丸紅(株)

まるべに

東京P 8002

【特色】芙蓉グループの総合商社大手。電力や食料に強い

修士・大卒採用数	3年後離職率	有休取得年平均	平均年収(平均42歳)
約100名	3.5 → 4.0%	14.1日	1,655万円

残業(月) 17.3時間 総20.5時間

記者評価 伊藤忠商事と同根。穀物や紙パルプなどが強みだが、特に電力では世界20カ国以上で発電事業を展開。日系IPP事業者としては最大級。再生可能エネ、水素・アンモニアの新エネ以外でも全事業のグリーン化を積極推進。22年に懸案の穀物大手ガビロンを売却し成長加速。

●エントリー情報と採用プロセス●

【受付開始～終了】総2月～継続中【採用プロセス】総ES提出→適性検査→面接(複数回)→内々定【交通費支給】最終面接、遠方者の新幹線・飛行機代実費(往復)

試験情報

重視科目 総面接 適性検査 ES

総ESNA筆C-GAB面複数回(Webあり)

選考ポイント 総ESNA(提出あり)面NA

通過率 総ESNA

倍率(応募/内定) 総NA

●男女別採用数と配属先ほか●

【男女・文理別採用実績】

	大卒男	大卒女	修士男	修士女
23年	46(文 43理 3)	53(文 51理 2)	11(文 3理 8)	4(文 0理 4)
24年	25(文 20理 5)	30(文 30理 0)	19(文 2理 17)	3(文 0理 3)
25年	-(文 -理 -)	-(文 -理 -)	-(文 -理 -)	-(文 -理 -)

※25年:100名採用予定

【25年4月入社者の採用実績校】
文(24年)(院)京大 ルイージ・ボッコーニ商業大(大)慶大 早大 一橋大 京大 東京外大 東大 関西学大 上智大 明大 青学大 阪大 東北大 法政大 義守大 理(24年)(院)東大 東工大 京大 名大 九大 広島大 早大 阪大 北大 電通大 奈良先端科技院大(大)慶大 早大 東大 神戸大

【24年4月入社者の配属先】
総勤務地:東京77 部署:生活産業グループ4 食料・アグリグループ7 素材産業グループ18 エナジー・インフラソリューショングループ11 社会産業・金融グループ13 CDIO(次世代事業)2 コーポレートスタッフグループ22

●給与、ボーナス、週休、有休ほか●

【30歳総合職平均年収】NA【初任給】(修士)340,000円(大卒)305,000円【ボーナス(年)】NA【25、30、35歳賃金】NA【週休】完全2日(土日祝)【夏期休暇】特別休暇制度(有休)あり【年末年始休暇】12月29日～1月3日【有休取得】14.1／20日

●従業員数、勤続年数、離職率ほか●

【男女別従業員数、平均年齢、平均勤続年数】計4,337(42.4歳 17.9年) 男 3,077(43.5歳 18.7年) 女 1,260(39.7歳 15.7年)【離職率と離職者数】NA【3年後新卒定着率】96.0%(男93.2%、女100%、3年前入社:男74名・女50名)【組合】あり

求める人材 マーケットバリューの高い人財(新たな価値を創造する人財 社会・顧客に評価され、必要とされる人財になりうるポテンシャルを持つ人財)

会社データ (金額は百万円)

【本社】100-8088 東京都千代田区大手町1-4-2
☎03-3282-2075 https://www.marubeni.com/jp/
【社長】柿木 真澄【設立】1949.12【資本金】263,599【今後力を入れる事業】グリーン事業

【業績(IFRS)】	営業収益	営業利益	税前利益	純利益
22.3	8,508,591	267,573	528,790	424,320
23.3	9,190,472	328,846	651,745	543,001
24.3	7,250,515	275,059	567,136	471,412

住友商事(株)

すみともしょうじ

東京P 8053

【特色】住友系総合商社。CATVなどメディア事業に強み

修士・大卒採用数	3年後離職率	有休取得年平均	平均年収(平均41歳)
105名	3.9 → 3.8%	14.3日	総1,809万円

残業(月) 36.9時間

記者評価 1919年に大阪北港の土地造成などを手がける不動産経営会社として設立、45年に商事事業に進出。CATV最大手のJ:COM、テレビ通販のジュピターショップチャンネル、ITサービス大手のSCSKなどを抱える。鉄鋼、自動車、輸送機も強い。洋上風力発電事業にも参画。

●エントリー情報と採用プロセス●

【受付開始～終了】総3月～4月【採用プロセス】総筆記(3～4月)→面接(複数回)・小論文(6月)→内々定(6月)【交通費支給】選考、在住地域に応じた実費(遠方者のみ)

試験情報

重視科目 総筆記 面接

総筆C-GAB WebGAB デザイン思考テスト(任意)面複数回(Webあり)GD作⇒巻末

選考ポイント 総ES提出なし面NA

通過率 総ES—(応募:7,322)

倍率(応募/内定) 総72倍

●男女別採用数と配属先ほか●

【男女・文理別採用実績】

	大卒男	大卒女	修士男	修士女
23年	44(文 35理 9)	31(文 27理 4)	17(文 2理 15)	6(文 1理 5)
24年	43(文 37理 6)	31(文 27理 4)	18(文 3理 15)	6(文 0理 6)
25年	35(文 31理 4)	34(文 31理 3)	26(文 4理 22)	10(文 3理 7)

※25年:24年7月時点

【25年4月入社者の採用実績校】
文(院)慶大2 東大 早大 同大 マギル大 メルボルン大各1(大)早大15 慶大10 東大9 阪大6 一橋大5 京大4 神戸大3 東京外大 中大各2 関西学大 上智大 ICU 千葉大 同大 お茶女大各1 理(院)京大6 東大4 慶大 九大 阪大各3 神戸大 早大各2 東北大 同大 東京科学大 北大 名大 横国大各1(大)東大3 京大2 名大 阪大各1

【24年4月入社者の配属先】
総勤務地:東京97 大阪1 部署:営業74 コーポレート24

●給与、ボーナス、週休、有休ほか●

【30歳総合職平均年収】1,249万円【初任給】(修士)340,000円(大卒)305,000円【ボーナス(年)】903万円、12.9カ月【25、30、35歳賃金】354,013円→504,680円→764,680円【週休】完全2日(土日祝)【夏期休暇】有休で取得【年末年始休暇】12月29日～1月3日【有休取得】14.3／20日

●従業員数、勤続年数、離職率ほか●

【男女別従業員数、平均年齢、平均勤続年数】計4,616(41.5歳 17.1年) 男 3,354(42.1歳 17.5年) 女 1,262(39.8歳 15.9年)【離職率と離職者数】2.6%、122名(早期退職男39名、女8名含む)【3年後新卒定着率】96.2%(男97.3%、女93.5%、3年前入社:男75名・女31名)【組合】あり

求める人材 高い志を持ち、自律的な成長を続け、進取の精神で、グローバルフィールドで新たな価値創造に挑戦するポテンシャルを持った人材

会社データ (金額は百万円)

【本社】100-8601 東京都千代田区大手町2-3-2 大手町プレイス イーストタワー
☎03-6285-5000 https://www.sumitomocorp.com/ja/jp/
【社長】上野 真吾【設立】1919.12【資本金】220,423【今後力を入れる事業】デジタル&新技術 ヘルスケア 社会インフラ 他

【業績(IFRS)】	営業収益	営業利益	税前利益	純利益
22.3	5,495,015	338,900	590,019	463,694
23.3	6,817,872	433,065	722,918	565,178
24.3	6,910,302	354,203	527,646	386,352

双日(株)（そうじつ） 東京P 2768

【特色】7大総合商社の一角。日商岩井とニチメンが統合

修士・大卒採用数	3年後離職率	有休取得年平均	平均年収(平均41歳)
154名	7.3→20.2%	14.8日	1,245万円

●エントリー情報と採用プロセス●

【受付開始～終了】㊗3月～4月【採用プロセス】㊗ES提出(3月)→筆記(Webテスト、3月)→面接(複数回、6月)→内々定(6月～)【交通費支給】最終面接、会社基準

試験情報

重視科目 ㊗筆記 面接

㊗ ES NA 筆 あり(内容NA) 面 複数回(Webあり) GD作 NA

選考ポイント ㊗ ES NA(提出あり) 面 NA

通過率 ㊗ ES NA 倍率(応募/内定) ㊗ NA

●男女別採用数と配属先ほか●

【男女・文理別採用実績】

	大卒男	大卒女	修士男	修士女
23年	34(文 32理 2)	44(文 44理 0)	23(文 3理 20)	5(文 3理 2)
24年	33(文 29理 4)	52(文 52理 0)	28(文 2理 26)	10(文 3理 7)
25年	41(文 36理 5)	77(文 69理 8)	30(文 2理 28)	6(文 4理 2)

【25年4月入社者の採用実績校】
文(院)北大 阪大 名大 海外大(大)早大 慶大 上智大 東大 一橋大 筑波大 北大 東北大 国際教養大 京大 阪大 同大 立命館大 関西学大 九大 長崎大 立命館APU 明大 青学大 立教大 中大 東京外大 横国大 滋賀大 金沢大 海外大 理(院)早大 上智大 東大 筑波大 京大 北大 東北大 阪大 九大 名大 神戸大 東理大 東京農工大 名工大 九州工大 千葉大 岡山大 長崎大(大)慶大 京大 東北大 東理大 青学大 お茶女大 海外大

【24年4月入社者の配属先】
㊗勤務地:東京102 部署:営業本部 法務部 内部統制統括部 人事部 総合リスク管理部 サプライチェーンリスク管理部 サステナビリティ推進部 IR室 主計部 営業経理部 財務第一部 財務第二部 ビジネスイノベーション推進室 デジタル事業開発部 コーポレートIT部 デジタル共創推進部 他

残業(月) 23.8時間 ㊗26.7時間

記者評価 ボーイング社の国内販売代理店で航空機に強い。海外で組立・販売を手がける自動車、東南アの肥料が収益柱。ウズベキスタンでは大規模ガス・蒸気発電に参画。ロイヤルHDと協業深化させ外食の海外展開を加速。西側諸国で初めて進出したベトナム、インドにも注力。

●給与、ボーナス、週休、有休ほか●

【30歳総合職平均年収】NA【初任給】(博士)340,000円(修士)340,000円(大卒)305,000円【ボーナス(年)】NA【25、30、35歳賃金】NA【週休】完全2日(土日祝)【夏期休暇】5日【年末年始休暇】12月29日～1月3日【有休取得】14.8／20日

●従業員数、勤続年数、離職率ほか●

【男女別従業員数、平均年齢、平均勤続年数】計 2,513(41.4歳 15.2年) 男 1,717(43.2歳 17.1年) 女 796(37.4歳 11.1年) ※契約社員含む【離職率と離職者数】6.1%、162名【3年後新卒定着率】79.8%(男78.3%、女81.6%、3年前入社:男46名・女38名)【組合】あり

求める人材 目的意識をもって多様な経験を積む機会を自ら掴みたいという成長意識を持った人材

会社データ (金額は百万円)
【本社】100-8691 東京都千代田区内幸町2-1-1
☎03-6871-5000 https://www.sojitz.com/jp/
【会長】藤本 昌義【設立】2003.4【資本金】160,339【今後力を入れる事業】インフラ ヘルスケア 東南アジア・インドのリテール領域 リサイクル・新素材

【業績(IFRS)】	営業収益	営業利益	税前利益	純利益
22.3	2,100,752	77,221	117,295	82,332
23.3	2,479,840	127,566	155,036	111,247
24.3	2,414,649	87,731	125,498	100,765

兼松(株)（かねまつ） 東京P 8020

【特色】老舗商社。ICT事業が収益の柱。食料も強い

修士・大卒採用数	3年後離職率	有休取得年平均	平均年収(平均38歳)
51名	14.3→15.2%	13.4日	1,010万円

●エントリー情報と採用プロセス●

【受付開始～終了】㊗3月～4月【採用プロセス】㊗ES提出→適性検査→面接(3回)→内々定【交通費支給】最終面接、実費

試験情報

重視科目 ㊗面接 適性検査 英語 ES

㊗ ES ⇒巻末 筆 C-GAB WebGAB OPQ 面 3回(Webあり)

選考ポイント ㊗ ES 論理的かつ簡潔に述べられているか 面 NA

通過率 ㊗ ES NA

倍率(応募/内定) ㊗ NA

●男女別採用数と配属先ほか●

【男女・文理別採用実績】

	大卒男	大卒女	修士男	修士女
23年	15(文 14理 1)	14(文 13理 1)	5(文 0理 5)	3(文 1理 2)
24年	27(文 24理 3)	12(文 11理 1)	3(文 0理 3)	1(文 0理 1)
25年	16(文 16理 0)	27(文 26理 1)	7(文 1理 6)	1(文 0理 1)

【25年4月入社者の採用実績校】
文(院)南デンマーク大1(大)慶大 早大 阪大各3 同大 東京外大各2 一橋大 東北大 京大 横国大 和歌山大 九大 青学大 学習院大 ICU 順天堂大 上智大 法政大 明大 立教大 関西学大 国際教養大 中原大各1 理(院)京大3 東京農工大 立命館大 阪大 九大各1

【24年4月入社者の配属先】
㊗勤務地:東京・丸の内 43 部署:車両・航空4 電子・デバイス3 鉄鋼・素材プラント5 食品6 食糧7 畜産5 IT企画4 法務コンプライアンス2 人事1 リスクマネジメント2 主計1 営業経理1 財務2

残業(月) 17.5時間 ㊗21.2時間

記者評価 資源権益には手を出さず堅実経営。ICTを筆頭に電子・デバイス、食料、鉄鋼・プラントが4本柱。グループでDX推進。23年に兼松エレクトロニクス、兼松サステックを完全子会社化。24年4月にはICT部門を電子・デバイス部門から独立させ、全社から顧客掘り起こし。

●給与、ボーナス、週休、有休ほか●

【30歳総合職平均年収】NA【初任給】(博士)290,000円(修士)290,000円(大卒)290,000円【ボーナス(年)】NA【25、30、35歳賃金】NA【週休】完全2日(土日祝)【夏期休暇】有休で取得【年末年始休暇】12月29日～1月3日【有休取得】13.4／20日

●従業員数、勤続年数、離職率ほか●

【男女別従業員数、平均年齢、平均勤続年数】計 812(38.4歳 13.2年) 男 511(39.5歳 13.7年) 女 301(36.5歳 12.2年)【離職率と離職者数】4.1%、35名(他に男12名、女1名転籍)【3年後新卒定着率】84.8%(男91.7%、女81.0%、3年前入社:男12名・女21名)【組合】あり

求める人材 人格に優れ、リーダーシップを有する人材

会社データ (金額は百万円)
【本社】100-7017 東京都千代田区丸の内2-7-2 JPタワー
☎03-6747-5000 https://www.kanematsu.co.jp/
【社長】宮部 佳也【設立】1918.3【資本金】27,781【今後力を入れる事業】高付加価値創造ビジネス

【業績(IFRS)】	営業収益	営業利益	税前利益	純利益
22.3	767,963	29,347	28,765	15,986
23.3	911,408	38,896	35,696	18,575
24.3	985,993	43,870	37,241	23,218

商社・卸

いとうちゅうまるべにてっこう
伊藤忠丸紅鉄鋼(株)

株式公開 未定

【特色】伊藤忠商事と丸紅折半合弁の鉄鋼商社。海外先行

修士・大卒採用数	3年後離職率	有休取得年平均	平均年収(平均*40歳)
85名	3.1 → 6.9%	13.2日	[総]1,808万円

●エントリー情報と採用プロセス●

【受付開始～終了】[総]2月～4月【採用プロセス】[総]筆記・ES提出・履修履歴の登録(2～4月)→面接(2～3回、～6月)→内々定(～6月)【交通費支給】最終面接、遠方者のみ新幹線・飛行機代【早期選考】⇒巻末

試験情報

重視科目 [総]面接 筆記

[総][ES]⇒巻末[筆]C-GAB[面]2～3回(Webあり)

選考ポイント [総][ES]学生時代に力を入れたこと[面]人物重視

通過率 [総][ES]NA(受付:3,107→通過:NA)

倍率(応募/内定) [総]62倍

●男女別採用数と配属先ほか●

【男女・文理別採用実績】

	大卒男	大卒女	修士男	修士女
23年	13(文 13理 0)	30(文 28理 2)	1(文 1理 0)	0(文 0理 0)
24年	22(文 21理 1)	30(文 29理 1)	0(文 0理 0)	0(文 0理 0)
25年	36(文 35理 1)	45(文 45理 0)	4(文 0理 4)	0(文 0理 0)

【25年4月入社者の採用実績校】
[文](大)慶大9 京大 東大 早大各8 一橋大6 東京外大3 阪大2 名大1 [理](院)東大 京大 九大 阪大各1(大)京大1

【24年4月入社者の配属先】
[総]勤務地:東京29 部署:営業22 コーポレート7

残業(月) 28.9時間

[記者評価] 伊藤忠と丸紅の鉄鋼部門統合で誕生。自動車・建材・エネルギー関連向けが主力。16年住友商事と国内建材事業統合。20年特殊鋼加工流通大手のヤマト特殊鋼、21年住商系コイルセンター、22年11月米国の自動車用鋼材加工工場を買収。25年5月八重洲に本社移転へ。

●給与、ボーナス、週休、有休ほか●

【30歳総合職平均年収】NA【初任給】(修士)340,000円(大卒)305,000円【ボーナス(年)】NA【25、30、35歳賃金】NA【週休】完全2日(土日祝)【夏期休暇】6日(有休3日含む)【年末年始休暇】12月29日～1月3日【有休取得】13.2/20日

●従業員数、勤続年数、離職率ほか●

【男女別従業員数、平均年齢、平均勤続年数】計 903(40.3歳 14.5年) 男 555(41.5歳 16.0年) 女 348(37.5歳 13.3年)【離職率と離職者数】NA【3年後新卒定着率】93.1%(男84.6%、女100%、3年前入社:男13名・女16名)【組合】あり

[求める人材] 企業理念(MISI FRONTEER SPIRITS)を兼ね備えた人材

[会社データ] (金額は百万円)

【本社】103-8247 東京都中央区日本橋1-4-1 日本橋一丁目ビルディング16・17・18階
☎03-5204-3300 https://www.benichu.com/
【社長】石谷 誠【設立】2001.10【資本金】30,000【今後力を入れる事業】EV関連 インフラ関連 新エネ関連

【業績(IFRS)】	売上高	営業利益	税前利益	純利益
22.3	2,890,000	94,023	95,443	62,555
23.3	3,691,294	147,734	140,218	95,522
24.3	3,742,360	137,421	120,708	80,276

はんわこうぎょう
阪和興業(株)

東京P 8078

【特色】独立系鉄鋼商社の雄。非鉄や食品などへ多角化

修士・大卒採用数	3年後離職率	有休取得年平均	平均年収(平均39歳)
67名	18.1 → 11.1%	12.4日	[総]1,034万円

●エントリー情報と採用プロセス●

【受付開始～終了】[総]3月～6月【採用プロセス】[総]ES提出(3～6月)→Webテスト(3～6月)→面接(4回、4～7月)・GD→内々定(5月～)【交通費支給】最終面接、遠方者のみ実費

試験情報

重視科目 [総]面接 適性検査

[総][ES]⇒巻末[筆]玉手箱[面]4回(Webあり)[GD作]⇒巻末

選考ポイント [総][ES]その人らしさが表れているか 筆記・適性検査も加味[面]人間性

通過率 [総][ES]39%(受付:2,948→通過:1,142)

倍率(応募/内定) [総]59倍

●男女別採用数と配属先ほか●

【男女・文理別採用実績】

	大卒男	大卒女	修士男	修士女
23年	40(文 33理 7)	72(文 71理 1)	1(文 0理 1)	2(文 2理 0)
24年	53(文 52理 1)	69(文 68理 1)	2(文 0理 2)	3(文 1理 2)
25年	27(文 26理 1)	36(文 34理 2)	4(文 1理 3)	0(文 0理 0)

※25年:24年7月31日時点

【25年4月入社者の採用実績校】
[文](院)筑波大1(大)同大9 関大 明大各4 慶大 関西学大 法政大各3 北大 早大 立教大 中大 立命館大各2 一橋大 上智大 津田塾大 名大 埼玉大各1 [理](院)東大 阪大 名大各1(大)トロント大 早大 名城大各1

【24年4月入社者の配属先】
[総]勤務地:東京53 大阪14 名古屋9 部署:営業66 人事3 情報システム3 財務1 経理1 審査1 貿易業務1

残業(月) 29.1時間 [総]36.1時間

[記者評価] 独立系の鉄鋼商社。建材用の鉄鋼卸では大きな存在感。全ての鉄鋼メーカーと取引があり、調達から加工まで幅広く手がける。金属原料、非鉄金属、食品、石油・化成品など多角化、部署によって働き方は変わる。海外は東南アジアを中心に地産地消型ビジネスを拡大。

●給与、ボーナス、週休、有休ほか●

【30歳総合職平均年収】796万円【初任給】(修士)300,000円(大卒)300,000円【ボーナス(年)】261万円、6.0カ月【25、30、35歳賃金】NA【週休】完全2日(土日祝)【夏期休暇】有休で取得【年末年始休暇】約5日【有休取得】12.4/20日

●従業員数、勤続年数、離職率ほか●

【男女別従業員数、平均年齢、平均勤続年数】計 1,656(37.8歳 12.0年) 男 880(39.7歳 13.1年) 女 776(35.6歳 10.7年)【離職率と離職者数】3.8%、65名【3年後新卒定着率】88.9%(男95.7%、女81.8%、3年前入社:男23名・女22名)【組合】なし

[求める人材] コミュニケーションを図れるだけではなく視野や人間性の広がりを持った人材

[会社データ] (金額は百万円)

【本社】104-8429 東京都中央区築地1-13-1
☎03-3544-2170 https://www.hanwa.co.jp/
【社長】中川 洋一【設立】1947.4【資本金】45,651【今後力を入れる事業】各事業でのリサイクル分野と海外への横展開

【業績(連結)】	売上高	営業利益	経常利益	純利益
22.3	2,164,049	62,367	62,718	43,617
23.3	2,668,228	64,105	64,272	51,505
24.3	2,431,980	49,722	48,276	38,417

2053 ▶『業界地図』p.284 開示 ★★

(株)メタルワン

[株式公開 計画なし]

【特色】三菱商事・双日系の鉄鋼総合商社。国内最大手級

修士・大卒採用数	3年後離職率	有休取得年平均	平均年収(平均43歳)
16名	4.5 → 38.5%	12.6日	NA

残業(月) 25.0時間

[記者評価] 三菱商事と旧日商岩井(現双日)の鉄鋼事業部門が統合して03年発足。14年三井物産スチールと国内建材事業を、19年4月には住友商事グループと国内鋼管事業を統合。さらに日鉄グループとの共同出資ステンレス2社を21年4月集約化。海外は北中米を軸に注力。

●エントリー情報と採用プロセス●

【受付開始～終了】[総]3月～4月【採用プロセス】[総]ES提出・筆記(3月)→面接(3回、4月)→内々定(4～5月)【交通費支給】最終面接、関東圏外全額

試験情報

[重視科目] [総]面接

[総][ES]⇒巻末[筆]WebGAB[面]3回(Webあり)

[選考ポイント] [総][ES]ESの内容及び適性検査の総合評価 [面]総合評価

[通過率] [総][ES]NA

[倍率(応募/内定)] [総]NA

●給与、ボーナス、週休、有休ほか●

【30歳総合職平均年収】NA【初任給】(博士)340,000円(修士)340,000円(大卒)305,000円【ボーナス(年)】NA【25、30、35歳賃金】NA【週休】完全2日(土日祝)【夏期休暇】有休で取得【年末年始休暇】12月29日～1月3日【有休取得】12.6/20日

●男女別採用数と配属先ほか●

【男女・文理別採用実績】

	大卒男	大卒女	修士男	修士女
23年	11(文 10理 1)	4(文 4理 0)	0(文 0理 0)	0(文 0理 0)
24年	7(文 6理 1)	4(文 4理 0)	2(文 0理 2)	0(文 0理 0)
25年	10(文 10理 0)	2(文 2理 0)	2(文 0理 2)	2(文 2理 0)

【25年4月入社者の採用実績校】
[文](院)早大2(大)慶大3 明大 立命館大各2 一橋大 東京外大 東京学芸大 横浜市大 立教大各1 [理](院)北大 千葉大各1

【24年4月入社者の配属先】
[総]勤務地:東京13 部署:営業11 主計1 シェアードサービス1

●従業員数、勤続年数、離職率ほか●

【男女別従業員数、平均年齢、平均勤続年数】計 966(43.0歳 NA)男 NA 女 NA【離職率と離職者数】NA【3年後新卒定着率】61.5%(男66.7%、女0%、3年前入社:男12名・女1名)【組合】あり

[求める人材] グローバルな環境でリーダーシップを発揮し新たな価値創出に挑戦し続けられる人材

[会社データ] (金額は百万円)

【本社】100-7032 東京都千代田区丸の内2-7-2 JPタワー
☎03-6777-2000 https://www.mtlo.co.jp/
【社長】渡邉 善之【設立】2003.1【資本金】100,000【今後力を入れる事業】新機能開発 業態変革 海外事業

【業績(IFRS)】	売上高	営業利益	税前利益	純利益
22.3	2,007,800	41,900	44,300	28,100
23.3	2,396,200	54,800	56,100	41,500
24.3	2,354,400	50,400	52,100	35,000

にってつぶっさん

日鉄物産(株)

[株式公開 していない]

【特色】日本製鉄系の専門商社。鉄鋼軸に産機や食糧も

修士・大卒採用数	3年後離職率	有休取得年平均	平均年収(平均44歳)
66名	5.7 → 3.8%	12.7日	[総]1,203万円

残業(月) 26.3時間

[記者評価] 日本製鉄グループ中核。13年に日鐵商事と住金物産が合併して発足。鉄鋼卸が主力で、建材や製造業向けに強み。旧住金物産が得意の繊維は22年に持分化。サプライチェーン強化や脱炭素にも挑む。24年8月電磁鋼板販社を子会社化。海外16カ国30都市に拠点展開。

●エントリー情報と採用プロセス●

【受付開始～終了】[総]3月～6月【採用プロセス】[総]ES提出・PR動画・適性検査(3月～)→面接(複数回、4月～)→内々定(5月～)【交通費支給】対面面接、遠方者のみ実費【早期選考】⇒巻末

試験情報

[重視科目] [総]面接 適性検査 PR動画 ES

[総][ES]⇒巻末[筆]あり(内容NA)[面]複数回(Webあり)

[選考ポイント] [総][ES]NA(提出あり)[面]NA

[通過率] [総][ES]NA

[倍率(応募/内定)] [総]NA

●給与、ボーナス、週休、有休ほか●

【30歳総合職平均年収】NA【初任給】(修士)300,000円(大卒)300,000円【ボーナス(年)】NA、7.85カ月【25、30、35歳賃金】NA【週休】完全2日(土日祝)【夏期休暇】なし【年末年始休暇】12月29日～1月3日【有休取得】12.7/20日

●男女別採用数と配属先ほか●

【男女・文理別採用実績】

	大卒男	大卒女	修士男	修士女
23年	22(文 21理 1)	10(文 10理 0)	0(文 0理 0)	2(文 2理 0)
24年	37(文 36理 1)	9(文 9理 0)	3(文 0理 3)	1(文 1理 0)
25年	37(文 36理 1)	24(文 24理 0)	5(文 0理 5)	0(文 0理 0)

【25年4月入社者の採用実績校】
[文](大)同大9 青学大 中大各5 明大 法政大各4 上智大 明学大 近大各3 学習院大2 早大 慶大 ICU 筑波大 東京外大 横浜市大 名古屋市大 神戸市外大 関大 立命館大 南山大 関西外大 長野県大 神田外語大 サセックス大 NY州立大パーチェス各1 [理](院)阪大 東京農工大 名工大 都立大 立命館大各1(大)法政大1

【24年4月入社者の配属先】
[総]勤務地:東京37 大阪9 名古屋2 九州2 部署:営業45 財務3 審査1 人事1

●従業員数、勤続年数、離職率ほか●

【男女別従業員数、平均年齢、平均勤続年数】計 1,558(44.9歳 16.8年)男 965(45.9歳 17.8年)女 593(40.7歳 15.1年)【離職率と離職者数】2.4%、39名(他に男3名転籍)【3年後新卒定着率】96.2%(男100%、女91.7%、3年前入社:男14名・女12名)【組合】あり

[求める人材] 情熱、主体性、好奇心、挑戦心、自分で考える力を持つ人

[会社データ] (金額は百万円)

【本社】103-6025 東京都中央区日本橋2-7-1 東京日本橋タワー
☎03-6772-5020 https://www.nst.nipponsteel.com/
【社長】中村 真一【設立】1977.8【資本金】16,389【今後力を入れる事業】北米、インド市場の需要取り込み

【業績(連結)】	売上高	営業利益	経常利益	純利益
22.3	1,865,907	44,627	47,810	35,417
23.3	2,134,280	NA	51,328	33,512
24.3	2,099,500	NA	52,800	32,400

1127 ▶『業界地図』p.284 開示 ★★★

㈱ホンダトレーディング

株式公開していない

【特色】ホンダG唯一の商社。鋼材・樹脂・部品など扱う

修士・大卒採用数	3年後離職率	有休取得年平均	平均年収(平均43歳)
14名	NA	13.5日	総816万円

残業(月) 15.6時間

記者評価 ホンダ社内ベンチャーとして発足。コーヒー等の輸入販売から始動し、グループの商社機能担う存在に成長。4輪車・2輪車向け鋼材・樹脂、アルミや部品などをホンダに納入するほか、ホンダ車ノックダウン部品の輸出も手がける。世界19カ国・地域に58拠点を展開。

●エントリー情報と採用プロセス●

【受付開始～終了】総3月～7月【採用プロセス】総説明会(必須、3月～)→ ES提出・Webテスト(3～5月)→ 面接(3回、3～6月)→ 内々定(6月)【交通費支給】最終面接、都道府県ごとに定額

試験情報

重視科目 総面接

総ESㇸ巻末筆玉手箱面3回(Webあり)

選考ポイント 総ES志望動機 内容に一貫性があるか 応募者の個性を活かした主体的な取り組み内容面当社への志望度 思考し的確に相手に伝えられる能力 話した内容に一貫性があるか等の論理的思考力コミュニケーション能力他

通過率 総ESNA

倍率(応募/内定) 総NA

●男女別採用数と配属先ほか●

【男女・文理別採用実績】

	大卒男	大卒女	修士男	修士女
23年	4(文 4理 0)	2(文 2理 0)	0(文 0理 0)	0(文 0理 0)
24年	9(文 9理 0)	4(文 4理 0)	0(文 0理 0)	0(文 0理 0)
25年	8(文 8理 0)	5(文 5理 0)	0(文 0理 0)	1(文 1理 0)

【25年4月入社者の採用実績校】
文(院)関西学大1(大)法政大2 清泉女大 青学大 東京外大 明大 日大 関大 上智大 同大 関西学大 長崎大 専大各1 理なし

【24年4月入社者の配属先】
総勤務地:東京13 部署:営業10 管理3

●給与、ボーナス、週休、有休ほか●

【30歳総合職平均年収】NA【初任給】(修士)255,050円(大卒)255,050円【ボーナス(年)】NA【25、30、35歳賃金】NA【週休】2日【夏期休暇】フレックス夏季休暇(平日連続5日、7～9月の間)【年末年始休暇】9日程度の休暇【有休取得】13.5／20日

●従業員数、勤続年数、離職率ほか●

【男女別従業員数、平均年齢、平均勤続年数】計 383(43.0歳 14.1年) 男 286(43.8歳 14.7年) 女 97(41.6歳 11.0年)【離職率と離職者数】5.0%、20名【3年後新卒定着率】NA【組合】なし

求める人材 夢と若さを保ち、理論・アイデア・時間を尊重し、コミュニケーションを大切にできる人

会社データ (金額は百万円)

【本社】101-8622 東京都千代田区外神田4-14-1 秋葉原UDX南ウイング
☎03-6847-5970 https://hondatrading.com/
【社長】夏目 達也【設立】1972.3【資本金】1,600【今後力を入れる事業】リソースサーキュレーション等環境負荷ゼロ社会を目指す取り組み

【業績(連結)】	売上高	営業利益	経常利益	純利益
22.3	1,354,100	NA	NA	NA
23.3	1,544,000	NA	NA	NA
24.3	1,611,000	NA	NA	NA

JFE商事㈱

ジェイエフイーしょうじ

株式公開計画なし

【特色】JFE系鉄鋼専門商社。鉄鋼原材料や食品も扱う

修士・大卒採用数	3年後離職率	有休取得年平均	平均年収(平均※38歳)
45名	5.7 → 12.5%	16.1日	総1,202万円

残業(月) 30.2時間

記者評価 旧川崎製鉄と旧日本鋼管の商事部門統合で04年に誕生した鉄鋼商社。鉄鋼製品の販売に加え、鉄鉱石など原材料や生産設備も扱う。JFEグループ向けが大半。海外は米、中、ASEANを軸に35の営業拠点を置く。専門チームを設け再エネ関連鋼材を強化。

●エントリー情報と採用プロセス●

【受付開始～終了】総3月～7月【採用プロセス】総PR動画提出・Webテスト→面接(3回)→内々定(6月上旬～)【交通費支給】最終面接、実費

試験情報

重視科目 総面接 Webテスト

総ESNA筆WebGAB面3回(Webあり)GD作NA

選考ポイント 総ESNA(提出あり)面人物面

通過率 総ESNA

倍率(応募/内定) 総NA

●男女別採用数と配属先ほか●

【男女・文理別採用実績】

	大卒男	大卒女	修士男	修士女
23年	32(文 31理 1)	24(文 24理 0)	2(文 2理 0)	1(文 0理 1)
24年	22(文 21理 1)	19(文 19理 0)	1(文 0理 1)	1(文 0理 1)
25年	20(文 20理 0)	21(文 21理 0)	3(文 1理 2)	1(文 0理 1)

【25年4月入社者の採用実績校】
文(院)阪大1(大)同大6 中大 立命館大各3 大阪公大 横国大 上智大 明大 青学大 立教大 法政大 関西学大各2 東北大 筑波大 千葉大 神戸大 神戸市外大 九大 お茶女大 東京学芸大 阪大 ICU 早大 学習院大 武蔵大各1 理(院)北大 都立大 大阪公大各1

【24年4月入社者の配属先】
総勤務地:東京29 大阪6 愛知4 広島2 千葉1 岡山1 部署:鉄鋼23 原材料・資機材11 管理9

●給与、ボーナス、週休、有休ほか●

【30歳総合職平均年収】NA【初任給】(大卒)280,000円【ボーナス(年)】NA【25、30、35歳賃金】NA【週休】完全2日(土日祝)【夏期休暇】有休で取得【年末年始休暇】12月30日～1月3日【有休取得】16.1／20日

●従業員数、勤続年数、離職率ほか●

【男女別従業員数、平均年齢、平均勤続年数】計 1,051(38.4歳 12.9年) 男 618(39.3歳 12.8年) 女 433(37.1歳 12.9年) ※出向者除く【離職率と離職者数】3.5%、38名【3年後新卒定着率】87.5%(男86.4%、女88.9%、3年前入社:男22名・女18名)【組合】あり

求める人材 関係者をまとめる強いリーダーシップ、周囲と協調するチームワーク、ミッションを成し遂げるという高い熱量、情報を冷静に分析し素早く判断する力、周囲から愛される愛嬌や礼儀正しさがある人

会社データ (金額は百万円)

【本社】100-0004 東京都千代田区大手町1-9-5 大手町フィナンシャルシティノースタワー
☎03-5203-5053 https://www.jfe-shoji.co.jp/
【社長】小林 俊文【設立】1954.1【資本金】14,539【今後力を入れる事業】脱炭素社会の実現に寄与する商材の拡販

【業績(IFRS)】	売上収益	セグメント収益
22.3	1,231,763	55,973
23.3	1,514,137	65,115
24.3	1,476,452	48,966

▶『業界地図』p.284

岡谷鋼機(株)（おかやこうき）

名古屋P 7485

【特色】江戸初期に創業。中部財界名門の鉄鋼・機械商社

修士・大卒採用数	3年後離職率	有休取得年平均	平均年収(平均41歳)
46名	NA	10.3日	総 1,100万円

●エントリー情報と採用プロセス●

【受付開始～終了】総3月～6月【採用プロセス】総Webセミナー(必須、3月～)→ES提出→Webテスト→GD→個人面接(3回)・筆記→内々定【交通費支給】最終面接以降、会社基準

試験情報

重視科目 総面接

総 ES⇒巻末 筆あり(内容NA) 面3回(Webあり) GD作NA

選考ポイント 総 ES NA(提出あり) 面コミュニケーション能力 自主性 柔軟性

通過率 総 ES NA

倍率(応募/内定) 総NA

●男女別採用数と配属先ほか●

【男女・文理別採用実績】

	大卒男	大卒女	修士男	修士女
23年	24(文 22理 2)	3(文 3理 0)	5(文 0理 5)	0(文 0理 0)
24年	31(文 28理 3)	8(文 8理 0)	3(文 0理 3)	1(文 0理 1)
25年	35(文 35理 0)	11(文 11理 0)	0(文 0理 0)	0(文 0理 0)

【25年4月入社者の採用実績校】
文(大)明大 南山大各7 同大 立命館大各3 名古屋市大 愛知県大 愛知大 富山大 関大各2 北大 阪大 神戸大 愛知教大 岐阜大 金沢大 埼玉大 滋賀大 東京学芸大 横浜市大 大阪公大 上智大 法政大 立教大 専大 明学大各1 理なし

【24年4月入社者の配属先】
総勤務地:東京18 愛知23 大阪2 部署:営業40 人事1 経理2

残業(月) 22.8時間

記者評価 1669年に金物商「笹屋」で創業。中部財界名門。岡谷家が歴代トップ務める。鉄鋼と産業資材が核。鉄鋼は建設、製造業向け鋼材、産業資材はロボットなど。伊メーカーから輸入の洋上風力タワー拡販。海外比率約3割。24年6月から大卒初任給を28万円に増額。

●給与、ボーナス、週休、有休ほか●

【30歳総合職平均年収】806万円【初任給】(修士)270,000円 (大卒)260,000円【ボーナス(年)】NA【25、30、35歳賃金】334,500円→428,000円→540,500円【週休】完全2日(土日祝)【夏期休暇】4日【年末年始休暇】5日【有休取得】10.3／20日

●従業員数、勤続年数、離職率ほか●

【男女別従業員数、平均年齢、平均勤続年数】計 678(39.2歳 14.2年) 男 458(NA) 女 220(NA) ※嘱託・契約社員含む【離職率と離職者数】—、31名(総合職のみ 早期退職男3名含む)【3年後新卒定着率】NA【組合】あり

求める人材 好奇心と情熱を持って、主体的に考え、周りを巻き込みながら挑戦できる人

会社データ (金額は百万円)

【本社】460-8666 愛知県名古屋市中区栄2-4-18
☎052-204-8149 https://www.okaya.co.jp/
【社長】岡谷 健広【設立】1937.4【資本金】9,128【今後力を入れる事業】海外 CASE スマートファクトリー 他

【業績(連結)】	売上高	営業利益	経常利益	純利益
22.2	960,809	22,719	28,021	19,321
23.2	962,016	29,448	32,568	23,520
24.2	1,111,934	32,412	35,850	23,659

神鋼商事(株)（しんこうしょうじ）

東京P 8075

【特色】神戸製鋼所系の商社。グループ製品取り扱い主力

修士・大卒採用数	3年後離職率	有休取得年平均	平均年収(平均40歳)
15名	21.4→18.2%	15.3日	総 1,140万円

●エントリー情報と採用プロセス●

【受付開始～終了】総3月～6月【採用プロセス】総説明会(任意、3月)→ES提出・Webテスト(3～4月)→面接(3回)・筆記(4～6月)→内々定【交通費支給】最終面接、実費【早期選考】⇒巻末

試験情報

重視科目 総面接 テスト

総 ES⇒巻末 筆WebGAB 一般常識 自社オリジナル 面3回(Webあり)

選考ポイント 総 ES求める人材に合致しているか 文章に論理性があるか 面バイタリティ 創造力 コミュニケーション能力 向上心

通過率 総 ES96%(受付:1,141→通過:1,101)

倍率(応募/内定) 総127倍

●男女別採用数と配属先ほか●

【男女・文理別採用実績】

	大卒男	大卒女	修士男	修士女
23年	7(文 7理 0)	9(文 8理 1)	1(文 0理 1)	0(文 0理 0)
24年	15(文 14理 1)	5(文 5理 0)	0(文 0理 0)	0(文 0理 0)
25年	9(文 9理 0)	5(文 5理 0)	1(文 0理 1)	0(文 0理 0)

【25年4月入社者の採用実績校】
文(大)明大3 同大 青学大 関大各2 神戸市外大 金沢大 埼玉大 立教大 法政大各1 理(院)筑波大1

【24年4月入社者の配属先】
総勤務地:東京・京橋14 大阪・淀屋橋3 名古屋3 部署:経営企画3 財務経理2 人事1 営業14

残業(月) 23.1時間 総27.1時間

記者評価 神戸製鋼所の関連会社でグループの中核商社。鋼材や非鉄金属のほか、神鋼への鉄鋼原料も取り扱う。自動車など製造業向けが強い。神鋼向けの売上は6%程度だが、同社からの仕入高は4割近い。海外は米国、タイ、中国が三大拠点。外国籍の学生を積極的に採用。

●給与、ボーナス、週休、有休ほか●

【30歳総合職平均年収】884万円【初任給】(修士)280,000円 (大卒)270,000円【ボーナス(年)】444万円、8.9カ月【25、30、35歳賃金】304,667円→372,500円→452,100円【週休】完全2日(土日祝)【夏期休暇】有休で取得【年末年始休暇】約5日【有休取得】15.3／20日

●従業員数、勤続年数、離職率ほか●

【男女別従業員数、平均年齢、平均勤続年数】計 565(39.6歳 15.0年) 男 383(41.2歳 15.8年) 女 182(36.4歳 13.4年)【離職率と離職者数】2.8%、16名【3年後新卒定着率】81.8%(男100%、女60.0%、3年前入社:男6名・女5名)【組合】なし

求める人材 情熱を持った人 好奇心に満ち溢れた人 チャレンジ意欲を持った人 企業理念を共有できる人

会社データ (金額は百万円)

【本社】104-0031 東京都中央区京橋1-7-2 ミュージアムタワー京橋
☎03-5579-5201 https://www.shinsho.co.jp/
【社長】髙下 拡展【設立】1946.11【資本金】5,650【今後力を入れる事業】EV・自動車軽量化 資源循環型ビジネス

【業績(連結)】	売上高	営業利益	経常利益	純利益
22.3	494,351	10,054	9,726	7,136
23.3	584,856	13,459	12,668	9,196
24.3	591,431	13,296	12,814	9,111

伊藤忠丸紅住商テクノスチール(株)
いとうちゅうまるべにすみしょう

株式公開 計画なし

【特色】建設用鋼材の専門商社。伊藤忠丸紅鉄鋼傘下

修士・大卒採用数	3年後離職率	有休取得年平均	平均年収(平均42歳)
28名	23.1 → 20.0%	12.7日	総 954万円

●エントリー情報と採用プロセス●

【受付開始～終了】総3月～6月【採用プロセス】総ES提出・適性検査→GW→面接(3回)→内々定【交通費支給】最終面接、原則、遠方者の新幹線、飛行機利用分【早期選考】⇒巻末

試験情報

重視科目 総面接

総 ES⇒巻末 筆あり(内容NA) 面3回 GD作NA

選考ポイント 総 ES NA(提出あり) 面社会常識 コミュニケーション能力 論理力などの人物面

通過率 総 ES NA(受付:399→通過:NA)

倍率(応募/内定) 総22倍

●男女別採用数と配属先ほか●

【男女・文理別採用実績】

	大卒男	大卒女	修士男	修士女
23年	9(文 9理 0)	6(文 6理 0)	0(文 0理 0)	0(文 0理 0)
24年	13(文 9理 4)	4(文 4理 0)	0(文 0理 0)	0(文 0理 0)
25年	15(文 12理 3)	11(文 11理 0)	2(文 1理 1)	0(文 0理 0)

※25年:予定数

【25年4月入社者の採用実績校】
文(院)順天堂大1(大)明大3 法政大2 上智大 青学大 立教大 関西学大 同大 三重大 横浜市大各1 理(院)神戸大1(大)京大 関西学大 大阪市大各1

【24年4月入社者の配属先】
総勤務地:東京・大手町14 大阪市3 部署:営業14 経営企画1 人事1 経理1

残業(月) 23.6時間 総30.5時間

記者評価 鋼板や鋼管など鉄鋼建材を扱う専門商社で国内大手。伊藤忠丸紅鉄鋼の子会社で住友商事グループも出資。鉄鋼メーカーから鋼材を仕入れ、ゼネコンや特約店、建材メーカーに販売する。ファブデッキなど独自製品や鋼管杭埋設のSEG工法など独自工法も開発。

●給与、ボーナス、週休、有休ほか●

【30歳総合職平均年収】NA【初任給】(修士)255,000円(大卒)250,000円【ボーナス(年)】NA【25、30、35歳賃金】NA【週休】完全2日(土日祝)【夏期休暇】3日【年末年始休暇】12月29日～1月3日【有休取得】12.7／20日

●従業員数、勤続年数、離職率ほか●

【男女別従業員数、平均年齢、平均勤続年数】計 347(42.0歳 15.9年) 男 202(42.4歳 15.7年) 女 145(41.5歳 16.2年)【離職率と離職者数】3.1%、11名【3年後新卒定着率】80.0%(男87.5%、女71.4%、3年前入社:男8名・女7名)【組合】なし

求める人材 コミュニケーション能力と自立・自律性という人間力を持っている人物

会社データ (金額は百万円)

【本社】100-0004 東京都千代田区大手町1-6-1 大手町ビル8階
☎03-6266-8221 https://www.imsts.co.jp/
【社長】田中 康博【設立】1963.5【資本金】3,000【今後力を入れる事業】NA

【業績(連結)】	売上高	営業利益	経常利益	純利益
22.3	409,800	3,300	3,800	2,700
23.3	474,800	4,500	5,000	3,500
24.3	477,600	5,600	5,900	4,200

小野建(株)
おのけん

東京P 7414

【特色】鋼材・建設機材専門商社。北九州足場に全国展開

修士・大卒採用数	3年後離職率	有休取得年平均	平均年収(平均38歳)
17名	NA	11.0日	533万円

●エントリー情報と採用プロセス●

【受付開始～終了】総3月～継続中【採用プロセス】総説明会(任意、3月)→ES提出(3月)→面接(4月中旬)→会社見学・最終面接(4月下旬)→内々定(5月上旬)【交通費支給】なし【早期選考】⇒巻末

試験情報

重視科目 総面接

総 ES⇒巻末 筆なし 面2回(Webあり)

選考ポイント 総 ES具体的なエピソード及び得た何かがあるか 文のきれいさ(読みやすさ) 面人物重視(明るくハキハキ自己主張できているか他)

通過率 総 ES83%(受付:(早期選考含む)60→通過:(早期選考含む)50)

倍率(応募/内定) 総(早期選考含む)3倍

●男女別採用数と配属先ほか●

【男女・文理別採用実績】

	大卒男	大卒女	修士男	修士女
23年	20(文 20理 0)	10(文 10理 0)	0(文 0理 0)	0(文 0理 0)
24年	13(文 13理 0)	4(文 3理 1)	0(文 0理 0)	0(文 0理 0)
25年	13(文 10理 3)	4(文 4理 0)	0(文 0理 0)	0(文 0理 0)

【25年4月入社者の採用実績校】
文(大)長崎大2 北九州市大 広島修道大 広島経大 成蹊大 長崎国際大 日経大 九州共立大 久留米大 九産大 周南公大 國學院大各1 理(大)志學館大 聖カタリナ大 九州共立大各1

【24年4月入社者の配属先】
総勤務地:小倉2 山口2 熊本1 長崎1 大阪4 愛媛1 三重1 石川1 東京1 部署:営業13 管理1

残業(月) 16.9時間 総20.0時間

記者評価 鋼材、建設機材の専門商社。トタン板など扱う金物商として大正末期に創業。1983年開始と輸入鋼材の取り扱い先駆で、中国中心に約2500社にのぼる仕入れ先を持つ。建材販売や鉄骨工事など請負も。24年6月に静岡物流センターなど3施設竣工、福山に倉庫を新設中。

●給与、ボーナス、週休、有休ほか●

【30歳総合職平均年収】NA【初任給】(大卒)244,000円【ボーナス(年)】NA、4.5カ月【25、30、35歳賃金】NA【週休】2日【夏期休暇】8月13～15日【年末年始休暇】12月28日～1月3日【有休取得】11.0／20日

●従業員数、勤続年数、離職率ほか●

【男女別従業員数、平均年齢、平均勤続年数】計 806(38.0歳 8.0年) 男 569(NA) 女 237(NA)【離職率と離職者数】NA【3年後新卒定着率】NA【組合】なし

求める人材 明るく、元気で、前向きに働き、社員同士に思いやりを持って働ける人 自身で考え、行動に移せる人

会社データ (金額は百万円)

【本社】803-8558 福岡県北九州市小倉北区西港町12-1
☎093-561-0036 https://www.onoken.co.jp/
【社長】小野 建【設立】1949.8【資本金】6,942【今後力を入れる事業】販売エリア・シェア拡大

【業績(連結)】	売上高	営業利益	経常利益	純利益
22.3	222,759	11,756	11,977	8,145
23.3	262,653	9,735	9,950	7,022
24.3	281,933	8,219	8,342	5,761

佐藤商事(株)（さとうしょうじ）

東京P 8065

【特色】金属専門商社。トラックや建機向けが中心

修士・大卒採用数	3年後離職率	有休取得年平均	平均年収(平均44歳)
16名	0→30.8%	12.9日	総1,144万円

残業(月) 10.7時間 総10.7時間

記者評価 1930年に東京・茅場町にて佐藤ハガネ商店として個人創業。鉄鋼、非鉄、電子材料、機械工具など6つの事業部門を持つ。主力の鉄鋼部門は自動車、建機、橋梁などが顧客。海外は中国、香港、タイ、ベトナムなどに20拠点。海外売上比率20%が当面の目標。

●エントリー情報と採用プロセス●

【受付開始～終了】総3月～5月【採用プロセス】総説明会(必須、3～5月)→ES提出→C-GAB→面接(3回)→内々定【交通費支給】最終面接、全額

試験情報

重視科目 総面接

総 ES⇒巻末 筆C-GAB 面3回(Webあり)

選考ポイント 総 ES求める人材と合致しているか 面求める人材と合致しているか

通過率 総 ES75%(受付:437→通過:326)

倍率(応募/内定) 総27倍

●男女別採用数と配属先ほか●

【男女・文理別採用実績】

	大卒男	大卒女	修士男	修士女
23年	8(文 8理 0)	2(文 2理 0)	0(文 0理 0)	0(文 0理 0)
24年	14(文 14理 0)	3(文 3理 0)	0(文 0理 0)	0(文 0理 0)
25年	15(文 14理 1)	1(文 1理 0)	0(文 0理 0)	0(文 0理 0)

【25年4月入社者の採用実績校】
文(大)法政大3 青学大 関大 同大各2 関西学大 駒澤大 上智大 成蹊大 成城大 津田塾大各1 理(大)立命館大1

【24年4月入社者の配属先】
総勤務地:東京8 神奈川3 名古屋1 滋賀1 大阪2 広島1 部署:鉄鋼8 非鉄1 電子1 機械1 ライフ2 営業開発1 監査1 経営管理1

●給与、ボーナス、週休、有休ほか●

【30歳総合職平均年収】843万円【初任給】(修士)NA(大卒)260,000円【ボーナス(年)】NA【25、30、35歳賃金】270,100円→297,700円→315,500円【週休】完全2日(土日祝)【夏期休暇】5日(有休で取得)【年末年始休暇】12月30日～1月3日【有休取得】12.9／20日

●従業員数、勤続年数、離職率ほか●

【男女別従業員数、平均年齢、平均勤続年数】計 655(43.5歳 13.9年) 男 442(45.2歳 14.9年) 女 213(39.9歳 11.7年)【離職率と離職者数】5.6%、39名【3年後新卒定着率】69.2%(男55.6%、女100%、3年前入社:男9名・女4名)【組合】なし

求める人材 自ら問題を解決する意欲と、商社パーソンとして重要なコミュニケーション能力を持った人材

会社データ (金額は百万円)

【本社】100-8285 東京都千代田区丸の内1-8-1 丸の内トラストタワーN館
☎03-5218-5311 https://www.satoshoji.co.jp/
【社長】野澤 哲夫【設立】1949.2【資本金】1,321【今後力を入れる事業】横断的な販売活動の促進と新商材の発掘

【業績(連結)】	売上高	営業利益	経常利益	純利益
22.3	236,162	5,734	6,263	4,016
23.3	275,006	6,136	6,719	6,194
24.3	273,975	6,479	7,293	6,478

大同興業(株)（だいどうこうぎょう）

株式公開 計画なし

【特色】大同特殊鋼傘下の鉄鋼商社。海外はアジア中心

修士・大卒採用数	3年後離職率	有休取得年平均	平均年収(平均39歳)
15名	28.6→28.6%	15.0日	総930万円

残業(月) 12.8時間 総18.5時間

記者評価 大同特殊鋼傘下。特殊鋼鋼材、製鋼原材料と金属工作機械など関連機械が主力。特殊鋼派生の2次・3次製品や、EVなどのモーター用ネオジウム磁石も扱う。16年大同特殊鋼が完全子会社化。アジア中心に海外展開。教育や研修、自己啓発支援制度が充実。

●エントリー情報と採用プロセス●

【受付開始～終了】総3月～7月【採用プロセス】総説明会(必須)→ES提出→書類選考・Webテスト→面接(3回)→内々定【交通費支給】最終面接、実費【早期選考】⇒巻末

試験情報

重視科目 総面接

総 ES⇒巻末 筆SPI3(会場) SPI3(自宅) リスクチェッカー 面3回(Webあり)

選考ポイント 総 ES文章構成力 丁寧さ 志望動機(自己紹介を含む)と活動軸に一定の同調性があるか 面コミュニケーション力 バランス力 バイタリティ チームワーク力 リーダーシップ 他

通過率 総 ES56%(受付:203→通過:113)

倍率(応募/内定) 総14倍

●男女別採用数と配属先ほか●

【男女・文理別採用実績】

	大卒男	大卒女	修士男	修士女
23年	7(文 7理 0)	4(文 4理 0)	2(文 0理 2)	0(文 0理 0)
24年	12(文 12理 0)	1(文 1理 0)	0(文 0理 0)	0(文 0理 0)
25年	9(文 9理 0)	4(文 4理 0)	0(文 0理 0)	2(文 2理 0)

【25年4月入社者の採用実績校】
文(院)東洋大 立命館大各1(大)南山大 明大 京産大 中京大各2 成城大 成蹊大 駒澤大 立命館大 関西学大各1 理なし

【24年4月入社者の配属先】
総勤務地:東京6 浜松1 名古屋4 大阪2 部署:営業13

●給与、ボーナス、週休、有休ほか●

【30歳総合職平均年収】690万円【初任給】(修士)286,000円(大卒)265,000円【ボーナス(年)】NA【25、30、35歳賃金】286,000円→NA→NA【週休】完全2日(土日祝)【夏期休暇】有休利用【年末年始休暇】12月30日～1月3日【有休取得】15.0／20日

●従業員数、勤続年数、離職率ほか●

【男女別従業員数、平均年齢、平均勤続年数】計 382(40.3歳 13.2年) 男 248(41.9歳 15.2年) 女 134(37.7歳 9.4年)【離職率と離職者数】NA【3年後新卒定着率】71.4%(男71.4%、女―、3年前入社:男7名・女0名)【組合】あり

求める人材 失敗を恐れず、自分の考えを持って何事にも積極的に取組むチャレンジ精神豊かな人

会社データ (金額は百万円)

【本社】108-8487 東京都港区港南1-6-35 大同品川ビル
☎03-5495-7260 https://www.daidokogyo.co.jp/
【社長】立花 一人【設立】1946.1【資本金】1,511【今後力を入れる事業】海外事業

【業績(単独)】	売上高	営業利益	経常利益	純利益
22.3	206,975	4,334	3,642	2,508
23.3	244,388	6,793	5,877	4,196
24.3	239,790	6,215	5,257	3,803

ユアサ商事(株)（しょうじ）

東京P 8074

【特色】工作機械、産業機器、空調・管材等の専門商社

修士・大卒採用数	3年後離職率	有休取得年平均	平均年収(平均39歳)
84名	24.0→16.9%	12.1日	[総]973万円

残業(月) 10.9時間 [総]14.7時間

[記者評価] 工作機械等を扱う老舗専門商社。1666年に京都で創業した木炭商が会社の起源。産機、空調・管材、建材など事業分野は幅広い。販売先の「やまずみ会」、仕入先の「炭協会」が成長の原動力。複数部門がタイに進出、東南アで野心的展開狙う。インドも拡充。

●エントリー情報と採用プロセス●

【受付開始～終了】[総]12月～6月【採用プロセス】[総]Webセミナー(必須、12～4月)→ES提出(1～4月)→GD(2～5月)→Webテスト(2～5月)→1次面接(1～7月)→2次面接(2～7月)→3次面接(2～7月)→役員面接(3～8月)→内々定(3～8月)【交通費支給】〈総合職〉3次面接・最終面接、遠方者(実費)【早期選考】⇒巻末

試験情報

[重視科目] [総]面接

[総][ES]⇒巻末[筆]SPI3(会場) SPI3(自宅)[面]4回(Webあり)[GD作]⇒巻末

[選考ポイント] [総][ES]文章構成が簡潔、明瞭 丁寧に記入しているか[面]会社とのマッチ度

[通過率] [総][ES]84%(受付:(早期選考含む)2,527→通過:(早期選考含む)2,130)

[倍率(応募/内定)] [総](早期選考含む)42倍

●男女別採用数と配属先ほか●

【男女・文理別採用実績】

	大卒男	大卒女	修士男	修士女
23年	43(文 38理 5)	33(文 33理 0)	0(文 0理 0)	0(文 0理 0)
24年	32(文 32理 0)	36(文 34理 2)	2(文 0理 2)	0(文 0理 0)
25年	53(文 45理 8)	30(文 30理 0)	1(文 0理 1)	0(文 0理 0)

【25年4月入社者の採用実績校】[文](大)青学大 関西学大 同大 法政大 立命館大各4 関大 上智大 中大 獨協大 日大 明学大 立教大各2 大阪市大 学習院大 京産大 近大 慶大 甲南女大 国士舘大 駒澤大 埼玉大 白百合女大 成蹊大 中京大 兵庫県大 名古屋外大 南山大 明大 立命館APU 龍谷大 和歌山大 早大各1 [理](院)東京農工大1 (大)青学大 甲南大 日大 兵庫県大 同大 新潟大 立教大 龍谷大各1

【24年4月入社者の配属先】[総]勤務地:東京・千代田15 大阪市11 名古屋8 福岡市4 さいたま2 仙台2 部署:営業40 管理2

●給与、ボーナス、週休、有休ほか●

【30歳総合職平均年収】805万円【初任給】(修士)280,000円(大卒)268,000円【ボーナス(年)】266万円、6.5カ月【25、30、35歳賃金】305,000円→396,000円→470,000円【週休】完全2日(土日祝)【夏期休暇】8月10～15日(有休3日含む)【年末年始休暇】12月28日～1月5日【有休取得】12.1／20日

●従業員数、勤続年数、離職率ほか●

【男女別従業員数、平均年齢、平均勤続年数】計 1,184(38.8歳 12.5年) 男 686(39.6歳 13.3年) 女 498(37.7歳 11.4年)【離職率と離職者数】4.9%、61名(早期退職男2名含む)【3年後新卒定着率】83.1%(男84.1%、女80.0%、3年前入社:男44名・女15名)【組合】あり

[求める人材] 主体的に、革新を意識した行動を起こし、自己完結できる人物

[会社データ] (金額は百万円)

【本社】101-8580 東京都千代田区神田美土代町7 住友不動産神田ビル
☎03-6369-1111 https://www.yuasa.co.jp/
【社長】田村 博之【設立】1919.6【資本金】20,644【今後力を入れる事業】海外 グリーン デジタル 介護医療 食品 農業 等

【業績(連結)】	売上高	営業利益	経常利益	純利益
22.3	462,725	11,880	11,744	8,058
23.3	504,806	14,599	15,382	10,079
24.3	526,569	14,723	15,737	11,812

(株)山善（やまぜん）

東京P 8051

【特色】機械・工具商社の大手。住設建材や家電も展開

修士・大卒採用数	3年後離職率	有休取得年平均	平均年収(平均39歳)
72名	14.3→16.9%	10.5日	[総]1,006万円

残業(月) 21.5時間

[記者評価] 工作機械や機械工具など生産財の取り扱いで国内大手。小型冷房や扇風機や調理家電などPB家電が人気。ユニットバス、システムキッチンなど住設建材も手がける。海外はIoTやAIなど活用した自動化投資需要の取り込みに注力。新経営システム導入で業務効率化。

●エントリー情報と採用プロセス●

【受付開始～終了】[総]1月～6月【採用プロセス】[総]Webセミナー・ES提出(1月)→GD(1月)→SPI(2月)→面接(2回、2月)→内々定(3月～)【交通費支給】最終面接、実費【早期選考】⇒巻末

試験情報

[重視科目] [総]面接

[総][ES]⇒巻末[筆]SPI3(会場)[面]2回[GD作]⇒巻末

[選考ポイント] [総][ES]NA(提出あり)[面]協調性 積極性 信頼感 自己統制 コミュニケーション力

[通過率] [総][ES]NA

[倍率(応募/内定)] [総]NA

●男女別採用数と配属先ほか●

【男女・文理別採用実績】

	大卒男	大卒女	修士男	修士女
23年	45(文 37理 8)	23(文 22理 1)	0(文 0理 0)	0(文 0理 0)
24年	53(文 50理 3)	23(文 23理 0)	0(文 0理 0)	1(文 0理 1)
25年	51(文 49理 2)	20(文 20理 0)	1(文 0理 1)	0(文 0理 0)

【25年4月入社者の採用実績校】
[文](大)明大 同大各6 関西学大5 愛知大 京産大 青学大 法政大各4 東洋大3 関大 中大 立命館大 麗澤大各2 日大 学習院大 京都教大 公立鳥取環境大 甲南大 國學院大 小樽商大 神戸市外大 成城大 成蹊大 清泉女大 静岡大 専大 大阪公大 大東文化大 大和大 中京大 東海大 東北学大 同女大 南山大 武蔵大 兵庫県大 名城大 和歌山大各1 [理](院)関大1(大)北大 日大各1

【24年4月入社者の配属先】[総]勤務地:大阪21 東京23 さいたま12 名古屋9 広島2 福岡8 横浜2 部署:機械12 産業19 ツール15 産業兼ツール2 TFS4 住建12 家庭機器11 経管2

●給与、ボーナス、週休、有休ほか●

【30歳総合職平均年収】757万円【初任給】(博士)268,400円(修士)268,400円(大卒)252,000円【ボーナス(年)】238万円、6.35カ月【25、30、35歳賃金】350,080円→370,438円→414,149円【週休】完全2日(土日祝)【夏期休暇】連続9日(有休2日含む)【年末年始休暇】連続9日(有休3日含む)【有休取得】10.5／20日

●従業員数、勤続年数、離職率ほか●

【男女別従業員数、平均年齢、平均勤続年数】計 1,688(39.4歳 13.8年) 男 1,130(41.7歳 15.5年) 女 558(34.5歳 10.1年)【離職率と離職者数】4.7%、84名【3年後新卒定着率】83.1%(男76.9%、女95.0%、3年前入社:男39名・女20名)【組合】なし

[求める人材] 挑戦し、考動する人財

[会社データ] (金額は百万円)

【本社】550-8660 大阪府大阪市西区立売堀2-3-16
☎06-6534-3021 https://www.yamazen.co.jp/
【社長】岸田 貢司【設立】1947.5【資本金】7,909【今後力を入れる事業】デジタル融合 グリーン戦略 省人化 海外

【業績(連結)】	売上高	営業利益	経常利益	純利益
22.3	501,872	17,133	17,093	12,023
23.3	527,263	16,563	17,280	12,527
24.3	506,866	9,887	10,435	6,488

㈱ミスミ

持株会社傘下

【特色】FA・金型部品の製造と流通を担う。IT投資に注力

修士・大卒採用数	3年後離職率	有休取得年平均	平均年収(平均40歳)
56名	19.0→15.0%	11.7日	総732万円

●エントリー情報と採用プロセス●

【受付開始～終了】総2月～継続中【採用プロセス】総説明会(必須)→ES提出(2月～)→適性テスト(3月)→1次面接(3月)→筆記(4月)→2次面接(4月)→最終面接(5月)→内々定(5月)【交通費支給】最終面接【早期選考】⇒巻末

試験情報

重視科目 総面接 筆記

総 ES⇒巻末 筆C-GAB WebGAB OPQ TAL 面3回(Webあり)

選考ポイント 総 ES設問に対しての回答が書かれているか わかりやすくまとめられているか 面自分の言葉で語っているか、経験から学びを得ているか

通過率 総 ES91%(受付:1,354→通過:1,234)

倍率(応募/内定) 総14倍

●男女別採用数と配属先ほか●

【男女・文理別採用実績】

	大卒男	大卒女	修士男	修士女
23年	7(文 4理 3)	5(文 5理 0)	1(文 1理 0)	1(文 1理 0)
24年	23(文 21理 2)	20(文 19理 1)	0(文 0理 0)	1(文 1理 0)
25年	29(文 26理 3)	23(文 21理 2)	1(文 0理 1)	3(文 2理 1)

【25年4月入社者の採用実績校】文(院)早大 一橋大各1(大)明大 立教大各6 同大5 関西学大 関大 慶大 明学大 上智大 早大各2 愛知県大 横国大 関西外大 京都外大 近大 金沢大 群馬大 滋賀大 昭和女大 上海交通大 信州大 千葉大 筑波大 中大 長崎県大 東洋大 日女大 立命館大各1 理(院)東京農工大 会津大各1(大)明大2 東理大 駒澤大 順天堂大各1

【24年4月入社者の配属先】総勤務地:東京・九段下43 部署:商品・サービス企画25 物流企画5 コーポレート2 マーケティング4 IT4 EC企画3 技勤務地:静岡市1 部署:生産技術1

残業(月) 26.9時間 総26.9時間

記者評価 アジアと欧米を中心に生産・配送拠点を有し、世界で約33万社の顧客を抱える。生産現場で使用される資材や消耗品を含め3000万点超の商品を取り扱い、顧客にワンストップ供給。AIを用いた部品調達サービス「meviy(メビー)」に注力、海外展開を進める。

●給与、ボーナス、週休、有休ほか●

【30歳総合職平均年収】580万円【初任給】(修士)304,000円(大卒)279,000円【ボーナス(年)】186万円、4.1カ月【25、30、35歳賃金】NA【週休】完全2日【夏期休暇】有休利用で5日以上の取得を推奨【年末年始休暇】12月29日～1月4日【有休取得】11.7/20日

●従業員数、勤続年数、離職率ほか●

【男女別従業員数、平均年齢、平均勤続年数】計1,858(39.6歳 7.6年)男1,164(39.9歳 7.4年)女694(39.1歳 7.7年)【離職率と離職者数】8.2%、166名【3年後新卒定着率】85.0%(男80.8%、女88.2%、3年前入社:男26名・女34名)【組合】なし

求める人材 挑戦・成長意欲が高く、考えることから逃げない人

会社データ (金額は百万円)

【本社】102-8583 東京都千代田区九段南1-6-5 九段会館テラス ☎03-6777-7800 https://www.misumi.co.jp/

【社長】大野 龍隆【設立】1963.2【資本金】14,231【今後力を入れる事業】製造業DXの加速

【業績(連結)】	売上高	営業利益	経常利益	純利益
22.3	366,160	52,210	52,500	37,557
23.3	373,151	46,615	47,838	34,282
24.3	367,649	38,365	41,265	28,152

※資本金・業績・会社データは㈱ミスミグループ本社のもの
※注記のないデータは㈱ミスミグループ本社、㈱ミスミの合算

トラスコ中山(なかやま)㈱

東京P 9830

【特色】工場や作業現場向けの工具、消耗品を扱う卸大手

修士・大卒採用数	3年後離職率	有休取得年平均	平均年収(平均35歳)
110名	14.3→11.4%	12.2日	総823万円

●エントリー情報と採用プロセス●

【受付開始～終了】総3月～5月【採用プロセス】総説明会(必須、1月～)→ES(2月～)→GD(3月～)→性格適性検査・1次面接(4月～)→最終面接(4月)→内々定(5月)【交通費支給】最終選考、遠方者(定額)【早期選考】⇒巻末

試験情報

重視科目 総面接

総 ES⇒巻末 筆OPQ 面2回(Webあり) GD作⇒巻末

選考ポイント 総 ES学生時代の取り組み 他 面コミュニケーション能力 主体性 協調性 マナー

通過率 総 ES90%(受付:1,062→通過:955)

倍率(応募/内定) 総(早期選考含む)10倍

●男女別採用数と配属先ほか●

【男女・文理別採用実績】

	大卒男	大卒女	修士男	修士女
23年	27(文 25理 2)	36(文 35理 1)	0(文 0理 0)	0(文 0理 0)
24年	24(文 23理 1)	28(文 28理 0)	0(文 0理 0)	0(文 0理 0)
25年	64(文 57理 7)	46(文 44理 2)	0(文 0理 0)	0(文 0理 0)

【25年4月入社者の採用実績校】文(大)近大12 関大6 日大5 京産大 甲南大 下関市大各4 関西学大 群馬県女大 神戸女大 明大 明学大 立命館大 龍谷大各3 青学大 成城大 二松学舎大 武庫川女大 立命館APU各2 愛知県大 愛知工業大 大阪経大 北九州市大 京都女大 共立女大 県立広島大 國學院大 駒澤大 産能大 滋賀大 昭和女大 成蹊大 聖心女大 西南学大 中京大 筑波大 東京経大 東京農業大 同大 同女大 東洋大 南山大 日女大 広島市大 広島修道大 文教大 文京学大 法政大 武蔵大 和歌山大 早大 獨協大各1 理(大)近大 広島工大 滋賀大 湘南工大 東海大 東京海洋大 東京農業大 東洋大 立命館大各1

【24年4月入社者の配属先】総勤務地:埼玉・幸手16 堺8 神戸6 愛知・岡崎6 神奈川・厚木5 千葉・松戸5 仙台4 部署:入社後1年2カ月物流本部50

残業(月) 17.9時間 総20.2時間

記者評価 東・阪2本社制。工場や屋外作業現場向け工具、消耗品、機器類の専門商社。ホームセンター向けも多数扱う。タイ、台湾にPB調達拠点を置き品ぞろえ拡充。高温作業用の身体冷却着拡販。入社後は物流センターに配属され商材流通の基盤を学ぶ。名大と産学連携。

●給与、ボーナス、週休、有休ほか●

【30歳総合職平均年収】625万円【初任給】(修士)252,000円(大卒)245,000円【ボーナス(年)】167万円、5.0カ月【25、30、35歳賃金】258,450円→328,378円→405,143円【週休】完全2日(12月の最終土曜は出勤)【夏期休暇】有休で取得【年末年始休暇】12月31日～1月3日【有休取得】12.2/20日

●従業員数、勤続年数、離職率ほか●

【男女別従業員数、平均年齢、平均勤続年数】計1,625(39.9歳 15.4年)男1,053(43.4歳 18.5年)女572(33.2歳 9.7年)【離職率と離職者数】5.2%、89名(早期退職男4名含む)【3年後新卒定着率】88.6%(男88.2%、女88.9%、3年前入社:男17名・女18名)【組合】なし

求める人材 熱意と当事者意識のもと、変化を恐れず挑戦できる人材

会社データ (金額は百万円)

【本社】105-0004 東京都港区新橋4-28-1 トラスコ フィオリートビル ☎03-3433-9830 https://www.trusco.co.jp/

【社長】中山 哲也【設立】1964.3【資本金】5,022【今後力を入れる事業】eビジネスの取引拡大(ネット通販・電子集中購買)物流(新設物流センターの設立)

【業績(連結)】	売上高	営業利益	経常利益	純利益
21.12	229,342	12,891	13,572	11,603
22.12	246,453	14,667	15,065	10,626
23.12	268,154	18,519	18,669	12,268

開示 ★★★

(株)豊通マシナリー

（とよつう）

[株式公開計画なし]

【特色】豊田通商の完全子会社。機械設備・部品販売が柱

修士・大卒採用数	3年後離職率	有休取得年平均	平均年収(平均41歳)
18名	13.6→15.0%	13.0日	[総]982万円

●エントリー情報と採用プロセス●

【受付開始～終了】[総]3月～7月【採用プロセス】[総]説明会(必須、3～7月)→書類選考(ES提出・Webテスト、3～7月)→面接(3～4回)→内々定【交通費支給】対面選考(インターンシップ、面接)、実費【早期選考】⇒巻末

試験情報

[重視科目] [総]ES Webテスト 面接

[総][ES]⇒巻末[筆]SPI3(会場) C-GAB SPI3(自宅) WebGAB SPI性格 OPQ[面]3～4回(Webあり)[GD作]⇒巻末

[選考ポイント] [総][ES]論理的な文章構成 自己PRの内容の具体性[面]何かをやり抜いた経験 適性 コミュニケーション能力 グローバル志向 人柄重視

[通過率] [総][ES]NA(受付:(早期選考含む)481→通過:NA)

[倍率(応募/内定)] [総](早期選考含む)44倍

●男女別採用数と配属先ほか●

【男女・文理別採用実績】

	大卒男	大卒女	修士男	修士女
23年	11(文 2理 9)	9(文 9理 0)	0(文 0理 0)	0(文 0理 0)
24年	9(文 7理 2)	8(文 8理 0)	1(文 0理 1)	0(文 0理 0)
25年	8(文 4理 4)	10(文 10理 0)	0(文 0理 0)	0(文 0理 0)

【25年4月入社者の採用実績校】

[文](大)愛知県大 青学大 関大 滋賀大 中大 南山大 立命館大各1 [理](大)甲南大 徳島大 福井大 法政大各1

【24年4月入社者の配属先】

[総]勤務地:東京1 愛知(名古屋4 豊田3 堤2) 部署:NMX常備品部門7 中日本営業部門2 東日本営業部門1

[残業(月)] 25.6時間

[記者評価] 07年に豊通エンジニアリングとトーメンテクノソリューションズの合併で発足したTEMCOが母体。10年TEMCOの設計部門を切り出し、グループの豊通エスケーなど4社合併で現体制に。トヨタG向けが収益の柱。仕入れ先約4500社。海外取引40カ国以上、海外売上が過半。

●給与、ボーナス、週休、有休ほか●

【30歳総合職平均年収】792万円【初任給】(修士)265,000円 (大卒)255,000円【ボーナス(年)】309万円、NA【25、30、35歳賃金】NA【週休】完全2日(土日祝)【夏期休暇】3日【年末年始休暇】12月28日～1月5日【有休取得】13.0／20日

●従業員数、勤続年数、離職率ほか●

【男女別従業員数、平均年齢、平均勤続年数】計477(39.8歳 11.8年) 男330(40.9歳 12.6年) 女147(37.2歳 10.1年)【離職率と離職者数】4.8%、24名【3年後新卒定着率】85.0%(男80.0%、女90.0%、3年前入社:男10名・女10名)【組合】なし

[求める人材] 次世代の技術や変化に挑戦し続けるグローバル人材

[会社データ] (金額は百万円)

【本社】450-0002 愛知県名古屋市中村区名駅4-11-27
☎052-558-2613 https://www.toyotsu-machinery.co.jp/

【社長】北村 裕幸【設立】1978.2【資本金】325【今後力を入れる事業】自動車業界を主軸とした電動化 カーボンニュートラル 新規市場の積極的な開拓

【業績(単独)】	売上高	営業利益	経常利益	純利益
22.3	161,388	7,442	7,159	5,027
23.3	176,933	10,797	8,975	6,166
24.3	203,640	11,983	11,737	8,274

第一実業(株)

（だいいちじつぎょう）

[東京P 8059]

【特色】電力・プラント関連に強い機械商社。独立系

修士・大卒採用数	3年後離職率	有休取得年平均	平均年収(平均40歳)
38名	25.0→46.2%	12.1日	[総]1,035万円

●エントリー情報と採用プロセス●

【受付開始～終了】[総]1月～5月【採用プロセス】[総]説明会(必須、1～3月)→ES・動画提出(2～3月)→面接・適性検査(2～4月)→面接(2回、3～6月)→内々定【交通費支給】最終面接以降、遠方者のみ実費【早期選考】⇒巻末

試験情報

[重視科目] [総]面接

[総][ES]⇒巻末[筆]言語 非言語 英語 適性(オリジナル)[面]3回(Webあり)

[選考ポイント] [総][ES]論理的文章 行動力 人間的魅力[面]自己表現力 コミュニケーション能力 適性 意欲

[通過率] [総][ES]NA

[倍率(応募/内定)] [総]NA

●男女別採用数と配属先ほか●

【男女・文理別採用実績】

	大卒男	大卒女	修士男	修士女
23年	16(文 15理 1)	5(文 5理 0)	1(文 0理 1)	0(文 0理 0)
24年	16(文 16理 0)	7(文 7理 0)	4(文 0理 4)	0(文 0理 0)
25年	22(文 18理 4)	10(文 8理 2)	4(文 1理 3)	2(文 1理 1)

【25年4月入社者の採用実績校】

[文](院)東大 法政大各1(大)同大4 明学大 明大 立命館大 関西外大各2 法政大 日大 中京大 南山大 日体大 駿河台大 長野県大 関西学大 関大 近大 兵庫県大 甲南大 京産大 北九州市大各1 [理](院)名大 東京農業大 筑波大 立命館大各1(大)中大 信州大 大阪府大 福岡女大 日大 東洋大各1

【24年4月入社者の配属先】

[総]勤務地:東京13 大阪9 名古屋5 部署:営業23 管理(経理2 法務1 物流1)

[残業(月)] 23.6時間 [総]25.1時間

[記者評価] 機械専門商社からエンジニアリング商社へ脱皮途上。プラント・エネルギー、物流資材、住宅設備向け射出成形機、エレクトロニクス、自動車関連、ヘルスケア、航空(荷物搬送機・タラップ)など領域幅広い。出資先米国企業と連携し、顧客製造現場のDX案件深耕。

●給与、ボーナス、週休、有休ほか●

【30歳総合職平均年収】775万円【初任給】(修士)266,000円 (大卒)234,000円【ボーナス(年)】350万円、8.5カ月【25、30、35歳賃金】408,042円→427,680円→573,850円【週休】完全2日(土日祝)【夏期休暇】有休で取得【年末年始休暇】連続7日【有休取得】12.1／20日

●従業員数、勤続年数、離職率ほか●

【男女別従業員数、平均年齢、平均勤続年数】計623(41.0歳 12.0年) 男456(42.3歳 12.3年) 女167(37.6歳 11.2年)【離職率と離職者数】4.0%、26名【3年後新卒定着率】53.8%(男45.5%、女100%、3年前入社:男11名・女2名)【組合】なし

[求める人材] コミュニケーション力のある人材 行動力・思考力のある人材 成長意欲のある人材

[会社データ] (金額は百万円)

【本社】101-8222 東京都千代田区神田駿河台4-6 御茶ノ水ソラシティ
☎03-6370-8600 https://www.djk.co.jp/

【社長】宇野 一郎【設立】1948.8【資本金】5,105【今後力を入れる事業】グローバル規模でのトータルソリューション

【業績(連結)】	売上高	営業利益	経常利益	純利益
22.3	148,075	6,866	7,792	5,363
23.3	153,674	6,717	7,108	6,316
24.3	187,790	9,090	9,004	7,461

開示 ★★★★

▶『業界地図』p.284

もりたにしょうかい
㈱守谷商会
[株式公開計画なし]

【特色】総合機械商社の大手。1901年創業の老舗

修士・大卒採用数	3年後離職率	有休取得年平均	平均年収(平均44歳)
24名	14.3→4.5%	15.0日	NA

●エントリー情報と採用プロセス●

【受付開始～終了】[総]11月～継続中【採用プロセス】[総]ES提出・説明会(11月～)→筆記→面接(3回)→内々定(1月～)【交通費支給】2次面接以降、実費【早期選考】⇒巻末

試験情報

[重視科目] [総]面接

[総][ES]NA[筆]SPI3(会場) SPI性格[面]3回(Webあり)[GD作]⇒巻末

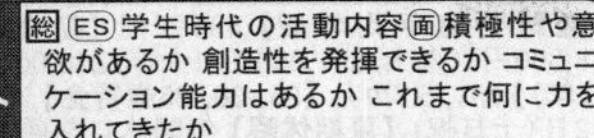

[選考ポイント] [総][ES]学生時代の活動内容[面]積極性や意欲があるか 創造性を発揮できるか コミュニケーション能力はあるか これまで何に力を入れてきたか

[通過率] [総][ES]選考なし(受付:(早期選考含む)1,450)

[倍率(応募/内定)] [総](早期選考含む)73倍

●男女別採用数と配属先ほか●

【男女・文理別採用実績】

	大卒男	大卒女	修士男	修士女
23年	16(文 14理 2)	4(文 4理 0)	2(文 0理 2)	0(文 0理 0)
24年	17(文 16理 1)	4(文 4理 0)	1(文 0理 1)	0(文 0理 0)
25年	18(文 16理 2)	4(文 4理 0)	2(文 0理 2)	0(文 0理 0)

【25年4月入社者の採用実績校】
[文](24年)(大)早大 日大各2 慶大 明大 法政大 関大 明学大 成蹊大 駒澤大 高知大 埼玉大 東京学芸大 北大 静岡大各1 [理](24年)(院)神奈川大1(大)琉球大1

【24年4月入社者の配属先】
[総]勤務地:東京・八重洲10 名古屋4 大阪4 部署:営業18

残業(月) 17.0時間 [総]20.0時間

[記者評価] 1901年創業の機械専門商社。持株会社GM INVESTMENTSの中核事業会社。産業機械、電気・電子機器、エネルギー関連機器など扱う。電力、鉄鋼関連が主な取引先で、官公庁にも強い。台・中・米・独・シンガポールに海外拠点網を構築。働き方改革加速。

●給与、ボーナス、週休、有休ほか●

【30歳総合職平均年収】NA【初任給】(修士)308,000円(大卒)296,200円【ボーナス(年)】NA【25、30、35歳賃金】NA【週休】完全2日(土日祝)【夏期休暇】有休で取得(3日以上を奨励)【年末年始休暇】連続5日以上【有休取得】15.0／20日

●従業員数、勤続年数、離職率ほか●

【男女別従業員数、平均年齢、平均勤続年数】計 637(43.6歳 19.3年) 男 486(44.7歳 20.1年) 女 151(40.0歳 16.6年)【離職率と離職者数】2.6%、17名【3年後新卒定着率】95.5%(男94.7%、女100%、3年前入社:男19名・女3名)【組合】なし

[求める人材] 主体性があり挑戦意欲の旺盛な人

[会社データ] (金額は百万円)
【本社】103-8680 東京都中央区八重洲1-4-22
☎03-3278-6111 https://sales.moritani.co.jp/
【会長】加藤 弘【設立】1918.1【資本金】810【今後力を入れる事業】エンジニアリング機能の強化

【業績(連結)】	売上高	営業利益	経常利益	純利益
22.3	100,582	4,484	5,375	3,802
23.3	110,091	5,644	6,744	4,780
24.3	120,615	7,163	8,400	6,159

せいかさんぎょう
西華産業㈱
[東京P 8061]

【特色】機械専門商社。三菱重工業と親密で発電設備主体

修士・大卒採用数	3年後離職率	有休取得年平均	平均年収(平均42歳)
10名	8.3→0%	12.1日	922万円

●エントリー情報と採用プロセス●

【受付開始～終了】[総]3月～5月【採用プロセス】[総]説明会(必須、3月)→ES提出(3月下旬)→Web試験(4月上旬)→面接(3回、4～5月)→内々定(5月)【交通費支給】最終面接、実費【早期選考】⇒巻末

試験情報

[重視科目] [総]面接

[総][ES]⇒巻末[筆]SPI3(自宅)[面]3回(Webあり)

[選考ポイント] [総][ES]学生時代の学業及び学業以外で力を入れてきたこと[面]コミュニケーション能力 適性 明朗闊達

[通過率] [総][ES]NA

[倍率(応募/内定)] [総]NA

●男女別採用数と配属先ほか●

【男女・文理別採用実績】

	大卒男	大卒女	修士男	修士女
23年	3(文 3理 0)	1(文 1理 0)	1(文 1理 0)	0(文 0理 0)
24年	6(文 6理 0)	2(文 2理 0)	2(文 2理 0)	0(文 0理 0)
25年	8(文 7理 1)	2(文 2理 0)	0(文 0理 0)	0(文 0理 0)

【25年4月入社者の採用実績校】
[文](大)神奈川大 法政大 津田塾大 獨協大 明学大 立命館大 甲南大 東理大 武蔵野大各1 [理](大)中大1

【24年4月入社者の配属先】
[総]勤務地:東京・千代田4 香川・高松1 広島1 徳山1 福岡1 北九州1 長崎1 部署:営業10

残業(月) 16.3時間

[記者評価] 旧三菱商事のGHQによる解体命令に伴い西日本地区機械部門関係者を中心に北九州・門司に設立。西日本の電力会社向けに発電設備を納入。2005年に旧三共から日本ダイヤバルブを買収。海外はドイツの水中ポンプ販社が高シェア。23年三菱重工の原発関連設備代理店に。

●給与、ボーナス、週休、有休ほか●

【30歳総合職平均年収】NA【初任給】(修士)287,000円(大卒)262,000円【ボーナス(年)】NA、2.9カ月【25、30、35歳賃金】NA【週休】完全2日(土日祝)【夏期休暇】5日(6～9月で取得)【年末年始休暇】12月29日～1月4日(有休2日含む)【有休取得】12.1／20日

●従業員数、勤続年数、離職率ほか●

【男女別従業員数、平均年齢、平均勤続年数】計 346(42.1歳 16.1年) 男 NA 女 NA【離職率と離職者数】4.2%、15名(早期退職男3名含む)【3年後新卒定着率】100%(男100%、女100%、3年前入社:男6名・女4名)【組合】あり

[求める人材] 最後まで「やり遂げられる人」「粘り強い人」人との関わりが好きな人 他人を認める、敬うことが出来る人

[会社データ] (金額は百万円)
【本社】100-0005 東京都千代田区丸の内3-3-1 新東京ビル
☎03-5221-7101 https://seika.com/
【社長】櫻井 昭彦【設立】1947.10【資本金】6,728【今後力を入れる事業】脱炭素 省エネ・省資源 サーキュラーエコノミー DX

【業績(連結)】	売上高	営業利益	経常利益	純利益
22.3	85,307	3,824	3,879	2,246
23.3	93,311	4,636	6,286	5,001
24.3	86,785	5,580	6,255	4,489

開示 ★★★☆☆ ▶『業界地図』p.134, 284

ダイワボウ情報(じょうほう)システム(株)

持株会社傘下

【特色】ダイワボウHDの中核企業。国内最大級のIT専門商社

修士・大卒採用数	3年後離職率	有休取得年平均	平均年収(平均38歳)
179名	23.0 → 25.4%	12.9日	㊇654万円

残業(月) 8.4時間 ㊇12.5時間

記者評価 1982年に大和紡績の非繊維事業強化の一環として設立。現在はダイワボウグループの売上の大部分を占める中核企業に成長。OA機器と情報処理・通信システムの開発が柱。国内外約1400社・約260万アイテム扱う。国内96の営業拠点。教育現場でのICT活用を促進。

●エントリー情報と採用プロセス●

【受付開始～終了】㊇ ㊈2月～継続中【採用プロセス】㊇ ㊈説明会(必須、2月)→ES提出・Webテスト(随時)→面接(3回)→内々定【交通費支給】最終面接、現住所が選考地域以外の場合、会社基準【早期選考】⇒巻末

試験情報

重視科目 総 技 面接

総 技 ㊀ES⇒巻末㊀筆Compass㊀面3回(Webあり)

選考ポイント 総 技 ㊀ES ESと適性検査を総合的に判断㊀面 基礎能力 対人折衝能力 上昇意欲 説得力

通過率 総 技 ㊀ES NA **倍率(応募/内定)** 総 技 NA

●男女別採用数と配属先ほか●

【男女・文理別採用実績】※25年:179名採用予定

	大卒男	大卒女	修士男	修士女
23年	82(文 73 理 9)	90(文 89 理 1)	2(文 1 理 1)	0(文 0 理 0)
24年	89(文 82 理 7)	65(文 63 理 2)	2(文 0 理 2)	0(文 0 理 0)
25年	-(文 - 理 -)	-(文 - 理 -)	-(文 - 理 -)	-(文 - 理 -)

【25年4月入社者の採用実績校】㊀文(24年)(大)関大8 甲南大7 近大 桃山学大各6 大阪学大 龍谷大 武庫川女大各5 関西学大 立命館大 同大各4 京産大 神戸学大 大阪経大 國學院大 流通科学大 兵庫県大各3 神戸大 下関市大 佛教大 明学大 法政大 神戸松蔭女学大 摂南大 追手門学大 東海大各2 関西国際大 福岡大 駒澤大 明大 同女大 阪南大 武蔵野大 滋賀大 南山大 関西外大 日体大 愛知大 亜大 京都橘大 成蹊大 産能大 実践女大 東洋大 早大 東洋英和女学大 白百合女大 静岡県大 東京経大 専大 フェリス女学大 獨協大 大阪工大 大阪産大 埼玉学大各1 ㊀理(24年)(院)同大 大阪電通大各1(大)龍谷大 日工大 大阪工大 神戸女学大 湘南工大 甲南大 金沢工大 近大各1

【24年4月入社者の配属先】総 **勤務地**:東京48 大阪19 愛知6 広島3 福岡3 北海道2 宮城2 群馬2 神奈川2 福井2 長野2 静岡2 兵庫2 青森1 岩手1 山形1 福島1 茨城1 栃木1 埼玉1 千葉1 新潟1 富山1 山梨1 三重1 京都1 和歌山1 岡山1 宮崎1 鹿児島1 沖縄1 **部署**:営業部門112 管理部門1 技 **勤務地**:首都圏13 大阪3 **部署**:システム部門16

●給与、ボーナス、週休、有休ほか●

【30歳総合職平均年収】535万円【初任給】(博士)278,300円 (修士)261,000円 (大卒)246,000円【ボーナス(年)】NA、5.7カ月【25、30、35歳賃金】NA【週休】完全2日(土日祝)【夏期休暇】年間休日を夏季に割り当てることがある【年末年始休暇】12月30日～1月3日【有休取得】12.9／20日

●従業員数、勤続年数、離職率ほか●

【男女別従業員数、平均年齢、平均勤続年数】計 1,734(35.9歳 13.5年) 男 982(38.9歳 16.3年) 女 752(32.1歳 9.7年)【離職率と離職者数】5.8%、106名【3年後新卒定着率】74.6%(男78.3%、女69.8%、3年前入社:男69名・女53名)【組合】なし

求める人材 コミュニケーション能力があり、明るく前向きでバイタリティや上昇志向のある人

会社データ (金額は百万円)

【本社】530-0005 大阪府大阪市北区中之島3-2-4 中之島フェスティバルタワーW

☎06-4707-8015 https://www.pc-daiwabo.co.jp/

【社長】松本 裕之【設立】1982.4【資本金】11,813【今後力を入れる事業】ITテクノロジーの変化に伴う、高度化商材を含めたIT商材の販売強化

【業績(単独)】	売上高	営業利益	経常利益	純利益
22.3	682,117	19,112	21,247	15,317
23.3	819,935	23,374	24,911	17,340
24.3	873,984	25,780	27,174	19,160

(株)日立(ひたち)ハイテク

株式公開計画なし

【特色】半導体製造装置や計測・検査装置などを製造販売

修士・大卒採用数	3年後離職率	有休取得年平均	平均年収(平均45歳)
174名	12.5 → 3.0%	18.2日	㊇990万円

残業(月) 26.1時間 ㊇26.9時間

記者評価 日立製作所の完全子会社。日立系ハイテク商社と日立の計測器および半導体製造装置の各事業が統合し現体制。半導体回路測定の測長SEM(走査型電子顕微鏡)で世界首位。医用分析装置にも強い。ヒトゲノム解析など分子診断事業も強化。海外24カ国・地域に展開。

●エントリー情報と採用プロセス●

【受付開始～終了】㊇ ㊈3月～継続中【採用プロセス】㊇ES提出・適性検査→面接(3回)→内々定 ㊈ES提出・適性検査→Web面接(3回)→内々定〈学校推薦〉ES提出・適性検査→Web面接(2回)→内々定【交通費支給】会社基準

試験情報

重視科目 総 技 面接

総 技 ㊀ES⇒巻末㊀筆SHL(特別仕様)㊀面3回(Webあり)

選考ポイント 総 ㊀ES 能力 適性 意欲㊀面 能力 適性 意欲 技 ㊀ES 研究内容 能力 適性 意欲㊀面 人物 技術力

通過率 総 ㊀ES 71%(受付:638→通過:454) 技 ㊀ES 77%(受付:1,090→通過:837) **倍率(応募/内定)** 総 15倍 技 7倍

●男女別採用数と配属先ほか●

【男女・文理別採用実績】※25年:継続中

	大卒男	大卒女	修士男	修士女
23年	32(文 25 理 7)	21(文 15 理 6)	55(文 1 理 54)	10(文 0 理 10)
24年	34(文 10 理 24)	18(文 8 理 10)	97(文 4 理 93)	16(文 3 理 13)
25年	40(文 17 理 23)	12(文 8 理 4)	87(文 2 理 85)	35(文 8 理 27)

【25年4月入社者の採用実績校】㊀文(24年)青学大 同大各3 関西学大2 ソウル大国際 横国大 CA州立大ノースリッジ校 学習院大 関大 慶大 広島大 山口大 上智大 新潟県大 早大 阪大 中大 日大 北大 明大 バーミンガム大各1 ㊀理(24年)東理大8 東工大7 京大 東大 東北大各6 茨城大 九大 日大各5 九州工大 宇都宮大各4 横国大 近大 工学院大 千葉工大 千葉大 阪大 筑波大 法政大 名大 慶大各3 北陸先端科技院大 広島大 弘前大 信州大 成蹊大 早大 東京電機大 東京都市大 都立大 奈良先端科技院大 福岡大 北大各2 東北農業大 関西学大 岩手大 岐阜大 金沢大 香川大 埼玉大 山形大 山口大 山梨大 滋賀県大 芝工大 神戸女学大 神奈川工大 青学大 創価大 大阪公大 大同大 筑波技大 中京大 忠南大 長崎大 東京医科歯科大 東京農工大 東洋大 同大 徳島大 富山大 豊橋技科大 豊田工大 防衛大学校 名城大 立命館大 大邱慶北科学技術院各1(高専)茨城4 大島商船2 沼津 苫小牧 木更津各1

【24年4月入社者の配属先】総 **勤務地**:東京・港34 茨城・ひたちなか8 山口・下松2 **部署**:CSR3 営業21 経理・財務6 社内IT4 人事総務3 知財2 調達5 技 **勤務地**:東京(中央6 港4 青梅6)埼玉・児玉1 千葉・柏3 茨城(日立1 ひたちなか94)静岡・富士小山1 山口・下松18 **部署**:エンジニア128 事業開発5 技術戦略1

●給与、ボーナス、週休、有休ほか●

【30歳総合職平均年収】659万円【初任給】(修士)276,000円 (大卒)255,500円【ボーナス(年)】283万円、NA【25、30、35歳賃金】271,900円→302,439円→346,391円【週休】完全2日(土日祝)【夏期休暇】有休で取得【年末年始休暇】12月31日～1月3日【有休取得】18.2／24日

●従業員数、勤続年数、離職率ほか●

【男女別従業員数、平均年齢、平均勤続年数】計 5,695(42.4歳 17.4年) 男 4,671(42.7歳 18.1年) 女 1,024(40.9歳 14.6年) ※従業員数:社員・出向受入・シニア社員・臨時員の就業人員【離職率と離職者数】1.6%、94名【3年後新卒定着率】97.0%(男98.0%、女94.3%、3年前入社:男100名・女35名)【組合】あり

求める人材 社会・顧客の課題解決に向けたソリューションを提供するため、自律・変革のマインドをもって全体最適に行動し、日々自身の市場価値を上げる努力をする人財

会社データ (金額は百万円)

【本社】105-6409 東京都港区虎ノ門1-17-1 虎ノ門ヒルズ ビジネスタワー

☎03-3504-7044 https://www.hitachi-hightech.com/jp/

【社長】飯泉 孝【設立】1947.4【資本金】7,938【今後力を入れる事業】全事業

【業績(IFRS)】	売上高	営業利益	税前利益	純利益
22.3	576,792	58,665	57,884	45,645
23.3	674,247	89,885	83,239	63,503
24.3	670,449	74,015	69,134	55,467

開示 ★★★★☆ ▶『業界地図』p.98

キヤノンマーケティングジャパン(株)

東京P 8060

【特色】キヤノンの事務機器など販売。ITサービスに注力

修士・大卒採用数	3年後離職率	有休取得年平均	平均年収(平均49歳)
160名	15.2→4.7%	13.3日	総 835万円

●エントリー情報と採用プロセス●

【受付開始～終了】総技3月～5月【採用プロセス】総技ES提出・SPI(テストセンター)→GD→1次面接→最終面接→内々定【交通費支給】なし【早期選考】⇒巻末

試験情報

重視科目 総技面接

総技ES⇒巻末 筆SPI3(会場) 面2回(Webあり) GD作NA

選考ポイント 総技ES自己PR 志望動機 他 面人物重視 学生時代の経験から能力・特性・意欲などを判断

通過率 総技ES NA 倍率(応募/内定) 総技NA

●男女別採用数と配属先ほか●

【男女・文理別採用実績】

	大卒男	大卒女	修士男	修士女
23年	58(文 42理 16)	42(文 33理 9)	7(文 1理 6)	1(文 0理 1)
24年	91(文 67理 24)	59(文 53理 6)	8(文 0理 8)	1(文 0理 1)
25年	80(文 60理 20)	70(文 57理 13)	10(文 0理 10)	0(文 0理 0)

【25年4月入社者の採用実績校】文(大)早大 慶大 上智大 中大 立教大 青学大 明大 法政大 関大 関西学大 同大 立命館大 東理大 横国大 阪大 九大 ICU 千葉大 東京外大 東大 筑波大 横浜市大 神戸大 西南学大 日大 愛知大 成蹊大 明学大 学習院大 近大 小樽商大 新潟大 東京女大 東洋大 テンプル大 宮城大 共立女大 金沢大 國學院大 昭和女大 静岡県大 専大 大阪芸大 長野県大 帝京大 都立大 南山大 武蔵野大 武蔵野美大 福島大 他 理(院)東京科学大 千葉大 早大 名工大 北大 立教大 芝工大 奈良先端科技院大 福岡大 工学院大(大)早大 上智大 青学大 明大 法政大 同大 阪大 北大 関大 芝工大 群馬大 中京大 東海大 東京都市大 東京女大 静岡県大 名古屋市大 大阪工大 近大(高専)岐阜 秋田 鶴岡 富山 小山 長野 鳥羽商船 宇部 大島商船 徳山 北九州 久留米 他

【24年4月入社者の配属先】総勤務地:(23年)東京 さいたま 仙台 大阪 広島 福岡 部署:(23年)営業 総務人事 経理財務 知的財産 法務 調達 技勤務地:(23年)東京 千葉 三重 部署:(23年)技術

残業(月) 8.1時間 総8.1時間

記者評価 キヤノンの上場子会社。カメラや事務機の国内販売を手がける。現在は親会社グループの枠を超えた独自のITソリューションを中核事業として育成しており売上高の半分弱をIT関連で稼ぐ。企業向けに需要予測システムなどを提供。SIerとしても存在感。

●給与、ボーナス、週休、有休ほか●

【30歳総合職平均年収】NA【初任給】(博士)321,000円 (修士)268,500円 (大卒)245,000円【ボーナス(年)】329万円、NA【25、30、35歳賃金】262,538円→325,733円→400,593円【週休】完全2日(土日祝)【夏期休暇】連続9日(週休含む)【年末年始休暇】連続平均7日【有休取得】13.3/20日

●従業員数、勤続年数、離職率ほか●

【男女別従業員数、平均年齢、平均勤続年数】計 4,528(48.8歳 25.2年) 男 3,592(50.1歳 26.5年) 女 936(42.6歳 19.3年)【離職率と離職者数】3.8%、180名(早期退職男57名、女9名含む)【3年後新卒定着率】95.3%(男94.6%、女96.7%、3年前入社:男56名・女30名)【組合】あり

求める人材 進取の気性を発揮し、新たな価値創出へ挑戦し続ける人材

会社データ (金額は百万円)

【本社】108-8011 東京都港区港南2-16-6
☎03-6719-9111 https://corporate.canon.jp/
【社長】足立 正親【設立】1968.2【資本金】73,303【今後力を入れる事業】ITソリューション事業

【業績(連結)】	売上高	営業利益	経常利益	純利益
21.12	552,085	39,699	41,096	29,420
22.12	588,132	49,947	50,991	35,552
23.12	609,473	52,495	53,585	36,493

因幡電機産業(株)（いなばでんきさんぎょう）

東京P 9934

【特色】電線・配線器具などの専門商社。電設資材で首位

修士・大卒採用数	3年後離職率	有休取得年平均	平均年収(平均39歳)
97名	13.5→10.6%	10.7日	総 977万円

●エントリー情報と採用プロセス●

【受付開始～終了】総技3月～8月【採用プロセス】総技説明会(必須)→動画選考→集団面接→個人面接・適性検査→役員面接→内々定【交通費支給】役員面接、一部支給【早期選考】⇒巻末

試験情報

重視科目 総技面接

総技 筆SPI3(会場) 面3回(Webあり)

選考ポイント 総技ES提出なし 面明朗性 表現力 個性 印象度

通過率 総技ES—(応募:NA)

倍率(応募/内定) 総技NA

●男女別採用数と配属先ほか●

【男女・文理別採用実績】

	大卒男	大卒女	修士男	修士女
23年	77(文 71理 6)	13(文 12理 1)	0(文 0理 0)	0(文 0理 0)
24年	75(文 73理 2)	25(文 25理 0)	0(文 0理 0)	0(文 0理 0)
25年	73(文 67理 6)	23(文 23理 0)	1(文 0理 1)	0(文 0理 0)

【25年4月入社者の採用実績校】文(大)関西学大 関大各9 近大5 同大 立命館大 甲南大各4 中大 成城大 京産大 大阪経大各3 専大 中京大 愛知大各2 高崎経大 慶大 早大 明大 青学大 立教大 法政大 学習院大 獨協大 日大 駒澤大 南山大 龍谷大 北海学園大 東海大 国士舘大 武蔵野大 東京女大 名古屋学院大 追手門学大 神戸学大各1 理(院)大阪産大1(大)大阪市大 立命館大 日大 東洋大 龍谷大 千葉工大各1

【24年4月入社者の配属先】総勤務地:大阪(阿波座17 谷町12 東大阪1)東京(大崎14 江東1 府中1)愛知8 埼玉4 福岡4 宮城2 神奈川2 北海道1 新潟1 千葉1 静岡1 京都1 広島1 山口1 熊本1 部署:営業70 情報システム1 人事1 経理1 総務1 技勤務地:大阪・阿波座1 東京・大崎2 名古屋1 部署:施工管理4

残業(月) 13.9時間 総19.2時間

記者評価 電線ケーブル、配線器具などを扱う独立系専門商社。大型ビルや非住宅建築物向けの電設資材が主力。開発・メーカー機能を持ち、自社製品が利益の柱。特にエアコン向け空調配管化粧カバー「スリムダクトシリーズ」が稼ぎ頭。大阪地盤だが首都圏を強化。

●給与、ボーナス、週休、有休ほか●

【30歳総合職平均年収】761万円【初任給】(修士)283,000円 (大卒)272,000円【ボーナス(年)】NA【25、30、35歳賃金】NA【週休】完全2日(土日祝)【夏期休暇】連続3日【年末年始休暇】12月29日～1月4日【有休取得】10.7/20日

●従業員数、勤続年数、離職率ほか●

【男女別従業員数、平均年齢、平均勤続年数】計 1,626(38.0歳 13.7年) 男 1,208(38.4歳 13.8年) 女 418(36.8歳 13.1年)【離職率と離職者数】3.4%、58名(早期退職男3名、女3名含む)【3年後新卒定着率】89.4%(男90.3%、女87.0%、3年前入社:男62名・女23名)【組合】あり

求める人材 コミュニケーション力があり、常にチャレンジ精神を持って行動できる人

会社データ (金額は百万円)

【本社】550-0012 大阪府大阪市西区立売堀4-11-14
☎06-4391-1781 https://www.inaba.co.jp/
【社長】喜多 肇一【設立】1949.5【資本金】13,962【今後力を入れる事業】自社製品開発 環境ビジネス推進 海外展開

【業績(連結)】	売上高	営業利益	経常利益	純利益
22.3	289,071	16,261	17,558	12,266
23.3	316,947	18,641	20,272	15,427
24.3	345,369	21,322	22,589	15,623

シークス(株)

東京P 7613

【特色】電子器器の製造受託国内トップ。商社機能も

修士・大卒採用数	3年後離職率	有休取得年平均	平均年収(平均37歳)
13名	44.4→38.5%	12.8日	[総]720万円

●エントリー情報と採用プロセス●

【受付開始～終了】[総][技]3月～未定【採用プロセス】[総][技]オンライン・対面説明会(必須、随時)→ES・Webテスト(3月～)→面接(3回、4月～)→内々定(6月～)【交通費支給】最終面接・内定後の面談、最終面接:新幹線等の大口交通費のみ 内定後の面談:全額

試験情報

重視科目 [総][技]面接

[総][技][ES]⇒巻末[筆]玉手箱[面]3回(Webあり)

選考ポイント [総][ES]当社の事業や海外ビジネスへの興味度 論理性など[面]コミュニケーション能力 海外志向 チャレンジ志向 [技][ES]当社の事業や海外ビジネスへの興味度 学習分野など[面]総合職共通

通過率 [総][技][ES]NA

倍率(応募/内定) [総]35倍 [技]2倍

●男女別採用数と配属先ほか●

【男女・文理別採用実績】

	大卒男	大卒女	修士男	修士女
23年	4(文 4理 0)	8(文 8理 0)	0(文 0理 0)	1(文 1理 0)
24年	6(文 6理 0)	12(文 12理 0)	0(文 0理 0)	0(文 0理 0)
25年	8(文 8理 0)	5(文 5理 0)	0(文 0理 0)	0(文 0理 0)

【25年4月入社者の採用実績校】
[文](大)大阪学大 甲南女大各2 神戸市外大 阪南大 立命館大 法政大 久留米大 山口大 龍谷大 青学大 日大各1 [理]なし

【24年4月入社者の配属先】
[総]勤務地:大阪市11 東京・千代田8 部署:営業部15 資材統括部3 経理部1 [技]勤務地:なし 部署:なし

残業(月) 23.5時間 [総]23.5時間

[記者評価] 1992年にサカタインクスから分社独立。電子機器・部品商社から出発し、現在は受託製造(EMS)が主力事業。家電向けから車載、産業機器分野にシフト。両分野で売上の約8割を占める。非日系企業との取引拡大に注力。15カ国に展開し、海外売上比率は約8割。

●給与、ボーナス、週休、有休ほか●

【30歳総合職平均年収】700万円【初任給】(修士)250,000円(大卒)240,000円【ボーナス(年)】247万円、NA【25、30、35歳賃金】239,680円→271,266円→314,600円【週休】完全2日(土日祝)【夏期休暇】3日【年末年始休暇】4日【有休取得】12.8／20日

●従業員数、勤続年数、離職率ほか●

【男女別従業員数、平均年齢、平均勤続年数】計 214(36.8歳 7.8年) 男 72(40.2歳 11.3年) 女 142(35.1歳 6.0年)【離職率と離職者数】9.7%、23名【3年後新卒定着率】61.5%(男62.5%、女60.0%、3年前入社:男8名・女5名)【組合】なし

[求める人材] 失敗を恐れず挑戦する人 今までにない価値を創造できる人など

[会社データ] (金額は百万円)

【本社】541-0051 大阪府大阪市中央区備後町1-4-9 シークスビル
☎06-6266-6400 https://www.siix.co.jp/
【会長】村井 史郎【設立】1992.7【資本金】2,144【今後力を入れる事業】電子部品の部材調達 物流 基盤実装 組立

【業績(連結)】	売上高	営業利益	経常利益	純利益
21.12	226,833	4,954	5,934	4,561
22.12	277,031	8,929	8,337	4,733
23.12	309,768	12,254	11,849	8,185

(株)RYODEN(リョーデン)

東京P 8084

【特色】三菱電機系商社で最大。FAから半導体まで扱う

修士・大卒採用数	3年後離職率	有休取得年平均	平均年収(平均44歳)
21名	14.6→21.7%	14.8日	[総]759万円

●エントリー情報と採用プロセス●

【受付開始～終了】[総][技]3月～継続中【採用プロセス】[総][技]<春採用>説明会(必須、3～4月)→ES提出・GW(4～5月)→適性検査(4～5月)→面接(2回、5～6月)→内々定(6～7月)※夏～秋採用も実施【交通費支給】最終面接、実費【早期選考】⇒巻末

試験情報

重視科目 [総][技]面接

[総][技][ES]⇒巻末[筆]INSIGHT[面]2回(Webあり)[GD作]⇒巻末

選考ポイント [総][技][ES]ぶつかった壁をどう乗り越えたかの工夫点 課題解決意識[面]前に踏み出す力 考え抜く力 チームで働く力

通過率 [総][ES]―(受付:技術系に含む→通過:技術系に含む) [技][ES]74%(受付:(事務系含む)415→通過:(事務系含む)306)

倍率(応募/内定) [総]― [技](事務系含む)12倍

●男女別採用数と配属先ほか●

【男女・文理別採用実績】※総合職のみ 25年:24年7月時点

	大卒男	大卒女	修士男	修士女
23年	27(文 17理 10)	11(文 10理 1)	0(文 0理 0)	0(文 0理 0)
24年	29(文 14理 15)	10(文 8理 2)	2(文 0理 2)	1(文 1理 0)
25年	10(文 8理 2)	10(文 8理 2)	0(文 0理 0)	1(文 1理 0)

【25年4月入社者の採用実績校】[文](院)東京芸大1(大)日大2 南山大 専大 同大 文京学大 立命館大 獨協大 近大 中大 愛知大 成城大 早大 法政大 龍谷大 関西学大各1 [理](大)新潟大 東京電機大 東京農業大 関東学院大各1

【24年4月入社者の配属先】[総]勤務地:東京(池袋12 西東京1)名古屋5 大阪4 静岡(静岡3 浜松2)広島2 福岡2 宇都宮1 京都1 高松1 部署:DX戦略推進室2 人事1 経理2 営業29 [技]勤務地:東京(池袋5) 部署:技術開発2 戦略技術センター3

残業(月) 13.3時間

[記者評価] 三菱電機の商社機能を継承して発足。半導体から昇降機、空調からFAまで取り扱い多彩。車載向けに強み。三菱電機依存大だが、パナソニックとも取引拡大。アグリ事業、ヘルスケア関連など新事業育成中で、22年に次世代植物工場竣工。23年菱電商事から現社名に。

●給与、ボーナス、週休、有休ほか●

【30歳総合職平均年収】542万円【初任給】(修士)247,000円(大卒)240,000円【ボーナス(年)】240万円、5.2カ月【25、30、35歳モデル賃金】277,000円→409,058円→467,912円【週休】完全2日(土日祝)【夏期休暇】3日(7～9月で取得)+有休一斉取得2日【年末年始休暇】12月29日(有休一斉取得)+12月30日～1月4日【有休取得】14.8／20日

●従業員数、勤続年数、離職率ほか●

【男女別従業員数、平均年齢、平均勤続年数】計 939(42.0歳 17.7年) 男 628(44.2歳 18.9年) 女 311(37.6歳 15.1年)【離職率と離職者数】5.2%、51名【3年後新卒定着率】78.3%(男83.3%、女72.7%、3年前入社:男12名・女11名)【組合】あり

[求める人材] 論理的に考え、高いコミュニケーション力を持ち、興味深く積極果敢に挑戦する人材

[会社データ] (金額は百万円)

【本社】170-8448 東京都豊島区東池袋3-15-15
☎03-5396-6133 https://www.ryoden.co.jp/
【社長】富澤 克行【設立】1947.4【資本金】10,334【今後力を入れる事業】基幹事業をベースにした新規ソリューション

【業績(連結)】	売上高	営業利益	経常利益	純利益
22.3	229,126	7,062	7,285	5,004
23.3	260,303	9,380	9,077	5,366
24.3	259,008	8,326	8,236	5,736

▶『業界地図』p.284

㈱立花エレテック（たちばな）

東京P 8159

【特色】FAシステムと電子デバイスが主力の専門商社

修士・大卒採用数	3年後離職率	有休取得年平均	平均年収(平均45歳)
27名	17.1→23.1%	10.9日	[総]926万円

残業(月) 12.9時間 [総]15.6時間

[記者評価] 1921年電気製品卸で創業。戦後、三菱電機の特約店として成長。製造業の顧客の要望を聞き、三菱電機製FAシステムやルネサスエレクトロニクス製の半導体デバイスを納める。「技術商社」を標榜、従業員の約4分の1がエンジニア。香港に海外統括会社を設置。

●エントリー情報と採用プロセス●

【受付開始～終了】[総]11月～継続中【採用プロセス】[総]インターンシップ・説明会(必須、11月～)→書類選考(履歴書・ES・SPI)(12月～)→面接(3回、12月～)→内々定(12月～)※技術職営業職事務職の一括採用【交通費支給】最終面接、全額【早期選考】⇒巻末

試験情報

[重視科目] [総][技]面接

[総][技][ES]⇒巻末[筆]SPI3(自宅)[面]3回

[選考ポイント] [総][ES]志望動機や就職活動の軸が具体的に整理されているか[面]働くイメージがついているか 会社を選ぶ上での価値観 すぐに行動できるか 電機・電子のフィールドで頑張れるか

[通過率] [総][ES]63%(受付:(早期選考含む)425→通過:268)

[倍率(応募/内定)] [総](早期選考含む)35倍

●男女別採用数と配属先ほか●

【男女・文理別採用実績】

	大卒男	大卒女	修士男	修士女
23年	16(文 10理 6)	14(文 14理 0)	0(文 0理 0)	0(文 0理 0)
24年	20(文 12理 8)	10(文 10理 0)	0(文 0理 0)	0(文 0理 0)
25年	17(文 9理 8)	10(文 5理 5)	0(文 0理 0)	0(文 0理 0)

【25年4月入社者の採用実績校】[文](大)近大2 静岡大 神奈川大 同大 関西学大 京産大 大阪電通大 大阪工大 大阪経大 桃山学大 亜大 同女大 甲南女大各1 [理](大)大阪電通大3 福岡工大 大阪工大各2 立命館大 関西学大 関大 豊田工大 中部大 玉川大各1

【24年4月入社者の配属先】[総]勤務地:大阪市13 東京・港9 名古屋2 横浜1 さいたま1 兵庫・姫路1 部署:営業16 営業事務10 経理1 [技]勤務地:大阪市2 東京・港1 部署:技術3

●給与、ボーナス、週休、有休ほか●

【30歳総合職平均年収】653万円【初任給】(修士)241,800円(大卒)235,000円【ボーナス(年)】305万円、8.5カ月【25、30、35歳モデル賃金】250,200円→307,000円→388,000円【週休】完全2日(土日祝)【夏期休暇】8月11～16日【年末年始休暇】12月29日～1月4日【有休取得】10.9／20日

●従業員数、勤続年数、離職率ほか●

【男女別従業員数、平均年齢、平均勤続年数】計 855(43.2歳 17.2年) 男 632(45.3歳 18.7年) 女 223(37.3歳 13.1年)【離職率と離職者数】6.9%、63名【3年後新卒定着率】76.9%(男87.5%、女60.0%、3年前入社:男8名・女5名)【組合】なし

[求める人材] 明るく元気な人 行動力がある人 自分の考えを持っている人 意欲溢れる人<理系>専門知識(電気・電子・機械・ロボット・情報)を持っている人<文系>ITやデジタルへの関心及び知識がある人

[会社データ] (金額は百万円)

【本社】550-8555 大阪府大阪市西区西本町1-13-25
☎06-6539-2711 https://www.tachibana.co.jp/
【社長】布山 尚伸【設立】1948.7【資本金】5,874【今後力を入れる事業】自社保有技術によるM2Mビジネスを推進

【業績(連結)】	売上高	営業利益	経常利益	純利益
22.3	193,431	6,710	7,412	5,144
23.3	227,266	10,316	11,001	7,841
24.3	231,042	10,764	11,886	8,471

サンワテクノス㈱

東京P 8137

【特色】半導体関連、メカトロ等扱う電子・機械専門商社

修士・大卒採用数	3年後離職率	有休取得年平均	平均年収(平均40歳)
50名	30.6→14.3%	12.9日	[総]852万円

残業(月) 17.2時間 [総]21.7時間

[記者評価] 半導体関連からメカトロまで幅広く取扱う。安川電機と密接で、同社製産業用ロボットに強み。新エネ、医療など新分野拡大にも意欲。国内外の営業ネットワーク拡充を一段加速、23年9月インドに新現法。同10月ロボット開発のエムテック(北九州市)と業務提携。

●エントリー情報と採用プロセス●

【受付開始～終了】[総]3月～継続中【採用プロセス】[総]説明会(必須、3月～)→ES・書類提出・Web適性テスト→面接(2回)→内々定※事務系技術系一括採用【交通費支給】最終面接、1,500円超の実費

試験情報

[重視科目] [総]<グローバルコース>面接

[総][ES]⇒巻末[筆]WebGAB[面]2回(Webあり)

[選考ポイント] [総][ES]自己診断[面]明朗性 積極性 堅実性 判断力 論理性 コミュニケーション能力 協調性 リーダーシップ

[通過率] [総][ES]70%(受付:195→通過:136)

[倍率(応募/内定)] [総]6倍

●男女別採用数と配属先ほか●

【男女・文理別採用実績】

	大卒男	大卒女	修士男	修士女
23年	18(文 13理 5)	22(文 21理 1)	0(文 0理 0)	0(文 0理 0)
24年	23(文 22理 1)	7(文 7理 0)	0(文 0理 0)	0(文 0理 0)
25年	25(文 －理 －)	25(文 －理 －)	0(文 0理 0)	0(文 0理 0)

【25年4月入社者の採用実績校】
[文](大)杏林大 明大 中部大 愛知大 名古屋商大 立命館大 同大 阪南大 追手門学大 大阪学大 大阪国際大 大阪経大 神戸学大各1 [理](大)中部大 関大 近大 長崎大各1

【24年4月入社者の配属先】
[総]勤務地:東京(京橋5 八王子1)横浜2 埼玉1 愛知(名古屋2 三河3 瀬戸2)三重1 大阪2 京都2 福岡2 部署:営業17 業務3 管理3 [技]勤務地:大阪1 部署:技術1

●給与、ボーナス、週休、有休ほか●

【30歳総合職平均年収】580万円【初任給】(大卒)239,000円【ボーナス(年)】312万円、8.55カ月【25、30、35歳賃金】280,018円→343,819円→402,642円【週休】完全2日(土日祝)【夏期休暇】連続2日(8月13日、14日)【年末年始休暇】12月30日～1月3日【有休取得】12.9／20日

●従業員数、勤続年数、離職率ほか●

【男女別従業員数、平均年齢、平均勤続年数】計 599(37.2歳 12.9年) 男 366(39.5歳 14.7年) 女 233(33.7歳 10.0年)【離職率と離職者数】5.5%、35名【3年後新卒定着率】85.7%(男92.9%、女71.4%、3年前入社:男14名・女7名)【組合】なし

[求める人材] 明朗、快活で何事にも前向きな人

[会社データ] (金額は百万円)

【本社】104-0031 東京都中央区京橋3-1-1 東京スクエアガーデン
☎03-5202-4011 https://www.sunwa.co.jp/
【社長】松尾 晶広【設立】1949.11【資本金】3,727【今後力を入れる事業】技術商社としてのグローバル展開

【業績(連結)】	売上高	営業利益	経常利益	純利益
22.3	154,414	4,804	5,195	3,577
23.3	181,013	7,630	7,675	5,493
24.3	166,138	6,215	6,631	5,007

開示 ★★★★

1262

エプソン販売(はんばい)㈱

株式公開 計画なし

【特色】セイコーエプソングループの国内販売会社

修士・大卒採用数	3年後離職率	有休取得年平均	平均年収(平均48歳)
30名	14.9→0%	14.5日	総 858万円

残業(月) 14.5時間 総 14.5時間

記者評価 セイコーエプソンの完全子会社。グループ製品の国内向け販売を担う。家電量販店、OA機器商社、システムインテグレーターなどにカラーインクジェットプリンター、液晶プロジェクターなどを卸売。技術支援やアフターサポートも提供する。産業ロボットも扱う。

●エントリー情報と採用プロセス●

【受付開始〜終了】総技3月〜7月【採用プロセス】総技説明会(必須)→ES提出・適性検査(3〜5月)→面接(3回)→内々定(6月〜)【交通費支給】ファイナルジョブマッチング、会社基準(遠方地区のみ)【早期選考】⇒巻末

試験情報

重視科目 総技全て

総技 ES⇒巻末 筆WebGAB 面3回(Webあり)

選考ポイント 総技 ES NA(提出あり) 面主体性 柔軟性 社風に合うか 問題解決力 実行力 創造的思考 挑戦力

通過率 総技 ES 68%(受付:211→通過:143)

倍率(応募/内定) 総技 19倍

●男女別採用数と配属先ほか●

【男女・文理別採用実績】

	大卒男	大卒女	修士男	修士女
23年	12(文 8理 4)	13(文 9理 4)	2(文 0理 2)	1(文 0理 1)
24年	16(文 14理 2)	15(文 13理 2)	1(文 0理 1)	0(文 0理 0)
25年	13(文 11理 2)	11(文 9理 2)	4(文 0理 4)	2(文 0理 2)

【25年4月入社者の採用実績校】
文(大)神奈川大 関大各2 下関市大 専大 東海大 東京経大 東洋大 法政大 明学大 立教大 南山大 近大 関西学大 西南学大 新潟県大 大妻女大 日女大 フェリス女学大各1 理(院)山形大2 東京農工大 新潟大 奈良先端科技院大 東京海洋大各1(大)関大2 東理大 立教大各1

【24年4月入社者の配属先】
総勤務地:東京・新宿12 大阪6 名古屋1 千葉1 埼玉3 札幌1 部署:営業19 スタッフ5 技勤務地:東京(日野2 新宿2)大阪2 名古屋1 塩尻1 部署:サービスサポート5 技術3

●給与、ボーナス、週休、有休ほか●

【30歳総合職平均年収】599万円【初任給】(博士)316,000円(修士)280,000円(大卒)253,000円【ボーナス(年)】239万円、6.1カ月【25、30、35歳賃金】282,193円→330,494円→402,578円【週休】完全2日(年128日)【夏期休暇】連続7日(週休含む)【年末年始休暇】連続7日(週休含む)【有休取得】14.5/20日

●従業員数、勤続年数、離職率ほか●

【男女別従業員数、平均年齢、平均勤続年数】計 1,758(48.0歳 18.2年) 男 1,337(49.3歳 18.5年) 女 421(44.1歳 17.1年)【離職率と離職者数】1.7%、30名(早期退職男7名、女3名含む)【3年後新卒定着率】100%(男100%、女100%、3年前入社:男11名・女5名)【組合】あり

求める人材 世の中の変化を自分事として捉え、社会課題を解決していくことに、エプソンの技術と自らのアイデアでチャレンジできる人 創造力、挑戦力、柔軟性

会社データ (金額は百万円)

【本社】160-8801 東京都新宿区新宿4-1-6 JR新宿ミライナタワー
☎03-5919-5211 https://www.epson.jp/corporate/about/profile.htm/
【社長】栗林 治夫【設立】1983.5【資本金】4,000【今後力を入れる事業】企業の環境経営支援やロボットによる省人化

【業績(単独)】	売上高	営業利益	経常利益	純利益
22.3	168,300	NA	NA	NA
23.3	164,400	NA	NA	NA
24.3	161,100	NA	NA	NA

㈱カナデン

東京P 8081

【特色】三菱電機系エレクトロニクス商社。FA関連に強い

修士・大卒採用数	3年後離職率	有休取得年平均	平均年収(平均43歳)
24名	31.0→28.6%	12.5日	総 844万円

残業(月) 15.4時間 総 19.3時間

記者評価 神奈川電気合資会社として発足。社名は同母体に由来。三菱電機系の電子機器専門商社。FAシステム、インフラ関連、デバイス、ビル設備など取扱商品は多岐。FAは機械や自動車関連に強み。設備投資を検討中の顧客を対象にした補助金サポートサービスを24年3月開始。

●エントリー情報と採用プロセス●

【受付開始〜終了】総3月〜継続中【採用プロセス】総説明会(必須、3月〜)→Webテスト(3月〜)→ES提出(3月〜)→面接(3回、3月〜)→内々定(6月〜)【交通費支給】最終面接以降、首都圏外者は会社基準 首都圏内者は一律【早期選考】⇒巻末

試験情報

重視科目 総面接

総 ES⇒巻末 筆INSIGHT 面3回(Webあり)

選考ポイント 総 ES自身の経験 強み弱みの分析 文章の論理性 面論理的思考 自ら考え自ら行動する力 積極性

通過率 総 ES選考なし(受付:(技術系含む)581)

倍率(応募/内定) 総(技術系含む)24倍

●男女別採用数と配属先ほか●

【男女・文理別採用実績】

	大卒男	大卒女	修士男	修士女
23年	12(文 10理 2)	10(文 10理 0)	0(文 0理 0)	1(文 1理 0)
24年	13(文 13理 0)	5(文 4理 1)	0(文 0理 0)	0(文 0理 0)
25年	9(文 9理 0)	15(文 14理 1)	0(文 0理 0)	0(文 0理 0)

【25年4月入社者の採用実績校】
文(大)大阪経大3 金城学大2 愛知学大 明学大 立命館大 中京大 法政大 近大 帝京大 関西学大 同大 龍谷大 大東文化大 神奈川大 椙山女学大 日大 愛知大 日女大 大妻女大 文教大各1 理(大)名城大1

【24年4月入社者の配属先】
総勤務地:東京12 大阪3 名古屋2 福岡1 部署:人事1 財務1 経理1 営業15

●給与、ボーナス、週休、有休ほか●

【30歳総合職平均年収】548万円【初任給】(大卒)260,000円【ボーナス(年)】287万円、8.5カ月【25、30、35歳賃金】232,241円→261,622円→304,360円【週休】完全2日(土日祝)【夏期休暇】7〜9月の間で3日【年末年始休暇】12月28日〜1月5日(土日、祝日含む)【有休取得】12.5/20日

●従業員数、勤続年数、離職率ほか●

【男女別従業員数、平均年齢、平均勤続年数】計 596(42.8歳 17.3年) 男 429(45.2歳 19.0年) 女 167(36.5歳 12.9年)【離職率と離職者数】6.7%、43名【3年後新卒定着率】71.4%(男71.4%、女71.4%、3年前入社:男7名・女7名)【組合】なし

求める人材 自ら考え、自ら行動できる人 新しいことに果敢に挑戦する姿勢と革新の勇気を持った人

会社データ (金額は百万円)

【本社】104-6215 東京都中央区晴海1-8-12 晴海トリトンオフィスタワーZ
☎03-6747-8800 https://www.kanaden.co.jp/
【社長】本橋 伸幸【設立】1912.12【資本金】5,576【今後力を入れる事業】FAシステム ビル設備 インフラ 情通・デバイス

【業績(連結)】	売上高	営業利益	経常利益	純利益
22.3	100,834	2,846	3,055	1,922
23.3	106,419	3,967	4,244	2,896
24.3	116,271	4,544	4,994	3,474

開示 ★★★★★

2636

686 ▶『業界地図』p.284 開示 ★★★

㈱マクニカ

持株会社 傘下

【特色】半導体商社大手。セキュリティやAIでも積極的

修士・大卒採用数	3年後離職率	有休取得年平均	平均年収(平均39歳)
99名	20.0 → 13.6%	12.5日	㊏845万円

●エントリー情報と採用プロセス●

【受付開始～終了】㊏㊋3月～6月【採用プロセス】㊏㊋ES提出(3～6月)→動画説明会(3月～)→Web面接(3月上旬～)→SPI適性検査(3月上旬～)→Web面接(3月中旬～)→最終面接(4月上旬～)→内々定(4月中旬～)【交通費支給】最終面接、片道100km超の場合会社基準【早期選考】⇒巻末

試験情報

重視科目 ㊏㊋面接

㊏㊋ESNA㊞SPI3(自宅)㊐3回(Webあり)

選考ポイント ㊏㊋ESNA(提出あり)㊐積極性 コミュニケーションスキル 他

通過率 ㊏㊋ESNA 倍率(応募/内定) ㊏㊋NA

●男女別採用数と配属先ほか●

【男女・文理別採用実績】

	大卒男	大卒女	修士男	修士女
23年	54(文 36理 18)	15(文 14理 1)	16(文 0理 16)	1(文 0理 1)
24年	52(文 35理 17)	18(文 17理 1)	6(文 0理 6)	0(文 0理 0)
25年	62(文 46理 16)	18(文 14理 4)	17(文 0理 17)	2(文 0理 2)

【25年4月入社者の採用実績校】㊮(大)法政大 明学大各5 関大4 青学大 成城大 中大 同大 横国大 立教大各3 関西学大 学習院大 近大 専大 高崎経大 名古屋外大 立命館大各2 愛知大 香川大 神奈川大 関西外大 京産大 筑波大 東洋英和女学大 獨協大 明大 名城大 横浜市大 和歌山大 早大 セントラル・アーカンソー大各1 ㊫(院)芝工大3 青学大 上智大各2 関大 群馬大 九州工大 静岡大 信州大 千葉大 電通大 東北大 東大 名城大 北大 立命館大各1(大)日大3 甲南大 法政大 立教大各2 関西学大 近大 工学院大 埼玉大 都立大 東理大 鳥取大 富山大 ギャノン大 明大 芝工大各1

【24年4月入社者の配属先】㊏勤務地:神奈川・新横浜47 品川3 大阪4 部署:営業42 ビジネスオペレーション10 秘書1 人事1 ㊋勤務地:神奈川・新横浜22 部署:半導体エンジニア14 ネットワークスエンジニア・セキュリティエンジニア8

残業(月) 26.7時間 ㊏26.7時間

記者評価 半導体商社で国内首位・世界5位級のマクニカホールディングスのグループ中核企業。海外製半導体の取り扱いが豊富で、産業機械向けに強い。セキュリティソフトやIoT分野を拡充。AI導入サポートなど新事業も育成。若手へ権限委譲を進める社風。

●給与、ボーナス、週休、有休ほか●

【30歳総合職平均年収】540万円【初任給】(博士)312,390円(修士)312,390円(大卒)250,380～300,110円【ボーナス(年)】334万円、9.59カ月【25、30、35歳賃金】279,041円→321,217円→406,193円【週休】完全2日(土日祝)【夏期休暇】年間カレンダーにより1～3日程度【年末年始休暇】連続7日(週休含む)【有休取得】12.5/20日

●従業員数、勤続年数、離職率ほか●

【男女別従業員数、平均年齢、平均勤続年数】計 2,397(38.7歳 10.7年) 男 1,790(39.6歳 11.2年) 女 607(35.9歳 9.5年)【離職率と離職者数】2.8%、69名【3年後新卒定着率】86.4%(男91.1%、女76.2%、3年前入社:男45名・女21名)【組合】なし

求める人材 タフなマインド、ポジティブな姿勢、グローバルに対応できる柔軟性を持っている人

会社データ (金額は百万円)

【本社】222-8561 神奈川県横浜市港北区新横浜1-6-3 マクニカ第1ビル ☎045-470-9861 https://www.macnica.co.jp/

【社長】原 一将【設立】1972.10【資本金】11,194【今後力を入れる事業】半導体・IT・サービスソリューション事業

【業績(連結)】	売上高	営業利益	経常利益	純利益
22.3	761,823	36,707	35,487	25,798
23.3	1,029,263	61,646	56,832	41,030
24.3	1,028,718	63,733	61,966	48,069

※業績はマクニカホールディングス㈱のもの

加賀電子㈱

(かがでんし)

東京P 8154

【特色】独立系の電子部品商社大手。EMSでも有力

修士・大卒採用数	3年後離職率	有休取得年平均	平均年収(平均42歳)
26名	23.8 → 20.0%	12.8日	㊏1,035万円

●エントリー情報と採用プロセス●

【受付開始～終了】㊏㊋3月～8月【採用プロセス】㊏説明会(必須、3～6月)→適性診断(4～6月)→面接(2～3回、4～8月)→内々定(6～8月)㊋説明会(必須、3～6月)→適性診断(4～6月)→面接(2～3回、6～8月)→内々定(8月)【交通費支給】最終面接、関東圏外(会社基準)

試験情報

重視科目 ㊏㊋面接

㊏㊋ES⇒巻末㊞一般常識㊐2～3回

選考ポイント ㊏㊋㊐積極性 コミュニケーション能力 自分の言葉で語っているか

通過率 ㊏ES選考なし(受付:1,347) ㊋ES選考なし(受付:67)

倍率(応募/内定) ㊏75倍 ㊋22倍

●男女別採用数と配属先ほか●

【男女・文理別採用実績】

	大卒男	大卒女	修士男	修士女
23年	18(文 13理 5)	8(文 8理 0)	0(文 0理 0)	0(文 0理 0)
24年	18(文 15理 3)	13(文 12理 1)	0(文 0理 0)	0(文 0理 0)
25年	16(文 14理 2)	10(文 9理 1)	0(文 0理 0)	0(文 0理 0)

【25年4月入社者の採用実績校】

㊮(大)駒澤大 日大 明学大各2 関西外大 京産大 國學院大 順天堂大 専大 大同大 大東文化大 東京国際大 東洋大 獨協大 武蔵大 明大各1 ㊫(大)千葉工大2 中部大1

【24年4月入社者の配属先】

㊏勤務地:東京(秋葉原6 八丁堀5)愛知3 大阪2 石川1 新潟1 埼玉1 静岡1 部署:営業18 人事1 経理1 ㊋勤務地:東京(秋葉原1 八丁堀1)青森1 部署:技術3

残業(月) 13.3時間 ㊏17.3時間

記者評価 電子部品や半導体が中心の独立系専門商社。「在庫レス」など効率化経営を徹底。部品調達力を生かし、国内外でEMS(電子機器受託製造)も展開。富士通エレクトロニクス(現加賀FEI)やエクセル、パイオニアの製造子会社を買収するなどM&Aに積極的。

●給与、ボーナス、週休、有休ほか●

【30歳総合職平均年収】713万円【初任給】(修士)265,000円(大卒)250,000円【ボーナス(年)】NA【25、30、35歳賃金】353,064円→422,222円→534,122円 ※諸手当含む【週休】完全2日(土日祝)【夏期休暇】リフレッシュ休暇6日を充当【年末年始休暇】連続9日【有休取得】12.8/20日

●従業員数、勤続年数、離職率ほか●

【男女別従業員数、平均年齢、平均勤続年数】計 549(43.3歳 14.5年) 男 360(45.3歳 14.6年) 女 189(39.3歳 14.3年)【離職率と離職者数】3.0%、17名【3年後新卒定着率】80.0%(男75.0%、女100%、3年前入社:男16名・女4名)【組合】なし

求める人材 バイタリティ溢れ、チャレンジ精神に富み、物事を前向きに考えて行動のできる人

会社データ (金額は百万円)

【本社】101-8629 東京都千代田区神田松永町20 ☎03-5657-0111 https://www.taxan.co.jp/

【社長】門 良一【設立】1968.9【資本金】12,133【今後力を入れる事業】EMS事業 海外事業 IoTビジネス 車載ビジネス

【業績(連結)】	売上高	営業利益	経常利益	純利益
22.3	495,827	20,915	21,456	15,401
23.3	608,064	32,249	32,739	23,070
24.3	542,697	25,845	25,976	20,345

791 ▶『業界地図』p.284 開示 ★★★★

リョーサン菱洋ホールディングス(株)

東京P 167A

【特色】半導体商社大手。24年に大手2社の合併で誕生

修士・大卒採用数	3年後離職率	有休取得年平均	平均年収(平均44歳)
25名	0→16.0%	17.0日	786万円

●エントリー情報と採用プロセス●

【受付開始～終了】[総][技]3月～充足次第【採用プロセス】[総][技]説明会(必須)→ES提出→適性検査→Web筆記→個人面接(2回)→内々定【交通費支給】最終面接、実費【早期選考】⇒巻末

試験情報

重視科目 [総][技]全て

[総][技][ES]⇒巻末[筆]一般常識 SCOA[面]2回(Webあり)

選考ポイント [総][技][ES]NA(提出あり)[面]人物(性格 長所短所)志望動機 他

通過率 [総][技][ES]NA

倍率(応募/内定) [総][技]NA

●男女別採用数と配属先ほか●

【男女・文理別採用実績】

	大卒男	大卒女	修士男	修士女
23年	8(文 4理 4)	12(文 12理 0)	0(文 0理 0)	0(文 0理 0)
24年	10(文 9理 1)	12(文 12理 0)	0(文 0理 0)	0(文 0理 0)
25年	14(文 13理 1)	11(文 11理 0)	0(文 0理 0)	0(文 0理 0)

【25年4月入社者の採用実績校】
[文](大)専大3 文京学大 大阪経大各2 京産大 青学大 甲南大 成城大 獨協大 亜大 東京経大 立命館大 龍谷大 神田外語大 金沢星稜大 関西外大 新潟大各1 [理](大)成蹊大1

【24年4月入社者の配属先】
[総]勤務地:東京・千代田12 名古屋1 兵庫(神戸2 姫路1)大阪2 福島・いわき1 部署:営業19 [技]勤務地:神奈川1 部署:技術1

残業(月) 15.7時間

[記者評価] 24年、三菱電機系の菱洋エレクトロとNEC系のリョーサンが統合して持株会社化。半導体商社業界で大手の一角に。半導体ではルネサス製の車載・産業機器向けに強み。電子部品も多数。商社品の相互販売で相乗効果を追求。ソリューション事業にも注力。

●給与、ボーナス、週休、有休ほか●

【30歳総合職平均年収】NA【初任給】(修士)220,000円(大卒)220,000円【ボーナス(年)】253万円、NA【25、30、35歳賃金】239,000円→278,000円→322,000円【週休】完全2日(土日祝)【夏期休暇】7～9月の間に有休で5日間取得【年末年始休暇】6日【有休取得】17.0／33日

●従業員数、勤続年数、離職率ほか●

【男女別従業員数、平均年齢、平均勤続年数】計 589(43.7歳 16.0年) 男 439(44.7歳 17.1年) 女 150(40.7歳 13.0年)【離職率と離職者数】5.8%、36名【3年後新卒定着率】84.0%(男82.4%、女87.5%、3年前入社:男17名・女8名)【組合】なし

[求める人材] リョーサンの企業理念に賛同してくれる人 自主性が豊かで何事にも挑戦する意欲の高い人 自ら「考え(意見)」を持ち「考え(意見)」をきちんと主張できる人 <考動できる人>

[会社データ] (金額は百万円)

【本社】101-0031 東京都千代田区東神田2-3-5
☎03-3862-4335 https://www.ryosan.co.jp/
【社長】稲葉 和彦【設立】1957.3【資本金】17,690【今後力を入れる事業】第十一次中期経営計画

【業績(連結)】	売上高	営業利益	経常利益	純利益
22.3	272,647	8,857	8,085	5,359
23.3	325,657	15,423	13,361	9,224
24.3	277,003	9,099	6,767	4,766

※会社データ以外は(株)リョーサンのもの

東京エレクトロン デバイス(株)

東京P 2760

【特色】東京エレクトロン系の半導体商社。産業用に強み

修士・大卒採用数	3年後離職率	有休取得年平均	平均年収(平均44歳)
31名	14.3→0%	13.3日	[総]1,105万円

●エントリー情報と採用プロセス●

【受付開始～終了】[総][技]3月～7月【採用プロセス】[総][技]説明会(必須、3月～)→ES・自己PR動画提出(3月～)→1次面接(3月～)→Webテスト(3月～)→2次面接→最終面接→内々定(4月～)【交通費支給】最終面接、実費【早期選考】⇒巻末

試験情報

重視科目 [総][技]面接

[総][技][ES]⇒巻末[筆]SPI3(自宅)[面]3回(Webあり)

選考ポイント [総][技][ES]1次選考の面接資料[面]求める人物像にそっているか コミュニケーション能力 他

通過率 [総][技][ES]選考なし(受付:NA)

倍率(応募/内定) [総][技]NA

●男女別採用数と配属先ほか●

【男女・文理別採用実績】

	大卒男	大卒女	修士男	修士女
23年	10(文 6理 4)	10(文 10理 0)	2(文 0理 2)	0(文 0理 0)
24年	10(文 5理 5)	5(文 4理 1)	4(文 0理 4)	2(文 0理 2)
25年	18(文 7理 11)	7(文 6理 1)	5(文 0理 5)	1(文 0理 1)

※25年:24年8月7日時点

【25年4月入社者の採用実績校】
[文](大)成城大2 青学大 駒澤大 成蹊大 東京経大 同大 名城大各1 [理](院)金沢工大 群馬大 佐賀大 信州大 東京都市大 名城大各1(大)工学院大 芝工大 東京電機大各2 青学大 国士舘大 東京国際工科専門職大 東洋大 福岡大 明大各1(高専)都立産技1

【24年4月入社者の配属先】
[総]勤務地:横浜5 東京・新宿3 部署:営業8 [技]勤務地:横浜5 東京・新宿5 部署:開発5 フィールドエンジニア5

残業(月) 21.5時間 [総]23.7時間

[記者評価] 半導体製造装置大手・東京エレクトロンの電子部品販売部門が源流。半導体の卸売とコンピュータ関連サービスの2本柱。半導体は産業機器、車載、クラウド、セキュリティなど成長分野に注力。画像処理システムなど自社開発製品を「インレビアム」ブランドで展開。

●給与、ボーナス、週休、有休ほか●

【30歳総合職平均年収】744万円【初任給】(修士)242,200～290,200円 (大卒)227,000～275,000円【ボーナス(年)】428万円、NA【25、30、35歳賃金】NA【週休】完全2日(土日祝)【夏期休暇】有休で取得【年末年始休暇】12月29日～1月3日【有休取得】13.3／20日

●従業員数、勤続年数、離職率ほか●

【男女別従業員数、平均年齢、平均勤続年数】計 1,038(45.7歳 14.6年) 男 757(46.4歳 14.1年) 女 281(43.8歳 15.9年)【離職率と離職者数】1.0%、11名【3年後新卒定着率】100%(男100%、女100%、3年前入社:男14名・女4名)【組合】なし

[求める人材] チームワークを大切にし、自ら考え粘り強く行動できる人

[会社データ] (金額は百万円)

【本社】150-6234 東京都渋谷区桜丘町1-1 渋谷サクラステージSHIBUYAタワー
☎03-6635-6000 https://www.teldevice.co.jp/
【社長】徳重 敦之【設立】1986.3【資本金】2,495【今後力を入れる事業】IoT セキュリティ クラウド 自社開発

【業績(連結)】	売上高	営業利益	経常利益	純利益
22.3	179,907	8,131	7,318	5,085
23.3	240,350	14,227	12,478	8,778
24.3	242,888	15,428	13,922	9,986

まるぶん
丸文(株)

東京P 7537

【特色】独立系半導体商社で国内最大級。外国製が主体

修士・大卒採用数	3年後離職率	有休取得年平均	平均年収(平均44歳)
25名	25.0→0%	14.1日	[総]852万円

●エントリー情報と採用プロセス●

【受付開始～終了】[総][技]3月～継続中【採用プロセス】[総][技]説明会(必須)→ES提出(3月)→面接(3月)→適性試験(3月下旬)→面接(2回、4月)→内々定(4月下旬)【交通費支給】2次面接以降、新幹線代【早期選考】⇒巻末

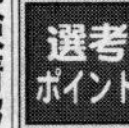

試験情報

重視科目 [総][技]面接

[総][技][ES]⇒巻末[筆]C-GAB オンライン監視下での自宅受験可(C-GAB Plus)[面]3回(Webあり)

選考ポイント [総][技][ES]NA(提出あり)[面]企業理念及び社風に共感でき、仕事を通して自分を成長させることができると期待できるか

通過率 [総][技][ES]NA

倍率(応募/内定) [総][技]NA

●男女別採用数と配属先ほか●

【男女・文理別採用実績】

	大卒男	大卒女	修士男	修士女
23年	10(文 8理 2)	9(文 8理 1)	1(文 0理 1)	0(文 0理 0)
24年	17(文 15理 2)	8(文 8理 0)	1(文 0理 1)	0(文 0理 0)
25年	-(文 -理 -)	-(文 -理 -)	-(文 -理 -)	-(文 -理 -)

※25年:25名採用予定

【25年4月入社者の採用実績校】
[文](24年)(大)近大2 愛知学大 亜大 関西学大 甲南大 神戸学大 国士舘大 専大 創価大 大東文化大 千葉大 桐蔭横浜大 名古屋外大 法政大 UCバークレー各1 [理](24年)(院)阪大1(大)東海大2(高専)大島商船1

【24年4月入社者の配属先】
[総]勤務地:東京・日本橋17 部署:営業15 法務1 財務経理1 [技]勤務地:東京(日本橋2 東陽町1) 部署:ICT2 FAE1

残業(月) 16.5時間 [総]18.2時間

[記者評価] 1844年に呉服問屋として創業、業態転換を経て半導体商社に。独立系半導体商社では国内首位級。米ブロードコムなどが主要仕入れ先。医用・計測機器なども取り扱う。米アローエレクトロニクスと合弁で海外展開。通信・AI・ロボティクス軸にソリューション提案も。

●給与、ボーナス、週休、有休ほか●

【30歳総合職平均年収】682万円【初任給】(修士)268,100円(大卒)261,500円【ボーナス(年)】230万円、NA【25、30、35歳モデル賃金】289,000円→352,300円→401,500円 ※東京本社【週休】完全2日(土日祝)【夏期休暇】連続4日【年末年始休暇】連続6日【有休取得】14.1/20日

●従業員数、勤続年数、離職率ほか●

【男女別従業員数、平均年齢、平均勤続年数】計 615(44.3歳 16.5年) 男 418(46.3歳 17.1年) 女 197(40.1歳 15.1年)【離職率と離職者数】3.0%、19名【3年後新卒定着率】100%(男100%、女—、3年前入社:男1名・女0名)【組合】なし

[求める人材] 小さな変化を感じ、適切な道を考え、どんな時も自分から相手に歩み寄れる人

[会社データ] (金額は百万円)

【本社】103-8577 東京都中央区日本橋大伝馬町8-1
☎0120-100-639 https://www.marubun.co.jp/
【社長】飯野 亨【設立】1947.7【資本金】6,214【今後力を入れる事業】5G AI 航空宇宙 ロボット 医療 他

【業績(連結)】	売上高	営業利益	経常利益	純利益
22.3	167,794	5,994	4,106	2,437
23.3	226,171	10,997	7,909	5,201
24.3	236,490	12,984	5,627	3,401

はくとう
伯東(株)

東京P 7433

【特色】半導体や機器の専門商社。開発営業に特色

修士・大卒採用数	3年後離職率	有休取得年平均	平均年収(平均44歳)
17名	8.7→18.2%	14.6日	[総]1,070万円

●エントリー情報と採用プロセス●

【受付開始～終了】[総][技]3月～継続中【採用プロセス】[総]説明会・グループ面接→SPI→人事面接もしくは部門面接・ES提出→役員面接(最終面接)→内々定 [技]説明会・グループ面接→SPI→部門面接・ES提出→役員面接(最終面接)→内々定【交通費支給】最終面接、遠方者に限り全額【早期選考】⇒巻末

試験情報

重視科目 [総][技]SPI 面接

[総][技][ES]⇒巻末[筆]SPI3(会場) SPI3(自宅)[面]3～4回(Webあり)

選考ポイント [総][ES]自己PR[面]コミュニケーション能力 積極性 語学力 [技][ES]自己PR 研究内容[面]コミュニケーション能力 研究内容の親和性

通過率 [総][技][ES]NA

倍率(応募/内定) [総]23倍 [技]52倍

●男女別採用数と配属先ほか●

【男女・文理別採用実績】

	大卒男	大卒女	修士男	修士女
23年	5(文 1理 4)	2(文 1理 1)	2(文 0理 2)	1(文 0理 1)
24年	12(文 9理 3)	1(文 1理 0)	2(文 0理 2)	0(文 0理 0)
25年	10(文 7理 3)	5(文 3理 2)	1(文 0理 1)	1(文 0理 1)

【25年4月入社者の採用実績校】
[文](24年)(大)阪大 高崎経大 福井県大 法政大 立命館大 明学大 京都女大 國學院大 神奈川大 創価大各1 [理](24年)(院)筑波大 玉川大各1(大)近大2 同大1

【24年4月入社者の配属先】
[総]勤務地:東京・新宿8 大阪市3 名古屋1 部署:コーポレート2 営業9 事務1 [技]勤務地:東京・新宿1 神奈川・伊勢原2 部署:技術3

残業(月) 7.4時間 [総]7.4時間

[記者評価] 家電、スマホ、自動車向け電子デバイスやコンポーネントのほか半導体・プリント基板製造装置なども扱う専門商社。他方で石油・石油化学や水処理向けなどの工業薬品メーカーとしての顔も。化粧品ブランド「TAEKO」も。海外売上約4割。医療やIoT分野に戦略投資。

●給与、ボーナス、週休、有休ほか●

【30歳総合職平均年収】838万円【初任給】(修士)260,000円(大卒)243,000円【ボーナス(年)】559万円、15.31カ月【25、30、35歳賃金】NA【週休】完全2日(土日祝)【夏期休暇】5日(有休で取得)【年末年始休暇】12月29日～1月4日【有休取得】14.6/20日

●従業員数、勤続年数、離職率ほか●

【男女別従業員数、平均年齢、平均勤続年数】計 680(44.3歳 14.0年) 男 521(45.3歳 14.4年) 女 159(41.1歳 12.7年)【離職率と離職者数】4.0%、28名【3年後新卒定着率】81.8%(男87.5%、女66.7%、3年前入社:男8名・女3名)【組合】なし

[求める人材] 成長意欲のある人 自発的に行動できる人 多様な人材と協働できる人

[会社データ] (金額は百万円)

【本社】160-8910 東京都新宿区新宿1-1-13
☎03-3225-8910 https://www.hakuto.co.jp/
【社長】宮下 環【設立】1953.11【資本金】8,100【今後力を入れる事業】全部門(事業)横断の新規事業

【業績(連結)】	売上高	営業利益	経常利益	純利益
22.3	191,495	7,304	7,411	4,970
23.3	233,624	12,711	12,048	8,929
24.3	182,046	7,636	6,912	5,175

開示★★★★★ 788

新光商事㈱
しんこうしょうじ

東京P 8141

【特色】NEC特約店から出発。ルネサスとは契約解消

修士・大卒採用数	3年後離職率	有休取得年平均	平均年収(平均45歳)
1名	16.7→25.0%	14.9日	㊕918万円

●エントリー情報と採用プロセス●

【受付開始～終了】㊕㊖3月～7月【採用プロセス】㊕㊖説明会(必須、3月～)→ES提出・適性検査→面接(3回)→内々定【交通費支給】最終面接、遠方者は全額【早期選考】⇒巻末

試験情報

重視科目 ㊕㊖面接

㊕㊖ⓔⓢ⇒巻末㊗C-GAB WebGAB㊙3回(Webあり)

選考ポイント ㊕㊖ⓔⓢNA(提出あり)㊙状況適応力 プレッシャーへの耐力 統率力

通過率 ㊕㊖ⓔⓢNA

倍率(応募/内定) ㊕15倍 ㊖12倍

●男女別採用数と配属先ほか●

【男女・文理別採用実績】

	大卒男	大卒女	修士男	修士女
23年	4(文 3理 1)	11(文 11理 0)	0(文 0理 0)	0(文 0理 0)
24年	7(文 5理 2)	2(文 2理 0)	0(文 0理 0)	0(文 0理 0)
25年	0(文 0理 0)	1(文 1理 0)	0(文 0理 0)	0(文 0理 0)

【25年4月入社者の採用実績校】
㊫成城大1 ㊮なし

【24年4月入社者の配属先】
㊕勤務地:東京・大崎1 栃木・宇都宮1 山梨・甲府1 浜松1 大阪市1 部署:経理1 営業4 ㊖勤務地:東京・大崎2 部署:技術2

残業(月) 19.8時間 ㊕25.8時間

記者評価 半導体商社中堅。車載・産機向けなどルネサス製半導体が主力の商材だったが、24年に代理店契約解消で売上高は急落。構造改革進めて立て直しを図る。海外半導体メーカー製品や、AI搭載した自社システム扱うソリューションビジネスの開拓を推進。

●給与、ボーナス、週休、有休ほか●

【30歳総合職平均年収】842万円【初任給】(大卒)240,000円【ボーナス(年)】331万円、4.9カ月【25、30、35歳賃金】248,000円→339,000円→384,000円【週休】完全2日(土日祝)【夏期休暇】連続2～3日【年末年始休暇】連続7日【有休取得】14.9/20日

●従業員数、勤続年数、離職率ほか●

【男女別従業員数、平均年齢、平均勤続年数】計359(43.1歳 15.3年) 男222(45.9歳 16.9年) 女137(38.7歳 12.6年)【離職率と離職者数】8.7%、34名(他に男7名転籍)【3年後新卒定着率】75.0%(男50.0%、女83.3%、3年前入社:男2名・女6名)【組合】なし

求める人材 想いをもって実行できる人 コミュニケーション力(聞く力)の優れた人 主体的に考え、行動できる人

会社データ (金額は百万円)

【本社】141-8540 東京都品川区大崎1-2-2 アートヴィレッジ大崎Cタワー ☎03-6361-8067 https://www.shinko-sj.co.jp/
【社長】小川 達哉【設立】1953.11【資本金】9,501【今後力を入れる事業】車載 産業 娯楽機器 IoT関連分野

【業績(連結)】	売上高	営業利益	経常利益	純利益
22.3	135,205	4,163	4,103	2,821
23.3	179,076	7,128	6,841	4,706
24.3	175,847	4,878	4,768	3,194

三信電気㈱
さんしんでんき

東京P 8150

【特色】半導体商社大手。ゲームやスマホ向け中心

修士・大卒採用数	3年後離職率	有休取得年平均	平均年収(平均42歳)
20名	20.0→22.2%	12.7日	㊕748万円

●エントリー情報と採用プロセス●

【受付開始～終了】㊕㊖3月～継続中【採用プロセス】㊕㊖説明会(必須、4月)→Webテスト(4月)→ES提出(4月)→個人面接(4月)→最終面接(5月)→内々定(5月)【交通費支給】最終面接、実費

試験情報

重視科目 ㊕㊖ES 個人面接

㊕㊖ⓔⓢ⇒巻末㊗自社オリジナル㊙2回(Webあり)

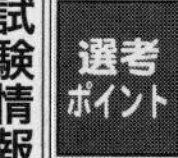

選考ポイント ㊕ⓔⓢ文章に論理性、具体性、説得力があるか㊙論理的思考力 コミュニケーション能力 ㊖ⓔⓢ総合職共通㊙論理的思考力 コミュニケーション能力 技術スキル

通過率 ㊕㊖ⓔⓢNA

倍率(応募/内定) ㊕㊖NA

●男女別採用数と配属先ほか●

【男女・文理別採用実績】

	大卒男	大卒女	修士男	修士女
23年	9(文 7理 2)	4(文 2理 2)	1(文 0理 1)	0(文 0理 0)
24年	7(文 5理 2)	3(文 3理 0)	1(文 0理 1)	0(文 0理 0)
25年	-(文 -理 -)	-(文 -理 -)	-(文 -理 -)	-(文 -理 -)

※25年:20名採用予定

【25年4月入社者の採用実績校】
㊫(24年)(大)成蹊大 立教大 大阪経大 日大 亜大 津田塾大 武蔵大 同女大各1 ㊮(24年)(院)早大1(大)静岡大 工学院大各1

【24年4月入社者の配属先】
㊕勤務地:東京7 大阪1 部署:営業7 システムエンジニア1 ㊖勤務地:東京3 部署:FAE開発職2 システムエンジニア1

残業(月) 14.4時間 ㊕18.1時間

記者評価 半導体商社大手。任天堂、ソニーなどゲーム機向けに強いほか、モバイル機器向けの電子部品などを扱う。ルネサスと特約店契約を解消、車載や産業用ロボットなど新規事業に注力。企業や自治体向けにITインフラの構築・保守を手がけるソリューション事業に強み。

●給与、ボーナス、週休、有休ほか●

【30歳総合職平均年収】611万円【初任給】(博士)243,000円 (修士)243,000円 (大卒)243,000円【ボーナス(年)】226万円、NA【25、30、35歳賃金】270,257円→325,686円→372,344円【週休】完全2日(土日祝)【夏期休暇】連続2日【年末年始休暇】12月28日～1月4日【有休取得】12.7/20日

●従業員数、勤続年数、離職率ほか●

【男女別従業員数、平均年齢、平均勤続年数】計430(42.1歳 16.6年) 男341(42.4歳 16.8年) 女89(41.0歳 15.6年)【離職率と離職者数】4.4%、20名(他に男1名転籍)【3年後新卒定着率】77.8%(男80.0%、女66.7%、3年前入社:男15名・女3名)【組合】なし

求める人材 主体的にチャレンジする意欲があり、様々な人と関係を築き上げる事ができる人

会社データ (金額は百万円)

【本社】108-8404 東京都港区芝4-4-12 ☎03-3453-5111 https://www.sanshin.co.jp/
【社長】鈴木 俊郎【設立】1951.11【資本金】14,811【今後力を入れる事業】AI/IoT DX関連事業

【業績(連結)】	売上高	営業利益	経常利益	純利益
22.3	123,583	4,209	3,560	2,524
23.3	161,107	6,847	5,511	3,832
24.3	140,197	5,748	3,908	2,740

開示★★★ 790

ながせさんぎょう 長瀬産業(株)

東京P 8012

【特色】化学品専門商社で最大手。メーカー機能も

修士・大卒採用数	3年後離職率	有休取得年平均	平均年収(平均41歳)
34名	11.1→15.4%	14.6日	総1,296万円

●エントリー情報と採用プロセス●

【受付開始～終了】総3月～6月【採用プロセス】総ES提出(3月)→動画選考(3月中旬～)→面接(3回、4月上旬～)→内々定(5月下旬)【交通費支給】最終面接、会社基準【早期選考】⇒巻末

試験情報

重視科目 総面接

総 ES⇒巻末 筆C-GAB WebGAB 面3回(Webあり)

選考ポイント 総 ES行動特性 価値観 志望動機 面コミュニケーション力 熱意 論理的思考力 創造力 リーダーシップ 主体性 誠実さ 他

通過率 総 ESNA

倍率(応募/内定) 総NA

●男女別採用数と配属先ほか●

【男女・文理別採用実績】

	大卒男	大卒女	修士男	修士女
23年	14(文 11理 3)	18(文 16理 2)	13(文 1理 12)	2(文 0理 2)
24年	7(文 5理 2)	22(文 20理 2)	8(文 0理 8)	3(文 2理 1)
25年	8(文 8理 0)	16(文 15理 1)	6(文 0理 6)	4(文 0理 4)

【25年4月入社者の採用実績校】
文(大)同大3 早大 上智大 東京外大各2 UCバークレー モナシュ大 京大 中大 関西学大各1 理(院)東京科学大2 京大 筑波大 都立大 明大 青学大 岡山大 奈良先端科技院大 東京海洋大各1(大)明大1

【24年4月入社者の配属先】
総勤務地:東京21 大阪5 部署:営業20 経営管理2 未来共創室1 人事1 ICT1 法務1

残業(月) 17.8時間 総22.0時間

記者評価 京都の染料商が発祥の老舗化学商社。化成品、自動車向け合成樹脂、電子材料、医薬中間体など幅広い。傘下にバイオ企業のナガセヴィータ。19年に米国の食品素材卸・加工会社を買収し、メーカー機能充実。先端技術開発にも熱心。海外比率7割。24年10月から大卒総合職初任給を311,500円に増額。

●給与、ボーナス、週休、有休ほか●

【30歳総合職平均年収】NA【初任給】(修士)321,500円(大卒)291,500円【ボーナス(年)】NA【25、30、35歳賃金】NA【週休】完全2日(土日祝)【夏期休暇】有休で取得【年末年始休暇】12月30日～1月3日【有休取得】14.6/20日

●従業員数、勤続年数、離職率ほか●

【男女別従業員数、平均年齢、平均勤続年数】計874(40.2歳 15.8年) 男 541(42.0歳 16.7年) 女 333(37.1歳 13.9年)【離職率と離職者数】3.9%、35名【3年後新卒定着率】84.6%(男78.6%、女91.7%、3年前入社:男14名・女12名)【組合】あり

求める人材 <総合職>自ら考え、決断し、周りを巻き込みながら挑戦できる人<事務職>誠実に業務を遂行し、自ら考え改善できる人

会社データ (金額は百万円)

【本社】100-8142 東京都千代田区大手町2-6-4 常盤橋タワー
☎03-3665-3082 https://www.nagase.co.jp/
【社長】上島 宏之【設立】1917.12【資本金】9,699【今後力を入れる事業】バイオ 半導体 フード関連事業

【業績(連結)】	売上高	営業利益	経常利益	純利益
22.3	780,557	35,263	36,497	25,939
23.3	912,896	33,371	32,528	23,625
24.3	900,149	30,618	30,591	22,402

いなばたさんぎょう 稲畑産業(株)

東京P 8098

【特色】化学品専門商社で国内2位。住友化学系列色

修士・大卒採用数	3年後離職率	有休取得年平均	平均年収(平均42歳)
25名	3.7→0%	12.3日	総1,077万円

●エントリー情報と採用プロセス●

【受付開始～終了】総3月～6月【採用プロセス】総ES提出(3月)→GD(4月)→1次面接(5月)→筆記・適性(5月)→2次面接(5月)→最終面接(6月)→内々定【交通費支給】最終面接、実費相当(会社基準)【早期選考】⇒巻末

試験情報

重視科目 総面接

総 ES⇒巻末 筆あり(内容NA) 面3回 GD作NA

選考ポイント 総 ESNA(提出あり) 面人物重視

通過率 総 ESNA

倍率(応募/内定) 総NA

●男女別採用数と配属先ほか●

【男女・文理別採用実績】

	大卒男	大卒女	修士男	修士女
23年	8(文 6理 2)	18(文 18理 0)	3(文 0理 3)	1(文 0理 1)
24年	11(文 9理 2)	20(文 18理 2)	1(文 0理 1)	2(文 1理 1)
25年	8(文 6理 2)	13(文 12理 1)	1(文 0理 1)	3(文 2理 1)

【25年4月入社者の採用実績校】
文(院)同大 青学大各1(大)ウェストバージニア大 ハワイ大ヒロ校 東京学芸大 成蹊大 立教大 法政大 関西学大 同大 学習院大各1 理(院)同大 阪大各1(大)京都薬大 近大 筑波大各1

【24年4月入社者の配属先】
総勤務地:東京13 大阪2 部署:リスク管理室3 財務経営管理室2 業務推進室5 デジタル推進室1 人事室4

残業(月) 14.1時間 総18.1時間

記者評価 1890年創業の京都の染料店を発祥とする化学品専門商社。住友化学系だが稲畑オーナー色も。液晶用部材、トナー原料などの情報電子と、自動車、電機向けの合成樹脂が2本柱。中・台や東南アジア、欧米などに販売網。24年2月住化が保有株一部売却、出資約10%に。

●給与、ボーナス、週休、有休ほか●

【30歳総合職平均年収】761万円【初任給】(修士)274,000円(大卒)260,000円【ボーナス(年)】NA、7.0カ月【25、30、35歳賃金】NA【週休】完全2日(土日祝)【夏期休暇】1日(8月15日)【年末年始休暇】12月30日～1月4日【有休取得】12.3/20日

●従業員数、勤続年数、離職率ほか●

【男女別従業員数、平均年齢、平均勤続年数】計748(42.3歳 14.4年) 男 481(44.7歳 16.2年) 女 267(38.0歳 11.2年)【離職率と離職者数】2.7%、21名【3年後新卒定着率】100%(男100%、女100%、3年前入社:男13名・女11名)【組合】あり

求める人材 時代とともに変化するニーズに対応し、グローバルに活躍できる人財

会社データ (金額は百万円)

【本社】103-8448 東京都中央区日本橋室町2-3-1 室町古河三井ビルディング(COREDO室町2)
☎03-3639-6415 https://www.inabata.co.jp/
【社長】稲畑 勝太郎【設立】1918.6【資本金】9,364【今後力を入れる事業】海外事業 自動車 ライフサイエンス・医療 環境・エネルギー 農業を含む食品分野

【業績(連結)】	売上高	営業利益	経常利益	純利益
22.3	680,962	20,052	21,648	22,351
23.3	735,620	20,314	19,110	19,478
24.3	766,022	21,190	21,393	20,000

開示★★★　1248

シービーシー
ＣＢＣ㈱

株式公開 計画なし

【特色】化学品卸から光学情報機器等の製造に展開

修士・大卒採用数	3年後離職率	有休取得年平均	平均年収（平均43歳）
10名	0 → 0%	本文参照	[総]1,124万円

●エントリー情報と採用プロセス●

【受付開始～終了】[総]2月～7月【採用プロセス】[総]ES提出（2月～）・Webテスト→面接（4回）→内々定【交通費支給】最終面接以降（遠方者のみ3次面接以降）、実費【早期選考】⇒巻末

試験情報

重視科目 [総]面接

[総][ES]⇒巻末[筆]C-GAB 性格検査 英語のスピーキングテスト[面]4回（Webあり）

選考ポイント [総][ES]これまでの実体験・経験を基に、自らの言葉で書かれているか[面]情熱 論理的思考力 コミュニケーション力

通過率 [総][ES]NA

倍率（応募/内定） [総]NA

●男女別採用数と配属先ほか●

【男女・文理別採用実績】

	大卒男	大卒女	修士男	修士女
23年	5（文 5理 0）	4（文 3理 1）	1（文 0理 1）	0（文 0理 0）
24年	5（文 4理 1）	1（文 0理 1）	2（文 0理 2）	2（文 1理 1）
25年	1（文 0理 1）	6（文 6理 0）	3（文 1理 2）	0（文 0理 0）

【25年4月入社者の採用実績校】
[文]（院）中国人民大1（大）エクセター大1 [理]（院）東京科学大 九大各1（大）横国大1

【24年4月入社者の配属先】
[総]勤務地：東京6 神奈川1 大阪3 部署：営業9 物流1

残業（月）　本文参照

[記者評価] 商社とメーカー機能を併せ持つ「創造商社」を標榜。無機化学品の輸入で創業後、医・農薬原料、自動車部品関連、電子材料等の製造業へ展開。光学電子機器に定評。海外は北米、欧州、アジア、中国に30超の拠点網。24年に台湾のバイオ企業に出資。

●給与、ボーナス、週休、有休ほか●

【30歳総合職平均年収】720万円【初任給】（修士）314,000円（大卒）290,000円【ボーナス（年）】316万円、4.5カ月【25、30、35歳賃金】NA【週休】完全2日（土日祝）【夏期休暇】有休で取得【年末年始休暇】12月29日～1月3日【有休取得】（海外駐在員を除く）12.3／20日

●従業員数、勤続年数、離職率ほか●

【男女別従業員数、平均年齢、平均勤続年数】計 433（44.4歳 17.0年）男 321（45.3歳 17.6年）女 112（41.7歳 14.9年）【離職率と離職者数】2.3%、10名【3年後新卒定着率】100%（男100%、女100%、3年前入社：男3名・女1名）【組合】なし【残業（月）】（海外駐在員を除く）8.4時間 [総]（海外駐在員を除く）9.4時間

[求める人材] 自ら考え実行できる人 新しい価値が創造できる人 多様性を受入れ、世界で活躍できる人

[会社データ]　（金額は百万円）

【本社】104-0052 東京都中央区月島2-15-13
☎03-3536-4500　https://www.cbc.co.jp/
【社長】土井 正太郎【設立】1935.11【資本金】5,100【今後力を入れる事業】医薬 害虫防除 環境ビジネスの世界展開

【業績（連結）】	売上高	営業利益	経常利益	純利益
22.3	200,337	13,115	15,194	9,325
23.3	219,417	12,176	14,269	8,717
24.3	225,287	13,643	15,310	11,759

オー・ジー㈱

株式公開 計画なし

【特色】化学品商社の老舗。企画開発やメーカー機能を持つ

修士・大卒採用数	3年後離職率	有休取得年平均	平均年収（平均42歳）
13名	7.1 → 12.5%	13.6日	[総]921万円

●エントリー情報と採用プロセス●

【受付開始～終了】[総]3月～7月【採用プロセス】[総]説明会（必須、3月）→ES提出・1次選考（面接、3月下旬）→2次選考（適性検査・面接、4月上旬）→最終選考（面接、4月下旬）→内々定（4月下旬）【交通費支給】〈総合職〉対面の2次選考・最終選考、実費【早期選考】⇒巻末

試験情報

重視科目 [総]面接

[総][ES]NA[筆]V-CAT[面]3回（Webあり）

選考ポイント [総][ES]求める人材と合致しているか、文章作成能力[面]求める人材と合致しているか コミュニケーション能力 協調性 主体性など

通過率 [総][ES]選考なし（受付：224）

倍率（応募/内定） [総]17倍

●男女別採用数と配属先ほか●

【男女・文理別採用実績】

	大卒男	大卒女	修士男	修士女
23年	7（文 5理 2）	5（文 5理 0）	0（文 0理 0）	1（文 0理 1）
24年	10（文 9理 1）	4（文 3理 1）	0（文 0理 0）	1（文 0理 1）
25年	9（文 7理 2）	2（文 2理 0）	1（文 0理 1）	1（文 0理 1）

【25年4月入社者の採用実績校】
[文]（大）関西学大3 関大2 中京大 立命館大 日大 法政大各1 [理]（院）関大 関西学大各1（大）静岡大 関大各1

【24年4月入社者の配属先】
[総]勤務地：大阪市9 東京・中央6 部署：営業10 経理2 情報システム1 業務2

残業（月）　7.6時間 [総]9.2時間

[記者評価] 染料商が立ち上げた大阪合同が母体の化学品商社。基礎化学、機能化学、合成樹脂を基盤として、医薬品、化粧品、電子材料、住宅建材など取扱品目は幅広い。環境配慮商品、高機能コンパウンドに注力。国内のほかインド、アセアン、アジア、北米に販売子会社を持つ。

●給与、ボーナス、週休、有休ほか●

【30歳総合職平均年収】773万円【初任給】（修士）285,000円（大卒）260,000円【ボーナス（年）】251万円、7.6カ月【25、30、35歳賃金】279,400円→347,000円→409,000円【週休】完全2日（土日祝）【夏期休暇】一斉休業日1日（別途有休奨励日2日）+3日（7～9月で取得）【年末年始休暇】12月30日～1月4日【有休取得】13.6／20日

●従業員数、勤続年数、離職率ほか●

【男女別従業員数、平均年齢、平均勤続年数】計 449（41.9歳 15.1年）男 295（43.3歳 16.6年）女 154（39.4歳 12.3年）【離職率と離職者数】3.9%、18名【3年後新卒定着率】87.5%（男87.5%、女87.5%、3年前入社：男8名・女8名）【組合】あり

[求める人材] 自ら疑問を持ち、考え、発信し、挑戦できる機会を掴む意欲をもった人財

[会社データ]　（金額は百万円）

【本社】532-8555 大阪府大阪市淀川区宮原4-1-43
☎06-6395-5000　https://www.ogcorp.co.jp/
【社長】福井 英治【設立】1923.1【資本金】1,110【今後力を入れる事業】インド・東南アジアでの新規ビジネス

【業績（連結）】	売上高	営業利益	経常利益	純利益
22.3	206,575	4,035	4,521	3,255
23.3	237,564	3,846	4,206	2,799
24.3	224,539	3,782	3,562	2,497

開示★★★★

▶『業界地図』p.284

2454

2647 ▶『業界地図』p.284 開示 ★★★★

明和産業(株)（めいわさんぎょう）

東京P 8103

【特色】三菱系の化学品専門商社。中国ビジネスに強い

修士・大卒採用数	3年後離職率	有休取得年平均	平均年収(平均44歳)
6名	25.0→33.3%	11.3日	総 874万円

●エントリー情報と採用プロセス●

【受付開始～終了】総3月～6月【採用プロセス】総説明会(必須)・座談会(3月上旬)→筆記・ES提出(3月下旬)→面接(3回、4月上旬～5月中旬)→内々定(5月中旬)【交通費支給】最終面接、遠方者実費 首都圏一律金額【早期選考】⇒巻末

試験情報

重視科目 総面接

総 ES⇒巻末 筆SCOA 面3回(Webあり)

選考ポイント 総 ES学生時代に力を入れて取り組んだこと、それを通じて何を学んだか 面コミュニケーション力 論理的思考力 自律心 向上心 入社意欲

通過率 総 ES81%(受付:222→通過:179)

倍率(応募/内定) 総22倍

●男女別採用数と配属先ほか●

【男女・文理別採用実績】

	大卒男	大卒女	修士男	修士女
23年	4(文 3理 1)	5(文 5理 0)	0(文 0理 0)	0(文 0理 0)
24年	3(文 3理 0)	5(文 5理 0)	0(文 0理 0)	0(文 0理 0)
25年	4(文 4理 0)	2(文 2理 0)	0(文 0理 0)	0(文 0理 0)

【25年4月入社者の採用実績校】
文(大)千葉大 明大 中大 関大 立命館大各1 理なし

【24年4月入社者の配属先】
総勤務地:東京・丸の内4 部署:営業4

残業(月) 10.4時間 総13.4時間

記者評価 1947年GHQによる三菱商事の解散命令を受け発足。化学品、合成樹脂、機能材料が主力。62年中国から「友好商社」に指定され、中国ビジネスに強い。中国では潤滑油、冷凍機油増販のほか、EV化に向けリチウム電池材料の増販続く。インドでも冷凍機油の市場深耕。

●給与、ボーナス、週休、有休ほか●

【30歳総合職平均年収】663万円【初任給】(修士)270,000円(大卒)250,000円【ボーナス(年)】222万円、4.25カ月【25、30、35歳モデル賃金】270,000円→375,000円→475,000円【週休】完全2日(土日祝)【夏期休暇】4日【年末年始休暇】12月29日～1月3日【有休取得】11.3/20日

●従業員数、勤続年数、離職率ほか●

【男女別従業員数、平均年齢、平均勤続年数】計 214(43.0歳 17.0年) 男 147(43.6歳 17.5年) 女 67(41.8歳 15.9年)【離職率と離職者数】3.2%、7名【3年後新卒定着率】66.7%(男100%、女0%、3年前入社:男2名・女1名)【組合】あり

求める人材 相手の要望に応え、何をするべきか考え発信し、自己効力感を高めながら行動出来る人材

会社データ (金額は百万円)

【本社】100-8311 東京都千代田区丸の内3-3-1 新東京ビル
☎03-3240-9011 https://www.meiwa.co.jp/
【社長】吉田 毅【設立】1947.7【資本金】4,024【今後力を入れる事業】脱炭素等環境負荷の低い代替商 品の取扱拡大

【業績(連結)】	売上高	営業利益	経常利益	純利益
22.3	143,025	3,402	3,410	2,407
23.3	156,662	3,655	3,169	1,720
24.3	158,279	2,970	4,032	2,754

JKホールディングス(株)（ジェイケー）

東京S 9896

【特色】合板、建材の専門商社で国内最大手。M&A活発

修士・大卒採用数	3年後離職率	有休取得年平均	平均年収(平均41歳)
64名	22.4→33.3%	9.6日	総 681万円

●エントリー情報と採用プロセス●

【受付開始～終了】総3月～7月【採用プロセス】総説明会(必須、3～5月)→ES提出→個人面接(2～3回、3～7月)→内々定(4月～)※途中に社員との面談が複数回【交通費支給】最終面接、遠方者に実費【早期選考】⇒巻末

試験情報

重視科目 総面接

総 ES⇒巻末 筆eF-1G 面2～3回(Webあり)

選考ポイント 総 ES志望動機が具体的か 業界、業務内容を正しく認識できているか 面接との総合判断 面主体性 伝達力 言語力 質問の受答え 人柄

通過率 総 ESNA(受付:154→通過:NA)

倍率(応募/内定) 総5倍

●男女別採用数と配属先ほか●

【男女・文理別採用実績】※25年:24年7月31日時点

	大卒男	大卒女	修士男	修士女
23年	33(文 33理 0)	13(文 13理 0)	0(文 0理 0)	1(文 1理 0)
24年	14(文 13理 1)	18(文 18理 0)	0(文 0理 0)	0(文 0理 0)
25年	48(文 39理 9)	16(文 14理 2)	0(文 0理 0)	0(文 0理 0)

【25年4月入社者の採用実績校】文(大)追手門学大4 近大3 関東学院大 駒澤大 甲南大 拓大 中大 帝京大 立命館大各2 キャピラノ大 京産大 愛知淑徳大 関大 香川大 国士舘大 桜美林大 滋賀県大 成蹊大 西シドニー大 西南学大 青学大 専大 創価大 大阪経法大 大阪国際大 大阪商大 東海大 東北学大 同大 南山大 武蔵野大 北九州市大 北星学大 名古屋商大 名城大 立正大 佛教大 國學院大 獨協大各1 他 理(大)日大 東洋大 東京農業大 東京都市大 千葉工大 神奈川大 広島大 九産大 金沢工大 京都橘大 千歳科技大各1

【24年4月入社者の配属先】総勤務地:東京4 埼玉3 大阪3 兵庫2 福岡1 北海道1 岩手1 茨城1 神奈川1 栃木1 静岡1 愛知1 岐阜1 広島1 愛媛1 佐賀1 他 部署:営業本部24

残業(月) 14.0時間 総14.0時間

記者評価 建材専門商社で国内最大手のジャパン建材が中核事業会社。M&Aに積極的で、傘下に総合建材卸、合板製造・木材加工、総合建材小売など約60社を擁する。海外は東南アジア・中国・北米などに現地駐在員を派遣。住宅から非住宅への軸足シフトを推進。

●給与、ボーナス、週休、有休ほか●

【30歳総合職平均年収】593万円【初任給】(修士)242,000円(大卒)242,000円【ボーナス(年)】139万円、4.52カ月【25、30、35歳賃金】262,000円→303,000円→345,000円【週休】完全2日(土日祝)【夏期休暇】連続3日(有休奨励日1日含む、8月10～18日)【年末年始休暇】連続5日(12月28日～1月5日)【有休取得】9.6/20日

●従業員数、勤続年数、離職率ほか●

【男女別従業員数、平均年齢、平均勤続年数】計 1,149(40.6歳 13.3年) 男 877(41.1歳 14.5年) 女 272(38.8歳 10.0年)【離職率と離職者数】3.8%、46名【3年後新卒定着率】66.7%(男62.1%、女80.0%、3年前入社:男29名・女10名)【組合】なし

求める人材 人から学べる人 人とよく接し、よく話を聞き、常に何かを学ぶ姿勢のある人

会社データ (金額は百万円)

【本社】136-8405 東京都江東区新木場1-7-22 新木場タワー
☎03-5534-3574 https://www.jkhd.co.jp/
【社長】青木 慶一郎【設立】1949.2【資本金】3,195【今後力を入れる事業】グループ総合力の強化と地域密着営業の強化

【業績(連結)】	売上高	営業利益	経常利益	純利益
22.3	376,120	12,475	13,111	8,907
23.3	407,022	9,723	10,300	6,686
24.3	388,910	7,871	8,670	5,049

1151 ▶『業界地図』p.238 開示 ★★★★

渡辺パイプ(株)

わたなべ

株式公開 計画なし

【特色】管工機材や電材等の専門商社。農業分野にも展開

修士・大卒採用数	3年後離職率	有休取得年平均	平均年収(平均39歳)
222名	26.8→28.0%	11.0日	509万円

●エントリー情報と採用プロセス●

【受付開始～終了】[総]3月～12月【採用プロセス】[総]説明会(必須、3月～)→ES・SPI→1次面接→2次面接→内々定【交通費支給】なし【早期選考】⇒巻末

試験情報

重視科目 [総]面接

[総][ES]⇒巻末[筆]SPI3(自宅) SPI性格[面]2回(Webあり)

選考ポイント [総][ES]当社理解と自己理解[面]人柄 コミュニケーション力

通過率 [総][ES]96%(受付:599→通過:573)

倍率(応募/内定) [総]4倍

●男女別採用数と配属先ほか●

【男女・文理別採用実績】

	大卒男	大卒女	修士男	修士女
23年	181(文168 理 13)	31(文 30 理 1)	2(文 0 理 2)	0(文 0 理 0)
24年	219(文206 理 13)	35(文 34 理 1)	0(文 0 理 0)	0(文 0 理 0)
25年	175(文164 理 11)	47(文 42 理 5)	0(文 0 理 0)	0(文 0 理 0)

※25年:継続中

【25年4月入社者の採用実績校】
[文](大)帝京大10 城西大7 東北学大 東海大 神戸学大各5 北星学大 日大 東京国際大各4 他 [理](大)東京農業大 龍谷大各3 他

【24年4月入社者の配属先】
[総]勤務地:北海道10 東北11 関東125 中部26 関西53 中四国12 九州17 部署:営業250 業務4

残業(月) 23.2時間 [総]33.4時間

記者評価 パイプとその付属品の販売で創業。上下水道・給排水設備用管工機材、住設機器、内外装建材や電材などを幅広く取り扱う専門商社に発展。施設園芸用のグリーンハウスやガラスハウス、栽培システムなど農業分野にも注力。ベトナム、台湾に販売子会社。

●給与、ボーナス、週休、有休ほか●

【30歳総合職平均年収】NA【初任給】(修士)215,000円(大卒)206,000円【ボーナス(年)】NA【25、30、35歳賃金】NA【週休】2日【夏期休暇】連続5日程度(土日含む)【年末年始休暇】連続5日程度(土日含む)【有休取得】11.0/20日

●従業員数、勤続年数、離職率ほか●

【男女別従業員数、平均年齢、平均勤続年数】計 5,130(38.6歳 9.9年) 男 4,271(38.8歳 11.0年) 女 859(38.1歳 8.5年)【離職率と離職者数】0.3%、13名【3年後新卒定着率】72.0%(男76.5%、女48.0%、3年前入社:男132名・女25名)【組合】なし

求める人材 (1)気持ちいい(2)踏み込める(3)フットワークが軽い

会社データ (金額は百万円)

【本社】100-0004 東京都千代田区大手町1-3-2 経団連会館
☎03-6478-1330 https://www.sedia-system.co.jp/
【社長】渡辺 圭祐【設立】1957.4【資本金】10,099【今後力を入れる事業】電工 建材業態の拡充

【業績(単独)】	売上高	営業利益	経常利益	純利益
22.3	304,238	12,065	12,965	7,938
23.3	341,644	13,859	14,857	9,951
24.3	370,000	14,597	15,878	10,848

伊藤忠建材(株)

いとうちゅうけんざい

株式公開 未定

【特色】伊藤忠系の建材専門商社。住設関連で国内首位

修士・大卒採用数	3年後離職率	有休取得年平均	平均年収(平均*44歳)
17名	18.2→20.0%	13.3日	[総]983万円

●エントリー情報と採用プロセス●

【受付開始～終了】[総]3月～4月【採用プロセス】[総]Web説明会(任意、3～4月)→ES提出・SPI(3～4月)→1次面接(4～5月)→2次面接(4～5月)→最終面接(5～6月)→内々定(5～6月)【交通費支給】最終面接、会社基準(実費)【早期選考】⇒巻末

試験情報

重視科目 [総]NA

[総][ES]⇒巻末[筆]SPI3(会場) SPI3(自宅)[面]3回(Webあり)[GD作]⇒巻末

選考ポイント [総][ES]文章に論理性があるか 求める人材像と合致しているか[面]NA

通過率 [総][ES]21%(受付:282→通過:60)

倍率(応募/内定) [総]35倍

●男女別採用数と配属先ほか●

【男女・文理別採用実績】

	大卒男	大卒女	修士男	修士女
23年	8(文 7 理 1)	5(文 4 理 1)	0(文 0 理 0)	0(文 0 理 0)
24年	9(文 6 理 3)	9(文 9 理 0)	0(文 0 理 0)	0(文 0 理 0)
25年	9(文 7 理 2)	8(文 8 理 0)	0(文 0 理 0)	0(文 0 理 0)

【25年4月入社者の採用実績校】
[文](大)法政大3 慶大 関西学大各2 千葉大 早大 京産大 南山大各1 [理](大)東京農工大 近大各1

【24年4月入社者の配属先】
[総]勤務地:東京8 大阪2 福岡1 香川・高松1 部署:営業10 人事総務1 審査法務1

残業(月) 25.2時間

記者評価 伊藤忠の完全子会社。住宅資材など建材全般を扱うほか、住設の工事機能も併せ持つ。リフォームや非住宅分野へも展開。環境配慮型商品「地球樹」ブランドや省エネ商材などに注力。国内16カ所とマレーシアに営業拠点。子会社に岡山地盤のマルティックス山陽。

●給与、ボーナス、週休、有休ほか●

【30歳総合職モデル年収】758万円【初任給】(博士)280,000円(修士)270,000円(大卒)260,000円【ボーナス(年)】322万円、7.6カ月【25、30、35歳モデル賃金】285,000円→360,000円→480,000円【週休】完全2日(土日祝)【夏期休暇】有休で取得【年末年始休暇】12月29日～1月3日【有休取得】13.3/20日

●従業員数、勤続年数、離職率ほか●

【男女別従業員数、平均年齢、平均勤続年数】計 395(44.0歳 15.3年) 男 229(45.7歳 16.8年) 女 166(41.5歳 13.1年) ※嘱託・受入出向を含む【離職率と離職者数】1.5%、6名【3年後新卒定着率】80.0%(男66.7%、女100%、3年前入社:男3名・女2名)【組合】なし

求める人材 Value「私たちが大切にする価値(創造・情熱・真摯)」に共感する人

会社データ (金額は百万円)

【本社】103-8419 東京都中央区日本橋大伝馬町1-4 野村不動産日本橋大伝馬町ビル
☎03-3661-3281 https://www.ick.co.jp/
【社長】関野 博司【設立】1961.7【資本金】500【今後力を入れる事業】環境配慮商品 木質構造関連 国産材 海外事業

【業績(連結)】	売上高	営業利益	経常利益	純利益
22.3	224,076	8,009	8,612	5,963
23.3	270,601	7,213	7,761	5,342
24.3	242,868	5,188	5,853	4,008

ナイス(株)

東京S 8089

【特色】木材市場で国内最大手。戸建て・マンションも

修士・大卒採用数	3年後離職率	有休取得年平均	平均年収(平均44歳)
53名	50.0→26.1%	10.7日	[総]803万円

残業(月) 12.7時間 [総]15.8時間

記者評価 木材販売で最大手。全国の地場工務店にネットワークを持ち、木材や建築資材、キッチン、浴槽などの住宅設備、太陽光発電システムなどを販売。地元の横浜や仙台を中心に住宅事業として戸建てや免震マンションの販売も手がける。木質化リノベーションにも注力。

●エントリー情報と採用プロセス●

【受付開始～終了】[総][技]3月～継続中【採用プロセス】[総][技]説明会(必須)・ES・Webテスト→面接(2回・うち1回目Web)→内々定【交通費支給】最終面接、一都三県以外在住者の往復【早期選考】⇒巻末

試験情報

重視科目 [総][技]面接

[総][技][ES]NA[筆]玉手箱 OPQ[面]2回(Webあり)

選考ポイント [総][技][ES]NA(提出あり)[面]NA

通過率 [総][技][ES]NA 倍率(応募/内定) [総][技]NA

●男女別採用数と配属先ほか●

【男女・文理別採用実績】

	大卒男	大卒女	修士男	修士女
23年	20(文 18理 2)	19(文 17理 2)	0(文 0理 0)	0(文 0理 0)
24年	39(文 35理 4)	25(文 18理 7)	0(文 0理 0)	0(文 0理 0)
25年	33(文 28理 5)	18(文 15理 3)	2(文 0理 2)	0(文 0理 0)

※25年:24年8月23日時点

【25年4月入社者の採用実績校】[文](大)愛知学大3 亜大 関東学院大 東海大 龍谷大各2 愛知東邦大 関西学大 関大 関西福祉大 近大 京産大 滋賀大 小樽商大 神奈川大 大阪経大 東京経大 桃山学大 東洋大 日大 武蔵野大 文教大 中大 明大 明星大 駿河台大各1 [理](院)京大 鹿児島大各1(大)日大2 愛媛大 京都府大 東洋大 東京農大 明大各1

【24年4月入社者の配属先】[総]勤務地:岩手・盛岡1 山形1 宮城(仙台4 大衡村1)栃木・宇都宮3 長野1 新潟1 茨城・石岡1 さいたま1 千葉1 東京(足立1 新宿2 大田1 多摩1)神奈川(横浜10 相模原2)静岡(静岡1 磐田2 浜松2)愛知(小牧4 豊田2)大阪1 滋賀・野洲1 岡山・瀬戸内1 福岡・糟屋郡3 部署:建築資材営業32 住宅営業16 管理部門1 [技]勤務地:仙台2 横浜2 浜松1 愛知・豊田1 部署:住宅設計6

●給与、ボーナス、週休、有休ほか●

【30歳総合職平均年収】581万円【初任給】(修士)235,000円(大卒)225,000円【ボーナス(年)】223万円、NA【25、30、35歳賃金】219,686円→272,675円→335,188円【週休】2日(部署により曜日が異なる)【夏期休暇】連続9日(有休1日含む)【年末年始休暇】連続8日(有休1日含む)【有休取得】10.7/20日

●従業員数、勤続年数、離職率ほか●

【男女別従業員数、平均年齢、平均勤続年数】計 964(44.6歳 18.8年)男 695(45.8歳 20.8年)女 269(41.3歳 13.6年)【離職率と離職者数】4.6%、46名【3年後新卒定着率】73.9%(男66.7%、女87.5%、3年前入社:男15名・女8名)【組合】あり

求める人材 何事にも挑戦しようとする前向きさと行動力のある人

会社データ (金額は百万円)

【本社】230-8571 神奈川県横浜市鶴見区鶴見中央4-33-1
☎045-521-6111 https://www.nice.co.jp/
【社長】津戸 裕徳【設立】1950.6【資本金】24,433【今後力を入れる事業】NA

【業績(連結)】	売上高	営業利益	経常利益	純利益
22.3	229,514	10,224	9,589	4,482
23.3	236,329	5,292	4,949	3,780
24.3	225,869	4,403	4,332	4,204

(株)サンゲツ

東京P 8130

【特色】インテリア商社最大手。壁紙・カーテンで上位

修士・大卒採用数	3年後離職率	有休取得年平均	平均年収(平均38歳)
41名	20.5→24.2%	12.7日	[総]772万円

残業(月) 24.8時間 [総]24.8時間

記者評価 嘉永年間の表具師・山月堂が起源。壁紙販売から出発、独自のカタログと即日出荷を武器に成長。壁紙は国内首位。カーテンや床材にも強い。米国、中国に拠点。シンガポール企業を買収し東南アジア展開加速。エクステリアを含めた空間デザインなど新領域に挑戦。

●エントリー情報と採用プロセス●

【受付開始～終了】[総]2月～5月【採用プロセス】[総]ES提出(2月)→1次面接(2月下旬～5月中旬)→2次面接(3月上旬～5月中旬)→Webテスト・最終面接(3月下旬～5月中旬)→内々定(4月下旬～5月下旬)【交通費支給】最終選考、特急代(新幹線他)【早期選考】⇒巻末

試験情報

重視科目 [総]全て

[総][ES]⇒巻末[筆]INSIGHT[面]3回(Webあり)

選考ポイント [総][ES]大学生活での自発的な行動 求める人物像と合致するか[面]求める人物像との合致 職業観 志望動機

通過率 [総][ES]73%(受付:1,375→通過:1,003)

倍率(応募/内定) [総]43倍

●男女別採用数と配属先ほか●

【男女・文理別採用実績】

	大卒男	大卒女	修士男	修士女
23年	15(文 15理 0)	14(文 13理 1)	0(文 0理 0)	2(文 1理 1)
24年	21(文 18理 3)	25(文 25理 0)	1(文 1理 0)	0(文 0理 0)
25年	15(文 14理 1)	25(文 24理 1)	1(文 0理 1)	0(文 0理 0)

【25年4月入社者の採用実績校】
[文](大)中京大 関大各4 南山大3 法政大2 明大 愛知学大 甲南大 昭和女大 三重大 文化学園大 立命館大 福岡大 専大 椙山女学大 神奈川大 同大 滋賀大 桃山学大 阪南大 龍谷大 京産大 関西学大 京都橘大 中大 愛知大 亜大 多摩美大 阪大 大分大各1 [理](院)名工大1(大)明大 拓大各1

【24年4月入社者の配属先】
[総]勤務地:さいたま4 東京・千代田13 横浜4 名古屋10 大阪8 広島2 福岡6 部署:営業47

●給与、ボーナス、週休、有休ほか●

【30歳総合職平均年収】524万円【初任給】(修士)275,000円(大卒)270,000円【ボーナス(年)】271万円、7.46カ月【25、30、35歳賃金】259,400円→286,200円→332,700円【週休】完全2日(土日祝)【夏期休暇】8月10～18日(有休計画的付与1日含む)【年末年始休暇】12月28日～1月5日【有休取得】12.7/20日

●従業員数、勤続年数、離職率ほか●

【男女別従業員数、平均年齢、平均勤続年数】計 1,292(37.7歳 15.7年)男 820(39.4歳 17.3年)女 472(34.8歳 12.8年)【離職率と離職者数】2.7%、36名【3年後新卒定着率】75.8%(男73.3%、女77.8%、3年前入社:男15名・女18名)【組合】なし

求める人材 自由な発想を持ち公正である人 自我を持ち自身の考えを主張できる人 挑戦して自己成長をし続けられる人

会社データ (金額は百万円)

【本社】451-8575 愛知県名古屋市西区幅下1-4-1
☎052-564-3321 https://www.sangetsu.co.jp/
【社長】近藤 康正【設立】1953.4【資本金】13,616【今後力を入れる事業】スペースクリエーション事業 海外事業

【業績(連結)】	売上高	営業利益	経常利益	純利益
22.3	149,481	7,959	8,203	276
23.3	176,022	20,280	20,690	14,005
24.3	189,859	19,103	19,695	14,291

開示 ★★★★

㈱デザインアーク

株式公開 計画なし

【特色】インテリアや建材を製造販売。大和ハウス傘下

修士・大卒採用数	3年後離職率	有休取得年平均	平均年収(平均41歳)
30名	29.6 → 8.7%	13.4日	[総]638万円

●エントリー情報と採用プロセス●

【受付開始～終了】[総][技]3月～継続中【採用プロセス】[総][技]説明会(必須、3月)→WebES・テスト(3月～)→面接(3回、4月～)→内々定(5月～)【交通費支給】2次面接以降、遠方者のみ実費【早期選考】⇒巻末

試験情報

重視科目 [総][技]面接

[総][技][ES]⇒巻末[筆]WebGAB[面]3回(Webあり)

選考ポイント [総][ES]Web適性検査の結果との整合性 記述内容の具体性 他[面]論理性(表現力・理解力)目標達成意欲と行動事実 思考行動特性と当社とのマッチング [技][ES]総合職共通[面]論理性(表現力・理解力)目標達成意欲と行動事実 思考行動特性と当社とのマッチング プレゼン

通過率 [総][ES]19%(受付:959→通過:182) [技][ES]38%(受付:199→通過:75)

倍率(応募/内定) [総]80倍 [技]199倍

●男女別採用数と配属先ほか●

【男女・文理別採用実績】※25年:30名程度採用予定

	大卒男	大卒女	修士男	修士女
23年	12(文 10理 2)	6(文 5理 1)	0(文 0理 0)	0(文 0理 0)
24年	18(文 15理 3)	9(文 4理 5)	0(文 0理 0)	0(文 0理 0)
25年	-(文 -理 -)	-(文 -理 -)	-(文 -理 -)	-(文 -理 -)

【25年4月入社者の採用実績校】[文](24年)(大)立命館大 関大各2 日大 白百合女大 同大 東洋大 昭和女大 文化学園大 追手門学大 帝京大 日体大 山口大 下関市大 亜大 東京経大 甲南大 阪南大各1 [理](24年)(大)大同大2 神戸芸工大 金沢工大 東京電機大 日大 京都芸大 大阪成蹊大各1

【24年4月入社者の配属先】[総]勤務地:大阪7 東京6 東北1 茨城1 埼玉1 横浜1 名古屋1 福岡1 部署:営業11 経理3 人事1 総務1 法務1 購買1 工場1 [技]勤務地:大阪5 東京3 部署:企画設計5 施工1 積算1 商品開発1

残業(月) 17.5時間 [総]19.0時間

記者評価 大和ハウスの完全子会社。大阪・東京2本社制。戸建て住宅・マンションのインテリア、内外装建材が主力。オフィス・ホテル・店舗の内装品も扱う。仮設現場やイベント会場で使用する資材のレンタル・リースも。全国に23の支店・営業所。三重とつくばに工場。

●給与、ボーナス、週休、有休ほか●

【30歳総合職平均年収】503万円【初任給】(大卒)224,000円【ボーナス(年)】164万円、5.2カ月【25、30、35歳賃金】234,833円→258,250円→278,964円【週休】完全2日(土日祝)【夏期休暇】8月13～15日(うち計画年休2日)【年末年始休暇】12月30日～1月3日(うち計画年休1日)【有休取得】13.4/20日

●従業員数、勤続年数、離職率ほか●

【男女別従業員数、平均年齢、平均勤続年数】計 993(41.4歳 14.5年) 男 633(43.6歳 17.1年) 女 360(37.7歳 9.8年)【離職率と離職者数】5.7%、60名【3年後新卒定着率】91.3%(男87.5%、女100%、3年前入社:男16名・女7名)【組合】なし

求める人材 先の先を読み、自ら行動することで良い変化をもたらすことができる人

会社データ (金額は百万円)

【本社】550-0011 大阪府大阪市西区阿波座1-5-16 大和ビル
☎06-6536-6111 https://www.designarc.co.jp/
【社長】辰己 嘉一【設立】1971.4【資本金】450【今後力を入れる事業】スペースソリューション事業

【業績(単独)】	売上高	営業利益	経常利益	純利益
22.3	50,749	3,773	3,793	2,484
23.3	50,337	4,535	4,560	2,986
24.3	56,563	3,947	3,967	2,747

㈱日本アクセス(にっぽん)

株式公開 計画なし

【特色】食品卸で業界首位。伊藤忠商事の完全子会社

修士・大卒採用数	3年後離職率	有休取得年平均	平均年収(平均40歳)
121名	17.9 → 14.0%	14.6日	[総]759万円

●エントリー情報と採用プロセス●

【受付開始～終了】[総]3月～6月【採用プロセス】[総]ES提出・適性検査→Webテスト→面接(3回)→内々定【交通費支給】最終面接

試験情報

重視科目 [総]面接

[総][ES]⇒巻末[筆]あり(内容NA)[面]3回(Webあり)

選考ポイント [総][ES]NA(提出あり)[面]主体性 コミュニケーション能力 論理的思考力

通過率 [総][ES]NA 倍率(応募/内定) [総]NA

●男女別採用数と配属先ほか●

【男女・文理別採用実績】

	大卒男	大卒女	修士男	修士女
23年	58(文 45理 13)	42(文 38理 4)	3(文 0理 3)	1(文 0理 1)
24年	66(文 61理 5)	50(文 43理 7)	1(文 0理 1)	0(文 0理 0)
25年	64(文 59理 5)	52(文 48理 4)	3(文 1理 2)	2(文 0理 2)

【25年4月入社者の採用実績校】[文](院)創価大1(大)大阪経大 明大各7 成蹊大 日大各5 愛知大 京産大 昭和女大 中大 法政大各4 宮城大3 関西学大 久留米大 甲南大 実践女大 十文字学女大 順天堂大 専大 津田塾大 同大 福岡大 立命館大 龍谷大 國學院大各2 亜大 愛知淑徳大 学習院大 関西外大 関西国際大 京都外大 京都橘大 駒澤大 広島大 高崎経大 国際武道大 神戸女大 神奈川大 椙山女学大 成城大 創価大 大阪商大 阪大 大東文化大 長野県大 東京家政大 東京女大 都立大 東理大 同女大 南山大 日女大 福島大 名古屋外大 名古屋市大 明学大 目白大 獨協大 国士舘大各1 [理](院)愛媛大 岐阜大 新潟大 横国大各1(大)東京農業大3 北里大 京都先端科学大 近大 甲南女大 島根大 広島大各1

【24年4月入社者の配属先】[総]勤務地:岩手4 宮城6 福島2 東京5 神奈川11 埼玉22 千葉7 群馬3 茨城3 富山2 新潟3 長野2 静岡6 愛知7 大阪10 兵庫3 広島8 福岡7 長崎3 鹿児島3 部署:営業 受発注・電算 物流営業 物流企画・管理 センター運営 職能 他 全国主要20都市

残業(月) 24.5時間

記者評価 業界首位の食品卸。06年伊藤忠商事グループ入り、11年伊藤忠傘下の食品卸と統合。ライフスタイルの時短・簡便化需要をとらえた総菜事業が堅調。「Delcy」「みわび」などの自社PB商品の開発を推進。チルド・冷凍分野で業界首位級。乾物・乾麺にも強い。

●給与、ボーナス、週休、有休ほか●

【30歳総合職平均年収】NA【初任給】(修士)243,600円(大卒)243,600円【ボーナス(年)】NA、5.1カ月【25、30、35歳賃金】NA【週休】完全2日(土日祝)※一部シフト制あり【夏期休暇】有休で取得【年末年始休暇】12月30日～1月3日【有休取得】14.6/20日

●従業員数、勤続年数、離職率ほか●

【男女別従業員数、平均年齢、平均勤続年数】計 3,184(41.6歳 15.5年) 男 2,193(43.0歳 17.4年) 女 991(38.5歳 11.5年)【離職率と離職者数】2.6%、84名【3年後新卒定着率】86.0%(男88.5%、女82.9%、3年前入社:男52名・女41名)【組合】あり

求める人材 食への情熱と感謝の気持ちを以て、失敗を恐れず変革に向け挑戦できる人

会社データ (金額は百万円)

【本社】141-8582 東京都品川区西品川1-1-1
☎03-5435-5800 https://www.nippon-access.co.jp/
【社長】服部 真也【設立】1993.10【資本金】2,620【今後力を入れる事業】次世代事業 EC事業 ロジスティクス事業 生鮮デリカ事業

【業績(連結)】	売上高	営業利益	経常利益	純利益
22.3	2,120,295	23,407	23,876	16,342
23.3	2,197,570	25,218	26,088	17,409
24.3	2,336,607	30,287	31,922	21,340

開示 ★★★

▶『業界地図』p.260,284

三菱食品(株)（みつびししょくひん）

東京S 7451

【特色】三菱商事傘下。国内2位。総合食品卸を全国展開

修士・大卒採用数	3年後離職率	有休取得年平均	平均年収(平均44歳)
100名	8.4 → 9.9%	9.6日	(総)828万円

残業(月) 22.4時間 (総)31.4時間

記者評価 三菱系の食品卸が統合し発足。加工食品から低温食品、酒、菓子まで総合展開。グミ「ハリボー」やチョコ「リンツ」など海外ブランド商品の輸入・販売も。小売り・メーカーの課題解決業へ脱皮図り、デジタルマーケ分野や商品開発を強化。海外事業を育成中。

●エントリー情報と採用プロセス●

【受付開始～終了】(総)3月～7月【採用プロセス】(総)ES・適性検査・PR動画提出(3月)→面接(3回、4月頃～)→内々定(5月下旬頃～)【交通費支給】最終面接、地方別一律往復料金

試験情報

重視科目 (総)全て

(総)(ES)⇒巻末(筆)玉手箱 OPQ(面)3回(Webあり)

選考ポイント (総)(ES)NA(提出あり)(面)NA

通過率 (総)(ES)70%(受付:1,582→通過:1,109)

倍率(応募/内定) (総)12倍

●給与、ボーナス、週休、有休ほか●

【30歳総合職平均年収】587万円【初任給】(修士)258,000円 (大卒)250,000円【ボーナス(年)】220万円、6.0カ月【25、30、35歳賃金】240,900円→272,100円→317,600円【週休】完全2日(土日祝)※一部土日祝のシフト制勤務あり【夏期休暇】有休で取得【年末年始休暇】連続5日【有休取得】9.6／20日

●男女別採用数と配属先ほか●

【男女・文理別採用実績】※25年:約100名採用予定

	大卒男	大卒女	修士男	修士女
23年	39(文 -理 -)	40(文 -理 -)	0(文 -理 -)	0(文 -理 -)
24年	58(文 -理 -)	54(文 -理 -)	1(文 -理 -)	0(文 -理 -)
25年	-(文 -理 -)	-(文 -理 -)	-(文 -理 -)	-(文 -理 -)

【25年4月入社者の採用実績校】
(文)近大 同大 中大 明大 立命館大 日大 法政大 関大 昭和女大 青学大 大妻女大 関西学大 東京家政大 東京農業大 日女大 立教大 愛知大 駒澤大 香川大 成城大 成蹊大 専大 創価大 早大 東京経大 東理大 武蔵大 明学大 國學院大 お茶女大 関西外大 久留米大 宮城大 京産大 共立女大 甲南大 高崎経大 国士舘大 女子栄養大 上智大 神戸大 神田外語大 神奈川大 静岡大 大阪経大 大阪公大 阪大 大東文化大 拓大 長野大 東京科学大 都立大 同女大 南山大 武蔵野大 福山平成大 名城大(理系含む) (理)文系に含む

【24年4月入社者の配属先】(総)勤務地:北海道9 東北6 関東69 中部8 関西10 中四国3 九州8 部署:営業76 SCM19 職能18

●従業員数、勤続年数、離職率ほか●

【男女別従業員数、平均年齢、平均勤続年数】計4,012(44.8歳 21.9年) 男2,811(47.4歳 21.9年) 女1,201(38.6歳 14.1年) ※嘱託含む【離職率と離職者数】2.7%、111名(早期退職31名含む)【3年後新卒定着率】90.1%(男88.4%、女92.9%、3年前入社:男43名・女28名)【組合】あり

求める人材 <総合職>チャレンジする自律したプロ人財

会社データ (金額は百万円)

【本社】112-8778 東京都文京区小石川1-1-1
☎03-4553-5005 https://www.mitsubishi-shokuhin.com/
【社長】京谷 裕【設立】1925.3【資本金】10,630【今後力を入れる事業】卸売 ブランド開発 メーカーサポート 物流 海外 他

【業績(連結)】	売上高	営業利益	経常利益	純利益
22.3	1,955,601	19,036	20,371	13,949
23.3	1,996,780	23,433	25,199	17,126
24.3	2,076,381	29,528	31,407	22,582

国分グループ（こくぶ）

株式公開 計画なし

【特色】食品・酒類の専門商社大手。K&Kブランドで有名

修士・大卒採用数	3年後離職率	有休取得年平均	平均年収(平均*41歳)
136名	7.3 → 20.2%	9.8日	(総)855万円

残業(月) 27.3時間 (総)31.4時間

記者評価 江戸中期に東京・日本橋で創業。酒類から生鮮食品まで約60万品目を扱う専門商社。300超の物流拠点で国内全域をカバーする。スーパー、コンビニ、百貨店、ドラッグストアなど販売先は幅広い。「缶つま」など独自商品多数。海外は約60ヵ国に食品・酒類を輸出。

●エントリー情報と採用プロセス●

【受付開始～終了】(総)3月～6月【採用プロセス】(総)ES提出・Web適性検査(3～6月)→個人面接(3回)→役員面接→内々定【交通費支給】役員面接(最終)、遠方者のみ(新幹線、飛行機代)

試験情報

重視科目 (総)<グループキャリア・エリアキャリア>面接

(総)(ES)⇒巻末(筆)適性検査(Web)(面)4回(Webあり)

選考ポイント (総)(ES)自主自律性 学生時代に取り組んだこと(面)コミュニケーション能力(自分の言葉で語っているか 論理性はあるか)

通過率 (総)(ES)NA **倍率**(応募/内定) (総)NA

●給与、ボーナス、週休、有休ほか●

【30歳総合職モデル年収】701万円【初任給】(大卒)<グループキャリア>245,000円<エリアキャリア>224,000～232,000円【ボーナス(年)】NA、4.5カ月【25、30、35歳モデル賃金】321,960円→426,145円→552,400円【週休】完全2日(土日祝)【夏期休暇】有休で取得【年末年始休暇】連続5日【有休取得】9.8／20日

●男女別採用数と配属先ほか●

【男女・文理別採用実績】

	大卒男	大卒女	修士男	修士女
23年	57(文 49理 8)	41(文 32理 9)	1(文 0理 1)	1(文 0理 1)
24年	62(文 55理 7)	42(文 35理 7)	1(文 1理 0)	1(文 0理 1)
25年	76(文 68理 8)	56(文 45理 11)	3(文 1理 2)	1(文 0理 1)

【25年4月入社者の採用実績校】(文)(院)明大1(大)東京農業大 明大各6 中大 法政大 北星学大各4 近大 専大 早大 大妻女大 東京経大 福岡大 福山市大各3 愛知淑徳大 関西学大 宮城学院女大 京産大 順天堂大 成城大 青学大 中村学大 東京外大 東北学大 藤女大 日大 龍谷大 獨協大各2 愛知学大 愛知大 宇都宮大 岡山大 学習院大 関大 岐阜大 釧路公大 広島修道大 香川大 高崎経大 國學院大 国際武道大 産能大 実践女大 小樽商大 神戸大 神奈川大 西南学大 大阪経大 中京大 中部大 東京家政大 東京女大 都立大 東北大 東洋大 同大 奈良女大 南山大 白鴎大 武庫川女大 武蔵大 日女大 兵庫県大 北海学園大 名城大 明学大 立教大 立命館大各1 (理)(院)岩手大 新潟大 東大各1(大)東京農業大4 宮城大 日大各3 横浜市大 岩手大 近大 山形大 女子栄養大 新潟大 椙山女学大 島根大 名城大各1

【24年4月入社者の配属先】(総)勤務地:札幌12 岩手・紫波1 仙台7 福島・郡山1 栃木・小山2 茨城・石岡1 埼玉・大宮8 東京(中央23 江東10)名古屋11 大阪13 広島・安芸郡6 福岡11 部署:人材育成に基づくローテーションにより配属決定

●従業員数、勤続年数、離職率ほか●

【男女別従業員数、平均年齢、平均勤続年数】計2,787(41.1歳 15.1年) 男1,835(43.6歳 17.0年) 女952(36.1歳 11.3年) ※卸事業会社のデータ【離職率と離職者数】4.2%、122名【3年後新卒定着率】79.8%(男76.8%、女83.7%、3年前入社:男56名・女43名)【組合】あり

求める人材 次の100年に向け、食の流通を支え、豊かな未来を共に創れる人

会社データ (金額は百万円)

【本社】103-8241 東京都中央区日本橋1-1-1
☎03-3276-4074 https://www.kokubu.co.jp/
【会長】國分 勘兵衛【設立】(創立)1712.5【資本金】3,500【今後力を入れる事業】EC ヘルスケア 海外 ITサービス 他

【業績(連結)】	売上高	営業利益	経常利益	純利益
21.12	1,881,471	11,460	13,909	6,564
22.12	1,933,073	15,186	18,119	10,606
23.12	2,068,417	20,217	24,203	15,874

※会社データは国分グループ連結のもの

加藤産業(株)（かとうさんぎょう）

東京P 9869

【特色】食品卸4位。関西に強い地盤を持ち全国に展開

修士・大卒採用数	3年後離職率	有休取得年平均	平均年収(平均40歳)
56名	16.7→21.7%	9.9日	[総]712万円

●エントリー情報と採用プロセス●

【受付開始～終了】[総]1月～8月【採用プロセス】[総]説明会(必須、1月～)→ES提出→集団面接→GD→個人面接(2回)→内々定【交通費支給】最終面接、全額【早期選考】⇒巻末

試験情報

重視科目 [総]面接 GD

[総][ES]⇒巻末[筆]なし[面]3回(Webあり)[GD作]NA

選考ポイント [総][面]ビジネスマナー 協調性 熱意・理解度・コミュニケーション能力 課題対応力

通過率 [総][ES]選考なし(受付:640)

倍率(応募/内定) [総]6倍

●男女別採用数と配属先ほか●

【男女・文理別採用実績】

	大卒男	大卒女	修士男	修士女
23年	27(文 26 理 1)	22(文 18 理 4)	0(文 0 理 0)	0(文 0 理 0)
24年	37(文 34 理 3)	25(文 24 理 1)	0(文 0 理 0)	0(文 0 理 0)
25年	-(文 - 理 -)	-(文 - 理 -)	-(文 - 理 -)	-(文 - 理 -)

※25年:56名採用予定

【25年4月入社者の採用実績校】
[文](大)関西学大 京産大各5 日大4 甲南大 流通科学大各3 愛知大 関大 関西国際大 京都外大 東京経大各2 桜美林大 大阪経大 学習院大 神奈川大 関西外大 近大 下関市大 昭和女大 成蹊大 摂南大 専大 東京農業大 同大 弘前大 兵庫県大 福岡大 福島大 北星学大 宮崎公大 武庫川女大 武蔵大 立命館大各1 [理](大)龍谷大2 茨城大1

【24年4月入社者の配属先】
[総]勤務地:北海道・北広島2 仙台4 東京(足立4 青梅4 太田6) 愛知・一宮4 大阪(摂津6 住之江4)兵庫・西宮21 広島市5 福岡市3 部署:営業事務(支社42 本社20 乾物1)

残業(月) 17.2時間

記者評価 関西地盤に全国展開する酒類・食品卸大手。酒類や缶詰、インスタント食品など扱う。オーナー系で独立色強い。営業力に定評があり、業界の中でも収益性が高い。自社工場持ち、無添加ジャムなど展開。2010年代からマレーシア、ベトナムに進出、海外事業を強化中。

●給与、ボーナス、週休、有休ほか●

【30歳総合職平均年収】574万円【初任給】(博士)243,000円 (修士)243,000円 (大卒)237,000円【ボーナス(年)】178万円、5.78カ月【25、30、35歳賃金】248,870円→292,931円→361,369円【週休】完全2日(土日祝、1カ月変形労働時間)【夏期休暇】有休及び法定外有休で取得【年末年始休暇】連続4日【有休取得】9.9／20日

●従業員数、勤続年数、離職率ほか●

【男女別従業員数、平均年齢、平均勤続年数】計 1,134 (41.0歳 15.7年) 男 823(42.4歳 17.6年) 女 311(37.2歳 10.3年)【離職率と離職者数】3.8%、45名【3年後新卒定着率】78.3%(男81.5%、女73.7%、3年前入社:男27名・女19名)【組合】なし

求める人材 「食」が好き「人」が好き 負けず嫌い 自律型人材

会社データ (金額は百万円)

【本社】662-8543 兵庫県西宮市松原町9-20
☎0798-33-7650 https://www.katosangyo.co.jp/
【社長】加藤 和弥【設立】1947.8【資本金】5,934【今後力を入れる事業】国内営業 PB商品拡販 アジア圏での事業展開

【業績(連結)】	売上高	営業利益	経常利益	純利益
21.9	1,137,101	11,612	13,281	8,385
22.9	1,035,664	13,413	15,387	11,276
23.9	1,099,391	16,731	18,501	12,002

(株)シジシージャパン

株式公開 計画なし

【特色】中堅・中小スーパー主宰の協業組織の運営本部

修士・大卒採用数	3年後離職率	有休取得年平均	平均年収(平均41歳)
7名	10.5→15.8%	10.2日	NA

●エントリー情報と採用プロセス●

【受付開始～終了】[総]2月～3月【採用プロセス】[総]説明会(必須)→ES提出→Webテスト→GD→面接(3回)→内々定【交通費支給】2次面接以降、実費【早期選考】⇒巻末

試験情報

重視科目 [総]面接

[総][ES]⇒巻末[筆]WebGAB[面]3回(Webあり)[GD作]⇒巻末

選考ポイント [総][面]NA

通過率 [総][ES]選考なし(受付:226)

倍率(応募/内定) [総]226倍

●男女別採用数と配属先ほか●

【男女・文理別採用実績】

	大卒男	大卒女	修士男	修士女
23年	13(文 11 理 2)	5(文 3 理 2)	1(文 0 理 1)	0(文 0 理 0)
24年	11(文 6 理 5)	7(文 4 理 3)	0(文 0 理 0)	0(文 0 理 0)
25年	4(文 2 理 2)	3(文 2 理 1)	0(文 0 理 0)	0(文 0 理 0)

【25年4月入社者の採用実績校】
[文](大)中大 明学大 駒澤大 國學院大各1 [理](大)東北大 明大 東京農業大各1

【24年4月入社者の配属先】
[総]勤務地:東京18 部署:各商品チーム18

残業(月) 15.6時間

記者評価 中堅・中小食品スーパーのコーペラティブチェーン(小売主宰協同組織)本部で、国内最大。米・伊・中・タイに事務所。約1800品目のPB商品を軸に協業し、大手スーパーに対抗。24年10月時点の加盟企業は203社、4436店舗。グループ総年商は5兆円超。

●給与、ボーナス、週休、有休ほか●

【30歳総合職平均年収】NA【初任給】(博士)NA (修士)NA (大卒)NA【ボーナス(年)】NA【25、30、35歳賃金】NA【週休】2日(土日)【夏期休暇】5日【年末年始休暇】12月30日～1月3日【有休取得】10.2／20日

●従業員数、勤続年数、離職率ほか●

【男女別従業員数、平均年齢、平均勤続年数】計 422 (41.0歳 16.2年) 男 292(43.0歳 17.8年) 女 130(36.4歳 12.5年)【離職率と離職者数】1.4%、6名【3年後新卒定着率】84.2%(男78.6%、女100%、3年前入社:男14名・女5名)【組合】なし

求める人材 食品の商品開発を通して地域のスーパーに貢献する人 明るく元気でめげない人

会社データ (金額は百万円)

【本社】169-8531 東京都新宿区大久保2-1-14
☎03-3203-1111 https://www.cgcjapan.co.jp/
【社長】松本 偉【設立】1973.10【資本金】523【今後力を入れる事業】更なる協業活動の推進

【業績(単独)】	売上高	営業利益	経常利益	純利益
22.2	1,003,700	NA	NA	NA
23.2	1,018,400	NA	NA	NA
24.2	1,098,400	NA	NA	NA

ヤマエグループホールディングス(株)

東京P 7130

【特色】九州有数の食品卸。住宅・建材などへ多角化

修士・大卒採用数	3年後離職率	有休取得年平均	平均年収(平均43歳)
61名	16.3 → 5.0%	11.6日	[総] 655万円

●エントリー情報と採用プロセス●

【受付開始～終了】[総]3月～4月【採用プロセス】[総]説明会(任意、3月)→ES提出(3月)→Web適性検査(4月)→面接(Web・対面、3回)→内々定(6月)【交通費支給】2次面接、最終面接、社内基準、距離による定額【早期選考】⇒巻末

試験情報

重視科目 [総]面接 適性検査

[総][ES]⇒巻末[筆]SPI3(会場)[面]3回(Webあり)

選考ポイント [総][ES]企業の理解度に加え、独自の視点で志望動機の記入がなされているか[面]人物重視 質問に対し自分の言葉で適切に回答できるか 企業理解度

通過率 [総][ES]99%(受付:383→通過:380)

倍率(応募/内定) [総]NA

●男女別採用数と配属先ほか●

【男女・文理別採用実績】

	大卒男	大卒女	修士男	修士女
23年	21(文 19理 2)	9(文 8理 1)	1(文 1理 0)	0(文 0理 0)
24年	26(文 23理 3)	22(文 17理 5)	0(文 0理 0)	0(文 0理 0)
25年	33(文 22理 11)	26(文 20理 6)	1(文 0理 1)	1(文 0理 1)

※23・24年:ヤマエ久野(株)の採用実績

【25年4月入社者の採用実績校】
[文](大)福岡大8 中村学大4 下関市大 北九州市大各3 西南学大 近大 立命館大各2 北陸大 立教大 武蔵大 山口県大 同大 京都女大 九産大 熊本学大 山口大 桜美林大 福岡工大 淑徳大 日大 関西学大 福岡女学大 大阪学大 駒澤大 昭和女大各1 [理](院)九大 愛媛大各1(大)水産大4 近大3 長崎大 福岡工大各2 鹿児島大 日大 福岡女大 宮崎大 静岡大 東京農業大各1

【24年4月入社者の配属先】[総]**勤務地**:福岡35 大阪4 鹿児島2 宮崎2 東京2 大分1 山口1 長崎1 **部署**:営業27 物流6 管理6 業務管理5 経理・財務4

残業(月) 17.5時間

記者評価 九州が地盤の食品卸大手。1947年に澱粉・搾油製造業として出発。加工食品のほか小麦粉、配合飼料、豚・牛の集荷などにも範囲拡大、さらに住宅・不動産や石油販売、レンタカー事業へも多角化。M&Aによる事業拡大に積極的。2021年10月から持株会社制に移行。

●給与、ボーナス、週休、有休ほか●

【30歳総合職平均年収】485万円【初任給】(博士)248,000円(修士)248,000円(大卒)248,000円【ボーナス(年)】150万円、5.2カ月【25、30、35歳賃金】NA【週休】2日(土日祝)※一部シフト制【夏期休暇】8月14～15日【年末年始休暇】12月30日～1月3日【有休取得】11.6／20日

●従業員数、勤続年数、離職率ほか●

【男女別従業員数、平均年齢、平均勤続年数】計 1,129(39.5歳 10.5年) 男 735(41.2歳 10.7年) 女 394(37.8歳 10.1年)【離職率と離職者数】4.2%、50名【3年後新卒定着率】95.0%(男93.3%、女100%、3年前入社:男15名・女5名)【組合】なし

求める人材 物事をプラス思考で考えて何事にも柔軟に対応できる人

会社データ (金額は百万円)

【本社】812-8548 福岡県福岡市博多区博多駅東2-13-34
☎092-412-0711 https://www.yamaegroup-hd.co.jp/
【社長】大森 礼仁【設立】2021.10【資本金】9,175【今後力を入れる事業】情報関連・AI事業 物流事業

【業績(連結)】	売上高	営業利益	経常利益	純利益
22.3	503,635	6,878	7,894	6,721
23.3	587,982	11,575	12,156	7,868
24.3	712,717	13,919	14,757	8,456

※会社データを除き、ヤマエ久野との連結数値

伊藤忠食品(株)

いとうちゅうしょくひん

東京P 2692

【特色】伊藤忠グループ。業界7位。大都市圏中心に展開

修士・大卒採用数	3年後離職率	有休取得年平均	平均年収(平均41歳)
35名	5.6 → 0%	10.8日	[総] 741万円

●エントリー情報と採用プロセス●

【受付開始～終了】[総]12月～4月【採用プロセス】[総]Web説明会(任意、12～3月)→ES提出(12～4月)→面接(3回、2～6月)→内々定(3～6月)【交通費支給】3次選考以降、遠方者に実費相当額【早期選考】⇒巻末

試験情報

重視科目 [総]面接 適性

[総][ES]⇒巻末[筆]適性検査(Web)[面]3回(Webあり)

選考ポイント [総][ES]自分らしさ、自分の実行した内容を明確に記述できているか 周囲との関わり方[面]コミュニケーション能力 協調性 社会性 チャレンジ力 論理性 発想力 発信力

通過率 [総][ES]NA

倍率(応募/内定) [総]NA

●男女別採用数と配属先ほか●

【男女・文理別採用実績】

	大卒男	大卒女	修士男	修士女
23年	15(文 10理 5)	21(文 20理 1)	0(文 0理 0)	0(文 0理 0)
24年	20(文 17理 3)	19(文 16理 3)	0(文 0理 0)	1(文 1理 0)
25年	15(文 11理 4)	20(文 15理 5)	0(文 0理 0)	0(文 0理 0)

【25年4月入社者の採用実績校】
[文](大)明大4 近大 法政大各2 青学大 追手門学大 大阪経大 関大 神奈川大 甲南大 京都先端科学大 杏林大 昭和女大 成蹊大 高崎経大 同大 日大 武蔵大 武庫川女大 桃山学大 立教大 立命館大各1 [理](大)日大2 京都女大 近大 椙山女学大 筑波大 東京農業大 奈良女大 名城大各1

【24年4月入社者の配属先】
[総]**勤務地**:東京28 大阪8 名古屋4 **部署**:営業26 管理3 経理2 システム4 物流5

残業(月) 19.0時間

記者評価 伊藤忠商事系の食品卸。酒類や飲料に強い。包装加工センターを持ち、ギフトの詰め合わせにも強み。東名阪と福岡が中心。取引社数は1000社程度に絞り、コンビニはセブン-イレブン向けが中心。デジタルサイネージ活用の売り場提案を強化中。

●給与、ボーナス、週休、有休ほか●

【30歳総合職平均年収】NA【初任給】(修士)240,000円(大卒)240,000円【ボーナス(年)】NA、5.33カ月【25、30、35歳賃金】NA【週休】完全2日(土日祝)【夏期休暇】最低5日以上の有休取得を推進【年末年始休暇】12月31日～1月4日【有休取得】10.8／20日

●従業員数、勤続年数、離職率ほか●

【男女別従業員数、平均年齢、平均勤続年数】計 888(41.0歳 16.3年) 男 573(44.4歳 19.7年) 女 315(34.8歳 10.3年) ※契約社員含む【離職率と離職者数】3.9%、36名【3年後新卒定着率】100%(男100%、女100%、3年前入社:男19名・女11名)【組合】あり

求める人材 誠実なコミュニケーションと自ら行動・チャレンジができる人

会社データ (金額は百万円)

【本社】540-8522 大阪府大阪市中央区城見2-2-22
☎06-6947-9811 https://www.itochu-shokuhin.com/
【社長】岡本 均【設立】1918.11【資本金】4,923【今後力を入れる事業】情報 商品開発 物流 人財育成

【業績(連結)】	売上高	営業利益	経常利益	純利益
22.3	612,658	5,887	7,274	4,315
23.3	642,953	7,507	8,943	4,843
24.3	672,451	7,660	9,220	6,598

日本酒類販売(株)（にほんしゅるいはんばい）

株式公開 計画なし

【特色】清酒、洋酒、ビール等酒類の卸売で国内大手

修士・大卒採用数	3年後離職率	有休取得年平均	平均年収(平均43歳)
31名	20.0 → 14.3%	11.0日	総 669万円

●エントリー情報と採用プロセス●

【受付開始～終了】総3月～5月【採用プロセス】総説明会(必須、3月～)→ES提出・Webテスト(3月下旬)→面接(3回、4～6月)→内々定(6月)【交通費支給】最終面接 内定者面談、地域により異なる

試験情報

重視科目 総面接

総 ES⇒巻末 筆Webテスト 面3回(Webあり) GD作⇒巻末

選考ポイント 総 ESNA(提出あり) 面コミュニケーションをとることが好きか「向上・成長」のために考え行動し努力できるか

通過率 総 ESNA

倍率(応募/内定) 総NA

●男女別採用数と配属先ほか●

【男女・文理別採用実績】

	大卒男	大卒女	修士男	修士女
23年	11(文 10理 1)	6(文 6理 0)	0(文 0理 0)	0(文 0理 0)
24年	4(文 2理 2)	7(文 5理 2)	1(文 0理 1)	0(文 0理 0)
25年	17(文 14理 3)	12(文 4理 8)	0(文 0理 0)	2(文 0理 2)

【25年4月入社者の採用実績校】
文(大)駒澤大3 京産大2 早大 成城大 上智大 東京経大 昭和女大 東邦大 日大 岩手大 近大 南山大 名古屋芸大 京都外大 北九州市大各1 理(院)明大 信州大各1(大)東京農業大2 関大 近大 女子栄養大 東京家政大 東京工科大 東邦大 同女大 日大 龍谷大各1

【24年4月入社者の配属先】
総勤務地:(23年)東京7 西東京1 仙台2 宇都宮1 金沢1 名古屋1 大阪3 広島1 部署:(23年)営業17

残業(月) 11.1時間 総 12.4時間

記者評価 清酒、焼酎、ビール、洋酒、食品の専業卸。酒類が売上の8割強を占める。和酒は1000社以上のメーカーと取引があり、品揃えの豊富さが強み。特に本格焼酎は全国販売量の3割を占める。酒類専業卸20社超からなる酒卸ユニオン「創SOU」の中核的存在。

●給与、ボーナス、週休、有休ほか●

【30歳総合職平均年収】462万円【初任給】(修士)230,000円(大卒)230,000円【ボーナス(年)】146万円、4.2カ月【25、30、35歳賃金】NA【週休】2日(原則土日祝)【夏期休暇】有休取得推奨期間【年末年始休暇】連続4～5日【有休取得】11.0／20日

●従業員数、勤続年数、離職率ほか●

【男女別従業員数、平均年齢、平均勤続年数】計712(44.7歳 20.6年) 男524(46.2歳 21.9年) 女188(40.4歳 16.8年)【離職率と離職者数】3.0%、22名【3年後新卒定着率】85.7%(男75.0%、女100%、3年前入社:男8名・女6名)【組合】あり

求める人材 「向上・成長」のために考え努力できる人 誠実なコミュニケーションを図れる人

会社データ （金額は百万円）

【本社】104-8254 東京都中央区新川1-25-4 日本酒類販売新川ビル
☎03-4330-1700 https://www.nishuhan.co.jp/
【社長】倉本 隆【設立】1949.7【資本金】4,000【今後力を入れる事業】酒類市場の活性化 酒卸ユニオン 国際事業

【業績(連結)】	売上高	営業利益	経常利益	純利益
22.3	512,981	1,587	2,272	1,383
23.3	551,079	3,008	3,793	2,481
24.3	584,004	4,709	5,566	3,738

旭食品(株)（あさひしょくひん）

株式公開 未定

【特色】西日本最大級の食品専門商社。広域展開を加速

修士・大卒採用数	3年後離職率	有休取得年平均	平均年収(平均42歳)
24名	37.1 → 50.0%	11.7日	総 590万円

●エントリー情報と採用プロセス●

【受付開始～終了】総2月～3月【採用プロセス】総ES提出(2～3月)→適性検査(3～4月)→面接(2回、3～5月)→内々定(4～5月)【交通費支給】なし

試験情報

重視科目 総面接

総 ES⇒巻末 筆SPI3(自宅) 面2回(Webあり)

選考ポイント 総 面自立性・責任感 創造的思考力 傾聴力・伝達力

通過率 総 ES選考なし(受付:215)

倍率(応募/内定) 総9倍

●男女別採用数と配属先ほか●

【男女・文理別採用実績】

	大卒男	大卒女	修士男	修士女
23年	4(文 4理 0)	7(文 7理 0)	0(文 0理 0)	0(文 0理 0)
24年	5(文 5理 0)	7(文 7理 0)	0(文 0理 0)	0(文 0理 0)
25年	11(文 10理 1)	12(文 10理 2)	0(文 0理 0)	1(文 1理 0)

【25年4月入社者の採用実績校】
文(院)高知県大1(大)龍谷大3 関大 駒澤大 大阪学大 桃山学大各2 高松大 都留文科大 東北文化学園大 東洋大 日大 武庫川女大 立命館大 流経大 國學院大各1 理(大)立教大 静岡大 近大各1

【24年4月入社者の配属先】
総勤務地:神奈川1 大阪2 和歌山2 京都1 兵庫2 高知4 部署:営業9 管理3

残業(月) 11.1時間 総 14.5時間

記者評価 高知県本社の食品専門商社。同業のカナカン(石川)、丸大堀内(青森)と設立のトモシアHD傘下。加工・冷凍食品に強い。アサヒビールから酒類販売事業を譲受し、関西営業拡大。すしネタ卸も傘下。POSデータを活用した小売業の売り場づくり支援も活発。

●給与、ボーナス、週休、有休ほか●

【30歳総合職平均年収】NA【初任給】(大卒)208,000～258,000円【ボーナス(年)】NA、3.8カ月【25、30、35歳賃金】NA【週休】2日(土日)【夏期休暇】有休で取得【年末年始休暇】1月1～3日【有休取得】11.7／20日

●従業員数、勤続年数、離職率ほか●

【男女別従業員数、平均年齢、平均勤続年数】計◇1,374(43.4歳 20.0年) 男1,025(44.8歳 21.3年) 女349(39.2歳 16.2年)【離職率と離職者数】◇6.2%、91名(早期退職14名含む)【3年後新卒定着率】50.0%(男33.3%、女62.5%、3年前入社:男6名・女8名)【組合】なし

求める人材 柔軟な創造力を持っている人 主体的に行動できる人

会社データ （金額は百万円）

【本社】783-8555 高知県南国市領石246
☎088-880-8111 https://www2.asask.co.jp/
【社長】竹内 孝久【設立】2012.12【資本金】500【今後力を入れる事業】6次産業への取組み 海外事業の拡大 業務用市場の開拓

【業績(単独)】	売上高	営業利益	経常利益	純利益
22.3	NA	NA	NA	NA
23.3	451,083	2,931	3,556	4,041
24.3	489,814	5,220	6,320	4,028

▶『業界地図』p.48

759 ▶『業界地図』p.179　開示 ★★★★☆

スターゼン㈱

東京P 8043

【特色】食肉卸大手で全国展開。外食向け加工肉も

修士・大卒採用数	3年後離職率	有休取得年平均	平均年収(平均40歳)
53名	32.1→23.1%	9.8日	[総]654万円

残業(月) 29.1時間 [総]32.2時間

●エントリー情報と採用プロセス●

【受付開始～終了】[総]3月～継続中【採用プロセス】[総]説明会(必須)→WebES提出(3月～)→面接(2回、4月～)→Webテスト(5月～)→内々定(5月～)【交通費支給】最終選考以降、実費【早期選考】⇒巻末

試験情報

[重視科目] [総]面接

[総][ES]⇒巻末[筆]Compass[面]2回(Webあり)

[選考ポイント] [総][ES]自分の考え・実行した内容を明確に記述できているか[面]チャレンジ精神 主体性の有無 成長意欲 他

[通過率] [総][ES]95%(受付:(早期選考含む)306→通過:(早期選考含む)290)

[倍率(応募/内定)] [総](早期選考含む)6倍

●男女別採用数と配属先ほか●

【男女・文理別採用実績】

	大卒男	大卒女	修士男	修士女
23年	40(文 28理 12)	5(文 4理 1)	1(文 0理 1)	1(文 1理 0)
24年	35(文 25理 10)	6(文 3理 3)	2(文 0理 2)	0(文 0理 0)
25年	42(文 33理 9)	10(文 9理 1)	1(文 1理 0)	0(文 0理 0)

【25年4月入社者の採用実績校】[文](院)立正大1(大)専大4 拓大 近大 法政大各3 大東文化大 大阪学大 東京農業大 関大 明大各2 駒澤大 中央学大 桐蔭横浜大 国士舘大 愛知淑徳大 四国大 京都先端科学大 福岡大 横浜市大 武蔵大 帝京大 関東学院大 日大 摂南大 横国大 亜大 昭和女大 神奈川大 成蹊大各1 [理](大)近大3 東京農業大2 北里大 日大 明大 山形大 日本獣医生命科学大各1(専)麻生情報ビジネス2

【24年4月入社者の配属先】[総]勤務地:神奈川(川崎4 横浜3 綾瀬2)兵庫(伊丹3 神戸3)千葉(山武4 千葉1)東京・港4 京都・久世郡3 埼玉・川口2 福岡・須恵町2 宮城・多賀城2 北海道(岩見沢1 足寄1)茨城・かすみがうら2 長野・松本1 福島・郡山1 群馬・伊勢崎1 広島市1 熊本市1 大分市1 部署:営業30 バックオフィス4 製造4 品質管理4 生産1

[記者評価] 全国に営業拠点や食肉処理・加工工場を持つ食肉卸大手。国内外の広範な調達力に定評。日本マクドナルド向けパティの製造受託など大手外食や量販店と多数取引。子会社にハム・ソーセージのローマイヤ。和牛の輸出など海外事業や加工食品を強化中。

●給与、ボーナス、週休、有休ほか●

【30歳総合職モデル年収】520万円【初任給】(修士)239,400円 (大卒)231,000円【ボーナス(年)】152万円、5.3カ月【25、30、35歳賃金】213,458円→244,851円→268,483円【週休】<本社>完全2日(土日祝)【夏期休暇】有休で取得(5日間の取得を勧奨)【年末年始休暇】12月31日～1月4日【有休取得】9.8／20日

●従業員数、勤続年数、離職率ほか●

【男女別従業員数、平均年齢、平均勤続年数】計 1,298(40.2歳 14.0年) 男 1,085(40.7歳 14.8年) 女 213(37.7歳 10.0年)【離職率と離職者数】6.6%、92名【3年後新卒定着率】76.9%(男75.6%、女85.7%、3年前入社:男45名・女7名)【組合】なし

[求める人材] 人とコミュニケーションをしっかり取って仕事を協力して行える人 目標の達成まで粘り強くできる人

[会社データ]　(金額は百万円)

【本社】108-0075 東京都港区港南2-4-13 スターゼン品川ビル
☎03-3471-5521　https://www.starzen.co.jp/
【社長】横田 和彦【設立】1948.6【資本金】11,658【今後力を入れる事業】海外事業・食肉加工機能の強化

【業績(連結)】	売上高	営業利益	経常利益	純利益
22.3	381,432	6,905	9,165	5,984
23.3	425,173	8,162	10,284	7,483
24.3	410,534	8,978	10,782	7,512

㈱マルイチ産商（さんしょう）

名古屋M 8228

【特色】長野県地盤の水産物卸大手。三菱商事が大株主

修士・大卒採用数	3年後離職率	有休取得年平均	平均年収(平均41歳)
29名	27.8→32.0%	9.7日	[総]713万円

残業(月) 30.9時間 [総]32.9時間

●エントリー情報と採用プロセス●

【受付開始～終了】[総]3月～8月【採用プロセス】[総]Web説明会(必須、2月～)→ES提出(3月～)→適性検査(3月～)→面接(3回、4月～)→内々定(5月～)【交通費支給】最終面接、実費【早期選考】⇒巻末

試験情報

[重視科目] [総]面接

[総][ES]⇒巻末[筆]C-GAB WebGAB[面]3回(Webあり)

[選考ポイント] [総][ES]志望動機 文章の論理性[面]自分の考えを自分の言葉で語れるか 主体的に行動できるか 自ら考えて行動できるか

[通過率] [総][ES]83%(受付:(早期選考含む)650→通過:(早期選考含む)540)

[倍率(応募/内定)] [総](早期選考含む)25倍

●男女別採用数と配属先ほか●

【男女・文理別採用実績】

	大卒男	大卒女	修士男	修士女
23年	17(文 13理 4)	11(文 11理 0)	0(文 0理 0)	1(文 0理 1)
24年	13(文 5理 8)	9(文 6理 3)	1(文 1理 0)	0(文 0理 0)
25年	12(文 6理 6)	16(文 6理 10)	1(文 0理 1)	0(文 0理 0)

【25年4月入社者の採用実績校】
[文](大)日大 名古屋外大各2 京都橘大 獨協大 立命館APU 長野大 拓大 釧路公大 駒澤大 開志専大各1 [理](院)東北大1(大)日大 東京農業大 近大各2 明大 名古屋学芸大 北大 東洋大 千葉大 松本大 鹿児島大各1

【24年4月入社者の配属先】
[総]勤務地:長野(長野5 松本1)群馬・伊勢崎4 山梨・甲府3 東京・豊洲5 埼玉・久喜2 部署:営業18 品質管理1 ロジ1

[記者評価] 魚屋として長野で創業。51年水産物卸会社に。三菱商事と密接。食肉や菓子、加工・冷凍食品など商品のフルライン化を進め「総合食品卸」を掲げる。関東などへ商圏拡大。高付加価値商品の開発や販売等メーカー型卸事業を推進。養殖魚生産者との連携も強める。

●給与、ボーナス、週休、有休ほか●

【30歳総合職平均年収】582万円【初任給】(修士)219,000円 (大卒)214,000円【ボーナス(年)】185万円、5.6カ月【25、30、35歳賃金】236,721円→267,094円→324,969円【週休】2日(部署により異なる)【夏期休暇】なし【年末年始休暇】連続5日【有休取得】9.7／20日

●従業員数、勤続年数、離職率ほか●

【男女別従業員数、平均年齢、平均勤続年数】計 523(40.5歳 16.1年) 男 381(41.8歳 17.4年) 女 142(37.0歳 12.7年)【離職率と離職者数】7.3%、41名【3年後新卒定着率】68.0%(男70.0%、女60.0%、3年前入社:男20名・女5名)【組合】あり

[求める人材] 挑鮮力(常に新しいことに挑み続ける力)を持っている人

[会社データ]　(金額は百万円)

【本社】381-2281 長野県長野市市場3-48
☎026-285-4101　https://www.maruichi.com/
【社長】柏木 康全【設立】1951.1【資本金】3,719【今後力を入れる事業】調達機能の強化 信州事業の再強化 サステナブル経営の取り組み

【業績(連結)】	売上高	営業利益	経常利益	純利益
22.3	238,302	1,777	2,318	688
23.3	246,723	1,685	2,266	1,260
24.3	254,805	1,827	2,370	1,551

815 ▶『業界地図』p.44, 180　開示 ★★★★★

(株)トーホー

東京P 8142

【特色】外食向け食品卸大手。業務用食材スーパーも運営

修士・大卒採用数	3年後離職率	有休取得年平均	平均年収(平均44歳)
70名	NA	8.6日	[総]654万円

●エントリー情報と採用プロセス●

【受付開始～終了】[総]1月～継続中【採用プロセス】[総]Web説明会(必須、1月～)→1次選考(ES:2月～)→2次選考(Web面接:2月～)→最終選考(Web面接:3月～)→内々定(3月～)【交通費支給】最終面接、自宅から会場までの往復【早期選考】⇒巻末

試験情報

重視科目 [総]面接

[総][ES]⇒巻末[筆]ADVANTAGE INSIGHT[面]2回(Webあり)

選考ポイント [総][ES]外食業界に関する興味・関心、志望理由、希望職種でどのような貢献をしたいか、が具体的に記入されているか[面]入社意欲の高さ 企業研究の深さ 話の具体性 声の力強さ 笑顔 コミュニケーション力

通過率 [総][ES]81%(受付:(早期選考含む)701→通過:(早期選考含む)571)

倍率(応募/内定) [総](早期選考含む)10倍

●男女別採用数と配属先ほか●

【男女・文理別採用実績】※25年:予定数

	大卒男	大卒女	修士男	修士女
23年	27(文 26理 1)	7(文 5理 2)	2(文 0理 2)	0(文 0理 0)
24年	53(文 50理 3)	10(文 7理 3)	0(文 0理 0)	0(文 0理 0)
25年	60(文 -理 -)	10(文 -理 -)	0(文 0理 0)	0(文 0理 0)

【25年4月入社者の採用実績校】[文](24年)(大)大阪学大4 大阪産大 近大 龍谷大 追手門学大 流通科学大各3 神戸学大 日大 武庫川女大 九州国際大各2 専大 広島修道大 京産大 福岡大 駒澤大 慶大 創価大 聖心女大 明学大 白鴎大 二松学舎大 東海大 愛知県大 名古屋学院大 岐阜協大 立命館大 神戸国際大 関大 神戸大 関西学大 四天王寺大 桃山学大 大阪成蹊大 神戸医療未来大 下関市大 京都先端科学大 立命館APU 作新学大 九産大 中村学大各1 [理](24年)(大)近大2 相模女大 東海大 中村学大 武庫川女大各1

【24年4月入社者の配属先】[総]勤務地:北海道・石狩1 東京(江東5 港2 東村山1 杉並1)横浜4 さいたま2 千葉市2 名古屋4 大阪市11 神戸9 京都市2 和歌山市1 広島(広島3 福山1)福岡(福岡8 北九州2)熊本市3 部署:営業50 販売6 企画5 生産管理1 [技]勤務地:神戸1 部署:品質保証1

残業(月) 10.4時間 [総]18.6時間

記者評価 業務用食品卸で国内最大手。顧客は外食チェーン、ホテルが主体。業務用スーパー「A-プライス」や業務用厨房機器販売、外食向け業務用システムの開発・提供も。西日本地盤だが関東圏への展開を強化中。M&Aに積極姿勢。食品スーパーは24年11月に完全撤退。

●給与、ボーナス、週休、有休ほか●

【30歳総合職平均年収】NA【初任給】(修士)221,050～244,050円 (大卒)220,020～243,020円【ボーナス(年)】NA、5.6カ月【25、30、35歳賃金】222,542円→258,799円→288,910円【週休】原則2日(月8～10日)【夏期休暇】1日【年末年始休暇】連続4日【有休取得】8.6/20日

●従業員数、勤続年数、離職率ほか●

【男女別従業員数、平均年齢、平均勤続年数】計 1,223(43.4歳 17.4年) 男 961(44.2歳 18.4年) 女 262(40.3歳 13.6年)【離職率と離職者数】NA【3年後新卒定着率】NA【組合】あり

求める人材 自ら考え、自ら行動し、自ら成長する自律型人間 プラス思考で熱意を持って仕事に取り組める人

会社データ (金額は百万円)

【本社】658-0033 兵庫県神戸市東灘区向洋町西5-9
☎078-845-2430 https://www.to-ho.co.jp/
【社長】古賀 裕之【設立】1947.10【資本金】5,345【今後力を入れる事業】全事業

【業績(連結)】	売上高	営業利益	経常利益	純利益
22.1	188,567	▲446	178	335
23.1	215,572	3,649	3,877	1,006
24.1	244,930	7,819	7,971	3,605

※会社データを除き、データはすべて5社(トーホー、トーホーフードサービス、トーホーキャッシュアンドキャリー、トーホービジネスサービス、トーホー沖縄)のもの

とうかいでんぷん
東海澱粉(株)

株式公開 計画なし

【特色】食品専門商社。農産物、水産物など全般を扱う

修士・大卒採用数	3年後離職率	有休取得年平均	平均年収(平均*37歳)
17名	35.0→41.7%	11.1日	[総]768万円

●エントリー情報と採用プロセス●

【受付開始～終了】[総]3月～7月【採用プロセス】[総]ES提出(3月～)→説明会(3月～)→適性検査→面接(2回、4～8月)→内々定(5～8月)【交通費支給】なし

試験情報

重視科目 [総]面接

[総][ES]NA[筆]DELECTUS[面]2回(Webあり)

選考ポイント [総][ES]NA(提出あり)[面]積極性 コミュニケーション能力 営業適性

通過率 [総][ES]NA(受付:303→通過:NA)

倍率(応募/内定) [総]12倍

●男女別採用数と配属先ほか●

【男女・文理別採用実績】

	大卒男	大卒女	修士男	修士女
23年	23(文 20理 3)	11(文 9理 2)	0(文 0理 0)	0(文 0理 0)
24年	14(文 9理 5)	8(文 5理 3)	0(文 0理 0)	0(文 0理 0)
25年	10(文 7理 3)	7(文 5理 2)	0(文 0理 0)	0(文 0理 0)

【25年4月入社者の採用実績校】
[文](大)中大 東京家政大 高崎経大 兵庫県大 愛知大 国士舘大 東海大 国際教養大 中京大 獨協大 近大 熊本県大各1 [理](大)東京農業大3 日大 東海大各1

【24年4月入社者の配属先】
[総]勤務地:札幌2 山形1 宮城・石巻1 東京3 栃木・宇都宮1 長野1 静岡・焼津1 名古屋1 大阪2 京都1 和歌山1 兵庫・姫路1 岡山1 徳島1 香川・観音寺1 愛媛・松山1 福岡1 熊本1 部署:営業22

残業(月) [総]12.3時間

記者評価 澱粉販売でスタート。現在は農水産物も扱う総合食材商社に。静岡市の本社を核に、全国に営業拠点網。取扱商品は農産物、水産物、畜産物に加えて、包装資材や飼肥料など約1万点に及ぶ。海外9カ国・地域に原料調達や販売拠点を展開。働き方改革を推進。

●給与、ボーナス、週休、有休ほか●

【30歳総合職平均年収】722万円【初任給】(修士)250,000円 (大卒)250,000円【ボーナス(年)】224万円、6.3カ月【25、30、35歳賃金】NA→396,993円→NA【週休】完全2日【夏期休暇】ヘルシー休暇(5日)で取得【年末年始休暇】12月30日～1月4日【有休取得】11.1/20日

●従業員数、勤続年数、離職率ほか●

【男女別従業員数、平均年齢、平均勤続年数】計 676(37.2歳 12.7年) 男 393(38.8歳 14.7年) 女 283(36.1歳 9.8年)【離職率と離職者数】4.5%、32名【3年後新卒定着率】58.3%(男61.1%、女50.0%、3年前入社:男18名・女6名)【組合】なし

求める人材 食べること、食べるものに興味がある人 探究心のある人 失敗を恐れずに新しいことに挑戦できる人 順応性の高い人 人と接することが好きな人

会社データ (金額は百万円)

【本社】420-0858 静岡県静岡市葵区伝馬町24-15
☎054-253-0934 http://www.tdc-net.co.jp/
【社長】葉山 裕【設立】1947.8【資本金】781【今後力を入れる事業】マーケットイン 顧客課題解決 商品開発・提案

【業績(連結)】	売上高	営業利益	経常利益	純利益
22.6	174,625	4,082	4,649	3,143
23.6	197,450	3,064	3,346	2,174
24.6	205,703	5,102	5,514	3,552

カナカン(株)

株式公開 計画なし

【特色】北陸トップの総合食品商社。トモシアHD傘下

修士・大卒採用数	3年後離職率	有休取得年平均	平均年収(平均45歳)
10名	26.3→41.7%	9.4日	総550万円

●エントリー情報と採用プロセス●

【受付開始～終了】総3月～継続中【採用プロセス】総〈1次〉説明会・ES提出(3月)→筆記(4月上旬)→面接(2回、4月中旬～下旬)→内々定(4月下旬)〈2次〉説明会・ES提出(5月)→筆記(6月上旬)→面接(2回、6月中旬～7月上旬)→内々定(7月上旬)【交通費支給】説明会・役員面接、説明会一部・役員面接実費

試験情報

重視科目 総面接

総 ES⇒巻末 筆一般常識 面2回(Webあり)

選考ポイント 総 面人間性 積極性 熱意 明るさ

通過率 総 ES選考なし(受付:46)

倍率(応募/内定) 総3倍

●男女別採用数と配属先ほか●

【男女・文理別採用実績】

	大卒男	大卒女	修士男	修士女
23年	11(文 10理 1)	3(文 3理 0)	0(文 0理 0)	0(文 0理 0)
24年	6(文 6理 0)	6(文 6理 0)	0(文 0理 0)	0(文 0理 0)
25年	4(文 2理 2)	6(文 5理 1)	0(文 0理 0)	0(文 0理 0)

【25年4月入社者の採用実績校】

文(大)金沢星稜大3 北陸学大2 北陸大 長野県大各1 理(大)法政大 金沢工大 石川県大各1

【24年4月入社者の配属先】

総勤務地:石川6 福井2 富山3 新潟2 部署:営業13

残業(月) 6.7時間 総10.0時間

記者評価 1946年設立の食品卸。北陸3県と新潟・長野両県を地盤に5支店・39営業所体制(24年8月)。旭食品(高知)、丸大堀内(青森)とトモシアGを形成。オリジナルPB「グリーンチョイス」の商品開発に定評。小売業、外食向けに和洋酒、米穀など10万アイテムを供給。

●給与、ボーナス、週休、有休ほか●

【30歳総合職平均年収】435万円【初任給】(大卒)208,000円【ボーナス(年)】128万円、5.3カ月【25、30、35歳賃金】220,000円→232,700円→246,000円【週休】2日【夏期休暇】連続2～3日【年末年始休暇】連続3～4日【有休取得】9.4／20日

●従業員数、勤続年数、離職率ほか●

【男女別従業員数、平均年齢、平均勤続年数】計 585(43.4歳 20.9年) 男 447(45.4歳 23.0年) 女 138(37.2歳 14.3年)【離職率と離職者数】NA【3年後新卒定着率】58.3%(男41.7%、女75.0%、3年前入社:男12名・女12名)【組合】なし

求める人材 周囲に信頼され、何事にも一所懸命な人

会社データ (金額は百万円)

【本社】920-0909 石川県金沢市袋町3-8
☎076-231-1151 https://www.kanakan.co.jp/
【社長】谷口 英樹【設立】1946.2【資本金】100【今後力を入れる事業】食品卸売業

【業績(単独)】	売上高	営業利益	経常利益	純利益
22.3	160,302	NA	NA	NA
23.3	166,100	NA	NA	NA
24.3	171,962	NA	NA	NA

よこはまれいとう

横浜冷凍(株)

東京P 2874

【特色】冷蔵倉庫国内2位。農畜産物・水産物販売を育成

修士・大卒採用数	3年後離職率	有休取得年平均	平均年収(平均36歳)
46名	14.5→32.3%	9.0日	総653万円

●エントリー情報と採用プロセス●

【受付開始～終了】総3月～継続中【採用プロセス】総説明会(必須、3月上旬～)→ES提出・適性→面接(3回)→内々定(5月～)【交通費支給】最終面接、実費【早期選考】⇒巻末

試験情報

重視科目 総面接 適性検査

総 ES NA 筆TAP 面3回(Webあり)

選考ポイント 総 面コミュニケーション能力 意欲 態度 主体性

通過率 総 ES選考なし(受付:(早期選考含む)686)

倍率(応募/内定) 総(早期選考含む)15倍

●男女別採用数と配属先ほか●

【男女・文理別採用実績】

	大卒男	大卒女	修士男	修士女
23年	21(文 13理 8)	7(文 7理 0)	0(文 0理 0)	0(文 0理 0)
24年	34(文 22理 12)	14(文 9理 5)	1(文 0理 1)	0(文 0理 0)
25年	29(文 22理 7)	17(文 11理 6)	0(文 0理 0)	0(文 0理 0)

※25年:継続中

【25年4月入社者の採用実績校】

文(大)神奈川大4 東京経大3 関大 京産大 桜美林大 神田外語大 中村学大各2 久留米大 近大 甲南大 昭和女大 城西国際大 大阪産大 東海大 東京農業大 東京富士大 同女大 同大 日大 福岡大 立教大 立命館大 國學院大各1 理(大)水産大 東京農業大 日大各2 鎌倉女大 山形県米沢栄養大 東海大 東京医療保健大 東京工科大 北里大 明大各1

【24年4月入社者の配属先】

総勤務地:北海道4 宮城1 埼玉3 茨城1 千葉1 東京3 神奈川17 愛知4 大阪7 兵庫2 福岡1 宮崎1 鹿児島2 部署:冷蔵事業部門33 販売事業部門13 管理部門1

残業(月) 17.7時間 総19.4時間

記者評価 通称ヨコレイ。全国展開の冷蔵倉庫群が利益柱。輸入食肉や水産品等の販売も。食品メーカーや外食企業が主要顧客。需要増続く大都市圏中心に冷蔵倉庫拠点・能力増強。16年買収のノルウェー・サケ養殖会社は保有株一部売却。製氷事業進出。23年ベトナムに子会社。

●給与、ボーナス、週休、有休ほか●

【30歳総合職平均年収】536万円【初任給】(修士)(京浜地区)245,000円 (大卒)(京浜地区)245,000円【ボーナス(年)】184万円、6.2カ月【25、30、35歳賃金】258,235円→272,700円→305,554円【週休】完全2日(事業所により異なる)【夏期休暇】3日【年末年始休暇】12月31日～1月4日【有休取得】9.0／20日

●従業員数、勤続年数、離職率ほか●

【男女別従業員数、平均年齢、平均勤続年数】計 ◇1,312(37.6歳 12.1年) 男 972(39.3歳 13.6年) 女 340(32.8歳 7.9年)【離職率と離職者数】◇7.0%、98名【3年後新卒定着率】67.7%(男69.8%、女63.6%、3年前入社:男43名・女22名)【組合】なし

求める人材 主体的に意欲を持って取り組める人

会社データ (金額は百万円)

【本社】220-0012 神奈川県横浜市西区みなとみらい3-3-3 横浜コネクトスクエア
☎045-210-0011 https://www.yokorei.co.jp/
【社長】古瀬 健児【設立】1948.5【資本金】14,303【今後力を入れる事業】冷蔵倉庫事業 食品販売事業 通関事業

【業績(連結)】	売上高	営業利益	経常利益	純利益
21.9	110,782	2,562	2,762	3,605
22.9	115,257	4,252	4,999	3,317
23.9	133,862	3,785	4,203	2,831

木徳神糧(株)（きとくしんりょう）

東京S 2700

【特色】米穀卸で国内トップ級、アジアなど海外販路拡大

修士・大卒採用数	3年後離職率	有休取得年平均	平均年収(平均41歳)
8名	0→0%	9.9日	◇637万円

●エントリー情報と採用プロセス●

【受付開始～終了】総3月～7月【採用プロセス】総ES提出・適性検査(3月)→面接(3回、4～5月)→内々定(5月頃)【交通費支給】2次面接以降、実費

試験情報

重視科目 総面接

総ES⇒巻末 筆あり(内容NA) 面3回(Webあり)

選考ポイント 総ES文章力 志望動機と当社事業との適応度合い 面積極性 コミュニケーションスキル 入社意欲 外国語(英語)スキル

通過率 総ES NA

倍率(応募/内定) 総NA

●男女別採用数と配属先ほか●

【男女・文理別採用実績】

	大卒男	大卒女	修士男	修士女
23年	3(文 1理 2)	2(文 2理 0)	0(文 0理 0)	0(文 0理 0)
24年	3(文 3理 0)	4(文 4理 0)	0(文 0理 0)	0(文 0理 0)
25年	3(文 2理 1)	4(文 3理 1)	1(文 0理 1)	0(文 0理 0)

【25年4月入社者の採用実績校】
文(大)神田外語大2 東京農業大 岐阜大 駒澤大各1 理(院)広島大1(大)東京農業大2

【24年4月入社者の配属先】
総勤務地:東京 7 部署:営業 3 事務 4

残業(月) 11.3時間

記者評価 創業1882年。米穀卸で国内首位級。2000年に木徳と神糧物産が合併。国内に精米・販売子会社を持つ。コンビニなど業務用米に強い。国産米の輸出に注力し、ベトナムを中心に販路を拡大。全農と業務資本提携。オンラインショップも展開し、家庭向け市場を深耕。

●給与、ボーナス、週休、有休ほか●

【30歳総合職平均年収】NA【初任給】(修士)240,600円(大卒)230,600円【ボーナス(年)】162万円、5.5カ月【25、30、35歳賃金】249,180円→NA→351,667円【週休】完全2日(土日祝)【夏期休暇】なし【年末年始休暇】12月29日～1月3日【有休取得】9.9／20日

●従業員数、勤続年数、離職率ほか●

【男女別従業員数、平均年齢、平均勤続年数】計 ◇270(41.1歳 15.0年) 男 220(41.4歳 15.5年) 女 50(39.5歳 12.7年)【離職率と離職者数】◇4.9%、14名【3年後新卒定着率】100%(男100%、女100%、3年前入社:男3名・女2名)【組合】あり

求める人材 問題解決力、積極性のある人 新たなことにも果敢に挑戦できる人

会社データ (金額は百万円)

【本社】101-0052 東京都千代田区神田小川町2-8 木徳神糧小川町ビル ☎03-3233-5121 https://www.kitoku-shinryo.co.jp/
【社長】鎌田 慶彦【設立】1950.3【資本金】529【今後力を入れる事業】コメビジネスの拡大 コメ関連ビジネスの成長 企業の成長の土台作り

【業績(連結)】	売上高	営業利益	経常利益	純利益
21.12	107,812	526	614	505
22.12	104,704	1,316	1,371	1,038
23.12	114,835	2,061	2,153	1,478

日本出版販売(株)（にほんしゅっぱんはんばい）

株式公開していない

【特色】トーハンと並ぶ、出版取次会社2強の一角

修士・大卒採用数	3年後離職率	有休取得年平均	平均年収(平均43歳)
13名	22.4→27.8%	12.3日	総628万円

●エントリー情報と採用プロセス●

【受付開始～終了】総4月～未定【採用プロセス】総説明会・ES提出(4月)→筆記(4月)→GD・集団面接(5月)→個人面接(5～6月)→内々定(6月～)【交通費支給】最終面接、遠方者の新幹線・飛行機代を全額【早期選考】⇒巻末

試験情報

重視科目 総ES 面接 筆記

総ES⇒巻末 筆CUBIC(能力・適性) 面3回(Webあり) GD作⇒巻末

選考ポイント 総ES人事ポリシーに基づく求める人財像に合致しているか 積極性や周囲を巻き込む力があるか 面人事ポリシーに基づく求める人財像に合致するか 人物重視(熱意 積極性 コミュニケーション能力 人となり)自分の言葉で話せているか

通過率 総ES5%(受付:728→通過:40)

倍率(応募/内定) 総—

●男女別採用数と配属先ほか●

【男女・文理別採用実績】

	大卒男	大卒女	修士男	修士女
23年	15(文 14理 1)	22(文 21理 1)	1(文 0理 1)	3(文 2理 1)
24年	1(文 1理 0)	8(文 8理 0)	1(文 0理 1)	0(文 0理 0)
25年	4(文 4理 0)	8(文 8理 0)	1(文 0理 1)	0(文 0理 0)

【25年4月入社者の採用実績校】
文(大)島根大 文教大 武蔵野大 名大 筑波大 國學院大 武蔵野音大 大東文化大 阪大 立教大 法政大 日大各1 理(院)都立大1

【24年4月入社者の配属先】総勤務地:東京(御茶ノ水8 麹町1)大阪1 部署:出版営業3 出版マーケティング・企画5 文具雑貨事業1 プラットフォーム創造事業1

残業(月) 9.0時間 総9.0時間

記者評価 19年持株会社体制に移行。出版社、書店、コンビニなどと広域ネットワークを結び、雑誌や書籍の流通を担う。書店の運営・経営サポートも行う。書店との取引構造見直しやサプライチェーン再編含む「出版流通改革」に注力。入社後20代で2～3部署を経験。

●給与、ボーナス、週休、有休ほか●

【30歳総合職平均年収】509万円【初任給】(大卒)220,000円【ボーナス(年)】NA【25、30、35歳賃金】230,451円→306,550円→396,948円【週休】〈本社〉完全2日(原則土日祝)【夏期休暇】4日【年末年始休暇】連続6日【有休取得】12.3／20日

●従業員数、勤続年数、離職率ほか●

【男女別従業員数、平均年齢、平均勤続年数】計 1,129(42.4歳 19.7年) 男 749(45.5歳 22.5年) 女 380(36.5歳 14.1年)【離職率と離職者数】NA【3年後新卒定着率】72.2%(男68.4%、女74.3%、3年前入社:男19名・女35名)【組合】あり

求める人材 自ら行動し、変革を起こせる人 現状を打破し、価値を生み出す挑戦ができる人

会社データ (金額は百万円)

【本社】101-8710 東京都千代田区神田駿河台4-3 ☎03-3233-4837 https://www.nippan.co.jp/
【社長】奥村 景二【設立】1949.9【資本金】100【今後力を入れる事業】本や文具雑貨を起点とした様々な事業

【業績(連結)】	売上高	営業利益	経常利益	純利益
22.3	504,993	2,840	3,648	1,391
23.3	444,001	▲417	▲158	▲218
24.3	402,171	▲1,661	▲1,180	▲4,934

㈱トーハン

株式公開 計画なし

【特色】出版社と書店・小売店を結ぶ、出版取次2強の一角

修士・大卒採用数	3年後離職率	有休取得年平均	平均年収(平均43歳)
22名	10.5→14.8%	10.1日	㊗581万円

●エントリー情報と採用プロセス●

【受付開始～終了】㊗2月～3月【採用プロセス】㊗ES提出(2～3月)→Webテスト(3～4月)→個人面接(5月)→最終面接(5月)→内々定(5月下旬～6月上旬)【交通費支給】最終面接、首都圏以外の新幹線・飛行機代を地域に応じて規定額【早期選考】⇒巻末

試験情報

重視科目 ㊗面接

㊗ ES ⇒巻末 筆 SPI3(自宅) 面 2回(Webあり)

選考ポイント ㊗ ES 上昇志向が強く、前例に捉われない考え方ができる 高い目標を持ち、達成に向けて実際に行動に移せる 面 求める人材と合致するか 学生生活における活動から入社後の姿がイメージできるか

通過率 ㊗ ES 71%(受付:(早期選考含む)878→通過:(早期選考含む)625)

倍率(応募/内定) ㊗(早期選考含む)40倍

●男女別採用数と配属先ほか●

【男女・文理別採用実績】

	大卒男	大卒女	修士男	修士女
23年	13(文 12理 1)	12(文 12理 0)	0(文 0理 0)	0(文 0理 0)
24年	12(文 11理 1)	15(文 15理 0)	0(文 0理 0)	0(文 0理 0)
25年	9(文 9理 0)	13(文 13理 0)	0(文 0理 0)	0(文 0理 0)

【25年4月入社者の採用実績校】
文(大)立命館大6 早大 立教大各3 関大2 國學院大 武蔵大 明学大 多摩美大 関西外大 大阪市大 東北学大 高崎経大各1 理 なし

【24年4月入社者の配属先】㊗勤務地:東京・新宿14 埼玉1 宮城1 静岡1 石川2 愛知1 大阪2 広島1 香川2 福岡2 部署:経理1 システム1 営業16 CVS1 図書館1 商品スタッフ(仕入・配本等)3 EC1 海外1 コンテンツ1 物流1

残業(月) 9.7時間 ㊗9.7時間

記者評価 日本出版販売と並ぶ2大出版取次の一つ。出版社と書店等の間に立ち、仕入・配本、配送、代金回収・支払など行う。日販と物流協業化推進。23年8月トップカルチャーの筆頭株主に。三菱地所などと旧本社跡地を共同再開発。24年9月TOBなどで日本出版貿易を買収。

●給与、ボーナス、週休、有休ほか●

【30歳総合職平均年収】464万円【初任給】(修士)220,000円(大卒)220,000円【ボーナス(年)】123万円、6.0カ月【25、30、35歳賃金】258,000円→296,000円→378,000円【週休】完全2日(土日祝)【夏期休暇】有休またはリフレッシュ休暇(年間6日)を充当【年末年始休暇】12月30日～1月4日【有休取得】10.1/20日

●従業員数、勤続年数、離職率ほか●

【男女別従業員数、平均年齢、平均勤続年数】計 932(43.1歳 20.5年) 男 602(44.7歳 21.5年) 女 330(40.1歳 18.8年)【離職率と離職者数】5.2%、51名(早期退職男2名、女5名含む)【3年後新卒定着率】85.2%(男73.3%、女100%、3年前入社:男15名・女12名)【組合】あり

求める人材 出版業界の変革をチャンスと捉え、全力で取り組む気概・野心を持った人材

会社データ (金額は百万円)

【本社】162-8710 東京都新宿区東五軒町6-24
☎NA https://www.tohan.jp/
【社長】川上 浩明【設立】1949.9【資本金】4,500【今後力を入れる事業】電子コンテンツビジネス 海外事業

【業績(単独)】	売上高	営業利益	経常利益	純利益
22.3	401,309	68	836	▲1,729
23.3	375,811	▲485	607	823
24.3	367,733	52	867	1,415

日本紙パルプ商事㈱

(にほんかみパルプしょうじ)

東京P 8032

【特色】紙専門商社で国内首位級。板紙や家庭紙の製販も

修士・大卒採用数	3年後離職率	有休取得年平均	平均年収(平均*46歳)
25名	6.7→16.7%	15.8日	㊗1,066万円

●エントリー情報と採用プロセス●

【受付開始～終了】㊗3月～6月【採用プロセス】㊗ES提出(3～6月)→適性検査(4～6月)→面接(3回、4～7月)→内々定(5～7月)【交通費支給】2次面接以降、全額

試験情報

重視科目 ㊗面接

㊗ ES ⇒巻末 筆 SPI3(会場) 面 3回(Webあり)

選考ポイント ㊗ ES 当社を志望する意欲が、どれほど感じられるか 面 社会人としての資質や人となりを総合的に判断

通過率 ㊗ ES NA

倍率(応募/内定) ㊗NA

●男女別採用数と配属先ほか●

【男女・文理別採用実績】

	大卒男	大卒女	修士男	修士女
23年	10(文 10理 0)	6(文 6理 0)	0(文 0理 0)	0(文 0理 0)
24年	11(文 8理 3)	4(文 4理 0)	1(文 1理 0)	0(文 0理 0)
25年	21(文 20理 1)	4(文 4理 0)	0(文 0理 0)	0(文 0理 0)

【25年4月入社者の採用実績校】
文(大)明大4 早大3 専大 立命館大各2 九大 東京外大 広島大 千葉大 都立大 慶大 青学大 中大 法政大 明学大 関大 南山大 立命館APU各1 理(大)法政大1

【24年4月入社者の配属先】
㊗勤務地:東京13 大阪2 名古屋1 部署:営業11 業務2 管理3

残業(月) 12.4時間

記者評価 1845年に京都で和紙商として創業。パルプ・紙・板紙の専門商社で国内首位級。王子HDが筆頭株主。再生紙による板紙、家庭紙事業を併営。M&A加速、海外紙卸や地方紙卸買収など攻勢。古紙回収やバイオマス発電の資源事業、オフィスビルの不動産賃貸も収益源。

●給与、ボーナス、週休、有休ほか●

【30歳総合職平均年収】NA【初任給】(修士)265,000円(大卒)265,000円【ボーナス(年)】NA【25、30、35歳賃金】NA【週休】完全2日(土日祝)【夏期休暇】有休で2日取得【年末年始休暇】約5日【有休取得】15.8/20日

●従業員数、勤続年数、離職率ほか●

【男女別従業員数、平均年齢、平均勤続年数】計 878(45.6歳 21.7年) 男 580(46.4歳 22.4年) 女 298(44.2歳 20.4年)【離職率と離職者数】1.8%、16名【3年後新卒定着率】83.3%(男77.8%、女100%、3年前入社:男9名・女3名)【組合】なし

求める人材 現状に満足せず何事にもチャレンジでき、新たな価値を生み出すことができる人材

会社データ (金額は百万円)

【本社】104-8656 東京都中央区勝どき3-12-1 フォアフロントタワー
☎03-3534-8522 https://www.kamipa.co.jp/
【社長】渡辺 昭彦【設立】1916.12【資本金】16,649【今後力を入れる事業】海外卸売 製紙加工 環境原材料 不動産賃貸

【業績(連結)】	売上高	営業利益	経常利益	純利益
22.3	444,757	14,064	15,051	11,499
23.3	545,279	20,264	21,233	25,392
24.3	534,230	17,403	16,753	10,357

㈱メディセオ

持株会社 傘下

【特色】医療用医薬品卸2位。メディパルHD傘下

修士・大卒採用数	3年後離職率	有休取得年平均	平均年収(平均49歳)
46名	13.1→30.8%	11.3日	665万円

●エントリー情報と採用プロセス●

【受付開始～終了】総3月～継続中【採用プロセス】総Web説明会(必須)→ES提出・Web試験(3月～)→面接(3回)→内々定(6月～)【交通費支給】3次選考以降、往復5,000円を超えると会社が判断した場合会社基準【早期選考】⇒巻末

試験情報

重視科目 総面接

総 ES NA 筆 WebGAB 面3回(Webあり)

選考ポイント 総面コミュニケーション能力 自己表現能力 論理性 協調性

通過率 総 ES 選考なし(受付:NA)

倍率(応募/内定) 総NA

●男女別採用数と配属先ほか●

【男女・文理別採用実績】

	大卒男	大卒女	修士男	修士女
23年	6(文 6理 0)	16(文 12理 4)	1(文 1理 0)	0(文 0理 0)
24年	10(文 6理 4)	20(文 15理 5)	0(文 0理 0)	0(文 0理 0)
25年	17(文 12理 5)	29(文 23理 6)	0(文 0理 0)	0(文 0理 0)

※25年:24年7月31日時点

【25年4月入社者の採用実績校】
文(大)甲南大 桃山学大各4 國學院大 大東文化大 武蔵大各2 大阪経大 お茶女大 関大 近大 神戸学大 国際医療福祉大 四天王寺大 大正大 玉川大 中京大 帝京科学大 東海大 同大 日大 文教大 法政大 目白大 大和大 立教大 龍谷大 麗澤大各1 理(大)近大 横浜薬大各2 岐阜薬大 城西大 高崎健康福祉大 帝京大 帝京平成大 東京農業大 中大各1

【24年4月入社者の配属先】
総勤務地:東京10 神奈川6 大阪5 兵庫5 埼玉2 茨城1 和歌山1 部署:営業22 薬事4 事務4

残業(月) 10.4時間 総10.6時間

記者評価 メディパルHD傘下で医薬品卸の中核子会社。アルフレッサに次ぐ売上高。化粧品など日用雑貨も手がける。医薬品開発投資など、新規事業に積極投資中。MR資格取得者を2500人以上擁し、医薬品の市販後調査など拡充。21年に親会社が日医工と資本業務提携。

●給与、ボーナス、週休、有休ほか●

【30歳総合職平均年収】NA【初任給】(修士)〈営業職〉255,000～265,100円(大卒)〈営業職〉251,000～260,700円〈薬事関連職〉240,900～249,900円〈事務職〉207,500～215,500円【ボーナス(年)】158万円、4.5カ月【25、30、35歳賃金】255,955円→305,491円→354,439円【週休】完全2日(土日祝)【夏期休暇】3日(分割可)【年末年始休暇】12月30日～1月3日【有休取得】11.3/20日

●従業員数、勤続年数、離職率ほか●

【男女別従業員数、平均年齢、平均勤続年数】計 4,706(49.3歳 20.3年)男 2,940(51.1歳 24.0年)女 1,766(46.3歳 14.1年)【離職率と離職者数】9.8%、512名【3年後新卒定着率】69.2%(男69.4%、女69.1%、3年前入社:男36名・女55名)【組合】あり

求める人材 誠実でコミュニケーション能力が高く意欲のある人 自ら考え主体的に行動できる人

会社データ (金額は百万円)

【本社】104-8464 東京都中央区京橋3-1-1 東京スクエアガーデン
☎03-3517-5051 https://www.mediceo.co.jp/
【社長】今川 国明【設立】2004.4【資本金】22,398【今後力を入れる事業】医療用医薬品の販売事業

【業績(連結)】	売上高	営業利益	経常利益	純利益
22.3	3,290,921	45,624	62,046	29,423
23.3	3,360,008	48,972	65,122	38,806
24.3	3,558,732	47,330	64,570	41,474

※資本金・業績は㈱メディパルホールディングスのもの

アルフレッサ㈱

持株会社 傘下

【特色】医療用医薬品卸で国内首位。効率経営に定評

修士・大卒採用数	3年後離職率	有休取得年平均	平均年収(平均45歳)
66名	26.0→14.3%	10.5日	総688万円

●エントリー情報と採用プロセス●

【受付開始～終了】総 技12月～5月【採用プロセス】総Web説明会(任意、11月～、3月～、5月)→ES提出・Webテスト(12月、3月、5月)→動画選考(12月、3月、5月)Web面接(12月、4月、5月)→最終面接(1月、4月、6月)→内々定(1月、4月、6月) 技Web説明会(任意、11月～、3月～、5月)→ES提出・Webテスト(12月、3月、5月)→Web面接(12月、4月、5月)→最終面接(1月、4月、6月)→内々定(1月、4月、6月)【交通費支給】なし【早期選考】⇒巻末

試験情報

重視科目 総技面接

総技 ES NA 筆 Web(自宅受験)A8 G9 i9 面2回(Webあり)

選考ポイント 総 ES 求める人物像と合致しているか 職種適性があるか 面コミュニケーション能力 対応力 柔軟性 誠実さ 戦略的思考 技 ES 求める人物像と合致しているか 面総合職共通

通過率 総 ES 76%(受付:(早期選考含む)308→通過:(早期選考含む)235) 技 ES 96%(受付:(早期選考含む)47→通過:(早期選考含む)45)

倍率(応募/内定) 総(早期選考含む)6倍 技4倍

●男女別採用数と配属先ほか●

【男女・文理別採用実績】

	大卒男	大卒女	修士男	修士女
23年	24(文 17理 7)	29(文 22理 7)	0(文 0理 0)	0(文 0理 0)
24年	39(文 31理 8)	31(文 22理 9)	0(文 0理 0)	0(文 0理 0)
25年	31(文 25理 6)	35(文 22理 13)	0(文 0理 0)	0(文 0理 0)

【25年4月入社者の採用実績校】文(大)愛知大5 駒澤大 大阪経大 中京大 名古屋学院大各3 関東学院大 近大 甲南大 専大 福岡大各2 安田女大 関西国際大 京都橘大 共立女大 金城学大 桜美林大 四天王寺大 椙山女学大 早大 大阪産大 帝京大 東北学大 東洋大 桃山学大 南山大 北星学大 名古屋商大 明海大 龍谷大 麗澤大各1 理(大)神戸薬大 星薬大各2 近大 大同大 東邦大 名城大 摂南大 大阪医薬大 帝京大 東京薬大 日本薬大 武蔵野大 北里大 名古屋市大 福岡大 都立大 明治薬大各1

【24年4月入社者の配属先】総勤務地:東京14 愛知9 神奈川6 福岡5 埼玉4 千葉4 兵庫4 大阪3 栃木2 三重2 奈良2 新潟1 長野1 茨城1 群馬1 岐阜1 滋賀1 鹿児島1 部署:営業職62 技勤務地:東京2 埼玉2 千葉1 奈良1 兵庫1 長崎1 部署:薬剤師職8

残業(月) 15.0時間 総15.0時間

記者評価 アルフレッサHD傘下の中核子会社。医薬品卸で売上高首位。04年に福神とアズウェルの経営統合で誕生。関東、中部、近畿、九州などカバー。ベンチャー企業との提携にも積極的。診断薬、医療用機器も扱う。治験薬や再生医薬など特殊薬物流を積極受注。

●給与、ボーナス、週休、有休ほか●

【30歳総合職平均年収】483万円【初任給】(修士)NA(大卒)220,000円〈薬剤師職〉265,000円【ボーナス(年)】186万円、(管理職)4.7カ月(一般従業員)4.3カ月【25、30、35歳賃金】253,000円→283,000円→413,000円【週休】完全2日(土日祝)【夏期休暇】連続3日【年末年始休暇】連続5日【有休取得】10.5/20日

●従業員数、勤続年数、離職率ほか●

【男女別従業員数、平均年齢、平均勤続年数】計 3,683(45.5歳 19.9年)男 2,535(46.6歳 22.1年)女 1,148(43.2歳 15.1年)【離職率と離職者数】2.7%、101名【3年後新卒定着率】85.7%(男87.9%、女82.6%、3年前入社:男33名・女23名)【組合】あり

求める人材 信念を持ち、しなやかで、探究心が強く、真摯に人に向き合い、戦略的に考える事ができる人

会社データ (金額は百万円)

【本社】101-8512 東京都千代田区神田美土代町7 住友不動産神田ビル
☎03-3292-3831 https://www.alfresa.co.jp/
【社長】福神 雄介【設立】1949.8【資本金】4,000【今後力を入れる事業】医療用医薬品等卸売事業

【業績(連結)】	売上高	営業利益	経常利益	純利益
22.3	2,585,643	29,091	32,576	32,182
23.3	2,696,069	30,148	32,831	25,786
24.3	2,858,500	38,460	39,997	29,558

※業績はアルフレッサ ホールディングス㈱のもの

㈱スズケン

東京P 9987

【特色】医療用医薬品卸3位。独立系。医薬品製造も

修士・大卒採用数	3年後離職率	有休取得年平均	平均年収(平均47歳)
未定	20.9→33.3%	11.4日	◇705万円

●エントリー情報と採用プロセス●

【受付開始～終了】[総]3月～継続中【採用プロセス】[総]履歴書提出→書類選考→適性検査→面接(2回)→内々定【交通費支給】役員面接、全額

試験情報

重視科目 [総]面接

[総][ES]⇒巻末[筆]WebGAB[面]2回(Webあり)

選考ポイント [総][面]意欲 積極性 コミュニケーション能力

通過率 [総][ES]選考なし(受付:NA)

倍率(応募/内定) [総]NA

●男女別採用数と配属先ほか●

【男女・文理別採用実績】

	大卒男	大卒女	修士男	修士女
23年	54(文 43理 11)	34(文 28理 6)	1(文 0理 1)	0(文 0理 0)
24年	43(文 38理 5)	14(文 11理 3)	2(文 0理 2)	0(文 0理 0)
25年	-(文 -理 -)	-(文 -理 -)	-(文 -理 -)	-(文 -理 -)

※25年:継続中

【25年4月入社者の採用実績校】
[文](24年)(大)中京大8 愛知淑徳大 愛知大各4 大阪経大3 関西学大 神戸学大 名古屋学院大 名城大各2 近大 専大 東北学大 南山大 日大 明学大 明大 立命館大 龍谷大 國學院大各1 他 [理](24年)(院)広島大2(大)摂南大2 東京海洋大 福井大 金沢工大 慶大各1 他

【24年4月入社者の配属先】
[総]勤務地:愛知9 東京9 大阪9 神奈川6 北海道5 埼玉5 千葉5 岐阜2 静岡3 宮城3 兵庫2 青森1 部署:営業53 経営管理2 情報システム2 薬事統轄2

残業(月) NA

記者評価 名古屋地盤だが全国に支店網。医薬品卸では再生医薬など特殊薬の物流・卸で業界最先行。18年に業界4位の東邦HDと業務提携。デジタル医療領域でベンチャーとの提携に積極的、独自の携帯端末用情報提供サービスを育成中。介護施設の運営も。

●給与、ボーナス、週休、有休ほか●

【30歳総合職平均年収】NA【初任給】(修士)271,500円(大卒)256,500円【ボーナス(年)】NA【25、30、35歳賃金】NA【週休】完全2日(土日祝)【夏期休暇】2日(7、8月)【年末年始休暇】12月30日～1月3日【有休取得】11.4／20日

●従業員数、勤続年数、離職率ほか●

【男女別従業員数、平均年齢、平均勤続年数】計 3,176(47.1歳 21.8年) 男 2,205(49.5歳 24.8年) 女 971(41.8歳 15.1年)【離職率と離職者数】NA【3年後新卒定着率】66.7%(男80.0%、女54.5%、3年前入社:男10名・女11名)【組合】あり

求める人材 新しいことに挑戦する人 学び続ける人 やる気・元気・素直さを持つ人

会社データ　(金額は百万円)

【本社】461-8701 愛知県名古屋市東区東片端町8
☎052-961-2331　https://www.suzuken.co.jp/
【社長】浅野 茂【設立】1946.8【資本金】13,546【今後力を入れる事業】医療DX デジタルを活用したサービス

【業績(連結)】	売上高	営業利益	経常利益	純利益
22.3	2,232,774	13,777	23,418	14,393
23.3	2,314,828	32,605	36,376	20,345
24.3	2,386,493	34,875	38,351	29,016

とうほうやくひん
東邦薬品㈱

持株会社 傘下

【特色】医療用医薬品卸4位。持株会社のHD傘下

修士・大卒採用数	3年後離職率	有休取得年平均	平均年収(平均46歳)
50名	19.0→30.8%	10.6日	NA

●エントリー情報と採用プロセス●

【受付開始～終了】[総]3月～継続中【採用プロセス】[総]説明会(必須)→ES提出→面接→Webテスト→面接(1～2回)→内々定【交通費支給】なし【早期選考】⇒巻末

試験情報

重視科目 [総]面接

[総][ES]⇒巻末[筆]CUBIC[面]2～3回(Webあり)

選考ポイント [総][面]企業研究による業務理解度 医療業界への強い関心と貢献したいという想いがあるか 人柄 コミュニケーション能力

通過率 [総][ES]選考なし(受付:301)

倍率(応募/内定) [総](早期選考含む)6倍

●男女別採用数と配属先ほか●

【男女・文理別採用実績】

	大卒男	大卒女	修士男	修士女
23年	8(文 6理 2)	10(文 7理 3)	0(文 0理 0)	0(文 0理 0)
24年	6(文 5理 1)	10(文 8理 2)	0(文 0理 0)	0(文 0理 0)
25年	-(文 -理 -)	-(文 -理 -)	-(文 -理 -)	-(文 -理 -)

※25年:50名採用予定

【25年4月入社者の採用実績校】
[文](24年)(大)亜大 清泉女大 専大 千葉商大 武蔵大 明海大 立正大 麗澤大 藤女大 名古屋学院大 名古屋商大 平安女学大 武庫川女大各1(専)東京CPA会計1 [理](24年)(大)昭和薬大 関大 福山大各1

【24年4月入社者の配属先】
[総]勤務地:東京9 神奈川1 埼玉1 群馬1 北海道1 愛知2 大阪2 部署:営業10 事務5 薬剤師2

残業(月) 11.4時間 [総]13.9時間

記者評価 医療用医薬品4大卸の一角。09年に純粋持ち株会社制に移行。グループ全体の売上の9割を医薬品卸事業が占める。地場卸買収を重ね、全国展開。物流効率化に注力。調剤薬局や医薬製造も手がける。遺伝子治療開発などベンチャー企業に出資し多角化を推進。

●給与、ボーナス、週休、有休ほか●

【30歳総合職平均年収】NA【初任給】(修士)266,727円(大卒)250,421円【ボーナス(年)】NA【25、30、35歳賃金】NA【週休】完全2日(土日祝)【夏期休暇】7～9月の任意の3日【年末年始休暇】12月30日～1月3日【有休取得】10.6／30日

●従業員数、勤続年数、離職率ほか●

【男女別従業員数、平均年齢、平均勤続年数】計 2,618(46.0歳 20.0年) 男 1,925(47.3歳 21.4年) 女 693(42.3歳 16.1年)【離職率と離職者数】3.2%、86名【3年後新卒定着率】69.2%(男80.0%、女62.5%、3年前入社:男10名・女16名)【組合】あり

求める人材 医療機関の人々とのコミュニケーションを通してニーズを掴み、的確な提案、情報提供の出来る人

会社データ　(金額は百万円)

【本社】104-0028 東京都中央区八重洲2-2-1 東京ミッドタウン八重洲 八重洲セントラルタワー9階
☎03-6838-2800　https://www.tohoyk.co.jp/ja/ani/
【社長】馬田 明【設立】2008.11【資本金】10,649【今後力を入れる事業】NA

【業績(連結)】	売上高	営業利益	経常利益	純利益
22.3	1,266,171	12,527	18,182	13,379
23.3	1,388,565	12,813	19,176	13,630
24.3	1,476,712	19,331	21,787	20,657

※資本金・業績は東邦ホールディングス㈱のもの

㈱PALTAC（パルタック）

東京P 8283

【特色】メディパルHD傘下。化粧品・日用品等の卸最大手

修士・大卒採用数	3年後離職率	有休取得年平均	平均年収(平均45歳)
72名	11.5→15.4%	12.4日	総667万円

残業(月) 9.7時間 総9.7時間

記者評価 化粧品・日用品、一般用医薬品卸で業界最大手。卸先の6割強はドラッグストア。営業網を全国展開。省人化技術を採用した効率的な物流システムを独自構築するなど、経費管理を徹底する。卸先に対し、売り場提案型営業、店舗運営効率化支援等も実施する。

●エントリー情報と採用プロセス●

【受付開始～終了】総3月～7月 技3月～継続中【採用プロセス】総ES提出(随時)→個人面接・適性検査(随時)→役員面接(随時)→内々定(随時) 技ES提出(随時)→社員面談(随時)→個人面接・適性検査(随時)→役員面接(随時)→内々定(随時)【交通費支給】最終面接、実費相当(電車代、新幹線代、航空券代 他)【早期選考】⇒巻末

試験情報

重視科目 総技面接

総技 ES⇒巻末 筆玉手箱 面2回(Webあり)

選考ポイント 総技 ES NA(提出あり) 面NA

通過率 総 ES 42%(受付:1,370→通過:577) 技 ES 7%(受付:69→通過:5) 倍率(応募/内定) 総24倍 技35倍

●男女別採用数と配属先ほか●

【男女・文理別採用実績】※25年:24年7月時点

	大卒男	大卒女	修士男	修士女
23年	26(文 23 理 3)	21(文 20 理 1)	0(文 0 理 0)	0(文 0 理 0)
24年	20(文 19 理 1)	47(文 46 理 1)	2(文 0 理 2)	0(文 0 理 0)
25年	30(文 28 理 2)	41(文 41 理 0)	1(文 0 理 1)	0(文 0 理 0)

【25年4月入社者の採用実績校】文(大)愛知大6 東北学大5 金沢星稜大 広島経大各4 北星学大 桜美林大 関大 福岡大各3 駒澤大 明大 中大 愛知学大 名城大 近大各2 札幌学大 神田外語大 専大 早大 国士舘大 拓大 東京経大 東洋大 日大 武蔵大 文京学大 明学大 和洋女大 立正大 獨協大 富山大 北陸大 南山大 桃山学大 甲南大 京都外大 大阪経大 同大 高知大 下関市大 ノートルダム清心女大各1 理(院)はこだて未来大1(大)金沢工大1

【24年4月入社者の配属先】総勤務地:北海道・北広島3 宮城・白石3 東京(赤羽11 大崎3)埼玉・白岡3 栃木・下都賀郡1 神奈川・座間5 愛知・春日井6 石川・能見4 大阪(大阪16 泉大津1 高槻1)広島(広島4 福山1)福岡・小郡5 部署:営業58 SCM2 物流2 営業事務2 商品事務1 総務人事1 薬剤師1 技勤務地:大阪2 部署:システム1 研究開発1

●給与、ボーナス、週休、有休ほか●

【30歳総合職平均年収】NA【初任給】(修士)259,200～312,200円 (大卒)228,200～276,200円【ボーナス(年)】172万円、4.8カ月【25、30、35歳賃金】283,485円→346,782円→414,967円【週休】完全2日(土日祝)【夏期休暇】3日(計画年休)【年末年始休暇】12月30日～1月4日【有休取得】12.4／20日

●従業員数、勤続年数、離職率ほか●

【男女別従業員数、平均年齢、平均勤続年数】計 2,237(45.4歳 18.7年) 男 1,781(46.7歳 19.4年) 女 456(40.2歳 16.0年) ※契約社員含む【離職率と離職者数】3.8%、88名(早期退職22名含む)【3年後新卒定着率】84.6%(男93.8%、女78.3%、3年前入社:男16名・女23名)【組合】あり

求める人材 誠実 チャレンジ ポジティブ

会社データ (金額は百万円)

【本社】540-0029 大阪府大阪市中央区本町橋2-46
☎06-4793-1050 https://www.paltac.co.jp/
【社長】吉田 拓也【設立】1928.12【資本金】15,869【今後力を入れる事業】既存事業 物流 海外 人財 DX強化 他

【業績(単独)】	売上高	営業利益	経常利益	純利益
22.3	1,045,735	25,921	28,637	19,639
23.3	1,104,152	24,472	27,440	19,251
24.3	1,151,966	27,172	30,545	20,638

㈱あらた

東京P 2733

【特色】日用雑貨品卸で最大手級。首位PALTAC追う

修士・大卒採用数	3年後離職率	有休取得年平均	平均年収(平均44歳)
65名	9.5→14.3%	12.2日	総644万円

残業(月) 8.4時間 総8.6時間

記者評価 日用雑貨品卸大手。卸先はドラッグストアが約5割。ホームセンターやスーパーマーケットにも販売。地域卸と統合を繰り返し拡大。メイクやヘアケア等ビューティー領域や、トイレットペーパー等の紙製品などを取り扱う。ペット商材や、韓国コスメ等にも注力。

●エントリー情報と採用プロセス●

【受付開始～終了】総 技3月～6月【採用プロセス】総 技ES提出・Webテスト(3～6月)→適性検査・自己紹介シート(4月上旬～)→個人面接(4月中旬)→個人面接(5月上旬～)→内々定(5月下旬)【交通費支給】最終面接、遠方者で新幹線・飛行機等利用の場合会社基準【早期選考】⇒巻末

試験情報

重視科目 総技面接

総技 ES⇒巻末 筆玉手箱 面2回(Webあり)

選考ポイント 総技 ES Webテストとの総合判断 面「求める人材」の観点

通過率 総 ES 77%(受付:(早期選考・技術系含む)895→通過:(早期選考・技術系含む)685) 技 ES —(受付:事務系に含む→通過:事務系に含む)

倍率(応募/内定) 総(早期選考・技術系含む)14倍 技—

●男女別採用数と配属先ほか●

【男女・文理別採用実績】

	大卒男	大卒女	修士男	修士女
23年	16(文 13 理 3)	16(文 15 理 1)	1(文 0 理 1)	0(文 0 理 0)
24年	23(文 19 理 4)	29(文 28 理 1)	0(文 0 理 0)	1(文 1 理 0)
25年	29(文 27 理 2)	35(文 34 理 1)	1(文 1 理 0)	0(文 0 理 0)

【25年4月入社者の採用実績校】文(院)青学大1(大)北星学大 近大 桃山学大各3 愛知大 学習院大 関大 京産大 広島経大 西南学大 追手門学大 東京経大 福岡大 文京学大 法政大 名古屋学院大 麗澤大 獨協大各2 青学大 愛知淑徳大 学習院女大 関西外大 京都女大 九産大 香川大 佐賀大 阪南大 尚絅学大 上智大 大阪経大 大東文化大 東海大 島根県大 東京女大 同大 日大 武蔵大 武庫川女大 福山市大 北海学園大 明学大 明大各1 理(大)北海道情報大2 東京薬大1

【24年4月入社者の配属先】総勤務地:東京(江東12 墨田4)名古屋7 堺5 福岡5 埼玉・朝霞4 札幌3 宮城(仙台2 大衡1)横浜3 岡山2 広島・安芸2 部署:営業48 人事1 経理1 技勤務地:札幌3 部署:システムエンジニア3

●給与、ボーナス、週休、有休ほか●

【30歳総合職平均年収】NA【初任給】(修士)(地域による)227,000～251,000円 (大卒)(地域による)222,000～246,000円【ボーナス(年)】NA、4.85カ月【25、30、35歳賃金】NA【週休】完全2日(土日祝)【夏期休暇】暦により変動(土日含む4～6日程度)【年末年始休暇】12月30日～1月3日【有休取得】12.2／20日

●従業員数、勤続年数、離職率ほか●

【男女別従業員数、平均年齢、平均勤続年数】計 1,965(42.9歳 18.9年) 男 1,427(44.6歳 20.4年) 女 538(38.2歳 14.9年)【離職率と離職者数】3.4%、70名【3年後新卒定着率】85.7%(男88.0%、女82.4%、3年前入社:男25名・女17名)【組合】なし

求める人材 誠実な努力を惜しまない、常にまじめで礼儀正しい、情熱を燃やし意欲的で明るい人

会社データ (金額は百万円)

【本社】135-0016 東京都江東区東陽6-3-2
☎03-5635-2800 https://www.arata-gr.jp/
【社長】須崎 裕明【設立】2002.4【資本金】8,572【今後力を入れる事業】本業

【業績(連結)】	売上高	営業利益	経常利益	純利益
22.3	857,087	12,743	13,745	9,009
23.3	891,600	12,812	13,680	8,223
24.3	944,149	14,508	15,341	10,322

2742 開示 ★★★★

花王(かおう)グループカスタマーマーケティング(株)

株式公開していない

【特色】花王グループの販売会社。提案型営業に強み

修士・大卒採用数	3年後離職率	有休取得年平均	平均年収(平均45歳)
14名	15.3 → 4.3%	18.2日	(総)722万円

●エントリー情報と採用プロセス●

【受付開始～終了】(総)3月～4月【採用プロセス】(総)ES提出・Web適性(3月～)→AI面接(4月)→部長面接(5月)→幹部面接(6月)→内々定(6月)【交通費支給】面談・面接時、会社基準【早期選考】⇒巻末

試験情報

重視科目 (総)面接

(総)(ES)⇒巻末(筆)TG-WEB(面)3回(Webあり)(GD作)⇒巻末

選考ポイント (総)(ES)求める人財像に合致しているか 営業職への強い熱意があるか(面)総合的な人物評価・営業職への適性・挑戦意欲があり能動的な行動が取れるか 他

通過率 (総)(ES)NA

倍率(応募/内定) (総)NA

●男女別採用数と配属先ほか●

【男女・文理別採用実績】

	大卒男	大卒女	修士男	修士女
23年	10(文 10理 0)	14(文 14理 0)	0(文 0理 0)	0(文 0理 0)
24年	7(文 7理 0)	8(文 6理 2)	0(文 0理 0)	0(文 0理 0)
25年	6(文 6理 0)	8(文 8理 0)	0(文 0理 0)	0(文 0理 0)

【25年4月入社者の採用実績校】(文)(大)関大 青学大各2 関西学大 立命館大 岡山大 新潟大 富山大 阪南大 明大 東洋大 武蔵大 明学大各1 (理)なし

【24年4月入社者の配属先】(総)勤務地：札幌3 仙台2 埼玉・大宮3 名古屋2 大阪4 福岡1 部署：営業部門15

残業(月) 5.3時間 (総)5.3時間

記者評価 略称KCMK。花王グループのコンシューマー商品販売力の源泉。販売と卸売の両機能担い、スーパーやドラッグストア向け提案型営業に強み。18年花王カスタマーマーケティング、カネボウ化粧品販売を吸収合併、美容カウンセリング部門を専門2社に移管し現体制に。

●給与、ボーナス、週休、有休ほか●

【30歳総合職平均年収】624万円【初任給】(大卒)229,200円【ボーナス(年)】234万円、6.2カ月【25、30、35歳賃金】251,919円→293,532円→327,933円【週休】完全2日(土日祝)【夏期休暇】2日(7～9月で取得)【年末年始休暇】12月30日～1月4日【有休取得】18.2／20日

●従業員数、勤続年数、離職率ほか●

【男女別従業員数、平均年齢、平均勤続年数】計 5,069(46.8歳 21.9年) 男 2,276(47.3歳 23.0年) 女 2,793(46.3歳 21.0年)【離職率と離職者数】1.7%、89名(早期退職男10名、女13名含む)【3年後新卒定着率】95.7%(男95.0%、女96.2%、3年前入社：男20名・女26名)【組合】なし

求める人材 世の中の変化を察知し、そこから自ら考え、そして最後までやりきる力を備えた人財

会社データ (金額は百万円)

【本社】103-0016 東京都中央区日本橋小網町8-3
☎03-6746-2500 https://www.kao.co.jp/employment/kcmk/
【社長】中尾 良雄【設立】2015.10【資本金】10【今後力を入れる事業】流通とのグローバル共同進出

【業績(IFRS)】	売上高
22.12	773,170
23.12	779,660

1246 ▶『業界地図』p.194 開示 ★★★★★

興和(こうわ)(株)

株式公開計画なし

【特色】興和グループ中核の商社。名古屋の名門企業

修士・大卒採用数	3年後離職率	有休取得年平均	平均年収(平均42歳)
93名	!10.3 → !10.7%	12.1日	(総)865万円

●エントリー情報と採用プロセス●

【受付開始～終了】(総)3月～7月 (技)3月～継続中【採用プロセス】(総)Webテスト→WebES提出→Web面接(複数回)→役員面接→内々定 (技)Webテスト→WebES・研究概要提出→Web面接(複数回)→役員面接→内々定【交通費支給】役員面接、会社基準

試験情報

重視科目 (総)(技)面接

(総)(技)(ES)⇒巻末(筆)WebGAB(面)複数回(Webあり)

選考ポイント (総)(ES)志望動機 自己PR 他(面)目標に向かって意欲的に行動できるか 課題を構造的に捉え解決する能力があるか (技)(ES)総合職共通(面)技術系以外の評価ポイントに加えて、大学における研究内容など

通過率 (総)(ES)選考なし(受付：1,071) (技)(ES)選考なし(受付：709)

倍率(応募/内定) (総)27倍 (技)18倍

●男女別採用数と配属先ほか●

【男女・文理別採用実績】※2社(興和 興和紡)合計

	大卒男	大卒女	修士男	修士女
23年	27(文 17理 10)	39(文 25理 14)	17(文 0理 17)	8(文 0理 8)
24年	24(文 15理 9)	38(文 23理 15)	19(文 0理 19)	14(文 0理 14)
25年	27(文 16理 11)	34(文 19理 15)	22(文 0理 22)	10(文 0理 10)

【25年4月入社者の採用実績校】(文)(大)同大 南山大 立命館大各3 関大2 愛知大 近大 甲南大 高崎経大 滋賀県大 順天堂大 神奈川大 専大 津田塾大 東京外大 日大 富山大 法政大 名古屋外大 明大 立命館APU各1 (理)(院)東理大5 筑波大3 静岡県大 北大 名古屋市大 岡山大 金沢大 豊田工大各2 三重大 立命館大 横浜市大 群馬大 城西大 千葉大 大阪公大 東海大 東京農工大 東北大 徳島大 富山大 明大 明治薬大各1(大)東京農業大3 東理大 京都薬大 慶大各2 静岡県大 北大 名古屋市大 三重大 立命館大 岐阜薬大 京産大 摂南大 阪大 東京薬大 同大 福岡大 北里大 麻布大 名城大各1

【24年4月入社者の配属先】(総)勤務地：東京21 愛知16 大阪3 宮城1 京都1 広島1 埼玉1 福岡1 北海道1 部署：医薬品営業21 商社営業17 光学営業5 ホスピタリティ営業2 印刷営業1 (技)勤務地：東京30 愛知4 静岡4 部署：医薬品開発21 医薬品研究9 光学製造3 医薬品生産2 医療機器開発1 光学開発1 SUNITED1

残業(月) 3.4時間 (総)3.2時間

記者評価 1894年に綿布問屋で創業。繊維、機械、建材等の商社部門と、医薬品・ビジョンユニット等のメーカー部門が両輪。「キャベジンコーワ」などOTC医薬品が有名。生活習慣病、免疫・炎症、感覚器が重点領域。傘下に名古屋観光ホテル、ワタベウェディングなど。

●給与、ボーナス、週休、有休ほか●

【30歳総合職平均年収】566万円【初任給】(博士)300,000円(修士)280,000円(大卒)260,000円【ボーナス(年)】235万円、5.8カ月【25、30、35歳モデル賃金】278,000円→324,000円→380,000円【週休】完全2日(土日祝)【夏期休暇】8月10～18日(有休2日、週休2日含む)交代制休日2日(7～9月中に取得)【年末年始休暇】12月28日～1月5日(有休1日、週休2日含む)【有休取得】12.1／20日

●従業員数、勤続年数、離職率ほか●

【男女別従業員数、平均年齢、平均勤続年数】計 3,601(41.2歳 16.5年) 男 2,516(42.6歳 17.4年) 女 1,085(37.8歳 14.3年)【離職率と離職者数】3.3%、124名【3年後新卒定着率】89.3%(男89.7%、女88.9%、3年前入社：男68名・女54名) ※2社計【組合】あり

求める人材 変化に対応し、変化を創り出せる人材

会社データ (金額は百万円)

【本社】460-8625 愛知県名古屋市中区錦3-6-29
☎052-963-3159 https://www.kowa.co.jp/
【社長】三輪 芳弘【設立】1939.11【資本金】3,840【今後力を入れる事業】全事業

【業績(連結)】	売上高	営業利益	経常利益	純利益
22.3	459,552	2,016	6,596	6,546
23.3	743,197	9,415	17,956	23,156
24.3	573,930	20,097	22,030	14,220

蝶理(株)（ちょうり）

東京P 8014

【特色】繊維商社の老舗で東レの傘下。中国に強み

修士・大卒採用数	3年後離職率	有休取得年平均	平均年収(平均40歳)
20名	27.8 → 8.3%	14.1日	㊍1,033万円

残業(月) 14.2時間 ㊍15.8時間

記者評価 京都西陣の生糸問屋として1861年創業。現在は繊維と化学品が2本柱。自動車や農機・建機も扱う。化学品と機械を軸に中国事業を強化。環境配慮型繊維商材は24年度3割増販へ。繊維商社のスミテック・インターナショナル(現STX)を子会社化するなどM&Aにも積極的。

●エントリー情報と採用プロセス●

【受付開始～終了】㊍2月～3月【採用プロセス】㊍ES提出・Webテスト(2～3月)→動画選考(3月)→面接(2回、3～4月下旬)→適性検査(5月上旬)→面接(5月中旬)→内々定(5月中旬)【交通費支給】最終面接、実費

試験情報

重視科目 ㊍全て

㊍ ES ⇒巻末 筆 TG-WEB 面 3回(Webあり)

選考ポイント ㊍ ES 求める人物像に合致しているか 個性や魅力が伝わってくるか 面 強さ 明るさ・素直さ 海外志向 行動力 成長意欲

通過率 ㊍ ES 69%(受付:2,844→通過:1,955)

倍率(応募/内定) ㊍158倍

●男女別採用数と配属先ほか●

【男女・文理別採用実績】

	大卒男	大卒女	修士男	修士女
23年	11(文 9 理 2)	4(文 3 理 1)	3(文 1 理 2)	0(文 0 理 0)
24年	14(文 12 理 2)	5(文 5 理 0)	2(文 0 理 2)	1(文 0 理 1)
25年	9(文 9 理 0)	8(文 7 理 1)	2(文 0 理 2)	1(文 1 理 0)

【25年4月入社者の採用実績校】
文(院)立教大1(大)関西学大3 東京外大 成蹊大 青学大各2 立命館APU 上智大 同大 大阪市大 中大 関大各1 理(院)東京農業大 大阪公大各1

【24年4月入社者の配属先】
㊍勤務地:東京16 大阪6 部署:繊維10 化学品10 経営政策2

●給与、ボーナス、週休、有休ほか●

【30歳総合職平均年収】821万円【初任給】(博士)275,000円(修士)275,000円(大卒)265,000円【ボーナス(年)】355万円、6.4カ月【25、30、35歳賃金】307,000円→456,000円→530,000円【週休】完全2日(土日祝)【夏期休暇】季節休暇として年5日【年末年始休暇】あり【有休取得】14.1／20日

●従業員数、勤続年数、離職率ほか●

【男女別従業員数、平均年齢、平均勤続年数】計 343(40.2歳 13.6年) 男 239(40.4歳 13.6年) 女 104(39.9歳 13.6年)【離職率と離職者数】5.2%、19名【3年後新卒定着率】91.7%(男87.5%、女100%、3年前入社:男8名・女4名)【組合】あり

求める人材 目標に向かって情熱と強い意志を持ち、努力を惜しまず責任ある行動をとれる人

会社データ (金額は百万円)

【本社】540-8603 大阪府大阪市中央区淡路町4-2-13 アーバンネット御堂筋ビル
☎06-6228-5000 https://www.chori.co.jp/
【社長】迫田 竜之【設立】1948.9【資本金】6,800【今後力を入れる事業】グローバル事業(新興国市場等)

【業績(連結)】	売上高	営業利益	経常利益	純利益
22.3	284,096	9,328	10,274	6,811
23.3	329,389	12,656	12,437	8,124
24.3	307,699	15,039	14,476	9,624

豊島(株)（とよしま）

株式公開 計画なし

【特色】老舗の繊維専門商社。独立系ではトップ

修士・大卒採用数	3年後離職率	有休取得年平均	平均年収(平均36歳)
49名	9.4 → 27.6%	11.8日	NA

残業(月) 9.6時間 ㊍26.8時間

記者評価 天保年間の1841年創業の繊維問屋「綿屋半七」が母体。名古屋の名門企業。独立系繊維商社で国内首位、系列商社加えても4番手級。綿花・羊毛などの原料から原糸、繊維製品まで扱う総合力に強み。異業種との協業に積極姿勢。共同配送推進。欧・米・亜に13拠点。

●エントリー情報と採用プロセス●

【受付開始～終了】㊍3月～5月【採用プロセス】㊍Web適性検査(3月～)→Web説明会(3月)→1次GD面接(3月～)→自己紹介書提出・2次面接(4月～)→C-GAB受験・大規模懇親会(4月～)→3次面接(4～5月)→最終前面談(5月)→最終面接(5月～)→内々定【交通費支給】最終面接、遠方者のみ(一定額)【早期選考】⇒巻末

試験情報

重視科目 ㊍面接

㊍ ES ⇒巻末 筆 C-GAB 玉手箱 OPQ Web性格検査(自社オリジナル) 面 4回(Webあり) GD作 ⇒巻末

選考ポイント ㊍ ES 論理性 人柄 情熱 丁寧さ 面 人間性 素直さ コミュニケーション能力 意欲・向上心 他

通過率 ㊍ ES 選考なし(受付:NA)

倍率(応募/内定) ㊍NA

●男女別採用数と配属先ほか●

【男女・文理別採用実績】

	大卒男	大卒女	修士男	修士女
23年	11(文 11 理 0)	22(文 22 理 0)	0(文 0 理 0)	0(文 0 理 0)
24年	7(文 7 理 0)	31(文 31 理 0)	0(文 0 理 0)	0(文 0 理 0)
25年	14(文 14 理 0)	35(文 34 理 1)	0(文 0 理 0)	0(文 0 理 0)

※25年:24年8月28日時点

【25年4月入社者の採用実績校】
文(大)青学大4 立命館大3 関西学大 同大 関大 明大 南山大各2 慶大 早大 明学大 法政大 学習院大 東京外大 大阪市大 国際ファッション専門職大各1 理(大)関西学大1

【24年4月入社者の配属先】
㊍勤務地:東京13 名古屋5 浜松1 部署:営業19

●給与、ボーナス、週休、有休ほか●

【30歳総合職平均年収】NA【初任給】(修士)260,000円(大卒)260,000円【ボーナス(年)】NA【25、30、35歳賃金】NA【週休】完全2日(土日祝)【夏期休暇】連続3日【年末年始休暇】12月30日～1月4日【有休取得】11.8／20日

●従業員数、勤続年数、離職率ほか●

【男女別従業員数、平均年齢、平均勤続年数】計 573(35.6歳 12.2年) 男 297(39.4歳 15.6年) 女 276(31.5歳 8.6年)【離職率と離職者数】5.9%、36名【3年後新卒定着率】72.4%(男63.6%、女77.8%、3年前入社:男11名・女18名)【組合】あり

求める人材 主体性・好奇心・行動力・かわいげ・安定感・意図を汲み取る力のある人(これらは一例 個性を尊重)

会社データ (金額は百万円)

【本社】460-8671 愛知県名古屋市中区錦2-15-15
☎052-204-7711 https://www.toyoshima.co.jp/
【社長】豊島 半七【設立】1918.6【資本金】3,000【今後力を入れる事業】雑貨・ヘルスケア商材等のライフスタイル事業 SDGsへの貢献のためのDX推進

【業績(単独)】	売上高	営業利益	経常利益	純利益
22.6	192,086	4,121	5,713	5,389
23.6	224,892	7,188	9,044	5,639
24.6	220,210	8,845	11,621	8,098

(ていじん)
帝人フロンティア(株)

株式公開 未定

【特色】帝人の繊維事業中核。商社とメーカーの機能持つ

修士・大卒採用数	3年後離職率	有休取得年平均	平均年収(平均44歳)
27名	10.7→7.1%	13.7日	(総)929万円

残業(月) 9.0時間 (総)9.9時間

記者評価 帝人商事と日商岩井アパレルの合併で誕生。衣料繊維事業、産業資材事業を展開。高機能繊維素材「ソロテックス」など独自開発品も。産業資材は水処理フィルター向け短繊維、自動車関連部材などを展開。台湾、フィリピン、バングラディシュに駐在員事務所。

●エントリー情報と採用プロセス●

【受付開始～終了】(総)3月～5月 (技)2月～4月【採用プロセス】(総)Web説明会(必須、3月～)→ES提出・Webテスト(3～4月)→面接(3回、4～5月)→内々定(5月) (技)Web説明会(必須、2月～)→ES提出・Webテスト(2～3月)→面接(3回、3～4月)→内々定(4月)【交通費支給】最終面接、実費【早期選考】⇒巻末

試験情報

重視科目 (総)(技)NA

(総)(技)(ES)NA(筆)玉手箱 適性検査 他(面)3回(Webあり)

選考ポイント (総)(技)(ES)どの様な経験をし、どの様に解決してきたか(面)当社との相性 熱意 体力 健全性 コミュニケーション力

通過率 (総)(ES)27%(受付:(早期選考含む)647→通過:(早期選考含む)174) (技)(ES)35%(受付:(早期選考含む)52→通過:(早期選考含む)18)

倍率(応募/内定) (総)(早期選考含む)38倍 (技)(早期選考含む)17倍

●男女別採用数と配属先ほか●

【男女・文理別採用実績】※25年:継続中

	大卒男	大卒女	修士男	修士女
23年	3(文 2理 1)	2(文 2理 0)	3(文 0理 3)	2(文 0理 2)
24年	8(文 6理 2)	5(文 4理 1)	1(文 0理 1)	4(文 1理 3)
25年	10(文 10理 0)	14(文 14理 0)	2(文 0理 2)	1(文 0理 1)

【25年4月入社者の採用実績校】(文)(大)同大3 関西学大 関大 法政大 明大各2 甲南大 上智大 成城大 東京外大 立命館大各1 (理)(院)京都工繊大 福井大 ゲント大各1

【24年4月入社者の配属先】
(総)勤務地:大阪市11 東京・新橋3 名古屋1 部署:営業15 (技)勤務地:大阪市3 部署:技術開発系3

●給与、ボーナス、週休、有休ほか●

【30歳総合職平均年収】630万円【初任給】(博士)264,000円 (修士)264,000円 (大卒)252,000円【ボーナス(年)】314万円、7.8カ月【25、30、35歳賃金】250,462円→325,857円→404,200円【週休】完全2日(土日祝)【夏期休暇】有休取得奨励・促進(原則5日間)【年末年始休暇】12月30日～1月3日【有休取得】13.7／20日

●従業員数、勤続年数、離職率ほか●

【男女別従業員数、平均年齢、平均勤続年数】計 865(44.5歳 17.3年) 男 510(46.6歳 17.9年) 女 355(41.5歳 16.4年)【離職率と離職者数】2.7%、24名【3年後新卒定着率】92.9%(男100%、女83.3%、3年前入社:男8名・女6名)【組合】あり

求める人材 多様な価値観を受け入れながら、課題に対して自分の最適解を導きだせる人 "自分"を理解し、自らの言葉で自信をもって話せる人

会社データ (金額は百万円)

【本社】530-8605 大阪府大阪市北区中之島3-2-4 中之島フェスティバルタワー・ウエスト
☎06-6233-2600　https://www2.teijin-frontier.com/
【社長】平田 恭成【設立】2001.4【資本金】2,000【今後力を入れる事業】高機能素材 高付加価値商品 海外展開(海外売上高の拡大)

【業績(単独)】	売上高	営業利益	経常利益	純利益
22.3	181,593	2,633	1,960	2,045
23.3	201,836	3,365	3,242	3,115
24.3	200,450	4,458	5,004	3,824

(ジーエスアイ)
(株)ＧＳＩクレオス

東京P 8101

【特色】繊維と工業製品中心の専門商社。原糸などが柱

修士・大卒採用数	3年後離職率	有休取得年平均	平均年収(平均44歳)
16名	0→0%	12.4日	(総)738万円

残業(月) 10.0時間

記者評価 1931年横浜で創業。生糸などの対米輸出で出発、繊維や工業製品の専門商社へ。原糸や生地、化学品の取り扱いが主力。半導体製造装置や関連部材も成長。ブラジルの透析クリニック事業では周辺国での透析装置拡販も。インド・ベトナムに現法設立などアジア強化。

●エントリー情報と採用プロセス●

【受付開始～終了】(総)3月～6月【採用プロセス】(総)説明会(任意、3月)→ES提出(3月)→GD(4月)→適性検査(4月)→面接(3回、4～5月)→内々定(5月)【交通費支給】最終面接、実費

試験情報

重視科目 (総)面接

(総)(ES)⇒巻末(筆)適性検査(Web)(面)3回(Webあり)(GD作)⇒巻末

選考ポイント (総)(ES)志望動機、自己PRが具体的かつ明確か(面)自分の言葉で、熱意があるか

通過率 (総)(ES)68%(受付:546→通過:374)

倍率(応募/内定) (総)46倍

●男女別採用数と配属先ほか●

【男女・文理別採用実績】

	大卒男	大卒女	修士男	修士女
23年	4(文 3理 1)	6(文 6理 0)	0(文 0理 0)	0(文 0理 0)
24年	9(文 9理 0)	3(文 3理 0)	1(文 0理 1)	0(文 0理 0)
25年	5(文 4理 1)	10(文 9理 1)	1(文 0理 1)	0(文 0理 0)

【25年4月入社者の採用実績校】
(文)(大)東洋大 関西学大各2 法政大 上智大 大阪府大 立教大 愛知県大 青学大 明大 広島市大 海外大各1 (理)(院)芝工大1 (大)神戸大 甲南大各1

【24年4月入社者の配属先】
(総)勤務地:東京4 神奈川1 大阪8 部署:営業10 ナノテクノロジー開発室1 人事1 営業経理1

●給与、ボーナス、週休、有休ほか●

【30歳総合職モデル年収】600万円【初任給】(修士)260,000円 (大卒)240,000円【ボーナス(年)】202万円、5.5カ月【25、30、35歳賃金】264,500円→305,100円→350,000円【週休】完全2日(土日祝)【夏期休暇】有休で取得【年末年始休暇】12月30日～1月3日【有休取得】12.4／20日

●従業員数、勤続年数、離職率ほか●

【男女別従業員数、平均年齢、平均勤続年数】計 295(41.9歳 15.7年) 男 163(43.4歳 17.0年) 女 132(39.7歳 14.1年)【離職率と離職者数】2.6%、8名【3年後新卒定着率】100%(男100%、女100%、3年前入社:男4名・女1名)【組合】あり

求める人材 当社の存在意義(パーパス)に共鳴し、ともに実現を目指してくれる人

会社データ (金額は百万円)

【本社】105-0014 東京都港区芝3-8-2 芝公園ファーストビル
☎03-5418-2120　https://www.gsi.co.jp/
【社長】吉永 直明【設立】1931.10【資本金】7,186【今後力を入れる事業】環境、生活・健康、エネルギーをはじめとするサステナブル事業

【業績(連結)】	売上高	営業利益	経常利益	純利益
22.3	111,829	2,008	1,882	1,638
23.3	131,054	1,829	1,787	1,769
24.3	146,194	2,881	2,999	2,019

㈱ヤギ

東京S 7460

【特色】老舗の繊維専門商社。東京への営業シフト加速

修士・大卒採用数	3年後離職率	有休取得年平均	平均年収(平均41歳)
13名	47.4→28.6%	11.1日	[総]906万円

残業(月) 19.2時間 [総]23.2時間

記者評価 1893年(明治26年)創業の老舗繊維専門商社。大阪地盤だが東京への営業シフト加速させ、東西2本社制。綿・合繊糸などの繊維原料から生地、アパレル、寝装品・インテリア商品や産業繊維資材まで取り扱う。3Dデザインなどの米スタートアップと提携関係構築。

●エントリー情報と採用プロセス●

【受付開始～終了】[総]3月～6月【採用プロセス】[総]ES提出(3月)→面接(3回、3～5月)・Webテスト(4月)→内々定(5月)【交通費支給】最終面接、全額

試験情報

重視科目 [総]面接

[総][ES]⇒巻末[筆]C-GAB WebGAB[面]3回(Webあり)

選考ポイント [総][ES]NA(提出あり)[面]求める人材像を満たしているかどうか

通過率 [総][ES]40%(受付:563→通過:228)

倍率(応募/内定) [総]43倍

●男女別採用数と配属先ほか●

【男女・文理別採用実績】

	大卒男	大卒女	修士男	修士女
23年	2(文 1理 1)	4(文 4理 0)	0(文 0理 0)	0(文 0理 0)
24年	11(文 11理 0)	1(文 1理 0)	0(文 0理 0)	1(文 1理 0)
25年	12(文 12理 0)	1(文 1理 0)	0(文 0理 0)	0(文 0理 0)

【25年4月入社者の採用実績校】

[文](大)関大2 阪大 横国大 横浜市大 関西学大 京産大 慶大 産能大 専大 中大 早大 フランクリンピアス大各1 [理]なし

【24年4月入社者の配属先】

[総]勤務地:東京6 大阪7 部署:営業11 物流1 人事1

●給与、ボーナス、週休、有休ほか●

【30歳総合職平均年収】775万円【初任給】(大卒)250,000円【ボーナス(年)】228万円、5.8カ月【25、30、35歳賃金】NA【週休】完全2日(土日祝)【夏期休暇】特別休暇2日(連続、非連続の選択可)【年末年始休暇】12月28日～1月3日(有休計画的付与2日含む)【有休取得】11.1/20日

●従業員数、勤続年数、離職率ほか●

【男女別従業員数、平均年齢、平均勤続年数】計 281(39.8歳 15.1年) 男 171(41.9歳 16.3年) 女 110(36.6歳 13.3年)【離職率と離職者数】8.2%、25名【3年後新卒定着率】71.4%(男63.6%、女100%、3年前入社:男11名・女3名)【組合】あり

求める人材 (1)愚直さ・貪欲さを持っている人材(2)聞く力・伝える力を使い分ける事ができる人材(3)応援される人柄を持った人材

会社データ (金額は百万円)

【本社】540-8660 大阪府大阪市中央区久太郎町2-2-8
☎06-6266-7300 https://www.yaginet.co.jp/
【社長】八木 隆夫【設立】1918.4【資本金】1,088【今後力を入れる事業】NA

【業績(連結)】	売上高	営業利益	経常利益	純利益
22.3	77,524	1,126	1,357	366
23.3	86,422	1,943	1,952	1,013
24.3	82,846	3,181	3,205	2,075

スタイレム瀧定大阪㈱

たきさだおおさか

株式公開 計画なし

【特色】老舗の大手繊維商社。服地とアパレルが2本柱

修士・大卒採用数	3年後離職率	有休取得年平均	平均年収(平均41歳)
19名	16.7→30.0%	8.4日	[総]921万円

残業(月) 13.3時間 [総]16.6時間

記者評価 1864年創業の名門繊維問屋「瀧定」が母体。21年スタイレムと合併して現体制。テキスタイル、アパレル製品、ライフスタイル、原料の4事業を推進。服地は国内首位。新商品、新サービス開発強化。伊テキスタイルメーカーと提携。海外は中国、米欧などに拠点。

●エントリー情報と採用プロセス●

【受付開始～終了】[総]2月～3月【採用プロセス】[総]Web説明会(任意、1～3月)→ES提出・Webテスト(2月中旬・3月下旬)→Web面接(1～2回、3～4月末)→対面面接(2回、3月中旬～5月下旬)→内々定【交通費支給】対面面接、全額【早期選考】⇒巻末

試験情報

重視科目 [総]面接

[総][ES]⇒巻末[筆]WebGAB WebRAB[面]3～4回(Webあり)

選考ポイント [総][ES]活動内容が分かり易く具体的に書けているか[面]コミュニケーション能力 地頭の良さ ヴァイタリティ ストレス耐性 好奇心 柔軟性

通過率 [総][ES]約44%(受付:約900→通過:約400)

倍率(応募/内定) [総]約26倍

●男女別採用数と配属先ほか●

【男女・文理別採用実績】

	大卒男	大卒女	修士男	修士女
23年	9(文 9理 0)	5(文 5理 0)	1(文 0理 1)	0(文 0理 0)
24年	11(文 10理 1)	5(文 5理 0)	1(文 0理 1)	0(文 0理 0)
25年	12(文 12理 0)	6(文 6理 0)	0(文 0理 0)	1(文 1理 0)

【25年4月入社者の採用実績校】

[文](院)早大1(大)同大3 立教大 立命館大各2 学習院大 関大 近大 滋賀大 上智大 専大 早大 大阪教大 阪大 兵庫県大 立命館APU各1(専)上田安子1 [理]なし

【24年4月入社者の配属先】

[総]NA

●給与、ボーナス、週休、有休ほか●

【30歳総合職平均年収】732万円【初任給】(大卒)270,000円【ボーナス(年)】419万円、9.22カ月【25、30、35歳賃金】280,667円→325,682円→381,000円【週休】完全2日(土日祝)【夏期休暇】連続3日+2日の有休利用推進【年末年始休暇】連続5日【有休取得】8.4/20日

●従業員数、勤続年数、離職率ほか●

【男女別従業員数、平均年齢、平均勤続年数】計 517(41.9歳 14.7年) 男 275(42.5歳 15.7年) 女 242(41.2歳 13.7年)【離職率と離職者数】8.0%、45名【3年後新卒定着率】70.0%(男71.4%、女66.7%、3年前入社:男7名・女3名)【組合】なし

求める人材 人生に欲張りな人

会社データ (金額は百万円)

【本社】556-0017 大阪府大阪市浪速区湊町1-2-3 マルイト難波ビル11階
☎06-4396-6515 https://www.stylem.co.jp/
【社長】瀧 隆太【設立】2001.8【資本金】1,500【今後力を入れる事業】事業の海外展開

【業績(連結)】	売上高	営業利益	経常利益	純利益
22.1	69,136	2,503	NA	NA
23.1	76,919	3,544	NA	NA
24.1	79,292	4,542	NA	NA

1688 ▶『業界地図』p.132,284　開示 ★★★★☆

いとうちゅう 伊藤忠エネクス(株)

[東京P] 8133

【特色】伊藤忠系の燃料商社。電力、SSや中古車販売も

修士・大卒採用数	3年後離職率	有休取得年平均	平均年収(平均41歳)
13名	16.7→15.4%	17.7日	[総]1,034万円

●エントリー情報と採用プロセス●

【受付開始～終了】[総]3月～6月【採用プロセス】[総]ES提出・Webテスト(3～6月)→面接(3回、4～6月)→内々定【交通費支給】最終面接、実費【早期選考】⇒巻末

試験情報

[重視科目] [総]面接

[総][ES]⇒巻末[筆]WebGAB[面]3回(Webあり)

[選考ポイント] [総][ES]適性検査と併せて総合的に判断[面]自責性 意思疎通能力 他

[通過率] [総][ES]18%(受付:3,496→通過:622)

[倍率(応募/内定)] [総]318倍

●男女別採用数と配属先ほか●

【男女・文理別採用実績】

	大卒男	大卒女	修士男	修士女
23年	9(文 5理 4)	10(文 10理 0)	5(文 0理 5)	2(文 2理 0)
24年	9(文 8理 1)	4(文 4理 0)	1(文 0理 1)	3(文 0理 3)
25年	5(文 5理 0)	4(文 4理 0)	4(文 0理 4)	0(文 0理 0)

【25年4月入社者の採用実績校】
[文](大)早大 同大各2 ICU 明大 神戸大 慶大 学習院大各1 [理](院)東北大 東京科学大 横国大 愛媛大各1

【24年4月入社者の配属先】
[総]**勤務地**:東京・千代田17 **部署**:営業15 管理2

残業(月) 7.6時間 [総]8.0時間

[記者評価] 石油製品卸や直営給油所の運営、産業用燃料販売、家庭へのLPガス供給が主力。独自ブランドのスタンド販売網を形成。発電および電力小売りや車の販売まで手がける。環境対応事業に注力。旧ビッグモーター承継会社に出資し、再生支援に人員派遣。

●給与、ボーナス、週休、有休ほか●

【30歳総合職平均年収】675万円【初任給】(修士)269,000円 (大卒)260,000円【ボーナス(年)】364万円、7.5カ月【25、30、35歳賃金】255,818円→320,444円→385,000円【週休】完全2日(土日祝)【夏期休暇】有休で取得【年末年始休暇】12月29日～1月3日【有休取得】17.7／20日

●従業員数、勤続年数、離職率ほか●

【男女別従業員数、平均年齢、平均勤続年数】計 640(42.3歳 17.2年) 男 497(43.6歳 18.8年) 女 143(37.7歳 12.1年)【離職率と離職者数】4.8%、32名【3年後新卒定着率】84.6%(男80.0%、女90.9%、3年前入社:男15名・女11名)【組合】あり

[求める人材] 社会のパートナーとして、自ら、新たな発想で考え、果敢に行動し、成し遂げる人

[会社データ]　(金額は百万円)

【本社】100-6028 東京都千代田区霞が関3-2-5 霞が関ビルディング
☎03-4233-8000　https://www.itcenex.com/
【社長】吉田 朋史【設立】1961.1【資本金】19,878【今後力を入れる事業】環境事業

【業績(IFRS)】	営業収益	営業利益	税前利益	純利益
22.3	936,306	20,929	22,241	13,194
23.3	1,012,018	21,368	23,036	13,832
24.3	963,302	23,587	24,687	13,887

いわたにさんぎょう 岩谷産業(株)

[東京P] 8088

【特色】産業・家庭用ガスの商社。LPガス販売で国内首位

修士・大卒採用数	3年後離職率	有休取得年平均	平均年収(平均40歳)
73名	14.3→9.5%	9.9日	970万円

●エントリー情報と採用プロセス●

【受付開始～終了】[総][技]3月～4月【採用プロセス】[総][技]ES提出(3～4月)→適性検査(4～5月)→面接(複数回、5～6月)→内々定(6月)【交通費支給】最終面接、実費【早期選考】⇒巻末

試験情報

[重視科目] [総][技]全て

[総][技][ES]⇒巻末[筆]YG検査 他[面]複数回(Webあり)[GD作]NA

[選考ポイント] [総][技][ES]NA(提出あり)[面]NA

[通過率] [総][技][ES]NA

[倍率(応募/内定)] [総][技]NA

●男女別採用数と配属先ほか●

【男女・文理別採用実績】※25年:24年8月末時点

	大卒男	大卒女	修士男	修士女
23年	25(文 21理 4)	38(文 37理 1)	12(文 0理 12)	5(文 2理 3)
24年	32(文 26理 6)	36(文 33理 3)	9(文 0理 9)	2(文 0理 2)
25年	32(文 30理 2)	26(文 24理 2)	13(文 1理 12)	2(文 0理 2)

【25年4月入社者の採用実績校】[文](24年)(院)神戸大1(大)関大6 立命館大3 青学大 関西学大 日大 明大各2 近大 慶大 滋賀大 上智大 専大 中大 筑波大 都立大 富山大 横浜市大 横国大 立教大 早大各1 [理](24年)(院)東理大3 阪大2 秋田大 茨城大 九大 京都工繊大 東京農工大 長崎大各1(大)滋賀大2 岡山大 学習院大 日大 横国大 早大各1

【24年4月入社者の配属先】
[総]**勤務地**:札幌1 群馬・前橋1 さいたま3 東京(港13 中央1)神奈川・厚木1 名古屋1 石川・金沢2 大阪市14 広島3 福岡3 **部署**:営業部門43 [技]**勤務地**:大阪市2 兵庫・尼崎4 **部署**:研究所4 技術・エンジニアリング本部2

残業(月) 14.1時間

[記者評価] LPガス販売の国内最大手。卸販売のほか家庭向けガスコンロ製造も。酸素、窒素、水素、ヘリウムなど各種産業ガスに強い。特に水素事業には力を入れ、液化水素を用いた水素ステーションの拡大を継続。コスモエネルギーホールディングスは持分法適用会社。

●給与、ボーナス、週休、有休ほか●

【30歳総合職平均年収】NA【初任給】(修士)305,000円(大卒)275,000円【ボーナス(年)】NA、6.05カ月【25、30、35歳賃金】NA【週休】完全2日(土日祝)【夏期休暇】5日【年末年始休暇】12月30日～1月4日【有休取得】9.9／20日

●従業員数、勤続年数、離職率ほか●

【男女別従業員数、平均年齢、平均勤続年数】計 1,321(39.6歳 15.3年) 男 921(41.9歳 17.1年) 女 400(34.3歳 11.2年)【離職率と離職者数】NA【3年後新卒定着率】90.5%(男88.6%、女92.9%、3年前入社:男35名・女28名)【組合】あり

[求める人材] 最後までやり抜くねばり強さと、人を惹きつけるコミュニケーション力を兼ね備えている人材

[会社データ]　(金額は百万円)

【本社】105-8458 東京都港区西新橋3-21-8
☎03-5405-5717　https://www.iwatani.co.jp/
【社長】間島 寛【設立】1945.2【資本金】35,096【今後力を入れる事業】基幹事業(総合エネルギー・産業ガス)水素エネルギー事業 海外事業

【業績(連結)】	売上高	営業利益	経常利益	純利益
22.3	690,392	40,076	46,413	29,964
23.3	906,261	40,035	47,011	32,022
24.3	847,888	50,635	66,202	47,363

774 ▶『業界地図』p.28,284　開示 ★★☆☆☆

三愛オブリ(株)（さんあい）

東京P 8097

【特色】石油製品販売大手。羽田空港で給油事業

修士・大卒採用数	3年後離職率	有休取得年平均	平均年収(平均45歳)
20名	28.0→23.3%	11.9日	［総］1,096万円

●エントリー情報と採用プロセス●

【受付開始～終了】［総］［技］3月～5月【採用プロセス】［総］［技］説明会(必須、3月)→ES提出・SPI(3月)→WebGD(3月)→Web面接(3月)→役員面接(4月)→最終面接(5月)→内々定(5月)【交通費支給】役員面接以降、最終面接:実費 役員面接:遠方者のみ【早期選考】⇒巻末

試験情報

重視科目 ［総］［技］面接

［総］［技］［ES］⇒巻末［筆］SPI3(自宅) 適性検査［面］3回(Webあり)［GD作］NA

選考ポイント ［総］［面］人物重視 求める人材と相違がないか ［技］［ES］NA(提出あり)［面］総合職共通

通過率 ［総］［ES］選考なし(受付:(技術系含む)323)［技］［ES］選考有無NA(受付:事務系に含む→通過:事務系に含む)

倍率(応募/内定) ［総］(技術系含む)6倍 ［技］—

●男女別採用数と配属先ほか●

【男女・文理別採用実績】※25年:24年8月1日時点

	大卒男	大卒女	修士男	修士女
23年	7(文 3理 4)	8(文 7理 1)	0(文 0理 0)	0(文 0理 0)
24年	19(文 13理 6)	6(文 2理 4)	0(文 0理 0)	0(文 0理 0)
25年	14(文 12理 2)	6(文 5理 1)	0(文 0理 0)	0(文 0理 0)

【25年4月入社者の採用実績校】
［文］(大)日大2 桜美林大 大阪経大 関西学大 近大 成蹊大 拓大 中大 中部大 東京外大 東京女大 法政大 北海学園大 明大 立教大 立命館大各1 ［理］(大)近大 千歳科技大 日大各1(専)国際航空 佐賀工専各3 成田国際航空2 日航大北海道1

【24年4月入社者の配属先】［総］**勤務地**:東京(大手町5 大井町2) 北海道3 大阪3 福岡3 神奈川1 埼玉1 名古屋1 **部署**:人材開発1 経理1 情シス1 営業事務1 研究1 営業14 ［技］**勤務地**:東京・大田13 **部署**:航空関連・給油9 施設4

残業(月) 8.2時間 ［総］4.0時間

記者評価 ガソリン、LPガス、航空機燃料など石油製品販売大手。給油所等でObbli(オブリ)ブランドを展開。ガソリンスタンドは全国1000カ所を超すネットワーク。羽田空港では給油施設運営を一手に手がける。化学品製造販売も。22年4月から現社名。傘下にキグナス石油。

●給与、ボーナス、週休、有休ほか●

【30歳総合職平均年収】759万円【初任給】(修士)273,000円(大卒)260,000円【ボーナス(年)】332万円、8.52カ月【25、30、35歳賃金】336,866円→386,085円→490,749円【週休】完全2日(土日祝)【夏期休暇】有休で取得【年末年始休暇】12月31日～1月3日【有休取得】11.9／20日

●従業員数、勤続年数、離職率ほか●

【男女別従業員数、平均年齢、平均勤続年数】計 448(41.7歳 17.8年) 男 395(42.4歳 18.5年) 女 53(36.9歳 12.6年) ※出向者含む【離職率と離職者数】4.9%、23名【3年後新卒定着率】76.7%(男82.6%、女57.1%、3年前入社:男23名・女7名)【組合】なし

求める人材 相手の立場に立ち、何事にも積極的に挑戦できる人 自ら考え、周囲を巻き込んで行動できる人

会社データ (金額は百万円)

【本社】100-8154 東京都千代田区大手町2-3-2 大手町プレイス イーストタワー
☎03-6880-3100　https://www.san-ai-obbli.com/
【社長】集田 洋【設立】1947.1【資本金】10,127【今後力を入れる事業】既存事業の変革 積極的な成長投資

【業績(連結)】	売上高	営業利益	経常利益	純利益
22.3	598,731	12,067	13,120	8,308
23.3	647,833	15,211	16,038	10,901
24.3	659,588	16,873	17,741	11,217

N X 商事(株)（エヌエックスしょうじ）

株式公開 未定

【特色】日通系商社。エネルギーを軸に複合物流展開

修士・大卒採用数	3年後離職率	有休取得年平均	平均年収(平均43歳)
80名	24.1→15.4%	14.7日	［総］793万円

●エントリー情報と採用プロセス●

【受付開始～終了】［総］3月～7月【採用プロセス】［総］ES提出(3月～)→Web適性検査・面接(3回)→内々定【交通費支給】最終面接、実費【早期選考】⇒巻末

試験情報

重視科目 ［総］面接

［総］［ES］⇒巻末［筆］WebGAB OPQ［面］3回(Webあり)

選考ポイント ［総］［ES］文章に論理性があるか［面］責任感 コミュニケーション能力 行動力 適応力 熱意の有無

通過率 ［総］［ES］97%(受付:508→通過:495)

倍率(応募/内定) ［総］6倍

●男女別採用数と配属先ほか●

【男女・文理別採用実績】

	大卒男	大卒女	修士男	修士女
23年	28(文 28理 0)	17(文 17理 0)	1(文 0理 1)	0(文 0理 0)
24年	58(文 52理 6)	22(文 22理 0)	0(文 0理 0)	0(文 0理 0)
25年	50(文 -理 -)	30(文 -理 -)	-(文 -理 -)	-(文 -理 -)

【25年4月入社者の採用実績校】［文］(24年)(大)流経大7 日大4 愛知学大 立教大 獨協大各3 学習院大 関大 関東学院大 下関市大 成蹊大 清泉女大 帝京大 南山大 武蔵野大 法政大 明学大 大東文化大各2 宇都宮大 静岡県大 兵庫県大 青学大 大阪大谷大 大阪産大 神奈川大 関西外大 関西学大 共立女大 国士舘大 駒澤大 昭和女大 上智大 城西大 西武文理大 摂南大 専大 中京大 東海大 名古屋商大 日体大 広島修道大 明星大 武蔵大 明大 目白大 立正大 龍谷大 レイクランド大各1 ［理］(24年)(大)日大2 佐賀大 専大 東京工科大 南山大各1(専)横浜テクノオート 読売自動車大学校 春日部高等技術 二戸高等技術各1

【24年4月入社者の配属先】［総］**勤務地**:札幌4 仙台5 東京47 名古屋5 新潟1 大阪8 広島6 福岡4 **部署**:営業部門75 管理部門5

残業(月) 21.5時間 ［総］22.0時間

記者評価 NXホールディングス傘下。旧日通商事。石油・LPGや物流機材の販売、企業物流一括受託、輸出梱包サービスなど多角展開。エネルギー分野に強い。23年、グループ会社の不動産事業を統合。海外11現法。グループ連携で国際事業を拡大。ダイバーシティ経営を推進。

●給与、ボーナス、週休、有休ほか●

【30歳総合職平均年収】560万円【初任給】(修士)240,900円(大卒)237,900円【ボーナス(年)】226万円、4.818カ月【25、30、35歳賃金】221,360円→301,353円→365,783円【週休】2日(勤務場所によって異なる)【夏期休暇】有休から5日取得【年末年始休暇】12月31日～1月3日【有休取得】14.7／31日

●従業員数、勤続年数、離職率ほか●

【男女別従業員数、平均年齢、平均勤続年数】計 1,963(44.0歳 21.3年) 男 1,527(45.1歳 22.3年) 女 436(40.4歳 18.0年)【離職率と離職者数】2.7%、55名【3年後新卒定着率】84.6%(男85.3%、女83.3%、3年前入社:男34名・女18名)【組合】あり

求める人材 最後までやり遂げようとする意欲と責任感を持った人物

会社データ (金額は百万円)

【本社】105-8338 東京都港区海岸1-14-22
☎0120-37-2242　https://www.nx-shoji.com/
【社長】秋田 進【設立】1958.10【資本金】4,000【今後力を入れる事業】海外市場開拓 新商品・サービス開発 環境

【業績(単独)】	売上高	営業利益	経常利益	純利益
21.12変	217,578	4,813	4,950	2,687
22.12	335,003	8,819	9,211	6,625
23.12	349,270	10,451	10,763	9,677

三谷商事(株)（みたにしょうじ）

東京S 8066

【特色】生コン販売量首位の複合商社。福井が地盤

修士・大卒採用数	3年後離職率	有休取得年平均	平均年収(平均43歳)
24名	①44.4→①27.0%	9.9日	841万円

●エントリー情報と採用プロセス●

【受付開始～終了】[総]11月～5月【採用プロセス】[総]ES提出(12月)→SPI(12月)→Web説明会・作文課題1(12月)→Web社員座談会・作文課題2(1月)→Web1次面接(1月)→最終面接(1月)→内々定(2月)※同プロセスをほかに3回(1月、3月、5月スタート)実施 事務系技術系一括採用【交通費支給】最終面接時、自宅と会場の往復分【早期選考】⇒巻末

試験情報

重視科目 [総]最終面接

[総][ES]⇒巻末[筆]SPI3(会場)[面]2回(Webあり)[GD作]⇒巻末

選考ポイント [総][ES]学生時代の取組み 工夫点 具体性[面]明朗性 積極性 学生時代の成果・経験 資格 コミュニケーション能力 主体性 熱意 素直さ リーダーシップ 海外志向 エリア志向 大手志向 志望業界 継続意思 入社可能性

通過率 [総][ES]85%(受付:1,437→通過:1,228)

倍率(応募/内定) [総]57倍

●男女別採用数と配属先ほか●

【男女・文理別採用実績】※25年:24年8月時点

	大卒男	大卒女	修士男	修士女
23年	16(文 14 理 2)	5(文 5 理 0)	1(文 0 理 1)	0(文 0 理 0)
24年	20(文 16 理 4)	10(文 8 理 2)	1(文 0 理 1)	0(文 0 理 0)
25年	16(文 13 理 3)	6(文 5 理 1)	2(文 0 理 2)	0(文 0 理 0)

【25年4月入社者の採用実績校】[文](大)明大 金沢大各3 関大 立命館大 関西学大各2 神戸大 法政大 大阪府大 中大 中京大 南山大各1 [理](院)福井大2(大)龍谷大2 関大 日大各1

【24年4月入社者の配属先】
[総]勤務地:福井5 東京4 大阪2 愛知2 宮城1 茨城1 千葉1 神奈川1 新潟1 石川1 岐阜1 静岡1 福岡1 部署:営業22 [技]勤務地:福井4 東京2 大阪2 愛知1 部署:SE9

残業(月) 17.8時間 [総]20.5時間

記者評価 建設資材、エネルギー、情報システムが主要事業。生コン、セメント販売が主力。建設用ゴンドラも強い。北陸や神奈川でガソリンスタンドを展開。海外はニッチトップ企業のM&Aを通じて拡大、スパイスや動物性飼料などユニークな事業を展開する。三谷家色が濃い。

●給与、ボーナス、週休、有休ほか●

【30歳総合職平均年収】NA【初任給】(修士)288,000円(大卒)275,000円【ボーナス(年)】NA【25、30、35歳賃金】282,000円→360,000円→408,000円【週休】完全2日(土日祝)【夏期休暇】有休で取得【年末年始休暇】12月30日～1月4日【有休取得】9.9／20日

●従業員数、勤続年数、離職率ほか●

【男女別従業員数、平均年齢、平均勤続年数】計 560(42.7歳 18.6年) 男 449(43.7歳 19.4年) 女 111(38.6歳 15.3年)※出向者含む【離職率と離職者数】—、28名(総合職のみ)【3年後新卒定着率】73.0%(男78.6%、女55.6%、3年前入社:男28名・女9名)※総合職のみ【組合】なし

求める人材 現状に満足せず高い目標を持ち、チャレンジできる人 付加価値を高めることができる人

会社データ (金額は百万円)

【本社】100-0005 東京都千代田区丸の内1-6-5 丸の内北口ビル
☎0120-080-266 https://www.mitani-corp.co.jp/
【社長】三谷 聡【設立】1946.3【資本金】5,008【今後力を入れる事業】グローバル・新規事業

【業績(連結)】	売上高	営業利益	経常利益	純利益
22.3	299,350	20,733	22,688	13,076
23.3	320,281	21,674	24,347	14,864
24.3	324,771	25,938	29,719	18,167

(株)ENEOSフロンティア（エネオス）

株式公開 計画なし

【特色】ENEOS子会社。SSの運営、石油製品販売を手がける

修士・大卒採用数	3年後離職率	有休取得年平均	平均年収(平均42歳)
20名	25.0→15.0%	12.3日	NA

●エントリー情報と採用プロセス●

【受付開始～終了】[総]3月～未定【採用プロセス】[総]履歴書提出→面接(3回、途中Web適性検査1回)→内々定【交通費支給】最終面接、会社基準(往復実費相当)

試験情報

重視科目 [総]面接

[総][ES]⇒巻末[筆]あり(内容NA)[面]3回(Webあり)

選考ポイント [総][面]ENEOSフロンティアで働きたい思いがある人 仕事を前向きにとらえ、絶えず探求し続ける人 お互いを尊重し、協力できる人

通過率 [総][ES]選考なし(受付:NA)

倍率(応募/内定) [総]NA

●男女別採用数と配属先ほか●

【男女・文理別採用実績】

	大卒男	大卒女	修士男	修士女
23年	18(文 17 理 1)	7(文 6 理 1)	0(文 0 理 0)	0(文 0 理 0)
24年	10(文 10 理 0)	5(文 5 理 0)	0(文 0 理 0)	1(文 1 理 0)
25年	-(文 - 理 -)	-(文 - 理 -)	-(文 - 理 -)	-(文 - 理 -)

※25年:20名採用予定

【25年4月入社者の採用実績校】
[文](24年)(院)福島大1(大)立命館APU 共立女大 駒澤大 城西国際大 西南学大 千葉商大各1 [理]なし

【24年4月入社者の配属先】
[総]NA

残業(月) 25.5時間

記者評価 ENEOSの100%出資販売子会社。ENEOSブランドのSSを直営で約540店舗運営し、ガソリン・軽油・灯油など自動車燃料や、タイヤ・バッテリーなどカーメンテ用品を販売。車検、洗車といったサービスも提供。特約店向けの石油製品販売や経営支援も。

●給与、ボーナス、週休、有休ほか●

【30歳総合職平均年収】NA【初任給】(大卒)240,000円【ボーナス(年)】NA【25、30、35歳賃金】NA【週休】完全2日【夏期休暇】なし【年末年始休暇】12月30日～1月3日【有休取得】12.3／20日

●従業員数、勤続年数、離職率ほか●

【男女別従業員数、平均年齢、平均勤続年数】計 ◇2,579(42.1歳 15.6年) 男 2,301(42.3歳 16.1年) 女 278(40.6歳 11.7年)【離職率と離職者数】◇5.6%、152名【3年後新卒定着率】85.0%(男87.5%、女75.0%、3年前入社:男16名・女4名)【組合】なし

求める人材 ENEOSフロンティアで働きたい思いがある人 仕事を前向きにとらえ、絶えず探求し続ける人 お互いを尊重し、協力できる人

会社データ (金額は百万円)

【本社】105-001 東京都港区芝公園2-4-1 芝パークビルB館3階
☎03-6435-8911 https://www.eneos-frontier.co.jp/
【社長】石川 正之【設立】1949.1【資本金】100【今後力を入れる事業】複合店ビジネス 自動車販売・カーリース事業

【業績(単独)】	売上高	営業利益	経常利益	純利益
22.3	263,805	6,846	7,951	5,151
23.3	276,189	6,152	7,115	4,216
24.3	282,839	5,840	6,515	4,016

開示 ★★★

2411

TOKAIグループ

トーカイ

東京P 3167

【特色】東海地盤のLPガス、情報通信会社。宅配水も

修士・大卒採用数	3年後離職率	有休取得年平均	平均年収(平均42歳)
143名	12.9→16.3%	11.4日	[総]679万円

●エントリー情報と採用プロセス●

【受付開始～終了】[総]3月～継続中 [技]3月～7月【採用プロセス】[総][技]説明会・プレ選考(ES・筆記、3月～)→面接(3回)→内々定【交通費支給】最終選考、会社基準【早期選考】⇒巻末

試験情報

重視科目 [総][技]面接

[総][技][ES]⇒巻末[筆]適性検査 TAP[面]3回(Webあり)

選考ポイント [総][技][ES]NA(提出あり)[面]NA

通過率 [総][技][ES]NA 倍率(応募/内定) [総][技]NA

●男女別採用数と配属先ほか●

【男女・文理別採用実績】※25年:143名採用予定

	大卒男	大卒女	修士男	修士女
23年	57(文 39理 18)	18(文 13理 5)	3(文 0理 3)	0(文 0理 0)
24年	82(文 59理 23)	18(文 18理 0)	1(文 0理 1)	1(文 0理 1)
25年	-(文 -理 -)	-(文 -理 -)	-(文 -理 -)	-(文 -理 -)

【25年4月入社者の採用実績校】[文](院)静岡大1(大)常葉大16 静岡県大9 静岡大8 日大5 東洋大 中京大 関東学院大各3 名城大 愛知大 北九州市大 神奈川大 静岡理工科大 成蹊大 専大 獨協大 東京経大 名古屋学院大 静岡産大各2 北大 青学大 東理大 中大 明大 立教大 立命館大 東京都市大 明学大 玉川大 名古屋外大 高崎経大 福島大 尾道市大 龍谷大 南山大 愛知学大 静岡文芸大 東海大 高知大 下関市大 京都外大 創価大 大阪産大 白鴎大 千葉商大 日体大 東海学園大 恵泉女学大 岐阜協大 愛知東邦大各1 [理](大)静岡理工科大6 静岡大4 常葉大 中京大 名城大各2 静岡県大 東洋大 愛知大 神奈川大 武蔵野大 諏訪東理大 近大 駒澤大 東北学大 金沢工大 追手門学大 東京工科大 東京情報大 神奈川工大 名古屋商大 東京通信大各1(専)静岡産業技術5 沼津情報・ビジネス1

【24年4月入社者の配属先】[総]勤務地:静岡43 東京7 千葉4 神奈川3 岐阜3 愛知2 栃木2 埼玉2 群馬1 大阪1 福島1 部署:営業55 事務14 [技]勤務地:静岡24 東京10 福島2 神奈川1 埼玉1 栃木1 部署:SE・NE32 保安工事6 建築・設計1

残業(月) 23.5時間 [総]26.8時間

記者評価 LPガスのザ・トーカイとCATV等のビック東海が11年に統合。LPガス販売を安定収益源とし、情報通信やCATVが成長分野。建築設備不動産関連事業も厚い。LPガスは関東や中京を中心に西日本、九州にも展開。地域密着型で会員制による顧客基盤を拡充。

●給与、ボーナス、週休、有休ほか●

【30歳総合職平均年収】574万円【初任給】(修士)248,800円(大卒)240,000円【ボーナス(年)】163万円、5.108カ月【25、30、35歳賃金】238,206円→274,273円→295,921円【週休】完全2日【夏期休暇】あり【年末年始休暇】あり【有休取得】11.4/20日

●従業員数、勤続年数、離職率ほか●

【男女別従業員数、平均年齢、平均勤続年数】計 4,732(42.1歳 15.9年)男 3,724(43.3歳 16.7年)女 1,008(37.4歳 12.8年)【離職率と離職者数】2.9%、139名【3年後新卒定着率】83.7%(男81.9%、女87.5%、3年前入社:男83名・女40名)【組合】あり

求める人材 積極性があり、何をしていきたいかはっきり言える人 自ら考え自分の言葉で語れる人

会社データ (金額は百万円)

【本社】420-0034 静岡県静岡市葵区常磐町2-6-8 TOKAIビル
☎054-275-0007 https://www.tokaiholdings.co.jp/
【社長】小栗 勝男【設立】(創立)1950.12【資本金】14,000【今後力を入れる事業】エネルギー事業(LPガス・都市ガス)情報通信事業事業 CATV事業

【業績(連結)】	売上高	営業利益	経常利益	純利益
22.3	210,691	15,794	15,907	8,969
23.3	230,190	14,919	13,289	6,465
24.3	231,513	15,511	15,531	8,481

※会社データは㈱TOKAIホールディングスのもの

郵船商事㈱

ゆうせんしょうじ

株式公開 計画なし

【特色】日本郵船系の商社。エネルギーとメカトロが両輪

修士・大卒採用数	3年後離職率	有休取得年平均	平均年収(平均41歳)
4名	50.0→0%	17.2日	[総]743万円

●エントリー情報と採用プロセス●

【受付開始～終了】[総]3月～6月【採用プロセス】[総]説明会(必須、3月～)→ES・WebOPQ提出(～3月)→面接(3回、4月・5月)→内々定(5月)【交通費支給】2次面接以降、2次面接:関東一律1,000円 その他地域一律10,000円 最終面接:関東一律1,000円 その他地域実費

試験情報

重視科目 [総]面接

[総][ES]⇒巻末[筆]OPQ[面]3回(Webあり)

選考ポイント [総][ES]NA(提出あり)[面]コミュニケーション能力 物事に対して積極的であるか 入社後のイメージを自分なりに描けているか

通過率 [総][ES]75%(受付:178→通過:134)

倍率(応募/内定) [総]36倍

●男女別採用数と配属先ほか●

【男女・文理別採用実績】

	大卒男	大卒女	修士男	修士女
23年	1(文 1理 0)	3(文 3理 0)	0(文 0理 0)	0(文 0理 0)
24年	2(文 2理 0)	2(文 2理 0)	0(文 0理 0)	0(文 0理 0)
25年	2(文 2理 0)	2(文 2理 0)	0(文 0理 0)	0(文 0理 0)

【25年4月入社者の採用実績校】
[文](大)中大2 上智大 滋賀県大各1 [理]なし

【24年4月入社者の配属先】
[総]勤務地:東京・品川4 部署:営業3 総務1

残業(月) 16.8時間 [総]16.8時間

記者評価 日本郵船系の商社2社が合併して誕生。エネルギー事業とメカトロ(機械計装)事業が両軸。エネルギー事業は船舶向けの燃料や潤滑油に加え、工場や運送会社向けの重油・灯油などを販売。メカトロ事業は船舶の部品や計測・制御機器などを扱う。LAとロンドンに拠点。

●給与、ボーナス、週休、有休ほか●

【30歳総合職平均年収】653万円【初任給】(修士)259,300円(大卒)250,500円【ボーナス(年)】NA、5.8カ月【25、30、35歳モデル賃金】280,000円→324,000円→404,400円 ※A地区(本社)勤務の場合【週休】完全2日(土日祝)【夏期休暇】5日(有休5日消化後に利用可)【年末年始休暇】12月30日～1月3日【有休取得】17.2/20日

●従業員数、勤続年数、離職率ほか●

【男女別従業員数、平均年齢、平均勤続年数】計 118(41.2歳 14.7年)男 81(43.0歳 16.7年)女 37(37.2歳 10.5年)【離職率と離職者数】2.5%、3名【3年後新卒定着率】100%(男100%、女一、3年前入社:男1名・女0名)【組合】なし

求める人材 熱意、コミュニケーション能力、行動力、適応能力を備えた人

会社データ (金額は百万円)

【本社】140-0002 東京都品川区東品川2-2-20 天王洲オーシャンスクエア
☎03-6803-7901 https://www.nyk-trading.com/
【社長】梅原 慎史【設立】1948.3【資本金】500【今後力を入れる事業】地球環境にやさしいエネルギーの営業活動

【業績(単独)】	売上高	営業利益	経常利益	純利益
22.3	131,942	242	776	646
23.3	191,522	1,039	1,252	814
24.3	167,898	903	1,200	788

開示 ★★★★

2460

すずよしょうじ 鈴与商事(株)

株式公開 計画なし

【特色】鈴与グループ。石油製品、LPガスなどの専門商社

修士・大卒採用数	3年後離職率	有休取得年平均	平均年収(平均31歳)
18名	14.8→17.2%	11.5日	総 720万円

残業(月) 13.1時間 総 19.8時間

記者評価 静岡・清水本拠の鈴与グループの商事部門。石油製品・LPガスなど燃料販売が核。建材・マテリアル事業も展開。静岡県内を中心に再生エネルギー事業も手がけ、18年にJパワーと合弁で電力小売に参入。レノバなどと組み御前崎港でバイオマス発電所を運営。

●エントリー情報と採用プロセス●

【受付開始～終了】総3月～3月 4月～5月【採用プロセス】総座談会・ES提出(3～5月)→適性検査(3～4月)→面接(3回、4～6月)→内々定(5～6月)【交通費支給】最終面接、居住地の最寄駅から会場までの実費【早期選考】⇒巻末

試験情報

重視科目 総面接

総 ES ⇒巻末 筆 SPI3(会場) 面 3回(Webあり)

選考ポイント 総 面 向上心 主体性 他

通過率 総 ES 選考なし(受付:222)

倍率(応募/内定) 総22倍

●給与、ボーナス、週休、有休ほか●

【30歳総合職平均年収】507万円【初任給】(修士)250,000円(大卒)250,000円【ボーナス(年)】201万円、5.79カ月【25、30、35歳賃金】259,125円→297,250円→316,572円【週休】完全2日(土日祝)【夏期休暇】有休で取得【年末年始休暇】連続5日【有休取得】11.5/22日

●男女別採用数と配属先ほか●

【男女・文理別採用実績】

	大卒男	大卒女	修士男	修士女
23年	9(文 8理 1)	4(文 4理 0)	0(文 0理 0)	0(文 0理 0)
24年	15(文 13理 2)	3(文 3理 0)	0(文 0理 0)	0(文 0理 0)
25年	12(文 8理 4)	6(文 5理 1)	0(文 0理 0)	0(文 0理 0)

【25年4月入社者の採用実績校】
文(大)日大2 静岡大 静岡県大 大阪経大 愛知学大 東京家政大 中京大 日体大 駒澤大 上智大 名古屋外大各1 理(大)山梨大 信州大 明大 滋賀大 千葉工大各1

【24年4月入社者の配属先】
総勤務地:静岡(静岡4 沼津1 藤枝2 掛川1 浜松2) 山梨・甲府4 長野・松本1 豊橋1 部署:営業14 経理1 情報システム1

●従業員数、勤続年数、離職率ほか●

【男女別従業員数、平均年齢、平均勤続年数】計 553(40.6歳 14.7年) 男 418(42.0歳 15.6年) 女 135(36.1歳 11.5年)【離職率と離職者数】5.3%、31名【3年後新卒定着率】82.8%(男77.8%、女90.9%、3年前入社:男18名・女11名)【組合】あり

求める人材 ものごとを論理的に考え、自分が取り組むことを、自分事として取り組める人

会社データ (金額は百万円)

【本社】420-0859 静岡県静岡市葵区栄町1-3 鈴与静岡ビル
☎054-273-7751 https://www.suzuyoshoji.co.jp/
【社長】伊藤 正彦【設立】1990.6【資本金】2,000【今後力を入れる事業】DX GX FA電機品 マテリアル

【業績(単独)】	売上高	営業利益	経常利益	純利益
21.8	115,243	▲554	71	▲397
22.8	123,763	▲419	511	▲185
23.8	129,300	▲599	445	522

ともえしょうかい (株)巴商会

株式公開 計画なし

【特色】工業用高圧ガスの専門商社。需要先広範

修士・大卒採用数	3年後離職率	有休取得年平均	平均年収(平均40歳)
45名	17.1→34.8%	9.4日	総 733万円

残業(月) 8.3時間 総 9.6時間

記者評価 業界トップ級の産業ガス専門商社。半導体材料ガス、高純度ガスなど工業用高圧ガスが柱。電子、化学など顧客層広い。医療機関向けに超低温試料保存容器を拡販。横浜研究所で顧客ニーズに対応。シンガポール等に海外拠点。水素にも注力。技術有資格者多い。

●エントリー情報と採用プロセス●

【受付開始～終了】総 技 3月～継続中【採用プロセス】総 技 説明動画視聴またはLIVE説明会(任意、3月～)→ES・グループ面接(3月下旬～)→Web適性・GD(4月中旬～)→個人面接(4月下旬～)→内々定(5月中旬～)【交通費支給】2次試験以降、一律1,000円、遠方者は実費【早期選考】⇒巻末

試験情報

重視科目 総 技 面接

総 技 ES ⇒巻末 筆 適性検査eF-1G 面 2回(Webあり) GD 作 ⇒巻末

選考ポイント 総 技 面 コミュニケーション力・相手の気持ちを考える・自ら考えて行動・素直さ・チャレンジ・理解力を見て判断

通過率 総 ES 選考なし(受付:51) 技 ES 選考なし(受付:11)

倍率(応募/内定) 総 技 3倍

●給与、ボーナス、週休、有休ほか●

【30歳総合職平均年収】518万円【初任給】(修士)244,500円(大卒)<事務職以外>245,500円<事務職>240,500円【ボーナス(年)】NA、5.02カ月【25、30、35歳賃金】243,570円→271,970円→291,050円【週休】2日(年2回土曜出勤)【夏期休暇】なし【年末年始休暇】連続6日【有休取得】9.4/20日

●男女別採用数と配属先ほか●

【男女・文理別採用実績】

	大卒男	大卒女	修士男	修士女
23年	21(文 13理 8)	9(文 8理 1)	1(文 0理 1)	1(文 0理 1)
24年	13(文 8理 5)	11(文 11理 0)	1(文 1理 0)	0(文 0理 0)
25年	30(文 20理 10)	13(文 10理 3)	2(文 0理 2)	0(文 0理 0)

【25年4月入社者の採用実績校】文(24年)(院)帝京大1(大)関東学院大3 茨城キリスト大 広島女学大 江戸川大 昭和女大 神戸学大 聖学大 拓大 東京経大 東京造形大 名古屋学芸大 明星大各1 理(24年)(大)日大3 北見工大 明星大各1

【24年4月入社者の配属先】
総勤務地:東京(大田8 八王子1) 神奈川(横浜1 伊勢原1 藤沢1) 茨城(つくば1 那珂1) 山梨・中巨摩郡1 愛知・東海1 部署:営業12 事務4 技勤務地:東京・大田1 横浜1 千葉・茂原1 山梨・中巨摩郡1 部署:技術1 技術営業1 商品分析1 プラント1

●従業員数、勤続年数、離職率ほか●

【男女別従業員数、平均年齢、平均勤続年数】計 1,005(41.1歳 16.2年) 男 855(42.7歳 17.2年) 女 150(38.7歳 10.6年)【離職率と離職者数】5.3%、56名【3年後新卒定着率】65.2%(男63.2%、女75.0%、3年前入社:男38名・女8名)【組合】なし

求める人材 基本理念「お客様のためになることをする」に共感して自ら考え行動し、挑戦する人

会社データ (金額は百万円)

【本社】144-8505 東京都大田区蒲田本町1-2-5 ネクストサイト蒲田ビル
☎03-3734-1116 http://www.tomoeshokai.co.jp/
【社長】西村 長之【設立】1950.7【資本金】75【今後力を入れる事業】IT エレクトロニクス 水素 環境 医療 海外事業 水産事業 ライフサイエンス

【業績(単独)】	売上高	営業利益	経常利益	純利益
21.8	70,187	3,404	3,776	2,629
22.8	78,750	4,549	5,281	3,380
23.8	89,397	6,945	7,474	5,154

まるべに
丸紅エネルギー(株)

株式公開 計画なし

【特色】丸紅系の燃料専門商社。石油製品全般を供給

修士・大卒採用数	3年後離職率	有休取得年平均	平均年収(平均43歳)
6名	16.7 → 28.6%	13.0日	[総]940万円

●エントリー情報と採用プロセス●

【受付開始～終了】[総]4月～5月【採用プロセス】[総]説明会(必須、4月上旬～5月上旬)→1次面接(5月中旬)→Web試験(5月下旬)→2次面接(6月上旬)→最終面接(6月中旬)→内々定(6月下旬)【交通費支給】最終面接、実費

試験情報

重視科目 [総]面接

[総][ES]⇒巻末[筆]DPI DBIT DIST Web(自宅受験)[面]3回(Webあり)

選考ポイント [総][面]コミュニケーション能力 論理的思考 業界志向 発想力 創造力 学生らしさ

通過率 [総][ES]選考なし(受付:560)

倍率(応募/内定) [総]80倍

●男女別採用数と配属先ほか●

【男女・文理別採用実績】

	大卒男	大卒女	修士男	修士女
23年	5(文 5理 0)	3(文 3理 0)	0(文 0理 0)	0(文 0理 0)
24年	6(文 6理 0)	1(文 1理 0)	0(文 0理 0)	0(文 0理 0)
25年	3(文 3理 0)	3(文 3理 0)	0(文 0理 0)	0(文 0理 0)

【25年4月入社者の採用実績校】
[文](大)早大 明大 立教大 獨協大 関西学大 立命館大各1 [理]なし

【24年4月入社者の配属先】
[総]勤務地:東京・富士見7 部署:管理部門3 営業部門4

残業(月) 13.0時間 [総]18.6時間

記者評価 丸紅グループの燃料専門商社。石油元売り大手の出光興産も3分の1を出資する。系列特約店を含む約650カ所のSSを通じてガソリン、軽油、灯油など石油製品を販売。重油など船舶用燃料、LNGなど産業用燃料も扱う。石川県七尾市で太陽光発電に取り組む。

●給与、ボーナス、週休、有休ほか●

【30歳総合職平均年収】755万円【初任給】(修士)245,000円(大卒)240,000円【ボーナス(年)】312万円、7.25カ月【25、30、35歳賃金】258,000円→357,000円→462,000円【週休】完全2日(土日祝)【夏期休暇】リフレッシュ休暇3日(通年で取得可)【年末年始休暇】12月29日～1月3日【有休取得】13.0／20日

●従業員数、勤続年数、離職率ほか●

【男女別従業員数、平均年齢、平均勤続年数】計 181(45.5歳 21.9年) 男 133(45.7歳 22.8年) 女 48(44.8歳 18.9年)【離職率と離職者数】3.2%、6名【3年後新卒定着率】71.4%(男100%、女0%、3年前入社:男5名・女2名)【組合】なし

求める人材 業界としてカーボンニュートラルという大きな変革期を迎える中で、既存ビジネスの深化はもちろんのこと、新たなビジネスにも果敢にチャレンジできる資質を有する人財

会社データ (金額は百万円)

【本社】102-8441 東京都千代田区富士見1-8-19 住友不動産千代田富士見ビル ☎03-6261-8800 https://www.marubeni-energy.co.jp/

【社長】鈴木 康昭【設立】1976.6【資本金】2,350【今後力を入れる事業】卸売 産業用燃料 リテール事業 新規事業

【業績(単独)】	売上収益	営業利益	経常利益	純利益
22.3	34,452	1,384	2,457	1,977
23.3	33,570	1,872	2,665	2,091
24.3	36,609	1,918	2,716	2,085

ほんぶ
トヨタモビリティパーツ(株)本部

株式公開 していない

【特色】自動車用品の専門商社。トヨタグループ

修士・大卒採用数	3年後離職率	有休取得年平均	平均年収(平均42歳)
8名	20.0 → 0%	21.4日	[総]741万円

●エントリー情報と採用プロセス●

【受付開始～終了】[総]3月～4月【採用プロセス】[総]説明会(必須、3月～)→ES提出・筆記(SPI・4月)→面接(3回、4～5月)→内々定(6月)【交通費支給】2次面接以降、実費(上限あり)

試験情報

重視科目 [総]面接

[総][ES]⇒巻末[筆]SPI3(自宅)[面]3回(Webあり)

選考ポイント [総][ES]論理立ててわかりやすく伝えることができるか 特筆する強みやスキル[面]当社理念・事業に強く共感しているか 主体的にチャレンジできるか

通過率 [総][ES]NA

倍率(応募/内定) [総]NA

●男女別採用数と配属先ほか●

【男女・文理別採用実績】

	大卒男	大卒女	修士男	修士女
23年	7(文 7理 0)	4(文 4理 0)	0(文 0理 0)	0(文 0理 0)
24年	6(文 6理 0)	5(文 5理 0)	0(文 0理 0)	0(文 0理 0)
25年	5(文 5理 0)	3(文 3理 0)	0(文 0理 0)	0(文 0理 0)

【25年4月入社者の採用実績校】
[文](大)愛知県大3 愛知大 東海学園大 名古屋商大 南山大 名城大各1 [理]なし

【24年4月入社者の配属先】
[総]勤務地:(23年)名古屋11 部署:(23年)物流部門2 総務部門1 システム部門1 ジェームス部門2 商品部門2 トヨタ部門3

残業(月) 20.2時間 [総]21.4時間

記者評価 トヨタ自動車の連結子会社。カー用品卸売やカー用品店を展開するタクティーに、トヨタ車の補修部品扱う全国33店の部品共販店が合流、20年4月事業開始。トヨタ販売店が49%を出資。商品企画から調達・卸売・小売りまで一貫。カー用品店「ジェームス」をFC展開。

●給与、ボーナス、週休、有休ほか●

【30歳総合職平均年収】563万円【初任給】(大卒)239,500円【ボーナス(年)】NA【25、30、35歳賃金】309,000円→344,000円→402,237円 ※名古屋本部【週休】2日(土日祝)【夏期休暇】有休で取得【年末年始休暇】12月30日～1月3日【有休取得】21.4／20日

●従業員数、勤続年数、離職率ほか●

【男女別従業員数、平均年齢、平均勤続年数】計 436(42.6歳 15.8年) 男 326(44.1歳 16.9年) 女 110(38.2歳 12.5年)【離職率と離職者数】1.1%、5名(早期退職男1名、女1名含む)【3年後新卒定着率】100%(男100%、女100%、3年前入社:男6名・女9名)【組合】なし

求める人材 (全社)失敗を恐れずに改善・チャレンジし、周囲も巻き込み最後までやり遂げられる人

会社データ (金額は百万円)

【本社】456-0023 愛知県名古屋市熱田区六野1-2-9 ☎052-871-1844 https://toyota-mp.co.jp/

【社長】榊原 弘隆【設立】2020.1【資本金】15,000【今後力を入れる事業】マーケティング・ロジスティクス

【業績(単独)】	売上高	営業利益	経常利益	純利益
22.3	598,000	NA	NA	NA
23.3	588,000	NA	NA	NA
24.3	624,800	NA	NA	NA

※会社データはトヨタモビリティパーツ全社の情報

メルセデス・ベンツ日本（合同）

株式公開 計画なし

【特色】独メルセデス・ベンツグループの日本法人

修士・大卒採用数	3年後離職率	有休取得年平均	平均年収(平均45歳)
4名	18.2 → NA	15.6日	NA

●エントリー情報と採用プロセス●

【受付開始～終了】[総]3月～5月【採用プロセス】[総]1Dayインターン(12～1月)→ES提出(3月)→説明会(3月)→1次選考会(4月)→8日間インターン(5月下旬)→内々定(6月上旬)【交通費支給】1次選考会・8日インターン、首都圏外の場合は往復交通費と宿泊費

試験情報

重視科目 [総]英語

[総][ES]⇒巻末[筆]Web(自宅受験)GPS Business[面]NA
[GD作]⇒巻末

選考ポイント [総][ES]英語 車への興味 学生時代に達成したこと 志望動機[面]NA

通過率 [総][ES]NA

倍率(応募/内定) [総]NA

●男女別採用数と配属先ほか●

【男女・文理別採用実績】

	大卒男	大卒女	修士男	修士女
23年	1(文 1理 0)	1(文 1理 0)	0(文 0理 0)	0(文 0理 0)
24年	2(文 2理 0)	1(文 1理 0)	1(文 1理 0)	0(文 0理 0)
25年	3(文 3理 0)	1(文 1理 0)	0(文 0理 0)	0(文 0理 0)

【25年4月入社者の採用実績校】
[文](大)名城大 上智大 中大 デュースブルク・エッセン大各1 [理]なし

【24年4月入社者の配属先】
[総]勤務地：千葉市4 部署：営業職2 技術職1 カスタマーサービス1

残業(月) 20.7時間 [総]20.7時間

[記者評価] メルセデス・ベンツの日本における輸入元。全国のメルセデス・ベンツ正規販売店を通じ製品とサービスを提供。23年は新車販売台数約5.1万台で9年連続の純輸入車トップ。傘下にオートリース・オートローンのメルセデス・ベンツ・ファイナンス。

●給与、ボーナス、週休、有休ほか●

【30歳総合職平均年収】(管理職を除く29～31歳平均)680万円【初任給】(大卒)240,700円【ボーナス(年)】NA【25、30、35歳賃金】270,000円→350,000円→390,000円【週休】完全2日(土日祝)【夏期休暇】連続1週間(特別休日8月13日、有休取得奨励日8月14～16日と週休・祝日を含む)【年末年始休暇】12月27日～1月3日(特別休日12月31日、有休取得奨励日12月27・30日を含む)【有休取得】15.6／20日

●従業員数、勤続年数、離職率ほか●

【男女別従業員数、平均年齢、平均勤続年数】計 314(45.0歳 14.2年) 男 211(47.1歳 14.9年) 女 103(42.9歳 12.9年)【離職率と離職者数】6.8%、23名【3年後新卒定着率】NA【組合】なし

[求める人材] 語学力 コミュニケーション・プレゼン・交渉力 モチベーションの高さ 学生時代にどう過ごしたか

[会社データ]　(金額は百万円)

【本社】261-7108 千葉県千葉市美浜区中瀬2-6-1 ワールドビジネスガーデン マリブウエスト
☎NA　https://www.mercedes-benz.co.jp/
【社長】上野 金太郎【設立】1986.1【資本金】200【今後力を入れる事業】EV車販売 先進運転支援システム

【業績(単独)】	売上高	営業利益	経常利益	純利益
21.12	419,074	14,488	13,261	8,449
22.12	488,810	12,760	13,186	8,892
23.12	547,316	NA	NA	NA

松田産業（株）

東京P 7456

【特色】貴金属リサイクルが主力。食品販売も併営

修士・大卒採用数	3年後離職率	有休取得年平均	平均年収(平均38歳)
51名	17.2 → NA	12.7日	[総]802万円

●エントリー情報と採用プロセス●

【受付開始～終了】[総][技]3月～7月【採用プロセス】[総]説明会(必須、3月～)→面接(2回)→適性検査・能力検査→最終面接→内々定 [技]説明会(必須、3月～)→面接→技術面接→適性検査・能力検査→最終面接→内々定【交通費支給】最終面接、実費【早期選考】⇒巻末

試験情報

重視科目 [総][技]面接

[総][技][筆]スカウター[面]3回(Webあり)

選考ポイント [総][面]求める人物像に一致しているか [技][面]求める人物像に一致しているか 研究・開発・生産に従事する者としての素養(研究への関心・意欲等)

通過率 [総][技][ES]—(応募:NA)　倍率(応募/内定) [総][技]NA

●男女別採用数と配属先ほか●

【男女・文理別採用実績】※25年:計画数

	大卒男	大卒女	修士男	修士女
23年	16(文 11理 5)	11(文 10理 1)	4(文 0理 4)	0(文 0理 0)
24年	21(文 16理 5)	10(文 10理 0)	5(文 0理 5)	2(文 0理 2)
25年	25(文 22理 3)	16(文 15理 1)	9(文 0理 9)	1(文 0理 1)

【25年4月入社者の採用実績校】
[文](大)立教大 関大各3 関西学大 中大 駒澤大 近大 獨協大 南山大各2 お茶女大 明大 法政大 同大 文教大 日大 東洋大 専大 東海大 兵庫県大 長崎県大 高知大 龍谷大 阪南大 甲南大 大阪経法大 杏林大 日女大 神戸女学大各1 [理](院)早大 東京農工大 秋田大 新潟大 金沢大 茨城大 東京薬大 北見工大 豊橋技科大 創価大各1(大)近大2 宮崎大 東京工科大各1

【24年4月入社者の配属先】[総]勤務地：東京25 大阪2 埼玉1 神奈川1 仙台1 長野1 茨城1 広島1 福岡1 部署：営業18 貿易管理2 営業管理1 品質保証1 地金1 CSR1 管理2 システム2 経理1 総務2 人事3 [技]勤務地：埼玉6 部署：技術開発2 工程技術2 生産技術2

残業(月) 23.4時間 [総]23.2時間

[記者評価] 電子部品スクラップから金や銀などの貴金属を回収・製錬し、地金や半導体・電子材料を販売。農水畜産品の輸入・販売など食材商社も。貴金属、食品ともにアジアを軸に海外ネットワークを構築。貴金属事業の強化に向け、福岡県北九州市で工場拡張。

●給与、ボーナス、週休、有休ほか●

【30歳総合職平均年収】661万円【初任給】(修士)252,000円 (大卒)230,000円【ボーナス(年)】232万円、5.6カ月【25、30、35歳モデル賃金】230,000円→277,000円→391,000円【週休】2日(土日祝、指定休)【夏期休暇】連続10日(有休3日含む)【年末年始休暇】12月28日～1月5日【有休取得】12.7／20日

●従業員数、勤続年数、離職率ほか●

【男女別従業員数、平均年齢、平均勤続年数】計 832(38.6歳 12.6年) 男 654(39.2歳 13.6年) 女 178(36.3歳 8.6年)【離職率と離職者数】6.1%、54名【3年後新卒定着率】NA(3年前入社:男24名・女5名)【組合】あり

[求める人材]「創意挑戦」の意欲と「感謝親切」の精神を持って行動できる人財

[会社データ]　(金額は百万円)

【本社】163-0558 東京都新宿区西新宿1-26-2 新宿野村ビル
☎03-5381-0001　https://www.matsuda-sangyo.co.jp/
【社長】松田 芳明【設立】1951.6【資本金】3,559【今後力を入れる事業】NA

【業績(連結)】	売上高	営業利益	経常利益	純利益
22.3	272,292	12,681	13,734	9,558
23.3	351,028	13,818	13,843	9,696
24.3	360,527	9,356	10,551	7,286

▶『業界地図』p.128

開示 ★★☆☆☆ ▶『業界地図』p.192 2547

(株)ハピネット

東京P 7552

【特色】玩具卸の最大手。バンダイナムコグループ

修士・大卒採用数	3年後離職率	有休取得年平均	平均年収(平均*41歳)
39名	(!)25.0→(!)7.1%	13.5日	(総)792万円

残業(月) 22.5時間 (総)22.5時間

記者評価 バンダイナムコグループの一角。玩具・模型玩具、家庭用ゲームの販売や映像・音楽ソフトの企画・製作・販売を手がける。メーカー業を強化中で、映画作品への出資や玩具の自社開発も行う。カプセルトイショップの出店を推進。TOBでブロッコリー社を子会社化。

●エントリー情報と採用プロセス●

【受付開始～終了】(総)3月～6月【採用プロセス】(総)説明会・Webテスト(3～5月)→ES提出(3～6月)→面接(3回、4～7月)→内々定(6～7月)【交通費支給】なし【早期選考】⇒巻末

試験情報

重視科目 (総)面接

(総)(ES)NA(筆)あり(内容NA)(面)3回(Webあり)

選考ポイント (総)(ES)求める人材と合致しているか(面)NA

通過率 (総)(ES)選考なし(受付:NA)

倍率(応募/内定) (総)NA

●男女別採用数と配属先ほか●

【男女・文理別採用実績】

	大卒男	大卒女	修士男	修士女
23年	9(文 9理 0)	12(文 12理 0)	0(文 0理 0)	0(文 0理 0)
24年	19(文 18理 1)	24(文 23理 1)	3(文 1理 2)	0(文 0理 0)
25年	15(文 14理 1)	24(文 23理 1)	0(文 0理 0)	0(文 0理 0)

【25年4月入社者の採用実績校】

(文)(大)明大4 中大 東洋大 法政大各3 関西学大 駒澤大 東京学芸大 同大 日大 立教大各2 青学大 岡山大 京都府大 共立女大 桜美林大 上智大 成城大 成蹊大 早大 大東文化大 東大 立正大各1 (理)(大)明大 都立大各1

【24年4月入社者の配属先】

(総)勤務地:東京45 大阪3 部署:営業30 マーケティング6 経理2 システム3 企画3 人事1 経営企画2 法務1

●給与、ボーナス、週休、有休ほか●

【30歳総合職平均年収】NA【初任給】(修士)NA(大卒)NA【ボーナス(年)】NA【25、30、35歳賃金】NA【週休】完全2日(土日祝)【夏期休暇】2日【年末年始休暇】3日【有休取得】13.5／20日

●従業員数、勤続年数、離職率ほか●

【男女別従業員数、平均年齢、平均勤続年数】計 1,081(40.8歳 14.7年) 男 731(42.6歳 16.7年) 女 350(36.1歳 10.8年) ※グループ計【離職率と離職者数】4.9%、56名【3年後新卒定着率】92.9%(男75.0%、女100%、3年前入社:男4名・女10名) ※グループ計【組合】なし

求める人材 (目指すべき人材)自ら目標・課題を持ち、常に革新を求めて新しい価値を創造できる人

会社データ (金額は百万円)

【本社】111-0043 東京都台東区駒形2-4-5 駒形CAビル
☎03-3847-0409 https://www.happinet.co.jp/
【社長】榎本 誠一【設立】1969.6【資本金】2,751【今後力を入れる事業】流通事業の成長拡大とメーカー事業の選択と集中 中間流通とクリエイティブ機能の強化

【業績(連結)】	売上高	営業利益	経常利益	純利益
22.3	282,441	5,575	5,853	3,554
23.3	307,253	5,842	6,194	3,561
24.3	350,461	8,679	8,974	6,581

※会社データ、エントリー情報、待遇・処遇以外はハピネットグループのもの

(株)内田洋行(うちだようこう)

東京P 8057

【特色】教育ICTやシステムに強み。オフィス家具大手

修士・大卒採用数	3年後離職率	有休取得年平均	平均年収(平均*42歳)
63名	6.8→4.2%	11.4日	(総)740万円

残業(月) 19.0時間 (総)19.0時間

記者評価 オフィス家具、学校備品・システム、情報システムが3本柱。オフィス向けは家具に加えICTツールを提供し、働き方改革を支援。学校向けは国の「GIGAスクール構想」を追い風に、環境整備など周辺需要を獲得。ICT支援員派遣や自治体ネットワーク構築にも注力。

●エントリー情報と採用プロセス●

【受付開始～終了】(総)(技)3月～6月【採用プロセス】(総)説明会(必須、3月～)→ES提出・適性検査→グループ選考→面接(2～3回)→内々定 (技)説明会(必須、3月～)→ES提出・適性検査→技術選考→グループ選考→面接(2～3回)→内々定【交通費支給】最終面接、新幹線・飛行機代実費

試験情報

重視科目 (総)(技)面接

(総)(技)(ES)NA(筆)適性検査(面)2～3回(Webあり)(GD)(作)NA

選考ポイント (総)(技)(ES)NA(提出あり)(面)対人能力 論理的思考力 意欲 志向 適性

通過率 (総)(技)(ES)NA

倍率(応募/内定) (総)(技)NA

●男女別採用数と配属先ほか●

【男女・文理別採用実績】

	大卒男	大卒女	修士男	修士女
23年	28(文 24理 4)	27(文 24理 3)	9(文 2理 7)	2(文 1理 1)
24年	33(文 28理 5)	23(文 17理 6)	4(文 0理 4)	3(文 1理 2)
25年	28(文 23理 5)	26(文 22理 4)	6(文 0理 6)	3(文 0理 3)

【25年4月入社者の採用実績校】(文)(大)明大5 東京学芸大4 関大 同大 青学大各3 早大 法政大各2 関西外大 関西学大 京大 京都府大 近大 順天堂大 新潟大 神戸大 神奈川大 専大 阪大 筑波大 中大 東理大 東洋大 日女大 日大 武蔵大 北海学園大 北九州市大 名大 立教大 立命館大各1 (理)(院)横浜市大 京都府大 九大 滋賀大 静岡大 千葉大 早大 都立大 立教大各1(大)芝工大3 関西学大 関大 電通大 武蔵野美大 法政大 立教大各1

【24年4月入社者の配属先】(総)勤務地:東京32 大阪8 名古屋2 福岡1 北海道1 部署:営業43 スタッフ1 (技)勤務地:東京18 大阪1 部署:システムエンジニア16 設計技術職3

●給与、ボーナス、週休、有休ほか●

【30歳総合職平均年収】NA【初任給】(修士)267,100円(大卒)250,000円【ボーナス(年)】220万円、5.5カ月【25、30、35歳モデル賃金】275,700円→347,200円→408,500円【週休】完全2日(土日祝)【夏期休暇】8月10～18日(うち4日は計画年休)【年末年始休暇】12月28日～1月5日(うち1日は計画年休)【有休取得】11.4／20日

●従業員数、勤続年数、離職率ほか●

【男女別従業員数、平均年齢、平均勤続年数】計 1,301(41.9歳 17.7年) 男 945(44.3歳 20.0年) 女 356(35.4歳 11.8年)【離職率と離職者数】1.3%、17名【3年後新卒定着率】95.8%(男92.5%、女100%、3年前入社:男40名・女32名)【組合】あり

求める人材 前例のない課題を突破するために、新たな道を構想・実現する意欲のある人

会社データ (金額は百万円)

【本社】104-8282 東京都中央区新川2-4-7
☎03-3555-4072 https://www.uchida.co.jp/
【社長】大久保 昇【設立】1941.5【資本金】5,000【今後力を入れる事業】ICTを活用した、働き方・学び方の変革支援

【業績(連結)】	売上高	営業利益	経常利益	純利益
22.7	221,856	7,890	7,843	4,477
23.7	246,549	8,436	9,161	6,366
24.7	277,940	9,345	10,135	6,996

開示 ★★★☆☆ ▶『業界地図』p.30, 191 764

しんせいかみパルプしょうじ
新生紙パルプ商事㈱

株式公開 計画なし

【特色】紙パルプ商社大手の一角。フィルムなど化成品も

修士・大卒採用数	3年後離職率	有休取得年平均	平均年収(平均44歳)
13名	0 → 16.7%	11.0日	694万円

●エントリー情報と採用プロセス●

【受付開始～終了】[総]3月～6月【採用プロセス】[総]説明会(必須、3月)→ES提出(3月)→書類選考(3月)→1次面接(3月)→筆記(4月)→2次面接(4月)→リクルーター面談(4月)→適性検査(4月)→最終面接(4月)→内々定【交通費支給】最終面接以降、会社基準【早期選考】⇒巻末

試験情報

重視科目 [総]面接

[総][ES]⇒巻末[筆]あり(内容NA)[面]3回(Webあり)

選考ポイント [総][ES]論理的かつ分かりやすい文章であるか[面]NA

通過率 [総][ES]59%(受付:283→通過:166)

倍率(応募/内定) [総]22倍

●男女別採用数と配属先ほか●

【男女・文理別採用実績】

	大卒男	大卒女	修士男	修士女
23年	3(文 3理 0)	1(文 1理 0)	0(文 0理 0)	0(文 0理 0)
24年	6(文 6理 0)	3(文 3理 0)	0(文 0理 0)	0(文 0理 0)
25年	11(文 11理 0)	2(文 2理 0)	0(文 0理 0)	0(文 0理 0)

【25年4月入社者の採用実績校】

[文]NA [理]NA

【24年4月入社者の配属先】

[総]勤務地:東京・千代田7 大阪市1 名古屋1 部署:販売部門8 管理部門1

残業(月) NA

[記者評価] 紙・板紙・フィルムなどを販売する商社。日本製紙、北越コーポレーションが大株主。出版社、印刷会社向けに強み。フィルムは食品用、工業用など取り扱いの幅が広い。海外は中国、台湾、オーストラリアなどに拠点。東名阪などに不動産を保有し賃貸業も展開。

●給与、ボーナス、週休、有休ほか●

【30歳総合職平均年収】NA【初任給】(大卒)265,000円【ボーナス(年)】NA、5.8カ月【25、30、35歳賃金】NA【週休】完全2日(土日祝)【夏期休暇】8月10～15日の間で、土日と連続する平日2日付与【年末年始休暇】12月30日～1月4日【有休取得】11.0/20日

●従業員数、勤続年数、離職率ほか●

【男女別従業員数、平均年齢、平均勤続年数】計 533(44.0歳 19.9年) 男 349(45.9歳 21.3年) 女 184(40.3歳 17.1年)【離職率と離職者数】2.6%、14名【3年後新卒定着率】83.3%(男85.7%、女80.0%、3年前入社:男7名・女5名)【組合】なし

[求める人材] <職種共通>色々な人とコミュニケーションを取ることが好きな人<総合職>粘り強く、最後まで諦めない人 リーダーシップを発揮して新しいことへチャレンジできる人<一般職>責任感を持ち、周囲と協調できる人

[会社データ] (金額は百万円)

【本社】101-8451 東京都千代田区神田錦町1-8
☎03-3259-5080 https://www.sppcl.co.jp/
【社長】三瓶 悦男【設立】1918.3【資本金】3,228【今後力を入れる事業】新用途・新規商材開拓 紙とフィルムのハイブリッド的活用の提案営業

【業績(単独)】	売上高	営業利益	経常利益	純利益
22.3	NA	NA	NA	NA
23.3	238,241	5,114	6,093	4,343
24.3	240,568	4,876	6,177	4,325

㈱オートバックスセブン

東京P 9832

【特色】自動車用品店の国内最大手。車検・整備を強化

修士・大卒採用数	3年後離職率	有休取得年平均	平均年収(平均46歳)
11名	3.7 → 10.0%	9.6日	743万円

●エントリー情報と採用プロセス●

【受付開始～終了】[総]3月～継続中【採用プロセス】[総]オンデマンド説明会(必須、3月～)→ES提出(3月)→書類選考(3月)→適性診断(3月)→オートバックスゼミ(4月)→人事面接(5月)→最終面接(6月)→内々定(6月)【交通費支給】人事面接以降、会社規定(特急料金がかかる遠方者のみ)【早期選考】⇒巻末

試験情報

重視科目 [総]人事面接

[総][ES]⇒巻末[筆]eF-1G(適性診断)[面]2回(Webあり)

選考ポイント [総][ES]これまでに力を入れたことなど 主体性について 喫煙習慣の有無[面]当社の求める人材像に合うか

通過率 [総][ES]選考なし(受付:70)

倍率(応募/内定) [総]4倍

●男女別採用数と配属先ほか●

【男女・文理別採用実績】

	大卒男	大卒女	修士男	修士女
23年	18(文 17理 1)	5(文 5理 0)	0(文 0理 0)	0(文 0理 0)
24年	13(文 13理 0)	5(文 5理 0)	1(文 1理 0)	1(文 0理 1)
25年	8(文 8理 0)	2(文 2理 0)	0(文 0理 0)	1(文 1理 0)

※25年:継続中

【25年4月入社者の採用実績校】

[文](院)学習院大1(大)明大 成蹊大 横浜市大 敬愛大 京都ノートルダム女大 立教大 日大 共立女大 佛教大 創価大各1 [理]なし

【24年4月入社者の配属先】

[総]勤務地:東京9 千葉3 埼玉2 秋田1 岩手2 愛知2 大阪1 部署:経理1 総務1 海外1 営業9 販売8

残業(月) 6.8時間 [総]7.7時間

[記者評価] 自動車用品専門店「オートバックス」をチェーン展開。中古車の買い取り・販売や車検・整備事業も手がける。FC中心に併設店含め約1000店舗体制。海外は台湾、シンガポール、タイなどで小売店100店超を運営するのに加え、現地小売店への卸売りも展開。

●給与、ボーナス、週休、有休ほか●

【30歳総合職平均年収】NA【初任給】(修士)231,762円(大卒)231,762円【ボーナス(年)】156万円、NA【25、30、35歳賃金】272,134円→322,255円→373,011円【週休】年122日【夏期休暇】オレンジ休暇で取得(年12日)【年末年始休暇】12月29日～1月3日【有休取得】9.6/20日

●従業員数、勤続年数、離職率ほか●

【男女別従業員数、平均年齢、平均勤続年数】計 997(45.6歳 17.2年) 男 798(46.9歳 18.8年) 女 199(40.5歳 11.1年)【離職率と離職者数】6.8%、73名【3年後新卒定着率】90.0%(男100%、女66.7%、3年前入社:男14名・女6名)【組合】あり

[求める人材] 一歩踏み出す力 協働力 傾聴力 目的を達成する力 本質探求力

[会社データ] (金額は百万円)

【本社】135-8717 東京都江東区豊洲5-6-52
☎03-6219-8700 https://www.autobacs.co.jp/
【社長】堀井 勇吾【設立】1948.8【資本金】33,998【今後力を入れる事業】ディーラー BtoB オンラインアライアンス事業

【業績(連結)】	売上高	営業利益	経常利益	純利益
22.3	228,586	11,552	11,246	7,010
23.3	236,235	11,722	11,574	7,239
24.3	229,856	8,010	8,093	6,355

2563 ▶『業界地図』p.85

㈱JALUX（ジャルックス）

株式公開していない

【特色】空港で売店や免税店など運営。日本航空グループ

修士・大卒採用数	3年後離職率	有休取得年平均	平均年収(平均40歳)
22名	17.4→19.0%	13.7日	NA

●エントリー情報と採用プロセス●

【受付開始～終了】[総]3月～4月【採用プロセス】[総]ES提出・Web適性検査(3月中旬～下旬)→選考(4月中旬～6月上旬)→内々定(6月上旬～)【交通費支給】3次選考以降、往復定額

試験情報

重視科目 [総]面接

[総][ES]NA[筆]あり(内容NA)[面]NA(Webあり)[GD作]NA

選考ポイント [総][ES]NA(提出あり)[面]NA

通過率 [総][ES]NA

倍率(応募/内定) [総]NA

●男女別採用数と配属先ほか●

【男女・文理別採用実績】

	大卒男	大卒女	修士男	修士女
23年	9(文 9理 0)	15(文 15理 0)	0(文 0理 0)	0(文 0理 0)
24年	14(文 14理 0)	14(文 14理 0)	0(文 0理 0)	0(文 0理 0)
25年	10(文 10理 0)	11(文 11理 0)	0(文 0理 0)	1(文 0理 1)

【25年4月入社者の採用実績校】
[文](大)明大3 上智大 立教大 立命館大各2 関大 桜美林大 神戸市外大 専大 青学大 東京外大 法政大 明学大各1 [理](院)静岡県大1

【24年4月入社者の配属先】
[総]勤務地：東京(品川18 天王洲1)名古屋1 部署：営業10 財務3 法務3 人事2 経営企画2

残業(月) NA

記者評価 日本航空グループの商社。双日も大株主。直営の空港売店「JAL PLAZA」や免税店の運営、航空機エンジン部品の販売、ラオスでの国際空港運営、通販、農産物の卸売りなど事業は多岐にわたる。22年JALと双日が共同出資会社を設立してTOB実施。

●給与、ボーナス、週休、有休ほか●

【30歳総合職平均年収】NA【初任給】(修士)254,000円(大卒)254,000円【ボーナス(年)】NA【25、30、35歳賃金】NA【週休】完全2日(土日祝)【夏期休暇】リフレッシュ休暇(年4日)で取得【年末年始休暇】12月30日～1月3日【有休取得】13.7／20日

●従業員数、勤続年数、離職率ほか●

【男女別従業員数、平均年齢、平均勤続年数】計440(40.4歳 13.5年) 男261(NA) 女179(NA)【離職率と離職者数】NA【3年後新卒定着率】81.0%(男85.7%、女78.6%、3年前入社:男7名・女14名)【組合】あり

求める人材 既存の発想に捉われず、新たな視点でソウゾウ(想像・創造)し、困難な壁があっても乗り越えるための努力ができる人

会社データ (金額は百万円)

【本社】108-8209 東京都港区港南1-2-70 品川シーズンテラス
☎03-6367-8800 https://www.jalux.com/
【社長】高濱 悟【設立】1962.3【資本金】2,558【今後力を入れる事業】NA

【業績(連結)】	売上高	営業利益	経常利益	純利益
22.3	96,345	▲698	▲314	▲370
23.3	145,271	2,282	2,347	1,395
24.3	191,492	5,818	6,176	3,934

㈱ドウシシャ

東京P 7483

【特色】ブランド品の卸売りと自社企画商品の開発が柱

修士・大卒採用数	3年後離職率	有休取得年平均	平均年収(平均42歳)
50名	17.1→33.3%	10.4日	[総]738万円

●エントリー情報と採用プロセス●

【受付開始～終了】[総]3月～継続中【採用プロセス】[総]Web説明会・ES提出(3月～)→GD→適性検査・面接→面接→内々定(3月～)【交通費支給】なし【早期選考】⇒巻末

試験情報

重視科目 [総]ES 面接

[総][ES]⇒巻末[筆]SPI3(会場) ミツカリ[面]2回(Webあり)[GD作]⇒巻末

選考ポイント [総][ES]求める人材と合致しているか 文章に論理性があるか アルバイトや部活動など他者とコミュニケーションを図る経験を有しているか[面]「つぶれないロマンある会社づくり」に可能性を感じ、その〈同じ志〉を追求し続けることができる人

通過率 [総][ES]49%(受付:400→通過:195)

倍率(応募/内定) [総]13倍

●男女別採用数と配属先ほか●

【男女・文理別採用実績】

	大卒男	大卒女	修士男	修士女
23年	20(文 20理 0)	15(文 14理 1)	0(文 0理 0)	0(文 0理 0)
24年	16(文 15理 1)	8(文 8理 0)	0(文 0理 0)	0(文 0理 0)
25年	35(文 －理 －)	15(文 －理 －)	0(文 0理 0)	0(文 0理 0)

※25年：予定数

【25年4月入社者の採用実績校】
[文](大)関大 大阪産大 専大各2 東洋大 山梨学大 駒澤大 明星大 明学大 東京富士大 関東学院大 桃山学大 立命館大 近大 関西国際大各1 [理](大)玉川大1

【24年4月入社者の配属先】
[総]勤務地：東京・港14 大阪・中央5 部署：営業部18 商品部1

残業(月) 12.3時間 [総]16.5時間

記者評価 1974年大阪市で創業。バッグや腕時計などのブランド品やギフト品の卸売りと、デザイン家電や調理用品などオリジナル商品の企画開発の2本柱。ホームセンターやディスカウント店などへの納入のほか、ECの拡大も狙う。自社開発ブランドスイーツの展開を強化中。

●給与、ボーナス、週休、有休ほか●

【30歳総合職平均年収】631万円【初任給】(大卒)302,670円【ボーナス(年)】NA【25、30、35歳賃金】400,765円→541,287円→568,816円【週休】会社暦2日【夏期休暇】なし【年末年始休暇】なし【有休取得】10.4／20日

●従業員数、勤続年数、離職率ほか●

【男女別従業員数、平均年齢、平均勤続年数】計820(41.8歳 12.9年) 男531(44.1歳 15.1年) 女289(37.8歳 8.8年)【離職率と離職者数】6.6%、58名(他に男11名転籍)【3年後新卒定着率】66.7%(男60.0%、女75.0%、3年前入社:男10名・女8名)【組合】なし

求める人材 主体性とワクワク感をもって新たなコトやモノにチャレンジし続けるマインドを持てる人

会社データ (金額は百万円)

【本社】542-8525 大阪府大阪市中央区東心斎橋1-5-5
☎06-6121-5888 https://www.doshisha.co.jp/
【社長】野村 正幸【設立】1977.1【資本金】4,993【今後力を入れる事業】EC事業 海外事業 新規事業

【業績(連結)】	売上高	営業利益	経常利益	純利益
22.3	101,027	7,109	7,598	5,132
23.3	105,709	8,052	8,342	5,621
24.3	105,824	7,926	8,412	5,784

▶『業界地図』p.108

㈱サンリオ

東京P 8136

【特色】自社キャラクターのライセンスビジネスを展開

修士・大卒採用数	3年後離職率	有休取得年平均	平均年収(平均*43歳)
40名	0 → 14.3%	12.0日	[総] 837万円

残業(月) 14.8時間 [総] 17.4時間

記者評価 「ハローキティ」軸に450以上のキャラクターを保有する。顧客商品にキャラ使用権を与えロイヤリティを得るライセンスビジネスを国内外で展開。子会社で「ピューロランド」運営。赤字だった物販事業のテコ入れや外部人材の登用など改革を進め業績が急回復。

●エントリー情報と採用プロセス●

【受付開始～終了】[総][技]NA【採用プロセス】[総]ES提出(3～4月)→面接(2回)・Webテスト(4～5月)→内々定(6月上旬) [技]作品Web審査(3～4月)→作品審査(面接含む)・ES提出・Webテスト(5月)→課題作品審査(面接含む)→内々定(6月上旬)
【交通費支給】面接以降、遠方者のみ一部支給(会社基準)

試験情報

重視科目 [総]面接 Webテスト [技]面接 作品

[総][技] [ES]NA [筆]あり(内容NA) [面]2回(Webあり)

選考ポイント [総] [ES]NA(提出あり) [面]論理的な思考を持ち、自分の意見を的確に伝えられるか [技] [ES]NA(提出あり) [面]選考作品の内容・出来映え クリエイティブな感性があるか

通過率 [総][技] [ES]NA **倍率(応募/内定)** [総][技]NA

●男女別採用数と配属先ほか●

【男女・文理別採用実績】

	大卒男	大卒女	修士男	修士女
23年	7(文 7理 0)	11(文 11理 0)	0(文 0理 0)	2(文 1理 1)
24年	5(文 4理 1)	24(文 23理 1)	1(文 0理 1)	1(文 1理 0)
25年	9(文 9理 0)	23(文 23理 0)	4(文 2理 2)	4(文 4理 0)

【25年4月入社者の採用実績校】
[文](院)青学大 阪大 京大 東大 武蔵野美大 早大各1(大)法政大 立教大 早大各3 神戸大 多摩美大各2 愛知県大 青学大 大阪市大 お茶女大 関大 関西学大 京大 近大 慶大 ICU 中大 同大 同女大 東北芸工大 日大 一橋大 明学大 立命館大 立命館APU各1(専)東洋美術学校1 [理](院)東北大 北大各1

【24年4月入社者の配属先】
[総]**勤務地**:東京・大崎 28 **部署**:事業戦略本部4 経営管理本部1 アジア事業本部23 [技]**勤務地**:東京・大崎 3 **部署**:事業戦略本部1 ブランド管理本部1 アジア事業本部1

●給与、ボーナス、週休、有休ほか●

【30歳総合職平均年収】NA【初任給】(修士)244,500円(大卒)229,200円【ボーナス(年)】211万円、6.05カ月
【25、30、35歳賃金】251,473円→292,172円→329,155円
【週休】完全2日(土日祝)【夏期休暇】有休で取得【年末年始休暇】連続6日【有休取得】12.0／20日

●従業員数、勤続年数、離職率ほか●

【男女別従業員数、平均年齢、平均勤続年数】計 707(43.4歳 17.9年) 男 241(45.4歳 19.4年) 女 466(42.4歳 17.0年)【離職率と離職者数】1.7%、12名(早期退職3名含む)【3年後新卒定着率】85.7%(男0%、女100%、3年前入社:男1名・女6名)【組合】なし

求める人材 サンリオのイメージに捉われず新しい視野でイノベーションを起こし、国内外でグローバルエンターテイメントビジネスに挑戦できる人

会社データ (金額は百万円)
【本社】141-8603 東京都品川区大崎1-11-1 ゲートシティ大崎ウエストタワー
☎03-3779-8075 https://www.sanrio.co.jp/
【社長】辻 朋邦【設立】1960.8【資本金】10,261【今後力を入れる事業】海外事業 アニメ・デジタルコンテンツ事業

【業績(連結)】	売上高	営業利益	経常利益	純利益
22.3	52,763	2,537	3,318	3,423
23.3	72,624	13,247	13,724	8,158
24.3	99,981	26,952	28,265	17,584

コンサルティング・シンクタンク・リサーチ

シンクタンク　コンサルティング　リサーチ

| コンサルティング

大手企業のＤＸ・脱炭素化から中堅・中小企業の事業再建・承継、Ｍ＆Ａ関連まで、あらゆるニーズが目白押し

（天気図は24年度後半⇒25年度、続きは東洋経済『会社四季報業界地図 2025年版』で）

開示 ★★☆☆☆ ▶『業界地図』p.160, 56, 58… 245

㈱野村総合研究所

（のむらそうごうけんきゅうしょ）

東京P 4307

【特色】野村證券系のSIベンダー。コンサルも強い

修士・大卒採用数	3年後離職率	有休取得年平均	平均年収(平均40歳)
512名	8.8→7.7%	14.8日	1,271万円

●エントリー情報と採用プロセス●

【受付開始～終了】㊢2月～4月【採用プロセス】㊢ES提出→筆記→面接(3～5回)・GD→内々定【交通費支給】2次面接以降、会社基準

試験情報

重視科目 ㊢全て ㊢ ESNA 筆SPI3(会場) SPI3(自宅) SPI性格 面3～5回(Webあり) GD作NA

選考ポイント ㊢ ES自分の考えがしっかり表現されていること 面当社の業務に対する理解度及び本気度 将来目標 人柄 成長慣性力 他

通過率 ㊢ ESNA 倍率(応募/内定) ㊢NA

●男女別採用数と配属先ほか●

【男女・文理別採用実績】

	大卒男	大卒女	修士男	修士女
23年	108(文 78理 30)	94(文 68理 26)	207(文 8理199)	56(文 4理 52)
24年	80(文 58理 22)	82(文 68理 14)	252(文 12理240)	71(文 6理 65)
25年	86(文 61理 25)	88(文 67理 21)	250(文 15理235)	88(文 10理 78)

【25年4月入社者の採用実績校】㊛(院)慶大 東大各4 一橋大 早大各3 横国大2 岡山大 京大 九州工大 広島大 神戸大 東理大 北大 奈良女大 サセックス大各1(大)早大32 慶大26 東大13 一橋大10 明大9 立教大6 同大5 京大4 上智大 阪大 東理大各3 青学大 中大 法政大各2 学習院大 九大 神戸大 筑波大 津田塾大 関大 明学大 東京女大各1 ㊥(院)東大25 早大 東京科学大各22 阪大20 京大 慶大 北大各15 九大 名大各12 電通大 東理大各10 お茶女大 横国大 神戸大各8 千葉大 筑波大 名工大各7 岡山大 東北大 同大各6 九州工大 芝工大 大阪公大 明大各5 立命館大4 横浜市大 都立大 東京農工大 京都工繊大各3 広島大 上智大 青学大 中大 奈良先端科技院大 立教大 奈良女大 新潟大各2 埼玉大 東京都市大 日女大 法政大 関大 東京電機大 創価大 富山県大 鹿児島大 岐阜大 関東学院大 信州大 富山大 金沢大 北陸先端科技院大 神奈川大 北九州市大 工学院大 京都府大 東京農業大 群馬大各1(大)早大13 明大4 電通大3 東大 東理大 法政大 北大各2 他

【24年4月入社者の配属先】㊢勤務地：東京(大手町 木場)横浜 名古屋 大阪 札幌 福岡 部署：経営コンサルタント75 アプリケーションエンジニア294 テクニカルエンジニア64 セキュリティスペシャリスト39 エリア職システムエンジニア(札幌)6 エリア職システムエンジニア(福岡)6 経理スペシャリスト2

残業(月) 裁量労働制 ㊢裁量労働制

記者評価 野村證券系シンクタンク、システム開発会社が発祥。コンサル事業は全体の1割弱。野村證券のシステム開発で培った技術を生かし、金融や流通向けに優良顧客多数。野村HDとセブン＆アイHDが2大顧客。収益性の高さに定評があり、業界トップクラスの平均年収を誇る。

●給与、ボーナス、週休、有休ほか●

【30歳総合職平均年収】NA【初任給】(修士)304,500円(大卒)276,500円【ボーナス(年)】NA【25、30、35歳賃金】NA【週休】完全2日(土日祝)【夏期休暇】連続5日(有休利用)【年末年始休暇】12月31日～1月3日【有休取得】14.8／23日

●従業員数、勤続年数、離職率ほか●

【男女別従業員数、平均年齢、平均勤続年数】計 7,206(40.2歳 14.3年) 男 5,552(NA) 女 1,654(NA)【離職率と離職者数】3.8%、286名【3年後新卒定着率】92.3%(男NA、女NA、3年前入社：男女計376名)【組合】あり

求める人材 何事にも挑戦し続ける強い意志、そして自ら考え自ら目標を立て行動する自律性のある人

会社データ (金額は百万円)

【本社】100-0004 東京都千代田区大手町1-9-2

☎03-5533-2111 https://www.nri.com/jp/

【社長】柳澤 花芽【設立】1966.1【資本金】24,701【今後力を入れる事業】次世代シンクタンク機能によるDX事業の創出

【業績(IFRS)】	売上高	営業利益	税前利益	純利益
22.3	611,634	106,218	104,671	71,445
23.3	692,165	111,832	108,499	76,307
24.3	736,556	120,411	117,224	79,643

㈱日本総合研究所

（にほんそうごうけんきゅうしょ）

株式公開 計画なし

【特色】総合シンクタンクの代表格。三井住友FG傘下

修士・大卒採用数	3年後離職率	有休取得年平均	平均年収(平均40歳)
338名	13.2→11.7%	16.1日	NA

●エントリー情報と採用プロセス●

【受付開始～終了】㊢3月～6月【採用プロセス】㊢ES提出→Webテスト→面接(3～4回)→内々定【交通費支給】最終面接以降、会社基準【早期選考】⇒巻末

試験情報

重視科目 ㊢面接 ㊢ ESNA 筆Web(自宅受験)SMBCグループ共通テスト 面3～4回(Webあり)

選考ポイント ㊢ ES「学生時代に力を入れたエピソード」や「当社への志望理由」等について「自分の言葉」で表現されているか 面創造力 思考力 課題解決力 人間力 日本総研の業務理解度

通過率 ㊢ ES73%(受付：5,573→通過：4,049)

倍率(応募/内定) ㊢16倍

●男女別採用数と配属先ほか●

【男女・文理別採用実績】

	大卒男	大卒女	修士男	修士女
23年	77(文 41理 36)	39(文 27理 12)	38(文 3理 35)	13(文 2理 11)
24年	82(文 51理 31)	59(文 50理 9)	89(文 4理 85)	14(文 7理 7)
25年	113(文 76理 37)	93(文 73理 20)	113(文 9理104)	19(文 6理 13)

【25年4月入社者の採用実績校】㊛(院)東大 慶大 北大 阪大 筑波大 東北大 一橋大 広島大 横国大 早大(大)早大 明大 青学大 中大 関大 慶大 法政大 立教大 阪大 学習院大 上智大 同大 一橋大 日大 立命館大 関西学大 神戸大 千葉大 津田塾大 東京女大 東大 東理大 大阪公大 お茶女大 金沢大 九大 近大 ICU 名大 広島大 横国大 和歌山大 他 ㊥(院)明大 東大 京大 東理大 芝工大 横国大 早大 大阪公大 阪大 九大 千葉大 筑波大 東京科学大 東北大 神戸大 埼玉大 電通大 名大 福井大 北大 秋田県大 金沢大 関大 中大 横浜市大 青学大 茨城大 大分大 岡山大 お茶女大 北里大 岐阜大 九州工大 群馬大 慶大 高知大 静岡大 名工大 新潟大 日大 一橋大 広島大 法政大 和歌山大(大)立教大 芝工大 千葉工大 明大 上智大 都立大 東理大 法政大 早大 青学大 愛媛大 阪大 お茶女大 関西学大 関大 京大 群馬大 慶大 滋賀大 千葉大 中大 筑波大 津田塾大 同大 徳島大 名大 名工大 日女大 兵庫県大 横国大 他

【24年4月入社者の配属先】㊢勤務地：東京245 部署：ITソリューション207 コンサルティング・インキュベーション31 リサーチ1 本社スタッフ6

残業(月) 14.0時間 ㊢14.0時間

記者評価 住友系の日本総研と三井系のさくら総研が統合して誕生した国内有数のシンクタンク。SI、コンサル、シンクタンクの3機能を有し、SMFGのIT戦略も担う。政策提言に定評。産学連携にも積極的。24年4月、日興システムソリューションズと中間持株会社を設立。

●給与、ボーナス、週休、有休ほか●

【30歳総合職平均年収】NA【初任給】(修士)312,000円(大卒)286,000円【ボーナス(年)】NA【25、30、35歳賃金】NA【週休】完全2日(土日祝)【夏期休暇】有休で取得【年末年始休暇】12月30日～1月3日【有休取得】16.1／20日

●従業員数、勤続年数、離職率ほか●

【男女別従業員数、平均年齢、平均勤続年数】計 3,023(40.0歳 12.7年) 男 2,162(40.5歳 13.0年) 女 861(38.8歳 12.0年)【離職率と離職者数】NA【3年後新卒定着率】88.3%(男88.6%、女87.5%、3年前入社：男88名・女40名)【組合】なし

求める人材 自分らしい「リーダーシップ」を発揮し、社会に変革をもたらすことができる人

会社データ (金額は百万円)

【本社】141-0022 東京都品川区東五反田2-18-1 大崎フォレストビルディング

☎03-6833-0900 https://www.jri.co.jp/

【社長】谷崎 勝教【設立】(創立)1969.2【資本金】10,000【今後力を入れる事業】SMBCグループ各社向けIT戦略企画・開発

【業績(単独)】	売上高	営業利益	経常利益	純利益
22.3	214,372	4,553	5,084	3,655
23.3	219,707	4,008	5,013	3,546
24.3	249,678	2,742	3,946	3,943

 開示 ★★☆☆☆ ▶『業界地図』p.58, 160 1431

みずほリサーチ&テクノロジーズ(株)

株式公開 未定

【特色】みずほFGのシンクタンク。IT戦略コンサルで定評

修士・大卒採用数	3年後離職率	有休取得年平均	平均年収(平均44歳)
175名	18.2→18.1%	15.9日	[総]919万円

●エントリー情報と採用プロセス●

【受付開始～終了】[技]2月～9月【採用プロセス】[技]ES提出(2～9月)→筆記(2～9月)→面接(3回、3～9月)→内々定(6～12月)【交通費支給】なし

試験情報

重視科目 [技]面接

[技][ES]NA[筆]SHL[面]3回(Webあり)[GD作]NA

選考ポイント [技][ES]NA(提出あり)[面]職種志向 コミュニケーション能力 ポテンシャル 論理的思考力

通過率 [技][ES]NA 倍率(応募/内定) [技]NA

●男女別採用数と配属先ほか●

【男女・文理別採用実績】

	大卒男	大卒女	修士男	修士女
23年	51(文 40理 11)	15(文 12理 3)	24(文 9理 15)	5(文 2理 3)
24年	81(文 50理 31)	36(文 32理 4)	39(文 3理 36)	3(文 1理 2)
25年	77(文 58理 19)	43(文 40理 3)	37(文 1理 36)	18(文 6理 12)

【25年4月入社者の採用実績校】
[文](院)東大3 早大 関西学大 法政大 東京外大各1(大)早大 明大各12 慶大9 中大 同大各8 法政大7 上智大6 立命館大5 横国大 学習院大各4 青学大 関大 成蹊大各3 東理大 立教大 関西学大 日大各2 九大 名大 神戸大 筑波大 滋賀大 明学大各1 [理](院)早大7 都立大4 北大 青学大各3 京大 阪大 神戸大 東北大 東京科学大 慶大 明大 中大各2 東大 名大 千葉大 上智大 筑波大 東理大 同大 芝工大 広島大 茨城大 宇都宮大 兵庫県大 山口大 東海大 奈良女大各1(大)東理大3 千葉大 明大 中大 青学大 立教大各2 神戸大 早大 慶大 筑波大 立命館大 芝工大 東洋大 熊本県大 首都大各1

【24年4月入社者の配属先】
[技]勤務地:東京160 部署:システムエンジニア123 コンサルタント37

残業(月) 29.9時間 [総]29.9時間

記者評価 21年にみずほ情報総研とみずほ総合研究所が合併して現体制に。調査・研究、コンサル、システムが3本柱。金融、環境・エネ、医療、社会保障、情報通信・科学技術、DXなどでソリューション提供。愛知県からの受託で中部国際空港周辺のイノベーション創出に取り組む。

●給与、ボーナス、週休、有休ほか●

【30歳総合職平均年収】826万円【初任給】(博士)300,000円(修士)280,000円(大卒)260,000円【ボーナス(年)】NA【25、30、35歳賃金】NA【週休】完全2日(土日祝)【夏期休暇】有休で取得【年末年始休暇】12月31日～1月3日【有休取得】15.9/21日

●従業員数、勤続年数、離職率ほか●

【男女別従業員数、平均年齢、平均勤続年数】計 4,067(44.0歳 18.4年) 男 2,893(44.7歳 20.1年) 女 1,174(44.0歳 16.7年)【離職率と離職者数】2.7%、115名【3年後新卒定着率】81.9%(男78.9%、女88.5%、3年前入社:男57名・女26名)【組合】あり

求める人材 プロフェッショナルを目指し、主体的に行動できる人

会社データ (金額は百万円)

【本社】101-8443 東京都千代田区神田錦町2-3
☎03-5281-5610 https://www.mizuho-rt.co.jp/
【社長】吉原 昌利【設立】2004.10【資本金】1,627【今後力を入れる事業】リサーチ コンサルティング 研究開発 システム開発

【業績(単独)】	売上高	営業利益	経常利益	純利益
22.3	124,571	5,660	5,959	6,283
23.3	140,499	5,852	6,057	3,596
24.3	178,413	9,125	9,352	4,158

(株)三菱総合研究所

みつびしそうごうけんきゅうしょ

東京P 3636

【特色】三菱系。総合シンクタンクの代表的存在

修士・大卒採用数	3年後離職率	有休取得年平均	平均年収(平均42歳)
72名	11.4→7.0%	10.2日	[総]1,120万円

●エントリー情報と採用プロセス●

【受付開始～終了】[総]3月～継続中(通年採用)【採用プロセス】[総]ES提出・適性検査→論文試験(Web)→オンライン面接(複数回)→内々定【交通費支給】首都圏外遠方者のみ、会社規定

試験情報

重視科目 [総]ES 面接

[総][ES]⇒巻末[筆]SPI3(会場)[面]3回(Webあり)[GD作]NA

選考ポイント [総][ES]専門知識 スキル ポテンシャル 論理性 [面]論理性 コミュニケーション力 チャレンジ精神 社会課題解決意欲 将来性 専門性

通過率 [総][ES]NA

倍率(応募/内定) [総]NA

●男女別採用数と配属先ほか●

【男女・文理別採用実績】

	大卒男	大卒女	修士男	修士女
23年	7(文 6理 1)	2(文 2理 0)	35(文 4理 31)	14(文 6理 8)
24年	2(文 2理 0)	6(文 6理 0)	47(文 6理 41)	12(文 6理 6)
25年	10(文 8理 2)	6(文 6理 0)	41(文 7理 34)	15(文 3理 12)

【25年4月入社者の採用実績校】
[文](院)東大4 一橋大2 慶大 九大 筑波大 東北大各1(大)早大5 慶大3 中大 上智大 同大 東大 明大 学習院大各1 [理](院)東大13 京大6 早大5 東京科学大4 慶大3 九大 筑波大 東北大 阪大 北大各2 横国大 神戸大 千葉大 電通大 都立大 名大各1(大)東大 東理大各1

【24年4月入社者の配属先】
[総]勤務地:東京・永田町69 部署:研究員・コンサルタント66 コーポレート職3

残業(月) 24.7時間 [総]26.3時間

記者評価 三菱グループの出資で1970年に設立。コンサルとITシステムの2本柱。コンサルは環境、エネルギーなどの大型案件に特徴。官需にも強い。三菱DCS軸に展開のITシステムは金融、カード案件多い。官民共創案件やストック型ビジネスを開発。理系研究者多い。

●給与、ボーナス、週休、有休ほか●

【30歳総合職平均年収】NA【初任給】(博士)328,700円(修士)287,200円(大卒)254,900円【ボーナス(年)】NA【25、30、35歳賃金】NA【週休】完全2日(土日祝)【夏期休暇】連続5営業日(年次有休とは別)【年末年始休暇】12月29日～1月3日【有休取得】10.2/20日

●従業員数、勤続年数、離職率ほか●

【男女別従業員数、平均年齢、平均勤続年数】計 1,056(41.8歳 13.2年) 男 776(42.2歳 13.8年) 女 280(40.7歳 11.3年)【離職率と離職者数】3.3%、36名【3年後新卒定着率】93.0%(男92.6%、女93.8%、3年前入社:男27名・女16名)【組合】あり

求める人材 豊かで持続可能な未来を問い続け、変革を先駆ける意識と行動力を有する人材

会社データ (金額は百万円)

【本社】100-8141 東京都千代田区永田町2-10-3
☎03-5157-2111 https://www.mri.co.jp/
【社長】籔田 健二【設立】1970.5【資本金】6,336【今後力を入れる事業】社会課題解決事業

【業績(連結)】	売上高	営業利益	経常利益	純利益
21.9	103,030	6,853	7,568	5,009
22.9	116,620	9,165	10,493	7,707
23.9	122,126	8,688	10,002	6,287

開示 ★★★

▶『業界地図』p.146 1425

(株)大和総研

だいわそうけん

[株式公開 計画なし]

【特色】大和証券系。システム・リサーチ・コンサル展開

修士・大卒採用数	3年後離職率	有休取得年平均	平均年収(平均41歳)
141名	14.3→13.6%	18.7日	NA

●エントリー情報と採用プロセス●

【受付開始～終了】[総]3月～継続中【採用プロセス】[総]説明会(任意、3月～)→個別質問会(3月～)→ES提出(3月～)→Web適性検査→面接(2～3回、6月)→内々定【交通費支給】1次面接以降、会社基準

試験情報

[重視科目] [総]面接

[総][ES]⇒巻末[筆]玉手箱[面]2～3回(Webあり)

[選考ポイント] [総][ES]NA(提出あり)[面]論理的思考力 チャレンジ精神 熱意 真摯さ 目標に向かって努力できるか

[通過率] [総][ES]NA [倍率(応募/内定)] [総]NA

●男女別採用数と配属先ほか●

【男女・文理別採用実績】

	大卒男	大卒女	修士男	修士女
23年	35(文 19理 16)	24(文 15理 9)	29(文 2理 27)	6(文 0理 6)
24年	38(文 19理 19)	22(文 18理 4)	36(文 1理 35)	11(文 5理 6)
25年	27(文 16理 11)	53(文 33理 20)	48(文 3理 45)	13(文 3理 10)

※25年:24年8月上旬時点

【25年4月入社者の採用実績校】

[文]慶大 早大 同大 法政大 一橋大 大阪公大 中大 明大 立教大 東大 九大 上智大 青学大 東北大 京大 阪大 筑波大 お茶女大 金沢大 埼玉大 ICU 関西学大 立命館大 津田塾大 [理]東理大 東京科学大 東大 慶大 阪大 筑波大 千葉大 都立大 早大 明大 中大 同大 北大 東北大 東京農工大 上智大 関大 立命館大 京大 九大 神戸大 横国大 お茶女大 横浜市大 奈良先端科技院大 広島大 金沢大 群馬大 茨城大 大阪公大 立教大 法政大 芝工大 日女大 東京女大

【24年4月入社者の配属先】

[総]勤務地:東京110 部署:システム103 リサーチ5 コンサル2

残業(月) 27.1時間 [総]29.3時間

[記者評価] 大和証券グループのシンクタンク。システム・リサーチ・コンサルが核。データ分析、AI、DXを融合したソリューションに定評。グループを含む証券向け、銀行向け、健保組合向けなど専門性の高い分野に強み。東大大学院などと共同でテーマ銘柄検索システムを開発。

●給与、ボーナス、週休、有休ほか●

【30歳総合職平均年収】NA【初任給】(修士)303,000円(大卒)290,000円【ボーナス(年)】NA【25、30、35歳賃金】NA【週休】完全2日(土日祝)【夏期休暇】連続最大10日(土日祝含む)【年末年始休暇】12月31日～1月3日【有休取得】18.7/23日

●従業員数、勤続年数、離職率ほか●

【男女別従業員数、平均年齢、平均勤続年数】計 1,641(40.9歳 16.4年) 男 1,147(41.7歳 17.1年) 女 494(38.8歳 14.9年)【離職率と離職者数】6.4%、112名(早期退職28名含む)【3年後新卒定着率】86.4%(男85.3%、女88.0%、3年前入社:男34名・女25名)【組合】あり

[求める人材] 成長意欲が高く、自らを鍛え、最後まで挑戦し続ける人

[会社データ] (金額は百万円)

【本社】135-8460 東京都江東区冬木15-6 大和総研ビル
☎03-5620-5600 https://www.dir.co.jp/
【社長】望月 篤【設立】1975.8【資本金】3,898【今後力を入れる事業】データ活用による新たな価値を創出

【業績】	売上高	営業利益	経常利益	純利益
22.3	77,212	4,498	5,260	13,119
23.3	85,262	4,513	4,932	3,324
24.3	92,758	3,757	4,456	1,967

三菱ＵＦＪリサーチ&コンサルティング(株)

みつびしユーエフジェイ

[株式公開 計画なし]

【特色】MUFGの総合シンクタンク。多彩な受託調査に速応

修士・大卒採用数	3年後離職率	有休取得年平均	平均年収(平均43歳)
60名	7.7→24.1%	11.7日	NA

●エントリー情報と採用プロセス●

【受付開始～終了】[総]3月～5月【採用プロセス】[総]説明会・ES提出(3～5月)→筆記(3月～)→面接(3～5回、6月～)→内々定(6月)【交通費支給】2次面接以降、遠方者に会社基準

試験情報

[重視科目] [総]面接 ES 小論文

[総][ES]⇒巻末[筆]SPI3(会場) SPI3(自宅)[面]3～5回(Webあり)[GD作]NA

[選考ポイント] [総][ES]創造性 発想力 専門分野[面]コミュニケーション能力 論理性 専門性 創造性 志望動機

[通過率] [総][ES]NA

[倍率(応募/内定)] [総]NA

●男女別採用数と配属先ほか●

【男女・文理別採用実績】

	大卒男	大卒女	修士男	修士女
23年	18(文 18理 0)	9(文 8理 1)	18(文 5理 13)	9(文 5理 4)
24年	17(文 15理 2)	9(文 9理 0)	14(文 5理 9)	12(文 7理 5)
25年	15(文 13理 2)	8(文 7理 1)	22(文 4理 18)	15(文 5理 10)

【25年4月入社者の採用実績校】

[文](院)東大2 京大 阪大 名大 一橋大 お茶女大 金沢大 上智大各1(大)早大4 東大3 京大 名大 慶大各2 北大 阪大 九大 一橋大 お茶女大 関西学大 明大各1 [理](院)東大9 京大5 東北大 東京科学大各3 千葉大 名大 早大各2 九大 阪大 横国大 名工大各1(大)東大 東北大 早大各1

【24年4月入社者の配属先】

[総]勤務地:東京49 名古屋1 大阪2 部署:コンサルティング事業本部31 政策研究事業本部21

残業(月) 17.9時間

[記者評価] 金融系で国内最大級のシンクタンク。受託調査、コンサル、グローバル経営支援、政策研究・提言、マクロ経済調査が主柱。会員制経営支援サービス強化。タイのチュラロンコン大医学部と眼科ソリューション開発。政府から受託の子ども・子育て支援調査に取り組む。

●給与、ボーナス、週休、有休ほか●

【30歳総合職平均年収】NA【初任給】(博士)303,000円(修士)303,000円(大卒)271,000円【ボーナス(年)】NA【25、30、35歳賃金】NA【週休】完全2日(土日祝)【夏期休暇】有休で取得【年末年始休暇】12月29日～1月3日【有休取得】11.7/21日

●従業員数、勤続年数、離職率ほか●

【男女別従業員数、平均年齢、平均勤続年数】計 1,136(43.3歳 NA) 男 717(43.6歳 NA) 女 419(42.9歳 NA) ※契約社員・嘱託社員含む【離職率と離職者数】5.2%、62名【3年後新卒定着率】75.9%(男71.4%、女87.5%、3年前入社:男21名・女8名)【組合】なし

[求める人材]「先駆的な知的価値の創造を通じてお客さまの繁栄と社会の発展に貢献する」という志をもった人

[会社データ] (金額は百万円)

【本社】105-8501 東京都港区虎ノ門5-11-2 オランダヒルズ森タワー
☎03-6733-1000 https://www.murc.jp/
【社長】池田 雅一【設立】1985.10【資本金】2,060【今後力を入れる事業】コンサルティング 政策研究 会員事業

【業績(単独)】	売上高	営業利益	経常利益	純利益
22.3	21,077	1,582	1,640	1,112
23.3	21,955	1,883	1,985	902
24.3	23,726	2,945	3,020	2,212

開示 ★★

▶『業界地図』p.160 1437

コンサル等

(株)日本M&Aセンター
にほんエムアンドエー

持株会社 傘下

【特色】中小M&A仲介の老舗。成約件数は圧倒的

修士・大卒採用数	3年後離職率	有休取得年平均	平均年収(平均35歳)
76名	NA	NA	NA

●エントリー情報と採用プロセス●
【受付開始～終了】[総]23年6月～24年4月【採用プロセス】[総]ES・顔写真提出→書類選考→1次面接→適性検査・アンケート回答→2次面接→最終面接→内々定【交通費支給】最終面接、遠方者かつ東京本社来社時に、新幹線(自由席)・特急(自由席)・飛行機を利用した場合のみ【早期選考】⇒巻末

試験情報
重視科目 [総]NA
[総][ES]⇒巻末[筆]NA[面]3回(Webあり)
選考ポイント [総][ES]有無NA[面]当社の求める人物か
通過率 [総][ES]NA
倍率(応募/内定) [総]NA

●男女別採用数と配属先ほか●
【男女・文理別採用実績】

	大卒男	大卒女	修士男	修士女
23年	NA(文NA 理NA)	NA(文NA 理NA)	NA(文NA 理NA)	NA(文NA 理NA)
24年	NA(文NA 理NA)	NA(文NA 理NA)	NA(文NA 理NA)	NA(文NA 理NA)
25年	NA(文NA 理NA)	NA(文NA 理NA)	NA(文NA 理NA)	NA(文NA 理NA)

【25年4月入社者の採用実績校】
[文]NA [理]NA
【24年4月入社者の配属先】
[総]勤務地:東京43 部署:営業43

残業(月) NA

記者評価 中堅中小企業のM&A仲介で最大手。全国の地銀、信金、会計事務所などと連携、情報網構築し業種や地域を絞らない譲渡と買収のマッチングを行う。事業承継案件に強み。ベトナムなど東南アジア5カ国に拠点開設、クロスボーダー案件も強化。

●給与、ボーナス、週休、有休ほか●
【30歳総合職平均年収】NA【初任給】(博士)402,750円(修士)402,750円(大卒)402,750円【ボーナス(年)】NA、2.0カ月【25、30、35歳賃金】NA【週休】2日【夏期休暇】有休とは別に2日間【年末年始休暇】あり【有休取得】NA

●従業員数、勤続年数、離職率ほか●
【男女別従業員数、平均年齢、平均勤続年数】計1,000(34.5歳 NA) 男740(NA) 女260(NA)【離職率と離職者数】NA【3年後新卒定着率】NA【組合】なし

求める人材 ウォームハート&クールヘッドの持ち主、日本社会にダイレクトに貢献したい人

会社データ (金額は百万円)
【本社】100-0005 東京都千代田区丸の内1-8-2 鉄鋼ビルディング24階
☎03-5220-5454 https://www.nihon-ma.co.jp/
【会長】三宅 卓【設立】2021.4【資本金】NA【今後力を入れる事業】NA

【業績】	売上高	営業利益	経常利益	純利益
22.3	40,401	16,430	16,864	11,488
23.3	41,315	23,511	15,472	9,851
24.3	44,136	24,636	16,518	10,743

(株)船井総合研究所
ふないそうごうけんきゅうしょ

持株会社 傘下

【特色】大手経営コンサル。小規模企業向けが強い

修士・大卒採用数	3年後離職率	有休取得年平均	平均年収(平均32歳)
133名	NA	NA	NA

●エントリー情報と採用プロセス●
【受付開始～終了】[総]23年4月～未定【採用プロセス】[総]説明会(必須)→GD→WebES・適性検査→1次面接→最終面接→内々定【交通費支給】なし【早期選考】⇒巻末

試験情報
重視科目 [総]面談・面接
[総][ES]⇒巻末[筆]適性検査[面]2回(Webあり)[GD作]NA
選考ポイント [総][ES]NA(提出あり)[面]論理的思考力 コミュニケーション能力 カルチャーマッチ度 業務マッチ度
通過率 [総][ES]NA
倍率(応募/内定) [総]NA

●男女別採用数と配属先ほか●
【男女・文理別採用実績】

	大卒男	大卒女	修士男	修士女
23年	88(文 83 理 5)	31(文 31 理 0)	8(文 3 理 5)	3(文 3 理 0)
24年	102(文 84 理 18)	37(文 35 理 2)	7(文 5 理 2)	1(文 1 理 0)
25年	89(文 83 理 6)	35(文 33 理 2)	7(文 5 理 2)	2(文 1 理 1)

※25年:24年8月時点
【25年4月入社者の採用実績校】
[文](大)近大 日大各8 関西学大 立命館大各7 中大6 同大 法政大各4 他 [理](大)近大 早大 東理大 明大 駒澤大 群馬大 信州大 新潟大各1 他
【24年4月入社者の配属先】
[総]勤務地:東京111 大阪36 部署:コンサルタント職143 カスタマーサクセス職4

残業(月) NA

記者評価 著名な経営コンサルタントだった故船井幸雄氏が1970年、関西で創業。住宅や医療、不動産、外食など業界ごとの経営研究会で中小企業経営者を中心に集客を図り、個別のコンサル受注に結びつけるビジネスモデル。システム開発領域縮小、経営コンサルに再注力。

●給与、ボーナス、週休、有休ほか●
【30歳総合職平均年収】NA【初任給】(博士)270,000円(修士)270,000円(大卒)270,000円【ボーナス(年)】NA【25、30、35歳賃金】NA【週休】完全2日(土日祝)【夏期休暇】なし【年末年始休暇】7日【有休取得】NA

●従業員数、勤続年数、離職率ほか●
【男女別従業員数、平均年齢、平均勤続年数】計881(31.6歳 NA) 男690(32.1歳 NA) 女191(29.8歳 NA)【離職率と離職者数】NA【3年後新卒定着率】NA【組合】あり

求める人材 会社好き 仕事好き 仲間好き

会社データ (金額は百万円)
【本社】541-0041 大阪府大阪市中央区北浜4-4-10
☎06-6232-0271 https://www.funaisoken.co.jp/
【社長】真貝 大介【設立】1970.3【資本金】3,000【今後力を入れる事業】NA

【業績(単独)】	売上高	営業利益	経常利益	純利益
21.12	17,084	NA	5,656	3,933
22.12	18,725	NA	6,199	4,375
23.12	20,419	NA	6,547	4,720

開示 ★★★☆☆

▶『業界地図』p.160

㈱ビジネスコンサルタント

株式公開 計画なし

【特色】ビーコングループ中核の経営コンサル会社

修士・大卒採用数	3年後離職率	有休取得年平均	平均年収(平均37歳)
14名	54.5 → 50.0%	10.1日	NA

●エントリー情報と採用プロセス●

【受付開始～終了】[総]3月～継続中【採用プロセス】[総]説明会(必須)→GD→グループ面接→Webテスト・個人面接→プレゼンテーション・個人面接→内々定【交通費支給】なし【早期選考】⇒巻末

試験情報

重視科目 [総]面接

[総][筆]Web-DBIT[面]3回(Webあり)[GD作]NA

選考ポイント [総][ES]提出なし[面]論理性 分析力 コミュニケーション能力 判断力 他

通過率 [総][ES]―(応募:NA)

倍率(応募/内定) [総]NA

●男女別採用数と配属先ほか●

【男女・文理別採用実績】

	大卒男	大卒女	修士男	修士女
23年	13(文 12理 1)	5(文 5理 0)	2(文 1理 1)	0(文 0理 0)
24年	15(文 13理 2)	9(文 8理 1)	0(文 0理 0)	2(文 1理 1)
25年	8(文 8理 0)	5(文 5理 0)	0(文 0理 0)	1(文 0理 1)

※25年:24年7月時点

【25年4月入社者の採用実績校】
[文](大)中京大 日大各2 明大 駒澤大 成城大 國學院大 北海道科学大 金沢大 同大 関西学大 熊本県大各1 [理](院)東理大1

【24年4月入社者の配属先】
[総]勤務地:札幌2 青森1 仙台1 東京2 埼玉2 横浜3 新潟1 名古屋3 静岡1 金沢1 長野1 大阪2 京都1 神戸1 岡山1 広島1 福岡1 熊本1 部署:営業職26

残業(月)

8.8時間 [総]8.7時間

記者評価 通称BCon。人材育成・組織改革のための教育訓練、調査診断、コンサルなどが柱。ダイバーシティ、グローバル人材育成など注力。国内21都市に拠点。海外は上海・ハノイ・ホーチミン・バンコク・シンガポール・ジャカルタに拠点。24年7月LPS関連事業を子会社に移管。

●給与、ボーナス、週休、有休ほか●

【30歳総合職平均年収】638万円【初任給】(修士)274,000円 (大卒)254,000円【ボーナス(年)】NA【25、30、35歳賃金】NA【週休】完全2日(土日祝)【夏期休暇】連続3日+有休奨励日あり【年末年始休暇】連続5日+有休奨励日あり【有休取得】10.1／20日

●従業員数、勤続年数、離職率ほか●

【男女別従業員数、平均年齢、平均勤続年数】計396(36.9歳 12.3年) 男247(NA) 女149(NA)【離職率と離職者数】5.0%、21名【3年後新卒定着率】50.0%(男44.4%、女66.7%、3年前入社:男9名・女3名)【組合】なし

求める人材 自分の頭で考え、自分の心で感じ、自主的に判断し行動する人

会社データ (金額は百万円)

【本社】101-0029 東京都千代田区神田相生町1 秋葉原センタープレイスビル

☎03-6260-7571 https://www.bcon.jp/

【社長】大村 昌平【設立】1964.2【資本金】410【今後力を入れる事業】お客様の組織の問題解決の支援

【業績(単独)】	売上高	営業利益	経常利益	純利益
22.3	7,320	1,010	1,120	781
23.3	7,628	731	860	585
24.3	8,111	782	916	677

ID&Eグループ

アイディーアンドイー

持株会社 傘下

【特色】総合建設コンサル首位の日本工営が中核

修士・大卒採用数	3年後離職率	有休取得年平均	平均年収(平均42歳)
180名	10.3 → 10.6%	11.2日	[総]940万円

●エントリー情報と採用プロセス●

【受付開始～終了】[総][技]3月～継続中【採用プロセス】[総][技]ES提出・Webテスト・小論文(3月上旬～)→面接(2回)→内々定〈日本工営都市空間〉ES提出・Webテスト(3月上旬～)→面接(2回)→内々定【交通費支給】2次面接、会社基準【早期選考】⇒巻末

試験情報

重視科目 [総][技]面接

[総][技][ES]⇒巻末[筆]Web(自宅受検)能力試験・性格検査:TG-Web[面]2回(Webあり)[GD作]⇒巻末

選考ポイント [総][技][ES]専門性 論理性 積極性[面]論理性 コミュニケーション力 専門性 熱意 表現力 協調性

通過率 [総][ES]73%(受付:73→通過:53)[技][ES]67%(受付:521→通過:348)

倍率(応募/内定) [総]13倍 [技]11倍

●男女別採用数と配属先ほか●

【男女・文理別採用実績】※25年:24年7月31日時点

	大卒男	大卒女	修士男	修士女
23年	36(文 8理 28)	27(文 11理 16)	71(文 3理 68)	27(文 3理 24)
24年	41(文 6理 35)	27(文 10理 17)	69(文 4理 65)	40(文 2理 38)
25年	38(文 4理 34)	36(文 15理 21)	76(文 1理 75)	30(文 1理 29)

【25年4月入社者の採用実績校】[文](院)兵庫県大1(大)愛知学大2 早大 中大 立教大 法政大 立命館大 阪大 創価大 日大 城西大 西南学大 愛知県大 愛知淑徳大 横浜市大 関大 鹿児島大 東洋大 奈良大各1 他 [理](院)早大 筑波大各5 京大 都立大 九大 山口大 岡山大各4 大阪公大 芝工大 中大各3 北見工大 横国大 広島大 福岡大 愛媛大 豊橋技科大 阪大 山梨大 東北大 信州大 東理大 熊本大 千葉大各2 東大 北大 立命館大 富山県大 神戸大 名城大 名工大各1(大)日大13 都立大4 中大3 佐賀大 会津大 愛知工業大 金沢大 芝工大 法政大各2 他

【24年4月入社者の配属先】[総]勤務地:東京・麹町12 名古屋3 部署:会計税務4 人事労務1 ビジネスサポート2 経営企画1 コーポレートコミュニケーション1 法務コンプライアンス1 安全衛生管理1 人財企画1 管理1 DX1 営業1 [技]勤務地:東京・麹町83 埼玉2 札幌1 仙台4 新潟1 福島16 茨城4 名古屋33 静岡1 大阪19 石川1 九州2 福岡5 沖縄3 部署:交通運輸28 流域水管理13 基盤技術15 国土基盤整備10 鉄道2 社会基盤コンサルタント19 総合調査コンサルタント10 都市開発コンサルタント25 他53

残業(月)

29.6時間 [総]33.0時間

記者評価 戦前の朝鮮半島での大規模水力発電開発が源流。23年7月に持ち株会社ID&E・HDを設立して現体制に。総合建設コンサル最大手の日本工営が中核。国内はインフラ維持管理や防災関連が中心。都市計画・再生などの都市空間、エネルギー関連の事業会社なども傘下。

●給与、ボーナス、週休、有休ほか●

【30歳総合職平均年収】670万円【初任給】(修士)278,800円 (大卒)267,000円【ボーナス(年)】NA【25、30、35歳賃金】266,800円→294,200円→388,500円【週休】完全2日(土日祝)【夏期休暇】有休で取得【年末年始休暇】連続7日【有休取得】11.2／20日

●従業員数、勤続年数、離職率ほか●

【男女別従業員数、平均年齢、平均勤続年数】計1,717(38.5歳 11.5年) 男1,369(39.8歳 12.6年) 女348(33.6歳 7.3年)【離職率と離職者数】2.9%、51名【3年後新卒定着率】89.4%(男88.5%、女91.7%、3年前入社:男87名・女36名)【組合】あり

求める人材 責任感・思いやり・挑戦する気概と誠実さを兼ね備えた人

会社データ (金額は百万円)

【本社】102-8539 東京都千代田区麹町5-4 日本工営ビル

☎03-3238-8030 https://www.id-and-e-hd.co.jp/

【社長】新屋 浩明【設立】2023.7【資本金】7,522【今後力を入れる事業】エネルギー 事業マネジメント DX 他

【業績(IFRS)】	売上高	営業利益	税前利益	純利益
24.6	158,983	14,124	15,264	9,677

※会社データはID&Eホールディングス㈱のもの
※採用は主要4社(日本工営㈱、日本工営都市空間㈱、日本工営エナジーソリューションズ㈱、日本工営ビジネスパートナーズ㈱)の合計、その他注記のないデータは日本工営㈱のもの

開示 ★★★★☆

㈱建設技術研究所（けんせつぎじゅつけんきゅうしょ）

東京P 9621

【特色】建設コンサル大手。河川、道路に強い。海外注力

修士・大卒採用数	3年後離職率	有休取得年平均	平均年収（平均39歳）
106名	3.6→9.2%	16.3日	[総]1,073万円

残業（月） 42.8時間 [総]45.1時間

記者評価 河川軸に道路などへ総合展開。業界の中でも技術士比率が高い。再生可能エネルギー関連など新分野にも力を入れる。海外拡大で2030年売上高1000億円、営業益90億円目指す。国の国土強靱化計画受け公共事業拡大が追い風。24年7月に全社員一律2000円のベースアップ実施。

●エントリー情報と採用プロセス●

【受付開始〜終了】[総][技]3月〜継続中【採用プロセス】[総][技]ES提出（3月上旬）→Webテスト（3月中旬）→面接（4月上旬）→面接・小論文（4月下旬）→内々定（4月下旬）【交通費支給】2次試験、全額

試験情報

重視科目 [総][技]面接

[総][技][ES]⇒巻末[筆]あり（内容NA）[面]2回（Webあり）[GD作]⇒巻末

選考ポイント [総][ES]論理性 主体性[面]主体性 コミュニケーション力 理解力 責任感[技][ES]専門性 論理性 主体性[面]主体性 専門性 コミュニケーション力 理解力 責任感

通過率 [総][技][ES]NA **倍率（応募/内定）** [総][技]NA

●男女別採用数と配属先ほか●

【男女・文理別採用実績】

	大卒男	大卒女	修士男	修士女
23年	21（文 4 理 17）	7（文 0 理 7）	64（文 0 理 64）	15（文 1 理 14）
24年	19（文 5 理 14）	9（文 1 理 8）	66（文 0 理 66）	18（文 1 理 17）
25年	14（文 4 理 10）	6（文 1 理 5）	73（文 0 理 73）	13（文 1 理 12）

【25年4月入社者の採用実績校】[文]（院）兵庫県大1（大）中大 神奈川大 関西学大 広島大 東京外大各1 [理]（院）京大 九大 埼玉大各5 山口大 大阪公大各4 筑波大 長岡技科大 東大 東京都市大 都立大 東北大 名大 岡山大 立命館大 熊本大各3 岐阜大 山梨大 大阪工大 東京農工大 富山大 阪大各2 宇都宮大 横国大 山形大 滋賀県大 室蘭工大 信州大 新潟大 千葉大 長崎大 島根大 東京海洋大 東京科学大 東京農業大 東洋大 同大 徳島大 日大 北大 名工大 富山県大各1（大）芝工大4 立命館大3 群馬大 香川大 東理大 富山県大 福岡大 鹿児島大 熊本大 岡山理大各1

【24年4月入社者の配属先】[総]勤務地：東京・日本橋4 仙台1 大阪1 部署：人事1 総務1 経理1 営業3 [技]勤務地：東京・日本橋40 さいたま8 仙台8 名古屋9 大阪28 福岡13 部署：技術106

●給与、ボーナス、週休、有休ほか●

【30歳総合職平均年収】813万円【初任給】（博士）288,000円（修士）255,000円（大卒）246,000円【ボーナス（年）】329万円、9.468カ月【25、30、35歳賃金】258,500円→309,200円→372,900円【週休】完全2日（土日祝）【夏期休暇】有休利用（6〜9月に5日の取得を推奨）【年末年始休暇】12月29日〜1月4日【有休取得】16.3／25日

●従業員数、勤続年数、離職率ほか●

【男女別従業員数、平均年齢、平均勤続年数】計 1,706（40.2歳 12.7年）男 1,353（40.3歳 12.9年）女 353（39.5歳 11.7年）【離職率と離職者数】2.1%、37名【3年後新卒定着率】90.8%（男90.8%、女90.9%、3年前入社：男76名・女11名）【組合】あり

求める人材 知的好奇心や向上心を持ち、自らが成長することを望む人材

会社データ （金額は百万円）

【本社】103-8430 東京都中央区日本橋浜町3-21-1 日本橋浜町Fタワー
☎03-3668-0451 https://www.ctie.co.jp/
【社長】西村 達也【設立】1963.4【資本金】3,025【今後力を入れる事業】海外展開 防災・減災 都市・建築 PPP

【業績（連結）】	売上高	営業利益	経常利益	純利益
21.12	74,409	6,991	7,118	4,471
22.12	83,485	8,017	8,235	5,874
23.12	93,057	10,011	10,153	7,534

パシフィックコンサルタンツ㈱

株式公開 計画なし

【特色】総合建設コンサル大手。公共セクターに強い

修士・大卒採用数	3年後離職率	有休取得年平均	平均年収（平均41歳）
93名	12.9→6.3%	13.9日	NA

残業（月） 38.5時間 [総]38.5時間

記者評価 建設コンサル大手の一角。社会基盤領域で技術サービス提供。1200人超の技術士擁す。PFI、PPP等公共セクターのプロマネで先行。道路・河川など社会資本整備に注力。小田急電鉄などと箱根の地域価値創造に取り組む。海外は130カ国以上で10万件超の案件に関与。

●エントリー情報と採用プロセス●

【受付開始〜終了】[総][技]1月〜未定【採用プロセス】[総][技]ES・履歴書提出他（1月下旬）→筆記・小論文（2月上旬〜）→面接（2回、2月中旬〜）→内々定（2月下旬〜）【交通費支給】面接、1次面接：実費の片道又は往復（距離による）最終面接：全額【早期選考】⇒巻末

試験情報

重視科目 [総][技]ES 面接 筆記

[総][技][ES]⇒巻末[筆]WEB SCOA[面]2回（Webあり）[GD作]⇒巻末

選考ポイント [総][技][ES]大学・院での専門や志向が当社で活かせるか 学生時代に注力したこと[面]専門能力 論理的思考力 意欲 健康 コミュニケーション能力 表現力 課題解決力

通過率 [総][技][ES]NA **倍率（応募/内定）** [総][技]NA

●男女別採用数と配属先ほか●

【男女・文理別採用実績】

	大卒男	大卒女	修士男	修士女
23年	7（文 2 理 5）	8（文 3 理 5）	22（文 0 理 22）	15（文 0 理 15）
24年	15（文 1 理 14）	10（文 6 理 4）	48（文 4 理 44）	22（文 1 理 21）
25年	14（文 4 理 10）	15（文 4 理 11）	52（文 2 理 50）	12（文 1 理 11）

【25年4月入社者の採用実績校】[文]（院）東大2 ホーエンハイム大1（大）立教大2 秋田大 岩手大 宇都宮大 玉川大 横国大 名城大各1 [理]（院）京大5 芝工大 東理大各4 九大 北大各3 大阪工大 金沢大 熊本大 筑波大 東北大 富山県大 東京科学大 横国大 早大各2 大阪公大 関大 九州工大 工学院大 埼玉大 滋賀県大 島根大 信州大 千葉工大 千葉大 中大 富山大 東大 東洋大 豊橋技科大 長崎大 名大 新潟大 日大 法政大 宮崎大 室蘭工大 山梨大 琉球大各1（大）岡山大 九大 中大 日大 横国大各2 金沢大 近大 北見工大 埼玉大 芝工大 東京都市大 鳥取大 東理大 富山県大 立命館大 早大各1（高専）阿南1

【24年4月入社者の配属先】[総]勤務地：東京6 大阪1 名古屋1 部署：経営管理3 営業5 [技]勤務地：東京60 札幌4 仙台6 名古屋6 大阪9 広島2 福岡4 部署：技術91

●給与、ボーナス、週休、有休ほか●

【30歳総合職平均年収】NA【初任給】（博士）290,000円（修士）275,000円（大卒）265,000円【ボーナス（年）】NA、5.5カ月【25、30、35歳賃金】NA【週休】完全2日（土日祝）【夏期休暇】5日【年末年始休暇】12月29日〜1月4日【有休取得】13.9／20日

●従業員数、勤続年数、離職率ほか●

【男女別従業員数、平均年齢、平均勤続年数】計 1,451（40.6歳 13.7年）男 1,162（42.1歳 15.2年）女 289（34.5歳 7.9年）【離職率と離職者数】2.9%、44名【3年後新卒定着率】93.7%（男93.2%、女94.7%、3年前入社：男44名・女19名）【組合】あり

求める人材 理想を目指し夢へ向かって臆することなく勇敢に変化へのチャレンジができる人

会社データ （金額は百万円）

【本社】101-8462 東京都千代田区神田錦町3-22
☎03-6777-3001 https://www.pacific.co.jp/
【社長】大本 修【設立】1951.9【資本金】820【今後力を入れる事業】グローバル事業 PFI・PPP 行政支援 環境 エネルギー 福祉 介護 低炭素 循環型社会

【業績（連結）】	売上高	営業利益	経常利益	純利益
21.9	58,118	4,673	4,608	3,044
22.9	60,444	2,991	3,439	2,483
23.9	61,556	4,093	4,119	2,756

開示 ★★★

2854

㈱オリエンタルコンサルタンツグローバル

持株会社 傘下

【特色】海外インフラ向け建設コンサル事業を展開

修士・大卒採用数	3年後離職率	有休取得年平均	平均年収(平均43歳)
18名	20.0→11.1%	14.9日	総 895万円

●エントリー情報と採用プロセス●

【受付開始～終了】総技3月～継続中【採用プロセス】総技ES提出・Webテスト(3月上旬～)→面接(2回)・小論文(4月)→内々定【交通費支給】最終面接、実費

試験情報

重視科目 総技ES 面接

総技 ES⇒巻末筆SPI3(自宅) WEBテスティング 面2回(Webあり) GD作NA

選考ポイント 総技 ES大学・院での専門や志向が当社で活かせるか 論理性 主体性 面コミュニケーション能力 意欲 論理的思考力 協調性 専門性

通過率 総技 ES選考有無NA

倍率(応募/内定) 総技NA

●男女別採用数と配属先ほか●

【男女・文理別採用実績】

	大卒男	大卒女	修士男	修士女
23年	2(文 0理 2)	3(文 1理 2)	9(文 1理 8)	3(文 0理 3)
24年	2(文 1理 1)	1(文 1理 0)	4(文 1理 3)	1(文 0理 1)
25年	1(文 1理 0)	4(文 3理 1)	9(文 1理 8)	4(文 0理 4)

【25年4月入社者の採用実績校】
文(院)名大1(大)筑波大 明学大 東洋大 明大各1 理(院)東京科学大2 東京海洋大 京大 東大 熊本大 日大 千葉大 シドニー大 豊橋技科大 早大 ダルムシュタット工科大 北大各1(大)群馬大1

【24年4月入社者の配属先】
総勤務地：東京2 部署：営業1 総務1 技勤務地：東京6 部署：技術6

残業(月) 18.5時間 総 18.5時間

記者評価 総合建設コンサル大手のオリエンタルコンサルタンツの海外部門が分社化して設立。海外インフラの開発計画、設計、施工管理、運営管理など幅広く手がける。アジア、アフリカ、欧州など150カ国以上で実績。25年4月から大卒初任給を253,800円に引き上げ。

●給与、ボーナス、週休、有休ほか●

【30歳総合職平均年収】597万円【初任給】(博士)278,000円(修士)258,000円(大卒)244,000円【ボーナス(年)】257万円、5.8カ月【25、30、35歳賃金】278,800円→327,500円→450,340円【週休】完全2日(土日祝)【夏期休暇】年次有休日数を加算する形で付与【年末年始休暇】12月29日～1月3日【有休取得】14.9／25日

●従業員数、勤続年数、離職率ほか●

【男女別従業員数、平均年齢、平均勤続年数】計 340(42.6歳 10.3年) 男 247(44.1歳 11.0年) 女 93(38.8歳 8.6年)【離職率と離職者数】5.8%、21名【3年後新卒定着率】88.9%(男100%、女75.0%、3年前入社：男5名・女4名)【組合】あり

求める人材 受け身にならず、主体的に物事を考えて行動ができる人 円滑にコミュニケーションが取れ、周囲と協働して仕事ができる人

会社データ (金額は百万円)

【本社】163-1409 東京都新宿区西新宿3-20-2 東京オペラシティタワー
☎03-6311-7570 https://ocglobal.jp/ja/
【社長】米澤 栄二【設立】2014.6【資本金】490【今後力を入れる事業】民間事業等の新規事業

【業績(単独)】	売上高	営業利益	経常利益	純利益
21.9	22,867	NA	NA	NA
22.9	28,884	NA	NA	NA
23.9	27,358	940	1,515	1,209

㈱インテージ

持株会社 傘下

【特色】市場調査分野で国内首位、アジアでもトップ

修士・大卒採用数	3年後離職率	有休取得年平均	平均年収(平均37歳)
85名	NA	14.6日	NA

●エントリー情報と採用プロセス●

【受付開始～終了】総技8月～6月【採用プロセス】総技ES提出→適性検査→面接(2～3回)→内々定【交通費支給】来社面接時のみ、実費【早期選考】⇒巻末

試験情報

重視科目 総技面接

総 技 ES⇒巻末筆SPI3(自宅) SPI性格 面2～3回(Webあり)

選考ポイント 総技 ESNA(提出あり) 面NA

通過率 総 ESNA(受付：1,535→通過：NA) 技 ESNA(受付：160→通過：NA)

倍率(応募/内定) 総10倍 技11倍

●男女別採用数と配属先ほか●

【男女・文理別採用実績】

	大卒男	大卒女	修士男	修士女
23年	30(文 27理 3)	51(文 48理 3)	8(文 5理 3)	4(文 1理 3)
24年	39(文 35理 4)	43(文 38理 5)	7(文 3理 4)	8(文 6理 2)
25年	30(文 27理 3)	40(文 38理 2)	9(文 5理 4)	6(文 3理 3)

【25年4月入社者の採用実績校】文(院)早大3 東理大2 お茶女大 山梨大 梨花女大各1(大)早大5 武蔵大 中大各4 立命館大 学習院大 青学大 東洋大各3 横国大 慶大 國學院大 法政大 日大 関西学大 立教大 明大 横浜市大各2 埼玉大 九大 産能大 ICU 上智大 大阪市大 東京学芸大 南山大 明学大 UCアーバイン 都立大 津田塾大 千葉大 テンプル大ジャパン 成蹊大 北大 日女大 大阪府大 専大 香川大 一橋大 三重大各1 理(院)東海大 岡山県大 武蔵野大 中大 東理大 東大 東京科学大各1(大)文教大 大阪府大 武蔵野大 横浜市大 広島大各1

【24年4月入社者の配属先】総勤務地：東京84 大阪3 部署：リサーチャー61 事業開発15 営業8 事業推進3 技勤務地：東京10 部署：データサイエンティスト4 ITエンジニア4 デジタルマーケター2

残業(月) 18.2時間 総 18.2時間

記者評価 インテージHDの中核事業子会社で、市場調査では国内唯一、消費・販売のパネル調査(同一人物・同一企業への継続的な調査)網を持ち、調査市場をリードする。オンライン調査へのシフトが進む。海外でもオンライン中心に事業展開に意欲的。

●給与、ボーナス、週休、有休ほか●

【30歳総合職平均年収】NA【初任給】(修士)269,000円(大卒)269,000円【ボーナス(年)】NA【25、30、35歳モデル賃金】289,000円→390,000円→NA【週休】完全2日(土日祝)【夏期休暇】夏季休暇を有休として付与【年末年始休暇】12月29日～1月3日【有休取得】14.6／24日

●従業員数、勤続年数、離職率ほか●

【男女別従業員数、平均年齢、平均勤続年数】計 1,326(37.1歳 8.3年) 男 628(37.6歳 9.1年) 女 698(36.7歳 7.5年)【離職率と離職者数】NA【3年後新卒定着率】NA【組合】あり

求める人材 世の中の変化や生活者への興味がある人 常に問題意識を持ち問題解決に取り組める人

会社データ (金額は百万円)

【本社】101-8201 東京都千代田区神田練塀町3 インテージ秋葉原ビル
☎03-5294-0111 https://www.intage.co.jp/
【社長】檜垣 歩【設立】2013.4【資本金】450【今後力を入れる事業】DX CX グローバル事業 ドコモシナジー事業

【業績(連結)】	売上高	営業利益	経常利益	純利益
22.6	60,232	4,649	4,952	3,418
23.6	61,387	3,785	4,073	3,505
24.6	63,279	3,289	3,543	2,456

※業績は㈱インテージホールディングスのもの

開示 ★★

▶『業界地図』p.169

2575

㈱帝国(ていこく)データバンク

株式公開 計画なし

【特色】民間企業信用調査会社の老舗で最大手。略称TDB

修士・大卒採用数	3年後離職率	有休取得年平均	平均年収(平均41歳)
52名	NA	13.7日	㊗924万円

●エントリー情報と採用プロセス●

【受付開始～終了】㊗3月～6月【採用プロセス】㊗ES提出→適性検査→面接(2～3回)→内々定【交通費支給】最終面接以降、遠方者のみ新幹線・飛行機代

試験情報

重視科目 ㊗面接

㊗ ES ⇒巻末 筆 SPI3(自宅) 面 2～3回(Webあり)

選考ポイント ㊗ ES NA(提出あり) 面 コミュニケーション能力 バイタリティ 行動指針を体現できる人物か 調査員としての素質があるか

通過率 ㊗ ES NA

倍率(応募/内定) ㊗NA

●男女別採用数と配属先ほか●

【男女・文理別採用実績】

	大卒男	大卒女	修士男	修士女
23年	32(文 32 理 0)	10(文 9 理 1)	0(文 0 理 0)	1(文 1 理 0)
24年	29(文 26 理 3)	22(文 22 理 0)	0(文 0 理 0)	0(文 0 理 0)
25年	30(文 30 理 0)	21(文 21 理 0)	1(文 0 理 1)	0(文 0 理 0)

【25年4月入社者の採用実績校】
文(24年)(大)関大4 専大 大正大 武蔵大各3 上智大 津田塾大 日大 法政大 明大 立教大 関西学大各2 青学大 学習院大 杏林大 駒澤大 産能大 創価大 拓大 中大 獨協大 東京経大 フェリス女学大 武蔵野大 明学大 立正大 神戸大 滋賀大 同大 愛知工業大 北海学園大 公立鳥取環境大 福岡大各1 理(24年)(大)東京農業大 日大 立命館大各1

【24年4月入社者の配属先】
㊗勤務地:東京(港21 新宿10 東京西1)大阪7 札幌1 仙台1 横浜2 千葉1 大宮2 名古屋2 広島2 福岡1 部署:企総2 経理1 人事3 営業企画4 プロダクトデザイン7 リソースマネジメント5 業務6 情報(事務)3 営業(事務)2 調査(事務)2 総務10 管理6

残業(月) 9.4時間 ㊗13.4時間

記者評価 1900年創業の国内最大の企業信用調査会社。全国に83拠点を構え、1,700人の調査員が直接調査に当たる。企業倒産情報や景気・業界動向調査も発信。他社との提携により、全世界約5億件の企業情報も扱う。AIを活用した未上場企業の成長予測サービスを提供。

●給与、ボーナス、週休、有休ほか●

【30歳総合職平均年収】756万円【初任給】(修士)265,000円(大卒)256,000円【ボーナス(年)】NA【25、30、35歳賃金】NA【週休】完全2日(土日祝)【夏期休暇】なし【年末年始休暇】12月30日～1月4日【有休取得】13.7/20日

●従業員数、勤続年数、離職率ほか●

【男女別従業員数、平均年齢、平均勤続年数】計 3,300(44.1歳 12.9年)男 2,348(42.8歳 13.7年)女 952(46.2歳 11.5年)※契約社員等含む【離職率と離職者数】NA【3年後新卒定着率】NA【組合】あり

求める人材 行動指針(お客さま最優先・現地現認・プロ意識・チャレンジ)を体現できる人

会社データ (金額は百万円)

【本社】107-8680 東京都港区南青山2-5-20
☎03-5775-3192 https://www.tdb.co.jp/
【社長】後藤 信夫【設立】1987.7【資本金】90【今後力を入れる事業】企業信用調査 与信管理 経営課題解決支援

【業績(単独)】	売上高	営業利益	経常利益	純利益
21.9	54,391	10,586	10,817	7,015
22.9	54,892	9,551	9,637	6,235
23.9	54,891	10,320	10,541	6,812

㈱マクロミル

東京P 3978

【特色】市場調査で国内では首位級。海外でも存在感

修士・大卒採用数	3年後離職率	有休取得年平均	平均年収(平均34歳)
47名	31.3→35.2%	8.5日	㊗596万円

●エントリー情報と採用プロセス●

【受付開始～終了】㊗12月～4月【採用プロセス】㊗Web説明会(必須、3月)→Webテスト→GW→面接(3回、4月～)→内々定(5月～)【交通費支給】最終面接、上限額35,000円以内は全額【早期選考】⇒巻末

試験情報

重視科目 ㊗なし

㊗ 筆 SPI3(自宅) 面 3回(Webあり)

選考ポイント ㊗ 面 NA

通過率 ㊗ ES ―(応募:1,221)

倍率(応募/内定) ㊗10倍

●男女別採用数と配属先ほか●

【男女・文理別採用実績】

	大卒男	大卒女	修士男	修士女
23年	28(文 22 理 6)	31(文 30 理 1)	7(文 4 理 3)	2(文 2 理 0)
24年	16(文 12 理 4)	25(文 25 理 0)	3(文 2 理 1)	1(文 1 理 0)
25年	19(文 18 理 1)	26(文 26 理 0)	0(文 0 理 0)	2(文 2 理 0)

【25年4月入社者の採用実績校】
文(院)北大 立教大各1(大)立教大5 東北学大 法政大 宮城大 武蔵大各3 専大 東理大 東洋大各2 青学大 学習院大 神奈川大 金沢大 関東学院大 近大 国士舘大 産能大 高崎経大 中大 筑波大 帝京平成大 東京経大 東北大 日女大 日大 福島大 宮城学院女大 明学大 横浜市大 立正大各1 理(大)関西学大1

【24年4月入社者の配属先】
㊗勤務地:東京33 仙台12 部署:営業12 リサーチ33

残業(月) 23.1時間 ㊗23.6時間

記者評価 マーケティング調査では首位級で、特にオンラインを活用したリサーチに強い。DXの推進を支援するデータ利活用支援事業も展開。広告効果測定などマーケ支援も。臨床試験の実施支援などライフサイエンス事業に進出。海外事業を再編し、日本・韓国市場に集中。

●給与、ボーナス、週休、有休ほか●

【30歳総合職平均年収】504万円【初任給】(修士)255,970円(大卒)237,212円【ボーナス(年)】NA【25、30、35歳賃金】NA【週休】完全2日(土日)【夏期休暇】特別休暇2日【年末年始休暇】12月29日～1月3日【有休取得】8.5/20日

●従業員数、勤続年数、離職率ほか●

【男女別従業員数、平均年齢、平均勤続年数】計 1,185(33.9歳 5.7年)男 581(35.3歳 6.0年)女 604(32.6歳 5.3年)【離職率と離職者数】8.7%、113名【3年後新卒定着率】64.8%(男65.0%、女64.5%、3年前入社:男40名・女31名)【組合】なし

求める人材 成長意欲が高い人 知的好奇心の強い人

会社データ (金額は百万円)

【本社】108-0075 東京都港区港南2-16-1 品川イーストワンタワー
☎03-6716-0700 https://www.macromill.com/
【社長】佐々木 徹【設立】2001.1【資本金】1,090【今後力を入れる事業】総合マーケティング支援(コンサル領域含)

【業績(IFRS)】	売上高	営業利益	税前利益	純利益
22.6	49,810	5,814	5,605	3,147
23.6	40,616	4,498	3,728	7,574
24.6	43,861	4,470	4,746	2,293

㈱東京商工リサーチ（とうきょうしょうこう）

株式公開 計画なし

【特色】企業信用調査の老舗。国内2強の一角。米D&Bと提携

修士・大卒採用数	3年後離職率	有休取得年平均	平均年収(平均43歳)
18名	NA	11.4日	[総]837万円

●エントリー情報と採用プロセス●

【受付開始～終了】[総]2月～継続中【採用プロセス】[総]説明会(必須、オンラインまたはアーカイブ配信)→筆記→ES提出→適性検査→論述・面接(2～3回)→内々定【交通費支給】なし【早期選考】⇒巻末

試験情報

重視科目 [総]面接

[総][ES]NA[筆]SPI3(会場) SPI3(自宅) 一般常識[面]2～3回(Webあり)[GD作]NA

選考ポイント [総][ES]NA(提出あり)[面]業務に対する適性 コミュニケーション能力 行動力

通過率 [総][ES]NA

倍率(応募/内定) [総]NA

●男女別採用数と配属先ほか●

【男女・文理別採用実績】

	大卒男	大卒女	修士男	修士女
23年	7(文 7理 0)	7(文 7理 0)	0(文 0理 0)	0(文 0理 0)
24年	15(文 15理 0)	1(文 1理 0)	0(文 0理 0)	0(文 0理 0)
25年	14(文 14理 0)	4(文 4理 0)	0(文 0理 0)	0(文 0理 0)

※25年：24年8月上旬時点

【25年4月入社者の採用実績校】

[文](24年)(大)大阪産大 専大各2 大阪経大 國學院大 埼玉大 千葉経大 広島修道大 法政大 武蔵大 名城大 明大 山形大 立正大 麗澤大各1 [理](24年)なし

【24年4月入社者の配属先】

[総]勤務地：仙台1 東京・千代田10 名古屋1 大阪市3 広島市1 部署：調査営業16

残業(月) 9.3時間 [総]9.3時間

記者評価 略称TSR。1892年創業で帝国データバンクと双璧。900万件超の企業情報を保有し、与信管理向けに提供。米国ダン＆ブラッドストリートと提携、世界で5億件以上の企業情報を扱う。調査営業職は年間420社以上を訪問、経営情報をヒアリングして調査レポートを作成する。

●給与、ボーナス、週休、有休ほか●

【30歳総合職平均年収】NA【初任給】(修士)308,950円(大卒)291,690円【ボーナス(年)】294万円、9.9カ月【25、30、35歳賃金】NA【週休】完全2日(土日祝)【夏期休暇】8月に1日 10、11月に2日【年末年始休暇】12月30日～1月4日【有休取得】11.4／20日

●従業員数、勤続年数、離職率ほか●

【男女別従業員数、平均年齢、平均勤続年数】計 729(43.1歳 15.6年) 男 558(43.5歳 15.6年) 女 171(41.7歳 15.5年)【離職率と離職者数】4.6%、35名【3年後新卒定着率】NA【組合】あり

求める人材 行動力・思考力・コミュニケーション能力を兼ね備えた人物

会社データ (金額は百万円)

【本社】100-6810 東京都千代田区大手町1-3-1 JAビル
☎03-6910-3111 https://www.tsr-net.co.jp/

【社長】河原 光雄【設立】1933.5【資本金】67【今後力を入れる事業】世界最大の企業DBによる与信管理サポート

【業績(単独)】	売上高	営業利益	経常利益	純利益
22.3	22,239	4,335	4,386	2,801
23.3	23,161	4,726	4,775	3,060
24.3	24,216	5,105	5,181	3,325

情報・通信・同関連ソフト

SHUSHOKUSHIKIHO

通信サービス　システム・ソフト

インターネット回線

光回線はＮＴＴが他社に卸す「光コラボ」堅調だが、成長は鈍化。工事不要で手軽なワイヤレスは着実に利用増える

携帯電話事業者

官製値下げで下落のキャリアの通信単価は上向く。が、個人向け通信の競争環境なお厳しく、非通信分野の成長がカギ

システム開発

世界的にＤＸ需要が旺盛。大企業が中心だったＤＸ化・クラウド利用は中小企業や自治体へと裾野が広がる

ソフトウェア(SaaS)

ＳａａＳは成長投資段階を終えて利益を積み上げる企業が目立つ。大幅な増益となる企業も多い。再編も進みそう

(天気図は24年度後半⇒25年度、続きは東洋経済『会社四季報業界地図 2025年版』で)

開示 ★★★ ▶『業界地図』p.67, 14, 28… 1038

にっぽんでんしんでんわ
日本電信電話(株)

東京P 9432

【特色】通信業界ガリバー。ITやエネルギーなど多角化も

修士・大卒採用数	3年後離職率	有休取得年平均	平均年収(平均42歳)
53名	6.3 → 4.8%	15.3日	(総)1,024万円

●エントリー情報と採用プロセス●

【受付開始〜終了】(技)3月〜6月【採用プロセス】(技)<修士・学士>ES提出(3月〜)→適性試験→面接(1〜2回、6月〜)→内々定(6月〜)<博士>ES提出(12月〜)→適性検査・面接(2回、1月〜)→内々定(2月〜)【交通費支給】現場見学等、飛行機・新幹線等利用の場合に一部

試験情報

重視科目 技<研究開発職>ES プレゼン 面接

技(ES)⇒巻末(筆)SPI3(会場) SPI3(自宅)(面)1〜2回(Webあり)

選考ポイント 技(ES)志望研究分野 現在の研究内容 他(面)プレゼンテーション能力 研究開発に取り組む姿勢 論理的思考力 コミュニケーション能力 理解力 他

通過率 技(ES)NA(受付:860→通過:NA)

倍率(応募/内定) 技9倍

●男女別採用数と配属先ほか●

【男女・文理別採用実績】

	大卒男	大卒女	修士男	修士女
23年	0(文 0理 0)	0(文 0理 0)	32(文 0理 32)	29(文 2理 27)
24年	0(文 0理 0)	1(文 1理 0)	30(文 1理 29)	22(文 1理 21)
25年	0(文 0理 0)	0(文 0理 0)	22(文 0理 22)	31(文 0理 31)

【25年4月入社者の採用実績校】(文)なし (理)(院)東大 阪大各11 京大 東理大各6 早大 筑波大 明大各4 東京科学大 慶大 九大 電通大 立命館大 日女大各3 東北大 奈良先端科技院大 横国大 お茶女大 日大 山口大各2 北大 はこだて未来大 豊田工大 千葉大 東京農工大 上智大 都立大 長岡技科大 神戸大 関西学大 岡山大 千葉工大 山形大 立教大 兵庫県大 大阪工大各1

【24年4月入社者の配属先】技 勤務地:東京(品川4 武蔵野36)神奈川(横須賀16 厚木15)茨城・つくば4 京都・精華2 部署:研究開発77

残業(月) 25.7時間 (総)25.7時間

記者評価 1985年に電電公社民営化で誕生。NTTドコモ、NTT東日本・西日本、NTTデータグループが主要子会社。海外IT事業は22年にデータと統合。20年にドコモを完全子会社化。近年はグループ会社間の人事異動も盛ん。脱年功序列や原則テレワークなど人事労務改革を推進。

●給与、ボーナス、週休、有休ほか●

【30歳総合職平均年収】NA【初任給】(博士)338,160円 (修士)285,330円 (大卒)NA【ボーナス(年)】(グレード3の下限)167万円、NA【25、30、35歳賃金】NA【週休】完全2日(土日祝)【夏期休暇】5日【年末年始休暇】12月29日〜1月3日【有休取得】15.3/20日

●従業員数、勤続年数、離職率ほか●

【男女別従業員数、平均年齢、平均勤続年数】計 2,492 (41.9歳 16.5年) 男 2,086(42.7歳 17.3年) 女 406(37.7歳 12.5年)【離職率と離職者数】4.0%、103名【3年後新卒定着率】95.2%(男92.5%、女100%、3年前入社:男40名・女23名)【組合】あり

求める人材 豊かな未来の実現のために、自らの想像力と創造力を発揮できる人

会社データ (金額は百万円)

【本社】100-8116 東京都千代田区大手町1-5-1 大手町ファーストスクエア ☎03-6838-5111 https://group.ntt/jp/

【社長】島田 明【設立】1985.4【資本金】937,950【今後力を入れる事業】グローバル クラウド セキュリティ IoT 等

【業績(IFRS)】	売上高	営業利益	税前利益	純利益
22.3	12,156,447	1,768,593	1,795,525	1,181,083
23.3	13,136,194	1,828,986	1,817,679	1,213,116
24.3	13,374,569	1,922,910	1,980,457	1,279,521

エヌティティ
(株)NTTドコモ

持株会社 傘下

【特色】携帯電話で国内首位。非通信分野の拡大を急ぐ

修士・大卒採用数	3年後離職率	有休取得年平均	平均年収(平均43歳)
597名	6.4 → 7.1%	16.4日	(総)904万円

●エントリー情報と採用プロセス●

【受付開始〜終了】(総)(技)3月〜5月【採用プロセス】(総)(技)ES提出・適性検査(3〜5月)→選考(面接・複数回他、6月)→内々定(6月〜)【交通費支給】なし

試験情報

重視科目 総技 面接 (総)(技)(ES)⇒巻末(筆)SPI3(会場) SPI3(自宅) SPI3(面)複数回(Webあり)

選考ポイント (総)(技)(ES)NA(提出あり)(面)NA

通過率 (総)(技)(ES)NA **倍率(応募/内定)** (総)(技)NA

●男女別採用数と配属先ほか●

【男女・文理別採用実績】※25年:597名採用予定

	大卒男	大卒女	修士男	修士女
23年	177(文139 理 38)	179(文146 理 33)	217(文 7 理210)	33(文 4 理 29)
24年	184(文110 理 74)	133(文 93 理 40)	282(文 12 理270)	42(文 5 理 37)
25年	-(文 - 理 -)	-(文 - 理 -)	-(文 - 理 -)	-(文 - 理 -)

【25年4月入社者の採用実績校】(文)早大 神戸大 同大 阪大 立命館大 関大 明大 慶大 関西学大 東大 名大 日女大 上智大 九大 東京女大 学習院大 北大 愛知大 東北大 京大 立教大 青学大 一橋大 中大 東理大 静岡大 香川大 筑波大 横国大 広島大 岡山大 法政大 滋賀大 千葉大 日大 東京外大 成城大 埼玉大 東京薬大 小樽商大 熊本大 福岡大 東京芸大 他 (理)慶大 東大 電通大 阪大 同大 北大 東京農工大 山梨大 早大 奈良先端科技院大 筑波大 東京科学大 金沢工大 横国大 近大 関大 龍谷大 上智大 名大 横浜市大 静岡大 中大 千葉大 金沢大 総合研究院大 お茶女大 都立大 大阪公大 東京都市大 筑波技大 東理大 明大 広島大 東北大 奈良女大 京大 信州大 京都府大 九大 立命館大 北陸先端科技院大 茨城大 豊田工大 芝工大 富山県大 千葉工大 青学大 岡山大 はこだて未来大 東洋大 東京情報大 東京電機大 高知工科大 関西学大 大阪電通大 日大 熊本大 愛媛大 徳島大 弘前大 神戸大 名工大 立教大 大妻女大 岡山県大 和歌山大 九産大 埼玉大 鹿児島大 南山大 岩手県大 岩手大 鳥取大 他

【24年4月入社者の配属先】総 勤務地:東京23区 全国各支社支店 部署:ビジネスデザイン セールスリーガル アカウンティング&ファイナンス 技 勤務地:東京23区 神奈川・横須賀 全国各支社支店 部署:ビジネスデザイン プロダクト・サービスエンジニア ソリューションエンジニア システム・クラウドアプリエンジニア ネットワークデザイン 先端研究開発

残業(月) 26.5時間 (総)26.5時間

記者評価 NTT傘下の携帯キャリアで国内最大手。NTTグループの中核で営業利益の大半を稼ぐ。2020年にNTTが完全子会社化、NTTコミュニケーションズ、NTTコムウェアとの統合も実施。モバイル収入は減少続くが、非通信、法人事業が成長中。特に金融サービスの強化進める。

●給与、ボーナス、週休、有休ほか●

【30歳総合職平均年収】633万円【初任給】(博士)391,030円 (修士)315,790円 (大卒)303,790円【ボーナス(年)】189万円、NA【25、30、35歳賃金】284,400円→381,300円→437,700円【週休】2日(4週につき8日)【夏期休暇】5日【年末年始休暇】12月29日〜1月3日【有休取得】16.4/20日

●従業員数、勤続年数、離職率ほか●

【男女別従業員数、平均年齢、平均勤続年数】計 8,919 (39.6歳 14.5年) 男 6,367(40.4歳 15.2年) 女 2,552(37.5歳 12.8年)【離職率と離職者数】4.7%、439名【3年後新卒定着率】92.9%(男91.2%、女95.8%、3年前入社:男260名・女165名)【組合】あり

求める人材 現状に満足せず、高い目標に向かってチャレンジする「挑戦心」と、失敗を恐れず、自ら考え、行動を起こしやり遂げる「行動力」を兼ね備えている人物

会社データ (金額は百万円)

【本社】100-6150 東京都千代田区永田町2-11-1 山王パークタワー ☎03-5156-1111 https://www.docomo.ne.jp/

【社長】前田 義晃【設立】1991.8【資本金】949,680【今後力を入れる事業】NA

【業績(IFRS)】	売上高	営業利益	税前利益	純利益
22.3	5,870,200	1,072,500	1,082,400	752,100
23.3	6,059,000	1,093,900	1,093,500	771,800
24.3	6,140,000	1,144,400	1,153,800	795,100

開示 ★★★ ▶『業界地図』p.62, 67, 146… 1040

ソフトバンク(株)

東京P 9434

【特色】ソフトバンクグループ傘下。携帯は国内3位

修士・大卒採用数	3年後離職率	有休取得年平均	平均年収(平均42歳)
未定	19.0 → 18.0%	15.4日	総 848万円

●エントリー情報と採用プロセス●

【受付開始～終了】総技ユニバーサル採用のため通年採用【採用プロセス】総ES提出→動画面接→適性検査→面接(複数回)→内々定 技<1>ES提出→動画面接→適性検査→面接(複数回)→内々定<2>エンジニア筆記試験→適性検査→面接(複数回)→内々定※<1><2>より選択可能【交通費支給】NA

試験情報

重視科目 総技NA

総技 ES NA 筆あり(内容NA) 面複数回(Webあり) GD作 NA

選考ポイント 総技 ES NA(提出あり) 面NA

通過率 総技 ES NA

倍率(応募/内定) 総技NA

●男女別採用数と配属先ほか●

【男女・文理別採用実績】

	大卒男	大卒女	修士男	修士女
23年	129(文NA 理NA)	112(文NA 理NA)	145(文NA 理NA)	39(文NA 理NA)
24年	102(文NA 理NA)	108(文NA 理NA)	130(文NA 理NA)	35(文NA 理NA)
25年	-(文 - 理 -)	-(文 - 理 -)	-(文 - 理 -)	-(文 - 理 -)

※24年:障がい者採用含む 25年:継続中

【25年4月入社者の採用実績校】

文未定 理未定

【24年4月入社者の配属先】

NA

残業(月) 24.9時間 総26.5時間

記者評価 ソフトバンクグループの中核子会社。携帯回線契約で国内3位。大容量プランが売りの「ソフトバンク」とやや安価な「ワイモバイル」を軸に、オンライン専用の「ラインモ」も展開。生成AI向けの大規模言語モデルやデータセンター構築にも注力。

●給与、ボーナス、週休、有休ほか●

【30歳総合職平均年収】NA【初任給】(博士)294,800円(修士)284,200円(大卒)263,000円【ボーナス(年)】268万円、6.4カ月【25、30、35歳賃金】289,108円→333,660円→389,779円【週休】完全2日(土日祝)【夏期休暇】5日以上の年次有休の取得奨励(7～9月)【年末年始休暇】12月30日～1月3日【有休取得】15.4/21日

●従業員数、勤続年数、離職率ほか●

【男女別従業員数、平均年齢、平均勤続年数】計 18,889(41.3歳 14.1年) 男 13,766(41.9歳 14.1年) 女 5,123(39.8歳 14.0年)【離職率と離職者数】3.6%、711名【3年後新卒定着率】82.0%(男79.9%、女89.8%、3年前入社:男358名・女98名)【組合】あり

求める人材 ソフトバンクの変化を楽しみ、何事もチャンスと捉え挑戦する人

会社データ (金額は百万円)

【本社】105-7529 東京都港区海岸1-7-1 東京ポートシティ竹芝 ☎03-6889-2000 https://www.softbank.jp/corp/

【社長】宮川 潤一【設立】1986.12【資本金】217,798【今後力を入れる事業】AI IoT スマートロボット DX

【業績(IFRS)】	売上高	営業利益	税前利益	純利益
22.3	5,690,606	985,746	880,363	517,517
23.3	5,911,999	1,060,168	862,868	531,366
24.3	6,084,002	876,068	805,912	489,074

ＫＤＤＩ(株)

ケイディーディーアイ

東京P 9433

【特色】携帯大手。「通信とライフデザインの融合」注力

修士・大卒採用数	3年後離職率	有休取得年平均	平均年収(平均42歳)
263名	5.8 → 6.0%	14.4日	総 986万円

●エントリー情報と採用プロセス●

【受付開始～終了】総12月～継続中 技11月～継続中【採用プロセス】総本エントリー(基本情報登録・WebES提出・Webテスト・履修履歴提出)(12月～)→書類選考→面接(3回)→内々定 技本エントリー(基本情報登録・WebES提出・Webテスト・履修履歴提出)(11月～)→書類選考→面接(3回)→内々定【交通費支給】最終面接、遠方者(会社基準)

試験情報

重視科目 総技面接

総技 ES ⇒巻末 筆適性検査 面3回(Webあり)

選考ポイント 総技 ES NA(提出あり) 面NA

通過率 総 ES 21%(受付:6,738→通過:1,417) 技 ES 14%(受付:2,992→通過:414)

倍率(応募/内定) 総68倍 技18倍

●男女別採用数と配属先ほか●

【男女・文理別採用実績】※司法研修所は修士(文系)に含む

	大卒男	大卒女	修士男	修士女
23年	66(文 58 理 8)	63(文 48 理 15)	141(文 5 理136)	22(文 0 理 22)
24年	63(文 45 理 18)	75(文 61 理 14)	138(文 3 理135)	26(文 2 理 24)
25年	48(文 45 理 3)	64(文 44 理 20)	127(文 4 理123)	24(文 2 理 22)

【25年4月入社者の採用実績校】文(大)慶大 明大 京大 中大 関西学大 青学大 早大 一橋大 学習院大 同大 立教大 立命館大 関大 東京外大 東京女大 日女大 横浜市大 近大 九大 駒澤大 国士舘大 三重大 上智大 神戸大 成城大 西南学大 大妻女大 大阪市大 阪大 東大 東北学大 東北大 他 理(院)京大 東京科学大 阪大 横国大 中大 東理大 法政大 北大 芝工大 早大 名大 慶大 上智大 神戸大 電通大 東北大 お茶女大 九大 青学大 東大 名工大 明大 広島大 埼玉大 信州大 千葉大 東京農工大 同大 奈良先端科技院大 愛知県大 宇都宮大 岡山大 岩手大 京都工繊大 九州工大 千歳科技大 香川大 山口大 静岡大 千葉工大 筑波大 東京海洋大 東京工科大 東京電機大 兵庫県大 豊橋技科大 立命館大 和歌山大 他

【24年4月入社者の配属先】圏勤務地:NA 部署:業務系55 コンシューマ営業26 ビジネスインキュベーション5 リーガル&ライセンス2 アカウンティング&ファイナンス6 法人営業11 カスタマーサービス13 固勤務地:NA 部署:技術系80 アプリケーションエンジニア23 プロダクトマネジメント15 UXデザイン4 ファシリティ3 セキュリティ9 ソリューションエンジニア10 データサイエンス15 ネットワークインフラエンジニア31

残業(月) 25.6時間 総25.6時間

記者評価 携帯回線契約で国内2位。主力の「au」、格安の「UQ」、ネット専用「povo」の3ブランドを展開。通信の顧客基盤を軸にしながらも、金融、コマース、エネルギー、エンタメ、教育などライフデザイン事業を拡大。ローソンを三菱商事と共同経営。

●給与、ボーナス、週休、有休ほか●

【30歳総合職平均年収】746万円【初任給】(大卒)270,000円【ボーナス(年)】NA【25、30、35歳賃金】NA【週休】完全2日(土日祝)【夏期休暇】有休で取得【年末年始休暇】連続6日【有休取得】14.4/20日

●従業員数、勤続年数、離職率ほか●

【男女別従業員数、平均年齢、平均勤続年数】計 9,409(42.2歳 16.7年) 男 7,101(43.0歳 17.2年) 女 2,308(39.6歳 15.3年)【離職率と離職者数】3.0%、290名(他に男78名、女10名転籍)【3年後新卒定着率】94.0%(男93.9%、女94.4%、3年前入社:男179名・女89名)【組合】あり

求める人材 あるべき姿に目を向け具体的な目標を立ててやり抜く力のある人 周囲と真摯に向き合い思いを1つにし変革していく力のある人

会社データ (金額は百万円)

【本社】102-8460 東京都千代田区飯田橋3-10-10 ガーデンエアタワー ☎03-6678-0980 https://www.kddi.com/

【社長】髙橋 誠【設立】1984.6【資本金】141,852【今後力を入れる事業】通信 DX 金融事業 LX エネルギー等

【業績(IFRS)】	売上高	営業利益	税前利益	純利益
22.3	5,446,708	1,060,592	1,064,497	672,486
23.3	5,671,762	1,075,749	1,077,878	677,469
24.3	5,754,047	961,584	992,725	637,874

開示 ★ ▶『業界地図』p.52, 54, 146… 342

らくてん 楽天グループ(株)

東京P 4755

【特色】ネット通販の大手。金融や旅行、携帯事業も

修士・大卒採用数	3年後離職率	有休取得年平均	平均年収(平均*34歳)
NA	NA	13.4日	(総)795万円

●エントリー情報と採用プロセス●

【受付開始～終了】(総)2月～5月 (技)23年10月～24年6月【採用プロセス】(総)Application Form提出・Webテスト→面接(複数回)→内々定※状況により異なる (技)Application Form提出→コーディングテスト(一部ポジション受検不要)→面接(複数回)→内々定※状況により異なる【交通費支給】NA【早期選考】⇒巻末

試験情報

重視科目 総技NA

総技 (ES)NA (筆)あり(内容NA) (面)複数回(Webあり) (GD作)NA

選考ポイント 総技 (ES)NA(提出あり) (面)NA

通過率 総技 (ES)NA

倍率(応募/内定) 総技NA

●男女別採用数と配属先ほか●

【男女・文理別採用実績】

	大卒男	大卒女	修士男	修士女
23年	NA(文NA 理NA)	NA(文NA 理NA)	NA(文NA 理NA)	NA(文NA 理NA)
24年	NA(文NA 理NA)	NA(文NA 理NA)	NA(文NA 理NA)	NA(文NA 理NA)
25年	NA(文NA 理NA)	NA(文NA 理NA)	NA(文NA 理NA)	NA(文NA 理NA)

【25年4月入社者の採用実績校】
(文)NA (理)NA

【24年4月入社者の配属先】
NA

残業(月) NA

記者評価 通販モール「楽天市場」は国内でアマゾンと並び2強。銀行、証券、カードなど金融分野も強い。赤字が続く携帯電話事業が課題だが、コスト削減徹底で黒字化を目指す。23年4月に楽天銀行が上場。シナジー発揮に向けた金融事業の再編を検討。英語が社内公用語。

●給与、ボーナス、週休、有休ほか●

【30歳総合職平均年収】NA【初任給】(博士)NA (修士)310,000円 (大卒)300,000円【ボーナス(年)】NA【25、30、35歳賃金】NA【週休】完全2日(土日祝)【夏期休暇】あり【年末年始休暇】あり【有休取得】13.4／16日

●従業員数、勤続年数、離職率ほか●

【男女別従業員数、平均年齢、平均勤続年数】計 11,284(34.4歳 5.1年) 男 6,727(NA) 女 4,557(NA)【離職率と離職者数】NA【3年後新卒定着率】NA【組合】なし

求める人材 楽天のスピード感や経営戦略(楽天経済圏)、企業理念(Empowerment)への興味や理解を持つ 高い目標に向かってやり切ることを成長機会と前向きにとらえられる ダイバーシティのある環境(グローバル含め)への共感 言語やバックグラウンドの異なる仲間を認め合い、協働・協創することができる

会社データ (金額は百万円)

【本社】158-0094 東京都世田谷区玉川1-14-1 楽天クリムゾンハウス
☎050-55816910　https://corp.rakuten.co.jp/
【会長】三木谷 浩史【設立】1997.2【資本金】450,145【今後力を入れる事業】NA

【業績(IFRS)】	売上高	営業利益	税前利益	純利益
21.12	1,681,757	▲194,726	▲212,630	▲133,828
22.12	1,927,878	▲363,892	▲407,894	▲372,884
23.12	2,071,315	▲212,857	▲217,741	▲339,473

エヌティティひがしにほん NTT東日本

持株会社傘下

【特色】電気通信最大手。柱の回線のほか地域DXも注力

修士・大卒採用数	3年後離職率	有休取得年平均	平均年収(平均40歳)
280名	6.8→5.4%	18.0日	(総)938万円

●エントリー情報と採用プロセス●

【受付開始～終了】(総) (技)3月～5月【採用プロセス】(総) (技)ES提出・適性検査(3～5月)→面接等(複数回、6月)→内々定(6月)【交通費支給】なし

試験情報

重視科目 総技面接 総技 (ES)⇒巻末 (筆)Webテスト(自社オリジナル) (面)複数回(Webあり)

選考ポイント 総技 (ES)NA(提出あり) (面)学生時代の研究内容や取り組みから、本人の能力、適性、意欲を総合的に判断

通過率 総技 (ES)NA　倍率(応募/内定) 総技NA

●男女別採用数と配属先ほか●

【男女・文理別採用実績】※医療系除く。25年:約280名採用予定

	大卒男	大卒女	修士男	修士女
23年	75(文 62 理 13)	67(文 46 理 21)	67(文 0 理 67)	20(文 0 理 20)
24年	58(文 47 理 11)	61(文 53 理 8)	55(文 0 理 55)	22(文 0 理 22)
25年	-(文 - 理 -)	-(文 - 理 -)	-(文 - 理 -)	-(文 - 理 -)

【25年4月入社者の採用実績校】(文)早大 明大 立教大 慶大 東北大 中大 青学大 小樽商大 一橋大 名大 上智大 法政大 学習院大 日女大 立命館大 同大 阪大 都立大 東北学大 北大 日大 東洋大 東大 東京農業大 関西学大 中京大 東京女大 筑波大 千葉大 北海道教育大 國學院大 目白大 大正大 ICU 北海学園大 新潟大 武蔵野美大 お茶女大 京大 駒澤大 成城大 近大 (理)東理大 早大 中大 東北大 立命館大 明大 北大 京大 芝工大 茨城大 関大 上智大 神戸大 信州大 筑波大 東京海洋大 東洋大 名工大 学習院大 千葉大 千葉工大 慶大 岩手大 秋田大 埼玉大 新潟大 阪大 長崎大 津田塾大 東海大 東京科学大 東京電機大 都立大 日大 豊橋技科大 フェリス女学大 横国大 横浜市大 岡山大 会津大 関西学大 京都工繊大 金沢工大 金沢大 九大 熊本大 公立鳥取環境大 広島大 ICU 三重大 上越教大 成蹊大 大阪工大 大東文化大 中部大 長崎県大 電通大 島根大 東京工科大 東大 東京都市大 他

【24年4月入社者の配属先】総勤務地:北海道 宮城 東京 埼玉 神奈川 千葉 部署:セールス マーケティング システムエンジニア サービスプロダクト開発 コーポレート 技勤務地:北海道 青森 岩手 宮城 秋田 山形 福島 茨城 栃木 群馬 埼玉 千葉 東京 神奈川 新潟 山梨 長野 部署:システムエンジニア データサイエンティスト セキュリティエンジニア ネットワークエンジニア サービスプロダクト開発 開発エンジニア

残業(月) 21.6時間 (総)21.6時間

記者評価 正式社名は東日本電信電話。日本電信電話(NTT)傘下の電気通信事業者。関東・甲信越以北の1都1道15県が事業対象地域。FTTH契約数はNTT西日本と合わせて市場の約6割と独占的。光回線の卸サービス「光コラボ」に注力し、固定電話の落ちこみを補う。

●給与、ボーナス、週休、有休ほか●

【30歳総合職平均年収】695万円【初任給】(博士)376,760円 (修士)313,390円 (大卒)301,390円【ボーナス(年)】224万円、6.4カ月【25、30、35歳賃金】268,423円→318,119円→401,017円【週休】完全2日(土日祝)【夏期休暇】5日【年末年始休暇】12月29日～1月3日【有休取得】18.0／20日

●従業員数、勤続年数、離職率ほか●

【男女別従業員数、平均年齢、平均勤続年数】計 4,708(40.1歳 14.5年) 男 2,637(41.6歳 16.6年) 女 2,071(38.2歳 11.8年) ※受入出向者含み、外部出向者除く【離職率と離職者数】10.2%、536名【3年後新卒定着率】94.6%(男96.0%、女90.0%、3年前入社:男226名・女70名)【組合】あり

求める人材 「変えること」を楽しみ、情熱と意志を持って行動できる人

会社データ (金額は百万円)

【本社】163-8019 東京都新宿区西新宿3-19-2
☎03-5359-5111　https://www.ntt-east.co.jp/
【社長】澁谷 直樹【設立】1999.7【資本金】335,000【今後力を入れる事業】地域の価値を創造するDXソリューション

【業績(IFRS)】	営業収益	営業利益	税前利益	純利益
22.3	1,717,978	278,967	NA	196,411
23.3	1,702,167	285,419	NA	202,443
24.3	1,710,505	298,607	NA	206,902

開示 ★★★ ▶『業界地図』p.67 1887

2172 ▶『業界地図』p.67 開示 ★★★★★

エヌティティにしにほん

ＮＴＴ西日本

持株会社傘下

【特色】NTT傘下の通信大手。東海以西30府県で展開

修士・大卒採用数	3年後離職率	有休取得年平均	平均年収(平均44歳)
178名	3.3→5.1%	18.7日	[総]887万円

残業(月) 20.6時間 [総]20.6時間

記者評価 正式社名は西日本電信電話。日本電信電話(NTT)傘下の電気通信事業者。北陸・東海以西の30府県で事業を展開。FTTH契約数はNTT東日本と合わせて市場の約6割と独占的。担当エリアに離島が多く、東日本より採算上の条件は厳しい。光回線卸「光コラボ」に注力。

●エントリー情報と採用プロセス●

【受付開始～終了】[総]3月～8月【採用プロセス】[総]ES提出・Web適性検査(3～8月)→面接(複数回)→内々定(6～9月)【交通費支給】なし

試験情報

重視科目 [総]面接 [総][ES]⇒巻末[筆]Web適性検査(自社オリジナル)[面]複数回(Webあり)

選考ポイント [総][ES]適性検査との総合判断[面]学生時代の取り組みや研究内容・志望動機等により、能力・適性・意欲を総合的に判断

通過率 [総][ES]27%(受付:4,106→通過:1,094)

倍率(応募/内定) [総]20倍

●男女別採用数と配属先ほか●

【男女・文理別採用実績】※25年:24年7月12日時点予定数

	大卒男	大卒女	修士男	修士女
23年	103(文 51理 52)	64(文 31理 33)	69(文 0理 69)	10(文 0理 10)
24年	79(文 54理 25)	56(文 41理 15)	101(文 1理100)	19(文 1理 18)
25年	50(文 34理 16)	47(文 42理 5)	69(文 1理 68)	12(文 0理 12)

【25年4月入社者の採用実績校】[文](院)京大(大)同大 立命館大 関西学大 阪大 関大 神戸大 名古屋市大 大阪市大 岡山大 近大 香川大 佐賀大 中京大 下関市大 京都女大 金沢大 熊本大 広島大 甲南大 上智大 青学大 早大 大阪府大 法政大 北九州市大 名大 明大 立教大 龍谷大 [理](院)阪大 九大 広島大 神戸大 名大 岡山大 名工大 関大 京大 香川大 大阪公大 同大 関西学大 九州工大 兵庫県大 近大 金沢工大 埼玉大 山口大 鹿児島大 信州大 大阪電通大 大分大 中部大 東海大 東北大 徳島大 奈良女大 富山大 福岡大 北九州市大 琉球大(大)関大 名大 愛媛大 九大 熊本大 広島大 香川大 高知工科大 青学大 摂南大 大阪工大 中京大 同大 徳島大 名工大 立命館大 龍谷大 和歌山大(高専)香川 有明 新居浜 大島商船 奈良 富山 北九州 久留米 近大 呉 広島商船 佐世保 松江 石川 鳥羽商船 舞鶴 福井 米子 豊田 鈴鹿 和歌山(専)HAL名古屋

【24年4月入社者の配属先】[総]勤務地:大阪 名古屋 福岡 兵庫 静岡 広島 京都 愛媛 岐阜 金沢 熊本 鹿児島 岡山 富山 福井 三重 滋賀 奈良 山口 香川 高知 徳島 沖縄 宮崎 佐賀 長崎 部署:法人営業90 総務(スポーツ採用)7 [技]勤務地:大阪 名古屋 福岡 広島 愛媛 金沢 静岡 兵庫 富山 岐阜 三重 京都 奈良 和歌山 滋賀 岡山 山口 鳥取 島根 大分 熊本 長崎 沖縄 部署:法人営業47 設備123 セキュリティ11 データサイエンティスト1 サービス開発3

●給与、ボーナス、週休、有休ほか●

【30歳総合職平均年収】692万円【初任給】(博士)374,360円(修士)310,990円(大卒)298,990円【ボーナス(年)】236万円、6.1カ月【25、30、35歳賃金】273,557円→372,897円→469,317円【週休】4週8休【夏期休暇】5日(連続取得2日、分割可3日)【年末年始休暇】12月29日～1月3日【有休取得】18.7／20日

●従業員数、勤続年数、離職率ほか●

【男女別従業員数、平均年齢、平均勤続年数】計 1,403(43.8歳 20.9年) 男 1,110(44.9歳 22.7年) 女 293(39.6歳 14.1年)【離職率と離職者数】15.6%、259名【3年後新卒定着率】94.9%(男93.7%、女97.8%、3年前入社:男221名・女90名)【組合】あり

求める人材 夢をもち、しなやかで、わくわくする未来をともに創りたいと志す人

会社データ (金額は百万円)

【本社】534-0024 大阪府大阪市都島区東野田町4-15-82
☎06-6490-9111 https://www.ntt-west.co.jp/
【社長】北村 亮太【設立】1999.7【資本金】312,000【今後力を入れる事業】最先端のICTを活用した社会課題の解決

【業績(単独)】	営業収益	営業利益	経常利益	純利益
22.3	1,324,920	128,150	145,138	108,175
23.3	1,305,396	111,282	124,386	95,273
24.3	1,283,640	105,162	124,853	113,696

ジェイコム

JCOM(株)

株式公開していない

【特色】国内最大のケーブルテレビ局の統括運営会社

修士・大卒採用数	3年後離職率	有休取得年平均	平均年収(平均44歳)
171名	29.1→23.4%	16.9日	[総]704万円

残業(月) 20.3時間 [総]22.4時間

記者評価 住友商事とKDDIの折半出資。「J：COM」ブランド。CATV、ネット、電話の3面サービスを展開。CATV首位。14年に業界2位のJCNと合併。TV通販最大手「ショップチャンネル」にも資本参加。加入世帯数は568万(24年3月末)。21年7月にジュピターテレコムから社名変更。

●エントリー情報と採用プロセス●

【受付開始～終了】[総][技]3月～未定【採用プロセス】[総][技]説明会(任意)→ES提出・適性検査→面接(複数回)→内々定【交通費支給】最終選考、新幹線・航空機使用区間の実費(条件あり)【早期選考】⇒巻末

試験情報

重視科目 [総][技]面接

[総][技][ES]⇒巻末[筆]WebGAB TAL[面]複数回(Webあり)

選考ポイント [総][技][ES]NA(提出あり)[面]人物重視 企業理解度 志望度

通過率 [総][技][ES]NA

倍率(応募/内定) [総]24倍 [技]27倍

●男女別採用数と配属先ほか●

【男女・文理別採用実績】

	大卒男	大卒女	修士男	修士女
23年	75(文 58理 17)	44(文 42理 2)	7(文 1理 6)	1(文 1理 0)
24年	98(文 71理 27)	37(文 34理 3)	4(文 1理 3)	3(文 3理 0)
25年	93(文 68理 25)	69(文 57理 12)	5(文 1理 4)	4(文 3理 1)

【25年4月入社者の採用実績校】
[文](院)筑波大1(大)早大7 日大 中大 明学大各6 明大5 青学大 立教大 法政大各4 東海大 近大 同大 専大 学習院大 立命館大各3 神奈川大 東洋大 慶大 関西学大各2 京大 上智大 阪大 大阪市大 甲南大 長崎県大 東北大 日体大各1 他 [理](院)中大 富山大 九大各1(大)筑波大 広島大 新潟大 東洋大 芝工大 東理大 中京大 東京電機大 大阪電通大 神奈川大各1 他

【24年4月入社者の配属先】
[総]勤務地:東京39 神奈川15 千葉10 埼玉12 大阪15 京都2 兵庫5 福岡4 和歌山2 北海道3 宮城1 熊本5 部署:NA [技]勤務地:東京22 神奈川2 埼玉2 千葉2 大阪5 部署:NA

●給与、ボーナス、週休、有休ほか●

【30歳総合職平均年収】NA【初任給】(修士)233,400円(大卒)220,000円【ボーナス(年)】NA【25、30、35歳賃金】NA【週休】会社暦2日【夏期休暇】有休で取得(平日5日間＋前後の土日を合わせ計9連休の取得を推奨)【年末年始休暇】12月29日～1月3日【有休取得】16.9／20日

●従業員数、勤続年数、離職率ほか●

【男女別従業員数、平均年齢、平均勤続年数】計 11,111(43.5歳 13.2年) 男 7,617(44.3歳 14.0年) 女 3,494(41.7歳 11.7年)【離職率と離職者数】3.3%、380名【3年後新卒定着率】76.6%(男77.6%、女75.0%、3年前入社:男85名・女60名)【組合】あり

求める人材 <5つのキーワード> 志高く 協力する 挑む 超える 楽しむ

会社データ (金額は百万円)

【本社】100-0005 東京都千代田区丸の内1-8-1 丸の内トラストタワーN館
☎03-6365-8000 https://www.jcom.co.jp/
【社長】岩木 陽一【設立】1995.1【資本金】45,600【今後力を入れる事業】放送・通信の枠を超えた新規事業領域へ拡張

【業績(IFRS)】	売上高	営業利益	税前利益	純利益
22.3	798,100	109,500	NA	70,000
23.3	828,800	111,600	NA	67,200
24.3	892,341	117,466	NA	73,642

358 ▶『業界地図』p.62,67,214 開示 ★★★

(株)ティーガイア

東京P 3738

【特色】携帯販売代理店最大手。全キャリアの店舗を経営

修士・大卒採用数	3年後離職率	有休取得年平均	平均年収(平均45歳)
26名	34.6→37.5%	14.2日	[総]725万円

●エントリー情報と採用プロセス●

【受付開始～終了】[総]9月～5月【採用プロセス】[総]説明会(必須)→GD(3月)→筆記・履歴書提出(3月)→面接(2回、4月)→内々定(4月)【交通費支給】最終面接、実費【早期選考】⇒巻末

試験情報

重視科目 [総]面接

[総][筆]C-GAB WebGAB TAL[面]2回(Webあり)[GD作]⇒巻末

選考ポイント [総][ES]提出なし[面]コミュニケーション力 人間性 常識力 他

通過率 [総][ES]—(応募:(早期選考含む)336)

倍率(応募/内定) [総](早期選考含む)13倍

●男女別採用数と配属先ほか●

【男女・文理別採用実績】

	大卒男	大卒女	修士男	修士女
23年	4(文 3理 1)	5(文 5理 0)	0(文 0理 0)	0(文 0理 0)
24年	7(文 6理 1)	11(文 11理 0)	0(文 0理 0)	0(文 0理 0)
25年	9(文 8理 1)	17(文 17理 0)	0(文 0理 0)	0(文 0理 0)

【25年4月入社者の採用実績校】
[文](大)明大 立教大 文教大各2 早大 津田塾大 関大 成城大 成蹊大 青学大 武蔵大 日女大 明学大 獨協大 日大 國學院大 帝京大 東京経大 都立大 関東学院大 京産大 昭和女大 西南学大各1 [理](大)東洋大1

【24年4月入社者の配属先】
[総]勤務地:東京17 大阪1 部署:営業15 管理3

残業(月) 10.0時間 [総]13.0時間

記者評価 携帯販売代理店で国内最大手。業界の牽引役。ドコモショップが中心。法人向けや決済の拡大による多様化を図り、17年クオカード社を買収し、デジタル版QUOサービスも展開。オンライン接客を拡大するなどの経費削減策を徹底中。住友商事が筆頭株主。

●給与、ボーナス、週休、有休ほか●

【30歳総合職平均年収】527万円【初任給】(博士)240,000円(修士)240,000円(大卒)230,000円【ボーナス(年)】116万円、NA【25、30、35歳賃金】239,500円→267,400円→361,000円【週休】完全2日(土日祝)(勤務場所によりシフト制)【夏期休暇】連続5日(年次有休利用)を推奨【年末年始休暇】12月29日～1月3日【有休取得】14.2／20日

●従業員数、勤続年数、離職率ほか●

【男女別従業員数、平均年齢、平均勤続年数】計4,064(39.4歳11.8年)男2,200(40.6歳12.4年)女1,864(37.9歳11.2年)【離職率と離職者数】9.3%、418名【3年後新卒定着率】62.5%(男88.9%、女55.7%、3年前入社:男18名・女70名)【組合】なし

求める人材 当社を取り巻く事業環境の変化に伴い、将来のリーダーとして、会社を変革し、成長させることができる人財

会社データ (金額は百万円)

【本社】150-8575 東京都渋谷区恵比寿4-1-18
☎03-6409-1111 https://www.t-gaia.co.jp/
【社長】石田 將人【設立】1992.2【資本金】3,154【今後力を入れる事業】モバイル ソリューション 地域創生 新規事業 他

【業績(連結)】	売上高	営業利益	経常利益	純利益
22.3	476,464	10,567	15,381	10,579
23.3	453,604	6,994	11,637	7,938
24.3	448,954	8,051	12,390	7,013

(株)インターネットイニシアティブ

東京P 3774

【特色】国内商用インターネットの先駆け。業界の雄

修士・大卒採用数	3年後離職率	有休取得年平均	平均年収(平均38歳)
179名	NA	13.1日	738万円

●エントリー情報と採用プロセス●

【受付開始～終了】[総][技]1月～未定【採用プロセス】[総][技]説明会(必須、1月)→ES・Webテスト提出(3月)→1次面接(4月)→2次面接(4月)→最終面接(5月)→内々定(5月)【交通費支給】最終面接、遠方者のみ会社基準【早期選考】⇒巻末

試験情報

重視科目 [総][技]NA [総][技][ES]⇒巻末[筆]ミキワメ[面]3回(Webあり)

選考ポイント [総][技][ES]求める人材と合致しているか[面]NA

通過率 [総][ES]77%(受付:417→通過:320)[技][ES]91%(受付:929→通過:848)

倍率(応募/内定) [総]6倍[技]8倍

●男女別採用数と配属先ほか●

【男女・文理別採用実績】

	大卒男	大卒女	修士男	修士女
23年	NA(文NA理NA)	NA(文NA理NA)	NA(文NA理NA)	NA(文NA理NA)
24年	109(文NA理NA)	55(文NA理NA)	47(文NA理NA)	3(文NA理NA)
25年	93(文 49理 44)	46(文 42理 4)	38(文 7理 31)	2(文 2理 0)

【25年4月入社者の採用実績校】[文](院)青学大 千葉工大 早大各2 東大 同大 名大各1 (大)早大5 駒澤大 同大 中大各4 関大3 慶大 青学大 長崎大 南山大 日大 法政大 明学大 立教大 立命館大各2 下関市大 宮城大 九産大 国士舘大 埼玉大 実践女大 昭和女大 神奈川大 成蹊大 西南学大 千葉大 阪大 大正大 大分大 日本国際学園大 筑波大 東海大 東京都市大 都立大 東京農業大 東理大 東洋大 二松学舎大 武庫川女大 武蔵大 武蔵野大 福岡大 文教大 北海道情報大 北九州市大 名城大 明海大 明大 國學院大 獨協大各1 [理](院)東大4 名大3 北大 前橋工大 金沢工大 東北大各2 茨城大 岡山大 京大 九大 群馬大 広島大 香川大 高知工科大 埼玉大 山口大 静岡大 千葉大 早大 筑波大 東京科学大 東京農工大 福岡工大 豊橋技科大 明大 立命館大 北陸先端科技院大各1(大)大阪工大 東京電機大各4 神奈川工大3 東京情報大 関大 千葉工大 東洋大 日大 法政大 明星大各2 岡山大 岩手県大 慶大 諏訪東理大 広島工大 広島大 山梨大 鹿児島大 芝工大 上智大 千歳科技大 専大 大阪産大 筑波大 中大 長崎県大各1 他

【24年4月入社者の配属先】[総]勤務地:東京・千代田62 大阪4 名古屋3 福岡3 札幌1 富山1 広島2 部署:NA [技]勤務地:東京・千代田105 大阪5 名古屋4 福岡3 札幌1 仙台1 部署:NA

残業(月) 26.2時間

記者評価 インターネット接続が主軸。SIやMVNO(仮想移動体通信事業者)、MVNO支援も手がける。MVNOは業界首位のIIJmioを展開し、ビックカメラとも提携。DX需要を取り込み高成長が続く。新規事業、セキュリティやデータセンター領域などに注力。海外展開にも意欲。

●給与、ボーナス、週休、有休ほか●

【30歳総合職平均年収】NA【初任給】(博士)317,334円(修士)287,000円(大卒)256,667円【ボーナス(年)】NA【25、30、35歳賃金】NA【週休】完全2日(土日祝)【夏期休暇】有休で取得【年末年始休暇】12月29日～1月3日【有休取得】13.1／20日

●従業員数、勤続年数、離職率ほか●

【男女別従業員数、平均年齢、平均勤続年数】計2,860(37.6歳9.2年)男NA女NA【離職率と離職者数】NA【3年後新卒定着率】NA【組合】なし

求める人材 「能動姿勢」「やりぬく力」「向上心」「果敢さ」「論理的説明力」「意思表示」の要素を持っている人

会社データ (金額は百万円)

【本社】102-0071 東京都千代田区富士見2-10-2 飯田橋グラン・ブルーム
☎03-5205-6500 https://www.iij.ad.jp/
【社長】勝 栄二郎【設立】1992.12【資本金】25,577【今後力を入れる事業】ネットワーク事業、SI他

【業績(IFRS)】	売上高	営業利益	税前利益	純利益
22.3	226,335	23,547	24,162	15,672
23.3	252,708	27,221	27,309	18,838
24.3	276,080	29,029	28,934	19,831

㈱MIXI（ミクシィ）

東京P 2121

【特色】SNS「mixi」やスマホゲーム「モンスト」を展開

修士・大卒採用数	3年後離職率	有休取得年平均	平均年収（平均36歳）
23名	13.3→9.1%	12.4日	746万円

●エントリー情報と採用プロセス●

【受付開始～終了】㊗10月～6月 ㊕4月～継続中【採用プロセス】㊗ES提出（10月～）→面接（2～5回、12月～）→内々定（1月～）㊕ES提出（4月～）→面接（2～5回、5月～）→内々定（6月～）【交通費支給】最終面接・現場面接（関東圏以外）、居住地方に応じて実費相当【早期選考】⇒巻末

試験情報

重視科目 総技 面接

総技 ES⇒巻末 筆 なし 面 2～5回（Webあり）

選考ポイント 総 ES NA（提出あり）面 本人の能力および志向 当社の目指す方向性と合致しているか 技 ES〈エンジニア〉開発経験〈デザイナー〉ポートフォリオ 面 総合職共通

通過率 総技 ES NA

倍率（応募/内定） 総技 NA

●男女別採用数と配属先ほか●

【男女・文理別採用実績】

	大卒男	大卒女	修士男	修士女
23年	9(文 5理 4)	5(文 5理 0)	4(文 2理 2)	0(文 0理 0)
24年	10(文 9理 1)	3(文 3理 0)	3(文 0理 3)	0(文 0理 0)
25年	11(文 8理 3)	6(文 6理 0)	6(文 1理 5)	0(文 0理 0)

※25年：予定数

【25年4月入社者の採用実績校】

文（院）岐阜大1（大）法政大 立教大各2 立正大 創価大 慶大 明学大 九大 ICU 多摩美大 レイクランド大ジャパン・キャンパス 早大 東洋大各1 理（院）東京電機大2 東京都市大 阪大 横国大各1（大）カリフォルニア大サンタクルーズ校 東京科学大 ニューブランズウィック大各1

【24年4月入社者の配属先】総 勤務地：東京・渋谷9 部署：企画9 技 勤務地：東京・渋谷9 部署：開発5 クリエイティブ4

残業（月） 17.2時間

記者評価 04年にSNS「mixi（ミクシィ）」開始。利用者離れで苦戦したが、13年投入の対戦型スマホゲーム「モンスターストライク」が大ヒット。「TIPSTAR」など若年層に競輪や競馬関連事業も訴求。21年にFC東京を子会社化。アルバムアプリ「みてね」も展開。

●給与、ボーナス、週休、有休ほか●

【30歳総合職平均年収】NA【初任給】（博士）300,000円～（修士）300,000円～（大卒）300,000円～【ボーナス（年）】NA【25、30、35歳賃金】NA【週休】完全2日（土日祝）【夏期休暇】有休で取得【年末年始休暇】あり【有休取得】12.4／23日

●従業員数、勤続年数、離職率ほか●

【男女別従業員数、平均年齢、平均勤続年数】計 1,645（36.1歳 5.2年）男 1,156（37.2歳 5.1年）女 489（35.1歳 5.5年）【離職率と離職者数】NA【3年後新卒定着率】90.9%（男88.9%、女100%、3年前入社：男9名・女2名）【組合】なし

求める人材 当社企業理念・ミッションに共感し、コミュニケーション力や思考力、技術、感性をもって、ともにイノベーションにチャレンジできる人

会社データ （金額は百万円）

【本社】150-6136 東京都渋谷区渋谷2-24-12 渋谷スクランブルスクエア ☎03-6897-9500 https://mixi.co.jp/

【社長】木村 弘毅【設立】1999.6【資本金】9,698【今後力を入れる事業】スポーツ デジタルエンターテインメント ライフスタイル 投資

【業績（連結）】	売上高	営業利益	経常利益	純利益
22.3	118,099	16,069	17,026	10,262
23.3	146,867	24,820	18,250	5,161
24.3	146,868	19,177	15,669	7,082

㈱ディー・エヌ・エー

東京P 2432

【特色】モバイルゲームやライブ配信など幅広く展開

修士・大卒採用数	3年後離職率	有休取得年平均	平均年収（平均38歳）
56名	23.6→23.5%	NA	◇854万円

●エントリー情報と採用プロセス●

【受付開始～終了】㊗㊕10月～1月【採用プロセス】㊗㊕NA【交通費支給】全額

試験情報

重視科目 総技 NA

総技 ES NA 筆 NA 面 NA GD作 NA

選考ポイント 総技 ES NA（提出あり）面 NA

通過率 総技 ES NA

倍率（応募/内定） 総技 NA

●男女別採用数と配属先ほか●

【男女・文理別採用実績】

	大卒男	大卒女	修士男	修士女
23年	NA(文NA理NA)	NA(文NA理NA)	NA(文NA理NA)	NA(文NA理NA)
24年	NA(文NA理NA)	NA(文NA理NA)	NA(文NA理NA)	NA(文NA理NA)
25年	NA(文NA理NA)	NA(文NA理NA)	NA(文NA理NA)	NA(文NA理NA)

※23年：88名 24年：95名 25年：56名採用予定

【25年4月入社者の採用実績校】

文 NA 理 NA

【24年4月入社者の配属先】

NA

残業（月） NA

記者評価 モバイルゲームは「ポケモンマスターズEX」など運営。ライブ配信アプリ「Pococha」やVチューバーアプリ「IRIAM」などライブストリーミング事業のほか、ヘルスケア領域のビッグデータ活用サービス、医療DX関連を育成中。野球、バスケなどスポーツ事業も展開。

●給与、ボーナス、週休、有休ほか●

【30歳総合職平均年収】NA【初任給】（博士）NA（修士）NA（大卒）NA【ボーナス（年）】NA【25、30、35歳賃金】NA【週休】完全2日（土日祝）【夏期休暇】なし【年末年始休暇】12月30日～1月3日【有休取得】NA／20日

●従業員数、勤続年数、離職率ほか●

【男女別従業員数、平均年齢、平均勤続年数】計 1,397（37.6歳 5.6年）男 NA 女 NA【離職率と離職者数】NA【3年後新卒定着率】76.5%（男NA、女NA、3年前入社：男女計51名）【組合】なし

求める人材 新卒採用メッセージ：『面白がり』、求む

会社データ （金額は百万円）

【本社】150-6140 東京都渋谷区渋谷2-24-12 渋谷スクランブルスクエア ☎03-6758-7200 https://dena.com/jp/

【社長】岡村 信悟【設立】1999.3【資本金】10,397【今後力を入れる事業】強化した事業ポートフォリオの更なる成長

【業績（IFRS）】	売上高	営業利益	税前利益	純利益
22.3	130,868	11,462	29,419	30,532
23.3	134,914	4,202	13,595	8,857
24.3	136,733	▲28,270	▲28,130	▲28,682

インフォコム(株)

株式公開していない

【特色】漫画配信「めちゃコミック」とSIが両輪

修士・大卒採用数	3年後離職率	有休取得年平均	平均年収(平均45歳)
33名	8.7 → 0%	11.8日	[総]791万円

残業(月) 15.3時間 [総]16.2時間

記者評価 国内最大級の電子コミック配信「めちゃコミック」が収益柱。大手出版社の有力作品のほかオリジナル作品も強化。コミック海外配信は韓国、米国に続き欧州、東南アも視野。SIは病院・介護事業者向けの就業管理システムなどに注力。筆頭株主帝人が全株売却方針。

●エントリー情報と採用プロセス●

【受付開始～終了】[総][技]12月～7月【採用プロセス】[総][技]説明会(必須、12月下旬～)→Webテスト(1月～)→ES提出(1月～)→面接(3回、1月～)→内々定(2月上旬～)【交通費支給】最終面接、関東以外に在住の場合会社基準【早期選考】⇒巻末

試験情報

重視科目 [総][技]面接

[総][技][ES]⇒巻末[筆]WebGAB[面]3回(Webあり)

選考ポイント [総][技][ES]事業・業務内容を理解し、自身のやりたい仕事を明確にできているか[面]目的意識 目標達成意欲 論理的思考力 コミュニケーション力 問題解決のための創意工夫

通過率 [総][技][ES]NA

倍率(応募/内定) [総][技]NA

●男女別採用数と配属先ほか●

【男女・文理別採用実績】

	大卒男	大卒女	修士男	修士女
23年	3(文 1理 2)	3(文 1理 2)	7(文 0理 7)	5(文 0理 5)
24年	9(文 1理 8)	7(文 4理 3)	6(文 0理 6)	3(文 0理 3)
25年	9(文 4理 5)	13(文 7理 6)	10(文 0理 10)	1(文 0理 1)

【25年4月入社者の採用実績校】
[文](大)愛知県大 大阪芸大 関大 慶大 神戸市外大 東京経大 武蔵野美大 山梨大 立教大 龍谷大 早大各1 [理](院)九州工大2 岩手県大 京都工繊大 電通大 東京農工大 豊橋技科大 奈良先端科技院大 新潟大 はこだて未来大 横浜市大各1(大)明大2 関大 京産大 芝工大 中大 筑波大 東京電機大 東京農業大 南山大 三重大各1

【24年4月入社者の配属先】
[総]勤務地:東京・六本木2 部署:営業2 [技]勤務地:東京(六本木14 霞が関3)大阪市6 部署:SE23

●給与、ボーナス、週休、有休ほか●

【30歳総合職平均年収】527万円【初任給】(博士)255,000円(修士)255,000円(大卒)250,000円【ボーナス(年)】232万円、4.4カ月【25、30、35歳賃金】196,000円→237,000円→278,000円【週休】完全2日(土日祝)【夏期休暇】有休で取得【年末年始休暇】12月29日～1月3日【有休取得】11.8/20日

●従業員数、勤続年数、離職率ほか●

【男女別従業員数、平均年齢、平均勤続年数】計640(45.8歳15.0年)男478(47.2歳15.6年)女162(41.7歳13.1年)【離職率と離職者数】3.2%、21名【3年後新卒定着率】100%(男100%、女100%、3年前入社:男11名・女9名)【組合】なし

求める人材 常に問題意識を持ち、自分で考え行動できる自律型人材

会社データ (金額は百万円)

【本社】107-0052 東京都港区赤坂9-7-2 ミッドタウン・イースト10階
☎03-6866-3000 https://www.infocom.co.jp/
【社長】黒田 淳【設立】1983.2【資本金】1,590【今後力を入れる事業】ネットビジネス ヘルスケア ITサービス事業

【業績(連結)】	売上高	営業利益	経常利益	純利益
22.3	64,586	10,098	10,196	6,912
23.3	70,342	8,526	8,595	3,572
24.3	84,453	9,784	9,893	6,609

(株)ゼンリン

東京P 9474

【特色】地図情報の大手。住宅地図を全国展開

修士・大卒採用数	3年後離職率	有休取得年平均	平均年収(平均47歳)
34名	4.8 → 9.3%	14.6日	[総]527万円

残業(月) 10.6時間

記者評価 主力のカーナビ用の地図データは国内首位。住宅地図は月額制モデルで、不動産や建設などの業種別に商品開発も。また物流業界など企業向けに地図データを用いたシステムサービスを提供するIoT事業にも注力。自動運転に必要な三次元データも提供。

●エントリー情報と採用プロセス●

【受付開始～終了】[総][技]3月～7月【採用プロセス】[総][技]ES提出(3～4月)→筆記(4月下旬)→1次面接(5月)→最終面接(6月)→内々定(7月)【交通費支給】最終面接、全額

試験情報

重視科目 [総][技]最終面接

[総][ES]⇒巻末[筆]SPI3(自宅)[面]2回(Webあり)[GD][作]NA
[技][ES]⇒巻末[筆]SPI3(自宅) プログラミングテスト ※筆記[面]2回(Webあり)[GD][作]NA

選考ポイント [総][技][ES]NA(提出あり)[面]面接官とのコミュニケーション 志望度 当社との親和性

通過率 [総][ES]69%(受付:244→通過:169) [技][ES]65%(受付:72→通過:47)

倍率(応募/内定) [総]10倍 [技]8倍

●男女別採用数と配属先ほか●

【男女・文理別採用実績】

	大卒男	大卒女	修士男	修士女
23年	20(文 16理 4)	10(文 10理 0)	3(文 0理 3)	0(文 0理 0)
24年	26(文 14理 12)	10(文 9理 1)	7(文 2理 5)	1(文 0理 1)
25年	14(文 13理 1)	13(文 11理 2)	6(文 0理 6)	1(文 1理 0)

【25年4月入社者の採用実績校】[文](院)宮崎大1(大)福岡大 九産大 鹿児島大各2 北海学園大 法政大 中大 武蔵大 成城大 横国大 愛知大 富山大 奈良女大 関大 関西学大 関西外大 立命館大 大阪学大 北九州市大 福岡工大 西南学大 久留米大各1 [理](院)東大 東北大 神戸大 九大 北九州市大 福岡工大各1(大)福岡工大2 長崎大1

【24年4月入社者の配属先】[総]勤務地:東京15 大宮2 横浜2 千葉2 名古屋2 大阪2 広島2 北九州4 部署:営業20 企画3 調査3 法務1 DB戦略3 情報システム1 [技]勤務地:北九州12 博多1 長崎1 東京1 部署:開発10 研究5

●給与、ボーナス、週休、有休ほか●

【30歳総合職平均年収】475万円【初任給】(博士)NA(修士)262,000円(大卒)242,000円【ボーナス(年)】87万円、2.42カ月【25、30、35歳賃金】284,322円→340,449円→359,511円【週休】完全2日(土日祝)【夏期休暇】あり【年末年始休暇】あり【有休取得】14.6/20日

●従業員数、勤続年数、離職率ほか●

【男女別従業員数、平均年齢、平均勤続年数】計2,426(46.5歳16.9年)男1,747(47.9歳18.3年)女679(43.0歳13.1年)【離職率と離職者数】3.7%、94名【3年後新卒定着率】90.7%(男85.7%、女95.5%、3年前入社:男21名・女22名)【組合】なし

求める人材 自ら考え行動できる人財

会社データ (金額は百万円)

【本社】804-0003 福岡県北九州市戸畑区中原新町3-1
☎093-882-9051 https://www.zenrin.co.jp/
【社長】髙山 善司【設立】1974.3【資本金】6,557【今後力を入れる事業】オートモーティブ事業 IoT事業

【業績(連結)】	売上高	営業利益	経常利益	純利益
22.3	59,053	2,670	3,044	3,658
23.3	58,933	1,799	2,104	2,770
24.3	61,335	1,981	2,060	2,078

1907 ▶『業界地図』p.54　開示 ★★☆☆☆

㈱ぐるなび

東京P 2440

【特色】グルメサイト運営。飲食店からの販促支援料が柱

修士・大卒採用数	3年後離職率	有休取得年平均	平均年収(平均40歳)
12名	NA	NA	566万円

●エントリー情報と採用プロセス●

【受付開始～終了】総10月～7月 技10月～3月【採用プロセス】総説明会（必須、10月～）→ES提出（11月～）→1次面接（11月～）→2次面接（11月～）→3次面接（12月～）→最終面接（1月～）→内々定（1月～） 技説明会（必須、10月～）→ES提出（10月～）→1次面接（11月～）→最終面接（11月～）→内々定（12月～）【交通費支給】なし【早期選考】⇒巻末

試験情報

重視科目 総技 最終面接

総 ES⇒巻末 筆WebGAB 面4回（Webあり） 技 ES⇒巻末 筆WebGAB 面2回（Webあり）

選考ポイント 総技 ES NA（提出あり） 面NA

通過率 総技 ES NA

倍率（応募／内定） 総技 NA

●男女別採用数と配属先ほか●

【男女・文理別採用実績】

	大卒男	大卒女	修士男	修士女
23年	4（文 4 理 0）	1（文 1 理 0）	1（文 0 理 1）	0（文 0 理 0）
24年	0（文 0 理 0）	0（文 0 理 0）	0（文 0 理 0）	0（文 0 理 0）
25年	6（文 3 理 3）	6（文 6 理 0）	0（文 0 理 0）	0（文 0 理 0）

【25年4月入社者の採用実績校】
文（大）日大2 武蔵野大 共立女大 大妻女大 明学大 京産大 東京学芸大 東海大各1 理（大）東京農業大 法政大 文教大各1（専）情報科学1

【24年4月入社者の配属先】
総勤務地：なし 部署：なし 技勤務地：なし 部署：なし

残業（月） 11.0時間

記者評価 グルメサイト「ぐるなび」運営。一般利用者は基本的に利用無料で、販促支援サービス提供による飲食店からの手数料やネット予約手数料などを得る収益構造。19年に楽天グループが筆頭株主になり、ポイント施策などで協業。モバイルオーダーにも注力。

●給与、ボーナス、週休、有休ほか●

【30歳総合職平均年収】NA【初任給】（修士）230,000円（大卒）220,000円【ボーナス（年）】NA【25、30、35歳賃金】350,323円→354,779円→412,235円【週休】完全2日（土日祝）【夏期休暇】3日【年末年始休暇】5日【有休取得】NA／20日

●従業員数、勤続年数、離職率ほか●

【男女別従業員数、平均年齢、平均勤続年数】計 883（40.0歳 9.4年） 男 486（40.8歳 9.8年） 女 397（39.0歳 9.2年）【離職率と離職者数】NA【3年後新卒定着率】NA【組合】なし

求める人材 高い目標に向け前向きな姿勢で努力し続けることができる 物事に常に高い興味関心を持ち、自己成長に繋げることができる 困難な状況でも投げ出さず、最後までやり抜くことができる 積極的かつ主体的に行動し、自ら他者の協力を仰ぐことができる 他者を尊重したコミュニケーションが取れ、合意形成を図りながら円滑に物事を進めることができる

会社データ　（金額は百万円）

【本社】100-0006 東京都千代田区有楽町1-1-2 日比谷三井タワー
☎03-6744-6463　https://corporate.gnavi.co.jp/
【社長】杉原 章郎【設立】1989.10【資本金】100【今後力を入れる事業】飲食店業務支援サービス

【業績（連結）】	売上高	営業利益	経常利益	純利益
22.3	12,852	▲4,786	▲4,692	▲5,768
23.3	12,296	▲1,724	▲1,664	▲2,286
24.3	12,982	▲339	▲277	▲363

NTT DATA（エヌティティ データ）

（㈱NTTデータグループ、㈱NTTデータ、㈱NTT DATA,Inc.）

東京P 9613

【特色】SIの雄で官公庁や金融向け強い。海外拡大注力

修士・大卒採用数	3年後離職率	有休取得年平均	平均年収(平均NA)
未定	NA	NA	! 905万円

●エントリー情報と採用プロセス●

【受付開始～終了】総 技3月～7月【採用プロセス】総 技ES提出（3～5月）→適性検査（3～5月）→GD・面接（複数回、6～7月）→内々定（6～7月）【交通費支給】最終面接、全員（会社基準）

試験情報

重視科目 総技 面接 適性検査

総 技 ES⇒巻末 筆Webテスト 面複数回（Webあり） GD作NA

選考ポイント 総技 ES NA（提出あり） 面企業文化とのマッチング チームとして物事に取り組めるか 他

通過率 総技 ES NA　倍率（応募／内定） 総技 NA

●男女別採用数と配属先ほか●

【男女・文理別採用実績】

	大卒男	大卒女	修士男	修士女
23年	162（文 94 理 68）	222（文184 理 38）	234（文 0 理234）	49（文 3 理 46）
24年	166（文105 理 61）	210（文173 理 37）	254（文 6 理248）	63（文 5 理 58）
25年	-（文 - 理 -）	-（文 - 理 -）	-（文 - 理 -）	-（文 - 理 -）

【25年4月入社者の採用実績校】文早大 東北大 慶大 青学大 立命館大 明大 立教大 横国大 神戸大 龍谷大 京大 上智大 東理大 阪大 九大 北大 横浜市大 同大 関西学大 東京女大 津田塾大 中大 千葉大 日大 お茶女大 広島大 名大 一橋大 京都府大 名古屋市大 法政大 岡山大 武蔵大 都立大 明学大 専大 大妻女大 駒澤大 筑波大 東京科学大 学習院大 兵庫県大 大阪市大 東京都市大 東洋大 國學院大 関大 順天堂大 成城大 東海大 埼玉大 三重大 滋賀大 富山大 聖心女大 創価大 理立命館大 早大 千葉大 東理大 青学大 東北大 慶大 上智大 奈良女大 横浜市大 長崎大 静岡大 東大 阪大 山梨大 横国大 東京科学大 群馬大 都立大 法政大 京大 北大 新潟大 金沢大 名大 明大 信州大 情報セキュリティ院大 広島大 成蹊大 奈良先端科技院大 東京農工大 神戸大 関西学大 筑波大 東京都市大 九大 徳島大 芝工大 兵庫県大 工学院大 お茶女大 中大 同大 岡山大 金沢工大 東京電機大 九州工大 名工大 電通大 日女大 福井大 山口大 茨城大 大阪公大 立教大 関大 東京農業大（高専）北九州 有明

【24年4月入社者の配属先】総勤務地：東京・豊洲 部署：コーポレートスタッフ8 技勤務地：東京（豊洲・大手町・品川 他）神奈川（横浜・川崎 他） 部署：SE・コンサル・営業コース686 ファシリティマネジメント3

残業（月） NA

記者評価 システムインテグレーター専業で国内最大手。NTTグループ。官公庁や金融機関の大型システム開発に強い。国内はDX需要の取り込みが進み好調。欧米中心にM&Aを通じて海外事業を拡大。23年7月に持株会社制に移行し、傘下に国内、海外の各事業会社を持つ。

●給与、ボーナス、週休、有休ほか●

【30歳総合職平均年収】NA【初任給】（博士）338,160円（修士）274,790円（大卒）262,790円【ボーナス（年）】NA【25、30、35歳賃金】NA【週休】2日（原則土日）【夏期休暇】5日【年末年始休暇】12月29日～1月3日【有休取得】NA／20日【平均年収】（NTTデータグループ単体）905万円

●従業員数、勤続年数、離職率ほか●

【男女別従業員数、平均年齢、平均勤続年数】計 195,106（NA） 男 133,881（NA） 女 61,225（NA） ※グループ全体【離職率と離職者数】NA【3年後新卒定着率】NA【組合】あり

求める人材 「考導力」「共創力」「変革力」と強い意志と情熱を持った人財

会社データ　（金額は百万円）

【本社】135-6033 東京都江東区豊洲3-3-3 豊洲センタービル
☎03-5546-8202　https://www.nttdata.com/global/ja/
【社長】佐々木 裕【設立】1988.5【資本金】142,520【今後力を入れる事業】グローバルビジネス

【業績（IFRS）】	売上高	営業利益	税前利益	純利益
22.3	2,551,906	212,590	215,849	142,979
23.3	3,490,182	259,110	242,800	149,962
24.3	4,367,387	309,551	248,602	133,869

※資本金・業績・会社データは㈱NTTデータグループのもの

2836 ▶『業界地図』p.56,58,70…　開示 ★☆☆☆☆

㈱大塚商会

おおつかしょうかい

東京P 4768

【特色】独立系のITサービス大手。SIや保守など一貫提供

修士・大卒採用数	3年後離職率	有休取得年平均	平均年収(平均42歳)
340名	NA	11.5日	(総)937万円

残業(月) 15.3時間 (総)15.3時間

記者評価 創業期からの複写機販売で得た幅広い顧客層が強み。顧客は中小から大企業まで幅広い。複写機を軸に、システム導入、保守と関連サポート、周辺サービスなどを丸ごと提供するIT系の一貫サービスが武器。オフィス通販「たのめーる」も手がける。

●エントリー情報と採用プロセス●

【受付開始～終了】(総)(技)3月～未定【採用プロセス】(総)(技)セミナー(3月～)→Web適性検査→個人面接(2～3回)→内々定【交通費支給】対面面接、遠方者のみ会社基準【早期選考】⇒巻末

試験情報

重視科目 (総)(技)面接

(総)(技)(筆)玉手箱 OPQ 一部エントリー動画(面)2～3回(Webあり)(GD作)NA

選考ポイント (総)(ES)提出なし(面)人物重視(創造的思考力・統率力・ヴァイタリティ)(技)(ES)提出なし(面)人物重視(問題解決力・環境適応力・知的好奇心)

通過率 (総)(技)(ES)―(応募:NA)　**倍率(応募/内定)** (総)(技)NA

●給与、ボーナス、週休、有休ほか●

【30歳総合職平均年収】782万円【初任給】(博士)278,000円(修士)278,000円(大卒)270,000円【ボーナス(年)】298万円、NA【25、30、35歳賃金】286,978円→342,709円→386,716円【週休】完全2日(土日祝)【夏期休暇】8月13～16日(土日含む、会社指定計画有休で取得)【年末年始休暇】12月29日～1月4日(土日祝含む、会社指定計画有休で取得)【有休取得】11.5／20日

●男女別採用数と配属先ほか●

【男女・文理別採用実績】

	大卒男	大卒女	修士男	修士女
23年	263(文203 理 60)	124(文109 理 15)	12(文 0 理 12)	0(文 0 理 0)
24年	282(文217 理 65)	125(文110 理 15)	13(文 0 理 13)	2(文 0 理 2)
25年	216(文164 理 52)	115(文108 理 7)	9(文 0 理 9)	0(文 0 理 0)

【25年4月入社者の採用実績校】(文)(大)日大20 東洋大14 明大11 駒澤大10 関大 明学大各9 青学大 同大各7 法政大 関西学大 立命館大 日女大 立正大 産能大各6 早大 近大 國學院大 神奈川大各5 中大 中京大 東京経大 杏林大各4 立教大 武蔵大 高崎経大 愛知大 専大 追手門学大 武蔵野大 桜美林大 大東文化大 帝京大 東海大 東京国際大各3 他 (理)(院)北大 慶大 千葉大 埼玉大 茨城大 鹿児島大 徳島大 南山大 千葉工大各1(大)明大 日大 東京都市大各5 中大4 芝工大 東京電機大各3 法政大 東理大 東洋大 福島大 大阪工大各2 他

【24年4月入社者の配属先】(総)勤務地:首都圏202 大阪63 札幌2 仙台5 中部14 京都5 神戸6 広島4 九州7 部署:営業251 スタッフ57 (技)勤務地:首都圏95 大阪19 札幌1 仙台2 中部3 部署:SE120

●従業員数、勤続年数、離職率ほか●

【男女別従業員数、平均年齢、平均勤続年数】計 7,713(41.7歳 17.4年) 男 5,751(42.9歳 18.8年) 女 1,962(38.1歳 13.2年)【離職率と離職者数】3.7%、299名【3年後新卒定着率】NA【組合】なし

求める人材 失敗を恐れずに果敢に挑戦を続けている人 常にお客様の目線で考え行動できる人

会社データ (金額は百万円)

【本社】102-8573 東京都千代田区飯田橋2-18-4
☎03-3264-7111 https://www.otsuka-shokai.co.jp/
【社長】大塚 裕司【設立】1961.12【資本金】10,374【今後力を入れる事業】AI活用を推進し、お客様の「オフィスまるごと」支援

【業績(連結)】	売上高	営業利益	経常利益	純利益
21.12	851,894	55,827	57,567	39,927
22.12	861,022	54,768	56,639	40,022
23.12	977,370	62,959	64,517	47,448

伊藤忠テクノソリューションズ㈱

い とうちゅう

株式公開していない

【特色】伊藤忠商事グループの大手SIer。通称CTC

修士・大卒採用数	3年後離職率	有休取得年平均	平均年収(平均41歳)
305名	4.3→10.3%	13.0日	(総)1,076万円

残業(月) 12.5時間 (総)12.5時間

記者評価 海外IT機器の輸入が源流。シスコやオラクル等の有力販売代理店。近年はサービス型事業を強化。通信事業者向けに強いが、流通、製造業や官庁など顧客幅広い。伊藤忠商事関連のプロジェクトに強み。24年8月慶大とデータ流通の信頼性向上に向けた共同研究開始。

●エントリー情報と採用プロセス●

【受付開始～終了】(総)(技)2月～5月【採用プロセス】(総)(技)ES・応募登録シート提出・筆記(2～4月)→GD(3～5月)→面接(2回、4～6月)→内々定【交通費支給】最終面接、居住地による

試験情報

重視科目 (総)(技)面接

(総)(技)(ES)⇒巻末(筆)SPI3(自宅)(面)2回(Webあり)(GD作)NA

選考ポイント (総)(技)(ES)業界・企業理解 自己PR(当社基準にマッチしているか)(面)主体的に自己を成長させる意欲があり、何事にも果敢にチャレンジし、新たな価値を創造できるか 他

通過率 (総)(ES)NA(受付:3,976→通過:NA)(技)(ES)NA(受付:5,450→通過:NA)　**倍率(応募/内定)** (総)46倍 (技)24倍

●給与、ボーナス、週休、有休ほか●

【30歳総合職平均年収】NA【初任給】(修士)315,100円(大卒)295,500円【ボーナス(年)】NA【25、30、35歳賃金】NA→450,446円→NA【週休】完全2日(土日祝)【夏期休暇】土日含む9日以上連続の場合、2日の特別休暇を付与【年末年始休暇】12月29日～1月3日【有休取得】13.0／20日

●男女別採用数と配属先ほか●

【男女・文理別採用実績】

	大卒男	大卒女	修士男	修士女
23年	105(文 62 理 43)	73(文 58 理 15)	36(文 0 理 36)	4(文 1 理 3)
24年	132(文 69 理 63)	99(文 73 理 26)	48(文 2 理 46)	10(文 2 理 8)
25年	130(文 80 理 50)	108(文 96 理 12)	58(文 1 理 57)	9(文 1 理 8)

【25年4月入社者の採用実績校】(文)(院)熊本大 早大各1(大)明大18 早大15 青学大 法政大各11 中大 慶大各8 上智大 同大 立命館大各7 関西学大 関大各5 大阪市大 学習院大 東理大 東洋大 日大 名古屋市大 立教大各4 九大 東京女大各3 一橋大 千葉大 埼玉大 神奈川大 成蹊大 静岡大 阪大 都立大 南山大各2 他 (理)(院)名大5 東理大 名工大各4 明大 信州大各3 大阪公大 立命館大 東京海洋大 前橋工大 千葉大 関大 横浜市大各2 東大 東京科学大 阪大 北大 日大 同大 東北大 東京薬大 東京農工大 都立大 東京都市大 東京電機大 中京大 筑波大 早大 千葉工大 静岡大 青学大 神戸大 上智大 芝工大 三重大 埼玉大 慶大 群馬大 九大 九州工大 近大 岐阜大 学習院大 横国大 SF州立大各1(大)青学大6 明大 東理大 千葉工大各5 芝工大4 早大 立命館大 東京電機大各3 中大 立教大 南山大 東京工科大各2 他

【24年4月入社者の配属先】(総)勤務地:愛知(名古屋3 豊田3)大阪7 神谷町64 広島1 福岡1 部署:営業73 職能6 (技)勤務地:愛知(名古屋8 豊田6)大阪(大阪8 梅田1)東京(神谷町117 赤坂23 後楽22 麹町6 大崎3 五反田2 墨田2 天王洲2 青山1 田町1)横浜1 広島1 福岡1 他10 部署:システムエンジニア215

●従業員数、勤続年数、離職率ほか●

【男女別従業員数、平均年齢、平均勤続年数】計 5,086(40.6歳 13.4年) 男 4,105(41.4歳 13.8年) 女 981(37.4歳 12.1年)【離職率と離職者数】2.4%、126名【3年後新卒定着率】89.7%(男91.8%、女86.4%、3年前入社:男97名・女59名)【組合】あり

求める人材 チャレンジ精神を持ち、チームワークを重視する人

会社データ (金額は百万円)

【本社】105-6950 東京都港区虎ノ門4-1-1 神谷町トラストタワー
☎03-6403-6000 https://www.ctc-g.co.jp/
【社長】新宮 達史【設立】1972.4【資本金】21,764【今後力を入れる事業】大規模インフラ事業 クラウドビジネス ビッグデータ事業 グローバルビジネス 他

【業績(IFRS)】	売上高	営業利益	税前利益	純利益
22.3	522,356	50,482	51,875	35,373
23.3	570,934	46,473	46,924	34,208
24.3	647,500	57,300	NA	41,300

ティーアイエス
ＴＩＳ㈱

東京P 3626

【特色】独立系SI大手。クレジットカードなど金融に強み

修士・大卒採用数	3年後離職率	有休取得年平均	平均年収(平均41歳)
未定	NA	12.2日	803万円

●エントリー情報と採用プロセス●

【受付開始～終了】[総][技]3月～7月【採用プロセス】[総][技]説明会(必須、3月～)→ES提出・適性検査(3月～)→個人面接(6月～)→最終面接(6月～)→内々定【交通費支給】なし

試験情報

重視科目 [総][技]面接

[総][技] [ES]⇒巻末[筆]SPI3(自宅) 適性検査(Web)SPI3-U [面]2回(Webあり)[GD作]NA

選考ポイント [総][技] [ES]NA(提出あり)[面]NA

通過率 [総][技] [ES]NA

倍率(応募/内定) [総][技]NA

●男女別採用数と配属先ほか●

【男女・文理別採用実績】

	大卒男	大卒女	修士男	修士女
23年	149(文 97 理 52)	78(文 67 理 11)	42(文 5 理 37)	9(文 6 理 3)
24年	137(文 92 理 45)	70(文 60 理 10)	51(文 10 理 41)	7(文 5 理 2)
25年	-(文 - 理 -)	-(文 - 理 -)	-(文 - 理 -)	-(文 - 理 -)

【25年4月入社者の採用実績校】
[文](24年)明大20 早大16 法政大14 青学大11 関西学大9 関大8 同大7 中大6 日大5 立教大 明学大 大阪市大各4 他 [理](24年)明大14 東理大8 法政大 中大各5 立命館大 神戸大各4 早大 同大 千葉大 芝工大 学習院大 東洋大各3 他

【24年4月入社者の配属先】
[総]勤務地：東京17 大阪2 部署：営業19 [技]勤務地：東京222 大阪19 名古屋4 九州1 部署：システムエンジニア246

残業(月) 22.6時間

記者評価 独立系SI大手。08年にインテックと統合、16年から事業持株会社体制。顧客は金融や製造、流通の大企業で、特にJCBなどカード会社に強固な顧客基盤。クラウド案件も実績豊富。カード事業者向けSaaSなど新分野も積極的。コンサル機能を強化しDX需要を深耕。

●給与、ボーナス、週休、有休ほか●

【30歳総合職平均年収】NA【初任給】(博士)267,000円 (修士)267,000円 (大卒)250,000円【ボーナス(年)】NA【25、30、35歳賃金】NA【週休】完全2日(土日祝)【夏期休暇】リフレッシュ休暇と有休で取得【年末年始休暇】12月30日～1月3日【有休取得】12.2／20日

●従業員数、勤続年数、離職率ほか●

【男女別従業員数、平均年齢、平均勤続年数】計 5,834(40.5歳 14.5年) 男 4,209(41.6歳 15.1年) 女 1,625(37.7歳 13.0年)【離職率と離職者数】NA【3年後新卒定着率】NA【組合】なし

求める人材 自身が創りたい未来を考え、直接的に社会課題に対峙し、解決策の具体化に向けて自ら行動を起こせる人 進化を担うメンバーとして、社会に役立つ、よりよい会社を目指して、周囲を巻き込みながら一緒にチャレンジできる人

会社データ (金額は百万円)

【本社】160-0023 東京都新宿区西新宿8-17-1 住友不動産新宿グランドタワー
☎03-5337-7070 https://www.tis.co.jp/
【社長】岡本 安史【設立】2008.4【資本金】10,001【今後力を入れる事業】決済事業 AI事業 オファリングサービス事業 モダナイゼーションビジネス CX領域 ASEANでのビジネス拡大

【業績(連結)】	売上高	営業利益	経常利益	純利益
22.3	482,547	54,739	55,710	39,462
23.3	508,400	62,328	63,204	55,461
24.3	549,004	64,568	68,553	48,873

エスシーエスケイ
ＳＣＳＫ㈱

東京P 9719

【特色】住友商事系SI大手。DXや車載分野に注力

修士・大卒採用数	3年後離職率	有休取得年平均	平均年収(平均44歳)
382名	8.0→10.9%	17.3日	[総]764万円

●エントリー情報と採用プロセス●

【受付開始～終了】[総][技]3月～7月【採用プロセス】[総][技]説明会・ES・適性テスト→面接(複数回)・適性テスト→内々定【交通費支給】なし【早期選考】⇒巻末

試験情報

重視科目 [総][技]適性検査 面接

[総][技] [ES]NA[筆]あり(内容NA)[面]複数回(Webあり)

選考ポイント [総][技] [ES]NA(提出あり)[面]論理的思考能力を発揮し、当社の3つの行動指針である「Challenge」「Commitment」「Communication」に基づき行動できているか

通過率 [総][技] [ES]NA

倍率(応募/内定) [総][技]NA

●男女別採用数と配属先ほか●

【男女・文理別採用実績】

	大卒男	大卒女	修士男	修士女
23年	122(文 45 理 77)	69(文 34 理 35)	85(文 0 理 85)	6(文 0 理 6)
24年	114(文 47 理 67)	73(文 51 理 22)	107(文 0 理107)	15(文 0 理 15)
25年	161(文 82 理 79)	100(文 75 理 25)	105(文 0 理105)	16(文 0 理 16)

【25年4月入社者の採用実績校】
[文](大)明大21 早大19 法政大12 中大11 青学大 立教大各8 関大6 上智大 立命館大各5 他 [理](院)東理大9 千葉大7 九大6 筑波大 都立大 電通大 早大 明大各5(大)明大17 法政大9 中大 芝工大各8 東理大 青学大各7 上智大4 他

【24年4月入社者の配属先】
[総]勤務地：東京25 大阪1 福岡1 部署：営業23 コーポレートスタッフ4 [技]勤務地：東京243 大阪28 愛知3 他8 部署：システムエンジニア282

残業(月) 22.0時間 [総]22.0時間

記者評価 住友商事系の住商情報システム(SCS)が、11年にCSKを合併し現社名に。自動車向け検証サービスや車載向けに強み。製造や流通、金融などで大企業の顧客基盤厚い。DX関連の事業化に注力。23年、ホンダと車載ソフト開発の戦略的パートナーシップ締結で基本合意。

●給与、ボーナス、週休、有休ほか●

【30歳総合職平均年収】NA【初任給】(修士)330,000円 (大卒)310,000円【ボーナス(年)】NA【25、30、35歳賃金】NA【週休】完全2日(土日祝)【夏期休暇】有休で取得【年末年始休暇】12月29日～1月3日【有休取得】17.3／20日

●従業員数、勤続年数、離職率ほか●

【男女別従業員数、平均年齢、平均勤続年数】計 8,611(43.5歳 18.0年) 男 6,704(45.0歳 19.4年) 女 1,907(37.7歳 12.6年)【離職率と離職者数】3.0%、263名【3年後新卒定着率】89.1%(男90.6%、女86.5%、3年前入社：男170名・女104名)【組合】あり

求める人材 SCSK経営理念を理解し、その実現に向けて行動できる人物

会社データ (金額は百万円)

【本社】135-8110 東京都江東区豊洲3-2-20 豊洲フロント
☎03-5166-2500 https://www.scsk.jp/
【社長】當麻 隆昭【設立】1969.10【資本金】21,420【今後力を入れる事業】DX事業化 サービス提供型ビジネス 他

【業績(IFRS)】	売上高	営業利益	税前利益	純利益
22.3	414,150	47,555	48,315	33,470
23.3	445,912	51,361	53,336	37,301
24.3	480,307	57,004	57,459	40,461

通信・ソフト

㈱日立システムズ（ひたち）

株式公開計画なし

【特色】日立グループの中核IT会社。海外展開にも積極的

修士・大卒採用数	3年後離職率	有休取得年平均	平均年収(平均43歳)
328名	9.4→12.4%	18.1日	(総)847万円

残業(月) 22.6時間 (総)23.8時間

記者評価 日立電子サービスと日立情報システムズが合併して発足。グループの情報・通信システム事業の中核を担う。ITライフサイクルの全領域をカバー。デジタライゼーションサービスはIoT基盤「ルマーダ」事業に注力。25年4月から大卒総合職の初任給を25万円に増額。

●エントリー情報と採用プロセス●

【受付開始～終了】(総)(技)3月～6月【採用プロセス】(総)(技)説明会(必須、3月～)→SPI(テストセンター)→ES提出→面接(2回)→内々定【交通費支給】なし【早期選考】⇒巻末

試験情報

重視科目 [総][技]面接

[総][技](ES)⇒巻末(筆)SPI3(会場)(面)2回(Webあり)

選考ポイント [総][技](ES)志望動機 自己PRなどを総合的に判断(面)論理的思考力 複数メンバー間での調整能力 他

通過率 [総][技](ES)NA　**倍率(応募/内定)** [総][技]NA

●男女別採用数と配属先ほか●

【男女・文理別採用実績】※25年：24年8月中旬時点

	大卒男	大卒女	修士男	修士女
23年	181(文 96 理 85)	74(文 60 理 14)	43(文 5 理 38)	7(文 3 理 4)
24年	147(文 68 理 79)	75(文 57 理 18)	59(文 5 理 54)	19(文 8 理 11)
25年	180(文 92 理 88)	89(文 65 理 24)	52(文 1 理 51)	7(文 5 理 2)

【25年4月入社者の採用実績校】(文)(院)中大 青学大 慶大 東海大 東大 東北大各1(大)明大15 同大14 早大12 中大11 青学大 立教大各9 日大6 成蹊大5 学習院大 関西学大 関大 専大 武蔵大各4 東洋大 武蔵野大 法政大 立命館大各3 一橋大 横浜市大 京都女大 三重大 神戸大 静岡大 大阪市大 都立大 南山大 明学大各2 慶大 横国大 京大 近大 金沢大 駒澤大 國學院大 埼玉大 山梨大 滋賀大 松山大 成城大 千葉大 大妻女大 大阪経大 阪大 中京大 長崎大 東京外大 東理大 武庫川女大 名古屋市大 龍谷大 獨協大各1(高専)宇部1 (理)(院)明大3 青学大 法政大 九州工大 早大 筑波大 東理大 茨城大 宇都宮大 金沢大 九大 埼玉大 神奈川大 大阪公大各2 中大 東京電機大 東京都市大 東洋大 大阪工大 立命館大 横国大 岡山大 大分大 東邦大 東北大 岩手大 群馬大 慶大 秋田大 上智大 新潟大 長崎大 電通大 東海大 東京科学大 奈良先端科技院大 名工大 龍谷大各1(大)中大8 東京電機大6 青学大 法政大 同大各5 明大 東京都市大 東洋大 関大 近大各4 静岡大 千葉工大 日大 立教大各3 九州工大 早大 筑波大 東理大 大阪工大 立命館大 工学院大 広島市大 弘前大 千葉大 東京工科大 東京国際工科専門職大 東京農工大 日女大 名城大各2 他

【24年4月入社者の配属先】[総]勤務地：首都圏・関東35 関西4 中部3 部署：営業33 財務3 人事2 調達2 サステナビリティ・リスクマネジメント2 [技]勤務地：首都圏・関東250 関西9 中部3 四国1 部署：SE260 CE3

●給与、ボーナス、週休、有休ほか●

【30歳総合職平均年収】534万円【初任給】(修士)257,000円(大卒)232,000円【ボーナス(年)】205万円、6.4カ月【25、30、35歳賃金】NA→304,500円→NA【週休】完全2日(土日祝)【夏期休暇】有休で取得【年末年始休暇】12月31日～1月3日【有休取得】18.1／24日

●従業員数、勤続年数、離職率ほか●

【男女別従業員数、平均年齢、平均勤続年数】計 9,823(45.3歳 22.3年) 男 8,186(46.1歳 23.2年) 女 1,637(41.3歳 17.9年)【離職率と離職者数】2.2%、222名【3年後新卒定着率】87.6%(男86.0%、女90.4%、3年前入社：男136名・女73名)【組合】あり

求める人材 挑戦して、たとえ失敗したとしても、成長を続け、お客さまに驚きと感動と安心を提供できる人

会社データ　(金額は百万円)

【本社】141-8672 東京都品川区大崎1-2-1 大崎フロントタワー
☎03-5435-7777　https://www.hitachi-systems.com/
【社長】柴原 節男【設立】1962.10【資本金】19,162【今後力を入れる事業】デジタライゼーション事業 グローバル事業

【業績(単独)】	売上高	営業利益	経常利益	純利益
22.3	422,100	44,029	49,208	29,353
23.3	424,597	43,556	48,000	34,682
24.3	456,915	49,320	54,304	37,882

BIPROGY㈱（ビプロジー）

東京P 8056

【特色】決済など金融向け強いITサービス大手。DNP系列

修士・大卒採用数	3年後離職率	有休取得年平均	平均年収(平均46歳)
158名	6.9→10.6%	14.7日	◇850万円

残業(月) 17.7時間 (総)18.9時間

記者評価 大日本印刷が筆頭株主。ICTコンサルなどのシステムサービスが主力。顧客は金融を軸に、空運、電力、流通など幅広い。AIによるデータ利活用サービスや社会DX事業、ASEANや北米が軸の海外展開にも注力。働き方改革に積極的。22年4月日本ユニシスから社名変更。

●エントリー情報と採用プロセス●

【受付開始～終了】(総)(技)2月～7月【採用プロセス】(総)(技)ES提出・適性検査→能力検査(SPI)→面接(3回)→内々定【交通費支給】なし

試験情報

重視科目 [総][技]面接

[総][技](ES)⇒巻末(筆)SPI3(会場) 適性検査(Compass)(面)3回(Webあり)

選考ポイント [総][技](ES)NA(提出あり)(面)自分の考えを論理的・簡潔・明瞭に相手に伝えることができるか 他

通過率 [総][技](ES)NA　**倍率(応募/内定)** [総][技]NA

●男女別採用数と配属先ほか●

【男女・文理別採用実績】

	大卒男	大卒女	修士男	修士女
23年	26(文 19 理 7)	49(文 38 理 11)	29(文 2 理 27)	5(文 0 理 5)
24年	46(文 32 理 14)	56(文 45 理 11)	34(文 5 理 29)	9(文 0 理 9)
25年	57(文 39 理 18)	70(文 59 理 11)	24(文 1 理 23)	7(文 1 理 6)

【25年4月入社者の採用実績校】(文)(院)京大 神戸大各1(大)明大14 同大10 立命館大6 青学大5 上智大 成蹊大 早大 津田塾大 法政大各4 慶大 中大 横国大 立教大各3 大阪市大 学習院大 成城大 東洋大 都立大各2 亜大 お茶女大 京都女大 釧路公大 静岡大 実践女大 昭和女大 情報経営イノベーション専門職大 大東文化大 高崎経大 中京大 筑波大 東理大 東北大 獨協大 南山大 日大 日女大 阪大 三重大 明学大各1 (理)(院)東京電機大3 熊本大 群馬大 芝工大 名大各2 会津大 茨城大 香川大 金沢大 岐阜大 九大 京大 慶大 工学院大 佐賀大 信州大 筑波大 東大 東理大 日女大 広島市大 広島大 明大 立命館大各1(大)ハノイ工科大7 愛知工業大 会津大 青学大 大妻女大 関大 芝工大 成蹊大 千歳科技大 千葉工大 中大 中京大 筑波大 東京工科大 東洋大 同大 都立大 日大 法政大 明大 琉球大 ベトナム国家大情報通信大 ベトナム国家大技術工学大各1

【24年4月入社者の配属先】[総]勤務地：東京39 愛知5 大阪3 北海道1 福岡1 部署：セールス32 ビジネスプロデュース8 アントレプレナー2 グループデザイン3 その他4 [技]勤務地：東京73 神奈川4 千葉1 埼玉2 愛知4 大阪9 北海道1 広島1 福岡1 部署：システムエンジニア78 プロダクトエンジニア16 ハイスキルエンジニア2

●給与、ボーナス、週休、有休ほか●

【30歳総合職平均年収】NA【初任給】(修士)280,000円(大卒)264,000円【ボーナス(年)】NA【25、30、35歳賃金】NA【週休】完全2日(土日祝)【夏期休暇】有休で取得【年末年始休暇】12月29日～1月3日【有休取得】14.7／20日

●従業員数、勤続年数、離職率ほか●

【男女別従業員数、平均年齢、平均勤続年数】計 4,424(46.4歳 21.0年) 男 3,405(47.9歳 22.2年) 女 1,019(41.6歳 17.0年)【離職率と離職者数】3.1%、142名【3年後新卒定着率】89.4%(男88.2%、女90.8%、3年前入社：男76名・女65名)【組合】あり

求める人材「素直さ、勉強熱心、配慮と推進」という要素を備え、顧客／社会に高い価値を提供できる人財

会社データ　(金額は百万円)

【本社】135-8560 東京都江東区豊洲1-1-1
☎03-5546-4111　https://www.biprogy.com/
【社長】齊藤 昇【設立】1958.3【資本金】5,483【今後力を入れる事業】顧客DX(For Customer)と社会DX(For Society)の推進

【業績(IFRS)】	売上高	営業利益	税前利益	純利益
22.3	317,600	27,425	29,575	20,490
23.3	339,898	29,673	30,001	20,203
24.3	370,142	33,287	34,164	25,246

67 ▶『業界地図』p.241 開示 ★★★★☆

エヌイーシー
ＮＥＣネッツエスアイ(株)

東京P 1973

【特色】NECの工事部門が分離独立し発足。ICTに強い

修士・大卒採用数	3年後離職率	有休取得年平均	平均年収(平均43歳)
149名	12.2 → 8.4%	14.0日	[総]775万円

●エントリー情報と採用プロセス●

【受付開始～終了】[総][技]3月～6月【採用プロセス】[総][技]説明会(必須)→Webテスト・ES提出→GD→面接(2回)→内々定【交通費支給】面接以降、推薦者のみ全額【早期選考】⇒巻末

試験情報

[重視科目][総][技]面接

[総][技][ES]⇒巻末[筆]SPI3(自宅)[面]2回(Webあり)[GD作]⇒巻末

[選考ポイント][総][技][ES]自己PR 学業 志望動機[面]コミュニケーション能力 志望動機 業界・企業研究度合い 当社への熱意 論理的思考能力

[通過率][総][ES]61%(受付:1,284→通過:785)[技][ES]53%(受付:2,846→通過:1,495) [倍率(応募/内定)][総]23倍[技]25倍

●男女別採用数と配属先ほか●

【男女・文理別採用実績】

	大卒男	大卒女	修士男	修士女
23年	102(文 31 理 71)	37(文 23 理 14)	22(文 1 理 21)	2(文 1 理 1)
24年	71(文 24 理 47)	55(文 42 理 13)	17(文 0 理 17)	7(文 1 理 6)
25年	72(文 29 理 43)	55(文 35 理 20)	17(文 0 理 17)	5(文 2 理 3)

【25年4月入社者の採用実績校】[文](院)広島大 立命館大各1(大)関大6 立命館大5 青学大4 共立女大 金沢大 國學院大 静岡大 東海大 東洋大 日大 法政大 立教大 龍谷大各2 明大 亜大 愛知大 岡山理大 関西学大 関東学院大 近大 駒澤大 恵泉女学大 県立広島大 高崎健康福祉大 阪南大 桜美林大 三重大 産能大 十文字学女大 昭和女大 城西大 成城大 成蹊大 専大 中大 長崎県大 帝京大 東京経大 東理大 武蔵大 兵庫県大 明学大各1 他 [理](院)大阪工大 長岡技科大 東京都市大各2 横浜市大 岡山県大 金沢大 広島工大 佐賀大 山梨大 秋田大 新潟大 中大 東京工科大 日大 法政大 名工大 和歌山大各1(大)東京電機大6 近大5 芝工大 日大各4 東理大 関大 山梨大 神奈川工大 千葉工大 中大 津田塾大 東海大 東京都市大 東北学大 同大 福岡工大 明大 立命館大各2 他

【24年4月入社者の配属先】[総]勤務地:東京(港14 中央16)横浜1 大宮1 札幌1 仙台1 名古屋3 金沢1 大阪5 広島2 福岡2 部署:営業統括本部42 FP&A本部2 人事部1 他2 [技]勤務地:東京(港95 中央10 府中5 新宿2)川崎10 安孫子1 大阪3 福岡1 部署:DXソリューション48 社会・環境ソリューション47 ネットワークソリューション32

[残業(月)] 24.6時間 [総]23.3時間

[記者評価] 企業や公共向けにシステム構築、セキュリティ、クラウドなど提供。基地局工事も手がける。自社本社での実践を通じ、自社の取り組みをオフィスや働き方DX支援として提供する営業手法に定評。Zoomの国内販売店第1号。宇宙関連事業やローカル5Gにも注力。

●給与、ボーナス、週休、有休ほか●

【30歳総合職平均年収】560万円【初任給】(修士)279,900円(大卒)254,200円【ボーナス(年)】200万円、NA【25、30、35歳賃金】255,471円→292,558円→349,900円【週休】完全2日(土日祝)【夏期休暇】最大11日(週休および有休を組み合わせて)【年末年始休暇】12月28日～1月5日【有休取得】14.0／22日

●従業員数、勤続年数、離職率ほか●

【男女別従業員数、平均年齢、平均勤続年数】計 5,617(44.8歳 17.9年) 男 4,662(45.7歳 18.6年) 女 955(40.4歳 14.3年)【離職率と離職者数】2.2%、127名(早期退職14名含む)【3年後新卒定着率】91.6%(男92.5%、女88.9%、3年前入社:男107名・女36名)【組合】あり

[求める人材] 自分自身に限界を設けず、枠を超えてチャレンジするマインドと実行力を持つ人

[会社データ] (金額は百万円)

【本社】108-8515 東京都港区芝浦3-9-14 NECネッツエスアイ本社ビル
☎03-4212-1000 https://www.nesic.co.jp/
【代表取締役】大野 道生【設立】1953.11【資本金】13,122【今後力を入れる事業】サービス・インフラ・グローバル事業の強化

【業績(連結)】	売上高	営業利益	経常利益	純利益
22.3	310,334	23,181	23,550	15,021
23.3	320,802	22,751	22,970	13,813
24.3	359,505	25,120	24,684	15,329

にってつ
日鉄ソリューションズ(株)

東京P 2327

【特色】日本製鉄系SI。製造業や金融向けに強み

修士・大卒採用数	3年後離職率	有休取得年平均	平均年収(平均*41歳)
202名	10.4 → 8.2%	15.3日	[総]896万円

●エントリー情報と採用プロセス●

【受付開始～終了】[総]3月～7月【採用プロセス】[総]ES提出→適性検査→ジョブマッチング(複数回)→面接→内々定【交通費支給】面接、会社基準を上限に実費

試験情報

[重視科目][総]全て

[総][ES]⇒巻末[筆]SPI3(会場) SPI3(自宅)[面]複数回(Webあり)

[選考ポイント][総][ES]NA(提出あり)[面]ITへの興味・関心 学ぶ力 行動力 コミュニケーション能力

[通過率][総][ES]68%(受付:7,133→通過:4,847)

[倍率(応募/内定)][総]35倍

●男女別採用数と配属先ほか●

【男女・文理別採用実績】※25年:24年7月末時点

	大卒男	大卒女	修士男	修士女
23年	33(文 18 理 15)	32(文 19 理 13)	91(文 0 理 91)	34(文 0 理 34)
24年	25(文 16 理 9)	44(文 28 理 16)	112(文 1 理 111)	28(文 3 理 25)
25年	38(文 30 理 8)	35(文 23 理 12)	94(文 0 理 94)	35(文 1 理 34)

【25年4月入社者の採用実績校】[文]早大 中大 東大 筑波大 青学大 同大 関大 京大 神戸大 埼玉大 東京外大 横浜市大 慶大 関西学大 法政大 立命館大 阪大 一橋大 東京学芸大 東京芸大 都立大 東理大 福島大 横国大 琉球大 明大 立教大 [理]阪大 東北大 九大 筑波大 北大 東京科学大 東大 神戸大 京大 九州工大 早大 お茶女大 東理大 慶大 名大 都立大 明大 静岡大 名工大 埼玉大 学習院大 広島大 茨城大 北九州市大 群馬大 はこだて未来大 芝工大 千葉工大 電通大 奈良先端科技院大 中大 立教大

【24年4月入社者の配属先】[総]勤務地:東京23 愛知1 部署:営業19 マネジメントスタッフ5 [技]勤務地:東京142 神奈川10 愛知5 千葉4 大阪4 兵庫3 福岡3 山口3 大分2 茨城1 和歌山1 部署:SE168 研究開発10

[残業(月)] 8.3時間 [総]9.7時間

[記者評価] 日本製鉄の上場子会社。親会社への依存度は約2割。製鉄所運営で培ったITシステム構築・運営力に強みを持つ。製造業や金融業などの優良顧客が豊富。大規模な仮想デスクトップの構築ではトップクラスのシェア。AIやIoT分野のほか、製造業のDXに注力する。

●給与、ボーナス、週休、有休ほか●

【30歳総合職平均年収】NA【初任給】(修士)260,000円(大卒)233,000円【ボーナス(年)】NA、6.6カ月【25、30、35歳賃金】NA【週休】完全2日(土日祝)【夏期休暇】有休で取得【年末年始休暇】12月29日～1月3日【有休取得】15.3／20日

●従業員数、勤続年数、離職率ほか●

【男女別従業員数、平均年齢、平均勤続年数】計 4,161(40.6歳 14.0年) 男 3,312(41.6歳 14.9年) 女 849(36.7歳 10.5年)【離職率と離職者数】3.1%、132名【3年後新卒定着率】91.8%(男93.8%、女88.0%、3年前入社:男97名・女50名)【組合】あり

[求める人材] お客様のビジネス価値向上のために、深く考え、主体的に行動できる人

[会社データ] (金額は百万円)

【本社】105-6417 東京都港区虎ノ門1-17-1 虎ノ門ヒルズビジネスタワー
☎03-6899-6000 https://www.nssol.nipponsteel.com/
【社長】玉置 和彦【設立】1980.10【資本金】12,952【今後力を入れる事業】デジタルによる社会や業種横断の課題解決

【業績(IFRS)】	売上高	営業利益	税前利益	純利益
23.3	291,688	31,738	32,101	22,000
24.3	310,632	35,001	35,437	24,241

97 ▶『業界地図』p.56,58 開示 ★★★☆☆

NECソリューションイノベータ(株)
エヌイーシー

株式公開 計画なし

【特色】NECグループの中核SI企業。旧NECソフト

修士・大卒採用数	3年後離職率	有休取得年平均	平均年収(平均44歳)
577名	9.4→9.7%	14.0日	[総]759万円

●エントリー情報と採用プロセス●
【受付開始～終了】[技]3月～7月【採用プロセス】[技]WebES→Webテスト→面接(2回)→内々定【交通費支給】なし

試験情報

重視科目 [技]面接

[技][ES]⇒巻末[筆]SPI3(自宅)[面]2回(Webあり)

選考ポイント [技][ES]面接内容含め総合的に判断[面]自分で考える力 本質を捉える力 挑戦する力 やり遂げる力

通過率 [技][ES]選考なし(受付:5,143)

倍率(応募/内定) [技]9倍

●男女別採用数と配属先ほか●
【男女・文理別採用実績】

	大卒男	大卒女	修士男	修士女
23年	257(文136 理121)	128(文 84 理 44)	128(文 3 理125)	26(文 2 理 24)
24年	208(文 96 理112)	109(文 63 理 46)	124(文 3 理121)	24(文 1 理 23)
25年	273(文153 理120)	132(文102 理 30)	145(文 2 理143)	27(文 2 理 25)

【25年4月入社者の採用実績校】[文](院)立命館大 明大 神戸市外大 北大各1(大)明大26 中大21 立命館大17 早大15 同大13 法政大12 立教大11 明学大10 青学大8 関大7 他 [理](院)愛媛大 立命館大各8 熊本大7 東北大 埼玉大 東理大各6 金沢大 九州工大各5 北大 東大 筑波大 岡山大 芝工大各4(大)明大15 法政大10 東理大 芝工大 中大各9 立命館大 同大各5(高専)鈴鹿3 徳山 弓削商船 仙台 松江 熊本 佐世保各1 他

【24年4月入社者の配属先】[総]勤務地:東京・新木場8 東海1 関西1 部署:営業6 調達1 人事2 経理1 [技]勤務地:東京(新木場286 田町17 府中6)神奈川(横浜6 川崎62)札幌6 仙台7 大宮2 新潟1 松本1 静岡1 金沢4 名古屋11 大阪20 神戸8 京都1 広島4 福岡15 那覇1 部署:システムエンジニア459

残業(月) 25.2時間 [総]25.2時間

記者評価 NECソフトに関連会社が合流し現体制。IT戦略策定からシステム開発・運用まで一貫。「ヘルスケア」「ワークスタイル」「スマートシティ」が2030年に向けた挑戦領域。従業員教育や防災関連のVR・AR強化。バイオとICTの融合や量子コンピューティングにも挑む。

●給与、ボーナス、週休、有休ほか●
【30歳総合職平均年収】636万円【初任給】(修士)279,900円(大卒)254,200円【ボーナス(年)】239万円、NA【25、30、35歳賃金】279,184円→306,602円→352,640円【週休】完全2日(土日祝)【夏期休暇】連続9日(土日+有休5日)【年末年始休暇】労働協約に基づく【有休取得】14.0/22日

●従業員数、勤続年数、離職率ほか●
【男女別従業員数、平均年齢、平均勤続年数】計 12,960(43.5歳 17.3年) 男 10,255(44.6歳 18.1年) 女 2,705(39.4歳 14.0年)【離職率と離職者数】2.9%、391名(早期退職男102名、女12名含む)【3年後新卒定着率】90.3%(男90.7%、女89.5%、3年前入社:男300名・女162名)【組合】あり

求める人材 積極的かつ自発的に行動できる人 責任を持って粘り強くやり抜くことができる人

会社データ (金額は百万円)

【本社】136-8627 東京都江東区新木場1-18-7
☎03-5534-2222 https://www.nec-solutioninnovators.co.jp/
【社長】石井 力【設立】1975.9【資本金】8,668【今後力を入れる事業】SI ソフトウェア開発 サービス

【業績(単独)】	売上高	営業利益	経常利益	純利益
22.3	325,043	NA	NA	NA
23.3	318,002	NA	NA	NA
24.3	308,037	NA	NA	NA

富士ソフト(株)
ふじ

東京P 9749

【特色】独立系ソフト開発大手。組み込み系ソフトに強み

修士・大卒採用数	3年後離職率	有休取得年平均	平均年収(平均36歳)
700名	17.9→20.6%	11.2日	[総]602万円

●エントリー情報と採用プロセス●
【受付開始～終了】[総]12月～7月 [技]12月～継続中【採用プロセス】[総][技]説明会・ES提出→SPI→1次(GD・グループ面接)→最終面接→内々定【交通費支給】最終面接、一部補助(QUOカード)

試験情報

重視科目 [総][技]面接

[総][技][ES]⇒巻末[筆]SPI3(自宅)[面]2回(Webあり)[GD作]⇒巻末

選考ポイント [総][ES]自分らしさをアピールできているか エピソードに説得力があるか[面]具体的なエピソードを自分の言葉で話せるか 明るさ 主体性 コミュニケーション能力 [技][ES]総合職共通[面]具体的なエピソードを自分の言葉で話せるか 問題解決力 論理性 主体性

通過率 [総][技][ES]NA 倍率(応募/内定) [総][技]NA

●男女別採用数と配属先ほか●
【男女・文理別採用実績】※25年:修士・大卒700名、高専・短・専100名採用予定

	大卒男	大卒女	修士男	修士女
23年	448(文238 理210)	169(文139 理 30)	36(文 3 理 33)	10(文 4 理 6)
24年	474(文263 理211)	143(文120 理 23)	30(文 4 理 26)	9(文 4 理 5)
25年	-(文 -理 -)	-(文 -理 -)	-(文 -理 -)	-(文 -理 -)

【25年4月入社者の採用実績校】[文](24年)(院)亜大 横国大 関大 広島大 東京学芸大 名大 明大 立命館大各1(大)東洋大15 日大13 近大 中大 法政大各11 専大 龍谷大各10 駒澤大 神奈川大各9 青学大 明大各8 亜大 産能大各7 武蔵野大 立命館大各6 国士舘大 阪南大 摂南大 帝京大 同大各5 他 [理](24年)(院)日大3 千葉大2 茨城大 宇都宮大 京産大 玉川大 九大 広島市大 埼玉大 秋田大 神戸大 西日本工大 青学大 早大 大阪電通大 筑波大 電通大 東海大 東工大 東京農業大 東洋大 徳島大 奈良先端科技院大 名工大 名大 立命館大 龍谷大各1(大)神奈川大14 日大13 近大10 福岡工大9 工学院大 千葉工大 大阪工大 東洋大各7 東京都市大6 湘南工大 東海大 東理大各5 他

【24年4月入社者の配属先】[総]勤務地:東京(汐留15 秋葉原4)横浜22 名古屋5 大阪3 部署:営業45 管理4 [技]勤務地:東京(汐留159 両国42 八王子28 上野12 秋葉原11 錦糸町8 立川4 門前仲町1)茨城・日立4 埼玉・大宮17 神奈川(横浜248 厚木18)浜松1 愛知(名古屋69 刈谷10)大阪42 神戸8 広島9 福岡(福岡27 北九州2)熊本3 札幌11 部署:技術734

残業(月) 24.5時間 [総]24.5時間

記者評価 業務系ソフトや自動車・家電向けなど組込・制御ソフトが軸。会話ロボット「PALRO」や社内コミュニケーションツール「FAMoffice」など製品事業も成長。AI、IoTなど7つの重点領域「AIS-CRM」に加え、DX、SD、G2に注力。米ファンドによるTOBに賛同、上場廃止へ。

●給与、ボーナス、週休、有休ほか●
【30歳総合職平均年収】526万円【初任給】(博士)268,000円(修士)252,000円(大卒)234,000円【ボーナス(年)】143万円、4.45カ月【25、30、35歳賃金】255,157円→292,898円→321,724円【週休】完全2日(土日祝)【夏期休暇】4日(6～10月で取得可能)【年末年始休暇】12月28日～1月8日(有休奨励日1日含む)【有休取得】11.2/20日

●従業員数、勤続年数、離職率ほか●
【男女別従業員数、平均年齢、平均勤続年数】計 9,372(35.3歳 9.8年) 男 7,334(35.8歳 10.1年) 女 2,038(33.4歳 8.4年)【離職率と離職者数】6.6%、667名(他に男9名、女2名転籍)【3年後新卒定着率】79.4%(男81.8%、女73.7%、3年前入社:男466名・女198名)【組合】なし

求める人材 コミュニケーション能力があり、主体的に行動できる人 ものづくりが大好きな人

会社データ (金額は百万円)

【本社】231-8008 神奈川県横浜市中区桜木町1-1
☎045-650-8811 https://www.fsi.co.jp/
【社長】坂下 智保【設立】1970.5【資本金】26,200【今後力を入れる事業】クラウド ロボット モバイル 自動車 DX 5G

【業績(連結)】	売上高	営業利益	経常利益	純利益
21.12	257,891	16,838	17,976	9,130
22.12	278,783	18,272	19,205	11,379
23.12	298,855	20,684	19,675	11,849

▶『業界地図』p.56,58

ジーエムオー
ＧＭＯインターネットグループ㈱
東京P 9449

【特色】総合インターネットグループ。事業領域広範

修士・大卒採用数	3年後離職率	有休取得年平均	平均年収(平均36歳)
12名	12.2 → 38.5%	12.5日	総 677万円

●エントリー情報と採用プロセス●
【受付開始～終了】総 技3月～継続中【採用プロセス】総説明会(必須)→ES提出(3月～)→Webテスト→面接(4回)→内々定 技説明会(必須)→ES提出(3～8月)→Webテスト→面接(3回)→内々定【交通費支給】〈事務系〉3次面接〈技術系〉最終面接、往復実費【早期選考】⇒巻末

試験情報
重視科目 総技面接

総 ES⇒巻末 筆WebGAB GAB 面4回(Webあり) 技 ES⇒巻末 筆WebGAB GAB 面3回(Webあり)

選考ポイント 総 ES文章に論理性があるか 企業理念を理解しているか 面誠実性かつ物事に対して熱意があるか 技 ES総合職共通 面誠実性かつ物事に対して熱意があるか エンジニアとしてのマインドが会社と一致しているか

通過率 総 ES29%(受付:(早期選考含む)1,040→通過:(早期選考含む)300) 技 ES55%(受付:(早期選考含む)425→通過:(早期選考含む)233)

倍率(応募/内定) 総(早期選考含む)173倍 技(早期選考含む)53倍

●男女別採用数と配属先ほか●
【男女・文理別採用実績】

	大卒男	大卒女	修士男	修士女
23年	6(文 3理 3)	2(文 1理 1)	3(文 0理 3)	0(文 0理 0)
24年	7(文 4理 3)	0(文 0理 0)	6(文 0理 6)	0(文 0理 0)
25年	6(文 3理 3)	2(文 2理 0)	4(文 1理 3)	0(文 0理 0)

【25年4月入社者の採用実績校】文中大 同大 慶大 宮崎公大 上智大 HAL東京 理東大 山口大 同大 早大 東理大 奈良先端科技院大 北海道情報大
【24年4月入社者の配属先】総勤務地:東京・渋谷2 その他(陸上部)2 部署:投資戦略1 グループ代表政策室1 陸上部2 技勤務地:東京・渋谷4 福岡・小倉6 宮崎1 部署:研究開発2 エンジニア8 クリエイター1

残業(月) 9.1時間

記者評価 国内ネット企業の老舗。決済やドメイン登録などのネットインフラ、ネット証券が主軸。ネット広告、EC、メディアなど多岐にわたる事業を上場子会社で展開。FX会社や飲食店予約サービス会社を買収し事業領域を拡大。AI・ロボットの総合商社を標榜。

●給与、ボーナス、週休、有休ほか●
【30歳総合職平均年収】595万円【初任給】(修士)328,344～591,675円(大卒)328,344～591,675円【ボーナス(年)】NA【25、30、35歳賃金】NA【週休】完全2日(土日祝)【夏期休暇】5営業日【年末年始休暇】12月29日～1月3日【有休取得】12.5／20日

●従業員数、勤続年数、離職率ほか●
【男女別従業員数、平均年齢、平均勤続年数】計737(36.1歳 6.6年) 男528(37.3歳 7.1年) 女209(33.9歳 5.6年)【離職率と離職者数】10.2%、84名【3年後新卒定着率】61.5%(男66.7%、女40.0%、3年前入社:男21名・女5名)【組合】なし

求める人材「スピリットベンチャー宣言」に賛同できる人財 既成概念にとらわれず、チャレンジ精神と強い信念を持って突き進んでいける人財

会社データ (金額は百万円)
【本社】150-8512 東京都渋谷区桜丘町26-1 セルリアンタワー ☎03-5456-2555 https://www.gmo.jp/
【代表取締役グループ代表】熊谷 正寿【設立】1991.5【資本金】5,000
【今後力を入れる事業】AIやセキュリティ分野

【業績(連結)】	売上高	営業利益	経常利益	純利益
21.12	241,446	41,097	43,393	17,527
22.12	245,696	43,746	46,025	13,209
23.12	258,643	42,471	45,947	14,191

エヌティティ
ＮＴＴコムウェア㈱
株式公開 計画なし

【特色】NTTドコモグループ。ソフトウェア開発担う

修士・大卒採用数	3年後離職率	有休取得年平均	平均年収(平均44歳)
298名	5.9 → !13.2%	18.4日	総 !802万円

●エントリー情報と採用プロセス●
【受付開始～終了】総 技3月～7月【採用プロセス】総 技ES提出(3月)→適性検査→面接(約3～4回)他→内々定(6～7月)【交通費支給】全て、20,000円超の場合に一律20,000円支給

試験情報
重視科目 総技面接

総 ES⇒巻末 筆SPI3(会場) SPI3(自宅) 面約3～4回(Webあり) 技 ES⇒巻末 筆SPI3(会場) SPI3(自宅) 面約3～4回(Webあり) GD作NA

選考ポイント 総技 ES NA(提出あり) 面ジョブマッチング 論理思考力 コミュニケーション能力 他

通過率 総技 ES NA　**倍率**(応募/内定) 総技NA

●男女別採用数と配属先ほか●
【男女・文理別採用実績】※25年:予定数

	大卒男	大卒女	修士男	修士女
23年	91(文 32理 59)	62(文 30理 32)	69(文 0理 69)	7(文 0理 7)
24年	73(文 38理 35)	78(文 42理 36)	58(文 0理 58)	10(文 0理 10)
25年	133(文 76理 57)	98(文 78理 20)	56(文 0理 56)	11(文 0理 11)

【25年4月入社者の採用実績校】文(大)明大 早大 法政大 中大 立教大 青学大 関大 慶大 立命館大 大阪公大 同大 千葉大 関西学大 東京女大 阪大 上智大 一橋大 北大 横国大 日女大 成蹊大 明学大 京大 東北大 お茶女大 学習院大 名古屋市大 成城大 岡山大 三重大 他 理(院)明大 早大 東理大 千葉大 九大 広島大 熊本大 新潟大 東北大 筑波大 横国大 信州大 鹿児島大 中大 電通大 上智大 同大 阪大 北大 名大 東京科学大 慶大 大阪公大 青学大 東京都市大 東京海洋大 岡山大 金沢大 岩手大 静岡大 三重大 山形大 山梨大 富山大 宇都宮大(大)中大 青学大 明大 法政大 関大 東京学芸大 早大 東理大 日女大 千葉大 九大 広島大 電通大 奈良女大 上智大 同大 立教大 関西学大 立命館大 南山大 和歌山大(高専)弓削商船 久留米 舞鶴 他
【24年4月入社者の配属先】総勤務地:東京(品川 品川シーサイド 五反田)千葉・海浜幕張 他 部署:財務2 総務法務他5 技勤務地:東京(品川 品川シーサイド 五反田)千葉・海浜幕張 他 部署:システム開発215

残業(月) 20.1時間 総20.1時間

記者評価 NTTの通信ソフトウェア本部と情報システム本部を統合して発足。22年にグループ再編でNTTドコモ子会社に。ドコモ・システムズを統合し、ソフトウェア開発に特化。ドコモ向け、NTTグループ向けに加え、外販も展開。金融、公共、インフラなど顧客の幅は広い。

●給与、ボーナス、週休、有休ほか●
【30歳総合職平均年収】(地域限定勤務型を除く)633万円【初任給】(修士)(地域限定勤務型を除く)314,190円(大卒)(地域限定勤務型を除く)302,190円【ボーナス(年)】167万円、NA【25、30、35歳賃金】NA【週休】完全2日(土日祝)【夏期休暇】5日(6～9月)【年末年始休暇】12月29日～1月3日【有休取得】18.4／20日【平均年収(総合職)】(地域限定勤務型を除く)802万円

●従業員数、勤続年数、離職率ほか●
【男女別従業員数、平均年齢、平均勤続年数】計5,449(43.9歳 20.7年) 男4,399(45.5歳 22.3年) 女1,050(37.2歳 13.7年)【離職率と離職者数】1.6%、89名【3年後新卒定着率】86.8%(男84.1%、女89.9%、3年前入社:男82名・女69名) ※離職者にグループ会社への転籍男7名、女6名含む【組合】あり

求める人材 前例のない未知の領域において困難な目標を掲げ、目標達成に向けて全力で挑める人

会社データ (金額は百万円)
【本社】108-8019 東京都港区港南1-9-1 NTT品川TWINSアネックスビル ☎03-5463-5776 https://www.nttcom.co.jp/
【社長】黒岩 真人【設立】1997.4【資本金】20,000【今後力を入れる事業】最適で高品質なICTサービスの提供

【業績(単独)】	売上高	営業利益	経常利益	純利益
22.3	197,844	9,469	10,065	6,139
23.3	247,109	16,468	17,232	7,010
24.3	244,693	11,823	13,870	8,179

日本オラクル(株)

東京S 4716

【特色】米オラクルの日本法人。データベースソフト大手

修士・大卒採用数	3年後離職率	有休取得年平均	平均年収(平均44歳)
10名	NA	NA	◇1,160万円

●エントリー情報と採用プロセス●

【受付開始～終了】[総]2月～5月【採用プロセス】[総]履歴書提出(2～5月)→人事面接(1回、3～5月)→部門面接(2回、3～5月)→最終面接(1回、4～5月)→内々定(4～6月)【交通費支給】なし

試験情報

重視科目 [総]NA

[総][ES]⇒巻末[筆]なし[面]4回(Webあり)

選考ポイント [総][ES]当社のコンピテンシーをベースとして評価[面]当社のコンピテンシーをベースとして評価

通過率 [総][ES]18%(受付:400→通過:70)

倍率(応募/内定) [総]40倍

●男女別採用数と配属先ほか●

【男女・文理別採用実績】

	大卒男	大卒女	修士男	修士女
23年	19(文 14理 5)	20(文 16理 4)	17(文 2理 15)	6(文 1理 5)
24年	4(文 2理 2)	6(文 5理 1)	0(文 0理 0)	0(文 0理 0)
25年	1(文 1理 0)	5(文 5理 0)	3(文 0理 3)	1(文 0理 1)

【25年4月入社者の採用実績校】
[文](大)同大2 津田塾大 新潟大 日女大 日体大各1 [理](院)東大2 東理大 青学大各1

【24年4月入社者の配属先】
[総]勤務地:東京10 部署:NA

残業(月) NA

記者評価 データベース管理ソフトで高シェア。近年はクラウドインフラに加えて、ERP等クラウドのアプリ分野にも注力、東京と大阪の国内データセンターの稼働で拡販を加速。ガバメントクラウドの提供事業者に選定。利益率が高く、年収は同業の中で高水準。

●給与、ボーナス、週休、有休ほか●

【30歳総合職平均年収】NA【初任給】(修士)(年俸制)4,824,000円(大卒)(年俸制)4,641,600円【ボーナス(年)】年俸制のためND、年俸制のためND【25、30、35歳賃金】NA【週休】2日【夏期休暇】NA【年末年始休暇】NA【有休取得】NA／20日

●従業員数、勤続年数、離職率ほか●

【男女別従業員数、平均年齢、平均勤続年数】計2,498(44.2歳 9.9年)男NA 女NA【離職率と離職者数】NA【3年後新卒定着率】NA【組合】NA

求める人材 テクノロジーへの興味と熱意のある人 失敗を恐れずチャレンジしていける人 主体性を持って仕事に取り組める人

会社データ (金額は百万円)

【本社】107-0061 東京都港区北青山2-5-8 オラクル青山センター
☎03-6834-6666 https://www.oracle.com/jp/
【社長】三澤 智光【設立】1985.10【資本金】25,178【今後力を入れる事業】日本におけるクラウドとAIサービス

【業績(単独)】	売上高	営業利益	経常利益	純利益
22.5	214,691	73,213	73,543	51,182
23.5	226,914	74,396	74,681	52,009
24.5	244,542	79,820	80,277	55,603

エフサステクノロジーズ(株)

株式公開計画なし

【特色】富士通の完全子会社。SIと運用サービスが主力

修士・大卒採用数	3年後離職率	有休取得年平均	平均年収(平均47歳)
85名	23.0→34.5%	14.6日	[総]893万円

●エントリー情報と採用プロセス●

【受付開始～終了】[技]2月～未定【採用プロセス】[技]ES提出・Webテスト(2月～)→面接(2回、6月～)→内々定(6月中旬～)【交通費支給】最終面接、新幹線・航空機・有料特急等の主要路線の実費

試験情報

重視科目 [技]面接

[技][ES]⇒巻末[筆]玉手箱 Webテスト[面]2回(Webあり)

選考ポイント [技][ES]応募者の適正が当社とマッチしているか[面]タフスピリット サービスマインド コミュニケーション力 主体性 他

通過率 [技][ES]58%(受付:1,248→通過:720)

倍率(応募/内定) [技]14倍

●男女別採用数と配属先ほか●

【男女・文理別採用実績】

	大卒男	大卒女	修士男	修士女
23年	58(文 25理 33)	13(文 10理 3)	13(文 0理 13)	1(文 0理 1)
24年	15(文 8理 7)	4(文 4理 0)	1(文 0理 1)	0(文 0理 0)
25年	55(文 25理 30)	20(文 10理 10)	10(文 0理 10)	0(文 0理 0)

【25年4月入社者の採用実績校】
[文](24年)(大)日大3 京都橘大 國學院大 産能大 昭和女大 大阪府大 滋賀大 法政大 白鴎大 立教大各1(専)大原簿記公務員1 [理](24年)(院)京都情報院大1(大)法政大 名城大 千葉大 立命館大 神奈川大 龍谷大 甲南大各1(高専)北九州 阿南各1

【24年4月入社者の配属先】
[技]勤務地:名古屋1 神奈川(川崎8 厚木1 横浜2)茨城・つくば1 大阪市2 群馬・館林1 広島市1 札幌1 埼玉・大宮2 東京(荒川1 立川1)千葉市1 部署:ビジネスプロデューサー2 インフラエンジニア(設計・構築)5 インフラエンジニア(運用設計・運用サービス)2 カスタマーエンジニア13 テクニカルサポート1

残業(月) 26.4時間 [総]26.4時間

記者評価 富士通の通信・情報処理機器の保守・修理部門が母体。顧客のシステム最適化に向け企画、コンサルから設計・構築、運用・保守のインフラサービスを提供。24年4月親会社のサーバーなどのハードウェア事業を統合し、富士通エフサスから現社名に。

●給与、ボーナス、週休、有休ほか●

【30歳総合職平均年収】754万円【初任給】(修士)284,000円(大卒)264,000円【ボーナス(年)】262万円、6.8カ月【25、30、35歳賃金】293,617円→352,870円→399,512円【週休】完全2日(土日祝)【夏期休暇】5日(有休で取得)【年末年始休暇】6日【有休取得】14.6／20日

●従業員数、勤続年数、離職率ほか●

【男女別従業員数、平均年齢、平均勤続年数】計6,290(46.2歳 24.1年)男5,394(46.6歳 24.6年)女896(43.5歳 21.1年)【離職率と離職者数】3.4%、221名【3年後新卒定着率】65.5%(男64.5%、女69.2%、3年前入社:男93名・女26名)【組合】あり

求める人材 高い志で自ら成長し、強い意志で周囲に働きかけ、情熱を持ってチャレンジできる人

会社データ (金額は百万円)

【本社】212-0014 神奈川県川崎市幸区大宮町1-5 JR川崎タワー
☎044-7542-043 https://www.fujitsu.com/jp/group/fsas/
【社長】保田 益男【設立】1989.3【資本金】500【今後力を入れる事業】お客様のDXの実現の支援に向けた新サービスの提供

【業績(連結)】	売上高	営業利益	経常利益	純利益
22.3	224,400	NA	NA	NA
23.3	226,000	NA	NA	NA
24.3	244,260	NA	NA	NA

ネットワンシステムズ(株)

東京P 7518

【特色】ネットワーク系システム構築・機器販売で大手

修士・大卒採用数	3年後離職率	有休取得年平均	平均年収(平均40歳)
70名	10.5→6.6%	13.0日	(総)830万円

●エントリー情報と採用プロセス●

【受付開始～終了】(総)(技)NA【採用プロセス】(総)NA (技)GD→面接(2回)→内々定※適性検査の受検およびWeb履歴書提出あり【交通費支給】なし【早期選考】⇒巻末

試験情報

重視科目 (総)(技)全て

(総)(技)(筆)SPI3(自宅)(面)2回(Webあり)(GD作)NA

選考ポイント (総)(ES)提出なし(面)目利き力(企業理解の深度 ICTへの興味関心)他 (技)(ES)提出なし(面)ICTへの好奇心 自律 チームワーク 目利き力 他

通過率 (総)(技)(ES)ー(応募:NA) 倍率(応募/内定) (総)(技)NA

●男女別採用数と配属先ほか●

【男女・文理別採用実績】

	大卒男	大卒女	修士男	修士女
23年	36(文 22 理 14)	22(文 17 理 5)	7(文 2 理 5)	0(文 0 理 0)
24年	32(文 16 理 16)	29(文 25 理 4)	4(文 1 理 3)	3(文 0 理 3)
25年	43(文 21 理 22)	20(文 17 理 3)	6(文 0 理 6)	1(文 1 理 0)

【25年4月入社者の採用実績校】(文)(院)立命館大1(大)明大6 産能大5 東洋大4 東京女大3 青学大 京都女大 中大 日大 法政大各2 安田女大 香川大 学習院大 関西外大 関西学大 桜美林大 千葉大 早大 大阪府大 兵庫県大各1 (理)(院)広島市大2 山口大 新潟大 東海大 福島大各1(大)千葉工大3 東海大 東京工科大 法政大 明大各2 青学大 香川大 関大 京都先端科学大 金沢工大 工学院大 広島工大 千葉大 中大 津田塾大 帝京大 日工大 日大 日本文理大各1(専)HAL名古屋 近畿コンピュータ電子 静岡産業技術 船橋情報ビジネス 日本工学院八王子各1

【24年4月入社者の配属先】(総)勤務地:東京・丸の内11 大阪2 名古屋2 茨城1 北海道1 部署:営業17 (技)勤務地:東京(丸の内36 品川9)大阪6 名古屋4 茨城1 広島1 福岡1 部署:技術58

残業(月) 33.2時間

記者評価 通信事業者などの顧客企業にネットワーク機器を導入してシステムを構築。クラウドやIoT分野も強化。米シスコ関連の取り扱い比率が高い。工場・サプライチェーンのDX等に注力。事業全体の機器比率を低減し、サービス比率向上を急ぐ。ガバナンスの改革推進。

●給与、ボーナス、週休、有休ほか●

【30歳総合職平均年収】NA【初任給】(博士)NA(修士)275,000円(大卒)260,000円【ボーナス(年)】NA【25、30、35歳賃金】NA【週休】2日【夏期休暇】2日【年末年始休暇】12月29日～1月3日【有休取得】13.0/20日

●従業員数、勤続年数、離職率ほか●

【男女別従業員数、平均年齢、平均勤続年数】計 2,630(40.4歳 10.0年)男 2,108(41.4歳 10.4年)女 522(36.4歳 8.6年)【離職率と離職者数】5.0%、139名【3年後新卒定着率】93.4%(男92.6%、女94.7%、3年前入社:男68名・女38名)【組合】なし

求める人材 企業理念(パーパス)に共感でき、「匠の技と心」を持つ人財

会社データ (金額は百万円)

【本社】100-7025 東京都千代田区丸の内2-7-2 JPタワー ☎03-6256-0600 https://www.netone.co.jp/

【社長】竹下 隆史【設立】1988.2【資本金】12,279【今後力を入れる事業】デジタルガバメント Society5.0を実現する社会基盤 スマートマニュファクチャリング

【業績(連結)】	売上高	営業利益	経常利益	純利益
22.3	188,520	16,790	16,832	11,225
23.3	209,680	20,635	20,660	14,458
24.3	205,127	19,533	19,151	13,720

(株)日立(ひたち)ソリューションズ

株式公開していない

【特色】日立の完全子会社。システム開発が主力

修士・大卒採用数	3年後離職率	有休取得年平均	平均年収(平均44歳)
201名	4.8→9.9%	17.3日	(総)905万円

●エントリー情報と採用プロセス●

【受付開始～終了】(総)(技)3月～継続中【採用プロセス】(総)(技)Web説明会(必須、3月～)→ES提出→適性検査→GW→Web1次面接→Web最終面接→内々定【交通費支給】なし【早期選考】⇒巻末

試験情報

重視科目 (総)(技)面接 (総)(技)(ES)⇒巻末(筆)SPI3(自宅) TAL(面)2回(Webあり)(GD作)⇒巻末

選考ポイント (総)(ES)職種理解・意欲 希望業務と当社事業・業務とのマッチング 他(面)ITに対する興味関心・意欲 チームでの仕事に対する姿勢(対人バランスや柔軟性)他 (技)(ES)IT経験 職種理解・意欲 希望業務と当社事業・業務とのマッチング 他(面)総合職共通

通過率 (総)(ES)93%(受付:(早期選考含む)1,730→通過:(早期選考含む)1,605) (技)(ES)92%(受付:(早期選考含む)5,338→通過:(早期選考含む)4,895)

倍率(応募/内定) (総)(早期選考含む)75倍 (技)(早期選考含む)30倍

●男女別採用数と配属先ほか●

【男女・文理別採用実績】※25年:継続中

	大卒男	大卒女	修士男	修士女
23年	79(文 37 理 42)	41(文 27 理 14)	32(文 1 理 31)	5(文 2 理 3)
24年	83(文 39 理 44)	45(文 37 理 8)	40(文 3 理 37)	13(文 3 理 10)
25年	97(文 46 理 51)	48(文 37 理 11)	43(文 4 理 39)	13(文 8 理 5)

【25年4月入社者の採用実績校】(文)(院)広島大2 京大 東北大 名大 一橋大 東京外大 慶大 早大 中大 立教大 立命館大各1(大)明大 早大各9 中大8 青学大 法政大 立教大各4 関西学大 日女大 日大各3 横国大 横浜市大 高崎経大 東洋大 武蔵大 明学大各2 他 (理)(院)千葉大 北大 中大 立命館大 秋田大各2(大)明大5 青学大 関大 東洋大各4 東理大 法政大各3 東京電機大 近大 芝工大 神奈川大 千葉工大 東京都市大 龍谷大各2 他

【24年4月入社者の配属先】(総)勤務地:東京・品川22 部署:営業17 人事2 経理2 調達1 (技)勤務地:東京(品川116 中央1)神奈川(川崎1 横浜22)名古屋11 浜松1 大阪市7 部署:SE159

残業(月) 22.8時間 (総)23.6時間

記者評価 日立システムと日立ソフトが10年に合併。大規模基幹システム開発が得意だが、金融・公共向け開発は15年親会社へ移管。18年ERP導入コンサルなどの独企業を、19年クラウド関連の米企業を買収。顧客のDX化支援積極推進。ビルのIoT化支援で23年大林組と新合弁。

●給与、ボーナス、週休、有休ほか●

【30歳総合職平均年収】639万円【初任給】(修士)275,000円(大卒)250,000円【ボーナス(年)】203万円、6.35カ月【25、30、35歳賃金】268,286円→300,207円→343,125円【週休】完全2日(土日祝)【夏期休暇】5日(有休で取得)【年末年始休暇】12月31日～1月3日【有休取得】17.3/24日

●従業員数、勤続年数、離職率ほか●

【男女別従業員数、平均年齢、平均勤続年数】計 4,955(44.0歳 19.9年)男 4,055(45.1歳 21.0年)女 900(39.2歳 14.9年)【離職率と離職者数】1.5%、74名【3年後新卒定着率】90.1%(男90.8%、女88.6%、3年前入社:男87名・女44名)【組合】あり

求める人材 IT知識を自ら学ぼうとする意欲のある人財 チームでの仕事に対し前向きな人財 当社の事業や企業理念に共感し、変化を楽しみながら取り組める人財

会社データ (金額は百万円)

【本社】140-0002 東京都品川区東品川4-12-7 ☎03-5780-2111 https://www.hitachi-solutions.co.jp/

【社長】山本 二雄【設立】1970.9【資本金】20,000【今後力を入れる事業】Lumada事業 グローバル事業 サービス事業

【業績(単独)】	売上高	営業利益	経常利益	純利益
22.3	173,483	25,322	30,258	18,811
23.3	184,721	22,177	25,993	20,243
24.3	197,385	24,013	30,568	24,796

㈱トヨタシステムズ

株式公開 計画なし

【特色】トヨタ自動車グループのITサービス中核

修士・大卒採用数	3年後離職率	有休取得年平均	平均年収(平均37歳)
147名	10.7→9.8%	16.1日	総 715万円

●エントリー情報と採用プロセス●

【受付開始～終了】総3月～6月 技3月～7月【採用プロセス】総説明会・筆記・ES提出(3月初旬～)→面接(3回、4月上旬～)→内々定(5月上旬～) 技説明会・筆記・ES提出(3月上旬～)→面接(3回、3月下旬～)→内々定(4月中旬～)【交通費支給】最終面接以降、会社基準【早期選考】⇒巻末

試験情報

重視科目 総技面接 総技 ES⇒巻末 筆SPI3(会場) SPI3(自宅) TAL 面3回(Webあり)

選考ポイント 総技 ES志望意欲 他 面人物重視(コミュニケーションスキル)

通過率 総 ES32%(受付:146→通過:46) 技 ES55%(受付:2,096→通過:1,157) 倍率(応募/内定) 総16倍 技14倍

●男女別採用数と配属先ほか●

【男女・文理別採用実績】

	大卒男	大卒女	修士男	修士女
23年	52(文 21 理 31)	31(文 21 理 10)	44(文 3 理 41)	7(文 1 理 6)
24年	52(文 14 理 38)	32(文 21 理 11)	44(文 1 理 43)	6(文 0 理 6)
25年	64(文 31 理 33)	41(文 34 理 7)	32(文 0 理 32)	9(文 0 理 9)

※25年:24年7月17日現在、他に性別回答無し大卒文系1名

【25年4月入社者の採用実績校】文(大)南山大17 名古屋市大5 立命館大 同大 中京大各4 三重大 順天堂大 兵庫県大各2 甲南大 尾道市大 愛媛大 埼玉大 名大 静岡県大 高崎商大 静岡大 岐阜大 富山大 滋賀大 名古屋外大 大阪市大 近大 明学大 名城大 西南学大 中大 東理大 同女大 青学大 東京経大 東洋大 名古屋学院大各1(専)OCA大阪デザイン&ITテクノロジー1 理(院)名大5 富山大 名工大各4 岐阜大3 中京大 九州工大 名城大 静岡大 大阪公大各2 神戸大 山口大 福井大 岡山大 新潟大 愛媛大 埼玉大 大阪工大 北陸先端科技院大 高知工科大 信州大 鳥取大 龍谷大 東京科学大 東京都市大各1(大)南山大5 名城大4 福井大3 愛知県大 中京大 関大 近大 静岡大 名工大各2 秋田県大 滋賀大 法政大 同大 諏訪東理大 岐阜大 三重大 北大 山梨大 大阪工大 名大 大阪市大 明大 阪大 東海大 名古屋国際工科専門職大各1(高専)鳥羽商船2 豊田 大分 沖縄 熊本 岐阜 長野 高知 津山 佐世保 石川各1

【24年4月入社者の配属先】総勤務地:名古屋7 部署:経理1 人事4 総務2 技勤務地:名古屋108 豊田38 部署:システムエンジニア146

残業(月) 24.7時間 総25.1時間

記者評価 トヨタの完全子会社。グループIT3社の合併で発足。グループのグローバル戦略をIT面でサポート。開発・設計から生産・物流・販売まで一貫。自動車の生産・販売、自動車ローン、クレジットカードなど領域は幅広い。デジタル化加速。豊田通商システムズと協業。

●給与、ボーナス、週休、有休ほか●

【30歳総合職平均年収】599万円【初任給】(博士)297,000円(修士)257,000円(大卒)237,000円【ボーナス(年)】210万円、6.1カ月【25、30、35歳賃金】253,704円→306,588円→359,345円【週休】完全2日(土日)【夏期休暇】年間会社カレンダーにて年間休日を設定(本社・工場により異なる)【年末年始休暇】年間会社カレンダーにて年間休日を設定【有休取得】16.1／20日

●従業員数、勤続年数、離職率ほか●

【男女別従業員数、平均年齢、平均勤続年数】計2,469(38.4歳12.3年)男1,876(39.4歳13.1年)女593(35.3歳9.7年)【離職率と離職者数】3.4%、88名【3年後新卒定着率】90.2%(男85.9%、女97.7%、3年前入社:男78名・女44名)【組合】あり

求める人材 豊かな発想と人間力でモビリティの未来を切り拓く人材 安心・安全・快適なモビリティ社会をITでリードする我々は、ITスキルに加え、エキスパートとして専門性を高め続ける強い意思と高い人間力(コンピテンシー)を持った仲間を求めています

会社データ (金額は百万円)

【本社】450-6332 愛知県名古屋市中村区名駅1-1-1 JPタワー名古屋32F ☎052-747-7111 https://www.toyotasystems.com/

【社長】北沢 宏明【設立】2001.4【資本金】5,450【今後力を入れる事業】NA

【業績(単独)】	売上高	営業利益	経常利益	純利益
22.3	154,700	NA	NA	NA
23.3	175,300	NA	NA	NA
24.3	193,200	NA	NA	NA

京(きょう)セラコミュニケーションシステム㈱

株式公開 計画なし

【特色】京セラ系システムインテグレーター。KDDIも株主

修士・大卒採用数	3年後離職率	有休取得年平均	平均年収(平均40歳)
101名	17.4→13.6%	16.4日	総 751万円

●エントリー情報と採用プロセス●

【受付開始～終了】総 技3月～継続中【採用プロセス】総 技説明会(必須、3月～)→ES提出→事業部の業務内容動画視聴→事業部面談(1回)→Web適性検査→面接(1回)→内々定(3月～)【交通費支給】面接、自宅から会社の往復【早期選考】⇒巻末

試験情報

重視科目 総技面接 総 技 ES⇒巻末 筆WebGAB 面1回

選考ポイント 総技 ES総合判断(志望動機や自身の強み 他) 面人物面 資質 スキル 職種適性 将来像

通過率 総 ES41%(受付:(早期選考含む)587→通過:(早期選考含む)239) 技 ES42%(受付:(早期選考含む)1,286→通過:(早期選考含む)546)

倍率(応募/内定) 総(早期選考含む)22倍 技(早期選考含む)13倍

●男女別採用数と配属先ほか●

【男女・文理別採用実績】※25年:予定数

	大卒男	大卒女	修士男	修士女
23年	53(文 21 理 32)	24(文 16 理 8)	21(文 1 理 20)	5(文 3 理 2)
24年	40(文 16 理 24)	36(文 24 理 12)	17(文 0 理 17)	3(文 1 理 2)
25年	34(文 9 理 25)	48(文 41 理 7)	13(文 2 理 11)	6(文 3 理 3)

【25年4月入社者の採用実績校】文(院)京大 立命館大 神戸大 九大各1(大)同大8 同女大5 関大 京都女大各4 法政大 関西外大各3 関西学大 立命館大各2 日大 明学大 東洋大 東京女大 大妻女大 国士舘大 京都橘大 京産大 奈良女大 武庫川女大 近大 兵庫県大 広島大 西南学大 熊本県大各1 他 理(院)関大 大阪公大 鹿児島大各2 山形大 福井大 神奈川大 大阪工大 滋賀県大 長崎大 長崎県大 熊本大各1(大)近大 福岡工大各4 同大 長崎県大各3 関大 龍谷大 高知工科大 鹿児島大各2 法政大 東京工科大 東京電機大 東洋大 東海大 金沢大 富山大 滋賀大 立命館大 熊本大各1 他(高専)宇部4 鹿児島3 仙台 香川 佐世保各2 他

【24年4月入社者の配属先】総勤務地:東京・港13 京都(竹田6 烏丸3)大阪1 鹿児島・国分1 部署:営業(ICT17 通信2 環境2)コンサルティング3 技勤務地:札幌2 仙台1 東京・港43 滋賀・野洲2 京都(竹田28 烏丸6)大阪6 広島1 長崎7 鹿児島(鹿児島2 隼人3 川内1) 部署:システムエンジニア83 通信エンジニア13 環境エンジニア4 研究2

残業(月) 16.1時間 総16.1時間

記者評価 京セラの社内ベンチャーとしてスタートしたシステム部門が分離・独立して発足。ICT、通信エンジニアリング、環境エネルギーエンジニアリング、経営コンサルの4事業を展開。創業から連続黒字。京都本社だが社員の約半数は東京勤務。計画的な有給休暇の取得を推進。

●給与、ボーナス、週休、有休ほか●

【30歳総合職平均年収】629万円【初任給】(修士)285,000円(大卒)260,000円【ボーナス(年)】194万円、5.7カ月【25、30、35歳賃金】291,110円→319,655円→357,345円 ※基本給【週休】完全2日(土日祝)【夏期休暇】土日含む連続6日(うち一斉有休1日)【年末年始休暇】土日含む連続7日(うち一斉有休1日)【有休取得】16.4／20日

●従業員数、勤続年数、離職率ほか●

【男女別従業員数、平均年齢、平均勤続年数】計2,688(40.0歳11.7年)男2,084(41.1歳12.1年)女604(36.3歳10.3年)【離職率と離職者数】5.1%、143名【3年後新卒定着率】86.4%(男83.6%、女95.0%、3年前入社:男61名・女20名)【組合】なし

求める人材 多種多様な価値観とバックグラウンドをもった人材

会社データ (金額は百万円)

【本社】612-8450 京都府京都市伏見区竹田鳥羽殿町6 京セラ本社ビル ☎0800-0808123 https://www.kccs.co.jp/

【社長】黒瀬 善仁【設立】1995.9【資本金】2,985【今後力を入れる事業】ICT 通信環境 経営コンサルの全事業

【業績(連結)】	売上高	営業利益	経常利益	純利益
22.3	140,526	NA	10,658	7,348
23.3	137,963	NA	10,714	7,479
24.3	151,575	NA	12,795	9,230

1511

開示 ★★★

ユニアデックス(株)

株式公開計画なし

【特色】BIPROGYの完全子会社。総合ICTサポート展開

修士・大卒採用数	3年後離職率	有休取得年平均	平均年収(平均43歳)
73名	18.6→9.7%	14.9日	総866万円

●エントリー情報と採用プロセス●

【受付開始～終了】総技3月～7月【採用プロセス】総技ES提出・説明会(Web)・筆記(3～7月)→面接(2回、3～7月)→内々定【交通費支給】なし【早期選考】⇒巻末

試験情報

重視科目 総技面接

総技 ES NA 筆 適性テスト(自社オリジナル) 面 2回(Webあり)

選考ポイント 総技 ES NA(提出あり) 面 業界・仕事の理解 興味や意欲の高さ 人物特性(コミュニケーション力 論理的思考 積極性 他)

通過率 総技 ES NA 倍率(応募/内定) 総技NA

●男女別採用数と配属先ほか●

【男女・文理別採用実績】

	大卒男	大卒女	修士男	修士女
23年	35(文 25理 10)	38(文 37理 1)	2(文 1理 1)	2(文 2理 0)
24年	39(文 29理 10)	25(文 23理 2)	3(文 0理 3)	3(文 3理 0)
25年	43(文 32理 11)	23(文 20理 3)	4(文 1理 3)	3(文 3理 0)

【25年4月入社者の採用実績校】文(院)東洋大 早大 大阪公大(大)麗澤大 都立大 文京学大 青学大 大妻女大 学習院大 慶大 國學院大 駒澤大 上智大 昭和女大 成城大 専大 中大 東海大 東洋大 日大 明大 明学大 立教大 早大 成蹊大 東京経大 産能大 神奈川大 金沢星稜大 愛知学大 同大 立命館大 龍谷大 大阪教大 摂南大 関大 関西外大 近大 和歌山大 安田女大 理(院)筑波大 関大 関西学大(大)埼玉大 千葉工大 東京農業大 東京薬大 日大 法政大 武蔵野大 南山大 大阪工大 長崎大 大分大(専)麻生情報ビジネス

【24年4月入社者の配属先】総勤務地:東京13 大阪3 愛知3 福岡2 宮城1 部署:営業22 技勤務地:東京35 栃木1 大阪9 愛知4 福岡2 宮城1 部署:技術52

残業(月) 17.0時間 総17.0時間

記者評価 ICT基盤の設計、構築から運用、保守まで一貫。特定メーカーの製品にとらわれないマルチベンダー対応に特徴。エンジニア1600人超、累計認定資格9000超。国内約180カ所、海外約100カ国に拠点。クラウドサービスやDX支援に注力。独自の教育・研修システム充実。

●給与、ボーナス、週休、有休ほか●

【30歳総合職平均年収】NA【初任給】(博士)238,700円(修士)238,700円(大卒)227,000円【ボーナス(年)】NA【25、30、35歳賃金】NA【週休】完全2日(土日祝)【夏期休暇】連続7～14日(有休で取得)【年末年始休暇】12月29日～1月3日【有休取得】14.9／20日

●従業員数、勤続年数、離職率ほか●

【男女別従業員数、平均年齢、平均勤続年数】計2,373(42.8歳 17.5年)男1,900(44.3歳 18.6年)女473(37.0歳 12.9年)【離職率と離職者数】3.6%、88名(早期退職20名含む)【3年後新卒定着率】90.3%(男84.8%、女94.9%、3年前入社:男33名・女39名)【組合】あり

求める人材 自ら考え能動的に行動し、チームで活躍できる人材

会社データ (金額は百万円)

【本社】135-8560 東京都江東区豊洲1-1-1
☎03-5546-4900 https://www.uniadex.co.jp/
【社長】田中 建【設立】1997.3【資本金】750【今後力を入れる事業】ICTサポートサービス事業全般

【業績(単独)】	売上高	営業利益	経常利益	純利益
22.3	129,802	8,175	8,230	5,655
23.3	138,287	8,983	8,976	6,139
24.3	150,449	13,781	13,859	9,844

356

(株)電通総研

でんつうそうけん

東京P 4812

【特色】電通向けや製造業向け強い。自社開発品が成長

修士・大卒採用数	3年後離職率	有休取得年平均	平均年収(平均41歳)
114名	5.0→10.7%	11.8日	総1,134万円

●エントリー情報と採用プロセス●

【受付開始～終了】総技1月～6月【採用プロセス】総技ES提出・適性試験→オンライン面接(3回)→内々定【交通費支給】なし

試験情報

重視科目 総技全て

総技 ES NA 筆 SPI3(会場) SPI3(自宅) 面 3回(Webあり)

選考ポイント 総技 ES NA(提出あり) 面 行動力 創造性 熱意 コミュニケーション能力 ビジネス理解度 主体性 企業文化とのフィット 他

通過率 総技 ES NA 倍率(応募/内定) 総技NA

●男女別採用数と配属先ほか●

【男女・文理別採用実績】

	大卒男	大卒女	修士男	修士女
23年	38(文 16理 22)	17(文 11理 6)	33(文 1理 32)	4(文 0理 4)
24年	58(文 35理 23)	21(文 16理 5)	64(文 1理 63)	6(文 0理 6)
25年	41(文 27理 14)	40(文 34理 6)	31(文 1理 30)	2(文 0理 2)

【25年4月入社者の採用実績校】文(院)横国大1(大)明大10 早大9 立教大5 横国大 青学大各3 慶大 上智大 阪大 中大 東京女大 都立大 東理大 同大 名大各2 一橋大 岡山大 國學院大 埼玉大 滋賀大 神戸大 大阪市大 筑波大 長崎県大 津田塾大 兵庫県大 法政大 和歌山大各1 理(院)横国大4 東理大3 九大 慶大 神戸大 千葉大 阪大 東京科学大各2 宇都宮大 京大 群馬大 広島市大 埼玉大 鹿児島大 芝工大 早大 大阪公大 電通大 東京電機大 北大 立命館大各1(大)中大3 横国大 上智大 千葉工大 明大各2 関大 京都先端科学大 群馬大 静岡大 早大 東理大 兵庫県大 法政大 立教大各1

【24年4月入社者の配属先】総勤務地:東京・品川4 大阪4 愛知(名古屋1 豊田1) 部署:営業10 技勤務地:東京・品川127 大阪4 愛知(名古屋・豊田3)広島3 部署:技術137

残業(月) 28.9時間

記者評価 中堅システムインテグレーター。CAD／CAMなど製造業向け設計支援に強み。人事管理や連結会計など自社開発ソフトが収益柱に成長。経費精算システム育成。24年1月に電通グループ内のシンクタンク機能を統合、電通国際情報サービスから現社名に変更。

●給与、ボーナス、週休、有休ほか●

【30歳総合職平均年収】NA【初任給】(博士)300,000円(修士)300,000円(大卒)280,000円【ボーナス(年)】NA【25、30、35歳賃金】NA【週休】完全2日(土日祝)【夏期休暇】有休で取得【年末年始休暇】12月29日～1月3日【有休取得】11.8／20日

●従業員数、勤続年数、離職率ほか●

【男女別従業員数、平均年齢、平均勤続年数】計2,038(40.6歳 11.6年)男1,655(41.6歳 12.2年)女383(36.5歳 9.1年)【離職率と離職者数】2.9%、61名【3年後新卒定着率】89.3%(男90.0%、女87.5%、3年前入社:男40名・女16名)【組合】なし

求める人材 コミュニケーション能力のある人 自ら考え行動し、様々な視点で発想できる人

会社データ (金額は百万円)

【本社】108-0075 東京都港区港南2-17-1
☎03-6713-6111 https://www.dentsusoken.com/
【社長】岩本 浩久【設立】1975.12【資本金】8,180【今後力を入れる事業】専門分野の深化 新規事業の開拓

【業績(連結)】	売上高	営業利益	経常利益	純利益
21.12	112,085	13,736	13,224	8,944
22.12	129,054	18,590	18,354	12,598
23.12	142,608	21,028	21,244	14,663

▶『業界地図』p.58

開示 ★★

パナソニック インフォメーションシステムズ(株)

株式公開していない

【特色】パナソニックの完全子会社。グループIT中核

修士・大卒採用数	3年後離職率	有休取得年平均	平均年収(平均44歳)
92名	13.8→6.5%	21.5日	NA

●エントリー情報と採用プロセス●

【受付開始～終了】[総][技]3月～4月【採用プロセス】[総][技]ES・適性検査→GD・面接他→内々定【交通費支給】最終選考、実費相当(遠方者のみ)【早期選考】⇒巻末

試験情報

重視科目 [総][技]面接

[総][技][ES]NA[筆]あり(内容NA)[面]複数回(Webあり)[GD作]NA

選考ポイント [総][技][ES]NA(提出あり)[面]ポテンシャル 組織への適合 成長性

通過率 [総][ES]選考有無NA(受付:49→通過:NA)[技][ES]選考有無NA(受付:(早期選考含む)712→通過:NA)

倍率(応募/内定) [総]12倍 [技](早期選考含む)8倍

●男女別採用数と配属先ほか●

【男女・文理別採用実績】

	大卒男	大卒女	修士男	修士女
23年	8(文 0理 8)	2(文 0理 2)	13(文 0理 13)	7(文 0理 7)
24年	14(文 2理 12)	9(文 4理 5)	26(文 0理 26)	7(文 1理 6)
25年	22(文 7理 15)	19(文 8理 11)	46(文 0理 46)	5(文 0理 5)

【25年4月入社者の採用実績校】
[文](大)関大3 大阪公大 武蔵野大各2 阪大 関東学院大 近大 甲南大 摂南大 中京大 帝塚山大 同大各1 [理](院)大阪公大7 阪大5 九大 神戸大 和歌山大各3 鹿児島大 京大 熊本大 電通大各2 青学大 大阪工大 大阪電通大 岡山大 神奈川大 関大 関西学大 京都工繊大 群馬大 佐賀大 島根大 信州大 創価大 中大 中部大 同大 富山大 長岡技科大 新潟大 兵庫県大 福岡工大 山口大各1(大)大阪公大 立命館大各3 関大 関西学大 滋賀大各2 大阪工大 京大 近大 神戸大 埼玉大 サイバー大 中大 東海大 東京工科大 東京都市大 同大 北大 明大 武蔵野大各1

【24年4月入社者の配属先】[総]勤務地:なし 部署:なし [技]勤務地:大阪47 滋賀1 東京8 部署:ITソリューションエンジニア56

残業(月) 24.9時間 [総]24.9時間

記者評価 15年10月にパナソニック電工系のシステム会社とパナソニック本体の情報システム部門が統合し現体制に。グループIT部門の中核。ERPパッケージに強み。システムの企画・構築・運用まで一貫して手がける。RPA分野に注力。グループ外への展開も活発。

●給与、ボーナス、週休、有休ほか●

【30歳総合職平均年収】NA【初任給】(修士)285,000円(大卒)265,000円【ボーナス(年)】NA【25、30、35歳賃金】NA【週休】完全2日(土日祝)【夏期休暇】約10日(有休3日程度含む)【年末年始休暇】約10日【有休取得】21.5/25日

●従業員数、勤続年数、離職率ほか●

【男女別従業員数、平均年齢、平均勤続年数】計 1,286(44.3歳 16.7年) 男 995(44.8歳 17.1年) 女 291(42.3歳 15.3年)【離職率と離職者数】2.1%、28名【3年後新卒定着率】93.5%(男92.0%、女100%、3年前入社:男25名・女6名)【組合】あり

求める人材 大きな夢と高い志をもち、力を合わせてチャレンジしつづける人

会社データ (金額は百万円)

【本社】530-0013 大阪府大阪市北区茶屋町19-19
☎06-6906-2801 https://is-c.panasonic.co.jp/jp/recruit/
【社長】玉置 肇【設立】1999.2【資本金】1,040【今後力を入れる事業】IoT データ分析 クラウド セキュリティー グローバルSCM 生成AI

【業績(単独)】	売上高	営業利益	経常利益	純利益
22.3	116,750	5,153	5,345	3,684
23.3	126,378	5,470	5,478	3,801
24.3	136,206	5,579	5,777	4,005

都築電気(株)（つづきでんき）

東京P 8157

【特色】情報・通信機器販売やシステム構築の独立系

修士・大卒採用数	3年後離職率	有休取得年平均	平均年収(平均43歳)
30名	16.4→7.0%	17.0日	[総]946万円

●エントリー情報と採用プロセス●

【受付開始～終了】[総][技]1月～6月【採用プロセス】[総][技]Web説明会(必須、1・3・6月)→ES提出(1・3・6月)→SPI(2・3・6月)→1次面接(随時、Web)→2次面接(随時、Web)→最終面接(随時、Webまたは対面)→内々定【交通費支給】最終面接、実費【早期選考】⇒巻末

試験情報

重視科目 [総][技]面接

[総][技][ES]⇒巻末[筆]SPI3(会場) SPI3(自宅)[面]3回(Webあり)

選考ポイント [総][ES]NA(提出あり)[面]論理的思考 コミュニケーション能力 熱意 柔軟性 組織貢献 [技][ES]文章力 熱意 学生時代の努力[面]総合職共通

通過率 [総][ES]—(受付:技術系に含む→通過:技術系に含む)[技][ES]69%(受付:(事務系含む)537→通過:(事務系含む)373)

倍率(応募/内定) [総]— [技](事務系含む)36倍

●男女別採用数と配属先ほか●

【男女・文理別採用実績】

	大卒男	大卒女	修士男	修士女
23年	12(文 5理 7)	6(文 4理 2)	6(文 0理 6)	0(文 0理 0)
24年	18(文 8理 10)	9(文 9理 0)	3(文 0理 3)	0(文 0理 0)
25年	15(文 9理 6)	10(文 10理 0)	5(文 0理 5)	0(文 0理 0)

【25年4月入社者の採用実績校】[文](大)中大4 法政大3 香川大2 高崎経大 立命館大 兵庫県大 関大 立教大 早大 成蹊大 大妻女大 獨協大 同大各1 [理](院)日大 九州工大 明大 東京都市大 信州大各1(大)中大 法政大 南山大 明大 長崎大 都立大各1

【24年4月入社者の配属先】[総]勤務地:なし 部署:なし [技]勤務地:東京・新橋30 部署:技術30

残業(月) 35.2時間 [総]37.8時間

記者評価 通信ネットワークと情報システムが両輪。法人向けパソコンやネットワーク機器の販売、ネットワーク構築、システム開発などを展開。富士通系だったが、麻生が発行株2割超握る筆頭株主に。24年1月電子デバイス事業をレスターHDに譲渡し、ICT領域に専念。

●給与、ボーナス、週休、有休ほか●

【30歳総合職平均年収】775万円【初任給】(修士)258,500円(大卒)250,500円【ボーナス(年)】230万円、5.6カ月【25、30、35歳賃金】224,400円→281,700円→362,900円【週休】完全2日(土日祝)【夏期休暇】5日(7月1日～9月20日)【年末年始休暇】12月29日～1月4日【有休取得】17.0/20日

●従業員数、勤続年数、離職率ほか●

【男女別従業員数、平均年齢、平均勤続年数】計 1,239(43.5歳 18.9年) 男 1,052(44.4歳 20.3年) 女 187(38.6歳 11.5年) ※嘱託含む【離職率と離職者数】3.3%、42名(選択定年男9名女1名含む 他に男24名転籍)【3年後新卒定着率】93.0%(男90.9%、女100%、3年前入社:男33名・女10名)【組合】あり

求める人材 当社の経営理念のバリューズである7Actions「向き合う・築く・つなぐ・挑む・楽しむ・支援する・やり抜く」を体現できる人材

会社データ (金額は百万円)

【本社】105-8665 東京都港区新橋6-19-15 東京美術倶楽部ビル
☎03-6833-7777 https://www.tsuzuki.co.jp/
【社長】吉井 一典【設立】1941.3【資本金】9,812【今後力を入れる事業】音声、セキュリティ、DX等の成長6領域

【業績(連結)】	売上高	営業利益	経常利益	純利益
22.3	119,316	4,012	4,227	2,798
23.3	123,899	5,118	5,355	3,521
24.3	124,856	6,439	6,486	5,477

㈱インテック

持株会社 傘下

【特色】富山発祥のSI。TISインテックグループを形成

修士・大卒採用数	3年後離職率	有休取得年平均	平均年収(平均41歳)
160名	14.5→17.9%	13.4日	(総)701万円

●エントリー情報と採用プロセス●

【受付開始～終了】(総)(技)2月～7月【採用プロセス】(総)(技)説明会・ES提出・Webテスト→GD→面接(2回)→内々定【交通費支給】なし【早期選考】⇒巻末

試験情報

重視科目 (総)(技)面接

(総)(技)(ES)NA(筆)Webテスト(面)2回(Webあり)(GD)(作)NA

選考ポイント (総)(技)(面)IT熱量 論理的思考力 特長 将来性

通過率 (総)(技)(ES)選考なし(受付:NA)

倍率(応募/内定) (総)(技)NA

●男女別採用数と配属先ほか●

【男女・文理別採用実績】

	大卒男	大卒女	修士男	修士女
23年	71(文 35 理 36)	50(文 40 理 10)	16(文 4 理 12)	6(文 5 理 1)
24年	99(文 53 理 46)	57(文 41 理 16)	14(文 4 理 10)	6(文 3 理 3)
25年	86(文 46 理 40)	54(文 40 理 14)	17(文 0 理 17)	3(文 2 理 1)

【25年4月入社者の採用実績校】(文)(院)名大 日女大各1(大)東洋大6 日大5 富山大 関大各4 立教大 成蹊大 中大 南山大 明大 近大各3 阪大 金沢大 愛知大 愛知淑徳大 中京大 東京経大 多摩大各2 東大 筑波大 広島大 山形大 新潟大 上智大 青学大 学習院大 津田塾大 立命館大 同大 金沢工大各1 他 (理)(院)富山大 新潟大 富山県大各2 山形大 東北大 金沢大 東理大 東京電機大 中大各1(大)芝工大4 東京電機大 関大 法政大 金沢工大 成蹊大 東邦大各3 富山県大 東理大 島根大 新潟工大 龍谷大 東海大各2 富山大 愛媛大 都立大 明大 中大 立命館大 関西学大各1 他

【24年4月入社者の配属先】
(総)勤務地:東京・横浜15 富山5 大阪6 仙台1 部署:営業27 (技)勤務地:東京・横浜94 富山20 大阪19 名古屋10 札幌2 仙台1 新潟1 岡山1 山口1 福岡2 部署:技術151

残業(月) 19.5時間 (総)19.5時間

記者評価 富山の情報処理会社から全国規模のSIへ発展。事業持株会社であるTISの傘下。富山と東京の2本社体制。金融、製造、流通向けシステムに実績があり、金融では特に保険向けに強み。地方自治体等の行政や医療機関、メディア向けも。統合データ活用サービスも展開。

●給与、ボーナス、週休、有休ほか●

【30歳総合職平均年収】595万円【初任給】(修士)260,700円 (大卒)249,700円【ボーナス(年)】NA【25、30、35歳賃金】NA【週休】完全2日(土日祝)【夏期休暇】年次特別休暇として年間3日付与【年末年始休暇】12月29日～1月3日【有休取得】13.4／20日

●従業員数、勤続年数、離職率ほか●

【男女別従業員数、平均年齢、平均勤続年数】計 3,524(41.4歳 17.6年) 男 2,452(42.5歳 18.5年) 女 1,072(38.9歳 15.7年)【離職率と離職者数】3.4%、125名【3年後新卒定着率】82.1%(男81.3%、女83.7%、3年前入社:男91名・女49名)【組合】なし

求める人材 求める人物像はひとつじゃない。そして、IT熱量を持ち、実社会を変える、にこだわる人

会社データ (金額は百万円)

【本社】930-8577 富山県富山市牛島新町5-5
☎076-444-1111 https://www.intec.co.jp/
【社長】疋田 秀三【設立】1964.1【資本金】20,830【今後力を入れる事業】既存事業のDX領域拡大、社会課題解決

【業績(単独)】	売上高	営業利益	経常利益	純利益
22.3	106,593	10,579	11,594	8,029
23.3	113,208	13,665	14,822	11,113
24.3	122,234	12,087	12,978	9,714

㈱ＤＴＳ (ディティエス)

東京P 9682

【特色】独立系システム開発大手。金融、通信向けに強い

修士・大卒採用数	3年後離職率	有休取得年平均	平均年収(平均40歳)
198名	24.1→16.5%	14.7日	(総)612万円

●エントリー情報と採用プロセス●

【受付開始～終了】(総)(技)2月～6月【採用プロセス】(総)説明会(必須)→適性検査→面接(2回)→内々定 (技)説明会(必須)→適性検査→面接(2～3回)→内々定【交通費支給】なし【早期選考】⇒巻末

試験情報

重視科目 (総)(技)面接 (総)(筆)適性検査(面)2回(Webあり) (技)(筆)適性検査(面)2～3回(Webあり)

選考ポイント (総)(技)(ES)提出なし(面)主体性 実行力 コミュニケーション力 ストレス耐性 志望動機 当社への適性

通過率 (総)(技)(ES)ー(応募:NA) 倍率(応募/内定) (総)(技)NA

●男女別採用数と配属先ほか●

【男女・文理別採用実績】※25年:24年7月31日時点

	大卒男	大卒女	修士男	修士女
23年	118(文 67 理 51)	56(文 49 理 7)	7(文 0 理 7)	4(文 3 理 1)
24年	138(文 78 理 60)	60(文 52 理 8)	7(文 2 理 5)	4(文 2 理 2)
25年	131(文 71 理 60)	53(文 44 理 9)	11(文 2 理 9)	3(文 2 理 1)

【25年4月入社者の採用実績校】(文)(院)一橋大 東京学芸大 早大 中大各1(大)大東文化大8 専大 東洋大各5 法政大 日大 神奈川大 麗澤大各4 明大 大妻女大 国士舘大 立正大 駿河台大 東京成徳大各3 同大 立命館大 学習院大 日女大 駒澤大 亜大 名城大 東京経大 神田外語大 大阪経大 帝京平成大 金沢学大各2 信州大 滋賀大 静岡県大 長崎県大 早大 上智大 ICU 立教大 中大 関大 関西学大 成城大 明学大 獨協大 東京女大 聖心女大 東洋英和女学大 國學院大 近大 甲南大 京産大 龍谷大 金城学大 文教大 桜美林大 埼玉工大 東京音大 東京国際大 十文字学女大 杏林大 和光大 東京造形大 静岡英和学大 長野大 摂南大 大阪産大 追手門学大 桃山学大 香川大各1 (理)(院)京大 阪大 信州大 千葉大 茨城大 東京海洋大 立命館大 東京電機大 大阪工大 神奈川工大各1(大)日大 神奈川大各6 東海大 湘南工大 福岡工大各5 中大 千葉工大 大阪工大 日工大各3 青学大 関西学大 東洋大 東京都市大 東京工科大 神奈川工大各2 茨城大 岐阜大 山形大 山口大 法政大 学習院大 芝工大 玉川大 近大 東京家政大 北里大 立正大 明星大 高崎健康福祉大 大阪電通大 広島工大 広島修道大 久留米工大各1 他

【24年4月入社者の配属先】(総)勤務地:東京2 部署:経理2 (技)勤務地:東京218 部署:事業部門218

残業(月) 22.7時間 (総)22.7時間

記者評価 金融や通信向けシステム開発に強い。システム構築から運用、保守まで手がける。医療や車載の組み込み案件やBPO(業務外部委託)も手がける。クラウドを中心に強化中のDX関連が急拡大。先端技術に強いデジタル人材育成を推進。インドや米国でITサービス買収。

●給与、ボーナス、週休、有休ほか●

【30歳総合職平均年収】527万円【初任給】(修士)260,000円 (大卒)238,000円【ボーナス(年)】138万円、NA【25、30、35歳賃金】247,191円→273,033円→294,078円【週休】完全2日(土日祝)【夏期休暇】夏期に限らず取得できる年3日間の休暇を有休とは別に付与【年末年始休暇】12月29日～1月3日【有休取得】14.7／20日

●従業員数、勤続年数、離職率ほか●

【男女別従業員数、平均年齢、平均勤続年数】計 3,111(39.9歳 15.2年) 男 2,498(41.1歳 16.4年) 女 613(34.9歳 9.9年)【離職率と離職者数】6.2%、204名【3年後新卒定着率】83.5%(男85.8%、女78.0%、3年前入社:男120名・女50名)【組合】あり

求める人材 主体的、創造的に考え、行動(実行)する人 夢、目標を持ち、実現する為の努力ができる人

会社データ (金額は百万円)

【本社】104-0032 東京都中央区八丁堀2-23-1 エンパイヤビル
☎03-3948-5488 https://www.dts.co.jp/
【社長】北村 友朗【設立】1972.8【資本金】6,113【今後力を入れる事業】DX関連ソリューション グローバル事業

【業績(連結)】	売上高	営業利益	経常利益	純利益
22.3	94,452	11,196	11,403	7,853
23.3	106,132	11,694	11,932	8,001
24.3	115,727	12,508	12,831	7,293

1080 ▶『業界地図』p.58

開示 ★★★ ▶『業界地図』p.56 2846

日本ビジネスシステムズ(株)

東京S 5036

【特色】マイクロソフトに強いクラウドインテグレーター

修士・大卒採用数	3年後離職率	有休取得年平均	平均年収(平均35歳)
172名	26.7→9.2%	14.3日	(総)618万円

●エントリー情報と採用プロセス●

【受付開始～終了】(総)(技)12月～6月【採用プロセス】(総)〈営業職〉説明会(必須)→書類選考(12月～)→面接(3回、1月～)→内々定(3月～)〈コーポレートスタッフ職〉説明会(必須)→書類選考(3月～)→面接(3回、4月～)→内々定(6月～) (技)説明会(必須)→書類選考(12月～)→面接(3回、1月～)→内々定(3月～)【交通費支給】なし

試験情報

重視科目 (総)(技)面接

(総)(技)(ES)⇒巻末(筆)あり(内容NA)(面)3回(Webあり)

選考ポイント (総)(技)(ES)ITへの興味関心・成長意欲があるか 志望理由とやりたいことが弊社の事業と合致しているか(面)ITへの興味関心 コミュニケーション力

通過率 (総)(技)(ES)NA 倍率(応募/内定) (総)(技)NA

●男女別採用数と配属先ほか●

【男女・文理別採用実績】

	大卒男	大卒女	修士男	修士女
23年	110(文 71 理 39)	74(文 65 理 9)	3(文 0 理 3)	1(文 0 理 1)
24年	102(文 61 理 41)	71(文 58 理 13)	6(文 0 理 6)	5(文 1 理 4)
25年	104(文 62 理 42)	62(文 53 理 9)	3(文 0 理 3)	3(文 1 理 2)

【25年4月入社者の採用実績校】(文)(院)青学大1(大)東洋大8 日大 法政大各7 明大 立教大 東京経大 産能大各5 青学大4 早大 立命館大 関大 関西学大 成城大 専大 獨協大各3 中大 武蔵大 武蔵野大 國學院大 明学大 尚美学大 中京大 琉球大各2 学習院大 慶大 同大 江戸川大 国士舘大 駒澤大 桜美林大 成蹊大 千葉商大 創価大 大東文化大 拓大 甲南大 お茶女大 兵庫県大 滋賀大 新潟県大 愛知県大 名桜大 沖縄キリスト学大 九産大 同女大 共立女大 実践女大 和洋女大 愛知大 愛知工業大 愛知淑徳大 名古屋学院大 南山大 札幌学大 情報経営イノベーション専門職大各1 (理)(院)茨城大 大阪工大 千葉大 筑波大 帝京大各1(大)大阪工大 神奈川大 東京電機大 東洋大 日大 はこだて未来大各3 近大 工学院大 芝工大 千葉工大 帝京大 東京工科大 名古屋国際工科専門職大各2 上智大 中大 法政大 立命館大 関大 東海大 東京工芸大 東邦大 専大 東京都市大 山梨大 崇城大 福岡工大 津田塾大 広島工大 愛知工科大 中京大 北海道科学大各1他

【24年4月入社者の配属先】(総)勤務地:東京・虎ノ門26 名古屋1 大阪市3 福岡市2 部署:営業28 コーポレート職4 (技)勤務地:東京・虎ノ門123 名古屋10 大阪市10 福岡市4 沖縄・浦添7 部署:エンジニア154

残業(月) 16.3時間 (総)16.3時間

記者評価 マイクロソフトに特化したクラウドインテグレーター。豊富なクラウド人材を抱え、新卒エンジニアの育成に強み。「MS365」が強かったが、急成長する「Azure」向けを強化中。生成AIサービスも投入。本社近くの都心に複数の社宅。22年にネクストスケープ買収。

●給与、ボーナス、週休、有休ほか●

【30歳総合職平均年収】546万円【初任給】(博士)267,000円 (修士)267,000円 (大卒)250,000円〈コーポレートスタッフ職〉217,000円【ボーナス(年)】135万円、4.2カ月【25、30、35歳賃金】267,625円→298,963円→341,425円【週休】完全2日(土日祝)【夏期休暇】なし【年末年始休暇】12月30日～1月3日【有休取得】14.3／25日

●従業員数、勤続年数、離職率ほか●

【男女別従業員数、平均年齢、平均勤続年数】計 2,454(34.8歳 6.8年) 男 1,712(36.2歳 7.2年) 女 742(31.8歳 6.1年)【離職率と離職者数】5.3%、136名【3年後新卒定着率】90.8%(男88.9%、女93.1%、3年前入社:男72名・女58名)【組合】なし

求める人材 お客さまに寄り添い、最適なサービスを提供するために、主体的に行動し成長できる人材

会社データ (金額は百万円)

【本社】105-5520 東京都港区虎ノ門2-6-1 虎ノ門ヒルズステーションタワー
☎03-6772-4000 https://www.jbs.co.jp/
【社長】牧田 幸弘【設立】1990.10【資本金】539【今後力を入れる事業】MSクラウドを起点とした顧客のDX推進

【業績(連結)】	売上高	営業利益	経常利益	純利益
23.9	112,800	4,192	4,349	3,350

(株)オービック

東京P 4684

【特色】経営情報管理(ERP)大手。中堅向けで首位

修士・大卒採用数	3年後離職率	有休取得年平均	平均年収(平均36歳)
165名	NA	14.5日	(総)1,078万円

●エントリー情報と採用プロセス●

【受付開始～終了】(総)(技)3月～7月【採用プロセス】(総)(技)説明会・適性検査(3月～)→面接(3～4回)→内々定【交通費支給】2次面接以降、会社基準

試験情報

重視科目 (総)(技)面接

(総)(技)(筆)自社オリジナル(面)3～4回(Webあり)

選考ポイント (総)(技)(面)コミュニケーション力 主体性 柔軟性 思考力

通過率 (総)(技)(ES)―(応募:NA)

倍率(応募/内定) (総)(技)NA

●男女別採用数と配属先ほか●

【男女・文理別採用実績】

	大卒男	大卒女	修士男	修士女
23年	106(文 72 理 34)	35(文 31 理 4)	5(文 0 理 5)	0(文 0 理 0)
24年	113(文 90 理 23)	47(文 39 理 8)	5(文 0 理 5)	0(文 0 理 0)
25年	115(文 90 理 25)	50(文 40 理 10)	0(文 0 理 0)	0(文 0 理 0)

【25年4月入社の採用実績校】
(文)(大)北大 東北大 東大 東京科学大 早大 慶大 明大 東理大 横国大 名大 名工大 名古屋市大 京大 阪大 神戸大 大阪公大 関大 広島大 九大 九州工大 他(理系含む) (理)文系に含む

【24年4月入社者の配属先】
(総)勤務地:東京 大阪 名古屋 部署:営業系40 事務系5 (技)勤務地:東京 大阪 名古屋 部署:技術系120

残業(月) NA

記者評価 会計、人事、給与など間接部門の経営情報を一括で管理するERPソフト「OBIC7」が柱。中堅企業向けで断トツのシェア。経営効率に優れており、収益性は日本屈指。関連会社に「奉行」シリーズのOBC。家族主義(新卒主義)を掲げ、中途採用は実施しない方針。

●給与、ボーナス、週休、有休ほか●

【30歳総合職平均年収】NA【初任給】(修士)330,000円 (大卒)330,000円【ボーナス(年)】NA【25、30、35歳賃金】NA【週休】完全2日(土日祝)【夏期休暇】連続6日【年末年始休暇】連続9日【有休取得】14.5／20日

●従業員数、勤続年数、離職率ほか●

【男女別従業員数、平均年齢、平均勤続年数】計 1,898(36.1歳 13.2年) 男 1,512(36.9歳 13.9年) 女 386(33.0歳 10.4年)【離職率と離職者数】NA【3年後新卒定着率】NA【組合】なし

求める人材 柔軟な発想を持って変化に対応し、社会に貢献する気概を持ってチャレンジする人物

会社データ (金額は百万円)

【本社】104-8328 東京都中央区京橋2-4-15 オービックビル
☎03-3245-6505 https://www.obic.co.jp/
【社長】橘 昇一【設立】1968.4【資本金】19,178【今後力を入れる事業】幅広い業界へのクラウドERPソリューション

【業績(連結)】	売上高	営業利益	経常利益	純利益
22.3	89,476	54,135	60,174	43,500
23.3	100,167	62,490	70,223	50,116
24.3	111,590	70,910	81,151	58,007

開示 ★★ ▶『業界地図』p.58,60 312

みつびしユーエフジェイ
三菱ＵＦＪインフォメーションテクノロジー㈱

株式公開していない

【特色】MUFGのシステム会社。グループのIT戦略を支える

修士・大卒採用数	3年後離職率	有休取得年平均	平均年収(平均40歳)
110名	11.3→9.7%	16.4日	[総]850万円

●エントリー情報と採用プロセス●

【受付開始～終了】[技]3月～6月【採用プロセス】[技]ES提出→適性検査→面談・面接（2～3回）→内々定【交通費支給】最終面接、定期券範囲を除き全額【早期選考】⇒巻末

試験情報

重視科目 [技]面接

[技][ES]⇒巻末[筆]SPI3（自宅）[面]2～3回（Webあり）

選考ポイント [技][ES]NA（提出あり）[面]課題形成・解決力 成長意欲 論理的思考力 コミュニケーション力 他

通過率 [技][ES]NA　倍率(応募/内定) [技]NA

●男女別採用数と配属先ほか●

【男女・文理別採用実績】

	大卒男	大卒女	修士男	修士女
23年	33(文 18理 15)	11(文 9理 2)	8(文 2理 6)	0(文 0理 0)
24年	42(文 23理 19)	21(文 17理 4)	8(文 0理 8)	2(文 0理 2)
25年	58(文 35理 23)	36(文 31理 5)	13(文 2理 11)	3(文 2理 1)

【25年4月入社者の採用実績校】[文]（院）青学大 大阪公大 京大 明大各1（大）明大8 法政大 早大各7 立教大4 中大3 青学大 慶大 昭和女大 東理大 同大 日大各2 大阪府大 関西学大 京産大 京大 熊本県大 建国大 神戸大 ICU 駒澤大 佐賀大 上智大 成城大 専大 拓大 千葉商大 中京大 都留文科大 東洋大 北海学園大 武蔵大 明学大 横国大 横浜市大 立正大 立命館大各1 [理]（院）明大2 岩手大 大阪公大 関大 中大 電通大 東京電機大 都立大 東京農工大 東理大 名城大各1（大）青学大5 芝工大3 千葉工大 中大各2 金沢工大 関西学大 近大 工学院大 甲南大 上智大 千歳科技大 千葉大 東京工科大 東京科学大 東理大 東洋大 広島大 法政大 明大 早大各1

【24年4月入社者の配属先】

[技]勤務地：東京（中野66 多摩3 目白台4）部署：開発・運用73

残業(月) 27.5時間 [総]27.5時間

記者評価 略称MUIT。09年にグループのシステム3社が合併し設立。三菱UFJ銀行をはじめとして、証券、カードなどグループ各社のシステム開発を担う。システムの企画立案から設計・構築・運用まで一貫。地銀向けに基幹システムパッケージの提供や業務コンサルも。

●給与、ボーナス、週休、有休ほか●

【30歳総合職平均年収】708万円【初任給】（博士）NA（修士）280,000円（大卒）257,500円【ボーナス（年）】NA【25、30、35歳賃金】NA【週休】完全2日（土日）【夏期休暇】年次有休と土日祝を含めて10連休・5連休をそれぞれ年度に1回ずつ取得【年末年始休暇】12月31日～1月3日【有休取得】16.4／21日

●従業員数、勤続年数、離職率ほか●

【男女別従業員数、平均年齢、平均勤続年数】計 2,050（40.1歳 13.9年）男 1,400（41.3歳 14.7年）女 650（37.5歳 13.0年）【離職率と離職者数】NA【3年後新卒定着率】90.3%（男87.2%、女95.7%、3年前入社：男39名・女23名）【組合】なし

求める人材 金融×ITプロフェッショナルとして誇りを持ち、金融の未来を切り拓いていける人材

会社データ　（金額は百万円）

【本社】164-0001 東京都中野区中野4-10-2 中野セントラルパークサウス
☎03-3319-1111　https://www.it.mufg.jp/
【社長】高橋 一興【設立】1988.6【資本金】181【今後力を入れる事業】AI活用 上流工程の業務部門との協業強化

【業績(単独)】	売上高	営業利益	経常利益	純利益
22.3	88,119	105	145	78
23.3	99,280	1,484	1,503	1,031
24.3	105,352	1,279	1,311	895

エヌエスディ
㈱ＮＳＤ

東京P 9759

【特色】独立系。ソフト開発が中心の情報サービス大手

修士・大卒採用数	3年後離職率	有休取得年平均	平均年収(平均39歳)
102名	17.5→11.6%	14.4日	[総]696万円

●エントリー情報と採用プロセス●

【受付開始～終了】[技]1月～8月【採用プロセス】[技]説明会・適性試験（1～8月）→GD→面接（2回）→内々定【交通費支給】最終面接以降、上限10,000円【早期選考】⇒巻末

試験情報

重視科目 [技]面接 適性試験

[技][筆]適性試験（自社オリジナル）[面]2回（Webあり）[GD作]⇒巻末

選考ポイント [技][ES]提出なし[面]コミュニケーション能力 論理的思考 吸収力 バイタリティ 志望度 SE資質 他

通過率 [技][ES]—（応募：NA）　倍率(応募/内定) [技]NA

●男女別採用数と配属先ほか●

【男女・文理別採用実績】

	大卒男	大卒女	修士男	修士女
23年	60(文 16理 44)	63(文 43理 20)	5(文 0理 5)	1(文 0理 1)
24年	58(文 17理 41)	61(文 51理 10)	9(文 1理 8)	6(文 4理 2)
25年	52(文 18理 34)	38(文 27理 11)	7(文 1理 6)	5(文 3理 2)

【25年4月入社者の採用実績校】[文]（院）青学大 阪大 埼玉大 横浜市大各1（大）実践女大5 大妻女大 専大各3 大阪経大 神田外語大 国士舘大 東洋大 昭和女大各2 ハワイ大マノア校 モンタナウエスタン大 江戸川大 お茶女大 学習院女大 京産大 京都女大 共立女大 甲南大 國學院大 産能大 滋賀大 静岡産大 中京大 東京経大 都立大 同女大 同大 日大 白鴎大 武庫川女大 明大 明星大 安田女大各1（短）実践女1 [理]（院）アリゾナ州大 茨城大 九州工大 東洋大 八戸工大 福岡工大 北大 早大各1（大）千葉工大 福岡工大各4 東京都市大3 大阪学大 大阪電通大 神奈川工大 東京工科大 日大 放送大 北海道情報大各2 BYUハワイ 茨城大 大阪工大 カリフォルニア州立大ノースリッジ校 工学院大 城西大 成蹊大 崇城大 津田塾大 東海大 東京学芸大 東京家政大 東京情報大 東京電機大 都立大 富山県大 広島工大 武庫川女大 明星大 明大各1（高専）都立産技2 阿南 石川 茨城 木更津 岐阜 舞鶴各1（専）東京ITプログラミング＆会計仙台校 東京情報クリエイター工学院各4 日本工学院八王子2 大阪ITプログラミング＆会計天王寺校 東京ITプログラミング＆会計 東京ITプログラミング＆会計名古屋校 広島情報ITクリエイター各1

【24年4月入社者の配属先】[技]勤務地：東京117 大阪26 名古屋2 福岡4 仙台3 広島3 部署：SE職154 秘書1

残業(月) 21.4時間 [総]21.4時間

記者評価 メガバンク、生損保、証券など金融機関向けシステム開発に定評。ほかに、メーカーや社会インフラ企業など幅広い顧客を有する。近年は同業の買収によりコンサルやメディカル分野を強化。生成AIをオンプレミスで活用可能なプラットフォームの提供も開始。

●給与、ボーナス、週休、有休ほか●

【30歳総合職平均年収】617万円【初任給】（修士）312,000円（大卒）306,000円【ボーナス（年）】144万円、5.74カ月【25、30、35歳賃金】NA【週休】完全2日（土日祝）【夏期休暇】有休で6日間の取得を奨励【年末年始休暇】連続6日【有休取得】14.4／20日

●従業員数、勤続年数、離職率ほか●

【男女別従業員数、平均年齢、平均勤続年数】計 3,133（39.4歳 15.3年）男 2,481（40.8歳 16.5年）女 652（34.5歳 10.7年）【離職率と離職者数】2.8%、90名【3年後新卒定着率】88.4%（男91.6%、女82.6%、3年前入社：男83名・女46名）【組合】なし

求める人材 円滑な関係構築力、新しい事へ探求心を持ち、自分の道を切り拓いていける人

会社データ　（金額は百万円）

【本社】101-0063 東京都千代田区神田淡路町2-101 ワテラスタワー
☎03-3257-1130　https://www.nsd.co.jp/
【社長】今城 義和【設立】1969.4【資本金】7,205【今後力を入れる事業】ITコンサルティング AI・DX・ソリューション

【業績(連結)】	売上高	営業利益	経常利益	純利益
22.3	71,188	11,414	11,654	7,823
23.3	77,982	12,524	12,662	10,219
24.3	101,263	15,180	15,340	10,262

通信・ソフト

▶『業界地図』p.58

兼松エレクトロニクス(株)

かねまつ

株式公開していない

【特色】兼松系ITベンダー。製造業とサービス業が主顧客

修士・大卒採用数	3年後離職率	有休取得年平均	平均年収(平均38歳)
33名	22.2→42.9%	12.7日	[総]847万円

●エントリー情報と採用プロセス●

【受付開始～終了】[総][技]3月～継続中【採用プロセス】[総][技]説明会(必須)→ES提出・筆記→面接(2～3回)→内々定【交通費支給】最終面接、地方学生は実費(新幹線 飛行機)【早期選考】⇒巻末

試験情報

重視科目 [総][技]面接 筆記 ES

[総][技][ES]⇒巻末[筆]WebCAB[面]2～3回(Webあり)

選考ポイント [総][技][ES]NA(提出あり)[面]コミュニケーション能力 積極性 達成意欲 今まで頑張ってきたことビジョン 他

通過率 [総][技][ES]NA

倍率(応募/内定) [総][技]NA

●男女別採用数と配属先ほか●

【男女・文理別採用実績】

	大卒男	大卒女	修士男	修士女
23年	22(文 20理 2)	24(文 23理 1)	0(文 0理 0)	0(文 0理 0)
24年	32(文 26理 6)	14(文 14理 0)	0(文 0理 0)	0(文 0理 0)
25年	23(文 16理 7)	10(文 10理 0)	0(文 0理 0)	0(文 0理 0)

【25年4月入社者の採用実績校】
[文](大)明大3 駒澤大 早大各2 愛知大 逢甲大 関大 京都橘大 京都女大 香川大 学習院大 高知大 國學院大 西南学大 千葉商大 大妻女大 大阪学大 日大 福知山公大 明学大 立教大 龍谷大 和歌山大各1 [理](大)法政大2 関大 工学院大 神奈川大 東洋大 日工大各1

【24年4月入社者の配属先】
[総]勤務地:東京(中央16 有明2)大阪4 名古屋2 部署:営業22 経理1 人事1 [技]勤務地:東京・中央19 部署:SE19

残業(月) 16.4時間 [総]18.4時間

記者評価 兼松の完全子会社。仮想化技術を軸にシステム設計・構築と保守・運用サービスまで一貫。基幹系とオープン系の接続に強み。ITセキュリティに注力。若手社員の働きやすさを重視し、完全個室のリモートワークスペース設置。24年8月出産・育児の新休暇制度導入。

●給与、ボーナス、週休、有休ほか●

【30歳総合職平均年収】680万円【初任給】(修士)270,000円(大卒)250,000円【ボーナス(年)】265万円、6.23カ月【25、30、35歳モデル賃金】270,000円→370,000円→450,000円【週休】完全2日(土日祝)【夏期休暇】有休で取得【年末年始休暇】12月29日～1月3日【有休取得】12.7／20日

●従業員数、勤続年数、離職率ほか●

【男女別従業員数、平均年齢、平均勤続年数】計 469(39.7歳 13.0年) 男 328(41.2歳 14.0年) 女 141(36.1歳 10.7年)【離職率と離職者数】5.8%、29名(他に男1名転籍)【3年後新卒定着率】57.1%(男73.3%、女45.0%、3年前入社:男15名・女20名)【組合】なし

求める人材 チャレンジ精神があり、熱意をもって前向きに取り組むチームワークと行動力を発揮できる人

会社データ (金額は百万円)

【本社】104-8338 東京都中央区京橋2-13-10
☎03-5250-6818 https://www.kel.co.jp/
【社長】渡辺 亮【設立】1968.7【資本金】9,031【今後力を入れる事業】顧客事業のDX対応、サービスビジネス強化

【業績(連結)】	売上高	営業利益	経常利益	純利益
22.3	71,331	12,687	12,784	8,785
23.3	85,430	13,958	13,994	9,149
24.3	90,605	13,679	13,817	9,239

ニッセイ情報テクノロジー(株)

じょうほう

株式公開計画なし

【特色】日生グループのSI企業。保険・医療分野などが軸

修士・大卒採用数	3年後離職率	有休取得年平均	平均年収(平均39歳)
113名	13.6→18.0%	18.0日	[総]770万円

●エントリー情報と採用プロセス●

【受付開始～終了】[技]3月～7月【採用プロセス】[技]ES提出(3月～)→説明会・Webテスト(3月～)→面談・面接(3～4回、3月～)→内々定【交通費支給】最終面接、遠方者は会社基準【早期選考】⇒巻末

試験情報

重視科目 [技]面接

[技][ES]⇒巻末[筆]SPI3(会場) SPI3(自宅) CAB[面]3～4回(Webあり)

選考ポイント [技][ES]他のプロセスとの総合判断[面]ITへの興味・関心 論理思考 課題構築・達成力 統率力 コミュニケーション力

通過率 [技][ES]39%(受付:(早期選考含む)2,428→通過:(早期選考含む)956)

倍率(応募/内定) [技](早期選考含む)21倍

●男女別採用数と配属先ほか●

【男女・文理別採用実績】

	大卒男	大卒女	修士男	修士女
23年	44(文 32理 12)	33(文 26理 7)	10(文 1理 9)	6(文 2理 4)
24年	66(文 47理 19)	30(文 24理 6)	7(文 1理 6)	2(文 1理 1)
25年	72(文 51理 21)	33(文 30理 3)	5(文 0理 5)	3(文 2理 1)

【25年4月入社者の採用実績校】[文](院)新潟県大 早大各1(大)明大7 滋賀大 法政大各5 関大 関西学大各4 中大 日大 近大各3 高崎経大 阪大 大阪公大 慶大 青学大 同大 東洋大 駒澤大各2 筑波大 埼玉大 東京学芸大 横国大 横浜市大 新潟大 静岡大 静岡県大 愛知県大 神戸大 奈良県大 広島大 北九州市大 早大 上智大 学習院大 立教大 立命館大 成蹊大 明学大 武蔵大 京産大 甲南大各1 他 [理](院)名大 大阪公大 明大 中大各1(大)明大3 中大 法政大各2 千葉大 福井大 神戸大 鳥取大 早大 上智大 東理大 立教大 立命館大 成蹊大 東洋大各1 他

【24年4月入社者の配属先】
[技]勤務地:東京59 大阪46 部署:システム開発・運用105

残業(月) 29.6時間 [総]30.4時間

記者評価 日本生命の情報システム、ニッセイコンピュータのシステム開発両部門の統合で発足。保険・共済、年金、ヘルスケアを核にグループのIT戦略を担う。販売管理、契約管理、資産運用等の知見に強み。DX推進のリーダー育成に注力。職務公募、社内FAなどの制度充実。

●給与、ボーナス、週休、有休ほか●

【30歳総合職平均年収】669万円【初任給】(博士)259,000円(修士)259,000円(大卒)250,000円【ボーナス(年)】NA【25、30、35歳賃金】NA【週休】完全2日(土日祝)【夏期休暇】1日(有休含む連続5日)【年末年始休暇】12月31日～1月3日【有休取得】18.0／20日

●従業員数、勤続年数、離職率ほか●

【男女別従業員数、平均年齢、平均勤続年数】計 2,455(40.7歳 14.2年) 男 1,536(41.0歳 14.5年) 女 919(40.1歳 13.6年)【離職率と離職者数】3.5%、90名【3年後新卒定着率】82.0%(男82.5%、女81.3%、3年前入社:男57名・女32名)【組合】なし

求める人材 新たな価値創造に向けて、継続的に努力し、失敗を恐れずチャレンジできる人

会社データ (金額は百万円)

【本社】144-0052 東京都大田区蒲田5-37-1 ニッセイアロマスクエア
☎03-5714-5633 https://www.nissay-it.co.jp/
【社長】上田 哲也【設立】1999.7【資本金】4,000【今後力を入れる事業】保険・共済 年金 ヘルスケアソリューション

【業績(単独)】	売上高	営業利益	経常利益	純利益
22.3	79,067	2,249	2,423	1,628
23.3	78,441	2,170	2,323	1,540
24.3	79,026	2,161	2,362	1,674

(株)システナ

東京P 2317

【特色】ITシステム開発やDX支援を展開。車載向け急成長

修士・大卒採用数	3年後離職率	有休取得年平均	平均年収(平均30歳)
152名	44.9→51.3%	12.8日	[総]476万円

●エントリー情報と採用プロセス●

【受付開始～終了】[総]10月～7月 [技]10月～8月【採用プロセス】[総][技]ES提出(10月)→説明会・適性試験(2～7月)→面接(2回、2～7月)またはGD(1回)→内々定(2～7月)【交通費支給】なし

試験情報

重視科目 [総][技]適性試験 面接

[総][技][ES]⇒巻末[筆]CAB G9(Web)[面]2回(Webあり)[GD作]⇒巻末

選考ポイント [総][技][ES]NA(提出あり)[面]理念との合致 職種への意欲 適性 コミュニケーション能力 ポジティブシンキング

通過率 [総][技][ES]NA 倍率(応募/内定) [総][技]NA

●男女別採用数と配属先ほか●

【男女・文理別採用実績】

	大卒男	大卒女	修士男	修士女
23年	414(文282 理132)	281(文149 理132)	4(文 2理 2)	4(文 4理 0)
24年	220(文145 理 75)	127(文115 理 12)	0(文 0理 0)	0(文 0理 0)
25年	92(文 65理 27)	60(文 45理 15)	0(文 0理 0)	0(文 0理 0)

【25年4月入社者の採用実績校】[文](24年)日大17 産能大11 駒澤大8 東京経大 東洋大 関大各6 立正大5 武蔵野大 専大 広島修道大 大妻女大 帝京大 安田女大 東京国際大各4 文教大 神奈川大 国士舘大各3 早大 國學院大 明大 京都女大 青学大 中京大 近大 亜大 成蹊大 明星大 麗澤大 駿河台大 東京家政大 千葉商大各2 聖心女大 同大 神戸学大 名大 明学大 横国大 学習院大 法政大 都留文科大 高崎経大 千葉大 西南学大 成城大 都立大 清泉女大 愛知淑徳大 関西外大 静岡大 昭和女大 兵庫県大 龍谷大 武庫川女大 愛知大 神田外語大 福岡大 椙山女学大 共立女大 杏林大 尾道市大 フェリス女学大 摂南大 北星学大 琉球大 松山大各1 他 [理](24年)日大17 産能大11 駒澤大8 東京経大 東洋大 関大各6 立正大5 武蔵野大 専大 広島修道大 大妻女大 帝京大 安田女大 東京国際大各4 文教大 神奈川大 国士舘大各3 早大 國學院大 明大 京都女大 青学大 中京大 近大 亜大 成蹊大 明星大 麗澤大 駿河台大 東京家政大 千葉商大各2 聖心女大 同大 神戸学大 名大 明学大 横国大 学習院大 法政大 都留文科大 高崎経大 千葉大 西南学大 成城大 都立大 清泉女大 愛知淑徳大 関西外大 静岡大 昭和女大 兵庫県大 龍谷大 武庫川女大 愛知大 神田外語大 福岡大 椙山女学大 共立女大 杏林大 尾道市大 フェリス女学大 摂南大 北星学大 琉球大 松山大各1 他

【24年4月入社者の配属先】[総]勤務地：関東67 大阪25 部署：営業92 [技]勤務地：関東226 大阪50 名古屋31 福岡22 札幌14 広島15 部署：技術358

残業(月) 9.3時間 [総]9.3時間

記者評価 車載や電子決済、金融向けなどシステム開発が主力。ロボットやAI、5Gなど高付加価値の案件にも注力。サーバーやパソコンなどIT関連商品も企業向けに販売。22年にMJE社(大阪)とクラウド分野で新合弁。急成長する次世代自動車関連の事業体制強化を推進。

●給与、ボーナス、週休、有休ほか●

【30歳総合職平均年収】500万円【初任給】(博士)235,000円(修士)235,000円(大卒)235,000円【ボーナス(年)】NA【25、30、35歳賃金】252,681円→352,736円→358,113円【週休】完全2日(土日祝)【夏期休暇】5日(特別休暇として)【年末年始休暇】4日(所定休日として)【有休取得】12.8／20日

●従業員数、勤続年数、離職率ほか●

【男女別従業員数、平均年齢、平均勤続年数】計 4,042(29.9歳 5.7年) 男 2,244(31.3歳 6.8年) 女 1,798(28.3歳 4.3年)【離職率と離職者数】14.9%、705名【3年後新卒定着率】48.7%(男55.8%、女40.9%、3年前入社：男303名・女274名)【組合】なし

求める人材 チームで仕事をしてみたい人 新しいことにチャレンジしてみたい人 技術力を磨きたい人

会社データ (金額は百万円)

【本社】105-0022 東京都港区海岸1-2-20 汐留ビルディング
☎03-6367-3840 https://www.systena.co.jp/
【会長】逸見 愛親【設立】1983.3【資本金】1,513【今後力を入れる事業】モビリティ AI MaaS DX フィンテック

【業績(連結)】	売上高	営業利益	経常利益	純利益
22.3	65,272	9,106	8,578	5,992
23.3	74,526	9,844	9,955	7,317
24.3	76,940	9,713	9,942	7,232

(株)TKC（テイケイシイ）

東京P 9746

【特色】税理士や地方公共団体に会計や情報サービス提供

修士・大卒採用数	3年後離職率	有休取得年平均	平均年収(平均39歳)
100名	17.5→15.8%	12.4日	[総]824万円

●エントリー情報と採用プロセス●

【受付開始～終了】[総][技]3月～継続中【採用プロセス】[総][技]説明会(必須、3月～)→録画面接→ES提出・1次面接・論理思考(3月～)→最終面接(4月～)→内々定(随時)【交通費支給】最終面接以降、遠方者に実費【早期選考】⇒巻末

試験情報

重視科目 [総][技]面接 筆記

[総][技][ES]NA[筆]適性検査 論理思考試験[面]3回(Webあり)

選考ポイント [総][技][面]論理的思考力 コミュニケーション能力 主体性 学習意欲 他

通過率 [総][技][ES]選考なし(受付：NA)

倍率(応募/内定) [総][技]NA

●男女別採用数と配属先ほか●

【男女・文理別採用実績】※25年：予定数

	大卒男	大卒女	修士男	修士女
23年	48(文 39理 9)	22(文 21理 1)	5(文 0理 5)	0(文 0理 0)
24年	54(文 46理 8)	33(文 31理 2)	9(文 3理 6)	0(文 0理 0)
25年	50(文 －理 －)	50(文 －理 －)	0(文 0理 0)	0(文 0理 0)

【25年4月入社者の採用実績校】[文](24年)(院)阪大 関大 金沢大各1 (大)明大 早大各7 中大5 関大4 大阪市大 青学大 西南学大 法政大 近大 日大各3 専大 千葉大 高崎経大 京産大 関西学大各2 東北大 慶大 琉球大 立命館大 立教大 兵庫県大 文京学大 武蔵大 東洋大 白鴎大 東北学大 島根大 長野大 創価大 昭和女大 小樽商大 滋賀大 山口大 埼玉大 香川大 甲南大 広島修道大 横国大 宇都宮大 茨城大 お茶女大各1 [理](24年)(院)阪大2 名大 九大 宇都宮大 関西学大各1(大)京大 大阪市大 信州大 日工大 中大 青学大 静岡大 山形大 東洋大 創価大各1

【24年4月入社者の配属先】[総]勤務地：東京15 大阪7 埼玉4 神奈川4 愛知4 京都3 静岡3 栃木3 神戸2 福岡2 北海道2 広島2 千葉1 群馬1 宮城1 山形1 福島1 茨城1 部署：システム・コンサルティング57 [技]勤務地：栃木39 部署：システム開発39

残業(月) 21.8時間 [総]21.8時間

記者評価 税理士団体「TKC全国会」を営業基盤に、会員の税理士やその顧客である中小企業向けに会計や情報システムサービスを提供。地方自治体向け基幹系システムでも大手。創業者の故飯塚毅氏は小説「不撓不屈」(高杉良著)のモデルとなった人物。堅実な社風。

●給与、ボーナス、週休、有休ほか●

【30歳総合職平均年収】752万円【初任給】(博士)283,000円(修士)263,000円(大卒)243,000円【ボーナス(年)】316万円、7.4カ月【25、30、35歳モデル賃金】274,351円→389,545円→436,946円【週休】完全2日(土日祝)【夏期休暇】連続3日【年末年始休暇】連続5日【有休取得】12.4／20日

●従業員数、勤続年数、離職率ほか●

【男女別従業員数、平均年齢、平均勤続年数】計 2,349(39.7歳 17.0年) 男 1,720(40.7歳 17.8年) 女 629(37.1歳 15.0年)【離職率と離職者数】2.8%、68名【3年後新卒定着率】84.2%(男90.1%、女76.1%、3年前入社：男91名・女67名)【組合】なし

求める人材 コミュニケーション力があり、行動力と学習意欲の高い人

会社データ (金額は百万円)

【本社】162-8585 東京都新宿区揚場町2-1 軽子坂MNビル
☎03-3235-5511 https://www.tkc.jp/
【社長】飯塚 真規【設立】1966.10【資本金】5,700【今後力を入れる事業】法令等の変化・ICTの技術革新への対応

【業績(連結)】	売上高	営業利益	経常利益	純利益
21.9	66,221	12,314	12,673	8,686
22.9	67,838	13,351	13,677	9,317
23.9	71,915	14,338	14,772	10,826

通信・ソフト

▶『業界地図』p.60

みつびしそうけんディーシーエス
三菱総研ＤＣＳ㈱

株式公開していない

【特色】三菱総研系SI企業。経理財務（F&A）に強い

修士・大卒採用数	3年後離職率	有休取得年平均	平均年収(平均42歳)
131名	17.4→19.4%	13.7日	総780万円

●エントリー情報と採用プロセス●

【受付開始～終了】技12月～5月【採用プロセス】技Web説明会→適性検査→ES提出→Web1次選考（GW）→Web面接→対面面接→内々定※一括採用後に各職種に振り分け【交通費支給】最終面接、実費（新幹線・飛行機・高速バス代）

試験情報

重視科目 技適性検査 面接 技ES⇒巻末 筆SPI3（会場）SPI3（自宅）面2回（Webあり）GD作⇒巻末

選考ポイント 技面コミュニケーション能力 他

通過率 技ES選考なし（受付:NA） 倍率(応募/内定) 技NA

●男女別採用数と配属先ほか●

【男女・文理別採用実績】

	大卒男	大卒女	修士男	修士女
23年	53(文 40理 13)	26(文 23理 3)	7(文 2理 5)	3(文 2理 1)
24年	60(文 36理 24)	27(文 23理 4)	7(文 1理 6)	0(文 0理 0)
25年	80(文 49理 31)	40(文 33理 7)	10(文 2理 8)	1(文 1理 0)

【25年4月入社者の採用実績校】文（院）阪大2 一橋大1（大）明大5 成蹊大 法政大各4 近大 慶大 上智大 青学大 早大 中大 東洋大 日大 北九州市大各3 逢甲大 國學院大 埼玉大 成城大 東海大 同大各2 愛知大 学習院大 関西学大 関大 共立女大 駒澤大 広島大 高崎経大 国際医療福祉大 ICU 産能大 神戸学大 神奈川大 千葉大 専大 大妻女大 大阪市大 大東文化大 帝京大 東京経大 東理大 日女大 白百合女大 尾道市大 武蔵大 福岡教大 北海学園大 立教大 立命館大 獨協大各1 理（院）明大2 九大 滋賀大 千葉大 東理大 福岡工大 北見工大各1（大）東理大4 日大 法政大各3 近大 工学院大 成蹊大各2 愛媛大 関大 金沢工大 はこだて未来大 甲南大 埼玉大 芝工大 青学大 静岡大 専大 大阪工大 東海大 東京海洋大 東京工科大 東京女大 東京都市大 東北大 東洋大 奈良女大 武蔵野美大 名古屋国際工科専門職大 明大各1

【24年4月入社者の配属先】総勤務地：東京・品川3 部署：営業3 技勤務地：東京（品川59 中野他29）大阪2 仙台1 部署：SE91

残業(月) 30.4時間 総30.4時間

記者評価 三菱総研と三菱UFJFGの合弁。創業以来手がける人事給与システム「PROSRV（プロサーブ）」の導入実績は約2000社。DXとサービス事業を成長の両輪に掲げる。脆弱性診断ツール導入支援でも実績。ソフト開発の能力成熟度を評価する国際指標「CMMI」でレベル5を達成。

●給与、ボーナス、週休、有休ほか●

【30歳総合職平均年収】645万円【初任給】（博士）258,000円（修士）258,000円（大卒）250,000円【ボーナス（年）】234万円、7.0カ月【25、30、35歳賃金】245,787円→298,002円→342,505円【週休】完全2日（土日祝）【夏期休暇】有休で取得【年末年始休暇】12月29日～1月3日【有休取得】13.7／20日

●従業員数、勤続年数、離職率ほか●

【男女別従業員数、平均年齢、平均勤続年数】計 2,320（42.4歳 14.0年）男 1,722（43.8歳 15.0年）女 598（38.4歳 11.2年）【離職率と離職者数】3.9%、94名【3年後新卒定着率】80.6%（男81.6%、女79.2%、3年前入社：男38名・女24名）【組合】なし

求める人材 信頼と信用 プロフェッショナリズムとチームワーク 挑戦と成長

会社データ （金額は百万円）

【本社】140-8506 東京都品川区東品川4-12-2 品川シーサイドウエストタワー
☎03-3458-9880 https://www.dcs.co.jp/
【社長】亀田 浩樹【設立】1970.7【資本金】6,059【今後力を入れる事業】コンサルティング＆ITトータルサービス

【業績(連結)】	売上高	営業利益	経常利益	純利益
21.9	56,431	2,749	3,310	2,921
22.9	62,972	4,804	5,079	4,844
23.9	66,138	4,893	5,268	3,937

ジェイエフイー
ＪＦＥシステムズ㈱

東京S 4832

【特色】JFE系のITシステム会社。メーカー向けが強い

修士・大卒採用数	3年後離職率	有休取得年平均	平均年収(平均43歳)
84名	7.3→12.5%	16.4日	総777万円

●エントリー情報と採用プロセス●

【受付開始～終了】総技2月～7月【採用プロセス】総技Web説明会（必須）→選考前アンケート提出→Web検査・書類選考→個人面接→個人面接→内々定【交通費支給】1次面接以降、会社基準（大学から会場まで）【早期選考】⇒巻末

試験情報

重視科目 総技全て

総技筆職務適性 ストレス耐性チェック面2回（Webあり）

選考ポイント 総技面コミュニケーション能力 論理性 自主性 自律性

通過率 総ES—（応募：（早期選考含む）250）技ES—（応募：（早期選考含む）1625）

倍率(応募/内定) 総（早期選考含む）83倍 技（早期選考含む）20倍

●男女別採用数と配属先ほか●

【男女・文理別採用実績】

	大卒男	大卒女	修士男	修士女
23年	32(文 17理 15)	17(文 13理 4)	10(文 0理 10)	4(文 0理 4)
24年	32(文 15理 17)	11(文 6理 5)	12(文 0理 12)	1(文 0理 1)
25年	48(文 24理 24)	22(文 14理 8)	12(文 0理 12)	2(文 0理 2)

【25年4月入社者の採用実績校】文（大）明大4 関大3 滋賀大 明学大 東洋大 学習院大 中大 茨城大 立命館大各2 神奈川大 下関市大 日大 関西学大 一橋大 静岡大 武蔵大 早大 岡山大 獨協大 南山大 大阪教大 千葉大 筑波大 愛知大 青学大 新潟県大各1 理（院）岡山大2 東京科学大 東京工科大 横国大 横浜市大 阪大 山口大 北大 電通大 茨城大 日大 埼玉大 法政大各1（大）東京電機大4 日大 東海大 近大各2 茨城大 芝工大 岡山理大 県立広島大 大阪産大 信州大 関大 都立大 諏訪東理大 鳥取大 広島工大 関西学大 青学大 千葉大 名大 東京都市大 明大 法政大 島根大 広島市大 東理大 日女大各1

【24年4月入社者の配属先】総勤務地：東京・浜松町5 部署：営業2 スタッフ3 技勤務地：東京（浜松町27 日比谷5 蔵前3 銀座1）千葉1 神奈川1 愛知2 神戸4 岡山・倉敷4 広島・福山3 部署：システムエンジニア51

残業(月) 21.9時間 総21.9時間

記者評価 旧川崎製鉄（現JFEスチール）の製鉄所生産管理が源流。11年に旧NKK関連事業を承継。売上はJFEスチール向けが約5割。第2の柱は製造業主体の顧客先常駐案件。食品向けシステムなどに独自色、帳票ソフトで高シェア。サービスのクラウド化や顧客のDX支援など強化。

●給与、ボーナス、週休、有休ほか●

【30歳総合職モデル年収】690万円【初任給】（修士）278,000円（大卒）262,000円【ボーナス（年）】267万円、6.7カ月【25、30、35歳賃金】257,603円→301,776円→377,820円【週休】完全2日（土日祝）【夏期休暇】1日【年末年始休暇】12月29日～1月3日【有休取得】16.4／20日

●従業員数、勤続年数、離職率ほか●

【男女別従業員数、平均年齢、平均勤続年数】計 1,380（42.7歳 18.0年）男 994（43.6歳 18.9年）女 386（40.2歳 15.7年）【離職率と離職者数】2.3%、33名【3年後新卒定着率】87.5%（男90.6%、女81.3%、3年前入社：男32名・女16名）【組合】あり

求める人材 自ら考え、積極的にコミュニケーションの取れる人 好奇心旺盛な人

会社データ （金額は百万円）

【本社】105-0023 東京都港区芝浦1-2-3 シーバンスS館
☎0120-03-5020 https://www.jfe-systems.com/
【社長】大木 哲夫【設立】1983.9【資本金】1,390【今後力を入れる事業】DX推進 クラウド・セキュリティ事業

【業績(連結)】	売上高	営業利益	経常利益	純利益
22.3	50,394	5,608	5,644	3,724
23.3	56,472	6,247	6,281	4,323
24.3	62,033	7,401	7,452	4,968

㈱中電シーティーアイ（ちゅうでん）

株式公開 計画なし

【特色】中部電力系のIT企業。9割超が中電グループ向け

修士・大卒採用数	3年後離職率	有休取得年平均	平均年収(平均41歳)
51名	7.1 → 0%	14.9日	総 839万円

残業(月) 24.0時間 総 24.0時間

記者評価 中電コンピューターサービスとシーティーアイが合併して設立。中部電力の完全子会社で、グループ唯一のIT企業。グループの情報システム開発・保守・運用を一手に引き受け、売上の9割超が中電とその関連会社向け。名古屋市内に加え、東京、静岡にも拠点。

●エントリー情報と採用プロセス●

【受付開始～終了】総3月～4月 技11月～5月【採用プロセス】総ES提出(3月～)→適性検査(随時)→説明会(随時)→面接(2～3回、随時)→内々定 技説明会(必須、11月～)→ES提出・適性検査(11月～)→面接(2～3回、随時)→内々定【交通費支給】2次面接以降<事務系>1次面接以降、会社基準【早期選考】⇒巻末

試験情報

重視科目 総技面接

総 ES⇒巻末 筆C-GAB WebGAB 面2～3回 技 ES⇒巻末 筆WebCAB 面2～3回(Webあり)

選考ポイント 総技 ES NA(提出あり) 面論理思考 コミュニケーション能力 入社意欲

通過率 総 ES63%(受付:89→通過:56) 技 ES54%(受付:382→通過:205)

倍率(応募/内定) 総45倍 技7倍

●男女別採用数と配属先ほか●

【男女・文理別採用実績】

	大卒男	大卒女	修士男	修士女
23年	17(文 5理 12)	15(文 11理 4)	12(文 1理 11)	4(文 0理 4)
24年	24(文 9理 15)	12(文 7理 5)	9(文 0理 9)	1(文 0理 1)
25年	23(文 5理 18)	17(文 11理 6)	9(文 0理 9)	2(文 0理 2)

【25年4月入社者の採用実績校】文(大)名城大6 静岡大 南山大各2 三重大 愛知県大 名古屋市大 同大 愛知大 椙山女学大各1 理(院)岐阜大3 三重大 名城大各2 愛知県大 金沢工大 中京大 中部大各1(大)名城大5 中京大4 愛知県大 南山大 中部大各2 名大 名古屋市大 愛知工科大 福知山公大 東京農業大 京産大 静岡理工科大 サイバー大 山口東理大各1(専)トライデントコンピュータ 東京ITプログラミング＆会計名古屋校各1

【24年4月入社者の配属先】総勤務地:名古屋1 部署:労務1 技勤務地:名古屋46 静岡・御前崎2 部署:システムエンジニア43 数理解析エンジニア5

●給与、ボーナス、週休、有休ほか●

【30歳総合職平均年収】NA【初任給】(博士)NA (修士)255,000円 (大卒)235,000円【ボーナス(年)】NA【25、30、35歳賃金】NA【週休】完全2日(土日祝)【夏期休暇】なし【年末年始休暇】12月29日～1月3日【有休取得】14.9／20日

●従業員数、勤続年数、離職率ほか●

【男女別従業員数、平均年齢、平均勤続年数】計 1,294(40.9歳 17.1年) 男 984(42.6歳 18.5年) 女 310(35.7歳 13.3年)【離職率と離職者数】1.7%、23名【3年後新卒定着率】100%(男100%、女100%、3年前入社:男20名・女12名)【組合】あり

求める人材 「大志」をもって道を拓き、「情熱」をもって仕事にあたり、「感謝」をもって人と接する

会社データ (金額は百万円)

【本社】461-0005 愛知県名古屋市東区東桜1-1-1 アーバンネット名古屋ネクスタビル
☎052-740-6200 https://www.cti.co.jp/
【社長】伊藤 久徳【設立】2003.10【資本金】100【今後力を入れる事業】エネルギー業界を支える日本一のIT企業へ

【業績(単独)】	売上高	営業利益	経常利益	純利益
22.3	44,269	953	907	632
23.3	55,289	2,502	2,421	1,615
24.3	56,967	3,443	3,323	2,086

㈱シーイーシー

東京P 9692

【特色】独立系のシステム開発会社。富士通との関係密接

修士・大卒採用数	3年後離職率	有休取得年平均	平均年収(平均41歳)
97名	24.6 → 12.3%	16.4日	総 632万円

残業(月) 19.1時間 総 19.1時間

記者評価 組み込み系を軸としたソフト開発とITサービスが2本柱。トヨタグループなど優良顧客が多い。情報セキュリティやビジネス支援、自動車関連、生産性向上を狙う工場IoT化などに注力。24年2月に子会社のイーセクターを吸収合併するなどグループ会社再編を進める。

●エントリー情報と採用プロセス●

【受付開始～終了】技3月～継続中【採用プロセス】技説明会(必須)・能力適性検査(3月～)→面接(Webまたは対面・3回、3月～)→内々定(6月上旬)【交通費支給】なし【早期選考】⇒巻末

試験情報

重視科目 技なし

技 筆Compass 面3回(Webあり)

選考ポイント 技 ES提出なし 面IT業界・SEへの興味 主体的に取り組む自主性 柔軟性 チームワーク コミュニケーション能力

通過率 技 ES―(応募:(早期選考含む)2,379)

倍率(応募/内定) 技(早期選考含む)25倍

●男女別採用数と配属先ほか●

【男女・文理別採用実績】

	大卒男	大卒女	修士男	修士女
23年	45(文 29理 16)	32(文 27理 5)	1(文 0理 1)	0(文 0理 0)
24年	57(文 35理 22)	40(文 25理 15)	1(文 0理 1)	0(文 0理 0)
25年	59(文 36理 23)	37(文 31理 6)	0(文 0理 0)	1(文 0理 1)

【25年4月入社者の採用実績校】文(大)東洋大4 愛知大 専大 日大各3 産能大 中大 中京大 中部大 東京経大 名古屋市大 南山大 明学大各2 愛知学大 青学大 亜大 岩手県大 大阪学大 大阪経大 大妻女大 尾道市大 岐阜聖徳学大 京産大 近大 金城学大 群馬県女大 上智大 椙山女学大 成城大 成蹊大 西南学大 摂南大 創価大 大東文化大 玉川大 帝京大 東海学園大 東海大 都立大 獨協大 常葉大 名古屋外大 新潟国際情報大 文教大 文京学大 法政大 北海道情報大 名城大 明星大 武蔵野大 立正大各1 理(院)北大1(大)日大3 神奈川大 中大 南山大 日工大各2 愛知工科大 愛知工業大 茨城大 大阪工大 岡山理大 近大 工学院大 甲南大 成蹊大 東京都市大 都立大 名古屋国際工科専門職大 福岡大 福岡工大 法政大 三重大 大和大 横浜市大各1

【24年4月入社者の配属先】総勤務地:東京・恵比寿1 神奈川・座間1 大阪市1 部署:経理部1 営業本部2 技勤務地:東京(恵比寿13 品川10)神奈川(川崎21 座間10)名古屋27 大阪11 福岡4 部署:SE96

●給与、ボーナス、週休、有休ほか●

【30歳総合職平均年収】525万円【初任給】(修士)242,000円 (大卒)235,000円【ボーナス(年)】172万円、NA【25、30、35歳賃金】260,000円→281,636円→302,789円 ※地域手当含む【週休】完全2日(土日祝)【夏期休暇】有休利用【年末年始休暇】12月29日～1月3日【有休取得】16.4／20日

●従業員数、勤続年数、離職率ほか●

【男女別従業員数、平均年齢、平均勤続年数】計 1,505(40.5歳 15.0年) 男 1,127(42.1歳 16.3年) 女 378(35.7歳 11.0年)【離職率と離職者数】5.8%、92名【3年後新卒定着率】87.7%(男87.1%、女88.5%、3年前入社:男31名・女26名)【組合】なし

求める人材 ITに興味があり、探求心・向上心を持って、チームワークを尊重しながら柔軟に取り組める人

会社データ (金額は百万円)

【本社】150-0022 東京都渋谷区恵比寿南1-5-5 JR恵比寿ビル8階
☎03-5789-2441 https://www.cec-ltd.co.jp/
【社長】姫野 貴【設立】1968.2【資本金】6,586【今後力を入れる事業】DX／生産物流 モビリティ セキュリティ クラウド 他

【業績(連結)】	売上高	営業利益	経常利益	純利益
22.1	45,220	4,206	4,282	3,039
23.1	48,206	4,374	4,413	5,179
24.1	53,124	6,361	6,409	4,541

(株) J SOL
ジェイソル

株式公開 計画なし

【特色】NTTデータと日本総研の合弁。システム開発が柱

修士・大卒採用数	3年後離職率	有休取得年平均	平均年収(平均44歳)
71名	17.1 → 15.8%	17.3日	総 916万円

残業(月) 22.7時間 総 24.5時間

記者評価 日本総研のITサービス外販事業が母体。現在はNTTデータと日本総研が50%ずつ出資する。製造、流通、金融、公共等の基幹業務系に強い。ITコンサルからシステム構築・運用まで一貫。独自の「プロフェッショナル職」認定制度でITスキルを評価。東京・大阪の2本社制。

●エントリー情報と採用プロセス●

【受付開始～終了】技3月～6月【採用プロセス】技Webセミナー(必須、3月～)→ES提出(3月～)→適性検査(3月～)→ジョブマッチング・社員面談(3回)→内々定【交通費支給】3次選考以降、会社基準【早期選考】⇒巻末

試験情報

重視科目 技ジョブマッチング

技 ES⇒巻末 筆SPI3(自宅) 面3回(Webあり)

選考ポイント 技 ES志望する仕事が当社の事業内容とマッチするか 面主体性 論理的思考能力 コミュニケーション能力 リーダーシップ チャレンジ精神

通過率 技 ES39%(受付:(早期選考含む)2,200→通過:(早期選考含む)850)

倍率(応募/内定) 技(早期選考含む)30倍

●男女別採用数と配属先ほか●

【男女・文理別採用実績】

	大卒男	大卒女	修士男	修士女
23年	23(文 13理 10)	17(文 15理 2)	16(文 0理 16)	2(文 1理 1)
24年	22(文 14理 8)	9(文 7理 2)	16(文 0理 16)	2(文 0理 2)
25年	23(文 17理 6)	19(文 16理 3)	24(文 0理 24)	5(文 0理 5)

【25年4月入社者の採用実績校】文(大)明大 早大各5 関大 法政大各4 同大3 中大 立教大各2 阪大 大阪公大 お茶女大 名大 一橋大 立命館大 神戸大 QLD大各1 理(院)青学大 阪大各4 大阪公大 東北大各3 東理大 北大各2 岡山大 京大 九大 近大 千葉大 東京科学大 都立大 同大 徳島大 名大 明大各1(大)中大 法政大各2 電通大 東京科学大 東理大 横国大 立命館大各1

【24年4月入社者の配属先】技勤務地:(23年)東京・九段下42 大阪・土佐堀16 名古屋1 部署:(23年)システムエンジニア56 CAEエンジニア2 電磁界解析エンジニア1

●給与、ボーナス、週休、有休ほか●

【30歳総合職平均年収】710万円【初任給】(博士)305,000円(修士)275,000円(大卒)255,000円【ボーナス(年)】NA【25、30、35歳賃金】NA【週休】完全2日(土日祝)【夏期休暇】有休で取得【年末年始休暇】12月30日～1月3日【有休取得】17.3/20日

●従業員数、勤続年数、離職率ほか●

【男女別従業員数、平均年齢、平均勤続年数】計 1,340(42.8歳 15.4年) 男 1,013(43.5歳 15.9年) 女 327(40.8歳 13.7年)【離職率と離職者数】2.9%、40名【3年後新卒定着率】84.2%(男82.8%、女88.9%、3年前入社:男29名・女9名)【組合】なし

求める人材 「IT」を駆使して、お客様の未来を切り拓く「人間力」のある人

会社データ (金額は百万円)

【本社】102-0074 東京都千代田区九段南1-6-5 九段会館テラス
☎03-6261-7610 https://www.jsol.co.jp/
【社長】永井 健志【設立】2006.7【資本金】5,000【今後力を入れる事業】ITのトータル・サービス提供

【業績(単独)】	売上高	営業利益	経常利益	純利益
22.3	41,132	4,730	4,831	3,250
23.3	44,660	5,385	5,533	4,019
24.3	52,948	6,914	7,143	5,156

NTTテクノクロス(株)
エヌティティ

株式公開 計画なし

【特色】NTT系のソフトウェア会社。先端技術活用に定評

修士・大卒採用数	3年後離職率	有休取得年平均	平均年収(平均45歳)
52名	0 → 5.9%	17.9日	NA

残業(月) 21.5時間 総 21.5時間

記者評価 17年にNTTソフトウェアとNTTアイティが合併、さらにNTTアドバンステクノロジの音響・映像事業を統合して現体制。NTT研究所の最先端技術をベースに事業を展開する。AI活用に注力。次世代情報通信の「IOWN」構想を進める。働き方改革ソリューション提供。

●エントリー情報と採用プロセス●

【受付開始～終了】総技3月～5月【採用プロセス】総技ES提出・会社セミナー・適性検査(3月)→1次面接→幹部面接→内々定(5月)【交通費支給】最終面接、会社基準

試験情報

重視科目 総技面接

総技 ES⇒巻末 筆あり(内容NA) 面2回(Webあり)

選考ポイント 総技 ES NA(提出あり) 面NA

通過率 総技 ES NA

倍率(応募/内定) 総技NA

●男女別採用数と配属先ほか●

【男女・文理別採用実績】

	大卒男	大卒女	修士男	修士女
23年	22(文 5理 17)	15(文 8理 7)	11(文 0理 11)	1(文 0理 1)
24年	25(文 4理 21)	13(文 6理 7)	15(文 0理 15)	2(文 0理 2)
25年	25(文 7理 18)	18(文 7理 11)	6(文 0理 6)	3(文 0理 3)

【25年4月入社者の採用実績校】文(大)神奈川大4 愛知大 大妻女大 学習院大 京産大 成城大 帝京平成大 南山大 日大 佛教大 早大各1 理(院)埼玉大 電通大各2 東京電機大 県立広島大 東京工科大 中部大 東海大各1(大)東京電機大5 神奈川大4 諏訪東理大3 青学大 県立広島大各2 岩手大 大阪工大 神奈川工大 九大 群馬大 はこだて未来大 東京工科大 東京都市大 同大 東邦大 長崎県大 文教大 法政大各1

【24年4月入社者の配属先】総勤務地:横浜10 部署:営業系8 業務系2 技勤務地:神奈川(横浜32 他1)東京(田町3 荻窪4 他2)大阪3 部署:開発系45

●給与、ボーナス、週休、有休ほか●

【30歳総合職平均年収】NA【初任給】(修士)274,790円(大卒)262,790円【ボーナス(年)】NA【25、30、35歳賃金】NA【週休】完全2日(土日祝)【夏期休暇】5日【年末年始休暇】12月29日～1月3日【有休取得】17.9/20日

●従業員数、勤続年数、離職率ほか●

【男女別従業員数、平均年齢、平均勤続年数】計 1,877(45.0歳 17.9年) 男 1,553(46.2歳 18.7年) 女 324(39.3歳 14.2年)【離職率と離職者数】2.3%、45名(管理職転進支援制度男1名含む)【3年後新卒定着率】94.1%(男93.5%、女95.0%、3年前入社:男31名・女20名)【組合】あり

求める人材 技術に興味を持ち、自分の成長のために意欲的に行動できる人

会社データ (金額は百万円)

【本社】108-8202 東京都港区芝浦3-4-1 グランパークタワー15階
☎03-5782-7000 https://www.ntt-tx.co.jp/
【社長】岡 敦子【設立】1985.7【資本金】500【今後力を入れる事業】CX DX 生成AI セキュリティ メディカル

【業績(単独)】	売上高	営業利益	経常利益	純利益
22.3	45,761	2,044	2,327	1,688
23.3	47,522	2,240	2,476	1,774
24.3	52,172	2,461	2,636	1,862

コベルコシステム(株)

株式公開 計画なし

【特色】日本IBMと神戸製鋼が出資するシステム開発会社

修士・大卒採用数	3年後離職率	有休取得年平均	平均年収(平均42歳)
43名	10.1→9.8%	15.9日	[総]808万円

●エントリー情報と採用プロセス●

【受付開始～終了】[総][技]8月～7月【採用プロセス】[総][技]説明会(必須、8～7月)→グループ面接・適性テスト・ES記入(11～7月)→面接(2回、11～7月)→内々定(12～8月)【交通費支給】なし【早期選考】⇒巻末

試験情報

重視科目 [総][技]面接 適性テスト

[総][技][ES]⇒巻末[筆]WebGAB[面]2～3回(Webあり)

選考ポイント [総][技][面]コミュニケーション能力 論理的思考力 業界・仕事への理解・関心 職務適性 他

通過率 [総][技][ES]選考なし(受付:NA)

倍率(応募/内定) [総][技]NA

●男女別採用数と配属先ほか●

【男女・文理別採用実績】

	大卒男	大卒女	修士男	修士女
23年	27(文 24理 3)	30(文 28理 2)	4(文 1理 3)	2(文 1理 1)
24年	22(文 17理 5)	18(文 18理 0)	4(文 1理 3)	3(文 2理 1)
25年	21(文 15理 6)	21(文 20理 1)	1(文 0理 1)	0(文 0理 0)

※25年:24年8月20日時点

【25年4月入社者の採用実績校】
[文](大)関西学大 関大各4 大阪公大 同大 立命館大 甲南大 東洋大 創価大各2 兵庫県大 奈良女大 武庫川女大 大阪教大 京産大 松山大 都立大 産能大 上智大 明大 中大 専大 国士舘大 成蹊大 実践女大各1 [理](院)関西学大1(大)名工大 和歌山大 長崎大 同大 東理大 東京農業大 東京都市大各1

【24年4月入社者の配属先】
[総]勤務地:東京1 部署:営業1 [技]勤務地:神戸25 東京13 他8 部署:システムエンジニア46

残業(月) 16.5時間 [総]16.5時間

記者評価 日本IBMが51%、神戸製鋼が49%を出資。鉄鋼向けシステム開発のノウハウを生かし、基幹システムを構築。外販の拡大に注力、製造業向けの比率が高い。神戸・東京2本社制。コンサルから運用サービスまで一貫。独自のアプリケーションマスター認定制度がある。

●給与、ボーナス、週休、有休ほか●

【30歳総合職平均年収】670万円【初任給】(修士)260,000円(大卒)250,000円【ボーナス(年)】271万円、NA【25、30、35歳賃金】228,375円→293,379円→360,098円【週休】完全2日(土日祝、祝日週は土曜出勤の場合あり)【夏期休暇】2日【年末年始休暇】12月29日～1月5日【有休取得】15.9/20日

●従業員数、勤続年数、離職率ほか●

【男女別従業員数、平均年齢、平均勤続年数】計 1,248(41.7歳 13.2年) 男 980(43.7歳 14.2年) 女 268(34.3歳 9.4年)【離職率と離職者数】3.6%、46名【3年後新卒定着率】90.2%(男95.7%、女83.3%、3年前入社:男23名・女18名)【組合】なし

求める人材 「知的探求心」や「協調性」、「推進力」を持ち、誠実かつ主体的に行動できる人材

会社データ (金額は百万円)

【本社】657-0845 兵庫県神戸市灘区岩屋中町4-2-7 シマブンビル11階
☎078-261-7500 https://www.kobelcosys.co.jp/
【社長】瀬川 文宏【設立】1987.7【資本金】400【今後力を入れる事業】システム近代化 製造業向けDX AI・データ分析

【業績(単独)】	売上高	営業利益	経常利益	純利益
21.12	48,368	NA	NA	3,782
22.12	49,278	NA	NA	3,818
23.12	51,609	6,498	6,457	4,469

(株)オージス総研(そうけん)

株式公開 計画なし

【特色】大阪ガスの完全子会社。情報関連サービスを展開

修士・大卒採用数	3年後離職率	有休取得年平均	平均年収(平均44歳)
56名	5.7→9.8%	13.9日	[総]785万円

●エントリー情報と採用プロセス●

【受付開始～終了】[技]3月～未定【採用プロセス】[技]説明会・ES提出(3月～)→適性試験(3月～)→面接(3回、4月～)→内々定(5月～)【交通費支給】最終面接、会社基準(地域別に設定)

試験情報

重視科目 [技]面接

[技][ES]⇒巻末[筆]SPI3(会場)[面]3回(Webあり)

選考ポイント [技][ES]NA(提出あり)[面]ITへの興味関心 主体性 論理的思考力 コミュニケーション能力 他

通過率 [技][ES]NA(受付:726→通過:NA)

倍率(応募/内定) [技]13倍

●男女別採用数と配属先ほか●

【男女・文理別採用実績】

	大卒男	大卒女	修士男	修士女
23年	18(文 9理 9)	14(文 12理 2)	3(文 0理 3)	2(文 0理 2)
24年	21(文 13理 8)	9(文 6理 3)	5(文 0理 5)	0(文 0理 0)
25年	30(文 15理 15)	11(文 10理 1)	12(文 0理 12)	3(文 0理 3)

【25年4月入社者の採用実績校】
[文](大)近大 関大各4 同大 法政大各2 青学大 大阪公大 香川大 関西学大 神戸大 甲南大 甲南女大 摂南大 東洋大 日大 兵庫県大 名城大 立命館大各1 [理](院)関大 立命館大各2 大阪教大 大阪公大 岡山大 香川大 京都工繊大 芝工大 信州大 筑波大 東京電機大 東京都市大 山口大各1(大)大阪工大 近大各2 大阪教大 大阪公大 関大 関西学大 京都府大 甲南大 はこだて未来大 千葉工大 兵庫県大 大和大 立命館大 和歌山大各1

【24年4月入社者の配属先】
[技]勤務地:大阪22 東京9 名古屋4 部署:SE35

残業(月) 22.4時間 [総]22.4時間

記者評価 大阪・東京の2本社体制。IT戦略立案からシステム設計・開発、運用・管理まで一貫。エネルギー、金融、製造に幅広い顧客。グループ以外の売上比率は約4割。米シリコンバレーにも拠点を置く。AI、サイバーセキュリティ教育など他分野の企業との業務提携相次ぐ。

●給与、ボーナス、週休、有休ほか●

【30歳総合職平均年収】617万円【初任給】(博士)249,900円(修士)245,000円(大卒)228,000円【ボーナス(年)】262万円、7.4カ月【25、30、35歳賃金】223,870円→273,949円→300,318円【週休】完全2日(土日祝)【夏期休暇】1日+有休で取得【年末年始休暇】12月30日～1月4日【有休取得】13.9/20日

●従業員数、勤続年数、離職率ほか●

【男女別従業員数、平均年齢、平均勤続年数】計 1,581(43.7歳 17.1年) 男 1,156(44.7歳 17.8年) 女 425(41.0歳 15.3年)【離職率と離職者数】3.2%、53名【3年後新卒定着率】90.2%(男85.7%、女95.0%、3年前入社:男21名・女20名)【組合】なし

求める人材 ITへの興味関心が高く、責任感とやり抜く想いを持っている人 慎重でもいい！目的に向かって自らやるべき事を設定し行動できる人 自らの価値を高めることと、仲間と共にゴールを目指すことにベストを尽くせる人

会社データ (金額は百万円)

【本社】550-0023 大阪府大阪市西区千代崎3-南2-37 ICCビル
☎06-6584-0011 https://www.ogis-ri.co.jp/
【社長】吉村 和彦【設立】1983.6【資本金】440【今後力を入れる事業】クラウド AI ERP データ分析 アジャイル開発

【業績(単独)】	売上高	営業利益	経常利益	純利益
22.3	45,468	6,077	6,322	3,819
23.3	47,782	5,749	6,062	4,244
24.3	50,669	6,028	6,482	4,482

NSW(株)

エヌエスダブリュ

東京P 9739

【特色】独立系のソフト開発中堅。NECグループと親密

修士・大卒採用数	3年後離職率	有休取得年平均	平均年収(平均42歳)
84名	12.1→20.7%	13.9日	[総]621万円

残業(月) 20.5時間 [総]20.5時間

●エントリー情報と採用プロセス●

【受付開始～終了】[総][技]3月～継続中【採用プロセス】[総][技]説明会・ES提出・Webテスト(3月～)→面接(3回、3月下旬～)→内々定(4月～)【交通費支給】NA【早期選考】⇒巻末

試験情報

重視科目 [総][技]全て

[総][技] [ES]NA [筆]Web(自宅受験) [面]3回(Webあり)

選考ポイント [総][技] [ES]NA(提出あり) [面]コミュニケーション力 積極性 目的意識 ITスキル IT業界への関心 他

通過率 [総][技] [ES]NA 倍率(応募/内定) [総][技]NA

●男女別採用数と配属先ほか●

【男女・文理別採用実績】※25年:24年7月1日時点

	大卒男	大卒女	修士男	修士女
23年	78(文 18 理 60)	18(文 12 理 6)	11(文 0 理 11)	1(文 1 理 0)
24年	99(文 24 理 75)	20(文 10 理 10)	10(文 0 理 10)	1(文 0 理 1)
25年	65(文 20 理 45)	12(文 9 理 3)	7(文 2 理 5)	0(文 0 理 0)

【25年4月入社者の採用実績校】[文](院)東京電機大 岡山大各1(大)法政大3 関西学大 関大 國學院大 日大各2 愛知淑徳大 愛知大 県立広島大 常磐大 崇城大 西南学大 専大 大阪国際大 東京家政大 都立大 東洋大 南山大 武蔵大 福岡大 文教大 名古屋外大 名古屋市大 明大各1 [理](院)東海大 東洋大 茨城大 九大 北陸先端科技院大各1(大)日大6 神奈川工大5 福岡大 福岡工大各4 湘南工大3 近大 大阪電通大 法政大各2 東海大 東洋大 サイバー大 京都橘大 工学院大 広島工大 芝工大 新潟工大 神奈川大 成蹊大 青学大 千歳科技大 千葉工大 大阪工大 大和大 東京工科大 東京電機大 東京都市大 南山大 龍谷大各1(高専)山梨県立甲府工業高等学校・専攻科 熊本各1(専)船橋情報ビジネス 東京ITプログラミング&会計名古屋校各2 HAL大阪 広島IT情報クリエイター 沼津情報・ビジネス 大原簿記情報ビジネス医療 中央情報大学校 東京ITプログラミング&会計 東京ITプログラミング&会計 東京ITプログラミング&会計名古屋校 日本工学院八王子 北九州情報ITクリエイター 麻生情報ビジネス各1

【24年4月入社者の配属先】[総]勤務地:東京8 部署:営業7 経理1 [技]勤務地:東京105 山梨6 名古屋3 大阪8 福岡9 部署:ITエンジニア131

[記者評価] システム開発、組み込み・制御ソフトやLSI・FPGA開発、自社データセンターを核としたクラウドサービスなど展開。NECグループが売上の約1割を占める主要顧客。生産・メンテ現場の遠隔支援用でスマートグラスの活用提案を推進。IoTやAI分野に注力。

●給与、ボーナス、週休、有休ほか●

【30歳総合職平均年収】530万円【初任給】(修士)262,000円(大卒)255,000円【ボーナス(年)】169万円、5.09カ月【25、30、35歳賃金】NA【週休】完全2日(土日祝)【夏期休暇】年間で連続平日5日【年末年始休暇】12月29日～1月3日【有休取得】13.9/20日

●従業員数、勤続年数、離職率ほか●

【男女別従業員数、平均年齢、平均勤続年数】計 1,958(41.6歳 14.4年)男 1,712(42.1歳 14.8年)女 246(38.0歳 11.1年)【離職率と離職者数】4.5%、93名【3年後新卒定着率】79.3%(男80.0%、女76.5%、3年前入社:男70名・女17名)【組合】なし

[求める人材] 課題を解決する為に顧客視点であらゆる手段を考え、自発的に行動できる人

[会社データ] (金額は百万円)

【本社】150-8577 東京都渋谷区桜丘町31-11
☎03-3770-1111 https://www.nsw.co.jp/
【社長】多田 尚二【設立】1966.8【資本金】5,500【今後力を入れる事業】DX IoT AI VR/AR L5G 半導体

【業績(連結)】	売上高	営業利益	経常利益	純利益
22.3	43,452	4,919	5,025	3,469
23.3	46,188	5,387	5,442	4,090
24.3	50,299	5,862	5,940	4,287

tdiグループ

ティーディーアイ

株式公開していない

【特色】独立系のIT企業。ソフト開発主力に運用管理等も

修士・大卒採用数	3年後離職率	有休取得年平均	平均年収(平均41歳)
80名	17.4→27.3%	15.7日	[総]704万円

残業(月) 14.9時間 [総]14.9時間

●エントリー情報と採用プロセス●

【受付開始～終了】[総][技]3月～継続中【採用プロセス】[総][技]説明会(必須、3月～)→適性検査(3月～)→面接(2回、3月～)→内々定【交通費支給】なし【早期選考】⇒巻末

試験情報

重視科目 [総][技]面接

[総][技] [筆]SPI3(会場) [面]2回(Webあり)

選考ポイント [総][技] [ES]提出なし [面]コミュニケーション能力 論理的思考力 自律遂行力

通過率 [総] [ES]―(応募:(早期選考含む)112) [技] [ES]―(応募:(早期選考含む)936)

倍率(応募/内定) [総](早期選考含む)9倍 [技](早期選考含む)14倍

●男女別採用数と配属先ほか●

【男女・文理別採用実績】

	大卒男	大卒女	修士男	修士女
23年	36(文 26 理 10)	25(文 23 理 2)	6(文 1 理 5)	7(文 3 理 4)
24年	39(文 27 理 12)	44(文 37 理 7)	7(文 0 理 7)	1(文 0 理 1)
25年	37(文 22 理 15)	26(文 20 理 6)	8(文 4 理 4)	9(文 6 理 3)

【25年4月入社者の採用実績校】[文](院)早大2 一橋大 慶大 東京外大 東北大 阪大 神戸大 同大 立命館大各1(大)関大 立命館大各5 立教大 同大各3 明大 関西学大 西南学大 青学大 名古屋市大 名古屋外大各2 阪大 名大 慶大 上智大 横国大 中大 成城大 國學院大 駒澤大 東北福祉大 南山大 中京大 名古屋学院大 和歌山大各1 [理](院)慶大2 東京科学大 九大 筑波大 中大 静岡県大各1(大)関大 同大 南山大 名城大各2 阪大 千葉大 神戸大 明大 法政大 大阪府大 関西学大 東京都市大 麻布大 近大 甲南大 福岡大 福岡工大各1

【24年4月入社者の配属先】[総]勤務地:東京・新宿10 大阪市2 部署:コンサルタント12 [技]勤務地:東京・新宿23 神奈川・新横浜5 名古屋14 大阪市35 福岡市2 部署:ITエンジニア79

[記者評価] 正式名・情報技術開発。MBOで16年株式非公開化。システム開発・運用、組み込みソフト、セキュリティなど各種ソリューション、半導体評価・解析などをグループで手がけ、幅広い業種の顧客にサービス提供。RPAやAI分野などに注力。資格取得の支援制度が充実。

●給与、ボーナス、週休、有休ほか●

【30歳総合職平均年収】610万円【初任給】(修士)246,500円(大卒)230,000円【ボーナス(年)】205万円、6.5カ月【25、30、35歳賃金】241,670円→276,166円→309,990円【週休】完全2日(土日祝)【夏期休暇】夏期に限らず有休を利用し連続5日以上取得【年末年始休暇】連続6日【有休取得】15.7/20日

●従業員数、勤続年数、離職率ほか●

【男女別従業員数、平均年齢、平均勤続年数】計 1,365(40.9歳 15.4年)男 1,070(43.3歳 17.5年)女 295(32.4歳 8.1年)【離職率と離職者数】4.5%、65名(早期退職6名含む)【3年後新卒定着率】72.7%(男70.6%、女76.2%、3年前入社:男34名・女21名)【組合】なし

[求める人材] 意欲的に学ぶ姿勢を持ち、前向きに物事に取り組むことができる人

[会社データ] (金額は百万円)

【本社】163-1332 東京都新宿区西新宿6-5-1 新宿アイランドタワー
☎03-5325-4811 https://www.tdi.co.jp/
【社長】三好 一郎【設立】(創業)1968.9【資本金】1,351【今後力を入れる事業】ローコード開発 AI 自動化 ERP 他

【業績(連結)】	売上高	営業利益	経常利益	純利益
22.3	36,244	2,618	2,745	1,575
23.3	38,461	2,529	2,688	1,529
24.3	42,414	2,769	2,945	1,072

※会社データは情報技術開発㈱、その他データはグループ3社の合算

通信・ソフト

㈱オービックビジネスコンサルタント

東京P 4733

【特色】通称OBC。業務ソフト「奉行シリーズ」で著名

修士・大卒採用数	3年後離職率	有休取得年平均	平均年収(平均*35歳)
110名	23.3→25.4%	12.6日	[総]694万円

●エントリー情報と採用プロセス●

【受付開始～終了】[総]12月～4月【採用プロセス】[総]セミナー(必須、1月～)→筆記(1～3月)→GD(2～3月)→面接(3～4回、3～6月)→内々定(4月中旬～)【交通費支給】なし

試験情報

[重視科目] [総]面接

[総][筆]Webテスト[面]3～4回(Webあり)[GD作]NA

[選考ポイント] [総][ES]提出なし[面]コミュニケーション能力 成長性 協調性 人柄

[通過率] [総][ES]—(応募:1,389)

[倍率(応募/内定)] [総]12倍

●男女別採用数と配属先ほか●

【男女・文理別採用実績】

	大卒男	大卒女	修士男	修士女
23年	42(文 36理 6)	41(文 39理 2)	4(文 1理 3)	1(文 1理 0)
24年	42(文 39理 3)	40(文 38理 2)	1(文 0理 1)	1(文 0理 1)
25年	55(文 43理 12)	53(文 45理 8)	2(文 0理 2)	0(文 0理 0)

【25年4月入社者の採用実績校】[文](大)武蔵大7 関大 中大各6 専大 同大 立命館大各5 日大 成城大各4 龍谷大 明大 立教大 東洋大各3 関西学大 青学大 中京大 駒澤大 東北大 同女大 南山大 兵庫県大 國學院大 法政大 近大各2 京産大 京都女大 小樽商大 新潟大 神戸大 早大 大阪府大 津田塾大 東理大 武庫川女大 福岡大 立正大各1 [理](院)山梨大 信州大各1(大)日大4 近大 東洋大各3 関大2 神奈川大 工学院大 鹿児島大 成蹊大 長崎大 明大 法政大 龍谷大各1

【24年4月入社者の配属先】[総]勤務地:東京・新宿18 大阪5 名古屋4 広島3 仙台3 福岡2 横浜1 金沢1 静岡1 札幌1 さいたま1 部署:営業20 インストラクター10 営業推進(マーケティング)10 [技]勤務地:東京・新宿44 部署:開発44

残業(月) 20.0時間 [総]20.0時間

[記者評価] 中小企業の間接業務部門向けソフトに強み。会計ソフト「勘定奉行」を筆頭に、人事や給与など多数の業務用ソフトを展開する。近年はソフトのクラウド提供を推進中。販売はパートナー企業経由が大半。オービックが筆頭株主、無借金で好財務。

●給与、ボーナス、週休、有休ほか●

【30歳総合職平均年収】NA【初任給】(修士)255,200円(大卒)250,000円【ボーナス(年)】NA【25、30、35歳賃金】NA【週休】完全2日(土日祝)【夏期休暇】連続3日+有休で取得【年末年始休暇】12月29日～1月3日【有休取得】12.6／20日

●従業員数、勤続年数、離職率ほか●

【男女別従業員数、平均年齢、平均勤続年数】計 941(35.1歳 11.8年) 男 588(36.7歳 13.5年) 女 353(32.4歳 9.1年)【離職率と離職者数】6.5%、65名【3年後新卒定着率】74.6%(男67.6%、女84.6%、3年前入社:男37名・女26名)【組合】なし

[求める人材] チームワークを重視し、成長のための学びを継続できる人

[会社データ] (金額は百万円)

【本社】163-6029 東京都新宿区西新宿6-8-1
☎03-3342-1880 https://www.obc.co.jp/
【社長】和田 成史【設立】1980.12【資本金】10,519【今後力を入れる事業】クラウドコンピューティングへの対応

【業績(単独)】	売上高	営業利益	経常利益	純利益
22.3	34,757	16,357	17,157	11,811
23.3	33,704	14,709	15,834	11,033
24.3	41,954	18,748	19,869	13,841

ティーディーシー
TDCソフト㈱

東京P 4687

【特色】ソフト開発中堅。大規模金融システムに強い

修士・大卒採用数	3年後離職率	有休取得年平均	平均年収(平均36歳)
168名	16.3→16.1%	12.1日	[総]622万円

●エントリー情報と採用プロセス●

【受付開始～終了】[技]3月～8月【採用プロセス】[技]説明会(必須、3月～)→Web試験・履歴書提出(3月～)→面接(2回、3月～)→内々定(4月～)【交通費支給】最終面接、全額【早期選考】⇒巻末

試験情報

[重視科目] [技]面接

[技][ES]⇒巻末[筆]SPI3(自宅) SPI性格[面]2回(Webあり)

[選考ポイント] [技][面]論理的思考 主体性 コミュニケーション 志望動機 キャリアイメージ 身だしなみ 他

[通過率] [技][ES]—(応募:4,012) [倍率(応募/内定)] [技]56倍

●男女別採用数と配属先ほか●

【男女・文理別採用実績】

	大卒男	大卒女	修士男	修士女
23年	74(文 28理 46)	44(文 27理 17)	8(文 2理 6)	1(文 0理 1)
24年	91(文 38理 53)	43(文 32理 11)	11(文 2理 9)	4(文 2理 2)
25年	107(文 42理 65)	49(文 38理 11)	9(文 0理 9)	3(文 0理 3)

【25年4月入社者の採用実績校】[文](大)日大13 明大 青学大 成蹊大 獨協大 東洋大 大妻女大 拓大各3 中大 法政大 明学大 武蔵大 武庫川女大 近大 専大 国士舘大 國學院大 神奈川大各2 東北大 学習院大 成城大 南山大 津田塾大 東京女大 日女大 立命館大 立命館APU 大阪府大 滋賀大 同女大 駒澤大 昭和女大 創価大 群馬県女大 東京家政大 産能大 放送大 亜大 杏林大 桜美林大 新潟国際情報大 帝京大 明星大 立正大各1 [理](院)明大2 東大 横国大 横浜市大 立命館大 群馬大 鳥取大 徳島大 日大 千葉工大 神奈川工大各1(大)神奈川工大9 千葉工大7 日大6 東洋大5 近大4 東京工科大 東京電機大 産能大各3 東理大 法政大 東邦大 東京都市大 文教大 神奈川大各2 筑波大 立教大 関大 同大 学習院大 芝工大 成蹊大 武蔵野大 都立大 京都橘大 工学院大 摂南大 龍谷大 秋田大 島根大 はこだて未来大 金沢工大 東海大 立正大 玉川大 東京情報大 福岡工大 湘南工大 日工大各1(短)熊本技術2(高専)函館 福井各1(専)東京ITプログラミング4 大原簿記情報ビジネス 盛岡情報ビジネス&デザイン 日本工学院八王子各2 YIC情報ビジネス 国際理工カレッジ 大原簿記法律 東京IT会計公務員 東京情報クリエイター工学院 北海道情報各1

【24年4月入社者の配属先】[技]勤務地:東京・千代田154 大阪市13 部署:システム開発本部154 関西支社13

残業(月) 24.6時間 [総]24.6時間

[記者評価] 独立系SI中堅。ソフトウェアの受託開発が中心で、保険・クレジットカードなど金融向けの比率が高い。NTTやIBM、富士通系列が主要顧客。クラウドや情報セキュリティ分野を強化。20年に八木ビジネスコンサルタントを買収。アジャイル開発関連に資源重点配備。

●給与、ボーナス、週休、有休ほか●

【30歳総合職平均年収】578万円【初任給】(修士)260,000円(大卒)250,000円【ボーナス(年)】136万円、3.9カ月【25、30、35歳賃金】266,000円→304,000円→322,000円 ※東京本社【週休】完全2日(土日祝)【夏期休暇】2日【年末年始休暇】連続6日【有休取得】12.1／20日

●従業員数、勤続年数、離職率ほか●

【男女別従業員数、平均年齢、平均勤続年数】計 1,920(36.2歳 11.1年) 男 1,545(37.4歳 12.2年) 女 375(31.4歳 7.0年)【離職率と離職者数】4.5%、91名【3年後新卒定着率】83.9%(男92.5%、女68.2%、3年前入社:男40名・女22名)【組合】なし

[求める人材] 「一緒に働きたい」と思える人 様々な個性や強みを持った人

[会社データ] (金額は百万円)

【本社】102-0074 東京都千代田区九段南1-6-5 九段会館テラス
☎03-6730-8111 https://www.tdc.co.jp/
【社長】小林 裕嘉【設立】1963.12【資本金】970【今後力を入れる事業】アジャイル クラウドネイティブ セキュリティ UXD 他

【業績(連結)】	売上高	営業利益	経常利益	純利益
22.3	30,925	2,967	3,082	2,069
23.3	35,242	3,458	3,714	2,490
24.3	39,698	3,807	4,253	3,089

開示 ★★

(株)図研

東京P 6947

【特色】プリント基板用CAD／CAM国内最大手。世界首位級

修士・大卒採用数	3年後離職率	有休取得年平均	平均年収(平均43歳)
20名	NA	13.7日	(総)824万円

●エントリー情報と採用プロセス●

【受付開始～終了】(総)(技)3月～継続中【採用プロセス】(総)(技)説明会(必須、12月～)→ES提出・SPI→面接(2回)→内々定【交通費支給】最終面接以降、地域別設定額【早期選考】⇒巻末

試験情報

重視科目 (総)(技)面接 SPI3

(総)(技)(ES)NA(筆)SPI3(会場) SPI3(自宅)(面)2回(Webあり)

選考ポイント (総)(技)(ES)文章力(論理性 他)(面)コミュニケーション能力 論理的思考力 チャレンジ精神 向上心 達成意欲

通過率 (総)(技)(ES)NA

倍率(応募/内定) (総)(技術系含む)43倍 (技)―

●男女別採用数と配属先ほか●

【男女・文理別採用実績】

	大卒男	大卒女	修士男	修士女
23年	6(文 4理 2)	0(文 0理 0)	7(文 0理 7)	1(文 0理 1)
24年	9(文 3理 6)	0(文 0理 0)	5(文 1理 4)	0(文 0理 0)
25年	-(文 -理 -)	-(文 -理 -)	-(文 -理 -)	-(文 -理 -)

※25年:20名採用予定

【25年4月入社者の採用実績校】
(文)(24年)(院)シェフィールド大1(大)早大 法政大 同大各1 (理)(24年)(院)東京農工大 埼玉大 豊橋技科大 日大各1(大)東京電機大2 明大 法政大 日大 仁川大各1

【24年4月入社者の配属先】
(総)勤務地:横浜6 部署:営業3 SE3 (技)勤務地:横浜8 部署:開発8

残業(月) 18.7時間 (総)20.3時間

記者評価 プリント基板設計用CAD／CAMで国内首位、世界でも首位級。自動車、通信、航空、ハイテク産業などに顧客基盤を持つ。電装化進む自動車関連、産業機械向けを深耕。海外はアジア、欧米に拠点。自社開発に加え、提携やM&Aなどを駆使して機動的に技術獲得を狙う。

●給与、ボーナス、週休、有休ほか●

【30歳総合職平均年収】NA【初任給】(修士)262,570円(大卒)250,570円【ボーナス(年)】262万円、6.397カ月【25、30、35歳賃金】NA【週休】完全2日(土日祝)【夏期休暇】連続9日【年末年始休暇】連続7～9日【有休取得】13.7／20日

●従業員数、勤続年数、離職率ほか●

【男女別従業員数、平均年齢、平均勤続年数】計434(44.5歳 17.8年) 男 375(44.9歳 18.5年) 女 59(41.9歳 13.9年)【離職率と離職者数】3.8%、17名【3年後新卒定着率】NA【組合】なし

求める人材 高いコミュニケーション能力を持ち、達成意欲の旺盛な人

会社データ (金額は百万円)

【本社】224-8585 神奈川県横浜市都筑区荏田東2-25-1
☎045-942-1511 https://www.zuken.co.jp/
【社長】勝部 迅也【設立】1976.12【資本金】10,117【今後力を入れる事業】デザイン・オートメーション分野 MBSE分野

【業績(連結)】	売上高	営業利益	経常利益	純利益
22.3	31,502	3,904	4,177	3,002
23.3	35,073	4,428	4,735	3,196
24.3	38,466	4,796	5,439	3,868

(株)アイネット

東京P 9600

【特色】独立系のシステム開発、情報処理サービス会社

修士・大卒採用数	3年後離職率	有休取得年平均	平均年収(平均40歳)
60名	21.9→25.8%	13.8日	(総)637万円

●エントリー情報と採用プロセス●

【受付開始～終了】(総)(技)3月～8月【採用プロセス】(総)(技)説明会・筆記・ES提出(3月中旬～)→面接(3回、3月中旬～)→内々定(3月下旬～)【交通費支給】なし【早期選考】⇒巻末

試験情報

重視科目 (総)(技)面接

(総)(技)(ES)⇒巻末(筆)WebCAB(面)3回(Webあり)

選考ポイント (総)(技)(面)人柄 主体性 意欲 コミュニケーション能力 他

通過率 (総)(技)(ES)選考なし(受付:NA)

倍率(応募/内定) (総)(技)NA

●男女別採用数と配属先ほか●

【男女・文理別採用実績】

	大卒男	大卒女	修士男	修士女
23年	25(文 12理 13)	14(文 10理 4)	1(文 0理 1)	0(文 0理 0)
24年	31(文 16理 15)	17(文 15理 2)	1(文 0理 1)	3(文 1理 2)
25年	40(文 20理 20)	20(文 14理 6)	0(文 0理 0)	0(文 0理 0)

【25年4月入社者の採用実績校】
(文)(大)産能大4 神奈川大 関東学院大 帝京大各3 専大 文教大各2 宇都宮共和大 立正大 東洋英和女学大 多摩大 相模女大 東京経大 常葉大 法政大 城西国際大 神田外語大 東洋大 中央学大 日大 青森公大 埼玉大 実践女大 学習院大各1 (理)(大)日大 神奈川工大各5 関東学院大3 東京都市大2 会津大 静岡理工科大 東海大 成蹊大 東洋大 湘南工大 神奈川大 東京工科大 青学大 信州大 新潟大各1(専)情報科学2 大原簿記情報ビジネス横浜校 愛和システムエンジニア各1

【24年4月入社者の配属先】
(総)勤務地:横浜6 東京3 部署:営業7 管理本部2 (技)勤務地:横浜12 東京34 部署:技術46

残業(月) 16.6時間 (総)16.6時間

記者評価 データセンター(DC)とクラウド関連が柱のITサービスプロバイダー。DC規模は独立系で首位級。再エネ電力の導入に意欲的。SSやクレジット等金融、流通系に強い。JAXA各種プロジェクトで実績多い。宇宙デブリ除去事業強化。DX人材を育成中。第3DC新設も視野。

●給与、ボーナス、週休、有休ほか●

【30歳総合職平均年収】546万円【初任給】(修士)250,000円(大卒)240,000円【ボーナス(年)】153万円、4.5カ月【25、30、35歳賃金】250,200円→279,823円→325,225円【週休】完全2日(土日祝)【夏期休暇】3日【年末年始休暇】連続6日【有休取得】13.8／20日

●従業員数、勤続年数、離職率ほか●

【男女別従業員数、平均年齢、平均勤続年数】計954(40.3歳 16.7年) 男 706(42.5歳 18.7年) 女 248(34.1歳 11.1年)【離職率と離職者数】NA【3年後新卒定着率】74.2%(男78.8%、女69.7%、3年前入社:男33名・女33名)【組合】なし

求める人材 自ら考えて行動でき、変化を恐れずチャレンジできる人

会社データ (金額は百万円)

【本社】220-0012 神奈川県横浜市西区みなとみらい5-1-2 横浜シンフォステージ ウエストタワー13階
☎045-682-0800 https://www.inet.co.jp/
【社長】佐伯 友道【設立】1971.4【資本金】3,203【今後力を入れる事業】データセンター クラウド DX AI データ分析 宇宙

【業績(連結)】	売上高	営業利益	経常利益	純利益
22.3	31,169	2,367	2,542	1,694
23.3	34,988	2,129	2,175	1,343
24.3	37,763	2,887	2,935	2,197

開示 ★★★

㈱アグレックス

[株式公開計画なし]

【特色】TISの完全子会社。BPOが主力。生損保の顧客が多い

修士・大卒採用数	3年後離職率	有休取得年平均	平均年収(平均39歳)
26名	NA	14.4日	[総]606万円

残業(月) 14.6時間 [総]14.6時間

[記者評価] TISインテックグループのBPO事業中核。顧客企業の業務を一括受託するBPO事業のほかソリューション、システム構築から運用まで一貫支援も。ベトナム、タイに海外拠点。金融に幅広い顧客基盤。22年に三菱UFJ銀行法人顧客のDX化支援で5社提携。子育て支援充実。

●エントリー情報と採用プロセス●

【受付開始〜終了】[技]3月〜7月【採用プロセス】[技]説明会(必須)→適性検査(3月〜)→ES提出・面接(2回、3月下旬〜)→内々定(4月中旬〜)【交通費支給】なし【早期選考】⇒巻末

試験情報

重視科目 [技]面接

[技][ES]⇒巻末[筆]SPI3(自宅)[面]2回(Webあり)

選考ポイント [技][ES]面接時の参考として、経歴、学生時代の経験、自己PRの内容を確認[面]正確に自分の考え・思い・志向を語れるか マナーと誠実さ コミュニケーション能力 論理的思考力 仕事内容についての理解度

通過率 [技][ES]選考なし(受付:NA)

倍率(応募/内定) [技]NA

●男女別採用数と配属先ほか●

【男女・文理別採用実績】

	大卒男	大卒女	修士男	修士女
23年	37(文 26 理 11)	20(文 18 理 2)	1(文 0 理 1)	1(文 0 理 1)
24年	32(文 20 理 12)	16(文 15 理 1)	0(文 0 理 0)	2(文 0 理 2)
25年	13(文 7 理 6)	13(文 9 理 4)	0(文 0 理 0)	0(文 0 理 0)

【25年4月入社者の採用実績校】

[文](大)関大 立命館大 成蹊大 明学大 日女大 専大 龍谷大各1 他 [理](大)明大 成蹊大 日大 東洋大 東京農業大 工学院大各1 他

【24年4月入社者の配属先】

[技]勤務地:東京41 大阪7 札幌2 部署:SE50

●給与、ボーナス、週休、有休ほか●

【30歳総合職平均年収】NA【初任給】(修士)237,000円(大卒)232,000円【ボーナス(年)】NA、5.0カ月【25、30、35歳賃金】NA【週休】完全2日【夏期休暇】3日(リフレッシュ休暇)【年末年始休暇】12月31日〜1月3日【有休取得】14.4／20日

●従業員数、勤続年数、離職率ほか●

【男女別従業員数、平均年齢、平均勤続年数】計 2,087(39.4歳 11.3年) 男 1,149(41.4歳 13.2年) 女 938(38.0歳 10.6年)【離職率と離職者数】NA【3年後新卒定着率】NA(3年前入社:男21名・女29名)【組合】なし

[求める人材] 自ら考え行動でき、新しいことに前向きに取り組める人

[会社データ] (金額は百万円)

【本社】163-1438 東京都新宿区西新宿3-20-2 東京オペラシティビル
☎03-5371-1500　https://www.agrex.co.jp/
【社長】山本 修司【設立】1965.9【資本金】1,292【今後力を入れる事業】BPO事業 SI事業

【業績(単独)】	売上高	営業利益	経常利益	純利益
22.3	38,215	4,193	4,530	3,181
23.3	38,077	4,215	4,617	3,241
24.3	37,185	3,792	4,157	2,925

㈱菱友(りょうゆう)システムズ

[東京S 4685]

【特色】三菱重工系のIT企業。IBMの有力特約店

修士・大卒採用数	3年後離職率	有休取得年平均	平均年収(平均43歳)
60名	17.1→29.8%	14.0日	[総]701万円

残業(月) 15.0時間 [総]15.0時間

[記者評価] ITインフラやシステム構築から運用まで一貫。情報処理、ソフト開発、設計解析、システム機器販売の4本柱。IBMの有力特約店。三菱重工が筆頭株主で、売上の約5割が同社向け。流体・制御等の解析技術を生かし航空宇宙、自動車関連に注力。AI導入支援サービス強化。

●エントリー情報と採用プロセス●

【受付開始〜終了】[技]3月〜継続中【採用プロセス】[技]説明会(必須、3月〜)→ES提出→作文→Webテスト→面接(2〜3回)→内々定【交通費支給】最終面接、新幹線または航空機の往復費用【早期選考】⇒巻末

試験情報

重視科目 [技]面接

[技][ES]⇒巻末[筆]SPI3(会場)[面]2〜3回(Webあり)[GD作]⇒巻末

選考ポイント [技][ES]NA(提出あり)[面]NA

通過率 [技][ES]NA

倍率(応募/内定) [技]NA

●男女別採用数と配属先ほか●

【男女・文理別採用実績】

	大卒男	大卒女	修士男	修士女
23年	21(文 9 理 12)	11(文 9 理 2)	6(文 0 理 6)	0(文 0 理 0)
24年	19(文 9 理 10)	12(文 10 理 2)	4(文 0 理 4)	0(文 0 理 0)
25年	-(文 - 理 -)	-(文 - 理 -)	-(文 - 理 -)	-(文 - 理 -)

【25年4月入社者の採用実績校】

[文](24年)(大)武蔵野大 昭和女大各2 専大 東洋大 拓大 武蔵大 神奈川大 清泉女大 跡見学園女大 大妻女大 共立女大 東京女大 立命館大 名城大 南山大 桃山学大 星城大各1 [理](24年)(院)名城大2 三重大 日大各1(大)千葉工大 東京情報大各2 室蘭工大 東理大 日工大 東京工科大 サイバー大 中部大 大阪産大 大阪電通大各1(専)麻生情報ビジネス2 トライデントコンピュータ 船橋情報ビジネス各1

【24年4月入社者の配属先】[総]勤務地:東京1 部署:総務1 [技]勤務地:東京20 神奈川4 愛知8 兵庫4 岡山1 滋賀1 部署:ITエンジニア35 解析・設計エンジニア3

●給与、ボーナス、週休、有休ほか●

【30歳総合職平均年収】533万円【初任給】(修士)244,800円(大卒)233,700円【ボーナス(年)】222万円、6.58カ月【25、30、35歳賃金】240,000円→269,000円→297,000円【週休】完全2日(土日祝)【夏期休暇】3日【年末年始休暇】連続7日【有休取得】14.0／20日

●従業員数、勤続年数、離職率ほか●

【男女別従業員数、平均年齢、平均勤続年数】計 1,244(43.3歳 18.9年) 男 1,080(44.4歳 20.0年) 女 164(36.6歳 11.5年)【離職率と離職者数】3.9%、51名【3年後新卒定着率】70.2%(男67.7%、女75.0%、3年前入社:男31名・女16名)【組合】なし

[求める人材] 求められていることの本質をつかむ「理解力」常にワンランク上を目指す「向上心」周囲に働きかけ、前向きに行動する「能動性」がある人

[会社データ] (金額は百万円)

【本社】105-0023 東京都港区芝浦1-2-3 シーバンスS館
☎03-6809-3750　https://www.ryoyu.co.jp/
【社長】安井 讓【設立】1968.7【資本金】709【今後力を入れる事業】全事業

【業績(連結)】	売上高	営業利益	経常利益	純利益
22.3	30,260	2,333	2,467	1,580
23.3	33,138	2,673	2,711	1,834
24.3	37,062	3,581	3,596	2,416

東芝情報システム(株)

とうしばじょうほう

株式公開 計画なし

【特色】東芝系システム会社。組み込みとLSIの両輪

修士・大卒採用数	3年後離職率	有休取得年平均	平均年収(平均46歳)
83名	9.1→15.6%	17.9日	総800万円

残業(月) 24.2時間 総24.2時間

記者評価 東芝デジタルソリューションズの子会社。デンソーも20%の株式を保有。21年のグループ再編でSI事業をグループ他社に移管。エンベデッド(組み込み)、LSI(ロジック設計など)の2本柱で、前者の比重が大きい。車載機器や社会インフラに強い。

●エントリー情報と採用プロセス●

【受付開始～終了】総3月～5月 技3月～7月【採用プロセス】総技ES提出→書類選考→1次面接→Web適性検査(選考なし)→2次面接→内々定【交通費支給】2次面接、実費【早期選考】⇒巻末

試験情報

重視科目 総技面接

総技ES⇒巻末 筆HCi適性検査 面2回(Webあり)

選考ポイント 総ES希望する職種 学生時代に力を入れたこと 面学生時代「これだけは懸命にやった」と自負できるものがあるか 双方向コミュニケーションがとれるか 技ES希望する職種 学生時代に力を入れたこと 技術分野 面総合職共通

通過率 総ES40%(受付:91→通過:36) 技ES71%(受付:375→通過:266) **倍率**(応募/内定) 総30倍 技7倍

●男女別採用数と配属先ほか●

【男女・文理別採用実績】

	大卒男	大卒女	修士男	修士女
23年	23(文 1理 22)	5(文 1理 4)	8(文 0理 8)	2(文 0理 2)
24年	28(文 1理 27)	6(文 1理 5)	10(文 0理 10)	2(文 0理 2)
25年	53(文 6理 47)	10(文 4理 6)	17(文 0理 17)	3(文 0理 3)

【25年4月入社者の採用実績校】文(大)神奈川大 大妻女大各2 日女大 武庫川女大 日大 愛知学大 関東学院大 中部大各1 理(院)広島市大 豊橋技科大各2 長崎大 奈良女大 東京電機大 岡山理大 広島工大 山口大 東大 芝工大 都立大 青学大 日大 法政大 立命館大 千葉大 茨城大 筑波大各1(大)日大7 東京電機大6 東海大 千葉工大各5 関東職能大学校3 福岡工大 日工大 龍谷大 北海道科学大各2 工学院大 職能大学校 東北職能大学校 大阪電通大 四国職能大学校 中京大 東京農業大 帝京大 東洋大 芝工大 日女大 文教大 神奈川大 明大 東京都市大 佐賀大 鹿児島大 山形大 島根大各1

【24年4月入社者の配属先】総勤務地:愛知・刈谷1 部署:営業1 技勤務地:川崎36 愛知・刈谷8 大阪市1 部署:システムエンジニア45

●給与、ボーナス、週休、有休ほか●

【30歳総合職平均年収】580万円【初任給】(博士)324,500円(修士)275,000円(大卒)250,000円【ボーナス(年)】194万円、6.0カ月【25、30、35歳賃金】253,200円→293,200円→320,900円【週休】完全2日(土日祝)【夏期休暇】なし【年末年始休暇】12月31日～1月3日【有休取得】17.9／24日

●従業員数、勤続年数、離職率ほか●

【男女別従業員数、平均年齢、平均勤続年数】計 1,495(46.3歳 20.7年)男 1,300(46.7歳 20.9年)女 195(43.7歳 19.6年)【離職率と離職者数】1.5%、22名【3年後新卒定着率】84.4%(男83.3%、女87.5%、3年前入社:男24名・女8名)【組合】あり

求める人材 モノづくりにやりがいを感じる人 チームで活動ができる人 新しい技術を生涯習得する人

会社データ (金額は百万円)

【本社】210-8540 神奈川県川崎市川崎区日進町1-53 興和川崎東口ビル ☎044-210-6215 https://www.tjsys.co.jp/

【社長】根本 健【設立】1962.8【資本金】1,238【今後力を入れる事業】車載 社会インフラ 半導体設計 他

【業績(単独)】	売上高	営業利益	経常利益	純利益
22.3	38,663	4,384	4,399	5,191
23.3	36,821	4,348	4,340	3,019
24.3	36,745	3,938	3,986	2,707

スミセイ情報システム(株)

じょうほう

株式公開 計画なし

【特色】住友生命系システム開発会社。金融関連に強い

修士・大卒採用数	3年後離職率	有休取得年平均	平均年収(平均42歳)
63名	25.5→5.2%	16.0日	総707万円

残業(月) 29.8時間 総29.8時間

記者評価 住友生命の情報システム部門が分離独立して発足。住生やグループ各社のシステム開発が柱。保険向けパッケージシステム「ゆうゆう生保」シリーズなど展開。製造、公共、サービスなどグループ外向けも。コンサルから運用・保守まで一貫。アジャイル開発強化。

●エントリー情報と採用プロセス●

【受付開始～終了】技1月～5月【採用プロセス】技オンライン説明会・適性検査(1月下旬)→オンライン説明会2・GD・自己紹介書提出(2月中旬)→面接(2回、2月下旬)→合格(3月上旬)→内々定(6月上旬)【交通費支給】なし

試験情報

重視科目 技面接

技ES⇒巻末 筆適性検査(Web) 面2回(Webあり) GD作⇒巻末

選考ポイント 技面主体性 思考力 対人興味 自己開示 コンピテンシー 他

通過率 技ES選考なし(受付:NA)

倍率(応募/内定) 技15倍

●男女別採用数と配属先ほか●

【男女・文理別採用実績】

	大卒男	大卒女	修士男	修士女
23年	22(文 18理 4)	32(文 25理 7)	1(文 1理 0)	4(文 2理 2)
24年	33(文 22理 11)	32(文 30理 2)	3(文 0理 3)	2(文 1理 1)
25年	30(文 21理 9)	32(文 26理 6)	1(文 0理 1)	0(文 0理 0)

【25年4月入社者の採用実績校】文(大)成蹊大7 関大5 京産大 専大 中大各2 愛知大 阪大 岡山大 小樽商大 関西学大 近大 皇學館大 甲南大 神戸学大 駒澤大 島根大 上智大 高崎商大 帝塚山大 東京学芸大 東京経大 東京女大 同大 東洋大 阪南大 フェリス女学大 佛教大 法政大 武庫川女大 明大 明学大 桃山学大 大和大 早大各1 理(院)近大1(大)成蹊大2 青学大 阪大 大阪工大 神奈川大 京産大 京都橘大 工学院大 神戸女学大 東京電機大 同大 日女大 法政大 龍谷大各1

【24年4月入社者の配属先】技勤務地:大阪33 東京37 部署:システム開発70

●給与、ボーナス、週休、有休ほか●

【30歳総合職平均年収】612万円【初任給】(博士)235,000円(修士)235,000円(大卒)225,000円【ボーナス(年)】164万円、3.97カ月【25、30、35歳賃金】251,329円→307,800円→410,920円【週休】完全2日(土日祝)【夏期休暇】なし【年末年始休暇】12月31日～1月3日【有休取得】16.0／20日

●従業員数、勤続年数、離職率ほか●

【男女別従業員数、平均年齢、平均勤続年数】計 1,337(42.1歳 18.5年)男 839(44.7歳 21.0年)女 498(37.6歳 14.4年)【離職率と離職者数】3.2%、44名【3年後新卒定着率】94.8%(男88.0%、女100%、3年前入社:男25名・女33名)【組合】なし

求める人材 ICTプロを目指し、自らのために挑戦できる人

会社データ (金額は百万円)

【本社】532-0003 大阪府大阪市淀川区宮原4-1-14 住友生命新大阪北ビル ☎06-6396-3939 https://www.slcs.co.jp/

【社長】松本 誠【設立】1971.5【資本金】300【今後力を入れる事業】保険ビジネスの進化と新ビジネスの総出

【業績(単独)】	売上高	営業利益	経常利益	純利益
22.3	34,661	2,530	2,558	1,768
23.3	34,027	1,052	1,082	734
24.3	36,131	1,215	1,287	872

トーテックアメニティ㈱

株式公開 未定

【特色】独立系システム会社。受託開発を柱に組込も展開

修士・大卒採用数	3年後離職率	有休取得年平均	平均年収(平均35歳)
171名	12.3→30.2%	13.8日	(総)527万円

残業(月) 17.4時間 (総)17.4時間

記者評価 東海圏のIT企業では先駆的存在。情報システム構築のITソリューション事業は自治体や医療機関向けにも実績。エンジニアリングサービス事業は自動車、航空機、産業機械などの組込ソフト開発が柱。事業横断のシステム検証サービスを育成。名古屋・東京の2本社制。

●エントリー情報と採用プロセス●

【受付開始～終了】(総)(技)3月～継続中【採用プロセス】(総)(技)説明会(必須)→筆記・面接(2回)→内々定【交通費支給】最終面接、会社基準実費【早期選考】⇒巻末

試験情報

重視科目 (総)(技)面接

(総)(技)(筆)一般常識 専門テスト 適性検査(面)2回(Webあり)

選考ポイント (総)(面)人柄 自分の考えをまとめて伝えることができるか (技)(面)コミュニケーション能力 協調性 専門分野に対する考え方

通過率 (総)(ES)—(応募:265) (技)(ES)—(応募:1,913)

倍率(応募/内定) (総)9倍 (技)5倍

●男女別採用数と配属先ほか●

【男女・文理別採用実績】※25年:24年8月15日時点

	大卒男	大卒女	修士男	修士女
23年	116(文 22 理 94)	43(文 31 理 12)	3(文 0 理 3)	0(文 0 理 0)
24年	123(文 30 理 93)	37(文 27 理 10)	1(文 0 理 1)	0(文 0 理 0)
25年	130(文 31 理 99)	41(文 30 理 11)	0(文 0 理 0)	0(文 0 理 0)

【25年4月入社者の採用実績校】(文)(大)名城大6 愛知淑徳大5 城西大4 金城学大 実践女大 東洋大各3 愛知学大 椙山女学大 金沢学大 立正大 龍谷大各2 青学大 関大 愛知大 静岡県大 明学大 嘉悦大 開志専大 京産大 関東学院大 共立女大 熊本県大 江戸川大 日大 阪南大 山口大 崇城大 大阪工大 大手前大 大谷大 大東文化大 中京大 長崎県大 帝京大 白梅学大 福岡女大 法政大 名古屋学院大各1 (理)(大)名城大8 近大7 愛知工業大 東海大 大阪電通大各6 日大 中部大 大阪工大 福岡工大 九産大各5 城西大 神奈川大 福岡大各4 大阪産大 南山大 東海職能大学校各3 諏訪東理大 大和大 東京工科大 東洋大 拓大 龍谷大各2 関大 宮崎大 静岡大 中京大 芝工大 愛知工科大 東北学大 工学院大 東京都市大 東京電機大 東京工芸大 法政大 名古屋国際工科専門職大 名古屋文理大 明星大 京都橘大 京産大 九州工大 大阪国際工科専門職大各1(高専)鹿児島3 広島商船2 一関 弓削商船 熊本 呉 佐世保 松江 鶴岡 都城 徳山各1(専)麻生情報ビジネス7 KCS鹿児島情報3 HAL東京 トライデントコンピュータ 京都コンピュータ学院 京都コンピュータ学院京都駅前校 静岡産業技術 東北電子 名古屋工学院各1

【24年4月入社者の配属先】(総)勤務地:東海5 関東3 関西4 九州1 部署:営業職12 事務1 (技)勤務地:東海92 関東65 関西38 九州10 北陸2 部署:機械21 電気電子21 SE162 パイロット3

●給与、ボーナス、週休、有休ほか●

【30歳総合職平均年収】446万円【初任給】(修士)221,500円(大卒)212,000円【ボーナス(年)】NA、4.2カ月【25、30、35歳賃金】232,400円→248,100円→270,000円【週休】完全2日(土日祝)【夏期休暇】2日【年末年始休暇】4日【有休取得】13.8/20日

●従業員数、勤続年数、離職率ほか●

【男女別従業員数、平均年齢、平均勤続年数】計 2,743(35.0歳 9.0年) 男 2,309(36.0歳 10.0年) 女 434(32.0歳 5.0年)【離職率と離職者数】7.3%、217名【3年後新卒定着率】69.8%(男67.6%、女75.7%、3年前入社:男102名・女37名)【組合】なし

求める人材 技術者として継続してスキルの向上を図り、自己実現を目指す人

会社データ (金額は百万円)

【本社】451-0045 愛知県名古屋市西区名駅2-27-8 名古屋プライムセントラルタワー7階
☎052-533-6900 https://www.totec.jp/
【社長】坂井 幸治【設立】1971.5【資本金】100【今後力を入れる事業】第三者検証 ECサイト ドローンサービス

【業績(連結)】	売上高	営業利益	経常利益	純利益
22.3	30,987	2,415	2,900	1,803
23.3	33,352	2,940	3,151	2,214
24.3	35,866	3,201	3,452	2,295

㈱ビジネスブレイン太田昭和（おおたしょうわ）

東京P 9658

【特色】コンサルとシステム開発の2本柱。海外へも展開

修士・大卒採用数	3年後離職率	有休取得年平均	平均年収(平均40歳)
50名	25.6→27.3%	9.1日	(総)697万円

残業(月) 15.9時間

記者評価 経営会計分野のコンサルティングとITソリューションが柱。中国やASEANへの進出企業支援にも注力。グループで証券・金融系システム開発、BPOサービス、情報セキュリティ事業も展開。24年4月アウトソーシングなどの2子会社吸収。24年7月札幌BPOセンターを新設。

●エントリー情報と採用プロセス●

【受付開始～終了】(総)3月～継続中【採用プロセス】(総)説明会・筆記(3月初旬)→面接(3回、3月下旬)→内々定(4月下旬)【交通費支給】最終面接、新幹線利用の場合、新幹線往復【早期選考】⇒巻末

試験情報

重視科目 (総)SE適性試験 面接

(総)(筆)SE適性試験(面)3回(Webあり)

選考ポイント (総)(ES)提出なし(面)業界・職種研究の深堀度 大学での勉強 論理的思考 興味を行動に繋げる力

通過率 (総)(ES)—(応募:(早期選考含む)1,000)

倍率(応募/内定) (総)(早期選考含む)20倍

●男女別採用数と配属先ほか●

【男女・文理別採用実績】

	大卒男	大卒女	修士男	修士女
23年	28(文 19 理 9)	17(文 13 理 4)	4(文 1 理 3)	0(文 0 理 0)
24年	19(文 14 理 5)	17(文 14 理 3)	5(文 1 理 4)	2(文 1 理 1)
25年	24(文 16 理 8)	21(文 17 理 4)	3(文 0 理 3)	2(文 1 理 1)

【25年4月入社者の採用実績校】
(文)(24年)(院)関大2(大)早大 兵庫県大各3 明大 中大 法政大 日大 関西学大 立命館大各2 神戸大 滋賀大 弘前大 青学大 國學院大 武蔵大 南山大 愛知大 関大 中部大各1(短)愛知大1 (理)(24年)(院)東理大 明大各2 筑波大1(大)愛知工業大2 東北大 東京農工大 立教大 青学大 成蹊大 千葉工大各1(専)神戸電子1

【24年4月入社者の配属先】
(総)勤務地:東京・日比谷31 大阪・梅田7 名古屋4 浜松3 部署:ソリューションコンサルティング部門40 BPO部門5

●給与、ボーナス、週休、有休ほか●

【30歳総合職平均年収】NA【初任給】(修士)305,200円(大卒)293,500円【ボーナス(年)】NA、5.5カ月【25、30、35歳賃金】NA【週休】完全2日(土日祝)【夏期休暇】6～11月に5日取得。8月3週目金曜日固定休【年末年始休暇】12月30日～1月4日(6日)【有休取得】9.1/20日

●従業員数、勤続年数、離職率ほか●

【男女別従業員数、平均年齢、平均勤続年数】計 713(39.8歳 9.0年) 男 500(41.3歳 10.1年) 女 213(36.3歳 6.4年)【離職率と離職者数】6.4%、49名【3年後新卒定着率】72.7%(男76.2%、女69.6%、3年前入社:男21名・女23名)【組合】なし

求める人材 興味を興味として終わらせずに、行動へと繋げられる人

会社データ (金額は百万円)

【本社】105-0003 東京都港区西新橋1-1-1 日比谷フォートタワー
☎03-3507-1300 https://www.bbs.co.jp/
【社長】小宮 一浩【設立】1967.8【資本金】2,233【今後力を入れる事業】経営会計を軸としたDX BPO支援

【業績(IFRS)】	売上高	営業利益	税前利益	純利益
22.3	32,345	2,744	2,792	1,763
23.3	37,062	3,207	3,241	1,838
24.3	34,217	20,697	20,581	14,145

通信・ソフト

㈱ソフトウェア・サービス

東京S 3733

【特色】病院向けの電子カルテ・情報システムの専門企業

修士・大卒採用数	3年後離職率	有休取得年平均	平均年収(平均33歳)
160名	17.7→22.4%	13.5日	総541万円

●エントリー情報と採用プロセス●

【受付開始～終了】総技11月～継続中【採用プロセス】総技説明会・ES・適性検査(11月～)→1次面接→2次面接→最終面接→内々定※説明会・面接はWebでも実施【交通費支給】最終面接以降、遠方者の飛行機・新幹線・特急・高速バスの実費【早期選考】⇒巻末

試験情報

重視科目 総技全て

総技ES⇒巻末筆SPI3(会場)面3回(Webあり)

選考ポイント 総技面相互理解を深めて様々な側面から判断

通過率 総ES選考なし(受付:633) 技ES選考なし(受付:623)

倍率(応募/内定) 総3倍 技5倍

●男女別採用数と配属先ほか●

【男女・文理別採用実績】

	大卒男	大卒女	修士男	修士女
23年	52(文 23 理 29)	39(文 30 理 9)	4(文 0 理 4)	2(文 1 理 1)
24年	90(文 51 理 39)	50(文 34 理 16)	6(文 0 理 6)	0(文 0 理 0)
25年	80(文 40 理 40)	70(文 35 理 35)	5(文 0 理 5)	5(文 0 理 5)

【25年4月入社者の採用実績校】文(大)早大 明大 青学大 中大 立教大 法政大 関大 関西学大 同大 立命館大 東洋大 日大 苫小牧駒大 専大 大阪公大 徳島大 國學院大 神奈川大 同女大 近大 龍谷大 甲南大 京産大 東京都市大 東京工科大 京都女大 追手門学大 兵庫県大 摂南大 帝塚山学大 関西外大 京都橘大 神戸学大 大阪経大 東京医療保健大 他 理(大)青学大 中大 関大 関西学大 同大 立命館大 東京電機大 東京工科大 芝工大 近大 京産大 甲南大 龍谷大 拓大 東京都市大 広島市大 大阪工大 大阪電通大 東邦大 日大 福岡工大 立正大 福知山公大 阪南大 追手門学大 東京医療保健大 北海道情報大 他

【24年4月入社者の配属先】総勤務地:大阪市53 東京・大森22 部署:コンサルタントSE職75 技勤務地:大阪市40 東京・大森22 部署:プログラマSE職62

残業(月) 16.5時間 総16.5時間

記者評価 医療機関の電子カルテや情報伝達システムの開発から販売、メンテまで一貫で手がける専門企業。電子カルテのシェアは2割ほどで国内2位級、大型案件多い。医療DX案件も受注拡大が続く。シェア拡大に向け関東圏の営業体制を強化するため、人材採用・育成に注力。

●給与、ボーナス、週休、有休ほか●

【30歳総合職平均年収】525万円【初任給】(修士)340,000円(大卒)320,000円【ボーナス(年)】年俸制のためND、年俸制のためND【25、30、35歳賃金】333,253円→403,726円→460,111円【週休】完全2日(土日祝)【夏期休暇】有休で取得【年末年始休暇】連続6日【有休取得】13.5／20日

●従業員数、勤続年数、離職率ほか●

【男女別従業員数、平均年齢、平均勤続年数】計 1,589(32.7歳 8.3年) 男 1,086(33.7歳 9.1年) 女 503(30.4歳 6.6年)【離職率と離職者数】5.5%、92名【3年後新卒定着率】77.6%(男75.9%、女79.5%、3年前入社:男83名・女73名)【組合】なし

求める人材 日本の健康・医療・介護を情報システムで支援していこうという志のある人

会社データ (金額は百万円)

【本社】532-0004 大阪府大阪市淀川区西宮原2-6-1
☎06-6350-7222　https://www.softs.co.jp/
【会長】宮崎 勝【設立】1969.4【資本金】847【今後力を入れる事業】電子カルテ等の総合医療情報システム

【業績(連結)】	売上高	営業利益	経常利益	純利益
21.10	25,276	4,281	4,338	2,998
22.10	27,569	4,853	4,909	3,399
23.10	33,720	6,516	6,591	4,864

IDホールディングス（アイディー）

(㈱インフォメーション・ディベロプメント、㈱IDデータセンターマネジメント、㈱DXコンサルティング)

東京P 4709

【特色】独立系のSIer。金融向けに強み。DX関連を強化

修士・大卒採用数	3年後離職率	有休取得年平均	平均年収(平均42歳)
96名	30.0→40.0%	15.9日	総525万円

●エントリー情報と採用プロセス●

【受付開始～終了】技3月～継続中【採用プロセス】技ES提出(3月)→説明会・WebテストSPI(4月)→面接(2回、4～5月)→内々定(5月初旬)【交通費支給】2次面接以降、会社基準・距離に応じて【早期選考】⇒巻末

試験情報

重視科目 技SPI3 2次面接

技ES⇒巻末筆SPI3(自宅)面2回(Webあり)

選考ポイント 技ESNA(提出あり)面人間性 コミュニケーション力 チャレンジ精神

通過率 技ESNA　倍率(応募/内定) 技NA

●男女別採用数と配属先ほか●

【男女・文理別採用実績】

	大卒男	大卒女	修士男	修士女
23年	25(文 20 理 5)	14(文 10 理 4)	5(文 2 理 3)	6(文 5 理 1)
24年	41(文 26 理 15)	23(文 19 理 4)	2(文 0 理 2)	0(文 0 理 0)
25年	55(文 30 理 25)	37(文 32 理 5)	3(文 0 理 3)	1(文 1 理 0)

【25年4月入社者の採用実績校】文(院)同大1(大)明大5 獨協大4 専大 中大 法政大各3 愛知学大 茨城キリスト大 関西学大 駒澤大 青学大 東洋大 武蔵野大 立教大 立命館大各2 同大 立命館APU 下関市大 京都外大 慶大 三重大 昭和女大 上智大 神戸市外大 神奈川大 成城大 成蹊大 早大 大阪経大 大阪市大 東海大 東京学芸大 東京経大 東京工科大 富山大 武蔵大 福岡大 名古屋市大 名城大 明学大 立正大各1 理(院)岩手大 高知大 千葉大各1(大)日大4 群馬大 千葉工大 東北学大各2 愛知県大 茨城大 横浜市大 関大 岩手県大 金沢工大 金沢大 九大 工学院大 三重大 山口東理大 新潟大 神奈川工大 早大 大阪国際工科専門職大 大同大 中部大 東京電機大 福岡大 法政大各1

【24年4月入社者の配属先】総勤務地:山陰2 部署:事務2 技勤務地:東京63 大阪2 茨城1 部署:開発エンジニア40 ITインフラエンジニア18 セキュリティエンジニア3 コンサルティング3 営業2

残業(月) 15.3時間 総15.3時間

記者評価 顧客システムの運営・管理とソフト開発が柱。金融、公共、運輸関連に強い。19年に持株会社化。IBM、日立など大口顧客との取引が売上の8割強占める。AI、クラウド、セキュリティ関連の技術者を育成し、収益性が高いDX関連事業の拡大狙う。米・欧にも拠点。

●給与、ボーナス、週休、有休ほか●

【30歳総合職平均年収】460万円【初任給】(博士)236,000円(修士)236,000円(大卒)226,000円【ボーナス(年)】109万円、3.6カ月【25、30、35歳賃金】250,693円→267,117円→279,085円【週休】完全2日(土日祝)【夏期休暇】特別休暇連続3日(通年で取得可)【年末年始休暇】12月31日～1月3日【有休取得】15.9／20日

●従業員数、勤続年数、離職率ほか●

【男女別従業員数、平均年齢、平均勤続年数】計 1,910(41.8歳 16.7年) 男 1,467(42.7歳 17.8年) 女 443(38.9歳 13.0年)【離職率と離職者数】6.1%、123名(早期退職1名含む)【3年後新卒定着率】60.0%(男62.5%、女57.1%、3年前入社:男8名・女7名)【組合】なし

求める人材 チャレンジ精神があり、新しい物事に積極的に飛び込むことが好きな人

会社データ (金額は百万円)

【本社】102-0076 東京都千代田区五番町12-1 番町会館
☎03-3264-3571　https://www.idnet-hd.co.jp/
【社長】舩越 真樹【設立】1969.10【資本金】592【今後力を入れる事業】クラウドやサイバーセキュリティの領域における独自のソリューション開発、Smart運用、AI開発

【業績(連結)】	売上高	営業利益	経常利益	純利益
22.3	27,805	1,869	1,922	1,046
23.3	31,101	2,424	2,504	1,402
24.3	32,680	2,769	2,860	1,777

※会社データは㈱IDホールディングス、その他データはグループ4社の合算

㈱フォーカスシステムズ

東京P 4662

【特色】独立系SI。公共向けのシステム開発に強み

修士・大卒採用数	3年後離職率	有休取得年平均	平均年収(平均36歳)
96名	7.0 → 23.0%	11.0日	総 570万円

●エントリー情報と採用プロセス●

【受付開始～終了】技3月～6月【採用プロセス】技Web説明会(必須)→ES→適性検査・個人面接(1～2回)→役員面接→内々定【交通費支給】なし【早期選考】⇒巻末

試験情報

重視科目 技個人面接

技 ES⇒巻末 筆SPI3(自宅)面2～3回(Webあり)

選考ポイント 技 ES(1)品質:誤字脱字や文章量が適当か(2)論理性:結論ファーストか 簡潔にまとまっているか(3)経歴:休学や留年を何年しているか 面意欲 表現力(コミュニケーション能力)柔軟性 企業・業界理解

通過率 技 ES87%(受付:935→通過:814)

倍率(応募/内定) 技6倍

●男女別採用数と配属先ほか●

【男女・文理別採用実績】

	大卒男	大卒女	修士男	修士女
23年	34(文 26理 8)	33(文 27理 6)	1(文 0理 1)	0(文 0理 0)
24年	53(文 38理 15)	48(文 45理 3)	1(文 1理 0)	1(文 1理 0)
25年	48(文 32理 16)	46(文 41理 5)	1(文 0理 1)	1(文 0理 1)

【25年4月入社者の採用実績校】文(大)日大4 中大3 東洋大 大東文化大 専大 京産大 桜美林大 武蔵大 明学大 実践女大 立正大各2 千葉大 福島大 愛知県大 共立女大 神奈川大 明星大 学習院大 関西外大 関東学院大 東京成徳大 東京国際大 熊本学大 都立大 駒澤大 中央学大 甲南大 産能大 目白大 敬愛大 大妻女大 早大 同大 小松大 愛知淑徳大 追手門学大 関西学大 東京家政大 武蔵野大 成蹊大 清泉女大 ノートルダム清心女大 立教大 文教大 獨協大 青学大 江戸川大 東海大 東北学大 帝京平成大 松蔭大 麗澤大 神戸学大 拓大 相模女大 名古屋学院大 横浜商大 国際医療福祉大 千葉商大各1(専)大阪情報コンピュータ1 理(院)広島大 三重大各1(大)神奈川大 東京農業大各3 湘南工大 東洋大各2 山梨大 秋田大 神奈川工大 東京女大 東京情報大 東京電機大 東京都市大 日大 武蔵野大 福岡工大 龍谷大各1(短)岩手産技1(専)金沢情報ITクリエイター 神戸電子 駿台電子情報&ビジネス 船橋情報ビジネス各1

【24年4月入社者の配属先】因勤務地:東京103 大阪3 名古屋2 部署:システムエンジニア108

残業(月) 22.9時間 総22.9時間

記者評価 SI、ITサービス、情報セキュリティが3本柱。デジタル鑑識技術のフォレンジックに特色。社会保障関連など公共系システム開発に強い。金融分野を開拓。ドローン研究やIoT、クラウド、AIにも傾注。筑波大と共同で3次電池の開発・実用化に挑戦。子育て支援充実。

●給与、ボーナス、週休、有休ほか●

【30歳総合職平均年収】480万円【初任給】(博士)230,000円(修士)230,000円(大卒)230,000円【ボーナス(年)】123万円、5.2カ月【25、30、35歳賃金】238,719円→269,045円→304,525円 ※時短勤務者含む【週休】2日【夏期休暇】連続5日【年末年始休暇】連続5日【有休取得】11.0／20日

●従業員数、勤続年数、離職率ほか●

【男女別従業員数、平均年齢、平均勤続年数】計 1,344(36.4歳 11.4年)男 1,002(38.2歳 12.8年)女 342(31.3歳 7.3年)【離職率と離職者数】5.9%、84名【3年後新卒定着率】77.0%(男87.2%、女59.3%、3年前入社:男47名・女27名)【組合】なし

求める人材 主体性をもって自ら行動できる人 チームの成果を追求できる人 他者への影響力がある人

会社データ (金額は百万円)

【本社】141-0022 東京都品川区東五反田2-7-8 フォーカス五反田ビル ☎03-5421-7777 https://www.focus-s.com/

【社長】森 啓一【設立】1977.4【資本金】2,905【今後力を入れる事業】DX推進事業

【業績(単独)】	売上高	営業利益	経常利益	純利益
22.3	26,278	1,640	1,600	1,066
23.3	29,124	1,894	1,911	1,390
24.3	31,509	1,974	1,971	1,406

㈱エクサ

株式公開 計画なし

【特色】システム開発会社中堅。JFEスチール系

修士・大卒採用数	3年後離職率	有休取得年平均	平均年収(平均45歳)
45名	6.5 → 4.5%	15.2日	総 760万円

●エントリー情報と採用プロセス●

【受付開始～終了】総技11月～7月【採用プロセス】総技エントリー→Webテスト→人事面接(11月下旬)→部長面接・リクルーター面談(12月)→役員面接(12月～)→内々定(1月～)【交通費支給】役員面接、首都圏以外、地域により一律【早期選考】⇒巻末

試験情報

重視科目 総技適性検査 面接

総技 筆CAB(Web自宅受験)面3回(Webあり)

選考ポイント 総技 ES提出なし 面自分の言葉で語っているか 論理性はあるか 精神的・肉体的に健康か

通過率 総技 ES—(応募:NA)

倍率(応募/内定) 総技NA

●男女別採用数と配属先ほか●

【男女・文理別採用実績】

	大卒男	大卒女	修士男	修士女
23年	18(文 7理 11)	12(文 11理 1)	6(文 0理 6)	0(文 0理 0)
24年	16(文 7理 9)	16(文 11理 5)	0(文 0理 0)	0(文 0理 0)
25年	27(文 14理 13)	11(文 11理 0)	5(文 0理 5)	2(文 1理 1)

【25年4月入社者の採用実績校】文(院)名大1(大)東洋大3 明学大 神奈川大各2 横浜市大 埼玉大 学習院大 明大 青学大 立教大 武蔵大 大妻女大 杏林大 帝京平成大 明星大 東北学大 福島大 和歌山大 南山大 中部大 関西学大 関大各1 理(院)東京海洋大2 横浜市大 埼玉大 青学大 日大各1(大)東京都市大2 明大 成城大 東洋大 専大 帝京平成大 明星大 千葉工大 岩手県大 金沢工大 名城大 福州大各1(専)日本電子1

【24年4月入社者の配属先】総勤務地:横浜2 部署:営業2 技勤務地:横浜28 広島・福山2 部署:SE30

残業(月) 17.5時間 総17.5時間

記者評価 旧日本鋼管(現JFEスチール)のシステム部門が独立して発足。JFE向け以外にも、製造、金融、公共など取引先は幅広い。システムのコンサルから構築、運用まで一貫。技術力と現場力の融合図る。24年6月製造業向け生成・変換ナレッジソリューションの提供開始。

●給与、ボーナス、週休、有休ほか●

【30歳総合職平均年収】574万円【初任給】(修士)276,000円(大卒)258,000円【ボーナス(年)】208万円、5.0カ月【25、30、35歳賃金】281,300円→341,400円→379,000円【週休】完全2日(土日祝)【夏期休暇】有休で取得【年末年始休暇】12月30日～1月3日【有休取得】15.2／20日

●従業員数、勤続年数、離職率ほか●

【男女別従業員数、平均年齢、平均勤続年数】計 1,234(45.2歳 17.8年)男 961(46.5歳 18.3年)女 273(40.8歳 16.1年)【離職率と離職者数】2.3%、29名(早期退職男1名含む)【3年後新卒定着率】95.5%(男93.9%、女100%、3年前入社:男33名・女11名)【組合】あり

求める人材 熱意を持ち他者と尊重し合い高い目標に向け挑戦できる人 自らの成長のために努力を継続できる人

会社データ (金額は百万円)

【本社】220-8560 神奈川県横浜市西区みなとみらい4-4-5 横浜アイマークプレイス2F ☎045-212-5180 https://www.exa-corp.co.jp/

【社長】千田 朋介【設立】1987.10【資本金】1,250【今後力を入れる事業】DX AI IoT クラウド ビッグデータ分析

【業績(単独)】	売上高	営業利益	経常利益	純利益
21.12	31,626	NA	3,231	2,271
23.3変	36,771	NA	4,073	2,838
24.3	30,108	NA	4,243	2,951

(株)シーエーシー

持株会社 傘下

【特色】金融機関に強い独立系SI。製薬会社の顧客も多い

修士・大卒採用数	3年後離職率	有休取得年平均	平均年収(平均41歳)
60名	24.5→23.6%	12.0日	[総]627万円

●エントリー情報と採用プロセス●

【受付開始～終了】[技]1月～継続中【採用プロセス】[技]Web説明会・適性検査(必須、1月～)→履歴書・ES提出→面接(2回、1月～)→内々定(2月～)【交通費支給】最終面接、会社基準(地域による)

試験情報

重視科目 [技]面接

[技][ES]⇒巻末[筆]コンピテンシー検査[面]2回(Webあり)

選考ポイント [技][面]IT業界および当社への志望理由 個人の特性・志向性 主体性 思考力 など

通過率 [技][ES]選考なし(受付:485)

倍率(応募/内定) [技]14倍

●男女別採用数と配属先ほか●

【男女・文理別採用実績】※25年:110名採用予定

	大卒男	大卒女	修士男	修士女
23年	45(文 16理 29)	22(文 18理 4)	22(文 1理 21)	3(文 1理 2)
24年	65(文 32理 33)	30(文 25理 5)	9(文 3理 6)	6(文 3理 3)
25年	37(文 19理 18)	17(文 10理 7)	1(文 0理 1)	5(文 4理 1)

【25年4月入社者の採用実績校】[文](院)岡山大 駒澤大 法政大 早大各1(大)関西学大3 武蔵野大 立正大各2 愛知学大 叡啓大 愛媛大 沖縄国際大 金沢大 関大 九産大 京産大 共立女大 慶大 産能大 千葉工大 中大 帝京大 東洋大 同大 日大 フェリス女学大 武蔵大 山形大 立教大 早大各1 [理](院)茨城大 日大各1(大)日大4 東京工科大2 岩手県大 沖縄国際大 工学院大 産能大 城西国際大 成蹊大 第一工科大 中大 筑波大 電通大 東海大 東京情報大 東京電機大 東洋大 梅花女大 広島市大 福岡工大 武庫川女大 山形大各1(高専)沖縄2 茨城 小山 サレジオ各1(専)京都コンピュータ学院 トライデントコンピュータ各1

【24年4月入社者の配属先】[総]勤務地:東京1 部署:競技活動・広報1 [技]勤務地:東京116 滋賀4 部署:ITエンジニア120

残業(月) 13.9時間 [総]13.9時間

記者評価 CAC・HDの中核。システム開発中堅。コンサルから設計・開発・運用まで一貫。元請け比率9割超。信託銀行向け軸に金融関連強い。製薬業向けも高実績。DX関連サービスに注力。感情認識AIを用いた分析サービスやAWS導入支援など自社ソリューションも多数。

●給与、ボーナス、週休、有休ほか●

【30歳総合職平均年収】551万円【初任給】(博士)247,000円(修士)247,000円(大卒)235,000円【ボーナス(年)】160万円、NA【25、30、35歳賃金】265,000円→381,000円→436,000円【週休】完全2日(土日祝)【夏期休暇】3日【年末年始休暇】12月30日～1月4日【有休取得】12.0／20日

●従業員数、勤続年数、離職率ほか●

【男女別従業員数、平均年齢、平均勤続年数】計 1,231(41.1歳 14.2年) 男 849(42.8歳 16.0年) 女 382(37.3歳 10.0年)【離職率と離職者数】3.8%、48名【3年後新卒定着率】76.4%(男73.8%、女84.6%、3年前入社:男42名・女13名)【組合】なし

求める人材 「キャリアのコアスキルがIT×ゼロベース思考×稀有な個性」の要素を持つ人

会社データ (金額は百万円)

【本社】103-0015 東京都中央区日本橋箱崎町24-1
☎03-6667-8000 https://www.cac.co.jp/
【社長】西森 良太【設立】2014.4【資本金】400【今後力を入れる事業】新技術事業 金融 医薬 産業 グローバルサービス 他

【業績(単独)】	売上高	営業利益	経常利益	純利益
21.12	26,817	2,668	2,911	2,089
22.12	29,231	2,825	3,063	2,251
23.12	29,905	2,510	4,354	3,700

クオリカ(株)

株式公開 未定

【特色】企業向けITサービスプロバイダー。TIS傘下

修士・大卒採用数	3年後離職率	有休取得年平均	平均年収(平均41歳)
36名	17.0→15.6%	14.4日	[総]696万円

●エントリー情報と採用プロセス●

【受付開始～終了】[総][技]3月～7月【採用プロセス】[総][技]ES提出(3～6月随時)→説明会→筆記→1次面接→適性検査→2次面接→内々定※全てWeb【交通費支給】なし【早期選考】⇒巻末

試験情報

重視科目 [総][技]面接

[総][技][ES]⇒巻末[筆]一般常識 CUBIC CAB[面]2回(Webあり)

選考ポイント [総][面]コミュニケーション能力 論理的思考力 達成意欲 根気強さ ITへの興味・関心 営業職への意欲 [技][面]コミュニケーション能力 論理的思考力 達成意欲 根気強さ 志望動機 ITへの興味・関心

通過率 [総][ES]選考なし(受付:技術系に含む) [技][ES]選考なし(受付:(事務系含む)2,801)

倍率(応募/内定) [総]— [技](事務系含む)74倍

●男女別採用数と配属先ほか●

【男女・文理別採用実績】

	大卒男	大卒女	修士男	修士女
23年	24(文 13理 11)	17(文 15理 2)	1(文 0理 1)	0(文 0理 0)
24年	20(文 11理 9)	15(文 11理 4)	2(文 0理 2)	0(文 0理 0)
25年	17(文 8理 9)	17(文 12理 5)	1(文 0理 1)	1(文 0理 1)

【25年4月入社者の採用実績校】[文](大)近大 國學院大 法政大各2 金沢大 阪南大 産能大 滋賀大 新潟国際情報大 神戸市外大 聖心女大 東京女大 都立大 富山大 日女大 尾道市大 武庫川女大 立教大各1 [理](院)東京電機大 東京農工大各1(大)日大3 近大 金沢工大各2 青学大 県立広島大 静岡大 専大 奈良女大 武庫川女大 明大各1(高専)石川 仙台各1

【24年4月入社者の配属先】[総]勤務地:東京2 部署:営業2 [技]勤務地:東京26 神奈川2 大阪3 栃木2 石川3 部署:ソフトウェア開発部門32 インフラ運用部門4

残業(月) 16.7時間 [総]16.7時間

記者評価 TISグループ傘下のSI。製造業や流通・サービス業を軸とする企業向けシステムの開発から運用まで一貫。コマツの情報システム部門が前身。勤務地に縛られない働き方を可能にする「居住地選択制度」に独自色。24年4月給与水準引き上げを含む人事制度改革を実施。

●給与、ボーナス、週休、有休ほか●

【30歳総合職平均年収】641万円【初任給】(修士)249,000円(大卒)237,000円【ボーナス(年)】202万円、6.2カ月【25、30、35歳賃金】252,000円→282,857円→290,206円【週休】完全2日(土日祝)【夏期休暇】連続5日【年末年始休暇】12月31日～1月3日【有休取得】14.4／20日

●従業員数、勤続年数、離職率ほか●

【男女別従業員数、平均年齢、平均勤続年数】計 949(41.2歳 14.3年) 男 730(42.8歳 15.4年) 女 219(35.7歳 10.6年)【離職率と離職者数】3.5%、34名【3年後新卒定着率】84.4%(男77.8%、女94.4%、3年前入社:男27名・女18名)【組合】なし

求める人材 自分の価値観や目的・目標をしっかり持ち、クオリカでどの様なことがしたいかが明確な人

会社データ (金額は百万円)

【本社】160-0023 東京都新宿区西新宿8-17-1 住友不動産新宿グランドタワー23階
☎03-5937-0700 https://www.qualica.co.jp/
【社長】阿久津 晃昭【設立】1982.11【資本金】1,234【今後力を入れる事業】IoT グローバル化 サービス提供型ソリューション

【業績(単独)】	売上高	営業利益	経常利益	純利益
22.3	19,973	2,074	2,130	1,470
23.3	22,623	2,542	2,636	1,706
24.3	26,534	3,210	3,308	2,169

㈱ＣＩＪ（シーアイジェイ）

東京P 4826

【特色】独立系ソフト会社。日立、NTTデータと親密

修士・大卒採用数	3年後離職率	有休取得年平均	平均年収(平均39歳)
60名	NA	14.9日	総555万円

●エントリー情報と採用プロセス●

【受付開始〜終了】技10月〜継続中【採用プロセス】技適性検査(10月〜随時)→面接(2回、12月〜随時)→内々定【交通費支給】なし【早期選考】⇒巻末

試験情報

重視科目 技面接 適性検査

技 筆SPI3(会場) SPI3(自宅) 面2回(Webあり)

選考ポイント 技 面システムエンジニアの仕事に対する意欲および適性

通過率 技 ES—(応募:1,486)

倍率(応募/内定) 技25倍

●男女別採用数と配属先ほか●

【男女・文理別採用実績】

	大卒男	大卒女	修士男	修士女
23年	22(文 9理 13)	4(文 3理 1)	2(文 0理 2)	0(文 0理 0)
24年	20(文 10理 10)	7(文 5理 2)	4(文 1理 3)	0(文 0理 0)
25年	-(文 -理 -)	-(文 -理 -)	-(文 -理 -)	-(文 -理 -)

※25年:最大60名程度採用予定

【25年4月入社者の採用実績校】

文(24年)(院)成蹊大1(大)筑波大 関西学大 中大 近大 名城大 文教大 武庫川女大 日大 二松学舎大 多摩大 千葉商大 産能大 国士舘大 関東学院大 愛知大各1(専)大原簿記情報ビジネス横浜校1 理(24年)(院)玉川大 東京農業大 北九州市大各1(大)東海大2 北大 近大 愛知工業大 帝京科学大 大阪工大 福岡工大 明星大 北海道科学大 湘南工大 大阪産大各1(専)昭和医療技術 KCS福岡情報各1

【24年4月入社者の配属先】

技勤務地:横浜15 東京・中央9 北海道2 名古屋2 大阪4 福岡2 部署:SE34

残業(月) 15.3時間 総15.3時間

記者評価 日立製作所とNTTデータ向けが売上の4割弱。基盤系やJava、セキュリティ関連に強み。金融系得意なITコンサル会社を19年に、制御系得意なソフト開発会社を23年に買収。社員の独立資金を融資する起業支援制度あり。18年から光通信が大株主に。

●給与、ボーナス、週休、有休ほか●

【30歳総合職平均年収】NA【初任給】(修士)276,000円(大卒)255,700円【ボーナス(年)】122万円、4.2カ月【25、30、35歳賃金】272,261円→314,034円→347,609円 ※全国勤務社員【週休】完全2日(土日祝)【夏期休暇】2日(7〜9月に分散取得可)【年末年始休暇】12月30日〜1月3日【有休取得】14.9／20日

●従業員数、勤続年数、離職率ほか●

【男女別従業員数、平均年齢、平均勤続年数】計 810(38.7歳 13.6年) 男 620(39.3歳 14.2年) 女 190(36.7歳 11.5年)【離職率と離職者数】7.6%、67名(他に男2名転籍)【3年後新卒定着率】NA【組合】なし

求める人材 IT技術やモノづくりに対する知識を高め、新しい仕組み創りや社会に貢献したい人

会社データ (金額は百万円)

【本社】220-0011 神奈川県横浜市西区高島1-2-5 横濱ゲートタワー ☎045-222-0555 https://www.cij.co.jp/

【社長】坂元 昭彦【設立】1976.1【資本金】2,270【今後力を入れる事業】プライム(一次請け)案件の拡大 システムインテグレーション

【業績(連結)】	売上高	営業利益	経常利益	純利益
22.6	21,467	1,570	1,598	971
23.6	22,859	1,829	1,839	1,142
24.6	25,733	1,964	1,993	948

㈱さくらケーシーエス

東京S 4761

【特色】ソフト開発、データセンター主体。富士通色

修士・大卒採用数	3年後離職率	有休取得年平均	平均年収(平均44歳)
41名	21.6→15.2%	18.7日	679万円

●エントリー情報と採用プロセス●

【受付開始〜終了】技12月〜6月【採用プロセス】技説明会(必須)→ES・筆記→面接(2回)→内々定【交通費支給】最終面接、実費

試験情報

重視科目 技面接

技 ES⇒巻末 筆SCOA Web(会場受検)SCOA Web(自宅受検)TAL 面2回(Webあり)

選考ポイント 技 ES NA(提出あり) 面コミュニケーション能力 論理力

通過率 技 ES NA(受付:423→通過:NA)

倍率(応募/内定) 技10倍

●男女別採用数と配属先ほか●

【男女・文理別採用実績】

	大卒男	大卒女	修士男	修士女
23年	17(文 8理 9)	12(文 7理 5)	0(文 0理 0)	0(文 0理 0)
24年	17(文 7理 10)	11(文 7理 4)	1(文 0理 1)	0(文 0理 0)
25年	22(文 9理 13)	15(文 12理 3)	4(文 0理 4)	0(文 0理 0)

【25年4月入社者の採用実績校】

文(大)日大3 関大2 神戸大 福島大 新潟県大 関西学大 同大 立命館大 近大 甲南大 大阪経大 早大 明大 専大 昭和女大 津田塾大各1 理(院)兵庫県大2 明大 京都情報院大各1(大)甲南大3 兵庫県大 東海大各2 山口大 福井大 近大 大阪工大 明大 中大 東洋大 成蹊大 武蔵野大各1(専)大原学園3 神戸電子 船橋情報各1

【24年4月入社者の配属先】

技勤務地:神戸19 東京・中央13 大阪市1 部署:情報システム33

残業(月) 18.3時間 総19.9時間

記者評価 SMBCグループのSI。旧神戸銀行の流れをくみ、兵庫県内に強固な事業基盤。金融向けに強く、公共・産業向けにも展開。クラウドやグループ連携によるBPO事業も。SMBCグループ、富士通グループが主要顧客。24年7月にベースアップを実施、大卒初任給を1.3万円増額。

●給与、ボーナス、週休、有休ほか●

【30歳総合職平均年収】NA【初任給】(修士)224,000円(大卒)214,000円【ボーナス(年)】216万円、6.18カ月【25、30、35歳賃金】224,250円→259,567円→310,000円【週休】完全2日(土日祝)【夏期休暇】なし【年末年始休暇】12月30日〜1月3日【有休取得】18.7／20日

●従業員数、勤続年数、離職率ほか●

【男女別従業員数、平均年齢、平均勤続年数】計 901(43.5歳 20.1年) 男 669(45.4歳 21.9年) 女 232(38.1歳 15.0年)【離職率と離職者数】4.0%、38名(転進支援型早期退職男7名含む)【3年後新卒定着率】84.8%(男93.8%、女76.5%、3年前入社:男16名・女17名)【組合】あり

求める人材 コミュニケーション能力、向上心が高く、困難に屈しない精神的な強さを持った人

会社データ (金額は百万円)

【本社】650-0036 兵庫県神戸市中央区播磨町21-1 ☎078-391-6571 https://www.kcs.co.jp/

【社長】加藤 貴紀【設立】1969.3【資本金】2,054【今後力を入れる事業】デジタル基盤主体のビジネス活性化

【業績(連結)】	売上高	営業利益	経常利益	純利益
22.3	24,794	819	878	602
23.3	23,588	993	1,038	748
24.3	22,769	1,127	1,206	895

通信・ソフト

さくら情報(じょうほう)システム(株)

株式公開計画なし

【特色】大阪ガス、三井住友銀行系のシステム会社

修士・大卒採用数	3年後離職率	有休取得年平均	平均年収(平均43歳)
52名	4.3→26.1%	15.0日	総612万円

●エントリー情報と採用プロセス●

【受付開始～終了】技12月～8月【採用プロセス】技Web適性検査(性格診断／能力テスト、12～7月)→社員交流会(12～7月)→ES提出(12～8月)→役員面接対策面談(12～8月)→役員面接(1～8月)→内々定(1～8月)【交通費支給】役員面接、一律1,000円【早期選考】⇒巻末

試験情報

重視科目 技面接

技 ES⇒巻末 筆eF-1G(性格診断／能力テスト) 面1回(Webあり)

選考ポイント 技 面ITスキル(成果物発表またはアルゴリズム問題の解答・解説)学生時代に取り組んできたことやチャレンジした経験 人柄・性格

通過率 技 ES選考なし(受付:(早期選考含む)274)

倍率(応募/内定) 技(早期選考含む)5倍

●男女別採用数と配属先ほか●

【男女・文理別採用実績】

	大卒男	大卒女	修士男	修士女
23年	25(文 11理 14)	15(文 13理 2)	0(文 0理 0)	1(文 0理 1)
24年	23(文 13理 10)	19(文 17理 2)	2(文 0理 2)	1(文 0理 1)
25年	24(文 14理 10)	28(文 24理 4)	0(文 0理 0)	0(文 0理 0)

【25年4月入社者の採用実績校】文(大)関西学大 大妻女大 日女大各3 学習院大 近大 中大各2 神戸学大 開志専大 関大 関東学院大 京産大 甲南大 桜美林大 産能大 上智大 神奈川大 成蹊大 青学大 大阪市大 日本国際学園大 東京女大 東北福祉大 東洋大 日大 武庫川女大 武蔵野大 文教大 法政大 立命館大各1 理(大)サイバー大 大阪工大 大阪電通大各2 成蹊大 日大 帝京大 東京電機大 東洋大 工学院大 千葉工大 日工大各1

【24年4月入社者の配属先】

技勤務地:東京42 大阪3 部署:システムエンジニア45

残業(月) 24.3時間 総24.5時間

記者評価 大阪ガス系のオージス総研と三井住友銀行の合弁。会計、人事・給与、業務系のソリューション事業と、SMBCグループ各社などの勘定系システムやエネルギー事業関連システムのSI事業が2本柱。24年7月に正社員全体で一律1万円のベースアップを実施。

●給与、ボーナス、週休、有休ほか●

【30歳総合職平均年収】514万円【初任給】(修士)225,500円(大卒)215,500円【ボーナス(年)】127万円、4.0カ月【25、30、35歳賃金】239,111円→264,100円→291,300円【週休】完全2日(土日祝)【夏期休暇】なし【年末年始休暇】12月31日 1月2日 1月3日【有休取得】15.0／20日

●従業員数、勤続年数、離職率ほか●

【男女別従業員数、平均年齢、平均勤続年数】計 975(42.2歳 16.6年) 男 628(43.3歳 17.6年) 女 347(40.3歳 14.9年)【離職率と離職者数】4.4%、45名【3年後新卒定着率】73.9%(男80.0%、女69.2%、3年前入社:男10名・女13名)【組合】なし

求める人材 変化を楽しみ、自ら課題設定し解決策まで考える 安定基盤を活用し、掛合わせを面白がれる人 常に挑戦する姿勢を忘れずに主体的に動ける人

会社データ (金額は百万円)

【本社】108-8650 東京都港区白金1-17-3
☎03-6757-7200 https://www.sakura-is.co.jp/
【社長】伊延 充正【設立】1972.11【資本金】600【今後力を入れる事業】アライアンス等によるビジネス領域の拡大

【業績(単独)】	売上高	営業利益	経常利益	純利益
22.3	20,209	NA	NA	NA
23.3	21,181	NA	NA	NA
24.3	22,695	NA	NA	NA

(株)エヌアイデイ

東京S 2349

【特色】独立系SI。通信・情報、組み込み系に強み

修士・大卒採用数	3年後離職率	有休取得年平均	平均年収(平均39歳)
89名	34.7→36.6%	12.2日	総569万円

●エントリー情報と採用プロセス●

【受付開始～終了】技3月～継続中【採用プロセス】技オンライン説明会(必須、3月～)→適性検査(随時)→ES提出→面接(2～3回、随時)→内々定(随時)【交通費支給】最終面接以降、遠方者(会社基準)【早期選考】⇒巻末

試験情報

重視科目 技面接 適性検査

技 ES⇒巻末 筆WebCAB 面2～3回(Webあり)

選考ポイント 技 面基本的なコミュニケーション能力 問題解決力 計画性

通過率 技 ES選考なし(受付:531)

倍率(応募/内定) 技10倍

●男女別採用数と配属先ほか●

【男女・文理別採用実績】※25年:継続中

	大卒男	大卒女	修士男	修士女
23年	54(文 19理 35)	27(文 20理 7)	4(文 0理 4)	1(文 0理 1)
24年	60(文 33理 27)	23(文 16理 7)	4(文 0理 4)	1(文 0理 1)
25年	57(文 27理 30)	26(文 18理 8)	4(文 0理 4)	2(文 0理 2)

【25年4月入社者の採用実績校】

文(大)大妻女大3 秋田大 山形大 琉球大 中央学大 青学大 多摩大 帝京大 法政大 明学大 関東学院大 長野大 中村学大 東京都市大 東京女大 日大 鶴見大各1 理(院)山口大1(大)東海大 神奈川工大各3 東京電機大 湘南工大各2 横国大 茨城大 東洋大 日大 千葉工大 東京情報大 中部大 諏訪東理大 大阪電通大 名大 慶熙大各1(専)トライデントコンピュータ2 HAL東京 ELICビジネス&公務員 船橋情報ビジネス 日本工学院各1

【24年4月入社者の配属先】

技勤務地:東京86 愛知8 部署:ソーシャルデザイン事業部22 ITコミュニケーションデザイン事業部23 インシュアランスデジタルデザイン24 ICTデザイン事業部23 CX技術研究支援室2

残業(月) 16.3時間 総16.3時間

記者評価 組み込みソフト、システム開発、ネット運用が3本柱。組み込みは車載機器、ネットワークはクラウドに重点。生損保や航空会社向けシステムで実績。コーポレートメッセージは「できるわけある」。新事業創出注力。22年NTTドコモ傘下のECサイト構築会社を子会社化。

●給与、ボーナス、週休、有休ほか●

【30歳総合職平均年収】492万円【初任給】(修士)243,800円(大卒)232,500円【ボーナス(年)】165万円、5.3カ月【25、30、35歳賃金】220,400円→251,242円→288,975円【週休】完全2日(土日祝)【夏期休暇】1日【年末年始休暇】連続5日【有休取得】12.2／20日

●従業員数、勤続年数、離職率ほか●

【男女別従業員数、平均年齢、平均勤続年数】計 1,026(38.9歳 14.1年) 男 844(40.9歳 15.7年) 女 182(30.0歳 6.4年)【離職率と離職者数】5.4%、59名【3年後新卒定着率】63.4%(男57.7%、女73.3%、3年前入社:男26名・女15名)【組合】なし

求める人材 自ら考え行動できる人

会社データ (金額は百万円)

【本社】104-6029 東京都中央区晴海1-8-10 晴海アイランドトリトンスクエアX棟29階
☎03-6221-6811 https://www.nid.co.jp/
【社長】小森 俊太郎【設立】1967.5【資本金】653【今後力を入れる事業】クラウド・AI・DXソリューション事業

【業績(連結)】	売上高	営業利益	経常利益	純利益
22.3	18,251	2,226	2,466	1,631
23.3	20,449	2,544	2,742	2,210
24.3	22,571	2,809	3,126	2,108

エージーエス
ＡＧＳ㈱

東京S 3648

【特色】りそなGが母体の情報システムサービス企業

修士・大卒採用数	3年後離職率	有休取得年平均	平均年収(平均44歳)
32名	5.3→24.2％	17.7日	[総]605万円

●エントリー情報と採用プロセス●

【受付開始～終了】[総][技]2月～継続中【採用プロセス】[総][技]説明会・書類提出・適性試験(1月～)→面接(3回)→内々定(2月～)【交通費支給】最終面接以降、学校推薦かつ遠方者のみ実費【早期選考】⇒巻末

試験情報

重視科目 [総][技]適性試験 面接

[総][技][ES]⇒巻末[筆]WebCAB[面]3回(Webあり)

選考ポイント [総][技][面]入社熱意 自律性 主体性 向上心 チャレンジ精神

通過率 [総][ES]選考なし(受付:10) [技][ES]選考なし(受付:289)

倍率(応募/内定) [総]1倍 [技]8倍

●男女別採用数と配属先ほか●

【男女・文理別採用実績】

	大卒男	大卒女	修士男	修士女
23年	17(文 9理 8)	10(文 4理 6)	1(文 0理 1)	0(文 0理 0)
24年	14(文 6理 8)	11(文 9理 2)	3(文 0理 3)	0(文 0理 0)
25年	18(文 12理 6)	13(文 10理 3)	0(文 0理 0)	1(文 1理 0)

【25年4月入社者の採用実績校】
[文](院)お茶女大1(大)獨協大4 埼玉大 日大 共立女大各2 江戸川大 大妻女大 東京経大 東洋大 武蔵大 文教大 法政大 明大 明星大 立正大 白百合女大 東北学大各1 [理](大)東京電機大5 東洋大 岩手県大 日大 大妻女大各1(専)東京IT会計公務員大宮7 HAL東京3 日本工学院八王子1

【24年4月入社者の配属先】
[総]勤務地:さいたま5 部署:営業5 [技]勤務地:さいたま28 東京(新川2 目黒3)栃木・宇都宮1 部署:SE23 インフラエンジニア11

残業(月) 18.5時間 [総]18.5時間

記者評価 コンサルからシステム開発、運用まで一貫提供。金融・公共・法人の各領域向けに展開。埼玉県内のデータセンターを基盤に受託計算やBPO・クラウドサービスなどを展開。クラウド・インフラ資格取得者増を推進。社内副業制度や昼食時間帯のWeb講座開催も。

●給与、ボーナス、週休、有休ほか●

【30歳総合職平均年収】484万円【初任給】(博士)257,000円(修士)257,000円(大卒)235,000円【ボーナス(年)】164万円、NA【25、30、35歳賃金】253,800円→278,000円→300,000円【週休】完全2日(土日祝)【夏期休暇】有休で取得【年末年始休暇】12月30日～1月3日【有休取得】17.7／20日

●従業員数、勤続年数、離職率ほか●

【男女別従業員数、平均年齢、平均勤続年数】計 1,076(45.0歳 21.1年) 男 791(46.4歳 22.4年) 女 285(40.7歳 17.2年)【離職率と離職者数】3.7%、41名【3年後新卒定着率】75.8%(男88.2%、女62.5%、3年前入社:男17名・女16名)【組合】なし

求める人材 社会環境の変化に柔軟に対応できるチャレンジ精神旺盛な人材

会社データ (金額は百万円)

【本社】330-0075 埼玉県さいたま市浦和区針ヶ谷4-3-25
☎048-825-6000 https://www.ags.co.jp/
【社長】中野 真治【設立】1971.7【資本金】1,431【今後力を入れる事業】DX・クラウドインテグレーションビジネスの推進

【業績(連結)】	売上高	営業利益	経常利益	純利益
22.3	21,187	948	981	638
23.3	21,066	873	910	682
24.3	22,092	1,272	1,286	936

アイエックス・ナレッジ㈱

東京S 9753

【特色】独立系の中堅システム開発会社。一貫受注に強み

修士・大卒採用数	3年後離職率	有休取得年平均	平均年収(平均39歳)
65名	26.0→17.6％	14.7日	[総]588万円

●エントリー情報と採用プロセス●

【受付開始～終了】[総][技]11月～7月【採用プロセス】[総][技]説明会(必須、11月～)→作文・CAB(12月～)→面接(3回、2月～)→内々定【交通費支給】なし【早期選考】⇒巻末

試験情報

重視科目 [総][技]面接

[総][技][筆]WebCAB[面]3回(Webあり)[GD][作]⇒巻末

選考ポイント [総][技][面]コミュニケーション能力 業務・業界の理解度・志望度 話の論理性 他

通過率 [総][ES]―(応募:42) [技][ES]―(応募:714)

倍率(応募/内定) [総]14倍 [技]11倍

●男女別採用数と配属先ほか●

【男女・文理別採用実績】

	大卒男	大卒女	修士男	修士女
23年	44(文 32理 12)	19(文 18理 1)	0(文 0理 0)	0(文 0理 0)
24年	40(文 23理 17)	29(文 24理 5)	2(文 0理 2)	1(文 1理 0)
25年	43(文 30理 13)	20(文 18理 2)	1(文 0理 1)	1(文 0理 1)

【25年4月入社者の採用実績校】[文](大)帝京大 駒澤大各4 日大3 青学大 神奈川大 帝京平成大 麗澤大各2 多摩大 専大 関東学院大 フェリス女学大 流経大 淑徳大 立正大 新潟医療福祉大 東京国際大 奈良女大 東京経大 関大 中大 早大 神戸学大 中京大 大正大 嘉悦大 新潟国際情報大 北海道情報大 東海大 京都橘大 白百合女大 愛知淑徳大 神田外語大 文教大 釧路公大 東洋大 明学大各1 [理](院)上智大 鹿児島大各1(大)日大 福岡工大 神奈川工大各2 芝工大 大阪工大 成蹊大 千葉工大 宇都宮大 東海大 神奈川大 東洋大 三条市大各1(専)東京情報クリエイター工学院 日本電子 新潟情報各1

【24年4月入社者の配属先】[総]勤務地:東京2 部署:営業2 [技]勤務地:東京68 大阪8 新潟3 部署:SE79

残業(月) 13.5時間 [総]13.5時間

記者評価 金融、通信など多岐にわたる業種の顧客に対し、コンサルティングからシステム開発、運用・保守まで一貫したサービスを提供。情報・通信分野向けなどの第三者検証サービスも展開。23年2月土木建設分野の同業を子会社化。クラウドネイティブ人材の育成に注力。

●給与、ボーナス、週休、有休ほか●

【30歳総合職平均年収】558万円【初任給】(博士)231,500円(修士)224,000円(大卒)221,000円【ボーナス(年)】165万円、5.25カ月【25、30、35歳賃金】243,510円→292,168円→337,214円【週休】完全2日(土日祝)【夏期休暇】有休取得可【年末年始休暇】12月30日～1月4日【有休取得】14.7／20日

●従業員数、勤続年数、離職率ほか●

【男女別従業員数、平均年齢、平均勤続年数】計 1,336(39.4歳 15.3年) 男 1,047(40.5歳 16.5年) 女 289(35.6歳 10.9年)【離職率と離職者数】4.0%、55名(早期退職5名含む)【3年後新卒定着率】82.4%(男82.4%、女82.4%、3年前入社:男51名・女34名)【組合】なし

求める人材 ITビジネスのプロを目指し、何事も前向きに取り組む人

会社データ (金額は百万円)

【本社】108-0022 東京都港区海岸3-22-23 MSCセンタービル
☎03-6400-7000 https://www.ikic.co.jp/
【社長】安藤 文男【設立】1979.6【資本金】1,180【今後力を入れる事業】DXニーズに対応したクラウド関連事業等

【業績(連結)】	売上高	営業利益	経常利益	純利益
23.3	20,206	1,459	1,533	1,027
24.3	21,748	1,655	1,739	1,275

開示 ★★★★☆ 1093

㈱ジャステック

株式公開していない

【特色】優良顧客多いシステム開発専業。NTTデータ傘下

修士・大卒採用数	3年後離職率	有休取得年平均	平均年収(平均36歳)
117名	38.2→35.1%	13.0日	[総]524万円

●エントリー情報と採用プロセス●

【受付開始～終了】[技]1月～7月【採用プロセス】[技]説明会(必須、1月)→ES提出(1月)→筆記(1月)→面接(2回、1月)→内々定(2月)【交通費支給】最終面接、会社基準【早期選考】⇒巻末

試験情報

重視科目 [技]全て

[技][ES]⇒巻末[筆]WebGAB[面]2回(Webあり)

選考ポイント [技][ES]業界志望度 職種志望度 志望動機 自己PR 他[面]自立(律)性 論理的思考能力 業界・職種理解 志望理由

通過率 [技][ES]NA(受付:2,332→通過:NA) 倍率(応募/内定) [技]19倍

●男女別採用数と配属先ほか●

【男女・文理別採用実績】※25年:24年7月23日時点

	大卒男	大卒女	修士男	修士女
23年	65(文 13理 52)	29(文 25理 4)	9(文 0理 9)	1(文 0理 1)
24年	52(文 20理 32)	22(文 16理 6)	15(文 0理 15)	3(文 0理 3)
25年	71(文 23理 48)	32(文 24理 8)	13(文 3理 10)	1(文 1理 0)

【25年4月入社者の採用実績校】[文](院)西南学大 筑波大 東北大 立正大各1(大)日大4 神奈川大 京都女大 駒澤大 下関市大 椙山女学大 明大各2 茨城大 愛媛大 阪大 香川大 関大 関東学院大 北九州市大 岐阜協大 京産大 甲南大 神戸学大 國學院大 埼玉大 滋賀県大 静岡大 成蹊大 成城大 聖徳大 摂南大 高崎経大 東京国際大 都立大 同女大 同大 中村学大 日女大 法政大 北海道教育大 安田女大 横浜市大 早大各1 [理](院)神奈川大2 岩手県大 九大 芝工大 電通大 東京工科大 新潟大 ミュンヘン工科大 明大各1(大)東京電機大4 成蹊大 千葉工大 東京工科大各3 江戸川大 福岡工大 名城大 山口大各2 愛知工業大 岩手県大 宇都宮大 大阪工大 大阪府大 神奈川工大 関東学院大 九産大 京産大 群馬大 慶大 甲南女大 諏訪東理大 静岡大 芝工大 専大 崇城大 大同大 玉川大 中大 津田塾大 東海大 東京情報大 東京都市大 都立大 東邦大 東洋大 南山大 新潟大 日大 兵庫県大 福岡大 佛教大 三重大 明大各1(短)福岡工大1(専)東京ITプログラミング&会計 日本工学院各2 麻生情報ビジネス 静岡産業技術 情報科学 船橋情報ビジネス各1

【24年4月入社者の配属先】[技]勤務地:東京・高輪79 仙台3 沼津1 名古屋4 大阪市5 広島市2 福岡市4 部署:SE(製造本部)98

残業(月) 26.4時間 [総]26.4時間

記者評価 ソフトウェア開発専業。一分野一社主義を掲げ各業界上位の優良企業を顧客に持つ。売上の約4割を占める金融・保険のほか、製造、電力・運輸など顧客は幅広い。国際品質マネジメント規格CMMIの成熟度レベル5を達成。24年5月NTTデータによるTOBが成立し上場廃止。

●給与、ボーナス、週休、有休ほか●

【30歳総合職モデル年収】514万円【初任給】(修士)246,000円(大卒)230,000円【ボーナス(年)】130万円、4.6カ月【25、30、35歳モデル賃金】241,400円→264,300円→284,300円【週休】完全2日(土日祝)【夏期休暇】3日【年末年始休暇】12月29日～1月4日【有休取得】13.0／20日

●従業員数、勤続年数、離職率ほか●

【男女別従業員数、平均年齢、平均勤続年数】計 1,379(36.7歳 12.9年) 男 1,023(37.7歳 13.9年) 女 356(33.9歳 10.4年)【離職率と離職者数】8.8%、133名【3年後新卒定着率】64.9%(男63.9%、女66.7%、3年前入社:男97名・女54名)【組合】あり

求める人材 ソフトウェア開発への情熱と気概、自立(律)性、自己主張、他者の尊重、論理的思考力

会社データ (金額は百万円)

【本社】108-0074 東京都港区高輪3-5-23
☎03-3446-0295 https://www.jastec.co.jp/
【社長】村中 英俊【設立】1971.7【資本金】2,238【今後力を入れる事業】システムインテグレーション

【業績(単独)】	売上高	営業利益	経常利益	純利益
21.11	18,174	2,075	2,194	1,515
22.11	19,053	2,889	2,964	2,044
23.11	20,762	3,063	3,150	2,213

キーウェアソリューションズ㈱

東京S 3799

【特色】総合システムサービス企業。NEC、JR、NTTと密接

修士・大卒採用数	3年後離職率	有休取得年平均	平均年収(平均42歳)
44名	15.6→21.8%	14.3日	[総]621万円

●エントリー情報と採用プロセス●

【受付開始～終了】[総]6月～8月 [技]12月～6月【採用プロセス】[総]Webセミナー(必須、6月)→ES・SPI提出(7月)→面接(2回、7月中旬～下旬)→内々定(9月上旬) [技]会社説明動画(必須、12月～)→ES・SPI提出(12月中旬～)→面接(2回、12月中旬～)→内々定(12月下旬～)【交通費支給】なし

試験情報

重視科目 [総][技]面接

[総][技][ES]NA[筆]SPI3(自宅)[面]2回(Webあり)

選考ポイント [総][技][ES]NA(提出あり)[面]自主性 コミュニケーション能力 協調性

通過率 [総][技][ES]NA

倍率(応募/内定) [総][技]NA

●男女別採用数と配属先ほか●

【男女・文理別採用実績】

	大卒男	大卒女	修士男	修士女
23年	28(文 11理 17)	9(文 6理 3)	1(文 0理 1)	0(文 0理 0)
24年	21(文 14理 7)	18(文 14理 4)	1(文 0理 1)	0(文 0理 0)
25年	27(文 15理 12)	15(文 8理 7)	0(文 0理 0)	2(文 1理 1)

【25年4月入社者の採用実績校】
[文](院)武蔵野大1(大)大妻女大4 専大 近大各2 日大 杏林大 関大 東京女大 立正大 千葉商大 法政大 創価大 久留米大 拓大 文教大 武蔵野大 東京経大 大東文化大 兵庫県大各1 [理](院)京都工繊大1(大)日大 東京電機大各3 湘南工大 大妻女大各2 山形大 神奈川工大 文教大 東邦大 琉球大 産能大 東京工芸大 千葉工大 中大各1(専)静岡産業技術2 日本工学院1

【24年4月入社者の配属先】
[総]勤務地:東京・世田谷5 部署:営業職2 スタッフ職(事務職)3
[技]勤務地:東京・世田谷36 部署:システム開発事業36

残業(月) 21.1時間

記者評価 システム開発と、パッケージソフトや運用・保守など総合ITサービスの2本柱。NEC、NTT、JR東の各グループ会社などが主要顧客。社会インフラ関連に強い。セキュリティやデジタル金融など新領域に意欲。24年4月、医療関連子会社を本社に統合し、同分野を強化。

●給与、ボーナス、週休、有休ほか●

【30歳総合職平均年収】531万円【初任給】(博士)236,000円(修士)236,000円(大卒)223,000円【ボーナス(年)】120万円、3.6カ月【25、30、35歳賃金】233,492円→288,875円→316,850円【週休】完全2日(土日祝)【夏期休暇】連続5日(一斉有休2日含む)【年末年始休暇】12月30日～1月3日【有休取得】14.3／20日

●従業員数、勤続年数、離職率ほか●

【男女別従業員数、平均年齢、平均勤続年数】計 739(41.8歳 17.0年) 男 593(43.5歳 18.7年) 女 146(34.7歳 10.3年)【離職率と離職者数】4.2%、32名【3年後新卒定着率】78.2%(男78.9%、女76.5%、3年前入社:男38名・女17名)【組合】あり

求める人材 目的意識を持ち、周囲と協力して前向きに取り組める人 自ら考え行動できる人

会社データ (金額は百万円)

【本社】156-8588 東京都世田谷区上北沢5-37-18
☎03-3290-1111 https://www.keyware.co.jp/
【社長】三田 昌弘【設立】1965.5【資本金】1,737【今後力を入れる事業】ERP事業 セキュリティ ヘルスケア 医療 農業ICT

【業績(連結)】	売上高	営業利益	経常利益	純利益
22.3	18,427	551	755	556
23.3	19,173	738	921	482
24.3	20,511	873	1,090	729

通信・ソフト

開示 ★★★☆☆ 1433

(株)東計電算（とうけいでんさん）

東京S 4746

【特色】独立系SI。システム開発を軸にデータ処理なども

修士・大卒採用数	3年後離職率	有休取得年平均	平均年収(平均40歳)
55名	NA	14.3日	(総)534万円

●エントリー情報と採用プロセス●

【受付開始～終了】(総)(技)3月～継続中【採用プロセス】(総)(技)Web説明会(必須、オンデマンド有、3月～)→Web適性検査(3月～)→ES提出・筆記(4月上旬)→面接(2回、4月下旬)→内々定(6月上旬)【交通費支給】なし

試験情報

重視科目 (総)(技)面接

(総)(技)(ES)⇒巻末(筆)OPQ WebCAB 自社オリジナル(ペーパーテスト)(面)2回(GD作)⇒巻末

選考ポイント (総)(技)(ES)志望意欲 学生時代の取り組み(面)何故当社で働きたいか コミュニケーション能力

通過率 (総)(技)(ES)選考なし(受付:NA)

倍率(応募/内定) (総)(技)NA

●男女別採用数と配属先ほか●

【男女・文理別採用実績】※25年:55名採用予定

	大卒男	大卒女	修士男	修士女
23年	28(文 17理 11)	11(文 11理 0)	1(文 0理 1)	1(文 1理 0)
24年	38(文 29理 9)	8(文 8理 0)	1(文 0理 1)	1(文 0理 1)
25年	-(文 -理 -)	-(文 -理 -)	-(文 -理 -)	-(文 -理 -)

【25年4月入社者の採用実績校】(文)(24年)(大)高千穂大4 関東学院大 東洋学大各3 拓大 帝京大 千葉商大 麗澤大 多摩大 実践女大 名古屋学院大各2 法政大 亜大 国士舘大 東洋大 日大 創価大 駒澤大 和光大 武蔵野大 愛知学大 愛知産大 椙山女学大 沖縄大各1(短)常葉大1 (理)(24年)(院)神奈川工大 東京電機大各1(大)神奈川工大4 神奈川大 関東学院大 東京工科大 東京工芸大 東京情報大各1(専)東京IT会計2 横浜公IT会計 大原簿記 情報科学各1

【24年4月入社者の配属先】

(総)勤務地:川崎12 東京・千代田1 部署:営業13 (技)勤務地:川崎33 東京・千代田2 名古屋5 沖縄1 部署:SE37 NE2 CE1 OP1

残業(月) 24.2時間

記者評価 計算受託業務で出発。オーナー系。オフコン販売からソフト開発、SIへと発展。物流、製造、不動産・住宅管理などのパッケージに実績。クラウドなど自社データセンター活用のサービス開発を推進。受託開発は縮小し、ライセンス販売へシフト。財務の健全性高い。

●給与、ボーナス、週休、有休ほか●

【30歳総合職平均年収】534万円【初任給】(修士)236,000円(大卒)224,000円【ボーナス(年)】NA【25、30、35歳賃金】NA【週休】完全2日(土日祝)【夏期休暇】有休で取得【年末年始休暇】連続6～9日【有休取得】14.3／20日

●従業員数、勤続年数、離職率ほか●

【男女別従業員数、平均年齢、平均勤続年数】計821(39.6歳 14.1年)男611(40.6歳 15.2年)女210(36.4歳 11.0年)【離職率と離職者数】NA【3年後新卒定着率】NA【組合】なし

求める人材 コミュニケーション能力があり、失敗を恐れずあらゆる困難に立ち向かえる人

会社データ (金額は百万円)

【本社】211-8550 神奈川県川崎市中原区市ノ坪150
☎044-430-1311 https://www.toukei.co.jp/
【社長】古関祐二【設立】1970.4【資本金】1,370【今後力を入れる事業】業務別ERPソリューション 商品ライセンス

【業績(連結)】	売上高	営業利益	経常利益	純利益
21.12	16,782	3,742	4,205	3,008
22.12	17,605	4,541	5,154	3,409
23.12	19,562	5,060	5,727	3,968

ビジネスエンジニアリング(株)

東京P 4828

【特色】SAPのERP導入支援。自社品「MCフレーム」が成長

修士・大卒採用数	3年後離職率	有休取得年平均	平均年収(平均41歳)
23名	4.3→14.3%	15.4日	(総)785万円

●エントリー情報と採用プロセス●

【受付開始～終了】(技)3月～7月【採用プロセス】(技)説明会(必須)→ES提出・SPI→1次面接→2次面接→役員面接→内々定【交通費支給】全ての対面面接、実費【早期選考】⇒巻末

試験情報

重視科目 (技)面接

(技)(ES)⇒巻末(筆)SPI3(会場)(面)3回(Webあり)

選考ポイント (技)(ES)学業、クラブ活動等でのチャレンジ経験 他(面)ビジョンへの共感度 基礎能力 チャレンジ経験

通過率 (技)(ES)NA

倍率(応募/内定) (技)NA

●男女別採用数と配属先ほか●

【男女・文理別採用実績】

	大卒男	大卒女	修士男	修士女
23年	15(文 5理 10)	4(文 2理 2)	3(文 0理 3)	1(文 1理 0)
24年	8(文 6理 2)	3(文 3理 0)	8(文 0理 8)	1(文 0理 1)
25年	14(文 5理 9)	4(文 3理 1)	5(文 0理 5)	0(文 0理 0)

【25年4月入社者の採用実績校】(文)(大)明大2 慶大 上智大 学習院大 中大 津田塾大 和歌山大各1 (理)(院)早大 青学大 名大 名工大 熊本大各1(大)明大 法政大 東理大各2 早大 青学大 中大 佐賀大各1

【24年4月入社者の配属先】

(技)勤務地:東京・大手町20 部署:技術20

残業(月) 16.5時間 (総)16.5時間

記者評価 製造業向け中心にコンサル、システム構築、運用・保守など一貫して提供。独SAP製ERPの導入サービスが大きいが、製造業向け自社開発ERP「MCフレーム」も収益柱で急成長。SaaSも用意し中堅企業向け開拓。図研が筆頭株主。日系企業多いアジア開拓に注力。

●給与、ボーナス、週休、有休ほか●

【30歳総合職平均年収】669万円【初任給】(博士)275,000円(修士)275,000円(大卒)261,000円【ボーナス(年)】NA、4.0カ月【25、30、35歳賃金】265,704円→373,564円→428,395円【週休】完全2日(土日祝)【夏期休暇】連続5日(うち1日有休、週休2日祝日1日含む)別途連続7日の取得奨励(うち5日有休、週休2日含む)【年末年始休暇】連続9日【有休取得】15.4／20日

●従業員数、勤続年数、離職率ほか●

【男女別従業員数、平均年齢、平均勤続年数】計537(40.7歳 11.2年)男439(41.8歳 12.0年)女98(35.6歳 7.7年)【離職率と離職者数】4.8%、27名【3年後新卒定着率】85.7%(男88.2%、女75.0%、3年前入社:男17名・女4名)【組合】なし

求める人材 製造業の業務変革をITで支援することに共感する人

会社データ (金額は百万円)

【本社】100-0004 東京都千代田区大手町1-8-1 KDDI大手町ビル
☎03-3510-1600 https://www.b-en-g.co.jp/
【社長】羽田雅一【設立】1980.12【資本金】697【今後力を入れる事業】自社生産管理ERPのSaaS提供

【業績(連結)】	売上高	営業利益	経常利益	純利益
22.3	17,760	2,412	2,443	1,643
23.3	18,506	3,246	3,250	2,328
24.3	19,493	3,885	3,877	2,625

エヌシーエスアンドエー
ＮＣＳ＆Ａ(株)

東京S 9709

【特色】ソフト開発の老舗でITサービスに注力。NECと親密

修士・大卒採用数	3年後離職率	有休取得年平均	平均年収(平均41歳)
68名	13.5→10.0%	17.9日	[総]723万円

残業(月) 12.1時間 [総]12.1時間

記者評価 旧日本コンピューター・システム。システム受託開発や、パッケージソフトの開発・販売、IT機器の販売・保守など手がける。NECとの関係が深く、同社向けが売上の約15%を占める。IBMの分析システム活用した業務イノベーション支援も。東京・大阪2本社制。

●エントリー情報と採用プロセス●

【受付開始～終了】[総]3月～継続中【採用プロセス】[総]説明会(3月初旬～)→ES提出→1次面接→適性検査(Web)→2次面接→最終面接→内々定※事務系・技術系一括採用【交通費支給】なし【早期選考】⇒巻末

試験情報

重視科目 [総]面接 適性検査

[総][ES]⇒巻末[筆]WebGAB CAB[面]3回(Webあり)

選考ポイント [総][ES]学生時代に力を入れ成果をあげたこと[面]人柄 意欲 表現力 コミュニケーション能力 他

通過率 [総][ES]選考なし(受付:NA)

倍率(応募/内定) [総]NA

●男女別採用数と配属先ほか●

【男女・文理別採用実績】

	大卒男	大卒女	修士男	修士女
23年	22(文 16理 6)	10(文 9理 1)	1(文 0理 1)	1(文 0理 1)
24年	41(文 29理 12)	20(文 18理 2)	2(文 1理 1)	0(文 0理 0)
25年	46(文 30理 16)	21(文 20理 1)	0(文 0理 0)	1(文 1理 0)

【25年4月入社者の採用実績校】[文](院)京産大1(大)大東文化大 大阪経大各8 桃山学大4 関西外大3 関大 近大 帝塚山大各2 日大 学習院大 大阪市大 専大 大妻女大 島根県大 尾道市大 武蔵野大 甲南大 龍谷大 流経大 國學院大 京都橘大 神戸女大 帝京大 追手門学大 大同大 中部大 多摩大 大阪国際大 文教大各1 [理](大)大阪電通大3 神戸大 同大 東京電機大 立命館大 東京農業大 京産大 龍谷大 兵庫県大 京都橘大 武庫川女大 福井大 広島工大 明星大 日本医療科学大各1(専)HAL大阪 東京IT会計公務員各1

【24年4月入社者の配属先】[総]勤務地:大阪市1 兵庫・尼崎1 東京・千代田1 部署:営業3 [技]勤務地:大阪市28 兵庫・尼崎2 東京・千代田30 名古屋4 部署:開発64

●給与、ボーナス、週休、有休ほか●

【30歳総合職平均年収】590万円【初任給】(修士)229,300円(大卒)229,300円【ボーナス(年)】NA、6.5カ月【25、30、35歳賃金】238,267円→268,050円→313,613円【週休】完全2日(土日祝)【夏期休暇】3日【年末年始休暇】12月30日～1月3日【有休取得】17.9／20日

●従業員数、勤続年数、離職率ほか●

【男女別従業員数、平均年齢、平均勤続年数】計909(41.1歳 17.2年) 男655(43.3歳 19.2年) 女254(35.7歳 11.9年)【離職率と離職者数】4.0%、38名【3年後新卒定着率】90.0%(男100%、女85.7%、3年前入社:男6名・女14名)【組合】あり

求める人材 知的好奇心旺盛で、バイタリティあふれた明るい人 チャレンジ精神・柔軟性・実行力のある人

会社データ (金額は百万円)

【本社】530-6112 大阪府大阪市北区中之島3-3-23 中之島ダイビル
☎06-6443-1991 https://ncsa.jp/

【社長】辻 隆博【設立】1966.9【資本金】3,775【今後力を入れる事業】プライムビジネス ストックビジネス

【業績(連結)】	売上高	営業利益	経常利益	純利益
22.3	20,458	1,297	1,408	978
23.3	19,385	1,540	1,617	1,273
24.3	18,907	1,638	1,759	1,536

こうぞうけいかくけんきゅうしょ
(株)構造計画研究所

持株会社 傘下

【特色】独立系システム会社。大学発ベンチャーが起源

修士・大卒採用数	3年後離職率	有休取得年平均	平均年収(平均42歳)
20名	7.7→14.3%	15.8日	[総]1,031万円

残業(月) 26.7時間 [総]26.7時間

記者評価 建築物の構造設計でスタートした独立系システム開発会社。構造設計、防災コンサル、住宅・建設大手向けシステム開発の3本柱。耐震・津波・洪水シミュレーションの独自技術を持ち、自治体や電力、鉄道などのインフラ企業の防災コンサルに定評。

●エントリー情報と採用プロセス●

【受付開始～終了】[技]10月～5月【採用プロセス】[技]説明会(必須、3月初旬)→書類選考(3月初旬)→マッチングセミナー(非選考、3月中旬)→1次面接(3月中旬)→2次面接・GD(3月末)→人事面談(非選考、4月初旬)→最終面接(4月中旬)→内々定(4月末)【交通費支給】マッチングセミナー 人事面談 オファー面談 最終面接、実費(最終面接は片道)【早期選考】⇒巻末

試験情報

重視科目 [技]面接

[技][ES]⇒巻末[筆]RC適性検査 WebCAB(英語採用:異文化適応力検査 英語力テスト)[面]3回(Webあり)[GD作]⇒巻末

選考ポイント [技][ES]最低限の書類作成能力(英語採用:専門性が合致しているか)[面]当社の理念に共感しているか

通過率 [技][ES]55%(受付:624→通過:345)

倍率(応募/内定) [技](早期選考含む)28倍

●男女別採用数と配属先ほか●

【男女・文理別採用実績】

	大卒男	大卒女	修士男	修士女
23年	2(文 1理 1)	2(文 1理 1)	27(文 3理 24)	8(文 1理 7)
24年	3(文 0理 3)	3(文 3理 0)	15(文 1理 14)	10(文 1理 9)
25年	1(文 1理 0)	4(文 3理 1)	10(文 0理 10)	5(文 0理 5)

【25年4月入社者の採用実績校】[文](大)慶大 明大 明学大 広島大各1 [理](院)東京科学大3 京大 阪大各2 東理大 早大 千葉大 芝工大 北里大 北大 名大 奈良女大 九大 鹿児島大各1(大)女子美大1

【24年4月入社者の配属先】[総]勤務地:東京3 部署:営業1 企画2 [技]勤務地:東京30 部署:現業30

●給与、ボーナス、週休、有休ほか●

【30歳総合職平均年収】780万円【初任給】(博士)300,000円(修士)290,000円(大卒)280,000円【ボーナス(年)】286万円、6.8カ月【25、30、35歳賃金】254,761円→284,578円→422,148円【週休】2日(土日祝、当社カレンダーによる)【夏期休暇】有休で5日取得【年末年始休暇】12月30日～1月3日(24年度)【有休取得】15.8／20日

●従業員数、勤続年数、離職率ほか●

【男女別従業員数、平均年齢、平均勤続年数】計644(41.7歳 14.6年) 男475(42.3歳 15.1年) 女169(39.8歳 13.0年)【離職率と離職者数】4.0%、27名【3年後新卒定着率】85.7%(男84.6%、女87.5%、3年前入社:男13名・女8名)【組合】なし

求める人材 当社文化・理念に共感できる人

会社データ (金額は百万円)

【本社】164-0012 東京都中野区本町4-38-13 日本ホルスタイン会館内
☎03-5342-1100 https://www.kke.co.jp/

【社長】湯口 達夫【設立】1959.5【資本金】1,010【今後力を入れる事業】NA

【業績(単独)】	売上高	営業利益	経常利益	純利益
22.6	14,748	1,976	1,947	1,359
23.6	16,580	2,189	2,101	1,613
24.6	17,942	2,372	2,534	1,949

▶『業界地図』p.30

サイバーコム(株)

株式公開していない

【特色】富士ソフトの子会社。通信系ソフト開発が主力

修士・大卒採用数	3年後離職率	有休取得年平均	平均年収(平均35歳)
86名	28.4→24.6%	13.1日	[総]505万円

●エントリー情報と採用プロセス●

【受付開始～終了】[総]6月～継続中 [技]3月～8月【採用プロセス】[総]説明会(必須)→ES提出→Web適性試験→面接(1回)→内々定※選考期間1カ月程度 [技]説明会(必須)→ES提出→Web適性試験→面接(2回)→内々定※選考期間1カ月程度【交通費支給】なし【早期選考】⇒巻末

試験情報

[重視科目] [総][技]Web適性試験 面接

[総] [ES]⇒巻末 [筆]WebCAB [面]1回(Webあり) [技] [ES]⇒巻末 [筆]WebCAB [面]2回(Webあり)

[選考ポイント] [総][面]コミュニケーション力 サポート力 協調性 状況適応力 オーガナイズ能力 チャレンジ精神 [技][面]コミュニケーション力 興味・関心・やる気 業界や仕事への理解度 技術適性

[通過率] [総][ES]選考なし(受付:116) [技][ES]選考なし(受付:1,156) [倍率(応募/内定)] [総]— [技]14倍

●男女別採用数と配属先ほか●

【男女・文理別採用実績】

	大卒男	大卒女	修士男	修士女
23年	65(文 32 理 33)	18(文 15 理 3)	4(文 3 理 1)	0(文 0 理 0)
24年	61(文 25 理 36)	21(文 18 理 3)	4(文 2 理 2)	2(文 0 理 2)
25年	56(文 12 理 44)	26(文 8 理 18)	2(文 1 理 1)	2(文 1 理 1)

【25年4月入社者の採用実績校】[文](院)青学大1(大)関東学院大3 東北学大 東北福祉大各2 愛知淑徳大 茨城大 桜美林大 山梨大 仙台白百合女大 専大 相模女大 東亜大 東北文化学園大 日大 福山市大 北海道情報大 立教大各1(短)仙台青葉学院1 他 [理](大)東北学大 東北工大各6 福岡工大3 会津大 千葉工大各2 茨城大 近大 県立広島大 城西国際大 神奈川工大 石巻専大 前橋工大 東京情報大各1(専)東北電子9 新潟情報8 情報科学3 新潟コンピュータ 日本工学院 宮城県立白石高等技術各2 KCS福岡情報 アルスコンピュータ トライデントコンピュータ 国際情報工科自動車大学校 水戸電子 船橋情報ビジネス 大原簿記情報ビジネス 東京ITプログラミング&会計 栃木県立県央産業技術 麻生情報ビジネス各1 他

【24年4月入社者の配属先】[総]勤務地:横浜4 部署:営業部4 [技]勤務地:横浜57 仙台26 東京15 新潟9 愛知・刈谷6 福岡8 部署:ICT事業部38 システム事業部33 東北事業部27 エリア事業部23

[残業(月)] 17.5時間 [総]17.5時間

[記者評価] 通信系ソフト受託が柱。複合機等の制御系や業務用ソフト開発も行う。ネットワーク構築などSIや自社開発ソフト販売に注力。人的資本、サステナビリティが当面の経営の眼目。人材育成進め開発対応力に磨きかける。富士ソフトが完全子会社化、24年2月上場廃止。

●給与、ボーナス、週休、有休ほか●

【30歳総合職平均年収】463万円【初任給】(博士)212,000～230,000円 (修士)212,000～230,000円 (大卒)202,000～220,000円【ボーナス(年)】150万円、5.61カ月【25、30、35歳賃金】227,437円→246,682円→272,375円【週休】完全2日(土日祝)【夏期休暇】連続5日(有休2日含む)【年末年始休暇】連続5日(有休1日含む)【有休取得】13.1／20日

●従業員数、勤続年数、離職率ほか●

【男女別従業員数、平均年齢、平均勤続年数】計 1,274(34.9歳 10.0年) 男 1,024(35.5歳 10.7年) 女 250(32.2歳 7.2年)【離職率と離職者数】7.1%、97名【3年後新卒定着率】75.4%(男73.3%、女81.3%、3年前入社:男90名・女32名)【組合】なし

[求める人材] コミュニケーション能力があり好奇心を持って学びつづける人 モノづくりが好きな人

[会社データ] (金額は百万円)

【本社】231-0005 神奈川県横浜市中区本町4-34
☎045-681-6001 https://www.cy-com.co.jp/
【社長】新井 世東【設立】1978.12【資本金】399【今後力を入れる事業】生成AI マルチクラウド ローコードプラットフォーム セキュリティ 他

【業績(単独)】	売上高	営業利益	経常利益	純利益
21.12	15,528	953	1,031	704
22.12	16,628	1,054	1,084	804
23.12	17,625	1,200	993	730

(株)ハイマックス

東京S 4299

【特色】独立系SI。金融、保険、流通、クレジット主体

修士・大卒採用数	3年後離職率	有休取得年平均	平均年収(平均38歳)
44名	22.2→23.3%	11.3日	[総]612万円

●エントリー情報と採用プロセス●

【受付開始～終了】[技]3月～継続中【採用プロセス】[技]説明会・Web適性検査(3月)→個別面接(2回、3月下旬)→内々定(4月上旬)【交通費支給】なし【早期選考】⇒巻末

試験情報

[重視科目] [技]面接 適性

[技][筆]Web適性検査 [面]2回(Webあり)

[選考ポイント] [技][面]コミュニケーション力 論理性 SEへの理解度 SEの適性

[通過率] [技][ES]—(応募:799)

[倍率(応募/内定)] [技]14倍

●男女別採用数と配属先ほか●

【男女・文理別採用実績】

	大卒男	大卒女	修士男	修士女
23年	37(文 12 理 25)	35(文 28 理 7)	7(文 0 理 7)	0(文 0 理 0)
24年	34(文 21 理 13)	25(文 24 理 1)	6(文 0 理 6)	0(文 0 理 0)
25年	33(文 16 理 17)	10(文 6 理 4)	1(文 0 理 1)	0(文 0 理 0)

【25年4月入社者の採用実績校】[文](大)横浜商大 専大各3 立正大2 愛知淑徳大 環太平洋大 関東学院大 桜美林大 産能大 実践女大 神戸大 拓大 都留文科大 神奈川大 東京都市大 同大 日大 千葉商大各1 [理](院)岩手県大 筑波大各1(大)神奈川大4 近大 広島工大各2 愛知工業大 関東学院大 岩手県大 広島市大 国士舘大 成蹊大 青学大 拓大 長岡技科大 東京電機大 東邦大 日大 明星大各1(高専)苫小牧 宇部各2 弓削商船 沼津 鳥羽商船 鶴岡 都立産技各1(専)情報科学 日本電子各1

【24年4月入社者の配属先】[総]勤務地:神奈川・みなとみらい2 部署:財務1 人事1 [技]勤務地:神奈川(みなとみらい27 天王町7 殿町2 都筑ふれあいの丘1)東京(大崎4 神谷町3 勝どき2 立川2 神保町2 高田馬場2 豊洲2 虎ノ門2 丸の内2 六本木一丁目2 青山1 赤坂見附1 大手町1 大森1 霞が関1 蒲田1 五反田1 田町1 品川1 多摩センター1 溜池山王1 調布1 中野1 平河町1 八重洲1) 部署:システムエンジニア75

[残業(月)] 23.8時間

[記者評価] 独立系SI。野村総研が大口顧客で、同社向け売上比率4割弱。IBM、富士通向けも多く、クレジットカードや保険会社が主要ユーザー。官公庁、流通など非金融深耕。IoT関連やブロックチェーン、RPA、AIなどDX事業強化。23年10月東証プライムからスタンダードに。

●給与、ボーナス、週休、有休ほか●

【30歳総合職平均年収】483万円【初任給】(博士)235,000円 (修士)235,000円 (大卒)230,000円【ボーナス(年)】151万円、NA【25、30、35歳賃金】232,140円→243,284円→253,442円【週休】完全2日(土日祝)【夏期休暇】有休で取得【年末年始休暇】12月31日～1月3日【有休取得】11.3／20日

●従業員数、勤続年数、離職率ほか●

【男女別従業員数、平均年齢、平均勤続年数】計 841(37.5歳 12.7年) 男 647(38.8歳 13.7年) 女 194(33.1歳 9.2年)【離職率と離職者数】6.5%、58名【3年後新卒定着率】76.7%(男83.3%、女66.7%、3年前入社:男36名・女24名)【組合】なし

[求める人材] 向上心 探究心 コミュニケーション力 論理的思考 モノづくり志向 行動力

[会社データ] (金額は百万円)

【本社】220-6216 神奈川県横浜市西区みなとみらい2-3-5 クイーンズタワーC棟16F
☎045-201-6655 https://www.himacs.jp/
【社長】中島 太【設立】1976.5【資本金】689【今後力を入れる事業】主力の受託開発事業(コアビジネス)の拡大

【業績(連結)】	売上高	営業利益	経常利益	純利益
22.3	16,681	1,716	1,719	1,213
23.3	17,331	1,833	1,844	1,294
24.3	17,357	1,719	1,730	1,184

通信・ソフト

㈱東邦(とうほう)システムサイエンス

東京P 4333

【特色】金融分野を得意とする独立系ソフト開発中堅

修士・大卒採用数	3年後離職率	有休取得年平均	平均年収(平均37歳)
36名	21.1→36.1%	8.8日	(総)582万円

残業(月) 18.8時間 (総)18.8時間

記者評価 旧東邦生命系から独立したシステム開発中堅。保険、銀行、証券など金融系に強み。野村総研、SCSKなど主要SIerと連携。通信・基盤系も手がける。非金融分野比率の向上やDX開発進出などに注力。その一環で、23年12月に日鉄ソリューションズと資本業務提携。

●エントリー情報と採用プロセス●

【受付開始～終了】(技)3月～継続中【採用プロセス】(技)説明会(必須、3～9月上旬)→ES提出(3～9月上旬)→Webテスト(3～9月上旬)→論作文(3～9月中旬)→面接(2回、3～9月末)→内々定(3～9月末)【交通費支給】なし【早期選考】⇒巻末

試験情報

重視科目 [技]面接

[技](ES)⇒巻末(筆)情報分析基礎力検査BEL(面)2回(Webあり)(GD作)⇒巻末

選考ポイント [技](面)コミュニケーション能力 協調性 向上心 積極性

通過率 [技](ES)選考なし(受付:(早期選考含む)640)

倍率(応募/内定) [技](早期選考含む)18倍

●男女別採用数と配属先ほか●

【男女・文理別採用実績】

	大卒男	大卒女	修士男	修士女
23年	40(文 20理 20)	24(文 18理 6)	1(文 0理 1)	0(文 0理 0)
24年	46(文 26理 20)	19(文 16理 3)	0(文 0理 0)	0(文 0理 0)
25年	24(文 16理 8)	11(文 9理 2)	1(文 0理 1)	0(文 0理 0)

※25年:継続中

【25年4月入社者の採用実績校】
(文)(大)江戸川大 関東学院大 國學院大各2 亜大 産能大 白百合女大 早大 大東文化大 高崎経大 中大 東京経大 同大 同女大 日大 法政大 明大 明学大 横国大 立教大 立正大 和歌山大 和洋女大各1 (理)(院)工学院大1(大)千葉工大2 近大 慶大 東海大 東京電機大 東京都市大 常葉大 日大 法政大各1

【24年4月入社者の配属先】
[技]勤務地:東京65 部署:システム開発65

●給与、ボーナス、週休、有休ほか●

【30歳総合職モデル年収】505万円【初任給】(修士)229,000円(大卒)225,000円【ボーナス(年)】115万円、NA【25、30、35歳モデル賃金】294,940円→363,740円→432,560円【週休】完全2日(土日祝)【夏期休暇】4日(5～10月:クールビズ休暇)【年末年始休暇】12月31日～1月4日【有休取得】8.8／20日

●従業員数、勤続年数、離職率ほか●

【男女別従業員数、平均年齢、平均勤続年数】計 625(37.5歳 12.4年) 男 466(38.7歳 13.5年) 女 159(33.9歳 9.5年)【離職率と離職者数】5.0%、33名【3年後新卒定着率】63.9%(男62.1%、女71.4%、3年前入社:男29名・女7名)【組合】あり

求める人材 対話力 協調性 積極性 向上心のある人 論理的に考え話すことのできる人

会社データ (金額は百万円)

【本社】112-0002 東京都文京区小石川1-12-14 日本生命小石川ビル
☎03-3868-6060 https://www.tss.co.jp/
【社長】小坂 友康【設立】1971.6【資本金】526【今後力を入れる事業】金融・通信・公共のDX 自社新サービス事業

【業績(単独)】	売上高	営業利益	経常利益	純利益
22.3	14,211	1,327	1,337	942
23.3	15,446	1,514	1,522	1,116
24.3	16,280	1,574	1,583	1,082

㈱クロスキャット

東京P 2307

【特色】ソフトウェア開発で中堅。クレジット業界に強い

修士・大卒採用数	3年後離職率	有休取得年平均	平均年収(平均37歳)
60名	17.6→26.1%	11.9日	(総)546万円

残業(月) 18.7時間 (総)18.7時間

記者評価 独立系SI中堅。クレジット業界など金融向けや国税庁など官公庁向けシステムに実績。製造系やBI(情報解析)ビジネスも得意。アイデミーとDX支援サービスなどで提携。AIなど先端技術を学んだ学生を対象に、初任給が通常の2倍となるITスペシャリスト採用を実施。

●エントリー情報と採用プロセス●

【受付開始～終了】(総)(技)3月～6月【採用プロセス】(総)(技)説明会・ES提出・Web適性検査・CAB(3月～)→面接(2回)→内々定【交通費支給】最終面接以降、首都圏:一律2,000円 首都圏以外:地域によって5,000～35,000円【早期選考】⇒巻末

試験情報

重視科目 [総][技]面接

[総][技](ES)⇒巻末(筆)適性検査ESP CAB(面)2回(Webあり)

選考ポイント [総][技](ES)集団で活動した経験があるか 学生時代に様々な活動をしているか(面)協調性 責任感 勤労意欲 印象・雰囲気 適応力 コミュニケーション能力 ストレス耐性 主体性

通過率 [総](ES)8%(受付:(早期選考含む)95→通過:(早期選考含む)8) [技](ES)81%(受付:(早期選考含む)367→通過:(早期選考含む)299)

倍率(応募/内定) [総](早期選考含む)95倍 [技](早期選考含む)6倍

●男女別採用数と配属先ほか●

【男女・文理別採用実績】

	大卒男	大卒女	修士男	修士女
23年	27(文 11理 16)	23(文 17理 6)	2(文 0理 2)	0(文 0理 0)
24年	33(文 8理 25)	19(文 15理 4)	3(文 2理 1)	2(文 0理 2)
25年	26(文 13理 13)	29(文 24理 5)	4(文 1理 3)	1(文 1理 0)

【25年4月入社者の採用実績校】(文)(院)静岡大 鳴門教大各1(大)神田外語大 東洋学大各3 専大 高千穂大 千葉商大 東洋英和女学大 日大 福岡工大 明海大各2 茨城大 青学大 学習院女大 神奈川大 共立女大 国士舘大 十文字学女大 大正大 都留文科大 東洋大 獨協大 長崎県大 長崎純心大 文京学大 文教大 明学大 立教大各1 (理)(院)関大 福岡工大 明大各1(大)神奈川工大5 湘南工大3 東海大2 北里大 埼玉大 芝工大 東京工芸大 長岡技科大 阪南大 福岡工大 明大各1(専)日本工学院八王子 船橋情報ビジネス各1

【24年4月入社者の配属先】[総]勤務地:東京1 部署:営業1 [技]勤務地:東京58 部署:システム開発58

●給与、ボーナス、週休、有休ほか●

【30歳総合職平均年収】516万円【初任給】(修士)243,000円(大卒)239,000円【ボーナス(年)】112万円、NA【25、30、35歳賃金】250,094円→272,778円→314,800円【週休】完全2日(土日祝)【夏期休暇】5日(通年休暇制度より取得)【年末年始休暇】12月29日～1月4日【有休取得】11.9／20日

●従業員数、勤続年数、離職率ほか●

【男女別従業員数、平均年齢、平均勤続年数】計 536(38.0歳 11.4年) 男 384(39.5歳 12.6年) 女 152(33.9歳 8.5年)【離職率と離職者数】6.1%、35名【3年後新卒定着率】73.9%(男61.5%、女90.0%、3年前入社:男26名・女20名)【組合】なし

求める人材 他人ごとではなく、自分ごととして考え行動できる人 将来幹部候補に成り得る人

会社データ (金額は百万円)

【本社】108-0075 東京都港区港南1-2-70 品川シーズンテラス
☎03-3474-5251 https://www.xcat.co.jp/
【社長】山根 光則【設立】1973.6【資本金】1,000【今後力を入れる事業】DX推進 AI分野

【業績(連結)】	売上高	営業利益	経常利益	純利益
22.3	12,119	1,109	1,171	765
23.3	13,835	1,461	1,510	1,019
24.3	14,931	1,521	1,570	1,311

通信・ソフト

㈱リンクレア

株式公開 計画なし

【特色】独立系のソフト開発会社。無借金経営貫く

修士・大卒採用数	3年後離職率	有休取得年平均	平均年収(平均36歳)
40名	23.5 → 20.5%	15.3日	[総]811万円

残業(月) 8.4時間 [総]8.4時間

[記者評価] ITコンサルから企画・設計・開発・保守まで一貫して手がける。能力開発セミナーも展開。社名の由来は凛(Lin)、情報(Information)、創造(Create)から。上流工程の方法論に独自性。顧客との直接取引が8割を占める。小チーム編成のフラットな組織に特徴。

●エントリー情報と採用プロセス●

【受付開始～終了】[総][技]3月～継続中【採用プロセス】[総][技]説明会(必須、3月)→面接(6月)→Webテスト・役員面接(6月)→内々定(6月)【交通費支給】最終面接以降、遠方者(会社基準)のみ全額

試験情報

重視科目 [総][技]面接

[総][技][筆]Web-DBIT・DPI・DIST[面]2回(Webあり)

選考ポイント [総][技][ES]提出なし[面]志望動機 コミュニケーション能力 論理性 積極性 自律性

通過率 [総][ES]―(応募:55)[技][ES]―(応募:276)

倍率(応募/内定) [総]11倍 [技]7倍

●男女別採用数と配属先ほか●

【男女・文理別採用実績】※25年:予定数

	大卒男	大卒女	修士男	修士女
23年	33(文 14理 19)	17(文 12理 5)	0(文 0理 0)	0(文 0理 0)
24年	21(文 14理 7)	16(文 14理 2)	2(文 0理 2)	0(文 0理 0)
25年	25(文 15理 10)	15(文 10理 5)	0(文 0理 0)	0(文 0理 0)

【25年4月入社者の採用実績校】
[文](24年)(大)駒澤大 千葉商大各2 東北学大 亜大 神田外語大 専大 拓大 東洋大 東京経大 東京国際大 獨協大 武蔵野大 名古屋学院大 愛知淑徳大 大阪商大 大阪産大 神戸学大 周南公大 久留米大 西南学大 大妻女大 聖心女大 フェリス女学大 同女大 武庫川女大 筑紫女学大各1 [理](24年)(院)千葉工大 武蔵野大各1(大)青学大 工学院大 筑波大 東京工科大 東京都市大 岐阜大 摂南大 甲南大 十文字学女大各1(専)北海道情報 HAL名古屋 トライデントコンピューター各1

【24年4月入社者の配属先】[総]勤務地:東京・品川3 大阪市2 部署:営業職5 [技]勤務地:東京・品川25 大阪市5 愛知・栄4 福岡・博多3 部署:技術職(システムエンジニア・ITコンサルタント)37

●給与、ボーナス、週休、有休ほか●

【30歳総合職平均年収】693万円【初任給】(博士)270,000円(修士)270,000円(大卒)265,000円【ボーナス(年)】162万円、NA【25、30、35歳賃金】313,998円→449,957円→533,828円【週休】完全2日(土日祝)【夏期休暇】有休で取得【年末年始休暇】連続7日【有休取得】15.3/25日

●従業員数、勤続年数、離職率ほか●

【男女別従業員数、平均年齢、平均勤続年数】計 501(36.2歳 12.6年) 男 382(38.2歳 14.3年) 女 119(31.8歳 8.4年)【離職率と離職者数】6.4%、34名【3年後新卒定着率】79.5%(男72.4%、女93.3%、3年前入社:男29名・女15名)【組合】なし

[求める人材]「自ら考えて、自ら決断し、自ら行動する」リスクを恐れずに挑戦できる自律した人

[会社データ] (金額は百万円)

【本社】108-0075 東京都港区港南2-16-3 品川グランドセントラルタワー
☎03-6821-5111 https://www.lincrea.co.jp/
【社長】福留 由文【設立】1970.1【資本金】575【今後力を入れる事業】コンサルテーション 教育事業 システム開発

【業績(単独)】	売上高	営業利益	経常利益	純利益
22.3	11,727	887	1,014	692
23.3	12,106	727	863	610
24.3	12,991	1,049	1,206	871

㈱SCC(エスシーシー)

株式公開 計画なし

【特色】産学研協同を掲げる独立系SI。eDCグループ中核

修士・大卒採用数	3年後離職率	有休取得年平均	平均年収(平均35歳)
61名	18.2 → 20.6%	13.5日	[総]627万円

残業(月) 21.2時間 [総]20.7時間

[記者評価] ビジネス、教育・セキュリティ、医療・ヘルスケア、SIの各ソリューションが柱。大学、専門学校、北海道情報技研との産学研協同の成果をコンテンツ開発などに活用。レジャー施設・商業施設における迷子業務支援サービス開始。24年3月経産省のDX認定事業者に。

●エントリー情報と採用プロセス●

【受付開始～終了】[総][技]11月～5月【採用プロセス】[総]説明会(必須、11月～)→面接(12月～)→筆記(1月～)→面接(2月～)→内々定(3月～) [技]説明会(必須、11月～)→GD(12月)→面接(1月～)→筆記(2月～)→面接(2月～)→内々定(3月～)【交通費支給】最終面接、東京1,000円 千葉・埼玉・神奈川2,000円 その他会社基準【早期選考】⇒巻末

試験情報

重視科目 [総][技]面接

[総][ES]⇒巻末[筆]一般常識 自社オリジナル[面]2回(Webあり)[技][ES]⇒巻末[筆]一般常識 自社オリジナル[面]2回(Webあり)[GD作]⇒巻末

選考ポイント [総][技][ES]提出なし[面]リーダーシップ チームワーク 完遂力 コミュニケーション能力 協調性

通過率 [総][ES]―(応募:49)[技][ES]―(応募:(早期選考含む)211)

倍率(応募/内定) [総]49倍 [技](早期選考含む)2倍

●男女別採用数と配属先ほか●

【男女・文理別採用実績】

	大卒男	大卒女	修士男	修士女
23年	21(文 2理 19)	5(文 1理 4)	0(文 0理 0)	0(文 0理 0)
24年	39(文 3理 36)	9(文 4理 5)	0(文 0理 0)	0(文 0理 0)
25年	54(文 1理 53)	7(文 1理 6)	0(文 0理 0)	0(文 0理 0)

【25年4月入社者の採用実績校】[文](大)東洋大 中大各1 [理](大)北海道情報大52 東京工科大 東京電機大各2 都立大 大阪工大 関大各1(専)北海道情報12 鹿児島情報4 新潟専門3 他

【24年4月入社者の配属先】
[総]勤務地:東京・中野6 部署:総務1 経理2 営業3 [技]勤務地:東京・中野69 名古屋9 大阪12 福岡5 部署:SE・システム開発95

●給与、ボーナス、週休、有休ほか●

【30歳総合職平均年収】627万円【初任給】(大卒)240,050円【ボーナス(年)】167万円、5.21カ月【25、30、35歳モデル賃金】257,750円→389,960円→506,550円【週休】完全2日(土日祝)【夏期休暇】連続9日【年末年始休暇】12月28日～1月5日【有休取得】13.5/20日

●従業員数、勤続年数、離職率ほか●

【男女別従業員数、平均年齢、平均勤続年数】計 697(38.5歳 15.8年) 男 609(39.5歳 16.7年) 女 88(31.7歳 9.4年)【離職率と離職者数】4.1%、30名【3年後新卒定着率】79.4%(男75.0%、女100%、3年前入社:男28名・女6名)【組合】あり

[求める人材] 誠実な人、そして積極性やチャレンジ精神、コミュニケーション能力がある人

[会社データ] (金額は百万円)

【本社】164-8505 東京都中野区中野5-62-1
☎03-3319-6611 https://www.scc-kk.co.jp/
【社長】春日 邦彦【設立】1975.12【資本金】260【今後力を入れる事業】ビジネスソリューション

【業績(単独)】	売上高	営業利益	経常利益	純利益
22.3	10,833	434	556	366
23.3	11,879	981	1,105	680
24.3	12,370	591	716	485

㈱アドービジネスコンサルタント

株式公開していない

【特色】システム設計・運用、ネットワーク構築が事業柱

修士・大卒採用数	3年後離職率	有休取得年平均	平均年収(平均37歳)
40名	31.1→25.5%	14.0日	総 513万円

●エントリー情報と採用プロセス●

【受付開始～終了】技3月～継続中【採用プロセス】技説明会・適性検査(3月～)→面接(2回、3月～)→内々定(3月～)※事務系技術系一括採用【交通費支給】2次面接、遠方者のみ 特急・新幹線・飛行機代実費(在来線含まず)

試験情報

重視科目 技面接

技筆一般常識 CUBIC面2回

選考ポイント 技ES提出なし面自分の言葉で論理的に話せるか ポテンシャルを感じるか

通過率 技ES―(応募:136)

倍率(応募/内定) 技5倍

●男女別採用数と配属先ほか●

【男女・文理別採用実績】

	大卒男	大卒女	修士男	修士女
23年	17(文 11理 6)	11(文 10理 1)	0(文 0理 0)	0(文 0理 0)
24年	13(文 8理 5)	13(文 13理 0)	0(文 0理 0)	0(文 0理 0)
25年	22(文 13理 9)	16(文 15理 1)	1(文 0理 1)	1(文 1理 0)

【25年4月入社者の採用実績校】

文(24年)(大)実践女大6 学習院大 拓大各2 青学大 昭和女大 高崎経大 高崎商大 千葉商大 帝京大 東海大 東京経大 東洋大 法政大 和光大各1 理(24年)(大)日工大2 岡山理大 学習院大 東京工科大各1(専)日本工学院3 KCS福岡情報 HAL大阪 船橋情報ビジネス 北海道情報各2 大阪情報 KCS北九州情報 駿台電子情報&ビジネス 新潟情報各1

【24年4月入社者の配属先】

総勤務地:東京3 部署:管理本部2 ITサービス事業本部1 技勤務地:東京37 部署:ITソリューション事業部15 ICTサービス第一事業部8 ICTサービス第二事業部14

残業(月) 15.0時間 総16.0時間

記者評価 独立系SI。システム開発・運用やネット構築が核。取引先は商社、不動産、通信、メーカーなど大手企業多数。人材派遣や業務アウトソーシングのバックオフィス、モバイル関連サービスも手がける。IT企業で際立つ「人本位制」の社風。隅田川花火鑑賞は恒例行事。

●給与、ボーナス、週休、有休ほか●

【30歳総合職平均年収】437万円【初任給】(修士)232,200円(大卒)226,200円【ボーナス(年)】126万円、5.44カ月【25、30、35歳賃金】248,900円→284,800円→298,200円 ※諸手当含む【週休】完全2日(土日祝)【夏期休暇】有休で取得【年末年始休暇】12月30日～1月3日【有休取得】14.0/20日

●従業員数、勤続年数、離職率ほか●

【男女別従業員数、平均年齢、平均勤続年数】計690(37.8歳 11.0年) 男448(37.9歳 11.7年) 女242(37.6歳 9.8年) ※契約社員含む【離職率と離職者数】5.3%、39名【3年後新卒定着率】74.5%(男73.3%、女76.2%、3年前入社:男30名・女21名)【組合】なし

求める人材 素直でチャレンジ精神旺盛な人

会社データ (金額は百万円)

【本社】103-0007 東京都中央区日本橋浜町2-31-1 浜町センタービル18階(明治座ビル)

☎03-5652-6565 https://www.addo.co.jp/

【社長】池田 昭司【設立】1970.9【資本金】30【今後力を入れる事業】Microsoft365 Salesforce インフラサービス

【業績(単独)】	売上高	営業利益	経常利益	純利益
22.5	9,209	418	464	309
23.5	10,071	636	708	485
24.5	10,698	798	844	595

㈱ＳＩ＆Ｃ (エスアイアンドシー)

株式公開していない

【特色】独立系ソフト開発会社。プロジェクト管理に強み

修士・大卒採用数	3年後離職率	有休取得年平均	平均年収(平均35歳)
47名	7.1→39.1%	13.9日	総 557万円

●エントリー情報と採用プロセス●

【受付開始～終了】技10月～7月【採用プロセス】技説明会(必須、10月)→ES提出・Webテスト(10月)→面接(2回、11月)→内々定(12月予定)【交通費支給】なし

試験情報

重視科目 技面接

技ES⇒巻末筆WebCAB面2回(Webあり)

選考ポイント 技ES求める人材との合致 文章の論理性などを総合判断面コミュニケーション能力 論理的思考力 主体的行動力 向上心 他

通過率 技ES53%(受付:958→通過:506)

倍率(応募/内定) 技20倍

●男女別採用数と配属先ほか●

【男女・文理別採用実績】

	大卒男	大卒女	修士男	修士女
23年	33(文 11理 22)	33(文 27理 6)	8(文 0理 8)	1(文 0理 1)
24年	24(文 8理 16)	17(文 13理 4)	5(文 0理 5)	1(文 1理 0)
25年	35(文 11理 24)	8(文 5理 3)	3(文 0理 3)	1(文 0理 1)

【25年4月入社者の採用実績校】

文(大)武蔵大2 一橋大 慶大 早大 立教大 同大 青学大 明大 獨協大 専大 東京都市大 産能大 日大 神奈川大 大東文化大各1 理(院)三重大 新潟大 金沢工大 京産大各1(大)日大6 東京電機大4 東北学大 金沢工大各2 九大 東理大 成蹊大 関大 鹿児島大 東洋大 東京都市大 愛媛大 大妻女大 東京農業大 琉球大 東京工科大 長崎県大各1

【24年4月入社者の配属先】

技勤務地:東京40 神奈川5 千葉1 埼玉1 部署:システムエンジニア47

残業(月) 11.2時間 総11.2時間

記者評価 受託開発が中心の独立系ソフトウェア会社。企画・設計から保守まで一貫。大手SI向けが軸。生損保、銀行向けに強く、AI関連など新規分野も展開。開発組織成熟度を表すCMMIは最高位レベル5を達成、国際資格PMPの取得率も高い。24年7月にシステム情報から社名変更。

●給与、ボーナス、週休、有休ほか●

【30歳総合職平均年収】477万円【初任給】(修士)245,000円(大卒)240,000円【ボーナス(年)】70万円、NA【25、30、35歳賃金】249,773円→266,643円→278,971円【週休】完全2日(土日祝)【夏期休暇】リフレッシュ休暇5日(通年で取得可)【年末年始休暇】12月29日～1月3日【有休取得】13.9/20日

●従業員数、勤続年数、離職率ほか●

【男女別従業員数、平均年齢、平均勤続年数】計605(35.2歳 7.1年) 男472(36.3歳 7.6年) 女133(31.1歳 5.3年)【離職率と離職者数】8.1%、53名【3年後新卒定着率】60.9%(男69.2%、女50.0%、3年前入社:男13名・女10名)【組合】なし

求める人材 向上心 責任感 協調性 技術意欲

会社データ (金額は百万円)

【本社】104-0054 東京都中央区勝どき1-7-3 勝どきサンスクエア

☎03-5547-5700 https://www.siac.co.jp/

【社長】岩澤 俊典【設立】1980.1【資本金】350【今後力を入れる事業】DX関連の先端テクノロジー

【業績(連結)】	売上高	営業利益	経常利益	純利益
22.9	14,655	1,815	1,829	1,242
23.9	15,327	1,692	1,716	1,163
24.3変	6,425	707	1,277	1,493

三和コンピュータ(株)

さんわ

株式公開 計画なし

【特色】NEC系のSI企業。ICTトータルソリューションが柱

修士・大卒採用数	3年後離職率	有休取得年平均	平均年収(平均43歳)
9名	21.4→47.1%	11.0日	[総]525万円

●エントリー情報と採用プロセス●

【受付開始～終了】[総][技]3月～継続中【採用プロセス】[総][技]説明会・適性検査(3月下旬)→ES提出(4月上旬)→面接(2回、4月中旬)→内々定(5月上旬)【交通費支給】最終面接以降、遠方者(会社基準による)は実費相当(新幹線代等)【早期選考】⇒巻末

試験情報

重視科目 [総][技]面接

[総][技][ES]⇒巻末[筆]適性検査[面]2回(Webあり)

選考ポイント [総][技][ES]質問に対する回答内容 将来像[面]希望職種の有無及び職務遂行能力

通過率 [総][ES]84%(受付:(技術系含む)85→通過:(技術系含む)71) [技][ES]—(受付:事務系に含む→通過:事務系に含む)

倍率(応募/内定) [総](技術系含む)5倍 [技]—

●男女別採用数と配属先ほか●

【男女・文理別採用実績】

	大卒男	大卒女	修士男	修士女
23年	5(文 1理 4)	2(文 1理 1)	0(文 0理 0)	0(文 0理 0)
24年	10(文 4理 6)	2(文 2理 0)	0(文 0理 0)	0(文 0理 0)
25年	5(文 3理 2)	4(文 1理 3)	0(文 0理 0)	0(文 0理 0)

※25年:継続中

【25年4月入社者の採用実績校】
[文](大)同大 明大 拓大 敬愛大各1 [理](大)千葉工大2 国士舘大 玉川大 都立大各1(専)日本工学院八王子3 船橋情報 大阪情報コンピュータ 東北電子各2

【24年4月入社者の配属先】
[総]勤務地:東京4 部署:営業2 事務1 企画1 [技]勤務地:東京(本社4 府中2 芝浦1)神奈川2 茨城1 大阪2 部署:SE5 CE6 FE1

残業(月) 15.6時間 [総]15.6時間

記者評価 情報システムのコンサルから開発・運用・保守まで一貫。NEC販売特約店。ゴルフ場・ホテルの業務パッケージ、統合基幹業務システムに実績。生体認証による入退室管理システムなど各種カメラ活用の映像セキュリティに注力。奨励金支給など資格取得支援が充実。

●給与、ボーナス、週休、有休ほか●

【30歳総合職平均年収】407万円【初任給】(修士)223,000円(大卒)213,000円【ボーナス(年)】118万円、4.0カ月【25、30、35歳賃金】217,300円→231,600円→250,200円【週休】完全2日(土日)【夏期休暇】連続5日(有休3日含む)【年末年始休暇】12月29日～1月4日【有休取得】11.0/20日

●従業員数、勤続年数、離職率ほか●

【男女別従業員数、平均年齢、平均勤続年数】計 434(43.8歳 20.4年) 男 385(44.5歳 21.1年) 女 49(38.2歳 14.3年)【離職率と離職者数】2.7%、12名【3年後新卒定着率】52.9%(男63.6%、女33.3%、3年前入社:男11名・女6名)【組合】なし

求める人材 自ら考え、成長を目指すチャレンジ精神旺盛な人

会社データ (金額は百万円)

【本社】106-0047 東京都港区南麻布3-20-1 Daiwa麻布テラス
☎03-5421-6001 https://www.sanwa-comp.co.jp/
【社長】本永 実【設立】1971.9【資本金】120【今後力を入れる事業】DX提案や映像AIの活用による市場開拓

【業績(単独)】	売上高	営業利益	経常利益	純利益
22.3	5,821	▲9	8	3
23.3	6,011	11	23	▲96
24.3	6,417	70	70	45

金融

銀行　金庫　共済　証券　生保　損保
信販・カード・リース他

メガバンク

２０２４年後半には日本銀行による追加利上げの観測も。0.1%の上昇でも、銀行の収益は１００億円単位で増える

地方銀行

利上げは追い風だが、貸出金利の引き上げが預金金利上昇に追いつかない状況が続く。倒産増加の懸念も広がる

証券

新ＮＩＳＡスタートや、バブル期超えの株高で市場が活性化。ただ、手数料収入減で市況ほどの活況は享受せず

生命保険

外貨建て保険など貯蓄性商品の新契約は好調なものの、医療保険など保障性商品は伸び悩む状況が続く

損害保険

大手各社が「保険料カルテル」問題で行政処分を受ける可能性がある。保有株売却で業績は好調

クレジットカード・信販

堅調な消費と物価高、キャッシュレス決済の普及で取扱高が急伸。不正利用被害への対応が業界を挙げての課題に

（天気図は24年度後半⇒25年度、続きは東洋経済『会社四季報業界地図 2025年版』で）

㈱みずほ銀行（ぎんこう）

[持株会社傘下]

【特色】3メガバンクの一角。みずほフィナンシャルG中核

修士・大卒採用数	3年後離職率	有休取得年平均	平均年収(平均41歳)
500名	NA	NA	! 1,072万円

残業(月) NA

記者評価 第一勧業銀行、富士銀行、日本興業銀行の3行が前身。銀行、信託、証券などのグループ連携を加速。リースや資産運用も。国内は大企業のほか、中堅企業や脱炭素支援に力点。投資銀行業務の実績では国内金融機関屈指。欧米など海外にも拠点多数。

●エントリー情報と採用プロセス●

【受付開始～終了】[総]3月～継続中【採用プロセス】[総]ES提出・Web適性検査(3月～)→面接(複数回、6月～)→内々定(6月～)【交通費支給】NA

試験情報

重視科目 [総]面接

[総][ES]⇒巻末[筆]あり(内容NA)[面]複数回(Webあり)

選考ポイント [総][ES]NA(提出あり)[面]NA

通過率 [総][ES]NA

倍率(応募/内定) [総]NA

●男女別採用数と配属先ほか●

【男女・文理別採用実績】

	大卒男	大卒女	修士男	修士女
23年	NA(文NA理NA)	NA(文NA理NA)	NA(文NA理NA)	NA(文NA理NA)
24年	NA(文NA理NA)	NA(文NA理NA)	NA(文NA理NA)	NA(文NA理NA)
25年	-(文 -理 -)	-(文 -理 -)	-(文 -理 -)	-(文 -理 -)

※25年：500名採用予定

【25年4月入社者の採用実績校】
[文]NA [理]NA

【24年4月入社者の配属先】
[総]勤務地：国内461拠点686 部署：国内461拠点686

●給与、ボーナス、週休、有休ほか●

【30歳総合職平均年収】NA【初任給】(修士)280,000円(大卒)260,000円【ボーナス(年)】NA【25、30、35歳賃金】NA【週休】完全2日(土日祝)【夏期休暇】NA【年末年始休暇】12月31日～1月3日【有休取得】NA【平均年収】(みずほFG単体)1,072万円

●従業員数、勤続年数、離職率ほか●

【男女別従業員数、平均年齢、平均勤続年数】計 24,652(41.4歳 16.4年) 男 NA 女 NA【離職率と離職者数】NA【3年後新卒定着率】NA【組合】あり

求める人材 「知的好奇心」と「主体的にチャレンジする意欲」を持った人

会社データ (金額は百万円)

【本店】100-8176 東京都千代田区大手町1-5-5 大手町タワー
☎03-3214-1111 https://www.mizuhobank.co.jp/
【頭取】加藤 勝彦【設立】2002.4【資本金】2,256,767【今後力を入れる事業】より強力で強靭な金融グループをめざす

【業績(連結)】	経常収益	業務純益	経常利益	純利益
22.3	3,963,091	851,259	559,847	530,479
23.3	5,778,772	805,296	789,606	555,527
24.3	8,744,458	1,036,888	914,047	678,993

※資本金・業績は、㈱みずほフィナンシャルグループのもの
※採用関連はみずほ銀行、みずほ信託銀行の合算

㈱三井住友銀行（みついすみともぎんこう）

[持株会社傘下]

【特色】3メガバンクの一角。個人や中小企業に強み

修士・大卒採用数	3年後離職率	有休取得年平均	平均年収(平均40歳)
550名	NA	NA	860万円

残業(月) NA

記者評価 三井銀行と太陽神戸銀行が合併したさくら銀行を、住友銀行が01年に合併。三井住友FGの中核。個人から中小企業、大企業まで取引先は幅広い。経費率低く効率経営に定評。銀行取引やカード決済などを統合したスーパーアプリ「オリーブ」の利用拡大を推進。

●エントリー情報と採用プロセス●

【受付開始～終了】[総]3月～継続中【採用プロセス】[総]ES提出(3月～)→Webテスト→面接(複数回)→内々定【交通費支給】なし

試験情報

重視科目 [総]面接

[総][ES]NA[筆]あり(内容NA)[面]複数回(Webあり)[GD作]NA

選考ポイント [総][ES]志望動機 自己PR[面]誠実さ高潔さをベースに、行動エネルギーやコミュニケーション能力・適性等を総合判断

通過率 [総][ES]NA

倍率(応募/内定) [総]NA

●男女別採用数と配属先ほか●

【男女・文理別採用実績】

	大卒男	大卒女	修士男	修士女
23年	197(文NA理NA)	130(文NA理NA)	29(文NA理NA)	7(文NA理NA)
24年	237(文NA理NA)	192(文NA理NA)	42(文NA理NA)	10(文NA理NA)
25年	-(文 -理 -)	-(文 -理 -)	-(文 -理 -)	-(文 -理 -)

※25年：550名採用予定

【25年4月入社者の採用実績校】
[文]NA [理]NA

【24年4月入社者の配属先】
[総]勤務地：国内各地481 部署：国内各地・本部481

●給与、ボーナス、週休、有休ほか●

【30歳総合職平均年収】NA【初任給】(修士)280,000円(大卒)255,000円【ボーナス(年)】NA【25、30、35歳賃金】NA【週休】完全2日(土日祝)【夏期休暇】連続5営業日【年末年始休暇】12月31日～1月3日【有休取得】NA／20日

●従業員数、勤続年数、離職率ほか●

【男女別従業員数、平均年齢、平均勤続年数】計 24,615(40.3歳 16.3年) 男 10,899(NA) 女 13,716(NA)【離職率と離職者数】NA【3年後新卒定着率】NA【組合】あり

求める人材 多様でプロフェッショナルな社員が挑戦し続け、働きがいを感じる職場とチームの実現を目指す。プロフェッショナルであること、チームワークを重んじること、挑戦し続けられる人財

会社データ (金額は百万円)

【本店】100-0005 東京都千代田区丸の内1-1-2 三井住友銀行本店ビルディング
☎03-3282-1111 https://www.smbc.co.jp/
【頭取】福留 朗裕【設立】1996.6【資本金】1,770,900【今後力を入れる事業】NA

【業績(連結)】	経常収益	業務純益	経常利益	純利益
22.3	2,990,450	ND	867,849	568,244
23.3	4,991,948	ND	1,125,928	807,042
24.3	7,754,385	ND	1,356,572	901,935

1702 ▶『業界地図』p.143　開示 ★★

(株)ゆうちょ銀行（ぎんこう）

東京P 7182

【特色】日本郵政傘下の銀行。預貯金額で国内最大級

修士・大卒採用数	3年後離職率	有休取得年平均	平均年収(平均45歳)
160名	14.3 → 14.3%	19.3日	◇711万円

●エントリー情報と採用プロセス●

【受付開始～終了】[総]3月～5月【採用プロセス】[総]ES提出(3月上旬～5月上旬)→適性検査(3月上旬～5月上旬)→面接(6月)→内々定(6月～)【交通費支給】〈総合職〉面接、会社基準

試験情報

重視科目 [総]面接

[総][ES]⇒巻末[筆]あり(内容NA)[面]NA(Webあり)

選考ポイント [総][ES]NA(提出あり)[面]誠実さ 情熱と高い志を持っているか 失敗を恐れずチャレンジできるか

通過率 [総][ES]NA

倍率(応募/内定) [総]NA

●男女別採用数と配属先ほか●

【男女・文理別採用実績】

	大卒男	大卒女	修士男	修士女
23年	68(文 66 理 2)	71(文 67 理 4)	2(文 1 理 1)	0(文 0 理 0)
24年	46(文 46 理 0)	61(文 58 理 3)	2(文 1 理 1)	1(文 1 理 0)
25年	-(文 - 理 -)	-(文 - 理 -)	-(文 - 理 -)	-(文 - 理 -)

※25年:総合職80名、一般職(エリア基幹職)80名採用予定

【25年4月入社者の採用実績校】

[文]未定 [理]未定

【24年4月入社者の配属先】

[総]勤務地:全国 部署:全国の直営店 本社

残業(月) 6.8時間

記者評価 旧郵政公社の郵便貯金事業が独立。預貯金残高は約190兆円と国内最大級。貸し出しはほぼ行わず、国債や外国債券、投資信託などで運用。全国2.3万もの本支店や出張所を構え、金融商品販売などを行う。プライベートエクイティーや不動産ファンド投資にも積極的。

●給与、ボーナス、週休、有休ほか●

【30歳総合職平均年収】NA【初任給】(博士)242,200～271,260円(修士)242,200～271,260円(大卒)234,200～262,300円【ボーナス(年)】NA【25、30、35歳賃金】NA【週休】完全2日(土日祝)【夏期休暇】暦日1日【年末年始休暇】12月31日～1月3日(別途冬期休暇1日)【有休取得】19.3/20日

●従業員数、勤続年数、離職率ほか●

【男女別従業員数、平均年齢、平均勤続年数】計 11,345(45.2歳 20.7年) 男 6,323(47.3歳 23.6年) 女 5,022(42.5歳 17.0年)【離職率と離職者数】4.9%、580名(早期退職男66名、女49名含む 他に男8名、女1名転籍)【3年後新卒定着率】85.7%(男84.9%、女86.2%、3年前入社:男53名・女94名)【組合】あり

求める人材 「誠実」で、「情熱」と「高い志」を持ち、失敗を恐れず「チャレンジ」する人材

会社データ (金額は百万円)

【本店】100-8793 東京都千代田区大手町2-3-1 大手町プレイスウエストタワー
☎03-3477-0111 https://www.jp-bank.japanpost.jp/
【社長】笠間 貴之【設立】2006.9【資本金】3,500,000【今後力を入れる事業】サステナブルなビジネスモデルへの変革

【業績(連結)】	経常収益	業務純益	経常利益	純利益
22.3	1,977,640	ND	490,891	355,070
23.3	2,064,251	ND	455,566	325,070
24.3	2,651,706	ND	496,059	356,133

847 ▶『業界地図』p.138　開示 ★

りそなグループ(りそな銀行、埼玉りそな銀行)

東京P 8308

【特色】邦銀大手。個人や中小企業向け取引に強み

修士・大卒採用数	3年後離職率	有休取得年平均	平均年収(平均42歳)
595名	NA	15.1日	[総][!]887万円

●エントリー情報と採用プロセス●

【受付開始～終了】[総]3月～継続中【採用プロセス】[総]ES提出・適性検査(3月～)→面接(複数回)→内々定(6月上旬～)【交通費支給】NA

試験情報

重視科目 [総]全て

[総][ES]⇒巻末[筆]NA[面]複数回(Webあり)

選考ポイント [総][ES]頑張ってきたこと・仲間と共に取り組んだこと、その中で気付いたことが伝わる内容か[面]創造的思考力 コミュニケーション能力 知的好奇心 挑戦心 完遂持続力

通過率 [総][ES]NA

倍率(応募/内定) [総]NA

●男女別採用数と配属先ほか●

【男女・文理別採用実績】

	大卒男	大卒女	修士男	修士女
23年	203(文NA理NA)	155(文NA理NA)	16(文NA理NA)	5(文NA理NA)
24年	364(文NA理NA)	291(文NA理NA)	17(文NA理NA)	5(文NA理NA)
25年	-(文 - 理 -)	-(文 - 理 -)	-(文 - 理 -)	-(文 - 理 -)

※25年:595名採用予定

【25年4月入社者の採用実績校】

[文]NA [理]NA

【24年4月入社者の配属先】

[総]NA

残業(月) NA

記者評価 邦銀大手の一角。大和銀行、埼玉銀行、協和銀行、奈良銀行などの流れをくむ。グループに関西みらい銀行、みなと銀行。リテールナンバーワンを掲げ、個人や中小企業向けの貸出比率が高い。地方銀行とも連携強化。事業承継や相続、不動産仲介、資産運用なども。

●給与、ボーナス、週休、有休ほか●

【30歳総合職平均年収】NA【初任給】(博士)280,000円(修士)280,000円(大卒)255,000円【ボーナス(年)】NA【25、30、35歳賃金】NA【週休】完全2日(土日祝)【夏期休暇】NA【年末年始休暇】12月31日～1月3日【有休取得】15.1/20日【平均年収(総合職)】(りそなHD単体)887万円

●従業員数、勤続年数、離職率ほか●

【男女別従業員数、平均年齢、平均勤続年数】計 12,133(41.4歳 17.3年) 男 6,077(42.8歳 18.8年) 女 6,056(39.9歳 15.8年)【離職率と離職者数】NA【3年後新卒定着率】NA【組合】あり

求める人材 企業・人と全力で向き合う誠実な人 強い意思と情熱をもって挑戦する好奇心旺盛な人

会社データ (金額は百万円)

【本店】135-8582 東京都江東区木場1-5-65 深川ギャザリア W2棟
☎03-6704-1610 https://www.resona-gr.co.jp/
【社長】南 昌宏【設立】2001.12【資本金】50,552【今後力を入れる事業】"差別化"に向けた既存領域の「深堀」と、"脱・銀行"に向けた新規ビジネスへの「挑戦」

【業績(連結)】	経常収益	業務純益	経常利益	純利益
22.3	844,700	ND	158,775	109,974
23.3	867,974	ND	227,690	160,400
24.3	941,663	ND	222,962	158,930

※資本金・業績・会社データは(株)りそなホールディングスのもの

SBI新生銀行グループ
(エスビーアイしんせいぎんこう) 株式公開していない

【特色】旧長銀。消費者金融が主力。SBIグループ

修士・大卒採用数	3年後離職率	有休取得年平均	平均年収(平均43歳)
168名	10.5→11.5%	14.9日	総 796万円

残業(月) 19.8時間 総 24.2時間

記者評価 日本長期信用銀行が前身。SBI傘下の総合金融グループ。SBI新生銀行(銀行)、アプラス(カード・信販)、昭和リース(リース)、新生フィナンシャル(消費者金融)の4社が主力。銀行は公的資金の完済が最重要課題。消費者金融は「レイク」ブランドで展開。

●エントリー情報と採用プロセス●
【受付開始～終了】総 技 3月～継続中【採用プロセス】総 GD→ES提出(自己PR動画含む)→適性検査→面接(複数回)→内々定※GDは一部実施 技 ES提出(自己PR動画含む)→適性検査→面接(複数回)→内々定【交通費支給】最終面接、飛行機・新幹線・特急電車の往復分費用(遠方者のみ)【早期選考】⇒巻末

試験情報
重視科目 総 技 面接含む全て

総 ES⇒巻末 筆 SPI3(会場) SPI3(自宅) SPI性格 言語理解 計数理解 面 複数回(Webあり) GD 作 NA 技 ES⇒巻末 筆 SPI3(会場) SPI3(自宅) SPI性格 言語理解 計数理解 面 複数回(Webあり)

選考ポイント 総 技 ES 業務への適性 面 業務への適性 熱意 他

通過率 総 ES 75%(受付:1,000→通過:751) 技 ES 84%(受付:178→通過:149)

倍率(応募/内定) 総 12倍 技 30倍

●男女別採用数と配属先ほか●
【男女・文理別採用実績】※25年:継続中

	大卒男	大卒女	修士男	修士女
23年	89(文 83理 6)	20(文 18理 2)	6(文 0理 6)	1(文 1理 0)
24年	105(文 94理 11)	38(文 36理 2)	10(文 1理 9)	0(文 0理 0)
25年	100(文 96理 4)	56(文 53理 3)	12(文 5理 7)	0(文 0理 0)

【25年4月入社者の採用実績校】文(大)法政大8 早大 明大 中大各7 慶大6 学習院大 関大 上智大 東洋大 立命館大各5 同大 神戸大 青学大 専大各4 日大 駒澤大 神奈川大 阪大 立教大各3 他 理(大)東京科学大2 東大 横国大 千葉大 電通大各1 他

【24年4月入社者の配属先】総 勤務地:東京63 大阪30 他 部署:営業83 非営業43 技 勤務地:東京(SBI新生銀行)20 大阪(新生フィナンシャル)7 部署:システム23 データサイエンティスト4

●給与、ボーナス、週休、有休ほか●
【30歳総合職平均年収】645万円【初任給】(博士)大卒総合職を参照(修士)大卒総合職を参照(大卒)(SBI新生銀行)245,000円(アプラス営業・昭和リース)236,000円(新生フィナンシャル)251,000円他 コースによって異なる【ボーナス(年)】NA【25、30、35歳賃金】NA【週休】完全2日(土日祝)【夏期休暇】連続14日(有休で取得)【年末年始休暇】12月31日～1月3日【有休取得】14.9/25日

●従業員数、勤続年数、離職率ほか●
【男女別従業員数、平均年齢、平均勤続年数】計 2,233(43.0歳 13.8年) 男 1,285(42.0歳 12.4年) 女 948(44.0歳 15.8年)【離職率と離職者数】4.5%、105名【3年後新卒定着率】88.5%(男86.1%、女90.7%、3年前入社:男79名・女86名)【組合】あり

求める人材 柔軟な発想力・協調性を備え、自ら考え行動できる人

会社データ (金額は百万円)

【本店】103-8303 東京都中央区日本橋室町2-4-3

☎03-6880-7000 https://www.sbishinseibank.co.jp/

【社長】川島 克哉【設立】1952.12【資本金】512,204【今後力を入れる事業】法人向けビジネス リテールバンキング 小口ファイナンス

【業績(連結)】	経常収益	業務純益	経常利益	純利益
22.3	373,328	ND	28,299	20,385
23.3	421,853	ND	52,136	42,771
24.3	530,771	ND	61,072	57,924

※新卒採用関連はグループの情報、その他は㈱SBI新生銀行の情報

㈱あおぞら銀行
(ぎんこう) 東京P 8304

【特色】旧日債銀。不動産、金融機関向け取引に強み

修士・大卒採用数	3年後離職率	有休取得年平均	平均年収(平均44歳)
71名	3.1→12.9%	16.1日	887万円

残業(月) 10.6時間

記者評価 日本債券信用銀行が前身。本社は上智大学の四谷キャンパス内。スタートアップ投資や不動産、M&A、成熟企業の経営再建など特殊な案件に強み。北米向けの企業・不動産融資も。個人はネット支店を通じて現役世代を開拓。GMOとネット銀行で協業。

●エントリー情報と採用プロセス●
【受付開始～終了】総 技 3月～12月【採用プロセス】総 ES提出・適性検査→面接(4回)→内々定 技 ES提出・適性検査→面接(3回)→内々定【交通費支給】最終面接、飛行機・新幹線利用者に対し実費【早期選考】⇒巻末

試験情報
重視科目 総 技 面接

総 ES⇒巻末 筆 WebRAB 面 4回(Webあり) 技 ES⇒巻末 筆 WebRAB 面 3回(Webあり)

選考ポイント 総 技 ES 文章構成 行動力 熱意 他 面 コミュニケーション力 成長意欲 挑戦意欲 チームワーク力 熱意 他

通過率 総 技 ES NA

倍率(応募/内定) 総 技 NA

●男女別採用数と配属先ほか●
【男女・文理別採用実績】

	大卒男	大卒女	修士男	修士女
23年	30(文 30理 0)	20(文 19理 1)	2(文 0理 2)	1(文 0理 1)
24年	22(文 20理 2)	18(文 17理 1)	1(文 0理 1)	0(文 0理 0)
25年	48(文 43理 5)	20(文 19理 1)	2(文 1理 1)	1(文 0理 1)

※25年:24年8月5日時点

【25年4月入社者の採用実績校】文(院)北大(大)中大 早大 関西学大 北大 学習院大 法政大 明大 立教大 同大 神戸大 新潟大 山口大 上智大 成蹊大 関大 南山大 立命館大 広島大 金沢大 大阪市大 千葉大 慶大 津田塾大 青学大 成城大 日大 理(院)九大 埼玉大(大)早大 東理大 法政大 東京都市大 新潟大

【24年4月入社者の配属先】

総 勤務地:東京(四ツ谷25 府中4 新宿1)札幌1 金沢1 名古屋1 関西2 広島1 福岡1 部署:営業23 営業事務10 マーケット3 システム1 技 勤務地:府中4 部署:システム4

●給与、ボーナス、週休、有休ほか●
【30歳総合職平均年収】NA【初任給】(修士)285,000円(大卒)265,000円【ボーナス(年)】NA【25、30、35歳賃金】NA【週休】完全2日(土日祝)【夏期休暇】連続5日【年末年始休暇】12月31日～1月3日【有休取得】16.1/27日

●従業員数、勤続年数、離職率ほか●
【男女別従業員数、平均年齢、平均勤続年数】計 1,964(44.1歳 16.1年) 男 1,049(44.5歳 15.5年) 女 915(43.5歳 16.8年)【離職率と離職者数】4.1%、84名【3年後新卒定着率】87.1%(男87.8%、女86.2%、3年前入社:男41名・女29名)【組合】あり

求める人材 自ら考え、主体的かつ柔軟に動くことができる人

会社データ (金額は百万円)

【本店】102-8660 東京都千代田区麹町6-1-1

☎03-6752-1111 https://www.aozorabank.co.jp/

【社長】大見 秀人【設立】1957.4【資本金】100,000【今後力を入れる事業】あおぞら型投資銀行ビジネス

【業績(連結)】	経常収益	業務純益	経常利益	純利益
22.3	134,737	ND	46,294	35,004
23.3	183,292	ND	7,356	8,719
24.3	246,299	ND	▲54,816	▲49,904

(株)セブン銀行

ぎんこう

東京P 8410

【特色】セブンイレブン等にATM網。米国などにも展開

修士・大卒採用数	3年後離職率	有休取得年平均	平均年収(平均41歳)
21名	0 → 8.3%	15.8日	[総]724万円

●エントリー情報と採用プロセス●

【受付開始～終了】[総]3月～3月【採用プロセス】[総]ES提出・Webテスト(3月)→面接(3回、3～5月)→内々定(6月)【交通費支給】2次面接以降、遠方者のみ全額

試験情報

重視科目 [総]面接

[総][ES]⇒巻末[筆]WebGAB OPQ[面]3回(Webあり)

選考ポイント [総][ES]自らの言葉で書けているか 文章に論理性があるか 当社に対する志望理由が明快か[面]当社の求める人材像に合致するか 志望動機

通過率 [総][ES]NA

倍率(応募/内定) [総]NA

●男女別採用数と配属先ほか●

【男女・文理別採用実績】

	大卒男	大卒女	修士男	修士女
23年	6(文 6理 0)	9(文 8理 1)	0(文 0理 0)	0(文 0理 0)
24年	9(文 8理 1)	6(文 4理 2)	0(文 0理 0)	0(文 0理 0)
25年	10(文 8理 2)	11(文 9理 2)	0(文 0理 0)	0(文 0理 0)

【25年4月入社者の採用実績校】
[文]NA [理]NA

【24年4月入社者の配属先】
[総]勤務地:東京(丸の内13 錦糸町2) 部署:ATM+企画部2 ATMオペレーション統括部2 ATMソリューション部2 ATMプラットフォーム推進部2 グローバルビジネス事業部2 バンキング統括部2 金融ソリューション部2 コーポレート・トランスフォーメーション部1

残業(月) [総]24.1時間

記者評価 ATM運営で国内トップ。セブンイレブンや商業施設を中心にATMを設置。地方銀行のATM運営受託も。海外は米国やインドネシア、フィリピン、マレーシアでATM事業を展開。行政・医療サービスとの連携や電子マネーの現金チャージなどATM端末の価値拡大に注力。

●給与、ボーナス、週休、有休ほか●

【30歳総合職平均年収】582万円【初任給】(修士)238,700円(大卒)238,700円【ボーナス(年)】NA【25、30、35歳賃金】NA【週休】完全2日(土日祝)【夏期休暇】なし【年末年始休暇】12月31日～1月3日【有休取得】15.8/20日

●従業員数、勤続年数、離職率ほか●

【男女別従業員数、平均年齢、平均勤続年数】計 605(41.0歳 7.2年) 男 358(42.4歳 7.4年) 女 247(38.8歳 6.9年) ※従業員数は執行役員・外部出向者を除き、受入出向者を含む【離職率と離職者数】4.9%、31名【3年後新卒定着率】91.7%(男87.5%、女100%、3年前入社:男8名・女4名)【組合】なし

求める人材 常に自らをアップデートできる、主体性の高い自律型人財

会社データ (金額は百万円)

【本店】100-0005 東京都千代田区丸の内1-6-1 丸の内センタービルディング
☎03-3211-3031 https://www.sevenbank.co.jp/
【社長】松橋 正明【設立】2001.4【資本金】30,724【今後力を入れる事業】ATMプラットフォーム事業 バンキング事業 海外事業

【業績(連結)】	経常収益	業務純益	経常利益	純利益
22.3	136,667	ND	28,255	20,827
23.3	154,984	ND	28,924	18,854
24.3	197,877	ND	30,526	31,970

三井住友信託銀行(株)

みついすみともしんたくぎんこう

持株会社傘下

【特色】信託銀行首位。資産運用や不動産など独自路線

修士・大卒採用数	3年後離職率	有休取得年平均	平均年収(平均41歳)
400名	NA	19.8日	[総]832万円

●エントリー情報と採用プロセス●

【受付開始～終了】[総]3月～継続中【採用プロセス】[総]WebES提出・Web適性検査(3月～)→面接(複数回)→内々定(6月～)【交通費支給】対面面接のみ、遠方者の航空券もしくは新幹線代のみ【早期選考】⇒巻末

試験情報

重視科目 [総]面接

[総][ES]⇒巻末[筆]玉手箱[面]複数回(Webあり)

選考ポイント [総][ES]NA(提出あり)[面]自発的行動力 対人関係構築力 環境適応力 他

通過率 [総][ES]NA 倍率(応募/内定) [総]NA

●男女別採用数と配属先ほか●

【男女・文理別採用実績】※25年:合計400名採用予定

	大卒男	大卒女	修士男	修士女
23年	196(文NA 理NA)	237(文NA 理NA)	14(文NA 理NA)	3(文NA 理NA)
24年	181(文NA 理NA)	197(文NA 理NA)	23(文NA 理NA)	7(文NA 理NA)
25年	-(文 -理 -)	-(文 -理 -)	-(文 -理 -)	-(文 -理 -)

【25年4月入社者の採用実績校】[文]東大 一橋大 京大 阪大 神戸大 名大 北大 東北大 九大 広島大 東京外大 東京学芸大 東理大 都立大 横国大 横浜市大 大阪市大 小樽商大 愛知大 愛媛大 宇都宮大 岡山大 熊本県大 和歌山大 埼玉大 滋賀大 鹿児島大 松山大 新潟大 静岡県大 静岡大 千葉大 大阪府大 福井県大 慶大 早大 上智大 明大 立教大 青学大 中大 法政大 学習院大 明学大 大妻女大 聖心女大 日女大 東北学大 愛知淑徳大 金沢星稜大 高崎経大 椙山女学大 中京大 同女大 南山大 兵庫県大 龍谷大 同大 関西学大 立命館大 関大 近大 神戸女学大 西南学大 [理]東大 京大 東京科学大 阪大 大阪府大 神戸大 北大 東北大 東理大 横国大 名工大 慶大 早大 ICU 上智大 青学大 立教大 関西学大 同大

【24年4月入社者の配属先】
[総]勤務地:国内各拠点 部署:営業店部・本部各部

残業(月) 18.9時間

記者評価 国内最大の信託銀行。法人融資や住宅ローンのほか、年金運用や資産管理に強い。不動産仲介や証券代行、ファンド投資など業務範囲は幅広い。インフラ施設や脱炭素などオルタナティブ投資を推進。欧米や中国、東南アジアなど各国に支店や駐在員事務所を展開。

●給与、ボーナス、週休、有休ほか●

【30歳総合職平均年収】NA【初任給】(修士)285,000円(大卒)260,000円【ボーナス(年)】NA【25、30、35歳賃金】NA【週休】完全2日(土日祝)【夏期休暇】連続5日(年1回有休で取得)【年末年始休暇】12月31日～1月3日【有休取得】19.8/27日

●従業員数、勤続年数、離職率ほか●

【男女別従業員数、平均年齢、平均勤続年数】計 9,355(40.7歳 16.0年) 男 4,645(43.1歳 17.5年) 女 4,710(38.2歳 14.5年) ※コース社員のみ【離職率と離職者数】NA【3年後新卒定着率】NA【組合】あり

求める人材 知的探究心と情熱を持ち、お客さまのために自ら考え行動できる力を持つ人

会社データ (金額は百万円)

【本店】100-0005 東京都千代田区丸の内1-4-1
☎03-3286-1111 https://www.smtb.jp/
【社長】大山 一也【設立】1925.7【資本金】342,000【今後力を入れる事業】銀・信一体でのトータルソリューション提供

【業績(連結)】	経常収益	業務純益	経常利益	純利益
22.3	1,249,695	ND	203,664	149,223
23.3	1,695,357	ND	265,045	177,649
24.3	2,349,790	ND	247,533	65,821

金融

みつびしユーエフジェイしんたくぎんこう
三菱ＵＦＪ信託銀行(株)

持株会社 傘下

【特色】信託銀行国内2位。三菱UFJグループの一員

修士･大卒採用数	3年後離職率	有休取得年平均	平均年収(平均44歳)
290名	NA	14.0日	(総)915万円

●エントリー情報と採用プロセス●

【受付開始～終了】(総)3月～6月【採用プロセス】(総)WebES提出･Web適性検査→面接(複数回)→内々定【交通費支給】面接、飛行機･新幹線実費【早期選考】⇒巻末

試験情報

重視科目 (総)面接

(総)(ES)⇒巻末(筆)玉手箱(面)3回(Webあり)

選考ポイント (総)(ES)NA(提出あり)(面)「人間性」「専門性」「考え行動する力」を高め続けていく気概のある人か

通過率 (総)(ES)NA

倍率(応募/内定) (総)NA

●男女別採用数と配属先ほか●

【男女･文理別採用実績】

	大卒男	大卒女	修士男	修士女
23年	91(文NA理NA)	64(文NA理NA)	7(文NA理NA)	1(文NA理NA)
24年	125(文NA理NA)	62(文NA理NA)	12(文NA理NA)	1(文NA理NA)
25年	－(文 －理 －)	－(文 －理 －)	－(文 －理 －)	－(文 －理 －)

※25年:290名程度採用予定

【25年4月入社者の採用実績校】

(文)東大 京大 慶大 早大 明大 青学大 中大 一橋大 学習院大 法政大 ICU 横国大 筑波大 阪大 神戸大 名大 北大 東北大 都立大 上智大 東理大 関大 関西学大 同大 立命館大 立教大 他 (理)東大 京大 慶大 早大 青学大 法政大 明大 東京科学大 阪大 神戸大 広島大 名大 北大 東北大 琉球大 東理大 関西学大 他

【24年4月入社者の配属先】

(総)勤務地:国内各地区 部署:国内支店 本部

残業(月) 26.4時間 (総)26.4時間

記者評価 三菱UFJフィナンシャルグループの一員。個人向けは相続や資産運用、法人向けは年金運用や不動産仲介、証券代行などを展開。融資部門は18年に三菱UFJ銀行に移管。新規事業としてデジタル証券の開発･流通を推進。NYやロンドン、シンガポール、香港にも支店。

●給与、ボーナス、週休、有休ほか●

【30歳総合職平均年収】NA【初任給】(修士)<全国>290,000円<地域>281,500円 (大卒)<全国>255,000円<地域>250,000円【ボーナス(年)】NA【25、30、35歳賃金】NA【週休】完全2日(土日祝)【夏期休暇】連続5日(半期に1回)【年末年始休暇】12月31日～1月3日【有休取得】14.0／20日

●従業員数、勤続年数、離職率ほか●

【男女別従業員数、平均年齢、平均勤続年数】計 6,283 (43.8歳 16.6年) 男 NA 女 NA ※従業員数は執行役員を除く【離職率と離職者数】NA【3年後新卒定着率】NA【組合】あり

求める人材 「人間性」「専門性」「考え行動する力」を高め続けていく気概のある人

会社データ (金額は百万円)

【本店】100-8212 東京都千代田区丸の内1-4-5
☎03-3212-1211 https://www.tr.mufg.jp/
【社長】長島 巌【設立】1927.3【資本金】324,279【今後力を入れる事業】信託型コンサルティング＆ソリューション

【業績(連結)】	経常収益	業務純益	経常利益	純利益
22.3	875,804	ND	238,541	164,345
23.3	1,466,227	ND	205,242	140,072
24.3	1,824,578	ND	140,496	96,956

にほんカストディぎんこう
(株)日本カストディ銀行

株式公開 計画なし

【特色】資産管理(カストディ)特化の信託で国内最大

修士･大卒採用数	3年後離職率	有休取得年平均	平均年収(平均NA)
124名	NA	NA	NA

●エントリー情報と採用プロセス●

【受付開始～終了】(総)3月～7月【採用プロセス】(総)ES提出･適性検査(3～7月)→面接(複数回)→内々定【交通費支給】なし

試験情報

重視科目 (総)面接

(総)(ES)⇒巻末(筆)WebGAB(面)複数回(Webあり)

選考ポイント (総)(ES)NA(提出あり)(面)NA

通過率 (総)(ES)NA

倍率(応募/内定) (総)NA

●男女別採用数と配属先ほか●

【男女･文理別採用実績】

	大卒男	大卒女	修士男	修士女
23年	18(文 16理 2)	43(文 42理 1)	1(文 0理 1)	1(文 1理 0)
24年	33(文 31理 2)	41(文 38理 3)	1(文 1理 0)	0(文 0理 0)
25年	50(文 47理 3)	65(文 64理 1)	9(文 6理 3)	0(文 0理 0)

※25年:24年8月1日時点

【25年4月入社者の採用実績校】

(文)(院)青学大 立教大各2 大阪公大 南山大各1(大)法政大 明学大各11 日大9 駒澤大 成蹊大 中大各4 横国大 青学大 専大 立教大 立命館大 関西学大各3 岡山大 横浜市大 慶大 上智大 成城大 東洋大 早大 神奈川大 お茶女大 大妻女大 清泉女大 東京女大 日女大 学習院女大各2 弘前大 筑波大 宇都宮大 千葉大 滋賀大 阪大 学習院大 國學院大 東京経大 東理大 武蔵大 明大 龍谷大 関大 西南学大 福岡大 昭和女大 聖心女大 津田塾大 東京家政大 フェリス女学大 流経大各1 (理)(院)東北大 秋田大 上智大各1(大)千葉工大 専大 法政大 日女大各1

【24年4月入社者の配属先】(総)勤務地:東京･晴海67 神奈川･武蔵小杉8 部署:資産管理業務63 IT業務12

残業(月) NA

記者評価 年金基金や銀行、生保などの機関投資家の資産管理業務を担う資産管理専門の信託銀行。24年3月期の預り資産残高は683兆円で国内最大。三井住友トラストHDを筆頭にみずほFG、りそな銀行などが株主。日本マスタートラスト信託銀と内国為替業務を相互補完運用。

●給与、ボーナス、週休、有休ほか●

【30歳総合職平均年収】NA【初任給】(修士)<総合職>272,000円<IT職>297,000円 (大卒)<総合職>260,000円<IT職>260,000円【ボーナス(年)】NA【25、30、35歳賃金】NA【週休】完全2日(土日祝)【夏期休暇】連続2営業日を2回(有休含まず)、連続5営業日(有休含む)取得可【年末年始休暇】12月31日～1月3日【有休取得】NA／21日

●従業員数、勤続年数、離職率ほか●

【男女別従業員数、平均年齢、平均勤続年数】計 1,249 (NA) 男 389(NA) 女 860(NA) ※出向者等を除く【離職率と離職者数】NA【3年後新卒定着率】NA【組合】あり

求める人材 社会の信頼に応えるため、自ら専門性を高め続け、チームワークを大切に行動できる人

会社データ (金額は百万円)

【本店】104-6228 東京都中央区晴海1-8-12 晴海トリトンオフィスタワーZ
☎03-6220-4000 https://www.custody.jp/
【社長】土屋 正裕【設立】2000.6【資本金】51,000【今後力を入れる事業】有価証券の管理業務 システム開発･保守

【業績(単独)】	経常収益	業務純益	経常利益	純利益
22.3	57,665	ND	1,931	576
23.3	58,000	ND	1,510	430
24.3	58,335	ND	2,460	300

日本マスタートラスト信託銀行(株)
株式公開 計画なし

【特色】年金資産の管理業務に特化した国内初の信託銀

修士・大卒採用数	3年後離職率	有休取得年平均	平均年収(平均35歳)
69名	NA	NA	NA

●エントリー情報と採用プロセス●
【受付開始～終了】総3月～6月【採用プロセス】総説明会(必須、3～6月)→適性検査(3～6月)→面接(複数回)→内々定【交通費支給】なし

試験情報
- 重視科目 総面接
- 総筆SPI3(自宅) TG-WEB面複数回(Webあり)
- 選考ポイント 総ESの提出なし面NA
- 通過率 総ES—(応募:1,266)
- 倍率(応募/内定) 総18倍

●男女別採用数と配属先ほか●
【男女・文理別採用実績】

	大卒男	大卒女	修士男	修士女
23年	17(文 15理 2)	43(文 41理 2)	1(文 1理 0)	0(文 0理 0)
24年	37(文 37理 0)	53(文 52理 1)	3(文 3理 0)	3(文 3理 0)
25年	24(文 24理 0)	42(文 41理 1)	2(文 2理 0)	1(文 1理 0)

【25年4月入社者の採用実績校】
文(院)筑波大 阪大 京大各1(大)成蹊大5 関大 上智大 立教大各4 関西学大 青学大 日大各3 専大 早大 大妻女大 中大 東京女大 立命館大各2 愛知淑徳大 一橋大 茨城大 学習院女大 学習院大 京都外大 京産大 京都女大 近大 駒澤大 群馬県女大 慶大 広島経大 甲南大 國學院大 埼玉大 実践女大 成城大 西南学大 大阪経大 津田塾大 東京外大 東洋大 同大 武蔵野大 法政大 龍谷大各1 理(大)日女大1

【24年4月入社者の配属先】
総勤務地:東京96(本拠地大阪20含む) 部署:資産管理業務96

残業(月) NA

記者評価 三菱UFJ信託銀を中核に発足。日本生命や明治安田生命、農中信託銀も出資。年金資産の集中管理業務手がける国内初の信託銀。デリバティブ取引の管理体制強化やWebサービス拡充推進。日本カストディ銀と内国為替業務を相互補完運用。24年3月末資産管理残高703兆円。

●給与、ボーナス、週休、有休ほか●
【30歳総合職平均年収】NA【初任給】(博士)282,100円(修士)282,100円(大卒)260,000円【ボーナス(年)】NA【25、30、35歳賃金】NA【週休】完全2日(土日祝)【夏期休暇】連続5日(上期・下期1回ずつ、有休2日含む)【年末年始休暇】12月31日～1月3日【有休取得】NA/20日

●従業員数、勤続年数、離職率ほか●
【男女別従業員数、平均年齢、平均勤続年数】計 1,165(34.7歳 NA) 男 308(37.3歳 NA) 女 857(33.8歳 NA)【離職率と離職者数】NA【3年後新卒定着率】NA【組合】なし

求める人材 組織のビジョンに誇りと責任を持ち、常に新しい価値を創ることができる人 お客さまの期待を超える行動ができる人 自分に限界をつくらず挑戦し続けることができる人

会社データ (金額は百万円)
【本店】107-8472 東京都港区赤坂1-8-1 赤坂インターシティAIR
☎03-6833-3600 https://www.mastertrust.co.jp/
【社長】向原 敏和【設立】2000.5【資本金】10,000【今後力を入れる事業】人材、システム、組織体制、業務継続体制の高度化

【業績(単独)】	経常収益	業務純益	経常利益	純利益
22.3	29,664	1,438	1,384	1,034
23.3	31,882	1,271	1,262	958
24.3	35,986	1,700	1,701	1,251

(株)北海道銀行(ほくほくフィナンシャルグループ)
持株会社 傘下

【特色】北海道の地方銀行。北陸銀行と経営統合

修士・大卒採用数	3年後離職率	有休取得年平均	平均年収(平均35歳)
84名	NA	15.9日	総792万円

●エントリー情報と採用プロセス●
【受付開始～終了】総3月～未定【採用プロセス】総ES提出(3月)→Webテスト(3月～)→面接(3～4回、6月～)→内々定(6月～)【交通費支給】なし

試験情報
- 重視科目 総面接
- 総ES⇒巻末筆あり(内容NA)面3～4回(Webあり)
- 選考ポイント 総ESNA(提出あり)面高い志を持ち、何事にも失敗を恐れずチャレンジできるか
- 通過率 総ESNA
- 倍率(応募/内定) 総NA

●男女別採用数と配属先ほか●
【男女・文理別採用実績】

	大卒男	大卒女	修士男	修士女
23年	42(文 40理 2)	26(文 26理 0)	2(文 2理 0)	0(文 0理 0)
24年	33(文 32理 1)	56(文 56理 0)	1(文 0理 1)	0(文 0理 0)
25年	51(文 50理 1)	31(文 30理 1)	2(文 0理 2)	0(文 0理 0)

※25年:継続中

【25年4月入社者の採用実績校】
文北大 小樽商大 北海道教育大 釧路公大 弘前大 法政大 上智大 中大 一橋大 高崎経大 神戸大 東理大 青学大 明学大 日大 立命館大 同大 岩手大 新潟大 信州大 北海学園大 北星学大 藤女大 他(理系含む) 理文系に含む

【24年4月入社者の配属先】
総勤務地:北海道80 部署:営業店80

残業(月) 13.0時間 総18.9時間

記者評価 北海道が地盤の地方銀行。道内のメインバンクシェアは北洋銀行に次ぐ2番手。道内全域に加え、仙台と東京・日本橋にも支店。海外はロシアと中国に駐在員事務所。03年に北陸銀行と経営統合。24年7月から大卒総合職(転勤あり)の初任給を25万円に引き上げ。

●給与、ボーナス、週休、有休ほか●
【30歳総合職平均年収】649万円【初任給】(大卒)225,000円【ボーナス(年)】NA【25、30、35歳賃金】NA【週休】完全2日(土日祝)【夏期休暇】連続7日(週休、有休5日含む)【年末年始休暇】12月31日～1月3日【有休取得】15.9/20日

●従業員数、勤続年数、離職率ほか●
【男女別従業員数、平均年齢、平均勤続年数】計 2,006(39.7歳 16.0年) 男 961(42.9歳 19.1年) 女 1,045(36.7歳 13.2年)【離職率と離職者数】NA【3年後新卒定着率】NA【組合】あり

求める人材 感受性豊かで創造力に富み、行動力にあふれ、北海道と共に成長していきたい人財

会社データ (金額は百万円)
【本店】060-8676 北海道札幌市中央区大通西4-1
☎011-233-1203 https://www.hokkaidobank.co.jp/
【頭取】兼間 祐二【設立】1951.3【資本金】93,524【今後力を入れる事業】総合金融サービス

【業績(単独)】	経常収益	業務純益	経常利益	純利益
22.3	72,983	15,164	9,574	8,770
23.3	76,950	10,886	12,456	8,711
24.3	75,289	4,431	7,714	8,514

金融

㈱プロクレアホールディングス（㈱青森銀行、㈱みちのく銀行）

東京P 7384

【特色】青森県地盤。傘下に青森銀行とみちのく銀行

修士・大卒採用数	3年後離職率	有休取得年平均	平均年収(平均41歳)
47名	NA	14.4日	[総]607万円

●エントリー情報と採用プロセス●

【受付開始～終了】[総]3月～4月【採用プロセス】[総]ES提出(3～4月)→筆記・適性検査→面接(2回)→内々定【交通費支給】最終面接、実費相当額

試験情報

重視科目 [総]面接

[総][ES]⇒巻末[筆]SPI3(自宅)[面]2回(Webあり)

選考ポイント [総][ES]NA(提出あり)[面](これまでの経験に基づく)物事に取り組む姿勢や意欲 社会性 主体性 協調性 他

通過率 [総][ES]NA

倍率(応募/内定) [総]NA

●男女別採用数と配属先ほか●

【男女・文理別採用実績】

	大卒男	大卒女	修士男	修士女
23年	24(文 21 理 3)	16(文 14 理 2)	0(文 0 理 0)	0(文 0 理 0)
24年	24(文 22 理 2)	20(文 18 理 2)	0(文 0 理 0)	0(文 0 理 0)
25年	23(文 20 理 3)	24(文 23 理 1)	0(文 0 理 0)	0(文 0 理 0)

※25年：共同採用、新卒採用者は青森銀行への入行

【25年4月入社者の採用実績校】
[文](大)弘前大 青森中央学大 青森公大 青学大 東北学大 茨城大 高崎経大 青森県保健大 青森大 早大 東北大 東北福祉大 関東学院大 岩手大 皇學館大 札幌国際大 札幌大 産能大 駿河台大 新潟大 仙台大 千葉商大 専大 東京女大 八戸学大 富士大 法政大 明大 國學院大 [理](大)弘前大 青森大 秋田県大 八戸工大

【24年4月入社者の配属先】
[総]勤務地：青森44 部署：営業店44

残業(月) 12.2時間 [総]12.2時間

記者評価 青森県地盤の青森銀行とみちのく銀行が統合して設立した共同持株会社。地銀中位。青森県での貸出金シェアは両行合わせて約8割と圧倒的。県内に加え、道南地域にも出店。25年1月に両行の合併を予定。25年4月入社者から大卒初任給を22万円に引き上げ。

●給与、ボーナス、週休、有休ほか●

【30歳総合職平均年収】NA【初任給】(大卒)215,000円【ボーナス(年)】NA【25、30、35歳賃金】NA【週休】完全2日(土日祝)【夏期休暇】連続7日(年1回、有休5日と土日)【年末年始休暇】12月31日～1月3日【有休取得】14.4／20日

●従業員数、勤続年数、離職率ほか●

【男女別従業員数、平均年齢、平均勤続年数】計 1,155(41.0歳 16.5年) 男 737(43.3歳 19.0年) 女 418(36.9歳 11.9年)【離職率と離職者数】NA【3年後新卒定着率】NA(3年前入社：男20名・女22名)【組合】あり

求める人材 自ら考え行動し、果敢に挑戦する 地域、お客さま志向を追及する プロとして力を発揮する

会社データ (金額は百万円)

【本店】030-8668 青森県青森市橋本1-9-30
☎017-777-1111 https://www.a-bank.jp/
【頭取】石川 啓太郎【設立】1943.10【資本金】20,000【今後力を入れる事業】地域経済活性化への貢献

【業績(連結)】	経常収益	業務純益	経常利益	純利益
23.3	85,437	ND	5,106	48,957
24.3	76,847	ND	4,094	2,817

※資本金・業績は㈱プロクレアホールディングスのもの
※注記のないデータは青森銀行単体のもの

㈱岩手銀行（いわてぎんこう）

東京P 8345

【特色】地銀中位。県内メインバンク4割で断トツ

修士・大卒採用数	3年後離職率	有休取得年平均	平均年収(平均39歳)
未定	29.3 → 43.5%	11.6日	[総]660万円

●エントリー情報と採用プロセス●

【受付開始～終了】[総]3月～継続中【採用プロセス】[総]ES提出(3月～)→説明会(3～5月)→面接(複数回)・適性検査(Webテスト6月)→内々定(6月～)【交通費支給】最終面接、会社基準

試験情報

重視科目 [総]面接 適性検査

[総][ES]⇒巻末[筆]SPI3(自宅)[面]複数回(Webあり)

選考ポイント [総][ES]志望理由他[面]人物重視

通過率 [総][ES]NA

倍率(応募/内定) [総]NA

●男女別採用数と配属先ほか●

【男女・文理別採用実績】

	大卒男	大卒女	修士男	修士女
23年	27(文 26 理 1)	25(文 21 理 4)	0(文 0 理 0)	0(文 0 理 0)
24年	28(文 24 理 4)	19(文 17 理 2)	1(文 1 理 0)	0(文 0 理 0)
25年	-(文 - 理 -)	-(文 - 理 -)	-(文 - 理 -)	-(文 - 理 -)

※25年：継続中

【25年4月入社者の採用実績校】
[文](24年)(院)岩手大1(大)岩手県大9 岩手大7 東北学大6 福島大3 東海大 盛岡大各2 弘前大 青森公大 国士舘大 専大 高崎経大 帝京大 同大 東北福祉大 日女大 北海道教育大 明大 山形大各1(短)岩手県大宮古2 岩手県大盛岡1(専)盛岡外語観光&ブライダル1 [理](24年)(大)岩手大2 秋田大 秋田県大 日大 弘前大各1

【24年4月入社者の配属先】
[総]勤務地：岩手47 宮城(仙台1 大崎1 気仙沼1)青森・八戸2 部署：営業店50 本部2

残業(月) 6.6時間 [総]6.6時間

記者評価 岩手県地盤の地方銀行。岩手県が出資母体で、現在も大株主として残る「県是銀行」。県内3地銀で首位。宮城県内や八戸市内にも出店。中堅中小企業や住宅ローンに強み。スタートアップ企業支援や再エネ開発にも本腰。24年7月から大卒初任給を23.5万円に引き上げ。

●給与、ボーナス、週休、有休ほか●

【30歳総合職平均年収】NA【初任給】(修士)225,000円(大卒)220,000円【ボーナス(年)】NA【25、30、35歳賃金】NA【週休】完全2日(土日祝)【夏期休暇】有休で取得【年末年始休暇】12月31日～1月3日【有休取得】11.6／20日

●従業員数、勤続年数、離職率ほか●

【男女別従業員数、平均年齢、平均勤続年数】計 1,252(40.0歳 16.9年) 男 785(42.0歳 18.6年) 女 467(36.7歳 14.2年)【離職率と離職者数】4.4%、58名【3年後新卒定着率】56.5%(男61.3%、女51.6%、3年前入社：男31名・女31名)【組合】あり

求める人材 (1)自ら考え、実践し、成長する(2)失敗を恐れずに挑み、やり遂げる(3)プロフェッショナルとして成長する(4)認め合い、協働する

会社データ (金額は百万円)

【本店】020-8688 岩手県盛岡市中央通1-2-3
☎019-623-1111 https://www.iwatebank.co.jp/
【頭取】岩山 徹【設立】1932.5【資本金】12,089【今後力を入れる事業】震災復興支援 地域経済活性化 事業継続支援 新型コロナウイルス支援

【業績(連結)】	経常収益	業務純益	経常利益	純利益
22.3	44,279	7,320	7,768	4,126
23.3	47,591	2,148	6,457	5,381
24.3	43,886	7,977	6,955	4,225

865 ▶『業界地図』p.40, 140　開示 ★★★

㈱秋田銀行（あきたぎんこう）

東京P 8343

【特色】地銀中位。秋田県で断トツ。福島、北海道に展開

修士・大卒採用数	3年後離職率	有休取得年平均	平均年収(平均40歳)
38名	44.8→23.2%	10.8日	622万円

残業(月) 7.5時間 (総)11.2時間

記者評価 第四十八国立銀行が前身。秋田県内の貸出金シェアは5割超と圧倒的。県内80店、県外17店で県内外に法人営業部を設置。預貸率6割と低い。対顧客利益の増強を目指し手数料業務を拡大。店舗最適化と業務改革進める。投資専門子会社を持ち、ベンチャー等へ積極融資。

●エントリー情報と採用プロセス●

【受付開始～終了】(総)(技)3月～未定【採用プロセス】(総)(技)ES提出(3月～)→面接(3～4回、6月上旬～)→適性検査(SPI、6月上旬～)→内々定(6月下旬～)※総合職・一般職一括採用【交通費支給】最終面接、地域定額【早期選考】⇒巻末

試験情報

重視科目 (総)(技)面接

(総)(技)(ES)⇒巻末(筆)SPI3(自宅)(面)3～4回(Webあり)

選考ポイント (総)(ES)文章構成力 事務処理能力 経験・取組み(面)向上心 コミュニケーション能力 業務適性 (技)(ES)文章構成力 経験・取組み 研究内容・スキル(面)向上心 経験・取組 考え方・熱意

通過率 (総)(技)(ES)NA

倍率(応募/内定) (総)(技)NA

●男女別採用数と配属先ほか●

【男女・文理別採用実績】

	大卒男	大卒女	修士男	修士女
23年	17(文 13理 4)	22(文 21理 1)	0(文 0理 0)	0(文 0理 0)
24年	15(文 10理 5)	33(文 32理 1)	1(文 0理 1)	1(文 0理 1)
25年	16(文 13理 3)	21(文 21理 0)	1(文 0理 1)	0(文 0理 0)

【25年4月入社者の採用実績校】
(文)(大)秋田大5 東北学大 青森公大 岩手大各3 中大 ノースアジア大各2 立命館大 北海道教育大 白鷗大 奈良女大 東洋大 東北工大 大東文化大 聖心女大 新潟大 国際教養大 宮城学院女大各1(短)聖和学園 聖霊女各1 (理)(大)秋田大1

【24年4月入社者の配属先】
(総)勤務地:秋田46 青森1 宮城・仙台1 福島1 部署:営業店47 人事部1 事務統括部1 (技)勤務地:本部3 部署:経営企画部3

●給与、ボーナス、週休、有休ほか●

【30歳総合職平均年収】555万円【初任給】(修士)220,000円 (大卒)220,000円【ボーナス(年)】NA【25、30、35歳賃金】NA【週休】完全2日(土日祝)【夏期休暇】有休で取得【年末年始休暇】12月31日～1月3日【有休取得】10.8／20日

●従業員数、勤続年数、離職率ほか●

【男女別従業員数、平均年齢、平均勤続年数】計 1,204(40.1歳 17.9年) 男 682(42.9歳 20.2年) 女 522(36.4歳 14.8年)【離職率と離職者数】4.6%、58名【3年後新卒定着率】76.8%(男84.0%、女72.7%、3年前入社:男25名・女44名)【組合】あり

求める人材 物事に対して積極果敢に挑戦する意欲があり、かつ十分なコミュニケーション能力を有する人

会社データ (金額は百万円)

【本店】010-8655 秋田県秋田市山王3-2-1
☎018-863-1212 https://www.akita-bank.co.jp/
【頭取】芦田 晃輔【設立】1941.10【資本金】14,100【今後力を入れる事業】地域経済の質の向上 住みよい地域社会の創造

【業績(連結)】	経常収益	業務純益	経常利益	純利益
22.3	39,730	4,172	4,716	3,184
23.3	46,861	▲534	4,935	3,295
24.3	42,734	5,011	6,597	4,541

㈱北都銀行（ほくとぎんこう）

持株会社傘下

【特色】地銀下位。秋田2行中2位。フィデアHD傘下

修士・大卒採用数	3年後離職率	有休取得年平均	平均年収(平均41歳)
15名	NA	11.8日	(総)537万円

残業(月) 9.6時間 (総)11.3時間

記者評価 羽後銀行と秋田あけぼの銀行との1993年合併で誕生。2009年に山形県の荘内銀行と共同持株会社フィデアHD設立。10年に公的資金100億円を受け入れ。再エネや農業への融資を積極化。フィデアHDと東北銀の経営統合合意は解除。26年度中に荘内銀と合併を目指す。

●エントリー情報と採用プロセス●

【受付開始～終了】(総)2月～8月【採用プロセス】(総)ES提出(2月～)→1次面接→Webテスト(4月～)→面接(2回、5月～)→内々定(6月)【交通費支給】なし【早期選考】⇒巻末

試験情報

重視科目 (総)面接

(総)(ES)⇒巻末(筆)SPI3(会場) SPI3(自宅)(面)3回(Webあり)

選考ポイント (総)(ES)志望度 他(面)接客適性 志望度 意欲 熱意 他

通過率 (総)(ES)選考なし(受付:NA)

倍率(応募/内定) (総)NA

●男女別採用数と配属先ほか●

【男女・文理別採用実績】

	大卒男	大卒女	修士男	修士女
23年	19(文 17理 2)	7(文 6理 1)	0(文 0理 0)	0(文 0理 0)
24年	13(文 10理 3)	3(文 3理 0)	0(文 0理 0)	0(文 0理 0)
25年	10(文 －理 －)	5(文 －理 －)	0(文 0理 0)	0(文 0理 0)

※25年:計画数

【25年4月入社者の採用実績校】
(文)(24年)(大)東北学大3 秋田大 青森公大各2 山形大 盛岡大 東北福祉大 東北公益文科大 白鷗大 城西大各1 (理)(24年)(大)秋田大 秋田県大 東京農業大各1

【24年4月入社者の配属先】
(総)勤務地:秋田16 部署:営業店16

●給与、ボーナス、週休、有休ほか●

【30歳総合職平均年収】NA【初任給】(大卒)220,000円【ボーナス(年)】NA【25、30、35歳賃金】NA【週休】完全2日(土日祝)※店舗によりシフト制あり【夏期休暇】なし【年末年始休暇】12月31日～1月3日(一部店舗を除く)【有休取得】11.8／20日

●従業員数、勤続年数、離職率ほか●

【男女別従業員数、平均年齢、平均勤続年数】計 520(41.0歳 17.3年) 男 282(40.0歳 16.9年) 女 238(42.0歳 17.6年)【離職率と離職者数】4.8%、26名【3年後新卒定着率】NA【組合】あり

求める人材 変革思考と強い行動力が発揮できる人材

会社データ (金額は百万円)

【本店】010-0001 秋田県秋田市中通3-1-41
☎018-833-4211 https://www.hokutobank.co.jp/
【頭取】伊藤 新【設立】1895.5【資本金】12,500【今後力を入れる事業】GX・DX支援

【業績(単独)】	経常収益	業務純益	経常利益	純利益
22.3	22,160	5,605	2,577	1,413
23.3	22,436	6,035	2,615	1,563
24.3	23,468	4,465	1,312	139

1295 ▶『業界地図』p.140　開示 ★★

㈱山形銀行（やまがたぎんこう）

東京P 8344

【特色】地銀中位。山形県内トップシェア。財務良好

修士・大卒採用数	3年後離職率	有休取得年平均	平均年収(平均41歳)
49名	25.0→18.0%	12.3日	総656万円

残業(月) 10.5時間 総10.5時間

記者評価 山形県地盤の地銀。県内の貸出金シェアは約4割で首位。県内73店舗を核に仙台市など隣県中心地にも計84店舗を展開。営業店を機能別に再編し融資業務はブロック店に集約化へ。事業承継コンサルを強化。全額出資の地域商社を持つ。26年2月に新本店ビル竣工予定。

●エントリー情報と採用プロセス●

【受付開始～終了】総4月～継続中【採用プロセス】総説明会(3月)→ES提出(4月)→面接・筆記(6月～)→面接(2回、6月～)→内々定(6月～)【交通費支給】最終面接、公共交通機関実費

試験情報

重視科目 総面接

総ES⇒巻末筆SPI3(会場) 性格適性検査面3回(Webあり)

選考ポイント 総ES志望度 文章構成力 独創性面コミュニケーション能力 志望度 向上心 誠実さ 協調性

通過率 総ESNA

倍率(応募/内定) 総NA

●給与、ボーナス、週休、有休ほか●

【30歳総合職平均年収】480万円【初任給】(修士)220,000円 (大卒)220,000円【ボーナス(年)】NA【25、30、35歳賃金】228,981円→279,001円→327,883円 ※資格給・役割業績給・転勤準備手当含む【週休】完全2日(土日祝)【夏期休暇】有休で取得【年末年始休暇】12月31日～1月3日【有休取得】12.3／20日

●男女別採用数と配属先ほか●

【男女・文理別採用実績】

	大卒男	大卒女	修士男	修士女
23年	20(文 20理 0)	21(文 21理 0)	0(文 0理 0)	1(文 0理 1)
24年	29(文 24理 5)	15(文 13理 2)	1(文 0理 1)	0(文 0理 0)
25年	31(文 27理 4)	17(文 17理 0)	1(文 0理 1)	0(文 0理 0)

【25年4月入社者の採用実績校】
文(大)東北学大9 山形大8 東北公益文科大5 新潟大 高崎経大 青森公大各2 東北福祉大 東北大 横浜市大 順天堂大 白鴎大 明大 立教大 東洋大 同大 東北文教大 上智大 明学大 実践女大 専大 中大 釧路公大各1 理(院)山形大1(大)山形大3 東北芸工大1

【24年4月入社者の配属先】
総勤務地:山形地区16 置賜地区8 西部地区4 北部地区8 庄内地区6 仙台地区3 部署:営業45

●従業員数、勤続年数、離職率ほか●

【男女別従業員数、平均年齢、平均勤続年数】計 1,119(41.0歳 17.9年) 男 680(NA) 女 439(NA)【離職率と離職者数】4.4%、52名【3年後新卒定着率】82.0%(男69.0%、女93.8%、3年前入社:男29名・女32名)【組合】あり

求める人材 使命感とプライドをもち、バイタリティーに溢れ、行動力があること

会社データ　(金額は百万円)

【本店】990-8642 山形県山形市旅篭町2-2-31
☎023-623-1221　https://www.yamagatabank.co.jp/
【頭取】佐藤 英司【設立】1896.4【資本金】12,008【今後力を入れる事業】総合金融情報サービスの提供

【業績(連結)】	経常収益	業務純益	経常利益	純利益
22.3	44,026	6,890	5,489	3,398
23.3	51,184	5,223	5,537	3,435
24.3	55,097	▲659	3,762	2,080

㈱荘内銀行（しょうないぎんこう）

持株会社 傘下

【特色】山形県地盤の地銀下位行。フィデアHD傘下

修士・大卒採用数	3年後離職率	有休取得年平均	平均年収(平均42歳)
13名	30.0→7.1%	11.9日	総567万円

残業(月) 11.2時間 総11.2時間

記者評価 山形県庄内地方が地盤。1878年創業の第六十七国立銀行が前身。89店舗体制。2009年に秋田県の北都銀行と共同持株会社フィデアホールディングスを設立。グループ本拠は仙台市。フィデアHDと東北銀行の経営統合合意は解除。26年度中に北都銀行との合併目指す。

●エントリー情報と採用プロセス●

【受付開始～終了】総3月～7月【採用プロセス】総説明会・ES提出(3月～)→適性検査→面接(2～3回)→内々定【交通費支給】最終選考、実費

試験情報

重視科目 総面接

総ES⇒巻末筆SPI3(会場) 性格適性検査面2～3回(Webあり)

選考ポイント 総ES志望動機 自己PR 性格的な判断面コミュニケーション能力 理解力 表現力 当行に対する理解力や研究の程度

通過率 総ESNA

倍率(応募/内定) 総NA

●給与、ボーナス、週休、有休ほか●

【30歳総合職平均年収】NA【初任給】(大卒)220,000円【ボーナス(年)】NA【25、30、35歳賃金】238,763円→290,564円→354,558円【週休】完全2日(土日祝)※店舗によりシフト制あり【夏期休暇】有休で取得【年末年始休暇】12月31日～1月3日【有休取得】11.9／20日

●男女別採用数と配属先ほか●

【男女・文理別採用実績】

	大卒男	大卒女	修士男	修士女
23年	5(文 5理 0)	4(文 4理 0)	0(文 0理 0)	0(文 0理 0)
24年	7(文 6理 1)	4(文 4理 0)	0(文 0理 0)	0(文 0理 0)
25年	8(文 8理 0)	5(文 5理 0)	0(文 0理 0)	0(文 0理 0)

【25年4月入社者の採用実績校】
文(大)東北学大5 東北公益文科大4 山形大2 東北文教大 東洋学大各1 理なし

【24年4月入社者の配属先】
総勤務地:山形11 部署:各営業店11

●従業員数、勤続年数、離職率ほか●

【男女別従業員数、平均年齢、平均勤続年数】計 523(42.1歳 18.1年) 男 251(42.5歳 18.6年) 女 272(41.6歳 17.4年)【離職率と離職者数】NA【3年後新卒定着率】92.9%(男90.0%、女100%、3年前入社:男10名・女4名)【組合】あり

求める人材 自らの意思で挑戦し、自ら学んで成長できる人

会社データ　(金額は百万円)

【本店】997-8611 山形県鶴岡市本町1-9-7
☎0235-22-5211　https://www.shonai.co.jp/
【頭取】松田 正彦【設立】1941.4【資本金】8,500【今後力を入れる事業】上質な「金融情報サービス」の提供

【業績(単独)】	経常収益	業務純益	経常利益	純利益
22.3	23,932	3,713	3,467	1,557
23.3	24,376	2,385	2,390	1,630
24.3	21,460	554	1,651	656

㈱常陽銀行（じょうようぎんこう）

持株会社傘下

【特色】地銀大手。茨城県が地盤。めぶきFG傘下

修士・大卒採用数	3年後離職率	有休取得年平均	平均年収（平均41歳）
110名	NA	13.2日	総752万円

残業（月） 13.9時間 総13.9時間

記者評価 茨城県の地方銀行。県内では貸出金シェア50%超と圧倒的。首都圏や東北にも出店。海外は上海、ニューヨーク、シンガポール、ハノイに駐在員事務所。栃木県に本店を置く足利銀行とめぶきフィナンシャルグループを形成。グループに証券やカード、リースなど。

●エントリー情報と採用プロセス●

【受付開始～終了】総3月～継続中【採用プロセス】総ES提出(3月～)→適性検査(3月～)→面接(複数回、6月～)→内々定(6月～)【交通費支給】なし

試験情報

重視科目 総面接

総 ES ⇒巻末 筆 TAL GROW360 面 複数回(Webあり)

選考ポイント 総 面 明朗性 理解力 表現力 積極性 協調性 行動力

通過率 総 ES 選考なし(受付:NA)

倍率(応募/内定) 総NA

●男女別採用数と配属先ほか●

【男女・文理別採用実績】

	大卒男	大卒女	修士男	修士女
23年	57(文 53理 4)	46(文 42理 4)	3(文 1理 2)	1(文 0理 1)
24年	63(文 60理 3)	34(文 31理 3)	0(文 0理 0)	0(文 0理 0)
25年	-(文 -理 -)	-(文 -理 -)	-(文 -理 -)	-(文 -理 -)

※25年:110名採用予定

【25年4月入社者の採用実績校】
文(大)茨城大12 日大11 常磐大6 獨協大5 明大 茨城キリスト大各4 東洋大 流経大 中大各3 筑波大 高崎経大 東海大 法政大各2 他 理(大)東理大 中大 東洋大 茨城大各1(短)茨城産技1(高専)茨城1

【24年4月入社者の配属先】
総勤務地:茨城90 福島11 宮城3 千葉4 埼玉4 部署:営業店110 本部2

●給与、ボーナス、週休、有休ほか●

【30歳総合職平均年収】523万円【初任給】(大卒)218,000～230,000円【ボーナス(年)】NA【25、30、35歳賃金】NA【週休】完全2日(土日祝)【夏期休暇】有休で取得【年末年始休暇】12月31日～1月3日【有休取得】13.2／20日

●従業員数、勤続年数、離職率ほか●

【男女別従業員数、平均年齢、平均勤続年数】計3,023(40.9歳 17.7年) 男1,557(43.8歳 20.6年) 女1,466(37.8歳 14.6年)【離職率と離職者数】NA【3年後新卒定着率】NA【組合】あり

求める人材 柔軟な発想と積極果敢なチャレンジ精神を兼ね備えた人

会社データ (金額は百万円)

【本店】310-0021 茨城県水戸市南町2-5-5
☎029-231-2151　https://www.joyobank.co.jp/
【頭取】秋野 哲也【設立】1935.7【資本金】85,113【今後力を入れる事業】地域を支えるビジネスモデルの追求

【業績(連結)】	経常収益	業務純益	経常利益	純利益
22.3	137,158	46,402	40,480	26,332
23.3	193,983	▲9,194	32,299	22,597
24.3	163,485	20,634	38,012	26,395

㈱足利銀行（あしかがぎんこう）

持株会社傘下

【特色】栃木県地盤の地方銀行。個人向け取引に強み

修士・大卒採用数	3年後離職率	有休取得年平均	平均年収（平均40歳）
92名	26.8→20.5%	13.1日	総671万円

残業（月） 17.1時間 総17.1時間

記者評価 地銀上位。栃木県内のメインバンクシェアは5割弱。首都圏や福島など近県にも展開。香港とバンコクにも拠点。住宅ローンや資産運用など個人向け取引に強い。法人向けは事業承継やコンサルなど展開。16年に茨城県地盤の常陽銀行と経営統合、めぶきFGが発足。

●エントリー情報と採用プロセス●

【受付開始～終了】総3月～継続中【採用プロセス】総ES提出→Webテスト→GW→面接(複数回)→内々定【交通費支給】なし

試験情報

重視科目 総面接

総 ES ⇒巻末 筆 WebGAB TAL 面 複数回(Webあり) GD作 ⇒巻末

選考ポイント 総 ES NA(提出あり) 面 NA

通過率 総 ES 92%(受付:300→通過:277)

倍率(応募/内定) 総3倍

●男女別採用数と配属先ほか●

【男女・文理別採用実績】

	大卒男	大卒女	修士男	修士女
23年	40(文 38理 2)	32(文 28理 4)	0(文 0理 0)	0(文 0理 0)
24年	57(文 51理 6)	51(文 45理 6)	0(文 0理 0)	0(文 0理 0)
25年	60(文 56理 4)	32(文 29理 3)	0(文 0理 0)	0(文 0理 0)

※25年:100名採用予定

【25年4月入社者の採用実績校】
文未定 理未定

【24年4月入社者の配属先】
総勤務地:栃木68 群馬15 埼玉15 茨城9 福島1 部署:営業店107 本部1

●給与、ボーナス、週休、有休ほか●

【30歳総合職平均年収】598万円【初任給】(修士)250,000円(大卒)250,000円【ボーナス(年)】NA【25、30、35歳賃金】NA【週休】完全2日(土日祝)【夏期休暇】夏期に限らず有休で連続5営業日 別途制度休暇7日【年末年始休暇】12月31日～1月3日【有休取得】13.1／20日

●従業員数、勤続年数、離職率ほか●

【男女別従業員数、平均年齢、平均勤続年数】計2,527(40.0歳 16.2年) 男1,345(41.4歳 17.7年) 女1,182(38.9歳 14.5年)【離職率と離職者数】NA【3年後新卒定着率】79.5%(男84.2%、女74.3%、3年前入社:男38名・女35名)【組合】あり

求める人材 コミュニケーション能力・向上心のある人

会社データ (金額は百万円)

【本店】320-8610 栃木県宇都宮市桜4-1-25
☎028-622-0111　https://www.ashikagabank.co.jp/
【頭取】清水 和幸【設立】1895.10【資本金】135,000【今後力を入れる事業】NA

【業績(単独)】	経常収益	業務純益	経常利益	純利益
22.3	94,128	31,361	22,576	15,435
23.3	100,850	18,717	15,600	10,749
24.3	106,509	23,711	20,530	14,204

(株)栃木銀行

とちぎぎんこう

東京P 8550

【特色】栃木の地銀2行中2位。埼玉や東京にも基盤

修士・大卒採用数	3年後離職率	有休取得年平均	平均年収(平均42歳)
55名	NA	9.2日	(総)689万円

●エントリー情報と採用プロセス●

【受付開始～終了】(総)3月～未定【採用プロセス】(総)ES提出(3月～)→説明会(3月～)→Webテスト→面接(複数回)→内々定【交通費支給】なし

試験情報

重視科目 (総)面接

(総)(ES)⇒巻末(筆)TG-WEB(面)複数回(Webあり)

選考ポイント (総)(ES)意欲 人柄 積極性 主体性 責任感 チャレンジ精神 コミュニケーション力 他(面)意欲 人柄 積極性 主体性 責任感 チャレンジ精神 コミュニケーション力 他

通過率 (総)(ES)NA

倍率(応募/内定) (総)NA

●男女別採用数と配属先ほか●

【男女・文理別採用実績】

	大卒男	大卒女	修士男	修士女
23年	23(文 22理 1)	18(文 18理 0)	1(文 1理 0)	0(文 0理 0)
24年	33(文 32理 1)	18(文 17理 1)	0(文 0理 0)	0(文 0理 0)
25年	-(文 -理 -)	-(文 -理 -)	-(文 -理 -)	-(文 -理 -)

※25年:55名採用計画

【25年4月入社者の採用実績校】

(文)(大)白鴎大 帝京大 宇都宮大 駒澤大 獨協大 大東文化大 作新学大 高崎経大 中大 法政大 神奈川大 東洋大 日大 文教大 宇都宮共和大 國學院大 立命館大 山形大 茨城大 千葉大 新潟大 信州大 東京経大 東京国際大 武蔵大 武蔵野大 関東学院大 他(理系含む) (理)文系に含む

【24年4月入社者の配属先】

(総)勤務地:栃木40 埼玉8 群馬2 茨城1 部署:営業店51

残業(月) 12.0時間 (総)12.0時間

記者評価 足銀に次ぐ栃木県2位地銀。財務体質良好。埼玉、東京、茨城、群馬にも店舗展開。中小企業向け融資が柱。住宅ローンも伸ばす。M&Aコンサルとの連携強化で事業承継融資に注力。筑波銀行・東和銀行と連携強化。25年入社者から大卒初任給を25万円に引き上げ予定。

●給与、ボーナス、週休、有休ほか●

【30歳総合職平均年収】NA【初任給】(大卒)220,000円【ボーナス(年)】160万円、4.42カ月【25、30、35歳賃金】NA【週休】完全2日(土日祝)【夏期休暇】リフレッシュ休暇(連続5日)や有休を利用【年末年始休暇】12月31日～1月3日【有休取得】9.2／20日

●従業員数、勤続年数、離職率ほか●

【男女別従業員数、平均年齢、平均勤続年数】計 1,379(40.5歳 18.0年) 男 811(43.4歳 20.0年) 女 568(36.3歳 13.0年)【離職率と離職者数】NA【3年後新卒定着率】NA【組合】なし

求める人材 物事を自分事として捉えようとする人材 失敗を恐れず前進し続けようとする人材 人との絆を大切にする人材

会社データ (金額は百万円)

【本店】320-8680 栃木県宇都宮市西2-1-18

☎028-633-1250 https://www.tochigibank.co.jp/

【頭取】仲田 裕之【設立】1942.12【資本金】27,408【今後力を入れる事業】コンサルティング業務 地方創生事業

【業績(連結)】	経常収益	業務純益	経常利益	純利益
22.3	41,646	ND	5,576	3,628
23.3	45,222	ND	5,062	2,652
24.3	45,276	ND	4,234	2,101

(株)群馬銀行

ぐんまぎんこう

東京P 8334

【特色】地銀上位。群馬県で断トツ。NYなどに海外拠点

修士・大卒採用数	3年後離職率	有休取得年平均	平均年収(平均41歳)
95名	NA	NA	◇723万円

●エントリー情報と採用プロセス●

【受付開始～終了】(総)3月～未定【採用プロセス】(総)ES提出・Webテスト(3月～)→面接(複数回、6～7月)→内々定(6月上旬～)【交通費支給】なし

試験情報

重視科目 (総)面接

(総)(ES)⇒巻末(筆)WebGAB(面)複数回(Webあり)

選考ポイント (総)(面)対人能力 思考力 ストレス耐性 判断力 行動力 バランス感覚

通過率 (総)(ES)選考なし(受付:541)

倍率(応募/内定) (総)5倍

●男女別採用数と配属先ほか●

【男女・文理別採用実績】

	大卒男	大卒女	修士男	修士女
23年	36(文 32理 4)	39(文 37理 2)	0(文 0理 0)	0(文 0理 0)
24年	57(文 54理 3)	53(文 49理 4)	0(文 0理 0)	0(文 0理 0)
25年	54(文 50理 4)	40(文 35理 5)	0(文 0理 0)	1(文 1理 0)

【25年4月入社者の採用実績校】

(文)(大)高崎経大15 群馬大8 東洋大 獨協大 立教大各5 他(理系含む) (理)文系に含む

【24年4月入社者の配属先】

(総)勤務地:群馬88 埼玉13 栃木9 部署:本部4 支店106

残業(月) NA

記者評価 群馬県地盤の地方銀行。県内貸出金シェアは34%。関東に加え大阪、長野、NYに支店。上海、バンコク、ホーチミンに駐在員事務所。中小企業向け融資や住宅ローン、アパマンローンに強み。新潟地盤の第四北越銀行と連携。24年7月から大卒初任給を25万円に引き上げ。

●給与、ボーナス、週休、有休ほか●

【30歳総合職平均年収】NA【初任給】(修士)220,000円(大卒)220,000円【ボーナス(年)】NA【25、30、35歳賃金】NA【週休】完全2日(土日祝)【夏期休暇】有休で取得【年末年始休暇】12月31日～1月3日【有休取得】NA／20日

●従業員数、勤続年数、離職率ほか●

【男女別従業員数、平均年齢、平均勤続年数】計 2,830(41.4歳 18.6年) 男 1,649(43.2歳 20.2年) 女 1,181(38.8歳 16.4年)【離職率と離職者数】NA【3年後新卒定着率】NA【組合】あり

求める人材 柔軟な発想を持ち、チャレンジ精神が旺盛で創造力のある人

会社データ (金額は百万円)

【本店】371-8611 群馬県前橋市元総社町194

☎027-252-1111 https://www.gunmabank.co.jp/

【頭取】深井 彰彦【設立】1932.9【資本金】48,652【今後力を入れる事業】ニーズに適合した金融ソリューションの提供

【業績(連結)】	経常収益	業務純益	経常利益	純利益
22.3	150,197	ND	39,111	26,436
23.3	176,589	ND	38,316	27,933
24.3	200,356	ND	43,788	31,125

㈱東和銀行（とうわぎんこう）

東京P 8558

【特色】群馬の地銀2行中2位。第二地銀。埼玉にも店舗

修士・大卒採用数	3年後離職率	有休取得年平均	平均年収(平均41歳)
70名	NA	14.5日	㊕596万円

●エントリー情報と採用プロセス●

【受付開始～終了】㊕3月～11月【採用プロセス】㊕ES提出(3～11月)→Webテスト(4～11月)→座談会(4～5月)→個人面接(2回、6～11月)→内々定(6～12月)【交通費支給】なし

試験情報

重視科目 ㊕面接

㊕ES NA 筆 WebGAB 面 2回(Webあり)

選考ポイント ㊕面 志望動機 コミュニケーション能力 他

通過率 ㊕ES 選考なし(受付:NA)

倍率(応募/内定) ㊕NA

●男女別採用数と配属先ほか●

【男女・文理別採用実績】

	大卒男	大卒女	修士男	修士女
23年	26(文 26 理 0)	17(文 16 理 1)	0(文 0 理 0)	0(文 0 理 0)
24年	23(文 22 理 1)	19(文 19 理 0)	0(文 0 理 0)	0(文 0 理 0)
25年	-(文 - 理 -)	-(文 - 理 -)	-(文 - 理 -)	-(文 - 理 -)

※25年:70名採用予定

【25年4月入社者の採用実績校】

文NA 理NA

【24年4月入社者の配属先】

㊕勤務地:群馬24 埼玉15 東京3 栃木1 部署:営業店43

残業(月) NA

記者評価 群馬県2番手の地銀。1917年に群馬貯蓄無尽として創立され、その後に関東無尽、上毛無尽などと合併。群馬、埼玉を中心に約90店舗を展開。筑波銀、栃木銀と連携、地元企業の事業承継支援を強化。SBIグループと資本提携。09年に公的資金の注入を受けたが24年5月に完済。

●給与、ボーナス、週休、有休ほか●

【30歳総合職平均年収】NA【初任給】(大卒)〈総合職〉220,000円〈総合職(エリアオプション)〉210,000円【ボーナス(年)】NA【25、30、35歳賃金】NA【週休】完全2日(土日祝)【夏期休暇】連続5日(有休で取得)【年末年始休暇】12月31日～1月3日【有休取得】14.5／28日

●従業員数、勤続年数、離職率ほか●

【男女別従業員数、平均年齢、平均勤続年数】計 1,229(41.0歳 17.5年) 男 727(43.9歳 20.4年) 女 502(36.8歳 13.3年)【離職率と離職者数】NA【3年後新卒定着率】NA【組合】あり

求める人材 チャレンジ精神や主体性、行動力、洞察力などのある人

会社データ (金額は百万円)

【本店】371-8560 群馬県前橋市本町2-12-6

☎027-234-1111 https://www.towabank.co.jp/

【頭取】江原 洋【設立】1917.6【資本金】38,653【今後力を入れる事業】地域経済・地域社会の持続的な発展へ貢献

【業績(連結)】	経常収益	業務純益	経常利益	純利益
22.3	36,907	ND	3,712	1,745
23.3	33,513	ND	3,987	4,094
24.3	34,138	ND	4,335	3,530

㈱千葉銀行（ちばぎんこう）

東京P 8331

【特色】地銀首位級。千葉県で断トツ。東京展開も加速

修士・大卒採用数	3年後離職率	有休取得年平均	平均年収(平均39歳)
262名	17.3→21.0%	NA	㊕766万円

●エントリー情報と採用プロセス●

【受付開始～終了】㊕3月～継続中【採用プロセス】㊕ES提出・適性検査(3～6月)→面接(複数回)→内々定(3月～)【交通費支給】なし

試験情報

重視科目 ㊕面接

㊕ES ⇒巻末 筆 SPI3(会場) SPI3(自宅) 面 複数回(Webあり)

選考ポイント ㊕面 明るさ 元気 コミュニケーション能力 フットワーク 協調性 入行意欲 他

通過率 ㊕ES 選考なし(受付:3,576)

倍率(応募/内定) ㊕13倍

●男女別採用数と配属先ほか●

【男女・文理別採用実績】

	大卒男	大卒女	修士男	修士女
23年	106(文 95 理 11)	81(文 78 理 3)	0(文 0 理 0)	2(文 0 理 2)
24年	139(文122 理 17)	96(文 92 理 4)	5(文 2 理 3)	1(文 1 理 0)
25年	165(文146 理 19)	92(文 90 理 2)	3(文 1 理 2)	2(文 1 理 1)

【25年4月入社者の採用実績校】

文 早大 慶大 上智大 東大 お茶女大 一橋大 法政大 日大 千葉大 明大 学習院大 東洋大 立教大 青学大 獨協大 駒澤大 成蹊大 共立女大 専大 筑波大 日女大 成城大 中大 他 理 学習院大 青学大 千葉工大 千葉大 東理大 日大 法政大 明大 立教大 他

【24年4月入社者の配属先】

㊕勤務地:千葉・東京241 部署:営業店225 本部3 ちばぎんコンピューターサービス13

残業(月) NA

記者評価 預金や貸出金残高で地銀首位級。千葉地盤で県内の貸出金シェアは約40%。東京や埼玉、茨城などにも進出。海外はNY、香港、ロンドンに支店。横浜銀行や武蔵野銀行など首都圏の地銀と連携。証券、カード、リース、ファンド運用、地域商社など子会社も多彩。

●給与、ボーナス、週休、有休ほか●

【30歳総合職平均年収】NA【初任給】(修士)247,000円(大卒)230,000円【ボーナス(年)】NA【25、30、35歳賃金】NA【週休】完全2日(土日祝)【夏期休暇】有休で取得【年末年始休暇】12月31日～1月3日【有休取得】NA／20日

●従業員数、勤続年数、離職率ほか●

【男女別従業員数、平均年齢、平均勤続年数】計 3,691(38.8歳 15.0年) 男 2,056(40.0歳 15.5年) 女 1,635(37.1歳 14.3年)【離職率と離職者数】4.4%、170名【3年後新卒定着率】79.0%(男80.7%、女76.9%、3年前入社:男109名・女91名)【組合】あり

求める人材 考え抜き、自分の強みを持ち、仲間を増やせる人材、または期待できる人材

会社データ (金額は百万円)

【本店】260-8720 千葉県千葉市中央区千葉港1-2

☎043-245-1111 https://www.chibabank.co.jp/

【頭取】米本 努【設立】1943.3【資本金】145,069【今後力を入れる事業】地域の総合金融サービス

【業績(連結)】	経常収益	業務純益	経常利益	純利益
22.3	236,092	85,359	78,827	54,498
23.3	278,377	81,878	86,983	60,276
24.3	310,742	91,701	90,262	62,440

㈱京葉銀行（けいようぎんこう）

東京P 8544

【特色】千葉県の第二地銀。財務健全、収益性が高い

修士・大卒採用数	3年後離職率	有休取得年平均	平均年収(平均40歳)
110名	26.8→26.2%	16.2日	総 698万円

●エントリー情報と採用プロセス●

【受付開始～終了】総3月～継続中【採用プロセス】総説明会・ES提出・Webテスト(3月～)→面接(3回、6月～)→内々定(6月～)【交通費支給】なし

試験情報

重視科目　総面接

総 ES ⇒巻末 筆 WebGAB 面 3回(Webあり)

選考ポイント　総 ES 志望動機 他 面 コミュニケーション能力 バイタリティ 柔軟性 他

通過率　総 ES 選考なし(受付:NA)

倍率(応募/内定)　総NA

●男女別採用数と配属先ほか●

【男女・文理別採用実績】

	大卒男	大卒女	修士男	修士女
23年	31(文 29 理 2)	40(文 39 理 1)	0(文 0 理 0)	0(文 0 理 0)
24年	64(文 62 理 2)	33(文 33 理 0)	0(文 0 理 0)	0(文 0 理 0)
25年	55(文 - 理 -)	55(文 - 理 -)	-(文 - 理 -)	-(文 - 理 -)

※25年:予定数

【25年4月入社者の採用実績校】

文(大)立教大 高知大 学習院大 明大 法政大 横国大 日大 東洋大 駒澤大 明学大 獨協大 成城大 成蹊大 日女大 フェリス女学大 東京経大 東京女大 高崎経大 武蔵大 國學院大 専大 他 理(大)立教大 法政大 芝工大 東邦大 東京農業大 日大

【24年4月入社者の配属先】

総勤務地:千葉105 部署:営業店104 本部1

残業(月)　18.7時間 総18.7時間

記者評価 千葉県の第二地銀。愛称はアルファバンク。効率経営と財務に定評。ITへの取り組みも先駆的。千葉は人口増加が追い風。東京の隣接地に出店も。住宅ローン伸びる。エリア制へ移行し店舗と人員の効率的なネットワーク化を完了。りそなHDと戦略的な業務提携。

●給与、ボーナス、週休、有休ほか●

【30歳総合職平均年収】NA【初任給】(修士)247,000円(大卒)230,000円【ボーナス(年)】NA【25、30、35歳賃金】NA【週休】完全2日(土日祝)【夏期休暇】有休で取得【年末年始休暇】12月31日～1月3日【有休取得】16.2／20日

●従業員数、勤続年数、離職率ほか●

【男女別従業員数、平均年齢、平均勤続年数】計 1,863(40.0歳 17.5年)男 1,064(42.0歳 19.8年)女 799(36.0歳 14.3年)【離職率と離職者数】4.3%、84名【3年後新卒定着率】73.8%(男70.0%、女77.3%、3年前入社:男40名・女44名)【組合】あり

求める人材 企業理念に共感し、自発的・意欲的に取り組み、銀行とともに自らを成長させていく人財

会社データ　(金額は百万円)

【本店】260-0015 千葉県千葉市中央区富士見1-11-11
☎043-306-8181　https://www.keiyobank.co.jp/
【頭取】熊谷 俊行【設立】1943.3【資本金】49,759【今後力を入れる事業】地域の総合金融サービス

【業績(連結)】	経常収益	業務純益	経常利益	純利益
22.3	65,745	ND	16,210	11,185
23.3	65,614	ND	15,174	10,390
24.3	70,215	ND	15,678	10,878

㈱千葉興業銀行（ちばこうぎょうぎんこう）

東京P 8337

【特色】千葉県地盤。県内地方銀行では規模で3番手

修士・大卒採用数	3年後離職率	有休取得年平均	平均年収(平均40歳)
61名	19.2→10.0%	14.5日	総 630万円

●エントリー情報と採用プロセス●

【受付開始～終了】総2月～7月【採用プロセス】総説明会(必須、2月～)→ES提出・Webテスト(3月～)→面接(3回、3月～)→内々定(6月～)【交通費支給】なし

試験情報

重視科目　総面接

総 ES ⇒巻末 筆 Web(自宅受験)CUBIC 面 3回(Webあり)

選考ポイント　総 面 思考力 鶏口人材が持つ価値観とのマッチ度

通過率　総 ES 選考なし(受付:979)

倍率(応募/内定)　総15倍

●男女別採用数と配属先ほか●

【男女・文理別採用実績】

	大卒男	大卒女	修士男	修士女
23年	27(文 24 理 3)	23(文 22 理 1)	0(文 0 理 0)	0(文 0 理 0)
24年	47(文 45 理 2)	18(文 18 理 0)	0(文 0 理 0)	0(文 0 理 0)
25年	35(文 33 理 2)	26(文 25 理 1)	0(文 0 理 0)	0(文 0 理 0)

【25年4月入社者の採用実績校】

文(大)日大5 法政大 成蹊大各4 学習院大 駒澤大各2 明大 東理大 青学大 中大 東洋大 國學院大 武蔵大 獨協大各1 他 理(大)明大 日大各1 他

【24年4月入社者の配属先】

総勤務地:千葉65 部署:人事65

残業(月)　15.6時間 総15.6時間

記者評価 千葉銀行、京葉銀行と並ぶ千葉県内3地銀の一角。県内メインバンクシェアは約8%。県内全域のほか、23区東部にも支店。個人向けの住宅ローンから、中小企業支援や不動産向け融資に軸足。地元農業を支援する地域商社やファンド運用会社を設立。

●給与、ボーナス、週休、有休ほか●

【30歳総合職平均年収】544万円【初任給】(博士)230,000円(修士)230,000円(大卒)230,000円【ボーナス(年)】138万円、4.0カ月【25、30、35歳賃金】258,291円→326,128円→389,450円【週休】完全2日(土日祝)【夏期休暇】有休で取得【年末年始休暇】12月31日～1月3日【有休取得】14.5／20日

●従業員数、勤続年数、離職率ほか●

【男女別従業員数、平均年齢、平均勤続年数】計 1,306(41.0歳 16.4年)男 786(42.7歳 18.2年)女 520(38.8歳 13.6年)※嘱託含む【離職率と離職者数】5.6%、77名(選択定年男5名含む)【3年後新卒定着率】90.0%(男84.4%、女96.4%、3年前入社:男32名・女28名)【組合】あり

求める人材 鶏口人材『「誰でもいい」ではなく「あなたが必要」だと言われたい』という価値観を持っている人

会社データ　(金額は百万円)

【本店】261-0001 千葉県千葉市美浜区幸町2-1-2
☎043-243-2111　https://www.chibakogyo-bank.co.jp/
【頭取】梅田 仁司【設立】1952.1【資本金】62,120【今後力を入れる事業】法人向けコンサルティング業務の更なる強化

【業績(連結)】	経常収益	業務純益	経常利益	純利益
22.3	51,248	ND	9,005	6,385
23.3	51,303	ND	9,671	6,477
24.3	54,584	ND	10,250	7,428

㈱東日本銀行
ひがしにっぽんぎんこう

[持株会社傘下]

【特色】東京地盤の地方銀行。コンコルディアFG傘下

修士・大卒採用数	3年後離職率	有休取得年平均	平均年収(平均41歳)
50名	NA	14.1日	706万円

●エントリー情報と採用プロセス●

【受付開始～終了】[総]3月～継続中【採用プロセス】[総]ES提出・Web試験→面接(複数回)→内々定【交通費支給】なし

試験情報

重視科目 [総]面接

[総][ES]⇒巻末[筆]WebGAB[面]複数回(Webあり)[GD作]NA

選考ポイント [総][ES]志望動機 自己PR 他[面]コミュニケーション能力 適性 意欲 他(人物重視)

通過率 [総][ES]78%(受付:753→通過:587)

倍率(応募/内定) [総]4倍

●男女別採用数と配属先ほか●

【男女・文理別採用実績】

	大卒男	大卒女	修士男	修士女
23年	15(文 13理 2)	13(文 13理 0)	0(文 0理 0)	0(文 0理 0)
24年	29(文 29理 0)	12(文 12理 0)	0(文 0理 0)	0(文 0理 0)
25年	-(文 -理 -)	-(文 -理 -)	-(文 -理 -)	-(文 -理 -)

※25年:50名採用予定

【25年4月入社者の採用実績校】
[文](24年)(大)フェリス女学大 学習院女大 学習院大 国士舘大 神奈川大 成城大 成蹊大 清泉女大 青学大 専大 相模女大 中大 中京大 東洋大 桃山学大 日大 武蔵野大 福島大 法政大 明学大 明大 明星大 立教大 國學院大 獨協大 [理](24年)なし

【24年4月入社者の配属先】
[総]勤務地:東京・神奈川・埼玉・千葉の本支店41 部署:本支店41

残業(月) NA

記者評価 中堅地銀。茨城発祥だが現在は東京が地盤。関東全域に店舗を構える。中小企業向け取引に強い。16年に横浜銀行と経営統合、システムや業務の共同化などグループ連携を推進。ビジネスマッチングやM&Aを育成。25年入社者から大卒初任給を26万円に引き上げ。

●給与、ボーナス、週休、有休ほか●

【30歳総合職平均年収】NA【初任給】(大卒)220,000円【ボーナス(年)】NA【25、30、35歳賃金】NA【週休】完全2日(土日祝)【夏期休暇】連続5日(有休で取得)【年末年始休暇】12月31日～1月3日【有休取得】14.1／20日

●従業員数、勤続年数、離職率ほか●

【男女別従業員数、平均年齢、平均勤続年数】計 980(41.0歳 17.5年) 男 650(NA) 女 330(NA)【離職率と離職者数】NA【3年後新卒定着率】NA【組合】あり

求める人材 中小企業の「トータルパートナー」となるため、地域に貢献する志を持ち、成長意欲挑戦意欲を持ち、自己研鑽により自身の人間力を高めていくことのできる人財

会社データ (金額は百万円)

【本店】103-8238 東京都中央区日本橋3-11-2
☎03-3273-6221 https://www.higashi-nipponbank.co.jp/
【頭取】助川 和浩【設立】1924.4【資本金】38,300【今後力を入れる事業】地域に根ざした金融サービス

【業績(連結)】	経常収益	業務純益	経常利益	純利益
22.3	286,979	89,881	82,257	53,881
23.3	312,983	90,838	79,870	56,159
24.3	358,303	88,737	77,004	66,931

※業績は㈱コンコルディア・フィナンシャルグループのもの

㈱きらぼし銀行
ぎんこう

[持株会社傘下]

【特色】地銀中位。M&Aや不動産など特殊な融資に強み

修士・大卒採用数	3年後離職率	有休取得年平均	平均年収(平均43歳)
124名	NA	12.8日	734万円

●エントリー情報と採用プロセス●

【受付開始～終了】[総]3月～4月【採用プロセス】[総]ES提出・適性検査(3月～)→面接(Web含み1～3回、4月～)→内々定(6月～)【交通費支給】なし

試験情報

重視科目 [総]面接

[総][ES]⇒巻末[筆]WebGAB[面]1～3回(Webあり)

選考ポイント [総][ES]人生において自発的に何をやってきたか、どのようなチャレンジをしたか[面]自発性 チームワーク 創造性 継続力 チャレンジ精神

通過率 [総][ES]NA

倍率(応募/内定) [総]NA

●男女別採用数と配属先ほか●

【男女・文理別採用実績】

	大卒男	大卒女	修士男	修士女
23年	49(文 40理 9)	27(文 23理 4)	0(文 0理 0)	0(文 0理 0)
24年	64(文 59理 5)	35(文 34理 1)	0(文 0理 0)	1(文 1理 0)
25年	74(文 69理 5)	47(文 43理 4)	2(文 2理 0)	1(文 1理 0)

【25年4月入社者の採用実績校】
[文]青学大 亜大 桜美林大 大妻女大 学習院大 神奈川大 関大 共立女大 近大 慶大 國學院大 駒澤大 埼玉大 相模女大 産能大 昭和女大 成蹊大 聖心女大 専大 大東文化大 高崎経大 多摩大 玉川大 千葉商大 中大 都留文科大 帝京大 東海大 同大 東京経大 東京農業大 東北学大 東洋大 獨協大 名大 南山大 日大 フェリス女学大 法政大 武庫川女大 武蔵大 武蔵野大 明大 明学大 明星大 立教大 立命館大 流経大(短)湘北 [理]お茶女大 芝工大 千葉工大 東理大 日大 永進専門大

【24年4月入社者の配属先】[総]勤務地:東京83 神奈川16 千葉1 部署:営業93 きらぼしシステム4 UI銀行3

残業(月) NA

記者評価 東京都民銀行、八千代銀行と新銀行東京の3行が18年5月に合併して誕生。東京都内と神奈川県相模原地域を中心に展開。中小企業向け取引に強く、M&Aや不動産といった仕組み金融やファンド投資に特色。証券やリース、コンサルなどグループ会社との連携も推進。

●給与、ボーナス、週休、有休ほか●

【30歳総合職平均年収】NA【初任給】(博士)255,000円(修士)255,000円(大卒)255,000円【ボーナス(年)】NA【25、30、35歳賃金】NA【週休】完全2日(土日祝)【夏期休暇】連続最大6日(有休で取得、週休含め9日)【年末年始休暇】12月31日～1月3日【有休取得】12.8／20日

●従業員数、勤続年数、離職率ほか●

【男女別従業員数、平均年齢、平均勤続年数】計 2,435(43.1歳 18.8年) 男 1,485(44.6歳 20.1年) 女 950(40.8歳 16.9年)【離職率と離職者数】NA【3年後新卒定着率】NA【組合】あり

求める人材 「どうしたら出来るのか」を常に考え果敢に挑戦できる人財

会社データ (金額は百万円)

【本店】107-0062 東京都港区南青山3-10-43
☎03-6447-5760 https://www.kiraboshibank.co.jp/
【頭取】渡邊 壽信【設立】1991.4【資本金】27,500【今後力を入れる事業】本業支援活動 グループ戦略 海外戦略

【業績(連結)】	経常収益	業務純益	経常利益	純利益
22.3	108,348	ND	24,943	18,183
23.3	125,291	ND	30,774	21,150
24.3	138,331	ND	32,968	25,652

※資本金・業績は㈱東京きらぼしフィナンシャルグループのもの

金融

よこはまぎんこう
㈱横浜銀行

持株会社 傘下

【特色】地銀首位級。傘下に県内2番手の神奈川銀行

修士・大卒採用数	3年後離職率	有休取得年平均	平均年収(平均41歳)
160名	NA	15.3日	総 856万円

●エントリー情報と採用プロセス●

【受付開始～終了】総3月～8月【採用プロセス】総ES提出・Webテスト(3月～)→面接(複数回)→内々定【交通費支給】なし

試験情報

重視科目 総面接

総ES⇒巻末 筆Webテスト 面複数回(Webあり)

選考ポイント 総ESNA(提出あり) 面コミュニケーション能力 適性 意欲など人物重視

通過率 総ESNA

倍率(応募/内定) 総NA

●男女別採用数と配属先ほか●

【男女・文理別採用実績】

	大卒男	大卒女	修士男	修士女
23年	72(文 63 理 9)	54(文 53 理 1)	3(文 1 理 2)	2(文 1 理 1)
24年	114(文109 理 5)	103(文 99 理 4)	5(文 2 理 3)	0(文 0 理 0)
25年	-(文 - 理 -)	-(文 - 理 -)	-(文 - 理 -)	-(文 - 理 -)

※25年:160名採用予定

【25年4月入社者の採用実績校】

文(24年)東大 一橋大 慶大 早大 上智大 東理大 明大 法政大 青学大 中大 立教大 横国大 横浜市大 立命館大 同大 関西学大 明学大 神奈川大 日大 他(理系含む) 理(24年)文系に含む

【24年4月入社者の配属先】

総勤務地:神奈川・東京186 部署:本店・支店186

残業(月) 11.5時間

記者評価 神奈川県地盤の地方銀行。県内貸出金シェアは約36%と断トツ。都内にも積極進出。M&Aや不動産など特殊な案件に強い。16年に関東地盤の東日本銀行と経営統合。23年に県内2番手の神奈川銀行を子会社化。25年入社者から大卒初任給を26万円に引き上げ。

●給与、ボーナス、週休、有休ほか●

【30歳総合職平均年収】703万円【初任給】(修士)235,000円 (大卒)220,000円【ボーナス(年)】NA【25、30、35歳賃金】NA【週休】完全2日(土日祝)【夏期休暇】制度休暇(1週間連続休暇、5日間連続休暇)で取得【年末年始休暇】12月31日～1月3日【有休取得】15.3/20日

●従業員数、勤続年数、離職率ほか●

【男女別従業員数、平均年齢、平均勤続年数】計 4,198(40.6歳 16.5年) 男 2,133(41.8歳 17.6年) 女 2,065(39.3歳 15.4年)【離職率と離職者数】NA【3年後新卒定着率】NA【組合】あり

求める人材 地域社会・お客さまへの価値提供に強い誇りと自覚を持つとともに、常に変革マインドを持ち挑戦し続ける人財

会社データ (金額は百万円)

【本店】220-8611 神奈川県横浜市西区みなとみらい3-1-1
☎045-225-1111 https://www.boy.co.jp/
【頭取】片岡 達也【設立】1920.12【資本金】215,628【今後力を入れる事業】お客さまに対する最高の金融サービスの提供

【業績(連結)】	経常収益	業務純益	経常利益	純利益
22.3	286,979	89,881	82,257	53,881
23.3	312,983	90,838	79,870	56,159
24.3	358,303	88,737	77,004	66,931

※業績は㈱コンコルディア・フィナンシャルグループのもの

かながわぎんこう
㈱神奈川銀行

株式公開 計画なし

【特色】神奈川県の第二地銀。横浜銀行の子会社

修士・大卒採用数	3年後離職率	有休取得年平均	平均年収(平均41歳)
38名	NA	15.5日	総 744万円

●エントリー情報と採用プロセス●

【受付開始～終了】総3月～7月【採用プロセス】総説明会・ES提出→GD→面接→Webテスト→役員面接→内々定(6月上～下旬)【交通費支給】なし【早期選考】⇒巻末

試験情報

重視科目 総面接

総ES⇒巻末 筆WebGAB 面2回 GD作NA

選考ポイント 総ESNA(提出あり) 面コミュニケーション能力 意欲

通過率 総ESNA

倍率(応募/内定) 総NA

●男女別採用数と配属先ほか●

【男女・文理別採用実績】

	大卒男	大卒女	修士男	修士女
23年	9(文 9 理 0)	12(文 12 理 0)	0(文 0 理 0)	0(文 0 理 0)
24年	21(文 18 理 3)	14(文 13 理 1)	0(文 0 理 0)	0(文 0 理 0)
25年	22(文 22 理 0)	15(文 14 理 1)	0(文 0 理 0)	1(文 1 理 0)

【25年4月入社者の採用実績校】

文(大)神奈川大7 関東学院大 産能大各3 日大 東海大各2 駒澤大 桐蔭横浜大 青学大 相模女大 帝京大 東洋大 文教大 法政大 立教大各1 理(大)日大1

【24年4月入社者の配属先】

総勤務地:神奈川(横浜12 横須賀1 平塚2 茅ヶ崎2 藤沢2 川崎3 相模原1 大和1) 部署:本部2 営業店22

残業(月) 12.6時間 総20.5時間

記者評価 神奈川県地盤の第二地銀。商工会議所を中心に地元の政・財・官の協力で戦後設立。神奈川県内に約30店舗を展開。24年3月末の貸出金残高は4059億円。横浜銀行によるTOBで23年6月に同社の完全子会社に。25年4月から大卒総合職初任給を23.5万円に増額予定。

●給与、ボーナス、週休、有休ほか●

【30歳総合職平均年収】537万円【初任給】(大卒)215,000円【ボーナス(年)】NA【25、30、35歳賃金】NA【週休】完全2日(土日祝)【夏期休暇】なし【年末年始休暇】連続4日【有休取得】15.5/20日

●従業員数、勤続年数、離職率ほか●

【男女別従業員数、平均年齢、平均勤続年数】計 351(39.7歳 16.2年) 男 193(42.0歳 18.7年) 女 158(36.9歳 13.2年)【離職率と離職者数】NA【3年後新卒定着率】NA【組合】あり

求める人材 常にチャレンジ精神を持っている人 地域経済の発展に貢献したいと考えている人「全員営業」に共感できる人

会社データ (金額は百万円)

【本店】231-0033 神奈川県横浜市中区長者町9-166
☎045-261-2641 https://www.kanagawabank.co.jp/
【頭取】近藤 和明【設立】1953.7【資本金】6,191【今後力を入れる事業】お客様本位の徹底 経営課題解決を意識したコンサルティング営業、個人向け融資の推進

【業績(単独)】	売上高	業務純益	経常利益	純利益
22.3	8,482	2,637	1,303	879
23.3	8,869	2,208	2,020	1,461
24.3	11,001	535	800	450

849 ▶『業界地図』p.44, 140　開示 ★★

だいしほくえつぎんこう
㈱第四北越銀行

[持株会社傘下]

【特色】新潟県地盤の第四銀行と北越銀行の合併で誕生

修士・大卒採用数	3年後離職率	有休取得年平均	平均年収(平均41歳)
106名	NA	13.6日	[総]763万円

●エントリー情報と採用プロセス●

【受付開始～終了】[総]3月～7月【採用プロセス】[総]ES提出・Webテスト(3～7月)→面接(複数回、6～8月)→内々定(6～8月)【交通費支給】なし

試験情報

[重視科目] [総]面接

[総][ES]⇒巻末[筆]SPI3(自宅)[面]複数回(Webあり)

[選考ポイント] [総][ES]NA(提出あり)[面]適性 意欲 チャレンジ精神 コミュニケーション 他

[通過率] [総][ES]NA

[倍率(応募/内定)] [総]NA

●男女別採用数と配属先ほか●

【男女・文理別採用実績】

	大卒男	大卒女	修士男	修士女
23年	43(文 37 理 6)	24(文 22 理 2)	0(文 0 理 0)	0(文 0 理 0)
24年	49(文 47 理 2)	32(文 31 理 1)	2(文 2 理 0)	0(文 0 理 0)
25年	65(文 60 理 5)	41(文 36 理 5)	0(文 0 理 0)	0(文 0 理 0)

※25年:24年7月29日時点

【25年4月入社者の採用実績校】
[文](大)新潟大 東北大 金沢大 早大 青学大 中大 立命館大 立教大 同大 神戸大 埼玉大 千葉大 順天堂大 高崎経大 法政大 日大 駒澤大 大東文化大(短)新潟青陵 他 [理](大)新潟大 金沢大 富山県大 九大 他

【24年4月入社者の配属先】
[総]勤務地:新潟84 東京2 部署:営業店86

[残業(月)] 9.5時間

[記者評価] 新潟県で断トツの第四銀行と、地銀中位の北越銀行が18年に持ち株会社「第四北越FG」を設立して経営統合。21年1月両行の合併で現体制に。店舗統廃合や人員再配置など構造改革を加速し、グループシナジーを追求。システムはTSUBASAアライアンスに参加。

●給与、ボーナス、週休、有休ほか●

【30歳総合職平均年収】521万円【初任給】(修士)236,000円(大卒)220,000円【ボーナス(年)】NA【25、30、35歳賃金】NA【週休】完全2日(土日祝)【夏期休暇】連続5日(有休で取得)【年末年始休暇】12月31日～1月3日【有休取得】13.6／20日

●従業員数、勤続年数、離職率ほか●

【男女別従業員数、平均年齢、平均勤続年数】計 3,164(41.5歳 18.3年) 男 1,877(NA) 女 1,287(NA)【離職率と離職者数】NA【3年後新卒定着率】NA【組合】あり

[求める人材] 自ら学び続ける向上心と、新しい価値創造に挑戦する行動力を備えた人財 経営理念実現の志を強く持つ志望度の高い人財

[会社データ]　(金額は百万円)

【本店】951-8066 新潟県新潟市中央区東堀前通七番町1071-1
☎025-222-4111　https://www.dhbk.co.jp/
【頭取】殖栗 道郎【設立】1873.11【資本金】30,000【今後力を入れる事業】総合金融サービスの推進

【業績(連結)】	経常収益	業務純益	経常利益	純利益
22.3	135,711	25,817	23,545	15,144
23.3	148,759	29,217	25,048	17,768
24.3	182,058	33,342	30,868	21,203

※業績は㈱第四北越フィナンシャルグループのもの

たいこうぎんこう
㈱大光銀行

[東京S 8537]

【特色】新潟県の第二地銀。県内2番手。長岡市が本拠

修士・大卒採用数	3年後離職率	有休取得年平均	平均年収(平均43歳)
50名	NA	8.4日	563万円

●エントリー情報と採用プロセス●

【受付開始～終了】[総]3月～8月【採用プロセス】[総]ES提出→適性検査(Web)→面接(Web1回・対面1回)→内々定【交通費支給】なし

試験情報

[重視科目] [総]面接

[総][ES]⇒巻末[筆]SCOA(Web)[面]2回(Webあり)[GD作]NA

[選考ポイント] [総][ES]志望動機 自己PR[面]コミュニケーション能力 柔軟性 他

[通過率] [総][ES]NA

[倍率(応募/内定)] [総]NA

●男女別採用数と配属先ほか●

【男女・文理別採用実績】

	大卒男	大卒女	修士男	修士女
23年	10(文 10 理 0)	6(文 6 理 0)	0(文 0 理 0)	0(文 0 理 0)
24年	22(文 22 理 0)	8(文 8 理 0)	0(文 0 理 0)	0(文 0 理 0)
25年	-(文 - 理 -)	-(文 - 理 -)	-(文 - 理 -)	-(文 - 理 -)

※25年:継続中

【25年4月入社者の採用実績校】
[文](大)新潟大 新潟県大 新潟国際情報大 新潟経営大 新潟青陵大 開志専大 新潟医療福祉大 長岡大 城西大 拓大 中部大 白鴎大 実践女大(短)新潟青陵(専)大原簿記公務員 新潟会計ビジネス 新潟公務員 [理](大)新潟大 新潟薬大

【24年4月入社者の配属先】
[総]勤務地:新潟31 埼玉4 東京1 神奈川1 部署:営業店37

[残業(月)] 7.2時間

[記者評価] 資金量は地銀中下位。新潟県内が主体だが、埼玉にも複数店。関東地区本部設け、県内企業の関東展開後押し。経営支援プラットフォーム活用や人材紹介・育成など駆使。22年5月にSBIと資本業務提携。23年5月ファンド運営会社設立、ベンチャー等に資金提供加速。

●給与、ボーナス、週休、有休ほか●

【30歳総合職平均年収】NA【初任給】(修士)220,000円(大卒)220,000円【ボーナス(年)】NA【25、30、35歳賃金】NA【週休】完全2日(土日祝)【夏期休暇】連続5日※夏に限らず通年で取得可【年末年始休暇】12月31日～1月3日【有休取得】8.4／20日

●従業員数、勤続年数、離職率ほか●

【男女別従業員数、平均年齢、平均勤続年数】計 799(43.3歳 18.8年) 男 NA 女 NA【離職率と離職者数】NA【3年後新卒定着率】NA【組合】あり

[求める人材] コミュニケーション能力が高く、常に学ぶ姿勢を持ち続けられる人

[会社データ]　(金額は百万円)

【本店】940-8651 新潟県長岡市大手通1-5-6
☎0258-36-4111　https://www.taikobank.jp/
【頭取】川合 昌一【設立】1942.3【資本金】10,000【今後力を入れる事業】お客さまへの提供価値の向上

【業績(連結)】	経常収益	業務純益	経常利益	純利益
22.3	21,220	3,365	2,612	2,042
23.3	21,844	3,276	2,238	1,280
24.3	21,968	3,863	3,285	1,716

918 ▶『業界地図』p.140　開示 ★★

開示 ★★ ▶『業界地図』p.44, 140 1549

㈱北陸銀行（ほくりくぎんこう）

持株会社傘下

【特色】富山県地盤の地方銀行。北海道銀行と経営統合

修士・大卒採用数	3年後離職率	有休取得年平均	平均年収(平均42歳)
134名	NA	14.7日	総 773万円

●エントリー情報と採用プロセス●

【受付開始～終了】総技3月～継続中【採用プロセス】総技ES提出・Webテスト(3～6月)→面接(3～4回、4月～)→内々定(6月～)【交通費支給】なし

試験情報

- **重視科目** 総技面接
- 総技ES⇒巻末筆WebGAB面3～4回(Webあり)
- **選考ポイント** 総技ESNA(提出あり)面コミュニケーション能力
- **通過率** 総技ESNA
- **倍率(応募/内定)** 総技NA

●男女別採用数と配属先ほか●

【男女・文理別採用実績】

	大卒男	大卒女	修士男	修士女
23年	38(文 34理 4)	69(文 67理 2)	1(文 1理 0)	0(文 0理 0)
24年	40(文 37理 3)	56(文 56理 0)	1(文 1理 0)	3(文 1理 2)
25年	57(文 53理 4)	75(文 72理 3)	1(文 1理 0)	1(文 0理 1)

※25年：継続中

【25年4月入社者の採用実績校】

文(院)明大 都立大(大)富山大 金沢大 福井大 北大 横国大 新潟大 広島大 慶大 上智大 明大 立教大 中大 法政大 同大 立命館大 関西学大 高崎経大 北海学園大 藤女大 近大 龍谷大 京産大 日大 福井県大 小松大 金沢星稜大 富山国際大(高専)富山 他(理系含む)理文系に含む

【24年4月入社者の配属先】

総勤務地:<Gコース>富山19 石川9 福井3 北海道8 東京8 大阪4 愛知3 <Aコース>富山18 石川15 福井4 北海道4 部署:<Gコース>本部2 営業店52 <Aコース>営業店41 技勤務地:なし 部署:なし

残業(月) 19.6時間

記者評価 地銀上位。富山県内では地銀3行の中でトップ。隣県の石川や福井にも多数出店。04年に北海道銀行と経営統合し、ほくほくFGが発足。両行での人事交流も。26年に富山駅前に新本社ビルが完成予定。24年7月から大卒総合職の初任給を23.5万円に引き上げ。

●給与、ボーナス、週休、有休ほか●

【30歳総合職平均年収】647万円【初任給】(修士)225,000円(大卒)225,000円【ボーナス(年)】NA【25、30、35歳賃金】NA【週休】完全2日(土日祝)【夏期休暇】連続7～9日(土日祝含む、有休で取得)【年末年始休暇】12月31日～1月3日【有休取得】14.7／20日

●従業員数、勤続年数、離職率ほか●

【男女別従業員数、平均年齢、平均勤続年数】計 2,128(40.2歳 16.6年) 男 1,157(42.6歳 19.1年) 女 971(37.3歳 13.6年)【離職率と離職者数】6.1%、138名【3年後新卒定着率】NA【組合】あり

求める人材 常に当事者意識を持ち、自分で考え、行動できる人物

会社データ (金額は百万円)

【本店】930-8637 富山県富山市堤町通り1-2-26
☎076-423-7111 https://www.hokugin.co.jp/
【頭取】中澤 宏【設立】1943.7【資本金】140,409【今後力を入れる事業】総合的な金融サービス

【業績(単独)】	経常収益	コア業務純益	経常利益	純利益
22.3	88,998	26,747	20,910	13,102
23.3	97,217	25,801	14,532	14,314
24.3	100,853	25,956	15,129	18,264

㈱北國フィナンシャルホールディングス（ほっこく）

東京P 7381

【特色】石川県地盤。傘下に地銀中位の北國銀行

修士・大卒採用数	3年後離職率	有休取得年平均	平均年収(平均43歳)
21名	8.3→8.8%	17.8日	総 691万円

●エントリー情報と採用プロセス●

【受付開始～終了】総12月～3月【採用プロセス】総ES提出・適性検査受検(～3月)→ 履修データ提出・面接(3回、4～5月)→内々定(5月～)【交通費支給】最終面接、実費(北陸3県以外)【早期選考】⇒巻末

試験情報

- **重視科目** 総面接
- 総ES⇒巻末筆SPI3(自宅)面3回(Webあり)GD作NA
- **選考ポイント** 総ES求める人材と合致しているか面インテグリティ 主体性 成長意欲 学習意欲 チームワーク 共感力
- **通過率** 総ES76%(受付:188→通過:143)
- **倍率(応募/内定)** 総6倍

●男女別採用数と配属先ほか●

【男女・文理別採用実績】

	大卒男	大卒女	修士男	修士女
23年	5(文 4理 1)	5(文 4理 1)	0(文 0理 0)	1(文 0理 1)
24年	7(文 5理 2)	14(文 14理 0)	0(文 0理 0)	0(文 0理 0)
25年	13(文 13理 0)	7(文 7理 0)	1(文 0理 1)	0(文 0理 0)

※25年：24年8月1日時点

【25年4月入社者の採用実績校】

文(大)金沢大8 東大 東京外大 神戸大 青学大 同大 立命館大 関西学大 静岡県大 信州大 富山大 東洋大 中京大各1 理(院)北陸先端科技院大1

【24年4月入社者の配属先】

総勤務地:石川15 富山3 福井1 部署:営業等12 コンサル2 経理部門2 投資部門1 ECサイト1 人事1 技勤務地:石川2 部署:システム2

残業(月) 3.5時間 総3.5時間

記者評価 石川県地盤の北國銀行を中心とする金融グループ。融資のほか、近年は経営コンサルティングや業務のデジタル化を全社的に推進。テレワークや印鑑レス、ペーパーレスなどを早くから導入。投資ファンドやキャッシュレス、デジタル通貨にも本腰。

●給与、ボーナス、週休、有休ほか●

【30歳総合職平均年収】NA【初任給】(修士)277,500円(大卒)277,500円【ボーナス(年)】151万円、5.0カ月【25、30、35歳賃金】283,986円→314,238円→399,111円【週休】完全2日(土日祝)【夏期休暇】なし【年末年始休暇】12月31日～1月3日【有休取得】17.8／20日

●従業員数、勤続年数、離職率ほか●

【男女別従業員数、平均年齢、平均勤続年数】計 1,898(43.6歳 16.1年) 男 980(44.9歳 18.1年) 女 918(42.2歳 14.8年)【離職率と離職者数】2.9%、56名【3年後新卒定着率】91.2%(男100%、女87.0%、3年前入社:男11名・女23名)【組合】あり

求める人材 企業理念に共感し、地域の発展のために、自分自身の成長のために努力を継続できるプロフェッショナル

会社データ (金額は百万円)

【本店】920-8670 石川県金沢市広岡2-12-6
☎076-263-1111 https://www.hfhd.co.jp/
【社長】杖村 修司【設立】2021.10【資本金】10,000【今後力を入れる事業】デジタル地域通貨 投資助言 投資ファンド 市場運用

【業績(連結)】	経常収益	業務純益	経常利益	純利益
22.3	84,730	11,926	19,167	9,387
23.3	84,743	5,270	16,046	8,741
24.3	90,839	▲3,687	14,461	9,055

開示 ★★★★ ▶『業界地図』p.44 2830

ふくいぎんこう
(株)福井銀行

東京P 8362

【特色】福井地盤の地銀中位。子会社に福邦銀行

修士・大卒採用数	3年後離職率	有休取得年平均	平均年収(平均42歳)
72名	13.6→14.0%	10.6日	533万円

残業(月) 10.1時間 [総]10.7時間

記者評価 福井県地盤の地銀。県内貸出金シェアは約4割で首位。24年3月の北陸新幹線・金沢〜敦賀間開業による再開発需要の取り込みに意欲。21年に子会社化した福邦銀行とは統合に向けた「Fプロジェクト」推進、合併に向けた協議続く。野村證券と金融商品仲介で業務開始。

●エントリー情報と採用プロセス●

【受付開始〜終了】[総]3月〜継続中 [技]3月〜6月【採用プロセス】[総][技]ES提出・Webテスト受験(書類選考、3月)→面接(3回)→内々定(6月)【交通費支給】なし

試験情報

重視科目 [総][技]面接

[総][技][ES]⇒巻末[筆]SPI3(自宅)[面]3回(Webあり)

選考ポイント [総][技][ES]求める人財像と合致しているか[面]自分の考えを自分の言葉で話をしているか 当行入行の熱意があるか

通過率 [総][ES]80%(受付:221→通過:177) [技][ES]75%(受付:4→通過:3)

倍率(応募/内定) [総]2倍 [技]—

●男女別採用数と配属先ほか●

【男女・文理別採用実績】

	大卒男	大卒女	修士男	修士女
23年	19(文 19理 0)	15(文 15理 0)	0(文 0理 0)	0(文 0理 0)
24年	24(文 23理 1)	14(文 13理 1)	0(文 0理 0)	0(文 0理 0)
25年	37(文 35理 2)	35(文 34理 1)	0(文 0理 0)	0(文 0理 0)

【25年4月入社者の採用実績校】

[文](大)福井大 福井県大各7 金沢大 立命館大 龍谷大各5 京産大4 関西学大 京都女大 新潟大 法政大 名城大各2 阪大 名大 立教大 中大 長野大 帝塚山大 都留文科大 同大 広島大 関大 関西外大 京都橘大 滋賀大 滋賀県大 福井工大 仁愛大 静岡大 専大 金沢学大 金沢工大 金沢星稜大 高岡法科大 信州大 高崎経大 皇學館大 岐阜聖徳学大各1 [理](大)福井県大2 金沢大1

【24年4月入社者の配属先】

[総]勤務地:福井37 石川1 部署:営業店38 [技]勤務地:なし 部署:なし

●給与、ボーナス、週休、有休ほか●

【30歳総合職平均年収】NA【初任給】(博士)205,000円(修士)205,000円(大卒)205,000円【ボーナス(年)】129万円、1.97カ月【25、30、35歳賃金】NA【週休】完全2日(土日祝)【夏期休暇】有休で取得【年末年始休暇】12月31日〜1月3日【有休取得】10.6/20日

●従業員数、勤続年数、離職率ほか●

【男女別従業員数、平均年齢、平均勤続年数】計 1,258(41.6歳 16.1年) 男 491(40.8歳 17.3年) 女 767(42.1歳 15.3年)【離職率と離職者数】NA【3年後新卒定着率】86.0%(男88.9%、女84.0%、3年前入社:男18名・女25名)【組合】あり

求める人材 誠実さと情熱を持ち、行動で表せる人財

会社データ (金額は百万円)

【本店】910-8660 福井県福井市順化1-1-1
☎0776-24-2030 https://www.fukuibank.co.jp/
【頭取】長谷川 英一【設立】1899.12【資本金】17,965【今後力を入れる事業】顧客や地域の課題発見・解決や成長に向けたコンサルティング機能の強化

【業績(連結)】	経常収益	業務純益	経常利益	純利益
22.3	45,790	272	▲754	4,440
23.3	54,897	▲2,704	788	1,803
24.3	55,423	4,171	5,615	3,717

やまなしちゅうおうぎんこう
(株)山梨中央銀行

東京P 8360

【特色】山梨地盤。県内唯一の地銀。西東京に展開

修士・大卒採用数	3年後離職率	有休取得年平均	平均年収(平均39歳)
70名	18.3→15.7%	13.6日	[総]636万円

残業(月) 12.6時間 [総]12.6時間

記者評価 1877年創業の第十国立銀行が前身。山梨県で唯一の地銀。県内を中心に東京、神奈川などに合計約100店舗を展開する。県内貸出金シェア約5割で首位。東京西部の中小企業と取引を拡大、収益性は県内上回る。地銀屈指の好財務。静岡銀行と包括業務提携。

●エントリー情報と採用プロセス●

【受付開始〜終了】[総]3月〜4月【採用プロセス】[総]ES提出・適性検査(3〜4月)→面接(2回、5月)→内々定(6月)【交通費支給】なし

試験情報

重視科目 [総]面接

[総][ES]NA[筆]あり(内容NA)[面]2回[GD作]NA

選考ポイント [総][面]コミュニケーション能力 自己分析・企業分析・業界研究が十分なされているか 入行意欲 他

通過率 [総][ES]選考なし(受付:NA)

倍率(応募/内定) [総]NA

●男女別採用数と配属先ほか●

【男女・文理別採用実績】

	大卒男	大卒女	修士男	修士女
23年	25(文 23理 2)	16(文 16理 0)	0(文 0理 0)	0(文 0理 0)
24年	37(文 35理 2)	25(文 24理 1)	0(文 0理 0)	0(文 0理 0)
25年	-(文 -理 -)	-(文 -理 -)	-(文 -理 -)	-(文 -理 -)

※25年:70名採用予定

【25年4月入社者の採用実績校】

[文](24年)(大)山梨大 日大 山梨学大 東京経大 神奈川大 山梨県大 実践女大 他(理系含む) [理](24年)文系に含む

【24年4月入社者の配属先】

[総]勤務地:山梨52 東京13 部署:営業店60 本部5

●給与、ボーナス、週休、有休ほか●

【30歳総合職平均年収】NA【初任給】(修士)226,500円(大卒)226,500円【ボーナス(年)】NA【25、30、35歳賃金】NA【週休】完全2日【夏期休暇】有休で取得【年末年始休暇】12月31日〜1月3日【有休取得】13.6/20日

●従業員数、勤続年数、離職率ほか●

【男女別従業員数、平均年齢、平均勤続年数】計 1,614(39.3歳 15.8年) 男 982(41.3歳 18.3年) 女 632(36.1歳 11.9年)【離職率と離職者数】2.8%、47名【3年後新卒定着率】84.3%(男86.5%、女80.6%、3年前入社:男52名・女31名)【組合】あり

求める人材 何事にも前向きに挑戦し、柔軟な思考力と向上心をもった人

会社データ (金額は百万円)

【本店】400-8601 山梨県甲府市丸の内1-20-8
☎055-233-2111 https://www.yamanashibank.co.jp/
【頭取】古屋 賀章【設立】1941.12【資本金】15,400【今後力を入れる事業】DX・SDGsへの取組みを通じた地域産業の成長支援・地域経済の活性化

【業績(連結)】	経常収益	業務純益	経常利益	純利益
22.3	46,310	ND	6,624	4,241
23.3	60,552	ND	7,721	5,061
24.3	56,525	ND	7,641	5,658

㈱八十二銀行（㈱長野銀行）

はちじゅうにぎんこう ながのぎんこう

東京P 8359

【特色】地銀上位行。長野全域が地盤。堅実経営に定評

修士・大卒採用数	3年後離職率	有休取得年平均	平均年収(平均43歳)
140名	NA	16.0日	691万円

残業(月) 11.7時間

記者評価 第十九銀行と六十三銀行の合併で発足。総資産14.8兆円で地銀上位。堅実経営に特徴。長野県内貸出金シェアトップ。個人向け信託や法人事業承継に注力。三菱UFJ銀行と親密。23年6月に長野銀行を完全子会社化、26年1月に合併予定。店舗の統廃合を進める。

●エントリー情報と採用プロセス●

【受付開始～終了】(総)(技)3月～未定【採用プロセス】(総)(技)ES提出→筆記→面接(複数回)→内々定【交通費支給】最終面接、会社基準【早期選考】⇒巻末

試験情報

重視科目 [総][技]面接

[総](ES)⇒巻末(筆)SPI性格 TAP(面)複数回(Webあり) [技](ES)⇒巻末(筆)SPI性格 適性検査(面)複数回(Webあり)

選考ポイント [総](ES)自分自身の価値観 他(面)主体性 協調性 コミュニケーション能力 チャレンジ精神 [技](ES)総合職共通(面)主体性 協調性 コミュニケーション能力 適性

通過率 [総][技](ES)NA

倍率(応募/内定) [総][技]NA

●男女別採用数と配属先ほか●

【男女・文理別採用実績】

	大卒男	大卒女	修士男	修士女
23年	48(文 43理 5)	51(文 49理 2)	0(文 0理 0)	0(文 0理 0)
24年	50(文 43理 7)	65(文 62理 3)	3(文 0理 3)	1(文 1理 0)
25年	70(文 60理 10)	70(文 60理 10)	0(文 0理 0)	0(文 0理 0)

【25年4月入社者の採用実績校】
(文)(大)東北大 信州大 新潟大 富山大 金沢大 早大 慶大 都立大 明大 青学大 立教大 中大 法政大 関大 同大 他 (理)(大)信州大 他

【24年4月入社者の配属先】
[総]勤務地：長野 新潟 埼玉 部署：営業店103 [技]勤務地：長野 部署：システム17

●給与、ボーナス、週休、有休ほか●

【30歳総合職平均年収】NA【初任給】(博士)236,000円<エリア限定職>229,000円 (修士)236,000円<エリア限定職>229,000円 (大卒)230,000円<エリア限定職>223,100円【ボーナス(年)】NA【25、30、35歳賃金】NA【週休】完全2日【夏期休暇】なし【年末年始休暇】12月31日～1月3日【有休取得】16.0／20日

●従業員数、勤続年数、離職率ほか●

【男女別従業員数、平均年齢、平均勤続年数】計 3,289(42.5歳 14.8年) 男 1,727(44.7歳 16.2年) 女 1,562(40.1歳 13.3年)【離職率と離職者数】NA【3年後新卒定着率】NA【組合】あり

求める人材 物事に明るく前向きに取り組むことが出来る人 逞しく、行動力溢れる人

会社データ (金額は百万円)

【本店】380-8682 長野県長野市中御所岡田178-8
☎026-227-1182 https://www.82bank.co.jp/
【頭取】松下 正樹【設立】1931.8【資本金】52,243【今後力を入れる事業】グループ一丸での付加価値の提供

【業績(連結)】	経常収益	業務純益	経常利益	純利益
22.3	151,349	ND	38,047	26,667
23.3	202,228	ND	34,893	24,135
24.3	212,201	ND	35,217	37,071

㈱大垣共立銀行

おおがききょうりつぎんこう

東京P 8361

【特色】岐阜西部地盤で地銀中位。岐阜県の指定金融機関

修士・大卒採用数	3年後離職率	有休取得年平均	平均年収(平均39歳)
100名	NA	14.9日	712万円

残業(月) 16.2時間

記者評価 明治29年設立。総資産6.6兆円。岐阜西部が地盤だが愛知県内への貸出多い。三重、滋賀にも展開。157店舗体制。岐阜県の指定金融機関。証券子会社や信託業務も。ドライブスルー型支店などの顧客サービスに特徴。25年4月入社者の大卒初任給を26万円に引き上げ。

●エントリー情報と採用プロセス●

【受付開始～終了】(総)3月～未定【採用プロセス】(総)<オープンコース>ES提出・SPI(3月～)→面接(複数回)→内々定<バラエティ・タレントコース>ES提出(3月～)→面接(複数回)→内々定<ジョブセレクトコース>ES提出・SPI(3月～)→面接(複数回)→内々定【交通費支給】なし

試験情報

重視科目 [総]面接

[総](ES)NA(筆)SPI3(会場)(面)複数回(Webあり)

選考ポイント [総](ES)NA(提出あり)(面)行動力 思考力 意欲 個性 特技 他

通過率 [総](ES)NA

倍率(応募/内定) [総]NA

●男女別採用数と配属先ほか●

【男女・文理別採用実績】

	大卒男	大卒女	修士男	修士女
23年	50(文 49理 1)	36(文 36理 0)	2(文 1理 1)	0(文 0理 0)
24年	54(文 53理 1)	41(文 40理 1)	0(文 0理 0)	0(文 0理 0)
25年	-(文 -理 -)	-(文 -理 -)	-(文 -理 -)	-(文 -理 -)

※25年：100名採用計画

【25年4月入社者の採用実績校】
(文)(24年)(大)京大 名大 神戸大 名古屋市大 愛知県大 秋田県大 長野県大 富山県大 静岡文芸大 早大 神奈川大 日大 同大 立命館大 愛知大 中京大 南山大 名城大 愛知学大 愛知淑徳大 金城学大 椙山女学大 他(理系含む) (理)(24年)文系に含む

【24年4月入社者の配属先】
[総]勤務地：岐阜 愛知 三重 滋賀 部署：営業店

●給与、ボーナス、週休、有休ほか●

【30歳総合職平均年収】NA【初任給】(博士)225,000円 (修士)225,000円 (大卒)225,000円【ボーナス(年)】NA【25、30、35歳賃金】NA【週休】完全2日(土日祝)※一部店舗にて休日営業【夏期休暇】5営業日の連続休暇【年末年始休暇】12月31日～1月3日【有休取得】14.9／20日

●従業員数、勤続年数、離職率ほか●

【男女別従業員数、平均年齢、平均勤続年数】計 2,372(39.2歳 16.6年) 男 1,238(41.6歳 18.6年) 女 1,134(36.5歳 14.3年)【離職率と離職者数】NA【3年後新卒定着率】NA【組合】あり

求める人材 変革に対応できる柔軟な発想を持ち、チャレンジ精神旺盛な人材 多種多様なお客さまニーズに応えることができる多彩な人材

会社データ (金額は百万円)

【本店】503-0887 岐阜県大垣市郭町3-98
☎0584-74-2027 https://www.okb.co.jp/
【頭取】林 敬治【設立】1896.3【資本金】46,773【今後力を入れる事業】ソリューションビジネス

【業績(連結)】	経常収益	業務純益	経常利益	純利益
22.3	115,400	16,167	16,671	10,620
23.3	122,762	6,925	9,376	4,825
24.3	134,138	1,806	14,429	9,471

じゅうろく
(株)十六フィナンシャルグループ

東京P 7380

【特色】傘下に岐阜県首位の十六銀行。愛知県にも進出

修士・大卒採用数	3年後離職率	有休取得年平均	平均年収(平均43歳)
150名	NA	10.5日	[総]713万円

●エントリー情報と採用プロセス●

【受付開始～終了】[総]3月～8月【採用プロセス】[総]ES提出→適性検査→面接(複数回)→内々定【交通費支給】なし

試験情報

重視科目 [総]面接

[総][ES]⇒巻末[筆]SPI3(会場)[面]NA(Webあり)

選考ポイント [総][ES]NA(提出あり)[面]NA

通過率 [総][ES]NA

倍率(応募/内定) [総]NA

●男女別採用数と配属先ほか●

【男女・文理別採用実績】

	大卒男	大卒女	修士男	修士女
23年	55(文 52理 3)	50(文 49理 1)	3(文 0理 3)	0(文 0理 0)
24年	67(文 64理 3)	56(文 56理 0)	3(文 0理 3)	0(文 0理 0)
25年	82(文 70理 12)	64(文 64理 0)	3(文 2理 1)	1(文 1理 0)

【25年4月入社者の採用実績校】

[文]愛知大 南山大 立命館大 同大 滋賀大 名大 岐阜大 名城大 中京大 明大 法政大 椙山女学大 名古屋市大 中大 関西学大 他(理系含む)[理]文系に含む

【24年4月入社者の配属先】

[総]勤務地：岐阜 愛知 部署：営業店

残業(月) 14.3時間 [総]14.3時間

記者評価 岐阜県首位地銀の十六銀行が中核。21年に持株会社制に移行。岐阜県内の貸出金シェアは3割弱でトップ。資金需要の多い愛知県にも多数の店舗を構える。証券、カード、リース、システム、シンクタンク、地域商社も抱える。24年7月から初任給を26万円に引き上げ。

●給与、ボーナス、週休、有休ほか●

【30歳総合職平均年収】NA【初任給】(博士)230,000円(修士)230,000円(大卒)230,000円【ボーナス(年)】NA【25、30、35歳賃金】NA【週休】完全2日(土日祝)【夏期休暇】有休で取得【年末年始休暇】12月31日～1月3日【有休取得】10.5／20日

●従業員数、勤続年数、離職率ほか●

【男女別従業員数、平均年齢、平均勤続年数】計 2,278(43.1歳 20.4年)男 1,420(44.9歳 21.7年)女 858(40.1歳 18.3年)【離職率と離職者数】NA【3年後新卒定着率】NA【組合】あり

求める人材 主体的かつ何事にも前向きに挑戦できる人 お客さまのためにベストを尽くし、地域社会に貢献できる人

会社データ (金額は百万円)

【本店】500-8833 岐阜県岐阜市神田町8-26
☎058-207-0016 https://www.16fg.co.jp/
【社長】池田 直樹【設立】2021.10【資本金】36,000【今後力を入れる事業】地域総合金融サービス業

【業績(連結)】	経常収益	業務純益	経常利益	純利益
22.3	117,350	20,327	26,798	17,191
23.3	112,685	ND	27,262	18,630
24.3	128,835	ND	27,908	19,318

しずおかぎんこう
(株)静岡銀行

株式公開していない

【特色】地銀上位。国際基準行で財務強固。異業種と提携

修士・大卒採用数	3年後離職率	有休取得年平均	平均年収(平均39歳)
199名	NA	13.7日	[総]768万円

●エントリー情報と採用プロセス●

【受付開始～終了】[総]3月～継続中【採用プロセス】[総]面接・Webテスト→内々定(6月)【交通費支給】なし

試験情報

重視科目 [総]総合評価

[総][筆]Webテストi-9 TAL[面]6回程度(Webあり)

選考ポイント [総][ES]提出なし[面]当行の求める人材像や人材要件などに沿って総合的に判断

通過率 [総][ES]—(応募:NA)

倍率(応募/内定) [総]NA

●男女別採用数と配属先ほか●

【男女・文理別採用実績】

	大卒男	大卒女	修士男	修士女
23年	90(文 82理 8)	75(文 70理 5)	4(文 2理 2)	3(文 2理 1)
24年	118(文109理 9)	91(文 84理 7)	4(文 3理 1)	2(文 2理 0)
25年	100(文 94理 6)	90(文 89理 1)	6(文 2理 4)	3(文 3理 0)

【25年4月入社者の採用実績校】

[文](院)名大 静岡大 静岡県大各2 北大 明大 お茶女大各1(大)静岡大22 日大14 静岡県大11 明大 立命館大各9 早大 常葉大各6 名大 成蹊大 神奈川大各5(理系含む)[理]文系に含む

【24年4月入社者の配属先】

[総]勤務地：国内本支店(東京・神奈川・愛知・大阪180)本部35 部署：国内本支店(東京・神奈川・愛知・大阪180)本部35

残業(月) 31.4時間 [総]31.4時間

記者評価 しずおかフィナンシャルグループ傘下。静岡県内の貸出金シェアはグループで約4割。総資産16兆円超と地銀上位。財務の健全性に定評。審査に厳しく金利ダンピングしない体質。県内171、県外33拠点。隣県の愛知や神奈川にも展開。金融ITベンチャーにも積極出資。

●給与、ボーナス、週休、有休ほか●

【30歳総合職平均年収】607万円【初任給】(修士)<ムーブスタイル>252,000円<ホームスタイル>245,000円(大卒)<ムーブスタイル>250,000円<ホームスタイル>243,000円【ボーナス(年)】127万円、3.0カ月【25、30、35歳賃金】248,726円→299,721円→448,845円【週休】完全2日(土日祝)【夏期休暇】有休で取得【年末年始休暇】12月31日～1月3日【有休取得】13.7／20日

●従業員数、勤続年数、離職率ほか●

【男女別従業員数、平均年齢、平均勤続年数】計 2,577(38.8歳 15.5年)男 1,648(40.5歳 17.2年)女 929(35.7歳 13.2年)【離職率と離職者数】NA【3年後新卒定着率】NA【組合】あり

求める人材 「挑戦」「自律」「ダイバーシティ」の要件を満たす可能性を秘めた人材

会社データ (金額は百万円)

【本店】420-8761 静岡県静岡市葵区呉服町1-10
☎054-347-6685 https://www.shizuokabank.co.jp/
【頭取】八木 稔【設立】1943.3【資本金】90,845【今後力を入れる事業】地域の成長をプロデュースする企業グループ

【業績(連結)】	経常収益	業務純益	経常利益	純利益
22.3	241,600	52,750	54,219	41,635
23.3	287,386	65,538	73,964	52,452
24.3	346,526	83,121	102,224	57,757

金融

スルガ銀行(株)

東京P 8358

【特色】静岡東部地盤の地方銀行。不動産向け融資に特色

修士・大卒採用数	3年後離職率	有休取得年平均	平均年収(平均46歳)
NA	NA	NA	[総]735万円

●エントリー情報と採用プロセス●

【受付開始～終了】[総]6月～未定【採用プロセス】[総]ES提出・適性検査・面接(6月)→面接(複数回)→内々定(6月～)【交通費支給】なし

試験情報

重視科目 [総]面接

[総][ES]NA[筆]適性検査 言語・数理・考察力[面]複数回(Webあり)

選考ポイント [総][面]人物重視

通過率 [総][ES]選考なし(受付:NA)

倍率(応募/内定) [総]NA

●男女別採用数と配属先ほか●

【男女・文理別採用実績】

	大卒男	大卒女	修士男	修士女
23年	3(文 3 理 0)	7(文 7 理 0)	0(文 0 理 0)	0(文 0 理 0)
24年	11(文 10 理 1)	10(文 10 理 0)	0(文 0 理 0)	0(文 0 理 0)
25年	-(文 - 理 -)	-(文 - 理 -)	-(文 - 理 -)	-(文 - 理 -)

【25年4月入社者の採用実績校】
[文](24年)(大)静岡県大 名大 立教大 法政大 学習院大 武蔵大 明学大 日大 東海大 専大 神奈川大 拓大 関東学院大 フェリス女学大 産能大 武蔵野大(専)沼津情報ビジネス [理](24年)中部大1

【24年4月入社者の配属先】
[総]勤務地:静岡9 神奈川12 部署:営業店21 [技]勤務地:静岡2 部署:システム2

残業(月) NA

[記者評価] 静岡東部や神奈川西部が地盤だが、東京にも積極展開。個人向け融資が大半で、投資用不動産ローンの実績は地方銀行随一。近年は富裕層向け取引を推進。医療費や趣味など多様な目的別ローンも。クレディセゾンと資本業務提携。24年7月から大卒初任給を2万円増額。

●給与、ボーナス、週休、有休ほか●

【30歳総合職平均年収】NA【初任給】(大卒)240,000円〈エリア限定総合職〉223,000円【ボーナス(年)】NA【25、30、35歳賃金】NA【週休】完全2日(土日祝)【夏期休暇】連続9日(特別有休3日+有休2日+週休4日)と連続5日(特別有休3日+週休2日)のいずれか(各年1回)【年末年始休暇】12月31日～1月3日【有休取得】NA／20日

●従業員数、勤続年数、離職率ほか●

【男女別従業員数、平均年齢、平均勤続年数】計 1,242(45.7歳 21.7年) 男 779(46.5歳 22.6年) 女 463(44.4歳 19.1年)【離職率と離職者数】NA【3年後新卒定着率】NA【組合】あり

[求める人材] 提案力、スピード、企画力を持ち、常に新しいことに挑戦し続けることができる人材

[会社データ] (金額は百万円)

【本店】410-8689 静岡県沼津市通横町23
☎055-952-6335 https://www.surugabank.co.jp/
【社長】加藤 広亮【設立】1895.10【資本金】30,043【今後力を入れる事業】リテール分野に関する事業

【業績(連結)】	経常収益	業務純益	経常利益	純利益
22.3	92,072	39,081	10,596	7,960
23.3	92,403	7,930	13,266	10,576
24.3	91,447	17,797	20,641	15,375

(株)清水銀行

東京P 8364

【特色】静岡の地銀。旧清水市から県内他地域にも展開

修士・大卒採用数	3年後離職率	有休取得年平均	平均年収(平均40歳)
50名	NA	13.4日	[総]610万円

●エントリー情報と採用プロセス●

【受付開始～終了】[総]3月～未定【採用プロセス】[総]説明会(任意)→ES提出→面接→Webテスト→面接(2回)→内々定【交通費支給】なし【早期選考】⇒巻末

試験情報

重視科目 [総]面接

[総][ES]⇒巻末[筆]SPI3(自宅)[面]3回(Webあり)

選考ポイント [総][面]自分の考えを自分の言葉で発言でき、コミュニケーション能力がある人物か 他

通過率 [総][ES]選考なし(受付:NA)

倍率(応募/内定) [総]NA

●男女別採用数と配属先ほか●

【男女・文理別採用実績】

	大卒男	大卒女	修士男	修士女
23年	28(文 25 理 3)	31(文 29 理 2)	1(文 0 理 1)	0(文 0 理 0)
24年	25(文 24 理 1)	20(文 18 理 2)	0(文 0 理 0)	0(文 0 理 0)
25年	-(文 - 理 -)	-(文 - 理 -)	-(文 - 理 -)	-(文 - 理 -)

※25年:50名採用予定

【25年4月入社者の採用実績校】
[文](大)静岡大8 常葉大6 静岡県大 日大各4 専大2 青学大 関大 島根大 新潟県大 都留文科大 東洋大 駒澤大 獨協大 京都女大各1 他(理系含む) [理](24年)文系に含む

【24年4月入社者の配属先】
[総]勤務地:静岡46 部署:本支店46

残業(月) 15.9時間 [総]16.1時間

[記者評価] 静岡県の地銀3番手。戦前に7行合併で誕生。03年破綻の中部銀行の営業を一部譲受。中小企業と個人向け取引が中心。県内を中心に東京、愛知にも支店。計約80店舗体制。全行員がM&Aや事業承継に取り組む。SBIグループと幅広く提携。行員の資格取得を促進。

●給与、ボーナス、週休、有休ほか●

【30歳総合職平均年収】440万円【初任給】(博士)220,000円(修士)220,000円(大卒)220,000円【ボーナス(年)】NA【25、30、35歳賃金】NA【週休】完全2日(土日祝)【夏期休暇】連続5日(有休2日含む)※夏に限らず取得可【年末年始休暇】12月31日～1月3日【有休取得】13.4／20日

●従業員数、勤続年数、離職率ほか●

【男女別従業員数、平均年齢、平均勤続年数】計 888(40.2歳 17.1年) 男 569(42.5歳 19.0年) 女 319(36.3歳 13.5年)【離職率と離職者数】NA【3年後新卒定着率】NA(3年前入社:男26名・女37名)【組合】あり

[求める人材] 主体性をもって自発的に行動し、コミュニケーション能力が高く周りと調和し、一定の基礎学力を備えた上で、多様な知識や価値観を受け入れられる理解力を持つ人財

[会社データ] (金額は百万円)

【本店】424-0941 静岡県静岡市清水区富士見町2-1
☎054-353-5151 https://www.shimizubank.co.jp/
【頭取】岩山 靖宏【設立】1928.7【資本金】10,816【今後力を入れる事業】ソリューション営業の高度化

【業績(連結)】	経常収益	業務純益	経常利益	純利益
22.3	27,421	4,484	3,984	2,580
23.3	28,403	2,251	1,596	1,474
24.3	29,904	▲4,796	▲4,131	▲3,301

㈱名古屋銀行（なごやぎんこう）

東京P 8522

【特色】愛知県地盤。地銀中位。第二地銀トップクラス

修士・大卒採用数	3年後離職率	有休取得年平均	平均年収(平均42歳)
80名	NA	14.4日	631万円

●エントリー情報と採用プロセス●

【受付開始～終了】(総)3月～継続中【採用プロセス】(総)ES提出→適性検査→面接(3回)→内々定【交通費支給】なし

試験情報

重視科目 (総)面接

(総)(ES)⇒巻末(筆)WebGAB(面)3回(Webあり)

選考ポイント (総)(ES)NA(提出あり)(面)積極性 協調性 リーダーシップ コミュニケーション能力 他

通過率 (総)(ES)NA

倍率(応募/内定) (総)NA

●男女別採用数と配属先ほか●

【男女・文理別採用実績】

	大卒男	大卒女	修士男	修士女
23年	43(文 43理 0)	18(文 18理 0)	0(文 0理 0)	0(文 0理 0)
24年	48(文 46理 2)	17(文 17理 0)	0(文 0理 0)	0(文 0理 0)
25年	-(文 -理 -)	-(文 -理 -)	-(文 -理 -)	-(文 -理 -)

※25年：80名採用予定

【25年4月入社者の採用実績校】
(文)(大)南山大 愛知大 中京大 名城大 愛知学大 名古屋学院大 名大 名古屋市大 愛知教大 愛知県大 神戸大 高崎経大 中大 早大 神奈川大 京産大 同大 立命館大 龍谷大 甲南大 奈良女大 金城学大 椙山女学大 愛知淑徳大 (理)(大)名大 同大 奈良女大

【24年4月入社者の配属先】
(総)勤務地：愛知66 部署：営業店66

残業(月) 9.3時間

記者評価 第二地銀のリーダー格。藤原頭取は3代ぶりの創業家。22年4月に静岡銀行と「静岡・名古屋アライアンス」提携。同年10月に経営統合した「愛知銀行・中京銀行」連合を睨む。23年に静岡銀行と共同ファンド設立。25年4月から初任給を26万円に引き上げ予定。

●給与、ボーナス、週休、有休ほか●

【30歳総合職平均年収】NA【初任給】(博士)240,000円(修士)240,000円(大卒)240,000円【ボーナス(年)】NA【25、30、35歳賃金】NA【週休】完全2日(土日祝)【夏期休暇】なし【年末年始休暇】12月31日～1月3日【有休取得】14.4／20日

●従業員数、勤続年数、離職率ほか●

【男女別従業員数、平均年齢、平均勤続年数】計 1,805(41.8歳 18.0年) 男 1,112(43.6歳 19.8年) 女 693(38.8歳 15.0年)【離職率と離職者数】NA【3年後新卒定着率】NA【組合】あり

求める人材 常に自己研鑽に励み、何事にも前向きにチャレンジする人

会社データ (金額は百万円)

【本店】460-0003 愛知県名古屋市中区錦3-19-17
☎052-951-5911 https://www.meigin.com/
【頭取】藤原 一朗【設立】1949.2【資本金】25,090【今後力を入れる事業】ニーズに適合した金融サービスの提供

【業績(連結)】	経常収益	業務純益	経常利益	純利益
22.3	77,762	11,659	15,721	11,643
23.3	79,765	6,427	11,495	8,377
24.3	101,276	▲2,642	14,513	10,036

㈱あいちフィナンシャルグループ

東京P 7389

【特色】愛知地盤の地銀中位。25年1月に中京銀行と合併

修士・大卒採用数	3年後離職率	有休取得年平均	平均年収(平均41歳)
121名	NA	NA	◇977万円

●エントリー情報と採用プロセス●

【受付開始～終了】(総)3月～継続中【採用プロセス】(総)ES提出(3月～)→面接(3回)・Webテスト(4月～)→内々定(4月～)【交通費支給】なし【早期選考】⇒巻末

試験情報

重視科目 (総)NA

(総)(ES)⇒巻末(筆)WebGAB OPQ(面)3回(Webあり)

選考ポイント (総)(ES)文章の構成、表現力 写真、誤字脱字等基本的なことがきちんとできているか(面)コミュニケーション能力 協調性 チャレンジ精神 誠実さ

通過率 (総)(ES)NA

倍率(応募/内定) (総)NA

●男女別採用数と配属先ほか●

【男女・文理別採用実績】

	大卒男	大卒女	修士男	修士女
23年	90(文 89理 1)	84(文 83理 1)	0(文 0理 0)	0(文 0理 0)
24年	85(文 82理 3)	55(文 55理 0)	0(文 0理 0)	0(文 0理 0)
25年	67(文 66理 1)	52(文 52理 0)	1(文 0理 1)	1(文 1理 0)

※23年：愛知銀行、中京銀行の合算。24年・25年：愛知銀行のみの採用

【25年4月入社者の採用実績校】
(文)(院)名城大1(大)愛知大25 南山大18 中京大15 愛知学大11 名城大9 名古屋学院大6 愛知淑徳大5 愛知県大 椙山女学大各3 名大 名古屋市大 立命館大 関西学大 金城学大 東海学園大 日本福祉大各2 信州大 静岡大 滋賀大 富山大 愛知教大 名古屋外大 同女大 中部大 名古屋経大各1(短)名古屋文化1 (理)(院)名大1(大)近大1

【24年4月入社者の配属先】
(総)勤務地：愛知138 岐阜2 部署：営業店140

残業(月) 15.0時間 (総)15.0時間

記者評価 第二地銀の愛知銀行が中核。名古屋市以西の尾張地区を地盤に岐阜、三重にも展開。17年12月に大株主の三菱東京UFJ銀行(現三菱UFJ銀行)が全株売却。22年10月に中京銀行と経営統合、25年1月合併で「あいち銀行」に。24年10月から大卒初任給を26万円に引き上げ。

●給与、ボーナス、週休、有休ほか●

【30歳総合職平均年収】NA【初任給】(博士)NA(修士)NA(大卒)220,000円【ボーナス(年)】NA【25、30、35歳賃金】NA【週休】2日【夏期休暇】連続5日【年末年始休暇】12月31日～1月3日【有休取得】NA／20日

●従業員数、勤続年数、離職率ほか●

【男女別従業員数、平均年齢、平均勤続年数】計 2,297(40.9歳 17.8年) 男 NA 女 NA ※愛知銀行、中京銀行の2行合算【離職率と離職者数】NA【3年後新卒定着率】NA【組合】あり

求める人材 チームワークを大切にし、新しいことに積極的に挑戦し、地域の発展に貢献したい人

会社データ (金額は百万円)

【本店】460-8678 愛知県名古屋市中区栄3-14-12
☎052-262-6512 https://www.aichi-fg.co.jp/
【社長】伊藤 行記【設立】2022.10【資本金】20,026【今後力を入れる事業】NA

【業績(連結)】	経常収益	業務純益	経常利益	純利益
23.3	74,648	ND	5,237	81,806
24.3	88,687	ND	12,584	8,295

開示 ★★★ ▶『業界地図』p.46, 140 882

㈱百五銀行

ひゃくごぎんこう

東京P 8368

【特色】地銀中上位。三重県断トツで愛知県に出店攻勢

修士・大卒採用数	3年後離職率	有休取得年平均	平均年収(平均41歳)
148名	21.1 → 26.3%	14.5日	[総] 780万円

残業(月) 18.1時間 [総] 18.1時間

[記者評価] 三菱UFJ銀行、十六銀行、名古屋銀行と親密。県内貸出シェアは約4割で、愛知県へ攻勢。中堅・中小企業向け融資と住宅ローンの愛知県含めた拡大に注力。M&Aや事業承継、脱炭素化のコンサルなど非金利収入を増やす。店舗は統廃合で効率化、軽量化。

●エントリー情報と採用プロセス●

【受付開始～終了】[総][技]3月～7月【採用プロセス】[総][技]Webテスト→面接(約3回)→内々定【交通費支給】なし【早期選考】⇒巻末

試験情報

[重視科目] [総][技]面接

[総][技][筆]WebGAB[面]約3回(Webあり)

[選考ポイント] [総][ES]提出なし[面]コミュニケーション能力 協調性 自己啓発 主体性 行動特性 [技][ES]提出なし[面]ITスキル コミュニケーション能力 協調性 自己啓発 主体性 行動特性

[通過率] [総][技][ES]―(応募:NA)

[倍率(応募/内定)] [総][技]NA

●男女別採用数と配属先ほか●

【男女・文理別採用実績】

	大卒男	大卒女	修士男	修士女
23年	33(文 31 理 2)	24(文 23 理 1)	0(文 0 理 0)	0(文 0 理 0)
24年	58(文 55 理 3)	32(文 31 理 1)	0(文 0 理 0)	0(文 0 理 0)
25年	95(文 92 理 3)	52(文 52 理 0)	1(文 0 理 1)	0(文 0 理 0)

【25年4月入社者の採用実績校】

[文](大)三重大 名大 名古屋市大 静岡大 北大 滋賀大 大阪府大 高崎経大 同大 関西学大 立命館大 関大 青学大 学習院大 法政大 南山大 中京大 愛知大 名城大 愛知学大 他 [理](院)名大(大)同大 近大 福井工大

【24年4月入社者の配属先】

[総]勤務地:三重78 愛知13 部署:営業店(本店及び各支店)91

[技]勤務地:三重1 部署:システム部門1

●給与、ボーナス、週休、有休ほか●

【30歳総合職平均年収】591万円【初任給】(博士)236,000円 (修士)236,000円 (大卒)236,000円【ボーナス(年)】NA【25、30、35歳賃金】NA【週休】完全2日(土日祝)【夏期休暇】なし【年末年始休暇】12月31日～1月3日【有休取得】14.5/20日

●従業員数、勤続年数、離職率ほか●

【男女別従業員数、平均年齢、平均勤続年数】計 2,213(41.4歳 16.2年) 男 1,275(42.0歳 17.5年) 女 938(40.5歳 14.6年)【離職率と離職者数】4.2%、97名【3年後新卒定着率】73.8%(男76.0%、女70.0%、3年前入社:男50名・女30名)【組合】あり

[求める人材] コミュニケーション能力を備えた変革に挑戦できる人材

[会社データ] (金額は百万円)

【本店】514-8666 三重県津市岩田21-27

☎059-227-2151 https://www.hyakugo.co.jp/

【頭取】杉浦 雅和【設立】1878.12【資本金】20,000【今後力を入れる事業】デジタル業務 コンサルティング・ソリューション業務 SDGs/ESGの取り組み

【業績(連結)】	経常収益	業務純益	経常利益	純利益
22.3	98,683	17,682	19,423	13,402
23.3	102,884	17,372	20,794	14,493
24.3	119,487	16,356	20,054	14,281

㈱三十三銀行

さんじゅうさんぎんこう

持株会社傘下

【特色】三重銀行と第三銀行が21年に経営統合。地銀中位

修士・大卒採用数	3年後離職率	有休取得年平均	平均年収(平均*41歳)
46名	NA	17.0日	[総] 772万円

残業(月) 9.6時間 [総] 15.4時間

[記者評価] 三重県の三重銀行と第三銀行が18年4月に持株会社を設立して経営統合。21年5月の合併で発足。旧三重銀は県北部、旧第三銀は県中南部が地盤。資金量は県内2番手。個人向け預かり資産や中小企業向けコンサルを強化。24年7月から総合職初任給を26万円に引き上げ。

●エントリー情報と採用プロセス●

【受付開始～終了】[総]3月～継続中【採用プロセス】[総]WebES提出・Webテスト→面接(複数回)→内々定【交通費支給】最終面接、実費相当

試験情報

[重視科目] [総]面接

[総][ES]⇒巻末[筆]総合適性検査[面]複数回(Webあり)

[選考ポイント] [総][ES]NA(提出あり)[面]コミュニケーション能力 向上心 責任感

[通過率] [総][ES]NA

[倍率(応募/内定)] [総]NA

●男女別採用数と配属先ほか●

【男女・文理別採用実績】

	大卒男	大卒女	修士男	修士女
23年	27(文 27 理 0)	36(文 35 理 1)	0(文 0 理 0)	0(文 0 理 0)
24年	29(文 28 理 1)	30(文 28 理 2)	0(文 0 理 0)	0(文 0 理 0)
25年	28(文 24 理 4)	18(文 17 理 1)	0(文 0 理 0)	0(文 0 理 0)

※25年:24年7月29日時点

【25年4月入社者の採用実績校】

[文](大)愛知大 名古屋外大 三重大 名城大 立命館大 龍谷大 追手門学大 京都府大 京産大 佛教大 関大 神戸学大 滋賀県大 近大 金城学大 皇學館大 東海大 星城大 金沢大 朝日大 都留文科大 信州大 名大 日大 山梨学大 中大(理系含む) [理]文系に含む

【24年4月入社者の配属先】

[総]勤務地:三重26 愛知8 大阪1 部署:営業店35

●給与、ボーナス、週休、有休ほか●

【30歳総合職平均年収】NA【初任給】(博士)230,000円 (修士)230,000円 (大卒)230,000円【ボーナス(年)】NA【25、30、35歳賃金】NA【週休】完全2日(土日祝)※一部シフト制【夏期休暇】5日(有休で取得)【年末年始休暇】12月31日～1月3日+5日(有休で取得)【有休取得】17.0/25日

●従業員数、勤続年数、離職率ほか●

【男女別従業員数、平均年齢、平均勤続年数】計 2,372(40.5歳 17.4年) 男 1,234(43.3歳 20.1年) 女 1,138(37.4歳 14.6年)【離職率と離職者数】NA【3年後新卒定着率】NA【組合】あり

[求める人材] 現状に満足せず、新たな価値観を主体的に創り上げ、向上心と責任感を持って行動できる人

[会社データ] (金額は百万円)

【本店】510-0087 三重県四日市市西新地7-8

☎059-354-7181 https://www.33bank.co.jp/

【頭取】道廣 剛太郎【設立】2021.5【資本金】37,400【今後力を入れる事業】合併シナジーを発揮した、地域社会への貢献

【業績(単独)】	経常収益	業務純益	経常利益	純利益
22.3	54,955	7,401	7,427	7,244
23.3	51,487	9,561	8,914	6,056
24.3	53,474	12,838	10,136	7,129

開示 ★★ ▶『業界地図』p.140 915

㈱滋賀銀行（しがぎんこう）

東京P 8366

【特色】滋賀県のトップ地銀。近隣の京都府等にも進出

修士・大卒採用数	3年後離職率	有休取得年平均	平均年収(平均38歳)
150名	NA	17.0日	679万円

●エントリー情報と採用プロセス●

【受付開始～終了】[総]3月～継続中【採用プロセス】[総]ES提出・Webテスト(3月)→面接(3回)→内々定(6月)※1次募集モデル【交通費支給】なし

試験情報

重視科目 [総]面接 ES Webテスト

[総][ES]⇒巻末[筆]WebGAB[面]3回(Webあり)

選考ポイント [総][ES]内容が具体的か 論理的か 当行の企業理解をした上で目指す姿を描いているか [面]挑戦意欲 論理性 コミュニケーション能力 協調性 行動力

通過率 [総][ES]66%(受付:1,165→通過:773)

倍率(応募/内定) [総]8倍

●男女別採用数と配属先ほか●

【男女・文理別採用実績】

	大卒男	大卒女	修士男	修士女
23年	50(文 43理 7)	51(文 47理 4)	1(文 0理 1)	0(文 0理 0)
24年	58(文 52理 6)	63(文 60理 3)	1(文 0理 1)	2(文 0理 2)
25年	-(文 -理 -)	-(文 -理 -)	-(文 -理 -)	-(文 -理 -)

※25年:150名採用予定

【25年4月入社者の採用実績校】

[文](24年)(大)立命館大24 同大17 龍谷大13 京産大11 京都女大7 京都橘大6 関大5 京都府大 近大各3 関西外大 関西学大 滋賀大 同女大各2 愛知大 愛知東邦大 青学大 大谷大 京都先端科学大 金沢大 滋賀県大 島根大 京都ノートルダム女大 千葉大 中央学大 梅花女大 びわこ成蹊スポーツ大 明大 立正大各1他 [理](24年)(院)大阪公大 島根大 龍谷大各1(大)立命館大 龍谷大各2 大阪市大 関大 京都府大 滋賀県大 福知山公大各1

【24年4月入社者の配属先】

[総]勤務地:滋賀104 京都20 大阪3 **部署**:本部1 営業店126

残業(月) 12.7時間

記者評価 滋賀県地盤の地銀。県内貸出金シェアは約5割と盤石。京都、大阪、三重を含め近畿広域で店舗展開。財務健全性に定評。海外は香港支店のほか上海、バンコクに事務所。課題深掘りと伴走型ソリューション提供で法人営業強化。24年7月から大卒初任給を26万円に引き上げ。

●給与、ボーナス、週休、有休ほか●

【30歳総合職平均年収】NA【初任給】(大卒)225,000円【ボーナス(年)】NA【25、30、35歳賃金】NA【週休】完全2日(土日祝)【夏期休暇】なし【年末年始休暇】12月31日～1月3日【有休取得】17.0／20日

●従業員数、勤続年数、離職率ほか●

【男女別従業員数、平均年齢、平均勤続年数】計 1,890(37.6歳 15.3年) 男 1,085(39.0歳 16.1年) 女 805(35.8歳 14.1年)【離職率と離職者数】NA【3年後新卒定着率】NA【組合】あり

求める人材 個性を磨き、価値創造の主役として、地域の未来へ挑戦できる人

会社データ (金額は百万円)

【本店】520-8686 滋賀県大津市浜町1-38
☎077-521-2270　https://www.shigagin.com/
【頭取】久保田 真也【設立】1933.10【資本金】33,076【今後力を入れる事業】融資 コンサルティング営業 環境金融 SDGs デジタル推進

【業績(連結)】	経常収益	業務純益	経常利益	純利益
22.3	98,306	11,628	23,999	17,715
23.3	115,289	4,339	20,041	14,858
24.3	122,630	12,273	23,967	15,940

㈱京都銀行（きょうとぎんこう）

持株会社 傘下

【特色】京都府地盤で近畿地銀トップ級。広域出店推進

修士・大卒採用数	3年後離職率	有休取得年平均	平均年収(平均39歳)
200名	NA	14.3日	[総]683万円

●エントリー情報と採用プロセス●

【受付開始～終了】[総]3月～7月【採用プロセス】[総]ES提出(3月下旬)→説明会→Webテスト(4月上旬)→面接(3回、6月)→内々定(6月)【交通費支給】なし

試験情報

重視科目 [総]面接

[総][ES]⇒巻末[筆]SPI3(会場) SPI3(自宅)[面]3回(Webあり)

選考ポイント [総][ES]NA(提出あり)[面]NA

通過率 [総][ES]NA

倍率(応募/内定) [総]NA

●男女別採用数と配属先ほか●

【男女・文理別採用実績】

	大卒男	大卒女	修士男	修士女
23年	88(文NA理NA)	61(文NA理NA)	0(文 0理 0)	0(文 0理 0)
24年	87(文NA理NA)	90(文NA理NA)	0(文 0理 0)	0(文 0理 0)
25年	-(文 -理 -)	-(文 -理 -)	-(文 -理 -)	-(文 -理 -)

【25年4月入社者の採用実績校】

[文]同大 立命館大 京産大 龍谷大 関大 関西学大 京都女大 同女大 滋賀大 近大 京大 神戸大 大阪公大 阪大 他(理系含む) [理]文系に含む

【24年4月入社者の配属先】

[総]勤務地:京都 大阪 滋賀 奈良 **部署**:営業店180

残業(月) 11.8時間 [総]11.8時間

記者評価 京都地盤。近畿2府3県に出店。京セラや村田製作所、任天堂など京都地盤の企業に早くから出資、現在の株式配当金収入は地銀屈指。グループ内に証券やリース、カード会社。23年10月、株式移転により持株会社化。24年4月、グループに債権回収会社を設立。

●給与、ボーナス、週休、有休ほか●

【30歳総合職平均年収】NA【初任給】(大卒)260,000円【ボーナス(年)】NA【25、30、35歳賃金】NA【週休】完全2日(土日祝)【夏期休暇】有休で取得【年末年始休暇】12月31日～1月3日【有休取得】14.3／20日

●従業員数、勤続年数、離職率ほか●

【男女別従業員数、平均年齢、平均勤続年数】計 3,343(39.0歳 14.4年) 男 1,794(40.5歳 15.4年) 女 1,549(37.3歳 13.2年)【離職率と離職者数】NA【3年後新卒定着率】NA【組合】あり

求める人材 常に向上心を持って積極的にチャレンジし、努力する人

会社データ (金額は百万円)

【本店】600-8652 京都府京都市下京区烏丸通松原上ル薬師前町700
☎075-361-2211　https://www.kyotobank.co.jp/
【頭取】安井 幹也【設立】1941.10【資本金】42,103【今後力を入れる事業】コンサルティング営業 グループ戦略

【業績(連結)】	経常収益	業務純益	経常利益	純利益
22.3	127,422	31,999	29,176	20,621
23.3	124,333	37,410	38,177	27,213
24.3	137,691	39,187	43,574	31,572

※24.3の業績は㈱京都フィナンシャルグループのもの

金融

㈱関西みらい銀行（かんさいみらいぎんこう）

株式公開計画なし

【特色】旧近畿大阪銀と旧関西アーバン銀が合併し発足

修士・大卒採用数	3年後離職率	有休取得年平均	平均年収(平均42歳)
150名	NA	15.8日	㊞650万円

残業(月)　19.5時間 ㊞19.5時間

記者評価 りそなHD傘下。みなと銀行とともに関西みらいFGを形成。19年4月SMFG系列だった関西アーバン銀、りそなHD傘下の近畿大阪銀が合併して発足。関西地区が地盤。大阪中心に266店舗を展開する。25年4月から院卒・大卒初任給を25.5万円に引き上げ予定。

●エントリー情報と採用プロセス●

【受付開始〜終了】㊞3月〜6月【採用プロセス】㊞WebES提出・適性検査(3月〜)→GD・面接(2〜3回、6月〜)→内々定(6月〜)【交通費支給】なし

試験情報

重視科目 ㊞GD 面接

㊞ES⇒巻末 筆WebGAB OPQ 面2〜3回(Webあり) GD作⇒巻末

選考ポイント ㊞ES適性検査との総合判断 面コミュニケーション能力 論理的思考 チームワーク 積極性 他

通過率 ㊞ESNA

倍率(応募/内定) ㊞NA

●給与、ボーナス、週休、有休ほか●

【30歳総合職平均年収】597万円【初任給】(博士)NA (修士)NA (大卒)225,000円【ボーナス(年)】NA【25、30、35歳賃金】NA【週休】完全2日(原則土日祝、部署により一部異なる)【夏期休暇】連続5営業日(有休利用)【年末年始休暇】12月31日〜1月3日【有休取得】15.8／20日

●男女別採用数と配属先ほか●

【男女・文理別採用実績】

	大卒男	大卒女	修士男	修士女
23年	54(文 52理 2)	28(文 28理 0)	0(文 0理 0)	0(文 0理 0)
24年	50(文 46理 4)	52(文 51理 1)	1(文 1理 0)	0(文 0理 0)
25年	60(文 60理 0)	90(文 90理 0)	0(文 0理 0)	0(文 0理 0)

【25年4月入社者の採用実績校】
文(大)関大 関西学大 近大 京産大 龍谷大 甲南大 立命館大 同大 追手門学大 武庫川女大 京都橘大 京都女大 甲南女大 神戸学大 神戸女学大 大阪経大 同女大 兵庫県大 関西外大 摂南大 大阪経法大 大阪産大 大阪市大 大阪府大 桃山学大 和歌山大 阪大 滋賀大 神戸市外大 京都府大 岡山大 徳島大 大分大 早大 立教大 京都外大 阪南大 大阪音大 大阪商大 大阪樟蔭女大 大阪成蹊大 大和大 帝塚山学大 東海大 立命館APU 理なし

【24年4月入社者の配属先】
㊞勤務地：大阪83 滋賀11 兵庫6 京都3 部署：営業店103

●従業員数、勤続年数、離職率ほか●

【男女別従業員数、平均年齢、平均勤続年数】計 3,061 (41.8歳 17.1年) 男 1,613(43.8歳 19.5年) 女 1,448(39.3歳 14.4年)【離職率と離職者数】NA【3年後新卒定着率】NA【組合】あり

求める人材 自ら主体的に考え行動し、変革に挑戦し続ける人

会社データ (金額は百万円)

【本店】540-8610 大阪府大阪市中央区備後町2-2-1
☎06-7638-5000　https://www.kansaimiraibank.co.jp/
【社長】西山 和宏【設立】1950.11【資本金】38,971【今後力を入れる事業】取引先企業の事業承継・DX化促進支援

【業績(連結)】	経常収益	業務純益	経常利益	純利益
22.3	134,600	ND	23,816	13,413
23.3	132,315	ND	24,076	17,981
24.3	132,869	ND	19,894	16,454

㈱みなと銀行（ぎんこう）

株式公開計画なし

【特色】兵庫県地盤の第二地銀。りそなグループ

修士・大卒採用数	3年後離職率	有休取得年平均	平均年収(平均42歳)
80名	NA	16.3日	㊞661万円

残業(月)　20.9時間 ㊞20.9時間

記者評価 兵庫県中心に105店を展開。旧阪神銀行と旧みどり銀行の合併で誕生。りそなHD傘下の旧近畿大阪銀行と旧関西アーバン銀行で結成した関西みらいFGを経て、24年4月からりそなHD傘下。貿易為替取扱高は第二地銀首位。25年入社者から初任給25.5万円に増額。

●エントリー情報と採用プロセス●

【受付開始〜終了】㊞3月〜継続中【採用プロセス】㊞WebES提出・適性検査(3月〜)→GD・面接(複数回、4月〜)→内々定(6月〜)【交通費支給】なし

試験情報

重視科目 ㊞GD 面接

㊞ES⇒巻末 筆WebGAB OPQ 面複数回(Webあり) GD作⇒巻末

選考ポイント ㊞ESNA(提出あり) 面コミュニケーション能力 挑戦心 完遂持続力 バイタリティ 柔軟性

通過率 ㊞ESNA

倍率(応募/内定) ㊞NA

●給与、ボーナス、週休、有休ほか●

【30歳総合職平均年収】546万円【初任給】(修士)225,000円 (大卒)225,000円【ボーナス(年)】NA【25、30、35歳賃金】NA【週休】完全2日(土日祝)【夏期休暇】連続5日(有休取得)【年末年始休暇】12月31日〜1月3日【有休取得】16.3／20日

●男女別採用数と配属先ほか●

【男女・文理別採用実績】

	大卒男	大卒女	修士男	修士女
23年	35(文 35理 0)	15(文 15理 0)	0(文 0理 0)	0(文 0理 0)
24年	40(文 39理 1)	30(文 28理 2)	0(文 0理 0)	0(文 0理 0)
25年	-(文 -理 -)	-(文 -理 -)	-(文 -理 -)	-(文 -理 -)

※25年：80名採用計画

【25年4月入社者の採用実績校】
文(大)兵庫県大 大阪公大 滋賀大 公立鳥取環境大 関大 関西学大 同大 立命館大 甲南大 近大 京産大 龍谷大 神戸学大 流通科学大 大阪経大 大阪産大 大阪商大 甲南女大 武庫川女大 神戸松蔭女学大 神戸女大 京都女大 理(大)関西学大 岡山大 神戸女学大

【24年4月入社者の配属先】
㊞勤務地：兵庫70 部署：営業店70

●従業員数、勤続年数、離職率ほか●

【男女別従業員数、平均年齢、平均勤続年数】計 1,759 (41.7歳 16.2年) 男 896(41.5歳 17.7年) 女 863(42.0歳 14.7年)【離職率と離職者数】NA【3年後新卒定着率】NA【組合】あり

求める人材 熱意・行動力があり、何事にも粘り強く取り組める人

会社データ (金額は百万円)

【本店】651-0193 兵庫県神戸市中央区三宮町2-1-1
☎078-331-8141　https://www.minatobk.co.jp/
【社長】武市 寿一【設立】1949.9【資本金】39,984【今後力を入れる事業】地域密着型金融事業

【業績(単独)】	経常収益	業務純益	経常利益	純利益
22.3	48,828	ND	3,782	2,244
23.3	48,179	ND	4,804	3,671
24.3	52,144	ND	8,355	4,613

なんとぎんこう
㈱南都銀行

東京P 8367

【特色】奈良県のトップ地銀。効率経営に定評あり

修士・大卒採用数	3年後離職率	有休取得年平均	平均年収(平均41歳)
130名	NA	11.0日	676万円

●エントリー情報と採用プロセス●

【受付開始～終了】[総]3月～未定【採用プロセス】[総]ES提出(3月～)→Webテスト(3月～)→面接(3回)→内々定【交通費支給】なし【早期選考】⇒巻末

試験情報

重視科目 [総]面接

[総][ES]⇒巻末[筆]WebGAB[面]3回(Webあり)

選考ポイント [総][面]人間性 論理性 コミュニケーション能力 行動力

通過率 [総][ES]選考なし(受付:NA)

倍率(応募/内定) [総]NA

●男女別採用数と配属先ほか●

【男女・文理別採用実績】

	大卒男	大卒女	修士男	修士女
23年	43(文 42 理 1)	77(文 74 理 3)	0(文 0 理 0)	0(文 0 理 0)
24年	60(文 57 理 3)	66(文 64 理 2)	0(文 0 理 0)	0(文 0 理 0)
25年	-(文 - 理 -)	-(文 - 理 -)	-(文 - 理 -)	-(文 - 理 -)

※25年:130名採用計画

【25年4月入社者の採用実績校】

[文](24年)(大)大阪市大 関西外大 京都府大 神戸大 大阪教大 奈良教大 奈良県大 和歌山大 追手門学大 大谷大 関大 関西学大 畿央大 京産大 京都女大 京都橘大 近大 甲南大 甲南女大 神戸女大 摂南大 大阪経大 大阪商大 天理大 同大 同女大 奈良大 佛教大 平安女学大 武庫川女大 桃山学大 山梨学大 立命館大 龍谷大(理系含む) [理]文系に含む

【24年4月入社者の配属先】

[総]勤務地:奈良 大阪 京都 三重 和歌山 部署:原則営業店

残業(月) 7.9時間

記者評価 奈良県地盤の地銀。1934年に六十八銀行など4行の合併で誕生。県内貸出金シェアは約5割と圧倒的。コンサルや証券の子会社と連携し、ワンストップでカネ・チエ・ヒトの解決策を提供するコンサル営業を志向。給与改定で24年7月から各コースの初任給を引き上げ。

●給与、ボーナス、週休、有休ほか●

【30歳総合職平均年収】NA【初任給】(博士)<BPコース>250000円 (修士)<BPコース> 250000円 (大卒)<BPコース> 230000円【ボーナス(年)】NA【25、30、35歳賃金】NA【週休】完全2日(土日祝)【夏期休暇】有休で取得【年末年始休暇】12月31日～1月3日【有休取得】11.0／20日

●従業員数、勤続年数、離職率ほか●

【男女別従業員数、平均年齢、平均勤続年数】計 2,257(41.0歳 18.3年) 男 1,331(43.1歳 20.2年) 女 926(37.1歳 15.5年)【離職率と離職者数】NA【3年後新卒定着率】NA【組合】あり

求める人材 変化に対応でき、自ら考え、自ら行動する人

会社データ　(金額は百万円)

【本店】630-8677 奈良県奈良市橋本町16
☎0742-22-1131　https://www.nantobank.co.jp/
【頭取】橋本 隆史【設立】1934.6【資本金】37,924【今後力を入れる事業】NA

【業績(連結)】	経常収益	業務純益	経常利益	純利益
22.3	77,531	ND	17,981	11,867
23.3	77,748	ND	6,322	4,731
24.3	85,736	ND	16,631	12,037

さんいんごうどうぎんこう
㈱山陰合同銀行

東京P 8381

【特色】島根・鳥取でトップの地銀。山陽にも展開

修士・大卒採用数	3年後離職率	有休取得年平均	平均年収(平均42歳)
83名	14.3→14.5%	17.1日	[総]699万円

●エントリー情報と採用プロセス●

【受付開始～終了】[総]3月～12月【採用プロセス】[総]説明会・ES提出(3月)→Web試験・面接(4～6月)→面接(1～2回、6月)→内々定(7月)【交通費支給】なし

試験情報

重視科目 [総]面接

[総][ES]⇒巻末[筆]WebGAB[面]2～3回(Webあり)

選考ポイント [総][面]積極性 論理性 ストレス耐性 コミュニケーション能力 他

通過率 [総][ES]選考なし(受付:NA)

倍率(応募/内定) [総]NA

●男女別採用数と配属先ほか●

【男女・文理別採用実績】

	大卒男	大卒女	修士男	修士女
23年	28(文 24 理 4)	17(文 15 理 2)	0(文 0 理 0)	0(文 0 理 0)
24年	44(文 40 理 4)	16(文 15 理 1)	1(文 0 理 1)	0(文 0 理 0)
25年	44(文 42 理 2)	37(文 35 理 2)	2(文 0 理 2)	0(文 0 理 0)

※25年:24年7月末時点

【25年4月入社者の採用実績校】

[文](大)島根県大9 島根大7 関西学大 京産大各6 関大 立命館大各3 岡山大 広島大 山口大 同大 京都女大 龍谷大 中大 神戸学大 広島修道大 公立鳥取環境大各2 神戸大 滋賀大 鳥取大 早大 津田塾大 安田女大各1 他 [理](院)島根大 鳥取大各1 (大)神戸大 広島大 東海大 県立広島大各1(高専)松江1

【24年4月入社者の配属先】

[総]勤務地:島根28 鳥取18 兵庫7 広島5 岡山3 大阪1 部署:営業店60 IT部門 2

残業(月) 11.9時間 [総]11.9時間

記者評価 1941年に松江銀行と米子銀行が合併して誕生。91年に鳥取のふそう銀行を合併。鳥取・島根を地盤に広島、岡山、兵庫などにも展開。山陰両県での貸出金シェアは5割で首位。海外は中国、バンコクに駐在員事務所。22年に銀行界で初めて電力事業に参入。

●給与、ボーナス、週休、有休ほか●

【30歳総合職平均年収】NA【初任給】(大卒)260,000円【ボーナス(年)】NA、6.2カ月【25、30、35歳賃金】NA【週休】完全2日(土日祝)【夏期休暇】連続5日(全て有休利用)【年末年始休暇】12月31日～1月3日【有休取得】17.1／20日

●従業員数、勤続年数、離職率ほか●

【男女別従業員数、平均年齢、平均勤続年数】計 1,714(41.5歳 18.1年) 男 904(43.6歳 19.8年) 女 810(38.9歳 16.0年) ※出向者除く【離職率と離職者数】4.8%、86名【3年後新卒定着率】85.5%(男90.9%、女83.0%、3年前入社:男22名・女47名)【組合】あり

求める人材 キーワード=「地域のために」「課題解決力」「DX人材」「誠実」「情熱」「成長意欲」「創造力」

会社データ　(金額は百万円)

【本店】690-0062 島根県松江市魚町10
☎0852-55-1000　https://www.gogin.co.jp/
【頭取】山崎 徹【設立】1941.7【資本金】20,705【今後力を入れる事業】コンサルティング・DX

【業績(連結)】	経常収益	業務純益	経常利益	純利益
22.3	95,111	ND	20,791	14,485
23.3	112,683	ND	21,722	15,463
24.3	120,176	ND	24,727	16,800

889 ▶『業界地図』p.48, 140　開示 ★★★☆☆

㈱中国銀行

ちゅうごくぎんこう

[株式公開していない]

【特色】地銀上位。岡山県で断トツ。瀬戸内圏に展開

修士・大卒採用数	3年後離職率	有休取得年平均	平均年収(平均39歳)
113名	20.8 → 16.2%	13.1日	738万円

●エントリー情報と採用プロセス●

【受付開始～終了】[総]3月～6月【採用プロセス】[総]ES提出・適性検査・面接(複数回)→内々定(6月)【交通費支給】なし

試験情報

重視科目 [総]面接

[総][ES]NA[筆]WebGAB[面]複数回(Webあり)

選考ポイント [総][ES]志望度合[面]誠実さ・情熱・コミュニケーション能力を兼ね備えた人物か

通過率 [総][ES]NA

倍率(応募/内定) [総]NA

●男女別採用数と配属先ほか●

【男女・文理別採用実績】

	大卒男	大卒女	修士男	修士女
23年	51(文 45理 6)	49(文 47理 2)	1(文 1理 0)	1(文 1理 0)
24年	47(文 43理 4)	45(文 42理 3)	3(文 2理 1)	0(文 0理 0)
25年	46(文 37理 9)	63(文 62理 1)	3(文 1理 2)	1(文 0理 1)

【25年4月入社者の採用実績校】
[文](院)阪大 岡山大 早大 香川大(大)岡山大 香川大 阪大 神戸大 ノートルダム清心女大 就実大 同大 立命館大 関西学大 関大 法政大 京産大 近大 他(理系含む)[理]文系に含む

【24年4月入社者の配属先】
[総]勤務地:本支店所在地(岡山 広島 香川)95 部署:営業87 本部8

残業(月) 4.3時間 [総]5.5時間

記者評価 ちゅうぎんFG傘下。初代頭取は倉敷紡績など率いた大原孫三郎。岡山、広島、香川ほか海外含め140店。岡山県内の貸出金シェアはグループで約5割。NY、上海、バンコクに海外事務所。医療・介護、教育、環境分野を重点に融資拡大方針。地区本部制で自治体と連携。

●給与、ボーナス、週休、有休ほか●

【30歳総合職平均年収】NA【初任給】(修士)246,000円(大卒)225,000円【ボーナス(年)】NA【25、30、35歳賃金】NA【週休】2日【夏期休暇】有休で取得【年末年始休暇】12月31日～1月3日【有休取得】13.1／20日

●従業員数、勤続年数、離職率ほか●

【男女別従業員数、平均年齢、平均勤続年数】計 2,632(39.4歳 16.9年) 男 1,632(41.0歳 18.2年) 女 1,000(36.6歳 14.5年)【離職率と離職者数】NA【3年後新卒定着率】83.8%(男91.1%、女78.4%、3年前入社:男56名・女74名)【組合】なし

求める人材 誠実さ・情熱・コミュニケーション能力を兼ね備えた人物

会社データ (金額は百万円)
【本店】700-8628 岡山県岡山市北区丸の内1-15-20
☎086-223-3111 https://www.chugin.co.jp/
【頭取】加藤 貞則【設立】1930.12【資本金】16,000【今後力を入れる事業】総合金融サービス力の向上

【業績(連結)】	経常収益	業務純益	経常利益	純利益
23.3	183,586	ND	29,593	20,477
24.3	184,661	ND	31,191	21,389

※資本金・業績は㈱ちゅうぎんフィナンシャルグループのもの

㈱広島銀行

ひろしまぎんこう

[持株会社傘下]

【特色】地銀大手。ひろぎんホールディングス中核

修士・大卒採用数	3年後離職率	有休取得年平均	平均年収(平均42歳)
110名	24.6 → 13.8%	NA	675万円

●エントリー情報と採用プロセス●

【受付開始～終了】[総]1月～6月【採用プロセス】[総]ES提出・Webテスト・面接(複数回)→内々定【交通費支給】なし

試験情報

重視科目 [総]面接

[総][ES]NA[筆]SPI3(会場) SPI3(自宅)[面]複数回(Webあり)[GD作]NA

選考ポイント [総][ES]NA(提出あり)[面]誠実で勤勉な人物 コンプライアンスを意識して行動する人物 自分で考え、判断し、主体的に行動する人物 特定分野のプロとしての専門知識と技能を持つ人物

通過率 [総][ES]NA(受付:700→通過:NA)

倍率(応募/内定) [総]NA

●男女別採用数と配属先ほか●

【男女・文理別採用実績】

	大卒男	大卒女	修士男	修士女
23年	37(文NA理NA)	28(文NA理NA)	3(文NA理NA)	0(文 0理 0)
24年	50(文NA理NA)	44(文NA理NA)	0(文 0理 0)	0(文 0理 0)
25年	55(文NA理NA)	55(文NA理NA)	0(文 0理 0)	0(文 0理 0)

※25年:計画数

【25年4月入社者の採用実績校】
[文](大)広島大 同大 関西学大 山口大 愛媛大 立命館大 岡山大 早大 東大 駒澤大 北大 福岡大 明大 神戸大 立教大 関大 他(理系含む)[理]文系に含む

【24年4月入社者の配属先】
[総]勤務地:広島 岡山 山口 愛媛 部署:営業店96 総合企画部2 IT統括部3

残業(月) NA

記者評価 広島に加え、岡山、山口、愛媛も地盤。広島県内の貸出金シェアは3割強。地元に自動車、海運、造船など有力製造業の拠点が多い。海外は上海、ハノイ、バンコク、シンガポールに駐在員事務所。20年10月から持株会社体制に。IT、人材活用など多角化進める。

●給与、ボーナス、週休、有休ほか●

【30歳総合職平均年収】NA【初任給】(博士)<Pコース>(勤務地限定無)250,000円(勤務地限定有)226,000円 (修士)<Pコース>(勤務地限定無)250,000円(勤務地限定有)226,000円 (大卒)<Pコース>(勤務地限定無)225,000円(勤務地限定有)210,000円【ボーナス(年)】NA【25、30、35歳賃金】NA【週休】完全2日(土日祝)【夏期休暇】なし【年末年始休暇】連続4日【有休取得】NA／20日

●従業員数、勤続年数、離職率ほか●

【男女別従業員数、平均年齢、平均勤続年数】計 3,180(41.5歳 17.8年) 男 1,953(42.8歳 19.3年) 女 1,227(39.4歳 15.5年)【離職率と離職者数】NA【3年後新卒定着率】86.2%(男85.1%、女87.2%、3年前入社:男47名・女47名)【組合】あり

求める人材 世の中を良くしたい、地域を盛り上げたい、という想いをもつ人財 変化を前向きにとらえ、柔軟に対応できる素直さをもつ人財

会社データ (金額は百万円)
【本店】730-0031 広島県広島市中区紙屋町1-3-8
☎082-247-5151 https://www.hirogin.co.jp/
【頭取】清宗 一男【設立】1945.5【資本金】54,573【今後力を入れる事業】スタートアップ支援、環境ファイナンス等

【業績(連結)】	経常収益	業務純益	経常利益	純利益
22.3	114,013	ND	23,492	20,628
23.3	129,759	ND	17,091	11,560
24.3	154,364	ND	31,510	26,527

㈱阿波銀行（あわぎんこう）

東京P 8388

【特色】徳島地盤の中堅地銀。東京にも積極展開

修士・大卒採用数	3年後離職率	有休取得年平均	平均年収(平均44歳)
70名	29.8→26.5%	10.9日	総824万円

残業(月) 13.2時間 総24.5時間

記者評価 徳島県や県内市町村の指定金融機関。県内の貸出金シェアは5割弱で首位。「永代取引」掲げ、中小企業とオーナー、個人取引が主体。東京、大阪でも中小企業取引先を獲得し融資伸ばす。証券業務は21年から野村證券との全面提携で口座数伸ばし他行のモデルに。

●エントリー情報と採用プロセス●

【受付開始～終了】総3月～7月【採用プロセス】総ES提出(3～7月)→筆記(6月)→面接(4回、6月)→内々定(6～7月)【交通費支給】最終面接、実費

試験情報

重視科目 総面接

総ES⇒巻末 筆SPI3(自宅) 面4回(Webあり)

選考ポイント 総ES資格保有状況 学生時代で打ち込んだこと 面明るく健康的で活力のある学生か コミュニケーション能力 自主性 チャレンジ精神

通過率 総ES100%(受付:238→通過:238)

倍率(応募/内定) 総2倍

●給与、ボーナス、週休、有休ほか●

【30歳総合職平均年収】NA【初任給】(修士)250,000円(大卒)250,000円【ボーナス(年)】NA【25、30、35歳賃金】NA【週休】完全2日(土日祝)【夏期休暇】1日 その他年1回:連続5日【年末年始休暇】12月31日～1月3日【有休取得】10.9／20日

●男女別採用数と配属先ほか●

【男女・文理別採用実績】

	大卒男	大卒女	修士男	修士女
23年	18(文 17 理 1)	23(文 22 理 1)	0(文 0 理 0)	0(文 0 理 0)
24年	27(文 20 理 7)	34(文 28 理 6)	2(文 1 理 1)	1(文 1 理 0)
25年	-(文 - 理 -)	-(文 - 理 -)	-(文 - 理 -)	-(文 - 理 -)

※25年:70名採用予定

【25年4月入社者の採用実績校】文(24年)(院)岡山大 明大各1(大)関西学大6 徳島大4 神戸学大3 明大 同大 関大 甲南大 都留文科大 四国大 大阪経大 徳島文理大 大阪産大各2 慶大 岡山大 香川大 兵庫県大 尾道市大 立命館大 京都橘大 神戸女大 聖心女大 中大 京都外大 京産大 近大 松山大 神戸国際大 東京家政大 流通科学大各1(短)徳島文理大2(高専)阿南1 理(24年)(院)岡山大1(大)徳島文理大2 九大 高知大 関大 近大 武庫川女大 大阪工大 岡山理大 城西国際大 新潟食農大 神戸医療未来大 神戸松蔭女学大各1

【24年4月入社者の配属先】
総勤務地:徳島67 部署:本部67

●従業員数、勤続年数、離職率ほか●

【男女別従業員数、平均年齢、平均勤続年数】計 1,316(43.3歳 20.0年) 男 729(45.8歳 22.4年) 女 587(39.7歳 16.5年)【離職率と離職者数】NA【3年後新卒定着率】73.5%(男80.0%、女69.0%、3年前入社:男20名・女29名)【組合】あり

求める人材 変革・多様化に対応できるバイタリティと創造性にあふれた人材

会社データ (金額は百万円)

【本店】770-8601 徳島県徳島市西船場町2-24-1
☎088-623-3131　https://www.awabank.co.jp/
【頭取】福永 文久【設立】1896.6【資本金】23,452【今後力を入れる事業】総合金融サービス

【業績(連結)】	経常収益	業務純益	経常利益	純利益
22.3	67,938	16,565	16,134	11,112
23.3	88,081	1,828	15,428	10,207
24.3	76,107	16,912	16,624	11,263

㈱百十四銀行（ひゃくじゅうしぎんこう）

東京P 8386

【特色】香川県地盤で地銀中位。大企業取引が多い

修士・大卒採用数	3年後離職率	有休取得年平均	平均年収(平均41歳)
72名	27.5→22.2%	NA	636万円

残業(月) NA

記者評価 香川に加え、岡山、大阪など瀬戸内圏を準地元ととらえ、営業人員を重点的に配置する。香川県内の貸出金シェアは4割弱で首位。近隣3県の首位行と「四国アライアンス」を締結し、4行均等出資で地域商社を設立。デジタル分野でりそなHDと戦略的業務提携。

●エントリー情報と採用プロセス●

【受付開始～終了】総3月～4月【採用プロセス】総説明会(必須)→ES提出・SPI→面接(複数回)→内々定【交通費支給】なし

試験情報

重視科目 総面接

総ES NA 筆SPI3(会場) SPI3(自宅) 面複数回(Webあり) GD作NA

選考ポイント 総面コミュニケーション能力 自主性 積極性 専門知識・スキル

通過率 総ES選考なし(受付:NA)

倍率(応募/内定) 総NA

●給与、ボーナス、週休、有休ほか●

【30歳総合職平均年収】NA【初任給】(博士)215,000円(修士)215,000円(大卒)215,000円【ボーナス(年)】174万円、4.57カ月【25、30、35歳賃金】NA【週休】完全2日(土日祝)【夏期休暇】有休で取得【年末年始休暇】12月31日～1月3日【有休取得】NA／20日

●男女別採用数と配属先ほか●

【男女・文理別採用実績】

	大卒男	大卒女	修士男	修士女
23年	33(文 31 理 2)	32(文 31 理 1)	1(文 1 理 0)	0(文 0 理 0)
24年	30(文 25 理 5)	40(文 39 理 1)	0(文 0 理 0)	0(文 0 理 0)
25年	29(文 27 理 2)	43(文 42 理 1)	0(文 0 理 0)	0(文 0 理 0)

※25年:予定数

【25年4月入社者の採用実績校】
文(大)岡山大 香川大 高知大 山口大 青学大 中大 立命館大 関西学大 関大 近大 甲南大 松山大 関西外大 神戸学大 岡山商大 徳島文理大 他 理(大)香川大 他

【24年4月入社者の配属先】
総勤務地:香川65 岡山4 広島1 愛媛1 部署:営業69 本部2

●従業員数、勤続年数、離職率ほか●

【男女別従業員数、平均年齢、平均勤続年数】計 1,963(41.3歳 18.1年) 男 1,092(43.5歳 20.1年) 女 871(38.6歳 15.1年)【離職率と離職者数】3.3%、68名【3年後新卒定着率】77.8%(男70.6%、女84.2%、3年前入社:男34名・女38名)【組合】あり

求める人材 高い志と熱意を持ち、主体的に考え行動できる人材

会社データ (金額は百万円)

【本店】760-8574 香川県高松市亀井町5-1
☎087-831-0114　https://www.114bank.co.jp/
【頭取】森 匡史【設立】1924.3【資本金】37,322【今後力を入れる事業】地方創生 事業価値向上 生涯価値向上

【業績(連結)】	経常収益	業務純益	経常利益	純利益
22.3	73,092	ND	15,187	11,702
23.3	84,888	ND	13,295	9,172
24.3	82,146	ND	14,557	9,642

金融

㈱伊予銀行（いよぎんこう）

株式公開していない

【特色】四国首位、愛媛県から瀬戸内圏一帯に事業展開

修士・大卒採用数	3年後離職率	有休取得年平均	平均年収(平均*39歳)
162名	12.3 → 22.0%	15.7日	[総]794万円

●エントリー情報と採用プロセス●

【受付開始～終了】[総]3月～5月【採用プロセス】[総]会社説明動画視聴(必須、3～4月)→ES提出・SPI3(3～4月)→面接(3回、4～6月)→内々定(6月)【交通費支給】なし

試験情報

重視科目 [総]面接

[総][ES]⇒巻末[筆]SPI3(会場)[面]3回(Webあり)

選考ポイント [総][ES]簡潔かつ論理的に自分自身や志望度等を表現できているか[面]志望度 対人能力 耐久力

通過率 [総][ES]95%(受付:420→通過:400)

倍率(応募/内定) [総]4倍

●男女別採用数と配属先ほか●

【男女・文理別採用実績】

	大卒男	大卒女	修士男	修士女
23年	46(文 43 理 3)	83(文 79 理 4)	3(文 1 理 2)	0(文 0 理 0)
24年	57(文 49 理 8)	61(文 61 理 0)	2(文 2 理 0)	0(文 0 理 0)
25年	73(文 66 理 7)	83(文 79 理 4)	4(文 0 理 4)	2(文 0 理 2)

【25年4月入社者の採用実績校】

[文](大)松山大29 愛媛大23 関西学大5 立命館大 香川大各4 京産大3 法政大 明大 同大 関大 近大 岡山大 徳島大 兵庫県大各2 慶大 青学大 中大 東洋大 成蹊大 創価大 静岡文芸大 阪大 神戸大 龍谷大 大阪経法大 神戸学大 ノートルダム清心女大 下関市大 徳島文理大 高知大 大分大各1 [理](院)愛媛大5 岡山大1(大)愛媛大5 早大 同大 関大 山口大各1

【24年4月入社者の配属先】

[総]勤務地:愛媛(松山45 今治8 新居浜5 四国中央6 西条4 八幡浜3 大洲3 宇和島3)大分市2 香川・高松2 高知市1 徳島市1 広島市2 岡山市2 部署:システム3 店舗84

残業(月) 4.7時間 [総]6.1時間

記者評価 いよぎんHD傘下。前身は1876年創設の第二十九国立銀行。資金量は四国首位。愛媛から瀬戸内圏一帯に展開。愛媛船主との関係深くシップファイナンスに強み。地元は製造業も多い。四国電力とはカーボンニュートラルに向け包括連携。グループ連携強化。DX化推進。

●給与、ボーナス、週休、有休ほか●

【30歳総合職平均年収】560万円【初任給】(修士)<エリアF>264,000円(大卒)<エリアF>255,000円<エリアL>227,000円【ボーナス(年)】217万円、5.4カ月【25、30、35歳賃金】251,883円→322,421円→502,181円 ※家族手当、残業代を含む【週休】完全2日(土日祝)【夏期休暇】なし【年末年始休暇】12月31日～1月3日【有休取得】15.7／20日

●従業員数、勤続年数、離職率ほか●

【男女別従業員数、平均年齢、平均勤続年数】計 2,804(38.5歳 15.7年) 男 1,448(40.8歳 18.0年) 女 1,356(36.1歳 13.4年)【離職率と離職者数】2.8%、82名(早期退職男5名、女2名含む)【3年後新卒定着率】78.0%(男78.2%、女77.8%、3年前入社:男55名・女72名)【組合】あり

求める人材 地域への想いに溢れ、地域のために考動できる人財

会社データ (金額は百万円)

【本店】790-8514 愛媛県松山市南堀端町1
☎089-941-1141 https://www.iyobank.co.jp/
【頭取】三好 賢治【設立】1941.9【資本金】20,948【今後力を入れる事業】ICT関連事業

【業績(連結)】	経常収益	業務純益	経常利益	純利益
22.3	133,971	ND	38,239	26,417
23.3	172,954	ND	42,415	27,899
24.3	192,758	ND	58,579	39,464

㈱四国銀行（しこくぎんこう）

東京P 8387

【特色】1878年創業の名門地銀。高知・徳島に店舗多い

修士・大卒採用数	3年後離職率	有休取得年平均	平均年収(平均39歳)
52名	23.5 → 21.3%	14.5日	654万円

●エントリー情報と採用プロセス●

【受付開始～終了】[総]2月～継続中【採用プロセス】[総]説明会(必須、2月～)→ES提出・Webテスト→面接(4回)→内々定(3～9月)【交通費支給】なし【早期選考】⇒巻末

試験情報

重視科目 [総]全て

[総][ES]⇒巻末[筆]SPI3(自宅)[面]4回(Webあり)

選考ポイント [総][ES]志望動機 文章の論理性[面]明るさ 誠実さ 熱意 銀行員としての適性

通過率 [総][ES]83%(受付:159→通過:132)

倍率(応募/内定) [総]13倍

●男女別採用数と配属先ほか●

【男女・文理別採用実績】

	大卒男	大卒女	修士男	修士女
23年	17(文 13 理 4)	34(文 31 理 3)	1(文 0 理 1)	0(文 0 理 0)
24年	21(文 18 理 3)	30(文 29 理 1)	0(文 0 理 0)	0(文 0 理 0)
25年	18(文 16 理 2)	34(文 31 理 3)	0(文 0 理 0)	0(文 0 理 0)

※25年:継続中

【25年4月入社者の採用実績校】

[文](大)高知大 松山大各9 高知工科大5 香川大 高知県大 立命館大各2 近大 徳島文理大 愛媛大 関西学大 関大 甲南大 就実大 神戸市外大 早大 多摩大 大阪経大 大阪体大 阪大 大正大 東北大 桃山学大 武蔵野大 名古屋学院大各1 [理](大)高知大 高知工科大 近大 徳島文理大 兵庫県大各1(専)龍馬情報ビジネス&フード1

【24年4月入社者の配属先】

[総]勤務地:高知37 徳島12 香川2 部署:営業店51

残業(月) 10.5時間 [総]10.5時間

記者評価 高知県地盤に四国全域に展開する地銀。地域ごとに複数店連携でフルサービスを提供するエリア制。人材開発に注力しコンサル強化。M&Aや事業承継など手数料収益増やす。証券業務は23年に大和証券と口座一本化。24年7月から大卒総合職初任給を25万円に引き上げ。

●給与、ボーナス、週休、有休ほか●

【30歳総合職平均年収】525万円【初任給】(大卒)<総合職>215,000円<地域総合職>190,000円【ボーナス(年)】88万円、2.31カ月【25、30、35歳賃金】228,093円→280,727円→407,639円【週休】完全2日(土日祝)【夏期休暇】年次有休とは別に、1年で営業日のうち5日連続で休暇取得可【年末年始休暇】12月31日～1月3日【有休取得】14.5／21日

●従業員数、勤続年数、離職率ほか●

【男女別従業員数、平均年齢、平均勤続年数】計 1,244(39.1歳 14.7年) 男 674(42.1歳 18.3年) 女 570(35.9歳 10.8年)【離職率と離職者数】4.4%、57名【3年後新卒定着率】78.7%(男75.0%、女80.6%、3年前入社:男16名・女31名)【組合】あり

求める人材 高い志を以って、新しいことにも前向きにチャレンジできる熱意溢れる人財

会社データ (金額は百万円)

【本店】780-8605 高知県高知市南はりまや町1-1-1
☎088-823-2111 https://www.shikokubank.co.jp/
【頭取】小林 達司【設立】1878.10【資本金】25,000【今後力を入れる事業】中期経営計画の達成

【業績(連結)】	経常収益	業務純益	経常利益	純利益
22.3	43,527	ND	10,948	7,945
23.3	60,695	ND	7,903	5,549
24.3	52,486	ND	9,319	7,285

㈱高知銀行
こうちぎんこう

東京S 8416

【特色】高知県の第二地銀。県内の貸出金シェアは2割強

修士・大卒採用数	3年後離職率	有休取得年平均	平均年収(平均41歳)
45名	34.6 → 30.4%	13.0日	577万円

●エントリー情報と採用プロセス●

【受付開始～終了】[総]随時【採用プロセス】[総]説明会(必須、随時)→ES提出・Webテスト(適性、随時)→面接(随時)→役員面接(随時)→内々定【交通費支給】なし

試験情報

重視科目 [総]面接

[総][ES]⇒巻末[筆]Webテスト[面]2回(Webあり)

選考ポイント [総][ES]NA(提出あり)[面]態度・表現力 コンピテンシー ストレス耐性 社会性

通過率 [総][ES]NA

倍率(応募/内定) [総]NA

●男女別採用数と配属先ほか●

【男女・文理別採用実績】

	大卒男	大卒女	修士男	修士女
23年	16(文 15理 1)	12(文 10理 2)	0(文 0理 0)	0(文 0理 0)
24年	19(文 18理 1)	12(文 12理 0)	1(文 1理 0)	0(文 0理 0)
25年	-(文 -理 -)	-(文 -理 -)	-(文 -理 -)	-(文 -理 -)

※25年:45名採用予定

【25年4月入社者の採用実績校】

[文](24年)(院)高知大1(大)松山大5 高知工科大 高知県大 高知学園大 徳島文理大各3 高知大 龍谷大各2 愛媛大 桃山学大 京都外大 岡山商大 京産大 関大 中京大 京都女大 広島文化学大 神戸女大各1(短)作陽1(専)高知開成1(理系含む)[理](24年)文系に含む

【24年4月入社者の配属先】

[総]勤務地:高知(高知市17 他13)徳島1 愛媛2 岡山1 部署:銀行業務全般34

残業(月) 17.4時間

記者評価 1930年高知無尽として創業、51年に相互銀行、89年に普通銀行に転換し現行名に。県内の貸出金シェアは2割強と第二地銀としては高水準。高知県内や近隣県を中心に本支店約70店体制。中小企業向け融資が約8割を占める。24年7月から大卒初任給を25万円に引き上げ。

●給与、ボーナス、週休、有休ほか●

【30歳総合職平均年収】NA【初任給】(修士)225,000円(大卒)225,000円【ボーナス(年)】NA【25、30、35歳賃金】NA【週休】完全2日(土日祝)【夏期休暇】なし【年末年始休暇】12月31日～1月3日【有休取得】13.0／20日

●従業員数、勤続年数、離職率ほか●

【男女別従業員数、平均年齢、平均勤続年数】計 715(40.9歳 17.6年)男 399(43.2歳 19.7年)女 316(38.2歳 14.9年)【離職率と離職者数】5.4%、41名【3年後新卒定着率】69.6%(男66.7%、女71.4%、3年前入社:男9名・女14名)【組合】なし

求める人材 心(情熱)のある人 環境に適応できる人

会社データ (金額は百万円)

【本店】780-0834 高知県高知市堺町2-24
☎088-822-9311 https://www.kochi-bank.co.jp/
【頭取】海治 勝彦【設立】1930.1【資本金】15,444【今後力を入れる事業】地域の価値向上に貢献する金融インフラ

【業績(連結)】	経常収益	業務純益	経常利益	純利益
22.3	22,099	ND	2,314	1,606
23.3	23,080	ND	2,551	1,601
24.3	22,990	ND	1,952	1,251

㈱福岡銀行
ふくおかぎんこう

持株会社 傘下

【特色】ふくおかFGの中核。県内首位、地銀で上位

修士・大卒採用数	3年後離職率	有休取得年平均	平均年収(平均38歳)
NA	NA	NA	719万円

●エントリー情報と採用プロセス●

【受付開始～終了】[総][技]3月～5月【採用プロセス】[総][技]ES提出(3月～)→面接(複数回)・適性検査→内々定【交通費支給】なし

試験情報

重視科目 [総][技]面接

[総][技][ES]⇒巻末[筆]SPI3(会場) SPI3(自宅)[面]複数回(Webあり)

選考ポイント [総][面]コミュニケーション能力 適性 意欲 他 [技][面]コミュニケーション能力 適性 意欲 専門性 他

通過率 [総][技][ES]選考なし(受付:NA)

倍率(応募/内定) [総][技]NA

●男女別採用数と配属先ほか●

【男女・文理別採用実績】

	大卒男	大卒女	修士男	修士女
23年	94(文 87理 7)	80(文 78理 2)	2(文 0理 2)	0(文 0理 0)
24年	119(文 107理 12)	97(文 94理 3)	5(文 0理 5)	4(文 2理 2)
25年	NA(文NA理NA)	NA(文NA理NA)	NA(文NA理NA)	NA(文NA理NA)

【25年4月入社者の採用実績校】[文]東大 一橋大 早大 慶大 横国大 千葉大 明大 立教大 中大 法政大 筑波大 東洋大 城西国際大 聖心女大 武蔵野大 成蹊大 獨協大 亜大 中央学大 東海大 京大 関西学大 同大 立命館大 名古屋外大 中京大 近大 神戸女学大 九大 広島大 熊本大 長崎大 鹿児島大 佐賀大 大分大 山口大 名桜大 福岡女大 北九州市大 下関市大 西南学大 福岡大 九産大 久留米大 福岡工大 筑紫女学大 福岡女学大 中村学大 叡啓大(短)中村学園大 近大九州 [理]京大 早大 北大 東理大 上智大 同大 九大 九州工大 熊本大 鹿児島大 宮崎大 長崎県大 福岡大 福岡工大(高専)広島商船 久留米 有明 宇部

【24年4月入社者の配属先】[総]勤務地:福岡県内219 部署:営業店205 本部14 [技]勤務地:福岡県内11 部署:本部11

残業(月) NA

記者評価 九州首位の地銀。九州初の銀行である第十七国立銀行として創業。福岡を中心に九州全域に展開。山口や広島、東名阪にも出店。海外は米国や中国、東南アジアに駐在員事務所。子会社にカードやシステムなど。自社開発の銀行アプリ「アイバンク」は同業地銀も導入。

●給与、ボーナス、週休、有休ほか●

【30歳総合職平均年収】599万円【初任給】(修士)<Fコース>260,000円<Aコース>250,000円<Cコース>240,000円(大卒)<Fコース>260,000円<Aコース>250,000円<Cコース>240,000円【ボーナス(年)】NA【25、30、35歳賃金】NA【週休】完全2日(土日祝)【夏期休暇】なし【年末年始休暇】12月31日～1月3日【有休取得】NA／20日

●従業員数、勤続年数、離職率ほか●

【男女別従業員数、平均年齢、平均勤続年数】計 3,517(38.0歳 14.8年)男 1,971(38.9歳 15.3年)女 1,546(36.9歳 13.9年)【離職率と離職者数】NA【3年後新卒定着率】NA【組合】あり

求める人材 物事の本質を考える力を持ち、何事にも前向きにチャレンジできる人財

会社データ (金額は百万円)

【本店】810-8727 福岡県福岡市中央区天神2-13-1
☎092-723-2131 https://www.fukuokabank.co.jp/
【頭取】五島 久【設立】1945.3【資本金】82,300【今後力を入れる事業】DX 地方創生 海外ビジネス

【業績(単独)】	経常収益	業務純益	経常利益	純利益
22.3	180,430	69,918	73,323	52,792
23.3	225,772	58,101	52,933	39,027
24.3	272,505	68,149	64,616	48,438

金融

(株)佐賀銀行（さがぎんこう）

東京P 8395

【特色】佐賀県地盤の地銀中位。福岡での展開強化

修士・大卒採用数	3年後離職率	有休取得年平均	平均年収(平均41歳)
55名	!23.5 → !16.7%	13.0日	◇610万円

●エントリー情報と採用プロセス●

【受付開始～終了】[総][技]3月～NA【採用プロセス】[総][技]ES提出(3月～)→1次選考(Web面接)→2次選考(面接・筆記)→最終選考(面接)→内々定【交通費支給】最終選考、会社基準

試験情報

重視科目 [総][技]面接

[総][技][ES]⇒巻末[筆]一般常識[面]3回(Webあり)

選考ポイント [総][技][ES]求める人材に適しているか[面]求める人材に適しているか

通過率 [総][ES]選考なし(受付:NA)[技][ES]NA

倍率(応募/内定) [総][技]NA

●男女別採用数と配属先ほか●

【男女・文理別採用実績】

	大卒男	大卒女	修士男	修士女
23年	14(文 12 理 2)	14(文 14 理 0)	2(文 1 理 1)	1(文 1 理 0)
24年	34(文 30 理 4)	23(文 22 理 1)	0(文 0 理 0)	0(文 0 理 0)
25年	33(文 30 理 3)	22(文 22 理 0)	0(文 0 理 0)	0(文 0 理 0)

【25年4月入社者の採用実績校】
[文](大)カリフォルニア大 阪大 熊本大 長崎大 佐賀大 大分大 和歌山大 北九州市大 長崎県大 関大 同女大 東海大 國學院大 日大 福岡大 西南学大 他 [理](大)佐賀大 福岡大 九産大 (高専)有明

【24年4月入社者の配属先】
[総]勤務地:佐賀35 福岡17 長崎1 部署:営業店53 [技]勤務地:佐賀7 部署:IT統括部7

残業(月) 6.7時間 [総]6.7時間

[記者評価] 佐賀県内の貸出金シェアは4割強で首位。県内と福岡中心に約100店体制。中小企業向け事業性資金の融資、住宅ローンが柱。資金需要旺盛な福岡で融資拡大。顧客情報を管理する営業支援システムが稼働。24年に三井住友DSと業務提携し、資産運用サービスで連携。

●給与、ボーナス、週休、有休ほか●

【30歳総合職平均年収】NA【初任給】(修士)220,000円(大卒)220,000円【ボーナス(年)】NA【25、30、35歳賃金】NA【週休】完全2日(土日祝)【夏期休暇】なし【年末年始休暇】12月31日～1月3日【有休取得】13.0／20日

●従業員数、勤続年数、離職率ほか●

【男女別従業員数、平均年齢、平均勤続年数】計 1,225(41.0歳 18.8年) 男 762(42.0歳 19.5年) 女 463(39.0歳 17.3年)【離職率と離職者数】1.9%、24名【3年後新卒定着率】83.3%(男80.0%、女86.2%、3年前入社:男25名・女29名) ※高卒含む【組合】あり

[求める人材] 現状に満足せず精神的な強さを持ち新しい分野に果敢にチャレンジできる人財

[会社データ] (金額は百万円)

【本店】840-0813 佐賀県佐賀市唐人2-7-20
☎0952-24-5111 https://www.sagabank.co.jp/
【頭取】坂井 秀明【設立】1955.7【資本金】16,062【今後力を入れる事業】銀行業務全般 コンサルティング事業

【業績(連結)】	経常収益	業務純益	経常利益	純利益
22.3	43,861	8,978	6,975	4,076
23.3	47,675	6,299	7,265	5,491
24.3	53,013	4,582	7,571	6,218

(株)十八親和銀行（じゅうはちしんわぎんこう）

株式公開していない

【特色】ふくおかFG傘下。十八・親和銀の合併で20年誕生

修士・大卒採用数	3年後離職率	有休取得年平均	平均年収(平均39歳)
未定	NA	NA	585万円

●エントリー情報と採用プロセス●

【受付開始～終了】[総]3月～5月【採用プロセス】[総]ES提出(3月～)→面接(複数回)・適性検査→内々定【交通費支給】なし

試験情報

重視科目 [総]面接

[総][ES]⇒巻末[筆]SPI3(会場) SPI3(自宅)[面]複数回(Webあり)

選考ポイント [総][面]コミュニケーション能力 適性 意欲 他

通過率 [総][ES]選考なし(受付:NA)

倍率(応募/内定) [総]NA

●男女別採用数と配属先ほか●

【男女・文理別採用実績】

	大卒男	大卒女	修士男	修士女
23年	52(文 49 理 3)	42(文 41 理 1)	0(文 0 理 0)	0(文 0 理 0)
24年	61(文 59 理 2)	41(文 41 理 0)	0(文 0 理 0)	0(文 0 理 0)
25年	-(文 - 理 -)	-(文 - 理 -)	-(文 - 理 -)	-(文 - 理 -)

【25年4月入社者の採用実績校】
[文](24年)(大)長崎大 長崎県大 福岡大 長崎純心大 久留米大 長崎国際大 熊本学大 立命館大 広島大 島根県大 大分大 活水女大 駿河台大 神奈川大 聖心女大 中大 東海大 日大 明学大 立教大 関西学大 同大 愛媛大 下関市大 香川大 九州国際大 九産大 熊本大 佐賀大 鹿屋体大 鹿児島大 西南学大 筑紫女学大 中村学大 福岡女学大 北九州市大 長崎外大 鎮西学院大(短)中村学園大 他 [理](24年)(大)近大 福岡大

【24年4月入社者の配属先】
[総]勤務地:長崎107 福岡5 佐賀2 部署:営業店112 本部2

残業(月) NA

[記者評価] ふくおかFGと19年4月経営統合した十八銀行と、07年10月以来ふくおかFG傘下にある親和銀行が20年10月合併。勘定系システムは21年に一本化。長崎地盤で、単体総資産8兆円、預金残高5.5兆円(24年3月末)。188店体制、長崎のほか福岡、佐賀、熊本等にも展開。

●給与、ボーナス、週休、有休ほか●

【30歳総合職平均年収】513万円【初任給】(修士)<Fコース>260,000円<Aコース>250,000円(大卒)<Fコース>260,000円<Aコース>250,000円【ボーナス(年)】NA【25、30、35歳賃金】NA【週休】完全2日(土日祝)【夏期休暇】なし【年末年始休暇】12月31日～1月3日【有休取得】NA／20日

●従業員数、勤続年数、離職率ほか●

【男女別従業員数、平均年齢、平均勤続年数】計 1,892(39.1歳 17.0年) 男 1,125(40.5歳 18.0年) 女 767(37.2歳 15.7年)【離職率と離職者数】NA【3年後新卒定着率】NA【組合】あり

[求める人材] 物事の本質を考える力を持ち、何事にも前向きにチャレンジできる人財

[会社データ] (金額は百万円)

【本店】850-0841 長崎県長崎市銅座町1-11
☎095-824-1818 https://www.18shinwabank.co.jp/
【頭取】山川 信彦【設立】1939.9【資本金】36,800【今後力を入れる事業】DX 地方創生

【業績(単独)】	売上高	営業利益	経常利益	純利益
22.3	63,210	11,178	11,733	10,850
23.3	67,993	5,225	8,562	7,374
24.3	80,913	16,872	13,827	10,523

㈱肥後銀行（ひごぎんこう）

持株会社傘下

【特色】熊本地盤の地方銀行。15年鹿児島銀行と経営統合

修士・大卒採用数	3年後離職率	有休取得年平均	平均年収(平均40歳)
111名	26.0→4.1%	15.9日	総736万円

●エントリー情報と採用プロセス●

【受付開始～終了】総3月～未定【採用プロセス】総ES提出(3月～)→面接(3回)・GD・小論文→内々定(6月下旬～7月)【交通費支給】最終面接以降、飛行機・新幹線・高速バス利用の場合全額【早期選考】⇒巻末

試験情報

重視科目 総面接

総 ES⇒巻末 筆SPI3(会場) 面3回(Webあり) GD作⇒巻末

選考ポイント 総 ES NA(提出あり) 面コミュニケーション能力 知性 バイタリティ 精神力

通過率 総 ES 98%(受付:571→通過:562)

倍率(応募/内定) 総8倍

●男女別採用数と配属先ほか●

【男女・文理別採用実績】

	大卒男	大卒女	修士男	修士女
23年	30(文 24 理 6)	27(文 26 理 1)	1(文 0 理 1)	2(文 1 理 1)
24年	53(文 47 理 6)	27(文 24 理 3)	0(文 0 理 0)	1(文 1 理 0)
25年	51(文 43 理 8)	57(文 55 理 2)	2(文 1 理 1)	1(文 1 理 0)

【25年4月入社者の採用実績校】文(院)熊本大2(大)熊本学大20 熊本県大15 熊本大13 西南学大9 東海大 福岡大 東呉大各3 中大 九大 鹿児島大 久留米大 九州ルーテル学大各2 明大 青学大 法政大 立教大 立命館APU 近大 関西学大 広島大 山口大 佐賀大 尚絅大 福岡工大 松山大 名桜大 聖心女大 立命館大 日大 九産大 北九州市大 中村学大 長崎国際大 東京農業大各1 理(院)京大1(大)熊本大3 宮崎大2 東京科学大 熊本県大 鹿児島大 龍谷大 工学院大各1

【24年4月入社者の配属先】総勤務地:熊本78 福岡3 東京1 長崎1 部署:営業店74 IT統括部3 デジタルマーケティング部3 経営企画部1 法人コンサル部1 関連会社(肥銀キャピタル)1

残業(月) 7.0時間 総7.3時間

記者評価 熊本県地盤。県内貸出金シェアは約5割と断トツ。九州を軸に東京、大阪にも出店。TSMC進出で半導体や関連産業の支援に本腰、融資やビジネスマッチングを推進。台湾の玉山銀行とも連携。台北と上海に駐在員事務所。15年に鹿児島銀行と経営統合、九州FG設立。

●給与、ボーナス、週休、有休ほか●

【30歳総合職平均年収】541万円【初任給】(修士)230,000～255,000円(大卒)230,000～240,000円【ボーナス(年)】251万円、6.4カ月【25、30、35歳賃金】222,300円→269,357円→356,635円【週休】完全2日(土日祝)【夏期休暇】有休で取得【年末年始休暇】12月31日～1月3日【有休取得】15.9／20日

●従業員数、勤続年数、離職率ほか●

【男女別従業員数、平均年齢、平均勤続年数】計 2,202(40.8歳 14.9年)男 1,126(42.3歳 16.2年)女 1,076(39.2歳 13.5年)【離職率と離職者数】3.3%、76名【3年後新卒定着率】95.9%(男92.5%、女98.2%、3年前入社:男40名・女57名)【組合】あり

求める人材 論理的かつ柔軟な思考力とコミュニケーション能力を持った人材

会社データ　(金額は百万円)

【本店】860-8615 熊本県熊本市中央区練兵町1
☎096-325-2111　https://www.higobank.co.jp/
【頭取】笠原 慶久【設立】1925.7【資本金】18,128【今後力を入れる事業】DXおよびSDGsコンサルティング

【業績(連結)】	経常収益	業務純益	経常利益	純利益
22.3	105,226	16,198	15,201	9,728
23.3	115,310	19,335	21,861	15,248
24.3	126,332	10,882	21,323	14,589

㈱鹿児島銀行（かごしまぎんこう）

持株会社傘下

【特色】地銀中位。鹿児島県地盤でシェアトップ

修士・大卒採用数	3年後離職率	有休取得年平均	平均年収(平均38歳)
90名	NA	15.1日	NA

●エントリー情報と採用プロセス●

【受付開始～終了】総3月～継続中【採用プロセス】総ES提出(3～5月)→筆記→面接→2次面接・作文→最終面接→内々定(6月)※事務系、技術系一括採用【交通費支給】なし

試験情報

重視科目 総面接

総 ES⇒巻末 筆SPI3(会場) SPI3(自宅) 面3回(Webあり)

選考ポイント 総 ES 簡潔かつ具体的・論理的に記述されているか 面熱意 コミュニケーション能力 行動力 銀行業務に対する適性の有無

通過率 総 ES NA

倍率(応募/内定) 総NA

●男女別採用数と配属先ほか●

【男女・文理別採用実績】

	大卒男	大卒女	修士男	修士女
23年	53(文 51 理 2)	19(文 17 理 2)	1(文 0 理 1)	0(文 0 理 0)
24年	37(文 35 理 2)	44(文 42 理 2)	1(文 0 理 1)	0(文 0 理 0)
25年	45(文 - 理 -)	45(文 - 理 -)	0(文 0 理 0)	0(文 0 理 0)

※25年:計画数

【25年4月入社者の採用実績校】
文(大)鹿児島大 鹿児島国際大 志學館大 筑波大 早大 中大 法政大 國學院大 東洋大 武蔵野大 立命館大 大阪商大 龍谷大 京都教大 武庫川女大 岡山大 九大 西南学大 福岡大 北九州市大 九産大 久留米大 福岡女学大 長崎県大 長崎外大 活水女大 熊本大 東海大 宮崎大 宮崎公大 名桜大(短)鹿児島県立 鹿児島純心 鹿児島女 理(大)鹿児島大 第一工大

【24年4月入社者の配属先】
総勤務地:鹿児島95 宮崎9 部署:営業店104

残業(月) NA

記者評価 鹿児島県地盤の中堅地銀。県内貸出金シェア約5割。宮崎、福岡、熊本、沖縄、東京、大阪にも出店。上海と台北に駐在員事務所。グループ会社にカードやリース、シンクタンクなど。15年に熊本県地盤の肥後銀行と経営統合し九州フィナンシャルグループ設立、連携強化。

●給与、ボーナス、週休、有休ほか●

【30歳総合職平均年収】NA【初任給】(修士)240,000円(大卒)240,000円【ボーナス(年)】NA【25、30、35歳賃金】NA【週休】完全2日(土日祝)【夏期休暇】なし【年末年始休暇】12月31日～1月3日【有休取得】15.1／20日

●従業員数、勤続年数、離職率ほか●

【男女別従業員数、平均年齢、平均勤続年数】計 2,090(38.2歳 15.6年)男 1,147(41.4歳 17.9年)女 943(34.5歳 12.8年)【離職率と離職者数】NA【3年後新卒定着率】NA【組合】あり

求める人材 熱意・コミュニケーション能力・行動力のある人

会社データ　(金額は百万円)

【本店】892-0828 鹿児島県鹿児島市金生町6-6
☎099-225-3111　https://www.kagin.co.jp/
【頭取】郡山 明久【設立】1944.2【資本金】18,130【今後力を入れる事業】農業関連産業や医療介護、観光分野への取組

【業績(連結)】	経常収益	業務純益	経常利益	純利益
22.3	67,886	16,049	10,970	7,981
23.3	85,167	9,919	15,051	10,511
24.3	82,819	11,058	18,848	13,365

金融

㈱琉球銀行（りゅうきゅうぎんこう）

東京P 8399

【特色】沖縄県地盤の地銀トップ級。略称りゅうぎん

修士・大卒採用数	3年後離職率	有休取得年平均	平均年収(平均40歳)
84名	15.4 → 23.1%	13.0日	総 609万円

残業(月) 10.7時間 総 10.7時間

記者評価 1948年に米軍が51%出資する特殊銀行として設立、72年に米軍保有株を県民に売却して普通銀行に。預金、貸出金は県内トップ級。資金量は約2.8兆円。2025年に新本店ビル竣工予定。子会社5社を集約し、グループ連携機能を強化。事業承継コンサルに力を入れる。

●エントリー情報と採用プロセス●

【受付開始～終了】総3月～4月【採用プロセス】総ES提出(3～4月)→適性検査(4～5月)→GD・グループ面接(4～5月)→個人面接(5月)→内々定(5月)【交通費支給】なし

試験情報

重視科目 総面接 筆記

総 ES⇒巻末 筆SPI3(会場) SPI3(自宅) 面2回(Webあり) GD作NA

選考ポイント 総 ES個性(学生生活の中で活動してきたこと) 面個性 コミュニケーション能力 熱意 銀行業務に対する適性 課題解決力 行動力

通過率 総 ES選考有無NA

倍率(応募/内定) 総NA

●男女別採用数と配属先ほか●

【男女・文理別採用実績】

	大卒男	大卒女	修士男	修士女
23年	26(文 26 理 0)	25(文 22 理 3)	1(文 0 理 1)	0(文 0 理 0)
24年	44(文 37 理 7)	34(文 33 理 1)	1(文 0 理 1)	0(文 0 理 0)
25年	47(文 37 理 10)	37(文 36 理 1)	1(文 0 理 1)	0(文 0 理 0)

【25年4月入社者の採用実績校】
文沖縄国際大 琉球大 名桜大 沖縄大 沖縄キリスト学大 久留米大 駒澤大 慶大 産能大 城西国際大 神奈川大 跡見学園女大 千葉大 専大 創価大 大阪経大 阪大 大東文化大 日経大 富士大 武庫川女大 福岡女学大 福岡大 文教大 法政大 立教大 立命館APU 理琉球大 東京農業大 福岡工大

【24年4月入社者の配属先】
総勤務地:沖縄81 部署:営業店81

●給与、ボーナス、週休、有休ほか●

【30歳総合職平均年収】537万円【初任給】(修士)211,000円 (大卒)211,000円【ボーナス(年)】135万円、4.16カ月【25、30、35歳賃金】208,755円→252,804円→326,888円【週休】完全2日(土日祝)【夏期休暇】夏期に限らず連続9日(有休4日、週休4日含む)【年末年始休暇】12月31日～1月3日【有休取得】13.0／20日

●従業員数、勤続年数、離職率ほか●

【男女別従業員数、平均年齢、平均勤続年数】計 1,381(40.3歳 16.2年) 男 697(41.4歳 16.9年) 女 684(39.3歳 15.8年)【離職率と離職者数】1.8%、26名【3年後新卒定着率】76.9%(男84.0%、女70.4%、3年前入社:男25名・女27名)【組合】あり

求める人材 柔軟な発想力を持った人 挑戦する人 相手の立場を尊重できる人 地域共創を目指す人

会社データ (金額は百万円)

【本店】900-0034 沖縄県那覇市東町2-1 那覇ポートビル
☎098-860-3967 https://www.ryugin.co.jp/
【頭取】島袋 健【設立】1948.5【資本金】56,967【今後力を入れる事業】個人・法人フィービジネス(コンサルティング事業)カード関連ビジネス(キャッシュレス化推進事業)

【業績(連結)】	経常収益	業務純益	経常利益	純利益
22.3	57,011	7,673	7,930	5,590
23.3	60,093	6,453	8,499	5,896
24.3	65,951	6,507	8,452	5,651

㈱沖縄銀行（おきなわぎんこう）

持株会社 傘下

【特色】戦後に創立した地銀中位行。おきなわFG傘下

修士・大卒採用数	3年後離職率	有休取得年平均	平均年収(平均39歳)
59名	13.6 → 19.1%	15.8日	総 560万円

残業(月) 12.3時間 総 12.3時間

記者評価 資金量は約2.7兆円で地銀中位。経済成長を続ける沖縄の資金需要を取り込む。2019年から一般職廃止、勤務地を限定できる地域総合職を新設。22年に行内初の女性部長が誕生するなど、女性が活躍できる環境作りに力を入れる。取引先の事業承継コンサルに注力。

●エントリー情報と採用プロセス●

【受付開始～終了】総<大卒以上>3月～4月<短・専卒>5月～6月【採用プロセス】総<大・院卒>ES提出(3～4月)→テストセンター(4月)→面接(2回、4月・5月)→内々定(6月上旬)<短・専卒>ES提出(5月)→テストセンター(5月)→面接(1回、6月)→内々定(6月下旬)【交通費支給】なし

試験情報

重視科目 総筆記 面接

総 ES⇒巻末 筆SCOA テストセンター(SCOA) 面1～2回

選考ポイント 総 ES志望動機(当行理解度及び志望意思) 自己PR(何を経験し、そこから何を掴んだか)キャリアプラン(理想の銀行員像) 面業界理解 志望動機 人柄 本気度 コミュニケーション能力

通過率 総 ES選考なし(受付:NA)

倍率(応募/内定) 総NA

●男女別採用数と配属先ほか●

【男女・文理別採用実績】

	大卒男	大卒女	修士男	修士女
23年	13(文 12 理 1)	15(文 15 理 0)	0(文 0 理 0)	1(文 0 理 1)
24年	18(文 18 理 0)	15(文 14 理 1)	0(文 0 理 0)	1(文 0 理 1)
25年	31(文 30 理 1)	26(文 25 理 1)	1(文 0 理 1)	1(文 0 理 1)

【25年4月入社者の採用実績校】
文(大)上智大 桜美林大 国士舘大 産能大 神奈川大 大正大 愛知学大 岐阜協大 朝日大 同大 神戸女大 福岡大 北九州市大 九州共立大 日経大 琉球大 沖縄国際大 沖縄キリスト学大 名桜大 沖縄大(専)大原簿記公務員 ITカレッジ 理(院)横国大 琉球大

【24年4月入社者の配属先】
総勤務地:沖縄37 部署:店舗37

●給与、ボーナス、週休、有休ほか●

【30歳総合職平均年収】NA【初任給】(博士)205,000円 (修士)205,000円 (大卒)205,000円【ボーナス(年)】NA【25、30、35歳賃金】NA【週休】完全2日(土日祝)【夏期休暇】有休で取得【年末年始休暇】12月31日～1月3日【有休取得】15.8／20日

●従業員数、勤続年数、離職率ほか●

【男女別従業員数、平均年齢、平均勤続年数】計 1,126(38.1歳 15.5年) 男 597(40.7歳 16.9年) 女 529(36.9歳 13.8年)【離職率と離職者数】3.2%、37名【3年後新卒定着率】80.9%(男78.3%、女83.3%、3年前入社:男23名・女24名)【組合】あり

求める人材 おきなわの'新しい'をともに創る人 明るさ・元気さ・素直さ、思いやりと強さ、責任感と協調性を持った人 向上心のある人

会社データ (金額は百万円)

【本店】900-8651 沖縄県那覇市久茂地3-10-1
☎098-867-2141 https://www.okinawa-bank.co.jp/
【頭取】山城 正保【設立】1956.6【資本金】22,725【今後力を入れる事業】金融・非金融事業サービス

【業績(単独)】	経常収益	業務純益	経常利益	純利益
22.3	35,725	ND	6,799	4,614
23.3	37,787	ND	7,219	5,066
24.3	38,366	ND	7,447	5,581

商工中金

しょうこうちゅうきん

株式公開していない

【特色】政府系。中小企業専門。24年度末に完全民営化へ

修士・大卒採用数	3年後離職率	有休取得年平均	平均年収(平均39歳)
108名	6.7→NA	15.7日	807万円

●エントリー情報と採用プロセス●

【受付開始～終了】㊎3月～4月【採用プロセス】㊎ES提出→説明会→筆記→面談(複数回)→GD→面接(複数回)→内々定【交通費支給】東京会場実施面接、会社基準(飛行機代もしくは新幹線代)

試験情報

重視科目 ㊎面接

㊎ES⇒巻末㊕SPI3(会場)㊐複数回(Webあり)GD作⇒巻末

選考ポイント ㊎ES主体性 論理的思考力 志望動機 他㊐論理的思考力 対人関係構築力 積極性 業務理解度

通過率 ㊎ES100%(受付:3,287→通過:3,287)

倍率(応募/内定) ㊎30倍

●男女別採用数と配属先ほか●

【男女・文理別採用実績】

	大卒男	大卒女	修士男	修士女
23年	77(文 75理 2)	47(文 46理 1)	1(文 1理 0)	0(文 0理 0)
24年	110(文107理 3)	44(文 43理 1)	1(文 1理 0)	0(文 0理 0)
25年	53(文 52理 1)	52(文 49理 3)	3(文 0理 3)	0(文 0理 0)

【25年4月入社者の採用実績校】㊛(大)北大 小樽商大 弘前大 東北大 岩手県大 高崎経大 筑波大 一橋大 横国大 都立大 横浜市大 東京外大 お茶女大 新潟大 金沢大 滋賀大 京大 阪大 和歌山大 岡山大 香川大 高知工科大 熊本大 大阪市大 早大 慶大 明大 中大 法政大 学習院大 立教大 明学大 千葉商大 東京女大 國學院大 同大 南山大 立命館大 関大 関西学大 近大 福岡大 ㊔(院)京大 中大(大)茨城大 明大 東京女大 東京農業大

【24年4月入社者の配属先】
㊎勤務地:首都圏(東京 神奈川 千葉 埼玉)61 近畿圏(大阪 京都 兵庫 奈良)24 その他全国70 部署:営業144 事務11

残業(月) 19.5時間 ㊎19.5時間

記者評価 正式名は商工組合中央金庫。半官半民。資金量約10兆円。中小企業向け中心に融資などのサービス提供。47都道府県に102店、海外はNY、香港、上海、バンコク、ハノイの5拠点。入庫後は営業店に配属、発行株の5割弱持つ国が保有株売却し、24年度末までに完全民営化へ。

●給与、ボーナス、週休、有休ほか●

【30歳総合職モデル年収】900万円【初任給】(博士)260,000円(修士)260,000円(大卒)260,000円【ボーナス(年)】NA【25、30、35歳賃金】NA【週休】完全2日(土日祝)【夏期休暇】連続5日(取得時期自由、有休で取得)【年末年始休暇】12月31日～1月3日【有休取得】15.7/21日

●従業員数、勤続年数、離職率ほか●

【男女別従業員数、平均年齢、平均勤続年数】計3,383(38.8歳 15.3年) 男NA 女NA【離職率と離職者数】NA【3年後新卒定着率】NA【組合】あり

求める人材 中小企業の企業価値向上のため、変革しつづける人財

会社データ (金額は百万円)

【本社】104-0028 東京都中央区八重洲2-10-17
☎03-3272-6111 https://www.shokochukin.co.jp/
【社長】関根 正裕【設立】1936.11【資本金】218,653【今後力を入れる事業】中小企業への融資を中心とした経営支援総合金融サービス

【業績(連結)】	資金量	融資残高	債券発行残高
22.3	9,735,066	9,597,836	3,542,170
23.3	9,918,763	9,628,093	3,448,850
24.3	10,034,148	9,612,074	3,296,400

㈱国際協力銀行

こくさいきょうりょくぎんこう

株式公開していない

【特色】政府系金融機関。対外経済政策の一翼を担う

修士・大卒採用数	3年後離職率	有休取得年平均	平均年収(平均38歳)
44名	12.5→12.9%	12.4日	835万円

●エントリー情報と採用プロセス●

【受付開始～終了】㊎3月～4月【採用プロセス】㊎ES提出(3月～)→適性検査(4月)→面接(複数回、6月～)→内々定(6月)【交通費支給】実費(遠方者のみ)

試験情報

重視科目 ㊎全て

㊎ES⇒巻末㊕あり(内容NA)㊐複数回(Webあり)

選考ポイント ㊎ES志望度 当行の仕事への思い 学生時代の取り組み㊐NA

通過率 ㊎ESNA

倍率(応募/内定) ㊎NA

●男女別採用数と配属先ほか●

【男女・文理別採用実績】

	大卒男	大卒女	修士男	修士女
23年	13(文 13理 0)	27(文 26理 1)	3(文 1理 2)	1(文 1理 0)
24年	14(文 14理 0)	25(文 23理 2)	1(文 0理 1)	3(文 1理 2)
25年	10(文 10理 0)	27(文 26理 1)	5(文 2理 3)	2(文 1理 1)

【25年4月入社者の採用実績校】
㊛(院)京大 サセックス大 オックスフォード大各1(大)東大8 慶大 一橋大各3 京大 阪大 九大 早大 上智大各1 ㊔(院)北大 阪大 早大 京大各1(大)慶大1

【24年4月入社者の配属先】
㊎勤務地:東京30 部署:海外出融資19 審査4 調査2 法務1 サステナビリティ統括1 財務1 人事2

残業(月) 21.7時間

記者評価 略称JBIC。前身は日本輸出入銀行で、1999年海外経済協力基金との統合により現体制。政府全額出資の特殊会社。NY・ロンドンなど海外主要都市に駐在員事務所を置く。金融仲介機能を通じ、日本企業の海外M&Aなど幅広く支援。出融資残高16兆8287億円(24年3月末)。

●給与、ボーナス、週休、有休ほか●

【30歳総合職平均年収】NA【初任給】(博士)280,000円(修士)280,000円(大卒)260,000円【ボーナス(年)】243万円、NA【25、30、35歳賃金】NA【週休】完全2日(土日祝)【夏期休暇】連続5営業日【年末年始休暇】12月31日～1月3日【有休取得】12.4/20日

●従業員数、勤続年数、離職率ほか●

【男女別従業員数、平均年齢、平均勤続年数】計720(38.3歳 10.2年) 男NA 女NA【離職率と離職者数】NA【3年後新卒定着率】87.1%(男85.7%、女88.2%、3年前入社:男14名・女17名)【組合】あり

求める人材 JBICの使命に共感し、日本と世界のために働きたいとの思いを持つ人

会社データ (金額は百万円)

【本社】100-8144 東京都千代田区大手町1-4-1
☎03-5218-3053 https://www.jbic.go.jp/
【総裁】林 信光【設立】1950.12【資本金】2,211,800【今後力を入れる事業】SDGsに配慮したインフラや先端分野

【業績(連結)】	経常収益	経常利益	純利益
22.3	313,480	17,391	17,345
23.3	659,923	156,518	156,518
24.3	1,133,061	63,265	62,316

金融

しんきんちゅうおうきんこ 信金中央金庫

東京 8421

【特色】信用金庫の中央金融機関。信金バンクの司令塔

修士・大卒採用数	3年後離職率	有休取得年平均	平均年収(平均38歳)
57名	10.6 → 4.6%	12.1日	790万円

●エントリー情報と採用プロセス●

【受付開始～終了】(総)3月～3月【採用プロセス】(総)ES提出(3月)→Webテスト→面接(複数回)→内々定【交通費支給】最終面接、実費(首都圏以外在住者)

試験情報

重視科目 (総)面接

(総)(ES)⇒巻末(筆)SPI3(会場) SPI3(自宅)(面)複数回(Webあり)

選考ポイント (総)(ES)志望動機 学生時代の取組み(面)主体的行動力 思考性 挑戦意欲 協調性 コミュニケーション力

通過率 (総)(ES)NA

倍率(応募/内定) (総)NA

●男女別採用数と配属先ほか●

【男女・文理別採用実績】

	大卒男	大卒女	修士男	修士女
23年	39(文 37理 2)	22(文 22理 0)	1(文 0理 1)	0(文 0理 0)
24年	38(文 34理 4)	25(文 25理 0)	1(文 0理 1)	0(文 0理 0)
25年	30(文 23理 7)	23(文 23理 0)	1(文 0理 1)	3(文 2理 1)

【25年4月入社者の採用実績校】

(文)(院)阪大 筑波大 一橋大 明学大(大)中大 立教大 明大 同大 京大 阪大 慶大 神戸大 九大 立命館大 高崎経大 北大 東北大 横国大 横浜市大 都立大 京都工繊大 大阪市大 法政大 青学大 東理大 関西学大(理系含む)(理)文系に含む

【24年4月入社者の配属先】

(総)勤務地:東京(本店)および全国の営業店50 部署:営業店(信用金庫向け営業企画・管理業務)31 法人向け営業・管理業務7 信用金庫支援業務7 市場関連業務3 審査関連業務1 リスク管理業務1

残業(月) 14.0時間 (総)18.1時間

記者評価 1950年信用金庫法に基づき設立。総資産45.92兆円の信金の中央金融機関。全国254信金の経営基盤強化や業務機能補完等も担う。国内12支店18分室、海外6拠点を展開。優先出資証券のみ東証に上場している。各信金への出向・人事交流も。

●給与、ボーナス、週休、有休ほか●

【30歳総合職平均年収】NA【初任給】(修士)260,000円(大卒)260,000円【ボーナス(年)】NA【25、30、35歳賃金】NA【週休】完全2日(土日祝)【夏期休暇】連続5日(取得時期自由)【年末年始休暇】12月31日～1月3日【有休取得】12.1/20日

●従業員数、勤続年数、離職率ほか●

【男女別従業員数、平均年齢、平均勤続年数】計 1,200(38.3歳 14.4年) 男 852(39.6歳 15.4年) 女 348(35.1歳 11.9年)【離職率と離職者数】NA【3年後新卒定着率】95.4%(男92.3%、女100%、3年前入社:男39名・女26名)【組合】なし

求める人材 自分の頭で考え、工夫を凝らし、実行する行動力を持つ人

会社データ (金額は百万円)

【本社】103-0028 東京都中央区八重洲1-3-7
☎03-5202-7623 https://www.shinkin-central-bank.jp/
【理事長】柴田 弘之【設立】1950.6【出資金】890,998【今後力を入れる事業】信用金庫が抱える課題解決に向けた支援

【業績(連結)】	経常収益	経常利益	純利益
22.3	249,597	48,174	35,942
23.3	373,723	36,027	26,221
24.3	427,435	44,230	32,145

にほんぼうえきほけん ㈱日本貿易保険(NEXI)

株式公開していない

【特色】政府全額出資の特殊会社。貿易保険の提供を行う

修士・大卒採用数	3年後離職率	有休取得年平均	平均年収(平均40歳)
15名	8.3 → 20.0%	11.9日	(総)969万円

●エントリー情報と採用プロセス●

【受付開始～終了】(総)3月～3月【採用プロセス】(総)WebES提出(3月)→適性検査→1次面接→筆記→2次面接→最終面接→内々定(6月)【交通費支給】最終面談、関東圏以外実費

試験情報

重視科目 (総)WebES 面接

(総)(ES)⇒巻末(筆)適性検査(面)3回(Webあり)(GD作)⇒巻末

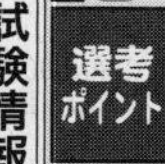

選考ポイント (総)(ES)業務内容への一定程度の理解 学生時代に力を入れたこと(面)志望理由 人物像 グローバル志向 専門性に対するポテンシャル 他

通過率 (総)(ES)50%(受付:514→通過:258)

倍率(応募/内定) (総)34倍

●男女別採用数と配属先ほか●

【男女・文理別採用実績】

	大卒男	大卒女	修士男	修士女
23年	5(文 4理 1)	6(文 6理 0)	2(文 1理 1)	2(文 2理 0)
24年	12(文 12理 0)	10(文 9理 1)	3(文 3理 0)	6(文 4理 2)
25年	7(文 6理 1)	6(文 6理 0)	1(文 0理 1)	1(文 1理 0)

【25年4月入社者の採用実績校】

(文)(院)名大1(大)慶大4 一橋大3 お茶女大 関西学大 京大 上智大 東京外大各1 (理)(院)東北大1(大)東北大1

【24年4月入社者の配属先】

(総)勤務地:東京31 部署:事業部門22 管理部門9

残業(月) 22.2時間 (総)22.2時間

記者評価 旧通産省の貿易保険事業が母体。独立行政法人化し、17年政府全額出資の特殊会社に。略称・NEXI。輸出、海外投融資など対外取引リスクを補填する貿易保険の元受業務を展開。脱炭素、社会課題解決、外国企業との国際連携などに関わる案件を積極引き受け。

●給与、ボーナス、週休、有休ほか●

【30歳総合職平均年収】791万円【初任給】(修士)273,800円(大卒)240,800円【ボーナス(年)】244万円、4.45カ月【25、30、35歳賃金】259,100円→338,300円→381,800円【週休】完全2日(土日祝)【夏期休暇】5日【年末年始休暇】12月29日～1月3日【有休取得】11.9/20日

●従業員数、勤続年数、離職率ほか●

【男女別従業員数、平均年齢、平均勤続年数】計 201(40.2歳 7.7年) 男 107(42.4歳 7.9年) 女 94(37.7歳 7.4年)【離職率と離職者数】3.8%、8名【3年後新卒定着率】80.0%(男100%、女60.0%、3年前入社:男5名・女5名)【組合】なし

求める人材 事業領域が広範である一方、少数精鋭の組織であるため、積極性と柔軟性を備えた人

会社データ (金額は百万円)

【本社】101-8359 東京都千代田区西神田3-8-1 千代田ファーストビル東館
☎03-3512-7650 https://www.nexi.go.jp/
【社長】黒田 篤郎【設立】2017.4【資本金】169,352【今後力を入れる事業】社会課題解決やSDGs達成に貢献する案件

【業績(単独)】	経常収益	経常利益	純利益
22.3	73,411	▲1,000	6
23.3	116,632	▲1,000	▲19
24.3	153,592	▲1,000	▲5

金融

ちゅうおうろうどうきんこ
中央労働金庫

株式公開していない

【特色】関東8労働金庫が01年4月合併。労金では最大

修士・大卒採用数	3年後離職率	有休取得年平均	平均年収(平均39歳)
109名	23.4 → 23.6%	17.0日	[総] 731万円

●エントリー情報と採用プロセス●

【受付開始～終了】[総]3月～7月【採用プロセス】[総]説明会・ES提出・Webテスト(3月～)→面接(3回、4月～)→内々定(4月下旬～)【交通費支給】なし

試験情報

重視科目 [総]面接 ES Webテスト

[総][ES]⇒巻末[筆]WebGAB[面]3回(Webあり)

選考ポイント [総][ES]ES・Webテストを総合的に判断[面]コミュニケーション能力 意欲 企業・業界理解度

通過率 [総][ES]NA(受付:837→通過:NA)

倍率(応募/内定) [総]8倍

●男女別採用数と配属先ほか●

【男女・文理別採用実績】

	大卒男	大卒女	修士男	修士女
23年	44(文 44理 0)	52(文 51理 1)	0(文 0理 0)	0(文 0理 0)
24年	89(文 89理 0)	47(文 47理 0)	0(文 0理 0)	0(文 0理 0)
25年	57(文 55理 2)	52(文 52理 0)	0(文 0理 0)	0(文 0理 0)

【25年4月入社者の採用実績校】[文](大)日大12 中大6 高崎経大 青学大 東洋大 法政大 明大 立正大各4 学習院大 大東文化大 東京経大 武蔵大各3 東海大 駒澤大 國學院大 国士舘大 神奈川大 早大 明学大 立命館大 獨協大各2 亜大 茨城キリスト大 横国大 学習院女大 関西学大 関東学院大 久留米大 桜美林大 山梨県大 産能大 駿河台大 常磐大 成城大 成蹊大 跡見学園女大 専大 大正大 中央学大 津田塾大 帝京大 東京家政大 東京女大 東京成徳大 東北福祉大 同大 二松学舎大 日女大 武蔵野大 文京学大 文教大 北海学園大 明星大 立教大 龍谷大 和光大各1 [理](大)東海大 千葉工大各1

【24年4月入社者の配属先】[総]勤務地:茨城15 栃木8 群馬12 埼玉13 千葉9 東京55 神奈川21 山梨3 部署:事務85 融資47 業務4

残業(月) 17.1時間 [総]17.1時間

記者評価 茨城、栃木、群馬、埼玉、千葉、神奈川、山梨、東京の1都7県の労働金庫が合併して誕生。仮想店舗含め135店舗を展開。預金残高6.9兆円、貸出金残高4.6兆円(24年3月末)。労組や生協の組合員などによる協同組織金融機関で、営利を目的としない。

●給与、ボーナス、週休、有休ほか●

【30歳総合職平均年収】580万円【初任給】(修士)230,000円 (大卒)230,000円【ボーナス(年)】191万円、NA【25、30、35歳賃金】233,057円→293,311円→350,249円【週休】完全2日(土日祝)【夏期休暇】3日【年末年始休暇】12月31日～1月3日(+1日)【有休取得】17.0／20日

●従業員数、勤続年数、離職率ほか●

【男女別従業員数、平均年齢、平均勤続年数】計 2,463(39.5歳 16.3年) 男 1,586(40.1歳 16.5年) 女 877(38.4歳 16.0年)【離職率と離職者数】4.5%、116名(キャリアアシストプラン男4名、女7名含む)【3年後新卒定着率】76.4%(男73.9%、女79.7%、3年前入社:男88名・女69名)【組合】あり

求める人材 ろうきんの理念に共感し、チャレンジ精神・自律性・協働意識を持った向上意欲のある人

会社データ (金額は百万円)

【本社】101-0062 東京都千代田区神田駿河台2-5
☎03-3293-1637 https://chuo.rokin.com
【理事長】杉浦 賢次【設立】1952.4【出資金】28,991【今後力を入れる事業】会員基盤および職域取引

【業績(単独)】	経常収益	経常利益	純利益
22.3	78,547	13,248	9,599
23.3	81,241	13,147	9,479
24.3	84,751	11,948	9,229

ジェイエーきょうさいれん
ＪＡ共済連(全国本部)

株式公開していない

【特色】全国農協の共済事業を統括。生保・損保を兼営

修士・大卒採用数	3年後離職率	有休取得年平均	平均年収(平均42歳)
50名	3.4 → 6.7%	16.5日	NA

●エントリー情報と採用プロセス●

【受付開始～終了】[総]3月～5月【採用プロセス】[総]ES提出・WebGAB(3～4月)→GD(4～5月)→BRIDGE・面接(3回、4～6月)→内々定(6月)【交通費支給】最終面接、実費(地方在住者)

試験情報

重視科目 [総]全て

[総][ES]⇒巻末[筆]WebGAB BRIDGE[面]3回(Webあり) [GD作]⇒巻末

選考ポイント [総][ES]学生時代に取り組んだこと[面]学生時代の取り組み・成果から判断される能力・適性

通過率 [総][ES]NA

倍率(応募/内定) [総]NA

●男女別採用数と配属先ほか●

【男女・文理別採用実績】

	大卒男	大卒女	修士男	修士女
23年	13(文 13理 0)	16(文 15理 1)	3(文 1理 2)	1(文 0理 1)
24年	17(文 15理 2)	9(文 9理 0)	8(文 3理 5)	2(文 0理 2)
25年	22(文 19理 3)	23(文 22理 1)	5(文 2理 3)	0(文 0理 0)

【25年4月入社者の採用実績校】[文](院)東北大 九大各1(大)明大 中大各6 関西学大4 立教大 同大 立命館大各2 北大 名大 広島大 新潟大 お茶女大 早大 慶大 上智大 法政大 関大 成蹊大 東京女大各1 [理](院)東京科学大 金沢大 立教大各1(大)九大 明大 立教大各1

【24年4月入社者の配属先】
[総]勤務地:東京(永田町30 豊洲5)川崎1 部署:事務・システム部門12 引受審査・支払査定部門8 資産運用部門4 仕組開発部門5 管理部門7

残業(月) 12.7時間 [総]16.5時間

記者評価 JAの共済事業を統括。生命・損害共済の新種保険開発や資産運用を手がける。総資産58.4兆円、保有契約高216兆円(24年3月)は世界屈指。全国JA店舗を窓口にサービスを展開。傘下の共栄火災海上保険と農家向け保障で連携。キャッシュレス化を一段加速。

●給与、ボーナス、週休、有休ほか●

【30歳総合職平均年収】NA【初任給】(修士)264,020円 (大卒)247,990円【ボーナス(年)】NA、4.0カ月【25、30、35歳賃金】NA【週休】完全2日(土日祝)【夏期休暇】有休で5日取得【年末年始休暇】連続6日【有休取得】16.5／25日

●従業員数、勤続年数、離職率ほか●

【男女別従業員数、平均年齢、平均勤続年数】計 1,187(42.2歳 19.4年) 男 794(44.0歳 21.0年) 女 393(38.7歳 16.3年)【離職率と離職者数】2.0%、24名【3年後新卒定着率】93.3%(男94.1%、女92.3%、3年前入社:男17名・女13名)【組合】あり

求める人材 変化から将来性を洞察し、現状変革させる構想を推し進めるため、周囲の力を活かせる人材

会社データ (金額は百万円)

【本社】102-8630 東京都千代田区平河町2-7-9 JA共済ビル
☎03-5215-9100 https://www.ja-kyosai.or.jp/
【理事長】村山 美彦【設立】1951.1【出資金】756,537【今後力を入れる事業】共済事業実施体制再構築 他

【業績(単独)】	経常収益	経常利益	当期剰余金
22.3	5,992,749	170,334	102,937
23.3	5,101,527	122,292	71,504
24.3	5,818,973	55,802	48,364

1321 ▶『業界地図』p.150, 176 開示 ★★★

ぜんこくせいかつきょうどうくみあいれんごうかい　ぜんこくせいきょうれん

全国生活協同組合連合会(全国生協連)

株式公開 していない

【特色】全国47都道府県で実施される共済事業の元受団体

修士・大卒採用数	3年後離職率	有休取得年平均	平均年収(平均43歳)
4名	0→0%	14.2日	NA

●エントリー情報と採用プロセス●

【受付開始～終了】総技3月～4月【採用プロセス】総技説明会(必須、3月)→適性検査(3～4月)→1次面接(オンライン、4月)→2次面接(4月)→最終面接(5月)→内々定(5月中旬)【交通費支給】なし

試験情報

重視科目 総技面接

総技ES⇒巻末筆SPI3(会場) Q-DOG検査面3回(Webあり)

選考ポイント 総技ES応募資格の有無面人柄 協調性 積極性 主体性 有能性 将来性 コミュニケーション力 他

通過率 総ES100%(受付:124→通過:124) 技ES100%(受付:15→通過:15)

倍率(応募/内定) 総31倍 技1倍

●男女別採用数と配属先ほか●

【男女・文理別採用実績】

	大卒男	大卒女	修士男	修士女
23年	2(文 2理 0)	3(文 2理 1)	0(文 0理 0)	0(文 0理 0)
24年	1(文 0理 1)	4(文 4理 0)	0(文 0理 0)	0(文 0理 0)
25年	1(文 1理 0)	3(文 3理 0)	0(文 0理 0)	0(文 0理 0)

【25年4月入社者の採用実績校】

文(大)埼玉大 立教大 早大 日女大各1 理なし

【24年4月入社者の配属先】

総勤務地:埼玉(大宮3 与野2) 部署:加入サービス部2 共済金サービス部2 普及推進部1 技勤務地:なし 部署:なし

残業(月) 7.4時間 総7.4時間

記者評価 消費生活協同組合法に基づき厚労省の認可により設立された非営利の協同組合。都民共済(東京都)など各都道府県で実施される共済事業の元受団体として、共済制度の開発や共済金の調査・審査・支払など担う。総加入件数は2170万件超(23年度)。

●給与、ボーナス、週休、有休ほか●

【30歳総合職平均年収】NA【初任給】(修士)269,000円(大卒)260,000円【ボーナス(年)】NA【25、30、35歳賃金】NA【週休】完全2日【夏期休暇】5日(年間を通して利用できる特別有給休暇)【年末年始休暇】12月30日～1月3日【有休取得】14.2/20日

●従業員数、勤続年数、離職率ほか●

【男女別従業員数、平均年齢、平均勤続年数】計 202(43.3歳 16.8年) 男 117(46.4歳 18.7年) 女 85(38.2歳 9.7年)【離職率と離職者数】3.8%、8名【3年後新卒定着率】100%(男100%、女100%、3年前入社:男2名・女3名)【組合】なし

求める人材 事業理念に共感し実践できる人 協働で成果をあげる人 ご加入者目線で挑戦できる人

会社データ (金額は百万円)

【本社】330-8708 埼玉県さいたま市大宮区大門町2-118 大宮門街SQUARE

☎048-633-6253 http://www.kyosai-cc.or.jp/

【理事長】吉井 康二【設立】1971.12【出資金】275,230【今後力を入れる事業】共済事業

【業績(単独)】	正味受入共済掛金	当期剰余金
22.3	656,895	15,643
23.3	662,975	7,974
24.3	662,166	15,000

ぜんこくろうどうしゃきょうさいせいかつきょうどうくみあいれんごうかい

全国労働者共済生活協同組合連合会(こくみん共済coop)

株式公開 していない

【特色】共済事業を手がける生活協同組合。略称・全労済

修士・大卒採用数	3年後離職率	有休取得年平均	平均年収(平均41歳)
40名	17.2→15.8%	15.7日	総800万円

●エントリー情報と採用プロセス●

【受付開始～終了】総3月～5月【採用プロセス】総説明会(必須、2～3月)→ES提出・適性検査(3月)→面接(2回、4～5月)→内々定(5月)【交通費支給】最終面接、会基準(都道府県別)

試験情報

重視科目 総面接

総ES⇒巻末筆SPI3(会場)面2回(Webあり)

選考ポイント 総ESNA(提出あり)面着実に持続的に取り組む 自分なりに工夫する 主体的に巻き込む 困難な状況であっても恐れず飛び込む 合致度 適性

通過率 総ESNA

倍率(応募/内定) 総NA

●男女別採用数と配属先ほか●

【男女・文理別採用実績】

	大卒男	大卒女	修士男	修士女
23年	14(文 13理 1)	34(文 34理 0)	0(文 0理 0)	1(文 0理 1)
24年	19(文 19理 0)	20(文 20理 0)	2(文 0理 2)	0(文 0理 0)
25年	17(文 16理 1)	21(文 20理 1)	1(文 1理 0)	1(文 1理 0)

【25年4月入社者の採用実績校】

文(院)北大 早大(大)岩手大 宮城学院女大 埼玉県大 獨協大 駿河台大 明大 青学大 中大 法政大 明学大 東京農業大 日大 東洋大 学習院女大 武蔵野大 拓大 関東学院大 金沢大 金沢星稜大 愛知県大 金城学大 関大 大阪経大 帝塚山大 神戸大 兵庫県大 関西学大 広島大 山口大 西南学大 佐賀大 理(大)早大 名大

【24年4月入社者の配属先】総勤務地:(23年)北海道3 青森2 宮城1 秋田2 山形2 福島1 茨城3 栃木1 埼玉2 東京7 神奈川4 山梨1 石川1 愛知3 岐阜1 滋賀1 奈良1 大阪3 和歌山1 兵庫1 岡山2 広島1 山口1 福岡2 佐賀1 宮崎1 部署:(23年)事業推進49

残業(月) 18.5時間

記者評価 消費生活協同組合法に基づき設立された、共済事業を手がける協同組合。1957年に18都道府県の労働者共済生協の中央組織として発足、76年に全国統合。遺族補償、医療保障など6分野で11の共済商品を展開。契約件数2907万件、保有契約高786兆円(23年度)。

●給与、ボーナス、週休、有休ほか●

【30歳総合職平均年収】617万円【初任給】(博士)297,060円(修士)297,060円(大卒)297,060円【ボーナス(年)】127万円、4.1カ月【25、30、35歳賃金】236,539円→299,934円→350,595円【週休】完全2日(土日祝)【夏期休暇】時期を問わず連続5日取得【年末年始休暇】12月30日～1月3日【有休取得】15.7/20日

●従業員数、勤続年数、離職率ほか●

【男女別従業員数、平均年齢、平均勤続年数】計 3,509(43.8歳 14.6年) 男 2,080(44.4歳 NA) 女 1,429(43.1歳 NA)【離職率と離職者数】4.1%、149名(早期退職男9名、女7名含む)【3年後新卒定着率】84.2%(男100%、女75.0%、3年前入社:男7名・女12名)【組合】あり

求める人材 理念に共感し、その実現のために努力できる人 変化をおそれず、積極的に変革にチャレンジできる人 前例にとらわれずに考え、発想し、発信できる人

会社データ (金額は百万円)

【本社】151-8571 東京都渋谷区代々木2-12-10

☎03-3299-0161 http://www.zenrosai.coop/index.php

【理事長】打越 秋一【設立】1957.9【出資金】187,221【今後力を入れる事業】共済事業

【業績】	経常収益	経常剰余金	当期剰余金
22.5	655,475	78,363	22,418
23.5	638,047	60,945	24,752
24.5	648,866	88,532	37,434

日本コープ共済生活協同組合連合会

にほん きょうさいせいかつきょうどうくみあいれんごうかい

株式公開 していない

【特色】共済専門生協の中央組織。略称・コープ共済連

修士・大卒採用数	3年後離職率	有休取得年平均	平均年収(平均39歳)
23名	0 → 9.1%	16.1日	㊗645万円

●エントリー情報と採用プロセス●

【受付開始～終了】㊗2月～6月【採用プロセス】㊗採用セミナー→ES提出→適性検査→GD→面接(2回)→内々定【交通費支給】最終選考(役員面接)、全額【早期選考】⇒巻末

試験情報

重視科目 総 面接

総 ES⇒巻末 筆 SPI3(自宅) 適性検査(マイン) 面 2回(Webあり) GD作⇒巻末

選考ポイント 総 ES NA(提出あり) 面 協調性 リーダー性 創造性 他

通過率 総 ES 93%(受付:(早期選考含む)198→通過:(早期選考含む)184)

倍率(応募/内定) 総 (早期選考含む)9倍

●男女別採用数と配属先ほか●

【男女・文理別採用実績】

	大卒男	大卒女	修士男	修士女
23年	8(文 7理 1)	7(文 7理 0)	0(文 0理 0)	0(文 0理 0)
24年	6(文 5理 1)	15(文 15理 0)	0(文 0理 0)	0(文 0理 0)
25年	9(文 8理 1)	11(文 11理 0)	3(文 1理 2)	0(文 0理 0)

【25年4月入社者の採用実績校】
文(院)岩手大1(大)立教大2 関大 中大 立命館大 日大 昭和女大 岡山大 立正大 京都橘大 東京農業大 日女大 福島大 高崎経大 成城大 産能大 横国大 獨協大 横浜創英大各1 理(院)筑波大 東理大各1(大)弘前大1

【24年4月入社者の配属先】
総 勤務地:東京(渋谷17 京橋2 高円寺1)札幌1 部署:共済事務13 推進3 IT3 経理1 数理1

残業(月) ㊗19.3時間

記者評価 元受共済事業とその他事業の兼業規制が盛り込まれた改正消費者生活協同組合法施行を受け発足。日本生活協同組合連合会と161生協(当時)の元受事業の受け皿に。23年度末の加入者数1027万人、保有契約高15兆円。誕生前の子ども向け加入制度を24年9月開始。

●給与、ボーナス、週休、有休ほか●

【30歳総合職平均年収】NA【初任給】(修士)235,000円(大卒)225,000円【ボーナス(年)】NA、4.0カ月【25、30、35歳賃金】NA【週休】隔週2日(1月、5月を除く 各月1日の指定休付与)【夏期休暇】有休利用【年末年始休暇】4日【有休取得】16.1／20日

●従業員数、勤続年数、離職率ほか●

【男女別従業員数、平均年齢、平均勤続年数】計 443(40.2歳 NA) 男 277(42.5歳 NA) 女 166(36.5歳 NA)【離職率と離職者数】3.5%、16名【3年後新卒定着率】90.9%(男80.0%、女95.7%、3年前入社:男10名・女23名)【組合】あり

求める人材 (1)生協の理念に共感できる人(2)主体的に行動できる人(3)人が好き、人の役に立ちたいと思う人

会社データ (金額は百万円)

【本社】151-0051 東京都渋谷区千駄ヶ谷4-1-13
☎03-6836-1300 https://coopkyosai.coop/
【代表理事理事長】和田 寿昭【設立】2008.11【出資金】63,383【今後力を入れる事業】現業

【業績(連結)】	経常収益	経常剰余金	当期剰余金
22.3	244,658	44,188	7,971
23.3	251,560	▲24,166	▲19,304
24.3	240,353	43,827	10,534

大和証券グループ

だいわしょうけん

東京P 8601

【特色】国内2位の証券大手。女性活躍や健康経営に特長

修士・大卒採用数	3年後離職率	有休取得年平均	平均年収(平均*41歳)
560名	NA	17.3日	㊗!1,300万円

●エントリー情報と採用プロセス●

【受付開始～終了】㊗3月～11月【採用プロセス】㊗ES提出・適性検査(3月～)→面接(複数回、6月～)→内々定(6月～)【交通費支給】面接、会社規定

試験情報

重視科目 総 面接

総 ES⇒巻末 筆 WebGAB OPQ 面 複数回(Webあり)

選考ポイント 総 ES 総合的に判断 面 誠実さや向上心・チャレンジ精神等を総合的に判断

通過率 総 ES NA

倍率(応募/内定) 総 NA

●男女別採用数と配属先ほか●

【男女・文理別採用実績】

	大卒男	大卒女	修士男	修士女
23年	219(文187理 32)	176(文160理 16)	54(文 9理 45)	12(文 4理 8)
24年	214(文188理 26)	184(文175理 9)	60(文 10理 50)	20(文 11理 9)
25年	-(文 -理 -)	-(文 -理 -)	-(文 -理 -)	-(文 -理 -)

※グループ会社主要3社の数字 25年:560名採用予定

【25年4月入社者の採用実績校】
文東大 東京科学大 一橋大 筑波大 横国大 千葉大 埼玉大 お茶女大 京大 阪大 神戸大 北大 東北大 名大 九大 都立大 横浜市大 慶大 早大 上智大 明大 中大 立教大 法政大 青学大 東理大 学習院大 津田塾大 同大 立命館大 関西学大 関大 他(理系含む) 理 文系に含む

【24年4月入社者の配属先】
総 勤務地:本社および全国の本支店 部署:本社および全国の本支店

残業(月) 26.2時間

記者評価 対面証券を中核にネット銀行、農業や介護など多分野に進出、グループでハイブリッド型証券を標榜。ワーク・ライフ・バランスの確保にも意欲的で、テレワークを全社員に導入。一部の社員に対して定年を撤廃。目下、不動産運用ビジネスを強化中。

●給与、ボーナス、週休、有休ほか●

【30歳総合職平均年収】NA【初任給】(博士)NA (修士)NA (大卒)290,000円【ボーナス(年)】NA【25、30、35歳賃金】NA【週休】完全2日(土日祝)【夏期休暇】連続7～10日(有休2日、週休含む)【年末年始休暇】12月31日～1月3日【有休取得】17.3／23日【平均年収(総合職)】(G本社及び大和証券との兼務者)1,300万円

●従業員数、勤続年数、離職率ほか●

【男女別従業員数、平均年齢、平均勤続年数】計 12,706(40.7歳 14.1年) 男 7,580(41.8歳 14.9年) 女 5,126(39.3歳 13.0年) ※従業員数は連結、平均年齢・勤続年数は大和証券【離職率と離職者数】NA【3年後新卒定着率】NA【組合】あり

求める人材 誠実で、常に新しいものを見出し、より高い目標に向かって強いマインドを持ってチャレンジできる人材

会社データ (金額は百万円)

【本社】100-6751 東京都千代田区丸の内1-9-1 グラントウキョウノースタワー
☎03-5555-7000 https://www.daiwa-grp.jp/
【社長】荻野 明彦【設立】1943.12【資本金】247,397【今後力を入れる事業】ウェルスマネジメントビジネス 相続・事業承継 IPO・M&A 海外ビジネス 先端ITビジネス 他

【業績(連結)】	営業収益	営業利益	経常利益	純利益
22.3	619,471	115,534	135,821	94,891
23.3	866,090	66,273	86,930	63,875
24.3	1,277,482	153,705	174,587	121,557

※会社データは㈱大和証券グループ本社のもの
※注記のないデータは大和証券㈱のもの

▶『業界地図』p.146

金融

エスビーアイ
ＳＢＩ ホールディングス(株)

東京P 8473

【特色】ネット証券、保険、銀行など手がける総合金融

修士・大卒採用数	3年後離職率	有休取得年平均	平均年収(平均40歳)
51名	28.6→16.0%	13.5日	[総]897万円

●エントリー情報と採用プロセス●

【受付開始～終了】[総]3月～継続中【採用プロセス】[総]ES提出(3月)→説明会(5月)→適性検査(5月)→面接(3回、7月)→内々定【交通費支給】2次面接以降の面接、国内線航空券代、新幹線代の実費

試験情報

重視科目 [総]面接

[総][ES]⇒巻末[筆]SPI性格 適性検査TAL[面]3回(Webあり)

選考ポイント [総][ES]NA(提出あり)[面]NA

通過率 [総][ES]66%(受付:1,053→通過:700)

倍率(応募/内定) [総]12倍

●男女別採用数と配属先ほか●

【男女・文理別採用実績】

	大卒男	大卒女	修士男	修士女
23年	32(文 30理 2)	12(文 11理 1)	2(文 1理 1)	0(文 0理 0)
24年	21(文 18理 3)	8(文 8理 0)	3(文 2理 1)	1(文 1理 0)
25年	35(文 32理 3)	13(文 13理 0)	2(文 0理 2)	1(文 1理 0)

【25年4月入社者の採用実績校】

[文](院)サクロ・クオーレ・カトリック大1(大)慶大5 早大4 同大 明大 立教大各3 関大 関西学大 上智大各2 青学大 阪大 近大 ICU 昭和女大 聖心女大 中大 東京学芸大 武蔵大 武蔵野大 立命館大 立命館APU エトヴェシュ・ローランド大 コロラド大 鮮文大 テキサス大 トルーマン州立大 逢甲大 ボストン大 マッコーリー大 ワシントン大各1 [理](院)中大 明大各1(大)明大 南カルフォルニア大 ニューイングランド大各1

【24年4月入社者の配属先】

[総]勤務地:東京・港33 部署:NA

残業(月) NA

記者評価 中核のネット証券は国内首位。国内株の手数料無料化で他社を引き離しにかかる。HD傘下に保険や銀行、資産運用など多数の金融子会社を抱え、ベンチャー投資にも積極的。新生銀行を子会社化し、地銀との連携を強化。台湾PSMCと合弁での半導体工場建設は白紙に。

●給与、ボーナス、週休、有休ほか●

【30歳総合職平均年収】570万円【初任給】(博士)300,000円(修士)300,000円(大卒)300,000円【ボーナス(年)】72万円、NA【25、30、35歳賃金】329,278円→399,940円→570,261円【週休】完全2日【夏期休暇】なし【年末年始休暇】12月31日～1月3日【有休取得】13.5／23日

●従業員数、勤続年数、離職率ほか●

【男女別従業員数、平均年齢、平均勤続年数】計 330(39.8歳 5.5年)男 202(41.0歳 5.5年)女 128(38.1歳 5.5年)【離職率と離職者数】5.4%、19名【3年後新卒定着率】84.0%(男85.0%、女80.0%、3年前入社:男20名・女5名)【組合】なし

求める人材 世の中の変化に柔軟に適応し、自己変革ができる人 セルフスターターな人

会社データ (金額は百万円)

【本社】106-6019 東京都港区六本木1-6-1 泉ガーデンタワー

☎03-6229-0100 https://www.sbigroup.co.jp/

【会長兼社長】北尾 吉孝【設立】1999.7【資本金】180,729【今後力を入れる事業】ネオ証券化の実現 地域金融機関との連携促進

【業績(IFRS)】	営業収益	営業利益	税前利益	純利益
22.3	763,618	414,457	412,724	366,854
23.3	998,559	114,560	100,753	35,000
24.3	1,210,504	168,769	141,569	87,243

のむらしょうけん
野村證券(株)

持株会社 傘下

【特色】国内証券最大手。対面営業の再興に注力中

修士・大卒採用数	3年後離職率	有休取得年平均	平均年収(平均43歳)
310名	NA	17.3日	1,087万円

●エントリー情報と採用プロセス●

【受付開始～終了】[総]3月～継続中【採用プロセス】[総]WebES提出・Web適性検査(3月～)→面接(複数回、6月～)→内々定(6月上旬～)【交通費支給】会社基準

試験情報

重視科目 [総]面接

[総][ES]⇒巻末[筆]適性検査(Web)[面]複数回(Webあり)[GD作]NA

選考ポイント [総][ES]求める人材と合致しているか[面]業務適正 他

通過率 [総][ES]NA(受付:3,600→通過:NA)

倍率(応募/内定) [総]11倍

●男女別採用数と配属先ほか●

【男女・文理別採用実績】

	大卒男	大卒女	修士男	修士女
23年	180(文NA理NA)	120(文NA理NA)	0(文 0理 0)	0(文 0理 0)
24年	190(文NA理NA)	110(文NA理NA)	0(文 0理 0)	0(文 0理 0)
25年	200(文 -理 -)	110(文 -理 -)	0(文 0理 0)	0(文 0理 0)

※大卒に修士・博士含む

【25年4月入社者の採用実績校】

[文]東大 京大 一橋大 北大 東北大 阪大 九大 慶大 早大 上智大 関西学大 同大 他(理系含む)[理]文系に含む

【24年4月入社者の配属先】

[総]勤務地:東京 大阪 名古屋 他 部署:本社 および 全国の支店

残業(月) [総]14.6時間

記者評価 野村ホールディングスの中核企業。国内に強大な顧客基盤を構築しており、企業・個人取引の強さに定評がある。伝統的に「実力主義」の企業風土で、入社4年目の成績上位者を1年間海外に派遣する制度も。顧客に対して金融商品の長期保有を促すコンサル姿勢を明確化。

●給与、ボーナス、週休、有休ほか●

【30歳総合職平均年収】NA【初任給】(博士)<オープンコース・エリアコース>265,000円(修士)<オープンコース・エリアコース>265,000円(大卒)<オープンコース・エリアコース>265,000円【ボーナス(年)】NA【25、30、35歳賃金】NA【週休】完全2日(土日祝)【夏期休暇】有休5日を充当【年末年始休暇】なし【有休取得】17.3／28日

●従業員数、勤続年数、離職率ほか●

【男女別従業員数、平均年齢、平均勤続年数】計 13,908(42.9歳 16.9年)男 7,752(43.4歳 17.0年)女 6,156(42.2歳 16.7年)【離職率と離職者数】NA【3年後新卒定着率】NA【組合】あり

求める人材 野村グループで働く社員の価値観「挑戦、協働、誠実」に共感し、入社後に高度な専門性を発揮できる人材

会社データ (金額は百万円)

【本社】103-0027 東京都中央区日本橋1-13-1

☎03-3211-1811 https://www.nomura.co.jp/

【社長】奥田 健太郎【設立】1925.12【資本金】10,000【今後力を入れる事業】プライベート領域への拡大・強化

【業績(単独)】	営業収益	営業利益	経常利益	純利益
22.3	580,076	NA	74,790	67,542
23.3	587,186	NA	44,331	33,557
24.3	770,387	NA	148,771	104,306

みずほ証券(株)
（しょうけん）

株式公開 計画なし

【特色】みずほグループの総合証券会社。国内大手の一角

修士・大卒採用数	3年後離職率	有休取得年平均	平均年収(平均41歳)
325名	NA	15.2日	総!1,073万円

●エントリー情報と採用プロセス●

【受付開始～終了】総3月～継続中【採用プロセス】総ES提出・Webテスト・適性検査→面接(複数回)→内々定【交通費支給】対面による面接、会社基準(遠方者のみ)

試験情報

重視科目 総面接

総 ES⇒巻末筆あり(内容NA)面複数回(Webあり)

選考ポイント 総ES学生時代に力を入れたこと 志望理由 他面コミュニケーション能力 業務適性 他

通過率 総ESNA

倍率(応募/内定) 総NA

●男女別採用数と配属先ほか●

【男女・文理別採用実績】

	大卒男	大卒女	修士男	修士女
23年	152(文146 理 6)	60(文 58 理 2)	17(文 4 理 13)	4(文 2 理 2)
24年	238(文225 理 13)	103(文 97 理 6)	22(文 2 理 20)	4(文 3 理 1)
25年	-(文 - 理 -)	-(文 - 理 -)	-(文 - 理 -)	-(文 - 理 -)

※25年:325名採用予定

【25年4月入社者の採用実績校】
文(院)東大 東京科学大 早大 一橋大 東北大 京大 慶大(大)慶大 早大 同大 明大 立教大 関西学大 法政大 一橋大 東大 関大 学習院大 上智大 青学大 中大 立命館大 神戸大 小樽商大 京大 阪大 東北大 北大 横国大 ICU 東都大 滋賀大 東京外大 名大 東京科学大 東理大 津田塾大 京都女大 熊本大 共立女大 鹿児島大 昭和女大 他(理系含む) 理文系に含む

【24年4月入社者の配属先】
総勤務地:本社および全国の本支店 部署:本社部署・全国の本支店

残業(月) (組合員)20.3時間

記者評価 09年に新光証券、13年にみずほインベスターズ証券が合流して現体制。国内大手証券の一角で、みずほFGにおける証券事業の中核を担う。国内公募債の引受金額はシェア約2割で業界首位級。海外はアジア、欧州、北米に19拠点。PayPay証券、楽天証券に出資。

●給与、ボーナス、週休、有休ほか●

【30歳総合職平均年収】NA【初任給】(博士)300,000円(修士)280,000円(大卒)260,000円【ボーナス(年)】NA【25、30、35歳賃金】NA【週休】完全2日(土日祝)【夏期休暇】夏季に限定することなく連続5営業日休暇、連続2営業日等取得可【年末年始休暇】12月31日～1月3日【有休取得】15.2／21日【平均年収(総合職)】(FG)1,073万円

●従業員数、勤続年数、離職率ほか●

【男女別従業員数、平均年齢、平均勤続年数】計 7,432(42.2歳 13.9年) 男 4,749(42.3歳 13.9年) 女 2,683(42.1歳 13.9年) ※従業員数は臨時従業員含む【離職率と離職者数】NA【3年後新卒定着率】NA【組合】あり

求める人材 お客さまのことを常に考え、No.1を目指して常に挑戦し続けられる人

会社データ (金額は百万円)

【本社】100-0004 東京都千代田区大手町1-5-1 大手町ファーストスクエア
☎03-5208-3210 https://www.mizuho-sc.com/
【社長】浜本 吉郎【設立】1917.7【資本金】125,167【今後力を入れる事業】資産運用 サステナビリティ グローバルCIB

【業績】	純営業収益	経常利益	純利益
23.3	534,265	111,624	79,862
24.3	696,223	173,164	162,763

※業績は米国拠点との合算値

ＳＭＢＣ日興証券(株)
（エスエムビーシーにっこうしょうけん）

株式公開 計画なし

【特色】証券大手の一角。三井住友FGの中核証券会社

修士・大卒採用数	3年後離職率	有休取得年平均	平均年収(平均42歳)
306名	NA	19.5日	総969万円

●エントリー情報と採用プロセス●

【受付開始～終了】総3月～継続中【採用プロセス】総ES提出(3月～)→面接(対面・オンライン、複数回、6月～)→内々定(6月～)【交通費支給】面接、遠方者のみ実費

試験情報

重視科目 総面接

総 ES⇒巻末筆あり(内容NA)面複数回(Webあり) GD作NA

選考ポイント 総ESWebテストとあわせて適性を確認面NA

通過率 総ESNA 倍率(応募/内定) 総NA

●男女別採用数と配属先ほか●

【男女・文理別採用実績】※25年:24年7月時点

	大卒男	大卒女	修士男	修士女
23年	161(文151 理 10)	109(文102 理 7)	23(文 5 理 18)	9(文 4 理 5)
24年	136(文128 理 8)	109(文104 理 5)	30(文 5 理 25)	5(文 3 理 2)
25年	143(文129 理 14)	137(文133 理 4)	21(文 4 理 17)	5(文 0 理 5)

【25年4月入社者の採用実績校】文(院)東大 一橋大 早大 立教大各1(大)早大35 明大22 慶大20 同大 立教大各14 中大12 青学大 法政大各11 上智大10 立命館大9 関西学大8 東大7 一橋大 関大各5 横国大 神戸大各4 専大 同女大各3 学習院大 京大 共立女大 駒澤大 滋賀大 成蹊大 西南学大 千葉大 阪大 津田塾大 東京音大 明学大各2 クラークソン大 リンデンウッド大 南カリフォルニア大 國學院大 フェリス女学大 近大 九大 ICU 国際教養大 埼玉大 山口大 昭和女大 多摩大 拓大 筑波大 長崎大 東京外大 奈良女大 日大 武蔵大 立命館APU 龍谷大各1 理(院)京大6 東大5 早大3 慶大2 横浜市大 九大 芝工大 神戸大 東北大 法政大 北大 名工大各1(大)神戸大 早大各3 慶大 津田塾大 法政大各2 横国大 青学大 中大 東海大 東大 立教大各1 他

【24年4月入社者の配属先】総勤務地:全国105拠点(本社 国内支店) 部署:全国105拠点(本社 国内支店)

残業(月) 32.9時間 総33.9時間

記者評価 旧日興コーディアル証券。米シティG傘下から、シティによる全事業譲渡で09年三井住友FG傘下に。旧日興シティG証券の一部事業も継承。リテールに強い。SBIグループと資本業務提携。VTuber「順張リコ」による20～30代向け金融経済情報発信を24年3月開始。

●給与、ボーナス、週休、有休ほか●

【30歳総合職平均年収】NA【初任給】(博士)<総合コース>(全国型)302,000円(地域型)282,000円(修士)<総合コース>(全国型)302,000円(地域型)282,000円(大卒)<総合コース>(全国型)302,000円(地域型)282,000円【ボーナス(年)】NA【25、30、35歳賃金】NA【週休】完全2日(土日祝)【夏期休暇】7日(特休3日+年休4日)【年末年始休暇】12月31日～1月3日【有休取得】19.5／27日

●従業員数、勤続年数、離職率ほか●

【男女別従業員数、平均年齢、平均勤続年数】計 9,742(42.5歳 16.5年) 男 6,024(43.1歳 16.9年) 女 3,718(41.4歳 15.9年)【離職率と離職者数】NA【3年後新卒定着率】NA【組合】あり

求める人材 金融プロフェッショナルを目指す、好奇心、チャレンジ精神旺盛な行動力のある人

会社データ (金額は百万円)

【本社】100-6524 東京都千代田区丸の内1-5-1 新丸の内ビルディング
☎03-5644-3111 https://www.smbcnikko.co.jp/
【社長】吉岡 秀二【設立】2009.6【資本金】135,000【今後力を入れる事業】SMBCグループにおける資産運用ビジネスの見直し、グローバル・インベストメント・バンキング部門におけるシングルカバレッジ体制でのソリューション強化

【業績(単独)】	営業収益	営業利益	経常利益	純利益
22.3	333,183	56,657	59,620	44,258
23.3	262,888	▲42,094	▲38,342	▲32,314
24.3	403,315	24,630	36,158	26,832

みつびしユーエフジェイ しょうけん
三菱ＵＦＪモルガン・スタンレー証券㈱

株式公開していない

【特色】総合証券大手の一角。MUFGの証券戦略の中核

修士・大卒採用数	3年後離職率	有休取得年平均	平均年収(平均45歳)
未定	NA	16.6日	NA

●エントリー情報と採用プロセス●

【受付開始～終了】㊟3月～6月(一部継続中)【採用プロセス】㊟ES提出・Web適性検査(3月～)→面接(複数回、6月～)→内々定(6月～)【交通費支給】最終面接以降、会社基準

試験情報

重視科目 ㊟適性検査 面接

㊟ES⇒巻末㊙WebGAB 玉手箱 OPQ㊕複数回(Webあり)

選考ポイント ㊟ES志望動機やWeb適性検査を総合的に判断㊕人間性 ポテンシャル 適性 他

通過率 ㊟ES NA 倍率(応募/内定) ㊟NA

●男女別採用数と配属先ほか●

【男女・文理別採用実績】

	大卒男	大卒女	修士男	修士女
23年	80(文 74 理 6)	32(文 32 理 0)	7(文 1 理 6)	1(文 0 理 1)
24年	61(文 57 理 4)	61(文 59 理 2)	11(文 3 理 8)	4(文 3 理 1)
25年	-(文 -理 -)	-(文 -理 -)	-(文 -理 -)	-(文 -理 -)

※25年：一部継続中

【25年4月入社者の採用実績校】
㊛(24年)(院)京大2 ボルトン大 早大 立命館大各1(大)明大10 慶大8 法政大7 早大5 同大 日大 武蔵大 國學院大 青学大 明学大 立教大各4 上智大 関西学大各3 関大 千葉大 中大 東京女大各2 亜大 横国大 近大 国際教養大 埼玉大 産能大 成蹊大 大阪音大 大阪市大 拓大 都立大 東理大 東洋大 南山大 武蔵野大 立命館大 一橋大 学習院大 共立女大 九大 清泉女大 東大 目白大 獨協大各1 ㊣(24年)(院)早大4 慶大 東大 東工大 東京農業大 東北大各1(大)芝工大 上智大 早大 阪大 東大各1

【24年4月入社者の配属先】
㊟勤務地：本社および全国の本支店 部署：本社および全国の本支店

残業(月) 22.9時間

記者評価 2010年にモルガン・スタンレー証券の投資銀行部門が三菱UFJ証券と統合して現体制に。グループ証券戦略の中核を担う。MUFGの顧客基盤とモルガン・スタンレーのグローバルネットワークが強み。ウェルスマネジメント(富裕層向けサービス)やESG投資にも注力。

●給与、ボーナス、週休、有休ほか●

【30歳総合職平均年収】NA【初任給】(修士)276,000円 <部門別コース>286,500円 (大卒)276,000円<エリア総合職>271,000円【ボーナス(年)】NA【25、30、35歳賃金】NA【週休】完全2日(土日祝)【夏期休暇】年1回連続5営業日休暇 有休 クリエイティブ休暇 他【年末年始休暇】12月31日～1月3日【有休取得】16.6／25日

●従業員数、勤続年数、離職率ほか●

【男女別従業員数、平均年齢、平均勤続年数】計 5,752(44.5歳 17.5年) 男 3,690(45.7歳 18.1年) 女 2,062(42.3歳 16.4年)【離職率と離職者数】NA【3年後新卒定着率】NA【組合】あり

求める人材 高い倫理観を有し知識・専門性・人間力の向上に努める人材

会社データ (金額は百万円)

【本社】100-8127 東京都千代田区大手町1-9-2 大手町フィナンシャルシティグランキューブ
☎03-6213-8500 https://www.sc.mufg.jp/
【社長】小林 真【設立】1948.3【資本金】40,500【今後力を入れる事業】MUFGの顧客基盤とモルガン・スタンレーのグローバルリーチを活かした経営戦略

【業績(単独)】	営業収益	営業利益	経常利益	純利益
22.3	258,098	49,783	52,332	36,739
23.3	261,100	44,263	46,982	36,341
24.3	290,173	69,357	71,860	54,499

にっぽんとりひきじょ
㈱日本取引所グループ

東京P 8697

【特色】東証・大阪取引所を擁する総合取引所グループ

修士・大卒採用数	3年後離職率	有休取得年平均	平均年収(平均47歳)
28名	7.1→0%	14.0日	㊟1,067万円

●エントリー情報と採用プロセス●

【受付開始～終了】㊟NA【採用プロセス】㊟ES提出→適性検査→面接→GD→面接(2回)→内々定【交通費支給】NA

試験情報

重視科目 ㊟NA

㊟ES⇒巻末㊙あり(内容NA)㊕3回(Webあり)GD作⇒巻末

選考ポイント ㊟ES NA(提出あり)㊕NA

通過率 ㊟ES NA

倍率(応募/内定) ㊟NA

●男女別採用数と配属先ほか●

【男女・文理別採用実績】

	大卒男	大卒女	修士男	修士女
23年	14(文 12 理 2)	11(文 10 理 1)	4(文 0 理 4)	1(文 0 理 1)
24年	11(文 11 理 0)	12(文 11 理 1)	7(文 0 理 7)	0(文 0 理 0)
25年	8(文 8 理 0)	14(文 13 理 1)	4(文 0 理 4)	2(文 1 理 1)

【25年4月入社者の採用実績校】
㊛(院)早大1(大)一橋大 早大各3 慶大2 東大 京大 阪大 東北大 国際教養大 明大 法政大各1 ㊣(院)早大2 阪大 東北大 お茶女大 筑波大各1(大)早大1

【24年4月入社者の配属先】
㊟勤務地：東京17 大阪8 部署：NA

残業(月) 24.9時間

記者評価 国内唯一の総合金融取引所グループ。東証は現物株・ETF(指数連動型上場投信)、大阪取引所は金融デリバティブ、東京商品取引所(TOCOM)は商品先物の売買が主体。傘下の自主規制法人は不正の未然防止・調査・審査、処分を手がける。傘下にJPX総研。

●給与、ボーナス、週休、有休ほか●

【30歳総合職平均年収】NA【初任給】(修士)255,000円(大卒)240,000円【ボーナス(年)】NA【25、30、35歳賃金】NA【週休】完全2日(土日祝)【夏期休暇】なし【年末年始休暇】なし【有休取得】14.0／20日

●従業員数、勤続年数、離職率ほか●

【男女別従業員数、平均年齢、平均勤続年数】計 1,236(43.0歳 17.7年) 男 863(43.5歳 17.5年) 女 373(42.0歳 18.2年)【離職率と離職者数】1.7%、21名【3年後新卒定着率】100%(男100%、女100%、3年前入社：男16名・女13名)【組合】あり

求める人材 チームワーク・知的好奇心・タフネスを有する人材

会社データ (金額は百万円)

【本社】103-8224 東京都中央区日本橋兜町2-1
☎03-3666-1361 https://www.jpx.co.jp/
【代表執行役】山道 裕己【設立】2013.1【資本金】11,500【今後力を入れる事業】NA

【業績(IFRS)】	営業収益	営業利益	税前利益	純利益
22.3	135,432	73,473	73,429	49,955
23.3	133,991	68,253	68,207	46,342
24.3	152,871	87,444	87,404	60,822

とうかいとうきょう
東海東京フィナンシャル・ホールディングス(株)

東京P 8616

【特色】中京地区地盤の準大手証券。対面営業主体

修士・大卒採用数	3年後離職率	有休取得年平均	平均年収(平均38歳)
200名	NA	11.2日	NA

●エントリー情報と採用プロセス●

【受付開始～終了】[総]3月～継続中【採用プロセス】[総]説明会・Web説明会(任意、3月)→ES提出→Web適性検査→録画動画提出→面接(複数回)→内々定【交通費支給】なし

試験情報

重視科目 [総]面接

[総][ES]⇒巻末[筆]Web適性検査[面]複数回(Webあり)

選考ポイント [総][ES]自分の強みと弱みについて 他[面]向上心 コミュニケーション能力 主体性 他

通過率 [総][ES]選考なし(受付:NA)

倍率(応募/内定) [総]NA

●男女別採用数と配属先ほか●

【男女・文理別採用実績】※25年:200名採用予定

	大卒男	大卒女	修士男	修士女
23年	115(文113 理 2)	38(文 36 理 2)	4(文 2 理 2)	2(文 1 理 1)
24年	98(文 95 理 3)	30(文 29 理 1)	4(文 2 理 2)	1(文 1 理 0)
25年	-(文 - 理 -)	-(文 - 理 -)	-(文 - 理 -)	-(文 - 理 -)

【25年4月入社者の採用実績校】[文]広島大 茨城大 岐阜大 山口大 大分大 島根大 富山大 名工大 琉球大 兵庫県大 愛知県大 静岡県大 中大 同大 法政大 明大 関西学大 南山大 立命館大 青学大 学習院大 関大 慶大 上智大 西南学大 早大 立教大 愛知大 中京大 愛知学大 専大 東洋大 亜大 関東学院大 神戸大 日大 名城大 近大 獨協大 成蹊大 東京経大 日体大 武蔵大 文教大 メルボルン大 環太平洋大 関西外大 駒澤大 甲南大 国士舘大 桜美林大 鹿児島国際大 成城大 創価大 大阪産大 大東文化大 追手門学大 奈良学大 名古屋学院大 明学大 明星大 龍谷大 國學院大 オーストラリア国立大(理系含む) [理]文系に含む

【24年4月入社者の配属先】[総]勤務地:全国20拠点(宮城 東京 埼玉 千葉 愛知 山梨 新潟 静岡 三重 京都 大阪 和歌山 滋賀 奈良 兵庫 岡山 香川 愛媛 高知 福岡) 部署:営業店115 グローバル・マーケット部門5 投資銀行部門7 デジタル部門7 調査部門1

残業(月) 24.0時間

記者評価 東海東京証券が中核。横浜銀行など有力地銀との提携戦略を推進し、7社の提携合弁証券会社を展開。保険代理店の買収、フィンテック企業への出資など販売チャネル多様化を推進。20年から副業・兼業解禁。24年7月から大卒総合職初任給を26.5万円に引き上げ。

●給与、ボーナス、週休、有休ほか●

【30歳総合職平均年収】NA【初任給】(博士)256,000円 (修士)256,000円 (大卒)254,000円【ボーナス(年)】NA【25、30、35歳賃金】NA【週休】完全2日(土日祝)※一部配属先により異なる【夏期休暇】連続9日(有休5日と土日を利用)【年末年始休暇】取引所の休暇に合わせ、毎年変動【有休取得】11.2／23日

●従業員数、勤続年数、離職率ほか●

【男女別従業員数、平均年齢、平均勤続年数】計 2,904 (38.2歳 14.1年) 男 1,846(37.9歳 13.7年) 女 1,058(38.6歳 14.8年)【離職率と離職者数】NA【3年後新卒定着率】NA【組合】あり

求める人材 変化を楽しめる人 向上心・向学心がある人 前向きな人

会社データ (金額は百万円)

【本社】103-6130 東京都中央区日本橋2-5-1 日本橋高島屋三井ビルディング

☎03-3517-8100 https://www.tokaitokyo-fh.jp/

【社長】佐藤 昌孝【設立】1929.6【資本金】36,000【今後力を入れる事業】金融プラットフォーム 東海東京デジタルNewワールド 地域サポートプログラム

【業績(連結)】	営業収益	営業利益	経常利益	純利益
22.3	80,975	9,881	12,979	13,150
23.3	73,383	3,159	6,346	1,953
24.3	89,201	15,304	18,397	10,189

おかさんしょうけん
岡三証券(株)

持株会社 傘下

【特色】独立系の準大手証券会社。ネット取引も展開

修士・大卒採用数	3年後離職率	有休取得年平均	平均年収(平均*41歳)
200名	NA	10.0日	[総]758万円

●エントリー情報と採用プロセス●

【受付開始～終了】[総]3月～継続中【採用プロセス】[総]Web適性検査・ES提出→面接(複数回)→内々定【交通費支給】なし

試験情報

重視科目 [総]面接

[総][ES]NA[筆]WebGAB OPQ[面]複数回(Webあり)

選考ポイント [総][ES]NA(提出あり)[面]職務適性 成長可能性

通過率 [総][ES]NA

倍率(応募/内定) [総]NA

●男女別採用数と配属先ほか●

【男女・文理別採用実績】

	大卒男	大卒女	修士男	修士女
23年	78(文 73 理 5)	60(文 58 理 2)	0(文 0 理 0)	0(文 0 理 0)
24年	107(文 98 理 9)	54(文 53 理 1)	4(文 2 理 2)	0(文 0 理 0)
25年	-(文 - 理 -)	-(文 - 理 -)	-(文 - 理 -)	-(文 - 理 -)

※25年:200名採用予定

【25年4月入社者の採用実績校】
[文](大)明大 立命館大 京産大各6 慶大 中大 日大 駒澤大 近大各5 専大4 他(理系含む) [理]文系に含む

【24年4月入社者の配属先】
[総]勤務地:国内各拠点 部署:NA

残業(月) 25.5時間 [総]27.9時間

記者評価 1923年創業。創業地の三重県周辺が地盤。岡三証券グループの中核企業。全国69拠点、海外2拠点を構える。21年に証券ジャパンを子会社化。高コスト体質の改善などを目的にグループ内企業の再編を実施中。新入社員には1年間の研修期間を設けている。

●給与、ボーナス、週休、有休ほか●

【30歳総合職平均年収】NA【初任給】(博士)250,000円 (修士)250,000円 (大卒)250,000円【ボーナス(年)】NA【25、30、35歳賃金】NA【週休】完全2日(土日祝)【夏期休暇】連続5営業日(「リフレッシュプラス5」制度)【年末年始休暇】12月31日～1月3日【有休取得】10.0／20日

●従業員数、勤続年数、離職率ほか●

【男女別従業員数、平均年齢、平均勤続年数】計 2,513 (41.1歳 11.0年) 男 1,745(43.0歳 11.1年) 女 768(38.0歳 9.1年)【離職率と離職者数】NA【3年後新卒定着率】NA【組合】あり

求める人材 シンプル・共感・やりきる

会社データ (金額は百万円)

【本社】103-0022 東京都中央区日本橋室町2-2-1

☎03-3272-2211 https://www.okasan.co.jp/recruit/

【社長】池田 嘉宏【設立】2003.4【資本金】18,589【今後力を入れる事業】NA

【業績(連結)】	営業収益	営業利益	経常利益	純利益
22.3	73,778	4,976	6,898	10,073
23.3	66,551	▲1,034	421	529
24.3	84,509	16,111	18,061	13,167

※資本金・業績は(株)岡三証券グループのもの

金融

まつい しょうけん 松井証券(株)

東京P 8628

【特色】独立系のネット証券大手。一日信用取引に特長

修士・大卒採用数	3年後離職率	有休取得年平均	平均年収(平均38歳)
8名	11.1→0%	16.4日	㊔916万円

●エントリー情報と採用プロセス●

【受付開始~終了】㊔3月~7月【採用プロセス】㊔ES提出(3月~)→座談会・GD(5月~)→面接・適性検査→面接→内々定(5月下旬~)【交通費支給】2次面接以降、会社基準

試験情報

重視科目 総 面接

総 ES⇒巻末 筆 なし 面 2回 GD作⇒巻末

選考ポイント 総 ES 基礎的な文章力 新しい視点 設問の意図に合ったアイディアが記載できているか 面 求める人物像との合致 ミッション・ビジョン・バリューへの共感 ソフトスキルなど

通過率 総 ES 68%(受付:197→通過:133)

倍率(応募/内定) 総 25倍

●男女別採用数と配属先ほか●

【男女・文理別採用実績】

	大卒男	大卒女	修士男	修士女
23年	6(文 5理 1)	6(文 6理 0)	0(文 0理 0)	0(文 0理 0)
24年	5(文 5理 0)	4(文 4理 0)	2(文 0理 2)	1(文 0理 1)
25年	4(文 3理 1)	4(文 3理 1)	0(文 0理 0)	0(文 0理 0)

【25年4月入社者の採用実績校】
文(大)一橋大 慶大 上智大 東京女大 青学大 早大各1 理(大)慶大 東京農業大各1

【24年4月入社者の配属先】
総 **勤務地**:東京10 札幌2 **部署**:顧客サポート2 金融市場2 マーケティング1 IT推進1 コンプライアンス1 システム1 投資メディア2 戦略企画部1 リスク管理部1

残業(月) 27.0時間 ㊔27.0時間

記者評価 創業100年超の老舗。日本で初めて本格的なネット証券取引を開始。顧客が自身の判断で金融取引を行うための仕組み作りに重点。一日信用取引、ダークプール利用など先進的サービス開発に強み。22年から米国株の取引に対応。FXや投信販売なども強化中。

●給与、ボーナス、週休、有休ほか●

【30歳総合職平均年収】NA【初任給】(博士)300,000円(修士)300,000円(大卒)300,000円【ボーナス(年)】NA、3.47カ月【25、30、35歳賃金】NA【週休】完全2日(土日祝)【夏期休暇】なし【年末年始休暇】12月31日~1月3日【有休取得】16.4/24日

●従業員数、勤続年数、離職率ほか●

【男女別従業員数、平均年齢、平均勤続年数】計 181(37.9歳 10.7年) 男 122(37.1歳 10.1年) 女 59(39.4歳 12.0年)【離職率と離職者数】5.2%、10名【3年後新卒定着率】100%(男100%、女100%、3年前入社:男3名・女6名)【組合】あり

求める人材 「投資をまじめに、おもしろく。」していける人 顧客起点 こだわり 進化 チームワーク

会社データ (金額は百万円)

【本社】102-8516 東京都千代田区麹町1-4
☎03-5216-0606 https://www.matsui.co.jp/
【社長】和里田 聰【設立】1931.3【資本金】11,945【今後力を入れる事業】証券ブローカー業 FX事業 米国株事業

【業績(単独)】	営業収益	営業利益	経常利益	純利益
22.3	30,616	12,772	12,791	11,439
23.3	31,071	11,349	11,253	7,823
24.3	40,207	15,165	15,054	9,790

しょうけん いちよし証券(株)

東京P 8624

【特色】中堅証券。中小型の新規公開株発掘に注力

修士・大卒採用数	3年後離職率	有休取得年平均	平均年収(平均45歳)
51名	NA	10.6日	㊔652万円

●エントリー情報と採用プロセス●

【受付開始~終了】㊔2月~継続中【採用プロセス】㊔説明会(任意)→ES提出→面接→Webテスト→面接(2回)→内々定【交通費支給】最終面接、地方の学生が東京・大阪で面接を受ける場合の新幹線、航空機、特急代【早期選考】⇒巻末

試験情報

重視科目 総 面接

総 ES⇒巻末 筆 ミキワメ 面 3回(Webあり)

選考ポイント 総 ES NA(提出あり) 面 誠実さ、コミュニケーション能力、チャレンジ精神など、お客様目線でまた会いたいと思える人か

通過率 総 ES 95%(受付:(早期選考含む)565→通過:(早期選考含む)538)

倍率(応募/内定) 総 (早期選考含む)4倍

●男女別採用数と配属先ほか●

【男女・文理別採用実績】

	大卒男	大卒女	修士男	修士女
23年	20(文 18理 2)	18(文 17理 1)	0(文 0理 0)	0(文 0理 0)
24年	23(文 23理 0)	18(文 18理 0)	0(文 0理 0)	1(文 1理 0)
25年	28(文 28理 0)	22(文 22理 0)	1(文 1理 0)	0(文 0理 0)

【25年4月入社者の採用実績校】文(院)千葉工大1(大)大阪商大3 明大 関大 岡山商大 大阪経大 関東学院大 近大各2 上智大 青学大 立教大 中大 同大 関西学大 立命館大 帝京大 東洋大 嘉悦大 関西外大 恵泉女学大 京都女大 駒沢女大 広島経大 高崎経大 桜美林大 新潟医療福祉大 神戸海星女学大 神奈川大 椙山女学大 摂南大 専大 大阪学大 大谷大 大東文化大 長崎大 東京女大 東洋英和女学大 二松学舎大 武蔵野大 文教大 北海商大 明学大 立正大各1(短)関西外大1(専)東京IT会計公務員1 理なし

【24年4月入社者の配属先】総 **勤務地**:東京(茅場町4 赤坂1 成城1 成増1)横浜1 千葉(千葉1 浦安1)名古屋4 埼玉・越谷1 長野(飯田1 伊那1)三重・伊勢1 京都・伏見2 神戸2 大阪(大阪2 難波2 今里2 針中野1 岸和田1 枚方2 八尾1)奈良(高田2 学園前1)和歌山・環1 岡山(岡山2 倉敷2)福岡・大牟田1 佐賀・武雄1 **部署**:営業40 業務管理3

残業(月) 16.2時間 ㊔16.2時間

記者評価 大阪発祥だが現在の軸足は首都圏。いちよし経済研究所を通じた中小型有望企業の調査・発掘に定評。売れる商品でも、売らない信念がモットー。子会社でIFA業務を展開。本部主導の営業目標廃止に取り組む。新入社員には1年間インストラクターがつき業務を指導。

●給与、ボーナス、週休、有休ほか●

【30歳総合職モデル年収】520万円【初任給】(修士)<全国転勤型>265,000円<地域限定型>253,000円(大卒)<全国転勤型>265,000円<地域限定型>253,000円【ボーナス(年)】NA【25、30、35歳賃金】NA【週休】完全2日(土日祝)【夏期休暇】連続9日(週休4日含む)取得を義務化。夏期以外でも取得可【年末年始休暇】12月31日~1月3日【有休取得】10.6/20日

●従業員数、勤続年数、離職率ほか●

【男女別従業員数、平均年齢、平均勤続年数】計 864(44.6歳 15.8年) 男 589(45.8歳 17.0年) 女 275(42.2歳 13.1年)【離職率と離職者数】NA【3年後新卒定着率】NA【組合】あり

求める人材 学び続けられる人 お客様に寄り添った仕事をしたい人 行動に移せる人 自己成長をしたい人 チャレンジをしたい人

会社データ (金額は百万円)

【本社】103-0025 東京都中央区日本橋茅場町1-5-8 東京証券会館
☎03-4346-4630 https://www.ichiyoshi.co.jp/
【社長】玉田 弘文【設立】1944.5【資本金】14,577【今後力を入れる事業】リテール営業

【業績(連結)】	営業収益	営業利益	経常利益	純利益
22.3	19,591	3,321	3,443	2,526
23.3	16,666	1,166	1,216	758
24.3	18,837	2,803	2,875	1,929

水戸証券(株)（みとしょうけん）

東京P 8622

【特色】茨城発祥。独立系で関東地盤の中堅証券会社

修士・大卒採用数	3年後離職率	有休取得年平均	平均年収(平均43歳)
65名	NA	14.6日	◇648万円

●エントリー情報と採用プロセス●

【受付開始～終了】[総]3月～未定【採用プロセス】[総]Web説明会(必須)→ES提出(3月～)→GW→Web適性検査→面接→面接・筆記→内々定【交通費支給】なし【早期選考】⇒巻末

試験情報

重視科目 [総]GW 面接

[総][ES]⇒巻末[筆]あり(内容NA)[面]2回(Webあり)[GD作]⇒巻末

選考ポイント [総][面]積極性 明るさ コミュニケーション能力 継続の熱意 他

通過率 [総][ES]選考なし(受付:NA)

倍率(応募/内定) [総]NA

●男女別採用数と配属先ほか●

【男女・文理別採用実績】

	大卒男	大卒女	修士男	修士女
23年	34(文 28理 6)	16(文 16理 0)	0(文 0理 0)	0(文 0理 0)
24年	60(文 59理 1)	10(文 10理 0)	0(文 0理 0)	0(文 0理 0)
25年	51(文 51理 0)	14(文 13理 1)	0(文 0理 0)	0(文 0理 0)

【25年4月入社者の採用実績校】
[文](大)専大5 東京経大 明星大各4 大東文化大 常磐大 日大各3 神奈川大 神田外語大 城西大 千葉商大 東洋大 武蔵野大各2 愛知大 茨城キリスト大 大阪国際大 京産大 甲南大 国士舘大 産能大 白百合女大 成城大 大正大 玉川大 中大 帝京大 東海大 常葉大 同女大 獨協大 白鴎大 法政大 放送大 武蔵大 明海大 明学大 立命館大 立正大 龍谷大 流経大 麗澤大 山梨学大 横浜商大各1 [理](大)東京農業大1(高専)米子1

【24年4月入社者の配属先】
[総]勤務地:茨城27 福島3 東京3 千葉10 神奈川4 栃木4 群馬5 埼玉14 部署:営業70

残業(月) 12.2時間

記者評価 茨城県を中心に関東一円に展開。地域密着型の対面営業が主体。近年は安定収益源の確保を目指して、投資信託やファンドラップの残高増加に力点を置く。事業承継・相続支援などを含めた関連サービスを強化。研修や資格取得の支援を進める。

●給与、ボーナス、週休、有休ほか●

【30歳総合職平均年収】NA【初任給】(博士)261,000円(修士)261,000円(大卒)261,000円【ボーナス(年)】NA【25、30、35歳賃金】NA【週休】完全2日(土日祝)【夏期休暇】リフレッシュ休暇(年5日)で取得【年末年始休暇】12月31日～1月3日【有休取得】14.6／20日

●従業員数、勤続年数、離職率ほか●

【男女別従業員数、平均年齢、平均勤続年数】計 726(43.4歳 18.3年) 男 519(44.4歳 19.1年) 女 207(41.0歳 16.3年)【離職率と離職者数】NA【3年後新卒定着率】NA【組合】あり

求める人材 自ら考え行動できる人材、あきらめずに挑戦し成長し続けられる人材、周囲と協働しチームに大きく貢献できる人材

会社データ (金額は百万円)

【本社】112-0002 東京都文京区小石川1-1-1 文京ガーデンゲートタワー
☎03-6739-0310 https://www.mito.co.jp/
【社長】小林 克徳【設立】1933.2【資本金】12,272【今後力を入れる事業】地域に密着しての対面営業

【業績(単独)】	営業収益	営業利益	経常利益	純利益
22.3	13,683	1,523	1,961	1,389
23.3	11,196	▲268	186	773
24.3	14,554	2,391	2,803	2,336

東洋証券(株)（とうようしょうけん）

東京P 8614

【特色】独立系の中堅証券。広島地盤。中国株の草分け

修士・大卒採用数	3年後離職率	有休取得年平均	平均年収(平均41歳)
42名	67.7→60.9%	9.0日	[総]675万円

●エントリー情報と採用プロセス●

【受付開始～終了】[総]3月～継続中【採用プロセス】[総]説明会(必須、3月～)→ES提出→Webテスト→オンライン面接(2回)→役員面接(1回)→内々定【交通費支給】面接(当初予定していた会場で面接ができなかった場合のみ)、全額【早期選考】⇒巻末

試験情報

重視科目 [総]面接

[総][ES]⇒巻末[筆]WebGAB 玉手箱 Webテスト(SHL社)[面]3回(Webあり)

選考ポイント [総][ES]NA(提出あり)[面]マナー 入社意欲 コミュニケーション能力 他

通過率 [総][ES]99%(受付:347→通過:343)

倍率(応募/内定) [総]8倍

●男女別採用数と配属先ほか●

【男女・文理別採用実績】※25年:24年7月24日時点

	大卒男	大卒女	修士男	修士女
23年	12(文 11理 1)	20(文 19理 1)	0(文 0理 0)	1(文 0理 1)
24年	32(文 32理 0)	4(文 4理 0)	0(文 0理 0)	1(文 1理 0)
25年	31(文 31理 0)	11(文 11理 0)	0(文 0理 0)	0(文 0理 0)

【25年4月入社者の採用実績校】[文](大)広島経大5 武蔵野大4 日大 東洋大 帝京大 高千穂大 近大各2 龍谷大 明大 北海商大 福岡大 武蔵大 桃山学大 東洋英和女学大 東京経大 津田塾大 大阪学大 専大 神戸女学大 神戸学大 駿河台大 十文字学女大 阪南大 甲南大 京都先端科学大 関大 関西国際大 下関市大 安田女大 愛知学大各1(短)聖和学園1 [理]なし

【24年4月入社者の配属先】[総]勤務地:東京(中央4 新宿2)横浜2 千葉・館山2 群馬・桐生2 茨城(日立3 つくば2)仙台2 名古屋2 静岡・藤枝1 大阪3 奈良2 広島(広島3 福山2 三原1 呉3)山口(山口2 宇部3 下関2) 部署:経理部門2 営業部門35 総務部門6

残業(月) 24.4時間 [総]24.4時間

記者評価 対面営業主体の中堅証券。創業の地である広島を中心に約30店舗を展開。93年に取り扱いを開始した中国株取引の草分け的存在。アジア系投信や米国株も扱う。地域ごとに専任営業員を配置する「地域担当制」導入。収益性改善に向け顧客基盤拡充と費用削減に専心。

●給与、ボーナス、週休、有休ほか●

【30歳総合職平均年収】514万円【初任給】(博士)256,000円(修士)256,000円(大卒)256,000円【ボーナス(年)】133万円、3.8カ月【25、30、35歳賃金】298,765円→360,678円→474,146円【週休】完全2日(土日祝)【夏期休暇】連続9日(特別有休3日、有休2日含む)【年末年始休暇】12月31日～1月3日【有休取得】9.0／20日

●従業員数、勤続年数、離職率ほか●

【男女別従業員数、平均年齢、平均勤続年数】計 646(43.0歳 18.1年) 男 450(43.3歳 19.5年) 女 196(42.8歳 14.9年)【離職率と離職者数】12.3%、91名【3年後新卒定着率】39.1%(男37.0%、女42.1%、3年前入社:男27名・女19名)【組合】あり

求める人材 チャレンジ精神を持ち、前向きに取り組める人

会社データ (金額は百万円)

【本社】104-8678 東京都中央区八丁堀4-7-1
☎03-5117-1040 https://www.toyo-sec.co.jp/
【社長】小川 憲洋【設立】1934.4【資本金】13,494【今後力を入れる事業】リテール営業力の強化および周辺ビジネスの開拓

【業績(連結)】	営業収益	営業利益	経常利益	純利益
22.3	10,863	▲180	579	875
23.3	8,341	▲2,167	▲1,660	▲2,955
24.3	12,023	1,153	1,437	1,305

金融

みつびしユーエフジェイ
三菱ＵＦＪアセットマネジメント㈱

株式公開 計画なし

【特色】MUFG傘下。グループ資産運用業務の中核

修士・大卒採用数	3年後離職率	有休取得年平均	平均年収(平均43歳)
26名	9.4→4.3%	13.9日	NA

●エントリー情報と採用プロセス●

【受付開始～終了】[総]3月～5月【採用プロセス】[総]ES提出・Webテスト→面接(3回)→内々定(6月)【交通費支給】最終面接以降、新幹線・飛行機利用分

試験情報

重視科目 [総]面接

[総][ES]⇒巻末[筆]TAP[面]3回(Webあり)

選考ポイント [総][面]NA

通過率 [総][ES]選考なし(受付:884)

倍率(応募/内定) [総]34倍

●男女別採用数と配属先ほか●

【男女・文理別採用実績】

	大卒男	大卒女	修士男	修士女
23年	8(文 8 理 0)	10(文 10 理 0)	3(文 0 理 3)	0(文 0 理 0)
24年	6(文 5 理 1)	11(文 10 理 1)	2(文 0 理 2)	0(文 0 理 0)
25年	11(文 10 理 1)	7(文 7 理 0)	6(文 0 理 6)	2(文 0 理 2)

【25年4月入社者の採用実績校】
[文](大)慶大 上智大各3 早大 中大 東理大 九大 阪大 一橋大 東大 立教大 横国大 神戸大 ケント大各1 [理](院)東京科学大3 東大2 筑波大 早大 神戸大各1(大)阪大1

【24年4月入社者の配属先】
[総]勤務地:東京・汐留19 部署:マーケティング2 運用11 管理6

残業(月) 28.7時間 [総]28.7時間

記者評価 日本最古の投信会社・旧山一投信を系譜に持つ三菱UFJ投信と国際投信投資顧問が15年合併して発足。運用資産残高は38兆円(24年3月)。23年10月、MU投資顧問の有価証券運用機能などを継承し、現社名に商号変更。24年4月、三菱UFJ信託傘下からMUFG持株直下に。

●給与、ボーナス、週休、有休ほか●

【30歳総合職平均年収】NA【初任給】(修士)297,800円(大卒)281,300円【ボーナス(年)】NA【25、30、35歳賃金】NA【週休】完全2日(土日祝)【夏期休暇】連続5日(特別休暇3日、有休2日)【年末年始休暇】12月31日～1月3日【有休取得】13.9／20日

●従業員数、勤続年数、離職率ほか●

【男女別従業員数、平均年齢、平均勤続年数】計 839(42.7歳 13.5年) 男 494(44.3歳 13.3年) 女 345(40.3歳 13.9年)【離職率と離職者数】2.7%、23名【3年後新卒定着率】95.7%(男100%、女91.7%、3年前入社:男11名・女12名)【組合】あり

求める人材 チャレンジ精神に富んだ人材 責任感とリーダーシップを持つ人材 知的好奇心が高い人材

会社データ (金額は百万円)

【本社】105-0021 東京都港区東新橋1-9-1 東京汐留ビルディング
☎03-4223-3000 https://www.am.mufg.jp/
【社長】横川 直【設立】1985.8【資本金】2,000【今後力を入れる事業】NA

【業績(単独)】	営業収益	営業利益	経常利益	純利益
22.3	82,702	15,551	17,011	12,150
23.3	86,882	14,263	15,012	10,342
24.3	101,901	15,859	15,975	10,537

だいいちせいめいほけん
第一生命保険㈱

持株会社 傘下

【特色】民間生保4強で唯一の株式会社。海外拡大基調

修士・大卒採用数	3年後離職率	有休取得年平均	平均年収(平均46歳)
149名	NA	15.2日	NA

●エントリー情報と採用プロセス●

【受付開始～終了】[総]3月～継続中【採用プロセス】[総]ES提出(3月～)→Webテスト(4月～)→面接(約3回、6月～)→内々定(6月～)【交通費支給】最終面接以降、飛行機・新幹線代等の実費

試験情報

重視科目 [総]面接

[総][ES]⇒巻末[筆]SPI3(会場) SPI3(自宅) SPI性格[面]約3回(Webあり)

選考ポイント [総][ES]学生時代の取り組み等の記載内容から、能力・適性・意欲等を総合的に判断[面]学生時代の取り組み等を聞くことにより、能力・適性・意欲等を総合的に判断

通過率 [総][ES]NA

倍率(応募/内定) [総]NA

●男女別採用数と配属先ほか●

【男女・文理別採用実績】

	大卒男	大卒女	修士男	修士女
23年	43(文 41 理 2)	50(文 48 理 2)	13(文 3 理 10)	0(文 0 理 0)
24年	60(文 58 理 2)	61(文 57 理 4)	17(文 2 理 15)	0(文 0 理 0)
25年	58(文 48 理 10)	56(文 53 理 3)	32(文 9 理 23)	3(文 2 理 1)

※基幹職のみ 25年:24年7月下旬時点

【25年4月入社者の採用実績校】
[文]NA [理]NA

【24年4月入社者の配属先】
[総]勤務地:全国各地の事業所 部署:各部 支社およびグループ会社

残業(月) 5.5時間 [総]5.5時間

記者評価 1902年国内初の相互会社として発足。みずほGと緊密。米国生保の買収など海外展開で先行。ダイバーシティ経営を推進。16年に持株会社体制に移行。第一生命グループのフロンティア生命を中心に外貨建て保険の販売好調。親会社は海外一段活発。

●給与、ボーナス、週休、有休ほか●

【30歳総合職平均年収】NA【初任給】(博士)<基幹総合職(G型)>334,140円<基幹総合職(R型)>290,550円 (修士)<基幹総合職(G型)>334,140円<基幹総合職(R型)>290,550円 (大卒)<基幹総合職(G型)>321,410円<基幹総合職(R型)>279,480円【ボーナス(年)】NA【25、30、35歳賃金】NA【週休】完全2日(土日祝)【夏期休暇】連続7日以上【年末年始休暇】連続4日【有休取得】15.2／20日

●従業員数、勤続年数、離職率ほか●

【男女別従業員数、平均年齢、平均勤続年数】計 8,582(46.1歳 16.5年) 男 2,399(47.3歳 23.4年) 女 6,183(45.6歳 13.8年)【離職率と離職者数】NA【3年後新卒定着率】NA【組合】あり

求める人材 常にお客さま・マーケット視点を持ち、果敢に挑戦する人財 つながりを活かし、価値を創造する人財 圧倒的な当事者意識を持つ人財

会社データ (金額は百万円)

【本社】100-8411 東京都千代田区有楽町1-13-1 第一生命日比谷ファースト
☎03-3216-1211 https://www.dai-ichi-life.co.jp/
【社長】隅野 俊亮【設立】(創立)1902.9【資本金】60,000【今後力を入れる事業】国内・海外生命保険事業 資産運用事業

【業績(連結)】	経常収益	保険料等収入	経常利益	純利益
22.3	8,209,708	5,291,973	590,897	409,353
23.3	9,508,766	6,654,426	387,500	173,735
24.3	11,028,166	7,526,357	539,006	320,765

※業績は第一生命ホールディングス㈱のもの
※データは全て基幹職のもの

▶『業界地図』p.148, 169

日本生命保険(相)

[株式公開していない]

【特色】関西発祥の生保最大手。財閥に属さず独立色

修士・大卒採用数	3年後離職率	有休取得年平均	平均年収(平均45歳)
NA	NA	18.2日	NA

●エントリー情報と採用プロセス●

【受付開始～終了】[総]3月～継続中【採用プロセス】[総]ES提出→Webテスト・面接(複数回)→内々定【交通費支給】人事面接、遠方者のみ実費【早期選考】⇒巻末

試験情報

重視科目 [総]面接

[総][ES]⇒巻末[筆]SPI3(会場) SPI性格 DIST[面]複数回(Webあり)[GD作]NA

選考ポイント [総][ES]学生時代の取組みを通じて、能力・適性・意欲等を評価[面]能力・適性・意欲に加え、本人の人柄やコミュニケーション能力等を評価

通過率 [総][ES]NA

倍率(応募/内定) [総]NA

●男女別採用数と配属先ほか●

【男女・文理別採用実績】

	大卒男	大卒女	修士男	修士女
23年	NA(文NA 理NA)	NA(文NA 理NA)	NA(文NA 理NA)	NA(文NA 理NA)
24年	NA(文NA 理NA)	NA(文NA 理NA)	NA(文NA 理NA)	NA(文NA 理NA)
25年	NA(文NA 理NA)	NA(文NA 理NA)	NA(文NA 理NA)	NA(文NA 理NA)

【25年4月入社者の採用実績校】

[文]東大 一橋大 東京科学大 早大 慶大 上智大 明大 青学大 立教大 中大 法政大 学習院大 東理大 京大 阪大 神戸大 同大 立命館大 関西学大 関大 大阪公大 北大 小樽商大 東北大 名大 九大 他(理系含む)[理]文系に含む

【24年4月入社者の配属先】

[総]勤務地:本店本部(大阪 東京)支社(全国主要都市) 部署:本店本部(大阪 東京)支社(全国主要都市)

残業(月) NA

記者評価 国内民間生保の最大手。相互会社経営を堅持。営業職員チャネルや死亡保障保険の販売力は強大。資本の厚みなど安定性も強固。メガ損保のMS＆ADグループのあいおいニッセイ同和損保と親密。国際金融大手と幅広く提携。23年11月介護大手ニチイ学館の親会社を買収。

●給与、ボーナス、週休、有休ほか●

【30歳総合職平均年収】NA【初任給】(博士)246,000円(修士)246,000円(大卒)246,000円〈エリア総合職〉226,000円【ボーナス(年)】NA【25、30、35歳賃金】NA【週休】完全2日【夏期休暇】連続1週間程度(有休利用)【年末年始休暇】12月31日～1月3日【有休取得】18.2／21日

●従業員数、勤続年数、離職率ほか●

【男女別従業員数、平均年齢、平均勤続年数】計 20,135(45.4歳 14.3年) 男 6,191(44.2歳 17.9年) 女 13,944(46.0歳 12.7年) ※内勤職員のみ【離職率と離職者数】NA【3年後新卒定着率】NA【組合】あり

求める人材 自らの可能性を信じ、努力し、夢を実現しようとする人 世の中に尽くす志を持つ人

会社データ (金額は百万円)

【本社】541-8501 大阪府大阪市中央区今橋3-5-12
☎06-6209-4500 https://www.nissay.co.jp/
【社長】清水 博【設立】1889.7【基金等】1,450,000【今後力を入れる事業】NA

【業績(単独)】	保険料等収入	基礎利益	経常利益	純剰余
22.3	4,307,975	796,654	493,205	351,873
23.3	4,647,991	498,828	247,884	187,453
24.3	5,297,399	708,743	654,562	512,077

(株)かんぽ生命保険

[東京P 7181]

【特色】日本郵政傘下の生命保険会社。15年に上場

修士・大卒採用数	3年後離職率	有休取得年平均	平均年収(平均44歳)
未定	12.7→14.8%	18.9日	◇634万円

●エントリー情報と採用プロセス●

【受付開始～終了】[総]3月～5月【採用プロセス】[総]ES提出(3月上旬～5月中旬)→適性検査(3月上旬～5月下旬)→面接(6月上旬～下旬)→内々定(6月上旬～)【交通費支給】総合職のみ1次面接以降、会社基準

試験情報

重視科目 [総]面接

[総][ES]⇒巻末[筆]あり(内容NA)[面]NA(Webあり)

選考ポイント [総][ES]NA(提出あり)[面]誠実さ 情熱と高い志を持っているか 失敗を恐れずチャレンジできるか

通過率 [総][ES]NA

倍率(応募/内定) [総]NA

●男女別採用数と配属先ほか●

【男女・文理別採用実績】

	大卒男	大卒女	修士男	修士女
23年	228(文219 理 9)	109(文107 理 2)	8(文 1 理 7)	0(文 0 理 0)
24年	171(文158 理 13)	58(文 55 理 3)	4(文 2 理 2)	0(文 0 理 0)
25年	-(文 - 理 -)	-(文 - 理 -)	-(文 - 理 -)	-(文 - 理 -)

【25年4月入社者の採用実績校】

[文]NA [理]NA

【24年4月入社者の配属先】

[総]勤務地:北海道2 東北1 関東3 東京8 南関東2 信越1 北陸1 東海2 近畿4 四国1 中国2 九州2 部署:商品開発2 主計3 デジタルサービス推進3 支店21

残業(月) 9.2時間

記者評価 郵政民営化で07年に誕生。旧郵政公社の簡易保険業務を継承。アフラックや第一生命と提携。15年11月に日本郵政やゆうちょ銀行と同時上場。販売は郵便局ネットワーク軸。21～22年に大規模な自己株買い実施、郵政の議決権比率5割切り、完全民営化への移行進む。

●給与、ボーナス、週休、有休ほか●

【30歳総合職平均年収】NA【初任給】(博士)220,500～246,960円(修士)220,500～246,960円(大卒)212,500～238,000円【ボーナス(年)】NA【25、30、35歳賃金】NA【週休】4週8休【夏期休暇】1日【年末年始休暇】12月31日～1月3日(別途冬期休暇1日)【有休取得】18.9／20日

●従業員数、勤続年数、離職率ほか●

【男女別従業員数、平均年齢、平均勤続年数】計 18,427(43.9歳 18.5年) 男 14,088(45.3歳 19.7年) 女 4,339(39.5歳 14.3年)【離職率と離職者数】2.6%、494名(早期退職男31名、女11名含む)【3年後新卒定着率】85.2%(男95.0%、女76.5%、3年前入社:男60名・女68名)【組合】あり

求める人材 「誠実」で、「情熱」と「高い志」を持ち、失敗を恐れず「チャレンジ」する人材

会社データ (金額は百万円)

【本社】100-8794 東京都千代田区大手町2-3-1 大手町プレイスウエストタワー
☎03-3477-0111 https://www.jp-life.japanpost.jp/
【社長】谷垣 邦夫【設立】2006.9【資本金】500,000【今後力を入れる事業】顧客ニーズに合致した保険商品の開発

【業績(連結)】	経常収益	保険料等収入	経常利益	純利益
22.3	6,454,208	2,418,979	356,113	158,062
23.3	6,379,561	2,200,945	117,570	97,614
24.3	6,744,134	2,484,007	161,173	87,056

明治安田生命保険（相）

めいじやすだせいめいほけん

[株式公開していない]

【特色】明治と安田の合併で誕生。業界上位、団保首位

修士・大卒採用数	3年後離職率	有休取得年平均	平均年収(平均NA)
約300名	NA	NA	NA

●エントリー情報と採用プロセス●

【受付開始～終了】[総]3月～未定【採用プロセス】[総]ES提出(3月～)→Webテスト→動画選考→人事面談(複数回)→最終面接→内々定【交通費支給】最終面接、遠方者に全額

試験情報

[重視科目] [総]面接 ES 適性検査 Webテスト

[総][ES]⇒巻末[筆]SPI3(会場)[面]3回(Webあり)

[選考ポイント] [総][ES]求める人財と合致しているか 志望動機が具体的か 文章の構成 他[面]NA

[通過率] [総][ES]NA

[倍率(応募/内定)] [総]NA

●男女別採用数と配属先ほか●

【男女・文理別採用実績】

	大卒男	大卒女	修士男	修士女
23年	151(文139 理 12)	133(文126 理 7)	12(文 6 理 6)	4(文 2 理 2)
24年	223(文NA 理NA)	111(文NA 理NA)	NA(文NA 理NA)	NA(文NA 理NA)
25年	-(文 - 理 -)	-(文 - 理 -)	-(文 - 理 -)	-(文 - 理 -)

※25年:約300名採用予定

【25年4月入社者の採用実績校】

[文]NA [理]NA

【24年4月入社者の配属先】

[総]勤務地:全国各地の事業所 部署:本社および全国各地の支社・法人部

[残業(月)] NA

[記者評価] 三菱系の明治生命と芙蓉系の安田生命との合併で誕生。団体保険首位。16年に米国団保上位のスタンコープ社買収。ポーランドのオイロパ社に約50%出資。21年に契約社員約2500人のうち希望者全員を正社員化。25年6月末までに米団保のアメリカンヘリテージ買収へ。

●給与、ボーナス、週休、有休ほか●

【30歳総合職平均年収】NA【初任給】【ボーナス(年)】NA【25、30、35歳賃金】NA【週休】2日(土日祝)【夏期休暇】あり【年末年始休暇】あり【有休取得】NA／23日

●従業員数、勤続年数、離職率ほか●

【男女別従業員数、平均年齢、平均勤続年数】計 47,140(NA) 男 NA 女 NA【離職率と離職者数】NA【3年後新卒定着率】NA【組合】あり

[求める人材] 明治安田フィロソフィーを体現できる人財 お客さまを大切にし、高い倫理感のもと行動する人財 果敢に挑戦し、新しい価値を創造する人財 働く仲間と互いに助け合い、共に成長する人財

[会社データ] (金額は百万円)

【本社】100-0005 東京都千代田区丸の内2-1-1

☎03-3283-8111 https://www.meijiyasuda.co.jp/

【社長】永島 英器【設立】1881.7【基金等】NA【今後力を入れる事業】生保を中心とした金融関連の各分野

【業績(単独)】	保険料等収入	基礎利益	経常利益	純剰余
22.3	2,443,588	NA	248,377	185,926
23.3	3,203,693	NA	283,055	104,146
24.3	2,827,246	NA	231,010	164,714

※データは全て営業職員を除いたもの

住友生命保険（相）

すみともせいめいほけん

[株式公開していない]

【特色】民間生保大手4強の一角。大型M＆Aで米国進出

修士・大卒採用数	3年後離職率	有休取得年平均	平均年収(平均46歳)
270名	NA	21.1日	NA

●エントリー情報と採用プロセス●

【受付開始～終了】[総]3月～継続中【採用プロセス】[総]ES提出→SPI・自己PR動画提出→面接→内々定【交通費支給】最終面談以降、遠方者に飛行機・新幹線代などの実費【早期選考】⇒巻末

試験情報

[重視科目] [総]面接

[総][ES]⇒巻末[筆]SPI3(会場)[面]4～5回(Webあり)

[選考ポイント] [総][ES]NA(提出あり)[面]学生時代の取り組みを聞くことにより、能力・適性・意欲を判断

[通過率] [総][ES]NA

[倍率(応募/内定)] [総]NA

●男女別採用数と配属先ほか●

【男女・文理別採用実績】

	大卒男	大卒女	修士男	修士女
23年	64(文 59 理 5)	61(文 57 理 4)	7(文 1 理 6)	2(文 1 理 1)
24年	55(文 50 理 5)	96(文 94 理 2)	8(文 1 理 7)	5(文 2 理 3)
25年	125(文121 理 4)	130(文126 理 4)	9(文 2 理 7)	6(文 3 理 3)

※25年:継続中

【25年4月入社者の採用実績校】

[文](院)東大 一橋大 慶大 立命館大各1(大)同大14 早大11 青学大 関西学大 中大各10 関大9 慶大 明大各8 法政大6 東大 小樽商大各5 立命館大 横浜市大各4 立教大 東北大 甲南大 阪大 大阪公大 学習院大各3 一橋大 和歌山大 日大 上智大 神戸大 山口大各2 京産大 兵庫県大 九大 滋賀大 西南学大 北大 中京大 専大 南山大 埼玉大 立命館APU 鹿屋体大 京大 名大 都立大 武蔵大 成蹊大各1 [理](院)京大5 東大3 東京科学大 慶大各1(大)京大 名大 関西学大 明大各1

【24年4月入社者の配属先】

[総]勤務地:全国47都道府県 部署:全国支社および本社

[残業(月)] NA

[記者評価] 後発ながら営業力の強さ生かし国内生保4強の一角に。米生保シメトラ・フィナンシャルを16年に買収、米国本格進出。来店型保険ショップも展開、販売チャンネルの多角化を進める。若手・女性積極登用。23年2月東京本社を東京ミッドタウン八重洲に移転。

●給与、ボーナス、週休、有休ほか●

【30歳総合職平均年収】NA【初任給】(大卒)235,000円【ボーナス(年)】NA【25、30、35歳賃金】NA【週休】完全2日(土日祝)【夏期休暇】連続5日(有休で取得)【年末年始休暇】12月31日～1月3日【有休取得】21.1／29日

●従業員数、勤続年数、離職率ほか●

【男女別従業員数、平均年齢、平均勤続年数】計 8,257(45.6歳 18.3年) 男 3,480(46.0歳 22.2年) 女 4,777(45.3歳 15.5年)【離職率と離職者数】NA【3年後新卒定着率】NA【組合】あり

[求める人材] 高い志を持って何事にもチャレンジし、自己変革できる人

[会社データ] (金額は百万円)

【本社】540-8512 大阪府大阪市中央区城見1-4-35

☎06-6937-1435 https://www.sumitomolife.co.jp/

【社長】高田 幸徳【設立】1907.5【基金等】689,000【今後力を入れる事業】豊かで明るい長寿社会の実現を推進

【業績(単独)】	保険料等収入	基礎利益	経常利益	純剰余
22.3	2,143,199	333,397	145,962	58,342
23.3	2,216,429	236,366	61,852	147,204
24.3	2,182,842	261,745	147,276	71,946

※データは総合キャリア職・ビジネスキャリア職のもの

ソニー生命保険(株)

株式公開していない

【特色】ソニーの金融グループ中核。コンサル営業に定評

修士・大卒採用数	3年後離職率	有休取得年平均	平均年収(平均NA)
36名	5.1→21.7%	12.3日	NA

●エントリー情報と採用プロセス●

【受付開始～終了】[総]3月～7月【採用プロセス】[総]Webテスト・ES提出→面接(複数回)→内々定【交通費支給】最終面接、会社基準

試験情報

重視科目 [総]面接

[総][ES]⇒巻末[筆]WebGAB[面]複数回(Webあり)

選考ポイント [総][ES]NA(提出あり)[面]問題解決力 コミュニケーション能力 価値観の合致 他

通過率 [総][ES]NA

倍率(応募/内定) [総]28倍

●男女別採用数と配属先ほか●

【男女・文理別採用実績】

	大卒男	大卒女	修士男	修士女
23年	16(文 15理 1)	10(文 10理 0)	5(文 2理 3)	1(文 0理 1)
24年	19(文 15理 4)	12(文 12理 0)	3(文 0理 3)	1(文 0理 1)
25年	18(文 16理 2)	12(文 12理 0)	6(文 2理 4)	0(文 0理 0)

【25年4月入社者の採用実績校】

[文](院)一橋大 早大各1(大)明大4 慶大 中大各3 青学大 法政大 立教大各2 お茶女大 関西学大 学習院大 昭和女大 静岡県大 高崎経大 千葉大 都立大 東理大 同大 立命館大 早大各1 [理](院)金沢大 筑波大 北大 明大各1(大)阪大 東京科学大各1

【24年4月入社者の配属先】

[総]勤務地:<本社>東京(大手町21 外苑前4)札幌2 <代理店営業拠点>東京3 大阪2 福岡2 愛知1 部署:代理店営業8 営業統轄本部5 法人戦略本部1 数理/ALM5 保険のペレーション本部4 総合管理本部2 ITデジタル戦略本部3 資産運用部門1 企画管理部門6

残業(月) NA

記者評価 ソニーフィナンシャルG傘下。プルデンシャル生命との合弁で出発したが、1987年合弁解消。23年度末の保有契約高66兆5861億円。5500人強を擁する「ライフプランナー」(登録商標)のコンサル営業に特徴。リモートコンサルも推進。全国133支社・39営業所を配置。

●給与、ボーナス、週休、有休ほか●

【30歳総合職平均年収】NA【初任給】(修士)268,000円(大卒)250,000円【ボーナス(年)】NA【25、30、35歳賃金】NA【週休】完全2日(土日祝)【夏期休暇】なし【年末年始休暇】12月31日～1月3日【有休取得】12.3/20日

●従業員数、勤続年数、離職率ほか●

【男女別従業員数、平均年齢、平均勤続年数】計 9,373(NA) 男 7,506(NA) 女 1,867(NA)【離職率と離職者数】NA【3年後新卒定着率】78.3%(男80.0%、女76.2%、3年前入社:男25名・女21名)【組合】なし

求める人材 自ら考え、自ら行動できる自律した人材

会社データ (金額は百万円)

【本社】100-8179 東京都千代田区大手町1-9-2 大手町フィナンシャルグランキューブ

☎03-5290-6100 https://www.sonylife.co.jp/

【社長】高橋 薫【設立】1979.8【資本金】70,000【今後力を入れる事業】サービス品質・経営品質・非財務価値向上

【業績(単独)】	保険料等収入	基礎利益	経常利益	純利益
22.3	1,377,393	132,222	53,673	19,050
23.3	1,473,844	119,648	95,392	100,770
24.3	1,743,977	185,943	26,115	13,579

アフラック生命保険(株)

株式公開していない

【特色】米Aflacの日本法人。がん保険草分けでシェア圧倒的

修士・大卒採用数	3年後離職率	有休取得年平均	平均年収(平均42歳)
90名	9.5→10.0%	17.0日	NA

●エントリー情報と採用プロセス●

【受付開始～終了】[総]3月～7月【採用プロセス】[総]ES提出→筆記・Web試験→GD→面接(2～3回)→内々定【交通費支給】全ての面接、遠方者のみ会場までの往復

試験情報

重視科目 [総]面接

[総][ES]⇒巻末[筆]SPI3(会場) デザイン思考テスト リーディングスキルテスト[面]2～3回(Webあり)[GD作]⇒巻末

選考ポイント [総][ES]NA(提出あり)[面]学生時代の取り組み等を聞き、能力・適性・意欲等を総合的に判断

通過率 [総][ES]68%(受付:2,060→通過:1,409)

倍率(応募/内定) [総]19倍

●男女別採用数と配属先ほか●

【男女・文理別採用実績】

	大卒男	大卒女	修士男	修士女
23年	16(文 15理 1)	26(文 23理 3)	6(文 3理 3)	3(文 1理 2)
24年	48(文 45理 3)	33(文 32理 1)	3(文 0理 3)	0(文 0理 0)
25年	40(文 35理 5)	40(文 35理 5)	5(文 1理 4)	5(文 1理 4)

※25年:計画数

【25年4月入社者の採用実績校】

[文]NA [理]NA

【24年4月入社者の配属先】

[総]勤務地:東京および全国主要都市(主に県庁所在地) 部署:営業・マーケティング59 契約サービス16 IT2 ファイナンス・数理5 法務1 人財戦1

残業(月) 26.8時間 [総]26.8時間

記者評価 1974年日本初のがん保険を発売。同保険と医療保険で国内トップ。個人保険・年金の保有契約件数は2269万件(24年3月末)。360の金融機関のほか、日本郵政グループ、第一生命、大同生命と提携。志望領域が明確な新卒社員を希望部署に配属する「WING制度」導入。

●給与、ボーナス、週休、有休ほか●

【30歳総合職平均年収】NA【初任給】(修士)271,000円(大卒)271,000円【ボーナス(年)】NA【25、30、35歳賃金】NA【週休】完全2日(土日祝)【夏期休暇】連続5営業日(有休で取得)【年末年始休暇】12月31日～1月3日【有休取得】17.0/20日

●従業員数、勤続年数、離職率ほか●

【男女別従業員数、平均年齢、平均勤続年数】計 4,874(42.0歳 14.2年) 男 2,402(42.6歳 15.0年) 女 2,472(41.4歳 13.5年)【離職率と離職者数】NA【3年後新卒定着率】90.0%(男89.3%、女90.6%、3年前入社:男28名・女32名)【組合】なし

求める人材 「生きる」にまつわる社会的課題に向き合い、高い志と情熱で、新たな挑戦をし、やり遂げる、「意欲」と「能力」のある人財

会社データ (金額は百万円)

【本社】163-0422 東京都新宿区西新宿2-1-1 新宿三井ビル

☎03-5908-6410 https://www.aflac.co.jp/

【社長】古出 眞敏【設立】2018.4【資本金】30,000【今後力を入れる事業】第三分野を中心とする生保事業

【業績(単独)】	保険料等収入	基礎利益	経常利益	純利益
22.3	1,320,326	360,527	366,814	260,695
23.3	1,294,241	375,944	497,857	354,674
24.3	1,295,082	453,452	602,062	425,901

大樹生命保険(株)

たいじゅせいめいほけん

株式公開していない

【特色】旧三井生命。日本生命の子会社。業界中堅

修士・大卒採用数	3年後離職率	有休取得年平均	平均年収(平均44歳)
118名	17.5 → 11.1%	14.7日	総 919万円

残業(月) 10.0時間 総 26.5時間

記者評価 1914年創業の高砂生命が母体。財務基盤の低下で三井住友FGの資本支援など受け、04年相互会社から株式会社に。日本生命と16年経営統合。19年4月主力商品名から現社名に。有価証券運用機能の一部を日生の資産運用子会社に移管。入社5年以内層の育成強化を加速。

●エントリー情報と採用プロセス●

【受付開始～終了】総3月～継続中【採用プロセス】総ES提出(3月～)→テストセンター・面接(複数回)→内々定(6月初旬～)【交通費支給】対面面接、遠方者のみ一部

試験情報

重視科目 総面接

総 ES⇒巻末 筆SPI3(会場) リスクチェッカー 面複数回(Webあり)

選考ポイント 総 ES読み手に伝えようとする姿勢が見られるか 面学生時代の取り組み等を聞くことにより、能力・適性・意欲等を総合的に判断

通過率 総 ES NA(受付:1,058→通過:NA)

倍率(応募/内定) 総9倍

●男女別採用数と配属先ほか●

【男女・文理別採用実績】

	大卒男	大卒女	修士男	修士女
23年	42(文 40理 2)	9(文 8理 1)	1(文 1理 0)	1(文 0理 1)
24年	53(文 50理 3)	22(文 22理 0)	2(文 0理 2)	0(文 0理 0)
25年	84(文 80理 4)	28(文 26理 2)	6(文 1理 5)	0(文 0理 0)

【25年4月入社者の採用実績校】文(院)皇學館大1(大)同大 早大各9 明大8 関西学大7 中大6 法政大5 國學院大 専大 立命館大 学習院大各4 駒澤大 日大 東洋大 明学大 成城大 龍谷大 亜大 成蹊大 青学大各3 東京国際大 名城大 近大各2 奈良大 新潟大 二松学舎大 北海商大 大阪教大 鹿屋体大 中京大 大阪市大 北大 愛知学大 埼玉大 東京女大 武蔵大各1 理(院)神戸大 千葉大 京大 関西学大 東大各1(大)東理大 東京農業大 横国大 関大 龍谷大 熊本大各1

【24年4月入社者の配属先】総勤務地:本社39 全国支社・営業部38 部署:支社配属38 数理3 商品数理1 法務3 主計1 財務リスク統括1 法人サポート1 運用審査3 組織超育成1 採用推進強化1 業務推進1 営業力強化1 契約・医務1 営業人材開発室21

●給与、ボーナス、週休、有休ほか●

【30歳総合職モデル年収】800万円【初任給】(修士)〈総合職〉303,000円(試用期間4～6月は263,000円)〈エリア総合職〉268,000円(試用期間4～6月は238,000円)(大卒)〈総合職〉275,000円(試用期間4～6月は235,000円)〈エリア総合職〉240,000円(試用期間4～6月は210,000円)【ボーナス(年)】NA【25、30、35歳賃金】NA【週休】完全2日(土日祝)【夏期休暇】連続7日(土日祝・夏季特別休暇4日含む)【年末年始休暇】12月31日～1月3日【有休取得】14.7/20日

●従業員数、勤続年数、離職率ほか●

【男女別従業員数、平均年齢、平均勤続年数】計 3,976(47.4歳 17.8年) 男 1,692(46.7歳 20.7年) 女 2,284(48.0歳 15.6年) ※内勤職員のみ【離職率と離職者数】4.9%、204名【3年後新卒定着率】88.9%(男92.6%、女77.8%、3年前入社:男54名・女18名)【組合】あり

求める人材 お客さま本位の実現に向け自己成長の取組やコミュニケーションを明るく積極的に行う人

会社データ (金額は百万円)

【本社】135-8222 東京都江東区青海1-1-20
☎03-6831-8000 https://www.taiju-life.co.jp/
【社長】吉村 俊哉【設立】1927.3【資本金】167,280【今後力を入れる事業】保障中核層への顧客ニーズにそった生命保険商品の販売

【業績(単独)】	保険料等収入	基礎利益	経常利益	純利益
22.3	498,644	46,681	39,489	702
23.3	884,896	20,480	20,841	4,922
24.3	928,896	17,141	▲24,454	▲52,764

アクサ生命保険(株)

せいめいほけん

株式公開していない

【特色】仏保険最大手AXAグループの在日拠点。業界中堅

修士・大卒採用数	3年後離職率	有休取得年平均	平均年収(平均45歳)
36名	27.8 → 21.9%	15.0日	NA

残業(月) 総 21.0時間

記者評価 00年日本団体生命との経営統合で発足した共同持株会社が母体。14年アクサジャパンHDが生保免許取得し、旧アクサ生命吸収し社名継承。19年アクサHDジャパン設立、その傘下に。商工会議所チャネルに強み。24年4月HD傘下のアクサダイレクト生命と合併。

●エントリー情報と採用プロセス●

【受付開始～終了】総3月～継続中【採用プロセス】総ES・Webテスト(3月～)→面接(3～4回、4月～)→内々定(6月～)【交通費支給】最終面接、実費(遠方の場合)【早期選考】⇒巻末

試験情報

重視科目 総面接

総 ES⇒巻末 筆あり(内容NA) 面3～4回(Webあり)

選考ポイント 総 ES NA(提出あり) 面NA

通過率 総 ES NA

倍率(応募/内定) 総NA

●男女別採用数と配属先ほか●

【男女・文理別採用実績】

	大卒男	大卒女	修士男	修士女
23年	13(文 12理 1)	9(文 7理 2)	1(文 1理 0)	0(文 0理 0)
24年	21(文 18理 3)	8(文 7理 1)	2(文 1理 1)	0(文 0理 0)
25年	26(文 23理 3)	7(文 6理 1)	3(文 1理 2)	0(文 0理 0)

【25年4月入社者の採用実績校】
文(院)早大1(大)専大 中大各3 関西学大 上智大 東洋大 法政大 立命館大各2 大分大 阪大 京産大 京都女大 国際教養大 駒澤大 都立大 日本ウェルネススポーツ大 日大 北海学園大 明学大 明大 カンタベリー大各1 理(院)慶大 東大各1(大)岐阜薬大 京大 上智大 富山大各1

【24年4月入社者の配属先】
総勤務地:北海道2 仙台1 東京14 神奈川2 千葉1 埼玉1 長野1 愛知2 大阪3 兵庫2 福岡2 部署:営業20 ファイナンス4 オペレーション5 プロダクト&ブランド2

●給与、ボーナス、週休、有休ほか●

【30歳総合職平均年収】NA【初任給】(博士)365,000円(修士)365,000円(大卒)346,250円【ボーナス(年)】NA【25、30、35歳賃金】NA【週休】完全2日(土日祝)【夏期休暇】5日【年末年始休暇】12月30日～1月4日【有休取得】15.0/20日

●従業員数、勤続年数、離職率ほか●

【男女別従業員数、平均年齢、平均勤続年数】計 2,168(45.4歳 13.9年) 男 1,079(45.0歳 13.8年) 女 1,089(45.6歳 13.9年)【離職率と離職者数】NA【3年後新卒定着率】78.1%(男76.2%、女81.8%、3年前入社:男21名・女11名)【組合】あり

求める人材 コミットメント(お客さま第一、誠実、勇気、ひとつのチーム)を体現できる人

会社データ (金額は百万円)

【本社】108-8020 東京都港区白金1-17-3
☎03-6737-7777 https://www.axa.co.jp/
【社長】安渕 聖司【設立】1994.7【資本金】85,000【今後力を入れる事業】本業を通じた地域社会の持続的な発展

【業績(単独)】	保険料等収入	基礎利益	経常利益	純利益
22.3	735,018	93,188	157,761	105,878
23.3	806,076	65,044	65,485	40,604
24.3	888,563	80,464	90,342	57,293

※データは全て内勤正社員のもの

967 ▶『業界地図』p.148　開示 ★★★

だいどうせいめいほけん
大同生命保険(株)

持株会社 傘下

【特色】T&Dグループ中核。中小企業向け保険に強み

修士・大卒採用数	3年後離職率	有休取得年平均	平均年収(平均43歳)
100名	7.0 → 5.6%	18.4日	NA

●エントリー情報と採用プロセス●

【受付開始～終了】㊓3月～継続中【採用プロセス】㊓本セミナー(3月)→ES提出・SPI・DIST(随時)→面接(3～5回、6月～)→内々定(6月～)【交通費支給】最終面接のみ、新幹線・飛行機を使用する場合に支給

試験情報

重視科目 ㊓面接 適性検査

㊓ ES ⇒巻末㊕SPI3(会場) SPI3(自宅) SPI性格 DIST ㊐3～5回(Webあり)

選考ポイント ㊓ ES 求める人材と合致しているか ㊐対人力 活動力 創造力

通過率 ㊓ ES 95%(受付:2,664→通過:2,544)

倍率(応募/内定) ㊓27倍

●男女別採用数と配属先ほか●

【男女・文理別採用実績】

	大卒男	大卒女	修士男	修士女
23年	56(文 52理 4)	17(文 16理 1)	3(文 0理 3)	0(文 0理 0)
24年	46(文 36理 10)	28(文 25理 3)	9(文 0理 9)	0(文 0理 0)
25年	62(文 55理 7)	35(文 33理 2)	3(文 0理 3)	0(文 0理 0)

【25年4月入社者の採用実績校】

㊫(大)早大 慶大 上智大 学習院大 明大 青学大 立教大 中大 法政大 関西学大 関大 同大 立命館大 國學院大 西南学大 明学大 成蹊大 成城大 駒澤大 日大 東洋大 近大 大阪市大 阪大 筑波大 岡山大 滋賀大 静岡県大 高知大 他 ㊖(院)東大 九大 大阪公大(大)立命館大 関大 群馬大 芝工大 他

【24年4月入社者の配属先】

㊓勤務地:本社(東京・大阪)および全国各地の支社 部署:営業39 本社44

残業(月) 8.3時間 ㊓11.3時間

記者評価 1902年に生保3社の合併で発足。T&Dグループ中核。新規契約高の9割強を中小企業市場が占める。税理士・公認会計士や中小企業団体と提携し、各団体の特性に応じた保険を設計・販売。経営者向け定期保険は業界随一。りそなグループと相続・事業承継分野で提携。

●給与、ボーナス、週休、有休ほか●

【30歳総合職平均年収】NA【初任給】(博士)251,000円(修士)251,000円(大卒)240,000円【ボーナス(年)】NA【25、30、35歳賃金】NA【週休】完全2日(土日祝)【夏期休暇】連続5日(有休で取得)【年末年始休暇】12月31日～1月3日【有休取得】18.4/20日

●従業員数、勤続年数、離職率ほか●

【男女別従業員数、平均年齢、平均勤続年数】計 3,202(43.1歳 18.6年) 男 1,867(44.8歳 20.3年) 女 1,335(40.7歳 16.2年)【離職率と離職者数】3.1%、102名【3年後新卒定着率】94.4%(男93.9%、女95.1%、3年前入社:男49名・女41名)【組合】あり

求める人材 自ら考え、自律的に行動し、挑戦しつづける人材

会社データ　(金額は百万円)

【本社】103-6031 東京都中央区日本橋2-7-1
☎03-3272-6777　https://www.daido-life.co.jp/
【社長】北原 睦朗【設立】1947.7【資本金】110,000【今後力を入れる事業】「中小企業に信頼されるパートナー」を目指す

【業績(単独)】	保険料等収入	基礎利益	経常利益	純利益
22.3	808,083	131,632	122,780	76,222
23.3	810,311	75,039	84,079	49,309
24.3	843,749	86,551	101,662	60,910

とうきょうかいじょうにちどうせいめいほけん
東京海上日動あんしん生命保険(株)

株式公開 計画なし

【特色】東京海上HDの生保子会社。医療保険などに強み

修士・大卒採用数	3年後離職率	有休取得年平均	平均年収(平均44歳)
48名	12.5 → 23.4%	9.4日	NA

●エントリー情報と採用プロセス●

【受付開始～終了】㊓3月～4月【採用プロセス】㊓ES提出(3～4月)→テストセンター(5月)→面接(3～5回)→内々定【交通費支給】3次面接、遠方者全額

試験情報

重視科目 ㊓全て

㊓ ES ⇒巻末㊕SPI3(会場)㊐3～5回(Webあり)

選考ポイント ㊓ ES NA(提出あり)㊐学生時代の取組み等を聞く事で、能力・適性・意欲を判断

通過率 ㊓ ES NA(受付:2,000→通過:NA)

倍率(応募/内定) ㊓42倍

●男女別採用数と配属先ほか●

【男女・文理別採用実績】

	大卒男	大卒女	修士男	修士女
23年	21(文 20理 1)	15(文 15理 0)	1(文 0理 1)	0(文 0理 0)
24年	24(文 23理 1)	20(文 19理 1)	0(文 0理 0)	0(文 0理 0)
25年	23(文 21理 2)	22(文 22理 0)	3(文 0理 3)	0(文 0理 0)

【25年4月入社者の採用実績校】

㊫(大)関西学大 同大 明大各5 早大4 中大 明学大 法政大 立命館大 関大各3 京都女大2 慶大 阪大 上智大 名古屋市大 立教大 日大 日女大各1 ㊖(院)東大 阪大 青学大各1(大)京大 中大各1

【24年4月入社者の配属先】

㊓勤務地:東京22 大阪8 横浜2 千葉1 群馬1 栃木1 岐阜1 愛知1 京都1 岡山1 広島1 愛媛1 福岡1 熊本1 宮崎1 部署:営業部27 営業サポート部5 保険金部4 業務プロセス企画部3 営業企画部2 IT企画部2 経理財務部1

残業(月) 37.5時間 ㊓37.5時間

記者評価 東京海上あんしん生命と日動生命の合併で03年発足。14年東京海上日動フィナンシャル生命が合流。販売は東京海上日動の代理店が軸。医療・がん保険など第3分野や終身保険に強い。24年3月末の保有契約高(個人保険+個人年金保険)29.6兆円、保有契約件数634万件。

●給与、ボーナス、週休、有休ほか●

【30歳総合職平均年収】NA【初任給】(修士)279,590円(大卒)263,150円【ボーナス(年)】NA【25、30、35歳賃金】NA【週休】完全2日(土日祝)【夏期休暇】5日間特別連続有休(年2回取得)【年末年始休暇】連続4日【有休取得】9.4/20日

●従業員数、勤続年数、離職率ほか●

【男女別従業員数、平均年齢、平均勤続年数】計 2,591(43.7歳 10.3年) 男 1,698(45.2歳 9.8年) 女 893(40.9歳 11.3年)【離職率と離職者数】NA【3年後新卒定着率】76.6%(男90.9%、女64.0%、3年前入社:男22名・女25名)【組合】あり

求める人材 お客様本位・考動・挑戦の姿勢を有する人材

会社データ　(金額は百万円)

【本社】100-0004 東京都千代田区大手町2-6-4 常盤橋タワー
☎03-5208-5091　https://www.tmn-anshin.co.jp/
【社長】川本 哲文【設立】1996.8【資本金】55,000【今後力を入れる事業】本業

【業績(単独)】	保険料等収入	基礎利益	経常利益	純利益
22.3	830,261	62,959	59,232	48,383
23.3	812,727	40,360	67,614	35,611
24.3	785,762	42,482	39,783	39,768

2036 ▶『業界地図』p.148　開示 ★★

金融

太陽生命保険(株)（たいようせいめいほけん）

持株会社傘下

【特色】家庭市場に強い中堅。T&Dグループの中核

修士・大卒採用数	3年後離職率	有休取得年平均	平均年収(平均45歳)
145名	NA	17.3日	NA

●エントリー情報と採用プロセス●

【受付開始～終了】総技3月～継続中【採用プロセス】総技説明会(必須、3月～)→面接(複数回、6月～)・SPI→内々定(6月～)【交通費支給】面接以降(東京実施分)、遠方者のみ飛行機・新幹線代等の実費

試験情報

重視科目 総技面接

総技筆SPI3(会場)面複数回(Webあり)

選考ポイント 総技面コミュニケーション能力 協調性 積極性 総合的判断

通過率 総ES―(応募:1,066) 技ES―(応募:152)

倍率(応募/内定) 総17倍 技51倍

●男女別採用数と配属先ほか●

【男女・文理別採用実績】

	大卒男	大卒女	修士男	修士女
23年	39(文 38理 1)	58(文 57理 1)	2(文 2理 0)	0(文 0理 0)
24年	51(文 43理 8)	79(文 74理 5)	4(文 1理 3)	0(文 0理 0)
25年	64(文 47理 17)	79(文 77理 2)	2(文 1理 1)	0(文 0理 0)

【25年4月入社者の採用実績校】
文東大 東京科学大 筑波大 埼玉大 早大 慶大 上智大 明大 青学大 立教大 中大 法政大 学習院大 成蹊大 成城大 日大 専大 國學院大 大阪公大 関大 関西学大 同大 立命館大 近大 甲南大 龍谷大 大阪教大 東北大 名古屋市大(理系含む) 理文系に含む

【24年4月入社者の配属先】
総勤務地:全国各地の支社56 部署:支社56 技勤務地:本社2 部署:商品数理1 運用企画1

残業(月) 2.5時間 総8.4時間

記者評価 1893年創設の老舗。04年発足のT&D・HD傘下で大同生命と並ぶ中核。医療・介護などの保障性へのシフトが奏功。家庭市場を営業職員2人のコンビで開拓する営業力が源泉。月500円から始められる「スマ保険」が好評。銀行などと提携し介護保険の窓口販売を積極化。

●給与、ボーナス、週休、有休ほか●

【30歳総合職平均年収】NA【初任給】(修士)288,000円(大卒)280,000円【ボーナス(年)】NA【25、30、35歳賃金】NA【週休】完全2日(土日祝)【夏期休暇】連続5日(有休で取得)【年末年始休暇】12月30日～1月4日【有休取得】17.3／20日

●従業員数、勤続年数、離職率ほか●

【男女別従業員数、平均年齢、平均勤続年数】計 2,380(44.9歳 20.6年) 男 1,031(45.6歳 21.0年) 女 1,349(44.2歳 20.3年)【離職率と離職者数】NA【3年後新卒定着率】NA【組合】あり

求める人材 「挑戦」に対する姿勢や意欲を持ち、継続的な努力を惜しまない人材

会社データ　(金額は百万円)

【本社】103-6031 東京都中央区日本橋2-7-1
☎03-3272-6420　https://www.taiyo-seimei.co.jp/
【社長】副島 直樹【設立】1948.2【資本金】62,500【今後力を入れる事業】DX活用による顧客数の拡大・収益の向上

【業績(単独)】	保険料等収入	基礎利益	経常利益	純利益
22.3	598,144	55,122	▲86,642	▲74,147
23.3	643,308	21,294	48,144	26,832
24.3	702,821	40,761	55,314	38,983

富国生命保険(相)（ふこくせいめいほけん）

株式公開していない

【特色】生命保険中堅上位。医療保険など第3分野に強い

修士・大卒採用数	3年後離職率	有休取得年平均	平均年収(平均45歳)
67名	12.5→20.0%	NA	NA

●エントリー情報と採用プロセス●

【受付開始～終了】総3月～継続中【採用プロセス】総説明会(必須、3月～)→Web試験→ワーク選考→面接(約2回、3月)→内々定(6月～)【交通費支給】最終選考、航空券代・新幹線代全額(遠方者のみ)【早期選考】⇒巻末

試験情報

重視科目 総面接

総ES⇒巻末筆SPI3(会場) SPI3(自宅)面約2回(Webあり)GD作NA

選考ポイント 総面コミュニケーション能力 人柄 物事へ取り組む姿勢

通過率 総ES―(応募:NA)

倍率(応募/内定) 総NA

●男女別採用数と配属先ほか●

【男女・文理別採用実績】

	大卒男	大卒女	修士男	修士女
23年	40(文 37理 3)	51(文 49理 2)	3(文 0理 3)	0(文 0理 0)
24年	40(文 36理 4)	75(文 74理 1)	3(文 0理 3)	0(文 0理 0)
25年	34(文 28理 6)	28(文 26理 2)	5(文 1理 4)	0(文 0理 0)

※25年:継続中

【25年4月入社者の採用実績校】文(院)明大1(大)明大6 日大4 中大 法政大 東京経大各2 神戸大 下関市大 早大 立教大 関大 同大 立命館大 成蹊大 獨協大 駒澤大 専大 南山大 北海学園大 亜大 帝京大 大阪経法大 愛知淑徳大 共立女大各1 理(院)東京科学大 阪大 横国大 立命館大各1(大)京大 都立大 徳島大 佐賀大 早大 関西学大 北里大各1

【24年4月入社者の配属先】
総勤務地:本社(東京6 千葉2)支社(全国41)関連会社(東京2) 部署:数理6 システム2 その他事務2 支社41

残業(月) NA

記者評価 東武鉄道再建など手がけた根津嘉一郎が富国徴兵保険として1923年創業。以来、相互会社形態を貫く。規模よりも質を重視する堅実経営を掲げ、財務健全性が高い。設計自由度が高い「未来のとびら」や「ワイド・プロテクト」が主力。共栄火災と提携。

●給与、ボーナス、週休、有休ほか●

【30歳総合職平均年収】NA【初任給】(修士)265,500円(大卒)260,000円【ボーナス(年)】NA【25、30、35歳賃金】NA【週休】完全2日(土日祝)【夏期休暇】連続5日(特別休暇3日含む)【年末年始休暇】12月30日～1月3日【有休取得】NA／22日

●従業員数、勤続年数、離職率ほか●

【男女別従業員数、平均年齢、平均勤続年数】計 2,858(45.1歳 16.7年) 男 1,473(45.5歳 17.8年) 女 1,385(44.9歳 15.6年)【離職率と離職者数】NA【3年後新卒定着率】80.0%(男82.6%、女78.0%、3年前入社:男46名・女59名)【組合】あり

求める人材 個性あふれる人材

会社データ　(金額は百万円)

【本社】100-0011 東京都千代田区内幸町2-2-2 富国生命ビル
☎03-3508-1101　https://www.fukoku-life.co.jp/
【社長】米山 好映【設立】1923.11【基金等】128,000【今後力を入れる事業】介護保険・医療保険など第3分野の保険販売

【業績(単独)】	保険料等収入	基礎利益	経常利益	純剰余
22.3	486,461	76,369	38,752	33,319
23.3	526,037	47,297	32,512	30,872
24.3	491,480	93,019	49,357	39,783

三井住友海上あいおい生命保険(株)
（みついすみともかいじょうあいおいせいめいほけん）

株式公開 計画なし

【特色】MS＆ADホールディングスの中核生保子会社

修士・大卒採用数	3年後離職率	有休取得年平均	平均年収(平均43歳)
57名	29.7→39.3%	17.2日	NA

●エントリー情報と採用プロセス●

【受付開始～終了】[総]3月～継続中【採用プロセス】[総]ES提出(3～8月)→適性試験・面接(3回、5月～)→内々定(随時)【交通費支給】最終面談、特急・新幹線・航空機利用区間の実費(片道分)【早期選考】⇒巻末

試験情報

重視科目 [総]面接

[総][ES]⇒巻末[筆]SPI3(自宅)[面]3回(Webあり)

選考ポイント [総][ES]求める人材像に合致するか 自身の言葉で記載されているか[面]主体性 協調性 コミュニケーション能力

通過率 [総][ES]98%(受付:1,074→通過:1,048)

倍率(応募/内定) [総]19倍

●男女別採用数と配属先ほか●

【男女・文理別採用実績】

	大卒男	大卒女	修士男	修士女
23年	23(文 20理 3)	30(文 30理 0)	1(文 0理 1)	0(文 0理 0)
24年	41(文 40理 1)	22(文 22理 0)	1(文 0理 1)	0(文 0理 0)
25年	34(文 5理 29)	20(文 18理 2)	3(文 1理 2)	0(文 0理 0)

【25年4月入社者の採用実績校】[文](院)立教大1(大)日大4 立命館大 立教大各3 明大 明学大 駒澤大 京産大 法政大各2 同大 慶大 早大 千葉大 名古屋学院大 同女大 成城大 青学大 聖心女大 実践女大 フェリス女学大 専大 神戸学大 小樽商大 近大 産能大 関西学大 関大 学習院大 大阪市大 東京経大 順天堂大 京都外大各1 [理](院)筑波大 九大各1(大)東理大2 立命館大 武蔵野大 茨城大 日大 大阪電通大各1

【24年4月入社者の配属先】

[総]勤務地:北海道1 宮城2 福島1 群馬1 山梨1 埼玉3 千葉2 東京24 神奈川2 静岡2 愛知4 岐阜1 三重1 石川1 富山1 京都1 神戸3 大阪7 広島1 岡山1 福岡1 熊本1 部署:営業部門51 本社11

残業(月) 14.3時間

[記者評価] MS＆ADインシュアランスグループHDの下で三井住友海上きらめき生命とあいおい生命が合併し発足。平準払いの保障性商品に重点。個人保険・個人年金保険の24年3月末保有契約高は22兆円。保障前後を含めトータルサポートする「MSAケア」のサービス内容を拡充。

●給与、ボーナス、週休、有休ほか●

【30歳総合職平均年収】(全域社員モデル)約900万円【初任給】(博士)〈全国転勤型〉265,990円〈地域限定型〉235,020円(修士)〈全国転勤型〉265,990円〈地域限定型〉235,020円(大卒)〈全国転勤型〉249,490円〈地域限定型〉218,520円【ボーナス(年)】NA【25、30、35歳賃金】NA【週休】完全2日(土日祝)【夏期休暇】なし【年末年始休暇】12月31日～1月3日および12月最終営業日または1月4日【有休取得】17.2／20日

●従業員数、勤続年数、離職率ほか●

【男女別従業員数、平均年齢、平均勤続年数】計 2,465(43.2歳 9.8年) 男 1,235(45.5歳 9.9年) 女 1,230(40.8歳 9.6年)【離職率と離職者数】NA【3年後新卒定着率】60.7%(男90.0%、女44.4%、3年前入社:男10名・女18名)【組合】あり

[求める人材] 自ら考え自ら学び、他者とのシナジー効果を発揮しながら、失敗を恐れずチャレンジし続ける行動力がある人財

[会社データ] (金額は百万円)

【本社】104-8258 東京都中央区新川2-27-2
☎03-5539-8300 https://www.msa-life.co.jp/
【社長】加治 資朗【設立】1996.8【資本金】85,500【今後力を入れる事業】DXを活用したヘルスケアサービス

【業績(単独)】	保険料等収入	基礎利益	経常利益	純利益
22.3	503,525	34,519	39,051	21,072
23.3	489,081	24,909	27,861	12,725
24.3	473,700	49,100	40,400	28,100

オリックス生命保険(株)
（せいめいほけん）

株式公開 計画なし

【特色】オリックス系生保。ハートフォード生命と合併

修士・大卒採用数	3年後離職率	有休取得年平均	平均年収(平均39歳)
65名	10.0→9.5%	12.5日	NA

●エントリー情報と採用プロセス●

【受付開始～終了】[総]3月～7月【採用プロセス】[総]ES提出・Web適性検査→面接・試験(それぞれ複数回)→内々定【交通費支給】最終面接、遠方者のみ実費

試験情報

重視科目 [総]面接 試験

[総][ES]NA[筆]OPQ WebRAB V-CAT[面]複数回(Webあり) [GD作]NA

選考ポイント [総][ES]NA(提出あり)[面]コミュニケーション能力 行動力 論理的思考力 主体性 チャレンジ精神 他

通過率 [総][ES]NA

倍率(応募/内定) [総]NA

●男女別採用数と配属先ほか●

【男女・文理別採用実績】

	大卒男	大卒女	修士男	修士女
23年	25(文 22理 3)	38(文 36理 2)	2(文 0理 2)	0(文 0理 0)
24年	37(文 34理 3)	29(文 28理 1)	3(文 0理 3)	1(文 0理 1)
25年	39(文 36理 3)	24(文 24理 0)	2(文 1理 1)	0(文 0理 0)

【25年4月入社者の採用実績校】[文](大)一橋大 早大 上智大 中大 明大 法政大 立教大 青学大 関西学大 同大 立命館大 神戸大 岡山大 日大 東洋大 駒澤大 専大 成城大 成蹊大 明学大 京都女大 順天堂大 [理](院)北大 横国大(大)名大 埼玉大

【24年4月入社者の配属先】

[総]勤務地:〈総合職〉東京23 大阪10 名古屋9〈IT専門職〉東京7〈CA職〉長崎23 部署:〈総合職・IT専門職〉代理店営業37 数理2 ALM1 資産運用2 IT7〈CA職〉お客様サービス23

残業(月) NA

[記者評価] オリックス全額出資。死亡保障商品や第3分野商品を提供。15年変額年金主力のハートフォード生命を吸収。24年3月末の個人保険保有契約件数は482万件。来店型ショップも運営。働き方改革に積極的、原則11時間の「勤務時間インターバル」などの取り組みも。

●給与、ボーナス、週休、有休ほか●

【30歳総合職平均年収】NA【初任給】(大卒)270,000円【ボーナス(年)】NA【25、30、35歳賃金】NA【週休】完全2日(土日祝)【夏期休暇】連続5日(取得時期自由)【年末年始休暇】12月30日～1月3日【有休取得】12.5／20日

●従業員数、勤続年数、離職率ほか●

【男女別従業員数、平均年齢、平均勤続年数】計 2,139(39.1歳 8.0年) 男 972(40.1歳 8.1年) 女 1,167(38.1歳 7.9年)【離職率と離職者数】NA【3年後新卒定着率】90.5%(男85.0%、女95.5%、3年前入社:男20名・女22名)【組合】なし

[求める人材] (1)相手の立場や気持ちに寄り添える人(2)当事者意識をもって自ら考え行動する人(3)変化や挑戦を恐れず新しいことに積極的に取組む人(4)周囲を巻き込みながら物事を進める人(5)粘り強く最後までやり抜く人

[会社データ] (金額は百万円)

【本社】100-0004 東京都千代田区大手町2-3-2 大手町プレイス イーストタワー
☎03-3517-4300 https://www.orixlife.co.jp/
【社長】片岡 一則【設立】1991.4【資本金】59,000【今後力を入れる事業】本業

【業績(単独)】	保険料等収入	基礎利益	経常利益	純利益
22.3	448,512	▲6,742	▲11,778	▲10,375
23.3	453,265	▲6,946	▲9,433	▲8,944
24.3	462,082	20,501	▲3,134	▲3,176

金融

ソンポせいめいほけん SOMPOひまわり生命保険㈱

株式公開 計画なし

【特色】SOMPO・HDの生保子会社。収入保障保険などに強い

修士・大卒採用数	3年後離職率	有休取得年平均	平均年収(平均43歳)
58名	20.0→33.9%	20.2日	671万円

●エントリー情報と採用プロセス●

【受付開始〜終了】[総]3月〜継続中【採用プロセス】[総]説明会(必須)→ES提出→SPI→面接(3〜4回)→内々定【交通費支給】なし【早期選考】⇒巻末

試験情報

重視科目 [総]面接

[総][ES]⇒巻末[筆]SPI3(会場)[面]3〜4回(Webあり)

選考ポイント [総][ES]当社が必要とする特徴を持っているか[面]学生時代の取り組み等を聞くことにより、能力・適性・意欲等を総合的に判断

通過率 [総][ES]99%(受付:246→通過:243)

倍率(応募/内定) [総]7倍

●男女別採用数と配属先ほか●

【男女・文理別採用実績】

	大卒男	大卒女	修士男	修士女
23年	16(文 16理 0)	6(文 6理 0)	1(文 0理 1)	0(文 0理 0)
24年	30(文 30理 0)	8(文 8理 0)	1(文 0理 1)	0(文 0理 0)
25年	39(文 37理 2)	19(文 14理 5)	0(文 0理 0)	0(文 0理 0)

【25年4月入社者の採用実績校】[文](大)日大8 成蹊大3 青学大 関西学大 信州大 明大 立教大 早大各2 愛知淑徳大 岡山商大 関西外大 京都女大 共立女大 高知工科大 神戸大 國學院大 駒澤大 埼玉大 実践女大 上智大 聖心女大 摂南大 千葉商大 専大 中大 東海大 東京女大 東京農業大 獨協大 名古屋市大 二松学舎大 武蔵野大 北海学園大 横国大 立正大 立命館大各1 [理](大)お茶女大 東大 東京電機大 東理大 日女大 立命館大 早大各1

【24年4月入社者の配属先】[総]勤務地:東京8 千葉1 埼玉1 神奈川3 栃木1 茨城2 群馬1 愛媛1 大阪5 宮崎1 京都1 熊本1 高松1 北海道1 三重1 鹿児島1 兵庫2 静岡2 福岡2 愛知3 部署:営業店36 商品企画部1 コンタクトサービス部2

残業(月) 21.2時間

記者評価 損保ジャパンと日本興亜損保の両生保子会社が合併して誕生。「健康応援企業」を志向し、新卒募集要項にも「非喫煙者」を明記。健康応援機能を組み合わせた「インシュアヘルス」商品を強化。25年4月から自律的キャリア形成実現に向けた新人事制度を導入。

●給与、ボーナス、週休、有休ほか●

【30歳総合職平均年収】NA【初任給】(修士)278,334円(大卒)260,834円【ボーナス(年)】NA【25、30、35歳賃金】NA【週休】完全2日(土日祝)【夏期休暇】連続5日【年末年始休暇】12月31日〜1月3日【有休取得】20.2/24日

●従業員数、勤続年数、離職率ほか●

【男女別従業員数、平均年齢、平均勤続年数】計 2,224(42.5歳 11.8年) 男 949(43.1歳 14.0年) 女 1,275(42.0歳 10.2年)【離職率と離職者数】NA【3年後新卒定着率】66.1%(男69.8%、女56.3%、3年前入社:男43名・女16名)【組合】あり

求める人材 生命保険業界の常識にとらわれず、新しい道を切り拓くことができる人

会社データ (金額は百万円)

【本社】100-8963 東京都千代田区霞が関3-7-3 損保ジャパン霞が関ビル ☎03-6742-3111 https://www.himawari-life.co.jp/

【社長】大場 康弘【設立】1981.7【資本金】17,250【今後力を入れる事業】ウェルビーイング事業

【業績(単独)】	保険料等収入	基礎利益	経常利益	純利益
22.3	436,893	27,596	26,444	15,924
23.3	434,473	▲1,817	6,330	945
24.3	433,079	31,500	27,818	15,889

あさひせいめいほけん 朝日生命保険(相)

株式公開 していない

【特色】生保最古参。介護保険など第三分野に注力

修士・大卒採用数	3年後離職率	有休取得年平均	平均年収(平均47歳)
95名	11.4→19.5%	11.3日	NA

●エントリー情報と採用プロセス●

【受付開始〜終了】[総]3月〜継続中【採用プロセス】[総]説明会(必須)・ES提出(3月〜)→面接(3〜5回、6月)→内々定(6〜8月)【交通費支給】3次面談以降、新幹線および航空券代の実費

試験情報

重視科目 [総]面接

[総][ES]⇒巻末[筆]SPI3(会場)[面]3〜5回(Webあり)

選考ポイント [総][ES]自己PR・学生時代の取り組みにおいて主体性、協調性等を総合的に判断[面]協働性 思考力 創造力 達成志向 挑戦意欲 主体性 他

通過率 [総][ES]NA

倍率(応募/内定) [総]NA

●男女別採用数と配属先ほか●

【男女・文理別採用実績】

	大卒男	大卒女	修士男	修士女
23年	50(文 49理 1)	33(文 33理 0)	2(文 1理 1)	0(文 0理 0)
24年	48(文 44理 4)	44(文 44理 0)	0(文 0理 0)	0(文 0理 0)
25年	45(文 40理 5)	45(文 44理 1)	5(文 1理 4)	0(文 0理 0)

【25年4月入社者の採用実績校】[文](院)早大1(大)日大9 明大5 中大 法政大 亜大各4 早大 駒澤大各3 学習院大 関大 昭和女大 東京女大 東京農業大各2 東大 東洋大 同大 立命館大 茨城大 関東学院大 共立女大 近大 慶大 甲南大 埼玉大 城西大 青学大 跡見学園女大 大妻女大 中央学大 帝京大 東洋英和女学大 武蔵野大 立教大 國學院大 成城大 上智大 学習院女大各1 他 [理](院)東京科学大 東理大 立命館大 筑波大各1(大)日大2 東理大 立命館大 都立大 東京農業大各1

【24年4月入社者の配属先】[総]勤務地:本社及び全国各地の事業所 部署:本社及び全国各地の事業所

残業(月) 10.6時間 [総]14.0時間

記者評価 1888(明治21)年に帝国生命として創業。旧古河財閥。みずほ銀行と親密。主力商品は「保険王プラス」「やさしさプラス」。認知症専用の介護保険も扱う。医療保険など第三分野商品を乗合代理店チャネルなどで販売する子会社・なないろ生命も成長。

●給与、ボーナス、週休、有休ほか●

【30歳総合職平均年収】NA【初任給】(博士)<全国型>275,000円<ブロック型>264,000円<地域型>195,000円 (修士)<全国型>275,000円<ブロック型>264,000円<地域型>195,000円 (大卒)<全国型>275,000円<ブロック型>264,000円<地域型>195,000円【ボーナス(年)】NA、3.27カ月【25、30、35歳賃金】NA【週休】完全2日(土日祝)【夏期休暇】5日【年末年始休暇】12月30日〜1月3日【有休取得】11.3/20日

●従業員数、勤続年数、離職率ほか●

【男女別従業員数、平均年齢、平均勤続年数】計 4,137(47.1歳 20.4年) 男 1,831(48.1歳 24.7年) 女 2,306(46.4歳 16.9年)【離職率と離職者数】2.8%、120名【3年後新卒定着率】80.5%(男92.5%、女70.2%、3年前入社:男40名・女47名)【組合】あり

求める人材 時代の変化を的確に掴み、直面する課題に対して、自ら積極果敢に挑戦し、新たな価値創造に努めることができる人財

会社データ (金額は百万円)

【本社】160-8570 東京都新宿区四谷1-6-1 YOTSUYA TOWER ☎03-4214-3111 https://www.asahi-life.co.jp/

【社長】石島 健一郎【設立】1888.3【基金等】257,000【今後力を入れる事業】介護保険分野での独自性と存在感の発揮

【業績(単独)】	保険料等収入	基礎利益	経常利益	純剰余
22.3	387,134	47,782	32,305	22,924
23.3	379,223	13,357	17,648	17,257
24.3	367,279	42,301	18,115	15,251

とうきょうかいじょうにちどう か さい ほ けん
東京海上日動火災保険(株)

[持株会社傘下]

【特色】三菱系で損保最大手。海外展開に積極的

修士・大卒採用数	3年後離職率	有休取得年平均	平均年収(平均43歳)
518名	9.3 → 12.1%	18.3日	[総]856万円

●エントリー情報と採用プロセス●

【受付開始～終了】[総]3月～4月【採用プロセス】[総]ES提出・適性検査→面接(3～4回)・作文→内々定【交通費支給】なし【早期選考】⇒巻末

試験情報

重視科目 [総]面接

[総][ES]⇒巻末[筆]適性検査(Web)[面]3～4回(Webあり)[GD作]⇒巻末

選考ポイント [総][ES]自分らしさをありのままに表現すること[面]学生時代の取り組みを聞く事で、能力・適性他を判断

通過率 [総][ES]NA

倍率(応募/内定) [総]NA

●男女別採用数と配属先ほか●

【男女・文理別採用実績】

	大卒男	大卒女	修士男	修士女
23年	147(文135 理 12)	334(文324 理 10)	13(文 2 理 11)	7(文 1 理 6)
24年	224(文216 理 8)	461(文454 理 7)	20(文 4 理 16)	11(文 5 理 6)
25年	196(文186 理 10)	297(文288 理 9)	21(文 5 理 16)	4(文 1 理 3)

※25年:24年7月末時点

【25年4月入社者の採用実績校】
[文]早大 慶大 同大 関西学大 南山大 明大 立命館大 中大 立教大 上智大 京大 青学大 西南学大 関大 阪大 小樽商大 愛知大 一橋大 法政大 東大 静岡大 学習院大 中京大 名大 神戸大 岡山大 東京女大 甲南大 成蹊大 他(理系含む) [理]文系に含む

【24年4月入社者の配属先】
[総]NA

残業(月) 23.7時間

記者評価 起源の旧東京海上は国内損保の草分け。東京海上HDの中核。収益力、効率性、財務力で業界のライバル他社を頭一つリード。三菱系ほかの大企業と強固な取引基盤がある。グループのあんしん生命とともに生損保一体商品でリテール分野開拓。M&A通じて海外事業を拡大。

●給与、ボーナス、週休、有休ほか●

【30歳総合職平均年収】777万円【初任給】(博士)〈総合職・担当者クラス〉281,710円〈総合職(エリア限定)・担当者クラス〉231,680円 (修士)〈総合職・担当者クラス〉281,710円〈総合職(エリア限定)・担当者クラス〉231,680円 (大卒)〈総合職・担当者クラス〉263,240円〈総合職(エリア限定)・担当者クラス〉220,560円【ボーナス(年)】NA【25、30、35歳賃金】NA【週休】完全2日(土日祝)【夏期休暇】特別有休(年2回)から取得【年末年始休暇】連続5日【有休取得】18.3／30日

●従業員数、勤続年数、離職率ほか●

【男女別従業員数、平均年齢、平均勤続年数】計 16,296(41.8歳 15.9年) 男 7,501(46.6歳 18.8年) 女 8,795(38.0歳 13.7年)【離職率と離職者数】5.0%、859名【3年後新卒定着率】87.9%(男88.2%、女87.7%、3年前入社:男195名・女408名)【組合】あり

求める人材 自ら考え発信し、行動する個性豊かな人材

会社データ (金額は百万円)

【本社】100-8050 東京都千代田区大手町2-6-4
☎03-5208-5001 https://www.tokiomarine-nichido.co.jp/
【社長】城田 宏明【設立】1879.8【資本金】101,994【今後力を入れる事業】海外保険事業 他

【業績(単独)】	経常収益	正味収入保険料	経常利益	純利益
22.3	2,691,743	2,288,170	319,212	235,471
23.3	2,929,331	2,385,239	362,113	189,549
24.3	3,179,505	2,417,974	430,609	420,713

そんがい ほ けん
損害保険ジャパン(株)

[持株会社傘下]

【特色】収入保険料で業界2位。旧安田火災が主体

修士・大卒採用数	3年後離職率	有休取得年平均	平均年収(平均42歳)
未定	NA	19.0日	[総]846万円

●エントリー情報と採用プロセス●

【受付開始～終了】[総]3月～継続中【採用プロセス】[総]ES提出・Webテスト→面接(複数回)→内々定【交通費支給】なし

試験情報

重視科目 [総]面接

[総][ES]⇒巻末[筆]SPI3(会場) SPI3(自宅)[面]複数回(Webあり)

選考ポイント [総][ES]「学生時代に最も力を入れて取り組んだこと」「当社で実現したいこと」の内容を中心に、論理性、表現力、一貫性、行動力、熱意、チャレンジ精神などを評価[面]これまでの取り組みにおいて、どのように考え行動したか、入社後どのように力を発揮しようとしているかを聞き、能力・適性・意欲など総合的に判断

通過率 [総][ES]NA **倍率**(応募/内定) [総]NA

●男女別採用数と配属先ほか●

【男女・文理別採用実績】※25年:継続中

	大卒男	大卒女	修士男	修士女
23年	130(文123 理 7)	86(文 85 理 1)	6(文 1 理 5)	0(文 0 理 0)
24年	65(文 63 理 2)	96(文 91 理 5)	7(文 1 理 6)	2(文 2 理 0)
25年	-(文 - 理 -)	-(文 - 理 -)	-(文 - 理 -)	-(文 - 理 -)

【25年4月入社者の採用実績校】
[文]北大 小樽商大 東大 一橋大 早大 慶大 上智大 学習院大 明大 青学大 立教大 中大 法政大 成蹊大 中京大 金沢大 京大 関大 関西学大 同大 立命館大 神戸大 大阪市大 西南学大 他(理系含む) [理]文系に含む

【24年4月入社者の配属先】
[総]勤務地:北海道 東北 関東 中部 北陸 甲信越 関西 中国 四国 九州 部署:営業 保険金サービス 本社管理部門 他

残業(月) 12.0時間

記者評価 14年に損保ジャパンと日本興亜の合併で誕生。3メガ損保の一角で、SOMPO・HDの中核会社。自動車保険などリテールに強み。介護事業やセキュリティ事業を強化。入社後一定期間は人事ローテーションし実務経験を積む。25年4月から各コースの初任給を引き上げ予定。

●給与、ボーナス、週休、有休ほか●

【30歳総合職平均年収】NA【初任給】(修士)〈限定なし〉281,040円〈ブロック限定〉237,100～267,880円〈地域限定〉211,140～238,380円 (大卒)〈限定なし〉262,440円〈ブロック限定〉221,540～250,200円〈地域限定〉197,370～222,730円【ボーナス(年)】NA【25、30、35歳賃金】NA【週休】完全2日(土日祝)【夏期休暇】特別連続休暇5日と指定休暇5日で取得【年末年始休暇】12月31日～1月3日【有休取得】19.0／24日

●従業員数、勤続年数、離職率ほか●

【男女別従業員数、平均年齢、平均勤続年数】計 14,918(42.7歳 17.5年) 男 5,994(45.2歳 19.7年) 女 8,924(41.1歳 16.0年)【離職率と離職者数】NA【3年後新卒定着率】NA【組合】あり

求める人材 スピード感を持ち、自ら考え自律的に行動し、高い目標に向かってチャレンジする人材

会社データ (金額は百万円)

【本社】160-8338 東京都新宿区西新宿1-26-1
☎03-3349-3111 https://www.sompo-japan.co.jp/
【社長】石川 耕治【設立】(創業)1888.10【資本金】70,000【今後力を入れる事業】国内・海外保険事業 ウェルビーイング事業

【業績(単独)】	経常収益	正味保険料	経常利益	純利益
22.3	2,490,458	2,158,791	210,810	166,207
23.3	2,623,349	2,225,531	124,926	108,041
24.3	2,737,163	2,177,954	251,517	207,984

三井住友海上火災保険(株)（みついすみともかいじょうかさいほけん）

持株会社傘下

【特色】MS＆AD傘下の損保大手。旧住友海上が主体

修士・大卒採用数	3年後離職率	有休取得年平均	平均年収(平均*42歳)
360名	NA	19.0日	総818万円

●エントリー情報と採用プロセス●

【受付開始～終了】総3月～7月【採用プロセス】総ES提出・テストセンター(3～7月)→面接(複数回、6月～)→内々定(6月～)【交通費支給】なし

試験情報

重視科目 総面接

総 ES⇒巻末 筆SPI3(会場) DIST デザイン思考テスト 面複数回(Webあり)

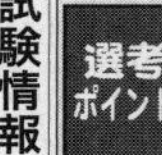

選考ポイント 総 ESNA(提出あり) 面リーダーシップ コミュニケーション能力 達成意欲 チャレンジ精神 自律的な思考力・行動力 高い価値創造力 デザイン思考力 発想力

通過率 総 ESNA(受付:6,673→通過:NA)

倍率(応募/内定) 総19倍

●男女別採用数と配属先ほか●

【男女・文理別採用実績】

	大卒男	大卒女	修士男	修士女
23年	70(文 63理 7)	112(文112理 0)	14(文 5理 9)	0(文 0理 0)
24年	96(文 88理 8)	142(文136理 6)	12(文 5理 7)	2(文 2理 0)
25年	-(文 -理 -)	-(文 -理 -)	-(文 -理 -)	-(文 -理 -)

※25年:360名採用予定

【25年4月入社者の採用実績校】

文(24年)慶大 早大 立教大 明大 同大 東大 上智大 青学大 神戸大 中大 阪大 関西学大 立命館大 東京女大 学習院大 京大 芝工大 南山大 愛知大 法政大 九大 横国大 日女大 成蹊大 広島大 西南学大 中京大 他(理系含む) 理(24年)文系に含む

【24年4月入社者の配属先】

総勤務地:北海道 東北 関東 東海 北陸 中部 関西 中国 四国 九州 部署:営業部門・損害サポート部門・本社部門(営業支援・資産運用・海外部門他)

残業(月) NA

記者評価 01年に三井海上と住友海上が合併して誕生。三井、住友両財閥系企業の顧客基盤が厚い。あいおいニッセイ同和損保と機能別再編でMS＆ADグループを形成。16年に英損害保険大手アムリンを買収し海外展開を一段と強化。東南アジア地域では外資系損保首位。

●給与、ボーナス、週休、有休ほか●

【30歳総合職平均年収】NA【初任給】(修士)243,000～292,000円(大卒)227,000～276,000円【ボーナス(年)】NA【25、30、35歳賃金】NA【週休】完全2日(土日祝)【夏期休暇】5日【年末年始休暇】12月31日～1月3日【有休取得】19.0/20日

●従業員数、勤続年数、離職率ほか●

【男女別従業員数、平均年齢、平均勤続年数】計12,143(42.1歳 14.8年) 男5,495(45.0歳 15.2年) 女6,648(39.6歳 14.5年)【離職率と離職者数】NA【3年後新卒定着率】NA【組合】あり

求める人材 自ら学び、考え、チャレンジし、成長し続ける人財「自律的な思考力・行動力」「高い価値創造力」を持つ人財

会社データ (金額は百万円)

【本社】101-8011 東京都千代田区神田駿河台3-9 三井住友海上駿河台ビル
☎03-3259-1298 https://www.ms-ins.com/

【社長】舩曵 真一郎【設立】1918.10【資本金】139,595【今後力を入れる事業】国内損害保険事業 海外事業 デジタル 金融サービス事業

【業績(単独)】	経常収益	正味収入保険料	経常利益	純利益
22.3	1,888,581	1,579,325	184,234	145,744
23.3	1,956,362	1,629,832	141,224	107,899
24.3	2,058,063	1,623,307	214,319	167,777

あいおいニッセイ同和損害保険(株)（どうわそんがいほけん）

持株会社傘下

【特色】大手損保の一角。トヨタ自動車や日本生命と親密

修士・大卒採用数	3年後離職率	有休取得年平均	平均年収(平均45歳)
約300名	NA	15.6日	総770万円

●エントリー情報と採用プロセス●

【受付開始～終了】総3月～6月【採用プロセス】総ES提出→適性検査→面接(3～4回)→内々定【交通費支給】なし

試験情報

重視科目 総面接

総 ES⇒巻末 筆SPI3(会場) 面3～4回(Webあり)

選考ポイント 総 ESこれまでの経験を踏まえた多種多様な「光る個性」アクチュアリー、データサイエンスコースについては、前述に加え、統計などの技術的素養 面社会人としての基礎素養に加え、挑戦、自律、協働および志望度合い等から総合的に判断

通過率 総 ESNA

倍率(応募/内定) 総NA

●男女別採用数と配属先ほか●

【男女・文理別採用実績】

	大卒男	大卒女	修士男	修士女
23年	79(文 71理 8)	111(文109理 2)	6(文 0理 6)	2(文 2理 0)
24年	199(文190理 9)	133(文127理 6)	13(文 4理 9)	3(文 0理 3)
25年	-(文 -理 -)	-(文 -理 -)	-(文 -理 -)	-(文 -理 -)

※25年:約300名採用予定

【25年4月入社者の採用実績校】文(24年)(院)早大 東理大 東工大 愛知工業大 お茶女大 京大 九大 中大 北海道教育大 北大 北陸先端科技院大(大)明大 法政大 中大 立教大 立命館大 関西学大 慶大 早大 成蹊大 日大 同大 学習院大 関大 青学大 中京大 東洋大 南山大 福岡大 東北学大 日女大(短)北海道武蔵女 他(理系含む) 理(24年)文系に含む

【24年4月入社者の配属先】

総勤務地:北海道 東北 関東甲信越 中部 近畿 北陸 中国四国 九州沖縄 部署:営業 損害サービス 本社

残業(月) 18.7時間

記者評価 MS＆ADグループの中核。あいおい損保とニッセイ同和損保の合併で10年に誕生。自動車ディーラーを通じた保険募集で優位。15年英自動車保険のボックス・イノベーション・グループ(BIG)を買収。運転特性によって保険料が変わる「テレマティクス保険」に強み。

●給与、ボーナス、週休、有休ほか●

【30歳総合職平均年収】NA【初任給】(博士)<基幹社員>210,400～297,200円(修士)<基幹社員>210,400～285,600円(大卒)<基幹社員>210,400～268,863円【ボーナス(年)】NA【25、30、35歳賃金】NA【週休】原則完全2日(土日祝)【夏期休暇】有休で取得【年末年始休暇】12月31日～1月3日プラス12月最終営業日か1月第1営業日【有休取得】15.6/25日

●従業員数、勤続年数、離職率ほか●

【男女別従業員数、平均年齢、平均勤続年数】計13,493(44.7歳 17.1年) 男5,781(47.1歳 20.4年) 女7,712(43.0歳 14.7年)【離職率と離職者数】NA【3年後新卒定着率】NA【組合】あり

求める人材 世の中の変化・リスクをいち早く捉え、新しい価値・方針を自ら企画・創造することができるゲームチェンジャー

会社データ (金額は百万円)

【本社】150-8488 東京都渋谷区恵比寿1-28-1
☎03-5424-0101 https://www.aioinissaydowa.co.jp/

【社長】新納 啓介【設立】1918.6【資本金】100,005【今後力を入れる事業】国内損害保険事業 海外事業 金融サービス事業

【業績(単独)】	経常収益	正味保険料	経常利益	純利益
22.3	1,422,301	1,291,344	80,964	53,973
23.3	1,524,367	1,335,557	66,757	43,195
24.3	1,660,243	1,368,988	79,064	56,081

トーア再保険(株)

さいほけん

株式公開 計画なし

【特色】国内唯一の総合再保険専門会社。海外展開も

修士・大卒採用数	3年後離職率	有休取得年平均	平均年収(平均42歳)
8名	0/0 → 0%	18.2日	950万円

●エントリー情報と採用プロセス●

【受付開始〜終了】(総)NA【採用プロセス】(総)説明会・ES提出・筆記→面接(3回)→内々定【交通費支給】最終面接、実費

試験情報

重視科目 (総)面接

(総)(ES)⇒巻末(筆)Webテスト(面)3回(Webあり)

選考ポイント (総)(面)意欲 リーダーシップ 視野の広さ 判断力・対応力

通過率 (総)(ES)選考なし(受付:NA)

倍率(応募/内定) (総)NA

●男女別採用数と配属先ほか●

【男女・文理別採用実績】

	大卒男	大卒女	修士男	修士女
23年	4(文 3理 1)	5(文 5理 0)	1(文 0理 1)	0(文 0理 0)
24年	2(文 2理 0)	5(文 5理 0)	2(文 0理 2)	0(文 0理 0)
25年	5(文 4理 1)	1(文 1理 0)	2(文 1理 1)	0(文 0理 0)

【25年4月入社者の採用実績校】
(文)(院)立命館大1(大)一橋大 筑波大 横浜市大 早大各1 (理)(院)阪大1(大)早大1

【24年4月入社者の配属先】
(総)勤務地:東京・御茶ノ水8 部署:経営企画部1 経理部1 損保事業第一部2 損保事業第二部2 生保営業部2

残業(月) (法定外)5時間

記者評価 国内元受損保全社の出資で1940年設立。45年元受に業態転換した後、47年再保険会社として再発足。生保の再保険も。米国・スイスに子会社、シンガポール・マレーシア・香港に支店。アクチュアリー資格取得支援や海外派遣研修など教育制度充実。

●給与、ボーナス、週休、有休ほか●

【30歳総合職平均年収】NA【初任給】(修士)294,320円(大卒)274,260円【ボーナス(年)】NA【25、30、35歳賃金】NA【週休】完全2日(土日祝)【夏期休暇】なし【年末年始休暇】12月31日〜1月4日【有休取得】18.2/24日

●従業員数、勤続年数、離職率ほか●

【男女別従業員数、平均年齢、平均勤続年数】計 334(41.9歳 15.1年)男 165(42.3歳 14.8年)女 169(41.7歳 15.4年)【離職率と離職者数】3.7%、13名【3年後新卒定着率】100%(男100%、女100%、3年前入社:男5名・女4名)【組合】あり

求める人材 前向きな思考で、向上心をもって積極的に行動できる人 創造力・変革の意欲のある人

会社データ (金額は百万円)

【本社】101-8703 東京都千代田区神田駿河台3-6-5
☎03-3253-3171 https://www.toare.co.jp/
【社長】松永 祐明【設立】1940.10【資本金】5,000【今後力を入れる事業】再保険事業

【業績(連結)】	経常収益	正味収入保険料	経常利益	純利益
22.3	329,804	302,024	827	▲1,248
23.3	349,337	320,822	3,238	2,450
24.3	329,071	280,826	21,197	15,556

共栄火災海上保険(株)

きょうえいかさいかいじょうほけん

株式公開 していない

【特色】業界中堅。03年JAグループ入り。信金中金も出資

修士・大卒採用数	3年後離職率	有休取得年平均	平均年収(平均42歳)
85名	NA	18.0日	(総)674万円

●エントリー情報と採用プロセス●

【受付開始〜終了】(総)3月〜継続中【採用プロセス】(総)説明会(必須)→ES提出→面接→適性検査→面接(複数回)→内々定【交通費支給】最終面接、首都圏外の遠方者のみ実費【早期選考】⇒巻末

試験情報

重視科目 (総)面接 適性検査

(総)(ES)⇒巻末(筆)SPI3(自宅)(面)複数回(Webあり)

選考ポイント (総)(ES)学生時代に取り組んだことなどから、自律性や積極性などを評価(面)自己PRをもとに、自発性や対人対応能力、積極性等を総合的に判断

通過率 (総)(ES)NA **倍率(応募/内定)** (総)NA

●男女別採用数と配属先ほか●

【男女・文理別採用実績】※25年:85名採用予定

	大卒男	大卒女	修士男	修士女
23年	30(文NA 理NA)	42(文NA 理NA)	0(文 0理 0)	0(文 0理 0)
24年	41(文NA 理NA)	36(文NA 理NA)	0(文 0理 0)	0(文 0理 0)
25年	-(文 -理 -)	-(文 -理 -)	-(文 -理 -)	-(文 -理 -)

【25年4月入社者の採用実績校】(文)(24年)(大)立命館大 同大 関大各3 明大 日大 成城大 帝京大 金城学大 北星学大 跡見学園女大 大妻女大 東京農業大各2 釧路公大 東北学大 学習院大 神奈川大 國學院大 東京電機大 法政大 武蔵野学大 立教大 立正大 金沢大 岐阜聖徳学大 富山大 阪大 関西学大 神戸市外大 滋賀大 武庫川女大 岡山大 比治山大 松山大 盛岡大 杏林大 聖心女大 高崎経大 東洋大 獨協大 名城大 大阪経法大 神戸親和女大 神戸大 奈良大 公立鳥取環境大 長崎県大 青森公大 仙台白百合女大 北海学園大 藤女大 国士舘大 東京女大 拓大 南山大 関西外大 京産大 京都橘大 神戸学大 神戸女学大 立命館APU 広島修道大 鹿児島大各1 (理)(24年)なし

【24年4月入社者の配属先】(総)勤務地:東京(新橋9 練馬5 立川1)関東3 北海道6 東北6 甲信越2 東海9 北陸2 近畿13 中四国7 九州14 部署:営業45 損害サービス27 管理5

残業(月) 7.4時間 (総)9.0時間

記者評価 農協、漁協、生協、信金などの協同組合・組織が基盤で「共存同栄」が創業の精神。03年株式会社化時にJA共済連が株式の約6割を取得、09年追加出資。JAのほか信金・信組や生協などにも強み。国内に120超の営業拠点網、代理店数9535(24年3月末)。

●給与、ボーナス、週休、有休ほか●

【30歳総合職平均年収】NA【初任給】(博士)<全国型>250,900円<ワイドエリア型>235,700円<勤務地限定型>226,100円(修士)<全国型>250,900円<ワイドエリア型>235,700円<勤務地限定型>226,100円(大卒)<全国型>250,900円<ワイドエリア型>235,700円<勤務地限定型>226,100円【ボーナス(年)】NA【25、30、35歳賃金】NA【週休】完全2日(土日祝)【夏期休暇】連続3日【年末年始休暇】12月31日〜1月3日【有休取得】18.0/20日

●従業員数、勤続年数、離職率ほか●

【男女別従業員数、平均年齢、平均勤続年数】計 2,748(46.6歳 13.2年)男 1,251(NA)女 1,497(NA)【離職率と離職者数】NA【3年後新卒定着率】NA【組合】あり

求める人材 「あたたかさ」と「つながり」を体現できる人 自分の意思・考えを持ち行動できる人 自ら「一歩前」に踏み出せる人

会社データ (金額は百万円)

【本社】105-8604 東京都港区新橋1-18-6
☎03-3504-0133 https://www.kyoeikasai.co.jp/
【社長】石戸谷 浩徳【設立】1942.7【資本金】52,500【今後力を入れる事業】JA共済連グループの一員としての機能を発揮

【業績(単独)】	正味収入保険料	引受利益	経常利益	純利益
22.3	170,107	4,365	10,489	6,929
23.3	172,832	▲4,923	1,067	653
24.3	174,604	3,321	11,186	7,568

金融

▶『業界地図』p.150

そんがいほけん
ソニー損害保険(株)

株式公開 計画なし

【特色】ソニー系の損保。ダイレクト保険の主導的企業

修士・大卒採用数	3年後離職率	有休取得年平均	平均年収(平均39歳)
未定	20.4 → 20.8%	15.2日	721万円

●エントリー情報と採用プロセス●

【受付開始～終了】[総]3月～未定【採用プロセス】[総]説明会(必須)→選考試験→ES提出・面接(複数回)→内々定【交通費支給】最終選考【早期選考】⇒巻末

試験情報

重視科目 [総]全て

[総][ES]NA[筆]Webテスト[面]複数回(Webあり)

選考ポイント [総][ES]NA(提出あり)[面]NA

通過率 [総][ES]NA

倍率(応募/内定) [総]NA

●男女別採用数と配属先ほか●

【男女・文理別採用実績】

	大卒男	大卒女	修士男	修士女
23年	15(文 15理 0)	38(文 38理 0)	0(文 0理 0)	0(文 0理 0)
24年	11(文 11理 0)	29(文 28理 1)	2(文 0理 2)	0(文 0理 0)
25年	-(文 -理 -)	-(文 -理 -)	-(文 -理 -)	-(文 -理 -)

【25年4月入社者の採用実績校】

[文]明大 法政大 津田塾大 神戸大 明学大 関西学大 同大 兵庫県大 [理]慶大

【24年4月入社者の配属先】

[総]勤務地:札幌2 東京10 大阪2 部署:損害サービス部門6 カスタマーサービス部門2 ITシステム2 商品開発部2 マーケティング部門2

残業(月) 25.7時間

記者評価 ソニーフィナンシャルGの損保会社。販売代理店を介さないダイレクト型保険の先駆。自動車保険から出発し、がん重点の医療保険や海外旅行保険、火災保険へも展開。AI活用の運転特性連動型自動車保険が好調。ソニー生命、ソニー銀行との連携を強化。

●給与、ボーナス、週休、有休ほか●

【30歳総合職平均年収】NA【初任給】(大卒)243,000円【ボーナス(年)】NA【25、30、35歳賃金】NA【週休】完全2日【夏期休暇】計画休暇(5日 有休利用)【年末年始休暇】12月31日～1月3日【有休取得】15.2／20日

●従業員数、勤続年数、離職率ほか●

【男女別従業員数、平均年齢、平均勤続年数】計 1,518(39.0歳 8.9年) 男 NA 女 NA【離職率と離職者数】NA【3年後新卒定着率】79.2%(男NA、女NA、3年前入社:男女計53名)【組合】なし

求める人材 「既存のやり方にとらわれず、人がやらないこと、新しいことに挑戦したい」という気持ちを持ち、思考力・行動力・協働力を発揮して「ソニー損保ならでは」の商品やサービスをともに創っていける人財

会社データ (金額は百万円)

【本社】144-8721 東京都大田区蒲田5-37-1 アロマスクエア11階
☎NA https://www.sonysonpo.co.jp/
【社長】坪田 博行【設立】1998.6【資本金】20,000【今後力を入れる事業】NA

【業績(単独)】	正味収入保険料	引受利益	経常利益	純利益
22.3	139,548	7,860	9,070	6,418
23.3	143,760	8,720	9,953	7,105
24.3	150,540	5,146	6,478	4,590

にっしんかさいかいじょうほけん
日新火災海上保険(株)

株式公開 していない

【特色】中堅損保。東京海上ホールディングス傘下

修士・大卒採用数	3年後離職率	有休取得年平均	平均年収(平均46歳)
70名	NA	11.1日	654万円

●エントリー情報と採用プロセス●

【受付開始～終了】[総]3月～継続中【採用プロセス】[総]説明会(必須)→ES提出・Webテスト→1次面接→2次面接→最終面接→内々定【交通費支給】なし【早期選考】⇒巻末

試験情報

重視科目 [総]面接

[総][ES]⇒巻末[筆]SPI3(会場)[面]3回(Webあり)

選考ポイント [総][面]コミュニケーション力 リーダーシップ力 挑戦意欲 成長意欲 チームワーク

通過率 [総][ES]選考なし(受付:NA)

倍率(応募/内定) [総]NA

●男女別採用数と配属先ほか●

【男女・文理別採用実績】

	大卒男	大卒女	修士男	修士女
23年	37(文 32理 5)	22(文 21理 1)	0(文 0理 0)	0(文 0理 0)
24年	49(文 49理 0)	20(文 20理 0)	2(文 0理 2)	0(文 0理 0)
25年	-(文 -理 -)	-(文 -理 -)	-(文 -理 -)	-(文 -理 -)

※25年:継続中

【25年4月入社者の採用実績校】

[文](24年)(大)関大7 同大6 明大4 日女大 日大 帝京大各3 学習院大 青学大 立命館大 京産大 愛知大各2 上智大 立教大 中大 法政大 名城大 東海大 甲南大 龍谷大 武蔵大 専大 福岡大 兵庫県大 北九州市大 関西学大 日体大 武蔵野大 東京経大 桃山学大 久留米大 近大 駒澤大 神奈川大 成城大 成蹊大 共立女大 小樽商大 札幌大 奈良大 奈良女大 大阪経法大 福井大 中原大 大阪産大各1 [理](24年)(院)名大 立命館大各1

【24年4月入社者の配属先】

[総]勤務地:北海道 東北 関東甲信越 中部 近畿 北陸 中国 四国 九州 部署:営業 損害サービス 商品 経理

残業(月) (法定外)10.5時間

記者評価 1908(明治41)年創業。業界中堅。東京海上HD傘下。個人・中小企業向けリテール市場に経営資源集中。1万417店(24年3月末)の代理店は地域密着志向。マンション管理組合向けや事業者向け火災保険など堅調。東京都内のリフォーム比較サイト運営会社へ資本参加。

●給与、ボーナス、週休、有休ほか●

【30歳総合職平均年収】NA【初任給】(修士)256,790円(大卒)245,350円【ボーナス(年)】NA【25、30、35歳賃金】NA【週休】完全2日(土日祝)【夏期休暇】3日【年末年始休暇】12月31日～1月3日(30日と4日はシフト勤務)【有休取得】11.1／20日

●従業員数、勤続年数、離職率ほか●

【男女別従業員数、平均年齢、平均勤続年数】計 2,033(45.9歳 17.1年) 男 NA 女 NA【離職率と離職者数】NA【3年後新卒定着率】NA【組合】あり

求める人材 人に優しく向上心のある人材

会社データ (金額は百万円)

【本社】101-8329 東京都千代田区神田駿河台2-3
☎03-3292-8000 https://www.nisshinfire.co.jp/
【社長】織山 晋【設立】(創業)1908.6【資本金】10,194【今後力を入れる事業】中小法人マーケット開拓 新たな販売基盤の構築 商品開発
【業績】NA

(株)アドバンスクリエイト

東京P 8798

【特色】オンラインを活用した生損保代理店大手

修士・大卒採用数	3年後離職率	有休取得年平均	平均年収(平均36歳)
16名	50.0 → 48.3%	9.7日	[総]631万円

●エントリー情報と採用プロセス●

【受付開始～終了】[総]6月～継続中【採用プロセス】[総]説明会(必須)→ES提出・面接(3～4回)・能力テスト・適性検査→内々定【交通費支給】最終面接、特急券、航空券など在来線以外の実費【早期選考】⇒巻末

試験情報

重視科目 [総]面接

[総][ES]⇒巻末[筆]SPI3(会場) SPI3(自宅) SPI性格[面]3～4回(Webあり)

選考ポイント [総][面]人間性 共感性 コミュニケーション能力

通過率 [総][ES]選考なし(受付:(早期選考含む)904)

倍率(応募/内定) [総](早期選考含む)57倍

●男女別採用数と配属先ほか●

【男女・文理別採用実績】

	大卒男	大卒女	修士男	修士女
23年	27(文 27理 0)	13(文 11理 2)	0(文 0理 0)	0(文 0理 0)
24年	31(文 29理 2)	12(文 12理 0)	0(文 0理 0)	0(文 0理 0)
25年	12(文 12理 0)	4(文 4理 0)	0(文 0理 0)	0(文 0理 0)

※25年:24年7月23日時点

【25年4月入社者の採用実績校】

[文](大)関大3 関西学大 西南学大 日大各2 北大 大阪市大 長崎県大 同大 甲南大 龍谷大 神戸学大各1 [理]なし

【24年4月入社者の配属先】

[総]勤務地:札幌1 仙台3 東京4 横浜4 名古屋3 大阪(梅田5 本町13 阿倍野4 千里中央2)神戸2 福岡1 **部署**:営業40 人事1 経理1

残業(月) 24.3時間 [総]24.3時間

記者評価 保険商品の比較サイト「保険市場」を運営。Webで集客し、店舗での対面や訪問、電話、協業と展開多様。医療保険など第3分野のほか自動車・火災保険も販売。ソフトウェア開発は内製化。ASP、再保険、保険会社など向けの広告代理店事業も展開している。

●給与、ボーナス、週休、有休ほか●

【30歳総合職平均年収】619万円【初任給】(修士)249,400円(大卒)243,400円【ボーナス(年)】112万円、3.2カ月【25、30、35歳賃金】257,309円→299,682円→430,822円【週休】完全2日(土日祝)※一部部署のみ土日祝出勤あり【夏期休暇】連続5日【年末年始休暇】連続5日【有休取得】9.7／20日

●従業員数、勤続年数、離職率ほか●

【男女別従業員数、平均年齢、平均勤続年数】計 338(35.5歳 6.7年) 男 170(33.1歳 6.5年) 女 168(38.0歳 6.9年)【離職率と離職者数】13.6%、53名【3年後新卒定着率】51.7%(男91.7%、女23.5%、3年前入社:男12名・女17名)【組合】なし

求める人材 一流のプロを目指し、誇りを持って全力で仕事に取り組み、人生を輝かせたいと挑戦する人

会社データ (金額は百万円)

【本社】541-0048 大阪府大阪市中央区瓦町3-5-7 野村不動産御堂筋ビル ☎06-6204-1193 https://www.advancecreate.co.jp/

【社長】濱田 佳治【設立】1995.10【資本金】3,160【今後力を入れる事業】保険代理店業 再保険業 広告代理店業

【業績(連結)】	売上高	営業利益	経常利益	純利益
21.9	11,019	2,041	1,925	1,295
22.9	11,860	2,061	2,015	1,312
23.9	10,163	▲2,020	▲2,190	▲1,769

共立(株)

きょうりつ

株式公開 計画なし

【特色】旧興銀系の保険代理店。企業向け保険に強み

修士・大卒採用数	3年後離職率	有休取得年平均	平均年収(平均44歳)
10名	10.0 → 15.4%	16.5日	NA

●エントリー情報と採用プロセス●

【受付開始～終了】[総]3月～7月【採用プロセス】[総]説明会(必須、3月)→ES提出(3月中旬)→面接(3回、3月下旬～4月中旬)→適性検査(4月上旬)→内々定(4月下旬)【交通費支給】最終面接、一律(遠方者のみ実費支給)【早期選考】⇒巻末

試験情報

重視科目 [総]面接

[総][ES]⇒巻末[筆]JMAT[面]3回(Webあり)

選考ポイント [総][ES]NA(提出あり)[面]自己PR 志望動機 人間性

通過率 [総][ES]64%(受付:58→通過:37)

倍率(応募/内定) [総]12倍

●男女別採用数と配属先ほか●

【男女・文理別採用実績】

	大卒男	大卒女	修士男	修士女
23年	3(文 3理 0)	4(文 4理 0)	0(文 0理 0)	0(文 0理 0)
24年	2(文 2理 0)	9(文 7理 2)	0(文 0理 0)	0(文 0理 0)
25年	2(文 1理 1)	7(文 7理 0)	1(文 1理 0)	0(文 0理 0)

【25年4月入社者の採用実績校】

[文](院)早大1(大)青学大2 法政大1 [理](大)埼玉大1

【24年4月入社者の配属先】

[総]勤務地:東京2 名古屋1 静岡1 新潟1 富山1 **部署**:営業6

残業(月) 6.8時間 [総]7.8時間

記者評価 旧日本興業銀行系でみずほFGと親密。企業向けにオーダーメイドの保険サービスを提供。損保が9割を占めるが生保も扱う。全国に支店、営業所。上場400社含む約5000社と取引実績。香港、上海、タイ、シンガポール、ジャカルタにも拠点持ち顧客の海外展開に対応。

●給与、ボーナス、週休、有休ほか●

【30歳総合職モデル年収】625万円【初任給】(修士)256,480円(大卒)241,630円【ボーナス(年)】NA、6.8カ月【25、30、35歳モデル賃金】276,380円→341,480円→439,980円【週休】完全2日(土日祝)【夏期休暇】有休で取得【年末年始休暇】12月29日～1月3日【有休取得】16.5／21日

●従業員数、勤続年数、離職率ほか●

【男女別従業員数、平均年齢、平均勤続年数】計 262(43.7歳 13.1年) 男 149(46.1歳 13.0年) 女 113(40.5歳 13.3年)※嘱託社員含む 関連会社への出向・執行役員を除く【離職率と離職者数】6.4%、18名【3年後新卒定着率】84.6%(男100%、女77.8%、3年前入社:男4名・女9名)【組合】あり

求める人材 誠実に相手の立場で考え、柔軟に粘り強く、チームプレイで自発的に仕事に取り組める人

会社データ (金額は百万円)

【本社】103-0027 東京都中央区日本橋2-2-16 ☎03-5962-3100 https://www.kyoritsu-ins.co.jp/

【社長】長谷川 浩一【設立】1910.4【資本金】322【今後力を入れる事業】損害保険代理店業

【業績(単独)】	売上高	営業利益	経常利益	純利益
22.3	4,795	552	840	3,934
23.3	5,250	956	1,203	759
24.3	5,070	774	1,055	729

開示 ★★★ ▶『業界地図』p.148, 163… 942

オリックス(株)

東京P 8591

【特色】独立系リースの業界先駆。金融や投資など多角化

修士・大卒採用数	3年後離職率	有休取得年平均	平均年収(平均43歳)
98名	[!]8.8→[!]7.5%	15.2日	[総]1,098万円

残業(月) 26.3時間 [総]34.9時間

記者評価 リース国内首位から銀行、生保、資産運用など幅広い金融事業を展開する総合金融会社に。近年は投資事業の利益が拡大。委員会等設置会社にいち早く移行するなど企業統治でも先駆。米国や欧州、中国などでも事業展開。23年に経営再建中の東芝に2000億円出資。

●エントリー情報と採用プロセス●

【受付開始～終了】[総]2月～3月【採用プロセス】[総]ES提出・Web適性検査→筆記・面接(3～5回)→内々定【交通費支給】全ての面接、遠方者のみ実費【早期選考】⇒巻末

試験情報

重視科目 [総]面接

[総][ES]⇒巻末[筆]OPQ V-CAT WebRAB[面]3～5回(Webあり)

選考ポイント [総][ES]求める人材と合致しているか[面]コミュニケーション能力 主体性 判断力 論理性 チャレンジ精神 自ら考え、自分の言葉で発信・行動することができるか 他

通過率 [総][ES]34%(受付:1,793→通過:602)

倍率(応募/内定) [総]100倍

●男女別採用数と配属先ほか●

【男女・文理別採用実績】

	大卒男	大卒女	修士男	修士女
23年	114(文 99 理 15)	142(文130 理 12)	8(文 0 理 8)	3(文 0 理 3)
24年	43(文 42 理 1)	39(文 39 理 0)	3(文 2 理 1)	1(文 0 理 1)
25年	51(文 45 理 6)	37(文 37 理 0)	9(文 3 理 6)	1(文 0 理 1)

※23年:オリックスグループ(オリックス、オリックス自動車、オリックス銀行、オリックス生命保険、他3社)の実績

【25年4月入社者の採用実績校】

[文](院)北大 東大 復旦大各1(大)早大 慶大各10 関西学大 上智大各6 明大5 一橋大 神戸大 法政大 立教大各4 同大 阪大各3 京大2 関大 金沢大 ICU 青学大 中大 名大 名古屋市大各1 [理](院)京大2 東大 阪大 東北大 名大 北京大各1(大)明大2 関西学大 立教大 東理大 上智大各1

【24年4月入社者の配属先】

[総]勤務地:首都圏43 近畿圏7 他地域19 部署:営業62 管理7

●給与、ボーナス、週休、有休ほか●

【30歳総合職平均年収】907万円【初任給】(修士)295,000円(大卒)<全国型>270,000円<地域限定型>262,000円【ボーナス(年)】NA【25、30、35歳賃金】NA【週休】完全2日(土日祝)【夏期休暇】原則5日以上(有休で取得)【年末年始休暇】12月30日～1月3日【有休取得】15.2/20日

●従業員数、勤続年数、離職率ほか●

【男女別従業員数、平均年齢、平均勤続年数】計 3,613(44.5歳 18.0年) 男 2,000(45.3歳 17.6年) 女 1,613(43.5歳 18.6年)【離職率と離職者数】4.3%、163名【3年後新卒定着率】92.5%(男90.5%、女94.7%、3年前入社:男21名・女19名) ※オリックス本籍者のみ【組合】なし

求める人材 クリエイティビティ、チャレンジ、チームプレイ、変化に柔軟に対応し社会に新しい価値を創り出す人材

会社データ (金額は百万円)

【本社】105-5135 東京都港区浜松町2-4-1 世界貿易センタービル南館
☎03-3435-3000 https://www.orix.co.jp/

【社長】井上 亮【設立】1964.4【資本金】221,111【今後力を入れる事業】環境エネルギー、アセットマネジメント、サステナビリティ・DX推進

【業績(SEC)】	売上高	営業利益	税前利益	純利益
22.3	2,520,365	302,083	504,876	312,135
23.3	2,666,373	313,988	367,168	273,075
24.3	2,814,361	360,713	469,975	346,132

みついすみとも

三井住友ファイナンス&リース(株)

株式公開 未定

【特色】総合リース大手。SMFGと住友商事の折半出資

修士・大卒採用数	3年後離職率	有休取得年平均	平均年収(平均43歳)
104名	12.3→16.1%	17.2日	916万円

残業(月) NA

記者評価 三井住友銀リースと住商リースの合併で発足。総合リース大手の一角。船舶・航空機から不動産まで総合展開。航空機リースでは世界的。19年春グループリース事業の再編で住商とSMFGとの折半出資に。25年4月入社の大卒総合職初任給を30万円に引き上げ予定。

●エントリー情報と採用プロセス●

【受付開始～終了】[総]3月～5月【採用プロセス】[総]説明会(任意、動画視聴)→Webテスト→面接(4回)→内々定(4月上旬～7月下旬)【交通費支給】なし

試験情報

重視科目 [総]面接

[総][筆]あり(内容NA)[面]4回(Webあり)

選考ポイント [総][ES]提出なし[面]学生時代自ら行動したエピソードを基にコミュニケーション力や探究心・理解力・責任感などを総合判断

通過率 [総][ES]―(応募:2,563)

倍率(応募/内定) [総]29倍

●男女別採用数と配属先ほか●

【男女・文理別採用実績】

	大卒男	大卒女	修士男	修士女
23年	46(文 43 理 3)	38(文 38 理 0)	1(文 1 理 0)	2(文 2 理 0)
24年	33(文 31 理 2)	39(文 38 理 1)	1(文 0 理 1)	0(文 0 理 0)
25年	43(文 41 理 2)	61(文 61 理 0)	0(文 0 理 0)	0(文 0 理 0)

※25年:24年8月時点

【25年4月入社者の採用実績校】[文](大)明大11 法政大 立教大各7 早大6 関西学大5 青学大 同大 中大 上智大各4 関大3 埼玉大 慶大 学習院大 東洋大 成城大 神戸大各2 鹿児島大 高崎経大 國學院大 コロンビア大 日大 ランカスター大 成蹊大 東京女大 ニューカッスル大 一橋大 愛媛大 武蔵野大 北大 広島大 秋田大 長崎大 FIDM大 東京外大各1 [理](大)阪大 芝工大各1

【24年4月入社者の配属先】

[総]勤務地:東京(千代田36 新宿2 御徒町2 五反田2 池袋1)横浜1 埼玉1 大阪8 名古屋2 京都1 神戸1 札幌1 仙台1 広島1 福岡2 部署:コーポレートビジネス部門41・環境エネルギー部門4・不動産部門5・トランスポーテーション部門7・コーポレート5

●給与、ボーナス、週休、有休ほか●

【30歳総合職平均年収】NA【初任給】(修士)287,000円(大卒)267,000円【ボーナス(年)】NA【25、30、35歳賃金】NA【週休】完全2日(土日祝)【夏期休暇】連続5日(有休で取得)【年末年始休暇】12月29日～1月3日【有休取得】17.2/20日

●従業員数、勤続年数、離職率ほか●

【男女別従業員数、平均年齢、平均勤続年数】計 2,282(42.9歳 14.1年) 男 1,417(43.9歳 15.1年) 女 865(41.1歳 12.3年)【離職率と離職者数】2.4%、55名【3年後新卒定着率】83.9%(男88.9%、女76.9%、3年前入社:男36名・女26名)【組合】あり

求める人材 目標を達成しようとする「熱意」と、多様な考えを吸収でき、変化に対応できる「柔軟性」を持つ人

会社データ (金額は百万円)

【本社】100-8287 東京都千代田区丸の内1-3-2
☎03-5219-6400 https://www.smfl.co.jp/

【社長】橘 正喜【設立】1963.2【資本金】15,000【今後力を入れる事業】環境エネルギー 不動産 トランスポーテーション デジタル分野 他

【業績(連結)】	売上高	営業利益	経常利益	純利益
22.3	1,818,535	116,212	119,468	35,363
23.3	2,159,316	133,197	136,566	50,418
24.3	2,267,470	157,392	149,667	129,731

開示 ★★★ ▶『業界地図』p.163 943

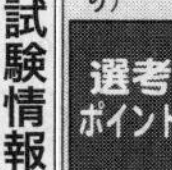

みつびしエイチシー
三菱HCキャピタル(株)
東京P 8593

【特色】MUFG系リース大手。資産規模で業界首位級

修士・大卒採用数	3年後離職率	有休取得年平均	平均年収(平均41歳)
98名	4.2→0%	14.8日	977万円

●エントリー情報と採用プロセス●
【受付開始～終了】[総]3月～6月【採用プロセス】[総]WebES・適性検査(3～6月)→面接(3～4回、2月下旬～7月)→内々定(3～7月)【交通費支給】最終面接、新幹線乗車券・特急券および航空券代の実費【早期選考】⇒巻末

試験情報
重視科目 [総]面接
[総][ES]⇒巻末[筆]WebGAB[面]3～4回(Webあり)
選考ポイント [総][ES]NA(提出あり)[面]積極性 チャレンジ精神 主体性 実行力 粘り強さ 牽引力 リーダーシップ 論理的思考力 分析力
通過率 [総][ES]NA
倍率(応募/内定) [総]NA

●男女別採用数と配属先ほか●
【男女・文理別採用実績】

	大卒男	大卒女	修士男	修士女
23年	22(文 22理 0)	23(文 23理 0)	1(文 0理 1)	0(文 0理 0)
24年	33(文 32理 1)	38(文 38理 0)	2(文 0理 2)	0(文 0理 0)
25年	46(文 45理 1)	47(文 46理 1)	4(文 0理 4)	1(文 1理 0)

【25年4月入社者の採用実績校】
[文](院)早大1(大)明大10 法政大 立教大各8 慶大5 早大 青学大 成城大各4 同大 中大 学習院大 埼玉大各3 九大 筑波大 関西学大 関大各2 他 [理](院)北大 九大 東京農工大 兵庫県大各1(大)立教大 立命館大各1
【24年4月入社者の配属先】
[総]勤務地:東京40 大阪5 名古屋4 東北2 横浜2 京都2 九州2 大宮1 刈谷1 神戸1 部署:営業58 コーポレート2

残業(月) 18.7時間

記者評価 21年4月に三菱UFJリースと日立キャピタルが合併して現体制に。資産規模でリース業界最大級。三菱商事とMUFGが大株主。航空機リースなど買収で規模拡大、海上コンテナや鉄道貨車でも世界で存在感。不動産関連も主力。水素や風力など環境エネルギーにも注力。

●給与、ボーナス、週休、有休ほか●
【30歳総合職平均年収】NA【初任給】(修士)313,000円(大卒)293,000円【ボーナス(年)】NA【25、30、35歳賃金】NA【週休】完全2日(土日祝)【夏期休暇】有休で取得【年末年始休暇】12月29日～1月3日【有休取得】14.8/20日

●従業員数、勤続年数、離職率ほか●
【男女別従業員数、平均年齢、平均勤続年数】計 2,140(41.3歳 15.7年)男 1,261(42.4歳 16.5年)女 879(39.2歳 14.2年)【離職率と離職者数】3.3%、73名【3年後新卒定着率】100%(男100%、女100%、3年前入社:男33名・女25名)【組合】なし

求める人材 主体的に考え行動し、周囲を巻き込める人 様々なことに挑戦し、やり抜くことができる人

会社データ (金額は百万円)
【本社】100-6525 東京都千代田区丸の内1-5-1 新丸の内ビルディング
☎03-6865-3000 https://www.mitsubishi-hc-capital.com/
【社長】久井 大樹【設立】1971.4【資本金】33,196【今後力を入れる事業】ビジネスモデルの進化・積層化を7事業で推進

【業績(連結)】	売上高	営業利益	経常利益	純利益
22.3	1,765,559	114,092	117,239	99,401
23.3	1,896,231	138,727	146,076	116,241
24.3	1,950,583	146,176	151,633	123,842

とうきょう
東京センチュリー(株)
東京P 8439

【特色】伊藤忠系と旧第一勧銀系が合併。総合金融を志向

修士・大卒採用数	3年後離職率	有休取得年平均	平均年収(平均44歳)
61名	NA→0%	15.2日	[総]965万円

●エントリー情報と採用プロセス●
【受付開始～終了】[総]3月～7月【採用プロセス】[総]ES提出・自己PR動画(3月～)→Web個人面接(3～4回)・大学成績・Webテスティング→内々定(6月～)【交通費支給】最終面接、遠方者のみ実費【早期選考】⇒巻末

試験情報
重視科目 [総]面接
[総][ES]⇒巻末[筆]SPI3(自宅)[面]3～4回(Webあり)
選考ポイント [総][ES]NA(提出あり)[面]コミュニケーション能力 論理的思考力 仕事への意欲 問題解決力 他
通過率 [総][ES]NA
倍率(応募/内定) [総]NA

●男女別採用数と配属先ほか●
【男女・文理別採用実績】

	大卒男	大卒女	修士男	修士女
23年	21(文 21理 0)	25(文 24理 1)	1(文 0理 1)	0(文 0理 0)
24年	31(文 30理 1)	21(文 20理 1)	0(文 0理 0)	0(文 0理 0)
25年	24(文 24理 0)	35(文 33理 2)	2(文 1理 1)	0(文 0理 0)

※25年:24年9月12日時点
【25年4月入社者の採用実績校】
[文](院)東北大1(大)法政大 明大各5 西南学大 中大 同大 明学大 立教大各3 上智大 成蹊大 日大 日女大 立命館APU 早大各2 青学大 阪大 大阪市大 学習院大 近大 慶大 甲南大 滋賀大 成城大 専大 東京女大 東北大 東洋大 獨協大 立命館大各1 [理](院)東京科学大1(大)千葉大1
【24年4月入社者の配属先】
[総]勤務地:東京(秋葉原27 大手町14)大阪・本町2 埼玉・大宮1 横浜1 愛知・栄1 部署:営業44 経理2

残業(月) 11.6時間 [総]16.8時間

記者評価 従来型リースを超えた金融・サービス企業を志向。銀行色は薄く経営に自由度。傘下にニッポンレンタカー。米航空機リース大手のACGを買収するなど積極経営。NTTと資本・業務提携したほか、三菱UFJ系の東銀リースにも25%資本参加。DX人材の育成に積極的。

●給与、ボーナス、週休、有休ほか●
【30歳総合職平均年収】712万円【初任給】(博士)<全国勤務型>290,000円<首都圏勤務型>261,000円 (修士)<全国勤務型>290,000円<首都圏勤務型>261,000円 (大卒)<全国勤務型>270,000円<首都圏勤務型>243,000円【ボーナス(年)】NA【25、30、35歳賃金】NA【週休】完全2日(土日祝)【夏期休暇】原則5営業日連続取得を推奨(有休で取得)【年末年始休暇】12月29日～1月3日【有休取得】15.2/20日

●従業員数、勤続年数、離職率ほか●
【男女別従業員数、平均年齢、平均勤続年数】計 1,037(44.1歳 17.2年)男 698(45.4歳 17.3年)女 339(41.4歳 16.9年)【離職率と離職者数】2.8%、30名【3年後新卒定着率】100%(男100%、女100%、3年前入社:男8名・女9名)【組合】あり

求める人材 「自己変革力」を持ち、「創造力」「挑戦心」にあふれる人材

会社データ (金額は百万円)
【本社】101-0022 東京都千代田区神田練塀町3 富士ソフトビル
☎03-5209-7437 https://www.tokyocentury.co.jp/
【社長】馬場 高一【設立】1969.7【資本金】81,129【今後力を入れる事業】5事業分野すべて

【業績(連結)】	売上高	営業利益	経常利益	純利益
22.3	1,277,976	82,675	90,519	50,290
23.3	1,324,962	91,221	106,194	4,765
24.3	1,346,113	104,225	117,303	72,136

金融

芙蓉総合リース(株)（ふようそうごう） 東京P 8424

【特色】みずほ(旧富士銀行)系の総合リース。業界大手

修士・大卒採用数	3年後離職率	有休取得年平均	平均年収(平均39歳)
51名	11.1→5.3%	17.7日	総962万円

●エントリー情報と採用プロセス●

【受付開始～終了】総3月～6月【採用プロセス】総説明会(必須)→ES提出→SPI受験→面接(複数回)→内々定(6月～)【交通費支給】3次(最終)面接、実費(上限30,000円)【早期選考】⇒巻末

試験情報

重視科目 総面接

総 ES⇒巻末 筆SPI3(会場) SPI3(自宅) 面複数回(Webあり)

選考ポイント 総 ES文章の論理性 他 面コミュニケーション能力 自主性 論理的思考力 協調性 明るさ 素直さ 他

通過率 総 ES79%(受付:1,533→通過:1,211)

倍率(応募/内定) 総17倍

●男女別採用数と配属先ほか●

【男女・文理別採用実績】

	大卒男	大卒女	修士男	修士女
23年	18(文 18理 0)	26(文 25理 1)	0(文 0理 0)	0(文 0理 0)
24年	14(文 13理 1)	22(文 22理 0)	1(文 0理 1)	0(文 0理 0)
25年	24(文 24理 0)	24(文 24理 0)	2(文 0理 2)	1(文 0理 1)

※障がい者採用含む

【25年4月入社者の採用実績校】

文(大)成蹊大 関西学大各4 早大 上智大 立教大 法政大 神戸大各3 慶大 明大 青学大各2 中大 ICU 明学大 津田塾大 成城大 明星大 東京女大 日女大 神奈川大 横浜市大 関大 阪大 大阪市大 龍谷大 香川大 高崎経大各1 理(院)北大 立命館大 日女大各1

【24年4月入社者の配属先】

総勤務地:東京20 大阪3 名古屋2 福岡2 札幌1 高崎1 横浜1 金沢1 京都1 神戸1 広島1 部署:営業34

残業(月) 13.7時間 総17.5時間

記者評価 情報機器リースやフォークリフトなどの物流関連リースのほか、航空機リースに強み。不動産事業が業績を牽引してきたが、一層の残高積み増しには慎重姿勢。再生可能エネルギーやヘルスケア、バックオフィス業務などのBPOを中期的な重点分野として集中投資。

●給与、ボーナス、週休、有休ほか●

【30歳総合職平均年収】770万円【初任給】(博士)〈全国型〉基本給275,000円〈首都圏限定型〉基本給239,300円 (修士)〈全国型〉基本給275,000円〈首都圏限定型〉基本給239,300円 (大卒)〈全国型〉基本給260,000円〈首都圏限定型〉基本給227,300円【ボーナス(年)】NA、7.3カ月【25、30、35歳モデル賃金】287,200円→377,300円→452,600円【週休】完全2日(土日祝)【夏期休暇】有休で取得【年末年始休暇】12月29日～1月3日【有休取得】17.7／20日

●従業員数、勤続年数、離職率ほか●

【男女別従業員数、平均年齢、平均勤続年数】計 830(41.3歳 14.1年) 男 513(43.3歳 14.8年) 女 317(38.0歳 12.9年)【離職率と離職者数】3.3%、28名【3年後新卒定着率】94.7%(男94.4%、女95.0%、3年前入社:男18名・女20名)【組合】あり

求める人材 明るく誠実で、向上心を持ち、自ら課題解決に努力できる人

会社データ (金額は百万円)

【本社】102-0083 東京都千代田区麹町5-1-1 住友不動産麹町ガーデンタワー ☎03-5275-8801 https://www.fgl.co.jp/

【社長】織田 寛明【設立】1969.5【資本金】10,532【今後力を入れる事業】不動産 環境 医療・福祉 海外 BPO モビリティ

【業績(連結)】	売上高	営業利益	経常利益	純利益
22.3	657,847	46,034	52,723	33,886
23.3	688,655	51,561	59,699	38,939
24.3	708,538	60,046	68,355	47,219

みずほリース(株) 東京P 8425

【特色】旧日本興業銀行系。みずほFGと丸紅の持分会社

修士・大卒採用数	3年後離職率	有休取得年平均	平均年収(平均43歳)
33名	7.7→10.0%	15.9日	総1,074万円

●エントリー情報と採用プロセス●

【受付開始～終了】総3月～5月【採用プロセス】総ES提出・適性検査・自己PR動画(3月～)→面接(3回)→内々定【交通費支給】2次面接・最終面接、実費

試験情報

重視科目 総面接

総 ES⇒巻末 筆WebGAB TAL 面3回(Webあり)

選考ポイント 総 面コミュニケーション能力 自主性 論理性 積極性 他

通過率 総 ES選考なし(受付:NA)

倍率(応募/内定) 総NA

●男女別採用数と配属先ほか●

【男女・文理別採用実績】

	大卒男	大卒女	修士男	修士女
23年	10(文 8理 2)	14(文 14理 0)	0(文 0理 0)	0(文 0理 0)
24年	12(文 12理 0)	10(文 10理 0)	0(文 0理 0)	0(文 0理 0)
25年	14(文 14理 0)	18(文 18理 0)	1(文 1理 0)	0(文 0理 0)

【25年4月入社者の採用実績校】

文(大)早大 明大 法政大 中大 日大各3 青学大 立教大 同大各2 神戸大 大阪市大 愛媛大 新潟大 慶大 学習院大 東京女大 駒澤大 千葉商大 南山大 関西学大各1 理なし

【24年4月入社者の配属先】

総勤務地:本社(東京)17 大阪1 名古屋1 部署:営業17 主計1 財務1

残業(月) 19.4時間 総26.5時間

記者評価 旧興銀リース。みずほ銀行の取引先である製造業や大企業に強く、相次ぐ買収で情報通信や医療機器などのリースも展開。20年にリコーと業務提携し、同社リース子会社を持分会社化。23年6月インド同業の買収が完了し、同国に初の拠点。24年6月丸紅の持分会社に。

●給与、ボーナス、週休、有休ほか●

【30歳総合職平均年収】NA【初任給】(大卒)〈総合職〉270,000円〈地域限定総合職〉247,000円【ボーナス(年)】NA【25、30、35歳賃金】NA【週休】完全2日(土日祝)【夏期休暇】5日(有休で取得)【年末年始休暇】12月29日～1月3日【有休取得】15.9／23日

●従業員数、勤続年数、離職率ほか●

【男女別従業員数、平均年齢、平均勤続年数】計 811(43.9歳 14.2年) 男 490(46.1歳 15.1年) 女 321(40.6歳 12.8年)【離職率と離職者数】3.7%、31名【3年後新卒定着率】90.0%(男85.7%、女93.8%、3年前入社:男14名・女16名)【組合】なし

求める人材 知的好奇心をかき立て、自らをリードする人

会社データ (金額は百万円)

【本社】105-0001 東京都港区虎ノ門1-2-6 みずほリースビル ☎03-5253-6511 https://www.mizuho-ls.co.jp/

【社長】中村 昭【設立】1969.12【資本金】46,925【今後力を入れる事業】環境事業 サーキュラーエコノミー XaaS 他

【業績(連結)】	売上高	営業利益	経常利益	純利益
22.3	554,809	17,893	20,064	14,902
23.3	529,700	31,756	40,110	28,398
24.3	656,127	39,511	50,897	35,220

1733 ▶『業界地図』p.163　開示 ★★★

ＪＡ三井リース㈱

ジェイエイみつい

株式公開 未定

【特色】JA系と三井物産系の総合リース会社。農機強い

修士・大卒採用数	3年後離職率	有休取得年平均	平均年収(平均44歳)
39名	17.4→22.2%	15.1日	㊝1,025万円

●エントリー情報と採用プロセス●

【受付開始～終了】㊝3月～3月【採用プロセス】㊝ES提出・Webテスト(3月中旬)→GD(3月中旬～下旬)→面接(複数回、3月下旬～5月下旬)→内々定(5～6月中旬)【交通費支給】最終面接、(1都3県以外居住者のみ)実費

試験情報

重視科目 ㊝Webテスト GD 面接

㊝ ES⇒巻末㊂WebGAB㊀複数回(Webあり)GD作⇒巻末

選考ポイント ㊝ ES NA(提出あり)㊀思考力 行動力 コミュニケーション能力

通過率 ㊝ ES NA

倍率(応募/内定) ㊝NA

●男女別採用数と配属先ほか●

【男女・文理別採用実績】

	大卒男	大卒女	修士男	修士女
23年	10(文 9理 1)	5(文 5理 0)	0(文 0理 0)	0(文 0理 0)
24年	27(文 27理 0)	19(文 19理 0)	0(文 0理 0)	0(文 0理 0)
25年	22(文 22理 0)	16(文 16理 0)	1(文 0理 1)	0(文 0理 0)

【25年4月入社者の採用実績校】
㊛(大)明大 立教大 法政大各4 同大 成蹊大 成城大 関西学大 東洋大各2 青学大 中大 埼玉大 鳥取大 滋賀大 早大 明学大 東理大 神戸大 大阪市大 獨協大 南山大 甲南大 専大 高崎経大 日女大各1 ㊫(院)九州工大1

【24年4月入社者の配属先】
㊝勤務地：東京・銀座42 大阪4 部署：経営管理1 営業戦略1 事業開発1 海外統括1 デジタル戦略2 人事総務3 法務1 財務2 経理2 審査3 業務企画2 営業27

残業(月) 24.0時間 ㊝33.8時間

記者評価 農林中金と三井物産が大株主の総合リース会社。JA(農協)系の協同リースと三井物産系の三井リース事業の経営統合で発足。農機や医療関連などに強み。M&Aに積極的、米国では23年7月ファクタリング会社、24年3月小口リース・ファイナンス会社をそれぞれ買収。

●給与、ボーナス、週休、有休ほか●

【30歳総合職平均年収】NA【初任給】(修士)274,000円(大卒)260,000円【ボーナス(年)】NA【25、30、35歳賃金】NA【週休】完全2日(土日祝)【夏期休暇】有休で取得【年末年始休暇】12月29日～1月3日【有休取得】15.1／24日

●従業員数、勤続年数、離職率ほか●

【男女別従業員数、平均年齢、平均勤続年数】計 999(43.9歳 16.6年) 男 604(46.4歳 18.7年) 女 395(39.4歳 13.4年)【離職率と離職者数】3.7%、38名(早期退職男2名含む)【3年後新卒定着率】77.8%(男72.7%、女85.7%、3年前入社：男11名・女7名)【組合】あり

求める人材 自由な発想で課題解決に挑戦し、自己変革を続けると共に、顧客の変革に貢献できる人

会社データ　(金額は百万円)

【本社】104-0061 東京都中央区銀座8-13-1 銀座三井ビルディング
☎03-6775-3000　https://www.jamitsuilease.co.jp/
【社長】新分 敬人【設立】2008.4【資本金】32,000【今後力を入れる事業】不動産 エネルギー 海外 DX 物流

【業績(連結)】	売上高	営業利益	経常利益	純利益
22.3	459,232	25,781	25,970	18,464
23.3	503,227	28,649	29,363	20,941
24.3	547,893	38,003	39,528	26,503

ＮＴＴ・ＴＣリース㈱

エヌティティ ティーシー

株式公開 計画なし

【特色】NTTグループと東京センチュリーのリース合弁

修士・大卒採用数	3年後離職率	有休取得年平均	平均年収(平均40歳)
47名	10.3→17.4%	18.4日	㊝797万円

●エントリー情報と採用プロセス●

【受付開始～終了】㊝3月～6月【採用プロセス】㊝ES提出(3月～)→適性検査→動画選考→GD→面接(2回程度)→内々定【交通費支給】最終面接、実費【早期選考】⇒巻末

試験情報

重視科目 ㊝面接

㊝ ES⇒巻末㊂SPI3(自宅)㊀2回(Webあり)GD作⇒巻末

選考ポイント ㊝ ES NA(提出あり)㊀学生時代の研究内容や取り組みから、本人の能力・適性・意欲を総合的に判断

通過率 ㊝ ES NA

倍率(応募/内定) ㊝NA

●男女別採用数と配属先ほか●

【男女・文理別採用実績】

	大卒男	大卒女	修士男	修士女
23年	37(文 35理 2)	18(文 18理 0)	0(文 0理 0)	0(文 0理 0)
24年	25(文 25理 0)	13(文 12理 1)	0(文 0理 0)	1(文 1理 0)
25年	29(文 29理 0)	17(文 17理 0)	0(文 0理 0)	1(文 1理 0)

【25年4月入社者の採用実績校】
㊛(院)名大1(大)関大6 明大 立命館大各3 法政大 日大 専大 東海大 同大 奈良県大各2 北海学園大 東北大 宮城大 山梨大 群馬県女大 高崎経大 中大 立教大 学習院大 駒澤大 成城大 成蹊大 東洋大 日女大 明学大 立正大 神奈川大 愛知淑徳大 大阪市大 京産大 安田女大 福岡大各1 ㊫なし

【24年4月入社者の配属先】
㊝勤務地：東京・品川19 札幌2 仙台2 埼玉・大宮4 名古屋3 大阪5 広島2 福岡2 部署：国内リース営業35 グローバル営業4

残業(月) 10.8時間 ㊝17.5時間

記者評価 NTT、NTTファイナンス、東京センチュリー3社が出資する合弁会社。20年2月、NTTファイナンスのリース事業とグローバル事業の一部を分社化して設立。通信機器に加え、医療機器、建設機械、産業機械などリースの対象は幅広い。自治体向けにLED照明のリースも。

●給与、ボーナス、週休、有休ほか●

【30歳総合職モデル年収】670万円【初任給】(修士)274,790円(大卒)262,790円【ボーナス(年)】185万円、NA【25、30、35歳賃金】NA【週休】完全2日(土日祝)【夏期休暇】5日【年末年始休暇】12月29日～1月3日【有休取得】18.4／20日

●従業員数、勤続年数、離職率ほか●

【男女別従業員数、平均年齢、平均勤続年数】計 582(39.8歳 16.7年) 男 428(41.2歳 17.9年) 女 154(36.0歳 13.4年)※総合職のみ【離職率と離職者数】2.8%、17名【3年後新卒定着率】82.6%(男88.9%、女60.0%、3年前入社：男18名・女5名)【組合】あり

求める人材 柔軟な発想で多様な人々と共に、新たな価値創造をすることができる

会社データ　(金額は百万円)

【本社】108-0075 東京都港区港南1-2-70
☎03-6455-8511　https://www.ntt-tc-lease.com/
【社長】成瀬 明弘【設立】2020.2【資本金】10,000【今後力を入れる事業】国内外リース

【業績(連結)】	売上高	営業利益	経常利益	純利益
22.3	363,408	16,044	16,961	11,832
23.3	384,713	17,442	18,583	12,864
24.3	375,956	19,951	21,443	15,027

2793 ▶『業界地図』p.163　開示 ★★★

㈱JECC（ジェック）

株式公開 計画なし

【特色】IT機器リース・レンタル大手。官公・公共に強み

修士・大卒採用数	3年後離職率	有休取得年平均	平均年収(平均41歳)
9名	14.3 → 0%	14.1日	[総]823万円

●エントリー情報と採用プロセス●

【受付開始～終了】[総]2月～6月【採用プロセス】[総]説明会(必須、2月～随時)→ES提出・書類選考・適性検査→GW→面接(3～4回)→内々定【交通費支給】最終面接以降、近郊:一律 遠方:実費【早期選考】⇒巻末

試験情報

【重視科目】[総]面接

[総][ES]⇒巻末[筆]SPI3(自宅)[面]3～4回(Webあり)[GD作]⇒巻末

【選考ポイント】[総][ES]求める人財と合致しているかや文章力などを総合的に判断[面]学生時代の経験を基に主体性 協調性 コミュニケーション能力などを総合的に判断

【通過率】[総][ES]NA

【倍率(応募/内定)】[総]NA

●男女別採用数と配属先ほか●

【男女・文理別採用実績】

	大卒男	大卒女	修士男	修士女
23年	5(文 5理 0)	0(文 0理 0)	0(文 0理 0)	0(文 0理 0)
24年	5(文 5理 0)	2(文 1理 1)	0(文 0理 0)	0(文 0理 0)
25年	6(文 6理 0)	3(文 3理 0)	0(文 0理 0)	0(文 0理 0)

【25年4月入社者の採用実績校】

[文](大)中大2 愛知大 桜美林大 大阪経大 関西福祉大 近大 玉川大 中央学大各1 [理]なし

【24年4月入社者の配属先】

[総]勤務地:本社(東京)7 部署:営業7

【残業(月)】20.1時間

【記者評価】1961年に政府指導の下、富士通、NEC、日立、東芝、OKI、三菱電機の共同出資で誕生したリース・レンタル会社。IT機器の取り扱いが主力で官公庁や自治体に強み。民間は大企業中心。賃貸資産残高1.2兆円超。少数精鋭のため、若手にも大型案件に携わる機会も。

●給与、ボーナス、週休、有休ほか●

【30歳総合職平均年収】NA【初任給】(博士)290,000円(修士)290,000円 (大卒)270,000円【ボーナス(年)】NA【25、30、35歳賃金】NA【週休】完全2日(土日祝)【夏期休暇】2日【年末年始休暇】12月30日～1月3日【有休取得】14.1／25日

●従業員数、勤続年数、離職率ほか●

【男女別従業員数、平均年齢、平均勤続年数】計 345 (40.4歳 16.3年) 男 242(41.7歳 17.2年) 女 103(37.3歳 14.3年)【離職率と離職者数】3.1%、11名【3年後新卒定着率】100%(男100%、女100%、3年前入社:男3名・女2名)【組合】あり

【求める人材】相手のことを思いやり、想像できる人 諦めずに、熱意を持って最後までやりきれる人

【会社データ】(金額は百万円)

【本社】100-8341 東京都千代田区丸の内3-4-1
☎03-3216-3890 https://www.jecc.com/
【社長】桑田 始【設立】1961.8【資本金】65,700【今後力を入れる事業】ITとファイナンスを融合した付加価値型サービス

【業績(単独)】	売上高	営業利益	経常利益	純利益
22.3	327,117	4,577	5,621	4,165
23.3	312,923	6,393	6,536	4,718
24.3	348,494	7,368	7,544	5,233

リコーリース㈱

東京P 8566

【特色】リコー系。中小企業向け事務機器リースに強み

修士・大卒採用数	3年後離職率	有休取得年平均	平均年収(平均41歳)
25名	0 → 11.8%	13.8日	[総]840万円

●エントリー情報と採用プロセス●

【受付開始～終了】[総]2月～7月【採用プロセス】[総]説明会(必須、2月～)→Webテスト→ES提出→面接(3回、4月～)→内々定【交通費支給】2次面接以降、近郊:一律 遠方:実費【早期選考】⇒巻末

試験情報

【重視科目】[総]面接

[総][ES]⇒巻末[筆]SPI3(会場) SPI3(自宅)[面]3回(Webあり)

【選考ポイント】[総][面]自立遂行能力 他

【通過率】[総][ES]選考なし(受付:318)

【倍率(応募/内定)】[総]43倍

●男女別採用数と配属先ほか●

【男女・文理別採用実績】

	大卒男	大卒女	修士男	修士女
23年	7(文 7理 0)	8(文 8理 0)	0(文 0理 0)	0(文 0理 0)
24年	16(文 16理 0)	6(文 6理 0)	0(文 0理 0)	0(文 0理 0)
25年	19(文 19理 0)	6(文 6理 0)	0(文 0理 0)	0(文 0理 0)

※25年:24年8月5日時点

【25年4月入社者の採用実績校】

[文](大)法政大 明大各3 埼玉大 中大 明学大 関大 京産大 横浜市大 駒澤大各2 早大 慶大 順天堂大 成蹊大 日大各1 [理]なし

【24年4月入社者の配属先】

[総]勤務地:東京(港6 千代田3 江東1)札幌1 仙台1 さいたま2 千葉市1 横浜1 名古屋1 京都市1 大阪市1 神戸1 広島市1 福岡市1 部署:営業19 業務3

【残業(月)】18.2時間 [総]20.1時間

【記者評価】メーカー系リース会社の代表格。中小企業40万社の顧客基盤を軸に小口取引が中心。ベンダーリースで抜群の実力。取扱高に占めるリコー関連の割合は3割程度。20年からみずほリースと業務提携。集金代行、介護事業向けファクタリングなどサービス事業も。

●給与、ボーナス、週休、有休ほか●

【30歳総合職平均年収】628万円【初任給】(大卒)260,000円【ボーナス(年)】NA【25、30、35歳賃金】NA【週休】完全2日(土日祝)【夏期休暇】有休で取得【年末年始休暇】連続6日以上【有休取得】13.8／20日

●従業員数、勤続年数、離職率ほか●

【男女別従業員数、平均年齢、平均勤続年数】計 1,105 (41.3歳 13.5年) 男 573(43.7歳 14.8年) 女 532(38.8歳 12.1年)【離職率と離職者数】2.6%、29名(早期退職1名含む)【3年後新卒定着率】88.2%(男85.7%、女90.0%、3年前入社:男7名・女10名)【組合】なし

【求める人材】失敗を恐れず、自ら考え行動し自分のモノにできる人

【会社データ】(金額は百万円)

【本社】105-7119 東京都港区東新橋1-5-2 汐留シティセンター
☎03-6204-0700 https://www.r-lease.co.jp/
【社長】中村 徳晴【設立】1976.12【資本金】7,896【今後力を入れる事業】サービス事業 インベストメント事業

【業績(連結)】	売上高	営業利益	経常利益	純利益
22.3	303,853	19,280	19,522	13,481
23.3	298,889	21,242	21,587	14,879
24.3	308,335	21,010	21,544	11,278

エヌティティ
ＮＴＴファイナンス(株)
株式公開 計画なし

【特色】NTTグループの金融中核。決済やカードが主軸

修士・大卒採用数	3年後離職率	有休取得年平均	平均年収(平均44歳)
57名	8.2→7.8%	18.9日	㊗879万円

●エントリー情報と採用プロセス●
【受付開始～終了】㊗3月～6月【採用プロセス】㊗ES提出(3月～)→適性検査→録画動画提出→グループ面接→個人面接(2回)→内々定【交通費支給】最終面接、会場までの実費

試験情報

重視科目 ㊗面接

㊗ES⇒巻末 筆WebGAB 面3回(Webあり)

選考ポイント ㊗ES NA(提出あり) 面学生時代の研究内容や取り組みから、本人の能力・適性・意欲を総合的に判断

通過率 ㊗ES 80%(受付:1,545→通過:1,242)

倍率(応募/内定) ㊗31倍

●男女別採用数と配属先ほか●
【男女・文理別採用実績】

	大卒男	大卒女	修士男	修士女
23年	31(文 31理 0)	18(文 17理 1)	1(文 1理 0)	1(文 1理 0)
24年	21(文 19理 2)	22(文 22理 0)	3(文 0理 3)	1(文 1理 0)
25年	27(文 25理 2)	28(文 28理 0)	2(文 1理 1)	0(文 0理 0)

【25年4月入社者の採用実績校】
文(院)青学大1(大)明大10 中大5 青学大 立教大 日大各4 法政大 同大各3 早大 國學院大 南山大各2 京大 筑波大 神戸大 山口大 静岡県大 慶大 学習院大 関西学大 東理大 成蹊大 明学大 東洋大 駒澤大 東京経大各1(専)大原 立志社各1 理(院)名工大1(大)東理大 千葉大各1

【24年4月入社者の配属先】
㊗勤務地:東京(品川30 池袋5)神奈川(川崎2 横浜2)大阪市5 福岡市3 部署:ビリング15 財務30 カード2

残業(月) 18.6時間

記者評価 NTTリースとして1985年発足。グループ全額出資。05年NTTファイナンス・ジャパンを吸収。カードや決済関連の金融決済サービスを提供。20年東京センチュリー、NTTとの合弁会社にリース事業を移管。21年旧NTTビジネスアソシエからグループの経理事業も継承。

●給与、ボーナス、週休、有休ほか●
【30歳総合職平均年収】675万円【初任給】(修士)274,790円(大卒)262,790円【ボーナス(年)】NA【25、30、35歳賃金】NA【週休】完全2日(土日祝)【夏期休暇】5日【年末年始休暇】12月29日～1月3日【有休取得】18.9／20日

●従業員数、勤続年数、離職率ほか●
【男女別従業員数、平均年齢、平均勤続年数】計 1,874(44.7歳 18.9年) 男 1,199(46.2歳 22.6年) 女 675(42.2歳 12.3年)【離職率と離職者数】1.4%、26名【3年後新卒定着率】92.2%(男94.7%、女84.6%、3年前入社:男38名・女13名)【組合】あり

求める人材 当社パーパス・ビジョン・バリューズに共感できる人 バリューズ:(1)誠実(2)チャレンジ(3)プロフェッショナル(4)チーム力(5)変革力

会社データ (金額は百万円)
【本社】108-0075 東京都港区港南1-2-70 品川シーズンテラス
☎03-6455-8810 https://www.ntt-finance.co.jp/
【社長】伊藤 正三【設立】1985.4【資本金】1,677【今後力を入れる事業】決済(ビリング・カード)財務(グループファイナンス・アカウンティング)

【業績(連結)】	売上高	営業利益	経常利益	純利益
22.3	189,882	5,881	11,481	6,687
23.3	226,403	10,948	13,751	9,949
24.3	301,767	16,427	20,198	13,221

みついすみとも
三井住友トラスト・パナソニックファイナンス(株)
株式公開 計画なし

【特色】三井住友信託銀行とパナソニック合弁の総合金融

修士・大卒採用数	3年後離職率	有休取得年平均	平均年収(平均42歳)
35名	16.7→7.4%	10.4日	㊗803万円

●エントリー情報と採用プロセス●
【受付開始～終了】㊗3月～7月【採用プロセス】㊗ES提出(3月～)→適性検査(3月～)→面接(3～4回、3月～)→内々定(4月～)【交通費支給】3次面接以降、遠方者のみ新幹線・飛行機の実費【早期選考】⇒巻末

試験情報

重視科目 ㊗面接

㊗ES⇒巻末 筆WebGAB 面3～4回(Webあり)

選考ポイント ㊗ES NA(提出あり) 面志望度 当社でのキャリアプラン 当社事業理解 他

通過率 ㊗ES 83%(受付:(早期選考含む)708→通過:(早期選考含む)591)

倍率(応募/内定) ㊗(早期選考含む)20倍

●男女別採用数と配属先ほか●
【男女・文理別採用実績】

	大卒男	大卒女	修士男	修士女
23年	27(文 26理 1)	11(文 11理 0)	0(文 0理 0)	0(文 0理 0)
24年	30(文 30理 0)	17(文 16理 1)	0(文 0理 0)	0(文 0理 0)
25年	17(文 16理 1)	17(文 17理 0)	1(文 1理 0)	0(文 0理 0)

※25年:24年7月末時点

【25年4月入社者の採用実績校】
文(院)埼玉大1(大)明大 関西学大 関大 甲南大 和洋女大各2 新潟大 都立大 滋賀大 長崎県大 青学大 立教大 同大 日大 東洋大 専大 武蔵大 京産大 近大 大和大 関西外大 神奈川大 千葉商大 東京農大 文教大 大妻女大 実践女大 京都女大 神戸女学大各1 理(大)東海大1

【24年4月入社者の配属先】
㊗勤務地:東京22 大阪12 札幌2 仙台3 さいたま1 名古屋3 中四国2 九州2 部署:営業37 管理10

残業(月) 18.0時間

記者評価 三井住友信託銀行とパナソニックが出資する総合ファイナンス企業。両株主の主要取引先に対してリースを中心とした金融サービスを提供。個人向けにはパナソニック系列店専用のクレジットカード「パナカード」発行や、リフォームローンを展開。

●給与、ボーナス、週休、有休ほか●
【30歳総合職平均年収】613万円【初任給】(大卒)<全国>240,000円<地域>210,000円【ボーナス(年)】NA【25、30、35歳賃金】NA【週休】完全2日【夏期休暇】有休で5日取得【年末年始休暇】12月30日～1月3日【有休取得】10.4／20日

●従業員数、勤続年数、離職率ほか●
【男女別従業員数、平均年齢、平均勤続年数】計 874(42.3歳 15.3年) 男 NA 女 NA【離職率と離職者数】3.2%、29名【3年後新卒定着率】92.6%(男84.6%、女100%、3年前入社:男13名・女14名)【組合】あり

求める人材 自ら考え、自ら鍛え、自ら行動できる人物

会社データ (金額は百万円)
【本社】105-0023 東京都港区芝浦1-2-3 シーバンスS館
☎03-6858-9200 https://www.smtpfc.jp/
【社長】浜野 敬一【設立】1967.2【資本金】25,584【今後力を入れる事業】株主基盤の活用 事業間連携

【業績(単独)】	売上高	営業利益	経常利益	純利益
22.3	285,041	10,344	10,543	7,340
23.3	267,975	10,866	11,068	6,347
24.3	278,832	8,934	9,536	6,469

金融

すみともみつい 住友三井オートサービス(株)

株式公開計画なし

【特色】国内オートリース首位級。再編で業容に厚み

修士・大卒採用数	3年後離職率	有休取得年平均	平均年収(平均42歳)
70名	10.9→8.3%	14.9日	795万円

●エントリー情報と採用プロセス●

【受付開始～終了】㊗12月～2月【採用プロセス】㊗説明会動画視聴(必須、12月～)→ES提出(12月)→1次面接(1月)→Webテスト(1月)→2次面接(2月)→最終面接(3月)→内々定【交通費支給】最終面接、遠方者(首都圏以外)のみ出発地に応じて【早期選考】⇒巻末

試験情報

重視科目 ㊗面接

㊗ ES⇒巻末 筆 ダイヤモンド社適性・能力検査(DPI DIST DBIT) 面 3回(Webあり)

選考ポイント ㊗ ES NA(提出あり) 面 NA

通過率 ㊗ ES 78%(受付:351→通過:274)

倍率(応募/内定) ㊗ 10倍

●男女別採用数と配属先ほか●

【男女・文理別採用実績】

	大卒男	大卒女	修士男	修士女
23年	20(文 20 理 0)	33(文 33 理 0)	0(文 0 理 0)	0(文 0 理 0)
24年	26(文 26 理 0)	23(文 23 理 0)	0(文 0 理 0)	0(文 0 理 0)
25年	40(文 40 理 0)	30(文 30 理 0)	0(文 0 理 0)	0(文 0 理 0)

【25年4月入社者の採用実績校】

文 (大)関大 法政大各4 獨協大3 東洋大 近大 明大各2 京産大 滋賀大 長崎大 同大 立命館APU 立命館大 成蹊大 中大 津田塾大 帝京大 東北学大 日大 武蔵大 立教大 明学大 関西学大各1 理 (大)長崎大1

【24年4月入社者の配属先】

㊗勤務地:東京14 大阪6 名古屋2 さいたま1 横浜1 京都1 広島1 札幌1 神戸1 千葉1 福岡1 部署:デジタル2 経理1 営業27

残業(月) 33.7時間 ㊗42.0時間

記者評価 住商オートリースと三井住友銀オートリースの合併で誕生。住友商事が筆頭株主。グループ保有管理台数約102万。国内に約20,000の提携整備工場。グループリース事業再編に伴い三井住友ファイナンス&リース(SMFL)が資本参加、SMFL系の自動車リース事業も統合。

●給与、ボーナス、週休、有休ほか●

【30歳総合職平均年収】NA【初任給】(大卒)240,000円【ボーナス(年)】NA、6.55カ月【25、30、35歳賃金】NA【週休】完全2日(土日祝)【夏期休暇】有休利用にて最低5日取得推奨【年末年始休暇】12月29日～1月3日【有休取得】14.9／20日

●従業員数、勤続年数、離職率ほか●

【男女別従業員数、平均年齢、平均勤続年数】計 1,674(42.4歳 13.3年) 男 NA 女 NA【離職率と離職者数】3.0%、52名【3年後新卒定着率】91.7%(男87.5%、女95.0%、3年前入社:男16名・女20名)【組合】あり

求める人材 多様性を受容し、SMASグループとともに自ら成長できる人材 新たな価値創造へ自ら工夫し、挑戦し続ける人材 常に相手目線で考え、揺るぎない信頼を獲得できる人材

会社データ (金額は百万円)

【本社】163-1434 東京都新宿区西新宿3-20-2 東京オペラシティビル
☎03-5358-6311 https://www.smauto.co.jp/
【社長】佐藤 計【設立】1981.2【資本金】13,600【今後力を入れる事業】NA

【業績(単独)】	売上高	営業利益	経常利益	純利益
22.3	293,872	16,315	18,156	16,120
23.3	281,401	18,809	20,227	13,823
24.3	271,567	18,720	20,202	13,549

エヌイーシー NECキャピタルソリューション(株)

東京P 8793

【特色】NEC系の中堅リース会社。ファンド事業も運営

修士・大卒採用数	3年後離職率	有休取得年平均	平均年収(平均44歳)
7名	28.6→10.5%	15.9日	761万円

●エントリー情報と採用プロセス●

【受付開始～終了】㊗3月～7月【採用プロセス】㊗説明会(必須、3月)→ES提出・Webテスト(4月)→面接(2～3回、5月)→内々定(5～6月)【交通費支給】最終選考 他、飛行機・新幹線利用分(実費)【早期選考】⇒巻末

試験情報

重視科目 ㊗面接

㊗ ES NA 筆 WebGAB SHL 面 2～3回(Webあり) GD作 NA

選考ポイント ㊗ ES NA(提出あり) 面 コミュニケーション能力 論理的思考力 成長意欲 他

通過率 ㊗ ES NA(受付:390→通過:NA)

倍率(応募/内定) ㊗ NA

●男女別採用数と配属先ほか●

【男女・文理別採用実績】

	大卒男	大卒女	修士男	修士女
23年	4(文 4 理 0)	6(文 6 理 0)	0(文 0 理 0)	0(文 0 理 0)
24年	8(文 8 理 0)	7(文 7 理 0)	0(文 0 理 0)	0(文 0 理 0)
25年	3(文 3 理 0)	4(文 4 理 0)	0(文 0 理 0)	0(文 0 理 0)

【25年4月入社者の採用実績校】

文 (大)明学大2 法政大 日女大 日大 国士舘大 佛教大各1 理 なし

【24年4月入社者の配属先】

㊗勤務地:東京10 宮城1 愛知1 福岡1 部署:営業12 人事1

残業(月) 28.1時間

記者評価 NEC財務部の一組織が発祥。24年10月にSBI新生銀行が株式取得し、同行の持分会社に。リース取り扱いはNEC関連など情報通信機器が7割強。官公庁案件に強み。リサ・パートナーズを買収しファンド事業も運営するほか、不動産やベンチャー投資にも積極的。

●給与、ボーナス、週休、有休ほか●

【30歳総合職平均年収】NA【初任給】(修士)266,500円(大卒)260,000円【ボーナス(年)】NA【25、30、35歳賃金】NA【週休】完全2日(土日祝)【夏期休暇】7～9月の間に有休を利用、5日以上取得を推奨【年末年始休暇】12月29日～1月3日【有休取得】15.9／22日

●従業員数、勤続年数、離職率ほか●

【男女別従業員数、平均年齢、平均勤続年数】計 698(43.5歳 13.8年) 男 427(46.2歳 14.7年) 女 271(39.9歳 11.2年) ※嘱託社員含む【離職率と離職者数】3.3%、24名【3年後新卒定着率】89.5%(男83.3%、女100%、3年前入社:男12名・女7名)【組合】なし

求める人材 「変革人材」変化を楽しめる人 自分を変革できる 他者の変革を支援できる 組織の変革をリードできる

会社データ (金額は百万円)

【本社】108-6219 東京都港区港南2-15-3 品川インターシティC棟
☎03-6720-8400 https://www.necap.co.jp/
【社長】菅沼 正明【設立】1978.11【資本金】3,783【今後力を入れる事業】社会課題を主に金融面から解決する事業

【業績(連結)】	売上高	営業利益	経常利益	純利益
22.3	249,907	10,447	11,422	6,939
23.3	258,107	11,715	12,440	6,418
24.3	255,857	11,694	11,818	7,034

みつ い すみとも
三井住友カード(株)

株式公開 計画なし

【特色】クレジットットカード大手。SMBCグループ

修士・大卒採用数	3年後離職率	有休取得年平均	平均年収(平均43歳)
150名	NA	17.8日	NA

●エントリー情報と採用プロセス●

【受付開始～終了】㊗1月～6月【採用プロセス】㊗ES提出・適性検査→GD→面接(3回)→内々定【交通費支給】なし【早期選考】⇒巻末

試験情報

重視科目 ㊗ES 適性検査 GD 面接

㊗ ESNA 筆NA 面3回(Webあり) GD作NA

選考ポイント ㊗ ESNA(提出あり)面NA

通過率 ㊗ ESNA 倍率(応募/内定) ㊗NA

●男女別採用数と配属先ほか●

【男女・文理別採用実績】※25年:150名採用予定

	大卒男	大卒女	修士男	修士女
23年	NA(文NA 理NA)	NA(文NA 理NA)	NA(文NA 理NA)	NA(文NA 理NA)
24年	113(文103 理 10)	41(文 39理 2)	11(文 1理 10)	2(文 1理 1)
25年	-(文 -理 -)	-(文 -理 -)	-(文 -理 -)	-(文 -理 -)

【25年4月入社者の採用実績校】文中大 立教大 南山大 関西学大 青学大 明大 都立大 同大 法政大 早大 神戸大 国士舘大 学習院大 慶大 立命館大 関大 東北大 上智大 仁荷大 横浜市大 横国大 大阪市大 中華大 埼玉大 東京外大 明学大 東大 一橋大 近大 津田塾大 日大 理兵庫県大 阪大 早大 東大 新潟大 九大 東理大 立教大 法政大 東洋大 千葉大 関西学大 神戸大 日女大 東京海洋大 静岡大 明大 慶大 中大 成蹊大 お茶女大 青学大 芝工大 滋賀大 同大 京大 徳島大 名工大 名大 筑波大 立命館大 横国大 茨城大

【24年4月入社者の配属先】㊗勤務地:東京139 神奈川2 大阪22 愛知2 福岡2 部署:営業本部 ビジネスマーケティング本部 アクワイアリング本部 マーケティング本部(マーケティングユニット IT戦略ユニット データ戦略ユニット 運用ビジネスユニット 商品企画開発ユニット)戦略事業開発 本部 オペレーションサービス本部 ファイナンス事業本部 システム本部の各部署

残業(月) 21.7時間

記者評価 SMBCグループの総合決済分野を担う。カード、信販、トランザクションの3事業で展開。国内で初めてVisaカードを発行したパイオニア。会員数3615万(24年3月末)、総取扱高53.1兆円。金融総合サービス「Olive」に注力。24年4月SMBCファイナンスサービスと合併。

●給与、ボーナス、週休、有休ほか●

【30歳総合職平均年収】NA【初任給】(修士)268,000円(大卒)255,000円【ボーナス(年)】NA【25、30、35歳賃金】NA【週休】完全2日(土日祝)※部により異なる【夏期休暇】連続5日(有休で取得)【年末年始休暇】原則12月30日～1月3日 ※部により異なる【有休取得】17.8/20日

●従業員数、勤続年数、離職率ほか●

【男女別従業員数、平均年齢、平均勤続年数】計 5,984(42.9歳 17.6年)男 3,037(44.2歳 18.5年)女 2,947(41.7歳 16.7年)【離職率と離職者数】NA【3年後新卒定着率】NA【組合】あり

求める人材 NA

会社データ (金額は百万円)

【本社】135-0061 東京都江東区豊洲2-2-31 SMBC豊洲ビル ☎03-6634-1700 https://www.smbc-card.com/

【社長】大西 幸彦【設立】1967.12【資本金】34,000【今後力を入れる事業】NA

【業績(単独)】	取扱高	営業利益	経常利益	純利益
22.3	40,107,800	31,400	34,700	20,200
23.3	47,237,400	33,600	33,300	21,500
24.3	53,131,800	39,400	39,400	24,700

(株)ジェーシービー

株式公開 計画なし

【特色】日本発の国際カード会社大手。海外展開など加速

修士・大卒採用数	3年後離職率	有休取得年平均	平均年収(平均40歳)
199名	NA	14.5日	NA

●エントリー情報と採用プロセス●

【受付開始～終了】㊗2月～7月【採用プロセス】㊗Web説明会・適性検査(2月～)→GD・面接・人事面談等→内々定【交通費支給】最終面接、遠方者の実費【早期選考】⇒巻末

試験情報

重視科目 ㊗面接 GD

㊗ 筆あり(内容NA) 面3～4回(Webあり) GD作NA

選考ポイント ㊗ ES提出なし 面コミュニケーション能力 思考能力 挑戦心 他

通過率 ㊗ ES一(応募:15,450)

倍率(応募/内定) ㊗78倍

●男女別採用数と配属先ほか●

【男女・文理別採用実績】

	大卒男	大卒女	修士男	修士女
23年	80(文 74理 6)	72(文 70理 2)	2(文 1理 1)	0(文 0理 0)
24年	122(文115理 7)	97(文 95理 2)	8(文 6理 2)	4(文 1理 3)
25年	102(文 90理 12)	89(文 86理 3)	8(文 2理 6)	0(文 0理 0)

【25年4月入社者の採用実績校】文(院)青学大 九大(大)京大 慶大 早大 東理大 青学大 津田塾大 学習院大 学習院女大 ICU 明大 中大 法政大 東京外大 上智大 茨城大 阪大 九大 東北大 筑波大 千葉大 成城大 専大 明学大 横国大 日大 日女大 駒澤大 同大 大阪市大 金沢大 神戸大 滋賀大 岡山大 広島大 関大 関西学大 京都外大 熊本大 国際教養大 昭和女大 東洋大 獨協大 横浜市大 立教大 立命館大 理(院)京大 金沢大 兵庫県大(大)東理大 早大 明大 中大 法政大 お茶女大 同大 大阪府大 関大 工学院大 東京女大 東洋大

【24年4月入社者の配属先】㊗勤務地:東京(青山101 高田馬場56 三鷹33) 大阪19 札幌5 仙台3 大宮4 名古屋3 広島3 福岡4 部署:カードサービス本部22 カード事業統括部門35 コミュニケーション本部10 システム本部16 ブランド事業統括部門21 営業本部46 加盟店事業統括部門34 国際本部14 事務本部3 信用管理本部16 プロセシング本部3 スタッフ部門7 関連会社4

残業(月) 20.4時間 ㊗28.8時間

記者評価 国際クレジットカード会社大手。設立母体は旧三和銀など三菱UFJ系だが、系列色は薄く独自路線。会員数は1.58億人を突破し年間取扱高は48兆円に迫る。海外でのカード発行などグローバル展開を加速。アジアを代表する総合決済サービス企業を目指す。

●給与、ボーナス、週休、有休ほか●

【30歳総合職平均年収】NA【初任給】(修士)255,000円(大卒)255,000円【ボーナス(年)】NA【25、30、35歳賃金】NA【週休】完全2日(土日)※一部シフト勤務あり【夏期休暇】連続10日奨励(週休含む有休で取得)【年末年始休暇】12月30日～1月3日【有休取得】14.5/21日

●従業員数、勤続年数、離職率ほか●

【男女別従業員数、平均年齢、平均勤続年数】計 3,172(40.1歳 14.8年)男 1,627(40.7歳 14.7年)女 1,545(39.5歳 14.8年)【離職率と離職者数】5.9%、198名【3年後新卒定着率】NA【組合】あり

求める人材 チャレンジ精神、フロンティア精神を備え、お客様をはじめ周囲から信頼される人財

会社データ (金額は百万円)

【本社】107-8686 東京都港区南青山5-1-22 青山ライズスクエア ☎03-5778-8311 https://www.global.jcb/ja/

【社長】二重 孝好【設立】1961.1【資本金】10,616【今後力を入れる事業】国際ブランド事業(海外展開)各種プロダクト(クレジット デビット プリペイドや非接触決済 他)の推進

【業績(単独)】	取扱高	営業利益	経常利益	純利益
22.3	37,720,375	37,400	38,500	27,500
23.3	43,279,758	36,200	36,800	25,000
24.3	47,095,489	37,500	39,400	27,800

金融

開示 ★★

▶『業界地図』p.154

936

みつびしユーエフジェイ

三菱ＵＦＪニコス(株)

株式公開 計画なし

【特色】クレジットカード大手。MUFGの決済分野中核

修士・大卒採用数	3年後離職率	有休取得年平均	平均年収(平均*43歳)
93名	NA	19.7日	[総]854万円

●エントリー情報と採用プロセス●

【受付開始～終了】[総]2月～5月【採用プロセス】[総]履歴書・ES提出→Webテスト・動画提出→面接(3回)→内々定【交通費支給】最終面接、遠方者のみ実費【早期選考】⇒巻末

試験情報

重視科目 [総]面接

[総][ES]⇒巻末[筆]SPI3(自宅)[面]3回(Webあり)

選考ポイント [総][ES]NA(提出あり)[面]NA

通過率 [総][ES]NA

倍率(応募/内定) [総]NA

●男女別採用数と配属先ほか●

【男女・文理別採用実績】

	大卒男	大卒女	修士男	修士女
23年	27(文 27理 0)	12(文 11理 1)	0(文 0理 0)	0(文 0理 0)
24年	43(文 40理 3)	24(文 23理 1)	0(文 0理 0)	0(文 0理 0)
25年	45(文 45理 0)	45(文 44理 1)	1(文 0理 1)	2(文 2理 0)

【25年4月入社者の採用実績校】

[文](院)北大 早大各1(大)明大12 法政大10 慶大 同大 立教大各6 青学大 学習院大 関西学大各5 中大 早大各4 立命館大3 関大 東理大各2 阪大 金沢大 北九州市大 神戸大 國學院大 上智大 成城大 成蹊大 千葉大 東北大 東洋大 名大 日大 一橋大 武蔵大 明学大 横国大 横浜市大 龍谷大各1 [理](院)阪大1(大)日大1

【24年4月入社者の配属先】

[総]勤務地:東京50 名古屋10 大阪7 部署:営業24 信用管理20 コールセンター9 システム8 事務6

残業(月) 21.8時間

記者評価 割賦販売草分けだが、同事業は08年ジャックスに譲渡。「MUFGカード」「DC」「NICOS」の各ブランドで展開。17年MUFGが完全子会社化。MUFGカードを昇華させた新カードブランド「三菱UFJカード」も運営。25年4月から大卒初任給を25.5万円に引き上げ予定。

●給与、ボーナス、週休、有休ほか●

【30歳総合職平均年収】NA【初任給】(博士)235,200円(修士)235,200円(大卒)225,000円【ボーナス(年)】NA【25、30、35歳賃金】NA【週休】完全2日(土日祝)【夏期休暇】連続5営業日以上の有休取得推奨【年末年始休暇】12月30日～1月3日【有休取得】19.7／20日

●従業員数、勤続年数、離職率ほか●

【男女別従業員数、平均年齢、平均勤続年数】計 3,310(43.1歳 18.5年) 男 1,586(44.1歳 18.4年) 女 1,724(42.2歳 18.6年)【離職率と離職者数】NA【3年後新卒定着率】NA【組合】あり

求める人材 高い基礎能力を備えた上で、当社の経営を担うに資する人材

会社データ (金額は百万円)

【本社】101-8960 東京都千代田区外神田4-14-1 秋葉原UDXビル

☎03-3811-3111 https://www.cr.mufg.jp/

【社長】角田 典彦【設立】1951.6【資本金】109,312【今後力を入れる事業】決済ソリューション事業

【業績(単独)】	取扱高	営業利益	経常利益	純利益
22.3	16,721,800	▲396	▲221	4,862
23.3	18,729,800	827	1,564	2,234
24.3	20,644,400	1,917	2,397	4,445

※取扱高はFC等を含めた計数

イオンフィナンシャルサービス(株)

(株)イオン銀行、イオン保険サービス(株)

東京P 8570

【特色】イオン系の金融事業を統括。アジアでも存在感

修士・大卒採用数	3年後離職率	有休取得年平均	平均年収(平均40歳)
123名	23.5→15.4%	14.3日	[総]638万円

●エントリー情報と採用プロセス●

【受付開始～終了】[総]3月～7月【採用プロセス】[総]ES提出(3月)→適性検査(3月上旬)→面接(3回、3月下旬)→内々定(4月上旬)【交通費支給】なし【早期選考】⇒巻末

試験情報

重視科目 [総]適性検査 面接

[総][ES]⇒巻末[筆]SPI3(自宅) 適性検査(DPI)適性検査(CAB)※一部コースのみ[面]3回(Webあり)

選考ポイント [総][面]共感力・真摯さ 完遂力 課題発見力・目標設定力 当事者意識・自己決定力 応用力 目的意識・再現力 成長意欲・自己認識力 思考力 本質を見抜く力・実現力 発想力、思考の柔軟性 課題解決力

通過率 [総][ES]選考なし(受付:(早期選考含む)1,808)

倍率(応募/内定) [総](早期選考含む)15倍

●男女別採用数と配属先ほか●

【男女・文理別採用実績】

	大卒男	大卒女	修士男	修士女
23年	60(文 60理 0)	40(文 40理 0)	1(文 1理 0)	0(文 0理 0)
24年	75(文 69理 6)	19(文 18理 1)	4(文 3理 1)	1(文 1理 0)
25年	69(文 65理 4)	44(文 43理 1)	7(文 6理 1)	3(文 2理 1)

【25年4月入社者の採用実績校】[文](院)青学大 神戸大 サセックス大 玉川大 名大 兵庫教大 明大 早大各1(大)法政大10 日大7 明大6 駒澤大 中大各5 東洋大 成蹊大各4 関西学大 千葉大 立命館大 早大各3 青学大 学習院大 関大 近大 専大 東京経大 同大 立教大各2 愛知大 愛知教大 杏林大 茨城大 お茶女大 大阪市大 追手門学大 香川大 神奈川大 韓国外大 京産大 国士舘大 滋賀大 昭和女大 椙山女学大 成城大 高崎経大 拓大 千葉商大 中京大 東海大 都立大 東北大 獨協大 長崎県大 名古屋市大 奈良県大 南山大 北陸大 名城大 明学大 武庫川女大 桃山学大 大和大 山口大 横浜市大 立正大 龍谷大 流通科学大各1 [理](院)東京工科大 東理大各1(大)青学大 東理大 東洋大 広島大 法政大各1

【24年4月入社者の配属先】[総]勤務地:北海道2 岩手1 宮城8 埼玉5 千葉24 東京17 神奈川4 山梨1 静岡1 愛知8 京都4 兵庫3 大阪13 岡山1 広島2 福岡5 部署:営業62 センター27 システム10

残業(月) 18.9時間 [総]20.3時間

記者評価 イオングループの金融サービスを統括、傘下にクレジットカード、銀行、保険会社などを擁する。早期から海外展開を進め、香港、タイ、マレーシアに上場子会社を持つ。アジアビジネスは業界屈指。グループ内で顧客IDを共通化し、決済やポイントの一本化を進める。

●給与、ボーナス、週休、有休ほか●

【30歳総合職平均年収】539万円【初任給】(博士)270,600円(修士)270,600円(大卒)265,000円【ボーナス(年)】129万円、3.81カ月【25、30、35歳賃金】250,848円→320,853円→368,158円【週休】2～3日【夏期休暇】連続10日(長期連続休暇制度で取得)【年末年始休暇】連続10日(長期連続休暇制度で取得)【有休取得】14.3／20日

●従業員数、勤続年数、離職率ほか●

【男女別従業員数、平均年齢、平均勤続年数】計 4,811(42.5歳 8.1年) 男 2,573(42.4歳 8.4年) 女 2,238(42.6歳 7.4年)【離職率と離職者数】6.1%、311名【3年後新卒定着率】84.6%(男85.0%、女84.3%、3年前入社:男40名・女51名)【組合】あり

求める人材 (1)一人ひとりに真摯に向き合える人(2)自律的に行動する人(3)自身を磨き続ける人(4)変化を想像できる人(5)新しい価値を創造したい人

会社データ (金額は百万円)

【本社】101-0054 東京都千代田区神田錦町3-22 テラススクエア

☎03-5281-2080 https://www.aeonfinancial.co.jp/

【社長】藤田 健二【設立】1981.6【資本金】45,698【今後力を入れる事業】海外事業 決済事業 銀行事業 他

【業績(連結)】	営業収益	営業利益	経常利益	純利益
22.2	470,657	58,852	59,944	30,212
23.2	451,767	58,859	61,547	30,677
24.2	485,608	50,088	51,174	20,896

※新卒採用関連は3社合同採用のもの

金融

開示 ★★★★

▶『業界地図』p.142, 154

934

㈱クレディセゾン

東京P 8253

【特色】流通系クレジットカード大手。インド事業を強化

修士・大卒採用数	3年後離職率	有休取得年平均	平均年収(平均42歳)
65名	NA	12.4日	[総]745万円

●エントリー情報と採用プロセス●

【受付開始～終了】[総]2月～4月 [技]11月～1月【採用プロセス】[総]ES提出・Webテスト→面接(複数回)→内々定 [技]ES提出→Webテスト→面接(複数回)→内々定【交通費支給】全ての面接、遠方者のみ往復分【早期選考】⇒巻末

試験情報

[重視科目] [総][技]面接

[総][ES]⇒巻末[筆]自社オリジナル[面]複数回 [技][ES]NA[筆]自社オリジナル[面]複数回(Webあり)

[選考ポイント] [総][技][ES]NA(提出あり)[面]夢中力 違いを取り入れる 失敗を恐れない 変化を受け入れる

[通過率] [総][技][ES]NA **倍率**(応募/内定) [総][技]NA

●男女別採用数と配属先ほか●

【男女・文理別採用実績】

	大卒男	大卒女	修士男	修士女
23年	21(文 12理 9)	13(文 13理 0)	0(文 0理 0)	0(文 0理 0)
24年	33(文 26理 7)	22(文 21理 1)	5(文 0理 5)	1(文 0理 1)
25年	25(文 21理 4)	33(文 33理 0)	6(文 0理 6)	1(文 0理 1)

【25年4月入社者の採用実績校】
[文](大)東洋大5 法政大4 同大 明大 立教大 立命館大各3 青学大 専大 日大 明学大各2 学習院大 関西学大 関大 國學院大 駒澤大 慶大 国士舘大 桜美林大 産能大 神田外語大 成蹊大 千葉大 早大 拓大 中大 東海大 東京外大 東京経大 都立大 南山大 武蔵大 文教大 北海道情報大 名古屋市大 龍谷大各1 [理](院)早大2 上智大 東海大 都立大 東北大 日女大各1(大)玉川大 電通大 東理大 明大各1

【24年4月入社者の配属先】
[総]勤務地：東京51 部署：ペイメント部門16 ファイナンス19 コーポレート部門2 システム部門14 [技]勤務地：東京11 部署：テクノロジーセンター11

残業(月) [総]16.2時間

[記者評価] クレジットカードやファイナンスなどが事業領域。ポイントが失効しない「永久不滅」が特徴。新たな成長の柱としてインド事業に積極投資。リボ手数料の引き上げなど収益構造改革に着手。働き方改革にも積極的。23年5月に再建中のスルガ銀行と資本業務提携。

●給与、ボーナス、週休、有休ほか●

【30歳総合職平均年収】NA【初任給】(修士)272,400円(大卒)246,000円【ボーナス(年)】NA【25、30、35歳賃金】NA【週休】2日(部門により異なる)【夏期休暇】有休で取得【年末年始休暇】有休で取得【有休取得】12.4／20日

●従業員数、勤続年数、離職率ほか●

【男女別従業員数、平均年齢、平均勤続年数】計 4,096(43.7歳 13.4年) 男 988(43.9歳 13.3年) 女 3,108(43.6歳 13.4年)【離職率と離職者数】NA【3年後新卒定着率】NA【組合】あり

[求める人材] 夢中力 違いを取り入れる 失敗を恐れない 変化を受け入れる

[会社データ] (金額は百万円)

【本社】170-6073 東京都豊島区東池袋3-1-1 サンシャイン60
☎03-3988-2111 https://www.saisoncard.co.jp/
【社長】水野 克己【設立】1951.5【資本金】75,929【今後力を入れる事業】グローバル ファイナンス ペイメント

【業績(IFRS)】	営業収益	営業利益	税前利益	純利益
22.3	362,955	40,438	49,936	35,375
23.3	382,540	43,491	61,044	43,599
24.3	420,317	55,934	97,952	72,987

トヨタファイナンシャルサービスグループ

株式公開 計画なし

【特色】トヨタ系の金融中核。自動車ローン・カードが軸

修士・大卒採用数	3年後離職率	有休取得年平均	平均年収(平均42歳)
75名	12.2→8.2%	16.3日	[総]810万円

●エントリー情報と採用プロセス●

【受付開始～終了】[総]3月～3月【採用プロセス】[総]ES提出・Web適性検査(3月)→面接(3回、3～6月)→内々定(5～6月)【交通費支給】最終面接、新幹線代(遠方者のみ)【早期選考】⇒巻末

試験情報

[重視科目] [総]面接

[総][ES]⇒巻末[筆]WebGAB[面]3回(Webあり)

[選考ポイント] [総][ES]求めている人材と合致しているか[面]NA

[通過率] [総][ES]NA

倍率(応募/内定) [総]NA

●男女別採用数と配属先ほか●

【男女・文理別採用実績】

	大卒男	大卒女	修士男	修士女
23年	14(文 13理 1)	8(文 7理 1)	0(文 0理 0)	0(文 0理 0)
24年	18(文 15理 3)	29(文 26理 3)	0(文 0理 0)	0(文 0理 0)
25年	13(文 13理 0)	61(文 58理 3)	1(文 0理 1)	0(文 0理 0)

【25年4月入社者の採用実績校】
[文](大)南山大 立命館大 名古屋市大 同大 関大 名大 明大 愛知県大 愛知大 関西学大 下関市大 中京大 [理](院)阪大(大)滋賀大 南山大 静岡県大

【24年4月入社者の配属先】
[総]勤務地：(23年)名古屋14 東京5 部署：(23年)営業(販売金融・加盟店)企画(CX／DX／IT)

残業(月) 18.2時間

[記者評価] 自動車ローンやクレジットカード事業を手がける。トヨタグループの金融事業中核。トヨタ自動車の融資・リース・保険代理店業務などを継承して設立。クレジットカード会員数は24年3月末1512万人。ほけんの窓口グループと提携し、来店型保険ショップの運営も。

●給与、ボーナス、週休、有休ほか●

【30歳総合職平均年収】600万円【初任給】(博士)257,200円(修士)257,200円(大卒)257,200円【ボーナス(年)】NA【25、30、35歳賃金】NA【週休】完全2日(部署により異なる)【夏期休暇】有休利用【年末年始休暇】12月30日～1月3日【有休取得】16.3／20日

●従業員数、勤続年数、離職率ほか●

【男女別従業員数、平均年齢、平均勤続年数】計 1,696(41.0歳 13.8年) 男 899(44.8歳 15.7年) 女 797(36.7歳 11.6年)【離職率と離職者数】NA【3年後新卒定着率】91.8%(男92.9%、女91.4%、3年前入社:男14名・女35名)【組合】なし

[求める人材] 自身の強みを発揮し磨き続ける実行力・人間力で百年に一度の大変革を切り拓く人材

[会社データ] (金額は百万円)

【本社】451-6014 愛知県名古屋市西区牛島町6-1 名古屋ルーセントタワー
☎052-527-7109 https://www.toyota-finance.co.jp/
【社長】西 利之【設立】1988.11【資本金】16,500【今後力を入れる事業】モビリティ金融サービス

【業績(連結)】	売上高	営業利益	経常利益	純利益
22.3	239,138	38,235	41,579	28,844
23.3	257,443	45,251	48,965	33,883
24.3	271,217	42,384	47,074	34,224

※採用関連はトヨタファイナンシャルサービス、トヨタファイナンスのもの。他はトヨタファイナンスのもの

金融

㈱オリエントコーポレーション

東京P 8585

【特色】みずほグループ。信販業界の老舗で最大手

修士・大卒採用数	3年後離職率	有休取得年平均	平均年収(平均43歳)
93名	NA	13.1日	㊀735万円

●エントリー情報と採用プロセス●

【受付開始～終了】㊀3月～6月【採用プロセス】㊀ES提出・Webテスト→面接(2～3回、4月～)→内々定【交通費支給】なし【早期選考】⇒巻末

試験情報

重視科目 ㊀面接

㊀ES⇒巻末㊕WebGAB㊐2～3回(Webあり)

選考ポイント ㊀ES当社に関心を持った理由 過去の経験にもとづく自己PR㊐コミュニケーション力 能力特性 職務適性

通過率 ㊀ES NA(受付:(早期選考含む)1,510→通過:NA)

倍率(応募/内定) ㊀(早期選考含む)16倍

●男女別採用数と配属先ほか●

【男女・文理別採用実績】※25年:24年7月25日時点

	大卒男	大卒女	修士男	修士女
23年	47(文 45 理 2)	46(文 44 理 2)	1(文 1 理 0)	1(文 0 理 1)
24年	76(文 72 理 4)	26(文 26 理 0)	0(文 0 理 0)	0(文 0 理 0)
25年	37(文 31 理 6)	54(文 51 理 3)	0(文 0 理 0)	2(文 2 理 0)

【25年4月入社者の採用実績校】㊍(院)中京大 明学大各1(大)中大7 日大6 法政大5 同大 専大 近大各4 國學院大 明大各3 京産大 創価大 早大 学習院大 福岡大 青学大 明学大 文教大 甲南大各2 フェリス女学大 愛知大 関西学大 関大 関東学院大 金沢工大 駒澤大 甲南女大 高崎経大 埼玉大 成城大 千葉商大 大妻女大 大東文化大 東京音大 東京経大 都立大 東北学大 東北福祉大 東洋大 桃山学大 同女大 南山大 白百合女大 武庫川女大 北海学園大 名城大 立教大各1 ㊚(大)岡山理大 関大 京都工繊大 芝工大 大阪工大 大阪府大 中京大 東京農業大 日大各1

【24年4月入社者の配属先】㊀勤務地:東北地方8 首都圏40 中部地方12 関西圏19 中国地方10 九州地方13 ※入社後半年間はローテーション研修 部署:ローテーション研修中

残業(月) 17.6時間 ㊀17.6時間

記者評価 個品割賦に強く、オートローン首位。家賃や売掛金の決済保証も強化。ローン保証業務やクレジットカードなどでみずほ銀行と密接に連携。伊藤忠商事とも資本提携。タイ、フィリピン、インドネシアでもオートローン事業などを展開。女性管理職比率が上昇中。

●給与、ボーナス、週休、有休ほか●

【30歳総合職平均年収】532万円【初任給】(修士)240,000円(大卒)240,000円【ボーナス(年)】195万円、NA【25、30、35歳賃金】235,029円→250,898円→243,182円【週休】完全2日(土日祝)※一部部署は週休3日制【夏期休暇】連続9日奨励(特別休暇3日、有休2日、土日4日)【年末年始休暇】12月30日～1月4日【有休取得】13.1／20日

●従業員数、勤続年数、離職率ほか●

【男女別従業員数、平均年齢、平均勤続年数】計 3,085(42.5歳 16.9年)男 1,579(43.1歳 17.2年)女 1,506(41.9歳 16.6年)【離職率と離職者数】NA【3年後新卒定着率】NA【組合】あり

求める人材 主体性を持って行動し、"過去にとらわれず新たな試みに挑戦しつづける人"

会社データ (金額は百万円)

【本社】102-8503 東京都千代田区麴町5-2-1
☎03-5877-5063 https://www.orico.co.jp/
【社長】飯盛 徹夫【設立】1954.12【資本金】150,075【今後力を入れる事業】成長事業としては、海外事業 、カード・融資事業、決済・保証事業

【業績(連結)】	営業収益	営業利益	経常利益	純利益
22.3	229,806	28,994	28,994	19,476
23.3	227,693	23,070	23,070	19,035
24.3	229,054	16,118	16,118	12,571

㈱ジャックス

東京P 8584

【特色】MUFG系信販。オートローンに強くカードも展開

修士・大卒採用数	3年後離職率	有休取得年平均	平均年収(平均44歳)
100名	NA	13.3日	㊀847万円

●エントリー情報と採用プロセス●

【受付開始～終了】㊀3月～継続中【採用プロセス】㊀会社説明会参加(必須)→Web適性・履歴書提出→1次面接→2次面接→最終面接→人事面談→内々定【交通費支給】なし

試験情報

重視科目 ㊀面接

㊀ES⇒巻末㊕TAL㊐3回(Webあり)

選考ポイント ㊀ES NA(提出あり)㊐人物重視

通過率 ㊀ES NA

倍率(応募/内定) ㊀NA

●男女別採用数と配属先ほか●

【男女・文理別採用実績】

	大卒男	大卒女	修士男	修士女
23年	43(文 42 理 1)	46(文 46 理 0)	0(文 0 理 0)	0(文 0 理 0)
24年	27(文 27 理 0)	33(文 32 理 1)	0(文 0 理 0)	0(文 0 理 0)
25年	-(文 - 理 -)	-(文 - 理 -)	-(文 - 理 -)	-(文 - 理 -)

※25年:100名採用計画

【25年4月入社者の採用実績校】
㊍(24年)(大)武蔵大3 近大 国士舘大 中京大 明大各2 関西学大 関大 京都女大 駒澤大 産能大 広島修道大 高崎経大 上智大 成蹊大 拓大 東洋英和女学大 筑波大 同大 南山大 日大 尾道市大 文教大 法政大 宮城学院女大 明星大 立命館大各1 ㊚(24年)なし

【24年4月入社者の配属先】
㊀勤務地:東北1 北関東2 首都圏14 中部4 関西5 中四国3 九州3 部署:営業31 本部1

残業(月) 12.3時間 ㊀22.2時間

記者評価 北海道発祥。MUFG系で三菱UFJニコスの個品割賦事業を譲り受け拡大。中古車や外車のオートローンと投資用不動産ローンの保証事業に強い。クレジットカード事業も展開。東南アジアでも4輪車や2輪車ローンを展開。中国BYDの日本法人と業務提携。

●給与、ボーナス、週休、有休ほか●

【30歳総合職平均年収】537万円【初任給】(修士)250,000円(大卒)250,000円【ボーナス(年)】192万円、5.7カ月【25、30、35歳賃金】257,143円→275,105円→325,280円【週休】完全2日【夏期休暇】連続最大5日【年末年始休暇】12月30日～1月4日【有休取得】13.3／20日

●従業員数、勤続年数、離職率ほか●

【男女別従業員数、平均年齢、平均勤続年数】計 2,695(41.0歳 15.6年)男 1,128(44.4歳 19.6年)女 1,567(38.5歳 12.6年)【離職率と離職者数】5.7%、164名(早期退職男15名、女14名)【3年後新卒定着率】NA【組合】あり

求める人材 さまざまな課題を「自分ごと」として捉え、「主体的」に行動できる人 果敢に「挑戦」し、「成長意欲」のある人 何事も「誠実」に取り組み、「信用・信頼」を得るための行動ができる人 互いに「尊重」し、周囲と協働して取り組むことができる人

会社データ (金額は百万円)

【本社】150-8932 東京都渋谷区恵比寿4-1-18 恵比寿ネオナート
☎03-5448-1310 https://www.jaccs.co.jp/
【社長】村上 亮【設立】1954.6【資本金】16,138【今後力を入れる事業】クレジット事業 カード・ペイメント事業 ファイナンス事業 海外事業

【業績(連結)】	営業収益	営業利益	経常利益	純利益
22.3	164,070	26,743	26,786	18,316
23.3	173,506	31,678	31,769	21,651
24.3	184,782	33,126	33,060	23,770

ユーシーカード(株)

株式公開 計画なし

【特色】みずほ銀行子会社。クレジットカード事業中核

修士・大卒採用数	3年後離職率	有休取得年平均	平均年収(平均41歳)
46名	27.3→17.6%	16.1日	総 710万円

●エントリー情報と採用プロセス●

【受付開始～終了】総2月～3月【採用プロセス】総ES・Webテスト(2～3月)→GW(3月)→面接(3回、3月下旬～5月上旬)→内々定(5月)【交通費支給】最終面接以降、遠方者のみ実費

試験情報

重視科目 総面接

総 ES⇒巻末 筆TG-WEB 面3回 GD作NA

選考ポイント 総 ES NA(提出あり)面コミュニケーション能力 論理的思考力 自主性 挑戦姿勢 他

通過率 総 ES NA

倍率(応募/内定) 総NA

●男女別採用数と配属先ほか●

【男女・文理別採用実績】

	大卒男	大卒女	修士男	修士女
23年	6(文 6理 0)	14(文 14理 0)	0(文 0理 0)	0(文 0理 0)
24年	10(文 10理 0)	21(文 21理 0)	0(文 0理 0)	0(文 0理 0)
25年	14(文 13理 1)	32(文 32理 0)	0(文 0理 0)	0(文 0理 0)

【25年4月入社者の採用実績校】
文(大)中大 駒澤大 日大各3 東洋大 日女大各2 慶大 東理大 立教大 成城大 順天堂大 昭和女大 フェリス女学大 東京家政学大 新潟大 大阪市大 立命館大 関大 吉備国際大 京産大各1 理(大)東海大1

【24年4月入社者の配属先】
総勤務地:東京(台場16 東池袋1) 部署:営業11 営業サポート1 企画3 IT・システム2

残業(月) 24.5時間

記者評価 旧第一銀行、旧富士銀行等の出資で発足したユニオンクレジットが母体。クレディセゾンが資本参加していたが、みずほ銀行とクレディの包括業務提携解消で19年10月クレディが出資引き揚げ。20年3月にみずほ銀行100%出資に。多彩な勤務形態、休暇制度など充実。

●給与、ボーナス、週休、有休ほか●

【30歳総合職モデル年収】600万円【初任給】(博士)240,000円(修士)240,000円(大卒)235,000円【ボーナス(年)】NA【25、30、35歳賃金】NA【週休】完全2日(原則土日祝)【夏期休暇】有休で取得【年末年始休暇】12月30日～1月3日【有休取得】16.1/20日

●従業員数、勤続年数、離職率ほか●

【男女別従業員数、平均年齢、平均勤続年数】計 588(42.2歳 13.9年)男 252(46.6歳 16.8年)女 336(38.9歳 11.7年)【離職率と離職者数】7.4%、47名【3年後新卒定着率】82.4%(男62.5%、女100%、3年前入社:男8名・女9名)【組合】あり

求める人材 自身の役割・意義を見出す スピード感を持って行動成果が出るまでモチベーションを維持

会社データ (金額は百万円)

【本社】135-8601 東京都港区台場2-3-2 台場フロンティアビル
☎03-5531-6331 https://www2.uccard.co.jp/
【社長】福岡 和大【設立】2005.10【資本金】500【今後力を入れる事業】会員事業 受託事業 加盟店事業

【業績(単独)】	取扱高	営業利益	経常利益	純利益
22.3	4,564,266	381	390	227
23.3	5,232,889	204	218	434
24.3	5,478,483	486	498	615

※業績の取扱高はグループ合計

アコム(株)

東京S 8572

【特色】MUFG連結子会社。消費者金融専業の最大手

修士・大卒採用数	3年後離職率	有休取得年平均	平均年収(平均42歳)
99名	20.6→21.1%	15.3日	総 715万円

●エントリー情報と採用プロセス●

【受付開始～終了】総 技3月～7月【採用プロセス】総 技説明会(必須、3月)→ES提出・Webテスト(4月)→面談(1～3回、4～5月)→面接(1～3回、6～7月)→内々定(6～7月)※面接回数は面談回数等により異なる【交通費支給】最終面接、1,000円(遠方者は実費)【早期選考】⇒巻末

試験情報

重視科目 総技なし

総 技 ES⇒巻末 筆WebGAB 面1～3回(Webあり) GD作⇒巻末

選考ポイント 総技 面企業理念の共感 明朗さ 賢さ 胆力

通過率 総 ES選考なし(受付:(技術系・一般職含む)452) 技 ES選考なし(受付:事務系に含む)

倍率(応募/内定) 総(技術系・一般職含む)12倍 技—

●男女別採用数と配属先ほか●

【男女・文理別採用実績】

	大卒男	大卒女	修士男	修士女
23年	36(文 34理 2)	27(文 26理 1)	0(文 0理 0)	0(文 0理 0)
24年	51(文 48理 3)	26(文 25理 1)	0(文 0理 0)	0(文 0理 0)
25年	61(文 59理 2)	37(文 35理 2)	1(文 0理 1)	0(文 0理 0)

【25年4月入社者の採用実績校】文(大)立命館大 日大 近大各6 関西学大 京産大各4 東海大 東洋大 明学大各3 学習院大 明大 関大 成蹊大 神奈川大 専大 獨協大 龍谷大 桃山学大 甲南大 実践女大各2 千葉大 横国大 阪大 高崎経大 長崎県大 早大 慶大 上智大 中大 同大 武蔵野大 国士舘大 順天堂大 桜美林大 多摩大 東京経大 二松学舎大 洗足音大 愛知学大 名城大 京都外大 大阪学大 大阪経大 大阪産大 追手門学大 関西外大 京都女大 武庫川女大 安田女大 大和大 大阪成蹊大 京都橘大各1 理(院)関西学大1(大)公立鳥取環境大 東京電機大 日大 龍谷大各1

【24年4月入社者の配属先】総勤務地:横浜38 大阪34 部署:営業72 技勤務地:なし 部署:なし

残業(月) 20.4時間 総23.3時間

記者評価 神戸で創業。消費者向け無担保ローンの専業大手。業界初24時間ATMや無人自動契約機、Web完結取引など先進的な取り組みが特徴。地銀との提携を進めて信用保証事業を拡大。タイ、フィリピン、マレーシアで事業展開するなどアジア事業も強化。

●給与、ボーナス、週休、有休ほか●

【30歳総合職平均年収】494万円【初任給】(博士)264,000円(修士)264,000円(大卒)260,000円【ボーナス(年)】153万円、5.0カ月【25、30、35歳賃金】269,000円→300,000円→355,910円【週休】完全2日(土日祝)【夏期休暇】3日【年末年始休暇】5日【有休取得】15.3/20日

●従業員数、勤続年数、離職率ほか●

【男女別従業員数、平均年齢、平均勤続年数】計 2,042(41.3歳 15.5年)男 1,222(43.6歳 18.7年)女 820(38.0歳 10.7年)【離職率と離職者数】4.4%、94名【3年後新卒定着率】78.9%(男88.9%、女68.6%、3年前入社:男36名・女35名)【組合】あり

求める人材 明るく活発で何事にもチャレンジし続けられ、困難な状況を逃げずに向き合える人

会社データ (金額は百万円)

【本社】105-7302 東京都港区東新橋1-9-1 東京汐留ビルディング
☎03-6865-6474 https://www.acom.co.jp/
【社長】木下 政孝【設立】1978.10【資本金】63,832【今後力を入れる事業】NA

【業績(連結)】	営業収益	営業利益	経常利益	純利益
22.3	262,155	34,779	35,441	55,678
23.3	273,793	87,287	87,485	54,926
24.3	294,730	86,347	86,715	53,091

エスエムビーシー
SMBCコンシューマーファイナンス(株)

株式公開 計画なし

【特色】SMFG子会社。旧プロミス。消費者金融大手

修士・大卒採用数	3年後離職率	有休取得年平均	平均年収(平均44歳)
80名	7.0 → 8.7%	16.2日	[総]810万円

●エントリー情報と採用プロセス●

【受付開始～終了】[総]12月～6月【採用プロセス】[総]ES提出・Webテスト(12月～)→面接(3回、12～6月)→内々定(12～6月)※1次面接時にGDあり【交通費支給】3次面接、実費

試験情報

重視科目 [総]NA

[総][ES]⇒巻末[筆]SPI3(自宅) OPQ[面]3回(Webあり)[GD作]NA

選考ポイント [総][ES]総合能力(考える力 行動する力 協働する力)業務適性 他[面]NA

通過率 [総][ES]NA　倍率(応募/内定) [総]NA

●男女別採用数と配属先ほか●

【男女・文理別採用実績】

	大卒男	大卒女	修士男	修士女
23年	23(文 21理 2)	12(文 12理 0)	0(文 0理 0)	0(文 0理 0)
24年	23(文 21理 2)	21(文 21理 0)	3(文 1理 2)	1(文 1理 0)
25年	46(文 42理 4)	32(文 32理 0)	0(文 0理 0)	2(文 2理 0)

【25年4月入社者の採用実績校】
[文](院)東大 北京大各1(大)中大 日大各5 青学大 近大 法政大各3 関西学大 関西外大 京都女大 國學院大 成蹊大 拓大 東京経大 東洋大 武蔵野大 立命館大 早大各2 亜大 大阪市大 学習院大 神奈川大 金城学大 関大 神田外語大 関東学院大 九産大 京産大 共立女大 甲南大 神戸大 駒澤大 上智大 成城大 聖心女大 清泉女大 専大 大正大 筑波大 帝京大 同大 同女大 獨協大 二松学舎大 広島市大 武庫川女大 武蔵大 明学大 名城大 立教大 立正大各1 [理](大)東海大 東京情報大 東京電機大 立教大各1

【24年4月入社者の配属先】
[総]勤務地:東京37 大阪11 部署:東日本サービスセンター37 西日本サービスセンター11

残業(月) 21.7時間

記者評価 1962年大阪で創業した消費者金融大手。2004年SMFGと資本業務提携、12年完全子会社に。店舗名は「プロミス」を継承。店舗数は447(24年3月末)。24年10月グループ再編で三井住友カード完全子会社に。25年入社者から大卒初任給を27万円に増額予定。

●給与、ボーナス、週休、有休ほか●

【30歳総合職平均年収】NA【初任給】(博士)269,000円(修士)269,000円(大卒)255,000円【ボーナス(年)】NA【25、30、35歳賃金】NA【週休】2日【夏期休暇】5日【年末年始休暇】約5日【有休取得】16.2／20日

●従業員数、勤続年数、離職率ほか●

【男女別従業員数、平均年齢、平均勤続年数】計 2,083(43.6歳 16.3年) 男 1,136(45.3歳 18.6年) 女 947(41.6歳 13.4年) ※有期雇用・受入出向等含む【離職率と離職者数】5.4%、118名(早期退職男7名、女3名含む)【3年後新卒定着率】91.3%(男90.9%、女91.7%、3年前入社:男22名・女24名)【組合】あり

求める人材 自ら考え、本質を見極める力 自ら行動し、課題解決に取り組める力 チームワークを重視し、多様な人脈を築ける力

会社データ　(金額は百万円)

【本社】135-0061 東京都江東区豊洲2-2-31 SMBC豊洲ビル
☎03-6887-1515　https://www.smbc-cf.com/corporate/
【社長】髙橋 照正【設立】1962.3【資本金】140,737【今後力を入れる事業】金融事業 提携事業 海外事業 債権管理事業

【業績(連結)】	営業収益	営業利益	経常利益	純利益
22.3	268,920	68,415	68,641	85,150
23.3	294,089	77,325	59,527	44,081
24.3	268,769	77,211	19,080	▲4,386

アイフル(株)

東京P 8515

【特色】独立系消費者金融大手、事業者ローンも手がける

修士・大卒採用数	3年後離職率	有休取得年平均	平均年収(平均42歳)
59名	NA	14.9日	[総]702万円

●エントリー情報と採用プロセス●

【受付開始～終了】[総][技]3月～6月【採用プロセス】[総][技]説明会(必須)→適性検査・ES提出(3～6月)→面談・面接(2～3回、4～8月)→内々定(5～8月)【交通費支給】説明会・面接、対面の場合は全額(会社基準)【早期選考】⇒巻末

試験情報

重視科目 [総][技]面接

[総][技][ES]⇒巻末[筆]あり(内容NA)[面]2～3回(Webあり)

選考ポイント [総][面]コミュニケーション能力、誠実さ、人柄を総合的に判断 [技][面]コミュニケーション能力、誠実さ、人柄、ITスキルを総合的に判断

通過率 [総][技][ES]選考なし(受付:NA)

倍率(応募/内定) [総]49倍 [技]7倍

●男女別採用数と配属先ほか●

【男女・文理別採用実績】

	大卒男	大卒女	修士男	修士女
23年	32(文 27理 5)	22(文 20理 2)	1(文 0理 1)	1(文 1理 0)
24年	37(文 28理 9)	24(文 23理 1)	0(文 0理 0)	1(文 1理 0)
25年	30(文 25理 5)	23(文 19理 4)	4(文 0理 4)	2(文 1理 1)

※25年:24年7月末時点、70名採用予定

【25年4月入社者の採用実績校】[文](院)京大1(大)同大 立命館大各4 京産大3 関大 横国大各2 大阪産大 大谷大 香川大 鹿児島大 関西学大 関東学院大 京都外大 京都光華女大 京都女大 熊本学大 四国学大 順天堂大 國學院大 成蹊大 千葉商大 中大 中央学大 筑波大 東北学大 名古屋市大 福島大 佛教大 法政大 明大 山口大 大和大 ウーロンゴン大 龍谷大 早大各1 [理](院)神奈川大 京大 中大 筑波大 豊橋技科大各1(大)龍谷大2 大阪芸大 滋賀県大 女子美大 東理大 東洋大 長岡造形大 武庫川女大各1(専)岩崎学園情報科学2 京都栄養医療 名古屋工学院各1

【24年4月入社者の配属先】[総]勤務地:東京1 神奈川13 京都1 滋賀35 部署:営業28 管理11 審査9 人事1 法務1 [技]勤務地:東京8 神奈川4 京都8 部署:エンジニア15 データ分析5

残業(月) 13.8時間 [総]14.2時間

記者評価 京都で創業。消費者向け無担保ローンの専業大手。傘下にクレジットカード会社のライフカードや事業者向けローン会社、割賦事業会社も。タイとインドネシアでも事業展開。IT関連事業への投資に意欲。IT人材の採用も積極的で、将来的に全社員の25%を目指す。

●給与、ボーナス、週休、有休ほか●

【30歳総合職平均年収】537万円【初任給】(博士)264,000円(修士)260,000円(大卒)256,000円【ボーナス(年)】197万円、2.3カ月【25、30、35歳賃金】NA【週休】完全2日(土日祝)※部署によりシフト制あり【夏期休暇】リフレッシュ休暇5日【年末年始休暇】12月30日～1月3日【有休取得】14.9／20日

●従業員数、勤続年数、離職率ほか●

【男女別従業員数、平均年齢、平均勤続年数】計 1,953(39.9歳 14.4年) 男 1,363(41.7歳 16.2年) 女 590(35.7歳 10.2年)【離職率と離職者数】4.6%、95名【3年後新卒定着率】NA【組合】なし

求める人材 失敗や変化を恐れず、強い意志でポジティブ思考を持ち挑戦できる人

会社データ　(金額は百万円)

【本社】600-8420 京都府京都市下京区烏丸通五条上る高砂町381-1
☎075-201-2000　https://group.aiful.co.jp/
【社長】福田 光秀【設立】1978.2【資本金】94,028【今後力を入れる事業】消費者金融 事業者金融 信用保証

【業績(連結)】	営業収益	営業利益	経常利益	純利益
22.3	132,097	11,242	12,265	12,334
23.3	144,152	23,724	24,428	22,343
24.3	163,109	21,064	22,067	21,818

マスコミ・メディア

テレビ　ラジオ　広告　新聞
通信社　出版　メディア・映像・音楽

放送局

主力のテレビ広告縮小を、アニメをはじめとするＩＰ開発や配信収入で賄おうとするが、収益貢献はまだ先の話

広告

ネット広告が牽引し市場は拡大。ただ、「クッキー規制」の強化が見込まれる今後は、総合的な提案力が問われる

出版

紙の出版物は好転見込めず。大手は版権売買・電子コミックが成長ドライバー。流通費増で出版物は高価格化

音楽

ＣＤ販売やダウンロード数の減少はまだ続くが、サブスクの会員数は着実に積み上がっていく見通し

（天気図は24年度後半⇒25年度、続きは東洋経済『会社四季報業界地図 2025年版』で）

にっぽんほうそうきょうかい エヌエイチケイ 日本放送協会（NHK）

株式公開していない

【特色】放送法に基づく公共放送機関、世界でも有数の規模

修士・大卒採用数	3年後離職率	有休取得年平均	平均年収（平均42歳）
NA	NA	NA	NA

●エントリー情報と採用プロセス●

【受付開始～終了】㊗技3月～4月【採用プロセス】㊗ES提出（3～4月）→書類選考（4～5月）→Webテスト（5月）→面接・筆記（6月）→内々定（6月）技NA【交通費支給】遠方者のみ規定に基づき

試験情報

重視科目 総技NA

総技筆NA面NA GD作NA

選考ポイント 総技 ES 有無NA 面NA

通過率 総技 ES NA

倍率（応募/内定）総技NA

●男女別採用数と配属先ほか●

【男女・文理別採用実績】

	大卒男	大卒女	修士男	修士女
23年	NA(文NA 理NA)	NA(文NA 理NA)	NA(文NA 理NA)	NA(文NA 理NA)
24年	NA(文NA 理NA)	NA(文NA 理NA)	NA(文NA 理NA)	NA(文NA 理NA)
25年	NA(文NA 理NA)	NA(文NA 理NA)	NA(文NA 理NA)	NA(文NA 理NA)

【25年4月入社者の採用実績校】
文NA 理NA

【24年4月入社者の配属先】
NA

残業（月） NA

記者評価 視聴者からの受信料収入が経営財源の特殊法人。規模は英国BBCと比肩。1925年東京・愛宕山でラジオ放送、53年テレビ放送開始。東京・渋谷の放送センター含め国内54の放送局、海外に29の取材拠点。23年度のBS1波削減に続き、26年度にAMラジオ1波削減へ。

●給与、ボーナス、週休、有休ほか●

【30歳総合職平均年収】NA【初任給】（博士）NA（修士）231,360円（大卒）218,360円【ボーナス（年）】NA【25、30、35歳賃金】NA【週休】完全2日【夏期休暇】NA【年末年始休暇】NA【有休取得】NA

●従業員数、勤続年数、離職率ほか●

【男女別従業員数、平均年齢、平均勤続年数】計 10,268（42.0歳 18.1年）男 7,917（43.8歳 19.8年）女 2,351（36.0歳 12.5年）【離職率と離職者数】NA【3年後新卒定着率】NA【組合】あり

求める人材 「誰かのために、社会のために」公共メディアの使命を一緒に追求・達成していく人材

会社データ （金額は百万円）

【本社】150-8001 東京都渋谷区神南2-2-1
☎03-3465-1111 https://www.nhk.or.jp/
【会長】稲葉 延雄【設立】1950.6【今後力を入れる事業】NA

【業績（単独）】	事業収入
22.3	700,900
23.3	696,500
24.3	653,100

に ほん ほうそうもう 日本テレビ放送網㈱

持株会社傘下

【特色】国内初の民間テレビ局。読売グループの一角

修士・大卒採用数	3年後離職率	有休取得年平均	平均年収（平均NA）
NA	3.2 → 7.4%	NA	総! 1,296万円

●エントリー情報と採用プロセス●

【受付開始～終了】総技NA【採用プロセス】総技ES・動画提出→面接・GW他→内々定【交通費支給】採用プロセスの後半、会社基準

試験情報

重視科目 総技NA

総技 ES ⇒巻末 筆あり（内容NA）面3～4回（Webあり）GD作NA

選考ポイント 総技 ES NA（提出あり）面人物重視 志望度 合 他

通過率 総技 ES NA

倍率（応募/内定）総技NA

●男女別採用数と配属先ほか●

【男女・文理別採用実績】

	大卒男	大卒女	修士男	修士女
23年	7(文 6理 1)	14(文 14理 0)	4(文 0理 4)	1(文 0理 1)
24年	11(文 10理 1)	15(文 14理 1)	6(文 1理 5)	4(文 0理 4)
25年	NA(文NA 理NA)	NA(文NA 理NA)	NA(文NA 理NA)	NA(文NA 理NA)

【25年4月入社者の採用実績校】
文（24年）（院）慶大1（大）慶大6 早大5 法政大3 一橋大2 筑波大 京大 明大 中大 立教大 青学大 同女大 日大各1 理（24年）（院）早大3 立命館大2 慶大 神戸大 九大 明大各1（大）立命館大 上智大各1

【24年4月入社者の配属先】
総勤務地：東京・汐留26 部署：コンテンツ制作 報道 スポーツ 営業 コンテンツビジネス アナウンス 他 技勤務地：東京・汐留10 部署：技術 DX推進

残業（月） NA

記者評価 個人視聴率は民放首位級。地上波では若年層を意識したバラエティやドラマを展開。子会社が運営する動画配信サービス「Hulu」は「ディズニープラス」とのセットプランで拡大目指す。23年9月にアニメ制作会社スタジオジブリを買収し子会社化。アニメ強化を狙う。

●給与、ボーナス、週休、有休ほか●

【30歳総合職平均年収】NA【初任給】（修士）300,000円（大卒）300,000円【ボーナス（年）】NA【25、30、35歳賃金】NA【週休】完全2日【夏期休暇】有休利用【年末年始休暇】あり【有休取得】NA／24日【平均年収（総合職）】（日テレHD）1,296万円

●従業員数、勤続年数、離職率ほか●

【男女別従業員数、平均年齢、平均勤続年数】計 1,314（NA）男 944（NA）女 370（NA）【離職率と離職者数】NA【3年後新卒定着率】92.6%（男100%、女83.3%、3年前入社：男15名・女12名）【組合】あり

求める人材 コンテンツ制作の“未来”を見据え行動する種々の“力”を持ち、チームを牽引し、コンテンツの価値最大化に貢献する人材

会社データ （金額は百万円）

【本社】105-7444 東京都港区東新橋1-6-1 汐留・日本テレビタワー
☎03-6215-1111 https://www.ntv.co.jp/
【会長】杉山 美邦【設立】1952.10【資本金】6,000【今後力を入れる事業】メディア・コンテンツ事業 新規事業 生活・健康関連事業 サステナブル投資 他

【業績（連結）】	売上高	営業利益	経常利益	純利益
22.3	406,395	58,682	64,838	47,431
23.3	413,979	46,593	51,775	34,081
24.3	423,523	41,877	49,503	34,660

※業績は日本テレビホールディングス㈱のもの

マスコミ

㈱テレビ朝日（あさひ）

持株会社 傘下

【特色】朝日新聞社系キー局。高齢者層からの支持に強み

修士・大卒採用数	3年後離職率	有休取得年平均	平均年収(平均NA)
29名	NA	NA	NA

●エントリー情報と採用プロセス●

【受付開始～終了】[総]9月～10月 [技]9月～10月 6月～7月【採用プロセス】[総][技]NA【交通費支給】あり

試験情報

重視科目 [総][技]全て

[総][技][ES]NA[筆]あり(内容NA)[面]NA[GD作]NA

選考ポイント [総][技][ES]NA(提出あり)[面]NA

通過率 [総][技][ES]NA

倍率(応募/内定) [総][技]NA

●男女別採用数と配属先ほか●

【男女・文理別採用実績】

	大卒男	大卒女	修士男	修士女
23年	11(文NA 理NA)	10(文NA 理NA)	4(文NA 理NA)	0(文NA 理NA)
24年	11(文NA 理NA)	12(文NA 理NA)	2(文NA 理NA)	2(文NA 理NA)
25年	10(文NA 理NA)	13(文NA 理NA)	3(文NA 理NA)	3(文NA 理NA)

【25年4月入社者の採用実績校】

[文]NA [理]NA

【24年4月入社者の配属先】

[総]勤務地：東京・六本木21 部署：NA [技]勤務地：東京・六本木6 部署：NA

残業(月) NA

[記者評価] 高齢者層の支持が高く、世帯視聴率は民放1位。全年齢層の取り込み図る独自戦略。子会社に「ケツメイシ」など所属する音楽会社。サイバーエージェントと組んだネット放送局「ABEMA」向けに番組制作。HD筆頭株主の東映と共同でコンテンツ制作を行うなど関係強化。

●給与、ボーナス、週休、有休ほか●

【30歳総合職平均年収】NA【初任給】(博士)293,553円(修士)293,553円(大卒)293,553円【ボーナス(年)】NA【25、30、35歳賃金】NA【週休】完全2日(土日祝)【夏期休暇】5日【年末年始休暇】NA【有休取得】NA／27日

●従業員数、勤続年数、離職率ほか●

【男女別従業員数、平均年齢、平均勤続年数】計 1,391(NA) 男 NA 女 NA【離職率と離職者数】NA【3年後新卒定着率】NA【組合】あり

[求める人材] チャレンジ精神・開拓者精神が旺盛で、独創的なコンテンツを生み出すことができる人

[会社データ] (金額は百万円)

【本社】106-8001 東京都港区六本木6-9-1
☎03-6406-1111 https://www.tv-asahi.co.jp/
【会長】早河 洋【設立】1957.11【資本金】100【今後力を入れる事業】コンテンツ制作 インターネット事業

【業績(連結)】	売上高	営業利益	経常利益	純利益
22.3	298,276	21,431	26,443	20,999
23.3	304,566	14,503	23,157	16,603
24.3	307,898	12,337	19,919	17,138

※業績は㈱テレビ朝日ホールディングスのもの

㈱フジテレビジョン

持株会社 傘下

【特色】民放キー局の一角。フジサンケイグループ中核

修士・大卒採用数	3年後離職率	有休取得年平均	平均年収(平均43歳)
未定	NA	NA	NA

●エントリー情報と採用プロセス●

【受付開始～終了】[総][技]NA【採用プロセス】[総][技]NA【交通費支給】NA

試験情報

重視科目 [総][技]NA

[総][技][ES]NA[筆]あり(内容NA)[面]5回(Webあり)

選考ポイント [総][技][ES]NA(提出あり)[面]NA

通過率 [総][技][ES]NA

倍率(応募/内定) [総][技]NA

●男女別採用数と配属先ほか●

【男女・文理別採用実績】

	大卒男	大卒女	修士男	修士女
23年	10(文 9理 1)	13(文 12理 1)	1(文 0理 1)	0(文 0理 0)
24年	11(文 10理 1)	12(文 11理 1)	4(文 3理 1)	1(文 1理 0)
25年	-(文 -理 -)	-(文 -理 -)	-(文 -理 -)	-(文 -理 -)

【25年4月入社者の採用実績校】

[文](24年)(院)慶大2 早大 北大各1(大)早大6 慶大4 日大2 阪大 三重大 法政大 明大 西南学大 上智大 中大 日赤看護大 セントラルアーカンソー大各1 [理](24年)(院)横国大1(大)早大 千葉大各1

【24年4月入社者の配属先】

[総]勤務地：東京25 部署：人事1 編成1 ドラマ・映画2 バラエティ5 報道3 情報4 スポーツ1 営業4 アナウンサー4 [技]勤務地：東京3 部署：制作技術2 放送1

残業(月) NA

[記者評価] 産経新聞、ニッポン放送などとフジサンケイグループを形成。かつてはバラエティやドラマで若年層の支持集め、視聴率の首位争いを演じてきた。若年層に強く、個人視聴率では民放4位。動画配信「FOD」に注力。NY、ロンドン、北京などに海外支局。

●給与、ボーナス、週休、有休ほか●

【30歳総合職平均年収】NA【初任給】(大卒)302,100円【ボーナス(年)】NA【25、30、35歳賃金】NA【週休】NA【夏期休暇】NA【年末年始休暇】NA【有休取得】NA

●従業員数、勤続年数、離職率ほか●

【男女別従業員数、平均年齢、平均勤続年数】計 1,185(42.8歳 NA) 男 847(44.1歳 NA) 女 338(39.7歳 NA)【離職率と離職者数】NA【3年後新卒定着率】NA【組合】NA

[求める人材] テレビをこよなく愛し、番組作りに情熱を注ぐ挑戦心溢れる人

[会社データ] (金額は百万円)

【本社】137-8088 東京都港区台場2-4-8
☎03-5500-8888 https://www.fujitv.co.jp/
【社長】港 浩一【設立】2008.10【資本金】880【今後力を入れる事業】番組制作 新規事業 放送外事業

【業績(単独)】	売上高	営業利益	経常利益	純利益
22.3	238,240	11,457	11,457	1,275
23.3	237,400	7,677	7,959	5,726
24.3	238,219	5,433	5,624	3,660

マスコミ

㈱テレビ東京（とうきょう）

持株会社傘下

【特色】民放キー局の一角。経済やアニメ番組が得意

修士・大卒採用数	3年後離職率	有休取得年平均	平均年収(平均42歳)
25名	0→5.0%	NA	NA

残業(月) NA

記者評価 個人視聴率5位。日本経済新聞社との繋がりを生かした経済番組や、いち早く手がけていたアニメに強み。「NARUTO」など人気アニメの版権ビジネスが好調。配信・アニメなどから成るライツ事業を成長の柱に位置付ける。経済番組配信「テレ東BIZ」運営。

●エントリー情報と採用プロセス●

【受付開始～終了】[総][技]12月～1月【採用プロセス】[総]ES提出(12～1月)→面接(4回、2～3月)・GD(3月)・筆記(論作文含む、3月)→内々定(3月)〈アナウンス職〉ES提出(9～10月)→面接(4回、カメラテスト含む、10～11月)・筆記(論作文含む、10月)→内々定(11月) [技]ES提出(12～1月)→面接(4回、2～3月)・GD(3月)・筆記(論作文含む、3月)→内々定(3月)【交通費支給】最終面接、遠方者(会社基準)

試験情報

重視科目 [総][技]面接

[総][技][ES]NA[筆]あり(内容NA)[面]4回(Webあり)[GD作]NA

選考ポイント [総][技][ES]NA(提出あり)[面]人柄 熱意 知性 表現力 他

通過率 [総][ES]41%(受付:1,983→通過:812) [技][ES]50%(受付:175→通過:87)

倍率(応募/内定) [総][技]NA

●男女別採用数と配属先ほか●

【男女・文理別採用実績】

	大卒男	大卒女	修士男	修士女
23年	8(文 8理 0)	7(文 5理 2)	4(文 0理 4)	0(文 0理 0)
24年	6(文 5理 1)	11(文 11理 0)	6(文 1理 5)	2(文 2理 0)
25年	8(文 7理 1)	12(文 12理 0)	5(文 1理 4)	0(文 0理 0)

【25年4月入社者の採用実績校】[文](院)神戸大1(大)早大6 慶大5 立教大2 上智大 中大 お茶女大 立命館大 西南学大 ICU各1 [理](院)阪大 関西学大 兵庫県大 東京科学大各1(大)東京科学大1

【24年4月入社者の配属先】[総]勤務地:東京・六本木21 部署:報道4 アナウンス3 制作3 営業2 編成2 スポーツ2 アニメ2 配信ビジネス1 人事1 マーケティング1 [技]勤務地:東京・六本木4 部署:テック開発局2 テック運営局2

●給与、ボーナス、週休、有休ほか●

【30歳総合職平均年収】NA【初任給】(博士)281,600円〈技術系〉291,500円 (修士)281,600円〈技術系〉291,500円 (大卒)281,600円【ボーナス(年)】NA【25、30、35歳賃金】NA【週休】2日(部署により一部シフト制あり)【夏期休暇】冬期休暇と合わせて5日【年末年始休暇】1週間程度【有休取得】NA／20日

●従業員数、勤続年数、離職率ほか●

【男女別従業員数、平均年齢、平均勤続年数】計 779(42.1歳 16.1年) 男 556(43.6歳 17.3年) 女 223(38.4歳 12.9年)【離職率と離職者数】NA【3年後新卒定着率】95.0%(男92.3%、女100%、3年前入社:男13名・女7名)【組合】あり

求める人材 テレビが好きで、変化を厭わないアクティブな人

会社データ (金額は百万円)

【本社】106-8007 東京都港区六本木3-2-1 六本木グランドタワー
☎03-6632-7777 https://www.tv-tokyo.co.jp/

【社長】石川 一郎【設立】1964.4【資本金】8,910【今後力を入れる事業】番組制作 ライツビジネス デジタル事業 他

【業績(連結)】	売上高	営業利益	経常利益	純利益
22.3	148,070	8,584	9,159	6,024
23.3	150,963	9,229	9,378	6,724
24.3	148,587	8,836	9,599	6,736

※業積は㈱テレビ東京ホールディングスのもの

㈱長野放送（ながのほうそう）

株式公開していない

【特色】フジテレビ系列。長野県が放送エリア。略称NBS

修士・大卒採用数	3年後離職率	有休取得年平均	平均年収(平均NA)
1名	NA	NA	NA

残業(月) NA

記者評価 1969年4月に長野県で2番目に開局した民放テレビ局。フジ・メディアHDが筆頭株主。4支社・3支局体制。「NBSみんなの信州」はじめ報道に強み。人気番組「土曜はこれダネッ！」などを自社制作。本社前に野外彫刻庭園「波動の庭」。北京電視台(中国)と業務提携。

●エントリー情報と採用プロセス●

【受付開始～終了】[総]7月～7月【採用プロセス】[総]ES提出(7月)→面接(8月)→Webテスト(8月)→最終面接(8月)→内々定【交通費支給】最終面接、実費

試験情報

重視科目 [総]面接

[総][ES]⇒巻末[筆]SPI3(自宅)[面]2回

選考ポイント [総][ES]NA(提出あり)[面]NA

通過率 [総][ES]8%(受付:84→通過:7)

倍率(応募/内定) [総]84倍

●男女別採用数と配属先ほか●

【男女・文理別採用実績】

	大卒男	大卒女	修士男	修士女
23年	2(文 2理 0)	0(文 0理 0)	0(文 0理 0)	0(文 0理 0)
24年	0(文 0理 0)	1(文 1理 0)	0(文 0理 0)	0(文 0理 0)
25年	1(文 1理 0)	0(文 0理 0)	0(文 0理 0)	0(文 0理 0)

【25年4月入社者の採用実績校】
[文](大)同大1 [理]なし

【24年4月入社者の配属先】
[総]勤務地:長野市1 部署:制作1

●給与、ボーナス、週休、有休ほか●

【30歳総合職平均年収】NA【初任給】(博士)NA (修士)NA (大卒)230,600円【ボーナス(年)】NA【25、30、35歳賃金】NA【週休】完全2日【夏期休暇】有休で取得【年末年始休暇】12月29日～1月3日【有休取得】NA／22日

●従業員数、勤続年数、離職率ほか●

【男女別従業員数、平均年齢、平均勤続年数】計 81(NA) 男 NA 女 NA【離職率と離職者数】NA【3年後新卒定着率】NA【組合】なし

求める人材 テレビが好きで、意欲的な人

会社データ (金額は百万円)

【本社】380-8633 長野県長野市岡田町131-7
☎026-227-3000 https://www.nbs-tv.co.jp/

【社長】外山 衆司【設立】1969.4【資本金】300【今後力を入れる事業】NA

【業績(単独)】NA

マスコミ

㈱テレビ静岡（しずおか）

株式公開 計画なし

【特色】フジテレビ系列。自社制作の長寿番組も

修士・大卒採用数	3年後離職率	有休取得年平均	平均年収(平均43歳)
NA	0→0%	NA	NA

●エントリー情報と採用プロセス●

【受付開始～終了】[総][技]2月～3月【採用プロセス】[総][技]ES提出(2～3月)→面接(4回)・GD・筆記(3～4月)→内々定(4月中旬)【交通費支給】なし

試験情報

重視科目 [総][技]面接

[総][技][ES]⇒巻末[筆]SPI3(会場)[面]4回[GD作]⇒巻末

選考ポイント [総][技][ES]NA(提出あり)[面]志望動機 情熱

通過率 [総][技][ES]NA

倍率(応募/内定) [総][技]NA

●男女別採用数と配属先ほか●

【男女・文理別採用実績】

	大卒男	大卒女	修士男	修士女
23年	1(文 1理 0)	0(文 0理 0)	0(文 0理 0)	0(文 0理 0)
24年	3(文 3理 0)	3(文 3理 0)	0(文 0理 0)	0(文 0理 0)
25年	-(文 -理 -)	-(文 -理 -)	-(文 -理 -)	-(文 -理 -)

【25年4月入社者の採用実績校】
[文]未定 [理]未定

【24年4月入社者の配属先】
[総]勤務地:静岡4 東京1 部署:営業(東京支社)1 編成1 報道1 アナウンス2 [技]勤務地:静岡1 部署:制作技術1

残業(月) NA

[記者評価] 愛称・テレしず。フジ・メディアHDが筆頭株主、静岡鉄道やスズキも大株主。東京、大阪、名古屋など5支社。手話を交えた自社制作の公開教育番組「テレビ寺子屋」は放送2000回を超す長寿番組。夕方ワイド「ただいま！テレビ」を制作。23年11月で開局55周年。

●給与、ボーナス、週休、有休ほか●

【30歳総合職平均年収】NA【初任給】(大卒)240,000円【ボーナス(年)】NA【25、30、35歳賃金】NA【週休】完全2日【夏期休暇】なし【年末年始休暇】12月30日～1月3日【有休取得】NA／20日

●従業員数、勤続年数、離職率ほか●

【男女別従業員数、平均年齢、平均勤続年数】計140(43.3歳 NA) 男96(43.7歳 NA) 女44(42.5歳 NA)【離職率と離職者数】0%、0名【3年後新卒定着率】100%(男―、女100%、3年前入社:男0名・女1名)【組合】なし

[求める人材] なし

[会社データ] (金額は百万円)

【本社】422-8525 静岡県静岡市駿河区栗原18-65
☎054-261-6111 https://www.sut-tv.com/
【社長】若松 誠【設立】1968.2【資本金】300【今後力を入れる事業】NA

【業績(単独)】	売上高	営業利益	経常利益	純利益
22.3	7,942	855	902	760
23.3	7,629	591	646	408
24.3	7,200	293	382	194

中京テレビ放送㈱（ちゅうきょう ほうそう）

株式公開 計画なし

【特色】NTV系列のテレビ局。愛知等中京圏が放送エリア

修士・大卒採用数	3年後離職率	有休取得年平均	平均年収(平均41歳)
NA	NA	14.4日	NA

●エントリー情報と採用プロセス●

【受付開始～終了】[総]12月～1月【採用プロセス】[総]ES提出(12～1月)→面接(4回、2月～)→内々定【交通費支給】3次面接以降、実費相当

試験情報

重視科目 [総]全て

[総][ES]NA[筆]あり(内容NA)[面]4回(Webあり)[GD作]NA

選考ポイント [総][ES]総合的に判断[面]人間性 積極性 他

通過率 [総][ES]NA

倍率(応募/内定) [総]NA

●男女別採用数と配属先ほか●

【男女・文理別採用実績】

	大卒男	大卒女	修士男	修士女
23年	3(文 3理 0)	1(文 1理 0)	1(文 0理 1)	0(文 0理 0)
24年	5(文 5理 0)	4(文 3理 1)	1(文 0理 1)	1(文 0理 1)
25年	NA(文NA理NA)	NA(文NA理NA)	NA(文NA理NA)	NA(文NA理NA)

【25年4月入社者の採用実績校】
[文](24年)(大)名大2 早大 法政大 ICU 日大 立命館大 神戸市外大各1 [理](24年)(院)名大 京大各1(大)鹿児島大1

【24年4月入社者の配属先】
[総]勤務地:名古屋8 東京1 部署:制作2 報道3 営業3 ビジネス1
[技]勤務地:名古屋2 部署:技術2

残業(月) NA

[記者評価] 略称CTV。名古屋財界の総意で設立。日テレが筆頭株主、名古屋鉄道も大株主。愛知、岐阜、三重の約480万世帯が放送圏。東京・大阪に支社、豊橋・岐阜・三重に支局。海外はLA、北京に特派員を派遣。ローカル情報番組「キャッチ！」など自社制作は約2割。

●給与、ボーナス、週休、有休ほか●

【30歳総合職平均年収】NA【初任給】(博士)252,400円(修士)252,400円(大卒)252,400円【ボーナス(年)】NA【25、30、35歳賃金】NA【週休】完全2日(土日祝)【夏期休暇】なし【年末年始休暇】あり【有休取得】14.4／20日

●従業員数、勤続年数、離職率ほか●

【男女別従業員数、平均年齢、平均勤続年数】計264(41.2歳 NA) 男195(41.7歳 NA) 女69(39.7歳 NA)【離職率と離職者数】NA【3年後新卒定着率】NA(3年前入社:男7名・女3名)【組合】なし

[求める人材] テレビが好きで、新しいテレビの在り方を創りたい積極的な人 好奇心・挑戦心の旺盛な人

[会社データ] (金額は百万円)

【本社】453-8704 愛知県名古屋市中村区平池町4-60-11
☎052-588-4600 https://www.ctv.co.jp/
【社長】伊豫田 祐司【設立】1968.3【資本金】1,056【今後力を入れる事業】放送を中心としたメディア関連

【業績(単独)】	売上高	営業利益	経常利益	純利益
22.3	31,482	5,024	5,402	4,290
23.3	34,311	3,619	4,133	2,640
24.3	34,316	2,273	4,642	3,739

朝日放送テレビ(株)

あさひほうそう

[持株会社傘下]

【特色】西日本の民放で最大手。テレビ朝日系列

修士・大卒採用数	3年後離職率	有休取得年平均	平均年収(平均45歳)
20名	0→0%	NA	NA

●エントリー情報と採用プロセス●

【受付開始～終了】[総]9月～11月 [技]12月～1月【採用プロセス】[総]ES提出→面接(5回)・GW・筆記→内々定 [技]ES提出→面接(4回)・GW・筆記→内々定【交通費支給】一部支給

試験情報

重視科目 [総][技]NA

[総][ES]⇒巻末[筆]一般常識 SCOA[面]5回(Webあり)[GD作]NA [技][ES]⇒巻末[筆]一般常識 SCOA[面]4回(Webあり)[GD作]NA

選考ポイント [総][技][ES]NA(提出あり)[面]NA

通過率 [総][技][ES]NA

倍率(応募/内定) [総][技]NA

●男女別採用数と配属先ほか●

【男女・文理別採用実績】

	大卒男	大卒女	修士男	修士女
23年	3(文 3理 0)	7(文 7理 0)	3(文 0理 3)	0(文 0理 0)
24年	3(文 3理 0)	7(文 7理 0)	4(文 0理 4)	0(文 0理 0)
25年	5(文 5理 0)	9(文 9理 0)	4(文 0理 4)	2(文 2理 0)

【25年4月入社者の採用実績校】

[文](院)阪大 青学大各1(大)同大3 横国大 京都府大 上智大 神戸大 早大 阪大 大和大 東京外大 東大 法政大 立教大各1 [理](院)神戸大 早大 大阪公大 兵庫県大各1

【24年4月入社者の配属先】

[総]勤務地:大阪11 東京1 部署:アナウンス2 制作2 報道3 営業3 スポーツ1 PR1 [技]勤務地:大阪2 部署:アイネックス1 DX1

残業(月) NA

記者評価 テレビ朝日系の在阪準キー局。通称「ABCテレビ」。2018年から認定放送持株会社制に移行。「探偵！ナイトスクープ」「M-1グランプリ」など自社制作。プロ野球の阪神戦や高校野球などスポーツ中継も得意。「プリキュア」などアニメ版権活用した展開も強み。

●給与、ボーナス、週休、有休ほか●

【30歳総合職平均年収】NA【初任給】(大卒)275,000円【ボーナス(年)】NA【25、30、35歳賃金】NA【週休】完全2日(土日祝)【夏期休暇】なし【年末年始休暇】12月30日～1月3日【有休取得】NA／25日

●従業員数、勤続年数、離職率ほか●

【男女別従業員数、平均年齢、平均勤続年数】計710(45.0歳 21.0年) 男533(47.0歳 22.2年) 女177(41.0歳 17.2年)【離職率と離職者数】1.4%、10名(早期退職男2名含む)【3年後新卒定着率】100%(男100%、女100%、3年前入社:男7名・女3名)【組合】あり

求める人材 「コミュニケーション」を大切に、外に向かって何かを伝えようとする人

会社データ (金額は百万円)

【本社】553-8503 大阪府大阪市福島区福島1-1-30
☎06-6458-5321 https://corp.asahi.co.jp/ja/tv
【社長】今村 俊昭【設立】2017.4【資本金】100【今後力を入れる事業】コンテンツ制作力の強化

【業績(連結)】	売上高	営業利益	経常利益	純利益
22.3	85,100	4,203	4,792	2,671
23.3	87,028	2,594	2,661	1,354
24.3	90,452	832	723	▲884

※業績は朝日放送グループホールディングス(株)のもの

讀賣テレビ放送(株)

よみうりほうそう

[株式公開計画なし]

【特色】NTV系列の準キー局。近畿広域が放送圏

修士・大卒採用数	3年後離職率	有休取得年平均	平均年収(平均43歳)
未定	0→0%	NA	NA

●エントリー情報と採用プロセス●

【受付開始～終了】[総][技]11月～12月【採用プロセス】[総][技]ES提出(11～12月)→1次面接→GD・2次面接→筆記・3次面接→役員面接→内々定(2月)【交通費支給】3次面接以降、遠方者(3次面接:半額 4次面接:全額)

試験情報

重視科目 [総][技]面接

[総][技][ES]⇒巻末[筆]一般常識 GAB[面]4回(Webあり)[GD作]⇒巻末

選考ポイント [総][技][ES]志望動機 自己PR(やる気やクリエイティブ力があるか)[面]コミュニケーション能力 仕事への意欲

通過率 [総][技][ES]NA

倍率(応募/内定) [総][技]NA

●男女別採用数と配属先ほか●

【男女・文理別採用実績】

	大卒男	大卒女	修士男	修士女
23年	2(文 2理 0)	9(文 8理 1)	2(文 0理 2)	2(文 0理 2)
24年	8(文 6理 2)	3(文 3理 0)	3(文 0理 3)	3(文 1理 2)
25年	-(文 -理 -)	-(文 -理 -)	-(文 -理 -)	-(文 -理 -)

【25年4月入社者の採用実績校】

[文](24年)(院)東大1(大)関西学大3 慶大 神戸大 九大 広島大 日大 成城大各1 [理](24年)(院)京大 阪大各2 和歌山大1(大)大阪府大 同大各1

【24年4月入社者の配属先】

[総]勤務地:本社(大阪)14 部署:報道6 制作3 コンテンツ戦略2 営業3 [技]勤務地:本社(大阪)3 部署:技術2 DX推進1

残業(月) NA

記者評価 略称ytv。日テレを筆頭に読売新聞G本社も大株主。「情報ライブ ミヤネ屋」や「ダウンタウンDX」などを自社制作。東京に支社。名古屋、京都、神戸に支局。海外はパリ、上海、NYに支局。コンテンツのマルチユース、イベントで収益の拡大狙う。

●給与、ボーナス、週休、有休ほか●

【30歳総合職平均年収】NA【初任給】(修士)(住宅手当等含む)306,000円 (大卒)(住宅手当等含む)296,000円【ボーナス(年)】NA【25、30、35歳賃金】NA【週休】完全2日(土日祝)【夏期休暇】あり【年末年始休暇】あり【有休取得】NA／27日

●従業員数、勤続年数、離職率ほか●

【男女別従業員数、平均年齢、平均勤続年数】計601(43.3歳 18.1年) 男461(44.6歳 19.2年) 女140(39.2歳 14.2年)【離職率と離職者数】0.8%、5名(早期退職男2名含む)【3年後新卒定着率】100%(男100%、女100%、3年前入社:男8名・女8名)【組合】あり

求める人材 番組作りに愛情と情熱を持ちながら、バランス感覚に優れたテレビが大好きな人

会社データ (金額は百万円)

【本社】540-8510 大阪府大阪市中央区城見1-3-50
☎06-6947-2111 https://www.ytv.co.jp/
【会長】大橋 善光【設立】1958.2【資本金】650【今後力を入れる事業】番組制作力の維持・向上 コンテンツビジネスの開発

【業績(連結)】	売上高	営業利益	経常利益	純利益
22.3	73,484	6,236	7,293	5,256
23.3	72,856	3,273	4,448	3,083
24.3	73,858	4,423	5,879	3,975

まいにちほうそう
(株)毎日放送

株式公開 していない

【特色】TBS系列の準キーTV局。近畿広域が放送圏

修士・大卒採用数	3年後離職率	有休取得年平均	平均年収(平均44歳)
15名	0→NA	NA	NA

●エントリー情報と採用プロセス●

【受付開始～終了】総技NA【採用プロセス】総技ES提出→面接(4回)・筆記・作文 他→内々定【交通費支給】選考フロー、職種で異なる

試験情報

重視科目 総技面接

総技 ES⇒巻末 筆一般常識 面4回(Webあり) GD作NA

選考ポイント 総技 ESNA(提出あり) 面コミュニケーション能力など総合的に判断

通過率 総技 ESNA

倍率(応募/内定) 総技NA

●男女別採用数と配属先ほか●

【男女・文理別採用実績】

	大卒男	大卒女	修士男	修士女
23年	4(文 4理 0)	5(文 4理 1)	3(文 1理 2)	3(文 0理 3)
24年	5(文 4理 1)	4(文 4理 0)	1(文 0理 1)	2(文 1理 1)
25年	5(文 5理 0)	6(文 5理 1)	3(文 1理 2)	1(文 0理 1)

【25年4月入社者の採用実績校】
文NA 理NA

【24年4月入社者の配属先】
総勤務地:大阪8 東京2 部署:報道情報3 制作2 営業4 アナウンサー1 技勤務地:大阪2 部署:ITエンジニア2

残業(月) NA

記者評価 略称MBS。MBSメディアHD傘下のテレビ局。放送圏は近畿広域。東京に支社、名古屋に支局。「プレバト!!」「日曜日の初耳学」など自社制作の人気番組多い。近畿各地の学校へ出向き、放送についての授業も。ラジオ放送はMBSラジオが担当。GAORAもグループ企業。

●給与、ボーナス、週休、有休ほか●

【30歳総合職平均年収】NA【初任給】(修士)294,100円(大卒)280,900円【ボーナス(年)】NA【25、30、35歳賃金】NA【週休】完全2日(土日祝)【夏期休暇】有休で取得【年末年始休暇】連続5日【有休取得】NA／23日

●従業員数、勤続年数、離職率ほか●

【男女別従業員数、平均年齢、平均勤続年数】計 622(44.1歳 19.2年) 男 490(45.4歳 20.3年) 女 132(39.0歳 15.1年)【離職率と離職者数】NA【3年後新卒定着率】NA【組合】あり

求める人材 好きな人・もの・コトの魅力をしっかり表現できる人

会社データ (金額は百万円)

【本社】530-8304 大阪府大阪市北区茶屋町17-1
☎06-6359-1123 https://www.mbs.jp/
【社長】虫明 洋一【設立】2016.7【資本金】100【今後力を入れる事業】コンテンツ制作

【業績(連結)】	売上高	営業利益	経常利益	純利益
22.3	64,563	4,569	5,518	2,967
23.3	66,941	3,681	4,826	2,795
24.3	71,810	3,847	5,205	2,791

かんさい ほうそう
関西テレビ放送(株)

株式公開 未定

【特色】フジテレビ系列。近畿広域が放送圏の準キー局

修士・大卒採用数	3年後離職率	有休取得年平均	平均年収(平均42歳)
22名	7.7→9.1%	NA	NA

●エントリー情報と採用プロセス●

【受付開始～終了】総技11月～12月【採用プロセス】総技ES提出→1次面接(GD含む)→2次面接(筆記含む)→3次面接(GD含む)→4次面接→内々定【交通費支給】3次面接以降、会社基準

試験情報

重視科目 総技面接

総技 ESNA 筆NA 面複数回(Webあり) GD作NA

選考ポイント 総技 ES志望度合 面志望度合、コミュニケーション能力などを総合的に評価

通過率 総技 ESNA

倍率(応募/内定) 総技NA

●男女別採用数と配属先ほか●

【男女・文理別採用実績】

	大卒男	大卒女	修士男	修士女
23年	5(文 2理 3)	6(文 5理 1)	3(文 0理 3)	2(文 1理 1)
24年	4(文 3理 1)	6(文 6理 0)	3(文 0理 3)	2(文 0理 2)
25年	6(文 6理 0)	9(文 9理 0)	6(文 2理 4)	1(文 0理 1)

【25年4月入社者の採用実績校】
文(院)阪大 東大各1(大)関西学大3 関大 阪大各2 上智大 同大 滋賀県大 中大 明学大 名大 大阪学大 広島女学大各1 理(院)奈良先端科技院大3 名工大 東京科学大各1

【24年4月入社者の配属先】
総勤務地:大阪12 東京1 部署:スポーツ1 営業3 制作1 アナウンス部2 編成1 報道2 情報制作2 総務1 技勤務地:大阪2 部署:DX推進部1 制作技術1

残業(月) NA

記者評価 1958年開局。愛称「カンテレ」。フジ・メディアHDが25%弱出資、阪急阪神HDも大株主。ドラマやバラエティを軸に全国ネットの人気番組が多い。ローカル制作番組も多彩。上海に支局、パリとLAに特派員を派遣。上司に距離なく話のできる社風に特徴。

●給与、ボーナス、週休、有休ほか●

【30歳総合職平均年収】NA【初任給】(修士)250,100円(大卒)250,100円【ボーナス(年)】NA【25、30、35歳賃金】NA【週休】完全2日【夏期休暇】なし【年末年始休暇】連続4日【有休取得】NA／25日

●従業員数、勤続年数、離職率ほか●

【男女別従業員数、平均年齢、平均勤続年数】計 549(42.0歳 19.1年) 男 404(43.0歳 19.6年) 女 145(41.0歳 18.5年)【離職率と離職者数】NA【3年後新卒定着率】90.9%(男83.3%、女100%、3年前入社:男6名・女5名)【組合】あり

求める人材 テレビの新しい価値を生み出すために熱意をもって何事も面白がって挑戦できる人

会社データ (金額は百万円)

【本社】530-8408 大阪府大阪市北区扇町2-1-7
☎06-6314-8888 https://www.ktv.jp/
【社長】大多 亮【設立】1958.2【資本金】500【今後力を入れる事業】デジタル特性を生かすソフト開発

【業績(単独)】	売上高	営業利益	経常利益	純利益
22.3	55,049	3,241	3,894	2,789
23.3	53,328	974	1,725	1,341
24.3	52,839	▲293	642	▲146

マスコミ

テレビ大阪(株)

おおさか

株式公開 計画なし

【特色】テレビ東京系列の在阪局。日本経済新聞グループ

修士・大卒採用数	3年後離職率	有休取得年平均	平均年収(平均43歳)
5名	0→0%	NA	NA

●エントリー情報と採用プロセス●

【受付開始～終了】総12月～1月【採用プロセス】総ES提出(12～1月)→面接(2月)→筆記・作文(3月)→Webテスト(3月中旬)→面接(3月下旬)→面接(4月)→内々定【交通費支給】最終面接、実費

試験情報

重視科目 総全て

総 ES NA 筆一般常識 時事 面3回(Webあり) GD作 NA

選考ポイント 総 ES志望動機 自己PR 面過去の経験から得た能力・資質 性格・適性 意欲・熱意 他

通過率 総 ES NA

倍率(応募/内定) 総NA

●男女別採用数と配属先ほか●

【男女・文理別採用実績】

	大卒男	大卒女	修士男	修士女
23年	2(文 1理 1)	3(文 3理 0)	0(文 0理 0)	0(文 0理 0)
24年	0(文 0理 0)	2(文 2理 0)	0(文 0理 0)	0(文 0理 0)
25年	2(文 1理 1)	2(文 2理 0)	1(文 1理 0)	0(文 0理 0)

【25年4月入社者の採用実績校】文(院)和歌山大1(大)九大2 立命館APU1 理(大)阪大1

【24年4月入社者の配属先】
総勤務地:大阪2 部署:営業1 報道1

残業(月) NA

記者評価 略称TVO。日経新聞が筆頭株主。大阪府とその周辺が放送圏。従業員約150人と在阪局では最小規模。東京、名古屋、福岡に支社。関西の経済・情報番組に重点。「おとな旅あるき旅」など自社制作番組に注力。インターネット、各種イベントでもコンテンツ発信。

●給与、ボーナス、週休、有休ほか●

【30歳総合職平均年収】NA【初任給】(博士)240,000円(修士)240,000円(大卒)240,000円【ボーナス(年)】NA【25、30、35歳賃金】NA【週休】完全2日(土日祝)【夏期休暇】約5日(有休で取得)【年末年始休暇】連続4日【有休取得】NA／20日

●従業員数、勤続年数、離職率ほか●

【男女別従業員数、平均年齢、平均勤続年数】計 150(42.5歳 16.2年) 男 108(43.9歳 17.0年) 女 42(38.9歳 14.4年)【離職率と離職者数】0.7%、1名【3年後新卒定着率】100%(男100%、女100%、3年前入社:男1名・女2名)【組合】なし

求める人材 好奇心、チャレンジ精神旺盛かつテレビ好きな人

会社データ (金額は百万円)

【本社】540-0008 大阪府大阪市中央区大手前1-1-7
☎06-6947-7777 https://www.tv-osaka.co.jp/
【社長】品田 卓【設立】1981.1【資本金】1,000【今後力を入れる事業】各種コンテンツ制作力の強化

【業績(単独)】	売上高	営業利益	経常利益	純利益
22.3	12,432	825	953	580
23.3	12,673	864	998	677
24.3	12,461	400	432	259

RSK山陽放送(株)

アールエスケイさんようほうそう

株式公開 していない

【特色】19年4月持株会社体制に。TBS系列。ラ・テ兼営

修士・大卒採用数	3年後離職率	有休取得年平均	平均年収(平均44歳)
8名	14.3→25.0%	9.5日	NA

●エントリー情報と採用プロセス●

【受付開始～終了】総3月～4月 技3月～3月【採用プロセス】総〈アナウンサー職以外〉ES提出(3月)→グループ面接・Webテスト(4月中旬)→筆記・面接(4月下旬)→面接(5月中旬)→内々定(5月中旬)〈アナウンサー職〉ES提出(4月)→グループ面接・Webテスト(5月中旬)→筆記・カメラテスト・面接(5月下旬)→面接(6月上旬)→内々定(6月上旬) 技ES提出(3月)→グループ面接・Webテスト(4月中旬)→筆記・面接(4月下旬)→面接(5月中旬)→内々定(5月中旬)【交通費支給】最終面接、自宅近くの基幹駅からの往復新幹線代等実費

試験情報

重視科目 総技面接

総技 ES⇒巻末 筆SPI3(会場) 一般常識 面3回(Webあり) GD作 NA

選考ポイント 総技 ES志望動機 自己アピール 他 面コミュニケーション力 印象度 積極性 他

通過率 総技 ES NA

倍率(応募/内定) 総技NA

●男女別採用数と配属先ほか●

【男女・文理別採用実績】

	大卒男	大卒女	修士男	修士女
23年	2(文 2理 0)	1(文 1理 0)	0(文 0理 0)	0(文 0理 0)
24年	3(文 3理 0)	4(文 3理 1)	0(文 0理 0)	0(文 0理 0)
25年	1(文 1理 0)	7(文 7理 0)	0(文 0理 0)	0(文 0理 0)

【25年4月入社者の採用実績校】文(大)岡山大2 慶大 阪大 関西学大 東北大 叡啓大 岡山県大各1 理なし

【24年4月入社者の配属先】
総勤務地:岡山6 部署:営業部2 報道部1 業務部1 アナウンス部2 技勤務地:岡山1 部署:送出技術部1

残業(月) (管理職除く)18.0時間 総18.0時間

記者評価 TBS系列局。略称RSKの「R」はラジオ山陽に由来。山陽新聞が系列紙。東京、大阪など4支社・2支局。テレビは岡山、香川県、ラジオは岡山県が放送圏。「ライブ5時 いまドキッ!」「VOICE de GO!」など地域密着番組に定評。ドキュメンタリー番組制作にも注力。

●給与、ボーナス、週休、有休ほか●

【30歳総合職平均年収】NA【初任給】(大卒)234,000円【ボーナス(年)】NA【25、30、35歳賃金】NA【週休】完全2日(土日祝)【夏期休暇】有休で取得【年末年始休暇】12月30日～1月3日【有休取得】9.5／20日

●従業員数、勤続年数、離職率ほか●

【男女別従業員数、平均年齢、平均勤続年数】計 132(43.9歳 19.6年) 男 91(45.1歳 20.4年) 女 41(41.3歳 17.8年)【離職率と離職者数】3.6%、5名【3年後新卒定着率】75.0%(男100%、女66.7%、3年前入社:男1名・女3名)【組合】あり

求める人材 円滑なコミュニケーションが取れ、何ごとにも前向きに取り組む姿勢を持つ人材

会社データ (金額は百万円)

【本社】700-8580 岡山県岡山市北区天神町9-24
☎086-225-5531 https://www.rsk.co.jp/
【社長】物部 一宏【設立】1953.4【資本金】100【今後力を入れる事業】コンテンツの強化

【業績(単独)】	売上高	営業利益	経常利益	純利益
22.3	6,877	NA	NA	NA
23.3	6,772	NA	NA	NA
24.3	6,858	NA	NA	NA

1372 ▶「業界地図」p.212

岡山放送(株)（おかやまほうそう）

[株式公開 計画なし]

【特色】フジ系列のテレビ局。岡山、香川両県が放送エリア

修士・大卒採用数	3年後離職率	有休取得年平均	平均年収(平均45歳)
2名	25.0→0%	12.1日	NA

●エントリー情報と採用プロセス●

【受付開始〜終了】[総]3月〜4月【採用プロセス】[総]ES提出(3月)→Web説明会(3月)→GAB・面接(3回、4〜5月)→内々定(5月)【交通費支給】なし

試験情報

重視科目 [総]面接

[総][ES]⇒巻末[筆]C-GAB[面]3回(Webあり)

選考ポイント [総][ES]内容 論理力 語彙力 他[面]社会人としての常識 ニュースや出来事に関心を持っているか コミュニケーション能力 他

通過率 [総][ES]65%(受付:153→通過:100)

倍率(応募/内定) [総]77倍

●男女別採用数と配属先ほか●

【男女・文理別採用実績】

	大卒男	大卒女	修士男	修士女
23年	2(文 2理 0)	4(文 4理 0)	0(文 0理 0)	0(文 0理 0)
24年	3(文 1理 2)	1(文 1理 0)	0(文 0理 0)	0(文 0理 0)
25年	0(文 0理 0)	2(文 1理 1)	0(文 0理 0)	0(文 0理 0)

【25年4月入社者の採用実績校】
[文](大)立教大1 [理](大)関西学大1

【24年4月入社者の配属先】
[総]勤務地:岡山市4 部署:コンテンツ制作1 報道1 編成業務1 本社営業1

残業(月) NA

記者評価 通称OHK。岡山県の民放局として1969年に開局後、79年香川も放送圏に。自社制作「なんしょん？」「金バク！」が人気番組。本社が立地する「杜の街グレース」と、JR岡山駅前のスタジオ「ミルン」の2拠点から放送。手話放送など情報のバリアフリー化にも注力。

●給与、ボーナス、週休、有休ほか●

【30歳総合職平均年収】NA【初任給】(博士)224,804〜236,704円(修士)224,804〜236,704円(大卒)224,804〜236,704円【ボーナス(年)】NA【25、30、35歳賃金】NA【週休】完全2日(土日祝)【夏期休暇】なし【年末年始休暇】12月29日〜1月3日【有休取得】12.1／20日

●従業員数、勤続年数、離職率ほか●

【男女別従業員数、平均年齢、平均勤続年数】計 132(45.1歳 17.1年) 男 86(48.2歳 19.1年) 女 46(39.2歳 13.2年)【離職率と離職者数】1.5%、2名【3年後新卒定着率】100%(男100%、女100%、3年前入社:男1名・女4名)【組合】あり

求める人材 チャレンジ精神・好奇心・行動力を基に従来のTVの枠組みを超えた新たな発想ができる人

会社データ (金額は百万円)

【本社】700-8635 岡山県岡山市北区下石井2-10-12
☎086-941-0008　https://www.ohk.co.jp/
【社長】中静 敬一郎【設立】1968.3【資本金】300【今後力を入れる事業】地域密着と世界に向けた情報発信 他

【業績(単独)】	売上高	営業利益	経常利益	純利益
22.3	6,124	151	219	115
23.3	5,848	12	45	▲37
24.3	5,665	64	117	76

(株)ニッポン放送（ほうそう）

[株式公開 していない]

【特色】AMラジオ局最大手。フジ・メディアHD傘下

修士・大卒採用数	3年後離職率	有休取得年平均	平均年収(平均43歳)
5名	0→25.0%	NA	NA

●エントリー情報と採用プロセス●

【受付開始〜終了】[総]1月〜2月 [技]11月〜12月【採用プロセス】[総]ES提出(1〜2月)→面接(4回)・筆記(2月)→内々定(4月) [技]ES提出(11〜12月)→面接(3回)・筆記(1月)→内々定(2月)【交通費支給】なし

試験情報

重視科目 [総][技]ES 面接 筆記

[総][ES]⇒巻末[筆]一般常識 自社オリジナル[面]4回(Webあり) [技][ES]⇒巻末[筆]一般常識 自社オリジナル[面]3回(Webあり)

選考ポイント [総][ES]論理性 独創性 好奇心 自己表現力 他[面]コミュニケーション能力を中心に [技][ES]論理性 独創性 好奇心 自己表現力 研究テーマ 他[面]総合職共通

通過率 [総][ES]NA(受付:733→通過:NA) [技][ES]NA(受付:134→通過:NA)

倍率(応募/内定) [総]183倍 [技]134倍

●男女別採用数と配属先ほか●

【男女・文理別採用実績】

	大卒男	大卒女	修士男	修士女
23年	1(文 1理 0)	0(文 0理 0)	3(文 1理 2)	0(文 0理 0)
24年	3(文 3理 0)	2(文 2理 0)	1(文 0理 1)	0(文 0理 0)
25年	2(文 2理 0)	2(文 2理 0)	0(文 0理 0)	1(文 0理 1)

【25年4月入社者の採用実績校】
[文](大)中大 茨城大 東京学芸大 立教大各1 [理](院)北大1

【24年4月入社者の配属先】
[総]勤務地:東京・有楽町5 部署:コンテンツビジネス1 コンテンツプランニング1 コンテンツプロデュースルーム1 エンターテインメント開発1 人事総務1 [技]勤務地:東京・有楽町1 部署:技術1

残業(月) NA

記者評価 文化放送とともにNRN(全国ラジオネットワーク)の基幹局。AM、FMサイマル放送。大阪、横浜、千葉の3支局。1967年放送開始の「オールナイトニッポン」が看板番組。コンサート、舞台演劇などイベント事業も活発。インターネット放送、通販も手がける。

●給与、ボーナス、週休、有休ほか●

【30歳総合職平均年収】NA【初任給】(大卒)295,616円【ボーナス(年)】NA【25、30、35歳賃金】NA【週休】完全2日(土日祝)【夏期休暇】なし【年末年始休暇】12月30日〜1月3日【有休取得】NA／20日

●従業員数、勤続年数、離職率ほか●

【男女別従業員数、平均年齢、平均勤続年数】計 116(42.8歳 18.7年) 男 86(44.6歳 19.7年) 女 30(33.7歳 15.8年)【離職率と離職者数】3.3%、4名【3年後新卒定着率】75.0%(男―、女75.0%、3年前入社:男0名・女4名)【組合】あり

求める人材 新しい時代のニッポン放送を自分が作るんだ！という気概のある人

会社データ (金額は百万円)

【本社】100-8439 東京都千代田区有楽町1-9-3
☎03-3287-1111　https://www.jolf.co.jp/
【社長】檜原 麻希【設立】2006.4【資本金】100【今後力を入れる事業】放送外事業

【業績(単独)】	売上高	営業利益	経常利益	純利益
22.3	13,919	515	660	556
23.3	13,818	553	920	732
24.3	16,431	645	1,036	475

1585 ▶「業界地図」p.212

㈱電通（でんつう）

[持株会社 傘下]

【特色】広告代理で国内最大手。AI・データ活用を積極化

修士・大卒採用数	3年後離職率	有休取得年平均	平均年収(平均41歳)
153名	NA	13.9日	NA

●エントリー情報と採用プロセス●

【受付開始～終了】[総]11月～11月 3月～3月【採用プロセス】[総]ES提出・SPI3結果提出(11月・3月)→書類選考(12月・4月)→面談(3回)・GW・性格検査(12～1月・4～5月)→内々定(1月下旬～2月上旬・5月下旬～6月上旬)【交通費支給】3次面談、遠方者のみ一部支給【早期選考】⇒巻末

試験情報

重視科目 [総]NA

[総][ES]⇒巻末[筆]SPI3(会場) SPI3(自宅)[面]3回(Webあり)[GD作]NA

選考ポイント [総][ES]NA(提出あり)[面]NA

通過率 [総][ES]NA

倍率(応募/内定) [総]NA

●男女別採用数と配属先ほか●

【男女・文理別採用実績】

	大卒男	大卒女	修士男	修士女
23年	NA(文NA理NA)	NA(文NA理NA)	NA(文NA理NA)	NA(文NA理NA)
24年	NA(文NA理NA)	NA(文NA理NA)	NA(文NA理NA)	NA(文NA理NA)
25年	NA(文NA理NA)	NA(文NA理NA)	NA(文NA理NA)	NA(文NA理NA)

※23年は120名、24年は145名、25年は153名採用

【25年4月入社者の採用実績校】

[文]NA [理]NA

【24年4月入社者の配属先】

[総]勤務地：東京 大阪 名古屋 部署：NA

残業(月) NA

記者評価 国内最大の広告会社。20年1月持株会社体制に移行。マス4媒体(テレビ、新聞、雑誌、ラジオ)で強い。川上の事業戦略を担うコンサルやDXの機能を強化。エンタメ・IPビジネスの支援も加速。最新技術を用いたソリューション開発が活発。働き方改革に意欲的。

●給与、ボーナス、週休、有休ほか●

【30歳総合職平均年収】NA【初任給】(大卒)355,925円【ボーナス(年)】NA【25、30、35歳賃金】NA【週休】完全2日(土日祝)【夏期休暇】なし【年末年始休暇】あり【有休取得】13.9／20日

●従業員数、勤続年数、離職率ほか●

【男女別従業員数、平均年齢、平均勤続年数】計 5,502(41.3歳 15.8年) 男 NA 女 NA【離職率と離職者数】NA【3年後新卒定着率】NA【組合】あり

求める人材 「アイデア×実現力」を兼ね備えている人

会社データ (金額は百万円)

【本社】105-7001 東京都港区東新橋1-8-1

☎03-6216-5111 https://www.dentsu.co.jp/

【代表取締役】佐野 傑【設立】(創業)1901.7【資本金】10,000【今後力を入れる事業】NA

【業績】NA

㈱博報堂（はくほうどう）

[持株会社 傘下]

【特色】広告代理で国内2位。博報堂DY・HDの中核子会社

修士・大卒採用数	3年後離職率	有休取得年平均	平均年収(平均40歳)
121名	NA	NA	NA

●エントリー情報と採用プロセス●

【受付開始～終了】[総]NA【採用プロセス】[総]NA【交通費支給】最終面接、対象者への新幹線もしくは飛行機の手配 他【早期選考】⇒巻末

試験情報

重視科目 [総]NA

[総][ES]NA[筆]あり(内容NA)[面]複数回(Webあり)[GD作]NA

選考ポイント [総][ES]NA(提出あり)[面]NA

通過率 [総][ES]NA

倍率(応募/内定) [総]NA

●男女別採用数と配属先ほか●

【男女・文理別採用実績】

	大卒男	大卒女	修士男	修士女
23年	98(文NA理NA)	82(文NA理NA)	0(文 0理 0)	0(文 0理 0)
24年	81(文NA理NA)	99(文NA理NA)	0(文 0理 0)	0(文 0理 0)
25年	57(文NA理NA)	64(文NA理NA)	0(文 0理 0)	0(文 0理 0)

※大卒に修士含む、㈱博報堂DYメディアパートナーズと合同採用

【25年4月入社者の採用実績校】

[文]未定 [理]未定

【24年4月入社者の配属先】

[総]NA

残業(月) NA

記者評価 1895年に創業。傘下に大広、読売広告社を抱える博報堂DYホールディングスの中核事業子会社。自動車や大手IT企業がメインの広告主。近年は制作業務の内製化を進め、利益率を引き上げてきた。データサイエンティストやデジタルマーケターを積極的に採用。

●給与、ボーナス、週休、有休ほか●

【30歳総合職平均年収】NA【初任給】(博士)(年俸制)3,600,000円(修士)(年俸制)3,600,000円(大卒)(年俸制)3,600,000円【ボーナス(年)】NA【25、30、35歳賃金】NA【週休】完全2日(土日祝)【夏期休暇】なし【年末年始休暇】12月29日～1月3日【有休取得】NA／30日

●従業員数、勤続年数、離職率ほか●

【男女別従業員数、平均年齢、平均勤続年数】計 3,752(40.2歳 NA) 男 2,643(41.3歳 NA) 女 1,109(37.5歳 NA)【離職率と離職者数】NA【3年後新卒定着率】NA【組合】あり

求める人材 さまざまなバックグラウンドや個性を持った粒違いな人材

会社データ (金額は百万円)

【本社】107-6322 東京都港区赤坂5-3-1 赤坂Bizタワー

☎03-6441-6215 https://www.hakuhodo.co.jp/

【社長】水島 正幸【設立】1924.2【資本金】35,848【今後力を入れる事業】NA

【業績(連結)】	売上高	営業利益	経常利益	純利益
22.3	895,080	71,642	75,740	55,179
23.3	991,137	55,409	60,378	31,010
24.3	946,776	34,288	37,815	24,923

※業績は㈱博報堂DYホールディングスのもの

マスコミ

㈱ADKホールディングス

エイディケイ

株式公開していない

【特色】広告代理店大手。アニメに強い。米ベイン傘下

修士・大卒採用数	3年後離職率	有休取得年平均	平均年収(平均43歳)
135名	NA	13.0日	NA

●エントリー情報と採用プロセス●

【受付開始～終了】㊙1月～4月【採用プロセス】㊙ES提出(2月 3～4月)→1次選考(GD)→2次選考(面接)→3次マーケティングディスカッション→役員面接→内々定【交通費支給】最終面接、実費【早期選考】⇒巻末

試験情報

重視科目 ㊙全て

㊙ ES⇒巻末 筆C-GAB WebGAB 面2回(Webあり) GD作 NA

選考ポイント ㊙ ES具体的なエピソードで語れているか 面 NA

通過率 ㊙ ES NA

倍率(応募/内定) ㊙NA

●男女別採用数と配属先ほか●

【男女・文理別採用実績】

	大卒男	大卒女	修士男	修士女
23年	35(文 33 理 2)	56(文 53 理 3)	3(文 1 理 2)	2(文 2 理 0)
24年	41(文 37 理 4)	59(文 55 理 4)	16(文 2 理 14)	8(文 3 理 5)
25年	61(文 50 理 11)	59(文 53 理 6)	12(文 3 理 9)	3(文 1 理 2)

※25年:24年8月時点

【25年4月入社者の採用実績校】

文未定 理未定

【24年4月入社者の配属先】

㊙勤務地:東京・虎ノ門105 大阪11 福岡5 名古屋4 部署:NA

残業(月) ㊙13.0時間

記者評価 国内大手の広告代理店。旭通信社と第一企画が合併して発足したアサツー・ディ・ケイが19年に持ち株会社へ移行して現体制に。米ベインキャピタル傘下で新たなビジネスモデルを模索。「ドラえもん」「クレヨンしんちゃん」などアニメのIPビジネスに強みを持つ。

●給与、ボーナス、週休、有休ほか●

【30歳総合職平均年収】NA【初任給】(博士)257,000円(修士)257,000円(大卒)252,400円【ボーナス(年)】NA【25、30、35歳賃金】NA【週休】完全2日(土日祝)【夏期休暇】5日(年間を通して取得できる休暇で取得)【年末年始休暇】会社指定休日【有休取得】13.0/20日

●従業員数、勤続年数、離職率ほか●

【男女別従業員数、平均年齢、平均勤続年数】計 2,443(43.0歳 13.0年) 男 1,660(NA) 女 783(NA)【離職率と離職者数】NA【3年後新卒定着率】NA【組合】あり

求める人材 「論理的な思考」と「直感的な思考」の両方を使うプロを目指す人

会社データ (金額は百万円)

【本社】105-6312 東京都港区虎ノ門1-23-1 虎ノ門ヒルズ森タワー
☎03-6830-3811 https://www.adk.jp/
【社長】大山 俊哉【設立】1956.3【資本金】37,581【今後力を入れる事業】NA
【業績(連結)】NA

㈱東急エージェンシー

とうきゅう

株式公開していない

【特色】東急Gの大手広告代理店。交通・屋外広告に強い

修士・大卒採用数	3年後離職率	有休取得年平均	平均年収(平均NA)
48名	10.0→4.8%	8.6日	NA

●エントリー情報と採用プロセス●

【受付開始～終了】㊙2月～6月【採用プロセス】㊙〈1次〉ES提出(2月)→Web適性(3月)→GD(3月)→面接(3回、4～5月)→内々定(5月)【交通費支給】3次面接以降、遠方者に定額【早期選考】⇒巻末

試験情報

重視科目 ㊙全て

㊙ ES⇒巻末 筆Web適性(TG-WEB) 面3回(Webあり) GD作NA

選考ポイント ㊙ ES各項目の論理性・表現力 他 面人物重視(コミュニケーション能力 達成志向 志望度 他)

通過率 ㊙ ES NA(受付:約1,100→通過:NA)

倍率(応募/内定) ㊙約37倍

●男女別採用数と配属先ほか●

【男女・文理別採用実績】

	大卒男	大卒女	修士男	修士女
23年	16(文 13 理 3)	16(文 16 理 0)	1(文 0 理 1)	0(文 0 理 0)
24年	19(文 18 理 1)	21(文 21 理 0)	1(文 1 理 0)	1(文 0 理 1)
25年	20(文 20 理 0)	25(文 25 理 0)	1(文 0 理 1)	2(文 0 理 2)

※25年:24年7月17日時点

【25年4月入社者の採用実績校】

文(大)慶大 早大各5 中大4 上智大 明大各3 青学大 阪大 東理大 日大 成蹊大 成城大 立教大各2 学習院大 宮城大 専大 多摩美大 大妻女大 筑波大 東洋大 文京学大 立命館大 産能大 法政大各1 理(院)慶大 武蔵野大 日大各1

【24年4月入社者の配属先】

㊙勤務地:東京42 部署:営業21 メディア13 スタッフ8

残業(月) NA

記者評価 東急グループの大手広告代理店。交通広告や商業・空港施設などのOOH(屋外)広告に強い。パス・コミュニケーションズとの共同運用で、国内最大級のOOHアドネットワーク目指す。デジタルシフト加速。10年以降生まれ「α世代」の購買行動をとらえる調査を実施。

●給与、ボーナス、週休、有休ほか●

【30歳総合職平均年収】NA【初任給】(大卒)239,900円【ボーナス(年)】NA【25、30、35歳賃金】NA【週休】完全2日(土日祝)【夏期休暇】3日【年末年始休暇】12月29日～1月3日【有休取得】8.6/20日

●従業員数、勤続年数、離職率ほか●

【男女別従業員数、平均年齢、平均勤続年数】計 1,064(NA 14.8年) 男 747(NA 14.8年) 女 317(NA 14.8年)【離職率と離職者数】3.5%、39名【3年後新卒定着率】95.2%(男88.9%、女100%、3年前入社:男9名・女12名)【組合】あり

求める人材 周りの状況を見て自分で考え、粘り強くやり遂げようとする人

会社データ (金額は百万円)

【本社】105-0003 東京都港区西新橋1-1-1 日比谷フォートタワー
☎03-6811-2400 https://www.tokyu-agc.co.jp/
【社長】高坂 俊之【設立】1961.3【資本金】100【今後力を入れる事業】デジタル・データ・OOHメディア・東急グループ関連事業

【業績(単独)】	売上高	営業利益	経常利益	純利益
22.3	104,354	NA	NA	NA
23.3	101,110	NA	NA	NA
24.3	94,633	NA	NA	NA

マスコミ

㈱ジェイアール東日本企画（ひがしにほんきかく）

株式公開 計画なし

【特色】JR東日本系の大手広告代理店。鉄道広告に強み

修士・大卒採用数	3年後離職率	有休取得年平均	平均年収(平均44歳)
19名	NA	NA	NA

●エントリー情報と採用プロセス●

【受付開始～終了】[総]3月～6月【採用プロセス】[総]ES提出(3～6月)→筆記→面接(複数回)→内々定【交通費支給】なし

試験情報

重視科目 [総]面接

[総][ES]NA[筆]あり(内容NA)[面]複数回(Webあり)

選考ポイント [総][ES]NA(提出あり)[面]NA

通過率 [総][ES]NA

倍率(応募/内定) [総]NA

●男女別採用数と配属先ほか●

【男女・文理別採用実績】

	大卒男	大卒女	修士男	修士女
23年	6(文 6理 0)	8(文 6理 2)	0(文 0理 0)	2(文 1理 1)
24年	9(文 9理 0)	13(文 13理 0)	2(文 0理 2)	0(文 0理 0)
25年	9(文 9理 0)	8(文 8理 0)	0(文 0理 0)	2(文 1理 1)

【25年4月入社者の採用実績校】
[文](院)上智大1(大)早大4 青学大 中大各2 同大 明大 立命館大 慶大 都立大 武蔵野美大 関大 東京外大 大正大各1 [理](院)早大1

【24年4月入社者の配属先】
[総]勤務地：本社(東京・恵比寿)24 部署：営業12 企画12

残業(月) NA

[記者評価] 略称jeki。親会社の鉄道資産を生かし広告戦略推進。代理店と媒体社の両面持つ。クライアントは全国3000社以上。車内「トレインチャンネル」と駅構内「J・ADビジョン」の映像メディア設置拡大続く。企業と子育て家族のための「イマドキファミリー研究所」も。

●給与、ボーナス、週休、有休ほか●

【30歳総合職平均年収】NA【初任給】(修士)235,493円(大卒)235,493円【ボーナス(年)】NA【25、30、35歳賃金】NA【週休】完全2日(土日祝)【夏期休暇】なし【年末年始休暇】12月30日～1月3日【有休取得】NA／20日

●従業員数、勤続年数、離職率ほか●

【男女別従業員数、平均年齢、平均勤続年数】計 1,088(44.0歳 10.6年) 男 NA 女 NA【離職率と離職者数】NA【3年後新卒定着率】NA【組合】なし

[求める人材] 求める人材像の要素は「好奇心」「行動力」「素直さ」「チームワーク」

[会社データ] (金額は百万円)

【本社】150-8508 東京都渋谷区恵比寿南1-5-5 JR恵比寿ビル
☎03-5447-7800 https://www.jeki.co.jp/
【社長】赤石 良治【設立】1988.5【資本金】1,550【今後力を入れる事業】新たな交通媒体施策(MASTRUM、TRAIN TV)他

【業績(単独)】	売上高	営業利益	経常利益	純利益
22.3	43,151	▲2,185	▲1,961	▲1,422
23.3	47,329	▲1,748	▲1,705	▲1,278
24.3	54,277	132	394	200

㈱東北新社（とうほくしんしゃ）

東京S 2329

【特色】CM制作大手。映画の字幕や吹替も手がける

修士・大卒採用数	3年後離職率	有休取得年平均	平均年収(平均41歳)
39名	NA	NA	600万円

●エントリー情報と採用プロセス●

【受付開始～終了】[総]12月～8月【採用プロセス】[総]ES提出→筆記→面接(3回)→内々定【交通費支給】最終面接、実費

試験情報

重視科目 [総]面接

[総][ES]NA[筆]あり(内容NA)[面]3回(Webあり)

選考ポイント [総][ES]NA(提出あり)[面]NA

通過率 [総][ES]NA(受付：997→通過：NA)

倍率(応募/内定) [総]25倍

●男女別採用数と配属先ほか●

【男女・文理別採用実績】

	大卒男	大卒女	修士男	修士女
23年	20(文 17理 3)	22(文 21理 1)	0(文 0理 0)	2(文 2理 0)
24年	15(文 14理 1)	25(文 23理 2)	2(文 1理 1)	0(文 0理 0)
25年	16(文 15理 1)	22(文 21理 1)	1(文 1理 0)	0(文 0理 0)

【25年4月入社者の採用実績校】
[文](院)東京芸大1(大)日大5 早大4 青学大3 上智大 法政大各2 学習院大 関大 京産大 神戸芸工大 滋賀大 順天堂大 椙山女学大 成城大 大正大 千葉大 中大 東京経大 同大 東洋大 長岡造形大 長崎県大 新潟県大 日女大 立教大 立命館大各1(専)HAL東京1 [理](大)滋賀大 昭和薬大各1

【24年4月入社者の配属先】
[総]勤務地：東京43 部署：NA

残業(月) NA

[記者評価] CM制作大手の一角。外国映画やドラマの日本語版制作を展開。最近ではアニメやゲームなどの音響制作も行う。運営していた映画専門の衛星放送「スターチャンネル」は売却。「牙狼」IP保有。中期経営計画を策定し人員削減をはじめとする構造改革を推進中。

●給与、ボーナス、週休、有休ほか●

【30歳総合職平均年収】NA【初任給】(博士)215,000円(修士)215,000円(大卒)215,000円【ボーナス(年)】NA【25、30、35歳賃金】NA【週休】完全2日(土日祝)【夏期休暇】なし【年末年始休暇】12月30日～1月4日【有休取得】NA／20日

●従業員数、勤続年数、離職率ほか●

【男女別従業員数、平均年齢、平均勤続年数】計 852(41.2歳 13.7年) 男 439(NA) 女 413(NA)【離職率と離職者数】NA【3年後新卒定着率】NA【組合】なし

[求める人材] 自分自身の言葉で語ることが出来る人 変化に柔軟に対応出来る人

[会社データ] (金額は百万円)

【本社】107-8460 東京都港区赤坂4-8-10
☎03-5414-0211 https://www.tfc.co.jp/
【社長】小坂 恵一【設立】1961.4【資本金】2,487【今後力を入れる事業】NA

【業績(連結)】	売上高	営業利益	経常利益	純利益
22.3	52,758	4,135	5,507	3,068
23.3	55,922	4,201	4,820	3,133
24.3	52,819	2,678	2,214	4,021

あさひこうこくしゃ
㈱朝日広告社

[株式公開 計画なし]

【特色】朝日新聞グループの広告代理店。業界中堅

修士・大卒採用数	3年後離職率	有休取得年平均	平均年収(平均44歳)
13名	0→0%	11.3日	NA

●エントリー情報と採用プロセス●

【受付開始～終了】[総]3月～3月【採用プロセス】[総]ES提出・Webテスト(3月)→面接(3回、4～5月)→内々定(6月)【交通費支給】最終面接、新幹線・飛行機代を実費(在来線含まず)

試験情報

重視科目 [総]面接 一般常識

[総][ES]NA[筆]WebGAB[面]3回(Webあり)

選考ポイント [総][ES]入社後取り組みたいこと[面]志望動機 コミュニケーション能力 責任感 自主性 協調性 積極性 論理性 他

通過率 [総][ES]NA

倍率(応募/内定) [総]NA

●男女別採用数と配属先ほか●

【男女・文理別採用実績】

	大卒男	大卒女	修士男	修士女
23年	5(文 5理 0)	4(文 4理 0)	0(文 0理 0)	0(文 0理 0)
24年	3(文 3理 0)	11(文 11理 0)	0(文 0理 0)	0(文 0理 0)
25年	8(文 7理 1)	5(文 5理 0)	0(文 0理 0)	0(文 0理 0)

【25年4月入社者の採用実績校】
[文](大)大阪経大 福島大 青学大 早大 専大 明学大 中大 学習院大 都立大 東京女大 日女大 慶大各1 [理](大)東京工科大1

【24年4月入社者の配属先】
[総]勤務地:東京12 横浜1 大阪1 部署:営業9 メディア5

残業(月) NA

記者評価 1924年創業の老舗。通称アサコー。朝日新聞系のグループ力に強み。1300社以上の広告主と取引。テレビ、新聞などマス4媒体が売上の約5割、インターネット広告が約2割を占める。博報堂DYメディアパートナーズと資本業務提携。メタバース上のマーケ支援に着手。

●給与、ボーナス、週休、有休ほか●

【30歳総合職平均年収】NA【初任給】(修士)240,000円(大卒)240,000円【ボーナス(年)】NA【25、30、35歳賃金】NA【週休】完全2日(土日祝)【夏期休暇】5日【年末年始休暇】12月29日～1月4日【有休取得】11.3/20日

●従業員数、勤続年数、離職率ほか●

【男女別従業員数、平均年齢、平均勤続年数】計 392(43.6歳 NA) 男 265(44.8歳 NA) 女 127(41.0歳 NA)【離職率と離職者数】4.2%、17名【3年後新卒定着率】100%(男100%、女100%、3年前入社:男5名・女5名)【組合】あり

求める人材 NA

会社データ (金額は百万円)

【本社】104-8313 東京都中央区銀座7-16-12 G-7ビル
☎03-3547-5400 https://www.asakonet.co.jp/
【社長】福地 献一【設立】1952.11【資本金】100【今後力を入れる事業】サステナブルやDX領域の支援を強化

【業績(単独)】	売上高	営業利益	経常利益	純利益
22.3	40,471	601	620	361
23.3	40,749	678	709	425
24.3	43,613	750	787	1,199

よみうりアイエス
㈱読売ＩＳ

[株式公開 計画なし]

【特色】読売新聞系折込広告大手。購買行動データに定評

修士・大卒採用数	3年後離職率	有休取得年平均	平均年収(平均44歳)
13名	NA	16.0日	NA

●エントリー情報と採用プロセス●

【受付開始～終了】[総]3月～7月【採用プロセス】[総]説明会(必須、3～7月)→ES提出(3～7月)→適性検査(4～7月)→1次面接(4～7月)→2次面接(4～8月)→内々定(5～8月)【交通費支給】1次面接以降、一律1,000円(遠方者は実費)【早期選考】⇒巻末

試験情報

重視科目 [総]面接

[総][ES]⇒巻末[筆]あり(内容NA)[面]2回

選考ポイント [総][ES]自己PR 学生時代力を入れて取り組んだこと 志望動機が求める人材とマッチしているか[面]志望度 営業志向 広告志向 積極性 他

通過率 [総][ES]NA

倍率(応募/内定) [総]NA

●男女別採用数と配属先ほか●

【男女・文理別採用実績】

	大卒男	大卒女	修士男	修士女
23年	5(文 5理 0)	4(文 4理 0)	0(文 0理 0)	0(文 0理 0)
24年	6(文 6理 0)	3(文 3理 0)	0(文 0理 0)	0(文 0理 0)
25年	6(文 6理 0)	6(文 6理 0)	0(文 0理 0)	1(文 0理 1)

【25年4月入社者の採用実績校】
[文](大)中大2 桜美林大 関西学大 香川大 甲南大 駒澤大 専大 東京工科大 徳島大 法政大 立命館大各1 [理](院)高知大1

【24年4月入社者の配属先】
[総]勤務地:東京・人形町 他 部署:営業9

残業(月) NA

記者評価 読売新聞東京本社と首都圏同紙販売店の共同出資。折込広告で国内首位。同広告が売上の約8割占める。東北、北陸、関東の12社でグループ形成。新聞部数減背景に新機軸模索。Web広告配信サービスや印刷通販サイトも運営。エリアマーケティング駆使し顧客深掘り。

●給与、ボーナス、週休、有休ほか●

【30歳総合職平均年収】NA【初任給】(大卒)280,500円【ボーナス(年)】NA【25、30、35歳賃金】NA【週休】2日(土日祝、ただし原則4・7・10・1月の第2土曜は出社)【夏期休暇】5日【年末年始休暇】12月30日～1月3日【有休取得】16.0/21日

●従業員数、勤続年数、離職率ほか●

【男女別従業員数、平均年齢、平均勤続年数】計 229(44.3歳 17.4年) 男 170(45.5歳 18.2年) 女 59(41.0歳 14.8年)【離職率と離職者数】NA【3年後新卒定着率】NA【組合】なし

求める人材 好奇心が強く、情報感度が高い人 スピード感を持って、挑戦できる人 周囲の人と信頼関係を築きながら、仕事をプロデュースできる人

会社データ (金額は百万円)

【本社】103-0013 東京都中央区日本橋人形町3-9-1
☎03-5847-1500 https://www.yomiuri-is.co.jp/
【社長】小山田 憲司【設立】1976.6【資本金】97【今後力を入れる事業】折込広告、デジタル、イベント

【業績(単独)】	売上高	営業利益	経常利益	純利益
22.3	40,099	NA	NA	NA
23.3	42,244	NA	NA	NA
24.3	42,516	NA	NA	NA

マスコミ

㈱セプテーニ・ホールディングス

東京S 4293

【特色】ネット広告代理店が中核の持株会社。電通傘下

修士・大卒採用数	3年後離職率	有休取得年平均	平均年収(平均32歳)
80名	NA	10.1日	[総]632万円

●エントリー情報と採用プロセス●

【受付開始～終了】[総][技]1月～未定【採用プロセス】[総][技]応募書類提出→オンライン面接(複数回)→内々定【交通費支給】なし

試験情報

重視科目 [総][技]オンライン面接

[総][技][筆]適性テスト[面]複数回(Webあり)

選考ポイント [総][技][ES]提出なし[面]インタビューを通じて個性の理解と過去の環境・行動の確認

通過率 [総][技][ES]—(応募:NA)

倍率(応募/内定) [総][技]NA

●男女別採用数と配属先ほか●

【男女・文理別採用実績】

	大卒男	大卒女	修士男	修士女
23年	64(文 57理 7)	55(文 47理 8)	11(文 2理 9)	4(文 0理 4)
24年	61(文 45理 16)	50(文 45理 5)	8(文 2理 6)	2(文 2理 0)
25年	33(文 29理 4)	40(文 37理 3)	4(文 0理 4)	3(文 1理 2)

※グループの国内採用数

【25年4月入社者の採用実績校】

[文](院)筑波大1(大)筑波大8 早大6 一橋大 東北大各4 上智大3 阪大 慶大 関西学大各2 東大 東京外大 横国大 神戸大 静岡県大 静岡大 滋賀大 三重大 高知大 明大 東理大 法政大 同大 立命館大 関大各1 他 [理](院)北大2 筑波大 京大 阪大 神戸大各1(大)東北大 筑波大 九大 信州大 慶大 法政大各1 他

【24年4月入社者の配属先】

[総]勤務地:東京93 大阪2 部署:アカウントプランナー23 webコンサルタント24 クリエイティブ13 デジタルマーケティング他26 コーポレート9 [技]NA

残業(月) 18.6時間 [総]18.6時間

記者評価 ネット広告代理店が主力の持株会社。LINEなどSNS向け広告や動画広告が牽引。22年に電通グループが連結子会社化。電通デジタルなどとの人事交流が活発に。独自作品を売りにする漫画アプリ「GANMA!」を育成するも24年に連結除外。ネット広告への集中を高める。

●給与、ボーナス、週休、有休ほか●

【30歳総合職平均年収】NA【初任給】(修士)365,000円(大卒)365,000円【ボーナス(年)】NA【25、30、35歳賃金】NA【週休】完全2日(土日祝)【夏期休暇】10日※入社初年度は5日【年末年始休暇】12月29日～1月3日(29日が平日の場合は有休で取得)【有休取得】10.1／20日

●従業員数、勤続年数、離職率ほか●

【男女別従業員数、平均年齢、平均勤続年数】計 1,724(31.7歳NA)男 970(31.7歳 NA)女 754(31.8歳 NA)※グループ計【離職率と離職者数】7.2%、134名【3年後新卒定着率】NA【組合】なし

求める人材 アントプレナー人材=当事者意識が高く起業家精神あふれる人材

会社データ (金額は百万円)

【本社】160-6130 東京都新宿区西新宿8-17-1 住友不動産新宿グランドタワー

☎03-6863-5623 https://www.septeni-holdings.co.jp/

【代表取締役】神埜 雄一【設立】1990.10【資本金】18,430【今後力を入れる事業】デジタルマーケティング メディアプラットフォーム

【業績(IFRS)】	売上高	営業利益	税前利益	純利益
21.9	21,383	3,650	3,910	2,604
22.9	28,818	5,439	8,240	5,733
23.12変	34,266	4,949	6,652	4,318

㈱CARTA HOLDINGS (カルタ ホールディングス)

東京P 3688

【特色】電通グループ傘下。デジタルマーケで存在感

修士・大卒採用数	3年後離職率	有休取得年平均	平均年収(平均35歳)
11名	NA→19.1%	14.9日	[総]658万円

●エントリー情報と採用プロセス●

【受付開始～終了】[総]10月～6月 [技]9月～6月【採用プロセス】[総]ES提出(10～6月)→GD(10～7月)→面接・選考(複数回、11～7月)→役員面接(12～8月)→内々定(12～8月) [技]ES提出(9～5月)→面接・選考(複数回、10～5月)→役員面接(10～5月)→内々定(11～5月)【交通費支給】NA

試験情報

重視科目 [総][技]面接・選考

[総][ES]⇒巻末[筆]SPI3(会場) 適性検査[面]4回(Webあり) [GD作]NA [技][ES]⇒巻末[筆]なし[面]4回(Webあり)[GD作]NA

選考ポイント [総][ES]課題にどのように向き合ったか 文章に論理性があるか[面]NA [技][ES]有無NA[面]NA

通過率 [総][技][ES]NA

倍率(応募/内定) [総][技]NA

●男女別採用数と配属先ほか●

【男女・文理別採用実績】

	大卒男	大卒女	修士男	修士女
23年	25(文 23理 2)	29(文 29理 0)	1(文 0理 1)	0(文 0理 0)
24年	19(文 19理 0)	18(文 18理 0)	0(文 0理 0)	2(文 2理 0)
25年	2(文 2理 0)	9(文 9理 0)	0(文 0理 0)	0(文 0理 0)

※エンジニア職除く

【25年4月入社者の採用実績校】

[文]NA [理]NA

【24年4月入社者の配属先】

[総]勤務地:東京39 部署:デジタルマーケティング30 インターネット関連サービス9 [技]勤務地:東京15 部署:ソフトウェアエンジニア13 データサイエンティスト2

残業(月) 6.7時間 [総]6.7時間

記者評価 2019年にVOYAGE GROUPとサイバー・コミュニケーションズが経営統合し、両社の純粋持ち株会社として発足。運用型テレビCM「テレシー」などデジタルマーケを展開。メディア運営も。親会社の電通本社にサテライトオフィスを立ち上げ、連携深化を図る。

●給与、ボーナス、週休、有休ほか●

【30歳総合職平均年収】NA【初任給】(博士)(年俸制)4,080,000円<技術系>5,040,000円(修士)(年俸制)4,080,000円<技術系>5,040,000円(大卒)(年俸制)4,080,000円<技術系>5,040,000円【ボーナス(年)】NA【25、30、35歳賃金】NA【週休】完全2日(土日祝)【夏期休暇】なし【年末年始休暇】12月29日～1月3日【有休取得】14.9／24日

●従業員数、勤続年数、離職率ほか●

【男女別従業員数、平均年齢、平均勤続年数】計 1,357(34.5歳 7.2年)男 744(34.7歳 7.1年)女 613(34.4歳 7.2年)【離職率と離職者数】14.4%、229名【3年後新卒定着率】80.9%(男76.5%、女92.3%、3年前入社:男34名・女13名)【組合】なし

求める人材 <総合職>主体性を強く発揮できる人 変化対応を前向きにできる人 最高を常に問い続けられる人

会社データ (金額は百万円)

【本社】105-5536 東京都港区虎ノ門2-6-1 虎ノ門ヒルズステーションタワー

☎03-4577-1450 https://cartaholdings.co.jp/

【社長】宇佐美 進典【設立】1999.10【資本金】1,614【今後力を入れる事業】デジタルマーケティング事業

【業績(連結)】	売上高	営業利益	経常利益	純利益
21.12	25,821	4,973	5,614	3,104
22.12	25,940	2,418	3,036	3,035
23.12	24,111	1,301	1,798	▲2,360

マスコミ

(株)オリコム

株式公開 計画なし

【特色】老舗の総合広告代理店。交通広告で高シェア

修士・大卒採用数	3年後離職率	有休取得年平均	平均年収(平均43歳)
7名	10.0→16.7%	NA	NA

●エントリー情報と採用プロセス●

【受付開始～終了】総3月～4月【採用プロセス】総ES提出(Web)→動画提出→能力・適性検査→個人面接→面接・GD→最終面接→内々定【交通費支給】最終選考、会社基準

試験情報

重視科目 総面接

総ES⇒巻末筆SPI3(自宅) 自社オリジナル面3回(Webあり)GD作NA

選考ポイント 総ES全て面求める人材との適応度

通過率 総ESNA

倍率(応募/内定) 総NA

●男女別採用数と配属先ほか●

【男女・文理別採用実績】

	大卒男	大卒女	修士男	修士女
23年	1(文 1理 0)	2(文 2理 0)	1(文 0理 1)	0(文 0理 0)
24年	3(文 2理 1)	3(文 3理 0)	0(文 0理 0)	0(文 0理 0)
25年	3(文 3理 0)	4(文 4理 0)	0(文 0理 0)	0(文 0理 0)

【25年4月入社者の採用実績校】
文(大)立教大 立正大 川村学女大 小樽商大 成城大 関大 法政大各1 理なし

【24年4月入社者の配属先】
総勤務地：本社(東京)6 部署：営業4 メディア1 統合プランニング1

残業(月) NA

記者評価 独立系で業界中堅。新聞の折込み広告で1922年創業。旧国鉄の有料広告第1号を扱うなど、鉄道の中吊り広告で先駆。OOH(屋外)広告に強みを持ち、デジタルサイネージ(DOOH広告)も展開。デジタル広告は完全内製化を実現。環境印刷にも取り組む。

●給与、ボーナス、週休、有休ほか●

【30歳総合職平均年収】NA【初任給】(修士)245,000円(大卒)245,000円【ボーナス(年)】NA【25、30、35歳賃金】NA【週休】完全2日(土日祝)【夏期休暇】6日(6～9月)【年末年始休暇】12月30日～1月4日【有休取得】NA／20日

●従業員数、勤続年数、離職率ほか●

【男女別従業員数、平均年齢、平均勤続年数】計 220(42.5歳 NA) 男 NA 女 NA【離職率と離職者数】NA【3年後新卒定着率】83.3%(男60.0%、女100%、3年前入社：男5名・女7名)【組合】あり

求める人材 変化を楽しめる人 変化を起こせる人

会社データ (金額は百万円)

【本社】105-0004 東京都港区新橋1-11-7 新橋センタープレイス
☎03-6733-2000 https://www.oricom.co.jp/
【社長】中島 明美【設立】1932.11【資本金】165【今後力を入れる事業】デジタル プロモーション クリエイティブ

【業績(単独)】	売上高	営業利益	経常利益	純利益
22.3	16,900	NA	NA	NA
23.3	17,900	NA	NA	NA
24.3	17,900	NA	NA	NA

(株)読売広告社
よみうりこうこくしゃ

持株会社 傘下

【特色】博報堂DYホールディングス傘下で広告代理大手

修士・大卒採用数	3年後離職率	有休取得年平均	平均年収(平均40歳)
26名	6.1→16.0%	7.8日	NA

●エントリー情報と採用プロセス●

【受付開始～終了】総2月～3月【採用プロセス】総ES提出(2～3月)→筆記(4月)→GD(4～5月)→面接(2回、5月)→内々定(6月)【交通費支給】最終面接、関東・中部・関西・九州のエリア毎に一律

試験情報

重視科目 総GD 面接

総ES⇒巻末筆一般常識 SPI3 言語・非言語・時事(自社オリジナル)面2回(Webあり)GD作NA

選考ポイント 総ES書き方や内容を全体的に判断 設問に対して論理的な答えになっているか面自分らしく伝えたいことを正しく相手に伝えることができるか 相手の意図を汲み取って回答できているか

通過率 総ES55%(受付：1,074→通過：591)

倍率(応募/内定) 総35倍

●男女別採用数と配属先ほか●

【男女・文理別採用実績】

	大卒男	大卒女	修士男	修士女
23年	13(文 13理 0)	16(文 16理 0)	1(文 0理 1)	1(文 1理 0)
24年	13(文 13理 0)	17(文 15理 2)	0(文 0理 0)	0(文 0理 0)
25年	16(文 15理 1)	10(文 10理 0)	0(文 0理 0)	0(文 0理 0)

【25年4月入社者の採用実績校】
文(大)立教大5 慶大3 明大 日大 駒澤大 法政大 青学大各2 獨協大 筑波大 千葉大 近大 成城大 早大 同大各1 理(大)専大1

【24年4月入社者の配属先】
総勤務地：東京・赤坂26 大阪4 部署：営業24 マーケティング6

残業(月) NA

記者評価 1946年設立の業界大手。営業エリアは首都圏が中心で不動産関連に強く、アニメビジネスも得意。社名の由来はもともと読売新聞との取引が多かったためだが直接的な資本関係はない。ビジョンは「都市と生活者の未来を拓く」。21年にYOMIKO Digital Shiftを設立。

●給与、ボーナス、週休、有休ほか●

【30歳総合職平均年収】NA【初任給】(博士)250,000円(修士)250,000円(大卒)250,000円【ボーナス(年)】NA【25、30、35歳賃金】NA【週休】完全2日(土日祝)【夏期休暇】5日(7～10月)【年末年始休暇】12月29日～1月3日【有休取得】7.8／20日

●従業員数、勤続年数、離職率ほか●

【男女別従業員数、平均年齢、平均勤続年数】計 581(39.6歳 11.7年) 男 387(40.8歳 13.2年) 女 194(36.9歳 8.7年)【離職率と離職者数】6.1%、38名【3年後新卒定着率】84.0%(男93.3%、女70.0%、3年前入社：男15名・女10名)【組合】あり

求める人材 矢面に立つ人 やり遂げる人 相手の立場で考え行動する人

会社データ (金額は百万円)

【本社】107-6105 東京都港区赤坂5-2-20 赤坂パークビル
☎03-3589-8111 https://www.yomiko.co.jp/
【社長】菊地 英之【設立】1946.7【資本金】1,458【今後力を入れる事業】デジタル領域
【業績(連結)】NA

マスコミ

(株)大広((株)大広、(株)大広WEDO)

持株会社傘下

【特色】大阪地盤の広告代理店。博報堂DY・HD傘下

修士・大卒採用数	3年後離職率	有休取得年平均	平均年収(平均42歳)
31名	13.3→0%	11.6日	NA

●エントリー情報と採用プロセス●

【受付開始～終了】㊗2月～3月【採用プロセス】㊗ES提出(2～3月)→書類選考(3月)→適性検査(4月上旬)→面談(4月)→GD(5月上旬)→人事面談(5月中旬)→適性検査(5月中旬)最終面談(5月下旬～6月上旬)→内々定(6月上旬)【交通費支給】グループ面接以降、会社基準に基づき新幹線・飛行機代(在来線含まず)【早期選考】⇒巻末

試験情報

重視科目　㊗なし

㊗ES⇒巻末 筆SPI3(自宅) 面3回(Webあり) GD作⇒巻末

選考ポイント　㊗ES企画力(課題設定力 ソリューション開発力)基礎思考力(ライティング力)会いたい度 面基礎思考力 自律性 会社への共感度 個性

通過率　㊗ES29%(受付:857→通過:252)

倍率(応募/内定)　㊗71倍

●男女別採用数と配属先ほか●

【男女・文理別採用実績】

	大卒男	大卒女	修士男	修士女
23年	8(文 8理 0)	17(文 16理 1)	1(文 0理 1)	1(文 1理 0)
24年	7(文 7理 0)	15(文 11理 4)	0(文 0理 0)	0(文 0理 0)
25年	5(文 3理 2)	25(文 23理 2)	1(文 0理 1)	0(文 0理 0)

【25年4月入社者の採用実績校】
文(大)多摩美大 大阪市大各3 関西学大 早大 関大 同大 武蔵野美大各2 京都府大 九大 慶大 上智大 成蹊大 聖心女大 法政大 明学大 女子美大 中京大各1 理(院)広島大1(大)東京薬大 芝工大 日大 明大各1

【24年4月入社者の配属先】
㊗勤務地:東京10 大阪5 名古屋2 部署:プロデュース職12 スタッフ職4 クリエイティブ職1

残業(月)　24.7時間

記者評価　博報堂DYホールディングス傘下の広告代理店で大手の一角。ダイレクトマーケティングに強い。大阪と東京に本社があり、近畿に強力な地盤を有する。大広WEDOはクリエイティブ領域など広告制作関連事業等を手がける。中国やインド、ASEAN地域にも展開。

●給与、ボーナス、週休、有休ほか●

【30歳総合職平均年収】NA【初任給】(大卒)234,600円(東京)249,600円【ボーナス(年)】NA【25、30、35歳賃金】NA【週休】完全2日(土日祝)【夏期休暇】リフレッシュ休暇あり(5日)【年末年始休暇】12月29日～1月4日【有休取得】11.6／25日

●従業員数、勤続年数、離職率ほか●

【男女別従業員数、平均年齢、平均勤続年数】計 647(41.5歳 10.4年) 男 419(42.4歳 13.7年) 女 228(36.5歳 7.1年) ※大広単独ベース【離職率と離職者数】4.9%、33名【3年後新卒定着率】100%(男100%、女100%、3年前入社:男10名・女11名)【組合】あり

求める人材　チームで物事に取り組むこと、チームだから経験できる達成感が好きな人。一方で、目の前の課題について自分なりにとことん考え抜くこと、得意なことを活かし、自分の仕事を果たすことも、好きな人

会社データ　(金額は百万円)

【本社】105-8658 東京都港区芝2-14-5
☎03-4346-8111　https://www.daiko.co.jp/
【社長】泉 恭雄【設立】1944.2【資本金】2,800【今後力を入れる事業】ブランドアクティベーション D2Cビジネス
【業績(連結)】NA

(株)電通東日本

株式公開していない

【特色】電通の完全子会社。首都圏中心に東日本がエリア

修士・大卒採用数	3年後離職率	有休取得年平均	平均年収(平均45歳)
10名	0→14.3%	10.4日	NA

●エントリー情報と採用プロセス●

【受付開始～終了】㊗3月～4月【採用プロセス】㊗ES提出(3～4月)→面接・面談(複数回、4～5月)→内々定(5月下旬)※クリエーティブ職はES提出時に作品提出、および面接時に課題プレゼン【交通費支給】3次面接以降、遠方者のみ(新幹線代)【早期選考】⇒巻末

試験情報

重視科目　㊗<総合職>面接<クリエーティブ職>面接 課題発表

㊗ES⇒巻末 筆SPI3(自宅) 面複数回(Webあり)

選考ポイント　㊗ES志望動機が明確か 業界理解ができているか 入社後のビジョンを持っているか 他 面自分の言葉で表現できているか 話に一貫性があるか 広告業および当社への熱意があるか 入社後のビジョンを持っているか 他

通過率　㊗ESNA

倍率(応募/内定)　㊗NA

●男女別採用数と配属先ほか●

【男女・文理別採用実績】

	大卒男	大卒女	修士男	修士女
23年	5(文 5理 0)	3(文 3理 0)	0(文 0理 0)	0(文 0理 0)
24年	2(文 2理 0)	5(文 5理 0)	0(文 0理 0)	0(文 0理 0)
25年	4(文 4理 0)	6(文 6理 0)	0(文 0理 0)	0(文 0理 0)

※25年:夏採用実施中

【25年4月入社者の採用実績校】
文(大)青学大 近大 埼玉大 大正大 東北学大 新潟大 日大 明大 立教大 立命館大各1 理なし

【24年4月入社者の配属先】
㊗勤務地:東京6 部署:配属先未定6

残業(月)　NA

記者評価　総合広告代理店。95年に電通本体から地域営業拠点が分離・独立して発足。浜松から青森まで本社を含め11拠点。グループのネットワーク力を生かし、広告キャンペーン、プロモーションなど展開。地域密着に強み。少数チームでクライアントにあたるケースが多い。

●給与、ボーナス、週休、有休ほか●

【30歳総合職平均年収】NA【初任給】(大卒)236,000円【ボーナス(年)】NA【25、30、35歳賃金】NA【週休】完全2日(土日祝)【夏期休暇】NA【年末年始休暇】12月29日～1月3日【有休取得】10.4／20日

●従業員数、勤続年数、離職率ほか●

【男女別従業員数、平均年齢、平均勤続年数】計 586(44.6歳 11.6年) 男 436(46.1歳 12.5年) 女 150(40.5歳 9.9年)【離職率と離職者数】NA【3年後新卒定着率】85.7%(男66.7%、女100%、3年前入社:男3名・女4名)【組合】あり

求める人材　挑戦する気概のある人 探究心がある人 チームで成功に向けて努力できる人

会社データ　(金額は百万円)

【本社】105-7001 東京都港区東新橋1-8-1 電通本社ビル32階
☎03-6216-7100　https://www.dentsu-east.co.jp/
【社長】黒田 俊介【設立】1994.12【資本金】450【今後力を入れる事業】NA
【業績(単独)】NA

㈱AOI Pro.（アオイ プロ）

株式公開していない

【特色】テレビCM制作大手。Web広告、メディアも展開

修士・大卒採用数	3年後離職率	有休取得年平均	平均年収(平均29歳)
52名	NA	NA	NA

●エントリー情報と採用プロセス●

【受付開始～終了】㊙〈PM〉1月～2月 3月～5月〈PD〉1月～2月〈GPM〉3月～5月【採用プロセス】㊙〈PM〉ES提出・Web適性テスト→面接(複数回)・Web適性テスト→内々定〈PD〉ES提出・Web適性テスト・任意作品提出→課題(複数回)→面接・課題→内々定〈GPM〉ES提出・Web適性テスト→面接(複数回)・Web適性テスト→内々定【交通費支給】最終面接、会社規定額【早期選考】⇒巻末

試験情報

重視科目 総〈PM〉面接〈PD〉課題 面接〈GPM〉面接(英語面接含む)

総 ES⇒巻末 筆eF-1G 他(複数)PDは別途課題あり 面〈PM〉2回〈PD〉1回〈GPM〉2回(Webあり)

選考ポイント 総 ES 業界 職種理解度 志望度 面コミュニケーション能力 チームワークを大切にできるか 職種理解 他

通過率 総 ES NA

倍率(応募/内定) 総(早期選考含む)17倍

●男女別採用数と配属先ほか●

【男女・文理別採用実績】

	大卒男	大卒女	修士男	修士女
23年	20(文 20 理 0)	18(文 18 理 0)	0(文 0 理 0)	0(文 0 理 0)
24年	18(文 18 理 0)	25(文 25 理 0)	0(文 0 理 0)	0(文 0 理 0)
25年	25(文 24 理 1)	27(文 26 理 1)	0(文 0 理 0)	0(文 0 理 0)

【25年4月入社者の採用実績校】文(大)青学大 早大各4 駒澤大3 セントラル・アーカンソー大 金城学大 神奈川大 中大 日大 明学大 立命館大各2 NY州立大フリードニア テンプル大 愛知県芸大 横浜市大 関東学院大 関西学大 京都先端科学大 慶大 ICU 佐賀大 成城大 創価大 大正大 大東文化大 大分大 筑波大 東京外大 同大 武蔵大 武蔵野大 武蔵野美大 名城大 目白大 立教大 拓大各1(専)日本工学院1 理(大)静岡大 北大各1

【24年4月入社者の配属先】総 勤務地:東京・芝浦40 東京・中目黒4 部署:〈PM〉制作部33 ビジネスプロデュース部4〈PD〉企画演出部3〈GPM〉グローバルビジネス部4

残業(月) NA

記者評価 テレビCM制作に強い映像プロダクション。17年にTYOと統合して設立した共同持株会社の傘下。年間1000本以上の広告映像に加え、「万引き家族」など映画やドラマの制作も手がける。海外はマレーシア、シンガポール、インドネシアなどに制作拠点を置く。

●給与、ボーナス、週休、有休ほか●

【30歳総合職平均年収】NA【初任給】(博士)250,000円(修士)250,000円(大卒)250,000円【ボーナス(年)】NA【25、30、35歳賃金】NA【週休】完全2日(土日祝)【夏期休暇】有休で取得【年末年始休暇】12月28日～1月3日【有休取得】NA／20日

●従業員数、勤続年数、離職率ほか●

【男女別従業員数、平均年齢、平均勤続年数】計 474(29.1歳 NA) 男 244(NA) 女 230(NA)【離職率と離職者数】NA【3年後新卒定着率】NA【組合】なし

求める人材 変化を楽しみ、自発的に考え行動し、仲間と協働できる人材

会社データ (金額は百万円)

【本社】108-0022 東京都港区海岸3-18-12
☎03-3779-8000 https://www.aoi-pro.com/jp/
【社長】潮田 一【設立】1963.10【資本金】100【今後力を入れる事業】海外事業
【業績(連結)】NA
※PMはプロダクションマネージャー職、PDはプランナー・ディレクター職、GPMはグローバルプロダクションマネージャー職、VGはビデオグラファー職、ECPはエンタテインメントコンテンツプロデュース部の略

㈱プロトコーポレーション

東京P 4298

【特色】中古車販売サイト広告と物販が軸。情報誌も発行

修士・大卒採用数	3年後離職率	有休取得年平均	平均年収(平均39歳)
9名	NA	NA	642万円

●エントリー情報と採用プロセス●

【受付開始～終了】総10月～随時【採用プロセス】総説明会・Webテスト(10月～随時)→面接(2回、12月～随時)→内々定(随時)【交通費支給】なし【早期選考】⇒巻末

試験情報

重視科目 総面接

総 ES NA 筆WebGAB 面2回(Webあり)

選考ポイント 総 面人物 社風とのマッチ度

通過率 総 ES 選考なし(受付:NA)

倍率(応募/内定) 総19倍

●男女別採用数と配属先ほか●

【男女・文理別採用実績】

	大卒男	大卒女	修士男	修士女
23年	7(文 5 理 2)	3(文 2 理 1)	2(文 0 理 2)	0(文 0 理 0)
24年	14(文 7 理 7)	6(文 5 理 1)	0(文 0 理 0)	0(文 0 理 0)
25年	6(文 6 理 0)	3(文 3 理 0)	0(文 0 理 0)	0(文 0 理 0)

【25年4月入社者の採用実績校】
文(大)成城大 名古屋学院大各2 関西学大 杏林大 甲南大 法政大 武蔵大各1 理なし

【24年4月入社者の配属先】
総 勤務地:東京11 名古屋9 部署:IT11 営業5 事務4

残業(月) 20.7時間

記者評価 中古車情報サイト「グーネット」を運営。中古車販売業者からの広告掲載料が収益柱。整備工場検索サイト「グーネットピット」も。タイヤ・ホイールの販売や中古車の輸出も手がける。オンライン商談・査定など新車ディーラーのDX化支援進める。

●給与、ボーナス、週休、有休ほか●

【30歳総合職平均年収】NA【初任給】(博士)NA(修士)260,000円(大卒)256,000円【ボーナス(年)】NA、2.0カ月【25、30、35歳賃金】NA【週休】年間120日(土日祝、会社カレンダーによる)【夏期休暇】あり【年末年始休暇】あり【有休取得】NA／20日

●従業員数、勤続年数、離職率ほか●

【男女別従業員数、平均年齢、平均勤続年数】計 525(39.3歳 12.0年) 男 476(40.1歳 13.0年) 女 49(30.8歳 5.1年)【離職率と離職者数】NA【3年後新卒定着率】NA【組合】なし

求める人材 挑戦心があり、社風・理念に共感できる人

会社データ (金額は百万円)

【本社】460-0006 愛知県名古屋市中区葵1-23-14
☎052-934-2000 https://www.proto-g.co.jp/
【社長】神谷 健司【設立】1979.6【資本金】1,849【今後力を入れる事業】モビリティ関連情報 生活関連情報サービスの提供

【業績(連結)】	売上高	営業利益	経常利益	純利益
22.3	57,446	6,422	6,622	5,880
23.3	105,596	7,336	6,963	4,424
24.3	115,548	7,704	8,274	5,471

マスコミ

▶『業界地図』p.83

(株)博報堂プロダクツ
はくほうどう

株式公開 計画なし

【特色】博報堂傘下。広告制作やプロモーションを展開

修士・大卒採用数	3年後離職率	有休取得年平均	平均年収(平均38歳)
64名	20.9 → 25.0%	9.7日	NA

残業(月) 21.0時間

記者評価 博報堂Gの総合制作事業会社。「こしらえる」プロ集団を標榜。映像・コンテンツ制作、顧客接点支援、イベント企画、企業広報、Web3関連など広範なプロモーション領域をカバー。DX推進を加速。採用は職種別選考、1年目のOJTから専門性の高いプロとして育成。

●エントリー情報と採用プロセス●

【受付開始～終了】㊦3月～継続中(職種によって異なる)【採用プロセス】㊦Web説明会(任意)→ES提出(3月～)→面接(複数回)→内々定(3月～)※時期・フローは職種によって異なる、職種によっては筆記・課題あり【交通費支給】面接、会社基準(面接回数に準ずる)【早期選考】⇒巻末

試験情報

重視科目 総 面接

総 ES⇒巻末 筆 Webテスト※職種によって異なる 面 複数回(Webあり) GD作⇒巻末

選考ポイント 総 ES NA(提出あり) 面 NA

通過率 総 ES NA **倍率(応募/内定)** 総 NA

●男女別採用数と配属先ほか●

【男女・文理別採用実績】※25年:24年7月中旬時点

	大卒男	大卒女	修士男	修士女
23年	42(文 35 理 7)	52(文 44 理 8)	4(文 3 理 1)	5(文 4 理 1)
24年	36(文 34 理 2)	54(文 53 理 1)	0(文 0 理 0)	1(文 1 理 0)
25年	22(文 22 理 0)	37(文 37 理 0)	2(文 2 理 0)	3(文 3 理 0)

【25年4月入社者の採用実績校】文(大)青学大 日大 同大各4 多摩美大 明学大 神戸大各3 武蔵野美大 立教大 関大 金城学大 関西学大 早大 専大各2 南山大 國學院大 明大 長岡造形大 慶大 鹿児島大 立命館大 東京芸大 阪大各1(専)ビジュアルアーツ3 日本写真映像 東京cpa会計学院各2 他(理系含む) 理 文系に含む

【24年4月入社者の配属先】総 勤務地:東京97 大阪2 名古屋1 福岡5 部署:フォトクリエイティブ事業本部13 映像クリエイティブ事業本部20 REDHILL事業本部1 統合クリエイティブ事業本部9 デジタルクリエイティブ事業本部5 デジタルプロモーション事業本部4 イベント・スペースプロモーション事業本5 インセンティブプロモーション事業本部2 印刷・什器事業本部2 コマースプロデュース事業本部5 コマーステクノロジー事業本部6 カスタマーコンタクト事業本部1 プロモーションプロデュース事業本部16 関西支社2 九州支社5 中部支社1 Promotion X室1 本社管理7

●給与、ボーナス、週休、有休ほか●

【30歳総合職平均年収】NA【初任給】(博士)260,000円 (修士)260,000円 (大卒)260,000円【ボーナス(年)】NA【25、30、35歳賃金】NA【週休】完全2日(土日祝)【夏期休暇】なし【年末年始休暇】6日【有休取得】9.7／20日

●従業員数、勤続年数、離職率ほか●

【男女別従業員数、平均年齢、平均勤続年数】計 2,242(37.6歳 8.5年) 男 1,320(39.5歳 9.7年) 女 922(34.7歳 6.7年)【離職率と離職者数】5.3%、126名【3年後新卒定着率】75.0%(男66.7%、女82.9%、3年前入社:男33名・女35名)【組合】なし

求める人材 「専門性を磨き、やがて一人前になり、いつかは一流になりたい。」という強い意志を持つ人

会社データ (金額は百万円)

【本社】135-8619 東京都江東区豊洲5-6-15 NBF豊洲ガーデンフロント ☎03-5144-7200 https://www.h-products.co.jp/

【社長】岸 直彦【設立】2005.10【資本金】100【今後力を入れる事業】データベースマーケティング等デジタル領域 海外ネットワーク拡充

【業績(単独)】	売上高	営業利益	経常利益	純利益
22.3	134,718	NA	NA	NA
23.3	153,745	NA	NA	NA
24.3	113,900	NA	NA	NA

(株)電通ＰＲコンサルティング
でんつうピーアール

株式公開 計画なし

【特色】国内最大手のPR会社。プランナー資格取得者多数

修士・大卒採用数	3年後離職率	有休取得年平均	平均年収(平均NA)
15名	10.0 → 0%	12.4日	NA

残業(月) 27.2時間 総 36.1時間

記者評価 電通Gの総合PR会社で国内首位。旧電通パブリックリレーションズ。企業広報のプランニングやコンサルサービスを提供。顧客は企業、政府、団体と幅広い。内外でPR関連賞受賞多い。東大とSNSデータからAIで社会問題抽出する研究も。PRSJ認定PRプランナー約120人。

●エントリー情報と採用プロセス●

【受付開始～終了】総 3月～4月【採用プロセス】総 ES提出(3～4月)→適性検査・面接(2回、6月)→内々定(7月)【交通費支給】最終面接、実費

試験情報

重視科目 総 面接

総 ES NA 筆 適性検査 面 2回(Webあり) GD作 NA

選考ポイント 総 ES 自分の言葉で自分の意見を述べているか PRビジネスおよび当社に対して関心、理解があるか 面 NA

通過率 総 ES NA

倍率(応募/内定) 総 NA

●男女別採用数と配属先ほか●

【男女・文理別採用実績】

	大卒男	大卒女	修士男	修士女
23年	2(文 2 理 0)	7(文 7 理 0)	1(文 1 理 0)	0(文 0 理 0)
24年	1(文 1 理 0)	13(文 12 理 1)	0(文 0 理 0)	1(文 0 理 1)
25年	7(文 7 理 0)	7(文 6 理 1)	0(文 0 理 0)	1(文 1 理 0)

【25年4月入社者の採用実績校】
文(院)北大1(大)名大2 茨城大 関大 専大 文教大 明学大 立教大 テンプル大 ノースセントラル大 慶大 上智大 宮崎大各1 理(大)東理大1

【24年4月入社者の配属先】
総 勤務地:東京・新橋16 部署:PRソリューション(企画営業・メディアリレーションズ)11 統合コミュニケーション3 ステークホルダーエンゲージメント2

●給与、ボーナス、週休、有休ほか●

【30歳総合職平均年収】NA【初任給】(博士)220,000円 (修士)220,000円 (大卒)220,000円【ボーナス(年)】NA【25、30、35歳賃金】NA【週休】完全2日(土日祝)【夏期休暇】夏期に限らずリフレッシュ休暇として年5日付与【年末年始休暇】12月29日～1月3日【有休取得】12.4／20日

●従業員数、勤続年数、離職率ほか●

【男女別従業員数、平均年齢、平均勤続年数】計 281(NA) 男 160(NA) 女 121(NA)【離職率と離職者数】7.9%、24名【3年後新卒定着率】100%(男100%、女100%、3年前入社:男4名・女6名)【組合】あり

求める人材 探求心、好奇心を持っている意欲的な人

会社データ (金額は百万円)

【本社】105-7001 東京都港区東新橋1-8-1 ☎03-6216-8980 https://www.dentsuprc.co.jp/

【社長】山口 恭正【設立】1961.9【資本金】40【今後力を入れる事業】本業

【業績(単独)】	売上高	営業利益	経常利益	純利益
21.12	9,333	NA	NA	NA
22.12	8,690	NA	NA	NA
23.12	10,565	NA	NA	NA

マスコミ

(株)電通プロモーションプラス

株式公開していない

【特色】電通の完全子会社。販促プロモーションに特化

修士・大卒採用数	3年後離職率	有休取得年平均	平均年収(平均NA)
6名	NA	NA	NA

●エントリー情報と採用プロセス●

【受付開始～終了】㊕通年採用【採用プロセス】㊕説明会視聴(必須)→ES提出→適性検査→面接等→内々定【交通費支給】最終選考、会社基準

試験情報

重視科目 ㊕面接

㊕ESNA 筆あり(内容NA) 面NA

選考ポイント ㊕ESNA(提出あり) 面NA

通過率 ㊕ESNA

倍率(応募/内定) ㊕NA

●男女別採用数と配属先ほか●

【男女・文理別採用実績】

	大卒男	大卒女	修士男	修士女
23年	5(文 4理 1)	6(文 5理 1)	0(文 0理 0)	0(文 0理 0)
24年	0(文 0理 0)	0(文 0理 0)	0(文 0理 0)	0(文 0理 0)
25年	-(文 -理 -)	-(文 -理 -)	-(文 -理 -)	-(文 -理 -)

※25年:6名採用予定

【25年4月入社者の採用実績校】

文NA 理NA

【24年4月入社者の配属先】

㊕勤務地:なし 部署:なし

残業(月) NA

記者評価 デジタル環境下の販促全域で事業展開。顧客データを分析して課題を抽出するマーケ力や課題解決成果の企画力に定評があり、実行・実装・運用をワンストップで提供。旧電通テック。23年10月に本社を東京・港区の電通本社ビルに移転、グループ連携を強化。

●給与、ボーナス、週休、有休ほか●

【30歳総合職平均年収】NA【初任給】(大卒)(東京)220,200円【ボーナス(年)】NA【25、30、35歳賃金】NA【週休】完全2日(土日祝)【夏期休暇】リフレッシュ休暇等で取得【年末年始休暇】12月29日～1月3日【有休取得】NA／20日

●従業員数、勤続年数、離職率ほか●

【男女別従業員数、平均年齢、平均勤続年数】NA【離職率と離職者数】NA【3年後新卒定着率】NA【組合】あり

求める人材 好奇心が旺盛で、様々なことにチャレンジする気持ちと行動力がある人 周囲と協力しながらチームで物事を進めることができる人

会社データ (金額は百万円)

【本社】105-7001 東京都港区東新橋1-8-1 電通本社ビル

☎NA　https://www.dentsu-pmp.co.jp/

【社長】藤 志保【設立】2017.1【資本金】1,000【今後力を入れる事業】NA

【業績】NA

(株)日本経済新聞社

株式公開計画なし

【特色】世界最大の経済メディア。傘下に英国FT

修士・大卒採用数	3年後離職率	有休取得年平均	平均年収(平均46歳)
NA	NA	NA	1,199万円

●エントリー情報と採用プロセス●

【受付開始～終了】㊕技2月～3月【採用プロセス】㊕技ES提出(2～3月)→筆記(記者職のみ、4月)→面接(3回、4～6月)→内々定【交通費支給】2次面接以降、会社基準

試験情報

重視科目 ㊕技面接

㊕ES⇒巻末 筆SPI3(自宅) 面3回(Webあり) GD作⇒巻末 技ES⇒巻末 筆SPI3(自宅) 面3回(Webあり) GD作NA

選考ポイント ㊕技ES人間性と熱意 面人間性 熱意

通過率 ㊕技ESNA

倍率(応募/内定) ㊕技NA

●男女別採用数と配属先ほか●

【男女・文理別採用実績】

	大卒男	大卒女	修士男	修士女
23年	24(文 23理 1)	33(文 33理 0)	8(文 2理 6)	6(文 2理 4)
24年	19(文 17理 2)	39(文 38理 1)	12(文 6理 6)	4(文 2理 2)
25年	-(文 -理 -)	-(文 -理 -)	-(文 -理 -)	-(文 -理 -)

【25年4月入社者の採用実績校】

文早大 慶大 上智大 阪大 東大 一橋大 中大 同大(理系含む)

理文系に含む

【24年4月入社者の配属先】

㊕勤務地:東京 大阪 名古屋 横浜 さいたま 宇都宮 富山 岡山 高松 部署:記者55 ビジネス10 技勤務地:東京 部署:エンジニア9

残業(月) NA

記者評価 15年に英国経済紙フィナンシャル・タイムズ(FT)を買収し、世界最大の経済メディアに。国内51支局、海外37拠点体制。朝刊部数137万部と漸減(24年6月)。「日経電子版」や「NIKKEI Prime」などデジタル有料メディアの購読数は112万(24年6月)と世界有数。

●給与、ボーナス、週休、有休ほか●

【30歳総合職平均年収】NA【初任給】(博士)312,500円(修士)312,500円(大卒)296,000円【ボーナス(年)】NA【25、30、35歳賃金】NA【週休】年120日【夏期休暇】有休で取得【年末年始休暇】有休で取得【有休取得】NA／20日

●従業員数、勤続年数、離職率ほか●

【男女別従業員数、平均年齢、平均勤続年数】計 3,054(45.5歳 20.7年) 男 2,422(47.1歳 22.5年) 女 632(39.2歳 13.6年)【離職率と離職者数】NA【3年後新卒定着率】NA【組合】あり

求める人材 高い志と情熱を持ち、ジャーナリズムに携わる覚悟のある人

会社データ (金額は百万円)

【本社】100-8066 東京都千代田区大手町1-3-7

☎03-3270-0251　https://www.nikkei.com/

【社長】長谷部 剛【設立】1876.12【資本金】2,500【今後力を入れる事業】新聞を核に複合メディア、グローバル展開

【業績(連結)】	売上高	営業利益	経常利益	純利益
21.12	352,905	19,823	22,190	12,370
22.12	358,432	18,158	22,457	11,891
23.12	366,502	11,403	16,130	9,712

あさひしんぶんしゃ
㈱朝日新聞社

株式公開 していない

【特色】日本を代表する全国紙。デジタル戦略を推進

修士・大卒採用数	3年後離職率	有休取得年平均	平均年収(平均47歳)
40〜50名	NA	18.6日	[総]1,148万円

●エントリー情報と採用プロセス●

【受付開始〜終了】[総]12月〜1月 [技]12月〜2月【採用プロセス】[総]〈記者職〉ES提出(12〜1月)→SPI→面接(複数回)・実技・作文→内々定〈ビジネス職〉ES提出(12〜1月)→SPI→面接(複数回)→内々定 [技]ES提出(12〜2月)→面接(複数回)→内々定【交通費支給】面接選考以降、会社基準【早期選考】⇒巻末

試験情報

重視科目 [総][技]面接

[総][ES]⇒巻末[筆]SPI3(会場)[面]複数回(Webあり)[GD作]⇒巻末 [技][ES]⇒巻末[筆]なし[面]複数回(Webあり)

選考ポイント [総][技][ES]総合的に判断[面]総合的に判断

通過率 [総][技][ES]NA 倍率(応募/内定) [総][技]NA

●男女別採用数と配属先ほか●

【男女・文理別採用実績】

	大卒男	大卒女	修士男	修士女
23年	NA(文NA理NA)	NA(文NA理NA)	NA(文NA理NA)	NA(文NA理NA)
24年	NA(文NA理NA)	NA(文NA理NA)	NA(文NA理NA)	NA(文NA理NA)
25年	−(文 −理 −)	−(文 −理 −)	−(文 −理 −)	−(文 −理 −)

※25年：修士・大卒40〜50名程度採用予定

【25年4月入社者の採用実績校】[文]早大 慶大 同大 立教大 明大 都立大 青学大 東大 神戸大 立命館大 武蔵野美大 筑波大 一橋大 九大 國學院大 電通大 京大 阪大 東京芸大 明学大 お茶女大 北陸先端科技院大 京都府大 北大 学習院大 豊橋技科大 愛媛大 芝工大 東京外大 滋賀大(理系含む) [理]文系に含む

【24年4月入社者の配属先】[総]勤務地：〈記者〉総局(全国)報道センター(福岡・名古屋)ネットワーク報道本部(大阪)他〈ビジネス〉東京本社 他 部署：〈記者〉ネットワーク報道本部 報道センター 総局ほか〈ビジネス〉販売局 朝デジ事業センター メディア事業本部 コーポレート本部 他 [技]勤務地：〈技術〉東京本社 他 部署：〈技術〉朝デジ事業センター メディア事業本部 CTO室 他

残業(月) NA

記者評価 「不偏不党」掲げ、言論界のオピニオンリーダーを自負。4本社制のもと、国内外193の取材拠点(海外5総局・22支局)を擁する(24年9月)。紙媒体の23年度平均部数は朝刊358万部、夕刊106万部。デジタル有料会員は30万人強(24年3月末)。不動産事業が安定収益源。

●給与、ボーナス、週休、有休ほか●

【30歳総合職平均年収】NA【初任給】(大卒)(東京勤務モデル)348,013円(地方勤務記者モデル)325,013円【ボーナス(年)】NA【25、30、35歳賃金】NA【週休】完全2日(年107日)【夏期休暇】有休で取得【年末年始休暇】有休で取得【有休取得】18.6／27日

●従業員数、勤続年数、離職率ほか●

【男女別従業員数、平均年齢、平均勤続年数】計 3,803(47.8歳 23.9年) 男 3,021(49.2歳 25.3年) 女 782(42.3歳 18.4年)【離職率と離職者数】NA【3年後新卒定着率】NA【組合】あり

求める人材 好奇心旺盛で、新しい分野の開拓にも意欲的な人

会社データ (金額は百万円)

【本社】104-8011 東京都中央区築地5-3-2
☎03-3545-0131　https://www.asahi.com/corporate/
【社長】角田 克【設立】1879.1【資本金】650【今後力を入れる事業】「紙」と「デジタル」のハイブリッド

【業績(連結)】	売上高	営業利益	経常利益	純利益
22.3	272,473	9,501	18,925	12,943
23.3	267,031	▲419	7,062	2,592
24.3	269,116	5,781	13,069	9,889

よみうりしんぶんしゃ
読売新聞社

株式公開 していない

【特色】発行部数が世界最大の新聞社。保守論調をリード

修士・大卒採用数	3年後離職率	有休取得年平均	平均年収(平均48歳)
117名	3.9→9.5%	15.3日	NA

●エントリー情報と採用プロセス●

【受付開始〜終了】[総]12月〜6月 [技]12月〜3月【採用プロセス】[総]ES提出→筆記→面接・総支局体験会(取材記者)など→内々定 [技]ES提出→面接・基礎学力検査→内々定【交通費支給】1次面接以降(一部除く)、会社基準【早期選考】⇒巻末

試験情報

重視科目 [総]ES 面接 総支局体験会(取材記者) [技]ES 面接

[総][ES]⇒巻末[筆]Q-DOG(記者職のみ)独自作成の時事問題(全職種)[面]NA(Webあり)[GD作]⇒巻末 [技][ES]⇒巻末[筆]一般常識[面]NA[GD作]NA

選考ポイント [総][ES]すべて評価の対象「会ってみたい」と思うか[面]職務適性 他 [技][ES]総合職共通[面]NA

通過率 [総][技][ES]NA 倍率(応募/内定) [総][技]NA

●男女別採用数と配属先ほか●

【男女・文理別採用実績】※25年：24年8月16日時点

	大卒男	大卒女	修士男	修士女
23年	45(文 42理 3)	32(文 32理 0)	7(文 5理 2)	5(文 1理 4)
24年	49(文 49理 0)	32(文 32理 0)	9(文 4理 5)	5(文 2理 3)
25年	57(文 54理 3)	46(文 45理 1)	9(文 7理 2)	5(文 4理 1)

【25年4月入社者の採用実績校】[文]([院])京大 早大 熊本大 広島大 横国大 慶大 一橋大 京都市芸大 関大(大)東大 京大 阪大 東北大 筑波大 東京外大 神戸大 一橋大 早大 慶大 上智大 明大 青学大 中大 法政大 立教大 同大 関大 立命館大 関西学大 学習院女大 成蹊大 明学大 日大 駒澤大 専大 創価大 大妻女大 北海道教育大 聖心女大 千葉大 大阪市大 京産大 西南学大 滋賀大 福岡大 九大 北九州市大 [理]([院])東大 阪大 東京科学大 慶大 横国大(大)一橋大 都立大 横浜市大 電通大

【24年4月入社者の配属先】[総]勤務地：〈記者〉全国の支社・総支局63〈その他の職種(写真記者・校閲記者含む)〉入社した本社25 部署：記者(写真記者・校閲記者含む)65 販売戦略6 ビジネス(広告)3 事業6 経営管理6 DX推進2 [技]勤務地：東京・大手町4 大阪市・北区3 部署：制作7

残業(月) NA

記者評価 題号はかわら版の「読みながら売る」に由来。24年11月創刊150周年。発行部数は世界最大だが、朝刊598万部(24年3月)と漸減が続く。国内約6600の販売店、うち約3100の専売店など、販売ネットで他社をしのぐ。「海外臓器売買あっせん」報道で23年日本新聞協会賞。

●給与、ボーナス、週休、有休ほか●

【30歳総合職平均年収】NA【初任給】(大卒)294,000円【ボーナス(年)】(30歳モデル)約170万円、NA【25、30、35歳賃金】NA【週休】公休年106日【夏期休暇】連続7日以上(取得モデル)【年末年始休暇】連続7日以上(取得モデル)【有休取得】15.3／30日

●従業員数、勤続年数、離職率ほか●

【男女別従業員数、平均年齢、平均勤続年数】計 4,120(47.6歳 23.6年) 男 3,351(48.9歳 24.9年) 女 769(42.2歳 18.0年)【離職率と離職者数】NA【3年後新卒定着率】90.5%(男94.1%、女84.8%、3年前入社：男51名・女33名)【組合】あり

求める人材 広く社会に関心を持ち、ジャーナリズムに携わる覚悟と熱意をもつ人

会社データ (金額は百万円)

【本社】100-8055 東京都千代田区大手町1-7-1
☎03-3242-1111　https://info.yomiuri.co.jp/
【社長】山口 寿一(グループ本社)【設立】2002.7【資本金】613【今後力を入れる事業】新聞発行を中核にデジタルメディア、スポーツ・エンタメ・文化事業を展開する総合メディア事業

【業績】	売上高	営業利益	経常利益	純利益
22.3	268,821	4,465	12,670	7,870
23.3	272,033	5,534	10,751	5,566
24.3	258,803	▲2,621	4,214	5,035

※業績は基幹7社のもの

マスコミ

まいにちしんぶんしゃ
(株)毎日新聞社
株式公開していない

【特色】日本最古の歴史を持つ日刊紙。リベラル路線を貫く

修士・大卒採用数	3年後離職率	有休取得年平均	平均年収(平均45歳)
26名	9.1→14.8%	NA	NA

●エントリー情報と採用プロセス●
【受付開始～終了】[総][技]12月～1月【採用プロセス】[総]ES提出(12～1月)→筆記(オンライン、2月)→面接(複数回、3月)→内々定(3～4月)※記者職は面接時に作文、校閲記者は国語力試験あり [技]ES提出(12～1月)→筆記(オンライン、2月)→面接(複数回、3月)→内々定(3月)【交通費支給】最終面接、会社基準

試験情報
重視科目 [総][技]面接

[総][ES]⇒巻末[筆]時事問題(校閲記者のみ)国語力試験[面]複数回(Webあり)[GD作]⇒巻末 [技][ES]⇒巻末[筆]時事問題[面]複数回(Webあり)

選考ポイント [総][技][ES]志望動機 自己PR 人間性[面]適応力 コミュニケーション能力 向上心 問題意識 志望動機

通過率 [総][技][ES]NA 倍率(応募/内定) [総][技]NA

●男女別採用数と配属先ほか●
【男女・文理別採用実績】※25年:26名採用予定

	大卒男	大卒女	修士男	修士女
23年	6(文 6理 0)	7(文 7理 0)	0(文 0理 0)	1(文 1理 0)
24年	6(文 4理 2)	11(文 11理 0)	3(文 2理 1)	0(文 0理 0)
25年	-(文 -理 -)	-(文 -理 -)	-(文 -理 -)	-(文 -理 -)

【25年4月入社者の採用実績校】[文](院)阪大 早大各1(大)早大2 名大 阪大 広島大 九大 日大 慶大 上智大 立教大 青学大 津田塾大 武蔵野美大 桐朋学大 近大 関西学大 立命館大各1 [理](院)東大 奈良女大 芝工大各1(大)慶大2 芝工大 関大各1

【24年4月入社者の配属先】[総]勤務地:<一般記者 校閲 写真・映像>全国の本支社・支局9<ビジネス>東京4 大阪1 部署:一般記者8 写真・映像記者1 ビジネス5 [技]勤務地:東京5 大阪1 部署:Webエンジニア3 総合ITエンジニア3

残業(月) NA

[記者評価] 1872年東京日日新聞を創刊、1875年世界初の宅配開始。1911年大阪毎日新聞(1876年創刊)と合併。スポニチとの持株会社傘下。朝刊販売部数は177万(23年上期)と漸減続く。21年資本金1億円に減資。新聞協会賞(編集部門)は35回と業界最多。デジタル戦略に力点。

●給与、ボーナス、週休、有休ほか●
【30歳総合職平均年収】NA【初任給】(大卒)227,500円【ボーナス(年)】NA【25、30、35歳賃金】NA【週休】年104日【夏期休暇】有休で取得(部署により推奨日数は異なる)【年末年始休暇】有休で取得(部署により推奨日数は異なる)【有休取得】NA/27日

●従業員数、勤続年数、離職率ほか●
【男女別従業員数、平均年齢、平均勤続年数】計 1,666(44.6歳 19.4年) 男 1,197(46.7歳 21.4年) 女 469(39.6歳 14.7年)【離職率と離職者数】NA【3年後新卒定着率】85.2%(男85.7%、女85.0%、3年前入社:男7名・女20名)【組合】あり

[求める人材] 多様性を尊重し、社会に対する問題意識を持ち、コミュニケーション能力のある人

[会社データ] (金額は百万円)

【本社】100-8051 東京都千代田区一ツ橋1-1-1
☎03-3212-0321 https://www.mainichi.co.jp/
【社長】松木 健【設立】1872.2【資本金】100【今後力を入れる事業】ジャーナリズムを中核としたニュースコンテンツ事業

【業績(連結)】	売上高	営業利益	経常利益	純利益
22.3	130,456	NA	NA	NA
23.3	128,545	NA	NA	NA
24.3	126,721	NA	NA	NA

※業績は(株)毎日新聞グループホールディングスのもの

ちゅうにちしんぶんしゃ
(株)中日新聞社
株式公開計画なし

【特色】ブロック紙最大手。中日新聞と東京新聞が核

修士・大卒採用数	3年後離職率	有休取得年平均	平均年収(平均43歳)
NA	6.7→8.1%	14.7日	NA

●エントリー情報と採用プロセス●
【受付開始～終了】[総][技]3月～3月 8月～8月【採用プロセス】[総]<春採用>ES提出(3月)→Webテスト(4月)→面接(4～5月)→内々定(5月中旬)<秋採用>ES提出(8月)→Webテスト(8月)→面接(9月)→内々定(9月中下旬)※編集職は作文試験あり [技]<春採用>ES提出(3月)→Webテスト(4月)→面接(4～5月)→内々定(5月中旬)<秋採用>ES提出(8月)→Webテスト(8月)→面接(9月)→内々定(9月中下旬)【交通費支給】2次面接以降、会社基準

試験情報
重視科目 [総][技]全て

[総][ES]⇒巻末[筆]C-GAB[面]NA[GD作]⇒巻末 [技][ES]⇒巻末[筆]C-GAB[面]NA

選考ポイント [総][技][ES]NA(提出あり)[面]NA

通過率 [総][技][ES]NA 倍率(応募/内定) [総][技]NA

●男女別採用数と配属先ほか●
【男女・文理別採用実績】

	大卒男	大卒女	修士男	修士女
23年	25(文 22理 3)	12(文 12理 0)	0(文 0理 0)	0(文 0理 0)
24年	19(文 17理 2)	14(文 14理 0)	2(文 1理 1)	0(文 0理 0)
25年	NA(文NA理NA)	NA(文NA理NA)	NA(文NA理NA)	NA(文NA理NA)

※23年:大卒には院卒を含む

【25年4月入社者の採用実績校】[文](24年)(院)北大1(大)立命館大5 南山大4 中大3 名大 早大 金沢大 同大 中京大各2 他 [理](24年)(院)名大1(大)愛知教大 福井大各1

【24年4月入社者の配属先】
[総]勤務地:本社(名古屋 東京 東海 北陸)支社(岐阜 大阪 福井)32 部署:編集19 ビジネス13 [技]勤務地:名古屋本社3 部署:総合技術3

残業(月) NA

[記者評価] 1886年創刊。中京圏最有力紙の中日新聞ほか東京新聞、北陸中日新聞、日刊県民福井、中日スポーツ、東京中日スポーツを発行。スポーツ紙除き223万部(24年1月)と読売、朝日に次ぎ第3位。反権力の報道姿勢。東海3県の占有率6割強。中日ドラゴンズのオーナー。

●給与、ボーナス、週休、有休ほか●
【30歳総合職平均年収】NA【初任給】(博士)245,000円(修士)245,000円(大卒)245,000円【ボーナス(年)】NA【25、30、35歳賃金】NA→331,000円→NA【週休】会社暦2日【夏期休暇】有休取得奨励【年末年始休暇】有休取得奨励【有休取得】14.7/25日

●従業員数、勤続年数、離職率ほか●
【男女別従業員数、平均年齢、平均勤続年数】計 2,674(43.2歳 20.5年) 男 1,974(NA) 女 700(NA) ※平均年齢、勤続年数は部次長以下平均【離職率と離職者数】NA【3年後新卒定着率】91.9%(男100%、女84.2%、3年前入社:男18名・女19名)【組合】あり

[求める人材] 新聞人としての役割を十分認識し、激しい社会変革に対応し、意欲ある人

[会社データ] (金額は百万円)

【本社】460-8511 愛知県名古屋市中区三の丸1-6-1
☎052-201-8811 https://www.chunichi.co.jp/
【社長】大島 宇一郎【設立】1942.9【資本金】300【今後力を入れる事業】本業 新規事業

【業績(単独)】	売上高	営業利益	経常利益	純利益
22.3	107,639	NA	NA	NA
23.3	104,194	NA	NA	NA
24.3	101,114	NA	NA	NA

開示 ★ ▶『業界地図』p.215 1380

さんぎょうけいざいしんぶんしゃ
㈱産業経済新聞社

株式公開 していない

【特色】フジサンケイグループの中核。保守論陣の牙城

修士・大卒採用数	3年後離職率	有休取得年平均	平均年収(平均48歳)
35名	NA	NA	NA

●エントリー情報と採用プロセス●

【受付開始～終了】[総][技]2月～4月【採用プロセス】[総][技]ES提出(2～4月中旬)→筆記(5月上旬)→面接(3～4回)→内々定(6月)【交通費支給】3次面接以降、実費【早期選考】⇒巻末

試験情報

重視科目 [総][技]筆記 面接

[総][技][ES]⇒巻末[筆]一般常識 自社オリジナル[面]3～4回(Webあり)[GD作]NA

選考ポイント [総][ES]内容の充実度 社への理解度や熱意 [面]論理的思考 リーダーシップ コミュニケーション力 [技][ES]NA(提出あり)[面]総合職共通

通過率 [総][技][ES]NA

倍率(応募/内定) [総][技]NA

●男女別採用数と配属先ほか●

【男女・文理別採用実績】

	大卒男	大卒女	修士男	修士女
23年	13(文 13理 0)	6(文 6理 0)	1(文 0理 1)	0(文 0理 0)
24年	12(文 12理 0)	8(文 8理 0)	0(文 0理 0)	0(文 0理 0)
25年	17(文 15理 2)	13(文 13理 0)	3(文 2理 1)	2(文 1理 1)

【25年4月入社者の採用実績校】
[文](院)東大 佐賀大 慶大各1(大)慶大4 日大 早大各3 法政大2 阪大 千葉大 島根大 多摩美大 明大 中大 日体大 横国大 同大 同女大 関大 関西学大 明学大 東京女大 駒澤大 大和大各1 [理](院)都立大 立命館大各1(大)兵庫県大 玉川大各1

【24年4月入社者の配属先】
[総]勤務地:東京14 大阪4 兵庫1 京都1 部署:記者職13 ビジネス職7 [技]勤務地:なし 部署:なし

残業(月) NA

記者評価 1933年前田久吉が大阪で経済紙を創刊。戦後、一般紙へ転換、55年産経新聞の名称に。フジサンケイG中核。「正論路線」堅持。東・阪2本社制で東京は朝刊のみ発行。部数86万(24年3月)と漸減。夕刊フジ、サンケイスポーツも発行。24年9月富山県での発行停止。

●給与、ボーナス、週休、有休ほか●

【30歳総合職平均年収】NA【初任給】(博士)242,500円(修士)242,500円(大卒)233,500円【ボーナス(年)】NA【25、30、35歳賃金】NA【週休】完全2日【夏期休暇】有休で取得【年末年始休暇】有休で取得【有休取得】NA/25日

●従業員数、勤続年数、離職率ほか●

【男女別従業員数、平均年齢、平均勤続年数】計 1,360(47.8歳 21.3年)男 NA 女 NA【離職率と離職者数】NA【3年後新卒定着率】NA【組合】あり

求める人材 真実をとことん追究し、的確に行動できる「考動力」を持った人

会社データ (金額は百万円)

【本社】100-8077 東京都千代田区大手町1-7-2
☎03-3231-7111 https://www.sankei.jp/
【社長】近藤 哲司【設立】1955.2【資本金】3,172【今後力を入れる事業】新聞とWebの融合

【業績(単独)】	売上高	営業利益	経常利益	純利益
22.3	50,945	608	845	1,942
23.3	50,470	223	504	1,136
24.3	49,759	313	504	▲2,888

ほっかいどうしんぶんしゃ
㈱北海道新聞社

株式公開 計画なし

【特色】北海道を代表するブロック紙。道内シェア約7割

修士・大卒採用数	3年後離職率	有休取得年平均	平均年収(平均47歳)
26名	NA	16.7日	NA

●エントリー情報と採用プロセス●

【受付開始～終了】[総][技]3月～3月【採用プロセス】[総]〈記者〉ES提出(3月)→適性テスト(4月中旬)→筆記(5月中旬)→個人面接(2回、5月下旬)→個人面接(2回、6月上旬)→内々定(6月上旬)〈写真記者〉ES提出(3月)→適性テスト(4月中旬)→筆記(5月中旬)→個人面接(2回)・実技試験(5月下旬)→内々定(5月下旬)〈ビジネス〉ES提出(3月)→適性テスト(4月上旬)→筆記(4月下旬)→個人面接(2回、5月中旬)→個人面接(2回、5月下旬)→内々定(5月下旬)[技]〈メディアエンジニア〉ES提出(3月)→適性テスト(4月)→筆記・個人面接(1回、5月上旬)→内々定(5月上旬)【交通費支給】最終試験、会社基準による実費

試験情報

重視科目 [総][技]全て

[総][ES]⇒巻末[筆]あり(内容NA)[面]〈記者職・ビジネス職〉4回〈写真記者職〉2回(Webあり)[GD作]⇒巻末 [技][ES]⇒巻末[筆]あり(内容NA)[面]1回[GD作]⇒巻末

選考ポイント [総][技][ES]志望動機 自己PR[面]入社意欲 積極性 主体性 コミュニケーション能力 他

通過率 [総][技][ES]NA **倍率(応募/内定)** [総][技]NA

●男女別採用数と配属先ほか●

【男女・文理別採用実績】※新卒・中途一括採用

	大卒男	大卒女	修士男	修士女
23年	4(文 2理 2)	8(文 7理 1)	0(文 0理 0)	2(文 2理 0)
24年	15(文 14理 1)	9(文 8理 1)	1(文 1理 0)	2(文 2理 0)
25年	13(文 10理 3)	8(文 7理 1)	2(文 2理 0)	3(文 3理 0)

【25年4月入社者の採用実績校】[文](院)北大2 都立大 立命館大 神戸学大各1(大)上智大 ICU各2 慶大 早大 青学大 中大 東洋大 立教大 専大 創価大 お茶女大 岩手大 立命館大 近大 広島大各1 [理](大)北大 弘前大 麻布大 芝工大各1

【24年4月入社者の配属先】[総]勤務地:本社(札幌)15 函館2 旭川3 釧路3 小樽1 東京1 部署:記者(外勤)15 販売5 営業3 事業1 経営管理1 [技]勤務地:本社(札幌)1 部署:メディアエンジニア1

残業(月) [総]27.0時間

記者評価 1887年発行の北海新聞などが母体。1942年道内11紙を統合し現体制に。朝刊部数79.8万部(24年1月)。道内シェアは約7割。モスクワとユジノサハリンスクに支局を置くなど北方領土問題を丹念に追う。海外4カ国・5支局。傘下に北海道文化放送など。

●給与、ボーナス、週休、有休ほか●

【30歳総合職平均年収】NA【初任給】(修士)257,700円(大卒)246,100円【ボーナス(年)】NA【25、30、35歳賃金】NA【週休】会社暦2日【夏期休暇】有休で取得【年末年始休暇】有休で取得【有休取得】16.7/20日

●従業員数、勤続年数、離職率ほか●

【男女別従業員数、平均年齢、平均勤続年数】計 1,129(46.8歳 22.6年)男 902(48.6歳 24.4年)女 227(39.8歳 15.6年)【離職率と離職者数】2.1%、24名【3年後新卒定着率】NA【組合】あり

求める人材 道新と北海道の明日を切り開く感性、知恵とやる気に満ちた人

会社データ (金額は百万円)

【本社】060-8711 北海道札幌市中央区大通西3-6
☎011-221-2111 https://kk.hokkaido-np.co.jp/
【社長】宮口 宏夫【設立】1942.11【資本金】346【今後力を入れる事業】本業 電子メディア分野

【業績(単独)】	売上高	営業利益	経常利益	純利益
22.3	40,300	1,121	NA	1,169
23.3	37,800	441	1,232	957
24.3	36,836	▲420	620	421

マスコミ

開示 ★★ ▶『業界地図』p.215 1387

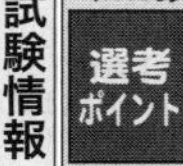

かほくしんぽうしゃ
(株)河北新報社

株式公開 計画なし

【特色】東北を代表する日刊ブロック紙。企画報道に定評

修士・大卒採用数	3年後離職率	有休取得年平均	平均年収(平均46歳)
5名	0→0%	12.4日	NA

●エントリー情報と採用プロセス●

【受付開始～終了】㊗3月～7月 ㊕3月～3月【採用プロセス】㊗ES提出(3月)→筆記・作文(4月)→面接(3回、5月)→内々定(6月) ㊕ES提出(3月)→面接(1回、4月)→内々定(4月)【交通費支給】最終選考、実費(仙台市内在住者除く)

試験情報

重視科目 総 技 全て

総 ES⇒巻末 筆 一般常識 面 3回(Webあり) GD作⇒巻末
技 ES⇒巻末 筆 なし 面 1回

選考ポイント 総 ES 学生時代に取り組んだこととして、学内だけでなく学外でのアルバイト・地域活動等を特に重視(勤労観や志望動機に反映されていなくても、人柄が見えるため) 面 社会人、新聞人としてふさわしい考え方や態度 技 ES 学生時代の取り組みに加え、新聞社で生かせるコンピューター、機械、電気の技能を学んでいるかを重視 面 総合職共通

通過率 総 ES NA(受付:90→通過:NA) 技 ES 100%(受付:2→通過:2)

倍率(応募/内定) 総 18倍 技 1倍

●男女別採用数と配属先ほか●

【男女・文理別採用実績】

	大卒男	大卒女	修士男	修士女
23年	4(文 3理 1)	3(文 3理 0)	0(文 0理 0)	1(文 1理 0)
24年	2(文 2理 0)	6(文 6理 0)	0(文 0理 0)	2(文 2理 0)
25年	2(文 2理 0)	1(文 1理 0)	1(文 1理 0)	1(文 1理 0)

【25年4月入社者の採用実績校】
文 (院)東北大2(大)東北学大2 近大1 理 (高専)仙台2

【24年4月入社者の配属先】総 勤務地:仙台11 部署:外勤記者5 内勤記者2 販売2 総務2 技 勤務地:仙台1 部署:システム管理1

残業(月) NA

記者評価 1897年一力健治郎が仙台市で創刊。東北随一の日刊紙で、朝刊発行部数は約38万(23年下期)。宮城県世帯普及率は36%。東・阪2支社と、東北6県に8総局、23支局。「不羈独立、東北振興」を社是に東北の発展に寄与。企画報道に定評、新聞協会賞など受賞多い。

●給与、ボーナス、週休、有休ほか●

【30歳総合職平均年収】NA【初任給】(修士)245,100円(大卒)240,200円【ボーナス(年)】NA【25、30、35歳賃金】NA【週休】会社暦2日【夏期休暇】連続4日【年末年始休暇】連続2日【有休取得】12.4／25日

●従業員数、勤続年数、離職率ほか●

【男女別従業員数、平均年齢、平均勤続年数】計 403(46.2歳 23.3年) 男 328(47.8歳 25.1年) 女 75(38.6歳 15.5年)【離職率と離職者数】1.0%、4名(早期退職3名含む)【3年後新卒定着率】100%(男100%、女100%、3年前入社:男4名・女4名)【組合】あり

求める人材 行動力、忍耐力、突破力、体力、コミュニケーション能力、成長力、東北への愛着をそれぞれ備える人

会社データ (金額は百万円)

【本社】980-8660 宮城県仙台市青葉区五橋1-2-28
☎022-211-1111 https://www.kahoku.co.jp/
【社長】一力 雅彦【設立】1897.1【資本金】200【今後力を入れる事業】紙媒体とオンラインによる総合情報産業化

【業績(単独)】	売上高	営業利益	経常利益	純利益
21.12	17,033	1,162	1,230	370
22.12	16,668	318	377	191
23.12	17,139	157	252	154

しなのまいにちしんぶん
信濃毎日新聞(株)

株式公開 計画なし

【特色】長野県の有力地方紙。キャンペーン報道に定評

修士・大卒採用数	3年後離職率	有休取得年平均	平均年収(平均43歳)
7名	12.5→11.1%	9.3日	NA

●エントリー情報と採用プロセス●

【受付開始～終了】㊗㊕3月～3月【採用プロセス】㊗<記者職>ES提出(3月)→適性検査・作文(4月)→面接(3回、5月)→内々定(5月)<ビジネス職>ES提出(3月)→適性検査・作文(4月)→面接(3回、5月)→内々定(5月) ㊕ES提出(3月)→適性検査・作文(4月)→面接(3回、5月)→内々定(5月)【交通費支給】2次面接以降、実費

試験情報

重視科目 総 技 全て

総 ES⇒巻末 筆 SPI3(会場) SPI3(自宅) 一般常識 面 3回(Webあり) GD作⇒巻末 技 ES⇒巻末 筆 SPI3(会場) SPI3(自宅) 面 3回(Webあり) GD作⇒巻末

選考ポイント 総 技 ES 本気で入社を希望しているか 志望理由が明確か 業務内容を理解しているか 面 マスコミ・新聞業界への興味 志望理由

通過率 総 ES 97%(受付:86→通過:83) 技 ES 100%(受付:3→通過:3)

倍率(応募/内定) 総 12倍 技 ―

●男女別採用数と配属先ほか●

【男女・文理別採用実績】

	大卒男	大卒女	修士男	修士女
23年	4(文 4理 0)	3(文 3理 0)	2(文 1理 1)	1(文 1理 0)
24年	2(文 1理 1)	3(文 3理 0)	1(文 1理 0)	0(文 0理 0)
25年	1(文 1理 0)	4(文 4理 0)	1(文 1理 0)	1(文 1理 0)

【25年4月入社者の採用実績校】
文 (院)広島大 信州大各1(大)専大 明学大 富山大 筑波大 大東文化大各1 理 なし

【24年4月入社者の配属先】
総 勤務地:長野(長野4 松本2) 部署:編集外勤4 営業外勤(マーケティング局)2 技 勤務地:なし 部署:なし

残業(月) NA

記者評価 1873年創刊。通称・信毎(しんまい)。発行部数37.9万部(24年1月)。反権力報道の伝統。今日的な問題を丹念に掘り下げるキャンペーン報道に定評。編集システムは広範にAIを活用。長野・松本の2本社制。8支社、13支局。長野マラソンの主催者にも名を連ねる。

●給与、ボーナス、週休、有休ほか●

【30歳総合職平均年収】NA【初任給】(大卒)231,000円【ボーナス(年)】NA【25、30、35歳賃金】NA【週休】会社暦2日【夏期休暇】なし【年末年始休暇】なし【有休取得】9.3／30日

●従業員数、勤続年数、離職率ほか●

【男女別従業員数、平均年齢、平均勤続年数】計 421(42.7歳 19.1年) 男 357(43.8歳 20.3年) 女 64(36.5歳 12.7年)【離職率と離職者数】1.2%、5名【3年後新卒定着率】88.9%(男80.0%、女100%、3年前入社:男5名・女4名)【組合】あり

求める人材 なぜ新聞人をめざすか、志望が明確で積極的な人

会社データ (金額は百万円)

【本社】380-8546 長野県長野市南県町657
☎026-236-3050 https://www.shinmai.co.jp/
【社長】小坂 壮太郎【設立】1894.2【資本金】100【今後力を入れる事業】新聞を核に電子メディアを展開

【業績(単独)】	売上高	営業利益	経常利益	純利益
21.12	16,606	593	1,027	631
22.12	16,650	404	939	530
23.12	16,216	210	728	435

㈱山陽新聞社
さんようしんぶんしゃ

株式公開 計画なし

【特色】岡山県の日刊新聞社。県内シェアは約6割

修士・大卒採用数	3年後離職率	有休取得年平均	平均年収(平均47歳)
7名	33.3 → 20.0%	NA	NA

●エントリー情報と採用プロセス●

【受付開始～終了】㊕㊚3月～4月【採用プロセス】㊕㊚ES提出(3～4月)→1次試験(筆記・面接、5月)→2次試験(面接・論作文、5月)→3次試験(面接、5月)→最終面接(6月)→内々定(6月)【交通費支給】最終面接、県外からの参加者のみ会社基準

試験情報

重視科目 総技面接

総技ES⇒巻末筆一般常識 TAL面4回(Webあり)GD作⇒巻末

選考ポイント 総技ES志望動機 学生時代の活動歴 他面新聞社の業務に対する意欲・関心 発表態度 他

通過率 総ES NA(受付:NA→通過:83) 技ES NA(受付:NA→通過:24)

倍率(応募/内定) 総技NA

●男女別採用数と配属先ほか●

【男女・文理別採用実績】

	大卒男	大卒女	修士男	修士女
23年	1(文 0理 1)	6(文 6理 0)	0(文 0理 0)	0(文 0理 0)
24年	2(文 2理 0)	1(文 1理 0)	0(文 0理 0)	0(文 0理 0)
25年	3(文 3理 0)	3(文 3理 0)	1(文 0理 1)	0(文 0理 0)

【25年4月入社者の採用実績校】
文(大)ノートルダム清心女大2 関西学大 島根県大 高知大 広島大各1 理(院)岡山理大1

【24年4月入社者の配属先】
総勤務地:岡山市3 部署:編集3 技勤務地:なし 部署:なし

残業(月) NA

記者評価 1879年創刊。岡山県と広島県東部が販売圏。発行部数27万部(24年1月)。電子新聞「さんデジ」も強化。文化・スポーツ振興にも取り組む。東京・大阪・福山・広島・高松に県外拠点。テレビせとうち筆頭株主。世界報道機関の「SDGメディア・コンパクト」に加盟。

●給与、ボーナス、週休、有休ほか●

【30歳総合職平均年収】NA【初任給】(修士)249,470円(大卒)224,870円【ボーナス(年)】NA【25、30、35歳賃金】NA【週休】年107日【夏期休暇】有休で取得【年末年始休暇】有休で取得【有休取得】NA／20日

●従業員数、勤続年数、離職率ほか●

【男女別従業員数、平均年齢、平均勤続年数】計 382(47.1歳 23.1年) 男 305(49.1歳 25.1年) 女 77(40.1歳 16.1年)【離職率と離職者数】3.5%、14名【3年後新卒定着率】80.0%(男75.0%、女83.3%、3年前入社:男4名・女6名)【組合】あり

求める人材 柔軟な発想と豊かな好奇心、行動力、そして、何よりこの地域を元気にしたい、という熱い心を持つ人

会社データ (金額は百万円)

【本社】700-8634 岡山県岡山市北区柳町2-1-1
☎086-803-8005 https://www.sanyonews.jp/
【社長】松田 正己【設立】1879.1【資本金】148【今後力を入れる事業】岡山のゲートウェイ

【業績(単独)】	売上高	営業利益	経常利益	純利益
21.11	11,928	NA	50	NA
22.11	11,649	NA	▲11	NA
23.11	11,559	NA	▲37	NA

㈱中国新聞社
ちゅうごくしんぶんしゃ

株式公開 計画なし

【特色】広島地盤のブロック紙。山口、岡山でも販売

修士・大卒採用数	3年後離職率	有休取得年平均	平均年収(平均45歳)
6名	18.2 → 14.3%	14.6日	NA

●エントリー情報と採用プロセス●

【受付開始～終了】㊕㊚3月～4月【採用プロセス】㊕入社志願書提出(3～4月)→1次(Web面接・作文、5月上旬)→2次(Web面接・適性検査、5月中下旬)→最終(役員面接・GW、6月上旬)→内々定 ※作文、GWは記者職のみ ㊚入社志願書提出(3～4月)→1次(Web面接、5月中旬)→2次(Web面接・適性検査、5月中下旬)→最終(役員面接、6月上旬)→内々定
【交通費支給】最終試験、会社基準

試験情報

重視科目 総<ビジネス総合職>面接<記者職>面接 作文 技面接

総ES⇒巻末筆適性検査面3回(Webあり)GD作⇒巻末
技ES⇒巻末筆適性検査面3回(Webあり)

選考ポイント 総技ES入社動機や取り組みたいことを具体的に分かりやすく表現しているか面挑戦心 思考力 コミュニケーション能力 他

通過率 総ES83%(受付:156→通過:129) 技ES83%(受付:6→通過:5)

倍率(応募/内定) 総26倍 技6倍

●男女別採用数と配属先ほか●

【男女・文理別採用実績】

	大卒男	大卒女	修士男	修士女
23年	4(文 4理 0)	2(文 2理 0)	1(文 0理 1)	2(文 2理 0)
24年	2(文 2理 0)	4(文 2理 2)	0(文 0理 0)	1(文 1理 0)
25年	5(文 4理 1)	1(文 1理 0)	0(文 0理 0)	0(文 0理 0)

【25年4月入社者の採用実績校】文(大)京大 叡啓大 京産大 中大 愛媛大各1 理(大)広島工大1

【24年4月入社者の配属先】
総勤務地:広島市5 部署:編集局3 販売局1 企画室1 技勤務地:広島市2 部署:技術局2

残業(月) 12.5時間 総12.5時間

記者評価 1892年に日刊「中國」として創刊、1908年に「中國新聞」に改題。朝刊部数49万部(24年1月)。広島を核に山口、島根、岡山の各県でも販売。週6日発行の「中国新聞セレクト」や電子版「中国新聞デジタル」も。グループに広告、デジタルコンテンツ制作、印刷など。

●給与、ボーナス、週休、有休ほか●

【30歳総合職平均年収】NA【初任給】(大卒)245,900円【ボーナス(年)】NA【25、30、35歳賃金】NA【週休】年108日【夏期休暇】有休で取得【年末年始休暇】有休で取得【有休取得】14.6／28日

●従業員数、勤続年数、離職率ほか●

【男女別従業員数、平均年齢、平均勤続年数】計 397(44.8歳 20.3年) 男 310(46.4歳 21.8年) 女 87(39.1歳 15.3年)【離職率と離職者数】1.2%、5名【3年後新卒定着率】85.7%(男100%、女75.0%、3年前入社:男3名・女4名)【組合】あり

求める人材 地域が好き、人が好き、書くことが好きな人 複眼的な物の考え方ができ、チャレンジ精神にあふれた人材

会社データ (金額は百万円)

【本社】730-8677 広島県広島市中区土橋町7-1
☎082-236-2111 https://chugoku-np.com/
【社長】岡畠 鉄也【設立】1892.5【資本金】300【今後力を入れる事業】地域の総合メディア企業として、デジタル化と紙の両立、新事業の開拓

【業績(単独)】	売上高	営業利益	経常利益	純利益
21.12	19,456	570	781	499
22.12	18,986	737	991	619
23.12	19,867	871	1,182	1,010

▶『業界地図』p.215

(株)西日本新聞社
にしにっぽんしんぶんしゃ

[株式公開 計画なし]

【特色】九州を代表するブロック紙。アジア報道を充実

修士・大卒採用数	3年後離職率	有休取得年平均	平均年収(平均46歳)
8名	0 → 20.0%	NA	812万円

●エントリー情報と採用プロセス●

【受付開始～終了】[総]3月～4月【採用プロセス】[総]<記者部門>ES提出(3～4月)→面接(2回、4～5月)→作文(5月)→内々定(5月中旬)<総合ビジネス部門>ES提出(3～4月)→面接(2回、4～5月)→内々定(5月中旬)【交通費支給】記者部門、総合ビジネス部門ともに最終選考のみ、会社基準

試験情報

[重視科目] [総]面接

[総][ES]⇒巻末[筆]OPQ[面]2回(Webあり)[GD作]⇒巻末

[選考ポイント] [総][ES]志望動機や自己PRの具体性、文法や語句にミスがないか(提出前の確認は充分に行われているか)[面]積極性 コミュニケーション力 志望度 社会に対する関心 九州に対する熱意 西日本新聞社の社風になじむか

[通過率] [総][ES]40%(受付:176→通過:70)

[倍率(応募/内定)] [総]22倍

●男女別採用数と配属先ほか●

【男女・文理別採用実績】

	大卒男	大卒女	修士男	修士女
23年	0(文 0理 0)	2(文 2理 0)	0(文 0理 0)	0(文 0理 0)
24年	2(文 2理 0)	3(文 3理 0)	0(文 0理 0)	0(文 0理 0)
25年	1(文 1理 0)	5(文 5理 0)	0(文 0理 0)	2(文 1理 1)

【25年4月入社者の採用実績校】
[文](院)阪大1(大)西南学大3 熊本大2 九大1 [理](院)佐賀大1

【24年4月入社者の配属先】
[総]勤務地:福岡(福岡4 久留米1) 部署:編集局2 メディアビジネス局2 販売局1

[残業(月)] NA

[記者評価] 1877年西南戦争報道で出発。朝刊36.2万部(24年1月)で九州最大。九州7県に総支局・通信部を置く。福岡県のみ朝夕刊セットで、他県は統合版。電子版を強化。西日本スポーツも発行。海外はワシントン、北京、ソウル、バンコクに支局、釜山と台北にも取材拠点。

●給与、ボーナス、週休、有休ほか●

【30歳総合職平均年収】NA【初任給】(大卒)236,763円【ボーナス(年)】NA【25、30、35歳賃金】NA【週休】年78日【夏期休暇】有休で取得【年末年始休暇】有休で取得【有休取得】NA／63日

●従業員数、勤続年数、離職率ほか●

【男女別従業員数、平均年齢、平均勤続年数】計 490(45.7歳 21.9年) 男 393(47.6歳 23.8年) 女 97(37.9歳 14.5年)【離職率と離職者数】3.5%、18名【3年後新卒定着率】80.0%(男66.7%、女100%、3年前入社:男6名・女4名)【組合】あり

[求める人材] コミュニケーション力がある人材 九州に愛着を持ち、九州に住む人々の立場に立てる人材 挑戦する心、意欲がある人材

[会社データ] (金額は百万円)

【本社】810-8721 福岡県福岡市中央区天神1-4-1
☎092-711-5555 https://www.nishinippon.co.jp/
【社長】田川大介【設立】1943.4【資本金】100【今後力を入れる事業】新規ビジネス デジタルメディア

【業績(連結)】	売上高	営業利益	経常利益	純利益
22.3	33,596	1,130	1,626	636
23.3	32,928	829	1,272	▲2,746
24.3	33,905	1,722	2,029	1,401

(一社)共同通信社
きょうどうつうしんしゃ

[株式公開 していない]

【特色】国内2大通信社の1つ。英語や中国語の配信も

修士・大卒採用数	3年後離職率	有休取得年平均	平均年収(平均NA)
47名	2.5 → 9.5%	NA	NA

●エントリー情報と採用プロセス●

【受付開始～終了】[総][技]1月～2月【採用プロセス】[総]<春採用>ES提出(1～2月)→1次面接・筆記(2～3月)→面接(2回)→内々定(6月)<夏採用>ES提出(7月)→面接・筆記(7月)→面接(1回)→内々定(7月～)※職種により一部異なる [技]ES提出(1～2月)→エントリー面談・専門Web試験(3月)→面接(2回)→内々定(6月)【交通費支給】2次面接以降、実費

試験情報

[重視科目] [総]面接 作文(該当職種) [技]面接

[総][ES]⇒巻末[筆]一般常識 英語・運動常識等職種ごとの専門科目[面]3回(Webあり)[GD作]⇒巻末 [技][ES]⇒巻末[筆]Web(自宅)の専門試験[面]2回(Webあり)

[選考ポイント] [総][技][ES]志望動機 他[面]それぞれの人柄に応じたあらゆる総合的な人間力

[通過率] [総][技][ES]NA [倍率(応募/内定)] [総][技]NA

●男女別採用数と配属先ほか●

【男女・文理別採用実績】

	大卒男	大卒女	修士男	修士女
23年	16(文 15理 1)	23(文 23理 0)	2(文 1理 1)	3(文 3理 0)
24年	19(文 19理 0)	21(文 21理 0)	2(文 1理 1)	3(文 3理 0)
25年	17(文 17理 0)	25(文 25理 0)	3(文 2理 1)	2(文 2理 0)

【25年4月入社者の採用実績校】[文](院)東大 東北大 筑波大 海外大各1(大)明大5 立命館大 早大各4 東京外大 同大各3 九大 慶大 北大 立教大各2 一橋大 茨城大 関西学大 京産大 広島大 甲南女大 ICU 鹿児島大 上智大 青学大 専大 中大 長崎大 東大 日女大各1 [理](院)神戸大1

【24年4月入社者の配属先】[総]勤務地:全国各地38 東京7 部署:<一般記者 運動記者 写真・映像記者 英文記者>全国支社局<グラフィック記者 校閲専門記者 編集職員 総合事務職員>本社各部 [技]勤務地:東京1 部署:<メディア・エンジニア>本社

[残業(月)] NA

[記者評価] 旧同盟通信の通信部門を引き継いで発足。加盟社・契約社の拠出金で運営する一般社団法人。新聞社、NHK、民放、海外メディアなどにニュースを配信。国内6支社・45支局体制。海外はNY、ロンドン、パリ、モスクワ、北京など主要41都市に拠点。電通の大株主。

●給与、ボーナス、週休、有休ほか●

【30歳総合職平均年収】NA【初任給】(大卒)<一般記者 運動記者 英文記者 写真・映像記者 技術職員>255,700円<校閲専門記者・編集職員>210,000円<総合事務職員>223,000円【ボーナス(年)】NA【25、30、35歳賃金】NA【週休】4週8休【夏期休暇】有休で取得【年末年始休暇】あり【有休取得】NA／30日

●従業員数、勤続年数、離職率ほか●

【男女別従業員数、平均年齢、平均勤続年数】計 1,536(NA) 男 1,140(NA) 女 396(NA)【離職率と離職者数】NA【3年後新卒定着率】90.5%(男100%、女81.0%、3年前入社:男21名・女21名)【組合】あり

[求める人材] 使命感とバイタリティを持って物事に挑むことができる人

[会社データ] (金額は百万円)

【本社】105-7201 東京都港区東新橋1-7-1 汐留メディアタワー
☎03-6252-8021 https://www.kyodonews.jp/
【社長】水谷 亨【設立】1945.11【今後力を入れる事業】ウェブ 動画等多メディア向けニュース配信

【業績(単独)】	経常収益
22.3	41,200
23.3	42,300
24.3	41,100

マスコミ

㈱時事通信社
じじつうしんしゃ

株式公開 計画なし

【特色】国内2大通信社の1つ。国内契約メディアは約140

修士・大卒採用数	3年後離職率	有休取得年平均	平均年収(平均43歳)
28名	22.7 → 20.4%	NA	NA

●エントリー情報と採用プロセス●

【受付開始～終了】㊗2月～4月 ㊕2月～3月【採用プロセス】㊗〈一般記者〉書類提出(2～3月)→作文(4月)→面接(複数回、5～6月)→内々定〈営業職〉書類提出(2～3月)→面接(複数回、4～5月)→内々定〈写真・英文〉書類提出(4月)→外国語試験(5月)→面接(複数回、5～6月)→内々定〈グラフィック〉書類提出(2～6月)→面接(複数回、6月)→内々定(6月) ㊕書類提出(2～3月)→面接(複数回、4月)→内々定

【交通費支給】2次面接以降、60km圏外在住者のみ新幹線・飛行機代等を実費

試験情報

重視科目 総技面接

総ES⇒巻末筆和文英訳(英文ライター)面複数回(Webあり)GD作⇒巻末 技ES⇒巻末筆NA面複数回

選考ポイント 総ES応募要件に合致しているか面コミュニケーション能力 心身のタフさ 時事問題の見識 技ES総合職共通面技術についての知識 協調性

通過率 総ES74%(受付:263→通過:194) 技ES100%(受付:2→通過:2)

倍率(応募/内定) 総8倍 技2倍

●男女別採用数と配属先ほか●

【男女・文理別採用実績】

	大卒男	大卒女	修士男	修士女
23年	29(文 25 理 4)	23(文 23 理 0)	2(文 2 理 0)	0(文 0 理 0)
24年	19(文 18 理 1)	24(文 23 理 1)	2(文 1 理 1)	3(文 3 理 0)
25年	11(文 11 理 0)	14(文 14 理 0)	2(文 2 理 0)	1(文 1 理 0)

【25年4月入社者の採用実績校】文(院)慶大 立命館大 同大各1(大)早大 日大各3 上智大 立教大各2 法政大 専大 北九州市大 慶大 同大 中大 獨協大 國學院大 成蹊大 関大 多摩美大 東京外大 大妻女大 産能大 神奈川大各1 理なし

【24年4月入社者の配属先】総勤務地:東京39 大阪3 さいたま1 福岡2 広島1 神戸1 部署:編集36 営業5 写真3 経理2 人事1 技勤務地:東京2 部署:システム2

残業(月) NA

記者評価 戦後、旧同盟通信の経済通信部門を引き継ぎ設立。全国紙、NHKなどの契約メディアにニュースを配信。個別面接方式の世論調査に定評。AFP、トムソン・ロイター等海外通信社と特約。企業向けに金融・証券情報の提供も。支社・総支局は国内60、海外24。電通の大株主。

●給与、ボーナス、週休、有休ほか●

【30歳総合職平均年収】NA【初任給】(大卒)270,500円【ボーナス(年)】NA【25、30、35歳賃金】NA【週休】2日(原則土日祝)【夏期休暇】有休で取得【年末年始休暇】12月29日～1月3日【有休取得】NA／20日

●従業員数、勤続年数、離職率ほか●

【男女別従業員数、平均年齢、平均勤続年数】計854(42.6歳 18.6年) 男623(45.6歳 21.5年) 女231(34.3歳 10.7年)【離職率と離職者数】NA【3年後新卒定着率】79.6%(男95.0%、女69.0%、3年前入社:男20名・女29名)【組合】あり

求める人材 柔軟な思考と行動力に富み、たゆまぬ自己啓発努力のできる人

会社データ (金額は百万円)

【本社】104-8178 東京都中央区銀座5-15-8
☎03-6800-1111 https://www.jiji.co.jp/
【社長】境 克彦【設立】1945.11【資本金】495【今後力を入れる事業】インターネットビジネス

【業績(単独)】	売上高	営業利益	経常利益	純利益
22.3	16,558	▲2,938	▲55,123	▲851
23.3	15,763	▲3,618	▲838	▲790
24.3	15,200	▲3,798	▲1,178	▲1,215

㈱KADOKAWA
カドカワ

東京P 9468

【特色】出版大手。傘下に「ニコニコ動画」のドワンゴ

修士・大卒採用数	3年後離職率	有休取得年平均	平均年収(平均42歳)
27名	7.1 → 3.6%	NA	総885万円

●エントリー情報と採用プロセス●

【受付開始～終了】㊗12月～1月【採用プロセス】㊗ES提出(12～1月)→適性検査・面接(4回、1～3月)→内々定(3月)
【交通費支給】なし【早期選考】⇒巻末

試験情報

重視科目 総面接

総ES⇒巻末筆SPI3(自宅)面4回(Webあり)

選考ポイント 総ES主体性・エンタメに対する向き合い方 面コンテンツへの視点 主体性 熱意 企画の戦略性 読書量 他

通過率 総ESNA(受付:4,500→通過:NA)

倍率(応募/内定) 総150倍

●男女別採用数と配属先ほか●

【男女・文理別採用実績】

	大卒男	大卒女	修士男	修士女
23年	4(文 4 理 0)	19(文 19 理 0)	3(文 2 理 1)	6(文 4 理 2)
24年	11(文 8 理 3)	25(文 22 理 3)	3(文 2 理 1)	2(文 2 理 0)
25年	2(文 2 理 0)	16(文 16 理 0)	6(文 2 理 4)	3(文 2 理 1)

【25年4月入社者の採用実績校】
文(院)一橋大 筑波大 東京芸大 慶大各1(大)阪大 東京外大 慶大 早大 上智大各2 東大 一橋大 お茶女大 津田塾大 明大 青学大 学習院大 実践女大各1 理(院)北大 東大 京大 名大 慶大各1

【24年4月入社者の配属先】
総勤務地:東京41 部署:編集20 アニメ2 実写3 海外2 営業5 宣伝5 ライツ1 デジタル2 イベント1

残業(月) 27.9時間 総27.9時間

記者評価 14年に動画投稿・共有サービス「ニコニコ動画」を運営するドワンゴと経営統合。ライトノベルに強み。書籍に加え、ゲームや映像作品、マーチャンダイジングなどメディアミックスを推進。映画配給も手がける。通信制高校向けにツール提供。

●給与、ボーナス、週休、有休ほか●

【30歳総合職平均年収】NA【初任給】(博士)280,000円(修士)280,000円(大卒)260,000円【ボーナス(年)】NA、5.3カ月【25、30、35歳賃金】NA【週休】完全2日(土日祝)【夏期休暇】有休付与5日【年末年始休暇】12月29日～1月4日【有休取得】NA／25日

●従業員数、勤続年数、離職率ほか●

【男女別従業員数、平均年齢、平均勤続年数】計2,164(41.6歳 3.7年) 男NA 女NA【離職率と離職者数】NA【3年後新卒定着率】96.4%(男90.0%、女100%、3年前入社:男10名・女18名)【組合】あり

求める人材 "好き"なモノ・コトがあり、創造力豊かな人

会社データ (金額は百万円)

【本社】102-8177 東京都千代田区富士見2-13-3
☎03-3238-8401 https://group.kadokawa.co.jp/
【社長】夏野 剛【設立】1954.4【資本金】40,624【今後力を入れる事業】グローバル デジタル 編集

【業績(連結)】	売上高	営業利益	経常利益	純利益
22.3	221,208	18,519	20,213	14,078
23.3	255,429	25,931	26,669	12,679
24.3	258,109	18,454	20,236	11,384

マスコミ

こうだんしゃ
(株)講談社

[株式公開していない]

【特色】業界を代表する総合出版社。デジタルにも注力

修士・大卒採用数	3年後離職率	有休取得年平均	平均年収(平均43歳)
28名	NA	NA	NA

●エントリー情報と採用プロセス●

【受付開始～終了】[総]11月～2月【採用プロセス】[総]ES提出→筆記→1次面接(オンライン)→2次面接→3次面接→総務面談(オンライン)→4次面接→内々定【交通費支給】2次面接以降、会社基準

試験情報

重視科目 [総]面接

[総][ES]⇒巻末[筆]SPI3(会場) OPQ[面]4回(Webあり)[GD作]⇒巻末

選考ポイント [総][ES]求める人材と合致しているか[面]NA

通過率 [総][ES]45%(受付:3,592→通過:1,631)

倍率(応募/内定) [総]128倍

●男女別採用数と配属先ほか●

【男女・文理別採用実績】

	大卒男	大卒女	修士男	修士女
23年	8(文 8理 0)	13(文 13理 0)	3(文 1理 2)	3(文 2理 1)
24年	4(文 4理 0)	11(文 10理 1)	4(文 1理 3)	3(文 2理 1)
25年	4(文 4理 0)	18(文 18理 0)	2(文 2理 0)	4(文 2理 2)

【25年4月入社者の採用実績校】
[文](院)東京外大2 一橋大 京大各1(大)慶大 早大各3 筑波大 法政大 京大 お茶女大各2 上智大 明大 東洋大 神戸大 一橋大 ICU 中大 東大各1 [理](院)北大 筑波大各1

【24年4月入社者の配属先】
[総]勤務地:東京22 部署:編集13 校閲2 営業7

残業(月) NA

記者評価 野間清治が1909年に設立した大日本雄弁会が前身。「少年倶楽部」など大衆雑誌を創刊。「おもしろくて、ためになる」をテーマに多様なジャンルの雑誌・書籍などを出版。海外展開加速。傘下に光文社、一迅社、キングレコードなど擁し音羽グループを形成。

●給与、ボーナス、週休、有休ほか●

【30歳総合職平均年収】NA【初任給】(博士)NA(修士)NA(大卒)268,260円【ボーナス(年)】NA【25、30、35歳モデル賃金】NA→368,650円→434,400円【週休】完全2日(土日祝)【夏期休暇】あり【年末年始休暇】あり【有休取得】NA/20日

●従業員数、勤続年数、離職率ほか●

【男女別従業員数、平均年齢、平均勤続年数】計 953(42.9歳 17.8年) 男 591(44.2歳 18.5年) 女 362(40.8歳 16.7年)【離職率と離職者数】NA【3年後新卒定着率】NA【組合】あり

求める人材 「ものがたり」のおもしろさを追い求め続けられる人

会社データ (金額は百万円)

【本社】112-8001 東京都文京区音羽2-12-21
☎03-3945-1111 https://www.kodansha.co.jp/
【社長】野間 省伸【設立】1909.11【資本金】300【今後力を入れる事業】NA

【業績(単独)】	売上高	営業利益	経常利益	純利益
22.3	170,700	NA	NA	NA
23.3	169,400	NA	NA	NA
24.3	172,000	NA	NA	NA

とうようけいざいしんぽうしゃ
(株)東洋経済新報社

[株式公開計画なし]

【特色】1895年創業の経済出版社。一貫して自由主義貫く

修士・大卒採用数	3年後離職率	有休取得年平均	平均年収(平均42歳)
6名	10.0→0%	12.8日	[総]1,043万円

●エントリー情報と採用プロセス●

【受付開始～終了】[総]11月～3月【採用プロセス】[総]ES提出(11月～)→書類選考(12月～)→1次選考(1月)→2次選考(2月～、3月～)→最終選考(3月～)※職種により時期・選考フローは異なる。筆記試験・GDを実施する職種あり【交通費支給】対面実施の選考、遠方者(会社基準):実費相当(新幹線代、航空券代 他)

試験情報

重視科目 [総]面接 筆記 ES

[総][ES]⇒巻末[筆]WebGAB OPQ(最終面接受験者のみ)[面]3～4回(Webあり)[GD作]⇒巻末

選考ポイント [総][ES]自分の言葉で述べているか 求める人物像と合致するか 当社に対する熱意 志望度[面]能力的要素 性格的要素 動機・意欲 態度 総合的人物要素

通過率 [総][ES]71%(受付:195→通過:138)

倍率(応募/内定) [総]33倍

●男女別採用数と配属先ほか●

【男女・文理別採用実績】

	大卒男	大卒女	修士男	修士女
23年	1(文 1理 0)	2(文 2理 0)	0(文 0理 0)	2(文 2理 0)
24年	1(文 1理 0)	3(文 2理 1)	0(文 0理 0)	1(文 1理 0)
25年	0(文 0理 0)	3(文 3理 0)	2(文 1理 1)	1(文 1理 0)

【25年4月入社者の採用実績校】
[文](院)京大 筑波大各1(大)早大2 東大1 [理](院)京大1

【24年4月入社者の配属先】
[総]勤務地:本社(東京)5 部署:記者・編集者2 デジタルマーケティング1 広告制作ディレクター1 データビジネス1

残業(月) 24.2時間 [総]24.2時間

記者評価 首相を輩出した唯一の出版社。雑誌・書籍、企業データ、オンライン媒体、セミナーなどを展開。「週刊東洋経済」は創刊129年、「会社四季報」は同88年。「業界地図」「就職四季報」なども発行。「東洋経済オンライン」のPVはビジネス系サイトでトップ級。

●給与、ボーナス、週休、有休ほか●

【30歳総合職平均年収】729万円【初任給】(修士)295,410円(大卒)280,030円【ボーナス(年)】(組合員)249万円、(組合員)6.12カ月【25、30、35歳モデル賃金】303,100円→373,350円→462,800円【週休】完全2日(土日祝)【夏期休暇】3日【年末年始休暇】12月28日～1月3日【有休取得】12.8/20日

●従業員数、勤続年数、離職率ほか●

【男女別従業員数、平均年齢、平均勤続年数】計 322(41.6歳 13.4年) 男 208(43.9歳 14.9年) 女 114(37.4歳 10.7年)【離職率と離職者数】3.9%、13名【3年後新卒定着率】100%(男100%、女100%、3年前入社:男4名・女5名)【組合】あり

求める人材 時代感覚に富み、柔軟で行動力のある人

会社データ (金額は百万円)

【本社】103-8345 東京都中央区日本橋本石町1-2-1 東洋経済ビル
☎03-3246-5410 https://toyokeizai.net/
【社長】田北 浩章【設立】1921.11【資本金】100【今後力を入れる事業】デジタルメディア データベース 書籍事業

【業績(単独)】	売上高	営業利益	経常利益	純利益
21.9	12,046	1,245	1,249	963
22.9	11,586	813	825	604
23.9	11,269	584	608	453

(株)医学書院（いがくしょいん）

株式公開 計画なし

【特色】医学・看護分野の総合出版社。同分野で最大手

修士・大卒採用数	3年後離職率	有休取得年平均	平均年収(平均44歳)
2名	0→0%	17.2日	NA

残業(月) 16.5時間 [総]16.5時間

記者評価 医学関連の専門書出版。医師、歯科医師、看護師、薬剤師、臨床検査技師、理学・作業療法士向けなど多岐。主力の「標準シリーズ」は医学生の大半が購読。59年初版「今日の治療指針」は医療関係者が愛読。「系統看護学講座」も高シェア。電子出版にも取り組む。

●エントリー情報と採用プロセス●

【受付開始～終了】[総]3月～3月【採用プロセス】[総]ES提出(3月)→筆記(4月)→面接(4月)→筆記(5月)→面接(4月)→面接(5月)→内々定(5月)【交通費支給】最終選考以降、主要ターミナル基準に新幹線・飛行機代(北海道の人は空港まで等)を支給

試験情報

重視科目 [総]全て

[総][ES]NA[筆]一般常識 Web-DBIT・DPI 国語 英語[面]3回(Webあり)[GD作]NA

選考ポイント [総][ES]NA(提出あり)[面]NA

通過率 [総][ES]78%(受付:129→通過:100)

倍率(応募/内定) [総]65倍

●男女別採用数と配属先ほか●

【男女・文理別採用実績】

	大卒男	大卒女	修士男	修士女
23年	0(文 0理 0)	0(文 0理 0)	0(文 0理 0)	0(文 0理 0)
24年	0(文 0理 0)	2(文 2理 0)	0(文 0理 0)	0(文 0理 0)
25年	0(文 0理 0)	1(文 0理 1)	1(文 0理 1)	0(文 0理 0)

【25年4月入社者の採用実績校】
[文]なし [理](院)北里大1(大)阪大1

【24年4月入社者の配属先】
[総]勤務地:東京2 部署:編集2

●給与、ボーナス、週休、有休ほか●

【30歳総合職平均年収】NA【初任給】(博士)305,880円(修士)305,880円 (大卒)305,880円【ボーナス(年)】NA【25、30、35歳賃金】NA【週休】完全2日(土日祝)【夏期休暇】連続6日【年末年始休暇】12月29日～1月5日【有休取得】17.2／20日

●従業員数、勤続年数、離職率ほか●

【男女別従業員数、平均年齢、平均勤続年数】計 236(44.0歳 17.1年) 男 161(43.7歳 16.3年) 女 75(44.8歳 18.7年)【離職率と離職者数】1.7%、4名【3年後新卒定着率】100%(男100%、女100%、3年前入社:男1名・女1名)【組合】あり

求める人材 無から有を作り出す創造的な仕事に取り組む意欲のある人

会社データ (金額は百万円)

【本社】113-8719 東京都文京区本郷1-28-23
☎03-3817-5600 https://www.igaku-shoin.co.jp/
【社長】金原 俊【設立】1944.8【資本金】75【今後力を入れる事業】医学および看護・介護領域の専門書籍・雑誌の出版

【業績(単独)】	売上高	営業利益	経常利益	純利益
21.10	10,866	398	611	354
22.10	10,428	35	219	151
23.10	9,886	▲552	30	43

学研グループ（がっけん）

東京P 9470

【特色】塾・教室、学参・児童書など出版。医療福祉も柱

修士・大卒採用数	3年後離職率	有休取得年平均	平均年収(平均NA)
145名	NA	NA	◇895万円

残業(月) NA

記者評価 学習参考書や児童書で首位。eラーニング教材も拡充。学研教室に加え、学習塾を全国展開。保育園運営など子ども向け事業に加え、近年は高齢者向け事業が急成長。市進HD子会社化やポプラ社との提携などアライアンスやM&Aにも積極的。ベトナムでの展開も強化中。

●エントリー情報と採用プロセス●

【受付開始～終了】[総]3月～継続中【採用プロセス】[総]ES提出(3～4月)→Webテスト・筆記・面接他(複数回、6月)→内々定(6月末)【交通費支給】最終面接、会社基準

試験情報

重視科目 [総]面接 ES

[総][ES]⇒巻末[筆]一般常識[面]2～3回(Webあり)[GD作]NA

選考ポイント [総][ES]志望動機 求める人財像に合致しているか 他(グループ各社により異なる)[面]志望動機 求める人財像であるか 他

通過率 [総][ES]NA **倍率(応募/内定)** [総]NA

●男女別採用数と配属先ほか●

【男女・文理別採用実績】

	大卒男	大卒女	修士男	修士女
23年	80(文 70理 10)	150(文130理 20)	8(文 4理 4)	8(文 4理 4)
24年	69(文 64理 5)	125(文119理 6)	3(文 1理 2)	3(文 2理 1)
25年	43(文 37理 6)	98(文 85理 13)	2(文 0理 2)	2(文 2理 0)

【25年4月入社者の採用実績校】[文](院)慶大 東京外大各1(大)早大 東大 上智大 神奈川大 文教大各3 立命館大 慶大 宮崎公大 松山大 日大 聖徳大 目白大 大妻女大 鶴見大 帝京大各2 青学大 大阪成蹊大 近大 佛教大 東京通信大 京都橘大 西南学大 福岡教大 一橋大 武蔵野美大 同大 九大 横国大 下関市大 東洋大 日体大 お茶女大 多摩大 白梅学大 龍谷大 上武大 相模女大 武蔵野大 岐阜女大 帝塚山大 山梨英和大 活水女大 愛知淑徳大 広島市大 九州女大 京都造芸大 法政大 大阪国際大 岩手県大 志學館大 神田外語大 中大 成蹊大 帝京平成大 東北福祉大 同女大 東海大 南山大 拓大 明学大 成城大 実践女大 京都精華大 二松学舎大 北星学大 長崎県大 駒沢女大 関西国際大 名古屋芸大 藤女大 神戸学大 熊本学大 長崎国際大 人間環境大 ルーテル学大 日本福祉大 久留米大 福岡大 阪南大 川崎医療福祉大 大正大 広島修道大 昭和女大 松山東雲女大 安田女大 創価大 白百合女大 東京家政学大 京都ノートルダム女大 東京未来大 関西学大 長崎純心大 日女大 和光大 こども教育宝仙大 長野県大 立正大 埼玉学大 作新学大 東京家政大 十文字学女大 弘前大各1 他 [理](院)慶大 工学院大 東北工大各1(大)関西学大 十文字学女大各2 静岡大 熊本大 横浜市大 東京農工大 東京女体大 島根県大 神奈川県保健福祉大 近大 共立女大 東京医療保健大 日女大 女子栄養大 東京家政大 専大 日大各1 他

【24年4月入社者の配属先】[総]NA

●給与、ボーナス、週休、有休ほか●

【30歳総合職平均年収】NA【初任給】(大卒)260,000円【ボーナス(年)】NA【25、30、35歳賃金】NA【週休】完全2日(主要会社のみ土日祝)【夏期休暇】連続5日【年末年始休暇】連続7日【有休取得】NA／20日

●従業員数、勤続年数、離職率ほか●

【男女別従業員数、平均年齢、平均勤続年数】NA【離職率と離職者数】NA【3年後新卒定着率】NA【組合】あり

求める人材 既存のモノに新しい価値を「+」すること 変化を恐れず挑戦し続けること

会社データ (金額は百万円)

【本社】141-8510 東京都品川区西五反田2-11-8
☎03-6431-1001 https://www.gakken.co.jp/
【社長】宮原 博昭【設立】1947.3【資本金】19,817【今後力を入れる事業】高齢者福祉事業 DX事業 グローバル事業

【業績(連結)】	売上高	営業利益	経常利益	純利益
21.9	150,288	6,239	6,126	2,617
22.9	156,032	6,427	6,929	3,440
23.9	164,116	6,170	6,477	3,194

※採用情報はグループ全体のもの、その他注記のないデータは(株)学研ホールディングスのもの

▶『業界地図』p.217,294…

東京書籍㈱（とうきょうしょせき）

株式公開 計画なし

【特色】教科書出版大手。小・中・高校の教科書で首位

修士・大卒採用数	3年後離職率	有休取得年平均	平均年収(平均42歳)
7名	11.1→0%	16.3日	NA

残業(月) 26.4時間

記者評価 凸版印刷の子会社。売上の約7割を教科書が占める。学習教材や指導用教材、参考書ほか一般書籍、ICT教材も発行。日本語検定にも携わる。高校英語教育の質的向上を目的にブリティッシュ・カウンシルと提携。鎌倉時代からの教育資料16万点所蔵の「東書文庫」運営。

●エントリー情報と採用プロセス●

【受付開始～終了】㊣3月～4月【採用プロセス】㊣ES提出→Webテスト→面接(3回)・筆記→内々定(6月)【交通費支給】最終面接、会社基準により実費

試験情報

重視科目 ㊣面接

㊣ES⇒巻末 筆あり(内容NA) 面3回(Webあり) GD作 NA

選考ポイント ㊣ES NA(提出あり) 面コミュニケーション能力 他

通過率 ㊣ES 53%(受付:1,206→通過:634)

倍率(応募/内定) ㊣172倍

●給与、ボーナス、週休、有休ほか●

【30歳総合職平均年収】NA【初任給】(修士)278,000円(大卒)263,000円【ボーナス(年)】(組合員)218万円、(組合員)5.9カ月【25、30、35歳賃金】NA【週休】完全2日(土日祝)【夏期休暇】5日【年末年始休暇】12月29日～1月4日【有休取得】16.3／20日

●従業員数、勤続年数、離職率ほか●

【男女別従業員数、平均年齢、平均勤続年数】計 483(41.6歳 15.6年) 男 352(42.8歳 16.7年) 女 131(38.2歳 12.9年)【離職率と離職者数】0.6%、3名【3年後新卒定着率】100%(男100%、女100%、3年前入社:男6名・女3名)【組合】あり

●男女別採用数と配属先ほか●

【男女・文理別採用実績】

	大卒男	大卒女	修士男	修士女
23年	2(文 2理 0)	11(文 11理 0)	2(文 2理 0)	2(文 1理 1)
24年	7(文 5理 2)	8(文 7理 1)	4(文 3理 1)	2(文 1理 1)
25年	2(文 2理 0)	2(文 2理 0)	2(文 1理 1)	1(文 1理 0)

【25年4月入社者の採用実績校】
文(24年)(院)阪大 早大 横国大 学習院大各1(大)早大3 東大2 東北大 北大 千葉大 三重大 立命館大 立教大 中大各1 理(24年)(院)東大 京大各1(大)阪大 筑波大 法政大各1

【24年4月入社者の配属先】
㊣勤務地:東京18 北海道1 宮城1 大阪1 部署:営業5 編集7 デジタル制作7 日本語検定1 管理1

求める人材 コミュニケーション能力があり、人から信頼を得られる人物

会社データ (金額は百万円)

【本社】114-8524 東京都北区堀船2-17-1
☎03-5390-7200　https://www.tokyo-shoseki.co.jp/
【社長】渡辺 能理夫【設立】1909.10【資本金】80【今後力を入れる事業】ICT データ分析 評価事業

【業績(単独)】	売上高	営業利益	経常利益	純利益
21.8	29,304	2,663	2,910	2,489
22.8	24,951	106	247	9
23.8	25,991	56	280	401

㈱文溪堂（ぶんけいどう）

名古屋M 9471

【特色】学校図書・教材で首位級。小学生向けが主力

修士・大卒採用数	3年後離職率	有休取得年平均	平均年収(平均41歳)
6名	0→0%	NA	㊣660万円

残業(月) NA

記者評価 小学生向けに学力テストやドリルなど学習教材を制作・販売する。岐阜、東京の2本社制。裁縫セットなどの教具も手がける。絵本「バムとケロ」シリーズはロングセラー。英語のコミュニケーション力を測る教材を拡販。デジタル教材にも注力。好財務。

●エントリー情報と採用プロセス●

【受付開始～終了】㊣3月～4月【採用プロセス】㊣ES・履歴書提出(3～4月)→1次面接(4月中旬)→2次面接・筆記(5月中旬)→3次面接(5月下旬)→内々定【交通費支給】2次面接、実費

試験情報

重視科目 ㊣面接

㊣ES⇒巻末 筆一般常識 SHL 面3回 GD作⇒巻末

選考ポイント ㊣ES志望動機に説得力があるか やりたい事に説得力があるか エピソード内容に説得力があるか 必要なことが盛り込まれているか 誤字脱字はないか 面自分の考えを正直に語っているか コミュニケーション能力はあるか 文溪堂に入社してやりたいことが明確か

通過率 ㊣ES NA(受付:377→通過:NA)

倍率(応募/内定) ㊣54倍

●給与、ボーナス、週休、有休ほか●

【30歳総合職平均年収】600万円【初任給】(大卒)218,000円【ボーナス(年)】NA【25、30、35歳賃金】NA【週休】2日(年数回土曜出勤)【夏期休暇】連続7～10日【年末年始休暇】連続7～9日【有休取得】NA／20日

●従業員数、勤続年数、離職率ほか●

【男女別従業員数、平均年齢、平均勤続年数】計 207(41.7歳 14.2年) 男 110(41.1歳 13.8年) 女 97(42.3歳 14.3年) ※従業員数に無期雇用者含む【離職率と離職者数】3.3%、7名【3年後新卒定着率】100%(男100%、女100%、3年前入社:男2名・女2名)【組合】なし

●男女別採用数と配属先ほか●

【男女・文理別採用実績】

	大卒男	大卒女	修士男	修士女
23年	2(文 2理 0)	2(文 2理 0)	0(文 0理 0)	0(文 0理 0)
24年	1(文 1理 0)	1(文 1理 0)	0(文 0理 0)	0(文 0理 0)
25年	1(文 0理 1)	4(文 4理 0)	1(文 1理 0)	0(文 0理 0)

【25年4月入社者の採用実績校】
文(院)鳴門教大1(大)法政大 南山大 名古屋外大 長崎大各1 理(大)三条市大1

【24年4月入社者の配属先】
㊣勤務地:岐阜本社2 部署:編集部2

求める人材 元気で明るく一生懸命に取り組んでいける人 協調性がありチームワークを大切にできる人 失敗を恐れず困難にも積極的に立ち向かっていける人 子どもの目線を持って自由で豊かな発想ができる人

会社データ (金額は百万円)

【本社】501-6297 岐阜県羽島市江吉良町江中7-1
☎058-398-1111　https://www.bunkei.co.jp/
【社長】水谷 泰三【設立】1953.12【資本金】1,917【今後力を入れる事業】ICT事業 市販図書

【業績(連結)】	売上高	営業利益	経常利益	純利益
22.3	13,197	1,153	1,216	774
23.3	12,750	1,068	1,126	704
24.3	12,871	986	1,049	687

開示 ★★☆☆☆ ▶『業界地図』p.210,212… 340

(株)サイバーエージェント

東京P 4751

【特色】ネット広告代理、ゲームが柱。「ABEMA」を育成

修士・大卒採用数	3年後離職率	有休取得年平均	平均年収(平均34歳)
287名	NA	NA	806万円

●エントリー情報と採用プロセス●

【受付開始～終了】[総][技]通年【採用プロセス】[総]GW→面接(2回)→GW→面接(複数回)→内々定 [技]ES提出→面接・選考(複数回)→役員面接→内々定【交通費支給】インターンシップ・最終面接、遠方者は個別相談

試験情報

重視科目 [総][技]面接

[総][筆]なし[面]5回(Webあり)[GD作]NA [技][ES]NA[筆]SPI性格[面]3～4回(Webあり)

選考ポイント [総][面]人間性 主体的行動力 チームワーク 成長性 論理的思考 [技][ES]NA(提出あり)[面]人間性 主体的行動力 チームワーク 成長性 論理的思考 技術やサービス開発に対する好奇心、探究心

通過率 [総][ES]—(応募:NA) [技][ES]NA

倍率(応募/内定) [総][技]NA

●男女別採用数と配属先ほか●

【男女・文理別採用実績】

	大卒男	大卒女	修士男	修士女
23年	137(文 93理 44)	95(文 86理 9)	49(文 6理 43)	5(文 3理 2)
24年	165(文 41理124)	105(文 98理 7)	62(文 3理 59)	7(文 3理 4)
25年	124(文 74理 50)	118(文115理 3)	37(文 3理 34)	8(文 3理 5)

※25年:予定数

【25年4月入社者の採用実績校】

[文]NA [理]NA

【24年4月入社者の配属先】

[総]勤務地:東京 大阪 部署:インターネット広告事業 メディア事業 ゲーム事業 その他新規事業 他 [技]勤務地:東京 大阪 部署:アドテクノロジー事業 メディア事業 ゲーム事業 その他新規事業

残業(月) NA

記者評価 ネット広告代理店大手。営業中心だが、エンジニアや制作部隊も拡充。AIに強い。収益柱はネット広告運用とスマホゲーム。ネットテレビ局「ABEMA」の育成にも注力。子会社のサイゲームスで「ウマ娘」が大ヒット。子会社社長や役員など若手の抜擢人事に積極的。

●給与、ボーナス、週休、有休ほか●

【30歳総合職平均年収】NA【初任給】(博士)420,000円(修士)420,000円 (大卒)420,000円【ボーナス(年)】NA【25、30、35歳賃金】NA【週休】完全2日(土日祝)【夏期休暇】3日【年末年始休暇】12月29日～1月3日【有休取得】NA/20日

●従業員数、勤続年数、離職率ほか●

【男女別従業員数、平均年齢、平均勤続年数】計 2,225(33.9歳 5.5年) 男 1,473(34.6歳 5.5年) 女 752(32.5歳 5.4年)【離職率と離職者数】7.9%、NA【3年後新卒定着率】NA【組合】なし

求める人材 素直でいい人

会社データ (金額は百万円)

【本社】150-0042 東京都渋谷区宇田川町40-1 Abema Towers
☎03-5459-0202 https://www.cyberagent.co.jp/
【社長】藤田 晋【設立】1998.3【資本金】7,416【今後力を入れる事業】メディア事業(ABEMA)

【業績(連結)】	売上高	営業利益	経常利益	純利益
21.9	666,460	104,381	104,694	41,553
22.9	710,575	69,114	69,464	24,219
23.9	720,207	24,557	24,915	5,332

スカパーJSAT(株)

持株会社傘下

【特色】衛星通信事業とCS放送「スカパー!」が柱

修士・大卒採用数	3年後離職率	有休取得年平均	平均年収(平均44歳)
26名	0→8.3%	14.8日	[総]1,025万円

●エントリー情報と採用プロセス●

【受付開始～終了】[総][技]NA【採用プロセス】[総][技]ES・Webテスト→面接(複数回、途中筆記あり)→内々定【交通費支給】3次面接以降、会社基準(往復規定額)

試験情報

重視科目 [総][技]面接

[総][技][ES]⇒巻末[筆]あり(内容NA)[面]複数回(Webあり)

選考ポイント [総][技][ES]NA(提出あり)[面]NA

通過率 [総][技][ES]NA

倍率(応募/内定) [総][技]NA

●男女別採用数と配属先ほか●

【男女・文理別採用実績】

	大卒男	大卒女	修士男	修士女
23年	3(文 2理 1)	6(文 5理 1)	13(文 0理 13)	1(文 0理 1)
24年	4(文 3理 1)	4(文 3理 1)	9(文 0理 9)	2(文 0理 2)
25年	5(文 4理 1)	4(文 4理 0)	15(文 0理 15)	2(文 0理 2)

【25年4月入社者の採用実績校】

[文](大)慶大3 学習院大 早大 同大 法政大 明大各1 [理](院)九大 横国大 九州工大各2 京大 東京科学大 東理大 名大 東北大 首都大 千葉大 筑波大 電通大 東海大 日大各1(大)北大1

【24年4月入社者の配属先】

[総]勤務地:赤坂本社 11 部署:経営管理部門3 メディア事業部門3 宇宙事業部門5 [技]勤務地:東京(本社2 江東1)横浜5 部署:メディア事業部門1 宇宙事業部門7

残業(月) 38.6時間 [総]38.6時間

記者評価 有料放送「スカパー!」など提供。プロ野球中継は12球団網羅に強み。動画配信の台頭で会員数は減少傾向。保有する放送設備を活用した事業も開始し収益多角化。収益柱の宇宙事業は放送事業者や企業などに通信サービス提供。防衛需要の高まりが追い風。

●給与、ボーナス、週休、有休ほか●

【30歳総合職平均年収】NA【初任給】(修士)320,000円(大卒)300,000円【ボーナス(年)】NA、5.0カ月【25、30、35歳賃金】NA【週休】完全2日(土日祝)【夏期休暇】有休奨励日あり【年末年始休暇】12月29日～1月3日【有休取得】14.8/24日

●従業員数、勤続年数、離職率ほか●

【男女別従業員数、平均年齢、平均勤続年数】計 764(43.7歳 15.9年) 男 580(44.6歳 16.4年) 女 184(41.0歳 14.3年)【離職率と離職者数】3.0%、24名(早期退職男4名含む)【3年後新卒定着率】91.7%(男87.5%、女100%、3年前入社:男16名・女8名)【組合】なし

求める人材 「挑戦心」「共創心」を持つ人物

会社データ (金額は百万円)

【本社】107-0052 東京都港区赤坂1-8-1 赤坂インターシティAIR
☎03-5571-7800 https://www.skyperfectjsat.space/
【社長】米倉 英一【設立】1994.11【資本金】50,083【今後力を入れる事業】宇宙事業 メディア事業 新規事業

【業績(連結)】	売上高	営業利益	経常利益	純利益
22.3	119,632	18,862	20,307	14,579
23.3	121,139	22,324	23,194	15,810
24.3	121,872	26,545	27,128	17,739

※業績は(株)スカパーJSATホールディングスのもの

開示 ★★★☆☆ ▶『業界地図』p.120,210… 2597

ソニーミュージックグループ

株式公開していない

【特色】ソニーグループ。広範な音楽事業を担う

修士・大卒採用数	3年後離職率	有休取得年平均	平均年収(平均NA)
65名	2.4 → 0%	NA	NA

●エントリー情報と採用プロセス●

【受付開始～終了】㊗技2月～3月【採用プロセス】㊗技ES・EM提出(2月)→適性検査(3月)→面接(複数回)→内々定(6月)【交通費支給】NA

試験情報

重視科目 総技NA

総技ES⇒巻末筆あり(内容NA)面複数回

選考ポイント 総技ES日常生活で、主体的に行動できているか エンタテインメントへの興味・探求心があるか面今後のビジョンを自分の言葉で表現し、何事にも情熱をもって挑戦できるか エンタテインメントへの好奇心や探求心をもっているか

通過率 総技ES NA

倍率(応募/内定) 総技NA

●男女別採用数と配属先ほか●

【男女・文理別採用実績】

	大卒男	大卒女	修士男	修士女
23年	NA(文NA 理NA)	NA(文NA 理NA)	NA(文NA 理NA)	NA(文NA 理NA)
24年	NA(文NA 理NA)	NA(文NA 理NA)	NA(文NA 理NA)	NA(文NA 理NA)
25年	NA(文NA 理NA)	NA(文NA 理NA)	NA(文NA 理NA)	NA(文NA 理NA)

※グループ一括採用 25年:65名採用

【25年4月入社者の採用実績校】

文NA 理NA

【24年4月入社者の配属先】

総勤務地:東京 部署:宣伝 マーケティング ファンクラブ運営 グッズ制作 イベント運営 ECサイト運営 デザイン システム 知的財産 経理 人事 技NA

残業(月) NA

記者評価 旧CBS・ソニーレコード。総合エンタメ企業として多角的に展開。マーケティング、タイアップ、アーティスト・タレント・クリエーターの登録・育成に豊富なノウハウ。有力アーティストやタレントを多数抱える。デジタルコンテンツ、ライブエンタメなど注力。

●給与、ボーナス、週休、有休ほか●

【30歳総合職平均年収】NA【初任給】(修士)(年俸制)4,270,800円 (大卒)(年俸制)4,270,800円【ボーナス(年)】NA【25、30、35歳賃金】NA【週休】2日(土日祝)【夏期休暇】リフレッシュ休暇で取得【年末年始休暇】12月30日～1月4日【有休取得】NA／(初年度)15日

●従業員数、勤続年数、離職率ほか●

【男女別従業員数、平均年齢、平均勤続年数】計 4,700(NA) 男 NA 女 NA【離職率と離職者数】NA【3年後新卒定着率】100%(男100%、女100%、3年前入社:男14名・女25名)【組合】なし

求める人材 情熱をもって、未来を自ら切り開いていける人

会社データ (金額は百万円)

【本社】102-8353 東京都千代田区六番町4-5 SME六番町ビル
☎03-3515-5050　https://www.sonymusic.co.jp/
【社長】村松 俊亮【設立】1968.3【資本金】100【今後力を入れる事業】NA

【業績(連結)】	売上高	営業利益	経常利益	純利益
22.3	358,288	NA	NA	NA
23.3	362,159	NA	NA	NA
24.3	400,295	NA	NA	NA

※会社データは㈱ソニー・ミュージックエンタテインメントのもの

マスコミ

メーカー
（電機·自動車·機械）

電機・事務機器　電子部品・機器
住宅・医療機器他　自動車　自動車部品
輸送用機器　機械

白物·生活家電

人口減少が続く国内市場は縮小傾向。コスト競争力に優れた中国勢が本格参入し、シェア争奪戦が激化しそうだ

電子部品

ＥＶシフトは失速気味だが、ＡＤＡＳ等で自動車の電子部品搭載数は伸長。伸び悩むスマホは生成ＡＩ搭載型に期待

自動車（国内）

半導体不足の解消と円安効果で業績は好調だが、国内市場は成熟しており伸び悩む。相次ぐ認証不正の影響も

自動車部品

新車生産回復や円安が追い風。ただ完成車メーカーよりも利益率の改善幅は小さく、一段の価格転嫁が求められる

建設機械

安定している公共投資や民間設備の投資計画が追い風。部品・部材の納入遅れ改善や、為替の円安も寄与する見通し

工作機械

設備投資の需要は２０２４年度後半にかけ、緩やかに回復へ。自動化や省人化のソリューション提案で各社の競争激化

（天気図は24年度後半⇒25年度、続きは東洋経済『会社四季報業界地図 2025年版』で）

開示 ★☆☆☆☆ ▶『業界地図』p.14, 20, 42… 497

㈱日立製作所

ひたちせいさくしょ

[東京P] 6501

【特色】総合電機で国内トップ。社会インフラに注力

修士・大卒採用数	3年後離職率	有休取得年平均	平均年収(平均43歳)
730名	NA	18.0日	◇936万円

残業(月) 7.2時間 [総]9.0時間

記者評価 09年の巨額赤字を機に総花的経営と決別し、社会インフラ関連サービスなどに集中。米IT企業など買収も活用。データ活用ビジネス「ルマーダ」を成長戦略の柱に事業の選択と集中を進め、欧米ライバルをしのぐ高収益企業に。成果主義に近いジョブ型雇用を推進。

●エントリー情報と採用プロセス●

【受付開始～終了】[総][技]3月～継続中【採用プロセス】[総]ES提出→Webテスト→面接(複数回)→内々定 [技]ES提出・Webテスト→ジョブマッチング面接(複数回)→内々定※面接はマッチング単位別に実施 複数分野を希望順に応募可【交通費支給】あり

試験情報

重視科目 [総]面接 [技]ジョブマッチング面接

[総][技][ES]NA[筆]あり(内容NA)[面]複数回(Webあり)[GD作]NA

選考ポイント [総][技][ES]NA(提出あり)[面]NA

通過率 [総][技][ES]NA

倍率(応募/内定) [総][技]NA

●男女別採用数と配属先ほか●

【男女・文理別採用実績】

	大卒男	大卒女	修士男	修士女
23年	NA(文NA 理NA)	NA(文NA 理NA)	NA(文NA 理NA)	NA(文NA 理NA)
24年	NA(文NA 理NA)	NA(文NA 理NA)	NA(文NA 理NA)	NA(文NA 理NA)
25年	NA(文NA 理NA)	NA(文NA 理NA)	NA(文NA 理NA)	NA(文NA 理NA)

※23年:600名 24年:660名 25年:730名採用予定

【25年4月入社者の採用実績校】

[文]北大 東北大 東大 名大 京大 阪大 九大 一橋大 神戸大 早大 慶大 同大 他 [理]北大 東北大 東大 東京科学大 名大 京大 阪大 九大 神戸大 早大 慶大 東理大 他

【24年4月入社者の配属先】

[総]勤務地:東京 神奈川 茨城 他全国 部署:営業 システムエンジニア 調達 経理財務 人事 法務 事業企画 他 [技]勤務地:東京 神奈川 茨城 他全国 部署:研究開発 設計開発 システムエンジニア 生産技術 品質保証 営業技術 知的財産マネジメント

●給与、ボーナス、週休、有休ほか●

【30歳総合職平均年収】NA【初任給】(修士)275,000円(大卒)250,000円【ボーナス(年)】NA、6.17カ月【25、30、35歳賃金】NA【週休】完全2日(土日祝)【夏期休暇】5日(夏季の有休一斉取得期間で取得)【年末年始休暇】12月31日～1月3日【有休取得】18.0／24日

●従業員数、勤続年数、離職率ほか●

【男女別従業員数、平均年齢、平均勤続年数】計 ◇28,111(42.9歳 19.1年) 男 NA 女 NA【離職率と離職者数】NA【3年後新卒定着率】NA【組合】あり

求める人材 自らの知識、経験を駆使し、お客様や社会の課題に対し新しい価値を創り出せる人財

会社データ (金額は百万円)

【本社】100-8280 東京都千代田区丸の内1-6-6

☎03-3258-1111 https://www.hitachi.co.jp/

【社長】小島 啓二【設立】1920.2【資本金】464,384【今後力を入れる事業】社会イノベーション事業

【業績(IFRS)】	売上高	営業利益	税前利益	純利益
22.3	10,264,602	782,625	839,333	583,470
23.3	10,881,150	805,324	819,971	649,124
24.3	9,728,716	775,285	825,801	589,896

三菱電機㈱

みつびしでんき

[東京P] 6503

【特色】総合電機大手。工場向け制御装置を軸に安定的

修士・大卒採用数	3年後離職率	有休取得年平均	平均年収(平均41歳)
850名	4.6→6.0%	18.9日	[総]929万円

残業(月) 25.0時間

記者評価 防衛関連から、空調などの白物家電まで幅広く手がける。BtoB事業が主体で稼ぎ頭はシーケンサーなどのFAシステム。昇降機や人工衛星、業務用空調機、パワー半導体が強い。近年は労務問題に続いて品質検査不正が発覚。組織風土の改革急ぐ。

●エントリー情報と採用プロセス●

【受付開始～終了】[総][技]3月～継続中【採用プロセス】[総]ES提出(3月～)→書類選考→面接(複数回)→内々定 [技]ES提出(3月～)→書類選考→面接(複数回)→内々定〈学校推薦〉書類提出(3月)→面接→内々定【交通費支給】〈事務系〉会社都合による面接希望地区以外での最終面接、会社基準

試験情報

重視科目 [総][技]面接

[総][技][ES]⇒巻末[筆]SPI3(自宅)[面]複数回(Webあり)

選考ポイント [総][技][ES]NA(提出あり)[面]コミュニケーション能力 表現力 論理性 行動力 思考特性 当社理解度

通過率 [総][技][ES]NA **倍率(応募/内定)** [総][技]NA

●男女別採用数と配属先ほか●

【男女・文理別採用実績】※大卒に修士を含む

	大卒男	大卒女	修士男	修士女
23年	660(文130 理530)	140(文 70 理 70)	0(文 0 理 0)	0(文 0 理 0)
24年	690(文110 理580)	160(文 90 理 70)	0(文 0 理 0)	0(文 0 理 0)
25年	-(文 - 理 -)	-(文 - 理 -)	-(文 - 理 -)	-(文 - 理 -)

【25年4月入社者の採用実績校】[文](24年)関西学大 早大 同大 上智大 明大 立命館大 関大 慶大 阪大 青学大 西南学大 法政大 立教大 神戸大 成蹊大 中大 北大 横浜市大 岡山大 京産大 産業医大 南山大 日大 名古屋市大 名大 アリゾナ州大 NY州立大 サンウェイ大 UBC ミズーリ大 カンザスシティ校 ウィンチェスター大 サセックス大 ミドル・テネシー州立大 愛知教大 愛知大 一橋大 学習院大 関西外大 他 [理](24年)阪大 東京電機大 芝工大 東理大 立命館大 日大 早大 関大 京大 千葉大 中大 東大 東京都市大 名大 関西学大 九大 明大 九州工大 鳥取大 兵庫県大 愛媛大 岡山大 青学大 東工大 東北大 同大 名工大 神戸大 大阪工大 豊橋技科大 北大 横国大 山口大 鹿児島大 筑波大 長岡技科大 電通大 奈良女大 名城大 工学院大 信州大 成蹊大 新潟大 愛知工業大 京都工繊大 熊本大 群馬大 千葉工大 長崎大 富山大 岐阜大 金沢工大 広島大 弘前大 埼玉大 山梨大 静岡大 大阪公大 徳島大 奈良先端科技院大 福井大 法政大 和歌山大 近大 慶大 中部大 東海大 東京農工大 豊田工大 岩手大 宮崎大 金沢大 甲南大 高知大 佐賀大 三重大 他

【24年4月入社者の配属先】[総]勤務地:本社および全国の事業所 部署:営業 資材調達 人事総務 経理財務 法務・知的財産渉外 他 [技]勤務地:本社および全国の事業所 部署:設計開発 研究開発 生産技術 情報技術 品質管理 知財管理 工事技術 技術営業 他

●給与、ボーナス、週休、有休ほか●

【30歳総合職平均年収】630万円【初任給】(博士)NA(修士)277,000円(大卒)250,000円【ボーナス(年)】NA、5.8カ月【25、30、35歳賃金】NA【週休】完全2日(土日)【夏期休暇】連続7日(有休3日含む)【年末年始休暇】連続8日(有休2日含む)【有休取得】18.9／25日

●従業員数、勤続年数、離職率ほか●

【男女別従業員数、平均年齢、平均勤続年数】計 25,403(41.4歳 16.3年) 男 23,178(42.0歳 16.8年) 女 2,225(35.6歳 10.8年)【離職率と離職者数】1.8%、460名【3年後新卒定着率】94.0%(男94.0%、女93.8%、3年前入社:男584名・女145名)【組合】あり

求める人材 「つながり」を大切にできる人 自ら考え「行動できる」人 最後まで「諦めない」人

会社データ (金額は百万円)

【本社】100-8310 東京都千代田区丸の内2-7-3

☎03-3218-2386 https://www.mitsubishielectric.co.jp/

【社長】漆間 啓【設立】1921.1【資本金】175,820【今後力を入れる事業】重点成長事業(FA制御システム 空調冷熱システム ビルシステム パワーデバイス)

【業績(IFRS)】	売上高	営業利益	税前利益	純利益
22.3	4,476,758	252,051	279,693	203,482
23.3	5,003,694	262,352	292,179	213,908
24.3	5,257,914	328,525	365,853	284,949

開示 ★★★☆☆ ▶『業界地図』p.86, 89, 92… 499

富士通(株)（ふじつう）

東京P 6702

【特色】ITサービスで国内トップクラス。海外事業も展開

修士・大卒採用数	3年後離職率	有休取得年平均	平均年収(平均44歳)
800名	NA	14.2日	総 965万円

●エントリー情報と採用プロセス●

【受付開始～終了】総通年 技通年(学校推薦(3月～6月)含む)【採用プロセス】総ES選考・適性検査(通年)→面接(3回、6月～)→内々定(6月～) 技ES選考・適性検査(通年)→面接(3回、6月～)→内々定(6月～)〈学校推薦〉ES選考・適性検査→面接(2回、6月～)→内々定(6月～)【交通費支給】対面面接を実施した場合、実費

試験情報

重視科目 総技全て

総 ES⇒巻末 筆Webテスト(オリジナル) 面3回(Webあり)

技 ES⇒巻末 筆Webテスト(オリジナル) 面3回〈学校推薦〉2回(Webあり)

選考ポイント 総技 ES論理性 視点の高さ 面求める人材像に基づき総合的に判断

通過率 総 ES 23%(受付:2,800→通過:650) 技 ES 68%(受付:3,800→通過:2,600)

倍率(応募/内定) 総14倍 技6倍

●男女別採用数と配属先ほか●

【男女・文理別採用実績】※25年:800名採用予定

	大卒男	大卒女	修士男	修士女
23年	NA(文NA 理NA)	NA(文NA 理NA)	NA(文NA 理NA)	NA(文NA 理NA)
24年	NA(文NA 理NA)	NA(文NA 理NA)	NA(文NA 理NA)	NA(文NA 理NA)
25年	–(文 – 理 –)	–(文 – 理 –)	–(文 – 理 –)	–(文 – 理 –)

【25年4月入社者の採用実績校】文早大 慶大 明大 同大 立教大 青学大 法政大 阪大 一橋大 上智大 他 理東理大 早大 横国大 東京科学大 東大 神戸大 阪大 東北大 明大 他

【24年4月入社者の配属先】総勤務地:神奈川 大阪 他全国多数 部署:ビジネスプロデューサー ソリューションエンジニア サプライチェーンマネジメント マーケティング 法務 知的財産 財務・経理 総務・人事 他 技勤務地:神奈川 大阪 他全国多数 部署:ソリューションエンジニア 研究 開発 他

残業(月) NA

記者評価 ITサービスは国内トップクラス。官公庁や金融向け多い。パソコンや携帯電話、半導体などを分社化し、法人向けシステム構築やITサービスに集中。従来の受託型開発からの脱却に向け、上流コンサルティング能力を強化するため、共通利用型のシステム開発に注力。

●給与、ボーナス、週休、有休ほか●

【30歳総合職平均年収】NA【初任給】(修士)284,000円(大卒)264,000円【ボーナス(年)】208万円、NA【25、30、35歳賃金】NA→400,700円→NA【週休】完全2日(土日祝)【夏期休暇】特別休日1日+有休の計画的付与【年末年始休暇】12月30日～1月3日【有休取得】14.2／20日

●従業員数、勤続年数、離職率ほか●

【男女別従業員数、平均年齢、平均勤続年数】計 35,924(43.6歳 18.8年) 男 28,549(44.6歳 19.8年) 女 7,375(39.8歳 15.2年)【離職率と離職者数】2.1%、774名(早期退職男211名、女39名含む)【3年後新卒定着率】NA【組合】あり

求める人材 富士通のパーパスに共感し、自らのパーパスと重ね合わせて未来を描き、信頼を構築しながら、挑戦し続けることができる人

会社データ (金額は百万円)

【本社】211-8588 神奈川県川崎市中原区上小田中4-1-1
☎044-777-1111 https://global.fujitsu/ja-jp/
【社長】時田 隆仁【設立】1935.6【資本金】325,638【今後力を入れる事業】ソリューションサービス DX コンサル 他

【業績(IFRS)】	売上高	営業利益	税前利益	純利益
22.3	3,586,839	219,201	239,986	182,691
23.3	3,713,767	335,614	371,876	215,182
24.3	3,756,059	160,260	178,180	254,478

NEC（エヌイーシー）

東京P 6701

【特色】ITサービス大手。通信インフラで国内首位

修士・大卒採用数	3年後離職率	有休取得年平均	平均年収(平均44歳)
700名	5.1→8.2%	13.5日	総 903万円

●エントリー情報と採用プロセス●

【受付開始～終了】総技3月～5月【採用プロセス】総技ES提出(3月～)→筆記→個人面談(2回)→内々定【交通費支給】なし【早期選考】⇒巻末

試験情報

重視科目 総技面談

総技 ES NA 筆SPI3(会場) SPI3(自宅) OPQ 面2回(Webあり)

選考ポイント 総技 ES NA(提出あり) 面求める人材像に合う資質や行動力を備えているか

通過率 総技 ES NA 倍率(応募/内定) 総技NA

●男女別採用数と配属先ほか●

【男女・文理別採用実績】

	大卒男	大卒女	修士男	修士女
23年	NA(文NA 理NA)	NA(文NA 理NA)	NA(文NA 理NA)	NA(文NA 理NA)
24年	NA(文NA 理NA)	NA(文NA 理NA)	NA(文NA 理NA)	NA(文NA 理NA)
25年	NA(文NA 理NA)	NA(文NA 理NA)	NA(文NA 理NA)	NA(文NA 理NA)

※23年:修士・大卒計600名 24年:同680名 25年:同700名採用予定

【25年4月入社者の採用実績校】
文北大 東北大 東大 一橋大 東京科学大 電通大 横国大 名大 京大 阪大 神戸大 九大 早大 慶大 上智大 明大 中大 立教大 青学大 法政大 東理大 同大 立命館大 関大 関西学大 他(理系含む) 理文系に含む

【24年4月入社者の配属先】
総勤務地:東京(港 府中)神奈川・川崎 千葉・我孫子を中心に全国各地 部署:営業 法務・コンプライアンス 経理・財務・FP&A 人事・総務 知的財産 他 技勤務地:東京(港 府中)神奈川・川崎 千葉・我孫子を中心に全国各地 部署:研究 技術開発 SE サービス コンサルタント 生産関連 知的財産 デザイン 他

残業(月) 23.1時間

記者評価 ITサービスの国内大手で、通信事業者向けに強み。半導体や個人用PCなど不採算事業を切り離し、法人向けIT事業に集中。顔や虹彩など生体認証技術で競争力が高く、空港などのセキュリティ分野にも展開中。グローバル5GやDXなどを成長事業として注力。

●給与、ボーナス、週休、有休ほか●

【30歳総合職平均年収】682万円【初任給】(博士)361,300円(修士)299,400円(大卒)280,000円【ボーナス(年)】NA【25、30、35歳賃金】252,814円→318,183円→377,202円【週休】完全2日(土日祝)【夏期休暇】連続9日(有休5日含む)【年末年始休暇】連続6日【有休取得】13.5／22日

●従業員数、勤続年数、離職率ほか●

【男女別従業員数、平均年齢、平均勤続年数】計 22,210(43.3歳 17.5年) 男 17,408(44.0歳 18.0年) 女 4,802(40.9歳 16.2年)【離職率と離職者数】2.9%、661名【3年後新卒定着率】91.8%(男90.8%、女93.6%、3年前入社:男382名・女188名)【組合】あり

求める人材 「NEC Way」にある「Code of Values」を行動基準とし、これらを体現できる人材

会社データ (金額は百万円)

【本社】108-8001 東京都港区芝5-7-1
☎03-3454-1111 https://jpn.nec.com/
【社長】森田 隆之【設立】1899.7【資本金】427,831【今後力を入れる事業】DX 5G関連事業

【業績(IFRS)】	売上高	営業利益	税前利益	純利益
22.3	3,014,095	132,525	144,436	141,277
23.3	3,313,018	170,447	167,671	114,500
24.3	3,477,262	188,012	185,011	149,521

開示 ★★☆☆☆ ▶『業界地図』p.28, 86, 89…

㈱東芝（とうしば）

株式公開していない

【特色】総合電機大手。非上場化し、中長期視点で経営

修士・大卒採用数	3年後離職率	有休取得年平均	平均年収（平均46歳）
670名	NA	17.4日	(総)852万円

●エントリー情報と採用プロセス●

【受付開始～終了】(総)(技)3月～6月【採用プロセス】(総)ES提出→Webテスト→書類選考→面接(2～3回)→内々定 (技)ES提出→Webテスト・テストセンター→書類選考→ジョブマッチング→面接(2～3回)→推薦証明書提出(学校推薦のみ)→内々定【交通費支給】2次面接以降、実費【早期選考】⇒巻末

試験情報

重視科目 [総][技]NA

[総][技](ES)⇒巻末(筆)SPI3(自宅)(面)2～3回(Webあり)

選考ポイント [総](ES)志望理由の明確さ 論理性 当社理解度(面)基礎能力 挑戦意欲 実行力 論理的思考 キャリアビジョン 他 [技](ES)志望理由の明確さ 専門性 専門知識(面)総合職共通

通過率 [総][技](ES)NA 倍率(応募/内定) [総][技]NA

●男女別採用数と配属先ほか●

【男女・文理別採用実績】

	大卒男	大卒女	修士男	修士女
23年	NA(文NA 理NA)	NA(文NA 理NA)	NA(文NA 理NA)	NA(文NA 理NA)
24年	NA(文NA 理NA)	NA(文NA 理NA)	NA(文NA 理NA)	NA(文NA 理NA)
25年	NA(文NA 理NA)	NA(文NA 理NA)	NA(文NA 理NA)	NA(文NA 理NA)

※23年：文系100、理系290、技能20名 24年：文系110、理系360、技能30名 25年：文系110、理系500、技能60名予定

【25年4月入社者の採用実績校】(文)京大 阪大 神戸大 北大 九大 早大 慶大 一橋大 上智大 青学大 関西学大 関大 同大 立命館大 明大 立教大 中大 法政大 東京外大 津田塾大 ICU 他 (理)東大 京大 阪大 名大 東北大 北大 九大 東京科学大 早大 慶大 横国大 電通大 名工大 豊橋技科大 筑波大 九州工大 東理大 東京電機大 工学院大 日大 法政大 芝工大 青学大 千葉工大 熊本大 日女大 お茶女大 東海大 他

【24年4月入社者の配属先】[総]**勤務地**：本社および全国の支社・事業場・工場・研究所 **部署**：営業 人事・総務 財務・経理 調達 生産管理 法務 知的財産他 [技]**勤務地**：本社および全国の支社・事業場・工場・研究所 **部署**：研究開発 開発設計 生産技術 セールスエンジニア フィールドエンジニア システムエンジニア アプリケーションエンジニア 品質管理 知的財産 他

残業(月) NA

記者評価 日本を代表する電機名門だったが、15年の不正会計発覚と17年の巨額原発関連損失で経営危機に。人員削減のほか、医療機器や半導体メモリなど資産売却してスリム化。データ事業を軸に躍進図るも窮境打開ならず、23年12月上場廃止。高度技術生かして再建狙う。

●給与、ボーナス、週休、有休ほか●

【30歳総合職平均年収】584万円【初任給】(博士)NA (修士)275,000円 (大卒)250,000円【ボーナス(年)】NA、4.21カ月【25、30、35歳賃金】NA【週休】完全2日(土日祝)【夏期休暇】4日(一斉年休含め)【年末年始休暇】連続5日【有休取得】17.4／24日

●従業員数、勤続年数、離職率ほか●

【男女別従業員数、平均年齢、平均勤続年数】計◇19,408(45.7歳 21.3年) 男 16,499(45.9歳 21.5年) 女 2,909(44.2歳 20.1年)【離職率と離職者数】NA【3年後新卒定着率】NA【組合】あり

求める人材 誠実であり続ける、変革への情熱を抱く、未来を思い描く、ともに生み出す人財

会社データ （金額は百万円）

【本社】105-8001 東京都港区芝浦1-1-1

☎03-3457-4511 https://www.global.toshiba/jp/

【社長】島田 太郎【設立】(創業)1875.7【資本金】201,449【今後力を入れる事業】エネルギー 社会インフラ 電子デバイス デジタル他

【業績(SEC)】	売上高	営業利益	税前利益	純利益
22.3	3,336,967	158,945	239,105	194,651
23.3	3,361,657	110,549	188,965	126,573
24.3	3,285,800	39,900	▲2,030	▲7,480

※ベースは東芝と4分社(東芝エネルギーシステムズ、東芝インフラシステムズ、東芝デバイス＆ストレージ、東芝デジタルソリューションズ)のもの

ソニーグループ㈱

東京P 6758

【特色】音楽・映画、ゲームで成長。半導体や金融も

修士・大卒採用数	3年後離職率	有休取得年平均	平均年収（平均42歳）
1,200名	(!)3.5→(!)4.2%	15.8日	(総)1,113万円

●エントリー情報と採用プロセス●

【受付開始～終了】(総)(技)3月～4月【採用プロセス】(総)(技)ES提出(3～4月)→適性検査→面接(複数回)→内々定【交通費支給】あり

試験情報

重視科目 [総][技]面接

[総][技](ES)NA(筆)基礎能力検査(Web)(面)複数回(Webあり)

選考ポイント [総][技](ES)NA(提出あり)(面)NA

通過率 [総][技](ES)NA

倍率(応募/内定) [総][技]NA

●男女別採用数と配属先ほか●

【男女・文理別採用実績】

	大卒男	大卒女	修士男	修士女
23年	NA(文NA 理NA)	NA(文NA 理NA)	NA(文NA 理NA)	NA(文NA 理NA)
24年	NA(文NA 理NA)	NA(文NA 理NA)	NA(文NA 理NA)	NA(文NA 理NA)
25年	NA(文NA 理NA)	NA(文NA 理NA)	NA(文NA 理NA)	NA(文NA 理NA)

※主なソニーグループ各社の合計 25年：1,200名採用予定

【25年4月入社者の採用実績校】

(文)NA (理)NA

【24年4月入社者の配属先】

NA

残業(月) 24.1時間

記者評価 売上高の過半を占めるゲーム、映画、音楽のエンタメ3領域への注力を鮮明にし、サブスク等での安定収益確保に努める。スマホカメラなどに搭載されるイメージセンサー(半導体事業)も成長事業。25年10月に銀行や生損保など金融事業を分離・上場させる方針。

●給与、ボーナス、週休、有休ほか●

【30歳総合職平均年収】NA【初任給】(博士)325,000円～ (修士)305,000円～ (大卒)275,000円～【ボーナス(年)】NA【25、30、35歳賃金】NA【週休】完全2日(土日祝)【夏期休暇】2日+各自設定【年末年始休暇】連続6日【有休取得】15.8／24日

●従業員数、勤続年数、離職率ほか●

【男女別従業員数、平均年齢、平均勤続年数】計 2,109(42.4歳 15.8年) 男 1,456(NA 15.7年) 女 653(NA 16.1年) ※受入出向者含み、外部出向者除く【離職率と離職者数】NA【3年後新卒定着率】95.8%(男94.8%、女100%、3年前入社：男402名・女104名) ※ソニーグループ、ソニー、ソニーセミコンダクタソリューションズを対象【組合】あり

求める人材 多様な人材

会社データ （金額は百万円）

【本社】108-0075 東京都港区港南1-7-1

☎03-6748-2111 https://www.sony.com/

【会長】吉田 憲一郎【設立】1946.5【資本金】881,357【今後力を入れる事業】エレクトロニクス イメージング＆センシング エンタテインメント 金融事業

【業績(IFRS)】	売上高	営業利益	税前利益	純利益
22.3	9,921,513	1,202,339	1,117,503	882,178
23.3	11,539,837	1,208,206	1,180,313	937,126
24.3	13,020,768	1,208,831	1,268,662	970,573

開示 ★☆☆☆☆ ▶『業界地図』p.94, 96, 102…

パナソニックグループ

東京P 6752

【特色】松下幸之助創業の電機大手、電池に巨額投資

修士・大卒採用数	3年後離職率	有休取得年平均	平均年収(平均NA)
1,000名	NA	18.0日	◇930万円

●エントリー情報と採用プロセス●

【受付開始～終了】[総][技]3月～12月【採用プロセス】[総]ES提出→適性検査→書類選考→面接(4回)→内々定 [技]ES提出→適性検査→書類選考→面接(3回)→内々定【交通費支給】NA

試験情報

重視科目 [総][技]NA

[総] [ES]NA[筆]SPI3(会場)[面]4回(Webあり)[GD作]NA [技] [ES]NA[筆]SPI3(会場)[面]3回(Webあり)[GD作]NA

選考ポイント [総][技] [ES]NA(提出あり)[面]NA

通過率 [総][技] [ES]NA

倍率(応募/内定) [総][技]NA

●男女別採用数と配属先ほか●

【男女・文理別採用実績】

	大卒男	大卒女	修士男	修士女
23年	NA(文NA 理NA)	NA(文NA 理NA)	NA(文NA 理NA)	NA(文NA 理NA)
24年	NA(文NA 理NA)	NA(文NA 理NA)	NA(文NA 理NA)	NA(文NA 理NA)
25年	NA(文NA 理NA)	NA(文NA 理NA)	NA(文NA 理NA)	NA(文NA 理NA)

※25年:1,000名採用予定

【25年4月入社者の採用実績校】

[文]NA [理]NA

【24年4月入社者の配属先】

NA

残業(月) NA

記者評価 総合電機大手。11年に三洋電機、パナソニック電工を完全子会社化。洗濯機やエアコン、冷蔵庫などの白物家電は国内最大手。米テスラ向けがほとんどの車載電池を中長期の成長軸と位置づけ、新工場建設など集中投資。足元は家電や電子部品で稼ぐ。

●給与、ボーナス、週休、有休ほか●

【30歳総合職平均年収】NA【初任給】(博士)NA(修士)(パナソニック HD)277,000円(大卒)(パナソニック HD)250,000円【ボーナス(年)】NA【25、30、35歳賃金】NA【週休】完全2日(土日)【夏期休暇】NA【年末年始休暇】NA【有休取得】18.0/25日

●従業員数、勤続年数、離職率ほか●

【男女別従業員数、平均年齢、平均勤続年数】計 65,808(NA 20.4年) 男 52,091(NA 20.7年) 女 13,717(NA 19.4年)【離職率と離職者数】NA【3年後新卒定着率】NA【組合】あり

求める人材 誰かの幸せのために、まっすぐはたらく、そのことに心から喜びを感じられる人

会社データ (金額は百万円)

【本社】571-8501 大阪府門真市大字門真1006
☎06-6908-1121 https://holdings.panasonic/jp/
【社長】楠見 雄規【設立】1935.12【資本金】259,445【今後力を入れる事業】車載電池事業 空質空調事業 サプライチェーンマネジメントソフトウェア事業

【業績(IFRS)】	売上高	営業利益	税前利益	純利益
22.3	7,388,791	357,526	360,395	255,334
23.3	8,378,942	288,570	316,409	265,502
24.3	8,496,420	360,962	425,239	443,994

※会社データはパナソニック ホールディングス㈱のもの

シャープ(株)

東京P 6753

【特色】液晶や家電など製造。台湾・鴻海精密工業傘下

修士・大卒採用数	3年後離職率	有休取得年平均	平均年収(平均46歳)
NA	11.4→22.4%	15.3日	◇718万円

●エントリー情報と採用プロセス●

【受付開始～終了】[総][技]3月～継続中【採用プロセス】[総][技]ES提出・Webテスト(3月～)→Web面接(2回、6月～)→内々定(6月～)【交通費支給】会社基準

試験情報

重視科目 [総][技]全て

[総][技] [ES]⇒巻末[筆]WebGAB[面]2回(Webあり)

選考ポイント [総][技] [ES]NA(提出あり)[面]チャレンジ精神 行動力 コミュニケーション力 他

通過率 [総][技] [ES]NA

倍率(応募/内定) [総][技]NA

●男女別採用数と配属先ほか●

【男女・文理別採用実績】

	大卒男	大卒女	修士男	修士女
23年	NA(文NA 理NA)	NA(文NA 理NA)	NA(文NA 理NA)	NA(文NA 理NA)
24年	NA(文NA 理NA)	NA(文NA 理NA)	NA(文NA 理NA)	NA(文NA 理NA)
25年	NA(文NA 理NA)	NA(文NA 理NA)	NA(文NA 理NA)	NA(文NA 理NA)

※23年:文系45名・理系176名採用、24年:文系113名・理系209名採用(博士・修士・大卒・高専含む)

【25年4月入社者の採用実績校】

[文]関西学大 関大 同大 明学大 青学大 明大 甲南大 早大 中大 京都外大 大阪公大 東理大 立命館大 龍谷大 他 [理]大阪公大 立命館大 早大 近大 広島大 阪大 九大 東理大 日大 明大 京大 千葉工大 千葉大 東京科学大 同大 徳島大 北陸先端科技院大 横国大 岡山大 関大 工学院大 広島市大 山口大 鹿児島大 芝工大 大和大 筑波大 中大 東大 名城大 龍谷大 和歌山大 他

【24年4月入社者の配属先】[総]勤務地:大阪 東京 奈良 三重 千葉 広島 計113 部署:法務 経理 営業 調達 人事 他 計113 [技]勤務地:大阪 東京 奈良 三重 千葉 広島 計209 部署:研究 開発 設計 生産技術 デザイン 他 計209

残業(月) 14.0時間 [総]14.0時間

記者評価 00年代前半に「世界の亀山」モデルで国内液晶市場を席巻。しかし大型投資があだとなり巨額赤字を計上。16年台湾・鴻海精密工業の傘下に入った。24年8月に大型液晶パネルの生産終了。今後は家電や複合機などシャープブランド活用した事業に注力。

●給与、ボーナス、週休、有休ほか●

【30歳総合職平均年収】NA【初任給】(修士)280,000円(大卒)251,000円【ボーナス(年)】NA【25、30、35歳賃金】NA【週休】完全2日(土日祝)【夏期休暇】2日(土日祝、年休の一斉使用を含め連続9日)【年末年始休暇】連続6日(土日含め連続9日)【有休取得】15.3/20日

●従業員数、勤続年数、離職率ほか●

【男女別従業員数、平均年齢、平均勤続年数】計 ◇5,029(45.5歳 21.6年) 男 4,290(45.9歳 21.9年) 女 739(43.3歳 19.6年)【離職率と離職者数】◇4.7%、248名【3年後新卒定着率】77.6%(男79.7%、女67.5%、3年前入社:男192名・女40名)【組合】あり

求める人材 Be Original.:人に寄り添い、新しい価値を提供できる人 チャレンジ精神:難しい課題に、積極果敢に挑戦できる人 有言実現:有言実行し、目標を実現できる人

会社データ (金額は百万円)

【本社】590-8522 大阪府堺市堺区匠町1
☎072-282-1221 https://corporate.jp.sharp/
【社長】沖津 雅浩【設立】1935.5【資本金】5,000【今後力を入れる事業】家電などブランド事業 AI・次世代通信

【業績(連結)】	売上高	営業利益	経常利益	純利益
22.3	2,495,588	84,716	114,964	73,991
23.3	2,548,117	▲25,719	▲30,487	▲260,840
24.3	2,321,921	▲20,343	▲7,084	▲149,980

メーカーI

開示 ★★★ ▶『業界地図』p.98, 103

㈱ニコン

東京P 7731

【特色】一眼レフカメラ世界2位。露光装置も主力

修士・大卒採用数	3年後離職率	有休取得年平均	平均年収(平均43歳)
134名	5.1→7.3%	14.8日	[総]864万円

●エントリー情報と採用プロセス●

【受付開始～終了】[総][技]2月～4月【採用プロセス】[総][技]ES提出・Web適性検査→面接(複数回)→内々定【交通費支給】実費

試験情報

重視科目 [総][技]NA

[総][ES]⇒巻末[筆]あり(内容NA)[面]複数回(Webあり)[GD作]NA [技][ES]⇒巻末[筆]あり(内容NA)[面]複数回(Webあり)

選考ポイント [総][技][ES]NA(提出あり)[面]求める人材像に基づき総合的に評価

通過率 [総][技][ES]NA

倍率(応募/内定) [総]26倍 [技]8倍

●男女別採用数と配属先ほか●

【男女・文理別採用実績】

	大卒男	大卒女	修士男	修士女
23年	NA(文NA理NA)	NA(文NA理NA)	NA(文NA理NA)	NA(文NA理NA)
24年	NA(文NA理NA)	NA(文NA理NA)	NA(文NA理NA)	NA(文NA理NA)
25年	24(文 16理 8)	26(文 17理 9)	62(文 1理 61)	22(文 3理 19)

【25年4月入社者の採用実績校】[文]東大 京大 阪大 北大 一橋大 早大 上智大 明大 青学大 立教大 中大 法政大 関西学大 関大 同大 他 [理]京大 阪大 北大 東北大 九大 早大 慶大 明大 青学大 中大 法政大 同大 立命館大 他

【24年4月入社者の配属先】[総]勤務地：東京 神奈川 埼玉 仙台 部署：営業 企画・マーケティング 生産戦略・調達 財務・経理 人事・総務 法務 ITシステム [技]勤務地：東京 神奈川 埼玉 茨城 仙台 部署：光学技術開発 光学設計 数理解析 材料・要素技術開発 システム・構想設計 機械・機構設計 電気・電子回路設計 ファームウェア・ソフトウェア開発 バイオ技術開発 加工技術開発 生産管理・調達 品質保証・品質管理 ITシステム 知的財産・特許 デザイン

残業(月) 23.0時間 [総]23.0時間

記者評価 海軍用双眼鏡の国産化で創業。戦後、カメラなど民生品に事業転換。現在はカメラと半導体・液晶製造用露光装置が主柱。デジタル一眼レフではキヤノンに次ぐ2位。ミラーレス拡充中。医療機器も。ドイツの金属3Dプリンタ会社を買収するなど材料加工事業を強化。

●給与、ボーナス、週休、有休ほか●

【30歳総合職平均年収】560万円【初任給】(博士)318,000円 (修士)270,000円 (大卒)247,000円【ボーナス(年)】224万円、5.78カ月【25、30、35歳賃金】272,039円→345,871円→397,263円【週休】完全2日(土日祝)【夏期休暇】連続5日(7月)連続3日(8月)【年末年始休暇】連続5日(12～1月)【有休取得】14.8／20日

●従業員数、勤続年数、離職率ほか●

【男女別従業員数、平均年齢、平均勤続年数】計 4,388(42.5歳14.5年) 男 3,636(43.3歳15.1年) 女 752(39.0歳11.8年)【離職率と離職者数】2.4%、106名【3年後新卒定着率】92.7%(男95.3%、女83.3%、3年前入社：男64名・女18名)【組合】あり

求める人材 好奇心 親和力 伝える力

会社データ (金額は百万円)

【本社】140-8601 東京都品川区西大井1-5-20
☎03-6433-3600 https://www.jp.nikon.com/
【社長】徳成 旨亮【設立】1917.7【資本金】65,476【今後力を入れる事業】NA

【業績(IFRS)】	売上高	営業利益	税前利益	純利益
22.3	539,612	49,934	57,096	42,679
23.3	628,105	54,908	57,058	44,944
24.3	717,245	39,776	42,669	32,570

㈱デンソーテン

株式公開していない

【特色】車載用電子機器メーカー。デンソー子会社

修士・大卒採用数	3年後離職率	有休取得年平均	平均年収(平均41歳)
104名	9.4→9.8%	15.7日	[総]710万円

●エントリー情報と採用プロセス●

【受付開始～終了】[総]2月～7月 [技]1月～継続中【採用プロセス】[総][技]ES提出・Webテスト→面接(2回)→内々定【交通費支給】なし【早期選考】⇒巻末

試験情報

重視科目 [総][技]面接

[総][技][ES]⇒巻末[筆]WebGAB OPQ[面]2回(Webあり)

選考ポイント [総][技][ES]NA(提出あり)[面]飽くなき探求心 論理的思考 コミュニケーション力 他

通過率 [総][技][ES]NA 倍率(応募/内定) [総][技]NA

●男女別採用数と配属先ほか●

【男女・文理別採用実績】

	大卒男	大卒女	修士男	修士女
23年	57(文 2理 55)	12(文 5理 7)	40(文 0理 40)	6(文 0理 6)
24年	46(文 4理 42)	9(文 2理 7)	22(文 0理 22)	0(文 0理 0)
25年	55(文 4理 51)	9(文 5理 4)	38(文 0理 38)	2(文 0理 2)

※25年：継続中

【25年4月入社者の採用実績校】[文](24年)(大)同大2 神戸大 関西学大 神戸市外大 立命館大各1 [理](24年)(院)岐阜大 信州大 鳥取大 徳島大 富山県大各2 岡山大 京都工繊大 近大 金沢工大 山口大 滋賀県大 東工大 東洋大 同大 兵庫県大 名工大 名大各1(大)大阪工大10 関大3 関西学大 岐阜大 近大 九州工大 甲南大 芝工大 立命館大各2 愛知工業大 横国大 岡山県大 岩手県大 京都工繊大 京産大 広島工大 広島市大 高知工科大 静岡大 大阪産大 大阪市大 大阪電通大 大阪府大 中京大 徳島大 南山大 兵庫県大 名工大 名城大 龍谷大 和歌山大各1(高専)石川2 阿南1(専)日本工科大1

【24年4月入社者の配属先】[総]勤務地：神戸6 部署：コーポレート2 営業2 経営戦略1 生産1 [技]勤務地：神戸74 栃木・小山1 部署：IT推進1 生産技術1 品質4 開発・企画・設計69

残業(月) 23.9時間

記者評価 1920年創立の川西機械製作所が源流。旧富士通テン。73年トヨタとデンソーが資本参加後、17年に親会社だった富士通が保有株の一部をデンソーに譲渡し同社傘下に。ドライブレコーダー、カーナビなど車載用電子機器を製造・販売。海外売上高比率は約4割。

●給与、ボーナス、週休、有休ほか●

【30歳総合職平均年収】500万円【初任給】(修士)276,000円 (大卒)254,000円【ボーナス(年)】208万円、5.6カ月【25、30、35歳賃金】257,700円→294,100円→354,400円【週休】2日【夏期休暇】連続10日程度【年末年始休暇】連続10日程度【有休取得】15.7／20日

●従業員数、勤続年数、離職率ほか●

【男女別従業員数、平均年齢、平均勤続年数】計 ◇4,071(41.4歳15.6年) 男 3,260(41.3歳15.4年) 女 811(41.5歳16.2年)【離職率と離職者数】NA【3年後新卒定着率】90.2%(男90.4%、女88.9%、3年前入社：男73名・女9名)【組合】あり

求める人材 「自ら考え、提案し、行動する」=自主自立型人財

会社データ (金額は百万円)

【本社】652-8510 兵庫県神戸市兵庫区御所通1-2-28
☎078-671-5081 https://www.denso-ten.com/jp/
【社長】米本 宜司【設立】1972.10【資本金】5,300【今後力を入れる事業】人とモビリティと社会のインターフェース創造

【業績(連結)】	売上高	営業利益	経常利益	純利益
22.3	348,490	7,984	NA	2,700
23.3	439,283	21,006	NA	11,414
24.3	524,903	31,880	NA	24,291

 開示 ★★★ ▶『業界地図』p.85

2541 ▶『業界地図』p.85

開示 ★★★★★

ジェイブイシー

(株)ＪＶＣケンウッド

東京P 6632

【特色】カーナビやドライブレコーダーなど車載機器が柱

修士・大卒採用数	3年後離職率	有休取得年平均	平均年収(平均51歳)
61名	4.9 → 0%	18.8日	総 784万円

●エントリー情報と採用プロセス●

【受付開始～終了】総 技3月～5月【採用プロセス】総 技説明会(必須、3月)→ES提出・SPI(3～5月)→面接(2回、3月下旬～7月下旬)→内々定(4月～)【交通費支給】最終面接時、会社基準の都道府県別【早期選考】⇒巻末

試験情報

重視科目 総技面接

総技 ES⇒巻末 筆SPI3(会場) 面2回(Webあり)

選考ポイント 総 ESゼミ・研究室の内容 自己PR 力を入れた学業 学生時代の取り組み 志望動機として得意分野をどのように活かせるか 面〈営業〉スタッフ適性・志向 語学力 希望職種適性 人物面 コミュニケーション能力 他 技 ES総合職共通 面技術的知識および興味・経験 希望職種適性 人物面 コミュニケーション能力 他

通過率 総 ES45%(受付:152→通過:69) 技 ES59%(受付:211→通過:124)

倍率(応募/内定) 総10倍 技6倍

●男女別採用数と配属先ほか●

【男女・文理別採用実績】

	大卒男	大卒女	修士男	修士女
23年	20(文 12理 8)	14(文 11理 3)	12(文 0理 12)	3(文 0理 3)
24年	20(文 8理 12)	15(文 13理 2)	10(文 0理 10)	1(文 1理 0)
25年	31(文 12理 19)	8(文 6理 2)	22(文 0理 22)	0(文 0理 0)

【25年4月入社者の採用実績校】文(大)関大3 東洋大 日大 法政大各2 亜大 甲南大 産能大 青学大 中大 文教大 立命館大 獨協大 明大各1 理(院)東海大 電通大 九大各2 立命館大 福島大 東洋大 東京農工大 東京農業大 東京工科大 大阪工大 新潟大 秋田県大 山口東理大 山口大 佐賀大 高知工科大 工学院大 関大 宇都宮大各1(大)東京電機大4 東洋大 東京工科大 東海大 法政大各2 明大 電通大 大阪工大 新潟大 芝工大 工学院大 近大 京大 横国大各1(高専)長岡1

【24年4月入社者の配属先】総勤務地:横浜15 八王子7 部署:海外サポート3 国内営業6 事業部スタッフ10 本社スタッフ3 技勤務地:横浜25 部署:設計開発25

残業(月) 13.1時間 総13.1時間

記者評価 VHSを生んだ日本ビクターと音響機器のケンウッドが08年に経営統合。カーナビやドライブレコーダーなど車載機器のOEM供給を手がける。近年はデジタル無線機事業が米国中心に急成長し稼ぎ頭に。子会社でエンタテイメント事業を展開。海外売上高6割超。

●給与、ボーナス、週休、有休ほか●

【30歳総合職平均年収】NA【初任給】(修士)275,000円(大卒)250,000円【ボーナス(年)】185万円、4.95カ月【25、30、35歳賃金】267,000円→318,267円→356,055円【週休】完全2日(土日祝)【夏期休暇】平日連続5日(有休で取得)【年末年始休暇】12月29日～1月4日【有休取得】18.8／25日

●従業員数、勤続年数、離職率ほか●

【男女別従業員数、平均年齢、平均勤続年数】計 ◇3,089(51.0歳 24.7年) 男 2,694(51.6歳 25.3年) 女 395(46.0歳 20.3年)【離職率と離職者数】◇2.2%、68名【3年後新卒定着率】100%(男100%、女100%、3年前入社:男2名・女1名)【組合】あり

求める人材 独創・挑戦・共創 主体的に行動を起こせる人

会社データ (金額は百万円)

【本社】221-0022 神奈川県横浜市神奈川区守屋町3-12

☎045-450-4567 https://www.jvckenwood.com/

【社長】江口 祥一郎【設立】2008.10【資本金】13,645【今後力を入れる事業】テレマティクス 業務用無線 海外OEM

【業績(IFRS)】	売上高	営業利益	税前利益	純利益
22.3	282,088	9,054	8,515	5,873
23.3	336,910	21,634	21,161	16,229
24.3	359,459	18,226	18,245	13,016

けいさんき

カシオ計算機(株)

東京P 6952

【特色】腕時計、電子辞書で高シェア。関数電卓も

修士・大卒採用数	3年後離職率	有休取得年平均	平均年収(平均46歳)
50名	0 → 6.7%	15.4日	◇810万円

●エントリー情報と採用プロセス●

【受付開始～終了】総 技3月～7月【採用プロセス】総 技説明会(必須)→Web・テストセンター(3月～)→面接(1～3回、4月)→内々定(5月～)【交通費支給】最終面接、実費の8割程度【早期選考】⇒巻末

試験情報

重視科目 総技面接

総技 筆SPI3(会場) 面1～3回(Webあり)

選考ポイント 総技 面人物 意欲 コミュニケーション能力 論理的思考性

通過率 総技 ES―(応募:NA)

倍率(応募/内定) 総技NA

●男女別採用数と配属先ほか●

【男女・文理別採用実績】

	大卒男	大卒女	修士男	修士女
23年	20(文 4理 16)	11(文 10理 1)	17(文 1理 16)	4(文 1理 3)
24年	14(文 10理 4)	17(文 13理 4)	17(文 1理 16)	5(文 2理 3)
25年	-(文 -理 -)	-(文 -理 -)	-(文 -理 -)	-(文 -理 -)

※25年:50名採用予定

【25年4月入社者の採用実績校】

文未定 理未定

【24年4月入社者の配属先】

総勤務地:東京13 北海道1 埼玉1 愛知2 大阪3 福岡1 部署:国内営業8 海外営業5 生産管理・資材購買2 DX推進1 経営管理1 総務2 人事1 広報1 技勤務地:東京32 部署:ソフトウェア開発18 ハードウェア開発3 機構開発4 品質保証2 知的財産1 生産技術1 商品企画2 デザイン1

残業(月) 17.0時間 総17.0時間

記者評価 樫尾4兄弟が創業。世界的人気の「Gショック」など腕時計が主力。近年では金属製や女性向けの腕時計を展開、海外販路開拓に意欲的。関数電卓・電子辞書も高シェア。電子ピアノも手がける。電卓や電子辞書の強みを生かしたオンライン教育システムの開発を強化。

●給与、ボーナス、週休、有休ほか●

【30歳総合職平均年収】NA【初任給】(修士)282,000円(大卒)257,000円【ボーナス(年)】NA【25、30、35歳賃金】NA【週休】完全2日(土日祝)【夏期休暇】連続9日(週休含む)【年末年始休暇】連続7日(週休含む)【有休取得】15.4／22日

●従業員数、勤続年数、離職率ほか●

【男女別従業員数、平均年齢、平均勤続年数】計 2,480(45.7歳 16.7年) 男 1,929(46.8歳 17.6年) 女 551(42.1歳 13.6年)【離職率と離職者数】NA【3年後新卒定着率】93.3%(男96.0%、女80.0%、3年前入社:男25名・女5名)【組合】あり

求める人材 常識にとらわれない自由な発想が出来る人材 自らの意思を持ち、自らの言葉で語ることの出来る人材 周囲と協力しながら「創造貢献」を体現出来る人材

会社データ (金額は百万円)

【本社】151-8543 東京都渋谷区本町1-6-2

☎03-5334-4111 https://www.casio.com/jp/

【社長】増田 裕一【設立】1957.6【資本金】48,592【今後力を入れる事業】エレクトロニクス機器事業

【業績(連結)】	売上高	営業利益	経常利益	純利益
22.3	252,322	22,011	22,174	15,889
23.3	263,831	18,164	19,570	13,079
24.3	268,828	14,208	17,920	11,909

574 ▶『業界地図』p.187

開示 ★★★★★

開示 ★★★☆☆ ▶『業界地図』p.108 2022

象印マホービン(株)

ぞうじるし

東京P 7965

【特色】調理家電大手。海外展開加速、アジア・北米で強い

修士・大卒採用数	3年後離職率	有休取得年平均	平均年収(平均41歳)
26名	0 → 10.0%	13.5日	[総]840万円

●エントリー情報と採用プロセス●

【受付開始～終了】[総][技]3月～3月【採用プロセス】[総]説明会・ES提出(3月)→筆記・面接(3回、3～4月)→内々定(4月中旬)[技]説明会・ES提出(3月)→筆記・面接(3回、3～4月)→内々定(4月上旬)【交通費支給】2次面接以降、QUOカード1,000円

試験情報

重視科目 [総][技]ES 面接

[総][技][ES]⇒巻末[筆]あり(内容NA)[面]3回(Webあり)

選考ポイント [総][技][ES]自分の強みを明確にしているか 企業理解 仕事理解[面]積極性 明るさ 熱意 質問に対しての対応 企業理解 仕事理解

通過率 [総][ES]32%(受付:932→通過:294)[技][ES]72%(受付:177→通過:128)

倍率(応募/内定) [総]58倍 [技]18倍

●男女別採用数と配属先ほか●

【男女・文理別採用実績】

	大卒男	大卒女	修士男	修士女
23年	14(文 7理 7)	7(文 5理 2)	1(文 0理 1)	0(文 0理 0)
24年	11(文 9理 2)	9(文 5理 4)	3(文 0理 3)	1(文 0理 1)
25年	14(文 9理 5)	7(文 7理 0)	5(文 0理 5)	0(文 0理 0)

【25年4月入社者の採用実績校】

[文](大)同大3 関大2 立命館大 甲南大 大阪市大 関西学大 静岡県大 中京大 法政大 日大 学習院大 中大 駒澤大各1 [理](院)京都工繊大2 関大 立命館大 静岡大各1(大)関大 近大 大阪工大 福岡工大 愛媛大各1

【24年4月入社者の配属先】

[総]勤務地:大阪(大阪7 大東1)東京・港4 福岡・博多2 部署:国内営業10 広報1 生産業務1 システム1 人事総務1 [技]勤務地:大阪(大阪1 大東9) 部署:設計開発9 デザイン1

残業(月) 15.0時間 [総]15.0時間

記者評価 魔法瓶メーカーとして創業。戦後、炊飯器、電気ポット等の調理家電から加湿器等の生活家電も展開。調理家電が売上の約7割を占める。ステンレス水筒にも強い。中国でブランドが浸透。国内では電子レンジを育成中。高級炊飯器など高付加価値化戦略進める。

●給与、ボーナス、週休、有休ほか●

【30歳総合職平均年収】NA【初任給】(博士)309,200円(修士)233,000円(大卒)232,000円【ボーナス(年)】204万円、5.94カ月【25、30、35歳賃金】269,783円→325,918円→380,119円【週休】完全2日(土日祝)【夏期休暇】連続5～6日(一斉有休3日、土日祝含む)【年末年始休暇】9日【有休取得】13.5/20日

●従業員数、勤続年数、離職率ほか●

【男女別従業員数、平均年齢、平均勤続年数】計 535(41.3歳 15.0年) 男 430(41.9歳 15.5年) 女 105(38.3歳 12.9年)【離職率と離職者数】1.7%、9名【3年後新卒定着率】90.0%(男86.7%、女100%、3年前入社:男15名・女5名)【組合】あり

求める人材 目標達成に向けた行動力・コミュニケーション能力・学習意欲のある人

会社データ (金額は百万円)

【本社】530-8511 大阪府大阪市北区天満1-20-5
☎06-6356-2311 https://www.zojirushi.co.jp/
【社長】市川 典男【設立】1948.12【資本金】4,022【今後力を入れる事業】既存事業領域の拡大 新規事業の開発

【業績(連結)】	売上高	営業利益	経常利益	純利益
21.11	77,673	6,399	6,791	4,509
22.11	82,534	4,664	5,815	3,658
23.11	83,494	5,000	6,496	4,441

キヤノン(株)

東京P 7751

【特色】カメラ、事務機に加えて医療機器にも注力

修士・大卒採用数	3年後離職率	有休取得年平均	平均年収(平均44歳)
214名	6.9 → 7.1%	17.7日	[総]832万円

●エントリー情報と採用プロセス●

【受付開始～終了】[総]3月～7月 [技]3月～5月【採用プロセス】[総][技]ES提出(3月～)→面接(複数回、6月)→内々定【交通費支給】NA

試験情報

重視科目 [総][技]面接

[総][技][ES]⇒巻末[筆]あり(内容NA)[面]複数回(Webあり)

選考ポイント [総][技][ES]学生時代の取り組み 専門性 他[面]専門性 行動力 論理性 コミュニケーション能力 他

通過率 [総][技][ES]NA

倍率(応募/内定) [総][技]NA

●男女別採用数と配属先ほか●

【男女・文理別採用実績】

	大卒男	大卒女	修士男	修士女
23年	144(文 17理127)	43(文 13理 30)	0(文 0理 0)	0(文 0理 0)
24年	217(文 22理195)	64(文 17理 47)	0(文 0理 0)	0(文 0理 0)
25年	174(文 12理162)	40(文 12理 28)	0(文 0理 0)	0(文 0理 0)

※博士・修士・高専・短大・専門を大卒に含む

【25年4月入社者の採用実績校】

[文]NA [理]NA

【24年4月入社者の配属先】

[総]勤務地:本社(東京)および国内外事業所 他 部署:事業企画 経理 法務 知的財産法務 人事 広報 生産管理 ロジスティクス 他 [技]勤務地:本社(東京)および国内外事業所 他 部署:研究 開発 設計 生産技術 製造技術 品質技術 生産管理 調達技術 特許技術 ファシリティ技術 他

残業(月) 11.7時間

記者評価 国産カメラの開発・製造を目的に1933年開設された精機光学研究所が祖。カメラの世界最大手。事務機でも世界的。半導体露光装置も注力。近年はCTやMRIといった医療機器を成長の柱に据える。16年に東芝メディカルシステムズを買収、国内外で営業強化中。

●給与、ボーナス、週休、有休ほか●

【30歳総合職平均年収】NA【初任給】(博士)326,000円(修士)274,000円(大卒)250,000円【ボーナス(年)】250万円、5.9カ月【25、30、35歳賃金】NA【週休】完全2日(土日祝)【夏期休暇】連続9日(土日含む)【年末年始休暇】連続5日【有休取得】17.7/20日

●従業員数、勤続年数、離職率ほか●

【男女別従業員数、平均年齢、平均勤続年数】計 ◇23,931(44.1歳 19.0年) 男 19,899(44.3歳 19.2年) 女 4,032(43.2歳 18.1年)【離職率と離職者数】◇2.1%、516名(早期退職男121名、女18名含む)【3年後新卒定着率】92.9%(男92.1%、女96.6%、3年前入社:男266名・女59名)【組合】あり

求める人材 進取の気性に溢れ、未知のものにチャレンジする気概に満ちた人

会社データ (金額は百万円)

【本社】146-8501 東京都大田区下丸子3-30-2
☎03-3758-2111 https://global.canon/
【会長兼社長】御手洗 冨士夫【設立】1937.8【資本金】174,762【今後力を入れる事業】プリンティング イメージング メディカル インダストリアル その他

【業績(SEC)】	売上高	営業利益	税前利益	純利益
21.12	3,513,357	281,918	302,706	214,718
22.12	4,031,414	353,399	352,440	243,961
23.12	4,180,972	375,366	390,767	264,513

開示 ★★☆☆☆ ▶『業界地図』p.98, 103… 704

富士(ふじ)フイルムビジネスイノベーション㈱

持株会社傘下

【特色】複合機の大手メーカー。ビジネスDX事業に注力

修士・大卒採用数	3年後離職率	有休取得年平均	平均年収(平均46歳)
168名	ND→12.6%	16.0日	[総]936万円

●エントリー情報と採用プロセス●

【受付開始～終了】[総][技]3月～7月【採用プロセス】[総]ES提出・SPI(3月)→面接(複数回)→内々定 [技]ES提出・SPI(3月～)→面接(複数回)→内々定※学校推薦は別プロセス【交通費支給】面接、会社基準

試験情報

重視科目 [総][技]面接

[総][技][ES]⇒巻末[筆]SPI3(会場) SPI3(自宅) 職務適性検査[面]複数回(Webあり)

選考ポイント [総][技][ES]求める人材像に基づき総合的に判断[面]求める人材像に基づき総合的に判断

通過率 [総][技][ES]NA 倍率(応募/内定) [総][技]NA

●男女別採用数と配属先ほか●

【男女・文理別採用実績】※大卒に修士・博士を含む

	大卒男	大卒女	修士男	修士女
23年	45(文 8理 37)	17(文 6理 11)	0(文 0理 0)	0(文 0理 0)
24年	71(文 17理 54)	34(文 19理 15)	0(文 0理 0)	0(文 0理 0)
25年	109(文 14理 95)	59(文 36理 23)	0(文 0理 0)	0(文 0理 0)

【25年4月入社者の採用実績校】

[文]埼玉大 立教大 お茶女大 学習院大 早大 中大 東理大 明大 法政大 上智大 ICU 青学大 慶大 東京農工大 横国大 滋賀大 同大 立命館大 阪大 関大 神戸大 兵庫県大 [理]東北大 筑波大 埼玉大 千葉大 立教大 早大 中大 東理大 明大 法政大 上智大 青学大 芝工大 電通大 慶大 東京農工大 都立大 東京科学大 横国大 京大 京都工繊大 同大 立命館大 阪大 大阪公大 関西学大 岡山大 広島大 九大 九州工大

【24年4月入社者の配属先】[総]勤務地:東京 神奈川 部署:事業企画/マーケ 営業 総合企画 人事 経理 広報 SCM 法務 [技]勤務地:神奈川 部署:技術開発 商品開発 ハード設計 ソフトウェア開発・ITエンジニア 材料開発研究 生産技術 知的財産 デザイン

残業(月) 20.7時間 [総]20.7時間

記者評価 複合機・プリンターなどオフィス機器を製造・販売。複合機管理などBPOにも注力。富士フイルムHDと米ゼロックスの合弁で出発したが、富士フイルムによるゼロックス買収がこじれ19年に合弁解消、富士フイルム全額出資に。24年10月から米国での複合機販売を開始。

●給与、ボーナス、週休、有休ほか●

【30歳総合職モデル年収】710万円【初任給】(博士)331,900円 (修士)307,900円 (大卒)280,000円【ボーナス(年)】219万円、NA【25、30、35歳モデル賃金】308,000円→357,000円→416,350円【週休】完全2日(土日祝)【夏期休暇】9日(週休含む)【年末年始休暇】連続5日【有休取得】16.0/20日

●従業員数、勤続年数、離職率ほか●

【男女別従業員数、平均年齢、平均勤続年数】計 4,303(45.3歳 20.0年) 男 3,624(46.0歳 20.6年) 女 679(41.2歳 16.7年)【離職率と離職者数】3.4%、153名【3年後新卒定着率】87.4%(男88.4%、女84.2%、3年前入社:男129名・女38名)【組合】あり

求める人材 自ら考え行動する人 成長と変化に挑む人

会社データ (金額は百万円)

【本社】107-0052 東京都港区赤坂9-7-3 東京ミッドタウン
☎03-6271-5111 https://www.fujifilm.com/fb/
【社長】浜 直樹【設立】1962.2【資本金】20,000【今後力を入れる事業】ビジネスソリューション事業

【業績(連結)】	売上高	営業利益	税前利益	純利益
22.3	2,525,773	229,702	260,446	211,180
23.3	2,859,041	273,079	282,224	219,422
24.3	2,960,916	276,725	317,288	243,509

※業績は富士フイルムホールディングス㈱の実績

㈱リコー

東京P 7752

【特色】複合機など事務機で世界首位級。デジカメも展開

修士・大卒採用数	3年後離職率	有休取得年平均	平均年収(平均45歳)
113名	6.5→8.6%	15.4日	[総]860万円

●エントリー情報と採用プロセス●

【受付開始～終了】[総][技]3月～5月【採用プロセス】[総][技]ES提出→適性検査→面接(3回)→内々定【交通費支給】面接、会社基準

試験情報

重視科目 [総][技]面接

[総][技][ES]⇒巻末[筆]あり(内容NA)[面]3回(Webあり)

選考ポイント [総][技][ES]志望動機 自己PR[面]当社の求める人物像にマッチしているか

通過率 [総][技][ES]NA

倍率(応募/内定) [総][技]NA

●男女別採用数と配属先ほか●

【男女・文理別採用実績】

	大卒男	大卒女	修士男	修士女
23年	25(文 11理 14)	15(文 13理 2)	62(文 1理 61)	9(文 0理 9)
24年	22(文 17理 5)	17(文 14理 3)	80(文 2理 78)	15(文 1理 14)
25年	10(文 6理 4)	15(文 14理 1)	70(文 1理 69)	18(文 4理 14)

【25年4月入社者の採用実績校】

[文]早大 法政大 阪大 お茶女大 立教大 東北大 神戸大 九大 明大 上智大 中大 成城大 関大 関西学大 立命館大 [理]千葉大 青学大 東北大 芝工大 東理大 都立大 中大 東京農工大 東大 九大 慶大 北大 筑波大 埼玉大 電通大 静岡大 名大 京大 上智大 東京科学大 横国大 豊橋技科大 金沢大 三重大 阪大 大阪公大 滋賀県大 香川大 早大 明大 東京都市大 北里大 立命館大 (高専)一関 都立産技

【24年4月入社者の配属先】[総]勤務地:本社および全国の事業所・研究所38 部署:マーケティング(国内・海外)海外営業本社機能 他計38 [技]勤務地:本社および全国の事業所・研究所101 部署:研究部門 設計・開発部門 生産部門 他計101

残業(月) 18.2時間 [総]18.2時間

記者評価 複合機など事務機大手。オフィスのDX化を支援するデジタルサービスを柱に据え、積極的な投資を計画。強い営業力も武器。シェアより収益重視へ経営方針を転換。欧州ではM&Aで事業拡大を推進。デジカメでは「ペンタックス」に加え360度カメラ「THETA」を展開。

●給与、ボーナス、週休、有休ほか●

【30歳総合職平均年収】NA【初任給】(修士)276,700円(大卒)250,000円【ボーナス(年)】NA【25、30、35歳賃金】NA【週休】完全2日(原則土日祝)※計画年休含む【夏期休暇】5日(土日祝含め連続10日)【年末年始休暇】4日(土日祝含め連続7日)【有休取得】15.4/20日

●従業員数、勤続年数、離職率ほか●

【男女別従業員数、平均年齢、平均勤続年数】計 8,268(45.0歳 20.6年) 男 6,825(45.2歳 20.5年) 女 1,443(44.0歳 21.1年)【離職率と離職者数】2.2%、187名(事業所移転に伴う退職男23名、女4名含む)【3年後新卒定着率】91.4%(男90.4%、女93.1%、3年前入社:男52名・女29名)【組合】なし

求める人材 リコーのデジタルサービスを加速・創造させるデジタル人材 自律型人材

会社データ (金額は百万円)

【本社】143-8555 東京都大田区中馬込1-3-6
☎03-3777-8111 https://jp.ricoh.com/
【社長】大山 晃【設立】1936.2【資本金】135,364【今後力を入れる事業】デジタルサービス等成長事業

【業績(IFRS)】	売上高	営業利益	税前利益	純利益
22.3	1,758,587	40,052	44,388	30,371
23.3	2,134,180	78,740	81,308	54,367
24.3	2,348,987	62,023	68,202	44,176

セイコーエプソン㈱

東京P 6724

【特色】インクジェットプリンタで世界首位級

修士・大卒採用数	3年後離職率	有休取得年平均	平均年収(平均43歳)
242名	4.9→6.0%	14.3日	(総)801万円

●エントリー情報と採用プロセス●

【受付開始～終了】(総)(技)3月～継続中【採用プロセス】(総)(技)Webテスト→ES提出→面接(複数回)→内々定(6月～)【交通費支給】2次面接以降、会社基準【早期選考】⇒巻末

試験情報

重視科目 [総][技]面接

[総][技](ES)⇒巻末(筆)SPI3(自宅)(面)複数回(Webあり)

選考ポイント [総][技](面)専門性 社会人基礎力(アクション シンキング チームワーク)

通過率 [総][技](ES)選考なし(受付:NA)

倍率(応募/内定) [総][技]NA

●男女別採用数と配属先ほか●

【男女・文理別採用実績】

	大卒男	大卒女	修士男	修士女
23年	77(文 23 理 54)	22(文 11 理 11)	144(文 0 理144)	18(文 5 理 13)
24年	90(文 28 理 62)	29(文 10 理 19)	129(文 2 理127)	23(文 4 理 19)
25年	45(文 19 理 26)	33(文 18 理 15)	151(文 0 理151)	13(文 0 理 13)

【25年4月入社者の採用実績校】(文)早大 関大 中大 立命館大 関西学大 慶大 青学大 同大 法政大 群馬県女大 小樽商大 昭和女大 信州大 新潟大 西南学大 長野県大 東京家政大 東京外大 日女大 兵庫県大 立命館APU 他 (理)信州大 金沢大 群馬大 山梨大 茨城大 諏訪東理大 新潟大 静岡大 中大 東理大 名大 立命館大 芝工大 長岡技科大 東京科学大 東京電機大 横国大 岡山大 関大 埼玉大 千葉工大 千葉大 鳥取大 京都工繊大 九州工大 慶大 工学院大 弘前大 佐賀大 三重大 秋田県大 大阪公大 大阪工大 大分大 筑波大 電通大 東京都市大 都立大 東京農工大 東北大 日大 富山大 福井大 北大 名工大 名城大 愛媛大 宇都宮大 関西学大 岩手大 宮崎大 近大 金沢工大 広島市大 香川大 高知工科大 山形大 滋賀県大 滋賀大 室蘭工大 秋田大 神戸大 早大 阪大 大阪府大 帝京大 東海大 東大 東洋大 同大 徳島大 奈良先端科技院大 豊橋技科大 他

【24年4月入社者の配属先】[総]勤務地:長野58 新宿1 部署:営業 生産管理・調達 財務・経理 人事・総務 事業戦略 [技]勤務地:長野247 北海道5 東京1 福岡2 部署:開発設計 生産技術 品質保証・管理 情報システム推進 知的財産

残業(月) 17.3時間 (総)17.3時間

記者評価 主軸のインクジェットプリンタはインクなど消耗品で稼ぐ事業モデルから大容量インク搭載のプリンタにシフト中。インクジェット複合機も教育業界などに本格展開。プロジェクターや半導体、水晶デバイスのほか、腕時計も手がける。海外売上比率は約8割。

●給与、ボーナス、週休、有休ほか●

【30歳総合職平均年収】632万円【初任給】(博士)316,000円(修士)280,000円(大卒)253,000円【ボーナス(年)】212万円、5.3カ月【25、30、35歳賃金】266,430円→333,731円→415,796円【週休】完全2日(土日祝)【夏期休暇】連続4日【年末年始休暇】連続5日【有休取得】14.3／20日

●従業員数、勤続年数、離職率ほか●

【男女別従業員数、平均年齢、平均勤続年数】計 ◇11,343(43.9歳 19.5年) 男 9,389(43.9歳 19.3年) 女 1,954(43.6歳 20.5年)【離職率と離職者数】◇1.3%、146名(早期退職男35名、女2名含む)【3年後新卒定着率】94.0%(男95.9%、女88.5%、3年前入社:男148名・女52名)【組合】あり

求める人材 専門性および社会人基礎力を有し、会社の経営理念に共感し実践できる人

会社データ (金額は百万円)

【本社】392-8502 長野県諏訪市大和3-3-5
☎0266-52-3131 https://corporate.epson/ja/
【社長】小川 恭範【設立】1959.9【資本金】53,204【今後力を入れる事業】コア技術を駆使し商業・産業分野に展開

【業績(IFRS)】	売上高	営業利益	税前利益	純利益
22.3	1,128,914	94,479	97,162	92,288
23.3	1,330,331	97,044	103,755	75,043
24.3	1,313,998	57,533	70,094	52,616

コニカミノルタ㈱

東京P 4902

【特色】複合機などの印刷機が主力。東欧で高シェア

修士・大卒採用数	3年後離職率	有休取得年平均	平均年収(平均47歳)
58名	15.5→15.4%	14.0日	(総)801万円

●エントリー情報と採用プロセス●

【受付開始～終了】(総)(技)1月～継続中【採用プロセス】(総)ES提出・適性検査(SPI)→面接(3回)→内々定 (技)ES提出・適性検査(SPI)→面接(1～3回)→内々定【交通費支給】最終面接、実費

試験情報

重視科目 [総][技]面接

[総](ES)⇒巻末(筆)SPI3(会場)(面)3回(Webあり) [技](ES)⇒巻末(筆)SPI3(会場)(面)1～3回(Webあり)

選考ポイント [総](ES)志望動機 自己PR(面)主体的に行動する力 論理的思考力 周りを巻き込む力 [技](ES)総合職共通(面)求める人財像に基づき総合的に判断

通過率 [総][技](ES)NA **倍率(応募/内定)** [総][技]NA

●男女別採用数と配属先ほか●

【男女・文理別採用実績】

	大卒男	大卒女	修士男	修士女
23年	11(文 8 理 3)	8(文 7 理 1)	33(文 1 理 32)	18(文 0 理 18)
24年	12(文 10 理 2)	16(文 12 理 4)	40(文 0 理 40)	18(文 3 理 15)
25年	10(文 4 理 6)	5(文 2 理 3)	30(文 0 理 30)	13(文 2 理 11)

【25年4月入社者の採用実績校】(文)(院)神戸大 イーストアングリア大各1(大)明大2 慶大 早大 青学大 同大各1 (理)(院)名大 山形大各3 東大 東京科学大 東北大 北大 岡山大 関西学大 千葉大各2 愛媛大 茨城大 横国大 関大 慶大 九大 京都工繊大 宇都宮大 弘前大 芝工大 信州大 新潟大 青学大 中大 上智大 電通大 東京電機大 東京農工大 東京都市大 東理大 藤田医大 明大 筑波大 バース大各1(大)工学院大2 上智大 信州大 東海大 東大 明大 立教大 立命館大各1(高専)沼津2 茨城1

【24年4月入社者の配属先】[総]勤務地:東京19 大阪5 部署:営業15 経理3 生産管理3 人事3 [技]勤務地:東京50 大阪16 愛知7 兵庫3 部署:研究開発66 品質保証4 生産技術開発3 カスタマーサポート2 デザイン1

残業(月) 15.0時間 (総)15.0時間

記者評価 03年にコニカとミノルタが経営統合。事務機など印刷関連に経営資源を集中。事務機器の販路拡大に向け日米欧でM&A戦略を積極展開。ヘルスケア領域では超音波診断装置やX線撮影装置など強化。20年には計測機器領域で買収を行うなど、新規事業の開拓を進める。

●給与、ボーナス、週休、有休ほか●

【30歳総合職平均年収】635万円【初任給】(博士)305,350円(修士)275,550円(大卒)248,550円【ボーナス(年)】162万円、4.43カ月【25、30、35歳賃金】275,827円→355,958円→408,538円【週休】完全2日(土日祝)【夏期休暇】連続7日以上【年末年始休暇】連続7日以上【有休取得】14.0／20日

●従業員数、勤続年数、離職率ほか●

【男女別従業員数、平均年齢、平均勤続年数】計 ◇5,003(46.7歳 21.0年) 男 3,947(46.9歳 20.9年) 女 1,056(45.7歳 21.6年)【離職率と離職者数】◇3.7%、194名(早期退職男52名、女13名含む)【3年後新卒定着率】84.6%(男90.0%、女66.7%、3年前入社:男30名・女9名)【組合】あり

求める人材 変化の先頭に立ち、グローバルに挑戦し続ける人財 謙虚に学び、自ら考え、行動し続ける人財

会社データ (金額は百万円)

【本社】100-7015 東京都千代田区丸の内2-7-2 JPタワー
☎03-6250-2111 https://www.konicaminolta.com/
【社長】大幸 利充【設立】1936.12【資本金】37,519【今後力を入れる事業】インダストリー事業領域 他

【業績(IFRS)】	売上高	営業利益	税前利益	純利益
22.3	911,426	▲22,297	▲23,617	▲26,123
23.3	1,130,397	▲95,125	▲101,872	▲103,153
24.3	1,159,999	26,091	13,566	4,521

481 ▶『業界地図』p.92, 110　開示 ★★★

ブラザー工業(株)（こうぎょう）

東京P 6448

【特色】ミシンで創業、現在はプリンタと産業機械が主力

修士・大卒採用数	3年後離職率	有休取得年平均	平均年収(平均44歳)
89名	6.2 → 5.4%	17.4日	㊙845万円

残業(月) 17.3時間

記者評価 プリンタが柱。ミシンではシェア首位級。ラベルプリンタ、工業用ミシンなど産業機械も。中国など40カ国以上に生産・販売拠点持ち、海外売上比率は8割超。主にアジアで製造、欧米で販売。インドで工作機械を拡大中。子会社で「JOYSOUND」などカラオケ事業も。

●エントリー情報と採用プロセス●

【受付開始～終了】㊗㊮3月～NA【採用プロセス】㊗㊮ES提出→適性検査・面接(2回)→内々定【交通費支給】本社面接以降、会社基準【早期選考】⇒巻末

試験情報

重視科目 総技 面接

総技 ES NA 筆 SPI3(会場) 面 2回(Webあり)

選考ポイント 総技 ES 質問内容に対する姿勢・熱意 面 学生時代に何に取り組み何を得たか 物事に対する姿勢や意欲 モノ創りへの興味

通過率 総技 ES NA

倍率(応募/内定) 総技 NA

●男女別採用数と配属先ほか●

【男女・文理別採用実績】

	大卒男	大卒女	修士男	修士女
23年	11(文 9 理 2)	16(文 12 理 4)	64(文 0 理 64)	10(文 0 理 10)
24年	9(文 9 理 0)	13(文 13 理 0)	49(文 0 理 49)	14(文 1 理 13)
25年	15(文 12 理 3)	11(文 9 理 2)	53(文 2 理 51)	10(文 0 理 10)

【25年4月入社者の採用実績校】
㊫(院)早大 千葉大(大)神戸大 信州大 名古屋市大 上智大 明大 立命館大 同大 名大 広島大 慶大 国際教養大 北大 神戸市外大 立教大 ㊣(院)立命館大 岐阜大 豊田工大 名工大 富山大 阪大 名大 静岡大 福井大 金沢大 同大 三重大 名城大 信州大 大分大 東大 奈良先端科技院大(大)岐阜大 新潟大 名大 京都精華大 武蔵野美大

【24年4月入社者の配属先】
総 勤務地：愛知(名古屋15 刈谷1) 部署：企画・マーケティング11 財務2 営業1 人事2 技 勤務地：愛知(名古屋51 刈谷13) 部署：デザイン2 設計開発(研究・技術開発含む)54 生産技術8

●給与、ボーナス、週休、有休ほか●

【30歳総合職平均年収】597万円【初任給】(博士)303,400円 (修士)269,400円 (大卒)247,400円【ボーナス(年)】(組合員)226万円、(組合員)6.23カ月【25、30、35歳モデル賃金】285,500円→395,800円→439,700円 ※家族手当・住宅手当含む【週休】完全2日(土日祝)【夏期休暇】連続5日(週休含む)【年末年始休暇】連続7日【有休取得】17.4／20日

●従業員数、勤続年数、離職率ほか●

【男女別従業員数、平均年齢、平均勤続年数】計 3,876(44.0歳 15.0年) 男 3,118(44.0歳 14.0年) 女 758(42.0歳 16.0年)【離職率と離職者数】1.4%、54名(早期退職男10名、女2名含む)【3年後新卒定着率】94.6%(男94.7%、女94.1%、3年前入社：男57名・女17名)【組合】あり

求める人材 自ら考え、迅速に行動する 情熱をもってやり抜く 本質を見極められる モノ創りが好き 世界を舞台に活躍する

会社データ （金額は百万円）

【本社】467-8561 愛知県名古屋市瑞穂区苗代町15-1
☎052-824-2511　https://www.brother.co.jp/
【社長】池田 和史【設立】1934.1【資本金】19,209【今後力を入れる事業】マシナリー事業 ドミノ事業 プリンティング＆ソリューションズ事業

【業績(IFRS)】	売上高	営業利益	税前利益	純利益
22.3	710,938	85,501	86,429	61,030
23.3	815,269	55,378	56,953	39,082
24.3	822,930	49,792	52,523	31,645

東芝テック(株)（とうしば）

東京P 6588

【特色】POSレジ端末世界首位。東芝の上場子会社

修士・大卒採用数	3年後離職率	有休取得年平均	平均年収(平均46歳)
92名	11.6 → 11.9%	14.5日	◇782万円

残業(月) 20.2時間 総 20.2時間

記者評価 50年に東芝の大仁工場が分離独立した旧東京電気器具が母体。POSレジなど流通端末で国内シェア約5割で首位。12年に米IBMの同事業を買収し世界でも首位に。海外中心に事務機(複合機)も手がける。複合機はリコーと生産・開発部門統合するなど合理化を進める。

●エントリー情報と採用プロセス●

【受付開始～終了】㊗ ㊮3月～未定【採用プロセス】㊗ES提出・Webテスト(3月～)→GD・面接(2～3回、4～7月)→内々定(6～7月) ㊮ES提出・Webテスト(3月～)→面接(1～3回、4～7月)→内々定(6～7月)【交通費支給】最終面接、交通費の7～8割を目安【早期選考】⇒巻末

試験情報

重視科目 総技 面接

総 ES ⇒巻末 筆 WebGAB 面 2～3回(Webあり) GD作 ⇒巻末 技 ES ⇒巻末 筆 WebGAB 面 1～3回(Webあり)

選考ポイント 総技 ES 学生時代の経験・力を入れてきたことと志望理由・志望職種との整合性 面 社会人としての基本 求める人財像への適合性 志望職種への適合性 当社風土への適合性 将来性・潜在力

通過率 総 ES 82%(受付：595→通過：490) 技 ES 87%(受付：128→通過：111) **倍率(応募/内定)** 総 11倍 技 7倍

●男女別採用数と配属先ほか●

【男女・文理別採用実績】

	大卒男	大卒女	修士男	修士女
23年	51(文 32 理 19)	20(文 15 理 5)	11(文 0 理 11)	0(文 0 理 0)
24年	57(文 41 理 16)	20(文 15 理 5)	12(文 1 理 11)	3(文 0 理 3)
25年	52(文 31 理 21)	33(文 29 理 4)	4(文 0 理 4)	3(文 0 理 3)

【25年4月入社者の採用実績校】㊫日大 同女大 専大各4 関大 関西学大 京産大 立教大各3 駒澤大 愛知大 愛知県芸大 広島修道大各2 近大 甲南大 中京大 東洋大 福岡大 フェリス女学大 嘉悦大 関西外大 広島経大 国士舘大 神奈川大 清泉女大 西南学大 早大 大阪経大 拓大 東北学大 宮城学院女大 南山大 武蔵大 福岡工大 明学大 立命館大 國學院大各1 他 ㊣日大4 中京大 近大 東京都市大各3 東京電機大 成蹊大 東海大各2 甲南大 東洋大 東理大 福岡大 会津大 九産大 法政大 日工大 群馬大 長岡技科大 福井大各1 他

【24年4月入社者の配属先】総 勤務地：東京(大崎19 品川1)静岡・大仁1 関西7 中部3 関信越3 東北2 広島3 九州4 部署：営業34 支社店管理5 調達1 総務1 財務2 技 勤務地：東京(大崎15 品川6)静岡(大仁13 三島2)関西4 中部3 関信越2 東北1 九州3 部署：SE28 商品企画7 開発10 研究2 デザイン1 技術スタフ1

●給与、ボーナス、週休、有休ほか●

【30歳総合職平均年収】NA【初任給】(修士)275,000円 (大卒)250,000円【ボーナス(年)】NA【25、30、35歳賃金】NA【週休】完全2日(土日祝)【夏期休暇】連続4日(有休2日、週休2日で取得)【年末年始休暇】12月30日～1月4日【有休取得】14.5／24日

●従業員数、勤続年数、離職率ほか●

【男女別従業員数、平均年齢、平均勤続年数】計 3,422(46.2歳 17.1年) 男 2,900(46.8歳 17.1年) 女 522(43.1歳 16.7年)【離職率と離職者数】2.1%、75名(早期退職男4名、女1名含む)【3年後新卒定着率】88.1%(男87.3%、女91.7%、3年前入社：男55名・女12名)【組合】あり

求める人材 自分のオモイを持っている ジブンゴトにできる 常識を問直し失敗を恐れず成長を実現する

会社データ （金額は百万円）

【本社】141-8562 東京都品川区大崎1-11-1 ゲートシティ大崎ウエストタワー
☎03-6830-9100　https://www.toshibatec.co.jp/
【社長】錦織 弘信【設立】1950.2【資本金】39,970【今後力を入れる事業】グローバルトップのソリューション事業

【業績(連結)】	売上高	営業利益	経常利益	純利益
22.3	445,317	11,566	10,197	5,381
23.3	510,767	16,078	13,149	▲13,745
24.3	548,135	15,854	11,004	▲6,707

506 ▶『業界地図』p.110　開示 ★★★

メーカーI

京セラドキュメントソリューションズ(株)

株式公開 計画なし

【特色】京セラGの情報機器事業の中核担う。海外が大半

修士・大卒採用数	3年後離職率	有休取得年平均	平均年収(平均46歳)
63名	6.5→15.1%	13.7日	総 802万円

●エントリー情報と採用プロセス●

【受付開始～終了】総技3月～継続中【採用プロセス】総技ES提出(3月)→筆記(3月)→面接(2回、3～4月)→内々定(4月)【交通費支給】2次面接以降、実費【早期選考】⇒巻末

試験情報

重視科目 総技面接

総技 ES⇒巻末 筆SPI3(自宅) 面2回(Webあり)

選考ポイント 総技 ES全ての項目が具体的かつ論理的であるか 面論理的に考え自分の言葉で話が出来るか 物事に対して積極的で熱意があるか

通過率 総技 ES NA

倍率(応募/内定) 総技NA

●男女別採用数と配属先ほか●

【男女・文理別採用実績】

	大卒男	大卒女	修士男	修士女
23年	22(文 14理 8)	7(文 3理 4)	18(文 0理 18)	5(文 1理 4)
24年	23(文 8理 15)	7(文 5理 2)	18(文 1理 17)	6(文 1理 5)
25年	22(文 14理 8)	10(文 6理 4)	26(文 0理 26)	5(文 0理 5)

※25年:予定数

【25年4月入社者の採用実績校】
文(大)東京情報大 愛知学大 南山大 龍谷大 同大 関大 近大 関西学大 理(院)北大 信州大 福井大 豊橋技科大 三重大 京都工繊大 阪大 岡山大 鳥取大 九州工大 兵庫県大 大阪公大 早大 関大 大阪工大 近大(大)山梨大 静岡県大 小松大 大阪府大 北九州市大 日大 東洋大 中京大 大阪工大 近大

【24年4月入社者の配属先】
総勤務地:大阪12 東京7 部署:国内営業10 海外営業1 マーケティング1 法務知財2 資材1 経理2 総務人事2 技勤務地:大阪34 横浜1 部署:研究開発27 生産技術4 品質保証2 DX2

残業(月) 10.6時間 総10.6時間

記者評価 京セラの完全子会社。オフィス向けプリンターや複合機などを製販。企業内のデータ管理・活用などのECM／CSPソリューションや、商業・産業用インクジェット機も手がける。海外展開は早く、世界各国に販売拠点網。米国とフィリピンには研究開発拠点も。

●給与、ボーナス、週休、有休ほか●

【30歳総合職平均年収】NA【初任給】(修士)285,000円(大卒)260,000円【ボーナス(年)】216万円、5.8カ月【25、30、35歳賃金】NA【週休】完全2日(土日祝)【夏期休暇】連続9日(一斉有休取得1日含む)【年末年始休暇】連続7日(一斉有休取得1日含む)【有休取得】13.7／20日

●従業員数、勤続年数、離職率ほか●

【男女別従業員数、平均年齢、平均勤続年数】計 ◇3,422(45.8歳 19.0年) 男 2,875(46.7歳 19.3年) 女 547(40.0歳 16.7年)【離職率と離職者数】◇1.6%、57名(早期退職5名含む)【3年後新卒定着率】84.9%(男86.8%、女80.0%、3年前入社:男38名・女15名)【組合】あり

求める人材 夢に向かって果敢にチャレンジし続けられる人 素直な心・ひたむきさ・グローバルな視点を持っている人

会社データ (金額は百万円)

【本社】540-8585 大阪府大阪市中央区玉造1-2-28
☎06-6764-3555 https://www.kyoceradocumentsolutions.co.jp/
【社長】安藤 博教【設立】1948.7【資本金】12,000【今後力を入れる事業】トータルドキュメントソリューション

【業績(IFRS)】	売上高	営業利益	税前利益	純利益
22.3	366,691	NA	33,334	NA
23.3	434,914	NA	33,706	NA
24.3	452,162	NA	43,940	NA

沖電気工業(株)

東京P 6703

【特色】情報通信システム、プリンタ、ATM、EMSの4本柱

修士・大卒採用数	3年後離職率	有休取得年平均	平均年収(平均45歳)
115名	7.6→8.2%	13.4日	総 752万円

●エントリー情報と採用プロセス●

【受付開始～終了】総 技3月～継続中【採用プロセス】総ES提出・適性検査(3～7月)→面接(4回、3～7月)→内々定(6～7月) 技ES提出・適性検査(3～7月)→面接(2回、3～7月)・専門テスト(4～7月)→内々定(6～7月)【交通費支給】総合職(技術系以外)の最終面接、上限40,000円【早期選考】⇒巻末

試験情報

重視科目 総技面接

総 ES⇒巻末 筆WebGAB 面4回(Webあり) 技 ES⇒巻末 筆WebGAB 専門テスト(To-Beエンジニア試験) 面2回(Webあり)

選考ポイント 総 ES職種志望理由 自身の強み 強みを発揮したエピソード 面学生時代の活動 成長意欲 チャレンジしたい仕事 技 ES職種志望理由 成長を感じた出来事(修士以上は研究内容)に取り組んだ背景とこだわり 面大学での研究 成長意欲 チャレンジしたい仕事

通過率 総 ES61%(受付:698→通過:427) 技 ES88%(受付:259→通過:229) 倍率(応募/内定) 総21倍 技3倍

●男女別採用数と配属先ほか●

【男女・文理別採用実績】※25年:計画数

	大卒男	大卒女	修士男	修士女
23年	54(文 26理 28)	23(文 17理 6)	41(文 3理 38)	3(文 0理 3)
24年	60(文 21理 39)	28(文 20理 8)	43(文 1理 42)	6(文 3理 3)
25年	61(文 16理 45)	17(文 15理 2)	34(文 0理 34)	3(文 1理 2)

【25年4月入社者の採用実績校】文(24年)(院)慶大 ICU 早大 同大各1(大)早大6 立命館大5 同大 東京外大 立教大各3 学習院大 法政大 成蹊大各2 他 理(24年)(院)東京電機大7 群馬大5 日大4 大阪工大 電通大 東海大 東理大 東洋大各2(大)日大9 東京電機大6 東海大 千葉工大各4 成蹊大 東京都市大 神奈川工大各3 工学院大2 他

【24年4月入社者の配属先】総勤務地:東京(虎ノ門9 芝浦15)埼玉・本庄1 群馬・高崎5 大阪3 札幌2 仙台2 名古屋2 広島2 高松2 福岡2 部署:営業30 経理4 人事総務4 デリバリーマネジメント3 マーケティング2 物流1 法務1 技勤務地:東京(虎ノ門1 芝浦14 三鷹3 小峰2)埼玉(蕨29 本庄3)群馬(高崎27 富岡1)静岡・沼津13 部署:研究開発10 技術開発43 SE14 生産技術12 生産企画3 品質保証3 社内IT管理5 知的財産3

残業(月) 27.6時間 総27.9時間

記者評価 1881年、日本で最初の通信機器メーカーとして誕生。現在は情報通信、プリンタ、銀行ATM、EMSが軸。ATMはキャッシュレス化の影響で停滞。プリンタもデジタル化の波受け苦戦、構造改革でスリム化し産業用に活路模索。DX領域など軸に、研究開発を加速している。

●給与、ボーナス、週休、有休ほか●

【30歳総合職平均年収】543万円【初任給】(博士)318,500円(修士)277,000円(大卒)253,000円【ボーナス(年)】173万円、NA【25、30、35歳賃金】NA→323,495円→NA【週休】完全2日(土日祝)【夏期休暇】連続9日(計画年休5日含む)【年末年始休暇】12月30日～1月3日【有休取得】13.4／22日

●従業員数、勤続年数、離職率ほか●

【男女別従業員数、平均年齢、平均勤続年数】計 ◇4,648(44.6歳 19.6年) 男 3,959(45.3歳 20.4年) 女 689(40.8歳 15.0年)【離職率と離職者数】◇2.3%、107名【3年後新卒定着率】91.8%(男92.3%、女90.6%、3年前入社:男78名・女32名)【組合】あり

求める人材 誠実でどんな環境でも周囲を巻き込んで何事にも果敢にチャレンジできる人

会社データ (金額は百万円)

【本社】105-8460 東京都港区虎ノ門1-7-12
☎03-3501-3111 https://www.oki.com/jp/
【社長】森 孝廣【設立】1949.11【資本金】44,000【今後力を入れる事業】社会インフラ 製造 海洋 エッジプラットフォーム 海外事業

【業績(連結)】	売上高	営業利益	経常利益	純利益
22.3	352,064	5,864	7,691	2,065
23.3	369,096	2,403	▲328	▲2,800
24.3	421,854	18,692	18,293	25,649

ピーエフユー
(株)PFU

[株式公開 計画なし]

【特色】業務用スキャナー世界首位。リコーの連結子会社

修士・大卒採用数	3年後離職率	有休取得年平均	平均年収(平均45歳)
53名	11.1→5.0%	15.0日	728万円

●エントリー情報と採用プロセス●

【受付開始～終了】[総]3月～7月 [技]3月～未定【採用プロセス】[総][技]適性検査→ES提出→カジュアル面談→面接(複数回)→内々定※時期により異なる場合あり【交通費支給】なし【早期選考】⇒巻末

試験情報

重視科目 [総][技]面接

[総][技][ES]⇒巻末[筆]TG-WEB[面]複数回(Webあり)

選考ポイント [総][技][面]コミュニケーション能力 バイタリティ 創造的思考力 状況適応力

通過率 [総][ES]選考なし(受付:(早期選考含む)118) [技][ES]選考なし(受付:(早期選考含む)178)

倍率(応募/内定) [総](早期選考含む)6倍 [技](早期選考含む)5倍

●男女別採用数と配属先ほか●

【男女・文理別採用実績】

	大卒男	大卒女	修士男	修士女
23年	14(文 4理 10)	2(文 2理 0)	12(文 1理 11)	0(文 0理 0)
24年	25(文 13理 12)	16(文 15理 1)	18(文 0理 18)	1(文 0理 1)
25年	22(文 9理 13)	18(文 14理 4)	12(文 0理 12)	1(文 0理 1)

【25年4月入社者の採用実績校】[文](大)金沢大3 金沢工大 金沢星稜大 神奈川大 明学大 大妻女大各2 専大 横浜市大 福井大 小松大 東洋英和女学大 関大 帝京平成大 青学大 駒澤大 金沢学大各1 [理](院)金沢大6 富山大2 早大 工学院大 北陸先端科技院大 金沢工大 名大各1(大)金沢工大6 金沢大 富山大各2 玉川大 東京電機大 日大 同大 富山県大 電通大 静岡大各1(高専)石川 富山各1

【24年4月入社者の配属先】[総]勤務地:神奈川16 石川5 大阪3 部署:営業16 コーポレートスタッフ8 [技]勤務地:神奈川14 石川31 部署:開発エンジニア(ハードウェア)16 開発エンジニア(ソフトウェア・ファームウェア)16 システムエンジニア13

残業(月) 18.4時間

記者評価 リコーが80%、富士通が20%を出資。世界シェア首位の業務用イメージスキャナーが主力。組込みコンピュータも強い。スキャナーで培った光学技術でAI活用の文字認識ソフトや廃棄物分別システムを展開。石川・かほくと横浜の2本社制。海外は中国、米国などに拠点。

●給与、ボーナス、週休、有休ほか●

【30歳総合職平均年収】NA【初任給】(修士)270,800円(大卒)245,000円【ボーナス(年)】162万円、5.05カ月【25、30、35歳賃金】NA【週休】完全2日(土日祝)【夏期休暇】連続10日(週休含む)【年末年始休暇】連続7日(週休含む)【有休取得】15.0／20日

●従業員数、勤続年数、離職率ほか●

【男女別従業員数、平均年齢、平均勤続年数】計 2,446(45.3歳 21.3年) 男 1,939(46.1歳 22.6年) 女 507(42.3歳 16.4年)【離職率と離職者数】2.5%、64名【3年後新卒定着率】95.0%(男94.2%、女100%、3年前入社:男52名・女8名)【組合】あり

求める人材 人間性 主体性 専門性 特に主体性の待ちの姿勢にならず、何が必要とされるかを考えて動く力が重要

会社データ (金額は百万円)

【本社】929-1192 石川県かほく市宇野気ヌ98-2
☎076-283-1212 https://www.pfu.ricoh.com/
【社長】村上 清治【設立】1962.5【資本金】15,000【今後力を入れる事業】NA

【業績(連結)】	売上高	営業利益	経常利益	純利益
22.3	133,634	5,590	NA	4,509
23.3	134,451	7,815	NA	6,484
24.3	127,529	3,343	NA	2,470

マックス(株)

[東京P 6454]

【特色】事務用ステープラー、建築用くぎ打ち機で国内首位

修士・大卒採用数	3年後離職率	有休取得年平均	平均年収(平均43歳)
35名	6.3→2.9%	14.1日	[総]966万円

●エントリー情報と採用プロセス●

【受付開始～終了】[総]3月～6月 [技]3月～7月【採用プロセス】[総]セミナー(必須)→ES提出→Webテスト→人事面接→営業面接→役員面接→内々定 [技]セミナー(必須)→ES提出→Webテスト→人事面接→技術面接→役員面接→内々定【交通費支給】1次面接以降、実費

試験情報

重視科目 [総][技]面接

[総][技][ES]NA[筆]SPI3(自宅)[面]3回(Webあり)

選考ポイント [総][技][面]仕事に対する価値観に共感できるか 他

通過率 [総][技][ES]選考なし(受付:NA)

倍率(応募/内定) [総][技]NA

●男女別採用数と配属先ほか●

【男女・文理別採用実績】

	大卒男	大卒女	修士男	修士女
23年	18(文 12理 6)	5(文 4理 1)	8(文 0理 8)	1(文 0理 1)
24年	12(文 10理 2)	6(文 5理 1)	9(文 0理 9)	3(文 0理 3)
25年	15(文 9理 6)	11(文 10理 1)	7(文 0理 7)	2(文 0理 2)

【25年4月入社者の採用実績校】[文](大)学習院大 同大 広島大各2 愛知大 関西学大 京産大 成蹊大 成城大 専大 中大 中京大 同女大 宮崎大 武庫川女大 明学大 立教大各1 [理](院)群馬大4 秋田大 宇都宮大 芝工大 筑波大 新潟大各1(大)日大2 関大 工学院大 成蹊大 東京電機大 中大各1

【24年4月入社者の配属先】
[総]勤務地:東京・中央8 大阪市4 福岡市2 横浜1 部署:営業系14 経理1 [技]勤務地:群馬14 東京・中央1 部署:技術系15

残業(月) 14.3時間 [総]14.3時間

記者評価 小型ステープラー「ホッチキス」のメーカー。コピー機内蔵の自動綴じ機は有力メーカーが採用。くぎ打ち機など木造・コンクリート向け建築工具は北米で積極展開。注力中の鉄筋結束機は、国内・欧米に加え、ASEANや中東、オセアニアでも市場開拓を推進。

●給与、ボーナス、週休、有休ほか●

【30歳総合職平均年収】672万円【初任給】(修士)250,000円(大卒)230,600円【ボーナス(年)】423万円、12.108カ月【25、30、35歳賃金】NA【週休】完全2日(土日祝)【夏期休暇】連続7日(有休2日 公休5日)【年末年始休暇】連続7日(有休2日 公休5日)【有休取得】14.1／24日

●従業員数、勤続年数、離職率ほか●

【男女別従業員数、平均年齢、平均勤続年数】計 847(42.6歳 17.5年) 男 766(43.5歳 18.3年) 女 81(34.0歳 10.1年)【離職率と離職者数】2.3%、20名【3年後新卒定着率】97.1%(男96.0%、女100%、3年前入社:男25名・女10名)【組合】あり

求める人材 自ら考え行動し、失敗を恐れず仲間を巻き込みながら物事にチャレンジできる人

会社データ (金額は百万円)

【本社】103-8502 東京都中央区日本橋箱崎町6-6
☎03-3669-0311 https://www.max-ltd.co.jp/
【社長】小川 辰志【設立】1942.11【資本金】12,367【今後力を入れる事業】海外事業

【業績(連結)】	売上高	営業利益	経常利益	純利益
22.3	73,958	7,498	8,282	6,090
23.3	84,316	9,926	10,510	7,619
24.3	86,638	12,601	13,717	10,435

メーカーI

理想科学工業(株)（りそうかがくこうぎょう）

東京P 6413

【特色】高速印刷機で有名、世界的に学校関連に強み

修士・大卒採用数	3年後離職率	有休取得年平均	平均年収(平均44歳)
26名	18.2→22.2%	14.3日	(総)864万円

●エントリー情報と採用プロセス●

【受付開始～終了】(総)(技)1月～8月【採用プロセス】(総)(技)説明会(必須、1月～)→ES提出・Webテスト(1月～)→書類選考(2月～)→面接(2～3回、3月～)→内々定(4月～)【交通費支給】2次面接以降、首都圏以外の各地域別設定額※開発センターの場合は、つくば市在住／在学以外の地域別設定額【早期選考】⇒巻末

試験情報

重視科目 (総)(技)面接

(総)(技)(ES)NA(筆)Webテスト(面)2～3回(Webあり)(GD作)⇒巻末

選考ポイント
(総)(ES)学生時代の経験 仕事に生かしたい強み(面)熱意 誠実さ 論理的コミュニケーション
(技)(ES)総合職共通(面)課題設定能力 学業への取り組み姿勢

通過率 (総)(技)(ES)NA　倍率(応募/内定) (総)(技)NA

●男女別採用数と配属先ほか●

【男女・文理別採用実績】

	大卒男	大卒女	修士男	修士女
23年	2(文 1理 1)	3(文 3理 0)	6(文 2理 4)	1(文 0理 1)
24年	13(文 10理 3)	7(文 6理 1)	5(文 0理 5)	2(文 0理 2)
25年	12(文 8理 4)	8(文 7理 1)	4(文 0理 4)	2(文 0理 2)

【25年4月入社者の採用実績校】
(文)(大)関西学大 近大各2 埼玉大 兵庫県大 小樽商大 都留文科大 周南公大 早大 上智大 東洋大 駒澤大 神奈川大 明大各1 (理)(院)山形大2 北大 会津大 埼玉大 東理大各1(大)宇都宮大 工学院大 法政大 広島工大 R.M.K.エンジニアリング大各1

【24年4月入社者の配属先】(総)勤務地：東京(三田5 日本橋1 新宿1)横浜2 さいたま1 名古屋2 大阪・新大阪1 京都市1 福岡・博多1 茨城・つくば3 部署：経理1 情シス1 海外営業2 国内営業11 工場スタッフ3 (技)勤務地：茨城・つくば9 部署：研究開発8 生産技術1

残業(月) 12.8時間 (総)14.4時間

記者評価 速い、安い印刷機で独自路線。孔版印刷機「リソグラフ」で有名だが、近年は高速インクジェットプリンターに注力。学校分野に強み。高速印刷で教員の労働時間削減に貢献。開発拠点はつくば市で、鹿島アントラーズのオフィシャルパートナー。

●給与、ボーナス、週休、有休ほか●

【30歳総合職平均年収】592万円【初任給】(修士)284,450円(大卒)249,450円【ボーナス(年)】189万円、5.458カ月【25、30、35歳賃金】NA【週休】完全2日(土日祝)【夏期休暇】連続7日(週休2日、計画年休2日含む)【年末年始休暇】連続7日(週休2日含む)【有休取得】14.3／20日

●従業員数、勤続年数、離職率ほか●

【男女別従業員数、平均年齢、平均勤続年数】計 1,375(44.1歳 20.5年) 男 1,121(44.6歳 20.9年) 女 254(41.9歳 18.6年)【離職率と離職者数】NA【3年後新卒定着率】77.8%(男83.3%、女66.7%、3年前入社:男6名・女3名)【組合】なし

求める人材 主体的に動き、挑戦できる人材

会社データ (金額は百万円)

【本社】108-8385 東京都港区芝5-34-7 田町センタービル
☎03-5441-6805　https://www.riso.co.jp/
【社長】羽山 明【設立】1955.1【資本金】14,114【今後力を入れる事業】プリンター事業 サービス事業 他

【業績(連結)】	売上高	営業利益	経常利益	純利益
22.3	69,313	4,164	4,644	3,578
23.3	74,655	5,955	6,201	4,624
24.3	74,602	5,256	6,202	4,831

千代田インテグレ(株)（ちよだ）

東京S 6915

【特色】ソフト素材加工専門の総合部品メーカー

修士・大卒採用数	3年後離職率	有休取得年平均	平均年収(平均38歳)
11名	33.3→44.4%	16.0日	(総)772万円

●エントリー情報と採用プロセス●

【受付開始～終了】(総)2月～継続中【採用プロセス】(総)説明会・筆記(2月～)→面接(2回、3月～)→内々定(4月～)※事務系技術系一括採用【交通費支給】なし

試験情報

重視科目 (総)面接

(総)(筆)能力検査・性格検査(WEB)(面)2回(Webあり)

選考ポイント
(総)(面)積極性 入社意欲 論理性 コミュニケーション能力 成長意欲・社交性・コミュニケーション力が高く、論理的思考・柔軟な思考ができる タフな人材か

通過率 (総)(ES)―(応募:NA)

倍率(応募/内定) (総)NA

●男女別採用数と配属先ほか●

【男女・文理別採用実績】

	大卒男	大卒女	修士男	修士女
23年	8(文 8理 0)	7(文 7理 0)	0(文 0理 0)	0(文 0理 0)
24年	11(文 10理 1)	3(文 2理 1)	0(文 0理 0)	0(文 0理 0)
25年	7(文 6理 1)	4(文 4理 0)	0(文 0理 0)	0(文 0理 0)

【25年4月入社者の採用実績校】
(文)(大)二松学舎大 麗澤大各2 実践女大 大阪学大 清泉女大 神田外語大 鹿児島大 大東文化大各1 (理)(大)職能大学校1

【24年4月入社者の配属先】
(総)勤務地：埼玉・草加2 東京・千代田2 愛知・豊橋1 大阪1 部署：営業5 システム1 (技)勤務地：埼玉・草加7 愛知・豊橋1 部署：生産7 品質保証1

残業(月) 12.7時間

記者評価 OA・AV機器部品をつなぐ緩衝材などソフト加工材の開発に強み。スマホ向けほかヘルスケアにも進出。自動運転など車載関連はOA機器に次ぐ柱に育成中。5G関連では低誘電フィルムの開発急ぐ。海外売上比率8割弱で、幹部社員の多くは海外法人で経営ノウハウ習得。

●給与、ボーナス、週休、有休ほか●

【30歳総合職平均年収】582万円【初任給】(修士)268,200円(大卒)250,000円【ボーナス(年)】272万円、7.42カ月【25、30、35歳賃金】264,483円→307,333円→318,425円【週休】完全2日(土日祝)【夏期休暇】連続9日(有休3日含む)【年末年始休暇】連続7日【有休取得】16.0／20日

●従業員数、勤続年数、離職率ほか●

【男女別従業員数、平均年齢、平均勤続年数】計 266(40.3歳 15.9年) 男 212(42.7歳 18.1年) 女 54(30.9歳 7.4年)【離職率と離職者数】5.0%、14名【3年後新卒定着率】55.6%(男75.0%、女40.0%、3年前入社:男4名・女5名)【組合】なし

求める人材 海外赴任したい人 大手一流企業を相手に営業したい人 ものづくりしたい人

会社データ (金額は百万円)

【本社】102-0084 東京都千代田区二番町1-1
☎03-6386-5555　https://www.chiyoda-i.co.jp/
【会長兼社長】小池 光明【設立】1955.9【資本金】2,331【今後力を入れる事業】自動車業界への拡販

【業績(連結)】	売上高	営業利益	経常利益	純利益
21.12	40,006	2,696	3,024	2,398
22.12	39,372	3,015	3,780	2,725
23.12	39,416	3,058	3,770	2,556

ふじでんき 富士電機㈱ 東京P 6504

【特色】重電大手。パワエレやパワー半導体、自販機に強い

修士・大卒採用数	3年後離職率	有休取得年平均	平均年収(平均45歳)
231名	9.1→10.0%	18.6日	㊕861万円

残業(月) 13.3時間 ㊕16.0時間

記者評価 古河電気工業と独シーメンスの合弁で出発。古河財閥中核で富士通の母体。電力(地熱発電に強み)、電源、産業機器を手がける。HDD用ディスク媒体は撤退し、EV向けが拡大するパワー半導体を増産。自動販売機で国内首位。コンビニ向けコーヒーマシンも。

●エントリー情報と採用プロセス●

【受付開始～終了】㊕㊕3月～8月【採用プロセス】㊕CS(コミュニケーションシート)提出・適性検査(3月～)→書類選考→面接(3回)→内々定 ㊕CS提出・適性検査(3月～)→書類選考→面接(2回)→内々定※学校推薦は書類選考なし【交通費支給】〈文理不問〉2次面接以降〈技術系〉最終面接、大学所在地の主要都市からの実費相当

試験情報

重視科目 総技面接 総 ES NA 筆 適性検査(性格検査 能力検査) 面 3回(Webあり) 技 ES NA 筆 適性検査(性格検査 能力検査) 面 2回(Webあり)

選考ポイント 総技 ES NA(提出あり) 面 コミュニケーション能力 主体性 論理性 他

通過率 総技 ES NA 倍率(応募/内定) 総技 NA

●給与、ボーナス、週休、有休ほか●

【30歳総合職平均年収】670万円【初任給】(博士)301,000円(修士)275,000円 (大卒)250,000円【ボーナス(年)】260万円、6.0カ月【25、30、35歳賃金】252,415円→317,967円→365,108円【週休】完全2日(土日祝)【夏期休暇】連続5日【年末年始休暇】連続5日【有休取得】18.6／24日

●男女別採用数と配属先ほか●

【男女・文理別採用実績】

	大卒男	大卒女	修士男	修士女
23年	61(文 25理 36)	35(文 21理 14)	101(文 0理101)	13(文 0理 13)
24年	83(文 30理 53)	36(文 28理 8)	102(文 1理101)	13(文 0理 13)
25年	85(文 24理 61)	41(文 35理 6)	95(文 0理 95)	10(文 0理 10)

【25年4月入社者の採用実績校】㊕お茶女大 大阪市大 阪大 大阪府大 関西学大 関大 学習院大 近大 北九州市大 慶大 ICU 神戸大 國學院大 信州大 上智大 成城大 成蹊大 聖心女大 中大 筑波大 津田塾大 東京学芸大 都立大 同大 長崎大 奈良女大 日大 法政大 北大 武蔵大 明大 横浜市大 立教大 立命館大 早大 和歌山大 他 ㊕青学大 愛知工業大 南山大 茨城大 岩手大 宇都宮大 阪大 大阪公大 大阪工大 大分大 関大 金沢大 鹿児島大 神奈川大 京大 京都工繊大 近大 九州工大 九大 岐阜大 熊本大 群馬大 工学院大 埼玉大 芝工大 信州大 静岡大 中大 千葉工大 中京大 中部大 筑波大 電通大 東大 東京海洋大 東京工科大 東京電機大 東京都市大 都立大 東京農工大 東理大 東邦大 東北大 東洋大 徳島大 富山大 豊橋技科大 同大 長岡技科大 長崎大 奈良女大 名大 他

【24年4月入社者の配属先】㊕勤務地:本社および国内各拠点 部署:営業 資材調達 財務・経理 人事・総務 他 ㊕勤務地:本社および国内各拠点 部署:研究開発 設計・開発 生産・製造技術 品質保証 営業 サービスエンジニア システムエンジニア 他

●従業員数、勤続年数、離職率ほか●

【男女別従業員数、平均年齢、平均勤続年数】計 8,719 (45.5歳 20.8年) 男 7,511(45.9歳 21.1年) 女 1,208(43.0歳 18.9年)【離職率と離職者数】2.2%、192名【3年後新卒定着率】90.0%(男90.3%、女88.5%、3年前入社:男207名・女52名)【組合】あり

求める人材 グローバルな視点を持ち、チームで総合力を発揮できる人

会社データ (金額は百万円)

【本社】141-0032 東京都品川区大崎1-11-2 ゲートシティ大崎
☎03-5435-7111 https://www.fujielectric.co.jp/
【会長】北澤 通宏【設立】1923.8【資本金】47,586【今後力を入れる事業】エネルギー事業 インダストリー事業 半導体事業

業績(連結)	売上高	営業利益	経常利益	純利益
22.3	910,226	74,835	79,297	58,660
23.3	1,009,447	88,882	87,811	61,348
24.3	1,103,214	106,066	107,822	75,353

㈱キーエンス 東京P 6861

【特色】FAセンサーなど検出・計測制御機器大手。高収益

修士・大卒採用数	3年後離職率	有休取得年平均	平均年収(平均35歳)
294名	NA	NA	2,067万円

残業(月) NA

記者評価 1974年に滝崎武光氏(現名誉会長)が設立。新製品の約7割が「世界・業界初」。その開発力と直販体制、自社で工場を持たないファブレスが強み。フラットな組織で成果主義が浸透。徹底した合理性で高収益を実現、給与水準は上場企業でも突出。海外営業を強化中。

●エントリー情報と採用プロセス●

【受付開始～終了】㊕1月～3月 ㊕1月～5月【採用プロセス】㊕エントリー(1～3月)→説明会・適性検査→面接(3～4回)→内々定 ㊕エントリー(1～5月)→説明会・適性検査→面接(3～4回)→内々定【交通費支給】2次面接以降、会社基準

試験情報

重視科目 総技 面接

総技 筆 SPI3(会場) SPI3 面 3～4回(Webあり)

選考ポイント 総技 ES 提出なし 面 コミュニケーション能力 論理的思考力 他

通過率 総技 ES —(応募:NA)

倍率(応募/内定) 総技 NA

●給与、ボーナス、週休、有休ほか●

【30歳総合職平均年収】NA【初任給】(修士)〈B職〉270,000円 (大卒)〈B職〉250,000円【ボーナス(年)】NA【25、30、35歳賃金】NA【週休】2日(年127日)【夏期休暇】連続9日(週休含む)【年末年始休暇】連続9日(週休含む)【有休取得】NA／20日

●男女別採用数と配属先ほか●

【男女・文理別採用実績】

	大卒男	大卒女	修士男	修士女
23年	NA(文NA 理NA)	NA(文NA 理NA)	NA(文NA 理NA)	NA(文NA 理NA)
24年	NA(文NA 理NA)	NA(文NA 理NA)	NA(文NA 理NA)	NA(文NA 理NA)
25年	NA(文NA 理NA)	NA(文NA 理NA)	NA(文NA 理NA)	NA(文NA 理NA)

※25年:294名採用

【25年4月入社者の採用実績校】㊕北大 東北大 千葉大 青学大 慶大 駒澤大 上智大 中大 東大 東京科学大 都立大 東理大 東洋大 日大 法政大 明大 立教大 専大 横国大 南山大 中京大 同大 京大 立命館大 京産大 阪大 関大 近大 大阪公大 関西学大 神戸大 甲南大 九大 西南学大(理系・一般含む) ㊕文系に含む

【24年4月入社者の配属先】㊕勤務地:本社・研究所(新大阪) 東京研究所(台場)国内各事業所 部署:営業 調達 ロジスティクス 人事 マーケティング 他 ㊕勤務地:本社・研究所(新大阪)東京研究所(台場) 部署:商品開発 ソフトウェア開発 生産技術 生産管理 ICT コンサルティングエンジニア 知財 他

●従業員数、勤続年数、離職率ほか●

【男女別従業員数、平均年齢、平均勤続年数】計 3,042 (35.2歳 11.5年) 男 NA 女 NA【離職率と離職者数】NA【3年後新卒定着率】NA【組合】なし

求める人材 本質的に正しいことを考え、徹底して実行できる人

会社データ (金額は百万円)

【本社】533-8555 大阪府大阪市東淀川区東中島1-3-14
☎06-6379-1111 https://www.keyence.co.jp/
【社長】中田 有【設立】1974.5【資本金】30,637【今後力を入れる事業】さらなる高付加価値化 海外展開

業績(連結)	売上高	営業利益	経常利益	純利益
22.3	755,174	418,045	431,240	303,360
23.3	922,422	498,914	512,830	362,963
24.3	967,288	495,014	519,295	369,642

開示 ★★★★★ ▶『業界地図』p.46,94,114…　511

オムロン(株)

東京P 6645

【特色】体温計などで有名だが、主力事業は制御機器

修士・大卒採用数	3年後離職率	有休取得年平均	平均年収(平均45歳)
53名	13.2 → 15.6%	18.3日	総 901万円

●エントリー情報と採用プロセス●

【受付開始～終了】総技3月～継続中【採用プロセス】総技ES提出・Webテスト(3月～)→面接(2回)→内々定【交通費支給】2次面接以降、会社基準【早期選考】⇒巻末

試験情報

重視科目 総技面接

総技(ES)NA(筆)玉手箱(面)2回(Webあり)

選考ポイント 総技(ES)NA(提出あり)(面)求める人物像にマッチしているか

通過率 総技(ES)NA

倍率(応募/内定) 総技NA

●男女別採用数と配属先ほか●

【男女・文理別採用実績】

	大卒男	大卒女	修士男	修士女
23年	20(文 16理 4)	10(文 9理 1)	29(文 1理 28)	5(文 0理 5)
24年	8(文 5理 3)	14(文 13理 1)	41(文 0理 41)	7(文 1理 6)
25年	8(文 6理 2)	7(文 3理 4)	31(文 0理 31)	7(文 0理 7)

【25年4月入社者の採用実績校】
(文)東大 京大 阪大 神戸大 岡山大 広島大 同大 立命館大 京都工繊大 九州工大 他(理系含む) (理)文系に含む

【24年4月入社者の配属先】
総勤務地:東京 愛知 大阪 京都 他 部署:営業・スタッフ(理財法務 IT 人総)19 技勤務地:東京 愛知 滋賀 京都 岡山 他 部署:技術57

残業(月) 18.6時間 総18.6時間

記者評価 製造現場向け制御機器が柱。ただ、23年度に業績が大幅悪化、リストラも実施。中国偏重を見直そうと、構造改革に取組中。創業家が取締役から去り、社内は変革期に入った。ビッグデータを活用した新ビジネスを模索中。ヘルスケアや自動改札、電子部品も展開。

●給与、ボーナス、週休、有休ほか●

【30歳総合職平均年収】NA【初任給】(博士)320,300円(修士)274,000円(大卒)250,000円【ボーナス(年)】292万円、6.3カ月【25、30、35歳賃金】NA【週休】完全2日(土日祝)【夏期休暇】有休で取得【年末年始休暇】当年カレンダーによる【有休取得】18.3／24日

●従業員数、勤続年数、離職率ほか●

【男女別従業員数、平均年齢、平均勤続年数】計 4,593(44.7歳 19.4年) 男 3,615(45.0歳 19.3年) 女 978(43.6歳 19.7年)【離職率と離職者数】NA【3年後新卒定着率】84.4%(男NA、女NA、3年前入社:男女計96名)【組合】あり

求める人材 世界の社会課題の解決に、誰にも負けない強みを持ってチャレンジできる人財 自らが社会的課題を解決するという志とチームに貢献する専門性・強みを有する人財

会社データ (金額は百万円)

【本社】600-8530 京都府京都市下京区塩小路通堀川東入
☎075-344-7000　https://www.omron.com/jp/ja/
【社長】辻永 順太【設立】1948.5【資本金】64,100【今後力を入れる事業】Sensing＆Control+Think技術

【業績(SEC)】	売上高	営業利益	税前利益	純利益
22.3	762,927	89,316	86,714	61,400
23.3	876,082	100,686	98,409	73,861
24.3	818,761	34,342	34,953	8,105

(株)安川電機（やすかわでんき）

東京P 6506

【特色】サーボ、インバーター、産業用ロボットで首位級

修士・大卒採用数	3年後離職率	有休取得年平均	平均年収(平均42歳)
66名	5.5 → 5.8%	15.4日	総 924万円

●エントリー情報と採用プロセス●

【受付開始～終了】総3月～5月 技3月～継続中【採用プロセス】総ES提出(3月中旬)→Web筆記→面接(3回)→内々定 技ES提出(3月中旬)→Web筆記→面接(2回)→内々定【交通費支給】面接以降、会社基準【早期選考】⇒巻末

試験情報

重視科目 総技面接

総(ES)⇒巻末(筆)WebGAB(面)3回(Webあり) 技(ES)⇒巻末(筆)WebGAB(面)2回(Webあり)

選考ポイント 総(ES)NA(提出あり)(面)コミュニケーション能力 問題発見・解決能力 積極性 実行力 協調性 技(ES)NA(提出あり)(面)技術的な要素 問題発見・解決能力 積極性 実行力 協調性

通過率 総(ES)42%(受付:(早期選考含む)406→通過:(早期選考含む)169) 技(ES)37%(受付:(早期選考含む)354→通過:(早期選考含む)131)

倍率(応募/内定) 総(早期選考含む)18倍 技(早期選考含む)7倍

●男女別採用数と配属先ほか●

【男女・文理別採用実績】※25年:継続中

	大卒男	大卒女	修士男	修士女
23年	18(文 10理 8)	11(文 7理 4)	24(文 1理 23)	3(文 0理 3)
24年	20(文 15理 5)	9(文 7理 2)	30(文 0理 30)	3(文 0理 3)
25年	23(文 16理 7)	5(文 5理 0)	32(文 0理 32)	6(文 0理 6)

【25年4月入社者の採用実績校】(文)(大)同大6 西南学大3 早大 明大 立教大 法政大 関大 立命館大 京産大 滋賀大 九大 鹿児島大 小樽商大 津田塾大各1 (理)(院)九州工大9 九大4 鹿児島大 長崎大各3 早大 名城大 北大各2 東大 東京都市大 都立大 長岡技科大 芝工大 金沢工大 佐賀大 三重大 山口大 信州大 同大 北九州市大 名工大各1(大)九州職能大学校 熊本大 南山大 福岡工大 福岡大 佐賀大 近大各1(高専)北九州 有明各2 宇部 熊本 奈良各1

【24年4月入社者の配属先】総勤務地:(23年)福岡12 東京5 大阪2 部署:(23年)ICT2 人事1 経理3 調達2 総務3 品質管理1 営業7 技勤務地:(23年)福岡44 埼玉6 大阪3 群馬1 神奈川1 部署:(23年)研究開発11 開発設計31 営業技術(フィールドエンジニア)9 生産技術2 信頼性管理1 品質管理1

残業(月) 20.4時間 総20.4時間

記者評価 1915年に創業、地元・八幡製鉄所向け電機品などで独自制御技術を培い、サーボモーター、インバーターに競争力。産業用ロボットは世界4強の一角。製薬や農業向けロボットも展開。生産現場のデータ活用ソリューションも注力。国内外の生産拠点で内製化推進。

●給与、ボーナス、週休、有休ほか●

【30歳総合職平均年収】638万円【初任給】(博士)294,000円(修士)270,000円(大卒)250,000円【ボーナス(年)】231万円、6.52カ月【25、30、35歳賃金】273,370円→318,641円→366,465円【週休】完全2日(土日祝)【夏期休暇】連続8～10日(年休一斉取得日2～3日含む)【年末年始休暇】連続6～8日【有休取得】15.4／20日

●従業員数、勤続年数、離職率ほか●

【男女別従業員数、平均年齢、平均勤続年数】計 3,189(42.1歳 18.6年) 男 2,783(42.3歳 19.0年) 女 406(41.0歳 16.1年)【離職率と離職者数】1.6%、52名【3年後新卒定着率】94.2%(男93.6%、女100%、3年前入社:男78名・女8名)【組合】あり

求める人材 自ら考え、皆と協力しながら、新しいことに果敢にチャレンジし続ける人

会社データ (金額は百万円)

【本社】806-0004 福岡県北九州市八幡西区黒崎城石2-1
☎093-645-8801　https://www.yaskawa.co.jp/
【社長】小川 昌寛【設立】1915.7【資本金】30,562【今後力を入れる事業】工場の自動化・最適化事業 メカトロニクス応用領域

【業績(IFRS)】	売上高	営業利益	税前利益	純利益
22.2	479,082	52,860	55,378	38,354
23.2	555,955	68,301	71,134	51,783
24.2	575,658	66,225	69,078	50,687

開示 ★★★★★ ▶『業界地図』p.89,92,94　501

㈱島津製作所（しまづせいさくしょ）

東京P 7701

【特色】分析計測機器大手。医用・航空・産業機器も展開

修士・大卒採用数	3年後離職率	有休取得年平均	平均年収（平均43歳）
98名	5.8 → 7.1%	16.3日	◇892万円

●エントリー情報と採用プロセス●

【受付開始～終了】㊗㊕3月～6月【採用プロセス】㊗㊕ES提出・適性検査(3月～)→面接(複数回)→内々定(6月～)【交通費支給】最終面談以降、実費

試験情報

重視科目　総技 面接

総技 ES NA 筆 SPI3(会場) SPI3 面 複数回(Webあり)

選考ポイント　総技 ES NA(提出あり) 面 求める人材像にマッチしているか

通過率　総技 ES 選考有無NA

倍率(応募/内定)　総技 NA

●男女別採用数と配属先ほか●

【男女・文理別採用実績】

	大卒男	大卒女	修士男	修士女
23年	21(文 17理 4)	17(文 16理 1)	65(文 1理 64)	18(文 0理 18)
24年	20(文 15理 5)	25(文 14理 11)	77(文 0理 77)	16(文 1理 15)
25年	19(文 15理 4)	12(文 11理 1)	51(文 2理 49)	16(文 0理 16)

【25年4月入社者の採用実績校】㊍同大 神戸大 関大 立命館大 関西学大 横国大 金沢大 広島大 滋賀県大 新潟大 阪大 筑波大 長崎県大 東北大 兵庫県大 法政大 ㊚阪大 京大 神戸大 同大 京都工繊大 大阪公大 北大 立命館大 横国大 岡山大 千葉大 東北大 奈良先端科技院大 豊田工大 名大 MITワールドピース大 マレーシア工科大 岐阜大 金沢大 九州工大 九大 慶大 広島大 静岡大 早大 筑波大 中大 長崎大 東京科学大 東大 東京農工大 徳島大 奈良女大 富山大 明大

【24年4月入社者の配属先】

総 勤務地：京都14 東京9 大阪3 名古屋3 横浜3 埼玉2 茨城2 宮城2 福岡2 広島2 部署：営業31 管理11 技 勤務地：京都88 神奈川6 滋賀2 部署：研究開発10 製品開発74 生産技術12

残業(月)　8.5時間 総 8.6時間

記者評価 製薬企業等が使う液体クロマトグラフや化学メーカーが使うガスクロマトグラフなどが成長。半導体製造装置向けターボ分子ポンプにも強み。豊富な知財生かす。ノーベル化学賞の田中耕一氏がエグゼクティブ・リサーチ・フェローを務め、異分野横断のR&Dを加速。

●給与、ボーナス、週休、有休ほか●

【30歳総合職平均年収】NA【初任給】(博士)309,000円(修士)290,000円(大卒)266,000円【ボーナス(年)】238万円、NA【25、30、35歳賃金】272,441円→332,394円→395,366円【週休】完全2日(土日祝)【夏期休暇】連続9日(有休充当含む)【年末年始休暇】連続7日(有休充当含む)【有休取得】16.3／21日

●従業員数、勤続年数、離職率ほか●

【男女別従業員数、平均年齢、平均勤続年数】計 3,569(43.3歳 18.0年) 男 2,811(44.0歳 18.2年) 女 758(41.1歳 14.2年)【離職率と離職者数】0.9%、32名【3年後新卒定着率】92.9%(男90.5%、女100%、3年前入社:男63名・女22名)【組合】あり

求める人材 変化を楽しみ、これまでにない価値創造の主役となれる人

会社データ　(金額は百万円)

【本社】604-8511 京都府京都市中京区西ノ京桑原町1
☎075-823-1246　https://www.shimadzu.co.jp/
【社長】山本 靖則【設立】1917.9【資本金】26,648【今後力を入れる事業】海外事業 新事業(アドバンストヘルスケア 環境分野 他)

【業績(連結)】	売上高	営業利益	経常利益	純利益
22.3	428,175	63,806	65,577	47,289
23.3	482,240	68,219	70,882	52,048
24.3	511,895	72,753	76,895	57,037

㈱堀場製作所（ほりばせいさくしょ）

東京P 6856

【特色】分析・計測機器の大手。排ガス計測で高シェア

修士・大卒採用数	3年後離職率	有休取得年平均	平均年収（平均42歳）
41名	13.0 → 17.2%	16.1日	総692万円

●エントリー情報と採用プロセス●

【受付開始～終了】㊗㊕3月～7月【採用プロセス】㊗㊕ES提出→面接→Webテスト・面接→内々定(6月～)【交通費支給】最終面接、実費(会社基準)

試験情報

重視科目　総技 面接

総技 ES NA 筆 WebGAB 面 2回(Webあり)

選考ポイント　総技 ES NA(提出あり) 面 チャレンジ精神 主体性 好奇心 行動力 探求心 グローバル 他

通過率　総技 ES NA

倍率(応募/内定)　総技 NA

●男女別採用数と配属先ほか●

【男女・文理別採用実績】

	大卒男	大卒女	修士男	修士女
23年	8(文 6理 2)	7(文 5理 2)	8(文 0理 8)	2(文 0理 2)
24年	5(文 4理 1)	8(文 7理 1)	13(文 1理 12)	4(文 2理 2)
25年	17(文 17理 0)	9(文 8理 1)	13(文 1理 12)	2(文 0理 2)

【25年4月入社者の採用実績校】
㊍(院)大阪工大1(大)立命館大8 同大 京産大各4 阪大3 京大2 滋賀大 大阪市大 龍谷大 駒澤大各1 ㊚(院)滋賀県大 同大 京都工繊大 金沢工大各2 大阪公大 富山大 広島大 福井大 立命館大 東海大 大阪産大各1(大)同大1

【24年4月入社者の配属先】

総 勤務地：(24年)京都市13 名古屋1 横浜1 部署：(24年)国内営業2 海外営業3 営業業務2 製品企画1 購買1 人事1 経理1 総務1 法務1 知的財産1 マーケティング1 技 勤務地：(23年)京都市8 滋賀・大津7 部署：(23年)開発設計14 生産1

残業(月)　14.2時間 総 14.2時間

記者評価 半導体製造装置で使われるマスフローコントローラー(流体制御機器)が利益柱。エンジン排ガス計測機器は世界シェア約8割。水素エネルギー関連の計測機器など新領域も開拓。現会長堀場厚氏は創業者の長男で2代目。社是は「おもしろおかしく」と独自の企業文化。

●給与、ボーナス、週休、有休ほか●

【30歳総合職平均年収】NA【初任給】(博士)287,200円(修士)270,800円(大卒)245,200円【ボーナス(年)】NA【25、30、35歳賃金】NA【週休】完全2日(土日)【夏期休暇】有休で取得【年末年始休暇】連続6日【有休取得】16.1／21日

●従業員数、勤続年数、離職率ほか●

【男女別従業員数、平均年齢、平均勤続年数】計 ◇1,510(42.4歳 15.8年) 男 1,103(43.3歳 16.8年) 女 407(39.8歳 13.2年)【離職率と離職者数】◇3.3%、51名【3年後新卒定着率】82.8%(男95.0%、女55.6%、3年前入社:男20名・女9名)【組合】あり

求める人材 チャレンジ精神と主体性を持ち、オンリーワンの技術力で世界を舞台に活躍したい人

会社データ　(金額は百万円)

【本社】601-8510 京都府京都市南区吉祥院宮の東町2
☎075-313-8121　https://www.horiba.com/jp/
【社長】足立 正之【設立】1953.1【資本金】12,011【今後力を入れる事業】自動車部門 半導体部門 新領域・成長市場(代替燃料、バイオ・ライフサイエンス、水 他)

【業績(連結)】	売上高	営業利益	経常利益	純利益
21.12	224,314	32,046	32,038	21,311
22.12	270,133	45,843	46,860	34,072
23.12	290,558	47,296	48,251	40,302

メーカーI

㈱明電舎（めいでんしゃ）

東京P 6508

【特色】重電準大手。水関連や発電、鉄道関連機器に強い

修士・大卒採用数	3年後離職率	有休取得年平均	平均年収(平均44歳)
70名	8.1→6.8%	17.0日	総 791万円

残業(月) 22.1時間 総 24.6時間

記者評価 1897年創業。住友グループで重電国内準大手。上下水道用の変電設備や監視システム、維持管理受託に強み。中小容量の発電機、風力発電、産業用機器、自動車試験装置も。EV、PHV用モータ・インバータが成長。旧本社工場跡地のJR大崎駅前高層ビルを共同所有。

●エントリー情報と採用プロセス●

【受付開始～終了】総3月～7月 技3月～9月【採用プロセス】総ES提出(3～7月)→面接(3回)→内々定 技ES提出(3月～)→面接(3回)→内々定〈推薦〉受付・ES提出(3月～)→面接(2回)→内々定【交通費支給】2次選考以降、一部支給

試験情報

重視科目 総技 面接

総 ES ⇒巻末 筆 適性検査(Web) 面 3回(Webあり) 技 ES ⇒巻末 筆 適性検査(Web) 面 3回〈推薦〉2回(Webあり)

選考ポイント 総 ES 学生時代に力を入れたこと 面 コミュニケーション能力 リーダーシップ 主体性 技 ES 学生時代に力を入れたこと 研究内容 面 研究内容 コミュニケーション能力

通過率 総 ES 50%(受付:518→通過:258) 技 ES 96%(受付:136→通過:131) **倍率**(応募/内定) 総 20倍 技 3倍

●給与、ボーナス、週休、有休ほか●

【30歳総合職平均年収】523万円【初任給】(修士)275,000円 (大卒)250,000円【ボーナス(年)】216万円、4.79カ月【25、30、35歳賃金】254,056円→291,796円→345,645円【週休】完全2日(土日祝)【夏期休暇】連続約5日【年末年始休暇】連続約5日【有休取得】17.0／23日

●従業員数、勤続年数、離職率ほか●

【男女別従業員数、平均年齢、平均勤続年数】計 3,237(44.6歳 19.7年) 男 2,655(45.1歳 20.0年) 女 582(42.5歳 18.2年)【離職率と離職者数】3.2%、107名【3年後新卒定着率】93.2%(男93.1%、女93.3%、3年前入社:男58名・女15名)【組合】あり

●男女別採用数と配属先ほか●

【男女・文理別採用実績】※高専専攻科は大卒に含む

	大卒男	大卒女	修士男	修士女
23年	22(文 12 理 10)	19(文 12 理 7)	31(文 0 理 31)	4(文 1 理 3)
24年	15(文 8 理 7)	10(文 8 理 2)	25(文 0 理 25)	1(文 0 理 1)
25年	33(文 15 理 18)	10(文 9 理 1)	22(文 0 理 22)	5(文 2 理 3)

【25年4月入社者の採用実績校】文(院)北大 立教大各1(大)法政大4 明大3 中大 國學院大 立命館大各2 明学大 立命館APU 成城大 成蹊大 静岡県大 福岡大 北九州市大 帝京大 東京都市大 東洋英和女学大 日女大各1 理(院)芝工大 東京電機大各2 愛媛大 茨城大 宇都宮大 宮崎大 京都工繊大 金沢工大 熊本大 埼玉大 室蘭工大 秋田大 神奈川大 静岡大 長崎大 鳥取大 東海大 富山大 福井大 北大 北見工大各1(大)茨城大 東京電機大 日大各2 愛媛大 宮崎大 金沢工大 工学院大 芝工大 東海大 東京薬大 福岡工大 近大各1(高専)小山 仙台各2 沼津 大分各1 他

【24年4月入社者の配属先】総 勤務地:東京・大崎11 静岡・沼津3 名古屋1 大阪市1 部署:営業10 総務1 人事1 調達1 生産管理1 DX1 経営企画1 技 勤務地:東京・大崎9 静岡・沼津27 名古屋4 群馬・太田3 山梨・甲府2 部署:研究開発9 営業技術7 設計・試験23 DX3 施工管理2 生産管理1

求める人材 チームワークを大切にしながら誠実に行動できる人。成長し続けられる人

会社データ (金額は百万円)

【本社】141-6029 東京都品川区大崎2-1-1 ThinkPark Tower
☎03-6420-8504 https://www.meidensha.co.jp/
【社長】井上 晃夫【設立】1917.6【資本金】17,070【今後力を入れる事業】EV用部品分野 ICT事業 グローバル事業

【業績(連結)】	売上高	営業利益	経常利益	純利益
22.3	255,046	9,468	10,206	6,733
23.3	272,578	8,539	8,823	7,128
24.3	287,880	12,731	13,385	11,205

㈱TMEIC（ティー マイク）

株式公開 計画なし

【特色】東芝と三菱電機の折半出資合弁。海外展開加速

修士・大卒採用数	3年後離職率	有休取得年平均	平均年収(平均40歳)
68名	6.9→7.4%	15.7日	総 900万円

残業(月) 31.5時間 総 31.5時間

記者評価 東芝と三菱電機の産業分野が統合して発足。高効率で電気制御するパワーエレクトロニクス機器、回転機が主力。主力事業・製品の多くが国内シェア首位。海外でも高シェアで、約130カ国に納入実績がある。24年4月、東芝三菱電機産業システムから社名変更。

●エントリー情報と採用プロセス●

【受付開始～終了】総 技3月～継続中【採用プロセス】総ES提出(3月～)→Webテスティング(3月～)→面接(2回、3月下旬～)→内々定(4月上旬～)技ES提出(3月～)→Webテスティング(3月～)→面接(3～4回、3月～)→内々定(4月上旬～)【交通費支給】全ての面接、実費 遠方者のみ宿泊費

試験情報

重視科目 総技 面接

総 ES ⇒巻末 筆 SPI3(自宅) 面 2回(Webあり) 技 ES ⇒巻末 筆 SPI3(自宅) 面 3～4回(Webあり)

選考ポイント 総 ES 当社への志望度合 面 志望動機 志望度合 自己アピール 協調性 コミュニケーション能力 技 ES 総合職共通 面 志望動機 志望度合 自己アピール 協調性 コミュニケーション能力 専門性

通過率 総 ES 24%(受付:913→通過:223) 技 ES 89%(受付:254→通過:226) **倍率**(応募/内定) 総 42倍 技 5倍

●給与、ボーナス、週休、有休ほか●

【30歳総合職平均年収】NA【初任給】(博士)310,500円 (修士)279,000円 (大卒)251,000円【ボーナス(年)】NA【25、30、35歳賃金】NA【週休】完全2日(土日祝)【夏期休暇】連続6～10日【年末年始休暇】連続9日【有休取得】15.7／25日

●従業員数、勤続年数、離職率ほか●

【男女別従業員数、平均年齢、平均勤続年数】計 2,275(40.5歳 13.9年) 男 2,068(40.3歳 14.2年) 女 207(41.8歳 10.9年)【離職率と離職者数】2.3%、54名【3年後新卒定着率】92.6%(男91.7%、女100%、3年前入社:男48名・女6名)【組合】あり

●男女別採用数と配属先ほか●

【男女・文理別採用実績】

	大卒男	大卒女	修士男	修士女
23年	18(文 13 理 5)	7(文 5 理 2)	32(文 2 理 30)	4(文 1 理 3)
24年	36(文 19 理 17)	4(文 4 理 0)	20(文 0 理 20)	3(文 1 理 2)
25年	37(文 20 理 17)	3(文 2 理 1)	27(文 0 理 27)	1(文 0 理 1)

【25年4月入社者の採用実績校】文(大)日大3 神戸大 兵庫県大 武蔵大各2 法政大 関西学大 関大 國學院大 横浜市大 成城大 駒澤大 専大 佐賀大 中京大 佛教大 創価大 PA州立大各1 理(院)横国大3 都立大 鹿児島大 鳥取大各2 東大 早大 東京科学大 阪大 大阪公大 立命館大 関西学大 東京電機大 岐阜大 富山大 金沢大 九州工大 千葉工大 東海大 宇都宮大 長崎大 東洋大 愛媛大 大分大各1(大)関大 東洋大各2 東京科学大 明大 千葉大 成蹊大 東京海洋大 大阪工大 龍谷大 山口東理大 北海道科学大 千葉工大 東海大 宮崎大 福岡工大 パデュー大各1(高専)サレジオ2 佐世保 鈴鹿 東京各1

【24年4月入社者の配属先】総 勤務地:東京(京橋11 府中5)横浜1 大阪2 神戸2 広島1 福岡1 長崎1 部署:営業13 経理1 生産管理5 経営企画1 資材4 技 勤務地:東京(京橋11 府中13)横浜5 神戸6 長崎6 部署:技術41

求める人材 協調性と共に情熱と責任感を持ち、グローバルな舞台で活躍、チャレンジできる人

会社データ (金額は百万円)

【本社】104-0031 東京都中央区京橋3-1-1 東京スクエアガーデン
☎03-3277-5868 https://www.tmeic.co.jp/
【社長】川口 章【設立】2003.10【資本金】15,000【今後力を入れる事業】カーボンニュートラル対応 グローバル事業

【業績(単独)】	売上高	営業利益	経常利益	純利益
22.3	178,334	9,380	10,657	7,703
23.3	212,900	7,546	8,813	6,750
24.3	225,800	10,794	13,900	10,941

(株)ダイヘン

東京P 6622

【特色】変圧器やアーク溶接機、産業用ロボットを展開

修士・大卒採用数	3年後離職率	有休取得年平均	平均年収(平均43歳)
25名	11.1 → 7.9%	13.3日	(総)966万円

●エントリー情報と採用プロセス●

【受付開始～終了】(総)(技)3月～未定【採用プロセス】(総)(技)ES提出・テストセンター(3月～)→面接(3回)・適性検査(4月～)→内々定【交通費支給】最終面接、実費【早期選考】⇒巻末

試験情報

重視科目 (総)(技)面接・テストセンター

(総)(技)(ES)⇒巻末(筆)SPI3(会場) 適性検査(面)3回(Webあり)

選考ポイント (総)(ES)実行力 働きかけ力 事業への関心(面)主体性 発信力 希望職種への適性 他 (技)(ES)実行力 働きかけ力 事業への関心 専門性(面)主体性 発信力 研究内容と専門性 他

通過率 (総)(ES)85%(受付:(早期選考含む)219→通過:(早期選考含む)187) (技)(ES)89%(受付:(早期選考含む)101→通過:(早期選考含む)90)

倍率(応募/内定) (総)(早期選考含む)27倍 (技)(早期選考含む)6倍

●男女別採用数と配属先ほか●

【男女・文理別採用実績】

	大卒男	大卒女	修士男	修士女
23年	7(文 5理 2)	2(文 1理 1)	10(文 0理 10)	0(文 0理 0)
24年	7(文 6理 1)	1(文 1理 0)	9(文 0理 9)	1(文 0理 1)
25年	7(文 5理 2)	3(文 3理 0)	14(文 0理 14)	1(文 0理 1)

【25年4月入社者の採用実績校】
(文)(大)大阪公大3 立命館大2 阪大 滋賀大 同大各1 (理)(院)大阪公大5 阪大3 兵庫県大 大阪工大各2 岡山大 徳島大 長岡技科大 立命館大各1(大)愛媛大 近大各1

【24年4月入社者の配属先】(総)勤務地:大阪4 神戸3 部署:営業4 企画2 人事1 (技)勤務地:大阪8 神戸3 三重1 部署:設計開発12

残業(月) 22.4時間 (総)25.1時間

記者評価 変圧器からスタート。溶接機や溶接ロボット、半導体やFPDの搬送用ロボットに展開。自動車製造用アーク溶接ロボットでは世界大手。再生可能エネやEV、労働力不足など課題解決型製品に注力。24年1月に完了した独メーカー買収により溶接機などで欧州首位に。

●給与、ボーナス、週休、有休ほか●

【30歳総合職平均年収】691万円【初任給】(博士)307,000円 (修士)275,000円 (大卒)250,000円【ボーナス(年)】NA、5.4カ月＋α【25、30、35歳賃金】247,101円→283,305円→355,007円【週休】完全2日【夏期休暇】連続約7日(年休一斉取得含む)【年末年始休暇】連続約7日【有休取得】13.3／24日

●従業員数、勤続年数、離職率ほか●

【男女別従業員数、平均年齢、平均勤続年数】計 1,033(43.6歳 19.9年) 男 895(43.6歳 19.7年) 女 138(43.5歳 21.7年)【離職率と離職者数】2.7%、29名【3年後新卒定着率】92.1%(男91.2%、女100%、3年前入社:男34名・女4名)【組合】あり

求める人材 自ら考動できる人 高い目標を持って全力でやり抜く人 本音で語り合い、仲間と共に成果をあげる人

会社データ (金額は百万円)

【本社】532-8512 大阪府大阪市淀川区田川2-1-11
☎06-6301-1212　https://www.daihen.co.jp/
【社長】蓑毛 正一郎【設立】1919.12【資本金】10,596【今後力を入れる事業】Green Solutions＆Tailored Solutions

【業績(連結)】	売上高	営業利益	経常利益	純利益
22.3	160,618	14,191	15,790	10,985
23.3	185,288	16,568	17,660	13,193
24.3	188,571	15,145	16,082	16,494

日本電子(株)（にほんでんし）

東京P 6951

【特色】電子顕微鏡で世界首位。半導体・医用機器も展開

修士・大卒採用数	3年後離職率	有休取得年平均	平均年収(平均45歳)
45名	5.3 → 6.1%	13.6日	(総)803万円

●エントリー情報と採用プロセス●

【受付開始～終了】(総)(技)3月～継続中【採用プロセス】(総)(技)ES提出→適性検査→面接(2～3回)→内々定【交通費支給】1次面接から最終面接まで、会社基準(地域別)

試験情報

重視科目 (総)(技)面接

(総)(技)(ES)⇒巻末(筆)SPI3(自宅) TAP(面)2～3回(Webあり)

選考ポイント (総)(技)(ES)意欲 自己PRができているか(面)コミュニケーション能力 入社意欲 仕事に対する熱意 バイタリティー 専門性 適性

通過率 (総)(技)(ES)選考なし(受付:NA)

倍率(応募/内定) (総)(技)NA

●男女別採用数と配属先ほか●

【男女・文理別採用実績】

	大卒男	大卒女	修士男	修士女
23年	11(文 4理 7)	3(文 2理 1)	21(文 0理 21)	3(文 0理 3)
24年	18(文 3理 15)	3(文 2理 1)	18(文 0理 18)	1(文 0理 1)
25年	15(文 6理 9)	7(文 4理 3)	16(文 1理 15)	7(文 0理 7)

【25年4月入社者の採用実績校】
(文)(大)明学大2 専大 二松学舎大 日大 鹿児島国際大各1 (理)(院)千葉工大3 芝工大 長岡技科大各2 愛媛大 桐蔭横浜大 近大 山形大 青学大 静岡大 筑波大 電通大 東京科学大 東京農業大 奈良先端科技院大 日大 豊田工大 明大各1(大)工学院大 日工大各2 芝工大 山形大 広島大 神奈川工大 拓大 東洋大 名城大各1(高専)熊本 宇部各1

【24年4月入社者の配属先】
(総)勤務地:東京(大手町6 昭島2) 部署:営業6 事務2 (技)勤務地:東京(武蔵村山1 昭島37) 部署:開発(研究開発 設計)25 製造6 サービスエンジニア7

残業(月) 14.5時間 (総)14.5時間

記者評価 理化学・医用機器メーカー。ニコンと提携。柱の電子顕微鏡は世界首位。海外売上7割。東大と共同開発の電子顕微鏡は世界最高の分解能を誇る。旧新川の本社工場居抜きで買収、半導体機器の生産拠点として本格稼働。2ナノ対応機量産準備を加速。

●給与、ボーナス、週休、有休ほか●

【30歳総合職平均年収】NA【初任給】(博士)299,500円 (修士)271,000円 (大卒)247,000円【ボーナス(年)】(非管理職)209万円、5.6カ月【25、30、35歳賃金】NA【週休】完全2日(土日祝)【夏期休暇】連続9日(土日、一斉有休含む)【年末年始休暇】連続9日(土日祝含む)【有休取得】13.6／20日

●従業員数、勤続年数、離職率ほか●

【男女別従業員数、平均年齢、平均勤続年数】計 ◇2,406(44.1歳 16.0年) 男 2,028(44.1歳 16.1年) 女 378(43.6歳 15.6年)【離職率と離職者数】◇1.8%、44名【3年後新卒定着率】93.9%(男97.3%、女83.3%、3年前入社:男37名・女12名)【組合】あり

求める人材 常に夢と志を持ち、何事にも果敢に挑戦できる人材

会社データ (金額は百万円)

【本社】196-8558 東京都昭島市武蔵野3-1-2
☎042-543-1111　https://www.jeol.co.jp/
【社長】大井 泉【設立】1949.5【資本金】21,394【今後力を入れる事業】ナノテク 環境 半導体 ライフサイエンス分野

【業績(連結)】	売上高	営業利益	経常利益	純利益
22.3	138,408	14,144	16,313	12,278
23.3	162,689	24,155	23,501	17,830
24.3	174,336	27,531	30,023	21,704

メーカーI

開示 ★★★★★

日東工業(株)（にっとうこうぎょう）

東京P 6651

【特色】電設資材のキャビネットで首位。配電盤も大手

修士・大卒採用数	3年後離職率	有休取得年平均	平均年収(平均42歳)
18名	30.0 → 3.8%	13.3日	[総]714万円

残業(月) 19.5時間 [総]20.6時間

記者評価 配電盤と電設資材のキャビネットが2本柱。多品種少ロット・短納期対応に強み。蓄電池収納用キャビネットも得意。18年12月TOBで北川工業を子会社化。海外は中国、シンガポールやタイなどに展開。24年春に瀬戸市の新工場が稼働。同4月テンパール工業を買収。

●エントリー情報と採用プロセス●

【受付開始～終了】[総][技]3月～継続中【採用プロセス】[総][技]ES提出(3～5月)→テストセンター(4～6月)→1次面接・適性検査(4～7月)→最終面接(5～7月)→内々定(5月下旬～)【交通費支給】最終面接、実費(愛知・岐阜・三重以外からの参加者のみ)【早期選考】⇒巻末

試験情報

重視科目 [総][技]面接 適性検査

[総][技][ES]⇒巻末[筆]SPI3(会場) SPI3(自宅) 適性検査[面]2回(Webあり)

選考ポイント [総][ES]自己PR 趣味・特技 他→当社が求める志向、人材か[面]コミュニケーション能力 協調性 ストレス耐性 [技][ES]志望動機 他→当社への興味、理解度および職務上の適性[面]コミュニケーション能力 協調性 専攻内容 ストレス耐性

通過率 [総][ES]90%(受付:(早期選考含む)119→通過:(早期選考含む)107) [技][ES]98%(受付:(早期選考含む)40→通過:(早期選考含む)39)

倍率(応募/内定) [総](早期選考含む)9倍 [技](早期選考含む)5倍

●男女別採用数と配属先ほか●

【男女・文理別採用実績】

	大卒男	大卒女	修士男	修士女
23年	14(文 9 理 5)	4(文 1 理 3)	1(文 0 理 1)	0(文 0 理 0)
24年	13(文 8 理 5)	2(文 0 理 2)	2(文 1 理 1)	2(文 2 理 0)
25年	13(文 8 理 5)	3(文 3 理 0)	1(文 0 理 1)	1(文 1 理 0)

【25年4月入社者の採用実績校】[文](院)南山大1(大)愛知淑徳大3 愛知大2 岐阜聖徳学大 京都橘大 名古屋学院大 南山大 名城大 立命館大各1 [理](院)宇都宮大1(大)岐阜大 近大 中京大 中部大 名城大各1(高専)愛知総合工科高・専攻科2(専)名古屋工学院1

【24年4月入社者の配属先】[総]**勤務地**:(研修中)愛知・長久手2 東京・新宿2 大阪2 仙台1 さいたま1 福岡市1(配属)愛知・長久手2 **部署**:営業9 経理2 [技]**勤務地**:愛知・長久手9 愛知・瀬戸1 **部署**:開発5 情報システム2 設計1 試験1 生産技術1

●給与、ボーナス、週休、有休ほか●

【30歳総合職平均年収】557万円【初任給】(修士)250,000円(大卒)230,000円【ボーナス(年)】186万円、5.3カ月【25、30、35歳賃金】252,893円→283,556円→313,393円【週休】完全2日(土日祝)【夏期休暇】計画有休2～3日と土日を繋げて6日程度【年末年始休暇】12月28日～1月5日【有休取得】13.3／20日

●従業員数、勤続年数、離職率ほか●

【男女別従業員数、平均年齢、平均勤続年数】計 1,007(41.8歳 16.6年) 男 781(41.5歳 16.4年) 女 226(42.9歳 17.2年)【離職率と離職者数】2.8%、29名(早期退職2名含む)【3年後新卒定着率】96.2%(男94.7%、女100%、3年前入社:男19名・女7名)【組合】あり

求める人材 チームワークを大切にし、チャレンジ精神を持って、自立的に仕事を進められる人

会社データ　(金額は百万円)

【本社】480-1189 愛知県長久手市蟹原2201
☎0561-62-3111　https://www.nito.co.jp/
【社長】黒野 透【設立】1948.11【資本金】6,578【今後力を入れる事業】海外事業(東南アジア)配電盤・キュービクル事業の基盤強化

【業績(連結)】	売上高	営業利益	経常利益	純利益
22.3	132,735	8,637	9,412	6,607
23.3	146,698	8,172	9,056	5,476
24.3	160,709	11,967	12,566	8,715

(株)イシダ

株式公開 未定

【特色】計量・包装・検査機器の老舗メーカー

修士・大卒採用数	3年後離職率	有休取得年平均	平均年収(平均40歳)
113名	15.9 → 17.2%	12.1日	[総]787万円

残業(月) 18.5時間 [総]20.7時間

記者評価 1893年創業。民間初のはかりメーカー。農産物産地、食品工場、小売など「食」の現場をサポート。計量・情報技術を結合したシステム機器に特色。世界100カ国以上で事業展開。野菜等の組み合わせ計量機は世界首位。医療機器分野にも領域拡大。23年新本社屋完成。

●エントリー情報と採用プロセス●

【受付開始～終了】[総]1月～継続中 [技]11月～継続中【採用プロセス】[総][技]ES提出→1次面接→Webテスト→2次面接→個人面談→最終面接→内々定 ※工場・オフィス見学を実施する場合あり【交通費支給】最終面接 工場・オフィス見学、大学から現地までの往復分【早期選考】⇒巻末

試験情報

重視科目 [総][技]面接

[総][ES]⇒巻末[筆]Webテスト[面]3回(Webあり) [技][ES]⇒巻末[筆]Webテスト 技術専門試験[面]3回(Webあり)

選考ポイント [総][ES]課題認識力 課題解決力 オリジナリティ[面]今までの経験・行動 [技][ES]技術的興味・関心 技術にかける想い[面]今までの経験・行動 研究に対する視点と情熱

通過率 [総][ES]87%(受付:(早期選考含む)920→通過:(早期選考含む)797) [技][ES]93%(受付:(早期選考含む)231→通過:(早期選考含む)215)

倍率(応募/内定) [総](早期選考含む)14倍 [技](早期選考含む)4倍

●男女別採用数と配属先ほか●

【男女・文理別採用実績】

	大卒男	大卒女	修士男	修士女
23年	32(文 23 理 9)	14(文 11 理 3)	20(文 3 理 17)	2(文 0 理 2)
24年	48(文 37 理 11)	17(文 14 理 3)	13(文 0 理 13)	3(文 1 理 2)
25年	65(文 49 理 16)	25(文 21 理 4)	19(文 2 理 17)	4(文 1 理 3)

【25年4月入社者の採用実績校】[文](院)同大2 関大1(大)京産大12 立命館大7 龍谷大5 麗澤大4 同大3 滋賀大 関西学大 明大 津田塾大 京都外大各2 京大 早大 慶大 学習院大 立教大 上智大 獨協大 法政大 東洋大 東京家政大 大東文化大 創価大 成蹊大 駿河台大 実践女大 桜美林大 関大 京都女大各1 他 [理](院)九大 立命館大 京都工繊大 滋賀県大 山口大各2 神戸大 千葉大 大阪公大 同大 関大 兵庫県大 三重大 岐阜大 豊橋技科大 福井大 東理大各1(大)龍谷大4 大阪工大3(高専)弓削商船2 他

【24年4月入社者の配属先】[総]**勤務地**:東京17 京都12 大阪10 滋賀3 新潟1 **部署**:国内営業25 海外営業10 TS管理2 商品企画1 営業管理1 経理1 広報1 総務1 知財1 [技]**勤務地**:滋賀32 東京10 本社3 **部署**:開発26 SE7 カスタマーエンジニア4 営業技術2 調達2 生産管理1 生産技術1 品質保証1 社内SE1

●給与、ボーナス、週休、有休ほか●

【30歳総合職平均年収】667万円【初任給】(博士)306,400円(修士)300,000円(大卒)280,000円【ボーナス(年)】234万円、7.5カ月【25、30、35歳賃金】297,231円→343,125円→364,038円【週休】2日【夏期休暇】連続5日(土日祝含む)【年末年始休暇】最大連続9日(土日祝含む)【有休取得】12.1／20日

●従業員数、勤続年数、離職率ほか●

【男女別従業員数、平均年齢、平均勤続年数】計 1,384(39.8歳 15.5年) 男 1,124(40.6歳 15.9年) 女 260(36.4歳 13.7年)【離職率と離職者数】4.9%、72名【3年後新卒定着率】82.8%(男80.4%、女92.3%、3年前入社:男51名・女13名)【組合】あり

求める人材 ISHIDA Mindに共感し、挑戦・革新し続けられる人

会社データ　(金額は百万円)

【本社】606-8392 京都府京都市左京区聖護院山王町44
☎075-751-7101　https://www.ishida.co.jp/
【社長】石田 隆英【設立】1948.10【資本金】99【今後力を入れる事業】グローバル AI・IoT技術 医療・医薬

【業績(連結)】	売上高	営業利益	経常利益	純利益
22.3	134,443	13,920	NA	NA
23.3	145,881	13,041	NA	NA
24.3	159,274	16,498	NA	NA

開示 ★★★★

日新電機(株)

にっしんでんき

株式公開 していない

【特色】電力機器やFPD製造装置など展開。住友電工傘下

修士・大卒採用数	3年後離職率	有休取得年平均	平均年収(平均43歳)
40名	12.8 → 3.3%	17.2日	総 732万円

残業(月) 23.7時間 総 23.7時間

記者評価 1910年創業。ガス絶縁開閉装置などの電力機器、ビル・工場用の監視制御システム、太陽光発電関連が主力。半導体製造用やFPD製造用のイオン注入装置に強み。FPD用の世界シェアほぼ100%。分散型エネ対応などにR&Dの重点。技術、海外拠点など親会社と相互活用。

●エントリー情報と採用プロセス●

【受付開始～終了】総 技3月～9月【採用プロセス】総ES提出(3月頃～)→Webテスト→面接(3回)→内々定(6月頃～) 技ES提出(3月頃～)→Webテスト→面接(1～3回)→内々定(6月頃～)〈学校推薦〉面接・Webテスト(6月頃～)→内々定(6月頃)【交通費支給】2次面接以降、実費【早期選考】⇒巻末

試験情報

重視科目 総技面接 総 ES⇒巻末 筆SPI3(会場) SPI3(自宅) インハウスCBT 面3回(Webあり) 技 ES⇒巻末 筆SPI3(会場) SPI3(自宅) インハウスCBT 面1～3回(Webあり)

選考ポイント 総 ES求める人材と合致しているか 文章に論理性があるか 面コミュニケーション能力 論理的思考力 チャレンジ精神 技 ES総合職共通 面コミュニケーション能力 論理的思考力 チャレンジ精神 専門性

通過率 総 ES91%(受付:(早期選考含む)201→通過:(早期選考含む)183) 技 ES100%(受付:(早期選考含む)58→通過:(早期選考含む)58)

倍率(応募/内定) 総(早期選考含む)15倍 技(早期選考含む)1倍

●男女別採用数と配属先ほか●

【男女・文理別採用実績】

	大卒男	大卒女	修士男	修士女
23年	4(文 2理 2)	3(文 3理 0)	9(文 0理 9)	0(文 0理 0)
24年	7(文 3理 4)	7(文 7理 0)	4(文 0理 4)	2(文 0理 2)
25年	18(文 11理 7)	11(文 11理 0)	10(文 0理 10)	1(文 0理 1)

【25年4月入社者の採用実績校】文(大)同大7 立命館大5 京都女大3 関大 龍谷大各2 関西学大 奈良女大 摂南大各1 理(院)京都工繊大2 阪大 近大 大阪公大 金沢大 大阪工大 東理大 群馬大 山口大 豊橋技科大各1(大)摂南大 福井大 龍谷大 近大 京産大 東洋大 立命館大各1(高専)舞鶴 大阪公大各1(専)前橋産業技術 大阪電子各1

【24年4月入社者の配属先】総勤務地:京都7 大阪2 東京1 部署:営業4 人事2 経営企画1 経理1 カスタマーサービス1 統括管理1 技勤務地:京都10 前橋3 大阪1 部署:研究・開発5 設計・技術5 製造3 知的財産1

●給与、ボーナス、週休、有休ほか●

【30歳総合職平均年収】597万円【初任給】(博士)302,300円(修士)274,000円(大卒)250,000円【ボーナス(年)】180万円、5.9カ月【25、30、35歳賃金】279,574円→299,970円→332,913円【週休】完全2日(土日祝)【夏期休暇】連続7日以上【年末年始休暇】連続7日以上【有休取得】17.2／23日

●従業員数、勤続年数、離職率ほか●

【男女別従業員数、平均年齢、平均勤続年数】計◇1,997(42.8歳 18.2年) 男 1,635(42.5歳 18.8年) 女 362(44.1歳 15.4年)【離職率と離職者数】◇2.3%、48名【3年後新卒定着率】96.7%(男95.8%、女100%、3年前入社:男24名・女6名)【組合】あり

求める人材 チャレンジ精神、探究心、異文化に対応できる柔軟性を持ち論理的に考え行動できる人

会社データ (金額は百万円)

【本社】615-8686 京都府京都市右京区梅津高畝町47
☎075-861-3151　https://nissin.jp/
【社長】松下 芳弘【設立】1917.4【資本金】10,252【今後力を入れる事業】環境に配慮した新エネルギー分野

【業績(連結)】	売上高	営業利益	経常利益	純利益
22.3	132,128	16,756	16,634	11,881
23.3	142,600	NA	NA	NA
24.3	145,200	NA	NA	NA

(株)日立パワーソリューションズ

ひたち

株式公開 計画なし

【特色】日立製作所の電力システム中核。4社合併で誕生

修士・大卒採用数	3年後離職率	有休取得年平均	平均年収(平均42歳)
73名	14.0 → 7.5%	18.3日	総 718万円

残業(月) 23.2時間 総 26.5時間

記者評価 日立傘下の電力システム4社が合併して発足。電力・エネルギーや社会インフラに関する技術・製品・システムを提供。受託分析サービス事業は20年ファンドに譲渡、機器設計などの原子力事業は日立グループ会社に移管。24年4月日立本体のエネルギー設備管理事業譲受。

●エントリー情報と採用プロセス●

【受付開始～終了】総 技3月～継続中【採用プロセス】総会社説明動画(3月)→書類選考(成績・Webテスト、3月～)→1次面談(4月～)→ES・最終面接(4月～)→内々定(4月～) 技会社説明動画(3月)→書類選考(成績・Webテスト、3月～)→1次面談(3月～)→ES・最終面接(3月～)→内々定(3月～)【交通費支給】面接、会社基準【早期選考】⇒巻末

試験情報

重視科目 総技面談 面接

総技 ES⇒巻末 筆SHL 面2回(Webあり)

選考ポイント 総 ESNA(提出あり) 面コミュニケーション能力 論理性 協調性 主体性 チャレンジ精神 技 ESNA(提出あり) 面コミュニケーション能力 論理性 協調性 主体性 チャレンジ 工学的思考力

通過率 総技 ESNA　**倍率(応募/内定)** 総技NA

●男女別採用数と配属先ほか●

【男女・文理別採用実績】※25年:理系64名、文系9名採用計画

	大卒男	大卒女	修士男	修士女
23年	22(文 5理 17)	3(文 3理 0)	12(文 0理 12)	2(文 1理 1)
24年	30(文 3理 27)	8(文 6理 2)	21(文 1理 20)	2(文 0理 2)
25年	-(文 -理 -)	-(文 -理 -)	-(文 -理 -)	-(文 -理 -)

【25年4月入社者の採用実績校】文(24年)(院)明大1(大)獨協大 専大 明大 茨城キリスト大 立教大 関大 茨城大 法政大 都留文科大各1 理(24年)(院)茨城大4 山形大2 帝京大 広島大 東工大 東大 東理大 横浜市大 上智大 法政大 名工大 東京海洋大 東京農工大 九大 東北大 同大 秋田大 千葉工大各1(大)日大5 千葉工大3 茨城大 職能大学校 文教大各2 東邦大 神奈川大 神奈川工大 東北学大 東北工大 国士舘大 東京電機大 立教大 東洋大 龍谷大 関大 北見工大 足利大 武蔵野大 玉川大各1(短)熊本技術1(高専)苫小牧 鶴岡 八戸 福島 小山各1(専)大原簿記情報ビジネス1

【24年4月入社者の配属先】総勤務地:茨城・日立10 部署:企画1 営業3 調達2 財務2 総務2 技勤務地:茨城(日立42 ひたちなか14)横浜2 部署:設計・開発27 SE2 サービスエンジニアリング26 品質保証2 分析1

●給与、ボーナス、週休、有休ほか●

【30歳総合職平均年収】488万円【初任給】(修士)275,000円(大卒)250,000円【ボーナス(年)】248万円、5.81カ月【25、30、35歳賃金】NA【週休】完全2日(土日祝)【夏期休暇】連続10日(土日祝5日+有休5日)【年末年始休暇】連続5日【有休取得】18.3／24日

●従業員数、勤続年数、離職率ほか●

【男女別従業員数、平均年齢、平均勤続年数】計 2,966(42.6歳 20.2年) 男 2,714(42.5歳 20.0年) 女 252(44.3歳 22.5年) ※従業員数は再雇用含む【離職率と離職者数】1.7%、50名【3年後新卒定着率】92.5%(男91.9%、女100%、3年前入社:男37名・女3名)【組合】あり

求める人材 信頼される人 ともに未来を語れる人 主体的にチャレンジできる人

会社データ (金額は百万円)

【本社】317-0073 茨城県日立市幸町3-2-2
☎0294-55-6874　https://www.hitachi-power-solutions.com/
【社長】安藤 次男【設立】1960.4【資本金】4,000【今後力を入れる事業】サービス事業 グリーン事業

【業績(単独)】	売上高	営業利益	経常利益	純利益
22.3	107,001	12,610	12,823	7,633
23.3	110,806	13,371	13,551	9,190
24.3	118,889	10,532	10,719	10,166

能美防災(株)（のうみぼうさい）

東京P 6744

【特色】火災報知・消火設備の総合最大手。セコム傘下

修士・大卒採用数	3年後離職率	有休取得年平均	平均年収(平均41歳)
71名	11.7→7.1%	12.4日	総646万円

残業(月) 21.4時間 総21.0時間

記者評価 火災報知、消火設備・システムの総合最大手。セコムが株式の過半を保有。オフィスビルや工場から、トンネル、文化財、船舶まで幅広い分野に展開。海外は中国、台湾、ASEAN、インドが軸。主力の自動火災報知設備で視認性・操作性向上した新製品を24年4月投入。

●エントリー情報と採用プロセス●

【受付開始～終了】総 技11月～7月【採用プロセス】総 技ES提出(11月～)・Webテスト→面接→面接・作文→内々定(～7月)【交通費支給】2次面接以降、実費(1,000円未満は一律1,000円支給)【早期選考】⇒巻末

試験情報

重視科目 総技面接

総 技 ES⇒巻末 筆WebGAB 面2回(Webあり) GD作⇒巻末

選考ポイント 総技 ES NA(提出あり) 面コミュニケーション能力 入社意欲の具体性 仕事への適応性

通過率 総 ES40%(受付:(早期選考含む)750→通過:(早期選考含む)300) 技 ES60%(受付:(早期選考含む)500→通過:(早期選考含む)300)

倍率(応募/内定) 総(早期選考含む)21倍 技(早期選考含む)20倍

●男女別採用数と配属先ほか●

【男女・文理別採用実績】

	大卒男	大卒女	修士男	修士女
23年	40(文 27理 13)	13(文 11理 2)	19(文 0理 19)	5(文 0理 5)
24年	33(文 20理 13)	17(文 10理 7)	12(文 0理 12)	2(文 1理 1)
25年	48(文 30理 18)	17(文 12理 5)	5(文 0理 5)	1(文 0理 1)

【25年4月入社者の採用実績校】文(大)法政大5 明大3 関大 中大 日大各2 学習院大 京産大 神戸学大 成蹊大 千葉大 大阪経大 東京経大 東洋大 同大 日女大 日体大 福岡大 立教大 立命館APU 立命館大 國學院大各1 他 理(院)岩手大 高知工科大 芝工大 大阪公大 東海大 東京電機大各1(大)東京都市大3 工学院大 東京電機大 日大各2 愛知工業大 甲南大 芝工大 青学大 静岡理工科大 東邦大 東洋大 日工大 明大各1(専)中央情報大学校1

【24年4月入社者の配属先】総勤務地:東京(市ヶ谷6 丸の内2 八重洲1 新宿2)北海道1 部署:営業12 技勤務地:東京(市ヶ谷22 八重洲7 新宿10 三鷹2)埼玉(三郷4 熊谷3)横浜1 名古屋1 大阪2 福岡1 部署:エンジニアリング10 システム設計7 システム施工15 システム保守8 技術4 研究開発5 生産4

●給与、ボーナス、週休、有休ほか●

【30歳総合職平均年収】399万円【初任給】(修士)247,000円(大卒)230,000円【ボーナス(年)】172万円、5.86カ月【25、30、35歳賃金】228,620円→258,690円→304,238円【週休】完全2日(土日祝)【夏期休暇】5日(7～9月で取得)【年末年始休暇】計画年休含め連続7日【有休取得】12.4／20日

●従業員数、勤続年数、離職率ほか●

【男女別従業員数、平均年齢、平均勤続年数】計◇2,065(42.3歳 16.4年) 男1,678(43.0歳 16.9年) 女387(39.4歳 14.2年)【離職率と離職者数】◇1.7%、36名【3年後新卒定着率】92.9%(男89.5%、女100%、3年前入社:男38名・女18名)【組合】あり

求める人材 創造性豊かな人 挑戦心旺盛な人 行動力のある人

会社データ (金額は百万円)

【本社】102-8277 東京都千代田区九段南4-7-3
☎03-3265-0211 https://www.nohmi.co.jp/
【社長】岡村 武士【設立】1944.5【資本金】13,302【今後力を入れる事業】既存領域の深耕と新領域の探索 DX SDGs

【業績(連結)】	売上高	営業利益	経常利益	純利益
22.3	112,913	12,633	13,155	9,351
23.3	105,537	8,879	9,420	7,022
24.3	118,506	11,662	12,242	8,574

古野電気(株)（ふるのでんき）

東京P 6814

【特色】魚群探知機で先駆。船舶用電子機器の世界大手

修士・大卒採用数	3年後離職率	有休取得年平均	平均年収(平均41歳)
35名	2.6→6.9%	15.8日	総731万円

残業(月) 18.5時間 総19.6時間

記者評価 魚群探知機の老舗。オーナー系。レーダー(航海機器)、ソナーなど船舶用通信装置が主力。海外売上比率約7割。無線技術をテコにGPS、気象レーダー、地盤変異観測にも展開。医療機器やETC車載器も手がける。養殖支援事業に進出。無人運航船の開発に挑戦。

●エントリー情報と採用プロセス●

【受付開始～終了】総2月～7月 技2月～6月【採用プロセス】総Web説明会(必須、3月～)→ES提出(4月～)→Web1次面接(4月～)→Web適性検査・Web2次面接(4月～)→最終面接(対面、5月～)→内々定 技Web説明会(必須、2月～)→ES提出(3月～)→Web1次面接(3月～)→Web適性検査・Web2次面接(3月～)→最終面接(対面、4月～)→内々定【交通費支給】対面面接、会社基準【早期選考】⇒巻末

試験情報

重視科目 総技面接

総 ES⇒巻末 筆C-GAB 面3回(Webあり) 技 ES⇒巻末 筆C-GAB 面2～3回(Webあり)

選考ポイント 総 技 ES自己PRでの学生時代の経験・行動 面入社意欲 コミュニケーション能力 質問に対する答えは的確か 学生時代の経験・行動 専門能力

通過率 総技 ES NA **倍率(応募/内定)** 総技NA

●男女別採用数と配属先ほか●

【男女・文理別採用実績】

	大卒男	大卒女	修士男	修士女
23年	12(文 10理 2)	7(文 7理 0)	21(文 0理 21)	0(文 0理 0)
24年	8(文 5理 3)	5(文 4理 1)	12(文 0理 12)	4(文 0理 4)
25年	7(文 5理 2)	9(文 8理 1)	16(文 0理 16)	3(文 0理 3)

【25年4月入社者の採用実績校】文(大)神戸市外大3 関大 関西学大 甲南大各2 岡山大 滋賀大 同大 北大各1 理(院)阪大 大阪公大 兵庫県大 岡山大各2 愛媛大 宮崎大 九州工大 広島大 滋賀大 神戸大 大分大 長岡技科大 徳島大 奈良女大 富山大 名工大各1(大)神戸大 近大 東京海洋大各1(高専)弓削商船 米子各1

【24年4月入社者の配属先】総勤務地:兵庫・西宮12 部署:国内営業5 国際営業6 法務1 技勤務地:兵庫・西宮17 部署:研究開発16 フィールドエンジニア1

●給与、ボーナス、週休、有休ほか●

【30歳総合職平均年収】567万円【初任給】(博士)301,400円(修士)278,000円(大卒)250,500円【ボーナス(年)】162万円、5.083カ月【25、30、35歳モデル賃金】280,200円→343,000円→407,500円【週休】完全2日(原則土日祝)【夏期休暇】連続9日(有休2日、週休4日含む)および連続4日(週休含む)【年末年始休暇】12月28日～1月5日【有休取得】15.8／20日

●従業員数、勤続年数、離職率ほか●

【男女別従業員数、平均年齢、平均勤続年数】計1,295(42.3歳 15.7年) 男1,058(41.4歳 15.0年) 女237(46.3歳 20.3年)【離職率と離職者数】2.8%、37名(早期退職男2名 女1名含む)【3年後新卒定着率】93.1%(男92.3%、女100%、3年前入社:男26名・女3名)【組合】あり

求める人材 行動力や創造力に富み、グローバル志向を持ち何事にも熱意を持って誠実に取り組む人材

会社データ (金額は百万円)

【本社】662-8580 兵庫県西宮市芦原町9-52
☎0798-63-1027 https://www.furuno.co.jp/
【社長】古野 幸男【設立】1951.5【資本金】7,534【今後力を入れる事業】生態系に優しい漁業 船の自動運転

【業績(連結)】	売上高	営業利益	経常利益	純利益
22.2	84,783	2,532	3,717	2,814
23.2	91,325	1,523	2,593	1,348
24.2	114,850	6,519	8,169	6,238

日本信号(株)（にっぽんしんごう）

東京P 6741

【特色】3大信号会社トップ。鉄道、交通信号ともに強い

修士・大卒採用数	3年後離職率	有休取得年平均	平均年収(平均44歳)
43名	12.7 → 20.6%	15.7日	◇753万円

●エントリー情報と採用プロセス●

【受付開始～終了】総技3月～未定【採用プロセス】総Web適性試験(3月)→ES(6月)→面接(6月)→面接・筆記(6月)→内々定(6月) 技Web適性試験(3月)→ES・小論文提出(6月)→面接(6月)→面接・筆記(6月)→内々定(6月)【交通費支給】最終面接、8割程度(遠方者)

試験情報

重視科目 総技面接 筆記

総 ES⇒巻末 筆総合適性試験(自社オリジナル) 面2回(Webあり) 技 ES⇒巻末 筆総合適性試験(自社オリジナル) 面2回(Webあり) GD作⇒巻末

選考ポイント 総技 ES NA(提出あり) 面基礎能力 論理的な考え方 社会インフラを支える責任感や使命感

通過率 総技 ES NA

倍率(応募/内定) 総7倍 技5倍

●男女別採用数と配属先ほか●

【男女・文理別採用実績】

	大卒男	大卒女	修士男	修士女
23年	12(文 2 理 10)	4(文 2 理 2)	15(文 0 理 15)	2(文 0 理 2)
24年	18(文 5 理 13)	6(文 2 理 4)	13(文 0 理 13)	1(文 0 理 1)
25年	19(文 5 理 14)	7(文 4 理 3)	17(文 0 理 17)	0(文 0 理 0)

【25年4月入社者の採用実績校】

文(大)九大 慶大 宇都宮大 同大 関大 明大 立教大 法政大 大妻女大各1 理(院)埼玉大 岩手大各2 早大 横国大 宇都宮大 秋田大 山梨大 青学大 北陸先端科技院大 日大 東京電機大 芝工大 千葉工大 愛知工大 高知工科大各1(高専)沼津1

【24年4月入社者の配属先】総勤務地:東京・丸の内9 部署:総務2 営業7 技勤務地:東京・丸の内4 埼玉・久喜16 栃木・宇都宮11 部署:営業4 生産管理1 技術25 研究1

残業(月) 22.5時間

記者評価 鉄道信号を起点に交通信号、交通情報システム、改札機など駅業務自動化システムを展開。駐車場管理システムでも先行。独立系で多くの鉄道会社と取引。駅ホームドアも得意。研究開発は自動運転などに重点。海外はウガンダ、バングラデシュなどに拠点。

●給与、ボーナス、週休、有休ほか●

【30歳総合職平均年収】NA【初任給】(修士)270,000円(大卒)250,000円【ボーナス(年)】NA、4.68カ月【25、30、35歳賃金】333,040円→366,671円→487,377円【週休】完全2日(土日祝)【夏期休暇】連続4日【年末年始休暇】12月29日～1月3日【有休取得】15.7/21日

●従業員数、勤続年数、離職率ほか●

【男女別従業員数、平均年齢、平均勤続年数】計 ◇1,185(43.7歳 19.3年) 男 1,010(43.7歳 18.1年) 女 175(43.8歳 21.5年)【離職率と離職者数】◇3.6%、44名【3年後新卒定着率】79.4%(男84.6%、女62.5%、3年前入社:男26名・女8名)【組合】あり

求める人材 常に志を持ち、行動しチャレンジする人 社会インフラを支える使命感を持つ人

会社データ　(金額は百万円)

【本社】100-6513 東京都千代田区丸の内1-5-1 新丸の内ビルディング13階 ☎03-3217-7200 https://www.signal.co.jp/

【社長】塚本 英彦【設立】1928.12【資本金】10,000【今後力を入れる事業】自動運転(鉄道・自動車) CBM 国際事業

【業績(連結)】	売上高	営業利益	経常利益	純利益
22.3	85,047	5,390	6,538	4,503
23.3	85,456	5,112	5,915	4,075
24.3	98,536	6,824	7,893	5,346

アジレント・テクノロジー(株)

株式公開 計画なし

【特色】医薬・バイオ関連機器米国大手の日本法人

修士・大卒採用数	3年後離職率	有休取得年平均	平均年収(平均44歳)
10名	0 → 0%	20.2日	997万円

●エントリー情報と採用プロセス●

【受付開始～終了】技3月～継続中【採用プロセス】技ES提出(3月～)→適性検査→面接(2回)→内々定【交通費支給】なし【早期選考】⇒巻末

試験情報

重視科目 技面接

技 ES⇒巻末 筆SPI3(自宅) 面2回(Webあり)

選考ポイント 技 ES学生時代に学んだこと 面コミュニケーション能力 論理性 主体性 専門知識と応用力

通過率 技 ES NA

倍率(応募/内定) 技NA

●男女別採用数と配属先ほか●

【男女・文理別採用実績】

	大卒男	大卒女	修士男	修士女
23年	1(文 0 理 1)	0(文 0 理 0)	3(文 0 理 3)	5(文 0 理 5)
24年	0(文 0 理 0)	0(文 0 理 0)	1(文 0 理 1)	0(文 0 理 0)
25年	1(文 0 理 1)	1(文 0 理 1)	5(文 0 理 5)	3(文 0 理 3)

【25年4月入社者の採用実績校】

文なし 理(院)東京農工大 東京農業大各2 秋田大 金沢大 富山大 横浜市大 東京科学大 筑波大各1 他

【24年4月入社者の配属先】

技勤務地:東京・八王子1 部署:研究開発1

残業(月) 14.9時間

記者評価 米アジレント・テクノロジーズ社の日本法人。ライフサイエンス・診断・応用化学分野で分析機器事業を展開。食品、製薬、環境・法医学、診断、化学・エネルギー、研究の主要市場を深耕。産学連携も活発。多様性尊重の一方でチームワークも重視。

●給与、ボーナス、週休、有休ほか●

【30歳総合職平均年収】NA【初任給】(博士)304,000円(修士)272,000円(大卒)247,200円【ボーナス(年)】NA、6.88カ月【25、30、35歳賃金】NA【週休】完全2日(土日祝)【夏期休暇】連続5日(有休で取得)【年末年始休暇】12月30日～1月4日【有休取得】20.2/24日

●従業員数、勤続年数、離職率ほか●

【男女別従業員数、平均年齢、平均勤続年数】計 540(44.1歳 13.7年) 男 387(44.1歳 14.3年) 女 153(44.1歳 12.2年)【離職率と離職者数】3.9%、22名【3年後新卒定着率】100%(男100%、女100%、3年前入社:男7名・女2名)【組合】あり

求める人材 問題意識を持ち、自ら率先して課題を見つけ出し、取り組む人

会社データ　(金額は百万円)

【本社】192-8510 東京都八王子市高倉町9-1 ☎042-660-3111 https://www.agilent.com/

【社長】石川 隆一【設立】1963.9【資本金】499【今後力を入れる事業】ライフサイエンス 診断 化学分析

【業績(単独)】	売上高	営業利益	経常利益	純利益
21.10	31,045	NA	NA	NA
22.10	34,173	NA	NA	NA
23.10	36,467	NA	NA	NA

メーカーⅠ

ニデック(株)

東京P 6594

【特色】モーター世界首位。M&Aに積極的で拡大主義

修士・大卒採用数	3年後離職率	有休取得年平均	平均年収(平均40歳)
230名	21.3 → 34.3%	12.6日	[総]743万円

●エントリー情報と採用プロセス●

【受付開始～終了】[総]3月～未定 [技]2月～未定【採用プロセス】[総]ES提出・Web適性検査(3月～)→面接(2回、3月～)→内々定(4月) [技]説明会(任意、2月・3月～)→ES提出(2月・3月～)→WebGAB・面接(2回、2月・3月～)→内々定(3月・4月)【交通費支給】2次面接以降、実費【早期選考】⇒巻末

試験情報

重視科目 [総][技]面接

[総][技] [ES]⇒巻末[筆]WebGAB[面]2回(Webあり)

選考ポイント [総][ES]文章に論理性があるか 仕事・職業への意欲他[面]志望意欲 主体性 論理性 協働する力 課題解決力 [技][ES]総合職共通[面]志望意欲 当社エンジニアとしての素養 主体性 論理性 協働する力 課題解決力

通過率 [総][技] [ES]NA **倍率**(応募/内定) [総][技]NA

●男女別採用数と配属先ほか●

【男女・文理別採用実績】

	大卒男	大卒女	修士男	修士女
23年	107(文 39 理 68)	39(文 30 理 9)	50(文 1 理 49)	6(文 2 理 4)
24年	88(文 63 理 25)	31(文 29 理 2)	30(文 5 理 25)	8(文 5 理 3)
25年	-(文 - 理 -)	-(文 - 理 -)	-(文 - 理 -)	-(文 - 理 -)

※ニデックグループの数値 25年：目標値230名(文系49 理系181)

【25年4月入社者の採用実績校】[文](24年)(院)阪大1(大)同大 関西学大 京都先端科学大各3 神戸大 神戸市外大 明大 関大 立命館APU各1 他 [理](24年)(院)芝工大2 京大 東北大 名工大 東理大 岡山大 立命館大 関大 工学院大 東京都市大 日女大各1(大)京都先端科学大4 立命館大2 神戸大 名工大 同大 宮崎大 高知工科大 近大 大阪工大 金沢工大 龍谷大各1 他

【24年4月入社者の配属先】[総]**勤務地**：京都 神奈川 **部署**：経理6 財務2 総務2 広報2 購買2 グループ会社管理1 法務1 IR1 税務1 人事1 業務1 事業企画1 [技]**勤務地**：京都 神奈川 滋賀 **部署**：開発20 研究12 知的財産2 情報システム2 営業1

残業(月) 20.0時間 [総]20.0時間

記者評価 岸田光哉社長による新体制が発足。創業者・永守重信氏の後継者となれるか注目される。HDD向けモーターに続く成長源として、自動車用や駆動装置、工作機械などに注力。ハードワークな社風だが、働き方改革やコスト削減も積極的。売上高10兆円を目指している。

●給与、ボーナス、週休、有休ほか●

【30歳総合職平均年収】550万円【初任給】(博士)306,500円 (修士)275,000円 (大卒)256,000円【ボーナス(年)】193万円、4.47カ月【25、30、35歳モデル賃金】273,550円→330,150円→422,900円【週休】2日【夏期休暇】連続9日(年休計画付与による一斉取得3日含む)【年末年始休暇】12月28日～1月5日【有休取得】12.6／20日

●従業員数、勤続年数、離職率ほか●

【男女別従業員数、平均年齢、平均勤続年数】計 1,964(41.7歳 12.6年) 男 1,550(42.4歳 12.9年) 女 414(38.1歳 11.0年)【離職率と離職者数】16.5%、388名【3年後新卒定着率】65.7%(男63.3%、女80.0%、3年前入社：男60名・女10名)【組合】なし

求める人材 売上10兆円を目指すグローバル企業で、若くして世界を相手にはばたきたい人

会社データ (金額は百万円)

【本社】601-8205 京都府京都市南区久世殿城町338
☎075-935-6600 https://www.nidec.com/ja-JP/
【社長】岸田 光哉【設立】1973.7【資本金】87,784【今後力を入れる事業】車載・家電・商業・産業用モータ関連事業

【業績(IFRS)】	売上高	営業利益	税前利益	純利益
22.3	1,918,174	171,487	171,145	136,870
23.3	2,242,824	100,081	120,593	45,003
24.3	2,347,159	162,799	202,612	125,144

ティーディーケイ
TDK(株)

東京P 6762

【特色】電子部品大手。看板商品を入れ替えながら成長

修士・大卒採用数	3年後離職率	有休取得年平均	平均年収(平均42歳)
165名	9.9 → 9.2%	16.8日	[総]937万円

●エントリー情報と採用プロセス●

【受付開始～終了】[総] [技]3月～3月【採用プロセス】[総]ES提出(3月)→面接(2回、5～6月)→内々定 [技]ES提出(3月)→面接(2回、4月)→内々定【交通費支給】面接、実費【早期選考】⇒巻末

試験情報

重視科目 [総][技]面接

[総][技] [ES]⇒巻末[筆]玉手箱 V-CAT[面]2回(Webあり)

選考ポイント [総][ES]入社熱意 グローバルな視野[面]論理的思考能力 コミュニケーション能力 グローバルな視野 [技][ES]専門性 入社熱意[面]論理的思考能力 コミュニケーション能力 テクノロジーへの探究心

通過率 [総][技] [ES]NA **倍率**(応募/内定) [総][技]NA

●男女別採用数と配属先ほか●

【男女・文理別採用実績】

	大卒男	大卒女	修士男	修士女
23年	73(文 17 理 56)	14(文 5 理 9)	78(文 0 理 78)	9(文 1 理 8)
24年	75(文 14 理 61)	14(文 7 理 7)	82(文 2 理 80)	6(文 1 理 5)
25年	55(文 13 理 42)	14(文 10 理 4)	90(文 0 理 90)	6(文 0 理 6)

【25年4月入社者の採用実績校】[文]同大3 明大 立命館APU 立命館大各2 東洋大 明学大 南山大 香川大 九大 芝工大 下関市大 上智大 日女大 横浜市大 学習院大 琉球大 東京経大 神戸市外大 青学大 中大各1 [理]秋田大17 千葉工大16 秋田県大8 芝工大7 東北大 弘前大各5 東京科学大 信州大各4 山梨大 都立大 東京電機大 日大 明大 筑波大各3 上智大 東京都市大 関大 東京工科大 宇都宮大 工学院大 横国大 東大 新潟大 名大各2 豊橋技科大 熊本大 金沢工大 静岡大 福井大 香川大 愛媛大 豊田工大 東北工大 高知工科大 奈良先端科技院大 大阪工大 放送大 埼玉大 関学大 お茶女大 長崎県大 東北学大 電通大 東北職能大学校 島根大 同大 東海大 茨城大 東京海洋大 福岡大 山形大 法政大 学習院大 岡山大 滋賀大 早大 立教大 大阪公大 中大各1(高専)秋田1

【24年4月入社者の配属先】[総]**勤務地**：千葉13 東京5 秋田4 山梨1 大分1 **部署**：IT8 人事・総務5 営業3 経理3 物流2 調達・購買2 生産管理1 [技]**勤務地**：秋田92 千葉41 長野15 山梨4 大分4 **部署**：技術職(開発・設計他)145 品質保証7 技術企画2 情報システム1 安全環境1

残業(月) 16.5時間 [総]19.3時間

記者評価 コンデンサーやHDD用磁気ヘッド、リチウムイオン電池、センサー等を製造販売。柱のスマホ向けバッテリーは世界シェア1位。独自開発のシリコン負極など技術力高い。海外従業員比率9割で、人事もグローバル化。社員に挑戦を促すベンチャー気質が今も残る。

●給与、ボーナス、週休、有休ほか●

【30歳総合職平均年収】684万円【初任給】(博士)329,700円 (修士)289,000円 (大卒)265,000円【ボーナス(年)】186万円、5.45カ月【25、30、35歳賃金】289,059円→354,022円→411,988円【週休】完全2日(土日祝)【夏期休暇】(本社)連続7日【年末年始休暇】(本社)連続7日【有休取得】16.8／24日

●従業員数、勤続年数、離職率ほか●

【男女別従業員数、平均年齢、平均勤続年数】計 6,037(42.7歳 17.7年) 男 4,933(43.5歳 18.4年) 女 1,104(38.7歳 14.4年)【離職率と離職者数】2.2%、133名【3年後新卒定着率】90.8%(男90.3%、女92.7%、3年前入社：男155名・女41名)【組合】あり

求める人材 自律型人財：1.お客様視点を大切にできる 2.挑戦し続けられる 3.成長を求め続けられる 4.多様性を尊重できる

会社データ (金額は百万円)

【本社】103-6128 東京都中央区日本橋2-5-1 日本橋高島屋三井ビルディング
☎03-6778-1000 https://www.tdk.com/ja/
【社長】齋藤 昇【設立】1935.12【資本金】32,641【今後力を入れる事業】ICT 自動車 産業機器・エネルギー ヘルスケア

【業績(IFRS)】	売上高	営業利益	税前利益	純利益
23.3	2,180,817	168,827	167,219	114,187
24.3	2,103,876	172,893	179,241	124,687

メーカーI

京セラ(株)（きょう）

東京P 6971

【特色】電子部品大手。携帯、太陽電池など多角経営

修士・大卒採用数	3年後離職率	有休取得年平均	平均年収(平均40歳)
256名	9.2→9.9%	16.4日	総 861万円

残業(月) 14.6時間 総 14.6時間

記者評価 創業者の故・稲盛和夫氏が提唱した「アメーバ経営」と社員への「京セラフィロソフィ教育」に特徴。ファインセラミックス技術をベースに、半導体用セラミックパッケージや半導体製造装置向け部品に強み。コンデンサ、太陽光発電システム、複合機など多角展開。

●エントリー情報と採用プロセス●

【受付開始～終了】総 技 3月～通年【採用プロセス】総 ES提出・適性検査(3月～)→論作文・GD・面接(2回、6月～)→内々定 技 ES提出・適性検査(3月～)→面接(2回、6月～)→内々定【交通費支給】〈技術系以外〉最終面接〈技術系〉オンラインのため支給なし、会社基準【早期選考】⇒巻末

試験情報

重視科目 総技 面接) 総 ES ⇒巻末 筆 SPI3(会場) SPI3(自宅) 面 2回(Webあり) GD作 ⇒巻末 技 ES ⇒巻末 筆 SPI3(会場) SPI3(自宅) SCOA 面 2回(Webあり)

選考ポイント 総 ES 志望理由 学生時代に注力したこと これまでの一番の試練・挫折とそれをどのように乗り越えたか 面 コミュニケーション力 論理的思考力 社風への適合性 専門性 技 ES どのような専門技術を活かしたいか 学生時代に注力したこと 面 総合職共通

通過率 総 ES NA(受付:(早期選考含む)2,100→通過:NA) 技 ES NA(受付:(早期選考含む)1,700→通過:NA)

倍率(応募/内定) 総(早期選考含む)53倍 技(早期選考含む)8倍

●男女別採用数と配属先ほか●

【男女・文理別採用実績】

	大卒男	大卒女	修士男	修士女
23年	94(文 44 理 50)	62(文 51 理 11)	239(文 1 理238)	29(文 6 理 23)
24年	111(文 47 理 64)	48(文 30 理 18)	228(文 5 理223)	35(文 2 理 33)
25年	62(文 12 理 50)	30(文 20 理 10)	139(文 3 理136)	25(文 5 理 20)

【25年4月入社者の採用実績校】文 同大 立命館大 神戸大 明大 関西学大 関大 阪大 奈良女大 京大 立教大 横国大 青学大 慶大 上智大 中大 九大 大阪公大 東理大 他 理 九州工大 宮崎大 熊本大 阪大 鹿児島大 同大 関大 九大 岡山大 山口大 芝工大 大分大 長崎大 北大 愛媛大 近大 広島大 信州大 筑波大 東京科学大 東理大 福岡工大 立命館大 茨城大 関西学大 京大 金沢大 佐賀大 神戸大 中大 名大 学習院大 東大 東北大 法政大 名工大 明大 横国大 岐阜大 京都工繊大 秋田大 新潟大 青学大 千葉大 大阪公大 鳥取大 他

【24年4月入社者の配属先】総 勤務地:京都47 大阪2 滋賀4 東京13 神奈川4 愛知4 九州7 他3 部署:営業38 総務人事8 経理財務5 法務5 他28 技 勤務地:京都54 滋賀71 東京7 神奈川34 九州149 他29 部署:研究42 開発設計60 生産技術・製造技術134 ITエンジニア21 他87

●給与、ボーナス、週休、有休ほか●

【30歳総合職平均年収】681万円【初任給】(博士)308,500円(修士)285,000円(大卒)260,000円【ボーナス(年)】NA、5.7カ月【25、30、35歳賃金】NA【週休】完全2日(土日祝)【夏期休暇】8月11～16日【年末年始休暇】12月29日～1月4日【有休取得】16.4／20日

●従業員数、勤続年数、離職率ほか●

【男女別従業員数、平均年齢、平均勤続年数】計 ◇21,072(40.0歳 15.6年) 男 16,931(40.6歳 15.7年) 女 4,141(37.6歳 15.3年)【離職率と離職者数】◇2.1%、454名【3年後新卒定着率】90.1%(男90.8%、女87.4%、3年前入社:男433名・女103名)【組合】あり

求める人材 夢に向かって果敢にチャレンジし続けられる人 素直な心、ひたむきさを持っている人 グローバルな視点を持っている人

会社データ (金額は百万円)

【本社】612-8501 京都府京都市伏見区竹田鳥羽殿町6
☎075-604-3500 https://www.kyocera.co.jp/
【社長】谷本 秀夫【設立】1959.4【資本金】115,703【今後力を入れる事業】環境エネルギー関連 情報通信関連の部品・機器・サービス事業 他

【業績(IFRS)】	売上高	営業利益	税前利益	純利益
22.3	1,838,938	148,910	198,947	148,414
23.3	2,025,332	128,517	176,192	127,988
24.3	2,004,221	92,923	136,143	101,074

(株)村田製作所（むらた せいさくしょ）

東京P 6981

【特色】電子部品大手。世界トップシェアの製品が複数

修士・大卒採用数	3年後離職率	有休取得年平均	平均年収(平均40歳)
357名	6.5→4.2%	16.8日	760万円

残業(月) 15.2時間

記者評価 スマホ等の積層セラミックコンデンサーで世界トップシェア。特定周波数帯の電気信号を取り出すSAWフィルターも首位。電子部品の搭載増える車載関連が成長中。海外売上比率9割超。24年アンテナ間の干渉改善デバイスを世界初開発。現社長は初の創業家外トップ。

●エントリー情報と採用プロセス●

【受付開始～終了】総 技 3月～6月【採用プロセス】総 技 NA【交通費支給】来社が必要な選考、会社基準

試験情報

重視科目 総技 面接 総技 ES NA 筆 あり(内容NA) 面 NA(Webあり)

選考ポイント 総技 ES NA(提出あり) 面 求める人物像にマッチしているか

通過率 総技 ES NA **倍率**(応募/内定) 総技 NA

●男女別採用数と配属先ほか●

【男女・文理別採用実績】

	大卒男	大卒女	修士男	修士女
23年	250(文 36 理214)	125(文 99 理 26)	0(文 0 理 0)	0(文 0 理 0)
24年	236(文 25 理211)	127(文 93 理 34)	0(文 0 理 0)	0(文 0 理 0)
25年	231(文 21 理210)	126(文 95 理 31)	0(文 0 理 0)	0(文 0 理 0)

※修士は大卒に含む 25年:24年8月1日時点

【25年4月入社者の採用実績校】文 東北大 早大 慶大 横国大 明大 青学大 立教大 上智大 京大 京都府大 同大 立命館大 阪大 大阪府大 関大 神戸大 関西学大 岡山大 海外大 他 理 北大 東北大 東京科学大 東理大 慶大 早大 筑波大 芝工大 静岡大 金沢大 名大 名工大 京大 京都工繊大 同大 立命館大 関大 阪大 大阪公大 神戸大 奈良先端科技院大 奈良女大 岡山大 九大 九州工大 他

【24年4月入社者の配属先】総 勤務地:京都・長岡京 滋賀・野洲 名古屋 東京・渋谷 横浜 さいたま 部署:総務 人事 経理・財務 企画 法務 知的財産 広報 情報システム 営業 調達 生産管理 サプライチェーンマネジメント 生産ライン設計・改善(IE)製造監督 環境経営企画 防災・安全衛生管理 他 技 勤務地:京都・長岡京 滋賀(野洲 東近江)東京・渋谷 神奈川(横浜 厚木)千葉・流山 島根・出雲 岡山・瀬戸内 三重・津 福井(鯖江 越前)石川(金沢 小松)富山 部署:材料 材料プロセス開発・設計 商品開発・設計 ソフトウェア・シミュレーション技術開発・設計 情報システム セールスエンジニア(技術営業)営業 生産技術 生産ライン設計改善(IE)製造技術 製造管理 品質保証・品質管理 物性分析・計測技術 知的財産 環境経営企画 工場建設・施設管理 企画 生産管理 サプライチェーンマネジメント 他

●給与、ボーナス、週休、有休ほか●

【30歳総合職平均年収】NA【初任給】(博士)319,500円(修士)281,000円(大卒)260,000円【ボーナス(年)】(モデル)172万円、5.215カ月【25、30、35歳モデル賃金】287,000円→346,500円→412,800円【週休】2日制(基本土日祝、当社カレンダーに基づく)【夏期休暇】連続4日【年末年始休暇】連続6日【有休取得】16.8／23日

●従業員数、勤続年数、離職率ほか●

【男女別従業員数、平均年齢、平均勤続年数】計 10,401(39.9歳 13.9年) 男 7,883(41.0歳 14.4年) 女 2,518(36.5歳 12.2年)【離職率と離職者数】1.9%、201名(早期退職者含む)【3年後新卒定着率】95.8%(男NA、女NA、3年前入社:男女計335名)【組合】あり

求める人材 自ら考え・行動できる自律人材

会社データ (金額は百万円)

【本社】617-8555 京都府長岡京市東神足1-10-1
☎075-955-6791 https://www.murata.com/
【社長】中島 規巨【設立】1950.12【資本金】69,444【今後力を入れる事業】通信 モビリティ 環境 ウェルネス

【業績(IFRS)】	売上高	営業利益	税前利益	純利益
24.3	1,640,158	215,447	239,404	180,838

メーカーI

ルネサスエレクトロニクス(株)

東京P 6723

【特色】半導体大手で車載用マイコン首位。買収で拡大

修士・大卒採用数	3年後離職率	有休取得年平均	平均年収(平均46歳)
159名	11.0 → 12.7%	17.0日	総 954万円

残業(月) 29.6時間 総 30.4時間

記者評価 三菱電機、日立製作所、NECの半導体部門が母体。大規模構造改革で世界シェア首位の車載用マイコンや産業分野へ特化。自動運転向けに注力。17年以降の積極買収でアナログ半導体を拡充。無線通信領域も強化。買収先人材の幹部登用などグローバル化推進。

●エントリー情報と採用プロセス●

【受付開始～終了】総 技 3月～6月【採用プロセス】総 技 ES提出・適性検査(3月)→マッチング面談(2～3回、4～6月)→内々定(6月上旬～)【交通費支給】なし【早期選考】⇒巻末

試験情報

重視科目 総 技 マッチング面談

総 技 ES ⇒巻末 筆 SPI3(自宅) 面 2～3回(Webあり)

選考ポイント 総 技 ES 研究内容を自分の言葉で述べているか ルネサスカルチャーに共感した部分が書かれているか 面 研究内容を自分の言葉で説明できるか 業務内容を理解し、やりたいこととマッチしているか

通過率 総 技 ES NA **倍率(応募/内定)** 総 技 NA

●男女別採用数と配属先ほか●

【男女・文理別採用実績】

	大卒男	大卒女	修士男	修士女
23年	17(文 4 理 13)	13(文 8 理 5)	118(文 2 理116)	10(文 1 理 9)
24年	18(文 4 理 14)	9(文 6 理 3)	126(文 1 理125)	24(文 4 理 20)
25年	13(文 9 理 4)	11(文 9 理 2)	108(文 1 理107)	27(文 2 理 25)

【25年4月入社者の採用実績校】文(院)早大 東京農業大 阪大各1(大)法政大 早大各3 同大 明大各2 一橋大 ICU 山梨県大 新潟大 追手門学大 東京外大 白百合女大 明学大各1 理(院)東大14 筑波大 東理大各13 電通大8 東京科学大 早大各7 阪大6 名大5 埼玉大 芝工大 東北大 立命館大各4 鹿児島大 茨城大 九州工大 東京都市大 神戸大 北大各3 東京電機大 九大 京都工繊大 長岡技科大 弘前大 信州大 法政大 明大各2 奈良女大 横国大 京大 金沢工大 金沢大 群馬大 はこだて未来大 広島市大 佐賀大 上智大 静岡大 千葉大 中大 長崎大 徳島大 日大 富山県大 富山大 豊橋技科大 北陸先端科技院大 名工大各1(大)東京電機大 東京都市大各2 千葉大 福岡女大各1

【24年4月入社者の配属先】総 勤務地:東京(豊洲11 国分寺1)茨城・ひたちなか3 部署:サプライチェーンマネジメント4 営業統括部3 エンベデッドプロセッシングビジネスディベロップメント統括部2 調達2 ファイナンス2 人事・総務統括部2 技 勤務地:東京(豊洲8 国分寺106)群馬・高崎24 茨城・ひたちなか14 熊本(川尻6 球磨3)山梨・甲府4 大分・中津4 山形・米沢3 愛媛・西条3 部署:オペレーション50 エンベデッドプロセッシング30 ハイパフォーマンスコンピューティング28 パワー21 ソフトウェア&デジタライゼーション16 エンジニアリング14 アナログ&コネクティビティ8 セールス&マーケティング6 品質保証2

●給与、ボーナス、週休、有休ほか●

【30歳総合職平均年収】708万円【初任給】(博士)300,000円(修士)270,000円(大卒)250,000円【ボーナス(年)】358万円、NA【25、30、35歳賃金】268,100円→287,118円→313,709円 ※長期欠勤・休職者除く 海外出向者は国内にいた場合の基本月収・月俸額【週休】完全2日(土日祝)【夏期休暇】連続10日(有休5日含む)【年末年始休暇】12月28日～1月4日【有休取得】17.0／25日

●従業員数、勤続年数、離職率ほか●

【男女別従業員数、平均年齢、平均勤続年数】計 5,809(48.1歳 22.7年) 男 5,039(48.3歳 22.7年) 女 770(46.7歳 22.3年)【離職率と離職者数】3.5%、213名【3年後新卒定着率】87.3%(男88.9%、女75.0%、3年前入社:男90名・女12名)【組合】あり

求める人材 Renesas Cultureに共感し、グローバルな職務環境で思い切りチャレンジしたい人

会社データ　(金額は百万円)

【本社】135-0061 東京都江東区豊洲3-2-24 豊洲フォレシア
☎03-6773-4001　https://www.renesas.com/
【社長】柴田 英利【設立】2002.11【資本金】153,209【今後力を入れる事業】自動車 産業 インフラ IoT

【業績(IFRS)】	売上高	営業利益	税前利益	純利益
21.12	994,418	183,601	152,463	127,261
22.12	1,500,853	424,170	362,299	256,632
23.12	1,469,415	390,766	422,173	337,086

ミネベアミツミ(株)

東京P 6479

【特色】極小ベアリング世界首位。M&Aでの拡大に積極的

修士・大卒採用数	3年後離職率	有休取得年平均	平均年収(平均45歳)
246名	14.5 → 18.8%	14.4日	総 726万円

残業(月) 7.9時間 総 7.9時間

記者評価 極小ボールベアリングで世界シェア6割。ほかにアナログ半導体や小型モーターなど数多くの収益源を持つ。各分野の技術や製品を掛け合わせて新事業を生み出せるのが強み。主力工場はタイにあり、海外生産比率約9割。貝沼由久会長の手腕で業績は拡大傾向。

●エントリー情報と採用プロセス●

【受付開始～終了】総 3月～継続中 技 8月～継続中【採用プロセス】総 職種紹介セミナー・社員座談会(任意、8月～)→ES提出・Webテスト→面接(2～3回)→内々定 技 長期インターン・説明会(任意、8月～)→ES提出・Webテスト→面接(2～3回)→内々定【交通費支給】2次面接以降、実費【早期選考】⇒巻末

試験情報

重視科目 総 技 面接 学業成績

総 技 ES ⇒巻末 筆 WebGAB 面 2～3回(Webあり)

選考ポイント 総 ES 物事の見方や行動に本人の意思があるか、具体的で論理的に表現されているか 面 求める人物像・専攻・学び・志向のマッチング 論理的思考力 コミュニケーション力 他 技 ES 総合職共通 面 事務系の観点に加え、知的好奇心 他

通過率 総 ES 81%(受付:(早期選考含む)1,086→通過:(早期選考含む)875) 技 ES 57%(受付:(早期選考含む)1,118→通過:(早期選考含む)640)

倍率(応募/内定) 総(早期選考含む)16倍 技(早期選考含む)6倍

●男女別採用数と配属先ほか●

【男女・文理別採用実績】

	大卒男	大卒女	修士男	修士女
23年	77(文 22 理 55)	24(文 16 理 8)	73(文 0 理 73)	2(文 0 理 2)
24年	93(文 33 理 60)	21(文 14 理 7)	80(文 2 理 78)	7(文 0 理 7)
25年	96(文 29 理 67)	38(文 30 理 8)	101(文 1 理100)	11(文 0 理 11)

【25年4月入社者の採用実績校】文(院)大阪公大1(大)近大6 追手門学大4 関西外大 関大 関西学大 同大各3 阪大 神戸大 明大 立命館大 神戸市外大 中大 創価大 昭和女大各2 他 理(院)信州大9 日大7 東京電機大 東京科学大 室蘭工大各5 立命館大4 北大 秋田大 山形大 山口大 千葉工大 金沢工大 近大各3 京都工繊大 工学院大 佐賀大 鹿児島大 芝工大 新潟大 大分大 電通大 富山県大 静岡大 福井大 明大 兵庫県大 日工大各2(大)千葉工大11 信州大8 金沢工大 近大各5 東京電機大4 広島工大3 九州工大 千歳科技大 工学院大 静岡大 東京都市大 福岡工大 福岡大 北海道科学大各2 他

【24年4月入社者の配属先】総 勤務地:東京(港25 多摩2)長野(軽井沢6 松本1)大阪6 愛知4 神奈川(藤沢2 厚木3)京都2 静岡2 広島2 山形1 群馬1 埼玉1 部署:営業系27 事務管理系31 技 勤務地:東京(港14 多摩2)長野41 神奈川(藤沢10 厚木10)静岡17 広島18 鳥取10 滋賀8 群馬6 秋田6 北海道5 福岡4 山形3 大阪2 部署:技術156

●給与、ボーナス、週休、有休ほか●

【30歳総合職平均年収】503万円【初任給】(博士)295,500円(修士)271,000円(大卒)250,000円【ボーナス(年)】229万円、6.14カ月【25、30、35歳賃金】267,813円→309,659円→347,355円 ※東京本部【週休】2日【夏期休暇】連続9日程度(週休含む、東京本部はリフレッシュ休暇として有休5日取得)【年末年始休暇】連続9日程度【有休取得】14.4／20日

●従業員数、勤続年数、離職率ほか●

【男女別従業員数、平均年齢、平均勤続年数】計 ◇7,919(45.2歳 18.4年) 男 6,664(45.5歳 18.4年) 女 1,255(43.8歳 17.9年)【離職率と離職者数】◇3.2%、261名【3年後新卒定着率】81.3%(男81.7%、女77.8%、3年前入社:男142名・女18名)【組合】あり

求める人材 ものづくりへの好奇心が強い人 情熱をもって挑戦する人 異なる価値観を尊重する人

会社データ　(金額は百万円)

【本社】389-0293 長野県北佐久郡御代田町大字御代田4106-73
☎0267-32-2200　https://www.minebeamitsumi.com/
【会長】貝沼 由久【設立】1951.7【資本金】68,259【今後力を入れる事業】ベアリング アナログ半導体 モーター アクセス製品

【業績(IFRS)】	売上高	営業利益	税前利益	純利益
22.3	1,124,140	92,136	90,788	68,935
23.3	1,292,203	101,522	96,120	77,010
24.3	1,402,127	73,536	75,545	54,035

メーカーI

キオクシア(株)

株式公開していない

【特色】NAND型で世界大手。東芝のメモリ事業が母体

修士・大卒採用数	3年後離職率	有休取得年平均	平均年収(平均43歳)
62名	NA	19.0日	総708万円

●エントリー情報と採用プロセス●

【受付開始～終了】総 技3月～6月【採用プロセス】総 技ES提出・Webテスト→面接(複数回)→内々定【交通費支給】2次面接以降、大学が首都圏(一都三県)以外の場合、エリア別に定額

試験情報

重視科目 総技全て

総技ES⇒巻末筆SPI3(会場) SPI3(自宅)面複数回(Webあり)

選考ポイント 総ES NA(提出あり)面自律的思考力 調整力 責任感 技ES NA(提出あり)面自律的思考力 バイタリティ 対人対応力 技術素養

通過率 総技ES NA　倍率(応募/内定) 総技NA

●男女別採用数と配属先ほか●

【男女・文理別採用実績】

	大卒男	大卒女	修士男	修士女
23年	88(文 14理 74)	23(文 8理 15)	254(文 0理254)	18(文 0理 18)
24年	31(文 17理 14)	13(文 6理 7)	178(文 0理178)	17(文 2理 15)
25年	3(文 3理 0)	8(文 5理 3)	46(文 1理 45)	5(文 1理 4)

【25年4月入社者の採用実績校】文立教大2 上智大 新潟大 関大 國學院大 日大 横国大 早大 創価大各1 理東理大5 静岡大3 岩手大 琉球大 芝工大 鳥取大 東北大 筑波大 立命館大 電通大 京大 工学院大各2 埼玉大 信州大 奈良先端科技院大 秋田大 神奈川大 東京都市大 名大 鹿児島大 会津大 九州工大 南山大 関大 名工大 名城大 千葉工大 弘前大 都立大 東京農工大 山梨大 青学大 九大 ICU 中京大 東京科学大 横国大 阪大 宇都宮大各1

【24年4月入社者の配属先】総勤務地:東京 神奈川 三重 部署:営業 企画 調達 財務 人事総務 法務 IT/セキュリティ 知財 技勤務地:東京 神奈川 三重 部署:製品・デバイス技術開発 プロセス・パッケージ技術開発 システム・ソフトウェア・回路設計 技術開発 顧客対応技術・評価解析・品質技術開発

残業(月) 32.8時間 総32.8時間

記者評価 18年東芝の半導体メモリ事業を分離し誕生。東芝に加え、米ベインキャピタルグループ、HOYAが出資。19年持株会社・東芝メモリHD(現キオクシアHD)を設立。NAND型フラッシュメモリーで世界大手の一角。四日市工場はフラッシュメモリ工場として世界最大級。

●給与、ボーナス、週休、有休ほか●

【30歳総合職平均年収】NA【初任給】(博士)305,500円(修士)256,500円(大卒)232,000円【ボーナス(年)】172万円、4.7カ月【25、30、35歳賃金】NA【週休】完全2日(土日祝)【夏期休暇】あり【年末年始休暇】あり【有休取得】19.0/24日

●従業員数、勤続年数、離職率ほか●

【男女別従業員数、平均年齢、平均勤続年数】計 ◇11,584(42.8歳 17.7年) 男 10,435(43.4歳 18.3年) 女 1,149(37.5歳 12.8年)【離職率と離職者数】NA【3年後新卒定着率】NA【組合】あり

求める人材 自分の意思を周囲にぶつけながら模索し、正解がない中で自ら決めて進むことができる人

会社データ (金額は百万円)

【本社】108-0023 東京都港区芝浦3-1-21 田町ステーションタワーS
☎03-6478-2500 https://www.kioxia.com/ja-jp/top.html
【社長】早坂 伸夫【設立】2017.4【資本金】10,000【今後力を入れる事業】フラッシュメモリ事業 SSD事業

【業績(IFRS)】	売上高	営業利益	税前利益	純利益
22.3	1,526,500	216,200	NA	105,900
23.3	1,282,100	▲99,000	NA	▲138,100
24.3	1,076,600	▲252,700	NA	▲243,700

※業績はキオクシアホールディングス(株)のもの

アルプスアルパイン(株)

東京P 6770

【特色】電子部品の大手メーカー。車載とスマホ向け中心

修士・大卒採用数	3年後離職率	有休取得年平均	平均年収(平均45歳)
113名	13.7→17.2%	15.3日	総737万円

●エントリー情報と採用プロセス●

【受付開始～終了】総 技3月～継続中【採用プロセス】総 技ES提出(3月～)→Webテスト(6月)→1次面接(6月)→最終面接(6月)→内々定(6月～)【交通費支給】最終選考、実費相当【早期選考】⇒巻末

試験情報

重視科目 総技面接

総 技ES⇒巻末筆SPI3(会場) SPI3(自宅)面2回(Webあり)

選考ポイント 総技面意欲 コミュニケーション能力 論理的思考能力 適性 専門性

通過率 総ES選考なし(受付:660) 技ES選考なし(受付:657)

倍率(応募/内定) 総55倍 技6倍

●男女別採用数と配属先ほか●

【男女・文理別採用実績】

	大卒男	大卒女	修士男	修士女
23年	48(文 9理 39)	8(文 6理 2)	46(文 4理 42)	2(文 1理 1)
24年	63(文 16理 47)	16(文 12理 4)	44(文 0理 44)	7(文 2理 5)
25年	47(文 8理 39)	8(文 1理 7)	53(文 3理 50)	5(文 1理 4)

【25年4月入社者の採用実績校】文(院)東大 明大 神戸大 京大各1(大)國學院大2 都立大 日大 東洋大 早大 中大 東北福祉大各1 理(院)岩手大7 東北大 新潟大各5 山形大4 弘前大 秋田大 長岡技科大各3 室蘭工大 秋田県大 会津大 千葉工大各2 関東学院大 金沢大 九大 芝工大 静岡大 早大 東海大 東京工科大 東京科学大 東京電機大 東理大 東北学大 福岡工大 福島大 北大 名城大各1(大)千葉工大7 東北学大6 岩手大 埼玉工大各3 北海道科学大 岩手県大 東理大 大阪電通大 東海大 芝工大 日大各2 はこだて未来大 弘前大 山形大 新潟大 石巻専大 関西学大 三条市大 近大 八戸工大 富山大 東北職能大学校 韓国航空大各1(高専)一関 仙台 長岡 福島各1

【24年4月入社者の配属先】総勤務地:宮城・大崎4 東京・大田12 福島・いわき1 新潟・長岡1 部署:営業10 財務3 人事2 情報システム2 経営戦略室1 技勤務地:宮城(大崎48 遠田7 涌谷10 角田4)東京・大田8 福島(いわき33 小名浜2)新潟・長岡6 部署:開発設計73 生産技術30 生産計画4 購買4 品質保証7

残業(月) 12.6時間 総18.2時間

記者評価 電子部品のアルプス電気と車載情報機器のアルパインが2019年に再統合して誕生。稼ぎ頭はスマホ向け電子部品で、カメラのピント合わせを行うアクチュエータが代表製品。ゲーム機用の部品も。自動車関連は収益体質改善が道半ば。積極的な構造改革に取組中。

●給与、ボーナス、週休、有休ほか●

【30歳総合職平均年収】539万円【初任給】(修士)277,000円(大卒)250,000円【ボーナス(年)】156万円、2.3カ月【25、30、35歳賃金】272,755円→310,709円→336,252円【週休】2日(年数回土曜出勤の可能性あり)【夏期休暇】連続7日(週休2日含む)【年末年始休暇】連続7日(週休2日含む)【有休取得】15.3/20日

●従業員数、勤続年数、離職率ほか●

【男女別従業員数、平均年齢、平均勤続年数】計 ◇6,720(42.3歳 17.7年) 男 5,196(42.8歳 18.1年) 女 1,524(40.0歳 16.6年)【離職率と離職者数】◇3.3%、228名(早期退職(ライフプラン選択制)男25名、女3名含む)【3年後新卒定着率】82.8%(男81.6%、女86.5%、3年前入社:男152名・女52名)【組合】なし

求める人材 時代の変化を楽しみ、失敗を恐れずにチャレンジできる人 ハード×ソフト技術に興味を持ち、新しいアイデアを出せる人

会社データ (金額は百万円)

【本社】145-8501 東京都大田区雪谷大塚町1-7
☎03-3726-1211 https://www.alpsalpine.com/j/
【社長】泉 英男【設立】1948.11【資本金】38,730【今後力を入れる事業】CASEおよびPremium HMI(ヒューマンマシンインターフェイス)環境・エネルギーおよびIoT

【業績(連結)】	売上高	営業利益	経常利益	純利益
22.3	802,854	35,208	40,286	22,960
23.3	933,114	33,595	34,940	11,470
24.3	964,090	19,711	24,809	▲29,814

メーカーI

開示 ★★★★☆ ▶『業界地図』p.114 585

にっとうでんこう
日東電工(株)

東京P 6988

【特色】総合材料メーカー。ニッチトップ戦略を標榜

修士・大卒採用数	3年後離職率	有休取得年平均	平均年収(平均39歳)
103名	5.6 → 9.2%	16.7日	(総) 944万円

●エントリー情報と採用プロセス●

【受付開始～終了】(総)3月～5月 (技)3月～4月【採用プロセス】(総)ES提出→Webテスト→1次面接(グループ)→Webテスト→2次面接→最終面接→内々定 (技)ES提出→Webテスト→1次面接(グループ)→Webテスト→2次面接(個人)・GD→最終面接→内々定【交通費支給】最終面接以降、会社基準【早期選考】⇒巻末

試験情報

重視科目 [総][技]面接

[総](ES)⇒巻末(筆)SPI3(自宅)(面)3回(Webあり) [技](ES)⇒巻末(筆)SPI3(自宅)(面)3回(Webあり)(GD作)⇒巻末

選考ポイント [総](ES)主体性 チャレンジ精神 協調性 伝える力(面)コミュニケーション能力 チャレンジ精神 チームワーク [技](ES)総合職共通(面)コミュニケーション能力 チャレンジ精神 チームワーク 研究に取り組む姿勢

通過率 [総](ES)52%(受付:1,028→通過:536) [技](ES)56%(受付:360→通過:203) **倍率**(応募/内定) [総]93倍 [技]12倍

●男女別採用数と配属先ほか●

【男女・文理別採用実績】

	大卒男	大卒女	修士男	修士女
23年	10(文 8 理 2)	10(文 7 理 3)	71(文 2 理 69)	18(文 1 理 17)
24年	13(文 7 理 6)	8(文 7 理 1)	80(文 1 理 79)	24(文 0 理 24)
25年	8(文 8 理 0)	13(文 8 理 5)	71(文 0 理 71)	11(文 1 理 10)

【25年4月入社者の採用実績校】(文)(院)同大1(大)同大3 関西学大2 大阪市大 明大 横国大 関大 東大 京産大 北大 京都女大 立命館大 信州大 神戸大各1 (理)(院)大阪公大7 広島大 立命館大各6 三重大 京都工繊大 関大各4 阪大 名工大 東理大 静岡大 新潟大 山形大 神戸大各3 兵庫県大 徳島大 香川大 岡山大 関西学大各2 北大 富山大 室蘭工大 九大 信州大 熊本大 明大 群馬大 奈良先端科技院大 筑波大 福井大 東京科学大 豊橋技科大 埼玉大 九州工大 京大 横国大 同大 東京農工大各1(大)関大 大阪府大 同大 豊橋技科大 立命館大各1 他

【24年4月入社者の配属先】[総]**勤務地**:埼玉・深谷1 東京・品川4 愛知(豊橋3 名古屋1)三重・亀山4 滋賀・草津1 大阪(大阪2 茨木6)広島・尾道5 **部署**:営業7 管理20 [技]**勤務地**:宮城・大崎6 埼玉・深谷6 愛知・豊橋27 三重・亀山22 滋賀・草津3 大阪・茨木33 広島・尾道37 **部署**:R&D83 生産技術26 製造技術15 品質保証10

残業(月) 15.3時間

記者評価 ニッチな新市場でトップシェアを目指すグローバルニッチトップ戦略を展開。代名詞ともいえる液晶部材の偏光板は有機ELへの移行が進み減少傾向だが、スマホ向けでは高精度基板や部品同士を貼り付けるシートなど拡大。新領域の核酸医薬でも受託製造や開発推進。

●給与、ボーナス、週休、有休ほか●

【30歳総合職平均年収】649万円【初任給】(博士)298,500円(修士)283,000円(大卒)260,000円【ボーナス(年)】241万円、5.9カ月【25、30、35歳賃金】260,325円→312,062円→375,976円【週休】完全2日(土日祝)【夏期休暇】連続9日(土日含む)【年末年始休暇】あり【有休取得】16.7／20日

●従業員数、勤続年数、離職率ほか●

【男女別従業員数、平均年齢、平均勤続年数】計 ◇6,610(39.5歳 12.6年) 男 5,697(39.6歳 13.0年) 女 913(38.5歳 10.1年)【離職率と離職者数】◇1.8%、124名(早期退職男8名含む)【3年後新卒定着率】90.8%(男90.3%、女92.1%、3年前入社:男93名・女38名)【組合】あり

求める人材 グローバルで先進的な取組みをリードするチャレンジ精神あふれる人財

会社データ (金額は百万円)

【本社】530-0011 大阪府大阪市北区大深町4-20 グランフロント大阪タワーA
☎06-7632-2101 https://www.nitto.com/jp/ja/
【社長】髙﨑 秀雄【設立】1918.10【資本金】26,783【今後力を入れる事業】デジタルインターフェイス パワー＆モビリティ ヒューマンライフ

【業績(IFRS)】	売上高	営業利益	税前利益	純利益
22.3	853,448	132,260	132,378	97,132
23.3	929,036	147,173	146,840	109,173
24.3	915,139	139,132	138,901	102,679

にちあかがくこうぎょう
日亜化学工業(株)

株式公開 計画なし

【特色】窒化物LEDで世界首位級。グローバル展開加速

修士・大卒採用数	3年後離職率	有休取得年平均	平均年収(平均40歳)
138名	17.6 → 21.6%	17.2日	(総) 757万円

●エントリー情報と採用プロセス●

【受付開始～終了】(総)2月～5月 (技)11月～継続中【採用プロセス】(総)ES提出・SPI(2月～)→面接(2回、3月～)→内々定(4月～) (技)ES提出・SPI(11月～)→面接(2回、12月～)→内々定(1月～)【交通費支給】2次面接、会社基準【早期選考】⇒巻末

試験情報

重視科目 [総][技]すべて

[総][技](ES)⇒巻末(筆)SPI3(自宅)(面)2回(Webあり)

選考ポイント [総](ES)求める人材と合致しているか(面)1次面接:コミュニケーション能力 興味の幅と深度 行動力 バイタリティ 協調性 2次面接:定着性 チャレンジ精神 行動力 バイタリティ 協調性 [技](ES)総合職共通(面)1次面接:コミュニケーション能力 興味の幅と深度 行動力 バイタリティ 協調性 2次面接:志望度 理解度 独創性 問題解決力 粘り強さ

通過率 [総](ES)64%(受付:114→通過:73) [技](ES)92%(受付:337→通過:310) **倍率**(応募/内定) [総]4倍 [技]2倍

●男女別採用数と配属先ほか●

【男女・文理別採用実績】※25年:24年8月21日時点

	大卒男	大卒女	修士男	修士女
23年	38(文 12 理 26)	16(文 10 理 6)	59(文 0 理 59)	4(文 0 理 4)
24年	44(文 20 理 24)	9(文 6 理 3)	54(文 0 理 54)	5(文 0 理 5)
25年	55(文 29 理 26)	13(文 7 理 6)	66(文 0 理 66)	4(文 0 理 4)

【25年4月入社者の採用実績校】(文)(大)関大 関西学大各2 立命館大 武庫川女大 徳島大 同大 松山大 高知大 京産大 関西外大各1 (理)(院)徳島大28 愛媛大5 阪大3 兵庫県大 同大 東理大 東京科学大 山口大 香川大 近大 岡山大各2 和歌山大 名大 奈良女大 東北大 鳥取大 長岡技科大 大阪公大 早大 千葉大 静岡大 信州大 埼玉大 高知工科大 広島大 群馬大 九州工大 京大 京都工繊大 関大 関西学大 岡山理大各1(大)徳島大8 近大3 大阪工大 高知大 岡山理大 愛媛大各2 名城大 静岡大 神奈川大 四国職能大学校 四国大 香川大 岡山大各1(高専)阿南6 香川1

【24年4月入社者の配属先】[総]**勤務地**:徳島・阿南16 **部署**:調達・物流6 経理2 マーケティング1 環境・安全衛生1 給与厚生1 人事1 総務1 品質保証1 法務1 事業企画1 [技]**勤務地**:徳島(阿南76 鳴門3 徳島1)大阪2 横浜1 **部署**:技術64 装置13 品質保証3 システム3

残業(月) 14.1時間

記者評価 高純度カルシウム塩の製販で出発し蛍光体などに展開。1993年青色LEDを世界で初めて実用化、現在はLEDやリチウムイオン電池正極材、半導体レーザー等が柱。生産拠点は徳島に集約。従業員の子育て支援策充実。ドイツのアーヘン市に車載LEDの拠点開設。

●給与、ボーナス、週休、有休ほか●

【30歳総合職平均年収】606万円【初任給】(博士)300,000円(修士)275,000円(大卒)250,000円【ボーナス(年)】NA、8.0カ月【25、30、35歳賃金】260,981円→271,534円→299,225円【週休】完全2日(土日祝)(祝日週土曜出勤あり)【夏期休暇】連続7日(週休2日含む)【年末年始休暇】連続9日(週休4日含む)【有休取得】17.2／20日

●従業員数、勤続年数、離職率ほか●

【男女別従業員数、平均年齢、平均勤続年数】計 3,110(40.0歳 15.0年) 男 2,713(40.0歳 14.9年) 女 397(39.6歳 15.8年)【離職率と離職者数】1.9%、61名【3年後新卒定着率】78.4%(男81.2%、女40.0%、3年前入社:男69名・女5名)【組合】なし

求める人材 明るく前向きでチームワークを大切にする人 チャレンジ精神旺盛で自ら考え行動する人

会社データ (金額は百万円)

【本社】774-8601 徳島県阿南市上中町岡491
☎0884-22-2311 http://www.nichia.co.jp/
【社長】小川 裕義【設立】1956.12【資本金】52,026【今後力を入れる事業】LED 半導体レーザー LiB正極材料

【業績(連結)】	売上高	営業利益	経常利益	純利益
21.12	403,699	76,152	87,521	65,418
22.12	502,113	91,900	107,995	79,764
23.12	507,106	43,562	50,852	34,186

開示 ★★★★☆ ▶『業界地図』p.48 1207

ローム(株)

東京P 6963

【特色】特注のカスタムLSIで首位。半導体素子も展開

修士・大卒採用数	3年後離職率	有休取得年平均	平均年収(平均42歳)
143名	15.3→14.7%	15.2日	(総)941万円

残業(月) 16.4時間 (総)18.7時間

記者評価 電子部品大手。1954年に抵抗器の生産で創業。LSI(大規模集積回路)とダイオード、トランジスタなど半導体素子を生産する。製品の用途は自動車向けが中心で、産業機械、家電など民生機器向けも。SiC(炭化ケイ素)ウエハを使用した次世代パワー半導体に積極投資。

●エントリー情報と採用プロセス●

【受付開始～終了】(総)3月～6月 (技)1月～6月【採用プロセス】(総)ES提出・適性テスト(3～6月)→面接(3回)→内々定(6月～) (技)適性テスト・ES提出・面接(3回、2月～)→内々定(2月～)※学校推薦は面接2回【交通費支給】〈技術系以外〉最終選面接、会社基準(遠方者)【早期選考】⇒巻末

試験情報

重視科目 [総][技]面接 適性テスト

[総][技](ES)⇒巻末(筆)WebGAB(面)3回(Webあり)

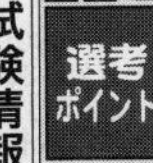

選考ポイント [総](ES)自己PR 文章構成能力(面)ヴァイタリティフレキシビリティ オーナーシップ [技](ES)研究内容 文章構成能力(面)専門性 問題解決力 オーナーシップ

通過率 [総](ES)49%(受付:682→通過:334) [技](ES)44%(受付:1,234→通過:549) **倍率(応募/内定)** [総]40倍 [技]27倍

●給与、ボーナス、週休、有休ほか●

【30歳総合職平均年収】713万円【初任給】(博士)285,700円 (修士)269,000円 (大卒)247,000円【ボーナス(年)】227万円、6.1カ月【25、30、35歳賃金】266,876円→365,519円→443,355円【週休】完全2日(土日祝)【夏期休暇】連続5日(一斉有休含む)【年末年始休暇】連続7日(一斉有休含む)【有休取得】15.2／20日

●従業員数、勤続年数、離職率ほか●

【男女別従業員数、平均年齢、平均勤続年数】計 3,675(40.1歳 14.1年) 男 2,883(41.0歳 14.6年) 女 792(36.8歳 12.2年)【離職率と離職者数】2.9%、109名【3年後新卒定着率】85.3%(男81.9%、女94.7%、3年前入社:男105名・女38名)【組合】あり

●男女別採用数と配属先ほか●

【男女・文理別採用実績】

	大卒男	大卒女	修士男	修士女
23年	19(文 12 理 7)	19(文 15 理 4)	103(文 0 理103)	13(文 1 理 12)
24年	17(文 13 理 4)	10(文 5 理 5)	143(文 0 理143)	23(文 1 理 22)
25年	13(文 8 理 5)	9(文 7 理 2)	115(文 1 理114)	6(文 0 理 6)

【25年4月入社者の採用実績校】(文)同大7 立命館大3 関西学大 関大 京産大 三重大 明大 龍谷大 ウーロンゴン大各1 (理)京都工繊大13 九州工大9 大阪公大8 岡山大 豊橋技科大 立命館大各7 徳島大6 阪大5 静岡大 九大各4 東理大 東北大 福井大各3 宇都宮大 関西学大 関大 広島大 神戸大 千葉大 大阪工大 東京都市大 同大 奈良先端科技院大 和歌山大 宮崎大各2 愛媛大 岡山県大 岐阜大 近大 甲南大 高知工科大 佐賀大 山形大 滋賀県大 芝工大 信州大 早大 筑波大 長岡技科大 電通大 東大 東京電機大 日大 福岡大 兵庫県大 名工大 名城大 龍谷大各1

【24年4月入社者の配属先】[総]**勤務地**:京都10 東京2 名古屋1 **部署**:国内営業5 経理2 海外営業1 生産管理2 調達1 サステナビリティ1 法務1 [技]**勤務地**:京都115 横浜24 筑後21 宮崎14 滋賀6 浜松3 **部署**:個別半導体技術開発65 LSI商品開発56 製造技術開発29 生産システム開発17 情報システム開発7 研究開発4 FAE3 品質保証2

求める人材 1.チャレンジする情熱 2.変革をつづける行動力 3.成長をつづける探究心

会社データ (金額は百万円)

【本社】615-8585 京都府京都市右京区西院溝崎町21
☎075-311-2121　https://www.rohm.co.jp/
【社長】松本 功【設立】1958.9【資本金】86,969【今後力を入れる事業】パワーデバイス LSI 汎用デバイス

【業績(連結)】	売上高	営業利益	経常利益	純利益
22.3	452,124	71,479	82,551	66,827
23.3	507,882	92,316	109,530	80,375
24.3	467,780	43,327	69,200	53,965

イビデン(株)

東京P 4062

【特色】米インテル向け半導体パッケージが主力

修士・大卒採用数	3年後離職率	有休取得年平均	平均年収(平均42歳)
101名	14.6→14.8%	15.6日	(総)811万円

残業(月) 19.4時間 (総)22.1時間

記者評価 岐阜地盤。主要顧客は米インテルで、PCやサーバー用の半導体パッケージ基板が主力。AIサーバー拡大も追い風。中長期的な需要増大に備え、大垣市の拠点を建て替えて増産。近隣の大野町の新工場には経済産業省が経済安全保障推進法に基づき助成金を支援。

●エントリー情報と採用プロセス●

【受付開始～終了】(総)(技)3月～5月【採用プロセス】(総)(技)適性検査・ES提出(3月)→面接(3回、3月～)→内々定(4月下旬～)【交通費支給】全ての対面面接、会社基準

試験情報

重視科目 [総][技]面接

[総][技](ES)⇒巻末(筆)A8 G9(Web適性検査)(面)3回(Webあり)

選考ポイント [総][技](ES)学生時代に力を入れて取り組んだこと 入社後取り組みたいこと(面)志望動機・自己分析の論理性 改善志向 協調性・リーダーシップ グローバル志向 他

通過率 [総][技](ES)NA **倍率(応募/内定)** [総][技]NA

●給与、ボーナス、週休、有休ほか●

【30歳総合職平均年収】586万円【初任給】(博士)332,300円 (修士)287,000円 (大卒)262,000円【ボーナス(年)】(組合員)180万円、(組合員)5.96カ月【25、30、35歳賃金】244,594円→279,338円→331,220円【週休】完全2日(土日祝)【夏期休暇】8月10～18日(有休1日を含む)【年末年始休暇】12月28日～1月5日(有休1日を含む)【有休取得】15.6／20日

●従業員数、勤続年数、離職率ほか●

【男女別従業員数、平均年齢、平均勤続年数】計 ◇3,829(40.3歳 17.1年) 男 3,370(40.5歳 17.1年) 女 459(39.0歳 17.3年)【離職率と離職者数】◇2.7%、108名【3年後新卒定着率】85.2%(男90.9%、女60.0%、3年前入社:男44名・女10名)【組合】あり

●男女別採用数と配属先ほか●

【男女・文理別採用実績】

	大卒男	大卒女	修士男	修士女
23年	35(文 10 理 25)	10(文 7 理 3)	54(文 1 理 53)	2(文 1 理 1)
24年	21(文 6 理 15)	11(文 8 理 3)	44(文 0 理 44)	3(文 0 理 3)
25年	32(文 9 理 23)	9(文 4 理 5)	56(文 0 理 56)	4(文 1 理 3)

【25年4月入社者の採用実績校】(文)(院)阪大1(大)南山大3 岐阜大 愛知大各2 関大 京都府大 金沢大 滋賀大 同大 法政大各1 (理)(院)岐阜大7 名工大6 信州大 福井大各5 三重大 名城大各4 静岡大 名大各3 金沢大 秋田県大 富山大各2 宮崎大 京都工繊大 滋賀県大 青学大 千葉大 大阪公大 筑波大 長岡技科大 鳥取大 東京電機大 東北大 同大 徳島大 福岡工大 豊橋技科大 北大 明大 龍谷大各1(大)名城大7 岐阜大5 近大 中京大 名工大 富山県大各2 愛知工業大 関大 金沢工大 小松大 静岡県大 中部大 立命館大 龍谷大各1(高専)岐阜2

【24年4月入社者の配属先】[総]**勤務地**:岐阜・大垣13 愛知1 **部署**:営業6 事業企画3 経営企画1 財務1 購買企画1 生産推進1 人事1 [技]**勤務地**:岐阜・大垣65 愛知1 **部署**:技術30 生産技術12 新規開発12 品質保証・管理9 DX3

求める人材 失敗を恐れず何事にもチャレンジできる人材

会社データ (金額は百万円)

【本社】503-8604 岐阜県大垣市神田町2-1
☎0584-81-3111　https://www.ibiden.co.jp/
【社長】河島 浩二【設立】1912.11【資本金】64,152【今後力を入れる事業】電子 セラミック その他新領域開発

【業績(連結)】	売上高	営業利益	経常利益	純利益
22.3	401,138	70,821	74,394	41,232
23.3	417,549	72,362	76,176	52,187
24.3	370,511	47,568	51,140	31,490

開示 ★★

エヌイーシー
ＮＥＣプラットフォームズ(株)

株式公開 計画なし

【特色】NECの完全子会社。ハードウェア開発・製造中核

修士・大卒採用数	3年後離職率	有休取得年平均	平均年収(平均48歳)
55名	7.9 → 11.8%	14.9日	NA

●エントリー情報と採用プロセス●

【受付開始〜終了】総技3月〜未定【採用プロセス】総技ES提出→Webテスト(SPI)→書類選考→面談→最終面談→内々定【交通費支給】最終面接、会社基準

試験情報

重視科目 総技面談

総技 ES⇒巻末 筆SPI3(会場) SPI3(自宅) 面2回(Webあり)

選考ポイント 総技 ES NA(提出あり) 面コミュニケーション能力 チャレンジ精神 主体性 誠実さ

通過率 総技 ES NA 倍率(応募/内定) 総技NA

●男女別採用数と配属先ほか●

【男女・文理別採用実績】

	大卒男	大卒女	修士男	修士女
23年	48(文 11理 37)	33(文 23理 10)	27(文 0理 27)	2(文 1理 1)
24年	43(文 5理 38)	23(文 17理 6)	22(文 0理 22)	3(文 1理 2)
25年	30(文 4理 26)	12(文 8理 4)	9(文 0理 9)	4(文 1理 3)

【25年4月入社者の採用実績校】文(院)明大1(大)明学大2 法政大 日女大 大東文化大 桜美林大 中京大 名古屋学院大 青学大 高崎経大 福島大 千葉大各1 理(院)青学大2 学習院大 立命館大 日女大 芝工大 大阪公大 東海大 静岡大 富山大 福井大 山梨大各1(大)日大 愛媛大各4 関大 工学院大各2 東京工科大 熊本大 甲南大 山形大 神奈川大 静岡理工科大 島根大 東海大 東京都市大 北海学園大 北大 慶大 山梨大 芝工大 千葉工大 中部大 東京電機大 金沢大各1

【24年4月入社者の配属先】総勤務地:東京2 神奈川8 千葉1 静岡5 山梨4 福島4 栃木1 宮城1 部署:国内営業1 生産関連11 スタッフ14 技勤務地:東京14 神奈川17 千葉8 静岡7 山梨5 福島2 栃木2 山形1 宮城5 愛媛4 部署:技術開発55 システムエンジニア10

残業(月) 15.6時間

記者評価 NEC系IP電話会社に3子会社が合流後、親会社のグループ再編で現体制。ネットワーク機器や企業向けサーバなど各種ハードウェアを製販。国内6生産拠点。コンビニ業務用端末の開発など実績多い。23年8月稼働の掛川新工場では自律走行搬送ロボットなど先端技術を活用。

●給与、ボーナス、週休、有休ほか●

【30歳総合職平均年収】NA【初任給】(修士)279,900円(大卒)254,200円【ボーナス(年)】NA、5.0カ月【25、30、35歳賃金】NA【週休】完全2日(土日祝)【夏期休暇】連続5日(有休で取得)【年末年始休暇】あり【有休取得】14.9/22日

●従業員数、勤続年数、離職率ほか●

【男女別従業員数、平均年齢、平均勤続年数】計 ◇6,934(48.4歳 24.1年) 男 5,784(49.1歳 24.6年) 女 1,150(44.8歳 21.3年)【離職率と離職者数】◇1.1%、76名【3年後新卒定着率】88.2%(男85.5%、女96.2%、3年前入社:男76名・女26名)【組合】あり

求める人材 変化を受け入れ、自ら進化する人 目標に向かって強い意志をもって努力する人

会社データ (金額は百万円)

【本社】101-8532 東京都千代田区神田司町2-3
☎03-5282-5803 https://www.necplatforms.co.jp/
【社長】河村 厚男【設立】1932.11【資本金】10,331【今後力を入れる事業】社会ソリューション事業

【業績(単独)】	売上高	営業利益	経常利益	純利益
22.3	317,500	NA	NA	NA
23.3	360,100	NA	NA	NA
24.3	343,100	NA	NA	NA

たいようゆうでん
太陽誘電(株)

東京P 6976

【特色】電子部品大手。主力はスマホなど用コンデンサー

修士・大卒採用数	3年後離職率	有休取得年平均	平均年収(平均41歳)
58名	8.9 → 11.5%	16.1日	628万円

●エントリー情報と採用プロセス●

【受付開始〜終了】総技3月〜5月【採用プロセス】総技説明会(必須、3〜5月)→ES提出・筆記→人事面接→部門面接→役員面接→内々定【交通費支給】役員面接、現住所による会社基準【早期選考】⇒巻末

試験情報

重視科目 総技面接

総技 ES⇒巻末 筆SPI3(会場) SPI3(自宅) 面3回(Webあり)

選考ポイント 総技 ES総合的に判断 面意欲 ビジョン コミュニケーション能力 主体性 グローバル志向 他

通過率 総技 ES NA 倍率(応募/内定) 総技NA

●男女別採用数と配属先ほか●

【男女・文理別採用実績】

	大卒男	大卒女	修士男	修士女
23年	14(文 8理 6)	12(文 7理 5)	26(文 0理 26)	5(文 2理 3)
24年	11(文 6理 5)	7(文 5理 2)	33(文 1理 32)	8(文 2理 6)
25年	10(文 5理 5)	11(文 6理 5)	28(文 0理 28)	9(文 0理 9)

【25年4月入社者の採用実績校】
文(大)東洋大2 高崎経大 三重大 城西大 早大 津田塾大 文教大 法政大 北九州市大 國學院大各1 理(院)群馬大15 金沢大4 新潟大3 前橋工大 芝工大各2 九州工大 東北大 島根大 高知大 関大 山梨大 長岡技科大 宇都宮大 東理大 横国大 千葉工大 千葉大各1(大)群馬大2 山形大 芝工大 新潟大 神奈川大 明大 前橋工大 東京電機大 東理大各1(高専)群馬1

【24年4月入社者の配属先】総勤務地:群馬・高崎8 東京・京橋4 部署:事業企管2 SCM(ロジスティクス2 調達2)営業3 広報1 経理2 技勤務地:群馬(玉村23 高崎24)川崎1 部署:商品開発10 システム技術9 材料開発7 品質保証7 薄膜開発4 情報システム5 技術開部3 新事推進2 開発企画1

残業(月) 12.2時間

記者評価 積層セラミックコンデンサーで世界3番手グループに位置。小型で高容量の先端品が得意で、高級スマホに数多く搭載される。自動車やAIサーバー向けも足元で拡大中。1988年に光記録メディアのCD-Rを世界で初めて開発するなど技術力に強み。材料も自社開発。

●給与、ボーナス、週休、有休ほか●

【30歳総合職平均年収】542万円【初任給】(博士)299,550円(修士)275,470円(大卒)250,050円【ボーナス(年)】NA、4.34カ月【25、30、35歳賃金】238,382円→276,267円→319,389円【週休】完全2日(土日祝)【夏期休暇】連続10日(有休1日、週休含む)【年末年始休暇】連続10日(有休1日、週休含む)【有休取得】16.1/20日

●従業員数、勤続年数、離職率ほか●

【男女別従業員数、平均年齢、平均勤続年数】計 2,853(41.2歳 16.9年) 男 2,141(42.0歳 17.2年) 女 712(38.6歳 15.8年)【離職率と離職者数】2.1%、62名【3年後新卒定着率】88.5%(男89.8%、女85.3%、3年前入社:男88名・女34名)【組合】あり

求める人材 (1)意味づけられる人材(2)きっかけを作ることができる人材(3)魅せられる人材

会社データ (金額は百万円)

【本社】104-0031 東京都中央区京橋2-7-19 京橋イーストビル
☎03-6757-8310 https://www.yuden.co.jp/jp/
【社長】佐瀬 克也【設立】1950.3【資本金】33,575【今後力を入れる事業】最先端商品 ソリューションビジネス

【業績(連結)】	売上高	営業利益	経常利益	純利益
22.3	349,636	68,218	72,191	54,361
23.3	319,504	31,980	34,832	23,216
24.3	322,647	9,079	13,757	8,317

開示 ★★★

▶『業界地図』p.114

シチズン時計(株)

東京P 7762

【特色】腕時計大手。電波時計に強い。工作機械も展開

修士・大卒採用数	3年後離職率	有休取得年平均	平均年収(平均44歳)
18名	15.4 → 40.0%	13.2日	(総)745万円

残業(月) 9.3時間 (総)9.3時間

記者評価 中価格帯の腕時計に強み。尚工舎時計研究所として1918年創業。第2の柱・工作機械は加工の邪魔にならない切り屑処理の仕組みに特長。海外売上比率は7割超。16年にスイスの高級時計メーカー「フレデリック・コンスタント」を買収。機械式時計ブランド再始動。

●エントリー情報と採用プロセス●

【受付開始～終了】(総)(技)3月～6月【採用プロセス】(総)(技)Web適性検査・ES提出(3～6月)→面接(3回)→内々定【交通費支給】最終面接、実費

試験情報

重視科目 (総)(技)面接

(総)(技) (ES)⇒巻末(筆)WebGAB(面)3回(Webあり)

選考ポイント (総)(技) (ES)チャレンジ精神 目標に向かってどう行動したか(面)自律性 チャレンジ精神 広い視野 行動力 他

通過率 (総)(技) (ES)NA

倍率(応募/内定) (総)(技)NA

●男女別採用数と配属先ほか●

【男女・文理別採用実績】

	大卒男	大卒女	修士男	修士女
23年	4(文 1 理 3)	5(文 4 理 1)	2(文 0 理 2)	2(文 0 理 2)
24年	5(文 4 理 1)	4(文 4 理 0)	5(文 0 理 5)	4(文 1 理 3)
25年	4(文 3 理 1)	4(文 4 理 0)	6(文 1 理 5)	4(文 0 理 4)

【25年4月入社者の採用実績校】
(文)(院)都立大1(大)同大2 早大 京都女大 南山大 法政大 明大各1 (理)(院)東京電機大 芝工大各2 上智大 香川大 豊橋技科大 宇都宮大 法政大各1(大)東理大1

【24年4月入社者の配属先】
(総)勤務地:東京・西東京9 部署:営業1 海外営業3 マーケティング・宣伝2 商品管理1 法務1 デザイン1 (技)勤務地:東京・西東京8 埼玉・所沢1 部署:設計開発7 生産技術1 研究開発1

●給与、ボーナス、週休、有休ほか●

【30歳総合職平均年収】NA【初任給】(修士)273,500円(大卒)250,000円【ボーナス(年)】227万円、5.54カ月【25、30、35歳賃金】NA【週休】完全2日(土日祝)【夏期休暇】連続5日【年末年始休暇】連続5日【有休取得】13.2／20日

●従業員数、勤続年数、離職率ほか●

【男女別従業員数、平均年齢、平均勤続年数】計 766(44.3歳 18.5年) 男 543(45.0歳 19.3年) 女 223(42.5歳 16.5年)【離職率と離職者数】5.2%、42名【3年後新卒定着率】60.0%(男60.0%、女—、3年前入社:男5名・女0名)【組合】あり

求める人材 先頭に立ち行動することを恐れず、問題意識があり向上心が強く、強い意志でやり抜く人

会社データ　(金額は百万円)

【本社】188-8511 東京都西東京市田無町6-1-12
☎042-468-4918　https://www.citizen.co.jp/
【社長】佐藤 敏彦【設立】1930.5【資本金】32,648【今後力を入れる事業】腕時計(スマートウォッチ、高付加価値製品)

【業績(連結)】	売上高	営業利益	経常利益	純利益
22.3	281,417	22,273	27,342	22,140
23.3	301,366	23,708	29,096	21,836
24.3	312,830	25,068	30,810	22,958

アズビル(株)

東京P 6845

【特色】制御・自動化機器とメンテ大手。海外展開も積極

修士・大卒採用数	3年後離職率	有休取得年平均	平均年収(平均46歳)
67名	6.9 → 12.3%	18.0日	(総)761万円

残業(月) 18.7時間 (総)18.7時間

記者評価 独立系制御・自動化機器大手。ビル向け空調・セキュリティ制御システムに加え、工場・プラント向け計測制御機器、医薬品製造装置やガス・水道メーターが柱。AIを利用した工場設備の異常検知・予測システムを展開。タイ、ベトナムなど海外での生産を強化。

●エントリー情報と採用プロセス●

【受付開始～終了】(総)(技)3月～未定【採用プロセス】(総)(技)説明会(必須)→ES提出→Webテスト→Web個別面接(3回)→内々定【交通費支給】NA

試験情報

重視科目 (総)(技)面接

(総)(技) (ES)⇒巻末(筆)SPI3(会場) SPI3(自宅)(面)3回(Webあり)

選考ポイント (総)(技) (ES)熱意を持って研究や活動に取り組んでいるか(面)人物重視(自分自身の考えを自分の言葉でわかりやすく伝える力 誠実さ)

通過率 (総)(技) (ES)NA　倍率(応募/内定) (総)(技)NA

●男女別採用数と配属先ほか●

【男女・文理別採用実績】

	大卒男	大卒女	修士男	修士女
23年	40(文 14 理 26)	11(文 6 理 5)	36(文 0 理 36)	9(文 0 理 9)
24年	38(文 12 理 26)	11(文 4 理 7)	43(文 3 理 40)	3(文 0 理 3)
25年	37(文 22 理 15)	5(文 4 理 1)	21(文 0 理 21)	4(文 0 理 4)

【25年4月入社者の採用実績校】(文)(大)同大3 信州大 日大 明学大各2 早大 慶大 国際教養大 立命館大 明大 立教大 法政大 青学大 東理大 関大 近大 國學院大 専大 創価大 大阪経大 釜山大 モナッシュ大各1 (理)(院)電通大5 新潟大 鹿児島大各3 東京農工大2 北大 名大 山形大 横国大 早大 東理大 東京電機大 都立大 青学大 明大 関西学大 上海交通大各1(大)東京電機大4 工学院大3 芝工大 近大各2 東京都市大 宮崎大 広島大 琉球大 インドネシア大各1(高専)苫小牧5 香川3 函館 秋田 鶴岡 石川 東京 広島商船 北九州各1(専)日本電子1

【24年4月入社者の配属先】(総)勤務地:(23年)東京(丸の内5 大崎1)神奈川・湘南1 部署:(23年)経理・財務1 人事3 事業管理1 生産管理1 秘書1 (技)勤務地:(23年)東京(大崎41 霞が関3)神奈川(横浜1 藤沢29 湘南3)埼玉1 宮城1 新潟1 石川1 長野1 愛知1 三重1 大阪3 岡山2 広島1 福岡2 部署:(23年)研究開発6 製品開発21 生産技術3 セールスエンジニア35 システムエンジニア8 フィールドエンジニア8 メンテナンス11

●給与、ボーナス、週休、有休ほか●

【30歳総合職モデル年収】641万円【初任給】(博士)284,600円(修士)270,500円(大卒)250,000円【ボーナス(年)】NA、7.63カ月【25、30、35歳賃金】NA【週休】2日【夏期休暇】連続9～10日(休日振替含む)【年末年始休暇】連続7～9日【有休取得】18.0／21日

●従業員数、勤続年数、離職率ほか●

【男女別従業員数、平均年齢、平均勤続年数】計 ◇5,163(45.9歳 20.0年) 男 3,966(45.9歳 20.2年) 女 1,197(46.1歳 19.8年)【離職率と離職者数】◇1.9%、101名(早期退職男11名含む)【3年後新卒定着率】87.7%(男89.2%、女82.6%、3年前入社:男83名・女23名)【組合】あり

求める人材 課題を発見し、周囲を巻き込み変革できる人(チームワーク・チャレンジ・ダイバーシティ)

会社データ　(金額は百万円)

【本社】100-6419 東京都千代田区丸の内2-7-3
☎03-6810-1000　https://www.azbil.com/jp/
【社長】山本 清博【設立】1949.8【資本金】10,522【今後力を入れる事業】環境・省エネソリューション事業 グローバル事業推進

【業績(連結)】	売上高	営業利益	経常利益	純利益
22.3	256,551	28,231	29,519	20,784
23.3	278,406	31,251	32,140	22,602
24.3	290,938	36,841	38,999	30,207

メーカーI

セイコーグループ(株)

東京P 8050

【特色】腕時計で国内首位級。電子機器やシステムも

修士・大卒採用数	3年後離職率	有休取得年平均	平均年収(平均44歳)
2名	0→0%	12.0日	[総]834万円

●エントリー情報と採用プロセス●

【受付開始～終了】[総]1月～3月【採用プロセス】[総]説明会(必須、12～3月)→ES提出・適性検査(1～3月)→面接(3回、2～5月)→内々定(3～5月)【交通費支給】2次面接以降、首都圏在住者は1,000円 地方在住者は実費相当【早期選考】⇒巻末

試験情報

重視科目 [総]面接

[総][ES]⇒巻末[筆]TG-WEB(会場受検・自宅受検)[面]3回(Webあり)

選考ポイント [総][ES]当社(持株会社)の役割・業務内容を理解しているか 当社への志望度 大学時代の経験から入社後どのような活躍が期待できるか[面]コミュニケーション能力 協調性 志望度

通過率 [総][ES]NA(受付:245→通過:NA)

倍率(応募/内定) [総]123倍

●男女別採用数と配属先ほか●

【男女・文理別採用実績】

	大卒男	大卒女	修士男	修士女
23年	1(文 1理 0)	1(文 1理 0)	0(文 0理 0)	1(文 1理 0)
24年	0(文 0理 0)	2(文 2理 0)	0(文 0理 0)	0(文 0理 0)
25年	0(文 0理 0)	2(文 2理 0)	0(文 0理 0)	0(文 0理 0)

【25年4月入社者の採用実績校】
[文](大)東京外大 早大各1 [理]なし

【24年4月入社者の配属先】
[総]勤務地:東京・銀座2 部署:経理1 コーポレートブランディング1

残業(月) 16.9時間 [総]16.9時間

記者評価 時計小売・修理の服部時計店として1881年創業。後に世界的ブランドに。腕時計で国内首位級。「グランドセイコー」など高価格帯の機械式腕時計に注力。服部家は今も大株主。傘下にクロックや電子デバイス、システムソリューションなどの子会社群。和光事業も。

●給与、ボーナス、週休、有休ほか●

【30歳総合職平均年収】NA【初任給】(修士)259,000円(大卒)240,000円【ボーナス(年)】235万円、5.0カ月【25、30、35歳賃金】NA【週休】完全2日(土日祝)【夏期休暇】フレックス休日(1日)【年末年始休暇】12月30日～1月4日【有休取得】12.0／20日

●従業員数、勤続年数、離職率ほか●

【男女別従業員数、平均年齢、平均勤続年数】計105(44.3歳 18.3年) 男54(45.5歳 20.0年) 女51(43.1歳 16.6年)【離職率と離職者数】2.8%、3名【3年後新卒定着率】100%(男―、女100%、3年前入社:男0名・女1名)【組合】あり

求める人材 相手の立場を考えられる、失敗を恐れずチャレンジできることなど、自身の強みを活かして活躍できる人材

会社データ (金額は百万円)

【本社】104-8110 東京都中央区銀座1-26-1
☎03-3563-2111 https://www.seiko.co.jp/
【社長】髙橋 修司【設立】1917.10【資本金】10,000【今後力を入れる事業】高付加価値・高収益な製品・サービスの提供

【業績(連結)】	売上高	営業利益	経常利益	純利益
22.3	237,382	8,770	9,939	6,415
23.3	260,504	11,233	11,167	5,028
24.3	276,807	14,737	15,894	10,051

サンケン電気(株)

東京P 6707

【特色】パワー半導体中心に電力制御部材を開発・製造

修士・大卒採用数	3年後離職率	有休取得年平均	平均年収(平均45歳)
21名	22.2→0%	14.1日	[総]704万円

●エントリー情報と採用プロセス●

【受付開始～終了】[総][技]3月～6月【採用プロセス】[総][技]説明会(必須、3月～)→Webテスト→面接(2回)→内々定【交通費支給】2次面接以降、実費【早期選考】⇒巻末

試験情報

重視科目 [総][技]面接

[総][技][筆]SPI3(会場)[面]2回(Webあり)

選考ポイント [総][技][ES]有無NA[面]自分で考え行動しているか 柔軟な発想 国際感覚 モチベーション ポテンシャル

通過率 [総][技][ES]NA

倍率(応募/内定) [総][技]NA

●男女別採用数と配属先ほか●

【男女・文理別採用実績】

	大卒男	大卒女	修士男	修士女
23年	7(文 1理 6)	4(文 2理 2)	7(文 0理 7)	0(文 0理 0)
24年	12(文 2理 10)	3(文 1理 2)	4(文 0理 4)	3(文 0理 3)
25年	12(文 2理 10)	3(文 2理 1)	5(文 0理 5)	1(文 0理 1)

【25年4月入社者の採用実績校】
[文](大)明学大 南山大 明星大 追手門学大各1 [理](院)芝工大2 電通大 埼玉大 名工大 東京電機大各1(大)芝工大 東京工科大各2 法政大 日大 東海大 東洋大 日工大 釜山大 世宗大各1

【24年4月入社者の配属先】
[総]勤務地:東京3 部署:営業3 [技]勤務地:埼玉19 部署:技術19

残業(月) 14.0時間 [総]14.0時間

記者評価 独立系パワー半導体大手。車載向けと白物家電向けでアジアの大手メーカーにパイプ。虎の子の米国法人アレグロ・マイクロシステムズは24年8月に非連結化。サンケン本体の低採算工場建て替え、開発拠点新設など構造改革を進める。EV軸に車載向けを拡大。

●給与、ボーナス、週休、有休ほか●

【30歳総合職平均年収】NA【初任給】(博士)299,200円(修士)281,000円(大卒)256,000円【ボーナス(年)】NA【25、30、35歳賃金】NA【週休】完全2日(土日祝)【夏期休暇】夏季休暇:連続9日(週休4日含む)お盆:連続4日(有休1日、週休2日含む)【年末年始休暇】連続9日(週休4日含む)【有休取得】14.1／24日

●従業員数、勤続年数、離職率ほか●

【男女別従業員数、平均年齢、平均勤続年数】計810(45.5歳 18.9年) 男646(45.8歳 18.6年) 女164(44.4歳 19.9年)【離職率と離職者数】2.8%、23名(早期退職男4名、女2名含む)【3年後新卒定着率】100%(男100%、女100%、3年前入社:男16名・女1名)【組合】あり

求める人材 自ら学び知識を吸収し、全世界的視野で発想し、変化をもたらす人

会社データ (金額は百万円)

【本社】352-8666 埼玉県新座市北野3-6-3
☎048-472-1111 https://www.sanken-ele.co.jp/
【社長】髙橋 広【設立】1946.9【資本金】20,896【今後力を入れる事業】エコ省エネ グリーンエネルギー 海外展開

【業績(連結)】	売上高	営業利益	経常利益	純利益
22.3	175,660	13,720	13,700	3,204
23.3	225,387	26,156	27,229	9,533
24.3	235,221	19,539	18,246	▲8,112

日本航空電子工業(株)

にほんこうくうでんしこうぎょう

東京P 6807

【特色】コネクター大手。自己株TOBでNECの連結から除外

修士・大卒採用数	3年後離職率	有休取得年平均	平均年収(平均42歳)
59名	12.3→3.8%	16.8日	[総]709万円

残業(月) 14.4時間 [総]14.4時間

記者評価 売上の約9割を占めるコネクターは小型・薄型・高速伝送に強み。携帯機器用コネクターは米アップル向けの割合が高い。CASE需要を商機に、自動車用や産業機器・インフラ用も需要拡大中。加速度計など航空・宇宙関連向け電子機器も展開。防衛向け拡大中。

●エントリー情報と採用プロセス●

【受付開始～終了】[総][技]3月～継続中【採用プロセス】[総][技]説明会(必須、3月～)→適性検査・ES提出・選考→面接・筆記(Web・対面、複数回)→内々定【交通費支給】対面面接、在学キャンパスから受験地まで【早期選考】⇒巻末

試験情報

重視科目 [総][技]ES 面接

[総][ES]⇒巻末[筆]WebGAB 英語試験(オリジナル)[面]複数回(Webあり) [技][ES]⇒巻末[筆]WebGAB 専門及び英語試験(オリジナル)[面]複数回(Webあり)

選考ポイント [総][技][ES]NA(提出あり)[面]人物重視(積極性 協調性 専門能力 他)

通過率 [総][ES]79%(受付:339→通過:267) [技][ES]88%(受付:(早期選考含む)155→通過:(早期選考含む)136)

倍率(応募/内定) [総]17倍 [技](早期選考含む)4倍

●男女別採用数と配属先ほか●

【男女・文理別採用実績】※25年:24年9月上旬時点

	大卒男	大卒女	修士男	修士女
23年	28(文 11理 17)	14(文 12理 2)	15(文 0理 15)	2(文 0理 2)
24年	26(文 7理 19)	14(文 12理 2)	17(文 0理 17)	0(文 0理 0)
25年	24(文 8理 16)	14(文 12理 2)	18(文 0理 18)	3(文 0理 3)

【25年4月入社者の採用実績校】[文](24年)(大)中大4 立教大 法政大 昭和女大 東京経大各2 東京女大 清泉女大 明学大 成城大 武蔵大 専大 中京大各1 [理](24年)(院)弘前大 秋田大 電通大各2 室蘭工大 岩手大 東北大 都立大 東京農工大 東京電機大 神奈川工大 長岡技科大 山梨大 中部大 立命館大各1(大)日大 近大各3 中大 東京電機大各2 秋田大 岩手大 電通大 明大 法政大 千葉工大 東海大 神奈川大 福井大 神戸大 広島工大各1

【24年4月入社者の配属先】[総]勤務地:東京(渋谷10 昭島9) 部署:営業10 管理7 経理2 [技]勤務地:東京・昭島38 部署:技術38

●給与、ボーナス、週休、有休ほか●

【30歳総合職平均年収】NA【初任給】(修士)274,000円(大卒)250,000円【ボーナス(年)】175万円、5.57カ月【25、30、35歳賃金】NA【週休】完全2日(土日祝)【夏期休暇】連続10日(有休、休日含む)【年末年始休暇】12月28日～1月5日【有休取得】16.8／22日

●従業員数、勤続年数、離職率ほか●

【男女別従業員数、平均年齢、平均勤続年数】計 ◇1,555(41.8歳 16.9年) 男 1,353(41.8歳 16.9年) 女 202(41.6歳 16.2年)【離職率と離職者数】◇3.4%、55名【3年後新卒定着率】96.2%(男95.5%、女100%、3年前入社:男44名・女9名)【組合】あり

求める人材 グローバル感覚をもって、何事にも果敢にチャレンジするバイタリティある人材

会社データ (金額は百万円)

【本社】150-0043 東京都渋谷区道玄坂1-21-1
☎03-3780-2711　https://www.jae.com/
【社長】村木 正行【設立】1953.1【資本金】10,690【今後力を入れる事業】海外事業の拡大と新製品開発

【業績(連結)】	売上高	営業利益	経常利益	純利益
22.3	225,079	18,049	18,594	14,325
23.3	235,864	17,562	19,115	14,639
24.3	225,781	14,423	14,762	12,245

浜松ホトニクス(株)

はままつ

東京P 6965

【特色】光電子増倍管で世界シェア首位。医療向け強い

修士・大卒採用数	3年後離職率	有休取得年平均	平均年収(平均40歳)
96名	2.1→2.9%	15.9日	772万円

残業(月) 10.6時間

記者評価 光学関連の開発型企業。超微弱な光を感知・増幅し電気信号に変換する光電子増倍管が主力、世界シェア約9割。観測装置「スーパーカミオカンデ」、「ハイパーカミオカンデ」にも部材提供。産業機械や自動運転、医療機器向け部品も強い。海外売上高比率は8割弱。

●エントリー情報と採用プロセス●

【受付開始～終了】[総]1月～5月 [技]11月～5月【採用プロセス】[総]説明会(必須、1～5月)→適性(1～5月)→面接(3回、1～5月)→内々定(3月) [技]説明会(必須、11～5月)→適性(1～5月)→面接(3回、1～5月)→内々定(3月)【交通費支給】最終面接、地域ごとの相当額【早期選考】⇒巻末

試験情報

重視科目 [総][技]面接

[総][技][ES]⇒巻末[筆]WebGAB[面]3回(Webあり)

選考ポイント [総][面]自分の考えをしっかり持ち、どのように行動してきたか 当社で活かしていきたい職務適性は何か [技][面]自分の考えをしっかり持ち、どのように行動してきたか 当社で活かしていきたい職務適性は何か 技能適性

通過率 [総][ES]選考なし(受付:174) [技][ES]選考なし(受付:315)

倍率(応募/内定) [総](説明会参加)17倍 [技](説明会参加)13倍

●男女別採用数と配属先ほか●

【男女・文理別採用実績】

	大卒男	大卒女	修士男	修士女
23年	28(文 11理 17)	6(文 3理 3)	56(文 0理 56)	6(文 0理 6)
24年	29(文 14理 15)	14(文 11理 3)	57(文 0理 57)	7(文 0理 7)
25年	20(文 8理 12)	15(文 12理 3)	53(文 2理 51)	8(文 0理 8)

【25年4月入社者の採用実績校】[文](院)岡山大 静岡大各1(大)立命館大3 愛知県大 関西学大 南山大各2 愛知大 青学大 滋賀大 静岡大 静岡県大 静岡文芸大 中大 同大 日女大 明大 山形大各1 [理](院)静岡大15 福井大4 信州大3 宇都宮大 九大 岐阜大 名大 名工大 三重大 山形大各2 青学大 秋田県大 岡山大 金沢大 関大 京大 近大 群馬大 芝工大 千葉大 電通大 東京科学大 鳥取大 豊橋技科大 富山県大 長崎大 広島大 北陸先端科技院大 宮崎大 明大 山梨大 立命館大 立教大各1(大)静岡大 信州大 中京大各2 静岡理工科大 東京都市大 東京電機大 豊田工大 豊橋技科大 明大 名城大 山形大 山梨大各1(高専)宇部 八戸各1

【24年4月入社者の配属先】[総]勤務地:静岡(浜松・磐田)25 部署:営業他25 [技]勤務地:静岡(浜松・磐田)113 部署:製造・開発・設計110 間接(技術営業・経営企画)3

●給与、ボーナス、週休、有休ほか●

【30歳総合職平均年収】NA【初任給】(博士)275,887円(修士)256,948円(大卒)237,390円【ボーナス(年)】168万円、6.9カ月【25、30、35歳賃金】254,107円→287,897円→324,825円【週休】会社暦2日【夏期休暇】連続9日【年末年始休暇】連続9日【有休取得】15.9／20日

●従業員数、勤続年数、離職率ほか●

【男女別従業員数、平均年齢、平均勤続年数】計 4,071(39.9歳 15.7年) 男 3,366(39.2歳 15.9年) 女 705(43.5歳 14.6年)【離職率と離職者数】1.0%、42名【3年後新卒定着率】97.1%(男97.5%、女94.1%、3年前入社:男120名・女17名)【組合】あり

求める人材 創造力、問題解決力があり、物事に対し意欲的に挑戦する人材

会社データ (金額は百万円)

【本社】430-8587 静岡県浜松市中央区砂山町325-6
☎053-452-2141　https://www.hamamatsu.com/
【社長】丸野 正【設立】1953.9【資本金】35,146【今後力を入れる事業】光技術を用いた新産業の創成

【業績(連結)】	売上高	営業利益	経常利益	純利益
21.9	169,026	34,318	34,648	25,053
22.9	208,803	56,983	58,879	41,295
23.9	221,445	56,676	59,415	42,825

メーカーI

開示 ★★★

▶『業界地図』p.96 2841

㈱ソシオネクスト

東京P 6526

【特色】先端半導体を設計。データセンターや自動車向け

修士・大卒採用数	3年後離職率	有休取得年平均	平均年収(平均50歳)
35名	9.4→9.1%	15.1日	[総]921万円

●エントリー情報と採用プロセス●

【受付開始～終了】[総][技]3月～6月【採用プロセス】[総][技]説明会(必須、3月)→ES提出(3月)→書類選考(3月)→適性検査(3月)→面接(2回、4月)→内々定(5月)【交通費支給】なし【早期選考】⇒巻末

試験情報

重視科目 [総][技]ES 面接

[総][ES]⇒巻末[筆]WebGAB OPQ[面]2回(Webあり)[技][ES]⇒巻末[筆]OPQ[面]2回(Webあり)

選考ポイント [総][技][ES]NA(提出あり)[面]NA

通過率 [総][技][ES]NA

倍率(応募/内定) [総][技]NA

●男女別採用数と配属先ほか●

【男女・文理別採用実績】

	大卒男	大卒女	修士男	修士女
23年	5(文 0理 5)	0(文 0理 0)	17(文 0理 17)	2(文 0理 2)
24年	7(文 2理 5)	4(文 3理 1)	22(文 0理 22)	2(文 1理 1)
25年	3(文 1理 2)	4(文 2理 2)	27(文 0理 27)	1(文 0理 1)

※23・24年:10月入社含む

【25年4月入社者の採用実績校】
[文](大)関大 都立大 國學院大各1 [理](院)東北大 熊本大 広島市大 京都工繊大 信州大各2 愛媛大 宇都宮大 会津大 近大 九大 慶大 広島工大 高知工科大 静岡大 東京都市大 東理大 徳島大 日大 福井大 兵庫県大 北陸先端科技院大 名大 名城大 琉球大各1(大)愛知工業大 東京都市大 日大 三重大各1

【24年4月入社者の配属先】[総]勤務地:神奈川・新横浜6 部署:営業2 経理2 調達2 [技]勤務地:神奈川(新横浜17 溝の口2)京都9 愛知・春日井2 部署:開発30

残業(月) 29.0時間 [総]29.0時間

記者評価 14年9月に富士通・パナソニックの半導体設計部門が統合して誕生。顧客の要望に合わせてオーダーメイドの多機能半導体チップを設計するカスタムSoC事業を展開。設計・開発に特化したファブレス企業。車載向けや通信基地局向けなどの分野で開発実績。

●給与、ボーナス、週休、有休ほか●

【30歳総合職平均年収】615万円【初任給】(博士)311,000円(修士)279,000円(大卒)255,000円【ボーナス(年)】280万円、6.5カ月【25、30、35歳賃金】255,736円→315,063円→373,400円【週休】完全2日(土日祝)【夏期休暇】4～10月で有休5日を取得する運用【年末年始休暇】12月30日～1月3日【有休取得】15.1/20日

●従業員数、勤続年数、離職率ほか●

【男女別従業員数、平均年齢、平均勤続年数】計 1,938(48.5歳 8.0年)男 1,748(48.9歳 7.5年)女 190(44.5歳 8.1年)【離職率と離職者数】1.8%、35名【3年後新卒定着率】90.9%(男89.7%、女100%、3年前入社:男29名・女4名)【組合】あり

求める人材 自ら課題を見いだし、積極的にチャレンジできる人 グローバルな視野を持ち、多様な価値観を理解できる人 変化をチャンスと捉え、柔軟に行動できる人

会社データ (金額は百万円)

【本社】222-0033 神奈川県横浜市港北区新横浜2-10-23 野村不動産新横浜ビル
☎045-568-1000 https://www.socionext.com/jp/
【会長兼社長】肥塚 雅博【設立】2014.9【資本金】32,742【今後力を入れる事業】"Solution SoC"事業

【業績(連結)】	売上高	営業利益	経常利益	純利益
22.3	117,009	8,463	9,050	7,480
23.3	192,767	21,711	23,440	19,763
24.3	221,246	35,510	37,122	26,134

㈱トプコン

東京P 7732

【特色】建・農機自動化と測量、眼科検査装置で世界有数

修士・大卒採用数	3年後離職率	有休取得年平均	平均年収(平均44歳)
19名	18.2→5.6%	11.3日	[総]822万円

●エントリー情報と採用プロセス●

【受付開始～終了】[総]4月～継続中 [技]2月～継続中【採用プロセス】[総]ES提出・筆記・作文(4～7月)→Webテスト(4～7月)→面接(3回、5～8月)→内々定(7～8月) [技]ES提出・筆記・作文(2～6月)→Webテスト(2～6月)→面接(3回、3～6月)→内々定(4～7月)【交通費支給】2次面接以降、実費【早期選考】⇒巻末

試験情報

重視科目 [総][技]面接 筆記 適性 作文

[総][ES]⇒巻末[筆]SPI3(自宅) 一般常識[面]3回(Webあり)[GD作]⇒巻末 [技][ES]⇒巻末[筆]SPI3(自宅) 数学[面]3回(Webあり)[GD作]⇒巻末

選考ポイント [総][ES]グローバルに活躍することへの想いがどの位あるか 他[面]コミュニケーション能力 キャリアビジョンの明確性 意欲 志望度 [技][ES]卒業研究のテーマ 他[面]コミュニケーション能力 キャリアビジョンの明確性 意欲 志望度 研究テーマについて

通過率 [総][ES]22%(受付:50→通過:11) [技][ES]78%(受付:170→通過:133)

倍率(応募/内定) [総]50倍 [技]7倍

●男女別採用数と配属先ほか●

【男女・文理別採用実績】※25年:継続中

	大卒男	大卒女	修士男	修士女
23年	5(文 1理 4)	5(文 2理 3)	7(文 1理 6)	4(文 0理 4)
24年	3(文 0理 3)	3(文 3理 0)	15(文 0理 15)	8(文 0理 8)
25年	2(文 0理 2)	2(文 0理 2)	13(文 0理 13)	2(文 2理 0)

【25年4月入社者の採用実績校】[文](院)東大 東北大各1 [理](院)室蘭工大 東北大 山形大 長岡技科大 宇都宮大 埼玉大 工学院大 東大 東京電機大 横国大 信州大 山梨大 和歌山大各1(大)日大 芝工大 大阪公大 大阪市大各1

【24年4月入社者の配属先】[総]勤務地:東京・板橋 2 部署:営業1 調達1 [技]勤務地:東京・板橋 28 部署:設計開発22 情報システム2 生産技術3 デザイン1

残業(月) 22.4時間

記者評価 現セイコーホールディングスの測量機部門から独立。GPS応用製品へ展開し、建機、農機自動化システムで世界首位級。眼科検査装置はマイクロソフトと提携し、疾患発症リスクを検知する予防医療を米国で展開計画。AI、IoT、ドローンなど新技術の導入に積極的。

●給与、ボーナス、週休、有休ほか●

【30歳総合職平均年収】571万円【初任給】(修士)255,000円(大卒)230,000円【ボーナス(年)】NA、5.55カ月【25、30、35歳賃金】255,000円→313,000円→392,000円【週休】完全2日(土日祝)【夏期休暇】4日(6～8月で取得)【年末年始休暇】12月30日～1月4日【有休取得】11.3/20日

●従業員数、勤続年数、離職率ほか●

【男女別従業員数、平均年齢、平均勤続年数】計 ◇814(43.7歳 12.4年)男 659(44.6歳 13.8年)女 155(40.1歳 11.1年)【離職率と離職者数】◇3.4%、29名【3年後新卒定着率】94.4%(男93.8%、女100%、3年前入社:男16名・女2名)【組合】あり

求める人材 高度な専門性を有し、国境や文化の違いを越えた共通の価値観とチームワークを大切に行動する人財

会社データ (金額は百万円)

【本社】174-8580 東京都板橋区蓮沼町75-1
☎03-3558-2535 https://www.topcon.co.jp/
【社長】江藤 隆志【設立】1932.9【資本金】16,837【今後力を入れる事業】技術で「医・食・住」の社会的課題に取り組む

【業績(連結)】	売上高	営業利益	経常利益	純利益
22.3	176,421	15,914	14,820	10,699
23.3	215,625	19,537	17,829	11,806
24.3	216,497	11,204	8,857	4,940

開示 ★★★★

698

しんこうでんきこうぎょう 新光電気工業㈱

東京P 6967

【特色】半導体パッケージが主力。主顧客は米インテル

修士・大卒採用数	3年後離職率	有休取得年平均	平均年収(平均*42歳)
55名	8.7→6.3%	14.1日	総785万円

残業(月) 5.3時間 総5.3時間

記者評価 半導体パッケージ基板やリードフレームの世界的メーカーで海外売上比率は約9割。官民ファンド傘下入りで富士通との親子上場は解消。米インテル社などにICパッケージを供給するほか、半導体製造装置向けの静電チャックも。需要急拡大受けて千曲市に新工場。

●エントリー情報と採用プロセス●

【受付開始～終了】総技3月～継続中【採用プロセス】総ES提出(3月～)→Webテスト・面接(2回)→内々定 技ES提出(3月～)→Webテスト・面接(3回)→内々定【交通費支給】2次選考以降、公共交通機関の実費相当【早期選考】⇒巻末

試験情報

重視科目 総技面接

総 ES⇒巻末 筆Webテスト(SHL社) 面2回(Webあり) 技 ES⇒巻末 筆Webテスト(SHL社) 面3回(Webあり)

選考ポイント 総 ES記載内容の一貫性 求める人物像と応募者の強みの一致度合い 研究内容 面自分の考え・目的意識・問題意識があるか コミュニケーション能力 技 ES記載内容の一貫性 求める人物像と応募者の強みの一致度合い 面自分の考え・目的意識・問題意識があるか コミュニケーション能力 技術者としての基本知識 研究内容

通過率 総技 ES NA　倍率(応募/内定) 総技NA

●給与、ボーナス、週休、有休ほか●

【30歳総合職平均年収】566万円【初任給】(修士)269,000円 (大卒)245,000円【ボーナス(年)】NA、6.0カ月【25、30、35歳モデル賃金】NA→348,000円→NA ※技術系基幹労働者モデル【週休】完全2日【夏期休暇】8月10～18日(うち2日間は有休利用)【年末年始休暇】12月28日～1月5日【有休取得】14.1／20日

●従業員数、勤続年数、離職率ほか●

【男女別従業員数、平均年齢、平均勤続年数】計 ◇4,808(42.0歳 18.4年) 男 3,835(41.6歳 17.6年) 女 973(43.4歳 21.6年)【離職率と離職者数】◇2.1%、103名【3年後新卒定着率】93.8%(男94.4%、女91.7%、3年前入社:男36名・女12名)【組合】あり

●男女別採用数と配属先ほか●

【男女・文理別採用実績】

	大卒男	大卒女	修士男	修士女
23年	36(文 13 理 23)	10(文 7 理 3)	39(文 0 理 39)	7(文 0 理 7)
24年	21(文 10 理 11)	7(文 3 理 4)	39(文 0 理 39)	3(文 0 理 3)
25年	18(文 5 理 13)	6(文 4 理 2)	31(文 0 理 31)	0(文 0 理 0)

【25年4月入社者の採用実績校】文(24年)(大)信州大 慶大 金沢大 同大 関西学大 関大 関西外大 津田塾大 長野県大 日大 理(24年)(院)信州大 名大 電通大 長岡技科大 豊橋技科大 新潟大 中大 茨城大 福井大 静岡大 山梨大 関西学大 芝工大 埼玉大 群馬大 富山大 山形大 富山県大 諏訪東理大 工学院大 名城大 金沢工大(大)信州大 同大 芝工大 島根大 諏訪東理大 東洋大 神奈川大 金沢工大(短)長野県工科

【24年4月入社者の配属先】総勤務地:長野 新潟 部署:海外・国内営業 法務 生産管理 資材調達 経理 人事・総務 技勤務地:長野 新潟 部署:研究・開発 製品設計 品質保証・品質管理 設備機械設計 製造技術 ソフトウェア開発 環境管理・施設技術

求める人材 自ら進んで物事に取り組む主体性と行動力のある人材

会社データ (金額は百万円)

【本社】381-2287 長野県長野市小島田町80
☎026-283-1000　https://www.shinko.co.jp/
【社長】倉嶋 進【設立】1946.9【資本金】24,223【今後力を入れる事業】半導体パッケージ分野

【業績(連結)】	売上高	営業利益	経常利益	純利益
22.3	271,949	71,394	75,820	52,628
23.3	286,358	76,712	78,755	54,488
24.3	209,972	24,810	27,257	18,609

みつい ㈱三井ハイテック

東京P 6966

【特色】ICリードフレームとEV用モーターコアで世界的

修士・大卒採用数	3年後離職率	有休取得年平均	平均年収(平均39歳)
73名	13.4→9.2%	11.7日	総642万円

残業(月) 19.6時間 総19.6時間

記者評価 超精密な金型加工技術に強み。半導体パッケージの内部配線として用いるリードフレーム、省エネ部品のモーターコアが両軸で、車載向け柱。EV、省エネ・脱炭素化を追い風に成長戦略描く。オーナー経営色強い。北九州に本社機能集約。SDGs経営への体制整備急ぐ。

●エントリー情報と採用プロセス●

【受付開始～終了】総 技2月～6月【採用プロセス】総 技履歴書提出(2～6月)→Webテスト→面接(2回、3～6月)→内々定【交通費支給】2次面接以降、会社基準(上限50,000円)【早期選考】⇒巻末

試験情報

重視科目 総技面接

総技 筆WebGAB 面2回(Webあり)

選考ポイント 総技 ES提出なし 面志望動機の明確度合 やりたい仕事の明確度合

通過率 総 ES—(応募:(早期選考含む)109) 技 ES—(応募:(早期選考含む)176)

倍率(応募/内定) 総(早期選考含む)5倍 技(早期選考含む)3倍

●給与、ボーナス、週休、有休ほか●

【30歳総合職平均年収】570万円【初任給】(修士)270,000円 (大卒)247,000円【ボーナス(年)】158万円、5.0カ月【25、30、35歳賃金】255,000円→290,000円→380,000円【週休】完全2日(土日)【夏期休暇】連続5日【年末年始休暇】連続9日【有休取得】11.7／20日

●従業員数、勤続年数、離職率ほか●

【男女別従業員数、平均年齢、平均勤続年数】計 2,192(39.0歳 14.1年) 男 1,974(39.4歳 14.6年) 女 218(35.3歳 9.8年)【離職率と離職者数】3.1%、69名【3年後新卒定着率】90.8%(男91.0%、女88.9%、3年前入社:男67名・女9名)【組合】あり

●男女別採用数と配属先ほか●

【男女・文理別採用実績】※25年:24年7月17日時点

	大卒男	大卒女	修士男	修士女
23年	53(文 11 理 42)	19(文 11 理 8)	12(文 0 理 12)	1(文 1 理 0)
24年	60(文 10 理 50)	16(文 13 理 3)	16(文 0 理 16)	3(文 0 理 3)
25年	43(文 12 理 31)	15(文 7 理 8)	13(文 0 理 13)	2(文 2 理 0)

【25年4月入社者の採用実績校】文(院)北大 西南学大各1(大)北九州市大4 西南学大3 福岡大 福岡工大各2 関大 山口大 立命館APU 長崎県大 愛知学大 中部大 久留米大 中村学大各1 理(院)北九州市大3 九州工大 西日本工大各2 岡山理大 佐賀大 長崎大 立命館大 福岡工大 福岡大各1(大)福岡工大14 福岡大6 北九州市大4 佐賀大3 九州工大 大分大 西日本工大 九産大 産業医大各2 日大 東海大各1(高専)北九州2 有明1

【24年4月入社者の配属先】総勤務地:北九州23 部署:営業7 人事4 事業企画2 財務管理2 情報システム2 生産企画1 調達管理1 経営企画1 サステナビリティ1 総務1 法務1 技勤務地:福岡(北九州50 直方23)熊本・阿蘇1 部署:生産技術20 装置技術9 情報システム7 技術企画6 製造6 技術6 技術開発4 設計4 品質管理3 装置開発3 技術推進3 事業企画2 品質保証1

求める人材 創造力を働かせ新たな仕事にチャレンジできる人 グローバルに活躍できる人

会社データ (金額は百万円)

【本社】807-8588 福岡県北九州市八幡西区小嶺2-10-1
☎093-614-1111　https://www.mitsui-high-tec.com/
【社長】三井 康誠【設立】1957.4【資本金】16,403【今後力を入れる事業】省資源・省エネに対応した製品

【業績(連結)】	売上高	営業利益	経常利益	純利益
22.1	139,429	14,959	15,672	11,778
23.1	174,615	22,586	22,669	17,581
24.1	195,881	18,119	21,733	15,545

ニチコン(株)

東京P 6996

【特色】電子部品大手。アルミ電解コンデンサーが主製品

修士・大卒採用数	3年後離職率	有休取得年平均	平均年収(平均42歳)
33名	19.5 → 31.0%	15.6日	[総]772万円

●エントリー情報と採用プロセス●

【受付開始～終了】[総][技]3月～継続中【採用プロセス】[総][技]説明会・ES提出(3月～)→面接(2回、3月～)・作文→内々定(6月～)【交通費支給】なし【早期選考】⇒巻末

試験情報

重視科目 [総][技]面接

[総][技][ES]⇒巻末[筆]なし[面]2回(Webあり)[GD作]NA

選考ポイント [総][技][ES]志望動機 研究内容またはゼミ 他[面]人物(チャレンジ精神 バイタリティ)入社意欲

通過率 [総][技][ES]NA **倍率(応募/内定)** [総][技]NA

●男女別採用数と配属先ほか●

【男女・文理別採用実績】

	大卒男	大卒女	修士男	修士女
23年	46(文 14理 32)	8(文 6理 2)	19(文 3理 16)	1(文 0理 1)
24年	41(文 9理 32)	9(文 8理 1)	20(文 2理 18)	4(文 4理 0)
25年	13(文 5理 8)	6(文 5理 1)	12(文 2理 10)	2(文 2理 0)

※25年：理系65名、文系15名採用予定

【25年4月入社者の採用実績校】[文](24年)(院)一橋大 関大 京大 群馬大 阪大 立命館大各1(大)同大6 京大2 岡山大 関大 中大 同女大 福知山公大 立命館大各1 [理](24年)(院)名工大2 宮崎大 京都工繊大 東京電機大 近大 金沢工大 金沢大 埼玉大 山形大 神奈川工大 早大 鳥取大 東大 兵庫県大 北陸先端科技院大 龍谷大 和歌山大各1(大)福井大 立命館大各3 関東学院大 京産大 大阪工大 大阪電通大 東京電機大 同大 兵庫県大各2 関西学大 佐賀大 埼玉大 山形大 滋賀大 信州大 静岡大 大分大 島根大 徳島大 豊田工大 名城大 龍谷大各1

【24年4月入社者の配属先】[総]勤務地：京都(京都8 亀岡1)東京5 名古屋2 滋賀・草津1 福井(小浜1 大野1) 部署：営業7 事業戦略3 購買2 生産管理2 技術管理1 業務1 経理1 知的財産1 人事1 [技]勤務地：京都(京都1 亀岡13)東京7 滋賀・草津14 大阪・高槻1 福井(小浜1 大野7)長野(大町2 安曇野3)岩手3 部署：技術・開発40 生産技術8 品質管理2 品質保証1 情報システム1

残業(月) 10.1時間

記者評価 自動車やエアコン、産業機器などで幅広く使われるアルミ電解コンデンサーが売上の過半。自動車の電動化でフィルムコンデンサーも拡大。設備投資に積極的。家庭向けは国内有数の蓄電池や、EV用充電器、これらと太陽光発電を組み合わせた蓄電システムなど展開。

●給与、ボーナス、週休、有休ほか●

【30歳総合職平均年収】632万円【初任給】(博士)292,000円(修士)278,000円(大卒)253,000円【ボーナス(年)】NA【25、30、35歳賃金】279,300円→354,300円→392,000円【週休】2日(一部土曜出勤あり)【夏期休暇】連続9日(週休2日含む)【年末年始休暇】連続9日(週休2日含む)【有休取得】15.6／20日

●従業員数、勤続年数、離職率ほか●

【男女別従業員数、平均年齢、平均勤続年数】計 480(42.2歳 10.6年)男 360(44.7歳 10.9年)女 120(34.7歳 9.9年)【離職率と離職者数】7.2%、37名【3年後新卒定着率】69.0%(男72.1%、女50.0%、3年前入社：男61名・女10名)【組合】あり

求める人材 チャレンジ精神旺盛でバイタリティがあふれ、「誠心誠意」ベストを尽くす人

会社データ (金額は百万円)

【本社】604-0845 京都府京都市中京区烏丸通御池上る
☎075-231-8461 https://www.nichicon.co.jp/
【会長】武田 一平【設立】1950.8【資本金】14,286【今後力を入れる事業】コンデンサおよびエネルギー・環境事業

【業績(連結)】	売上高	営業利益	経常利益	純利益
22.3	142,198	6,427	8,594	7,902
23.3	184,725	12,676	15,263	7,814
24.3	181,643	8,904	11,407	8,253

(株)メイコー

東京P 6787

【特色】プリント配線板製造で国内上位。EMS事業参入

修士・大卒採用数	3年後離職率	有休取得年平均	平均年収(平均45歳)
17名	14.3 → NA	12.3日	◇616万円

●エントリー情報と採用プロセス●

【受付開始～終了】[総][技]3月～8月【採用プロセス】[総][技]書類提出(WebES・履歴書、3月～)→Webテスト(SPI・適性検査、随時)→面接(3回、随時)→内々定(随時)【交通費支給】最終面接、実費、遠方者には宿泊費支給

試験情報

重視科目 [総][技]面接

[総][技][ES]⇒巻末[筆]SPI3(自宅) Compass[面]3回(Webあり)

選考ポイント [総][技][ES]文章の理論性 主張の一貫性 企業理解度 やりたいことの明確性 他[面]積極性 行動力 コミュニケーション力 理念・社風への適性 企業理解度 学生時代に取り組んだことの取り組み姿勢

通過率 [総][技][ES]NA

倍率(応募/内定) [総][技]NA

●男女別採用数と配属先ほか●

【男女・文理別採用実績】

	大卒男	大卒女	修士男	修士女
23年	13(文 4理 9)	1(文 1理 0)	13(文 0理 13)	2(文 0理 2)
24年	1(文 0理 1)	0(文 0理 0)	3(文 0理 3)	1(文 0理 1)
25年	5(文 0理 5)	2(文 2理 0)	9(文 0理 9)	1(文 1理 0)

【25年4月入社者の採用実績校】
[文]関大 茨城大 日大 [理]弘前大 長岡技科大 日工大 東北工大 湘南工大 信州大 山形大 千歳科技大 茨城大 北見工大 東京工芸大 神奈川工大 九大 東北大 阪大

【24年4月入社者の配属先】
[総]勤務地：なし 部署：NA [技]勤務地：山形・天童3 宮城・石巻1 福島1 部署：NA

残業(月) 13.5時間 [総]13.5時間

記者評価 名幸電子工業として創業。電子機器に使用されるプリント配線板の設計・製造で国内上位。車載用とスマホ用が2本柱。神奈川、東北の各工場のほか、中国とベトナムに量産工場を持ちグローバル展開。スマホ用や自動運転、EV用などの高付加価値基板を育成中。

●給与、ボーナス、週休、有休ほか●

【30歳総合職平均年収】NA【初任給】(博士)306,800円(修士)296,900円(大卒)271,600円【ボーナス(年)】NA、5.3カ月【25、30、35歳賃金】NA【週休】2日(会社カレンダーによる)【夏期休暇】あり【年末年始休暇】あり【有休取得】12.3／20日

●従業員数、勤続年数、離職率ほか●

【男女別従業員数、平均年齢、平均勤続年数】計 839(45.2歳 13.7年)男 641(46.2歳 14.5年)女 198(42.7歳 10.9年)※非正規雇用含む【離職率と離職者数】NA【3年後新卒定着率】NA【組合】あり

求める人材 前例のないことでもチャレンジする気持ちを持てる人 物事を追求し粘り強く取り組む人 自分で考えながら能動的に動ける人 周囲と関係を築きながら協力していくことができる人

会社データ (金額は百万円)

【本社】252-1104 神奈川県綾瀬市大上5-14-15
☎0467-76-6001 https://www.meiko-elec.com/
【社長】名屋 佑一郎【設立】1975.11【資本金】12,888【今後力を入れる事業】プリント基板等の設計、製造販売およびこれらの付随業務の電子関連事業

【業績(連結)】	売上高	営業利益	経常利益	純利益
22.3	151,275	13,255	14,294	11,451
23.3	167,276	9,575	11,212	8,847
24.3	179,458	11,660	14,267	11,310

マブチモーター(株)

東京P 6592

【特色】自動車向け中心に中小型モーターを製造・販売

修士・大卒採用数	3年後離職率	有休取得年平均	平均年収(平均45歳)
27名	8.3 → 0%	16.0日	総 734万円

残業(月) 18.1時間 総 19.4時間

記者評価 圧倒的シェアのミラー用などを軸に車載向けが売上の約8割を占める。中型電装品に注力。美容機器、家電向けなど民生品用も展開。他にAGVなどのモビリティー、産業機器、医療用モーターの拡大を目指す。海外売上比率9割。大量生産によるコスト競争力が強み。

●エントリー情報と採用プロセス●

【受付開始～終了】総2月～継続中 技1月～継続中【採用プロセス】総ES提出(2月)→1次選考(面接・筆記、3月～)→最終選考(面接、5月～)→内々定(5～6月) 技ES提出(1月)→1次選考(面接・筆記、1月～)→2次選考(面接・筆記、2月～)→最終選考(面接、2月～)→内々定(2月～)【交通費支給】最終面接、全額【早期選考】⇒巻末

試験情報

重視科目 総技面接

総 ES⇒巻末 筆Web性格検査 面2回(Webあり) 技 ES⇒巻末 筆Web性格検査 面3回(Webあり)

選考ポイント 総技 ES求める人材像に基づき総合的に判断 面求める人材像に基づき総合的に判断

通過率 総 ES97%(受付:(早期選考含む)126→通過:(早期選考含む)122) 技 ES99%(受付:(早期選考含む)94→通過:(早期選考含む)93)

倍率(応募/内定) 総(早期選考含む)13倍 技(早期選考含む)4倍

●男女別採用数と配属先ほか●

【男女・文理別採用実績】

	大卒男	大卒女	修士男	修士女
23年	3(文 2理 1)	2(文 1理 1)	10(文 0理 10)	0(文 0理 0)
24年	7(文 4理 3)	2(文 2理 0)	15(文 0理 15)	1(文 0理 1)
25年	11(文 2理 9)	9(文 8理 1)	7(文 0理 7)	0(文 0理 0)

【25年4月入社者の採用実績校】文(大)神田外語大3 法政大2 関西外大 東洋大 日女大 日大 武蔵野大各1 理(院)千葉工大2 埼玉大 奈良先端科技院大 日大 富山大 立教大各1(大)東京電機大 千葉工大各2 学習院大 埼玉大 芝工大 信州大 東邦大 法政大各1(高専)函館 八戸 都立産技 久留米各1

【24年4月入社者の配属先】総勤務地:千葉・松戸5 部署:営業2 生産管理2 購買1 技勤務地:千葉(松戸21 印西6) 部署:製品開発12 生産技術13 品質保証2

●給与、ボーナス、週休、有休ほか●

【30歳総合職平均年収】550万円【初任給】(修士)275,000円(大卒)250,000円【ボーナス(年)】192万円、5.5カ月【25、30、35歳賃金】271,072円→299,304円→351,639円【週休】完全2日(土日祝)【夏期休暇】なし【年末年始休暇】7～9日(連休になるように設定)【有休取得】16.0/20日

●従業員数、勤続年数、離職率ほか●

【男女別従業員数、平均年齢、平均勤続年数】計 845(45.0歳 18.6年) 男 714(45.2歳 18.9年) 女 131(43.7歳 17.1年)【離職率と離職者数】4.1%、36名【3年後新卒定着率】100%(男100%、女一、3年前入社:男8名・女0名)【組合】あり

求める人材 (文)グローバルに活躍できる人 論理的な考えができる人(理)機械、電気系を中心としたもの作りの分野で専門性を発揮できる人

会社データ (金額は百万円)

【本社】270-2280 千葉県松戸市松飛台430
☎047-710-1111 https://www.mabuchi-motor.co.jp/
【社長】高橋 徹【設立】1954.1【資本金】20,704【今後力を入れる事業】自動車電装機器用モーター ライフ・インダストリー機器用モーター

【業績(連結)】	売上高	営業利益	経常利益	純利益
21.12	134,595	13,800	19,570	14,251
22.12	156,706	10,824	21,473	14,295
23.12	178,663	15,536	26,994	19,416

NISSHA(株)

ニッシャ

東京P 7915

【特色】印刷技術生かし多角化。タッチパネル部材が柱

修士・大卒採用数	3年後離職率	有休取得年平均	平均年収(平均43歳)
20名	33.3 → 0%	13.3日	総 712万円

残業(月) 12.0時間 総 12.0時間

記者評価 祖業は印刷。モバイル機器用タッチパネルをアップルなど世界的メーカーに供給。ただ、波の激しいIT依存から、医療機器、サステナブル資材の蒸着紙、自動車用内装・外装加飾などへ事業の重点を移す。M&Aも視野。海外含めグループ63社体制。海外売上比率9割弱。

●エントリー情報と採用プロセス●

【受付開始～終了】総技NA【採用プロセス】総技説明会(必須、対面またはオンライン)→ES提出・Webテスト→面接(2～3回)→内々定【交通費支給】最終面接、会社基準(往復実費)【早期選考】⇒巻末

試験情報

重視科目 総面接 英語 技面接 英語 専門分野

総技 ES⇒巻末 筆あり(内容NA) 面2～3回(Webあり)

選考ポイント 総技 ESNA(提出あり) 面求める人材像にマッチしているか

通過率 総技 ESNA

倍率(応募/内定) 総技NA

●男女別採用数と配属先ほか●

【男女・文理別採用実績】

	大卒男	大卒女	修士男	修士女
23年	2(文 2理 0)	3(文 3理 0)	1(文 0理 1)	1(文 0理 1)
24年	1(文 1理 0)	5(文 5理 0)	5(文 0理 5)	3(文 0理 3)
25年	5(文 4理 1)	8(文 8理 0)	3(文 0理 3)	4(文 0理 4)

【25年4月入社者の採用実績校】文(大)同大 立命館大 関大 京産大各2 上智大 阪大 富山大 滋賀大各1 理(院)青学大 京都工繊大 東京海洋大 高知工科大 立命館大 金沢工大 龍谷大各1(大)京都先端科学大1(高専)旭川 福井 舞鶴各1

【24年4月入社者の配属先】総勤務地:京都5 東京1 部署:営業6 技勤務地:京都(京都5 亀岡2) 滋賀・甲賀4 部署:生産技術6 設計開発5

●給与、ボーナス、週休、有休ほか●

【30歳総合職平均年収】NA【初任給】(博士)270,000円(修士)255,000円(大卒)240,000円【ボーナス(年)】146万円、4.8カ月【25、30、35歳賃金】NA【週休】完全2日(土日祝)【夏期休暇】連続3日【年末年始休暇】12月29日～1月4日【有休取得】13.3/20日

●従業員数、勤続年数、離職率ほか●

【男女別従業員数、平均年齢、平均勤続年数】計 720(42.9歳 15.6年) 男 514(44.8歳 17.2年) 女 206(38.1歳 11.6年)【離職率と離職者数】NA【3年後新卒定着率】100%(男100%、女100%、3年前入社:男3名・女8名)【組合】あり

求める人材 変化を成長機会と捉え主体的にチャレンジできる人 グローバルに活躍したい人

会社データ (金額は百万円)

【本社】604-8551 京都府京都市中京区壬生花井町3
☎075-811-8111 https://www.nissha.com/
【社長】鈴木 順也【設立】1946.12【資本金】12,119【今後力を入れる事業】メディカル モビリティ サステナブル IT

【業績(IFRS)】	売上高	営業利益	税前利益	純利益
21.12	189,285	17,363	19,499	15,859
22.12	193,963	9,520	12,373	10,140
23.12	167,726	▲3,817	▲2,762	▲2,988

ヒロセ電機(株)

東京P 6806

【特色】コネクター専業メーカー大手。高収益で好財務

修士・大卒採用数	3年後離職率	有休取得年平均	平均年収(平均41歳)
26名	30.0→26.7%	13.4日	866万円

●エントリー情報と採用プロセス●

【受付開始～終了】総技3月～8月【採用プロセス】総技説明会(必須、3月～)→ES提出・SPI(3月～)→個人面談(2回)→内々定【交通費支給】2次面接以降、実費(首都圏外からの遠方者)【早期選考】⇒巻末

試験情報

重視科目 総技全て

総技ES⇒巻末筆SPI3(会場) SPI3(自宅)面2回(Webあり)

選考ポイント 総技ES ESと筆記の両方を鑑みての1次審査面学ぶべきを学び、自分自身に自信を持ち、元気溌剌としているか 素直さ・謙虚さを兼ね備えているか

通過率 総技ES NA

倍率(応募/内定) 総技NA

●男女別採用数と配属先ほか●

【男女・文理別採用実績】

	大卒男	大卒女	修士男	修士女
23年	9(文 5理 4)	6(文 5理 1)	14(文 0理 14)	1(文 0理 1)
24年	15(文 9理 6)	4(文 3理 1)	11(文 0理 11)	1(文 0理 1)
25年	10(文 5理 5)	7(文 7理 0)	9(文 0理 9)	0(文 0理 0)

【25年4月入社者の採用実績校】文(大)関大 中大各2 上智大 関西学大 立教大 青学大 大妻女大 群馬県女大 世新大 リンデンウッド大各1 理(院)山梨大 山形大 岩手大 宇都宮大 徳島大 法政大 北見工大 電通大 静岡大各1(大)諏訪東理大 上智大 東京電機大 岩手大 群馬大各1(短)岩手産技1(専)栃木県立県央産業技術1

【24年4月入社者の配属先】総勤務地:横浜6 宇都宮1 大阪1 愛知・刈谷2 部署:営業9 経理1 技勤務地:横浜18 岩手・盛岡1 部署:設計開発11 生産技術6 品証2

残業(月) 18.9時間

記者評価 機器の部品を接続するコネクターで世界10指に入る。コネクターは産業機器やスマホ等で幅広く使われ、電装化の進む自動車で需要拡大中。開発と営業に特化し、量産は主に外部の協力会社を活用。高付加価値品に注力し、高い営業利益率を誇る。無借金で好財務。

●給与、ボーナス、週休、有休ほか●

【30歳総合職平均年収】NA【初任給】(修士)270,000円(大卒)255,000円【ボーナス(年)】NA【25、30、35歳賃金】NA【週休】完全2日(土日祝)【夏期休暇】別途計画有休制度あり【年末年始休暇】連続7日(土日含む)【有休取得】13.4／20日

●従業員数、勤続年数、離職率ほか●

【男女別従業員数、平均年齢、平均勤続年数】計 948(40.6歳 13.5年) 男 703(43.2歳 15.0年) 女 245(33.1歳 9.3年)【離職率と離職者数】NA【3年後新卒定着率】73.3%(男84.2%、女54.5%、3年前入社:男19名・女11名)【組合】なし

求める人材 自己啓発を進取の精神を持って取り組める人

会社データ (金額は百万円)

【本社】224-0003 神奈川県横浜市都筑区中川中央2-6-3
☎045-620-3491 https://www.hirose.com/
【社長】石井 和徳【設立】(創業)1937.8【資本金】9,404【今後力を入れる事業】コネクタ デバイス

【業績(IFRS)】	売上高	営業利益	税前利益	純利益
22.3	163,671	40,765	43,081	31,437
23.3	183,224	46,751	48,591	34,648
24.3	165,509	34,017	38,761	26,480

日本ケミコン(株)

東京P 6997

【特色】アルミ電解コンデンサーで世界シェア首位

修士・大卒採用数	3年後離職率	有休取得年平均	平均年収(平均40歳)
22名	15.1→31.6%	15.7日	◇640万円

●エントリー情報と採用プロセス●

【受付開始～終了】総技2月～6月【採用プロセス】総Web説明会(必須)→ES提出(2月～)→書類選考→面接(3回)→内々定(5月中旬～)技Web説明会(必須)→ES提出・面接(2～3回、2月～)→内々定(3月上旬～)【交通費支給】2次面接以降、実費【早期選考】⇒巻末

試験情報

重視科目 総技面接

総ES⇒巻末筆なし面3回(Webあり) 技ES⇒巻末筆なし面2～3回(Webあり)

選考ポイント 総ES卒業研究 自己PR 志望動機 志望職種及びその理由 資格・免許・賞 他面専門性 協調性 対人性 積極性 分析力 自主独立性 技ES総合職共通面専門性 基礎学力 積極性

通過率 総ES77%(受付:(早期選考含む)107→通過:(早期選考含む)82) 技ES選考なし(受付:(早期選考含む)18)

倍率(応募/内定) 総(早期選考含む)18倍 技(早期選考含む)1倍

●男女別採用数と配属先ほか●

【男女・文理別採用実績】

	大卒男	大卒女	修士男	修士女
23年	8(文 2理 6)	8(文 8理 0)	9(文 0理 9)	1(文 0理 1)
24年	7(文 2理 5)	4(文 3理 1)	8(文 0理 8)	1(文 0理 1)
25年	7(文 0理 7)	8(文 6理 2)	6(文 0理 6)	1(文 0理 1)

【25年4月入社者の採用実績校】文(大)駒澤大 武蔵野大 神奈川大 大妻女大 小松大 同大各1 理(院)神奈川工大 秋田大 東北工大 関大 東海大 神戸大 北見工大各1(大)神奈川工大2 秋田大 東北工大 玉川大 長岡技科大 東北学大 福岡工大 日大各1

【24年4月入社者の配属先】総勤務地:東京・大崎4 栃木・宇都宮1 部署:営業2 資材1 管理1 IT1 技勤務地:川崎2 茨城・高萩3 山形・長井2 福島・西白河郡7 東京・大崎1 部署:品質保証1 知的財産1 基礎研究3 製品開発7 生産技術2 材料開発1

残業(月) 11.0時間

記者評価 自動車や産業機械、通信機器、家電等で使われるアルミ電解コンデンサーが売上の約9割を占める。世界シェアはトップ。材料のアルミ電極箔も製造・外販。生産性改善を重視した構造改革に取り組む。ハイブリッドコンデンサー増産へ宮城工場新棟が24年6月竣工。

●給与、ボーナス、週休、有休ほか●

【30歳総合職平均年収】NA【初任給】(修士)249,000円(大卒)232,000円【ボーナス(年)】137万円、5.12カ月【25、30、35歳賃金】NA【週休】完全2日(土日祝)【夏期休暇】連続5日【年末年始休暇】連続7日【有休取得】15.7／20日

●従業員数、勤続年数、離職率ほか●

【男女別従業員数、平均年齢、平均勤続年数】計 941(40.4歳 16.5年) 男 784(41.1歳 17.2年) 女 157(36.9歳 13.0年)【離職率と離職者数】7.6%、77名【3年後新卒定着率】68.4%(男64.0%、女76.9%、3年前入社:男25名・女13名)【組合】あり

求める人材 ものづくりへ興味がある人 チャレンジ精神旺盛な人 グローバルに物事を考えられる人

会社データ (金額は百万円)

【本社】141-8605 東京都品川区大崎5-6-4
☎03-5436-7711 https://www.chemi-con.co.jp/
【社長】上山 典男【設立】1947.8【資本金】5,452【今後力を入れる事業】車載 産業機器 新エネルギー 生活家電 ICT 他

【業績(連結)】	売上高	営業利益	経常利益	純利益
22.3	140,316	8,798	8,038	▲12,124
23.3	161,881	12,939	10,994	2,273
24.3	150,740	9,422	7,913	▲21,291

メーカーI

マクセル(株)

東京P 6810

【特色】電池や産業用部材に強い。日立傘下を経て独立

修士・大卒採用数	3年後離職率	有休取得年平均	平均年収(平均45歳)
25名	25.6→18.2%	16.5日	717万円

●エントリー情報と採用プロセス●

【受付開始～終了】総3月～5月 技3月～6月【採用プロセス】総技ES提出・テスト(3月～)→面接(2～3回、3月中旬)→内々定(3月下旬)【交通費支給】面接、実費【早期選考】⇒巻末

試験情報

重視科目 総技面接

総技 ES⇒巻末 筆WebGAB 面2～3回(Webあり)

選考ポイント 総 ES仕事 職業への意欲 経験から発揮される人的魅力 面求める人物像に合致しているか 技 ES仕事 職業への意欲 経験から裏打ちされた専門性 技術への探求心 面総合職共通

通過率 総 ES50%(受付:(早期選考含む)231→通過:(早期選考含む)115) 技 ES85%(受付:(早期選考含む)150→通過:(早期選考含む)128)

倍率(応募/内定) 総(早期選考含む)33倍 技(早期選考含む)8倍

●男女別採用数と配属先ほか●

【男女・文理別採用実績】

	大卒男	大卒女	修士男	修士女
23年	6(文 2理 4)	4(文 3理 1)	7(文 0理 7)	5(文 1理 4)
24年	5(文 1理 4)	6(文 4理 2)	5(文 1理 4)	4(文 0理 4)
25年	6(文 1理 5)	7(文 7理 0)	8(文 0理 8)	4(文 0理 4)

【25年4月入社者の採用実績校】文(大)京都女大 立命館大各2 関西外大 関大 京大 中大各1 理(院)京都工繊大 慶大 弘前大 信州大 千葉大 大阪公大 鳥取大 徳島大 奈良女大 奈良先端科技院大 北見工大 立命館大各1(大)関西学大 広島市大 香川大 大阪工大 明大各1

【24年4月入社者の配属先】総勤務地:大阪市1 京都・山崎2 兵庫・小野1 部署:経理1 営業1 調達2 技勤務地:京都・山崎8 神奈川(川崎4 横浜1)山梨・小淵沢1 兵庫・小野1 九州・田川1 部署:研究開発2 開発設計9 品質保証2 知財3

残業(月) 15.6時間

記者評価 ゲーム向けリチウムイオン電池や自動車LEDヘッドランプ用レンズ、美容家電などを手がける。タイヤの空気圧管理システム用電池や車載カメラ用レンズユニットなど自動車関連が主力。長らく日立グループに属していたが17年に独立。23年6月全固体電池の量産開始。

●給与、ボーナス、週休、有休ほか●

【30歳総合職平均年収】NA【初任給】(修士)277,000円(大卒)250,000円【ボーナス(年)】NA、5.0カ月【25、30、35歳賃金】NA【週休】完全2日(土日祝)【夏期休暇】連続9日(有休5日、週休含む)【年末年始休暇】連続9日(週休含む)【有休取得】16.5/24日

●従業員数、勤続年数、離職率ほか●

【男女別従業員数、平均年齢、平均勤続年数】計 ◇1,250(45.2歳 20.0年) 男 1,002(45.6歳 20.5年) 女 248(43.6歳 18.0年)【離職率と離職者数】◇3.8%、49名【3年後新卒定着率】81.8%(男88.9%、女50.0%、3年前入社:男9名・女2名)【組合】あり

求める人材 自走できる人 知恵を出す人 活発で前向きな人

会社データ (金額は百万円)

【本社】618-8525 京都府乙訓郡大山崎町大山崎小泉1
☎075-275-5093 https://www.maxell.co.jp/
【社長】中村 啓次【設立】1947.11【資本金】12,203【今後力を入れる事業】モビリティICT/AI 人/社会インフラ

【業績(連結)】	売上高	営業利益	経常利益	純利益
22.3	138,215	9,332	9,888	▲3,659
23.3	132,776	5,638	6,727	5,193
24.3	129,139	8,083	9,786	7,544

フォスター電機(株)

東京P 6794

【特色】音響機器の製造を手がける。車載用に注力

修士・大卒採用数	3年後離職率	有休取得年平均	平均年収(平均44歳)
22名	13.3→14.3%	13.5日	総700万円

●エントリー情報と採用プロセス●

【受付開始～終了】総 技3月～7月【採用プロセス】総 技説明会(必須、3～6月)→ES提出(3～7月)→1次面接→2次面接→最終面接→内々定(3～7月)【交通費支給】最終面接、特急・新幹線利用は3万円・飛行機利用は4万円を限度とする実費【早期選考】⇒巻末

試験情報

重視科目 総技面接

総技 ES⇒巻末 筆INSIGHT Hci-AS 面3回(Webあり)

選考ポイント 総 ES文章が具体的で論理性があるか 当社の業務内容を理解しているか 語学力や英語への関心、異文化への関心があるか 面物事の考え方 主体性 志向(好き嫌い)性格 コンピテンシー グローバル志向 技 ES文章が具体的で論理性があるか 当社の業務内容を理解しているか 異文化への関心があるか 面総合職共通

通過率 総 ES72%(受付:(早期選考含む)126→通過:(早期選考含む)91) 技 ES91%(受付:(早期選考含む)76→通過:(早期選考含む)69)

倍率(応募/内定) 総(早期選考含む)10倍 技(早期選考含む)8倍

●男女別採用数と配属先ほか●

【男女・文理別採用実績】

	大卒男	大卒女	修士男	修士女
23年	6(文 1理 5)	3(文 3理 0)	2(文 0理 2)	1(文 0理 1)
24年	5(文 2理 3)	4(文 3理 1)	5(文 0理 5)	0(文 0理 0)
25年	11(文 4理 7)	4(文 4理 0)	7(文 1理 6)	0(文 0理 0)

【25年4月入社者の採用実績校】文(院)専大1(大)亜大2 国立音大 愛知県大 静岡文芸大 都留文科大 東洋大 神戸市外大各1 理(院)東京農工大 東京電機大 早大 東理大 信州大 芝工大各1(大)東京電機大2 金沢工大 名城大 近大 東京工科大 長岡技科大各1(高専)サレジオ1

【24年4月入社者の配属先】総勤務地:東京・昭島5 部署:生産管理3 品質保証1 資材調達1 技勤務地:東京・昭島8 静岡1 部署:製品設計9

残業(月) 10.9時間 総10.9時間

記者評価 本社と開発拠点は東京都昭島市。生産はアジア。OEM中心だが、自社ブランド「フォステクス」も展開。スマホ付属のヘッドセットは、米アップル製品向けを計画的に減産。今後の成長を見据え、車載用音響製品に注力。海外売上高比率は約8割。

●給与、ボーナス、週休、有休ほか●

【30歳総合職平均年収】580万円【初任給】(博士)299,900円(修士)274,600円(大卒)250,300円【ボーナス(年)】150万円、4.5カ月【25、30、35歳賃金】246,000円→300,367円→349,783円 ※基本給＋職責手当＋技術手当＋博士手当＋在宅勤務手当【週休】完全2日(土日祝)【夏期休暇】8月14～15日【年末年始休暇】12月29日～1月4日【有休取得】13.5/21日

●従業員数、勤続年数、離職率ほか●

【男女別従業員数、平均年齢、平均勤続年数】計 413(44.2歳 15.2年) 男 294(45.4歳 16.4年) 女 119(41.1歳 12.3年)【離職率と離職者数】4.6%、20名【3年後新卒定着率】85.7%(男75.0%、女100%、3年前入社:男4名・女3名)【組合】なし

求める人材 誠実さ チームワーク力 コミュニケーション力 チャレンジ精神 グローバル志向

会社データ (金額は百万円)

【本社】196-8550 東京都昭島市つつじが丘1-1-109
☎042-546-2311 https://www.foster.co.jp/
【社長】岸 和宏【設立】1949.6【資本金】6,770【今後力を入れる事業】デジタル信号と人とのインターフェース拡充

【業績(連結)】	売上高	営業利益	経常利益	純利益
22.3	91,106	▲7,757	▲7,473	▲7,017
23.3	121,338	2,445	2,327	848
24.3	122,447	4,412	4,305	2,304

メーカーI

開示 ★★★★

アンリツ(株)

東京P 6754

【特色】1895年創業の老舗。通信計測器の世界大手

修士・大卒採用数	3年後離職率	有休取得年平均	平均年収(平均45歳)
35名	2.9 → 2.3%	16.5日	[総]744万円

●エントリー情報と採用プロセス●

【受付開始～終了】[総][技]3月～継続中【採用プロセス】[総]ES提出・書類提出(3月～)→書類審査→面接(3回)・適性検査→内々定 [技]ES提出・書類提出(3月～)→書類審査→筆記・適性検査・面接(3回)→内々定【交通費支給】最終選考、自宅から会場までの実費【早期選考】⇒巻末

試験情報

重視科目 [総][技]面接 応募書類

[総][ES]⇒巻末[筆]Web適性検査(ADVANTAGE INSIGHT)[面]3回(Webあり) [技][ES]⇒巻末[筆]Web適性検査(ADVANTAGE INSIGHT)筆記(自社オリジナル)[面]3回(Webあり)

選考ポイント [総][ES]丁寧さ 文書力 失敗体験からの学び ゼミなどの取組・成果 他[面]<1次>協調性 意欲 主体性 責任感 洞察力<2次>職務適性<役員>総合的に判断 [技][ES]丁寧さ 文書力 失敗体験からの学び 研究の目的・成果 他[面]<1次・役員>総合職共通<2次>技術力 専門性<役員>総合的に判断

通過率 [総][ES]58%(受付:240→通過:140) [技][ES]81%(受付:124→通過:100) 倍率(応募/内定) [総]17倍 [技]11倍

●男女別採用数と配属先ほか●

【男女・文理別採用実績】

	大卒男	大卒女	修士男	修士女
23年	12(文 9理 3)	7(文 5理 2)	21(文 0理 21)	1(文 0理 1)
24年	4(文 1理 3)	6(文 4理 2)	16(文 0理 16)	2(文 0理 2)
25年	13(文 9理 4)	8(文 6理 2)	13(文 0理 13)	1(文 0理 1)

【25年4月入社者の採用実績校】[文](大)同大3 明大2 神奈川大 関西外大 関大 東洋大 日女大 日大 明学大 横浜市大 横国大 立命館大各1 [理](院)岩手大 千葉大各3 電通大2 関大 熊本大 芝工大 広島大 山梨大 横国大各1(大)東理大2 神奈川大 電通大 東京電機大 東京都市大各1
【24年4月入社者の配属先】[総]勤務地:神奈川・厚木5 部署:営業3 海外マーケティング2 [技]勤務地:神奈川・厚木23 部署:開発23

残業(月) 9.6時間 [総]9.6時間

記者評価 通信用計測器の世界大手。スマホなど通信端末の開発用計測器でもトップクラス。計測器は5G関連需要が追い風。データセンター向けも需要捉え拡大。異物混入対策のX線検査機など食品向け産業機械も手がける。21年、高砂製作所を子会社化し電池試験装置に参入。

●給与、ボーナス、週休、有休ほか●

【30歳総合職平均年収】NA【初任給】(博士)308,500円 (修士)280,000円 (大卒)250,000円【ボーナス(年)】235万円、6.0カ月【25、30、35歳賃金】266,330円→307,850円→343,080円【週休】完全2日(土日)【夏期休暇】連続10日(一斉有休5日含む)【年末年始休暇】連続10日【有休取得】16.5/21日

●従業員数、勤続年数、離職率ほか●

【男女別従業員数、平均年齢、平均勤続年数】計 1,732(45.1歳 20.3年) 男 1,409(45.8歳 21.2年) 女 323(42.0歳 16.3年)【離職率と離職者数】2.4%、42名【3年後新卒定着率】97.7%(男97.1%、女100%、3年前入社:男34名・女9名)【組合】あり

求める人材 チームの一員として成果を出すことにやりがいを見出し、メンバーと達成した喜びを共感できる人 信念を持って粘り強く物事に取り組める人

会社データ (金額は百万円)

【本社】243-8555 神奈川県厚木市恩名5-1-1
☎046-223-1111 https://www.anritsu.com/
【社長】濱田 宏一【設立】1950.10【資本金】19,219【今後力を入れる事業】次世代通信ネットワーク関連事業

【業績(IFRS)】	売上高	営業利益	税前利益	純利益
22.3	105,387	16,499	17,150	12,796
23.3	110,919	11,746	12,438	9,272
24.3	109,952	8,983	9,951	7,675

(株)タムラ製作所

せいさくしょ

東京P 6768

【特色】トランス、リアクター大手。はんだなど化学材料も

修士・大卒採用数	3年後離職率	有休取得年平均	平均年収(平均44歳)
12名	19.2 → 25.0%	12.8日	[総]684万円

●エントリー情報と採用プロセス●

【受付開始～終了】[総][技]3月～未定【採用プロセス】[総][技]説明会(必須)→書類提出→面接→筆記・面接→面接→内々定【交通費支給】最終面接、飛行機・新幹線・高速バスの実費【早期選考】⇒巻末

試験情報

重視科目 [総][技]面接

[総][技][ES]NA[筆]CUBIC[面]3回(Webあり)

選考ポイント [総][技][ES]NA(提出あり)[面]人物重視

通過率 [総][技][ES]NA

倍率(応募/内定) [総][技]NA

●男女別採用数と配属先ほか●

【男女・文理別採用実績】

	大卒男	大卒女	修士男	修士女
23年	6(文 0理 6)	3(文 3理 0)	3(文 0理 3)	1(文 0理 1)
24年	7(文 2理 5)	5(文 4理 1)	5(文 0理 5)	1(文 0理 1)
25年	3(文 0理 3)	3(文 2理 1)	4(文 0理 4)	2(文 0理 2)

【25年4月入社者の採用実績校】
[文](大)立教大 昭和女大各1 [理](院)慶大 東理大 中大 山形大 名城大 東京電機大各1(大)会津大 秋田大 日大 千葉工大各1
【24年4月入社者の配属先】
[総]勤務地:埼玉・坂戸5 大阪1 部署:営業3 企画管理3 [技]勤務地:東京3 埼玉(坂戸3 入間6) 部署:開発11 品質保証1

残業(月) 12.8時間 [総]12.8時間

記者評価 スマホや車載用はんだペースト、はんだ付け装置など電子化学実装と、産機、家電・住宅向けトランス、リアクタなど電子部品が2本柱。風力発電関連では世界8拠点で大型トランス、リアクター地産地消。海外売上比65%。EV向けにも意欲的。24年度に創業100周年。

●給与、ボーナス、週休、有休ほか●

【30歳総合職平均年収】NA【初任給】(博士)280,000円 (修士)275,000円 (大卒)244,000円【ボーナス(年)】NA、5.2カ月【25、30、35歳賃金】NA→295,100円→NA【週休】完全2日(土日祝)【夏期休暇】連続6日(うち有休一斉取得2日)【年末年始休暇】連続5日【有休取得】12.8/20日

●従業員数、勤続年数、離職率ほか●

【男女別従業員数、平均年齢、平均勤続年数】計 895(44.4歳 17.1年) 男 711(45.0歳 17.9年) 女 184(41.9歳 14.0年)【離職率と離職者数】3.2%、30名【3年後新卒定着率】75.0%(男71.4%、女100%、3年前入社:男14名・女2名)【組合】あり

求める人材 情熱に溢れ、自律性・共感性を備えた人材 技術力・発想力でオンリーワンを目指す人材

会社データ (金額は百万円)

【本社】178-8511 東京都練馬区東大泉1-19-43
☎050-3664-0571 https://www.tamura-ss.co.jp/
【社長】浅田 昌弘【設立】1939.11【資本金】11,829【今後力を入れる事業】パワーエレクトロニクス モビリティ IoT

【業績(連結)】	売上高	営業利益	経常利益	純利益
22.3	88,328	1,564	2,001	▲84
23.3	107,993	4,829	4,329	2,047
24.3	106,622	4,940	4,956	2,240

開示 ★★★

シンフォニアテクノロジー(株)

東京P 6507

【特色】重電から精密機器まで製品多様、搬送機器も

修士・大卒採用数	3年後離職率	有休取得年平均	平均年収(平均38歳)
73名	19.7 → 3.5%	16.5日	総 722万円

残業(月) 20.2時間

記者評価 産機用サーボモーター軸に各種搬送機や業務用プリンタなど展開。防衛用航空機電装品や自動車用試験装置に強い。再生医療、次世代ロケットも強化。中国や東南ア、米国に拠点。タイ現法の第3工場は24年5月稼働。半導体後工程自動化・標準化技術研究組合に参画。

●エントリー情報と採用プロセス●

【受付開始～終了】総 技3月～9月【採用プロセス】総Webセミナー・ES提出(3月～随時)→書類選考(10日以内)→個別面接(1回)→適性検査(3月～)→個別面接(1～2回、4月)→内々定(4月) 技Webセミナー・ES提出(3月～随時)→書類選考(10日以内)→個別面接(1回)→適性検査(3月～)→個別面接(1～2回、4月)→内々定(4月)※学校推薦は異なる【交通費支給】面接、往復の実費・宿泊費の実費【早期選考】⇒巻末

試験情報

重視科目 総技面接

総技 ES⇒巻末 筆あり(内容NA) 面2～3回(Webあり)

選考ポイント 総ES自分自身の考えを述べることができるか 真剣さが伝わってくるか 面主体性 コミュニケーション能力 技ES総合職共通 面主体性 コミュニケーション能力 専門性

通過率 総技 ES NA **倍率(応募/内定)** 総技NA

●男女別採用数と配属先ほか

【男女・文理別採用実績】※25年:24年7月末時点

	大卒男	大卒女	修士男	修士女
23年	36(文 5理 31)	11(文 7理 4)	15(文 0理 15)	1(文 0理 1)
24年	42(文 6理 36)	10(文 8理 2)	17(文 0理 17)	2(文 0理 2)
25年	41(文 7理 34)	13(文 8理 5)	15(文 0理 15)	4(文 0理 4)

【25年4月入社者の採用実績校】文(大)神戸市外大 駒澤大各2 三重大 愛知県大 早大 明大 中大 法政大 日大 愛知大 同大 立命館大 関西学大各1 理(院)豊橋技科大3 愛知工業大2 北見工大 福井大 長岡技科大 名工大 奈良女大 広島市大 熊本大 山口大 東洋大 静岡理工科大 名城大 中部大 大阪工大 摂南大各1(大)愛知工業大6 中部大5 大同大3 静岡大 東京電機大 東海大 大阪産大各2 北見工大 長岡技科大 富山県大 茨城大 山梨大 諏訪東理大 広島大 高知工科大 佐賀大 宮崎大 産業医大 東京都市大 日大 南山大 名城大 龍谷大 大阪工大各1(高専)鳥羽商船2

【24年4月入社者の配属先】総勤務地:東京・港8 愛知(豊橋1 名古屋3)三重・伊勢2 部署:営業7 法務1 経理1 総務3 人事1 業務統括1 技勤務地:三重・伊勢25 愛知・豊橋36 部署:技術33 研究開発14 製造6 品質保証5 IT2 調達1

●給与、ボーナス、週休、有休ほか●

【30歳総合職平均年収】NA【初任給】(修士)275,000円(大卒)250,000円【ボーナス(年)】189万円、5.2カ月【25、30、35歳賃金】259,232円→306,850円→350,651円【週休】完全2日(土日祝)【夏期休暇】9日(うち2日は一斉年休)【年末年始休暇】9日【有休取得】16.5／23日

●従業員数、勤続年数、離職率ほか●

【男女別従業員数、平均年齢、平均勤続年数】計 ◇1,965(39.8歳 16.3年) 男 1,733(39.8歳 16.2年) 女 232(39.7歳 16.7年)【離職率と離職者数】◇1.6%、32名【3年後新卒定着率】96.5%(男95.8%、女100%、3年前入社:男48名・女9名)【組合】あり

求める人材 探求心を持ち、粘り強く最後までやり抜く人 チーム内で信頼を築き、目標実現に努力を惜しまない人

会社データ (金額は百万円)

【本社】105-8564 東京都港区芝大門1-1-30 芝NBFタワー
☎03-6386-3140 https://www.sinfo-t.jp/
【社長】平野 新一【設立】1949.8【資本金】10,156【今後力を入れる事業】半導体関連機器 航空宇宙

【業績(連結)】	売上高	営業利益	経常利益	純利益
22.3	94,585	7,514	7,898	5,593
23.3	108,808	11,625	11,997	8,098
24.3	102,657	10,011	10,532	7,506

新電元工業(株)

しんでんげんこうぎょう

東京P 6844

【特色】ダイオード、パワー半導体が柱。2輪車電装品も

修士・大卒採用数	3年後離職率	有休取得年平均	平均年収(平均43歳)
34名	15.4 → 11.5%	14.0日	総 753万円

残業(月) 13.5時間 総13.5時間

記者評価 強みのダイオード、パワーデバイスなど電源専業大手。ホンダ軸に2輪向け充電装置や点火装置は東南アジア、インドなど深耕。国内で研究開発、生産の拠点刷新を行い、その本部機能は飯能から朝霞へ移転集約。急速充電器や2輪用含めたEV市場領域に拡大余地。

●エントリー情報と採用プロセス●

【受付開始～終了】総3月～7月 技1月～7月【採用プロセス】総ES提出(3月上旬～)→Webテスト(5月上旬～)→1次面接(5月中旬～)→最終面接(5月下旬～)→内々定 技ES提出(1月上旬～)→Webテスト(1月中旬～)→1次面接・専門試験(1月下旬～)→最終面接(2月上旬～)→内々定※専門試験は対面実施時のみ【交通費支給】1次面接以降、実費相当【早期選考】⇒巻末

試験情報

重視科目 総技面接

総 ES⇒巻末 筆玉手箱 面2回(Webあり) 技 ES⇒巻末 筆玉手箱 専門試験 面2回(Webあり)

選考ポイント 総技ES志望動機 自己PR 学生時代の取り組み 面志望動機 自分の強みや専門性 バイタリティー

通過率 総ES NA(受付:131→通過:NA) 技ES NA(受付:137→通過:NA)

倍率(応募/内定) 総12倍 技6倍

●男女別採用数と配属先ほか

【男女・文理別採用実績】※25年:24年8月20日時点

	大卒男	大卒女	修士男	修士女
23年	5(文 2理 3)	5(文 4理 1)	12(文 0理 12)	4(文 0理 4)
24年	9(文 5理 4)	5(文 4理 1)	16(文 0理 16)	4(文 0理 4)
25年	13(文 6理 7)	7(文 5理 2)	11(文 0理 11)	3(文 0理 3)

【25年4月入社者の採用実績校】文(大)兵庫県大 杏林大 関大 東洋大 早大 平成国際大 東京経大 東北大 山形大 一橋大 関西外大各1 理(院)東理大2 東京電機大 山形大 宇都宮大 日大 法政大 新潟大 電通大 崇城大 慶大 埼玉大 長岡技科大 工学院大各1(大)宇都宮大3 東京都市大 芝工大 岩手大 東洋大 東京電機大 獨協大各1(専)日本電子1

【24年4月入社者の配属先】総勤務地:埼玉・朝霞9 部署:営業6 資材2 経理1 技勤務地:埼玉・朝霞26 部署:設計開発25 総務1

●給与、ボーナス、週休、有休ほか●

【30歳総合職平均年収】525万円【初任給】(博士)289,200円(修士)260,500円(大卒)237,500円【ボーナス(年)】157万円、4.3カ月【25、30、35歳賃金】257,338円→307,177円→349,586円【週休】完全2日(土日祝)【夏期休暇】連続5日【年末年始休暇】連続5日【有休取得】14.0／24日

●従業員数、勤続年数、離職率ほか●

【男女別従業員数、平均年齢、平均勤続年数】計 1,050(43.1歳 17.0年) 男 938(43.6歳 17.3年) 女 112(38.2歳 14.0年)【離職率と離職者数】2.3%、25名(早期退職男5名含む)【3年後新卒定着率】88.5%(男91.3%、女66.7%、3年前入社:男23名・女3名)【組合】あり

求める人材 課題に対して、意欲を持って挑戦し、粘り強く取り組むことができる人材

会社データ (金額は百万円)

【本社】100-0004 東京都千代田区大手町2-2-1 新大手町ビル
☎03-3279-4431 https://www.shindengen.co.jp/
【社長】田中 信吉【設立】1949.8【資本金】17,823【今後力を入れる事業】モビリティー分野 EV 半導体向け製品

【業績(連結)】	売上高	営業利益	経常利益	純利益
22.3	92,168	5,562	5,828	5,902
23.3	101,007	3,621	4,326	1,644
24.3	102,261	1,278	1,660	▲712

富士通フロンテック(株)

ふじつう

[株式公開していない]

【特色】富士通子会社。金融・流通端末や表示装置が主力

修士・大卒採用数	3年後離職率	有休取得年平均	平均年収(平均49歳)
NA	NA	14.8日	[総]755万円

●エントリー情報と採用プロセス●

【受付開始～終了】[総][技]12月～8月【採用プロセス】[総][技]説明会・ES(希望職種提出)→適性検査→面接(2回)→内々定【交通費支給】最終面接、実費(特急列車・飛行機・長距離バス利用者)【早期選考】⇒巻末

試験情報

[重視科目] [総][技]全て

[総][技][ES]⇒巻末[筆]玉手箱[面]2回(Webあり)

[選考ポイント] [総][技][ES]NA(提出あり)[面]自分自身の考え 論理的思考 課題解決力 コミュニケーション能力

[通過率] [総][技][ES]NA

[倍率(応募/内定)] [総][技]NA

●男女別採用数と配属先ほか●

【男女・文理別採用実績】

	大卒男	大卒女	修士男	修士女
23年	NA(文NA理NA)	NA(文NA理NA)	NA(文NA理NA)	NA(文NA理NA)
24年	NA(文NA理NA)	NA(文NA理NA)	NA(文NA理NA)	NA(文NA理NA)
25年	NA(文NA理NA)	NA(文NA理NA)	NA(文NA理NA)	NA(文NA理NA)

【25年4月入社者の採用実績校】
[文]NA [理]NA

【24年4月入社者の配属先】
[総]勤務地:東京(稲城 大森) 部署:国内営業 海外営業 事業推進 購買 コーポレート 財務経理 [技]勤務地:東京(稲城 有明) 埼玉(熊谷 大宮)群馬・前橋 部署:ハード開発 SE・ソフト開発 サービスビジネス

[残業(月)] 24.0時間 [総]24.0時間

[記者評価] 富士通の完全子会社。燕市の洋食器製造で創業。現在はATM、POSシステムが柱。DXによる生産体制を構築。手のひら静脈認証システム、RFIDに強み。米法人買収で生体認証に厚み。患者案内システム、公営競技の発払機にも展開。グローバル人材の育成に注力。

●給与、ボーナス、週休、有休ほか●

【30歳総合職平均年収】556万円【初任給】(修士)257,500円(大卒)241,000円【ボーナス(年)】NA、4.85カ月【25、30、35歳賃金】NA【週休】完全2日(土日)【夏期休暇】一斉年休5日【年末年始休暇】連続6日【有休取得】14.8／20日

●従業員数、勤続年数、離職率ほか●

【男女別従業員数、平均年齢、平均勤続年数】計 ◇1,499(48.6歳 26.0年) 男 1,259(49.4歳 26.7年) 女 240(44.8歳 22.6年) ※定年後再雇用含む【離職率と離職者数】2.9%、44名【3年後新卒定着率】NA【組合】あり

[求める人材] 不確実なビジネス環境下でも、最適なソリューションを提供できる人材

[会社データ] (金額は百万円)

【本社】206-8555 東京都稲城市矢野口1776
☎042-377-5111 https://www.fujitsu.com/jp/frontech/
【社長】渡部 広史【設立】1940.11【資本金】8,457【今後力を入れる事業】金融、流通、医療等のハード、ソフト、サービス事業

【業績(単独)】	売上高	営業利益	経常利益	純利益
22.3	68,439	▲402	312	▲564
23.3	77,574	1,022	1,872	958
24.3	90,800	5,053	5,928	4,629

日本シイエムケイ(株)

にっぽん

[東京P 6958]

【特色】プリント配線板の専業大手。自動車関連に強み

修士・大卒採用数	3年後離職率	有休取得年平均	平均年収(平均48歳)
5名	25.0→7.7%	13.1日	◇565万円

●エントリー情報と採用プロセス●

【受付開始～終了】[総][技]3月～継続中【採用プロセス】[総][技]説明会(必須)→ES提出→適性試験→面接(2回)→内々定【交通費支給】最終面接以降、首都圏以外から参加の場合実費

試験情報

[重視科目] [総][技]面接

[総][技][ES]⇒巻末[筆]WebTAP[面]2回(Webあり)

[選考ポイント] [総][技][ES]適性試験との総合判断[面]表現力 理解力 志望度 職務適性

[通過率] [総][ES]75%(受付:118→通過:89) [技][ES]80%(受付:20→通過:16)

[倍率(応募/内定)] [総]39倍 [技]20倍

●男女別採用数と配属先ほか●

【男女・文理別採用実績】

	大卒男	大卒女	修士男	修士女
23年	3(文 3理 0)	0(文 0理 0)	0(文 0理 0)	0(文 0理 0)
24年	6(文 4理 2)	0(文 0理 0)	1(文 0理 1)	0(文 0理 0)
25年	3(文 3理 0)	1(文 1理 0)	1(文 0理 1)	0(文 0理 0)

※25年：継続中

【25年4月入社者の採用実績校】
[文](大)追手門学大 駿河台大 大東文化大 亜大各1 [理](院)新潟大1

【24年4月入社者の配属先】
[総]勤務地:埼玉2 愛知1 大阪1 部署:営業4 [技]勤務地:新潟3 部署:技術3

[残業(月)] 27.0時間

[記者評価] プリント配線板最大手。産業用・民生用の各種配線板や電子デバイスを生産。配線板の年産面積は東京ドーム85個分。自動車向けが売上の8割。自動運転や電動化のミリ波センサーで使われる高精細回路基板を強化。24年5月ドイツに生産現法開設、ドイツ車向け深耕。

●給与、ボーナス、週休、有休ほか●

【30歳総合職平均年収】NA【初任給】(修士)230,800円(大卒)210,300円【ボーナス(年)】NA、3.2カ月【25、30、35歳賃金】NA→364,688円→NA【週休】完全2日(土日祝、会社カレンダーあり)【夏期休暇】3日＋有休利用で最大10日【年末年始休暇】4日＋有休利用で最大10日【有休取得】13.1／20日

●従業員数、勤続年数、離職率ほか●

【男女別従業員数、平均年齢、平均勤続年数】計 ◇1,156(48.0歳 18.9年) 男 969(48.5歳 19.3年) 女 187(45.7歳 16.6年)【離職率と離職者数】◇12.0%、157名【3年後新卒定着率】92.3%(男90.9%、女100%、3年前入社:男11名・女2名)【組合】あり

[求める人材] 物事に興味を持って取り組める人 人とのコミュニケーションを取るのが好きな人

[会社データ] (金額は百万円)

【本社】163-1388 東京都新宿区西新宿6-5-1 新宿アイランドタワー 43階
☎03-5323-0231 https://www.cmk-corp.com/
【社長】石坂 嘉章【設立】1961.2【資本金】24,096【今後力を入れる事業】IoT 医療 宇宙分野など

【業績(連結)】	売上高	営業利益	経常利益	純利益
22.3	81,486	3,021	3,305	2,785
23.3	83,840	2,605	3,262	1,588
24.3	90,568	3,529	4,795	3,855

㈱タムロン

東京P 7740

【特色】カメラ用交換レンズで世界的。監視カメラ用も

修士・大卒採用数	3年後離職率	有休取得年平均	平均年収(平均43歳)
15名	5.6→16.7%	15.6日	[総]792万円

残業(月) 16.9時間 [総]16.9時間

記者評価 カメラ用交換レンズが事業柱。自社ブランド交換レンズは高性能かつ値段も手ごろで人気。OEM生産も。監視カメラや車載用レンズも成長中。国内に加えて中国とベトナムに製造拠点を持つ。「現場・現物・現実」を見て判断する「三現主義」が伝統的社風。

●エントリー情報と採用プロセス●

【受付開始～終了】[総][技]3月～7月【採用プロセス】[総][技]説明会(任意)→ES提出・Webテスト→面接(3回)・適性検査→内々定【交通費支給】3次面接以降、実費相当【早期選考】⇒巻末

試験情報

重視科目 [総][技]面接

[総][技][ES]⇒巻末[筆]SPI3(自宅) 適性検査 英語[面]3回(Webあり)

選考ポイント [総][技][ES]NA(提出あり)[面]NA

通過率 [総][ES]NA(受付:34→通過:NA) [技][ES]NA(受付:31→通過:NA)

倍率(応募/内定) [総]ー [技]6倍

●給与、ボーナス、週休、有休ほか●

【30歳総合職平均年収】NA【初任給】(修士)263,300円(大卒)248,300円【ボーナス(年)】NA、5.0カ月【25、30、35歳賃金】NA【週休】完全2日(土日祝)【夏期休暇】連続6日(週休祝日含む、有休時季指定5日)【年末年始休暇】連続7日【有休取得】15.6／20日

●従業員数、勤続年数、離職率ほか●

【男女別従業員数、平均年齢、平均勤続年数】計 ◇947(43.0歳 16.7年) 男 777(43.4歳 17.0年) 女 170(41.2歳 15.3年)【離職率と離職者数】◇2.2%、21名【3年後新卒定着率】83.3%(男75.0%、女100%、3年前入社:男4名・女2名)【組合】あり

●男女別採用数と配属先ほか●

【男女・文理別採用実績】

	大卒男	大卒女	修士男	修士女
23年	5(文 4 理 1)	1(文 0 理 1)	8(文 0 理 8)	2(文 0 理 2)
24年	1(文 0 理 1)	0(文 0 理 0)	6(文 0 理 6)	0(文 0 理 0)
25年	2(文 1 理 1)	1(文 0 理 1)	10(文 0 理 10)	2(文 0 理 2)

【25年4月入社者の採用実績校】[文](大)鳥取大1 [理](院)筑波大2 東北大 東京農工大 東京学芸大 千葉大 宇都宮大 茨城大 東理大 東京都市大 東京電機大 立命館大各1(大)富山大 芝工大各1

【24年4月入社者の配属先】[総]勤務地:なし 部署:なし [技]勤務地:さいたま7 部署:光学設計1 機構設計2 電子設計2 ソフトウェア開発2

求める人材 自ら考え、積極的に行動できる人材

会社データ (金額は百万円)

【本社】337-8556 埼玉県さいたま市見沼区蓮沼1385
☎048-684-9111　https://www.tamron.com/jp/
【社長】桜庭 省吾【設立】1952.10【資本金】6,923【今後力を入れる事業】モビリティ ヘルスケア 他

【業績(連結)】	売上高	営業利益	経常利益	純利益
21.12	57,539	7,408	7,531	5,173
22.12	63,445	11,038	11,496	8,350
23.12	71,426	13,607	13,972	10,812

オリエンタルモーター㈱

株式公開計画なし

【特色】精密小型モーターの専業メーカー。海外展開進む

修士・大卒採用数	3年後離職率	有休取得年平均	平均年収(平均43歳)
51名	9.5→4.4%	14.7日	[総]811万円

残業(月) 5.9時間 [総]7.2時間

記者評価 日本で初めて標準化した精密小型モーターと制御用電子回路が主力。家庭用機器、産業用設備機器、半導体製造装置など用途は幅広い。制御用ステッピングモーターが売り上げの約6割を占める。海外売上比率は約5割。東京ショールームを全面改装し先進性訴求。

●エントリー情報と採用プロセス●

【受付開始～終了】[総][技]3月～継続中【採用プロセス】[総][技]説明会(必須、3月～)→ES提出(3月)→論作文・適性検査(3月～)→面接(3回、3月～)→内々定(4月～)【交通費支給】最終面接、遠地在住者のみ新幹線代【早期選考】⇒巻末

試験情報

重視科目 [総][技]面接

[総][技][ES]⇒巻末[筆]適性検査[面]3回(Webあり)[GD作]⇒巻末

選考ポイント [総][ES]NA(提出あり)[面]コミュニケーション能力 行動力 柔軟性 協調性 積極性 忍耐力 他 [技][ES]NA(提出あり)[面]コミュニケーション能力 行動力 柔軟性 協調性 積極性 忍耐力 独創性 モノづくり経験 他

通過率 [総][ES]NA(受付:350→通過:NA) [技][ES]NA(受付:70→通過:NA)

倍率(応募/内定) [総]21倍 [技]6倍

●給与、ボーナス、週休、有休ほか●

【30歳総合職平均年収】625万円【初任給】(博士)314,000円(修士)281,700円(大卒)255,200円【ボーナス(年)】276万円、6.0カ月【25、30、35歳賃金】278,673円→343,773円→383,220円【週休】完全2日(土日祝)【夏期休暇】8月11～16日【年末年始休暇】12月30日～1月4日【有休取得】14.7／20日

●従業員数、勤続年数、離職率ほか●

【男女別従業員数、平均年齢、平均勤続年数】計 ◇1,969(40.9歳 16.4年) 男 1,203(42.1歳 18.7年) 女 766(38.4歳 12.9年)【離職率と離職者数】◇3.5%、72名【3年後新卒定着率】95.6%(男96.7%、女93.3%、3年前入社:男30名・女15名)【組合】なし

●男女別採用数と配属先ほか●

【男女・文理別採用実績】

	大卒男	大卒女	修士男	修士女
23年	24(文 18 理 6)	16(文 16 理 0)	7(文 0 理 7)	0(文 0 理 0)
24年	17(文 8 理 9)	18(文 16 理 2)	1(文 0 理 1)	0(文 0 理 0)
25年	21(文 16 理 5)	22(文 22 理 0)	6(文 0 理 6)	2(文 0 理 2)

【25年4月入社者の採用実績校】[文](大)武蔵大4 大阪経大2 徳島大 北九州市大 明大 日大 専大 國學院大 龍谷大 立正大 横浜商大 台湾師範大各1 [理](院)茨城大3 北九州市大 長岡技科大 明大 東京電機大 千葉工大各1(大)東京電機大 日大 神奈川大各1

【24年4月入社者の配属先】[総]勤務地:東京・小島3 神奈川・海老名2 愛知(名古屋2 豊田1)大阪2 京都1 部署:営業11 [技]勤務地:茨城(つくば2 土浦1)山形・鶴岡2 福島・相馬1 香川・高松1 部署:開発設計6 製造技術1

求める人材 自分で考え判断し行動できる人 失敗を恐れずチャレンジする人 モノづくりが好きな人

会社データ (金額は百万円)

【本社】110-8536 東京都台東区東上野4-8-1
☎03-6744-0411　https://www.orientalmotor.co.jp/
【社長】川人 英二【設立】1950.2【資本金】4,100【今後力を入れる事業】産業機器全般

【業績(連結)】	売上高	営業利益	経常利益	純利益
22.3	66,894	9,678	9,638	7,225
23.3	71,881	11,109	11,272	7,995
24.3	60,778	5,015	5,090	3,594

㈱日立国際電気（ひたちこくさいでんき）

[株式公開計画なし]

【特色】無線、放送システムを製造。半導体装置は分離

修士・大卒採用数	3年後離職率	有休取得年平均	平均年収(平均47歳)
44名	12.8→23.8%	16.8日	NA

●エントリー情報と採用プロセス●

【受付開始～終了】[総][技]3月～継続中【採用プロセス】[総][技]ES提出(3月～)→筆記・面接(2～3回)→内々定(6月上旬～)【交通費支給】2次面接以降、会社基準

試験情報

[重視科目] [総][技]面接

[総][技][ES]⇒巻末[筆]WebGAB[面]2～3回(Webあり)

[選考ポイント] [総][技][ES]NA(提出あり)[面]専門基礎能力 入社意欲 コミュニケーション能力

[通過率] [総][技][ES]NA

[倍率(応募/内定)] [総][技]NA

●男女別採用数と配属先ほか●

【男女・文理別採用実績】

	大卒男	大卒女	修士男	修士女
23年	24(文 4理 20)	4(文 0理 4)	13(文 0理 13)	0(文 0理 0)
24年	22(文 8理 14)	9(文 3理 6)	11(文 0理 11)	2(文 0理 2)
25年	-(文 -理 -)	-(文 -理 -)	-(文 -理 -)	-(文 -理 -)

※25年:44名採用予定

【25年4月入社者の採用実績校】[文](24年)(大)一橋大3 明大2 中大 津田塾大 東京都市大 日大 法政大 名古屋学院大各1 [理](24年)(院)茨城大 東理大各2 九州工大 山形大 秋田県大 千葉工大 大阪工大 東京農工大 日大 名城大 龍谷大各1(大)東京電機大2 お茶女大 茨城大 京都工繊大 慶大 千歳科技大 山形大 山梨大 鹿児島大 芝工大 秋田県大 奈良女大 南山大 日大 福岡工大 福岡大 法政大 明大 立命館大各1(高専)秋田 鶴岡各1

【24年4月入社者の配属先】

[総]勤務地:東京5 部署:営業2 経理1 人事1 法務1 [技]勤務地:東京41 部署:設計・SE39 研究2

残業(月) 19.5時間

記者評価 2000年に国際電気、日立電子、八木アンテナが合併して発足。無線通信技術、映像監視・画像処理技術を軸に、防災無線やテレビ放送機器などを手がける。AIを利用した画像処理システムに注力。23年から日清紡HD傘下。24年12月に国際電気に社名変更予定。

●給与、ボーナス、週休、有休ほか●

【30歳総合職平均年収】NA【初任給】(修士)275,000円(大卒)250,000円【ボーナス(年)】NA【25、30、35歳賃金】NA【週休】完全2日(土日祝)【夏期休暇】連続9日(一斉年休及び土日含む)【年末年始休暇】連続6日【有休取得】16.8／24日

●従業員数、勤続年数、離職率ほか●

【男女別従業員数、平均年齢、平均勤続年数】計 1,383(47.1歳 22.3年) 男 1,238(47.3歳 22.5年) 女 145(45.0歳 21.1年)【離職率と離職者数】4.3%、62名【3年後新卒定着率】76.2%(男82.4%、女50.0%、3年前入社:男34名・女8名)【組合】あり

求める人材 人まかせにせず、自ら考え、率先して行動する人 仲間を理解し、大切にする人 何事にも誠実に取り組む人 目標を高く掲げ挑戦する人 成長し続けることを楽しむ人

会社データ (金額は百万円)

【本社】105-8039 東京都港区西新橋2-15-12 日立愛宕別館
☎03-5510-5931 https://www.hitachi-kokusai.co.jp/
【社長】佐久間 嘉一郎【設立】1949.11【資本金】1,000【今後力を入れる事業】5G AI

【業績(単独)】	売上高	営業利益	税前利益	純利益
22.3	54,791	4,036	5,065	4,024
23.3	52,947	3,318	4,954	4,016
24.3	50,572	985	1,940	1,799

東京計器㈱（とうきょうけいき）

[東京P 7721]

【特色】航海・航空計器大手。防衛省向け中心に民需も

修士・大卒採用数	3年後離職率	有休取得年平均	平均年収(平均42歳)
29名	9.5→11.5%	12.5日	[総]643万円

●エントリー情報と採用プロセス●

【受付開始～終了】[総][技]3月～未定【採用プロセス】[総][技]ES提出(3月)→書類選考(3月)→Webテスト・面接(3回、3月下旬～4月下旬)→内々定(4月下旬)【交通費支給】最終面接、居住地毎に設定【早期選考】⇒巻末

試験情報

[重視科目] [総][技]面接

[総][技][ES]⇒巻末[筆]SPI3(自宅) 性格検査[面]3回(Webあり)

[選考ポイント] [総][技][ES]NA(提出あり)[面]コミュニケーション力・論理性・挑戦意欲・実行力

[通過率] [総][技][ES]NA

[倍率(応募/内定)] [総][技]NA

●男女別採用数と配属先ほか●

【男女・文理別採用実績】

	大卒男	大卒女	修士男	修士女
23年	14(文 5理 9)	5(文 3理 2)	8(文 0理 8)	1(文 0理 1)
24年	19(文 8理 11)	1(文 1理 0)	5(文 1理 4)	1(文 1理 0)
25年	17(文 7理 10)	2(文 2理 0)	9(文 0理 9)	1(文 0理 1)

※25年:24年8月7日時点

【25年4月入社者の採用実績校】[文](大)啓明大2 明大 立命館大 愛知県大 成城大 法政大 愛知淑徳大 大阪商大各1 [理](院)宇都宮大2 東京科学大 東京電機大 東京工科大 芝工大 電通大 群馬大 岩手大 徳島大各1(大)日大4 帝京大 山形大 中大 近大 東義大 仁川大各1(高専)小山1

【24年4月入社者の配属先】[総]勤務地:東京・蒲田9 大阪1 栃木・那須2 部署:営業7 生産管理1 財務1 経理1 総務1 工場管理1 [技]勤務地:東京・蒲田5 栃木(那須4 矢板4 佐野3) 部署:設計開発6 生産技術4 品質保証3 サービス2 試験分析1

残業(月) 15.8時間 [総]15.8時間

記者評価 1896年圧力計で創業、航海・航空計器へと業容を広げた精密機器メーカー。防衛・通信機器や油空圧機器、船舶港湾機器など幅広い。超音波レール探傷車にも強み。2030年までの中計でエッジAI、水素・エネルギー、宇宙、鉄道、ライフサイエンス各事業強化掲げる。

●給与、ボーナス、週休、有休ほか●

【30歳総合職平均年収】466万円【初任給】(博士)295,500円(修士)256,000円(大卒)228,000円【ボーナス(年)】151万円、4.1カ月【25、30、35歳賃金】250,741円→286,376円→327,500円【週休】完全2日(土日祝)【夏期休暇】7日(7月最終週+盆休み)【年末年始休暇】5日【有休取得】12.5／20日

●従業員数、勤続年数、離職率ほか●

【男女別従業員数、平均年齢、平均勤続年数】計 ◇1,389(43.2歳 16.3年) 男 1,169(43.4歳 16.9年) 女 220(42.4歳 13.4年)【離職率と離職者数】◇3.1%、44名【3年後新卒定着率】88.5%(男86.4%、女100%、3年前入社:男22名・女4名)【組合】あり

求める人材 果敢に挑戦する人

会社データ (金額は百万円)

【本社】144-8551 東京都大田区南蒲田2-16-46
☎03-3732-2111 https://www.tokyokeiki.jp/
【社長】安藤 毅【設立】1948.12【資本金】7,218【今後力を入れる事業】船舶港湾 油空圧 流体 防衛・通信事業 他

【業績(連結)】	売上高	営業利益	経常利益	純利益
22.3	41,510	1,635	1,926	1,493
23.3	44,296	1,312	1,687	873
24.3	47,166	2,768	2,990	2,277

メーカーI

エスエムケイ
SMK(株)

東京P 6798

【特色】コネクター、タッチパネル等の電子部品メーカー

修士・大卒採用数	3年後離職率	有休取得年平均	平均年収(平均45歳)
12名	0→16.7%	14.0日	総720万円

残業(月) 4.6時間 総4.9時間

記者評価 コネクターは、自動車向けでは多くの大手部品メーカーが顧客。通信向けでは中国マホメーカーや米国でも有力顧客を抱える。5GやCASEに注力。リモコンやタッチパネルも手がけ、特定顧客から大型案件の受注も。米・中などに海外拠点。海外売上比率7割弱。

●エントリー情報と採用プロセス●

【受付開始～終了】総技2月～継続中【採用プロセス】総技説明会(必須、2月～)→ES提出(2月～)→筆記(2月～)→面接(2～3回、2月～)→内々定(2月～)※通年採用【交通費支給】最終面接、実費(上限20,000円)【早期選考】⇒巻末

試験情報

重視科目 総技面接

総 技 ES⇒巻末筆一般常識 性格検査面2～3回(Webあり)

選考ポイント 総ES継続して取り組んでいることがあるか ものづくりに興味があるか 文章に論理性があるか面志望動機 積極性 表現力 判断力 論理性 応対態度 専門知識 技ES興味の対象が当社の業務内容と関連しているか面総合職共通

通過率 総ES43%(受付:105→通過:45) 技ES88%(受付:50→通過:44)

倍率(応募/内定) 総35倍 技25倍

●給与、ボーナス、週休、有休ほか●

【30歳総合職平均年収】584万円【初任給】(博士)257,800円(修士)256,000円(大卒)232,000円【ボーナス(年)】(組合員)144万円、4.0カ月【25、30、35歳賃金】266,478円→333,233円→402,100円【週休】完全2日(土日)【夏期休暇】連続4日【年末年始休暇】連続7日【有休取得】14.0／20日

●従業員数、勤続年数、離職率ほか●

【男女別従業員数、平均年齢、平均勤続年数】計607(45.4歳 20.0年) 男397(45.8歳 19.0年) 女210(44.8歳 22.0年)【離職率と離職者数】3.0%、19名【3年後新卒定着率】83.3%(男85.7%、女80.0%、3年前入社:男7名・女5名)【組合】あり

●男女別採用数と配属先ほか●

【男女・文理別採用実績】※25年:予定数

	大卒男	大卒女	修士男	修士女
23年	7(文 3理 4)	2(文 1理 1)	3(文 1理 2)	0(文 0理 0)
24年	3(文 3理 0)	2(文 2理 0)	2(文 0理 2)	4(文 4理 0)
25年	5(文 3理 2)	5(文 3理 2)	1(文 0理 1)	1(文 1理 0)

【25年4月入社者の採用実績校】
文(24年)(院)横国大2 北大 早大各1(大)日大2 関大 群馬県女大 テンプル大各1 理(24年)(院)九大 東工大各1

【24年4月入社者の配属先】
総勤務地:東京8 部署:営業3 経営企画2 生産管理1 人事1 経理1 技勤務地:東京3 部署:設計2 システム開発1

求める人材 グローバルなビジネスフィールドに対応できる人材

会社データ (金額は百万円)

【本社】142-8511 東京都品川区戸越6-5-5
☎03-3785-1111　https://www.smk.co.jp/
【社長】池田 靖光【設立】1929.1【資本金】7,996【今後力を入れる事業】情報通信 自動車 医療 環境 スマートライフ 他

【業績(連結)】	売上高	営業利益	経常利益	純利益
22.3	48,243	703	3,413	2,992
23.3	54,842	1,128	2,503	1,334
24.3	46,522	▲1,243	226	▲489

(株)アイ・オー・データ機器

株式公開していない

【特色】PC周辺機器大手。ファブレス経営が特徴

修士・大卒採用数	3年後離職率	有休取得年平均	平均年収(平均43歳)
0名	26.7→16.7%	14.0日	総470万円

残業(月) 17.6時間 総17.6時間

記者評価 HDD、メモリ、液晶モニターなどPC周辺機器が主力。量販店向け主体だが、法人向けも強化。Eスポーツやゲーミング関連などにも注力。22年6月MBOにより上場廃止。24年6月、英社とLinux OSのライセンス契約を締結、同OSプリインストール機器の販売などを展開へ。

●エントリー情報と採用プロセス●

【受付開始～終了】総技8月～継続中【採用プロセス】総技面談・会社説明(8月～)→ES提出→書面選考→1次面接(9月～)→2次面接(9月～)→最終面接(10月～)→内々定(10～11月)【交通費支給】2次面接、現住所からの実費

試験情報

重視科目 総技面接

総ES⇒巻末筆OPQ 総合適性テスト面3回(Webあり)GD作NA 技ES⇒巻末筆OPQ 専門試験(自社オリジナル)面3回(Webあり)GD作NA

選考ポイント 総技ESものの考え方 考えたことを言葉に変換するセンス面考え方や価値観が当社に合うか

通過率 総技ESNA

倍率(応募/内定) 総技NA

●給与、ボーナス、週休、有休ほか●

【30歳総合職平均年収】410万円【初任給】(修士)225,000円(大卒)214,500円【ボーナス(年)】NA、3.0カ月【25、30、35歳賃金】NA【週休】完全2日(土日祝)【夏期休暇】連続3日【年末年始休暇】連続6日【有休取得】14.0／20日

●従業員数、勤続年数、離職率ほか●

【男女別従業員数、平均年齢、平均勤続年数】計486(45.1歳 16.6年) 男294(46.5歳 17.6年) 女192(42.9歳 14.9年)【離職率と離職者数】NA【3年後新卒定着率】83.3%(男60.0%、女100%、3年前入社:男5名・女7名)【組合】あり

●男女別採用数と配属先ほか●

【男女・文理別採用実績】

	大卒男	大卒女	修士男	修士女
23年	0(文 0理 0)	2(文 0理 2)	3(文 0理 3)	1(文 0理 1)
24年	2(文 0理 2)	1(文 0理 1)	0(文 0理 0)	1(文 1理 0)
25年	0(文 0理 0)	0(文 0理 0)	0(文 0理 0)	0(文 0理 0)

【25年4月入社者の採用実績校】
文なし 理なし

【24年4月入社者の配属先】
総勤務地:金沢1 部署:広報宣伝1 技勤務地:金沢3 部署:企画開発3

求める人材 枠に捉われず自らを成長させ、また組織にも成長をもたらす"学び手"となりうる人材

会社データ (金額は百万円)

【本社】920-8512 石川県金沢市桜田町3-10
☎076-260-3377　https://www.iodata.jp/
【会長】細野 昭雄【設立】1976.1【資本金】3,588【今後力を入れる事業】NA

【業績(単独)】	売上高	営業利益	経常利益	純利益
22.6	NA	NA	NA	NA
23.6	46,557	NA	NA	NA
24.6	42,534	NA	NA	NA

メーカーI

メクテック(株)

[株式公開計画なし]

【特色】NOKの完全子会社。FPC中心の電子部品メーカー

修士・大卒採用数	3年後離職率	有休取得年平均	平均年収(平均44歳)
NA	—	NA	NA

●エントリー情報と採用プロセス●

【受付開始～終了】[総][技]3月～継続中【採用プロセス】[総]説明会(Web含む、必須、3月～)→Webテスト(3月～)→ES提出・面接(3回)→内々定 [技]説明会(Web含む、必須、3月～)→Webテスト(3月～)→ES提出・面接(4回)→内々定【交通費支給】最終選考、実費

試験情報

[重視科目] [総][技]面接

[総][ES]⇒巻末[筆]WebGAB[面]3回(Webあり)[GD作]NA [技][ES]⇒巻末[筆]WebGAB[面]4回(Webあり)[GD作]NA

[選考ポイント] [総][面]協調性 社会性 [技][面]協調性 社会性 技術的センス

[通過率] [総][技][ES]選考なし(受付:NA)

[倍率(応募/内定)] [総][技]NA

●男女別採用数と配属先ほか●

【男女・文理別採用実績】

	大卒男	大卒女	修士男	修士女
23年	5(文 2理 3)	1(文 1理 0)	1(文 0理 1)	0(文 0理 0)
24年	2(文 2理 0)	1(文 1理 0)	8(文 0理 8)	0(文 0理 0)
25年	NA(文NA理NA)	NA(文NA理NA)	NA(文NA理NA)	NA(文NA理NA)

※25年:NOKグループ採用、計画数はNOK(株)に掲載

【25年4月入社者の採用実績校】
[文]グループ採用のためNOK(株)に掲載 [理]グループ採用のためNOK(株)に掲載

【24年4月入社者の配属先】
[総]勤務地:(23年)東京・台東2 部署:(23年)営業2 [技]勤務地:(23年)茨城・牛久5 部署:(23年)品質管理1 システム1 生産技術・製造技術2 設計1

[残業(月)] NA

[記者評価] NOK傘下。フレキシブルプリント基板(FPC)を中心とした電子部品メーカー。開発・設計・材料生産・FPC生産・販売まで一貫体制構築。早くからグローバルに展開し、中国、台湾などアジア中心に製販拠点多数。ドイツでも生産。24年7月日本メクトロンから商号変更。

●給与、ボーナス、週休、有休ほか●

【30歳総合職平均年収】NA【初任給】(博士)280,000円(修士)254,000円(大卒)232,500円【ボーナス(年)】NA【25、30、35歳賃金】NA【週休】完全2日(土日祝)(祝日週土曜出勤)【夏期休暇】連続9日【年末年始休暇】連続8日【有休取得】NA/20日

●従業員数、勤続年数、離職率ほか●

【男女別従業員数、平均年齢、平均勤続年数】計◇433(44.2歳 21.6年) 男 366(44.6歳 21.7年) 女 67(42.2歳 20.6年) ※出向者を除く【離職率と離職者数】1.4%、6名【3年後新卒定着率】3年前採用なし【組合】あり

[求める人材] NOKグループの価値観RESPECT、IGNITE、EXPLORE、EXCEEDに共感し、挑戦・行動できる人

[会社データ] (金額は百万円)

【本社】105-8585 東京都港区芝大門1-12-15 正和ビル
☎03-3438-3604 https://www.mektron.co.jp/
【社長】伊藤 太郎【設立】1969.11【資本金】5,000【今後力を入れる事業】スマホ向けFPC 車載品用FPC

【業績(単独)】	売上高	営業利益	経常利益	純利益
22.3	20,944	▲3,342	3,345	3,068
23.3	19,402	▲2,979	4,882	▲1,201
24.3	20,273	▲1,541	6,210	▲6,127

(株)ナカヨ

[東京S 6715]

【特色】電話機や交換機の中堅メーカー。IPホンに注力

修士・大卒採用数	3年後離職率	有休取得年平均	平均年収(平均44歳)
7名	9.5→36.0%	15.3日	◇471万円

●エントリー情報と採用プロセス●

【受付開始～終了】[総][技]3月～継続中【採用プロセス】[総][技]説明会(必須、2月～)→書類・ES提出(3月～)→1次面接→Web適性検査→2次面接・筆記→最終面接→内々定【交通費支給】最終面接、実費

試験情報

[重視科目] [総][技]面接

[総][技][ES]⇒巻末[筆]一般常識 SCOA SCOA-B[面]3回(Webあり)

[選考ポイント] [総][技][ES]NA(提出あり)[面]質問に対して的確・簡潔に答えているか 自分を理解して表現できているか 問題解決能力 自分の言葉・考えで答えているか

[通過率] [総][技][ES]NA

[倍率(応募/内定)] [総][技]NA

●男女別採用数と配属先ほか●

【男女・文理別採用実績】

	大卒男	大卒女	修士男	修士女
23年	5(文 4理 1)	2(文 2理 0)	1(文 0理 1)	0(文 0理 0)
24年	5(文 2理 3)	0(文 0理 0)	0(文 0理 0)	0(文 0理 0)
25年	6(文 2理 4)	1(文 1理 0)	0(文 0理 0)	0(文 0理 0)

※25年:継続中

【25年4月入社者の採用実績校】
[文](大)東洋大 東京農業大各1 [理](大)埼玉工大3 明星大1 (専)中央情報大学校1

【24年4月入社者の配属先】
[総]勤務地:群馬2 大阪1 部署:製造1 工務1 営業1 [技]勤務地:群馬3 部署:ソフト1 ハード1 品証1

[残業(月)] [総]13.0時間

[記者評価] 日立、NTT東西との取引が多い。中堅・中小企業向けにビジネスホンを販売。FM放送の起動信号を受信すると自動で起動する防災ラジオは緊急時対応として自治体で好評。次世代を見据え、IoTやAIなど新技術を組み込んだモノづくりに経営資源を投入。無借金経営。

●給与、ボーナス、週休、有休ほか●

【30歳総合職平均年収】NA【初任給】(修士)221,500円(大卒)210,000円【ボーナス(年)】NA、3.1カ月【25、30、35歳賃金】NA【週休】完全2日(土日)【夏期休暇】有休で取得【年末年始休暇】基本12月28日～1月3日 職場により有休で取得の場合もあり【有休取得】15.3/20日

●従業員数、勤続年数、離職率ほか●

【男女別従業員数、平均年齢、平均勤続年数】計◇764(44.3歳 17.9年) 男 617(45.0歳 18.7年) 女 147(41.5歳 15.0年)【離職率と離職者数】◇6.0%、49名【3年後新卒定着率】64.0%(男66.7%、女50.0%、3年前入社:男21名・女4名)【組合】あり

[求める人材] 応用力とコミュニケーション能力があり、素直に反応出来る人

[会社データ] (金額は百万円)

【本社】371-0853 群馬県前橋市総社町1-3-2
☎027-253-1111 https://www.nyc.co.jp/
【社長】貫井 俊明【設立】1944.5【資本金】4,909【今後力を入れる事業】インターホン市場 IoT事業 VD事業 他

【業績(連結)】	売上高	営業利益	経常利益	純利益
22.3	18,587	86	218	281
23.3	17,086	▲974	▲858	▲708
24.3	17,220	▲660	▲598	▲1,268

㈱エヌエフホールディングス

東京S 6864

【特色】電子計測器で高シェア。アナログ技術に強み

修士・大卒採用数	3年後離職率	有休取得年平均	平均年収(平均NA)
4名	0→0%	9.6日	◇749万円

●エントリー情報と採用プロセス●

【受付開始～終了】総技3月～継続中【採用プロセス】総技説明会(任意、3月)→ES提出(3月)→1次面接・適性検査・筆記(4月)→2次面接(5月)→最終面接(5月)→内々定(6月)【交通費支給】筆記テスト、往復交通費、宿泊費

試験情報

重視科目 総技面接

総 ES⇒巻末 筆C-GAB 一般常識 面3回(Webあり) GD作⇒巻末 技 ES⇒巻末 筆C-GAB 一般常識 数学 専門科目 面3回(Webあり)

選考ポイント 総技 ES NA(提出あり) 面学生時代に学んだこと中心

通過率 総 ES100%(受付:(早期選考含む)7→通過:(早期選考含む)7) 技 ES100%(受付:(早期選考含む)49→通過:(早期選考含む)49)

倍率(応募/内定) 総(早期選考含む)7倍 技(早期選考含む)12倍

●男女別採用数と配属先ほか●

【男女・文理別採用実績】

	大卒男	大卒女	修士男	修士女
23年	1(文 1理 0)	0(文 0理 0)	2(文 0理 2)	0(文 0理 0)
24年	0(文 0理 0)	1(文 1理 0)	0(文 0理 0)	0(文 0理 0)
25年	0(文 0理 0)	2(文 0理 2)	2(文 0理 2)	0(文 0理 0)

※グループ全体での採用数

【25年4月入社者の採用実績校】

文なし 理(院)兵庫県大 宮崎大各1(大)帝京科学大 山口大各1(高専)群馬1

【24年4月入社者の配属先】

総勤務地:横浜1 部署:経理1 技勤務地:なし 部署:なし

残業(月) 35.0時間 総35.0時間

記者評価 NF(ネガティブ・フィードバック)制御技術など、高精度な計測・制御を実現する独自の技術基盤を武器に、電子計測器や電源機器、電子部品など展開。技術志向型企業。自動車・デジタル家電や宇宙関連まで幅広く製品を供給。海外は米国、中国に拠点。

●給与、ボーナス、週休、有休ほか●

【30歳総合職平均年収】NA【初任給】(修士)238,600円(大卒)210,200～215,700円【ボーナス(年)】NA【25、30、35歳賃金】NA【週休】完全2日(土日祝)【夏期休暇】連続9日(8月中旬)【年末年始休暇】連続7日【有休取得】9.6／20日

●従業員数、勤続年数、離職率ほか●

【男女別従業員数、平均年齢、平均勤続年数】計 324(NA) 男 295(NA) 女 29(NA) ※グループ全体【離職率と離職者数】NA【3年後新卒定着率】100%(男100%、女—、3年前入社:男2名・女0名)【組合】なし

求める人材 課題発見力 推進力・実行力 自己実現力・向上力 自律力・自立力

会社データ (金額は百万円)

【本社】223-0052 神奈川県横浜市港北区綱島東6-3-20
☎045-545-8101 https://nfhd.co.jp/
【会長】高橋 常夫【設立】1959.4【資本金】3,317【今後力を入れる事業】ライフサイエンス

【業績(連結)】	売上高	営業利益	経常利益	純利益
22.3	10,148	952	1,058	615
23.3	9,642	467	622	457
24.3	9,399	418	484	323

日本(にほん)テキサス・インスツルメンツ(合同)

株式公開していない

【特色】米TI社の日本法人。アナログICやDSPに強い

修士・大卒採用数	3年後離職率	有休取得年平均	平均年収(平均44歳)
24名	0→0%	18.0日	総788万円

●エントリー情報と採用プロセス●

【受付開始～終了】総技NA【採用プロセス】総技ES提出→説明会→面接→内々定【交通費支給】交通費、実費【早期選考】⇒巻末

試験情報

重視科目 総技NA

総技 筆NA 面3回(Webあり) GD作NA

選考ポイント 総技 ES有無NA 面基本能力 応用力・ポテンシャル 社会性 語学力

通過率 総技 ES NA

倍率(応募/内定) 総技NA

●男女別採用数と配属先ほか●

【男女・文理別採用実績】

	大卒男	大卒女	修士男	修士女
23年	8(文 1理 7)	2(文 0理 2)	14(文 0理 14)	4(文 0理 4)
24年	2(文 1理 1)	2(文 1理 1)	16(文 0理 16)	3(文 0理 3)
25年	14(文 0理 14)	1(文 1理 0)	8(文 0理 8)	1(文 0理 1)

【25年4月入社者の採用実績校】

文NA 理NA

【24年4月入社者の配属先】

NA

残業(月) 12.0時間 総12.0時間

記者評価 米国テキサス州ダラスに本拠を置く半導体大手、テキサス・インスツルメンツ(TI)の日本法人。アナログICやデジタル信号処理に欠かせないDSP、マイクロコントローラーが主力。生産機能は大幅縮小。本体再編受けナショナルセミコンダクターの日本法人統合。

●給与、ボーナス、週休、有休ほか●

【30歳総合職平均年収】555万円【初任給】(博士)426,402円(修士)404,000円(大卒)390,870円【ボーナス(年)】年俸制のためND、NA【25、30、35歳賃金】403,710円→462,273円→579,334円【週休】完全2日(土日祝日)【夏期休暇】2日【年末年始休暇】12月29日～1月3日【有休取得】18.0／20日

●従業員数、勤続年数、離職率ほか●

【男女別従業員数、平均年齢、平均勤続年数】計 723(43.8歳 17.6年) 男 607(44.7歳 18.6年) 女 116(39.2歳 12.0年)【離職率と離職者数】7.3%、57名【3年後新卒定着率】100%(男100%、女100%、3年前入社:男25名・女7名)【組合】なし

求める人材 集積回路や電子機器に興味があり、日本語及び英語で円滑なコミュニケーションが図れること

会社データ (金額は百万円)

【本社】108-0075 東京都港区港南1-2-70 品川シーズンテラス
☎03-4331-2000 https://www.tij.co.jp/
【社長】Luke Lee【設立】1968.5【資本金】500【今後力を入れる事業】半導体の製造・販売
【業績】NA

東京エレクトロン(株)（とうきょう）

東京P 8035

【特色】半導体製造装置世界3位。液晶パネル製造装置も

修士・大卒採用数	3年後離職率	有休取得年平均	平均年収(平均*44歳)
463名	①0.4→①5.3%	13.3日	総1,394万円

●エントリー情報と採用プロセス●

【受付開始～終了】総技3月～6月【採用プロセス】総技イベント(必須、7月～)→適性検査(12月～)→ES提出(12月～)→面接(3回、6月～)→内々定(6月～)【交通費支給】全面接、全社基準【早期選考】⇒巻末

試験情報

重視科目 総技適性検査 面接

総技 ES⇒巻末 筆SPI3(会場) SPI3 面3回(Webあり)

選考ポイント 総技 面コミュニケーション能力 入社後の意欲・目的を具体的に説明できるか

通過率 総 技 ES選考なし(受付:NA) 倍率(応募/内定) 総技NA

●男女別採用数と配属先ほか●

【男女・文理別採用実績】※25年:継続中

	大卒男	大卒女	修士男	修士女
23年	36(文 12理 24)	24(文 19理 5)	221(文 0理221)	19(文 1理 18)
24年	71(文 34理 37)	55(文 40理 15)	209(文 2理207)	23(文 1理 22)
25年	67(文 23理 44)	61(文 41理 20)	302(文 2理300)	33(文 1理 32)

【25年4月入社者の採用実績校】文(院)阪大 復旦大各1(大)慶大6 中大4 早大 明大各3 学習院大 筑波大 法政大 立教大 立命館大各2 東北大 阪大 近大 山形大 静岡大 山梨大 鹿児島大 神戸大 東理大 駒澤大各1 他 理(院)東北大27 九大23 熊本大18 東大15 京大 東京科学大各13 九州工大12 東京農工大 東理大 岩手大各10 阪大 千葉大各8 慶大 鹿児島大 芝工大各7 早大 北大 山梨大 静岡大 筑波大 電通大 立命館大各6 広島大 山形大各5 名大 宮崎大 金沢大 群馬大 大阪公大各4 中大 新潟大 宇都宮大 都立大 同大 日大 山口大各3 横国大 岡山大 佐賀大 信州大 神戸大 明大 青学大各2 横浜市大 学習院大 関西学大 上智大各1 他(大)熊本大5 芝工大 千葉工大 日大各4 東理大 東京電機大各3 明大 法政大 茨城大 近大 福岡工大 北見工大 東海大各2 京大 横国大 学習院大 宮崎大 秋田大 千葉大 早大 電通大 東京海洋大 東北大各1 他(短)熊本技術3 山梨産技2(高専)熊本8 仙台5 一関3 久留米 佐世保 鶴岡 都城 東京 有明各2 茨城 沖縄 香川 鹿児島 秋田 松江 沼津 長野 奈良 八戸 福井 米子各1

【24年4月入社者の配属先】総勤務地:東京(赤坂25 府中7)山梨10 岩手9 宮城7 熊本2 部署:営業31 管理間接29 技勤務地:宮城88 熊本77 山梨55 東京・府中55 岩手12 札幌5 茨城・つくば2 部署:研究開発238 フィールドエンジニア51 製造5

残業(月) 25.5時間 総28.0時間

記者評価 世界的な半導体製造装置メーカー。国内最大手で、半導体関連企業として新卒採用人数圧倒的。露光装置を除くほぼ全工程の製造装置を扱う。シェア9割のコータ・デベロッパに加え、エッチング装置、成膜装置も。熊本と宮城で新開発棟を建設へ。液晶製造装置も。

●給与、ボーナス、週休、有休ほか●

【30歳総合職平均年収】835万円【初任給】(博士)329,200円 (修士)291,000円 (大卒)275,800円【ボーナス(年)】NA【25、30、35歳賃金】NA【週休】完全2日(土日祝)【夏期休暇】有休で取得【年末年始休暇】12月29日～1月3日【有休取得】13.3／20日

●従業員数、勤続年数、離職率ほか●

【男女別従業員数、平均年齢、平均勤続年数】計 2,036(43.7歳 15.5年) 男 1,427(45.0歳 15.9年) 女 609(40.7歳 14.7年)【離職率と離職者数】3.0%、63名【3年後新卒定着率】94.7%(男94.9%、女93.8%、3年前入社:男177名・女32名)※東京エレクトロングループ(国内)【組合】なし

求める人材 自ら目標を定め、こだわりを持って新しいことに取り組み続ける人

会社データ (金額は百万円)

【本社】107-6325 東京都港区赤坂5-3-1 赤坂Bizタワー
☎03-5561-7000 https://www.tel.co.jp/
【社長】河合 利樹【設立】1963.11【資本金】54,961【今後力を入れる事業】半導体製造装置事業

【業績(連結)】	売上高	営業利益	経常利益	純利益
22.3	2,003,805	599,271	601,724	437,076
23.3	2,209,025	617,723	625,185	471,584
24.3	1,830,527	456,263	463,185	363,963

横河電機(株)（よこがわでんき）

東京P 6841

【特色】プラント向け制御機器が主力。工業計器国内首位

修士・大卒採用数	3年後離職率	有休取得年平均	平均年収(平均45歳)
54名	4.3→7.1%	20.8日	総921万円

●エントリー情報と採用プロセス●

【受付開始～終了】総技2月～5月【採用プロセス】総技ES提出・基礎学力検査・適性検査→書類選考→面接(オンライン、複数回)→内々定【交通費支給】NA

試験情報

重視科目 総技面接

総技 ES⇒巻末 筆TAL 面2～3回(Webあり)

選考ポイント 総技 ES NA(提出あり) 面志望動機 求める人財に基づく基礎能力 希望職種ごとの適性 他

通過率 総技 ES NA

倍率(応募/内定) 総技NA

●男女別採用数と配属先ほか●

【男女・文理別採用実績】

	大卒男	大卒女	修士男	修士女
23年	3(文 1理 2)	7(文 5理 2)	13(文 0理 13)	7(文 0理 7)
24年	12(文 8理 4)	6(文 5理 1)	16(文 2理 14)	3(文 1理 2)
25年	13(文 8理 5)	9(文 8理 1)	27(文 0理 27)	5(文 0理 5)

【25年4月入社者の採用実績校】
文(大)同大3 法政大 関大 東京外大 早大 明学大 東洋大 立教大 関西学大 滋賀大 成蹊大 東理大 明大 ICU各1 理(院)宇都宮大 明大 早大 東京農工大各3 秋田大 富山大 北大各2 金沢大 九州工大 埼玉大 静岡大 千葉大 筑波大 長岡技科大 東理大 都立大 東北大 同大 福井県大 法政大 北里大各1(大)早大2 明大 成蹊大 群馬大 富山大各1

【24年4月入社者の配属先】
総勤務地:東京・武蔵野(本社)14 部署:営業6 マーケティング1 企画4 経理財務2 人事1 技勤務地:東京・武蔵野(本社)22 山梨・甲府3 部署:研究開発3 製品開発13 セールスエンジニア3 システムエンジニア2 マーケティング3 ITエンジニア1

残業(月) 19.2時間 総19.2時間

記者評価 主力の制御・運転監視システムは、強み持つ石油ガスのほか、化学・鉄鋼・紙パルプ・医薬品・食品・電力など多様な分野に顧客。海外売上比率は7割。メンテなどストック収入が主な収益源。電子計測器や通信測定器、半導体試験装置を中心に測定機器も手がける。

●給与、ボーナス、週休、有休ほか●

【30歳総合職平均年収】NA【初任給】(博士)288,000円 (修士)266,000円 (大卒)245,000円【ボーナス(年)】NA、6.4カ月【25、30、35歳賃金】NA【週休】完全2日(土日祝)【夏期休暇】連続5日(年休利用)【年末年始休暇】連続6日【有休取得】20.8／27日

●従業員数、勤続年数、離職率ほか●

【男女別従業員数、平均年齢、平均勤続年数】計 2,269(44.9歳 18.0年) 男 1,825(45.5歳 18.5年) 女 444(42.3歳 16.0年)【離職率と離職者数】3.0%、70名【3年後新卒定着率】92.9%(男85.7%、女100%、3年前入社:男21名・女21名)【組合】あり

求める人材 自ら未来を創れる人財

会社データ (金額は百万円)

【本社】180-8750 東京都武蔵野市中町2-9-32
☎0422-52-7796 https://www.yokogawa.co.jp/
【社長】奈良 寿【設立】1920.12【資本金】43,401【今後力を入れる事業】DXを活用した業種別セグメントの事業

【業績(連結)】	売上高	営業利益	経常利益	純利益
22.3	389,901	30,685	35,757	21,282
23.3	456,479	44,409	48,608	38,920
24.3	540,152	78,800	84,098	61,685

㈱SCREENホールディングス

スクリーン

東京P 7735

【特色】半導体製造に使う洗浄装置が主力。印刷機器も

修士・大卒採用数	3年後離職率	有休取得年平均	平均年収(平均43歳)
129名	5.9→1.9%	18.9日	(総)1,017万円

残業(月) 24.6時間 (総)24.9時間

記者評価 14年に持株会社に移行し現社名に。祖業の印刷製版関連機器からエレクトロニクス産業へと展開。半導体ウエハ洗浄装置では世界シェア断トツ。半導体関連が全社売上の約8割に成長。滋賀県彦根市の基幹工場を拡張中。デジタル印刷機やプリント基板関連機器も。

●エントリー情報と採用プロセス●

【受付開始～終了】(総)(技)3月～6月【採用プロセス】(総)説明会(必須)→ES提出・Webテスト→GD→面接(2回)→内々定 (技)説明会(必須)→ES提出・Webテスト→面接(2～3回)→内々定【交通費支給】最終面接、会社基準

試験情報

重視科目 [総][技]面接

[総](ES)NA(筆)WebGAB OPQ(面)2回(Webあり)(GD作)NA [技](ES)NA(筆)WebGAB OPQ(面)2～3回<推薦>2回(Webあり)

選考ポイント [総](ES)NA(提出あり)(面)コミュニケーション能力 積極性 業務への適性 [技](ES)参考として研究内容の提出(面)総合職共通

通過率 [総][技](ES)NA **倍率**(応募/内定) [総][技]NA

●給与、ボーナス、週休、有休ほか●

【30歳総合職モデル年収】710万円【初任給】(博士)286,850円(修士)275,000円(大卒)255,000円【ボーナス(年)】NA【25、30、35歳賃金】278,770円→327,800円→405,690円【週休】完全2日(土日祝)【夏期休暇】連続5日(有休で取得)【年末年始休暇】年末年始(連続5日)【有休取得】18.9/23日

●男女別採用数と配属先ほか●

【男女・文理別採用実績】

	大卒男	大卒女	修士男	修士女
23年	10(文 7理 3)	10(文 9理 1)	51(文 2理 49)	6(文 0理 6)
24年	34(文 15理 19)	17(文 15理 2)	97(文 3理 94)	13(文 1理 12)
25年	11(文 9理 2)	12(文 9理 3)	86(文 0理 86)	20(文 3理 17)

【25年4月入社者の採用実績校】(文)(院)同大 立命館大 ICU各1(大)関大6 立命館大4 関西学大2 モナシュ大マレーシア校 ICU 滋賀大 神戸大 同大 龍谷大各1 (理)(院)京都工繊大13 立命館大9 阪大 大阪公大各6 兵庫県大 徳島大各5 神戸大 岡山大 豊橋技科大各4 東大 北大 東京科学大 同大 近大 金沢大 奈良先端科技院大各3 京大 九大 関大 関西学大 熊本大 広島大 滋賀県大 新潟大 静岡大 千葉大 日大 和歌山大各2 クイーンズ大 岐阜大 九州工大 三重大 山形大 山梨大 信州大 早大 大阪工大 大阪電通大 筑波大 中大 中京大 長岡技科大 電通大 東京電機大 東京農工大 東理大 豊田工大 明大各1(大)京都工繊大 京都先端科学大 三重大 滋賀大 静岡大各1(高専)新居浜5 旭川 香川 函館各2 和歌山 奈良 都城各1

【24年4月入社者の配属先】[総]**勤務地**:滋賀・彦根1 京都(上京30 洛西1 久御山2) **部署**:営業8 事業管理4 人事3 経理3 広報2 秘書2 IT企画2 法務2 CSR2 マーケティング2 総務1 監査1 調達1 開発管理1 [技]**勤務地**:滋賀(彦根99 野洲7 多賀6)京都(上京6 洛西16 久御山7)富山・高岡4 **部署**:技術系145

●従業員数、勤続年数、離職率ほか●

【男女別従業員数、平均年齢、平均勤続年数】計 2,262(43.2歳 16.3年) 男 2,012(43.7歳 16.6年) 女 250(39.2歳 13.2年)【離職率と離職者数】2.2%、52名【3年後新卒定着率】98.1%(男97.7%、女100%、3年前入社:男44名・女8名)【組合】あり

求める人材 当事者意識を持つ人 粘り強く挑戦できる人 本質を考え抜ける人 新たな価値を共創できる人 顧客からの信頼を高められる人

会社データ (金額は百万円)

【本社】602-8585 京都府京都市上京区堀川通寺之内上る4丁目天神北町1-1 ☎075-414-7123 https://www.screen.co.jp/

【社長】廣江 敏朗【設立】1943.10【資本金】54,044【今後力を入れる事業】半導体製造装置事業 水素事業 ライフサイエンス事業 他

【業績(連結)】	売上高	営業利益	経常利益	純利益
22.3	411,865	61,273	59,438	45,481
23.3	460,834	76,452	77,393	57,491
24.3	504,916	94,164	94,279	70,579

㈱アドバンテスト

東京P 6857

【特色】半導体検査装置で世界シェア首位級の大手

修士・大卒採用数	3年後離職率	有休取得年平均	平均年収(平均46歳)
40名	7.7→5.1%	19.0日	(総)1,005万円

残業(月) 20.9時間 (総)20.9時間

記者評価 2011年に同業の米ベリジーを買収し、半導体検査装置の世界最大手メーカーに。かつてはメモリー半導体向けが中心だったが、現在はスマホのプロセッサなどロジック半導体向けも成長。GPU大手の米エヌビディアと取引があり、生成AI市場の拡大が追い風。

●エントリー情報と採用プロセス●

【受付開始～終了】(総)(技)1月～5月【採用プロセス】(総)ES・Webテスト→Web面接・Webテスト→Web面接・Web作文→面接(Web・対面)→内々定 (技)ES・Webテスト→Web面接・Webテスト→Web面接・Web作文→面接(Web・対面)→内々定 ※学校推薦は異なる【交通費支給】最終面接、当社規定額の往復分【早期選考】⇒巻末

試験情報

重視科目 [総][技]面接

[総][技](ES)⇒巻末(筆)Web適性検査 英語(面)3回(Webあり)(GD作)⇒巻末

選考ポイント [総][技](ES)熱意と姿勢(面)当社でやりたい仕事内容 学生時代に何をやってきたか 真剣に物事に取り組める人か コミュニケーション能力

通過率 [総][技](ES)NA **倍率**(応募/内定) [総][技]NA

●給与、ボーナス、週休、有休ほか●

【30歳総合職平均年収】691万円【初任給】(修士)293,000円(大卒)267,000円【ボーナス(年)】NA【25、30、35歳モデル賃金】NA→398,690円→NA【週休】完全2日(土日)【夏期休暇】連続5営業日(選択制)【年末年始休暇】連続6～7日【有休取得】19.0/23日

●男女別採用数と配属先ほか●

【男女・文理別採用実績】

	大卒男	大卒女	修士男	修士女
23年	9(文 5理 4)	4(文 3理 1)	20(文 0理 20)	2(文 1理 1)
24年	10(文 1理 9)	5(文 3理 2)	40(文 0理 40)	3(文 1理 2)
25年	8(文 5理 3)	6(文 3理 3)	23(文 0理 23)	3(文 0理 3)

【25年4月入社者の採用実績校】(文)(大)早大 同大各2 阪大 関大 群馬大 共立女大各1 (理)(院)東理大6 茨城大2 東大 東京科学大 名大 神戸大 慶大 早大 北大 明大 東京農工大 埼玉大 都立大 芝工大 岡山大 群馬大 九州工大 金沢工大 豊橋技科大 広島市大各1(大)九大 明大 都立大 上智大 京都先端科学大 千葉工大各1(高専)群馬 香川各1

【24年4月入社者の配属先】
[総]**勤務地**:東京・丸の内8 **部署**:営業・マーケティング4 ITエンジニア2 販売支援1 人事1 [技]**勤務地**:群馬46 東京・丸の内2 埼玉2 仙台1 **部署**:研究開発39 SE4 品証3 FSE2 生産2 開発支援1

●従業員数、勤続年数、離職率ほか●

【男女別従業員数、平均年齢、平均勤続年数】計 ◇2,011(46.1歳 20.4年) 男 1,691(46.6歳 21.0年) 女 320(43.0歳 17.3年)【離職率と離職者数】◇0.9%、19名(早期退職男3名、女1名含む)【3年後新卒定着率】94.9%(男96.6%、女90.0%、3年前入社:男29名・女10名)【組合】あり

求める人材 目標達成のために挑戦し続ける人 グローバルな視野を持つ人 チームワークを大切にする人

会社データ (金額は百万円)

【本社】100-0005 東京都千代田区丸の内1-6-2 新丸の内センタービル ☎03-3214-7500 https://www.advantest.com/

【グループCEO】ダグラス ラフィーバ【設立】1954.12【資本金】32,363【今後力を入れる事業】半導体テスタ事業 新規計測分野への参入

【業績(IFRS)】	売上高	営業利益	税前利益	純利益
22.3	416,901	114,734	116,343	87,301
23.3	560,191	167,687	171,270	130,400
24.3	486,507	81,628	78,170	62,290

㈱ディスコ

東京P 6146

【特色】半導体ウエハ切断・研削・研磨装置で世界首位

修士・大卒採用数	3年後離職率	有休取得年平均	平均年収(平均40歳)
162名	19.5→6.0%	13.0日	総 1,716万円

●エントリー情報と採用プロセス●

【受付開始～終了】総技12月～継続中【採用プロセス】総技 選考会(簡易面接・ES提出・適性検査)→面接(4回)→内々定【交通費支給】役員面接、会社基準(実費相当)

試験情報

重視科目 総技面接

総技 ES NA 筆あり(内容NA) 面4回(Webあり) GD作 NA

選考ポイント 総技 ES NA(提出あり) 面人物像 コミュニケーションスキル

通過率 総技 ES NA 倍率(応募/内定) 総技 NA

●男女別採用数と配属先ほか●

【男女・文理別採用実績】

	大卒男	大卒女	修士男	修士女
23年	39(文 30 理 9)	28(文 27 理 1)	49(文 1 理 48)	8(文 2 理 6)
24年	42(文 32 理 10)	26(文 23 理 3)	66(文 0 理 66)	7(文 1 理 6)
25年	30(文 19 理 11)	23(文 19 理 4)	99(文 2 理 97)	10(文 2 理 8)

【25年4月入社者の採用実績校】文(院)筑波大 東大 長崎大 立教大各1(大)早大5 立教大3 慶大2 愛媛大 阪大 カリフォルニア大 関大 学習院大 国際教養大 埼玉大 中大 津田塾大 東京国際大 東大 同大 広島市大 広島大 法政大 銘伝大 アジアパシフィック大各1 理(院)東京科学大12 東大10 阪大7 東理大6 京大 筑波大 横国大各5 九大 電通大各4 慶大 東北大各3 岡山大 都立大 東京農工大 豊橋技科大 北大 九州工大各2 青学大 秋田大 茨城大 愛媛大 金沢大 岐阜大 京都工繊大 熊本大 埼玉大 信州大 千葉工大 東京海洋大 徳島大 同大 名大 奈良先端科技院大 新潟大 広島大 法政大 三重大 山形大 横浜市大 早大各1(大)漢陽大 ICU 埼玉大 佐賀大 上智大 千葉工大 千葉大 中大 東京農業大 富山大 名大 明大各1

【24年4月入社者の配属先】

総勤務地:東京101(技術系含む) 部署:研修中のため未定 技勤務地:事務系に含む 部署:研修中のため未定

残業(月) 33.5時間 総36.5時間

記者評価 万年筆のペン先の溝入れ用薄型砥石で成長。半導体や電子部品向け切断・研削・研磨の精密加工装置が主力。消耗品のダイヤモンド工具なども好調。生産は広島と長野の2拠点。自己評価に基づき受給するかを選べる月額10万円の「コミット手当」など独自の取り組み。

●給与、ボーナス、週休、有休ほか●

【30歳総合職平均年収】1,502万円【初任給】(博士)394,610円(修士)368,420円(大卒)354,900円【ボーナス(年)】814万円、19.9カ月【25、30、35歳モデル賃金】379,500円→437,420円→485,020円【週休】完全2日(土日祝)【夏期休暇】有休で取得【年末年始休暇】12月29日～1月4日【有休取得】13.0／20日

●従業員数、勤続年数、離職率ほか●

【男女別従業員数、平均年齢、平均勤続年数】計 1,935(37.8歳 10.5年) 男 1,454(39.1歳 11.0年) 女 481(34.0歳 8.9年)【離職率と離職者数】3.0%、59名【3年後新卒定着率】94.0%(男91.3%、女100%、3年前入社:男46名・女21名)【組合】なし

求める人材 自ら考え能動的に行動できる人 ディスコの価値観に共鳴し実行できる人

会社データ (金額は百万円)

【本社】143-8580 東京都大田区大森北2-13-11
☎03-4590-1130 https://www.disco.co.jp/
【社長】関家 一馬【設立】1940.3【資本金】21,877【今後力を入れる事業】現在の事業のさらなる発展

【業績(連結)】	売上高	営業利益	経常利益	純利益
22.3	253,781	91,513	92,449	66,206
23.3	284,135	110,413	112,338	82,891
24.3	307,554	121,490	122,393	84,205

㈱アルバック

東京P 6728

【特色】真空技術を生かし、FPD・半導体製造装置を展開

修士・大卒採用数	3年後離職率	有休取得年平均	平均年収(平均45歳)
17名	5.4→33.3%	13.3日	総 751万円

●エントリー情報と採用プロセス●

【受付開始～終了】総2月～5月 技2月～継続中【採用プロセス】総技ES提出(2月～)→面接(2～3回)・適性検査・Webテスト・作文→内々定【交通費支給】2次面接以降、会社基準(往復分)【早期選考】⇒巻末

試験情報

重視科目 総技面接

総技 ES ⇒巻末 筆C-GAB 面2～3回(Webあり) GD作 ⇒巻末

選考ポイント 総技 ES NA(提出あり) 面コミュニケーション能力 チームワーク 積極性

通過率 総 ES 49%(受付:41→通過:20) 技 ES 80%(受付:(早期選考含む)98→通過:(早期選考含む)78)

倍率(応募/内定) 総41倍 技(早期選考含む)6倍

●男女別採用数と配属先ほか●

【男女・文理別採用実績】

	大卒男	大卒女	修士男	修士女
23年	1(文 1 理 0)	0(文 0 理 0)	5(文 0 理 5)	2(文 0 理 2)
24年	2(文 1 理 1)	0(文 0 理 0)	4(文 0 理 4)	1(文 1 理 0)
25年	4(文 1 理 3)	0(文 0 理 0)	13(文 0 理 13)	0(文 0 理 0)

【25年4月入社者の採用実績校】
文(大)宮城大1 理(院)奈良先端科技院大 電通大 名大 和歌山大 宮崎大 東海大 工学院大 明大 東京農業大 成蹊大 関西学大 立命館大 リンシェーピン大各1(大)日大 東京都市大 神奈川大各1

【24年4月入社者の配属先】

総勤務地:未定2 部署:未定2 技勤務地:神奈川・茅ヶ崎5 静岡・裾野2 部署:研究1 事業部6

残業(月) 22.9時間 総22.9時間

記者評価 真空技術を軸に、FPD向けや半導体向けの製造装置などを展開する。顧客企業と対話しながら進める技術開発が特徴。中国を中心に海外FPDメーカーとの取引が多い。半導体向けの比率が上昇傾向。新事業の車載電池向け両面蒸着巻取装置でも存在感。

●給与、ボーナス、週休、有休ほか●

【30歳総合職モデル年収】547万円【初任給】(博士)310,700円(修士)236,700円(大卒)224,700円【ボーナス(年)】173万円、4.75カ月【25、30、35歳賃金】252,700円→326,700円→395,700円【週休】完全2日【夏期休暇】連続3日(有休で取得)に加えて2日の有休取得を奨励【年末年始休暇】あり【有休取得】13.3／20日

●従業員数、勤続年数、離職率ほか●

【男女別従業員数、平均年齢、平均勤続年数】計 1,680(44.5歳 17.2年) 男 1,530(44.9歳 17.5年) 女 150(41.0歳 13.7年)【離職率と離職者数】3.3%、57名(早期退職4名含む)【3年後新卒定着率】66.7%(男66.7%、女—、3年前入社:男3名・女0名)【組合】あり

求める人材 主体性と成長意欲がある人

会社データ (金額は百万円)

【本社】253-8543 神奈川県茅ヶ崎市萩園2500
☎0467-89-2038 https://www.ulvac.co.jp/
【社長】岩下 節生【設立】1952.8【資本金】20,873【今後力を入れる事業】半導体、電子デバイス製造装置

【業績(連結)】	売上高	営業利益	経常利益	純利益
22.6	241,260	30,061	32,200	20,211
23.6	227,528	19,946	22,880	14,169
24.6	261,115	29,771	29,785	20,233

メーカーI

レーザーテック(株)

東京P 6920

【特色】EUV露光装置用のマスク欠陥検査装置が柱

修士・大卒採用数	3年後離職率	有休取得年平均	平均年収(平均*40歳)
10名	0→23.1%	16.8日	(総)1,638万円

●エントリー情報と採用プロセス●

【受付開始～終了】(技)10月～継続中【採用プロセス】(技)説明会(ES・研究概要提出)→Webテスト→面接(2回)→内々定【交通費支給】1次面接・最終面接、大学から会社までの実費(既定額)【早期選考】⇒巻末

試験情報

重視科目 (技)Webテスト 面接

(技)(ES)⇒巻末(筆)SPI3(自宅)(面)2回

選考ポイント (技)(ES)論理的説明力 専門・専攻・研究テーマと当社業務の関連性他(面)技術的な素養 科学への興味 科学的な思考力 論理的な思考力 コミュニケーション能力 本人の志向性と弊社業務との親和性 他

通過率 (技)(ES)選考なし(受付:400)

倍率(応募/内定) (技)33倍

●男女別採用数と配属先ほか●

【男女・文理別採用実績】

	大卒男	大卒女	修士男	修士女
23年	0(文 0理 0)	0(文 0理 0)	12(文 0理 12)	1(文 0理 1)
24年	1(文 0理 1)	0(文 0理 0)	13(文 0理 13)	2(文 0理 2)
25年	0(文 0理 0)	0(文 0理 0)	10(文 0理 10)	0(文 0理 0)

【25年4月入社者の採用実績校】
(文)なし (理)(院)東京科学大3 東大 阪大 九大各2 名大 上智大 大阪公大各1

【24年4月入社者の配属先】
(技)勤務地:横浜17 部署:技術17

残業(月) 39.4時間 (総)39.4時間

記者評価 1960年にX線テレビの開発で創業。現在はEUV露光装置向けの半導体マスク欠陥検査装置とレーザー顕微鏡が柱。マスクブランクス検査装置はシェア100%。ファブレス体制で開発主体のエンジニアを多数擁し、新製品開発能力に強み。SiCウエハ検査装置も育成。

●給与、ボーナス、週休、有休ほか●

【30歳総合職平均年収】NA【初任給】(博士)330,000円(修士)305,000円(大卒)275,000円【ボーナス(年)】984万円、21.0カ月【25、30、35歳賃金】315,063円→333,948円→377,594円【週休】完全2日(土日祝)【夏期休暇】なし【年末年始休暇】12月28日～1月3日【有休取得】16.8／20日

●従業員数、勤続年数、離職率ほか●

【男女別従業員数、平均年齢、平均勤続年数】計 463(39.9歳 8.3年) 男 412(NA) 女 51(NA)【離職率と離職者数】1.1%、5名【3年後新卒定着率】76.9%(男100%、女25.0%、3年前入社:男9名・女4名)【組合】なし

求める人材 ものづくりで世の中に貢献したい人

会社データ (金額は百万円)

【本社】222-8552 神奈川県横浜市港北区新横浜2-10-1
☎045-478-7111 https://www.lasertec.co.jp/
【社長】仙洞田 哲也【設立】1962.8【資本金】931【今後力を入れる事業】半導体関連装置事業

【業績(連結)】	売上高	営業利益	経常利益	純利益
22.6	90,378	32,492	33,582	24,850
23.6	152,832	62,287	63,668	46,164
24.6	213,506	81,375	82,021	59,076

(株)KOKUSAI ELECTRIC

コクサイ エレクトリック

東京P 6525

【特色】半導体製造装置メーカー。日立国際電気から分離

修士・大卒採用数	3年後離職率	有休取得年平均	平均年収(平均43歳)
40名	11.1→4.2%	17.7日	(総)922万円

●エントリー情報と採用プロセス●

【受付開始～終了】(総)2月～7月 (技)1月～7月【採用プロセス】(総)ES提出(2月)→1次面談(3月)→Webテスト・2次面談(4月)→内々定(4月中旬～) (技)ES提出(1月)→1次面談(2月)→Webテスト・2次面談(3月)→内々定(3月中旬～)【交通費支給】2次面談、会社基準【早期選考】⇒巻末

試験情報

重視科目 (総)(技)面談

(総)(技)(ES)⇒巻末(筆)I-Dats(面)2回(Webあり)

選考ポイント (総)(技)(ES)NA(提出あり)(面)当社が求める人物像、スキル・知識などとマッチするか

通過率 (総)(ES)66%(受付:209→通過:137) (技)(ES)94%(受付:(早期選考含む)172→通過:(早期選考含む)162)

倍率(応募/内定) (総)21倍 (技)(早期選考含む)5倍

●男女別採用数と配属先ほか●

【男女・文理別採用実績】

	大卒男	大卒女	修士男	修士女
23年	8(文 4理 4)	3(文 3理 0)	14(文 0理 14)	3(文 0理 3)
24年	7(文 1理 6)	1(文 0理 1)	13(文 1理 12)	0(文 0理 0)
25年	8(文 3理 5)	8(文 6理 2)	23(文 0理 23)	1(文 0理 1)

【25年4月入社者の採用実績校】(文)(大)早大 中大 富山大 金沢大 金沢星稜大 名城大 愛知大 西南学大 白百合女大各1 (理)(院)富山大7 新潟大3 東京電機大2 東北大 阪大 金沢大 信州大 福井大 電通大 上智大 法政大 工学院大 関大 同大 近大各1(大)富山大 富山県大 三条市大 東京電機大 東京都市大 金沢工大 福井工大各1(高専)富山2

【24年4月入社者の配属先】
(総)勤務地:富山2 部署:経理1 調達1 (技)勤務地:富山23 部署:プロセス開発9 システム開発10 生産技術2 品質保証1 IT1

残業(月) 24.6時間 (総)19.9時間

記者評価 日立国際電気の成膜プロセスソリューション事業が前身。現在は米投資ファンドKKRの傘下。半導体製造の前工程における成膜プロセスに特化した装置専業メーカー。数十枚のシリコンウエハを一括処理するバッチ成膜装置で世界シェアトップ級。富山に製造拠点。

●給与、ボーナス、週休、有休ほか●

【30歳総合職平均年収】659万円【初任給】(博士)320,000円(修士)292,500円(大卒)268,500円【ボーナス(年)】326万円、8.5カ月【25、30、35歳賃金】273,800円→303,200円→338,000円【週休】完全2日(土日祝)【夏期休暇】一斉年休で4日取得【年末年始休暇】12月31日、1月2～3日、特別休日2日【有休取得】17.7／24日

●従業員数、勤続年数、離職率ほか●

【男女別従業員数、平均年齢、平均勤続年数】計 1,166(44.5歳 19.6年) 男 1,027(44.7歳 20.0年) 女 139(42.5歳 16.4年)【離職率と離職者数】2.8%、34名【3年後新卒定着率】95.8%(男95.7%、女100%、3年前入社:男23名・女1名)【組合】あり

求める人材 常に先端技術や自然環境に向き合い、年齢も性別もポジションも関係なく、チームみんなで意見を交わし、自分自身にもありたい姿を問い続ける、そんな全方位で対話できる人財

会社データ (金額は百万円)

【本社】101-0045 東京都千代田区神田鍛冶町3-4 oak神田鍛冶町
☎03-5297-8515 https://www.kokusai-electric.com/
【社長】金井 史幸【設立】2017.12【資本金】12,852【今後力を入れる事業】高難易度成膜を核とした半導体製造装置事業

【業績(IFRS)】	売上高	営業利益	税前利益	純利益
22.3	245,425	70,652	69,264	51,339
23.3	245,721	56,064	55,895	40,305
24.3	180,838	30,745	29,757	22,374

ウシオ電機(株)

東京P 6925

【特色】産業用光源で世界首位。映像装置なども展開

修士・大卒採用数	3年後離職率	有休取得年平均	平均年収(平均45歳)
6名	13.6 → 20.0%	18.1日	◇767万円

●エントリー情報と採用プロセス●

【受付開始～終了】総1月～2月 技12月～2月【採用プロセス】総説明会(必須、1～3月)→ES提出・Web適性／学力検査(12～3月)→面接(3回、12～3月)→内々定(1～3月) 技説明会(必須、12～3月)→ES提出・Web適性／学力検査(12～3月)→面接(2～3回、2～3月)→内々定(1～3月)【交通費支給】最終面接、会社基準【早期選考】⇒巻末

試験情報

重視科目 総技面接 適性 ES

総 ES⇒巻末 筆CUBIC Web適性検査 面3回(Webあり)
技 ES⇒巻末 筆CUBIC Web適性検査 面2～3回(Webあり)

選考ポイント 総技 ES NA(提出あり) 面求める人材像にマッチしているか

通過率 総 ES39%(受付:449→通過:174) 技 ES67%(受付:297→通過:199)

倍率(応募/内定) 総90倍 技19倍

●男女別採用数と配属先ほか●

【男女・文理別採用実績】

	大卒男	大卒女	修士男	修士女
23年	17(文 12理 5)	21(文 18理 3)	14(文 0理 14)	4(文 0理 4)
24年	1(文 1理 0)	2(文 2理 0)	15(文 0理 15)	2(文 0理 2)
25年	0(文 0理 0)	1(文 1理 0)	5(文 0理 5)	0(文 0理 0)

※24年:高専は継続中

【25年4月入社者の採用実績校】文(大)京都女大1 理(院)日大2 名大 立命館大 関大各1

【24年4月入社者の配属先】総勤務地:東京・丸の内1 横浜1 静岡・御殿場1 部署:営業1 生産管理1 カスタマーサポート1 技勤務地:横浜5 静岡・御殿場4 兵庫・姫路8 部署:技術17

残業(月) 14.0時間

記者評価 電球メーカーが前身で光源と関連装置を展開。FPD・半導体・IC向け光学装置に強み。特にEUV向けで成長期待。映画館向け映像装置はレーザー用いた新製品に注力。映写機と音響設備で名画座再建にも貢献。24年6月に大卒初任給を25万円に増額。

●給与、ボーナス、週休、有休ほか●

【30歳総合職平均年収】617万円【初任給】(博士)272,000円(修士)257,000円(大卒)232,000円【ボーナス(年)】NA、5.5カ月【25、30、35歳モデル賃金】NA→334,500円→NA【週休】完全2日(土日祝)【夏期休暇】連続10日(有休5日含む)【年末年始休暇】連続10日(土日祝含む)【有休取得】18.1／23日

●従業員数、勤続年数、離職率ほか●

【男女別従業員数、平均年齢、平均勤続年数】計◇1,713(44.5歳 19.9年) 男1,158(45.2歳 19.9年) 女555(43.2歳 19.0年)【離職率と離職者数】◇1.1%、19名【3年後新卒定着率】80.0%(男81.8%、女75.0%、3年前入社:男11名・女4名)【組合】あり

求める人材 自発性 対人影響力 柔軟性

会社データ (金額は百万円)

【本社】100-8150 東京都千代田区丸の内1-6-5 丸の内北ロビル
☎03-5657-1000 https://www.ushio.co.jp/
【社長】朝日 崇文【設立】1964.3【資本金】19,556【今後力を入れる事業】光源および固体光源 光学装置 バイオメディカル事業

【業績(連結)】	売上高	営業利益	経常利益	純利益
22.3	148,821	13,068	15,195	12,606
23.3	175,025	15,861	20,144	13,699
24.3	179,420	12,976	16,088	10,785

(株)東京精密

東京P 7729

【特色】半導体製造装置メーカー。高精度の計測技術が強み

修士・大卒採用数	3年後離職率	有休取得年平均	平均年収(平均39歳)
45名	11.1 → 3.7%	13.8日	総801万円

●エントリー情報と採用プロセス●

【受付開始～終了】総 技2月～6月【採用プロセス】総説明会(任意、Web配信)→ES提出(2～6月)→面接(2回、2～6月)→面接・Web試験(3～6月)→内々定(3～7月) 技説明会(任意、Web配信)→ES提出(2～6月)→面接(3回、2～6月)→内々定(3～7月)【交通費支給】最終面接、実費

試験情報

重視科目 総技面接

総 ES⇒巻末 筆Scouter 面3回(Webあり) 技 ES⇒巻末 筆なし 面3回(Webあり)

選考ポイント 総 ES文章が論理的でわかりやすいか 志望動機が具体的か 面コミュニケーション力があり、チームで能力を発揮できる人材か 技 ES文章が論理的でわかりやすいか 志望動機が具体的か 専攻・研究内容が当社で活かせそうか 面ものづくりへの関心が強く、技術者としての素養があるか

通過率 総 ES60%(受付:334→通過:199) 技 ES60%(受付:455→通過:271)

倍率(応募/内定) 総33倍 技13倍

●男女別採用数と配属先ほか●

【男女・文理別採用実績】

	大卒男	大卒女	修士男	修士女
23年	9(文 5理 4)	5(文 4理 1)	12(文 0理 12)	2(文 0理 2)
24年	9(文 4理 5)	3(文 2理 1)	16(文 1理 15)	2(文 0理 2)
25年	13(文 5理 8)	7(文 5理 2)	22(文 0理 22)	3(文 0理 3)

【25年4月入社者の採用実績校】文(大)同大 金沢大 青学大 関西学大 日女大 駒澤大 龍谷大 東海大 中大 関西外大各1 理(院)埼玉大 芝工大 日大各2 北大 東京科学大 電通大 東京農工大 岡山大 金沢大 都立大 香川大 山梨大 長岡技科大 静岡大 愛媛大 群馬大 早大 青学大 東京都市大 神奈川大 工学院大 東京電機大各1(大)東京電機大3 明大 青学大 芝工大 日大 千葉工大 神奈川大 工学院大各1

【24年4月入社者の配属先】総勤務地:東京・八王子6 茨城・土浦1 部署:営業4 コーポレート3 技勤務地:東京・八王子13 埼玉・飯能6 茨城・土浦5 部署:設計・開発24

残業(月) 本文参照

記者評価 精密測定機器の製造で創業。培った計測技術を武器に半導体製造装置に展開し、現在は同事業が収益の柱に。ウエハ検査装置は高シェア。研削・切断など加工装置も製造。祖業の精密測定機器は自動車や精密機械向けが主。EV向け充放電システムを育成中。

●給与、ボーナス、週休、有休ほか●

【30歳総合職平均年収】NA【初任給】(修士)270,000円(大卒)248,000円【ボーナス(年)】NA、8.03カ月【25、30、35歳賃金】NA【週休】完全2日(土日祝)【夏期休暇】なし【年末年始休暇】12月30日～1月4日【有休取得】13.8／20日

●従業員数、勤続年数、離職率ほか●

【男女別従業員数、平均年齢、平均勤続年数】計◇1,200(39.2歳 10.2年) 男NA 女NA【離職率と離職者数】◇3.4%、42名【3年後新卒定着率】96.3%(男95.7%、女100%、3年前入社:男23名・女4名)【組合】あり【残業(月)】(組合員)20.6時間 総(組合員)20.6時間

求める人材 前向きで真摯に取り組める人 チームで仕事ができる人

会社データ (金額は百万円)

【本社】192-8515 東京都八王子市石川町2968-2
☎042-642-1701 https://www.accretech.com/
【社長】木村 龍一【設立】1949.3【資本金】11,544【今後力を入れる事業】半導体製造装置 精密測定機器

【業績(連結)】	売上高	営業利益	経常利益	純利益
22.3	133,277	28,550	29,390	21,441
23.3	146,801	34,494	35,297	23,630
24.3	134,680	25,307	26,453	19,378

ローツェ(株)

東京P 6323

【特色】半導体ウエハやFPD用ガラス基板の搬送装置を製造

修士・大卒採用数	3年後離職率	有休取得年平均	平均年収(平均*44歳)
10名	20.0→0%	16.7日	総 984万円

●エントリー情報と採用プロセス●

【受付開始～終了】技NA【採用プロセス】技説明会(必須、4月)→ES提出(1月)→筆記(2月)→1次面接(3月)→最終面接(4月)→内々定【交通費支給】最終面接、公共機関の実費【早期選考】⇒巻末

試験情報

重視科目 技なし

技ES⇒巻末筆オリジナルテスト面2回(Webあり)

選考ポイント 技ES NA(提出あり)面モノづくり適性 会社とのマッチング

通過率 技ES選考有無NA

倍率(応募/内定) 技NA

●男女別採用数と配属先ほか●

【男女・文理別採用実績】

	大卒男	大卒女	修士男	修士女
23年	1(文 0理 1)	0(文 0理 0)	6(文 0理 6)	0(文 0理 0)
24年	3(文 0理 3)	0(文 0理 0)	2(文 0理 2)	1(文 0理 1)
25年	2(文 0理 2)	1(文 0理 1)	5(文 0理 5)	2(文 0理 2)

【25年4月入社者の採用実績校】
文なし 理(院)広島大2 岡山大 茨城大 埼玉大 千葉大 九州工大各1(大)静岡大 愛媛大 岡山理大各1(高専)呉 香川各1

【24年4月入社者の配属先】
技勤務地:広島本社7 部署:未定

残業(月) 20.5時間

記者評価 半導体ウエハの搬送機と液晶・有機ELテレビなどに使われるガラス基板の搬送機を製造販売。台湾ファウンドリーや韓国ディスプレーメーカーが大口顧客。海外売上高比率は約9割。米国、ドイツ、中国、シンガポールなどに拠点。広島・福山市に本社工場。

●給与、ボーナス、週休、有休ほか●

【30歳総合職平均年収】NA【初任給】(博士)276,000円(修士)256,000円(大卒)252,000円【ボーナス(年)】NA【25、30、35歳賃金】NA【週休】完全2日(土日祝、一部土曜出勤あり)【夏期休暇】連続7日(土日含む)【年末年始休暇】連続9日(土日含む)【有休取得】16.7／20日

●従業員数、勤続年数、離職率ほか●

【男女別従業員数、平均年齢、平均勤続年数】計 240(43.8歳 16.0年) 男 202(NA) 女 38(NA)【離職率と離職者数】NA【3年後新卒定着率】100%(男100%、女100%、3年前入社:男4名・女1名)【組合】なし

求める人材 空想力、実行力、技術力の備わり、楽しんで仕事をする技術者集団を実現できる人材

会社データ　(金額は百万円)

【本社】720-2104 広島県福山市神辺町字道上1588-2
☎084-960-0001　https://www.rorze.com/
【社長】藤代 祥之【設立】1985.3【資本金】982【今後力を入れる事業】NA

【業績(連結)】	売上高	営業利益	経常利益	純利益
22.2	67,004	15,809	17,818	12,824
23.2	94,518	26,418	30,344	21,384
24.2	93,247	24,138	27,076	19,576

ホーチキ(株)

東京P 6745

【特色】防災機器大手。火災報知器メーカーの草分け

修士・大卒採用数	3年後離職率	有休取得年平均	平均年収(平均41歳)
87名	25.6→30.0%	15.3日	総 758万円

●エントリー情報と採用プロセス●

【受付開始～終了】総技1月～5月【採用プロセス】総技説明会(必須)→ES提出・Web能力検査→1次面接→最終面接→内々定【交通費支給】最終面接、定期券の無い区間の実費【早期選考】⇒巻末

試験情報

重視科目 総技面接 適性検査

総技ES⇒巻末筆WebGAB面2回(Webあり)

選考ポイント 総技ES志望動機 自己PR 論理性面人柄 コミュニケーション能力 その他各種能力 志望度

通過率 総ES66%(受付:492→通過:327) 技ES86%(受付:141→通過:121) 倍率(応募/内定) 総11倍 技16倍

●男女別採用数と配属先ほか●

【男女・文理別採用実績】

	大卒男	大卒女	修士男	修士女
23年	32(文 22理 10)	13(文 13理 0)	3(文 0理 3)	1(文 0理 1)
24年	56(文 38理 18)	16(文 13理 3)	5(文 0理 5)	0(文 0理 0)
25年	50(文 33理 17)	31(文 24理 7)	6(文 0理 6)	0(文 0理 0)

【25年4月入社者の採用実績校】文(大)日大5 東洋大4 明大 武蔵大 大妻女大 大阪経大 福岡大各3 関大 関西学大 兵庫県大 駒澤大 専大 東京経大 神戸学大各2 青森公大 青学大 中大 立教大 岩手大 長崎大 宮城大 東北学大 南山大 京産大 摂南大 創価大 昭和女大 日体大 明星大 桃山学大 千葉商大 杏林大 常葉大各1 理(院)弘前大 横浜市大 芝工大 近大 日工大 日大各1(大)日大4 湘南工大3 東理大 東京電機大 千葉工大 神奈川工大 関東学院大各2 山形大 横浜市大 東京都市大 近大 東京工科大 大阪産大 酪農学大各1(高専)仙台2

【24年4月入社者の配属先】総勤務地:東京(目黒14 大崎3)北海道1 仙台2 横浜2 名古屋1 大阪1 神戸1 広島1 福岡1 部署:営業13 人事1 経理1 管理3 セキュリティ9 技勤務地:東京(目黒3 大崎13 町田10)北海道1 宮城2 大宮1 横浜8 静岡1 名古屋4 大阪3 京都1 広島2 福岡3 部署:研究開発10 施工管理26 保守16

残業(月) 23.4時間 総23.4時間

記者評価 火災報知、消火設備など総合防災で業界2位。筆頭株主はALSOKだが、会社の設立主体だった損保大手各社が大株主として名を連ねる。大規模案件では業界首位。TV共同受信機など情報通信事業を併営。潜在需要大きい中東、アジアを深耕。DX活用でサービス拡大図る。

●給与、ボーナス、週休、有休ほか●

【30歳総合職平均年収】518万円【初任給】(修士)240,000円(大卒)231,000円【ボーナス(年)】172万円、5.3カ月【25、30、35歳賃金】235,650円→294,450円→341,850円【週休】完全2日(土日祝)【夏期休暇】連続9日奨励(週休、有休2日含む)【年末年始休暇】12月29日午後(午前は全社有休奨励)～1月4日【有休取得】15.3／20日

●従業員数、勤続年数、離職率ほか●

【男女別従業員数、平均年齢、平均勤続年数】計 ◇1,500(42.0歳 14.0年) 男 1,260(42.3歳 14.3年) 女 240(41.0歳 13.0年)【離職率と離職者数】◇3.7%、57名【3年後新卒定着率】70.0%(男73.5%、女50.0%、3年前入社:男34名・女6名)【組合】あり

求める人材 自社製品を通じて、人命と財産を守るという強い責任感を持った人

会社データ　(金額は百万円)

【本社】141-8660 東京都品川区上大崎2-10-43
☎03-3444-4111　https://www.hochiki.co.jp/
【社長】細井 元【設立】1918.4【資本金】3,798【今後力を入れる事業】海外事業全般 リニューアル事業 メンテナンス事業

【業績(連結)】	売上高	営業利益	経常利益	純利益
22.3	81,251	5,479	5,626	4,124
23.3	85,457	5,590	5,857	4,422
24.3	93,485	7,375	7,782	5,661

メーカーI

アイホン(株)

東京P 6718

【特色】インターホン国内首位。住宅向け中心に病院も

修士・大卒採用数	3年後離職率	有休取得年平均	平均年収(平均40歳)
16名	10.0→0%	15.1日	総 610万円

残業(月) 15.6時間 総 18.0時間

記者評価 非対面ニーズに応えるインターホンは需要旺盛。パナソニックと市場を二分。マンション・戸建て向け主体に、病院・老人ホーム向けナースコールシステムも。北米・欧州・オセアニアなどでも展開。宅配便の伝票番号を認証しオートロックを解錠するサービス開始。

●エントリー情報と採用プロセス●

【受付開始～終了】総技3月～継続中【採用プロセス】総技説明会(必須)→ES提出→適性検査・GD・SPI・面接(2回)→内々定【交通費支給】最終面接、実費【早期選考】⇒巻末

試験情報

重視科目 総 面接 SPI GD 技 面接 作文 GD SPI

総 ES⇒巻末 筆 SPI3(会場) 適性検査 面 2回(Webあり) GD作 NA 技 ES⇒巻末 筆 SPI3(会場) 一般常識 適性検査 面 2回(Webあり) GD作⇒巻末

選考ポイント 総技 ES 学生時代に最も打ち込んだこと 自己PR 面 能力 協調性 積極性 コミュニケーション能力

通過率 総 ES 選考なし(受付:(早期選考含む)322) 技 ES 選考なし(受付:(早期選考含む)65)

倍率(応募/内定) 総(早期選考含む)25倍 技(早期選考含む)8倍

●男女別採用数と配属先ほか●

【男女・文理別採用実績】

	大卒男	大卒女	修士男	修士女
23年	17(文 6理 11)	2(文 0理 2)	1(文 0理 1)	0(文 0理 0)
24年	13(文 7理 6)	6(文 4理 2)	0(文 0理 0)	1(文 0理 1)
25年	13(文 6理 7)	1(文 1理 0)	2(文 0理 2)	0(文 0理 0)

【25年4月入社者の採用実績校】
文(大)関大2 東京農業大 早大 愛知学大 南山大 愛知大各1 理(院)南山大 名城大各1(大)九産大 金沢学大 中京大 名城大 愛知工業大 九大 中部大各1

【24年4月入社者の配属先】
総 勤務地:札幌1 埼玉1 東京2 名古屋1 大阪2 京都1 広島1 福岡1 部署:営業9 テクニカルセンター1 技 勤務地:名古屋9 部署:商品開発4 ソフトウェア開発5

●給与、ボーナス、週休、有休ほか●

【30歳総合職平均年収】321万円【初任給】(修士)250,500円(大卒)230,000円【ボーナス(年)】170万円、6.5カ月【25、30、35歳賃金】229,732円→255,983円→281,805円【週休】完全2日(土日)【夏期休暇】連続5日(土日祝含む)【年末年始休暇】12月29日～1月4日【有休取得】15.1/20日

●従業員数、勤続年数、離職率ほか●

【男女別従業員数、平均年齢、平均勤続年数】計 1,131(42.2歳 17.3年) 男 920(43.7歳 18.6年) 女 211(35.5歳 11.7年)【離職率と離職者数】3.7%、43名(選択定年男2名)【3年後新卒定着率】100%(男100%、女100%、3年前入社:男9名・女3名)【組合】なし

求める人材 何事にも積極的にチャレンジする行動力がある人 一つの事を極めて社会貢献したい人

会社データ (金額は百万円)

【本社】460-0004 愛知県名古屋市中区新栄町1-1 明治安田生命名古屋ビル
☎052-228-8181 https://www.aiphone.co.jp/
【社長】鈴木 富雄【設立】1959.3【資本金】5,388【今後力を入れる事業】リニューアル ケア 海外事業

【業績(連結)】	売上高	営業利益	経常利益	純利益
22.3	51,991	5,538	5,931	4,226
23.3	52,811	3,758	4,167	2,929
24.3	61,334	5,268	6,130	4,645

オリンパス(株)

東京P 7733

【特色】医療機器大手。消化器内視鏡で世界シェア7割

修士・大卒採用数	3年後離職率	有休取得年平均	平均年収(平均43歳)
103名	15.5→25.7%	12.6日	総 1,041万円

残業(月) 18.9時間 総 18.9時間

記者評価 主力は消化器内視鏡で、世界シェア7割かつ高い利益率を誇る。海外売上比率約9割。内視鏡に装着して使う治療機器を強化中、買収にも積極的。デジカメ事業や顕微鏡事業は売却し医療分野に集中。ガバナンス改革に邁進。ジョブ型雇用を世界的に導入。

●エントリー情報と採用プロセス●

【受付開始～終了】総技2月～7月【採用プロセス】総技ES提出・適性検査→書類選考→面接(2回)→内々定【交通費支給】なし【早期選考】⇒巻末

試験情報

重視科目 総技 面接

総 ES⇒巻末 筆 SPI3(自宅) 面 2回(Webあり) 技 ES NA 筆 SPI3(自宅) 面 2回(Webあり)

選考ポイント 総技 ES 求める人材像と一致しているか 面 当社が求める人材像にどれだけマッチしているか

通過率 総 ES NA(受付:724→通過:NA) 技 ES NA(受付:1,928→通過:NA)

倍率(応募/内定) 総 145倍 技 20倍

●男女別採用数と配属先ほか●

【男女・文理別採用実績】

	大卒男	大卒女	修士男	修士女
23年	9(文 2理 7)	8(文 5理 3)	25(文 0理 25)	7(文 0理 7)
24年	15(文 8理 7)	13(文 9理 4)	32(文 0理 32)	9(文 0理 9)
25年	6(文 6理 0)	3(文 3理 0)	69(文 0理 69)	25(文 0理 25)

【25年4月入社者の採用実績校】文 早大 関西学大 チュラロンコン大 新潟大 立教大 明大 小樽商大 学習院大 理 立命館大 明大 名城大 名大 北九州市大 北大 法政大 富山大 日大 奈良先端科技院大 同大 東北大 東理大 東京農工大 都立大 東大 東京科学大 電通大 中大 筑波大 阪大 大阪公大 早大 千葉大 青学大 神戸大 信州大 上智大 芝工大 広島大 工学院大 慶大 九大 九州工大 京大 京都工繊大 関大 岡山大 横国大 宇都宮大 茨城大 杏林大

【24年4月入社者の配属先】総 勤務地:東京(新宿 八王子)東北(青森 会津 白河)長野 他 部署:海外マーケティング 技 勤務地:東京(新宿 八王子)東北(青森 会津 白河)長野 他 部署:開発 研究 生産技術 品質保証

●給与、ボーナス、週休、有休ほか●

【30歳総合職平均年収】657万円【初任給】(博士)300,000円(修士)261,000円(大卒)236,000円【ボーナス(年)】(組合員)245万円、6.0カ月【25、30、35歳賃金】253,029円→314,183円→394,357円【週休】完全2日(土日祝)【夏期休暇】最低2日(年間労働日数に応じて決定、本社と研究開発拠点では選択制夏季休暇)【年末年始休暇】12月30日～1月4日(年によって前後の休暇あり)【有休取得】12.6/20日

●従業員数、勤続年数、離職率ほか●

【男女別従業員数、平均年齢、平均勤続年数】計 6,023(42.5歳 14.4年) 男 4,855(43.1歳 15.0年) 女 1,168(39.7歳 12.1年)【離職率と離職者数】3.9%、243名(早期退職男38名、女10名含む)【3年後新卒定着率】74.3%(男73.1%、女77.8%、3年前入社:男26名・女9名)【組合】あり

求める人材 当社のCore Valuesに共感し、行動発揮する人材

会社データ (金額は百万円)

【本社】192-8507 東京都八王子市石川町2951
☎042-642-2111 https://www.olympus.co.jp/
【社長】シュテファン カウフマン【設立】1919.10【資本金】124,643【今後力を入れる事業】医療事業

【業績(IFRS)】	売上高	営業利益	税前利益	純利益
22.3	868,867	153,898	149,873	115,742
23.3	881,923	186,609	182,294	143,432
24.3	936,210	43,598	35,854	242,566

メーカーI

テルモ(株)

東京P 4543

【特色】医療機器メーカー大手。心臓血管分野が強み

修士・大卒採用数	3年後離職率	有休取得年平均	平均年収(平均41歳)
151名	9.2→5.7%	13.9日	[総]801万円

●エントリー情報と採用プロセス●

【受付開始～終了】[総][技]3月～9月【採用プロセス】[総][技]ES提出・適性検査→面接(2回程度)→最終面接→内々定【交通費支給】最終面接、会社基準

試験情報

重視科目 [総][技]面接

[総][技][ES]NA[筆]SPI3(自宅)[面]3回(Webあり)

選考ポイント [総][ES]NA(提出あり)[面]コミュニケーション能力 戦略的思考力 主体性[技][ES]NA(提出あり)[面]コミュニケーション能力 論理的・専門的思考力 主体性

通過率 [総][技][ES]NA 倍率(応募/内定) [総][技]NA

●男女別採用数と配属先ほか●

【男女・文理別採用実績】

	大卒男	大卒女	修士男	修士女
23年	37(文 26理 11)	42(文 32理 10)	59(文 3理 56)	24(文 1理 23)
24年	34(文 26理 8)	41(文 33理 8)	48(文 2理 46)	32(文 2理 30)
25年	36(文 23理 13)	34(文 26理 8)	53(文 1理 52)	28(文 4理 24)

【25年4月入社者の採用実績校】[文](院)山形大 岐阜大 富山県大 京大 神戸大各1(大)立教大 亜大 横浜市大 立命館大 関西学大 関大 同大 成蹊大 明大 國學院大 日女大各2 京都外大 近大 九大 慶大 ICU 産能大 順天堂大 神戸大 神田外語大 神奈川大 聖心女大 静岡県大 専大 早大 阪大 大手前大 筑波大 中大 追手門学大 東京女大 武蔵大 法政大 北九州市大 立正大 立命館APU ソレント大 テキサス大ダラス校各1[理](院)東京農工大9 東京科学大 秋田大各4 東理大 関大 京大 信州大 芝工大各3 東京薬大 東京電機大 順天堂大 電通大 山口大 富山大 早大 阪大 明大 愛媛大 静岡大 九大 日大各2 東京都市大 奈良先端科技院大 東大 横国大 神戸大 広島大 成蹊大 九州工大 都立大 千葉大 東北大 筑波大 山梨大 中大 慶大 山形大 関西学大 弘前大 東洋大各1(大)東京薬大 東洋大各2 日大 横浜薬大 慶大 工学院大 鹿児島大 信州大 静岡大 阪大 中大 中部大 東海大 東大 都立大 同大 明大 北里大 神戸薬大各1(高専)沼津2 一関 佐世保 茨城 東京 長岡 函館 長野各1

【24年4月入社者の配属先】[総]勤務地:全国27拠点 部署:企画営業59[技]勤務地:神奈川 静岡 山梨 部署:研究開発61 生産技術開発・品質保証36 SE4 メディカルDX4

残業(月) 21.7時間 [総]21.7時間

[記者評価] 国内医療機器でオリンパスに次ぐ売上高2位。北里柴三郎らが発起人となり体温計の国産化を目的に創業。主力は心臓手術に欠かせないカテーテル。製薬会社から受託するデバイスの開発製造が成長領域。今年は初の海外製薬会社との契約も締結した。

●給与、ボーナス、週休、有休ほか●

【30歳総合職平均年収】619万円【初任給】(博士)281,500円(修士)249,500円(大卒)233,500円【ボーナス(年)】246万円、5.8カ月【25、30、35歳賃金】247,300円→311,800円→372,000円【週休】完全2日(土日祝)【夏期休暇】週休を含め原則連続9日、工場地区:原則連続9日【年末年始休暇】連続7日(週休含む)【有休取得】13.9/20日

●従業員数、勤続年数、離職率ほか●

【男女別従業員数、平均年齢、平均勤続年数】計 3,700(41.3歳 15.0年)男 2,830(42.8歳 16.4年)女 870(36.7歳 10.3年)【離職率と離職者数】3.1%、119名【3年後新卒定着率】94.3%(男92.9%、女97.4%、3年前入社:男85名・女38名)【組合】あり

[求める人材] 画一的に定めた「求める人物像」はない。一人ひとりの個性を尊重

[会社データ] (金額は百万円)

【本社】151-0072 東京都渋谷区幡ケ谷2-44-1
☎03-3374-8111 https://www.terumo.co.jp/
【社長】鮫島 光【設立】1921.9【資本金】38,716【今後力を入れる事業】先端医療分野

【業績(IFRS)】	売上高	営業利益	税前利益	純利益
22.3	703,303	115,960	114,501	88,813
23.3	820,209	117,332	116,137	89,325
24.3	921,863	140,096	140,829	106,374

ニプロ(株)

東京P 8086

【特色】医療器具大手。人工腎臓が強い。ジェネリックも

修士・大卒採用数	3年後離職率	有休取得年平均	平均年収(平均40歳)
119名	10.5→17.7%	12.3日	[総]712万円

●エントリー情報と採用プロセス●

【受付開始～終了】[総][技]NA【採用プロセス】[総][技]ES提出・Webテスト→筆記・適性→面接(2回程度)→内々定【交通費支給】最終面接、会社基準【早期選考】⇒巻末

試験情報

重視科目 [総][技]面接

[総][技][ES]NA[筆]あり(内容NA)[面]2回(Webあり)

選考ポイント [総][技][ES]NA(提出あり)[面]人物面 意欲 志望度 論理的思考力

通過率 [総][技][ES]NA 倍率(応募/内定) [総][技]NA

●男女別採用数と配属先ほか●

【男女・文理別採用実績】

	大卒男	大卒女	修士男	修士女
23年	24(文 13理 11)	18(文 10理 8)	42(文 0理 42)	17(文 0理 17)
24年	23(文 15理 8)	15(文 10理 5)	37(文 0理 37)	19(文 0理 19)
25年	29(文 21理 8)	33(文 26理 7)	35(文 0理 35)	22(文 0理 22)

【25年4月入社者の採用実績校】[文](大)同大5 明大 立命館大 関西学大 甲南大各3 東京外大 上智大 東洋大 福岡大各2 京大 一橋大 早大 静岡大 埼玉大 神戸市外大 立教大 ICU 滋賀大 兵庫県大 法政大 学習院大 関大 成蹊大 近大 龍谷大 日大 高知工科大 西南学大 中京大 関西外大 大阪体大各1[理](院)兵庫県大 北見工大各4 岡山大 弘前大 鳥取大各3 阪大 神戸大 九州工大 信州大 山形大 山梨大 京都府大 北里大各2 京大 東京科学大 名大 北大 九大 慶大 横国大 大阪公大 京都工繊大 同大 静岡大 埼玉大 富山大 福井大 三重大 徳島大 山口大 香川大 鹿児島大 佐賀大 宮崎大 長岡技科大 広島市大 立命館大各1(大)同大 山梨大 北見工大 帝京大各2 弘前大 徳島大 関西学大 関大 東京薬大 北里大 近大各1(高専)神戸2 北九州 函館 都城 都立産技各1

【24年4月入社者の配属先】[総]勤務地:全国13拠点 部署:国内営業 国際営業 事務系職種[技]勤務地:札幌 秋田 東京 埼玉 愛知 滋賀 部署:研究開発 設備設計 生産技術 品質管理 商品開発営業 信頼性保証 知的財産 メディカルアフェアーズ メンテナンス SE

残業(月) 10.4時間 [総]11.2時間

[記者評価] 人工透析で使用するダイアライザ(人工腎臓)が主力。注射器や心臓手術で使うカテーテル、ジェネリック医薬品など幅広く扱う。人工腎臓は北米や中国でも販売を伸ばす。近年は透析センターの買収を通じて中南米に注力。インドなどの新興国で消耗品が成長。

●給与、ボーナス、週休、有休ほか●

【30歳総合職平均年収】NA【初任給】(博士)270,500円(修士)256,500円(大卒)241,500円【ボーナス(年)】209万円、6.36カ月【25、30、35歳賃金】NA【週休】完全2日(土日祝)【夏期休暇】なし【年末年始休暇】12月29日～1月4日【有休取得】12.3/20日

●従業員数、勤続年数、離職率ほか●

【男女別従業員数、平均年齢、平均勤続年数】計 ◇4,398(39.9歳 13.6年)男 3,252(41.0歳 14.5年)女 1,146(36.9歳 11.0年)【離職率と離職者数】◇4.3%、198名【3年後新卒定着率】82.3%(男83.3%、女80.0%、3年前入社:男78名・女35名)【組合】あり

[求める人材] プラス志向で、意欲を持って物事に取り組むことができる人物

[会社データ] (金額は百万円)

【本社】566-8510 大阪府摂津市千里丘新町3-26
☎06-6310-6909 https://www.nipro.co.jp/
【社長】佐野 嘉彦【設立】1954.7【資本金】84,397【今後力を入れる事業】再生医療事業

【業績(連結)】	売上高	営業利益	経常利益	純利益
22.3	494,789	23,882	27,583	13,455
23.3	545,199	17,729	15,346	4,574
24.3	586,785	22,335	19,509	11,109

開示 ★★★ ▶『業界地図』p.42, 118

キヤノンメディカルシステムズ(株)

株式公開 計画なし

【特色】キヤノン傘下の医療機器メーカー。国内大手

修士・大卒採用数	3年後離職率	有休取得年平均	平均年収(平均44歳)
102名	12.1 → 10.6%	18.6日	(総)785万円

●エントリー情報と採用プロセス●

【受付開始～終了】(総)(技)3月～7月【採用プロセス】(総)(技)ES提出(随時)→1次選考(筆記・面接)→2次選考(面接)→最終選考(面接)→内々定【交通費支給】最終選考以降、地域ごとの定額【早期選考】⇒巻末

試験情報

重視科目 (総)(技)面接

(総)(技)(ES)⇒巻末(筆)WebGAB(面)3回(Webあり)

選考ポイント (総)(技)(ES)志望動機 学生時代に力を入れて取り組んだこと 他(面)当社が求める人材像とのマッチ度

通過率 (総)(技)(ES)NA 倍率(応募/内定) (総)(技)NA

●男女別採用数と配属先ほか●

【男女・文理別採用実績】

	大卒男	大卒女	修士男	修士女
23年	23(文 15 理 8)	11(文 6 理 5)	32(文 0 理 32)	21(文 1 理 20)
24年	21(文 17 理 4)	10(文 5 理 5)	42(文 0 理 42)	14(文 1 理 13)
25年	26(文 14 理 12)	19(文 12 理 7)	45(文 1 理 44)	12(文 2 理 10)

【25年4月入社者の採用実績校】(文)(院)京大 一橋大 グラーツ大各1(大)駒澤大 中大各2 東京経大 神戸市外大 立命館APU 岩手大 岡山大 玉川大 同大 金沢大 新潟大 横浜市大 創価大 早大 東海大 国際医療福祉大 東京外大 ICU 東洋大 埼玉大 名城大 昭和女大 一橋大 上智大各1 (理)(院)阪大6 東北大5 東京電機大 筑波大各4 千葉大 東京科学大 広島大各3 静岡大 都立大 九大各2 東大 京大 東理大 藤田医大 芝工大 北大 群馬大 東邦大 慶大 徳島大 早大 日大 岡山大 順天堂大 名大 立命館大 名古屋市大 長崎大 宇都宮大 中大 金沢工大 東洋大各1(大)日大 明大各2 東京医療保健大 会津大 東邦大 熊本保健科学大 熊本大 群馬県民健康科学大 都立大 芝工大 日本獣医生命科学大 中大 富山県大 北海道科学大 つくば国際大 帝京大 東海大各1(高専)奈良3 都立産技 石川 長野各2 釧路 熊本 木更津 神戸 苫小牧 弓削商船 八戸 茨城 鈴鹿 津山 近大各1

【24年4月入社者の配属先】(総)**勤務地**:〈営業系〉全国主要事業所〈スタッフ系〉本社(栃木・大田原) **部署**:国内営業 海外営業 グローバル事業企画・マーケティング ロジスティクス 人事・総務 経理 法務 調達 PSIマネジメント (技)**勤務地**:〈研究・開発〉本社(栃木・大田原)〈営業技術〉全国主要事業所 **部署**:研究開発 営業技術 生産技術 サービス企画・テクニカルサポート システムエンジニア 社内SE 知的財産 アプリケーションスペシャリスト プロジェクトコーディネーション 他

残業(月) 30.8時間 (総)30.8時間

記者評価 旧東芝メディカルシステムズ。東芝の構造改革を受け、16年キヤノンが買収。画像診断装置に強く、CTは国内首位、MRIや超音波診断装置も高シェア。体外診断システムや医療ITソリューションも強化中。24年1月、超音波内視鏡システムでオリンパスと協業で合意。

●給与、ボーナス、週休、有休ほか●

【30歳総合職平均年収】509万円【初任給】(博士)315,000円(修士)269,000円(大卒)245,000円【ボーナス(年)】248万円、NA【25、30、35歳賃金】239,533円→287,128円→343,428円【週休】完全2日(土日祝)【夏期休暇】(本社)8月11～16日【年末年始休暇】(本社)12月29日～1月5日【有休取得】18.6/24日

●従業員数、勤続年数、離職率ほか●

【男女別従業員数、平均年齢、平均勤続年数】計 ◇5,424(44.7歳 18.5年) 男 4,466(45.4歳 19.3年) 女 958(41.5歳 14.5年)【離職率と離職者数】◇2.3%、126名【3年後新卒定着率】89.4%(男91.2%、女85.0%、3年前入社:男102名・女40名)【組合】あり

求める人材 経営理念"「Made for Life」健康と尊い命を守る医療に貢献します"に共感できる人

会社データ (金額は百万円)

【本社】324-8550 栃木県大田原市下石上1385
☎0287-26-6200 https://jp.medical.canon/
【社長】瀧口 登志夫【設立】1948.9【資本金】20,700【今後力を入れる事業】医療画像ソリューション 体外診断事業

【業績】	売上高	営業利益	経常利益	純利益
21.12	480,400	29,400	NA	NA
22.12	513,331	31,005	NA	NA
23.12	553,780	31,649	NA	NA

※業績はキヤノングループメディカルシステムビジネスユニットの数値

シスメックス(株)

東京P 6869

【特色】臨床検査機器・試薬大手。190カ国以上で展開

修士・大卒採用数	3年後離職率	有休取得年平均	平均年収(平均43歳)
129名	7.7 → 18.3%	14.3日	(総)874万円

●エントリー情報と採用プロセス●

【受付開始～終了】(総)(技)3月～継続中【採用プロセス】(総)(技)〈国内〉適性検査(3月～)→GDまたは1on1→面接(3回)→内々定※通年採用〈海外〉書類選考・動画面接→面接(3回)→内々定※通年採用【交通費支給】来社を依頼した場合、実費【早期選考】⇒巻末

試験情報

重視科目 (総)(技)適性検査(国内採用のみ)面接

(総)(技)(筆)SPI3(自宅) 海外採用はカバーレターによる選考(面)3回(Webあり)(GD作)⇒巻末

選考ポイント (総)(面)入社意欲 将来のキャリアプラン 論理的思考力 コミュニケーションカ (技)(面)事務系の観点に加え、専門知識

通過率 (総)(ES)―(応募:525) (技)(ES)―(応募:970)

倍率(応募/内定) (総)17倍 (技)6倍

●男女別採用数と配属先ほか●

【男女・文理別採用実績】

	大卒男	大卒女	修士男	修士女
23年	13(文 8 理 5)	7(文 7 理 0)	44(文 0 理 44)	25(文 2 理 23)
24年	22(文 11 理 11)	12(文 6 理 6)	39(文 0 理 39)	37(文 0 理 37)
25年	23(文 12 理 11)	23(文 10 理 13)	57(文 0 理 57)	26(文 0 理 26)

【25年4月入社者の採用実績校】(文)(大)関西学大3 同大 兵庫県大 早大 大阪市大各2 成蹊大 創価大 立正大 近大 日女大 國學院大 立教大 阪大 立命館大 筑波大 神戸大各1 (理)(院)阪大8 岡山大 神戸大 大阪公大各6 九大 名大各5 京都工繊大 京大各4 東京農工大 同大 徳島大各3 愛媛大 金沢大 九州工大 広島大 東理大 東北大 奈良先端科技院大 立命館大各2 関西学大 関大 岩手大 京都府大 工学院大 弘前大 埼玉大 山口大 信州大 青学大 静岡県大 静岡大 長岡技科大 東邦大 徳島文理大 日女大 富山大 兵庫県大 豊橋技科大 豊田工大 明大各1(大)森ノ宮医療 近大 関大 京都薬大 立命館大各2 都立大 徳島大 東邦大 弘前大 東京都市大 岐阜大 東理大 明治薬大 同大 熊本大 慶大 帝京平成大 神戸女学大 神戸大各1

【24年4月入社者の配属先】(総)**勤務地**:神戸5 さいたま3 仙台2 大阪2 横浜1 千葉1 名古屋1 高松1 広島1 福岡1 鹿児島1 **部署**:営業15 経理1 SCM2 事業推進1 (技)**勤務地**:兵庫(神戸70 加古川6 小野1)福岡3 さいたま2 東京2 仙台1 横浜1 名古屋1 京都1 高松1 広島1 鹿児島1 **部署**:研究開発44 生産17 臨床開発6 品質保証4 薬事3 知財2 学術7 技術サービス8

残業(月) 20.9時間 (総)20.9時間

記者評価 血液中の成分を分析する検査「ヘマトロジー」で世界首位。検査機器を販売後、検査で使用する試薬も販売することで収益を伸ばすビジネスモデル。海外売上比率は8割強。24度中に新工場が稼働予定のインド市場に力を入れる。手術支援ロボットも拡販中。

●給与、ボーナス、週休、有休ほか●

【30歳総合職平均年収】655万円【初任給】(博士)250,000円(修士)250,000円(大卒)250,000円【ボーナス(年)】289万円、NA【25、30、35歳賃金】252,131円→300,700円→352,533円【週休】完全2日(土日祝)【夏期休暇】最大8月10～18日(16日は有休推奨)【年末年始休暇】最大12月27日～1月5日(週休含む、12月27日は有休推奨)【有休取得】14.3/20日

●従業員数、勤続年数、離職率ほか●

【男女別従業員数、平均年齢、平均勤続年数】計 2,806(42.6歳 13.0年) 男 1,870(43.5歳 14.0年) 女 936(40.9歳 11.1年)【離職率と離職者数】2.4%、68名(早期退職男3名含む)【3年後新卒定着率】81.7%(男74.4%、女95.2%、3年前入社:男39名・女21名)【組合】あり

求める人材 (文)プラス思考で先進的なチャレンジャー(理)世界視野でモノづくり、技術を追求できる人

会社データ (金額は百万円)

【本社】651-0073 兵庫県神戸市中央区脇浜海岸通1-5-1
☎078-265-0500 https://www.sysmex.co.jp/
【社長】浅野 薫【設立】1968.2【資本金】14,729【今後力を入れる事業】ライフサイエンス事業

【業績(IFRS)】	売上高	営業利益	税前利益	純利益
22.3	363,780	67,416	64,346	44,093
23.3	410,502	73,679	68,713	45,784
24.3	461,510	78,382	74,600	49,639

開示 ★★★★ ▶『業界地図』p.118 560

メーカーI

日本光電（にほんこうでん）

東京P 6849

【特色】医療用電子機器メーカー。柱は生体情報モニター

修士・大卒採用数	3年後離職率	有休取得年平均	平均年収(平均42歳)
46名	7.8→9.6%	10.4日	総972万円

●エントリー情報と採用プロセス●

【受付開始〜終了】総2月〜6月 技2月〜3月【採用プロセス】総ES提出(2月〜)→Webテスト(3月〜)→面接(3回、3月〜)→内々定(5月頃) 技ES提出(2月〜)→Webテスト(3月)→面接(3回、3月〜)→内々定(4月頃)【交通費支給】最終面接、会社基準【早期選考】⇒巻末

試験情報

重視科目 総技 面接

総 技 ES⇒巻末 筆SPI3(会場) SPI3(自宅) 面3回(Webあり)

選考ポイント 総技 ES NA(提出あり) 面求める人財か

通過率 総技 ES NA 倍率(応募/内定) 総技NA

●男女別採用数と配属先ほか●

【男女・文理別採用実績】

	大卒男	大卒女	修士男	修士女
23年	39(文 26理 13)	9(文 8理 1)	37(文 4理 33)	9(文 0理 9)
24年	39(文 23理 16)	19(文 11理 8)	30(文 1理 29)	7(文 0理 7)
25年	19(文 7理 12)	5(文 3理 2)	21(文 0理 21)	1(文 0理 1)

【25年4月入社者の採用実績校】文(大)立命館大 青学大 日大 関大 法政大 阪大 明大 中大 立教大 成城大各1 理(院)京都工繊大 静岡大各2 東大 明大 佐賀大 芝工大 千葉大 青学大 都立大 東北大 東理大 近大 奈良先端科技院大 兵庫県大 群馬大 東京科学大 関大 国士舘大 秋田大 岩手大各1 (大)芝工大 東京電機大各2 東洋大 北海道科学大 大阪電通大 東京工科大 川崎医療福祉大 東海大 藤田医大 大阪府大 京大 藤田保健衛生大各1

【24年4月入社者の配属先】総勤務地:〈管理〉東京3 埼玉2〈営業〉北海道2 仙台2 千葉2 宇都宮1 埼玉(さいたま4 川越1) 東京(小石川4 五反田1 立川1) 横浜3 静岡(三島1 浜松1) 名古屋3 岡崎1 大阪3 和歌山1 奈良1 広島2 岡山1 松山1 徳島1 高知1 福岡1 北九州1 熊本1 部署:管理5 営業41 技勤務地:〈技術〉研修中29〈サービスエンジニア〉北海道1 仙台1 千葉1 筑波1 川越1 東京(西落合1 小石川2 立川1) 神奈川(横浜1 厚木1) 岡崎1 岐阜1 大阪(大阪1 堺1) 神戸1 岡山1 山口1 高松1 福岡2) 部署:技術29 サービスエンジニア21

残業(月) 26.9時間 総29.8時間

記者評価 医療機関で患者の生体情報を管理するモニターが主力。脳波計は国内シェア9割。国内で唯一AEDを製造。近年は医療DX化や医療者の人手不足を背景に、院内のITC化や業務効率化に貢献する製品を強化。米国、新興国中心に海外事業を拡大させている。

●給与、ボーナス、週休、有休ほか●

【30歳総合職平均年収】727万円【初任給】(博士)296,000円 (修士)272,000円 (大卒)248,000円【ボーナス(年)】227万円、6.95カ月【25、30、35歳賃金】246,632円→299,048円→347,342円 ※短時間勤務者を含む【週休】完全2日(土日祝)【夏期休暇】8月11〜16日【年末年始休暇】12月29日〜1月4日【有休取得】10.4/21日

●従業員数、勤続年数、離職率ほか●

【男女別従業員数、平均年齢、平均勤続年数】計3,292(42.1歳 15.3年) 男2,568(41.9歳 15.3年) 女724(42.7歳 15.2年)【離職率と離職者数】2.5%、83名【3年後新卒定着率】90.4%(男92.1%、女85.7%、3年前入社:男38名・女14名)【組合】あり

求める人材 チャレンジングな目標を掲げ、周囲を巻き込みながら達成までやり遂げられる人財

会社データ (金額は百万円)

【本社】161-8560 東京都新宿区西落合1-31-4
☎03-5996-8008 https://www.nihonkohden.co.jp/
【社長】荻野 博一【設立】1951.8【資本金】7,544【今後力を入れる事業】世界初の革新的技術の確立 世界最高品質の確立 グローバルシェアNO.1の獲得

【業績(連結)】	売上高	営業利益	経常利益	純利益
22.3	205,129	30,992	34,563	23,435
23.3	206,603	21,120	24,122	17,110
24.3	221,986	19,591	25,589	17,026

日機装(株)（にっきそう）

東京P 6376

【特色】工業・医療向け機器。日本初の製品も多い

修士・大卒採用数	3年後離職率	有休取得年平均	平均年収(平均41歳)
29名	30.4→19.4%	11.4日	総733万円

●エントリー情報と採用プロセス●

【受付開始〜終了】総技2月〜継続中(一部職種のみ)【採用プロセス】総技説明会(2月〜)→ES提出・書類選考(2月〜)→面接(3回、3月〜)・適性検査(3月〜)→内々定(3月〜)【交通費支給】最終面接、実費【早期選考】⇒巻末

試験情報

重視科目 総技ES 面接

総 技 ES⇒巻末 筆あり(内容NA) 面3回(Webあり)

選考ポイント 総技 ES志望動機 学生時代に粘り強く取組んだ経験 面明るさ 熱意が感じられるか 受け答えに論理性があるか

通過率 総技 ES NA

倍率(応募/内定) 総技NA

●男女別採用数と配属先ほか●

【男女・文理別採用実績】

	大卒男	大卒女	修士男	修士女
23年	4(文 1理 3)	11(文 7理 4)	15(文 2理 13)	2(文 0理 2)
24年	7(文 4理 3)	1(文 0理 1)	7(文 1理 6)	1(文 1理 0)
25年	11(文 6理 5)	3(文 2理 1)	11(文 0理 11)	4(文 0理 4)

【25年4月入社者の採用実績校】文(大)亜大 跡見学園女大 国際教養大 駿河台大 中大 東洋大 桃山学大 明大各1 理(院)芝工大3 宇都宮大 大分大 工学院大 信州大 中大 東京電機大 東京農工大 奈良先端科技院大 日大 福井大 宮崎大 明大各1(大)工学院大 埼玉医大 桐蔭横浜大 日大 北海道科学大 明大各1

【24年4月入社者の配属先】総勤務地:東京(恵比寿4 木場1) 大阪1 金沢1 部署:営業5 人事1 総務1 技勤務地:東京(東村山7 恵比寿1) 名古屋1 金沢1 部署:技術8 システムエンジニア1 サービスエンジニア1

残業(月) 22.3時間 総27.2時間

記者評価 産業用の精密ポンプと医療用の人工透析機器が主力。航空機で使用する部品も扱う。近年は世界のエネルギー確保や脱炭素化の需要が追い風となり、LNG(液化天然ガス)関連の製品が成長している。石油関連事業の売却など事業ポートフォリオの見直しも進行中。

●給与、ボーナス、週休、有休ほか●

【30歳総合職平均年収】485万円【初任給】(修士)262,150円 (大卒)239,650円【ボーナス(年)】NA、4.9カ月【25、30、35歳賃金】245,812円→273,635円→313,454円【週休】完全2日【夏期休暇】5日(有休2日含む)【年末年始休暇】6日【有休取得】11.4/20日

●従業員数、勤続年数、離職率ほか●

【男女別従業員数、平均年齢、平均勤続年数】計◇1,678(42.4歳 14.5年) 男1,336(42.5歳 14.0年) 女342(41.9歳 15.1年)【離職率と離職者数】◇5.1%、91名【3年後新卒定着率】80.6%(男90.0%、女33.3%、3年前入社:男30名・女6名)【組合】あり

求める人材 熱い情熱とチャレンジ精神を持ち、粘り強く物事に取り組むことができる人物

会社データ (金額は百万円)

【本社】150-6022 東京都渋谷区恵比寿4-20-3 恵比寿ガーデンプレイスタワー
☎03-3443-3711 https://www.nikkiso.co.jp/
【社長】甲斐 敏彦【設立】1950.3【資本金】6,544【今後力を入れる事業】特殊ポンプ 精密機器 航空宇宙 医療機器

【業績(IFRS)】	売上高	営業利益	税前利益	純利益
21.12	167,759	3,125	3,952	221
22.12	177,109	34,222	32,682	13,639
23.12	192,629	5,885	11,626	9,071

メーカーI

トヨタ自動車(株)

東京P 7203

【特色】世界首位の4輪メーカー。ハイブリッド車で先行

修士・大卒採用数	3年後離職率	有休取得年平均	平均年収(平均41歳)
NA	NA	NA	◇899万円

●エントリー情報と採用プロセス●

【受付開始～終了】[総]3月～3月 [技]3月～5月【採用プロセス】[総]ES提出・Web試験(3月)→面接(1回、6～8月)→内々定(6～8月) [技]ES提出・Web試験(3～5月)→面接(1回、6～8月)→内々定(6～8月)【交通費支給】最終面接、会社基準

試験情報

[重視科目] [総][技]NA

[総][技][ES]NA[筆]SPI3(自宅)[面]1回(Webあり)

[選考ポイント] [総][技][ES]求める人材像に基づき総合的に判断[面]求める人材像に基づき総合的に判断

[通過率] [総][技][ES]NA

[倍率(応募/内定)] [総][技]NA

●男女別採用数と配属先ほか●

【男女・文理別採用実績】

	大卒男	大卒女	修士男	修士女
23年	73(文 45 理 28)	58(文 50 理 8)	260(文 0 理260)	31(文 0 理 31)
24年	99(文 72 理 27)	104(文 96 理 8)	319(文 2 理317)	34(文 1 理 33)
25年	NA(文NA 理NA)	NA(文NA 理NA)	NA(文NA 理NA)	NA(文NA 理NA)

【25年4月入社者の採用実績校】

[文]NA [理]NA

【24年4月入社者の配属先】

[総]勤務地:豊田本社 東京本社 名古屋オフィス 愛知県内各工場 他 部署:NA [技]勤務地:豊田本社 東京本社 名古屋オフィス 東富士研究所 愛知県内各工場 他 部署:NA

[残業(月)] 21.8時間

[記者評価] 年間世界販売は1000万台超。子会社にダイハツ工業、日野自動車。SUBARU、マツダ、スズキと資本提携。収益力は業界で突出。今でも豊田家の威光が強い。EVに加えてハイブリッド車、燃料電池車など電動車を全方位戦略で展開。30年にEVの世界販売350万台目指す。

●給与、ボーナス、週休、有休ほか●

【30歳総合職平均年収】NA【初任給】(修士)276,000円(大卒)254,000円【ボーナス(年)】NA【25、30、35歳賃金】NA【週休】完全2日(土日)【夏期休暇】連続9日(週休含む、地域により異なる)【年末年始休暇】連続9日(週休含む、地域により異なる)【有休取得】NA/20日

●従業員数、勤続年数、離職率ほか●

【男女別従業員数、平均年齢、平均勤続年数】計◇70,224(40.6歳 16.0年) 男 NA 女 NA【離職率と離職者数】NA【3年後新卒定着率】NA【組合】あり

[求める人材] 高い人間力(思いやり、謙虚)を有し、トヨタで夢を実現したいという情熱を持った人材

[会社データ] (金額は百万円)

【本社】471-8571 愛知県豊田市トヨタ町1
☎0565-28-2121 https://global.toyota/
【社長】佐藤 恒治【設立】1937.8【資本金】397,050【今後力を入れる事業】「移動」に関わるあらゆるサービス

【業績(IFRS)】	営業収益	営業利益	税前利益	純利益
22.3	31,379,507	2,995,697	3,990,532	2,850,110
23.3	37,154,298	2,725,025	3,668,733	2,451,318
24.3	45,095,325	5,352,934	6,965,085	4,944,933

本田技研工業(株)

東京P 7267

【特色】4輪販売台数で世界8位。2輪は世界一

修士・大卒採用数	3年後離職率	有休取得年平均	平均年収(平均45歳)
689名	7.3→9.0%	17.9日	[総]831万円

●エントリー情報と採用プロセス●

【受付開始～終了】[総]3月～4月 [技]3月～5月【採用プロセス】[総]ES・適性検査(3～4月)→面接(6月)→内々定(6月中) [技]ES・適性検査(3～5月)→面接(6月)→内々定(6月中)【交通費支給】面接、会社基準

試験情報

[重視科目] [総][技]面接

[総][ES]⇒巻末[筆]SPI3(自宅)[面]1～3回(Webあり)[GD作]NA [技][ES]⇒巻末[筆]SPI3(自宅)[面]1～2回(Webあり)[GD作]NA

[選考ポイント] [総][技][ES]結果よりもプロセス重視 マニュアルに頼らず自身の言葉で書かれているか[面]学生時代に熱意を持って取り組んだ事(プロセス)と志望理由などからその個性がHondaにマッチするか

[通過率] [総][技][ES]NA

[倍率(応募/内定)] [総][技]NA

●男女別採用数と配属先ほか●

【男女・文理別採用実績】

	大卒男	大卒女	修士男	修士女
23年	98(文 33 理 65)	44(文 28 理 16)	297(文 5 理292)	29(文 0 理 29)
24年	146(文 55 理 91)	51(文 34 理 17)	325(文 1 理324)	35(文 3 理 32)
25年	161(文 60 理101)	66(文 47 理 19)	422(文 6 理416)	40(文 2 理 38)

【25年4月入社者の採用実績校】

[文]未定 [理]未定

【24年4月入社者の配属先】

[総]勤務地:東京 埼玉 栃木 静岡 三重 熊本 他 部署:NA [技]勤務地:東京 埼玉 栃木 静岡 三重 熊本 他 部署:NA

[残業(月)] 21.7時間 [総]21.7時間

[記者評価] 祖業の2輪は世界シェア3割強でダントツ。後発で参入した4輪も世界ブランドに成長。発電機からビジネスジェットまで広く手がける。歴代トップはエンジニア出身で技術主導の社風。日産と大型提携、三菱自も含めて電動化領域で非トヨタ連合形成に邁進。

●給与、ボーナス、週休、有休ほか●

【30歳総合職平均年収】675万円【初任給】(修士)275,900円(大卒)251,000円【ボーナス(年)】237万円、6.3カ月【25、30、35歳賃金】277,931円→339,605円→396,327円【週休】完全2日(土日)【夏期休暇】連続9日(週休含む)【年末年始休暇】連続10日(週休含む)【有休取得】17.9/20日

●従業員数、勤続年数、離職率ほか●

【男女別従業員数、平均年齢、平均勤続年数】計 40,207(43.2歳 NA) 男 36,476(43.9歳 NA) 女 3,731(36.7歳 NA)【離職率と離職者数】4.5%、1,886名【3年後新卒定着率】91.0%(男91.4%、女89.5%、3年前入社:男672名・女152名)【組合】あり

[求める人材] 既存の枠組みにとらわれることなく、夢の実現に向けてチャレンジできる人

[会社データ] (金額は百万円)

【本社】107-8556 東京都港区南青山2-1-1
☎03-3423-1111 https://global.honda/
【社長】三部 敏宏【設立】1948.9【資本金】86,067【今後力を入れる事業】移動の安全安心 カーボンニュートラル 新価値創造

【業績(IFRS)】	売上高	営業利益	税前利益	純利益
22.3	14,552,696	871,232	1,070,190	707,067
23.3	16,907,725	780,769	879,565	651,416
24.3	20,428,802	1,381,977	1,642,384	1,107,174

にっさんじどうしゃ 日産自動車(株)

東京P 7201

【特色】自動車大手。仏ルノー・三菱自と3社連合形成

修士・大卒採用数	3年後離職率	有休取得年平均	平均年収(平均41歳)
未定	NA	19.0日	◇877万円

●エントリー情報と採用プロセス●

【受付開始～終了】[総][技]3月～継続中【採用プロセス】[総]Web適性検査→GD→ES提出→面接(複数回)→内々定 [技]Web適性検査→ES提出→面接(複数回)→内々定【交通費支給】最終面接、会社基準【早期選考】⇒巻末

試験情報

重視科目 [総]面接 [技]面接 技術に関するプレゼンテーション

[総][ES]⇒巻末[筆]WebGAB Webテスティングサービス[面]複数回(Webあり)[GD作]⇒巻末 [技][ES]⇒巻末[筆]WebGAB Webテスティングサービス[面]複数回(Webあり)

選考ポイント [総][ES]求める人財と合致しているか 語学力 他[面]求める人財像に基づき総合的に判断 職種への適性 [技][ES]総合職共通[面]求める人財像に基づき総合的に判断

通過率 [総][技][ES]NA **倍率**(応募/内定) [総][技]NA

●男女別採用数と配属先ほか●

【男女・文理別採用実績】※25年:継続中

	大卒男	大卒女	修士男	修士女
23年	129(文 48 理 81)	41(文 30 理 11)	212(文 4 理208)	28(文 5 理 23)
24年	164(文 71 理 93)	42(文 30 理 12)	287(文 10 理277)	32(文 7 理 25)
25年	-(文 - 理 -)	-(文 - 理 -)	-(文 - 理 -)	-(文 - 理 -)

【25年4月入社者の採用実績校】[文]NA [理]NA

【24年4月入社者の配属先】

[総]勤務地:神奈川(横浜 厚木 横須賀 相模原)栃木 他 部署:マーケティング&セールス 商品企画 購買 生産管理・サプライチェーンマネジメント 情報システム 人事 経理財務 アフターセールス 他 [技]勤務地:神奈川(横浜 厚木 横須賀 相模原)栃木 他 部署:R&D 生産管理・サプライチェーンマネジメント 購買 グローバル品質保証 デザイン アフターセールス 他

残業(月) 30.2時間 [総]30.2時間

記者評価 1990年代の経営危機を機に、仏ルノーと資本提携。系列解体などカルロス・ゴーン社長(当時)の改革で復活。10年発売の「リーフ」などEVと独自HVシステム「eパワー」が電動化戦略の2本柱。16年に三菱自動車を実質傘下に。ホンダとの戦略提携を検討。

●給与、ボーナス、週休、有休ほか●

【30歳総合職平均年収】NA【初任給】(博士)295,000円(修士)270,000円(大卒)250,000円【ボーナス(年)】219万円、5.8カ月【25、30、35歳賃金】NA【週休】完全2日(土日)【夏期休暇】連続9日【年末年始休暇】連続10日【有休取得】19.0/20日

●従業員数、勤続年数、離職率ほか●

【男女別従業員数、平均年齢、平均勤続年数】計◇24,034(41.2歳 15.0年) 男 20,510(41.3歳 15.6年) 女 3,524(40.7歳 11.2年)【離職率と離職者数】NA【3年後新卒定着率】NA【組合】あり

求める人材 日産ウェイを体現しつつ、成果を生み出し、グローバルで戦える"人財"

会社データ (金額は百万円)

【本社】220-8686 神奈川県横浜市西区高島1-1-1
☎045-523-5523 https://www.nissan.co.jp/
【社長】内田 誠【設立】1933.12【資本金】605,814【今後力を入れる事業】環境・安全に配慮した電気自動車や自動運転

【業績(連結)】	売上高	営業利益	経常利益	純利益
22.3	8,424,585	247,307	306,117	215,533
23.3	10,596,695	377,109	515,443	221,900
24.3	12,685,716	568,718	702,161	426,649

スズキ(株)

東京P 7269

【特色】国内軽大手、2輪で3位。インド4輪シェア4割強

修士・大卒採用数	3年後離職率	有休取得年平均	平均年収(平均*41歳)
未定	10.2→10.4%	15.5日	[総]787万円

●エントリー情報と採用プロセス●

【受付開始～終了】[総][技]1月～未定【採用プロセス】[総]ES提出(1月～)→筆記→面接(3回、2月上旬～)→内々定(6月～) [技]ES提出(1月～)→筆記→面接(2回、2月上旬～)→内々定(6月～)【交通費支給】最終面接、会社基準

試験情報

重視科目 [総][技]面接

[総][ES]⇒巻末[筆]玉手箱[面]3回(Webあり) [技][ES]⇒巻末[筆]玉手箱[面]2回(Webあり)

選考ポイント [総][技][ES]内容 熱意[面]魅力のある人物か 受け答えに論理性があるか 他

通過率 [総][ES]64%(受付:1,319→通過:840) [技][ES]80%(受付:884→通過:711)

倍率(応募/内定) [総]8倍 [技]4倍

●男女別採用数と配属先ほか●

【男女・文理別採用実績】※25年:継続中

	大卒男	大卒女	修士男	修士女
23年	249(文101 理148)	80(文 69 理 11)	134(文 2 理132)	3(文 0 理 3)
24年	287(文129 理158)	92(文 82 理 10)	91(文 2 理 89)	8(文 0 理 8)
25年	-(文 - 理 -)	-(文 - 理 -)	-(文 - 理 -)	-(文 - 理 -)

【25年4月入社者の採用実績校】[文](24年)(大)関西学大9 立命館大8 早大 同大 日大各7 中大 南山大 法政大各6 神奈川大 専大 明大各5 愛知大 関大 龍谷大各4 慶大 阪大 名大 京産大 近大 静岡大各3 他 [理](24年)(院)静岡大15 日大5 鳥取大4 茨城大 早大 九州工大各3 千葉工大 秋田県大 宇都宮大 千葉大 芝工大 東京都市大 神奈川大 長岡技科大 山梨大 信州大 名工大 豊橋技科大 長崎大 大分大各2(大)東京電機大7 静岡大6 工学院大 金沢工大各5 神奈川大4 東京都市大3 千葉工大 芝工大 法政大 東海大各2 他

【24年4月入社者の配属先】[総]勤務地:〈営業職〉全国の販売代理店〈事務職〉本社及び国内の各事業所 部署:〈営業職〉国内営業〈事務職〉海外営業 財務 法務 IT 監査 調達 他 [技]勤務地:本社及び国内の各事業所 部署:先行開発 設計 実験 生産技術 IT 品質 認証 他

残業(月) 25.5時間 [総]25.5時間

記者評価 主力車種は軽「スペーシア」「ワゴンR」「アルト」、登録車「ソリオ」など。国内は軽でダイハツやホンダと争う。インドでは、シェア4割強と圧倒的。19年にトヨタと資本提携。カリスマ経営者の鈴木修氏は21年6月に退任。長男の俊宏社長が経営改革を進める。

●給与、ボーナス、週休、有休ほか●

【30歳総合職平均年収】590万円【初任給】(博士)294,100円(修士)273,000円(大卒)251,000円【ボーナス(年)】NA、6.2カ月【25、30、35歳賃金】NA【週休】2日【夏期休暇】連続9日【年末年始休暇】連続9日【有休取得】15.5/20日

●従業員数、勤続年数、離職率ほか●

【男女別従業員数、平均年齢、平均勤続年数】計 10,522(40.8歳 14.2年) 男 9,384(41.2歳 14.4年) 女 1,138(37.2歳 12.7年)【離職率と離職者数】4.1%、454名【3年後新卒定着率】89.6%(男88.6%、女94.0%、3年前入社:男290名・女67名)【組合】あり

求める人材 「誠実な人」お客様の声に寄り添い、真摯に努力できる人「遊び心のある人」多様な角度で物事をとらえられることができる人「挑戦できる人」主体性を持って新しい価値を創造できる人

会社データ (金額は百万円)

【本社】432-8611 静岡県浜松市中央区高塚町300
☎053-440-2086 https://www.suzuki.co.jp/
【社長】鈴木 俊宏【設立】1920.3【資本金】138,370【今後力を入れる事業】新興国を中心とした四輪・二輪・マリン事業

【業績(連結)】	売上高	営業利益	経常利益	純利益
22.3	3,568,380	191,460	262,917	160,345
23.3	4,641,644	350,551	382,807	221,107
24.3	5,374,255	465,563	488,525	267,717

メーカーI

開示 ★★★★☆ ▶『業界地図』p.48, 74, 76 624

マツダ㈱

東京P 7261

【特色】中堅自動車メーカー。トヨタと業務資本提携

修士・大卒採用数	3年後離職率	有休取得年平均	平均年収(平均44歳)
208名	6.5 → 6.8%	17.0日	㊗767万円

●エントリー情報と採用プロセス●

【受付開始〜終了】㊗3月〜4月 ㊔3月〜6月【採用プロセス】㊗ES提出(3〜4月)→1次面接(5月)→適性検査(5月)→2次面接(6月)→最終面接(6月)→内々定(6月)※2次面接、最終面接はない場合あり ㊔ES提出(3〜5月)→1次面接(4〜6月)→適性検査(4〜6月)→2次面接(4〜7月)→最終面接(4〜7月)→内々定(6月)※学校推薦は1次面接、2次面接なし【交通費支給】最終選考、会社基準【早期選考】⇒巻末

試験情報

重視科目 総技 面接

総技 ES⇒巻末 筆SPI3(会場) 面1〜3回(Webあり)

選考ポイント 総技 ES 求める人材に合致しているか 設問に対して論理的に回答できているか 面 当社の求める人物像との適合性

通過率 総 ES 34%(受付:638→通過:215) 技 ES 47%(受付:509→通過:238) 倍率(応募/内定) 総128倍 技4倍

●男女別採用数と配属先ほか●

【男女・文理別採用実績】※(文系)事務系職種(理系)技術系職種

	大卒男	大卒女	修士男	修士女
23年	54(文 16理 38)	16(文 8理 8)	141(文 2理139)	7(文 2理 5)
24年	62(文 13理 49)	14(文 9理 5)	141(文 1理140)	6(文 2理 4)
25年	68(文 5理 63)	21(文 14理 7)	112(文 0理112)	7(文 2理 5)

【25年4月入社者の採用実績校】㊍早大 東京外大 国士舘大 広島大 関大 関西学大 神戸市外大 名大 三重大 愛媛大 山口大 熊本県大 ㊞東京科学大 早大 明大 東理大 法政大 同大 関大 阪大 近大 名大 九大 広島大 広島市大 横国大 愛媛大 山口大 広島工大 九州工大 岡山大 大分大 茨城大 鳥取大 島根大 長岡技科大 久留米工大 長崎大 立命館大 京都工繊大 熊本大 東京農工大 名工大 兵庫県大 日大(大)山形大 県立広島大 東海大 他

【24年4月入社者の配属先】総 勤務地:広島26 部署:グローバル販売&マーケティング5 国内営業5 購買4 生産管理物流3 広報2 総務2 財務2 経営企画1 人事1 安全健康防災1 技 勤務地:広島204 山口・防府6 部署:R&D130 生産技術36 IT13 工場12 品質6 生産管理2 カスタマーサービス5 安全健康推進1 その他5

残業(月) 21.1時間 ㊗19.3時間

記者評価 走りと燃費両立の「スカイアクティブ」など独自のエンジン技術に特徴。次世代技術対応を見据え17年にトヨタと資本提携。21年に米国でトヨタとの合弁工場稼働。22〜30年まで3フェーズで段階的に電動化を進める。30年のグローバル販売BEV比率は25〜40%を想定。

●給与、ボーナス、週休、有休ほか●

【30歳総合職平均年収】552万円【初任給】(博士)279,500円(修士)258,000円(大卒)236,000円【ボーナス(年)】208万円、5.3カ月【25、30、35歳賃金】259,501円→321,152円→375,197円【週休】完全2日【夏期休暇】連続9日【年末年始休暇】連続9日【有休取得】17.0/20日

●従業員数、勤続年数、離職率ほか●

【男女別従業員数、平均年齢、平均勤続年数】計 13,008(45.6歳 19.0年)男 11,123(46.2歳 19.6年)女 1,885(42.2歳 15.9年)【離職率と離職者数】3.7%、501名【3年後新卒定着率】93.2%(男92.9%、女94.7%、3年前入社:男212名・女38名)【組合】あり

求める人材 自ら夢を描き、実現に向けて仲間と力を合わせて、粘り強くチャレンジし続ける人 新しい時代の価値創造に対応できる人

会社データ (金額は百万円)

【本社】730-8670 広島県安芸郡府中町新地3-1
☎082-282-1111 https://www.mazda.co.jp/
【社長】毛籠 勝弘【設立】1920.1【資本金】283,957【今後力を入れる事業】独自の商品 顧客体験への投資

【業績(連結)】	売上高	営業利益	経常利益	純利益
22.3	3,120,349	104,227	123,525	81,557
23.3	3,826,752	141,969	185,936	142,814
24.3	4,827,662	250,503	320,120	207,696

㈱SUBARU(スバル)

東京P 7270

【特色】中堅自動車企業。4輪駆動やエンジンに独自性

修士・大卒採用数	3年後離職率	有休取得年平均	平均年収(平均*39歳)
280名	0.9 → NA	18.1日	㊗788万円

●エントリー情報と採用プロセス●

【受付開始〜終了】㊗㊔NA【採用プロセス】㊗㊔ES提出・Webテスト(3〜4月)→面接(2回、6月〜)→内々定【交通費支給】最終選考、会社基準

試験情報

重視科目 総技 面接

総技 ES⇒巻末 筆SPI3(自宅) 面2回(Webあり)

選考ポイント 総技 ES 求める人物像に基づき総合的に判断 面 SUBARUの理念への共感 求める人物像への適合

通過率 総技 ES NA

倍率(応募/内定) 総技 NA

●男女別採用数と配属先ほか●

【男女・文理別採用実績】

	大卒男	大卒女	修士男	修士女
23年	81(文 10理 71)	24(文 9理 15)	117(文 0理117)	5(文 0理 5)
24年	105(文 15理 90)	21(文 11理 10)	109(文 0理109)	10(文 1理 9)
25年	124(文 23理101)	30(文 17理 13)	118(文 2理116)	8(文 1理 7)

【25年4月入社者の採用実績校】
㊍中大 法政大 早大 上智大 関西学大 青学大 立命館大 近大 ㊞東大 東京農工大 東京科学大 早大 芝工大 明大 千葉工大 群馬大 東理大 立命館大 神奈川大 近大

【24年4月入社者の配属先】
総 勤務地:群馬・太田 東京(恵比寿 三鷹)栃木・宇都宮 部署:人事部 調達本部 品質保証本部 国内営業本部 海外営業本部 航空宇宙カンパニー他 技 勤務地:群馬・太田 東京(恵比寿 三鷹)栃木・宇都宮 部署:技術本部 技術研究所 製造本部 IT戦略本部 品質保証本部 航空宇宙カンパニー他

残業(月) 19.1時間

記者評価 航空機開発が源流。水平対向エンジンや自動ブレーキ「アイサイト」など技術面で独自路線。根強いファンを持つ。SUV(スポーツ多目的車)に注力。売上高の7割超を北米で稼ぐ。19年にトヨタからの出資比率引き上げで持ち分法適用会社に、EVを共同開発。

●給与、ボーナス、週休、有休ほか●

【30歳総合職平均年収】590万円【初任給】(修士)273,000円(大卒)252,000円【ボーナス(年)】NA、5.6カ月【25、30、35歳賃金】NA【週休】完全2日(土日)【夏期休暇】連続10日【年末年始休暇】連続9日【有休取得】18.1/20日

●従業員数、勤続年数、離職率ほか●

【男女別従業員数、平均年齢、平均勤続年数】計 17,366(38.9歳 16.5年)男 16,052(39.1歳 16.6年)女 1,314(36.8歳 14.9年)【離職率と離職者数】2.3%、403名【3年後新卒定着率】NA【組合】あり

求める人材 創造力、バイタリティー、コミュニケーション力を備えて、想いをカタチに出来る人材

会社データ (金額は百万円)

【本社】150-8554 東京都渋谷区恵比寿1-20-8
☎03-6447-8000 https://www.subaru.co.jp/
【社長】大崎 篤【設立】1953.7【資本金】153,795【今後力を入れる事業】自動車を中心に、航空宇宙事業 他

【業績(IFRS)】	売上高	営業利益	税前利益	純利益
22.3	2,744,520	90,452	106,972	70,007
23.3	3,774,468	267,483	278,366	200,431
24.3	4,702,947	468,198	532,574	385,084

開示 ★★★☆☆ ▶『業界地図』p.74, 76, 87 629

みつびしじどうしゃこうぎょう 三菱自動車工業(株)

東京P 7211

【特色】中堅自動車メーカー。日産自動車の事実上傘下

修士・大卒採用数	3年後離職率	有休取得年平均	平均年収(平均42歳)
215名	NA	15.4日	786万円

●エントリー情報と採用プロセス●

【受付開始～終了】総技NA【採用プロセス】総技ES提出・Webテスト(3月～)→面接(1～2回、6月～)→内々定(6月～)
【交通費支給】あり

試験情報

重視科目 総技面接
総技 ES⇒巻末 筆CUBIC 面1～2回(Webあり)
選考ポイント 総技 ES NA(提出あり) 面求める人材像との適合度
通過率 総技 ES NA 倍率(応募/内定) 総技NA

●男女別採用数と配属先ほか●

【男女・文理別採用実績】※25年:24年7月18日時点

	大卒男	大卒女	修士男	修士女
23年	97(文 29 理 68)	21(文 16 理 5)	52(文 3 理 49)	5(文 4 理 1)
24年	113(文 57 理 56)	29(文 22 理 7)	59(文 4 理 55)	5(文 2 理 3)
25年	132(文 54 理 78)	24(文 23 理 1)	54(文 3 理 51)	5(文 1 理 4)

【25年4月入社者の採用実績校】文立教大8 明大5 法政大4 学習院大 立命館大 國學院大 成蹊大 日大各3 京大 阪大 上智大 青学大 中大 関大 名城大 東洋大 専大各2 早大 筑波大 関西学大 同大 東理大 都立大 東京女大 東京外大 名古屋外大 関西外大 岐阜大 静岡県大 滋賀県大 ICU 明学大 南山大 中京大 創価大 神奈川大 清泉女大 順天堂大 愛知学大 神戸女学大 金城学大 就実大 都留文科大 多摩美大 東北芸工大 釜山大 アデレード大各1(専)HAL名古屋1 他 理日大16 東海大6 立命館大 名城大 工学院大 近大 東京電機大 大阪工大各5 芝工大 愛知工業大各4 明大 京大 関西学大 金沢工大 摂南大各3 北大 名大 阪大 中部大 中大 早大 慶大 九州工大 金沢大 鹿児島大 愛媛大 福岡大 福岡工大 兵庫県大 東理大 電通大 千葉工大 北見工大 諏訪東理大各2 東大 同大 岡山大 龍谷大 山形大 宮崎大 三重大 広島工大 名工大 長岡技科大 大阪電通大 富山大 東京都市大 成蹊大 島根大 滋賀県大 京産大 岐阜大 関大 北九州市大 小松大 京都先端科学大 奈良先端科技院大各1(専)東京コミュニケーションアート1
【24年4月入社者の配属先】NA

残業(月) 28.2時間

記者評価 2000年代のリコール隠しに続き、16年の燃費改ざんなど不祥事が相次いだ。同年、日産自動車が筆頭株主に。三菱商事なども出資。4駆技術やSUV(スポーツ用多目的車)、軽EV、PHVに強み。東南アジアやオセアニアに経営資源集中方針だが北米回帰も模索。

●給与、ボーナス、週休、有休ほか●

【30歳総合職平均年収】NA【初任給】(博士)289,200円(修士)263,000円(大卒)246,700円【ボーナス(年)】NA【25、30、35歳賃金】NA【週休】完全2日(土日)【夏期休暇】連続9日【年末年始休暇】連続11日【有休取得】15.4/20日

●従業員数、勤続年数、離職率ほか●

【男女別従業員数、平均年齢、平均勤続年数】計 13,844(42.1歳 15.3年) 男 12,248(42.5歳 15.8年) 女 1,596(39.1歳 11.8年)【離職率と離職者数】2.7%、384名【3年後新卒定着率】NA【組合】あり

求める人材 自らの志を持ち、その実現に向けて挑戦し続けることができる人

会社データ (金額は百万円)

【本社】108-8410 東京都港区芝浦3-1-21 田町ステーションタワーS
☎03-3456-1111 https://www.mitsubishi-motors.co.jp/
【社長】加藤 隆雄【設立】1970.4【資本金】284,382【今後力を入れる事業】海外事業(アセアン)電動車両の開発

【業績(連結)】	売上高	営業利益	経常利益	純利益
22.3	2,038,909	87,331	100,969	74,037
23.3	2,458,141	190,495	182,022	168,730
24.3	2,789,589	190,971	209,040	154,709

こうぎょう ダイハツ工業(株)

株式公開していない

【特色】軽自動車で首位級。トヨタ傘下で軽と小型車を担当

修士・大卒採用数	3年後離職率	有休取得年平均	平均年収(平均41歳)
NA	NA	17.5日	NA

●エントリー情報と採用プロセス●

【受付開始～終了】総 技3月～6月【採用プロセス】総 技ES提出(3月～)→Webテスト(3月～)→面接(2回、6月～)→内々定(6月中旬～)【交通費支給】最終選考、実費【早期選考】⇒巻末

試験情報

重視科目 総技面接
総 技 ES NA 筆SPI3(会場) SPI3(自宅) 面2回(Webあり) GD作NA
選考ポイント 総 ES NA(提出あり) 面求める人材像との適合性 技 ES NA(提出あり) 面求める人材像との適合性 技術専門知識の内容・レベル
通過率 総技 ES NA 倍率(応募/内定) 総技NA

●男女別採用数と配属先ほか●

【男女・文理別採用実績】

	大卒男	大卒女	修士男	修士女
23年	35(文 13 理 22)	16(文 6 理 10)	48(文 0 理 48)	0(文 0 理 0)
24年	46(文 13 理 33)	25(文 12 理 13)	36(文 1 理 35)	5(文 1 理 4)
25年	NA(文NA 理NA)	NA(文NA 理NA)	NA(文NA 理NA)	NA(文NA 理NA)

【25年4月入社者の採用実績校】文同大 関西学大 関大 大阪市大 阪大 大和大 和歌山大 愛知学大 京都府大 近大 釧路公大 高崎経大 滋賀県大 順天堂大 神戸市外大 静岡大 大阪経大 大阪工大 拓大 中大 追手門学大 奈良女大 兵庫県大 明星大 立命館大 他 理関大 近大 大阪工大 大阪電通大 阪大 大分大 同大 静岡文芸大 摂南大 日大 岡山大 関西学大 久留米工大 宮崎大 京都芸大 京産大 京都精華大 京都先端科学大 九産大 工学院大 広島大 山口大 芝工大 上智大 神戸大 千葉大 中京大 中部大 鳥取大 東京電機大 東北学大 富山県大 富山大 名古屋芸大 立命館大 龍谷大(短)産業技術 高山自 中日本自動車(高専)近大 米子(専)トヨタ東京自動車大学校 トヨタ名古屋自動車大学校 トヨタ神戸自動車大学校 滋賀県立高等技術専門校 大阪工業技術 HAL大阪 桑沢デザイン研究所 他
【24年4月入社者の配属先】総勤務地:大阪 滋賀 兵庫 東京 部署:管理部門 生産調達部門 国内営業部門 海外部門 技勤務地:大阪 滋賀 京都 兵庫 福岡 部署:開発設計研究部門 生産調達部門 品質部門

残業(月) 20.3時間 総20.3時間

記者評価 国内軽自動車でスズキと双璧。「ミラ」「ムーヴ」「タント」が主力。トヨタやSUBARUに小型車やエンジンのOEM・受託生産も。インドネシア、マレーシアで高シェア。23年4月以降、複数車種で認証関連の不正が発覚、経営・生産現場・風土の改革により再発防止へ。

●給与、ボーナス、週休、有休ほか●

【30歳総合職平均年収】NA【初任給】(博士)276,000円(修士)256,000円(大卒)235,000円【ボーナス(年)】NA、5.5カ月【25、30、35歳賃金】NA【週休】完全2日(土日)【夏期休暇】9日【年末年始休暇】9日【有休取得】17.5/20日

●従業員数、勤続年数、離職率ほか●

【男女別従業員数、平均年齢、平均勤続年数】計◇12,470(41.2歳 18.8年) 男 11,458(41.4歳 19.1年) 女 1,012(38.5歳 15.5年)【離職率と離職者数】NA【3年後新卒定着率】NA【組合】あり

求める人材 良品廉価なクルマで、先進技術をみんなのものにという思いに共感しチャレンジできる人材

会社データ (金額は百万円)

【本社】563-8651 大阪府池田市ダイハツ町1-1
☎072-751-8811 https://www.daihatsu.co.jp/
【社長】井上 雅宏【設立】1907.3【資本金】28,404【今後力を入れる事業】国内の軽・小型車事業 海外の小型車事業
【業績(連結)】NA

開示 ★★★ ▶『業界地図』p.81 598

いすゞ自動車(株)

じどうしゃ

東京P 7202

【特色】商用車大手。海外でピックアップトラックも展開

修士・大卒採用数	3年後離職率	有休取得年平均	平均年収(平均41歳)
195名	10.4 → NA	17.9日	総 777万円

残業(月) 総 25.3時間

記者評価 トラック・バスの国内大手。商用車では国内唯一の独立系。中小型トラックに強い。ピックアップトラック「D-MAX」も大きな柱で、生産地のタイで高い人気を誇る。欧州のボルボと包括提携し、同社傘下のUDトラックスを買収。21年トヨタと合弁会社設立。

●エントリー情報と採用プロセス●

【受付開始～終了】総 技 2月～未定【採用プロセス】総 技 ES提出(2月～)→Web適性検査・面接(3月～)→面接→内々定【交通費支給】2次面接以降、現住所から面接会場まで

試験情報

重視科目 総 技 面接

総 技 ES ⇒巻末 筆 SPI3(会場) 面 2回(Webあり)

選考ポイント 総 技 ES 求める人財と一致しているか 面 好奇心 向上心 思考の深さ 視野の広さ

通過率 総 ES 74%(受付:436→通過:324) 技 ES 92%(受付:475→通過:437)

倍率(応募/内定) 総 6倍 技 4倍

●男女別採用数と配属先ほか●

【男女・文理別採用実績】

	大卒男	大卒女	修士男	修士女
23年	73(文 28 理 45)	9(文 8 理 1)	72(文 1 理 71)	11(文 4 理 7)
24年	81(文 46 理 35)	13(文 10 理 3)	50(文 1 理 49)	6(文 0 理 6)
25年	89(文 51 理 38)	20(文 17 理 3)	79(文 3 理 76)	7(文 2 理 5)

【25年4月入社者の採用実績校】文 北大 一橋大 筑波大 早大 慶大 上智大 神戸大 東京外大 明大 青学大 立教大 法政大 中大 同大 立命館大 横国大 千葉大 群馬大 島根大 東京都市大 都立大 神戸市外大 明学大 日大 学習院大 他 理 北大 東北大 東理大 筑波大 広島大 東京農工大 横国大 芝工大 東京電機大 明大 青学大 中大 岩手大 山梨大 山形大 茨城大 群馬大 埼玉大 静岡大 三重大 山口大 熊本大 日大 関大 東京都市大 室蘭工大 千葉工大 金沢工大 九州工大 工学院大 東京海洋大 東海大 神奈川工大 他

【24年4月入社者の配属先】総 **勤務地**:神奈川(横浜 藤沢)栃木 **部署**:国内海外営業 経理財務 人事 法務 購買 貿易業務 生産商品技術戦略 経営業務 他 技 **勤務地**:神奈川(横浜 藤沢)栃木 **部署**:開発 生産 品証 システム 購買 営業 他

●給与、ボーナス、週休、有休ほか●

【30歳総合職平均年収】NA【初任給】(博士)279,300円(修士)249,100円(大卒)227,100円【ボーナス(年)】NA【25、30、35歳賃金】NA【週休】会社暦2日【夏期休暇】連続9日【年末年始休暇】連続7日【有休取得】17.9/20日

●従業員数、勤続年数、離職率ほか●

【男女別従業員数、平均年齢、平均勤続年数】計 8,491(40.8歳 17.3年) 男 NA 女 NA【離職率と離職者数】2.0%、176名【3年後新卒定着率】NA(3年前入社:男151名・女7名)【組合】あり

求める人材 自ら考え行動する人 高い当事者意識・問題意識を持つ人 変化に対応できる人 自らキャリアデザインを行う人

会社データ (金額は百万円)

【本社】220-8720 神奈川県横浜市西区高島1-2-5 横濱ゲートタワー
☎045-299-9111 https://www.isuzu.co.jp/
【社長】南 真介【設立】1937.4【資本金】40,644【今後力を入れる事業】海外での商用車・PT事業 CASE対応

【業績(連結)】	売上高	営業利益	経常利益	純利益
22.3	2,514,291	187,197	208,406	126,193
23.3	3,195,537	253,546	269,872	151,743
24.3	3,386,676	293,085	313,039	176,442

日野自動車(株)

ひのじどうしゃ

東京P 7205

【特色】トヨタ傘下の商用車メーカー。中・大型に強み

修士・大卒採用数	3年後離職率	有休取得年平均	平均年収(平均45歳)
29名	13.1 → 17.6%	19.4日	総 763万円

残業(月) 18.9時間 総 18.1時間

記者評価 国内トラック大手。東南アジアが最大の地盤。トヨタ車の受託生産や部品供給も。バスはいすゞ自動車との合弁(ジェイ・バス)で製造。22年に認証試験で20年近くに及ぶエンジンへの不正行為が発覚。三菱ふそうトラック・バスとの経営統合計画は延期。

●エントリー情報と採用プロセス●

【受付開始～終了】総 技 3月～7月【採用プロセス】総 技 ES提出・テストセンター→面接(2回)→内々定【交通費支給】最終面接、会社基準【早期選考】⇒巻末

試験情報

重視科目 総 技 面接

総 技 ES ⇒巻末 筆 SPI3(会場) 面 2回(Webあり)

選考ポイント 総 ES 求める人材と合致しているか 文章に論理性があるか 面 論理的思考力 コミュニケーション能力 チャレンジ精神 人物 他 技 ES 総合職共通 面 論理的思考力 技術的基礎知識・好奇心 人物 他

通過率 総 ES 63%(受付:91→通過:57) 技 ES 74%(受付:81→通過:60)

倍率(応募/内定) 総 5倍 技 9倍

●男女別採用数と配属先ほか●

【男女・文理別採用実績】

	大卒男	大卒女	修士男	修士女
23年	23(文 11 理 12)	6(文 4 理 2)	25(文 2 理 23)	1(文 1 理 0)
24年	15(文 8 理 7)	5(文 5 理 0)	12(文 0 理 12)	1(文 0 理 1)
25年	13(文 6 理 7)	3(文 3 理 0)	12(文 0 理 12)	1(文 1 理 0)

【25年4月入社者の採用実績校】文 (院)筑波大1(大)中大2 立教大 法政大 関大 近大 都留文科大 東京経大 多摩美大各1 理 (院)東海大3 早大 日大 工学院大各2 千葉大 千葉工大 北見工大各1(大)東海大2 上智大 東京都市大 東京工科大 工学院大 近大各1(高専)北九州1(専)トヨタ東京自動車大学校2 東京工科自動車大学校1

【24年4月入社者の配属先】総 **勤務地**:東京(日野 新宿)茨城・古河 **部署**:人事3 国内営業2 海外営業2 経理2 総務1 調達1 事業統括1 安全衛生環境1 工務1トータルサポート2 需給管理1 生産管理1 物流管理1 技 **勤務地**:東京(日野 羽村 八王子みなみ野)茨城(古河 常陸大宮) **部署**:開発設計9 実験3 デザイン3 先進技術2 生産技術2 アフターサービス2 品質保証1 製造1

●給与、ボーナス、週休、有休ほか●

【30歳総合職平均年収】NA【初任給】(博士)290,000円(修士)274,000円(大卒)254,000円【ボーナス(年)】NA、4.7カ月【25、30、35歳賃金】NA【週休】完全2日(土日)【夏期休暇】連続9～10日(週休含む)【年末年始休暇】連続9～10日(週休含む)【有休取得】19.4/20日

●従業員数、勤続年数、離職率ほか●

【男女別従業員数、平均年齢、平均勤続年数】計 5,074(45.0歳 19.8年) 男 4,328(45.3歳 19.8年) 女 746(43.8歳 20.3年)【離職率と離職者数】2.6%、136名(他に男6名転籍)【3年後新卒定着率】82.4%(男83.6%、女71.4%、3年前入社:男61名・女7名)【組合】あり

求める人材 お客様・社会の役に立つことに共感してくれる人財

会社データ (金額は百万円)

【本社】191-8660 東京都日野市日野台3-1-1
☎0570-095-111 https://www.hino.co.jp/
【社長】小木曽 聡【設立】1942.5【資本金】72,717【今後力を入れる事業】先進技術開発 海外事業 CASE事業

【業績(連結)】	売上高	営業利益	経常利益	純利益
22.3	1,459,706	33,810	37,986	▲84,732
23.3	1,507,336	17,406	15,787	▲117,664
24.3	1,516,255	▲8,103	▲9,233	17,087

開示 ★★★ ▶『業界地図』p.81 600

601 ▶『業界地図』p.81 開示 ★★

UDトラックス(株)

ユーディー

[株式公開していない]

【特色】トラックが柱の商用車メーカー。いすゞグループ

修士・大卒採用数	3年後離職率	有休取得年平均	平均年収(平均47歳)
35名	41.7 → 14.3%	14.9日	NA

●エントリー情報と採用プロセス●

【受付開始～終了】[総][技]1月～継続中【採用プロセス】[総][技]ES提出(1月～)→面接(1～3回、6月～)→内々定(6月上旬～)【交通費支給】最終面接、実費(会社基準による)【早期選考】⇒巻末

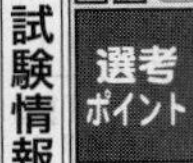

試験情報

[重視科目] [総][技]個別面接

[総][技][ES]⇒巻末[筆]なし[面]1～3回(Webあり)

[選考ポイント] [総][ES]志望動機[面]コミュニケーション能力 基礎学力 英語力 [技][ES]志望動機 研究内容[面]技術者としてのセンス コミュニケーション能力 基礎学力 英語力

[通過率] [総][技][ES]NA

[倍率(応募/内定)] [総][技]NA

●男女別採用数と配属先ほか●

【男女・文理別採用実績】

	大卒男	大卒女	修士男	修士女
23年	12(文 4理 8)	4(文 4理 0)	7(文 0理 7)	2(文 1理 1)
24年	7(文 2理 5)	3(文 2理 1)	11(文 0理 11)	2(文 0理 2)
25年	23(文 5理 18)	1(文 1理 0)	6(文 1理 5)	5(文 2理 3)

【25年4月入社者の採用実績校】

[文](院)上智大 新潟大 ミラノ工科大各1(大)日大 東京経大 高崎経大 白鴎大 成蹊大 近大各1 [理](院)上智大2 工学院大 早大 金沢大 長岡技科大 静岡大 神奈川大 京大 名大各1(大)日大3 立命館大2 東京都市大 九産大 湘南工大 明知大 千葉工大 愛媛大 崇城大 東海大 日工大 秋田県大 大阪工大 近大 東京電機大各1

【24年4月入社者の配属先】

[総]勤務地:埼玉・上尾4 部署:経理1 人事1 生産管理1 IT1 [技]勤務地:埼玉・上尾19 部署:開発12 生産5 品質保証2

[残業(月)] 9.2時間 [総]9.2時間

[記者評価] 大型トラック「クオン」など各種トラックを製造・販売。07年からスウェーデン・ボルボの傘下だったが、19年にボルボといすゞ自動車が包括提携、21年からいすゞの完全子会社に。大型トラック自動運転の実証実験を進める。シンガポールに販売拠点、タイに工場。

●給与、ボーナス、週休、有休ほか●

【30歳総合職平均年収】NA【初任給】(博士)317,200円(修士)287,000円(大卒)265,000円【ボーナス(年)】NA、5.2カ月【25、30、35歳賃金】NA【週休】完全2日(土日)【夏期休暇】約5日【年末年始休暇】約5日【有休取得】14.9／20日

●従業員数、勤続年数、離職率ほか●

【男女別従業員数、平均年齢、平均勤続年数】計 2,201(47.3歳 16.9年) 男 1,869(48.0歳 18.4年) 女 332(43.1歳 9.9年)【離職率と離職者数】3.4%、78名【3年後新卒定着率】85.7%(男84.6%、女100%、3年前入社:男13名・女1名)【組合】あり

[求める人材] 自分の意見を持ち、発言できる人 ストレスに強く、コミュニケーション力があり、多様な文化や環境の変化に対応できる人

[会社データ] (金額は百万円)

【本社】362-8523 埼玉県上尾市大字壱丁目1
☎048-814-8046 https://www.udtrucks.com/japan
【社長】丸山 浩二【設立】1950.5【資本金】1,000【今後力を入れる事業】大型車の自動運転技術および電動化
【業績(連結)】NA

ヤマハ発動機(株)

はつどうき

[東京P 7272]

【特色】2輪車で世界大手。船外機や産業ロボットも展開

修士・大卒採用数	3年後離職率	有休取得年平均	平均年収(平均42歳)
201名	NA → 3.7%	18.4日	◇812万円

●エントリー情報と採用プロセス●

【受付開始～終了】[総][技]3月～6月【採用プロセス】[総][技]ES提出・SPI(3月～)→面談(2回)→内々定(6月上旬～)【交通費支給】最終面接、会社基準【早期選考】⇒巻末

試験情報

[重視科目] [総][技]面談

[総][技][ES]⇒巻末[筆]SPI3(自宅)[面]2回(Webあり)

[選考ポイント] [総][技][面]求める人物像に合致するか

[通過率] [総][ES]選考なし(受付:493) [技][ES]選考なし(受付:315)

[倍率(応募/内定)] [総]8倍 [技]5倍

●男女別採用数と配属先ほか●

【男女・文理別採用実績】

	大卒男	大卒女	修士男	修士女
23年	60(文 40理 20)	30(文 23理 7)	98(文 0理 98)	11(文 4理 7)
24年	66(文 38理 28)	31(文 28理 3)	77(文 0理 77)	4(文 0理 4)
25年	101(文 58理 43)	11(文 10理 1)	84(文 1理 83)	5(文 2理 3)

【25年4月入社者の採用実績校】

[文]北大 名大 静岡大 京大 阪大 立命館大 同大 他 [理]早大 慶大 静岡大 立命館大 同大 関西学大 関大 他

【24年4月入社者の配属先】

[総]勤務地:静岡県西部(磐田 袋井 浜松)および国内外の各事業所 部署:経理 広報 IT 物流 調達 営業 他 [技]勤務地:静岡県西部(磐田 袋井 浜松)および国内外の各事業所 部署:開発 実験 生産技術 品質保証 IT デジタル戦略 他

[残業(月)] 18.3時間 [総]18.3時間

[記者評価] ヤマハから1955年に分離独立。2輪世界大手でアジアが主戦場。船外機などマリン事業が好採算。産業用機械・ロボット、オフロード車など幅広い。電動・原付バイクでは長年ライバルのホンダと提携。デジタル変革(DX)加速。低速の電動車両など非2輪分野も注力。

●給与、ボーナス、週休、有休ほか●

【30歳総合職平均年収】NA【初任給】(博士)300,000円(修士)272,000円(大卒)250,000円【ボーナス(年)】NA、6.5カ月【25、30、35歳賃金】249,000円→298,000円→365,000円【週休】完全2日(土日)【夏期休暇】連続9日程度【年末年始休暇】連続9日程度【有休取得】18.4／20日

●従業員数、勤続年数、離職率ほか●

【男女別従業員数、平均年齢、平均勤続年数】計 ◇10,075(41.6歳 16.2年) 男 8,746(42.5歳 18.0年) 女 1,329(38.5歳 15.0年)【離職率と離職者数】◇1.4%、141名(早期退職男35名、女2名含む)【3年後新卒定着率】96.3%(男NA、女NA、3年前入社:男女計188名)【組合】あり

[求める人材] 会社と対等の関係の中で自立的に価値を高められる人

[会社データ] (金額は百万円)

【本社】438-8501 静岡県磐田市新貝2500
☎0538-32-1115 https://global.yamaha-motor.com/jp/
【社長】日髙 祥博【設立】1955.7【資本金】86,100【今後力を入れる事業】自動運転 EV事業 ロボティクス

【業績(連結)】	売上高	営業利益	経常利益	純利益
21.12	1,812,496	182,342	189,407	155,578
22.12	2,248,456	224,864	239,293	174,439
23.12	2,414,759	250,655	241,982	164,119

630 ▶『業界地図』p.44,80,94… 開示 ★★★

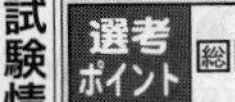

カワサキモータース(株)

株式公開していない

【特色】二輪メーカー大手の一角。川崎重工傘下

修士・大卒採用数	3年後離職率	有休取得年平均	平均年収(平均42歳)
65名	ND	18.5日	総1,034万円

残業(月) 23.2時間 総26.8時間

記者評価 川崎重工の二輪、汎用エンジン事業が分離して発足。「ニンジャ」シリーズなど二輪が事業の柱。オフロード四輪は農場向け、レジャー向けなど幅広い製品群で展開。水上オートバイや芝刈機用エンジンも手がける。電動車のラインナップ拡大に力を入れる。

●エントリー情報と採用プロセス●

【受付開始～終了】総3月～3月 技3月～5月【採用プロセス】総ES(3月)→Webテスト(4月)→GD(4月)→面接(5月)→内々定(5月) 技ES・Webテスト(3月)→GD(4月)→面接(5月)→内々定(5月)【交通費支給】最終選考、会社基準【早期選考】⇒巻末

試験情報

重視科目 総技面接

総技ES⇒巻末 筆SPI3(自宅) 面1回 GD作NA

選考ポイント 総ES求める人材と合致しているか 文章に論理性があるか 面コミュニケーション能力 論理性 技ES総合職共通 面コミュニケーション能力 論理性 技術的知識

通過率 総ES39%(受付:(早期選考含む)288→通過:(早期選考含む)111) 技ES70%(受付:(早期選考含む)310→通過:(早期選考含む)218)

倍率(応募/内定) 総(早期選考含む)16倍 技(早期選考含む)6倍

●男女別採用数と配属先ほか●

【男女・文理別採用実績】

	大卒男	大卒女	修士男	修士女
23年	0(文 0理 0)	0(文 0理 0)	0(文 0理 0)	0(文 0理 0)
24年	18(文 12理 6)	4(文 3理 1)	30(文 0理 30)	1(文 0理 1)
25年	20(文 13理 7)	6(文 5理 1)	39(文 0理 39)	0(文 0理 0)

【25年4月入社者の採用実績校】文(大)関西学大 同大各3 岡山大 関大 京都教大 神戸大 静岡文芸大 中大 同女大 長崎大 長崎県大 新潟大 広島大 立命館大各1 理(院)兵庫県大5 九大3 阪大 大阪工大 関大 神戸大 東北大 北大 立命館大各2 秋田県大 宇都宮大 愛媛大 岡山大 九州工大 近大 埼玉大 信州大 千葉大 東京電機大 徳島大 豊橋技科大 長岡技科大 福井大 明大 名城大 山口大各1(大)愛媛大 関西学大 金沢工大 慶大 工学院大 神戸大 静岡大 立命館大各1(高専)明石 神戸 鈴鹿各1

【24年4月入社者の配属先】総勤務地:兵庫15 部署:営業2 経理2 事業企画1 情報システム3 調達3 デザイン4 技勤務地:兵庫38 部署:研究開発1 設計開発25 実験開発2 生産技術5 品質保証2 情報システム3

●給与、ボーナス、週休、有休ほか●

【30歳総合職平均年収】789万円【初任給】(博士)342,340円 (修士)281,000円 (大卒)260,000円【ボーナス(年)】330万円、6.9カ月【25、30、35歳賃金】NA【週休】完全2日(土日祝)【夏期休暇】連続9日(有休3日)【年末年始休暇】12月30日～1月4日【有休取得】18.5／22日

●従業員数、勤続年数、離職率ほか●

【男女別従業員数、平均年齢、平均勤続年数】計 ◇2,282(41.6歳 15.1年) 男 2,083(41.4歳 15.5年) 女 199(43.7歳 11.6年)【離職率と離職者数】◇0.7%、15名【3年後新卒定着率】ND【組合】あり

求める人材 「楽しい」「好き」を大切にしている人 チャレンジ精神が旺盛な人 グローバルな仕事がしたい人

会社データ (金額は百万円)

【本社】673-8666 兵庫県明石市川崎町1-1 川崎重工 明石工場内
☎078-921-1301 https://www.global-kawasaki-motors.com/
【社長】伊藤 浩【設立】2021.2【資本金】1,000【今後力を入れる事業】オフロード四輪事業 新規事業

【業績(IFRS)】	売上高	営業利益	経常利益	純利益
22.3	NA	NA	NA	NA
23.3	591,151	71,533	NA	NA
24.3	592,421	48,071	NA	NA

トヨタ車体(株)（しゃたい）

株式公開していない

【特色】トヨタ完全子会社の完成車メーカー。BEVなども

修士・大卒採用数	3年後離職率	有休取得年平均	平均年収(平均46歳)
88名	6.9→4.6%	20.7日	◇835万円

残業(月) 23.7時間 総23.7時間

記者評価 ミニバン、商用車、SUV、HVなど生産。国内で手がけた車両は累計3000万台超。特装車、福祉車両、超小型BEV「コムス」の開発・生産も担う。「コムス」累計生産台数は1万台突破。国内10社、海外8社(アジア、北米等)でグループ構成。イベント通じた地域交流も活発。

●エントリー情報と採用プロセス●

【受付開始～終了】総技3月～4月【採用プロセス】総ES提出(3～4月)→テストセンター→面接(3回)→内々定(6月) 技ES提出(3～4月)→テストセンター→面接(2回)→内々定(6月)【交通費支給】最終面接、実費

試験情報

重視科目 総技面接

総ES⇒巻末 筆SPI3(会場) 面3回(Webあり) 技ES⇒巻末 筆SPI3(会場) 面2回(Webあり)

選考ポイント 総技ES志望理由 面コミュニケーション能力 論理的思考力 自律性 他

通過率 総技ES NA **倍率(応募/内定)** 総技NA

●男女別採用数と配属先ほか●

【男女・文理別採用実績】

	大卒男	大卒女	修士男	修士女
23年	17(文 6理 11)	10(文 6理 4)	30(文 0理 30)	4(文 0理 4)
24年	20(文 5理 15)	9(文 6理 3)	27(文 0理 27)	5(文 0理 5)
25年	24(文 7理 17)	18(文 12理 6)	42(文 0理 42)	4(文 0理 4)

【25年4月入社者の採用実績校】文(大)名古屋市大4 南山大3 名大 愛知県大 立命館大各2 青学大 愛知教大 中京大 愛知淑徳大 大阪公大 関西学大各1 理(院)三重大7 名工大6 静岡大4 岐阜大 名城大各3 明大 富山県大 福井大 豊田工大各2 秋田大 千葉大 法政大 横浜市大 新潟大 富山大 信州大 名大 中京大 滋賀県大 立命館大 関西学大 岡山大 高知工科大 九州工大各1(大)名工大4 名城大3 山梨大 静岡大 豊田工大 三重大各2 都立大 法政大 日大 富山県大 関大 神戸大 岡山県大 九州工大各1

【24年4月入社者の配属先】総勤務地:愛知(刈谷9 豊田1)三重・いなべ1 部署:総務1 人事2 経理1 収益企画1 調達1 生産管理1 各工場工務3 商用営業1 技勤務地:愛知(刈谷42 豊田4)三重・いなべ5 部署:開発部門(設計 評価 実験 CAE デザイン 品質保証 他)21 生産技術部門(プレス 樹脂 溶接 塗装 組立 環境)16 生産部門(プレスボデー 塗装 組立 品質管理 保全)14

●給与、ボーナス、週休、有休ほか●

【30歳総合職平均年収】NA【初任給】(修士)276,000円 (大卒)254,000円【ボーナス(年)】223万円、NA【25、30、35歳賃金】NA【週休】完全2日(土日)【夏期休暇】連続9日【年末年始休暇】連続10日【有休取得】20.7／20日

●従業員数、勤続年数、離職率ほか●

【男女別従業員数、平均年齢、平均勤続年数】計 4,374(45.5歳 21.4年) 男 3,832(46.0歳 21.9年) 女 542(41.6歳 18.1年)【離職率と離職者数】0.7%、32名【3年後新卒定着率】95.4%(男95.2%、女96.0%、3年前入社:男84名・女25名)【組合】あり

求める人材 チャレンジ意欲の強い人 自分のことばで自分の意見を言える人 明るくコミュニケーションが取れる人

会社データ (金額は百万円)

【本社】448-8666 愛知県刈谷市一里山町金山100
☎0566-36-7601 https://www.toyota-body.co.jp/
【社長】松尾 勝博【設立】1945.8【資本金】10,370【今後力を入れる事業】商用車・ミニバン・SUVの企画・開発から生産

【業績(単独)】	売上高	営業利益	経常利益	純利益
22.3	1,566,200	NA	NA	NA
23.3	1,991,600	NA	NA	NA
24.3	2,344,000	NA	NA	NA

ダイハツ九州(株)（きゅうしゅう）

株式公開 計画なし

【特色】ダイハツの生産拠点。マザー工場の役割を担う

修士・大卒採用数	3年後離職率	有休取得年平均	平均年収(平均40歳)
8名	13.3 → 18.8%	19.7日	[総] 709万円

●エントリー情報と採用プロセス●

【受付開始～終了】[総]3月～7月 [技]3月～8月【採用プロセス】[総][技]履歴書・ES(3月～)→書類選考(随時)→Web試験→面接(2回、随時)→内々定【交通費支給】1次・最終面接、実費【早期選考】⇒巻末

試験情報

[重視科目] [総][技]面接

[総][技] [ES]⇒巻末[筆]SPI3(自宅)[面]2回(Webあり)[GD]作⇒巻末

[選考ポイント] [総][技] [ES]NA(提出あり)[面]コミュニケーション力 論理性 志望動機(自社とのマッチング)

[通過率] [総] [ES]76%(受付:21→通過:16) [技] [ES]79%(受付:19→通過:15)

[倍率(応募/内定)] [総]4倍 [技]5倍

●男女別採用数と配属先ほか●

【男女・文理別採用実績】

	大卒男	大卒女	修士男	修士女
23年	7(文 3理 4)	2(文 2理 0)	0(文 0理 0)	0(文 0理 0)
24年	9(文 2理 7)	4(文 2理 2)	4(文 0理 4)	0(文 0理 0)
25年	7(文 3理 4)	1(文 1理 0)	0(文 0理 0)	0(文 0理 0)

【25年4月入社者の採用実績校】
[文](大)同大 福岡大 長崎大 北九州市大各1 [理](大)福岡工大2 大分大 崇城大各1

【24年4月入社者の配属先】
[総]勤務地:大分・中津4 福岡・久留米1(予定) 部署:管理室1 情報システム室1 業務1 調達2 [技]勤務地:大分・中津14 部署:開発7 生産技術5 品質管理2

残業(月) 18.4時間 [総]16.4時間

[記者評価] 前身はダイハツ前橋製作所で04年に全面移転。中津2工場とエンジン生産の久留米工場を擁し、開発から生産まで一貫。ダイハツグループの全軽商用車・特装車を含め、全体の約8割を生産。親会社の認証不正に伴い23年12月稼働停止も、24年2月から順次生産再開。

●給与、ボーナス、週休、有休ほか●

【30歳総合職平均年収】582万円【初任給】(修士)246,820円(大卒)225,560円【ボーナス(年)】227万円、5.5カ月【25、30、35歳賃金】229,841円→279,840円→305,736円【週休】完全2日(土日)【夏期休暇】連続9日(土日を含む)【年末年始休暇】連続10日(土日を含む)【有休取得】19.7／20日

●従業員数、勤続年数、離職率ほか●

【男女別従業員数、平均年齢、平均勤続年数】計 379(40.7歳 13.8年) 男 336(41.0歳 14.4年) 女 43(38.4歳 9.0年)【離職率と離職者数】4.5%、18名【3年後新卒定着率】81.3%(男81.8%、女80.0%、3年前入社:男11名・女5名)【組合】あり

[求める人材]「自ら学び」「自ら考え」「自ら行動し」「スピーディーにやり切る」ことの出来る人 失敗を恐れず挑戦(チャレンジ)出来るチャレンジ精神のある人 素直で明るく前向きな人

[会社データ] (金額は百万円)

【本社】879-0107 大分県中津市大字昭和新田1
☎0979-33-1230 https://www.daihatsu-kyushu.co.jp/
【社長】日野 克浩【設立】1960.6【資本金】6,000【今後力を入れる事業】開発-調達-生産準備-生産の一貫体制確立

【業績(単独)】	売上高	営業利益	経常利益	純利益
22.3	356,492	NA	NA	NA
23.3	467,849	NA	NA	NA
24.3	341,745	NA	NA	NA

日産車体(株)（にっさんしゃたい）

東京S 7222

【特色】日産自動車系車両メーカー。SUVや商用車主体

修士・大卒採用数	3年後離職率	有休取得年平均	平均年収(平均41歳)
43名	10.0 → 18.4%	16.4日	[総] 740万円

●エントリー情報と採用プロセス●

【受付開始～終了】[総][技]3月～継続中【採用プロセス】[総][技]説明会またはWebセミナー(必須、3月～)→書類提出(ES含む)・適性検査→1次面接→適性検査→役員面接→内々定【交通費支給】役員面接以降、全額、宿泊費は1泊上限5,000円【早期選考】⇒巻末

試験情報

[重視科目] [総][技]面接

[総][技] [ES]⇒巻末[筆]TAP[面]2回(Webあり)

[選考ポイント] [総][技] [ES]志望動機 自動車への情熱[面]チャレンジ性 協調性 コミュニケーション能力 他

[通過率] [総][技] [ES]NA

[倍率(応募/内定)] [総][技]NA

●男女別採用数と配属先ほか●

【男女・文理別採用実績】

	大卒男	大卒女	修士男	修士女
23年	25(文 6理 19)	4(文 4理 0)	8(文 0理 8)	2(文 0理 2)
24年	25(文 5理 20)	11(文 8理 3)	8(文 0理 8)	0(文 0理 0)
25年	24(文 5理 19)	11(文 8理 3)	8(文 0理 8)	0(文 0理 0)

※25年:継続中

【25年4月入社者の採用実績校】
[文](大)神奈川大 中大 日大各2 同大 法政大 明学大 京産大 成蹊大 産能大 大東文化大 文教大各1 [理](院)神奈川大 東海大 日大各1(大)東海大3 岩手大 中大 法政大 東京電機大 日大 東京農業大 東京都市大 東京工芸大 湘南工大 山梨大 関東学院大 愛知工業大各1

【24年4月入社者の配属先】[総]勤務地:神奈川・平塚11 福岡・苅田1 部署:人事1 経理3 原価管理1 総務2 購買3 IT推進2 [技]勤務地:神奈川(平塚30 秦野2) 部署:開発17 生産15

残業(月) 20.1時間 [総]20.1時間

[記者評価] 日産自動車から委託を受け、ミニバンやSUV、商用車などの開発から生産を担う。車種は国内向け「エルグランド」や海外向け「アルマーダ」、商用の「キャラバン」など。湘南工場と九州工場の2拠点体制だが、中心は九州にシフト。工場の生産合理化を推進。

●給与、ボーナス、週休、有休ほか●

【30歳総合職平均年収】487万円【初任給】(博士)247,000円(修士)247,000円(大卒)224,000円【ボーナス(年)】176万円、5.2カ月【25、30、35歳賃金】241,000円→288,200円→340,000円【週休】完全2日(土日)【夏期休暇】10日程度【年末年始休暇】10日程度【有休取得】16.4／20日

●従業員数、勤続年数、離職率ほか●

【男女別従業員数、平均年齢、平均勤続年数】計 1,202(44.9歳 16.2年) 男 1,048(45.3歳 16.6年) 女 154(42.1歳 13.2年)【離職率と離職者数】2.4%、30名【3年後新卒定着率】81.6%(男80.4%、女100%、3年前入社:男46名・女3名)【組合】あり

[求める人材] 自動車に興味があり、既成概念にとらわれず、何事にもチャレンジできる人

[会社データ] (金額は百万円)

【本社】254-8610 神奈川県平塚市堤町2-1
☎0463-21-8004 https://www.nissan-shatai.co.jp/
【社長】冨山 隆【設立】1949.4【資本金】7,904【今後力を入れる事業】本業である自動車製造業

【業績(連結)】	売上高	営業利益	経常利益	純利益
22.3	215,359	▲3,538	▲2,541	▲2,217
23.3	307,521	4,390	5,118	3,883
24.3	301,071	979	1,392	407

メーカーI

トヨタ自動車東日本(株)

株式公開していない

【特色】トヨタ系3社が統合。宮城、岩手などに生産拠点

修士・大卒採用数	3年後離職率	有休取得年平均	平均年収(平均45歳)
35名	6.1→5.6%	18.3日	総842万円

●エントリー情報と採用プロセス●

【受付開始～終了】総3月～5月 技3月～継続中【採用プロセス】総技ES提出・SPI(3月～随時)→面接(2回、3月～随時)→内々定(6月～)【交通費支給】最終面接、会社基準

試験情報

重視科目 総技面接

総技 ES⇒巻末 筆SPI3(自宅) SPI3-U 面2回(Webあり)

選考ポイント 総技 ES NA(提出あり) 面バイタリティ コミュニケーション能力 論理的思考力

通過率 総技 ES NA

倍率(応募/内定) 総技NA

●男女別採用数と配属先ほか●

【男女・文理別採用実績】

	大卒男	大卒女	修士男	修士女
23年	21(文 12理 9)	6(文 6理 0)	13(文 0理 13)	0(文 0理 0)
24年	33(文 18理 15)	4(文 3理 1)	9(文 0理 9)	0(文 0理 0)
25年	24(文 11理 13)	5(文 4理 1)	6(文 0理 6)	0(文 0理 0)

【25年4月入社者の採用実績校】文(大)東北学大7 宮城大2 仙台大 早大 法政大 宮城学院女大 立命館大 横国大各1(短)仙台青葉学院1(専)仙台大原簿記情報公務員1 理(院)日大3 岩手大 弘前大 東海大各1(大)日大 山形大各2 岩手大 弘前大 秋田県大 東北大 宮城大 東北学大 千葉工大 宮崎大 横国大 八戸工大各1(高専)仙台2 鶴岡1

【24年4月入社者の配属先】

総勤務地：宮城・大衡15 岩手・金ケ崎6 静岡・裾野1 部署：人材開発2 人事3 ものづくり相互研鑽2 生産管理3 工務6 総務2 総合センター統括1 品質保証1 TPS推進1 塗装成形1 技勤務地：静岡・裾野14 宮城(大衡13 大和1)岩手・金ケ崎3 部署：開発14 生産技術8 生産6 品質保証1 PE・環境1 情報システム1

残業(月) 22.7時間 総24.9時間

記者評価 関東自動車工業、セントラル自動車、トヨタ自動車東北の統合で12年に誕生。「ヤリス」「アクア」「カローラアクシオ」などコンパクト車の開発から生産まで一貫して手がける。福祉車両「ウェルキャブ」も。国内4工場とブラジル、タイに海外生産拠点。

●給与、ボーナス、週休、有休ほか●

【30歳総合職平均年収】600万円【初任給】(修士)276,000円(大卒)254,000円【ボーナス(年)】NA【25、30、35歳賃金】NA【週休】会社暦2日【夏期休暇】連続9日(うち平日5日)【年末年始休暇】連続10日(うち平日5日)【有休取得】18.3／20日

●従業員数、勤続年数、離職率ほか●

【男女別従業員数、平均年齢、平均勤続年数】計 ◇6,820(44.0歳 19.8年) 男 6,399(44.3歳 20.0年) 女 421(39.3歳 16.4年)【離職率と離職者数】NA【3年後新卒定着率】94.4%(男93.9%、女100%、3年前入社：男33名・女3名)【組合】あり

求める人材 「だれか」のために自ら考え行動できる人

会社データ (金額は百万円)

【本社】981-3609 宮城県黒川郡大衡村中央平1
☎022-765-6000 https://www.toyota-ej.co.jp/
【社長】石川 洋之【設立】2012.7【資本金】6,850【今後力を入れる事業】コンパクト車の企画・研究開発 生産
【業績(連結)】NA

マザーサンヤチヨ・オートモーティブシステムズ(株)

株式公開していない

【特色】燃料タンクやサンルーフなど自動車部品を製販

修士・大卒採用数	3年後離職率	有休取得年平均	平均年収(平均43歳)
6名	12.5→23.8%	18.0日	総606万円

●エントリー情報と採用プロセス●

【受付開始～終了】総技1月～継続中【採用プロセス】総技ES提出(1月～)→説明会(3月～)→書類・SPI選考(3月～)→面接(2回、4～5月～)→内々定【交通費支給】最終面接、全額【早期選考】⇒巻末

試験情報

重視科目 総技面接

総技 ES⇒巻末 筆SPI3(自宅) 面2回(Webあり)

選考ポイント 総技 ES ガクチカや学業の専門性 他 面全体的なコミュニケーション力

通過率 総 ES 33%(受付：30→通過：10) 技 ES 83%(受付：30→通過：25)

倍率(応募/内定) 総10倍 技6倍

●男女別採用数と配属先ほか●

【男女・文理別採用実績】

	大卒男	大卒女	修士男	修士女
23年	0(文 0理 0)	1(文 1理 0)	0(文 0理 0)	0(文 0理 0)
24年	4(文 2理 2)	1(文 1理 0)	2(文 0理 2)	0(文 0理 0)
25年	5(文 2理 3)	0(文 0理 0)	1(文 0理 1)	0(文 0理 0)

【25年4月入社者の採用実績校】

文(大)作新学大 国士舘大各1 理(院)埼玉大1(大)明星大 大同大 工学院大各1(専)ホンダ学園1

【24年4月入社者の配属先】

総勤務地：埼玉3 部署：経理1 総務1 ICT推進室1 技勤務地：栃木1 埼玉4 部署：生産技術2 製品開発1 新商品開発2

残業(月) 15.0時間 総15.0時間

記者評価 自動車用燃料タンク、サンルーフ、補修部品など手がける。23年ホンダがTOB実施し9割超の株式取得、24年1月上場廃止。その後、ホンダはインド自動車部品メーカーへ大半の株式売却、ホンダ出資比率約2割に。40年全新車をEVかFCVにするホンダの戦略に翻弄される。

●給与、ボーナス、週休、有休ほか●

【30歳総合職平均年収】450万円【初任給】(博士)242,160円(修士)234,560円(大卒)217,460円【ボーナス(年)】85万円、4.7カ月【25、30、35歳賃金】230,654円→289,885円→387,835円【週休】完全2日(土日)【夏期休暇】8月中旬に平日5日間(土日含め9連休)【年末年始休暇】年末年始 平日4～5日間(土日含め9連休)【有休取得】18.0／20日

●従業員数、勤続年数、離職率ほか●

【男女別従業員数、平均年齢、平均勤続年数】計 ◇916(45.5歳 22.0年) 男 863(45.9歳 22.5年) 女 53(39.4歳 14.8年)【離職率と離職者数】◇3.3%、31名(早期退職8名含む)【3年後新卒定着率】76.2%(男78.9%、女50.0%、3年前入社：男19名・女2名)【組合】あり

求める人材 <総合職>自分で目標をもち、その目標に向けて自立推進していける人

会社データ (金額は百万円)

【本社】350-1335 埼玉県狭山市柏原393
☎04-2955-1211 https://www.yachiyo-ind.co.jp/
【社長】可知 浩幸【設立】1953.8【資本金】3,685【今後力を入れる事業】自動車部品の開発・製造

【業績(IFRS)】	売上高	営業利益	経常利益	純利益
22.3	164,230	11,907	6,406	5,154
23.3	188,243	12,326	7,532	5,971
24.3	NA	NA	NA	NA

㈱デンソー

東京P 6902

【特色】自動車部品で国内最大、世界2位。トヨタ系

修士・大卒採用数	3年後離職率	有休取得年平均	平均年収(平均43歳)
343名	6.9→6.3%	19.3日	総1,048万円

●エントリー情報と採用プロセス●

【受付開始～終了】総技NA【採用プロセス】総技NA【交通費支給】なし

試験情報

重視科目 総技NA

総技 ES NA 筆NA 面NA GD作NA

選考ポイント 総技 ES 総合的に判断 面NA

通過率 総技 ES NA 倍率(応募/内定) 総技NA

●男女別採用数と配属先ほか●

【男女・文理別採用実績】※修士・博士・専門は大卒に含む

	大卒男	大卒女	修士男	修士女
23年	234(文 25 理209)	28(文 17 理 11)	0(文 0 理 0)	0(文 0 理 0)
24年	260(文 19 理241)	42(文 14 理 28)	0(文 0 理 0)	0(文 0 理 0)
25年	294(文 37 理257)	49(文 26 理 23)	0(文 0 理 0)	0(文 0 理 0)

【25年4月入社者の採用実績校】文名大 同大 立命館大 慶大 南山大 明大 中大 神戸大 阪大 早大 一橋大 関西学大 関大 愛知県大 青学大 名古屋市大 大阪府大 上智大 滋賀大 三重大 広島大 東大 都立大 東理大 岡山大 静岡大 理名工大 名大 静岡大 岐阜大 名城大 三重大 立命館大 同大 東理大 金沢大 豊橋技科大 九大 九州工大 阪大 富山大 電通大 京大 大阪公大 近大 東京科学大 信州大 福井大 愛知工業大 名古屋市大 北大 東京都市大 神戸大 豊田工大 兵庫県大 富山県大 長崎大 東京農工大 岡山大 筑波大 芝工大 広島大 滋賀大 関西学大 山形大 金沢美工大 埼玉大 京都工繊大 会津大 関大 横国大 茨城大 鳥取大 明大 北陸先端科技院大 日大 奈良先端科技院大 奈良女大 徳島大 東京電機大 東大 大阪府大 東京海洋大 新潟大 筑波技大 大分大 愛知県大 大阪工大 早大 千葉大 成蹊大(専)トヨタ神戸自動車大学校

【24年4月入社者の配属先】総勤務地:本社および国内海外事業所および機能分社会社 部署:事業企画 生産管理 調達 営業 経理 人事・総務 広報 情報システム 他 技勤務地:本社および国内海外事業所および機能分社会社 部署:基礎研究 製品開発 製品設計 生産技術 品質保証 情報システム 営業技術 他

残業(月) 19.5時間 総15.5時間

記者評価 トヨタ自動車から自動車の電装部品部門が分離独立。自動車部品で国内最大、世界2位。トヨタグループの筆頭格で、熱機器やエンジン、駆動系など製品は幅広い。グループで唯一、トヨタから社長を受け入れておらず独立色が強い。ソフトウェアや半導体に活路。

●給与、ボーナス、週休、有休ほか●

【30歳総合職モデル年収】805万円【初任給】(博士)310,000円(修士)276,000円(大卒)254,000円【ボーナス(年)】226万円、NA【25、30、35歳賃金】NA【週休】完全2日(土日)【夏期休暇】連続9日(週休4日含む)【年末年始休暇】連続10日(週休4日含む)【有休取得】19.3／20日

●従業員数、勤続年数、離職率ほか●

【男女別従業員数、平均年齢、平均勤続年数】計 25,935(42.9歳 21.0年) 男 21,969(43.4歳 21.4年) 女 3,966(40.0歳 18.2年)【離職率と離職者数】1.2%、328名(早期退職男52名、女3名含む)【3年後新卒定着率】93.7%(男93.8%、女93.5%、3年前入社:男290名・女92名)【組合】あり

求める人材 <事技職>自ら学び、自ら考え新たな価値の実現に向け、挑戦し続けていく人

会社データ (金額は百万円)

【本社】448-8661 愛知県刈谷市昭和町1-1
☎050-1738-6087 https://www.denso.com/jp/ja/
【社長】林 新之助【設立】1949.12【資本金】187,457【今後力を入れる事業】安全および環境分野

【業績(IFRS)】	売上高	営業利益	税前利益	純利益
22.3	5,515,512	341,179	384,808	263,901
23.3	6,401,320	426,099	456,870	314,633
24.3	7,144,733	380,599	436,237	312,791

㈱アイシン

東京P 7259

【特色】トヨタ系自動車部品大手。ATは世界シェア首位

修士・大卒採用数	3年後離職率	有休取得年平均	平均年収(平均42歳)
233名	6.3→5.6%	18.3日	総839万円

●エントリー情報と採用プロセス●

【受付開始～終了】総技3月～6月【採用プロセス】総ES提出(3月)→面接・他選考(2回、6月～)→内々定(6月～)※最終選考のみ対面で実施 技ES提出(3月)→面接・他選考(2回、6月～)→内々定(6月～)※選考はオンラインで実施【交通費支給】<事務系>最終選考、実費【早期選考】⇒巻末

試験情報

重視科目 総技面接

総技 ES ⇒巻末 筆SPI3(自宅) 面2回(Webあり)

選考ポイント 総技 ES 志望動機 自己PR 適性 他 記載内容により総合的に判断 面コミュニケーション能力 論理的思考力 バイタリティ 他

通過率 総技 ES NA 倍率(応募/内定) 総技NA

●男女別採用数と配属先ほか●

【男女・文理別採用実績】

	大卒男	大卒女	修士男	修士女
23年	68(文 19 理 49)	26(文 9 理 17)	102(文 0 理102)	9(文 1 理 8)
24年	54(文 27 理 27)	26(文 15 理 11)	108(文 0 理108)	12(文 1 理 11)
25年	72(文 29 理 43)	31(文 25 理 6)	122(文 2 理120)	8(文 2 理 6)

【25年4月入社者の採用実績校】文北大 名大 阪大 神戸大 三重大 名古屋市大 愛知県大 滋賀大 新潟大 富山大 奈良女大 大阪公大 早大 上智大 中大 立教大 日大 南山大 愛知大 同大 立命館大 関西学大 関大 理東北大 京大 名大 九大 室蘭工大 山形大 山梨大 宇都宮大 前橋工大 茨城大 東京都市大 電通大 諏訪東理大 金沢大 富山大 富山県大 信州大 静岡大 岐阜大 名工大 名古屋市大 愛知県大 豊田工大 三重大 滋賀大 奈良先端科技院大 大阪公大 兵庫県大 岡山大 広島大 高知工科大 徳島大 九州工大 宮崎大 大分大 琉球大 早大 東理大 神奈川工大 金沢工大 静岡理工科大 名城大 中京大 中部大 福井大 愛知工業大 大同大 南山大 同大 立命館大 関西学大 近大 大阪工大 福岡大 ユトレヒト大 他

【24年4月入社者の配属先】総勤務地:愛知県下各拠点 工場 他 部署:営業 調達 生産管理 人事 経理 工場事務 他 技勤務地:愛知県下各拠点 工場 試験場 開発拠点 部署:技術開発 システム開発 生産技術 品質保証 他

残業(月) 19.4時間 総20.2時間

記者評価 自動車部品全般を展開。自動変速機が軸のAWが手動変速機のAIを19年吸収合併。21年AWと経営統合し現社名に。ATなど開発・生産担うエンジニア1500人を電動化部門にシフト、関連製品開発加速。事業売却など構造改革進める。EV向けeアクスル拡販に集中。

●給与、ボーナス、週休、有休ほか●

【30歳総合職平均年収】612万円【初任給】(博士)306,800円(修士)276,000円(大卒)258,000円【ボーナス(年)】179万円、5.16カ月【25、30、35歳賃金】257,723円→309,681円→356,509円【週休】完全2日(土日)【夏期休暇】連続9日【年末年始休暇】連続10日【有休取得】18.3／20日

●従業員数、勤続年数、離職率ほか●

【男女別従業員数、平均年齢、平均勤続年数】計 13,888(41.8歳 16.4年) 男 11,744(42.2歳 16.8年) 女 2,144(39.7歳 14.3年)【離職率と離職者数】1.9%、268名【3年後新卒定着率】94.4%(男94.2%、女95.7%、3年前入社:男120名・女23名)【組合】あり

求める人材 WILL:未来づくりにワクワクできる ACTION:失敗を恐れず、みずから動き、変えていける STANCE:個を高めあい、シナジーを生む

会社データ (金額は百万円)

【本社】448-8650 愛知県刈谷市朝日町2-1
☎0566-24-8032 https://www.aisin.com/jp/
【社長】吉田 守孝【設立】1965.8【資本金】45,049【今後力を入れる事業】CASEに対応する企業構造への変革

【業績(IFRS)】	売上高	営業利益	税前利益	純利益
22.3	3,917,434	182,011	219,983	141,941
23.3	4,402,823	57,942	73,741	37,670
24.3	4,909,557	143,396	149,877	90,813

㈱豊田自動織機（とよたじどうしょっき）

東京P 6201

【特色】トヨタ本家。主力はフォークリフトや自動車部品

修士・大卒採用数	3年後離職率	有休取得年平均	平均年収(平均43歳)
224名	3.8→8.3%	18.9日	◇814万円

●エントリー情報と採用プロセス●

【受付開始～終了】総3月～6月 技2月～7月【採用プロセス】総ES提出・Webテスト(3～5月)→面接(2回、4月)→面接(6月)→内々定(6月～) 技ES提出・Webテスト(2～6月)→面接(2回、2～6月)→内々定(6月～)<学校推薦>ES提出・Webテスト(3～5月)→面接(5月)→面接(6月)→内々定(6月～)【交通費支給】面接以降、会社基準

試験情報

重視科目　総技面接 Webテスト

総 ES⇒巻末 筆SPI3(会場) SPI3(自宅) 面3回(Webあり)

技 ES⇒巻末 筆SPI3(会場) SPI3(自宅) 面2回(Webあり)

選考ポイント　総技 ES NA(提出あり) 面創造欲求 好奇心 自律性 チャレンジ精神 他

通過率　総技 ES NA　倍率(応募/内定)　総技NA

●男女別採用数と配属先ほか●

【男女・文理別採用実績】

	大卒男	大卒女	修士男	修士女
23年	29(文 18 理 11)	19(文 17 理 2)	106(文 0 理106)	8(文 0 理 8)
24年	43(文 20 理 23)	17(文 16 理 1)	110(文 0 理110)	4(文 1 理 3)
25年	60(文 33 理 27)	39(文 36 理 3)	116(文 1 理115)	9(文 1 理 8)

【25年4月入社者の採用実績校】文南山大12 立命館大10 同大6 関西学大 名大 明大各5 名古屋市大4 早大 阪大各3 上智大2 横国大 九大 広島大 滋賀大 青学大 大阪市大 中大 津田塾大 東京外大 奈良女大 法政大 立教大各1 理名工大27 名大14 静岡大12 名城大8 富山大 豊田工大各7 三重大 同大各6 岐阜大 金沢大 広島大 南山大 福井大各4 京大 九大 立命館大各3 慶大 芝工大 青学大 千葉大 大阪公大 中大 豊橋技科大 北大各2 お茶女大 愛媛大 茨城大 横国大 岡山大 関西学大 関大 高知工科大 山口大 滋賀県大 滋賀大 秋田大 信州大 中京大 東京農工大 東理大 東北大 奈良女大 富山県大 明大 武蔵野美大各1

【24年4月入社者の配属先】総勤務地：愛知県内各拠点 部署：海外営業 国内営業 調達 生産管理 事業企画 法務 経理 人事 他 技勤務地：愛知県内各拠点 部署：研究開発 設計 生産技術 システム開発(エンジニア) 品質管理 知的財産 環境 他

残業(月)　25.3時間

記者評価　フォークリフト、カーエアコン用コンプレッサー、エアジェット織機の3分野で世界首位。グループ内で事業集約したディーゼルエンジンやトヨタ「RAV4」の組み立ても行う。電動化に備え、電動コンプレッサーに加えてHV・EV用電池も主軸として能力増強。

●給与、ボーナス、週休、有休ほか●

【30歳総合職平均年収】NA【初任給】(博士)310,000円(修士)276,000円(大卒)254,000円【ボーナス(年)】NA【25、30、35歳賃金】NA【週休】完全2日(土日)【夏期休暇】連続9日【年末年始休暇】連続9日【有休取得】18.9／20日

●従業員数、勤続年数、離職率ほか●

【男女別従業員数、平均年齢、平均勤続年数】計 6,072(42.8歳 17.6年) 男 5,293(43.1歳 17.8年) 女 779(40.3歳 16.3年)【離職率と離職者数】1.4%、88名【3年後新卒定着率】91.7%(男91.7%、女91.7%、3年前入社:男108名・女24名)【組合】あり

求める人材　自ら学び、自ら考え、自ら行動できる人材

会社データ　(金額は百万円)

【本社】448-8671 愛知県刈谷市豊田町2-1

☎0566-27-5148　https://www.toyota-shokki.co.jp/

【社長】伊藤 浩一【設立】1926.11【資本金】80,462【今後力を入れる事業】物流 産業車両 自動車 エンジン エレクトロニクス製品 電池 他

【業績(IFRS)】	売上高	営業利益	税前利益	純利益
22.3	2,705,183	159,066	246,123	180,306
23.3	3,379,891	169,904	262,967	192,861
24.3	3,833,205	200,404	309,190	228,778

豊田合成㈱（とよだごうせい）

東京P 7282

【特色】合成樹脂やゴム部品の大手メーカー。トヨタ系

修士・大卒採用数	3年後離職率	有休取得年平均	平均年収(平均45歳)
103名	3.0→10.0%	17.9日	総799万円

●エントリー情報と採用プロセス●

【受付開始～終了】総 技3月～6月【採用プロセス】総 技ES提出・適性・能力検査(3月～)→1次面接(6月)→最終面接(6月)→内々定(6月～)【交通費支給】最終面接、実費【早期選考】⇒巻末

試験情報

重視科目　総技ES 適性検査 面接

総 技 ES⇒巻末 筆SPI3(会場) SPI性格 面2回(Webあり)

選考ポイント　総技 ES志望動機 他 適性検査の結果と合わせて総合的に判断 面他者とのコミュニケーション方法 他

通過率　総 ES 26%(受付:351→通過:90) 技 ES 63%(受付:155→通過:97)

倍率(応募/内定)　総50倍 技16倍

●男女別採用数と配属先ほか●

【男女・文理別採用実績】

	大卒男	大卒女	修士男	修士女
23年	32(文 8 理 24)	12(文 6 理 6)	47(文 1 理 46)	4(文 0 理 4)
24年	43(文 13 理 30)	8(文 6 理 2)	27(文 0 理 27)	4(文 0 理 4)
25年	42(文 13 理 29)	17(文 11 理 6)	36(文 0 理 36)	8(文 0 理 8)

【25年4月入社者の採用実績校】文(大)南山大 立命館大各3 愛知大 中京大 名古屋外大 名古屋市大各2 愛知県大 関西学大 三重大 新潟大 長野大 名大 名城大 立命館APU各1 他 理(院)三重大7 名城大 名工大各6 岐阜大4 名大 福井大各3 北大 山形大 京都工繊大 愛知工業大各2 豊橋技科大 富山県大 静岡大 信州大 滋賀県大 山梨大 金沢工大各1(大)名城大8 愛知工業大5 中部大4 南山大3 岐阜大 近大 諏訪東理大 香川大 三重大 信州大 大同大 日大 富山県大 富山大 武蔵野美大 福井大 名古屋国際工科専門職大各1 他

【24年4月入社者の配属先】総勤務地：愛知18 静岡1 部署：各製品の企画6 営業5 調達3 経理1 人事1 生産管理1 他 技勤務地：愛知61 三重1 静岡1 部署：各領域の技術25 各領域の生技12 開発10 品質管理3 他

残業(月)　14.8時間 総14.8時間

記者評価　トヨタ系の合成樹脂・ゴム製品の部品メーカー。自動車用内外装部品が主軸でエアバッグなど安全部品も展開。国内は愛知県中心に関東、九州にも工場。トヨタ比率は5割強。芦森工業とエアバッグなど次世代製品開発で提携。安全部品は中国やインドで能力増強。

●給与、ボーナス、週休、有休ほか●

【30歳総合職平均年収】550万円【初任給】(博士)310,000円(修士)276,000円(大卒)254,000円【ボーナス(年)】186万円、5.7カ月【25、30、35歳賃金】270,500円→308,300円→346,800円【週休】完全2日(土日)【夏期休暇】約9日【年末年始休暇】約9日【有休取得】17.9／20日

●従業員数、勤続年数、離職率ほか●

【男女別従業員数、平均年齢、平均勤続年数】計 ◇6,722(43.3歳 19.5年) 男 5,894(43.8歳 19.9年) 女 828(39.9歳 16.9年) ※外部出向者除く【離職率と離職者数】1.7%、119名【3年後新卒定着率】90.0%(男90.1%、女89.5%、3年前入社:男81名・女19名)【組合】あり

求める人材　「顧客志向」「チャレンジ精神」「当事者意識」「改善意識」「他者尊重心」「チームワーク精神」を持っている人

会社データ　(金額は百万円)

【本社】452-8564 愛知県清須市春日長畑1

☎052-400-1055　https://www.toyoda-gosei.co.jp/

【社長】齋藤 克巳【設立】1949.6【資本金】28,119【今後力を入れる事業】自動車事業 グローバル関連

【業績(IFRS)】	売上高	営業利益	税前利益	純利益
22.3	830,243	34,172	37,696	23,352
23.3	951,877	35,069	35,323	16,004
24.3	1,071,107	67,703	71,801	51,454

㈱東海理化（とうかいりか）

東京P 6995

【特色】スイッチやシートベルトで大手。トヨタ系

修士・大卒採用数	3年後離職率	有休取得年平均	平均年収(平均40歳)
41名	5.2→10.3%	17.8日	総 791万円

残業(月) 19.3時間 総 19.3時間

記者評価 主力はウィンカーやワイパーのレバーなど自動車用各種スイッチ。トヨタ関連が売上の7割強。シートベルトやステアリングホイールなども展開。車載半導体を自社開発・生産。ゲーミングデバイスなどBtoC事業や外部連携によるバイオ領域にも意欲。

●エントリー情報と採用プロセス●

【受付開始～終了】総技3月～7月【採用プロセス】総ES提出(3月～)→Web適性検査(4月～)→GD(4月～)→面接(2回、5月～)→内々定(6月～) 技ES提出(3月～)→Web適性検査(4月～)→面接(2回、5月～)→内々定(6月～)【交通費支給】最終選考、会社基準【早期選考】⇒巻末

試験情報

重視科目 総技面接

総 ES⇒巻末 筆WebGAB 面2回(Webあり) GD作⇒巻末
技 ES⇒巻末 筆WebGAB 面2回(Webあり)

選考ポイント 総 ES研究内容(ゼミ、研究室のテーマ)志望動機(文章の構成、具体性) 面コミュニケーション能力 自己表現力 技 ES総合職共通 面コミュニケーション能力 専門知識

通過率 総技 ES NA **倍率**(応募/内定) 総技 NA

●給与、ボーナス、週休、有休ほか●

【30歳総合職平均年収】573万円【初任給】(修士)276,000円 (大卒)254,000円【ボーナス(年)】163万円、5.3カ月【25、30、35歳賃金】240,891円→290,063円→350,535円【週休】完全2日(土日)【夏期休暇】約10日【年末年始休暇】約10日【有休取得】17.8／20日

●従業員数、勤続年数、離職率ほか●

【男女別従業員数、平均年齢、平均勤続年数】計 4,422(42.0歳 20.0年) 男 3,715(43.0歳 20.0年) 女 707(37.0歳 19.0年)【離職率と離職者数】2.0%、90名(早期退職男5名、女6名含む)【3年後新卒定着率】89.7%(男91.1%、女86.4%、3年前入社:男56名・女22名)【組合】あり

●男女別採用数と配属先ほか●

【男女・文理別採用実績】

	大卒男	大卒女	修士男	修士女
23年	4(文 1理 3)	9(文 3理 6)	14(文 0理 14)	3(文 0理 3)
24年	15(文 5理 10)	9(文 6理 3)	15(文 0理 15)	2(文 0理 2)
25年	22(文 5理 17)	7(文 5理 2)	10(文 0理 10)	2(文 0理 2)

【25年4月入社者の採用実績校】文(大)南山大2 愛知学大 愛知県大 愛知大 熊本大 同大 名古屋外大 名古屋市大 獨協大各1 理(院)名工大 名大各2 岐阜大 京大 九大 三重大 東京科学大 福井大 北九州市大 名城大各1(大)名城大6 愛知工業大 名大各2 愛知工科大 拓大 中京大 中部大 富山県大 福井大 豊田工大 名工大 東北芸工大各1

【24年4月入社者の配属先】総勤務地:愛知(丹羽9 豊川1) 部署:生産管理1 工務2 調達2 人事1 営業3 原価管理1 技勤務地:愛知(丹羽26 名古屋4 豊川1) 部署:開発・設計 21 評価・品質管理7 デザイン1 その他管理2

求める人材 グローバルな視野と行動力のある人 問題意識を持ち自主的に行動ができる人 柔軟な発想ができる人

会社データ (金額は百万円)

【本社】480-0195 愛知県丹羽郡大口町豊田3-260
☎0587-95-5217 https://www.tokai-rika.co.jp/
【社長】二之夕 裕美【設立】1948.8【資本金】22,856【今後力を入れる事業】感性工学 メカトロニクス

【業績(連結)】	売上高	営業利益	経常利益	純利益
22.3	487,303	9,211	15,557	3,569
23.3	553,124	16,656	24,063	10,900
24.3	623,558	28,822	39,592	24,850

2105 ▶『業界地図』p.116 開示 ★★★

㈱G Sユアサ（ジーエス）

持株会社傘下

【特色】自動車用鉛蓄電池が主力。リチウム電池も展開

修士・大卒採用数	3年後離職率	有休取得年平均	平均年収(平均42歳)
104名	0→10.7%	17.4日	総 729万円

残業(月) 19.6時間 総 18.3時間

記者評価 YUASAと日本電池が前身。新車・補修用の車載鉛蓄電池で世界大手。EV、HV車、航空機向けリチウムイオン電池も手がける。ホンダとの提携関係を強化。車載リチウムでは研究開発の合弁会社を23年に設立。新工場を滋賀県に建設中で、27年以降に量産開始予定。

●エントリー情報と採用プロセス●

【受付開始～終了】総技2月～4月【採用プロセス】総ES提出(2月～)→SPI(3月～)→筆記→面接(3回)→内々定(6月～) 技ES提出(2月～)→SPI(2月～)→筆記→面接(2～3回)→内々定(6月～)【交通費支給】2次面接以降、実費相当(会社基準)【早期選考】⇒巻末

試験情報

重視科目 総技面接

総 ES NA 筆SPI3(会場) 一般常識 Web適性検査 面3回(Webあり) 技 ES NA 筆SPI3(会場) 玉手箱 一般常識 Web適性検査 面2～3回(Webあり)

選考ポイント 総 ES NA(提出あり) 面求める人材像に基づき総合的に判断 技 ES NA(提出あり) 面求める人材像に基づき総合的に判断 専門性

通過率 総技 ES NA **倍率**(応募/内定) 総技 NA

●給与、ボーナス、週休、有休ほか●

【30歳総合職平均年収】482万円【初任給】(博士)307,910円 (修士)279,620円 (大卒)254,100円【ボーナス(年)】207万円、5.45カ月【25、30、35歳賃金】250,852円→292,853円→353,884円 ※所定内賃金【週休】完全2日(土日祝)【夏期休暇】連続9日(週休含む)【年末年始休暇】連続6日(週休含む)【有休取得】17.4／22日

●従業員数、勤続年数、離職率ほか●

【男女別従業員数、平均年齢、平均勤続年数】計 2,709(41.6歳 16.1年) 男 2,215(42.3歳 16.6年) 女 494(38.7歳 13.4年)【離職率と離職者数】2.9%、80名【3年後新卒定着率】89.3%(男90.6%、女86.4%、3年前入社:男53名・女22名)【組合】あり

●男女別採用数と配属先ほか●

【男女・文理別採用実績】

	大卒男	大卒女	修士男	修士女
23年	13(文 5理 8)	19(文 17理 2)	33(文 0理 33)	5(文 0理 5)
24年	18(文 12理 6)	19(文 15理 4)	34(文 1理 33)	5(文 0理 5)
25年	37(文 15理 22)	20(文 18理 2)	41(文 2理 39)	6(文 1理 5)

【25年4月入社者の採用実績校】文(院)同大 立命館大 岡山大各1(大)関大5 同大 立命館大各4 奈良県大2 京都橘大 神戸大 大阪公大 同女大 日大 武蔵大 龍谷大 佛教大 國學院大 関西学大各1 理(院)京都工繊大8 近大5 阪大3 鳥取大 三重大 兵庫県大 立命館大各2 東北大 関西学大 関大 金沢大 熊本大 群馬大 広島大 佐賀大 山口大 信州大 神戸大 東理大 徳島大 奈良女大 奈良先端科技院大 福井大 豊橋技科大 北大 名大 名城大 龍谷大各1(大)龍谷大8 近大5 同大2 愛媛大 金沢工大 静岡大 大阪電通大 大阪公大 大和大 東理大 福岡工大 立命館大各1(高専)大阪公大2 大分 阿南 佐世保 神戸 津山各1

【24年4月入社者の配属先】総勤務地:京都(京都10 福知山2)東京8 大阪市2 部署:国内営業11 総務2 理財3 企画1 海外営業1 購買1 生産管理1 人事2 技勤務地:京都(京都39 福知山7)滋賀・栗東5 群馬1 部署:技術開発25 生産・製造技術11 研究開発6 品質保証・管理4 情報システム3 生産管理2 知的財産1

求める人材 「自分で考え、主体的に行動し、成果を生み出す」ことのできる『自律型人材』

会社データ (金額は百万円)

【本社】601-8520 京都府京都市南区吉祥院西ノ庄猪之馬場町1
☎075-312-1211 https://www.gs-yuasa.com/jp/
【社長】阿部 貴志【設立】2004.4【資本金】10,000【今後力を入れる事業】リチウムイオン電池事業 海外事業

【業績(連結)】	売上高	営業利益	経常利益	純利益
22.3	432,133	22,664	24,684	8,468
23.3	517,735	31,500	24,213	13,925
24.3	562,897	41,595	43,981	32,064

※業績は㈱ジーエス・ユアサ コーポレーションのもの

(株)ブリヂストン

東京P 5108

【特色】タイヤ世界2強の一角。鉱山車両用や航空機用も

修士・大卒採用数	3年後離職率	有休取得年平均	平均年収(平均43歳)
67名	7.6→4.3%	18.0日	総1,004万円

残業(月) 17.5時間 総12.7時間

記者評価 タイヤ国内ダントツ、世界では仏ミシュランと2強。売上収益は、日本事業が2割強、1988年に買収した米大手ファイアストンが軸の北米事業が5割弱。150カ国以上で事業展開する日本有数のグローバル企業。鉱山車両向けや航空機向けなど超大型タイヤも強い。

●エントリー情報と採用プロセス●

【受付開始～終了】総3月～未定 技1月～6月【採用プロセス】総ES提出→Webテスト→面接(3回)→内々定 技ES提出→Webテスト→面接(1～2回)→内々定〈推薦〉書類提出・Webテスト・技術面談→内々定【交通費支給】面接、学校から面接地までの実費(東京 神奈川 千葉 埼玉除く)【早期選考】⇒巻末

試験情報

重視科目 総技面接 Webテスト

総ES⇒巻末筆SPI3(会場)面3回(Webあり) 技ES⇒巻末筆SPI3(会場)面1～2回(Webあり)

選考ポイント 総ES求める人財と合致しているか 文章に論理性があるか 当社について理解を深めているか面学生時代に一番力を入れたことについての取り組み姿勢・考え方・成果 他 技ES総合職共通面学生時代の研究内容および研究以外で力を入れたことについての取り組み姿勢・考え方・成果 他

通過率 総ES41%(受付:(早期選考含む)921→通過:(早期選考含む)379) 技ES66%(受付:(早期選考含む)423→通過:(早期選考含む)280)

倍率(応募/内定) 総(早期選考含む)46倍 技(早期選考含む)9倍

●給与、ボーナス、週休、有休ほか●

【30歳総合職平均年収】661万円【初任給】(博士)329,100円(修士)295,000円(大卒)264,200円【ボーナス(年)】262万円、NA【25、30、35歳モデル賃金】295,000円→340,100円→392,100円【週休】カレンダーによる【夏期休暇】連続6日【年末年始休暇】連続9日【有休取得】18.0/20日

●従業員数、勤続年数、離職率ほか●

【男女別従業員数、平均年齢、平均勤続年数】計 5,815(44.2歳 16.5年) 男 4,616(44.6歳 17.0年) 女 1,199(42.7歳 14.6年)【離職率と離職者数】3.7%、223名【3年後新卒定着率】95.7%(男96.0%、女94.7%、3年前入社:男50名・女19名)【組合】あり

●男女別採用数と配属先ほか●

【男女・文理別採用実績】

	大卒男	大卒女	修士男	修士女
23年	7(文 6理 1)	8(文 6理 2)	31(文 0理 31)	5(文 1理 4)
24年	17(文 13理 4)	7(文 7理 0)	35(文 0理 35)	6(文 0理 6)
25年	9(文 7理 2)	14(文 11理 3)	31(文 0理 31)	13(文 0理 13)

【25年4月入社者の採用実績校】文(大)同大3 東北大 慶大 立命館大各2 明大 阪大 立教大 神戸大 関西学大 東京外大 東理大 一橋大 早大各1 理(院)東北大5 北大 東理大各4 阪大 東大 九大各3 神戸大 横国大 大阪公大 広島大各2 明大 東京科学大 早大 名大 中大 東京農工大 都立大 筑波大 千葉大 新潟大 信州大 室蘭工大 山梨大 山形大 関大 愛媛大各1(大)青学大 大阪府大 東海大 阪大 明大各1

【24年4月入社者の配属先】総勤務地:未定 部署:営業・販売11 人事労務3 経理2 物流4 技勤務地:未定 部署:研究開発21 製造技術7 生産設備7 IE2 品質保証2 安全防災1 技術サービス3 SCM1 IT・データサイエンティスト6

求める人材 目的に向け周囲と協調し、グローバル競争の中で主体的に挑戦できる人

会社データ (金額は百万円)

【本社】104-8340 東京都中央区京橋3-1-1 東京スクエアガーデンビル ☎03-6836-3001 https://www.bridgestone.co.jp/

【Global CEO】石橋 秀一【設立】1931.3【資本金】126,354【今後力を入れる事業】本業 ソリューション事業

【業績(IFRS)】	売上高	営業利益	税前利益	純利益
21.12	3,246,057	376,799	377,594	394,037
22.12	4,110,070	441,298	423,458	300,367
23.12	4,313,800	481,775	444,154	331,305

住友(すみとも)ゴム工業(こうぎょう)(株)

東京P 5110

【特色】タイヤ国内2位世界5位。ダンロップブランドが主

修士・大卒採用数	3年後離職率	有休取得年平均	平均年収(平均41歳)
42名	10.4→11.8%	16.9日	総784万円

残業(月) 19.6時間 総22.7時間

記者評価 タイヤのブランドは「ダンロップ」(欧米以外)、欧米で「ファルケン」展開。ゴルフやテニスなどスポーツ用品も。タイヤの摩耗状況等を検知するセンシング技術拡充。水や温度など路面状態に応じてゴムの性質を変化させる「アクティブトレッド」の技術も開発。

●エントリー情報と採用プロセス●

【受付開始～終了】総技3月～継続中【採用プロセス】総技ES提出→適性テスト→面接(3回)→内々定【交通費支給】最終面接、会社基準【早期選考】⇒巻末

試験情報

重視科目 総技面接

総技ES⇒巻末筆SPI3(会場)面3回(Webあり)

選考ポイント 総 技ES論理的な文章構成か 自分の言葉で書けているか面コミュニケーション能力(志望動機・自己PRを自分の言葉で語っているか)

通過率 総ES72%(受付:(早期選考含む)590→通過:(早期選考含む)426) 技ES87%(受付:(早期選考含む)223→通過:(早期選考含む)193)

倍率(応募/内定) 総(早期選考含む)37倍 技(早期選考含む)9倍

●給与、ボーナス、週休、有休ほか●

【30歳総合職モデル年収】700万円【初任給】(博士)263,600円(修士)248,200円(大卒)234,100円【ボーナス(年)】204万円、5.19カ月【25、30、35歳賃金】251,600円→296,500円→359,400円 ※神戸本社【週休】完全2日(土日祝)【夏期休暇】連続4～5日【年末年始休暇】12月29日～1月4日【有休取得】16.9/20日

●従業員数、勤続年数、離職率ほか●

【男女別従業員数、平均年齢、平均勤続年数】計 2,617(41.4歳 13.2年) 男 1,962(41.5歳 13.8年) 女 655(41.1歳 11.1年)【離職率と離職者数】3.1%、83名(選択定年男4名含む)【3年後新卒定着率】88.2%(男87.8%、女90.0%、3年前入社:男41名・女10名)【組合】あり

●男女別採用数と配属先ほか●

【男女・文理別採用実績】※25年:継続中

	大卒男	大卒女	修士男	修士女
23年	8(文 6理 2)	10(文 10理 0)	15(文 0理 15)	3(文 0理 3)
24年	2(文 0理 2)	0(文 0理 0)	5(文 0理 5)	1(文 0理 1)
25年	14(文 8理 6)	7(文 6理 1)	18(文 1理 17)	3(文 0理 3)

【25年4月入社者の採用実績校】文(院)筑波大1(大)阪大3 関西学大 明大 中大各2 上智大 神戸大 滋賀大 同大 甲南大各1 理(院)大阪工大2 東北大 山形大 埼玉大 名大 三重大 信州大 阪大 神戸大 山口大 九大 佐賀大 京都工繊大 奈良先端科技院大 秋田県大 滋賀県大 兵庫県大 岡山県大 東京農工大各1(大)岡山大 香川大 東京電機大 関西学大 同大 近大 摂南大各1

【24年4月入社者の配属先】総勤務地:なし 部署:なし 技勤務地:兵庫・神戸7 福島・白河1 部署:技術開発4 設備技術1 情報解析2 研究開発1

求める人材 信用と確実を重んじ、皆の信頼に応えるため誠実であり続けられること 失敗を恐れず、挑戦し続けること 多様な力を一つにして、相互を尊重できること

会社データ (金額は百万円)

【本社】651-0072 兵庫県神戸市中央区脇浜町3-6-9 ☎078-265-3000 https://www.srigroup.co.jp/

【社長】山本 悟【設立】1917.3【資本金】42,658【今後力を入れる事業】タイヤ事業 スポーツ事業 産業品事業 タイヤセンシング

【業績(IFRS)】	売上高	営業利益	税前利益	純利益
21.12	936,039	49,169	44,765	29,470
22.12	1,098,664	14,988	22,539	9,415
23.12	1,177,399	64,490	62,745	37,048

よこはま
横浜ゴム(株)

東京P 5101

【特色】タイヤ国内3位。農機用タイヤなどを買収で強化

修士・大卒採用数	3年後離職率	有休取得年平均	平均年収(平均44歳)
52名	14.8→15.4%	13.3日	総750万円

残業(月) 21.2時間 総21.2時間

記者評価 スポーツ用「アドバン」や低燃費「ブルーアース」など高付加価値タイヤに強み。蘭ATG社に続きスウェーデンTWS社を買収し農機用タイヤなど強化。米グッドイヤーの鉱山・建設車両用タイヤ事業も買収へ。ホース配管や「プロギア(PRGR)」ブランドのゴルフ用品も。

●エントリー情報と採用プロセス●

【受付開始～終了】総技3月～6月【採用プロセス】総技ES提出(3月～)→面接(3回)・適性検査(5月～)→内々定(6月～)※1次合格者にWebテスト、2次選考の面接時に性格適性検査【交通費支給】3次面接、実費

試験情報

重視科目 総技面接

総技ES⇒巻末筆WebGAB INSIGHT(性格適性検査)面3回(Webあり)

選考ポイント 総技ES自由記述の自己PR(写真掲載)から人間関係や人物像を見る 文章の論理性面チャレンジ精神 コミュニケーション能力 論理的思考力

通過率 総ES35%(受付:341→通過:118) 技ES88%(受付:184→通過:161)

倍率(応募/内定) 総5倍 技4倍

●給与、ボーナス、週休、有休ほか●

【30歳総合職平均年収】544万円【初任給】(博士)252,700円(修士)244,700円(大卒)230,600円【ボーナス(年)】154万円、5.22カ月【25、30、35歳モデル賃金】237,100円→329,700円→386,700円【週休】完全2日(土日祝)【夏期休暇】6日(8月10～15日)【年末年始休暇】8日(12月28日～1月4日)【有休取得】13.3／20日

●従業員数、勤続年数、離職率ほか●

【男女別従業員数、平均年齢、平均勤続年数】計1,524(43.1歳 17.9年) 男1,167(44.0歳 18.3年) 女357(42.0歳 16.5年)【離職率と離職者数】3.3%、52名【3年後新卒定着率】84.6%(男88.9%、女75.0%、3年前入社:男9名・女4名)【組合】あり

●男女別採用数と配属先ほか●

【男女・文理別採用実績】

	大卒男	大卒女	修士男	修士女
23年	8(文 3理 5)	6(文 4理 2)	12(文 1理 11)	0(文 0理 0)
24年	20(文 9理 11)	5(文 5理 0)	18(文 0理 18)	2(文 0理 2)
25年	19(文 12理 7)	9(文 9理 0)	22(文 0理 22)	2(文 0理 2)

【25年4月入社者の採用実績校】文(大)法政大5 中大3 早大 立命館大各2 愛知大 慶大 関大 横浜市大 明大 國學院大 明学大 甲南大 ハノーバー大各1 理(院)長岡技科大3 千葉工大2 阪大 同大 立命館大 東京農工大 都立大 工学院大 日大 京都工繊大 東京電機大 信州大 山形大 東洋大 滋賀県大 群馬大 北里大 東海大 福井大 豊橋技科大 金沢工大各1(大)工学院大3 東海大2 日大 群馬大各1(高専)沼津1

【24年4月入社者の配属先】総勤務地:神奈川6 埼玉2 大阪2 福岡2 新潟2 部署:タイヤ営業8 MB企画1 MB営業1 知的財産1 人事2 調達1 技勤務地:神奈川32 部署:タイヤ設計等16 タイヤ材料等9 研究3 MB開発2 MB材料1 IT1

求める人材 視野を広く持ち、新しいことに挑戦し続けられる人

会社データ (金額は百万円)

【本社】254-8601 神奈川県平塚市追分2-1
☎0463-63-0451　https://www.y-yokohama.com/
【社長】清宮 眞二【設立】1917.10【資本金】38,909【今後力を入れる事業】タイヤ MB スポーツ

【業績(IFRS)】	売上高	営業利益	税前利益	純利益
21.12	670,809	83,636	85,199	65,500
22.12	860,477	68,851	71,622	45,918
23.12	985,333	100,351	105,975	67,234

メーカーI

トーヨー タイヤ
TOYO TIRE(株)

東京P 5105

【特色】タイヤ国内4位。米国の大口径SUVタイヤに強み

修士・大卒採用数	3年後離職率	有休取得年平均	平均年収(平均44歳)
30名	22.2→6.5%	17.0日	総769万円

残業(月) 20.0時間 総11.1時間

記者評価 タイヤ国内4位だが米国で高付加価値の大口径SUV用に強く利益率が高い。筆頭株主の三菱商事との協業推進。生産拠点のセルビア工場が22年に稼働し、日本、米国、マレーシア、中国、欧州の5拠点体制に。猛暑・感染症への対策として夏季の在宅勤務を推奨。

●エントリー情報と採用プロセス●

【受付開始～終了】総技3月～継続中【採用プロセス】総技ES提出・SPI(3月～)→面接(3回)→内々定(6月～)【交通費支給】最終面接以降、実費【早期選考】⇒巻末

試験情報

重視科目 総技面接

総技ES⇒巻末筆SPI3(会場) SPI3(自宅)面3回(Webあり)

選考ポイント 総技ES自己PRと学生時代に打ちこんだ事を総合的に判断面考える力 やりぬく力

通過率 総技ESNA

倍率(応募/内定) 総技NA

●給与、ボーナス、週休、有休ほか●

【30歳総合職平均年収】514万円【初任給】(博士)268,400円(修士)248,900円(大卒)237,700円【ボーナス(年)】222万円、5.3カ月【25、30、35歳モデル賃金】256,000円→328,500円→405,800円【週休】2日(原則土日祝)【夏期休暇】2日【年末年始休暇】7日【有休取得】17.0／20日

●従業員数、勤続年数、離職率ほか●

【男女別従業員数、平均年齢、平均勤続年数】計1,830(43.3歳 17.5年) 男1,601(43.5歳 18.2年) 女229(42.0歳 13.1年)【離職率と離職者数】2.9%、55名(早期退職6名含む)【3年後新卒定着率】93.5%(男92.6%、女100%、3年前入社:男27名・女4名)【組合】あり

●男女別採用数と配属先ほか●

【男女・文理別採用実績】※25年:計画数

	大卒男	大卒女	修士男	修士女
23年	12(文 6理 6)	3(文 1理 2)	10(文 0理 10)	2(文 0理 2)
24年	11(文 8理 3)	7(文 5理 2)	10(文 1理 9)	1(文 0理 1)
25年	11(文 8理 3)	3(文 3理 0)	13(文 0理 13)	3(文 0理 3)

【25年4月入社者の採用実績校】
文(大)関大3 同大 立命館大各2 阪大 神戸市外大 和歌山大 山口大各1 理(院)近大2 兵庫県大 山形大 福井大 静岡大 信州大 同大 関西学大 北陸先端科技院大 滋賀県大 秋田大 奈良先端科技院大 阪大 名城大 大阪公大 東京都市大 神戸大各1(大)岡山大 秋田県大 鳥取大各1

【24年4月入社者の配属先】
総勤務地:兵庫・伊丹13 愛知・みよし1 部署:海外営業4 SCM2 購買2 ブランド1 広報1 人事1 マーケティング1 経営管理1 経理1 技勤務地:兵庫県(伊丹 川西)15 部署:商品開発5 材料開発4 生産技術3 品質保証1 情報システム1 工程設計1

求める人材 「考える力」で価値を創り、「やりぬく力」で未来を創れる人材

会社データ (金額は百万円)

【本社】664-0847 兵庫県伊丹市藤ノ木2-2-13
☎072-789-9100　https://www.toyotires.co.jp/
【社長】清水 隆史【設立】1945.8【資本金】55,935【今後力を入れる事業】タイヤ事業、自動車部品事業

【業績(連結)】	売上高	営業利益	経常利益	純利益
21.12	393,647	53,080	55,909	41,350
22.12	497,213	44,046	51,035	47,956
23.12	552,825	76,899	86,047	72,273

住友理工(株)（すみともりこう）

東京P 5191

【特色】自動車用防振ゴム・ホース首位。住友電工系

修士・大卒採用数	3年後離職率	有休取得年平均	平均年収(平均41歳)
66名	12.8 → 10.0%	14.8日	772万円

●エントリー情報と採用プロセス●

【受付開始～終了】[総]3月～6月 [技]12月～6月 8～9月【採用プロセス】[総][技]ES提出（3月上旬～）→面接（3回）・適性検査（3月下旬～6月）→内々定【交通費支給】本社での最終面接、地域別設定額【早期選考】⇒巻末

試験情報

[重視科目] [総][技]面接

[総][技][ES]⇒巻末[筆]SPI3（自宅）[面]3回（Webあり）

選考ポイント [総][技][ES]指示したテーマに沿って論理的な記述ができているか[面]前向きな姿勢 自分なりの考えを持ち表現できるか

[通過率] [総][技][ES]NA **倍率**(応募/内定) [総][技]NA

●男女別採用数と配属先ほか●

【男女・文理別採用実績】

	大卒男	大卒女	修士男	修士女
23年	20(文 10理 10)	5(文 4理 1)	19(文 0理 19)	6(文 0理 6)
24年	21(文 8理 13)	8(文 5理 3)	24(文 0理 24)	3(文 0理 3)
25年	22(文 8理 14)	15(文 12理 3)	25(文 0理 25)	4(文 0理 4)

【25年4月入社者の採用実績校】[文]（大）愛知大4 立命館大 三重大 近大各2 慶大 愛知県大 愛知淑徳大 関西学大 関大 青学大 大阪公大 中京大 名城大 サンタモニカ大各1 [理]（院）岐阜大8 金沢大4 中部大3 長岡技科大 静岡大 愛知工業大各2 名大 名城大 福井大 富山大 徳島大 中京大 弘前大 岡山大各1（大）名城大5 岐阜大 静岡大各2 豊橋技科大 三重大 東海大 諏訪東理大 工学院大 富山大 中部大 名古屋国際工科専門職大各1

【24年4月入社者の配属先】[総]勤務地：愛知（小牧10 名古屋2）神奈川・相模大野2 静岡・裾野1 部署：営業6 企画4 経理2 法務1 調達1 人事1 [技]勤務地：愛知・小牧38 京都・綾部1 静岡・裾野1 三重・松阪1 部署：製品設計17 研究開発7 生産技術10 調達1 品質保証4 情報システム2

残業(月) 20.5時間 [総]26.3時間

記者評価 トヨタを軸に国内全メーカーに供給。自動車用防振ゴムやホースが主力。車の電動化は冷却系ホースや遮音材拡販の商機。自動車用部品が売上の約9割。建機や事務機器など産業向け部品も展開。独自開発の導電材料製品開発も。M&Aに積極的で海外売上比率は6割超。

●給与、ボーナス、週休、有休ほか●

【30歳総合職平均年収】547万円【初任給】（博士）256,900円（修士）243,000円（大卒）225,500円【ボーナス（年）】196万円、5.0カ月【25、30、35歳賃金】232,115円→270,418円→327,743円【週休】完全2日（土日）【夏期休暇】〈製作所〉連続9日（週休4日含む）〈グローバル本社・支社支店〉稼動日連続3日以上の有休取得【年末年始休暇】〈製作所〉連続8日（週休2日含む）〈グローバル本社・支社支店〉連続5日（週休2日含む）【有休取得】14.8／20日

●従業員数、勤続年数、離職率ほか●

【男女別従業員数、平均年齢、平均勤続年数】計 3,736（40.8歳 16.2年）男 3,085（41.3歳 17.1年）女 651（38.5歳 12.2年）【離職率と離職者数】3.1%、118名（早期退職男17名、女1名含む）【3年後新卒定着率】90.0%（男93.3%、女80.0%、3年前入社：男15名・女5名）【組合】あり

求める人材 主体性、ねばり強さ、コミュニケーションカ

会社データ （金額は百万円）

【本社】450-6316 愛知県名古屋市中村区名駅1-1-1 JPタワー名古屋
☎052-571-0200 https://www.sumitomoriko.co.jp/
【社長】清水 和志【設立】1929.12【資本金】12,145【今後力を入れる事業】新規事業 新商品開発事業 海外事業

【業績(IFRS)】	売上高	営業利益	税前利益	純利益
22.3	445,985	1,110	387	▲6,357
23.3	541,010	16,560	14,908	6,683
24.3	615,449	33,977	30,805	18,641

テイ・エス テック(株)

東京P 7313

【特色】ホンダ系4輪車シートメーカー。2輪車用も

修士・大卒採用数	3年後離職率	有休取得年平均	平均年収(平均41歳)
50名	12.8 → 14.6%	19.8日	[総]724万円

●エントリー情報と採用プロセス●

【受付開始～終了】[総]3月～継続中 [技]1月～継続中【採用プロセス】[総][技]ES提出→GD→適性検査→面接（2回）→内々定【交通費支給】最終面接、会社規定【早期選考】⇒巻末

試験情報

[重視科目] [総][技]面接

[総][技][ES]⇒巻末[筆]G9／B5（性格検査）[面]2回（Webあり）[GD作]NA

選考ポイント [総][技][ES]NA（提出あり）[面]自分の言葉で語っているか 簡潔かつ論理的に伝えられるか 積極性 協調性

[通過率] [総][技][ES]NA

倍率(応募/内定) [総]16倍 [技]6倍

●男女別採用数と配属先ほか●

【男女・文理別採用実績】※25年：50名採用計画

	大卒男	大卒女	修士男	修士女
23年	38(文 11理 27)	5(文 4理 1)	7(文 0理 7)	0(文 0理 0)
24年	34(文 13理 21)	7(文 6理 1)	4(文 0理 4)	0(文 0理 0)
25年	-(文 -理 -)	-(文 -理 -)	-(文 -理 -)	-(文 -理 -)

【25年4月入社者の採用実績校】
[文]（大）国士舘大 東京国際大各2 追手門学大 神奈川大 関大 神田外語大 昭和女大 帝京大 東海学園大 東洋大 名古屋商大 明大各1 [理]（院）帝京大 新潟大 宇都宮大 日大 東京電機大 室蘭工大各1（大）日工大4 帝京大3 東京工科大2 日大 大阪工大 工学院大 国士舘大 静岡大 千葉工大 東京都市大 名城大各1

【24年4月入社者の配属先】[総]勤務地：栃木・高根沢2 埼玉（行田9 朝霞4）三重・鈴鹿3 浜松1 部署：生産・工場管理13 開発管理1 人事1 総務1 コーポレーション・コミュニケーション1 IT1 経理1 [技]勤務地：栃木・高根沢13 埼玉・行田5 三重・鈴鹿6 浜松2 部署：生産・工場管理12 設計8 知的財産1 試験1 二輪技術1 商品開発1 電装開発1 品質1

残業(月) 15.1時間 [総]15.1時間

記者評価 4輪車用シートを中心とした自動車内装品メーカー。2輪用のシートや樹脂部品も手がける。ホンダが筆頭株主で、売上の約9割占める。ホンダの海外展開に連動し、北米、中国などに拠点展開。海外売上比率は8割強。インドでスズキ向け新工場建設、25年6月稼働予定。

●給与、ボーナス、週休、有休ほか●

【30歳総合職平均年収】590万円【初任給】（博士）271,527円（修士）258,780円（大卒）240,000円【ボーナス（年）】207万円、5.5カ月【25、30、35歳賃金】239,517円→275,506円→319,782円【週休】完全2日（土日）【夏期休暇】連続9日【年末年始休暇】連続9日【有休取得】19.8／20日

●従業員数、勤続年数、離職率ほか●

【男女別従業員数、平均年齢、平均勤続年数】計 1,660（41.0歳 17.7年）男 1,482（41.2歳 17.8年）女 178（39.3歳 16.7年）【離職率と離職者数】5.7%、101名（早期退職男58名、女5名含む）【3年後新卒定着率】85.4%（男87.5%、女75.0%、3年前入社：男40名・女8名）【組合】あり

求める人材 自分で考え、行動できる人 夢をもっている人 好奇心が旺盛な人

会社データ （金額は百万円）

【本社】351-0012 埼玉県朝霞市栄町3-7-27
☎048-462-1121 https://www.tstech.co.jp/
【社長】保田 真成【設立】1960.12【資本金】4,700【今後力を入れる事業】自動運転化を見据えた次世代車室空間の開発

【業績(IFRS)】	売上高	営業利益	税前利益	純利益
22.3	349,958	22,998	25,839	12,416
23.3	409,200	15,257	18,692	5,343
24.3	441,713	17,507	21,746	10,214

▶『業界地図』p.78

㈱タチエス

東京P 7239

【特色】独立系自動車シート大手。ホンダ、日産向け中心

修士・大卒採用数	3年後離職率	有休取得年平均	平均年収(平均39歳)
20名	22.7→0%	13.0日	総644万円

●エントリー情報と採用プロセス●

【受付開始～終了】総 技3月～7月【採用プロセス】総Web説明会(任意、3月上旬)→集団面接(3月下旬)→個人面接・性格検査・ES提出(4月中旬)→役員面接(5月中旬)→内々定(5月下旬) 技Web説明会(任意、3月上旬)→集団面接(3月中旬)→個人面接・性格検査・ES提出(4月上旬)→役員面接(4月下旬)→内々定(5月上旬)【交通費支給】役員面接、全額【早期選考】⇒巻末

試験情報

重視科目 総技面接

総技 ES ⇒巻末 筆OPQ 面3回(Webあり)

選考ポイント 総技 ES今までの人生において主体的に物事に取り組んできたか 集団においてどのような役割を担ったか 面当社への関心度 自分の考えを持っているか 協調性 主体性

通過率 総 ES選考なし(受付:57) 技 ES選考なし(受付:48)

倍率(応募/内定) 総6倍 技5倍

●男女別採用数と配属先ほか●

【男女・文理別採用実績】

	大卒男	大卒女	修士男	修士女
23年	5(文 4理 1)	5(文 4理 1)	2(文 0理 2)	1(文 1理 0)
24年	10(文 2理 8)	4(文 4理 0)	4(文 0理 4)	1(文 0理 1)
25年	13(文 3理 10)	5(文 5理 0)	0(文 0理 0)	2(文 1理 1)

【25年4月入社者の採用実績校】文(院)明大1(大)立教大 同大 日大 中京大 名古屋外大 拓大 神奈川大 専大各1 理(院)富山大1(大)日工大 千葉工大 湘南工大各2 帝京大 北見工大 北海道科学大 アンベードカル工科大各1

【24年4月入社者の配属先】総勤務地:東京・青梅6 愛知・安城1 部署:営業3 調達1 人事1 財務1 社内SE1 技勤務地:東京・青梅12 部署:設計6 実験3 生産技術2 品質保証1

残業(月) 17.8時間

記者評価 旧日産系だが系列解体で独立。売上はホンダ向けと日産向けが拮抗。国内のほか、北米、中南米、中国などで事業を展開。米アディエントなど海外他社と提携。生産拠点の集約をほぼ終え、次の成長を模索中。EV化に備え、シートの新たな制御技術など開発。

●給与、ボーナス、週休、有休ほか●

【30歳総合職平均年収】484万円【初任給】(修士)216,000円(大卒)204,500円【ボーナス(年)】109万円、4.0カ月【25、30、35歳賃金】209,227円→260,177円→274,600円【週休】2日(土日、会社カレンダーによる)【夏期休暇】約10日【年末年始休暇】約10日【有休取得】13.0/20日

●従業員数、勤続年数、離職率ほか●

【男女別従業員数、平均年齢、平均勤続年数】計 724(40.3歳 15.2年) 男 613(41.0歳 16.0年) 女 111(36.7歳 10.8年)【離職率と離職者数】12.1%、100名(早期退職男1名、進路選択制度利用者男4名含む)【3年後新卒定着率】100%(男100%、女100%、3年前入社:男3名・女3名)【組合】あり

求める人材 社是「互譲協調」に共感し、ビジョン・ミッション・バリューを共に目指せる人 現状に満足せず、新たな価値を生み出そうと努力し続けられる人

会社データ (金額は百万円)

【本社】198-0025 東京都青梅市末広町1-3-1
☎0428-33-1928 https://www.tachi-s.co.jp/
【社長】山本 雄一郎【設立】1954.4【資本金】9,040【今後力を入れる事業】グローバルにおける自動車シート事業

【業績(連結)】	売上高	営業利益	経常利益	純利益
22.3	206,441	▲4,203	▲3,536	▲2,059
23.3	243,436	1,367	1,973	5,823
24.3	292,947	7,205	8,755	5,422

アイシンシロキ㈱

株式公開していない

【特色】トヨタ系自動車部品メーカー。旧シロキ工業

修士・大卒採用数	3年後離職率	有休取得年平均	平均年収(平均46歳)
3名	33.3→50.0%	16.3日	総687万円

●エントリー情報と採用プロセス●

【受付開始～終了】総技3月～継続中【採用プロセス】総技書類選考(ES、3月～)→適性検査・面接(4月～)→最終面接(4月～)→内々定(5月～)【交通費支給】2次面接以降、実費

試験情報

重視科目 総技面接

総技 ES ⇒巻末 筆SPI3(自宅) 面2回(Webあり)

選考ポイント 総 ES文章が論理的か 自分事として具体的か 面コミュニケーション能力 仕事への関心度 人柄 技 ES総合職共通 面コミュニケーション能力 ものづくりへの関心度 人柄

通過率 総 ES96%(受付:49→通過:47) 技 ES100%(受付:7→通過:7)

倍率(応募/内定) 総16倍 技

●男女別採用数と配属先ほか●

【男女・文理別採用実績】

	大卒男	大卒女	修士男	修士女
23年	0(文 0理 0)	0(文 0理 0)	0(文 0理 0)	0(文 0理 0)
24年	3(文 2理 1)	1(文 1理 0)	0(文 0理 0)	0(文 0理 0)
25年	1(文 1理 0)	2(文 2理 0)	0(文 0理 0)	0(文 0理 0)

【25年4月入社者の採用実績校】
文(大)愛知大2 名城大1 理なし

【24年4月入社者の配属先】
総勤務地:愛知・豊川3 部署:経理1 人事1 生産管理1 技勤務地:愛知・豊川1 部署:生産技術1

残業(月) 28.5時間 総22.5時間

記者評価 百貨店「白木屋」の金属製品製造子会社として創業。現在はアイシンの完全子会社。自動車用ウィンドレギュレーター、ドアサッシなどを製造・販売。海外は北米3拠点に加え、中国、タイなどで現地生産。23年4月、名古屋工場を分社化しトヨタ紡織に移管。

●給与、ボーナス、週休、有休ほか●

【30歳総合職平均年収】592万円【初任給】(修士)238,000円(大卒)220,000円【ボーナス(年)】168万円、5.4カ月【25、30、35歳賃金】230,500円→276,000円→310,700円【週休】完全2日(土日)【夏期休暇】10日程度【年末年始休暇】10日程度【有休取得】16.3/20日

●従業員数、勤続年数、離職率ほか●

【男女別従業員数、平均年齢、平均勤続年数】計 774(46.1歳 20.7年) 男 689(46.3歳 21.3年) 女 85(43.8歳 15.4年)【離職率と離職者数】1.3%、10名【3年後新卒定着率】50.0%(男50.0%、女—、3年前入社:男2名・女0名)【組合】あり

求める人材 主体性があり、何事にも挑戦できる人

会社データ (金額は百万円)

【本社】442-8501 愛知県豊川市千両町下野市場35-1
☎0533-84-4691 https://www.shiroki.co.jp/
【社長】田中 俊夫【設立】1946.3【資本金】7,460【今後力を入れる事業】電動化を見据えた競争力のある次世代車体部品の生産

【業績(連結)】	売上高	営業利益	経常利益	純利益
22.3	254,240	NA	NA	NA
23.3	264,664	NA	NA	NA
24.3	235,453	NA	NA	NA

メーカーI

(株)ミツバ

東京P 7280

【特色】自動車電装部品メーカー。ホンダ向けが約4割

修士・大卒採用数	3年後離職率	有休取得年平均	平均年収(平均42歳)
28名	6.3 → 30.8%	13.8日	◇544万円

●エントリー情報と採用プロセス●

【受付開始～終了】[総]3月～8月 [技]3月～継続中【採用プロセス】[総][技]説明会(必須、対面・Web、3月～)→ES提出・Webテスト→面接(3回、対面またはWeb)→内々定【交通費支給】2次面接以降、会社基準【早期選考】⇒巻末

試験情報

重視科目 [総][技]面接

[総][技] [ES]⇒巻末[筆]SPI3(自宅) SPI性格[面]3回(Webあり)

選考ポイント [総][技][面]主体性 実行力 傾聴力 発信力 柔軟性 ストレスコントロール力 カルチャーフィット 課題発見力 想像力 働きかけ力

通過率 [総][技] [ES]選考なし(受付:NA)

倍率(応募/内定) [総][技]NA

●男女別採用数と配属先ほか●

【男女・文理別採用実績】

	大卒男	大卒女	修士男	修士女
23年	8(文 1理 7)	2(文 2理 0)	3(文 0理 3)	0(文 0理 0)
24年	14(文 4理 10)	14(文 11理 3)	1(文 0理 1)	0(文 0理 0)
25年	17(文 6理 11)	4(文 4理 0)	7(文 0理 7)	0(文 0理 0)

※25年:50名採用予定

【25年4月入社者の採用実績校】
[文](大)富山大 高崎商大 高崎経大 上武大 実践女大 専大 東洋大 成蹊大 白鴎大 [理](院)諏訪東理大 工学院大 前橋工大 群馬大 名大(大)日工大 東京電機大 高崎健康福祉大 足利大 帝京大

【24年4月入社者の配属先】
[総]勤務地:(23年)群馬・桐生3 部署:(23年)営業2 購買1 [技]勤務地:(23年)群馬・桐生10 部署:(23年)生産技術2 技術開発2 製品設計6

残業(月) 10.1時間

記者評価 自動車電装部品メーカー。ワイパー・エンジンスターター用モーターが主力。売上の約4割を占めるホンダや日産自動車など日系メーカー中心に取引。世界十数カ国に進出し、日系以外へも拡販。2輪向けはインド注力。ドアミラー子会社売却するなど構造改革進める。

●給与、ボーナス、週休、有休ほか●

【30歳総合職平均年収】NA【初任給】(修士)246,000円(大卒)226,000円【ボーナス(年)】NA【25、30、35歳賃金】243,650円→286,000円→329,638円【週休】完全2日(土日、会社暦による)【夏期休暇】連続9日【年末年始休暇】連続9日【有休取得】13.8／20日

●従業員数、勤続年数、離職率ほか●

【男女別従業員数、平均年齢、平均勤続年数】計 ◇3,205(42.2歳 19.0年) 男 2,408(43.3歳 19.8年) 女 797(38.9歳 16.7年)【離職率と離職者数】◇2.9%、95名【3年後新卒定着率】69.2%(男88.9%、女25.0%、3年前入社:男9名・女4名)【組合】あり

求める人材 考えることを厭わず、主体性がある人 独創性と挑戦精神を持つ人

会社データ (金額は百万円)

【本社】376-8555 群馬県桐生市広沢町1-2681
☎0277-52-0111 https://www.mitsuba.co.jp/
【社長】日野 貞実【設立】1946.3【資本金】5,000【今後力を入れる事業】電動化ソリューション事業

【業績(連結)】	売上高	営業利益	経常利益	純利益
22.3	286,482	7,187	7,529	83
23.3	319,500	6,718	6,049	1,185
24.3	344,154	21,152	22,344	13,741

(株)ハイレックスコーポレーション

東京S 7279

【特色】自動車コントロールケーブル最大手。独立系

修士・大卒採用数	3年後離職率	有休取得年平均	平均年収(平均*41歳)
8名	14.3 → 40.0%	10.0日	[総]600万円

●エントリー情報と採用プロセス●

【受付開始～終了】[総][技]11月～8月【採用プロセス】[総]説明会・必須(3月)→ES提出(3月)→1次面接(3月)→Webテスト(4月)→役員面接(4月)→内々定(5月) [技]説明会・必須(11月)→ES提出(11月)→1次面接(11月)→Webテスト(12月)→役員面接(1月)→内々定(1月)【交通費支給】役員面接、遠方者(実費)【早期選考】⇒巻末

試験情報

重視科目 [総][技]面接

[総][技] [ES]⇒巻末[筆]SPI3(自宅) 英語 数学 社会問題[面]2回(Webあり)

選考ポイント [総] [ES]当社への関心度・意欲等[面]社会性 協調性 総合力 [技] [ES]総合職共通[面]専門性 社会性 協調性 総合力

通過率 [総] [ES]選考なし(受付:30) [技] [ES]選考なし(受付:33)

倍率(応募/内定) [総]5倍 [技]3倍

●男女別採用数と配属先ほか●

【男女・文理別採用実績】

	大卒男	大卒女	修士男	修士女
23年	4(文 3理 1)	4(文 4理 0)	3(文 0理 3)	1(文 0理 1)
24年	2(文 2理 0)	3(文 3理 0)	1(文 1理 0)	0(文 0理 0)
25年	5(文 3理 2)	2(文 1理 1)	1(文 0理 1)	0(文 0理 0)

【25年4月入社者の採用実績校】
[文](大)関西学大 ICU 関西外大 追手門学大各1 [理](院)和歌山大1(大)大阪産大 北見工大 兵庫県大各1

【24年4月入社者の配属先】
[総]勤務地:兵庫・宝塚6 部署:営業2 経理1 医療1 産業機器事業1 研究開発1 [技]勤務地:なし 部署:なし

残業(月) 13.7時間

記者評価 自動車用コントロールケーブルで世界首位。欧州の同業を買収し、窓開閉装置でも世界シェア首位級。海外生産拠点は北米、欧州、中国、東南アジアなど幅広く展開。海外売上高比率は約8割。医療関連機器や住宅関連機器など非自動車関連分野の商品開発を推進。

●給与、ボーナス、週休、有休ほか●

【30歳総合職平均年収】NA【初任給】(修士)241,000円(大卒)223,000円【ボーナス(年)】130万円、3.62カ月【25、30、35歳賃金】229,800円→260,436円→316,225円【週休】完全2日(土日)【夏期休暇】連続9日【年末年始休暇】連続10日【有休取得】10.0／20日

●従業員数、勤続年数、離職率ほか●

【男女別従業員数、平均年齢、平均勤続年数】計 ◇935(41.1歳 15.7年) 男 730(42.2歳 16.8年) 女 205(37.5歳 12.1年)【離職率と離職者数】◇3.4%、33名【3年後新卒定着率】60.0%(男71.4%、女33.3%、3年前入社:男7名・女3名)【組合】あり

求める人材 協調性があり、ホスピタリティー精神を持って仕事に向き合える人 継続力がある人 チャレンジ精神が旺盛な人

会社データ (金額は百万円)

【本社】665-0845 兵庫県宝塚市栄町1-12-28
☎0797-85-2500 https://www.hi-lex.co.jp/
【社長】寺浦 太郎【設立】1946.11【資本金】5,657【今後力を入れる事業】医療用器具の開発・製造・販売 メカトロニクス製品

【業績(連結)】	売上高	営業利益	経常利益	純利益
21.10	217,754	685	3,032	4,896
22.10	255,616	▲4,856	▲2,474	▲7,120
23.10	298,623	2,980	5,327	▲2,991

メーカーI

すみともでんそう 住友電装(株)

株式公開していない

【特色】住友電工の完全子会社。ワイヤーハーネス世界大手

修士・大卒採用数	3年後離職率	有休取得年平均	平均年収(平均33歳)
120名	13.8→9.2%	17.0日	総759万円

●エントリー情報と採用プロセス●

【受付開始～終了】総2月～6月 技2月～9月【採用プロセス】総ES提出・適性検査(2月～)→GD→Web面接→最終面接→内々定 技ES提出・適性検査(2月～)→Web面接→最終面接→内々定【交通費支給】最終面接、実費【早期選考】⇒巻末

試験情報

重視科目 総技面接

総 ES⇒巻末 筆SPI3(自宅) 面2回(Webあり) GD作⇒巻末 技 ES⇒巻末 筆SPI3(自宅) 面2回(Webあり)

選考ポイント 総 技 ES大学時代に力を入れたこと それを通じて何を学んだか 面チームワーク チャレンジ プロフェッショナル(当社行動原則に基づく)

通過率 総 ES82%(受付:(早期選考含む)400→通過:(早期選考含む)328) 技 ES91%(受付:(早期選考含む)430→通過:(早期選考含む)390)

倍率(応募/内定) 総(早期選考含む)16倍 技(早期選考含む)5倍

●男女別採用数と配属先ほか●

【男女・文理別採用実績】※25年:24年7月末時点

	大卒男	大卒女	修士男	修士女
23年	74(文 21 理 53)	19(文 10 理 9)	37(文 2 理 35)	3(文 1 理 2)
24年	61(文 13 理 48)	16(文 12 理 4)	40(文 1 理 39)	1(文 0 理 1)
25年	60(文 8 理 52)	24(文 17 理 7)	31(文 1 理 30)	5(文 0 理 5)

【25年4月入社者の採用実績校】文(院)立命館大1(大)南山大7 同大 愛知県大各4 愛知大3 岡山大 長崎大 名古屋市大 名古屋外大 三重大 名城大 立命館大各1 理(院)三重大10 岐阜大 名工大 名大 名城大各3 立命館大2 関大 金沢大 金沢工大 山口大 山梨大 秋田県大 大阪公大 大同大 中京大 東洋大 富山県大各1(大)名城大14 南山大 三重大各5 愛知工業大4 中京大 東洋大各3 兵庫県大 中部大 東京都市大 静岡大 名工大各2 小松大 工学院大 香川大 芝工大 千葉工大 専大 大同大 東京電機大 同大 奈良女大 日大 富山県大 富山大 福井大 名大各1

【24年4月入社者の配属先】総勤務地:三重(四日市・鈴鹿・津)21 名古屋1 東京・赤坂1 神奈川・海老名2 埼玉・大宮1 部署:生産管理11 企画・経理8 総務人事3 営業2 調達・物流2 技勤務地:三重(四日市・鈴鹿・津)71 愛知(名古屋・豊田・岡崎・刈谷)11 神奈川・海老名5 栃木・宇都宮4 埼玉・大宮2 浜松1 広島市1 部署:開発設計50 生産技術17 研究開発16 IT6 品質保証5 試験評価1

残業(月) 16.0時間 総20.0時間

記者評価 1917年に電線の製販で創業した東海電線が母体、85年から現社名。自動車用・機械用ワイヤーハーネス(組電線)を製造。自動車用は世界シェア2割超でトップ。充電コネクタや高電圧ハーネスなど電気自動車向けにも注力。日本トランスシティなどと物流合弁設立。

●給与、ボーナス、週休、有休ほか●

【30歳総合職平均年収】600万円【初任給】(修士)286,000円(大卒)260,000円【ボーナス(年)】187万円、4.62カ月【25、30、35歳賃金】281,000円→326,000円→367,000円【週休】完全2日(土日)【夏期休暇】連続9日【年末年始休暇】連続9日【有休取得】17.0/20日

●従業員数、勤続年数、離職率ほか●

【男女別従業員数、平均年齢、平均勤続年数】計 7,722(41.2歳 16.9年) 男 6,052(41.4歳 17.2年) 女 1,670(40.4歳 14.1年)【離職率と離職者数】3.6%、289名(自由選択定年男48名、女10名含む)【3年後新卒定着率】90.8%(男91.7%、女85.7%、3年前入社:男109名・女21名)【組合】あり

求める人材 コミュニケーションを大事にし、何事にも主体的に取り組み変革にチャレンジできる人材

会社データ (金額は百万円)

【本社】510-8528 三重県四日市市浜田町5-28
☎0120-113-140 https://www.sws.co.jp/
【社長】漆畑 憲一【設立】1917.12【資本金】20,042【今後力を入れる事業】電動化や自動運転に関する新製品開発

【業績(連結)】	売上高	営業利益	経常利益	純利益
22.3	1,315,300	NA	NA	NA
23.3	1,642,300	NA	NA	NA
24.3	1,988,920	NA	NA	NA

やざきそうぎょう 矢崎総業(株)(矢崎グループ)

株式公開計画なし

【特色】独立系自動車部品メーカー。組電線は世界首位級

修士・大卒採用数	3年後離職率	有休取得年平均	平均年収(平均42歳)
147名	16.8→13.9%	14.8日	総775万円

●エントリー情報と採用プロセス●

【受付開始～終了】総技3月～継続中【採用プロセス】総技キャリアシート提出(3月～)→Webテスト→面接(2回)→内々定【交通費支給】対面面接、会社規準【早期選考】⇒巻末

試験情報

重視科目 総技面接 適性検査

総技 ES⇒巻末 筆SPI3(会場) SPI3(自宅) Web上での適性検査 面2回(Webあり)

選考ポイント 総技ES志望理由 職種の希望に対する自分なりの裏づけがあるか 面人物面での評価を基本に、資質・能力等を総合的に評価

通過率 総 ES75%(受付:(早期選考含む)280→通過:(早期選考含む)211) 技 ES81%(受付:(早期選考含む)405→通過:(早期選考含む)328)

倍率(応募/内定) 総(早期選考含む)4倍 技(早期選考含む)5倍

●男女別採用数と配属先ほか●

【男女・文理別採用実績】※25年:24年7月16日時点

	大卒男	大卒女	修士男	修士女
23年	64(文 17 理 47)	23(文 20 理 3)	29(文 1 理 28)	2(文 1 理 1)
24年	54(文 19 理 35)	23(文 17 理 6)	19(文 2 理 17)	2(文 1 理 1)
25年	86(文 34 理 52)	29(文 24 理 5)	23(文 3 理 20)	9(文 7 理 2)

【25年4月入社者の採用実績校】文(院)大阪公大 明大各3 早大 復旦大 東北大 大阪教大各1(大)立命館大5 常葉大4 日大3 名城大 名古屋商大 追手門学大 中大 大阪経大各2 國學院大 龍谷大 琉球大 立教大 明学大 名古屋外大 法政大 同大 東京経大 東海大 都留文科大 中京大 大同大 早大 千葉商大 静岡大 静岡産大 静岡県大 静岡英和学大 情報経営イノベーション専門職大 松蔭大 順天堂大各1他 理(院)静岡理工科大 山口東理大 島根大各2 日大 愛知工業大 富山大 熊本大 各1(大)日大 神奈川工大各5 静岡理工科大 関東学院大 北海道科学大各4 千葉工大 愛知工業大各3 山口東理大 広島工大 工学院大 公立鳥取環境大 諏訪東理大 愛知工科大各2 他

【24年4月入社者の配属先】総勤務地:静岡30 岡山2 海外4 部署:生産現場配属(1年間)の後 営業・管理・生産など各部門に配属 技勤務地:静岡70 栃木2 岡山1 海外3 部署:生産現場配属(1年間)の後 開発・管理・営業・生産など各部門に配属

残業(月) 12.7時間 総12.7時間

記者評価 矢崎グループ約140社の中核。組電線(ワイヤーハーネス)など自動車部品が主力。グループで46カ国に拠点。23年にはグアテマラ新工場が稼働。自動運転車やコネクテッドカーなど「CASE」対応加速。中国のEV開発大手、IAT社と配電ユニット開発などで24年10月新合弁。

●給与、ボーナス、週休、有休ほか●

【30歳総合職平均年収】550万円【初任給】(博士)288,100円(修士)260,200円(大卒)240,200円【ボーナス(年)】136万円、4.14カ月【25、30、35歳賃金】248,719円→267,186円→280,774円【週休】完全2日(土日)【夏期休暇】連続5日(カレンダーによる)【年末年始休暇】12月27日～1月5日【有休取得】14.8/20日

●従業員数、勤続年数、離職率ほか●

【男女別従業員数、平均年齢、平均勤続年数】計◇10,461(41.5歳 18.6年) 男 8,221(42.2歳 19.0年) 女 2,240(39.0歳 17.5年)【離職率と離職者数】◇3.5%、375名【3年後新卒定着率】86.1%(男85.2%、女90.9%、3年前入社:男61名・女11名)【組合】あり

求める人材 社是を理解し共有出来る人材 環境変化に対応出来る人材 自ら考え行動出来る人材 協働出来る人材

会社データ (金額は百万円)

【本社】108-0075 東京都港区港南1-8-15 Wビル7階
☎03-5656-2000 https://www.yazaki-group.com/
【社長】矢崎 陸【設立】1941.10【資本金】3,191【今後力を入れる事業】NA

【業績(連結)】	売上高	営業利益	経常利益	純利益
22.6	1,799,200	NA	NA	NA
23.6	2,269,700	NA	NA	NA
24.6	NA	NA	NA	NA

メーカーI

NOK(株)（エヌオーケー）

東京P 7240

【特色】自動車用オイルシール首位。電子機器用FPCも

修士・大卒採用数	3年後離職率	有休取得年平均	平均年収(平均41歳)
50名	8.8 → 8.3%	17.4日	◇760万円

●エントリー情報と採用プロセス●

【受付開始～終了】(総)(技)3月～継続中【採用プロセス】(総)説明会(Web含む、必須、3月～)→Webテスト(3月～)→ES提出・面接(3回)→内々定 (技)説明会(Web含む、必須、3月～)→Webテスト(3月～)→ES提出・面接(4回)→内々定【交通費支給】最終選考、実費

試験情報

重視科目 総 技 面接

総 (ES)⇒巻末(筆)WebGAB(面)3回(Webあり) 技 (ES)⇒巻末(筆)WebGAB(面)4回(Webあり)

選考ポイント 総(面)協調性 社会性 技(面)協調性 社会性 技術的センス

通過率 総 技 (ES)選考なし(受付:NA)

倍率(応募/内定) 総 技 NA

●男女別採用数と配属先ほか●

【男女・文理別採用実績】※NOKグループ採用 25年:24年8月時点

	大卒男	大卒女	修士男	修士女
23年	31(文 17 理 14)	9(文 7 理 2)	34(文 0 理 34)	4(文 0 理 4)
24年	37(文 20 理 17)	15(文 11 理 4)	38(文 0 理 38)	3(文 0 理 3)
25年	18(文 6 理 12)	2(文 1 理 1)	26(文 1 理 25)	4(文 0 理 4)

【25年4月入社者の採用実績校】(文)(24年)(大)立命館大4 関大3 岡山大 関西学大 武蔵大各2 茨城大 上智大 神戸大 甲南大 専大 青学大 神奈川大 朝陽科技大 都立大 日大 立命館APU各1 (理)(24年)(院)山形大5 九州工大 日大各3 京大 新潟大 長岡技科大 長崎大 東工大 北陸先端科技院大各2 東邦大 宇都宮大 九大 熊本大 山梨大 秋田大 千葉工大 早大 阪大 筑波大 東大 東京都市大 東京農工大 東理大 日工大 富山大 豊橋技科大 明大 立命館大各1(大)日大3 秋田大 山形大 茨城大各2 東京海洋大 岩手大 埼玉大 芝工大 静岡大 摂南大 東京電機大 同大 ものつくり大 明大 東洋大 千葉工大各1(高専)沼津2 茨城 宇部 沖縄 久留米 高知 鹿児島 松江 都立産技各1

【24年4月入社者の配属先】総 勤務地:(23年)愛知3 茨城3 東京2 埼玉1 兵庫1 静岡1 福島1 熊本1 部署:(23年)営業4 管理3 物流2 購買2 経理1 人事1 技 勤務地:(23年)神奈川11 茨城8 静岡5 熊本5 福島4 東京2 鳥取2 大阪1 部署:(23年)生技・製造技12 研究・開発8 設計9 システム2 営業5 環境1 品管1

残業(月) 14.1時間

記者評価 独立系。油漏れを防止する自動車用オイルシールのシェアが、国内7割、世界5割と圧倒的。電動車向け製品の開発に注力。子会社のメクテックはフレキシブルプリント基板(FPC)で世界トップクラスのシェア。傘下のイーグル工業含めグループ一括採用。

●給与、ボーナス、週休、有休ほか●

【30歳総合職平均年収】517万円【初任給】(博士)276,500円(修士)250,500円(大卒)232,500円【ボーナス(年)】196万円、5.7カ月【25、30、35歳賃金】249,880円→292,137円→342,321円【週休】完全2日(土日祝)(祝日週土曜出勤)【夏期休暇】連続9日【年末年始休暇】連続8日【有休取得】17.4／20日

●従業員数、勤続年数、離職率ほか●

【男女別従業員数、平均年齢、平均勤続年数】計◇3,337(41.4歳18.7年)男2,572(41.1歳18.1年)女765(42.5歳20.6年)【離職率と離職者数】◇2.2%、75名【3年後新卒定着率】91.7%(男94.6%、女81.8%、3年前入社:男37名・女11名)【組合】あり

求める人材 NOKグループの価値観RESPECT、IGNITE、EXPLORE、EXCEEDに共感し、挑戦・行動できる人

会社データ (金額は百万円)

【本社】105-8585 東京都港区芝大門1-12-15
☎03-3432-4211　https://www.nok.co.jp/
【社長】鶴 正雄【設立】1939.12【資本金】23,335【今後力を入れる事業】シール事業 電子機器部品事業 他

【業績(連結)】	売上高	営業利益	経常利益	純利益
22.3	682,507	31,337	46,168	25,835
23.3	709,956	15,378	26,557	13,320
24.3	750,502	22,912	40,285	31,602

イーグル工業(株)（イーグルこうぎょう）

東京P 6486

【特色】自動車用メカシールや特殊バルブ大手。NOK系列

修士・大卒採用数	3年後離職率	有休取得年平均	平均年収(平均42歳)
NA	5.9 → 40.0%	18.1日	◇792万円

●エントリー情報と採用プロセス●

【受付開始～終了】(総)(技)3月～継続中【採用プロセス】(総)説明会(Web含む、必須、3月～)→Webテスト(3月～)→ES提出・面接(3回)→内々定 (技)説明会(Web含む、必須、3月～)→Webテスト(3月～)→ES提出・面接(4回)→内々定【交通費支給】最終選考、実費

試験情報

重視科目 総 技 面接

総 (ES)⇒巻末(筆)WebGAB(面)3回(Webあり) 技 (ES)⇒巻末(筆)WebGAB(面)4回(Webあり)

選考ポイント 総(面)協調性 社会性 技(面)協調性 社会性 技術的センス

通過率 総 技 (ES)選考なし(受付:NA)

倍率(応募/内定) 総 技 NA

●男女別採用数と配属先ほか●

【男女・文理別採用実績】

	大卒男	大卒女	修士男	修士女
23年	NA(文NA 理NA)	NA(文NA 理NA)	NA(文NA 理NA)	NA(文NA 理NA)
24年	NA(文NA 理NA)	NA(文NA 理NA)	NA(文NA 理NA)	NA(文NA 理NA)
25年	NA(文NA 理NA)	NA(文NA 理NA)	NA(文NA 理NA)	NA(文NA 理NA)

※NOKグループ採用 採用数はNOK(株)に掲載

【25年4月入社者の採用実績校】
(文)グループ採用のためNOK(株)に掲載 (理)グループ採用のためNOK(株)に掲載

【24年4月入社者の配属先】総 勤務地:(23年)東京・港1 埼玉・坂戸1 茨城・つくば1 岡山・倉敷1 部署:(23年)管理2 経理1 営業1 技 勤務地:(23年)新潟・五泉3 埼玉・坂戸7 茨城・つくば2 岡山・高梁2 兵庫・高砂1 兵庫・明石1 部署:(23年)営業2 設計9 研究3 品質保証1 生産技術1

残業(月) 14.5時間

記者評価 回転機器内部の液体の漏れを防ぐメカニカルシール大手。NOKからメカニカルシール部門が分離・独立。特殊バルブにも強み。主力は自動車向けだが、建設機械や産業機械、船舶などに向け、幅広く展開。EV用モーター向けのシールも。幅広い製品で電動化需要開拓。

●給与、ボーナス、週休、有休ほか●

【30歳総合職平均年収】NA【初任給】(博士)276,500円(修士)250,500円(大卒)232,500円【ボーナス(年)】195万円、5.7カ月【25、30、35歳賃金】249,880円→292,137円→342,321円【週休】完全2日(土日祝)(祝日週土曜出勤)【夏期休暇】連続9日【年末年始休暇】連続8日【有休取得】18.1／20日

●従業員数、勤続年数、離職率ほか●

【男女別従業員数、平均年齢、平均勤続年数】計◇1,216(41.6歳16.8年)男955(41.2歳16.0年)女261(42.7歳19.7年)【離職率と離職者数】◇1.7%、21名【3年後新卒定着率】60.0%(男60.0%、女—、3年前入社:男5名・女0名)【組合】あり

求める人材 新たな価値の創造に向けて自ら挑戦・行動しつづけることができる人

会社データ (金額は百万円)

【本社】105-8587 東京都港区芝公園2-4-1 芝パークビル
☎03-3438-2291　https://www.ekkeagle.com/jp/
【会長兼社長】鶴 鉄二【設立】1964.10【資本金】10,490【今後力を入れる事業】「環境・省エネ」に資する次世代独自技術製品の開発

【業績(連結)】	売上高	営業利益	経常利益	純利益
22.3	140,842	7,560	10,811	5,713
23.3	157,380	9,264	12,277	6,796
24.3	167,042	8,107	13,799	7,491

スタンレー電気(株)

東京P 6923

【特色】自動車ランプ御三家。部品からの一貫生産に強み

修士・大卒採用数	3年後離職率	有休取得年平均	平均年収(平均41歳)
100名	13.9→12.1%	12.1日	(総)710万円

残業(月) 27.5時間 (総)27.5時間

記者評価 自動車用ランプ大手。電球の輸入販売で創業し、1960年代に自動車用ランプに参入した。ホンダ向けが約4割を占めるが、トヨタなど国内全メーカーと取引。独自の原価低減手法に特色があり、高い利益率と好財務に定評。PCバックライトなど電子機器向けのLEDも。

●エントリー情報と採用プロセス●

【受付開始～終了】(総)(技)12月～継続中【採用プロセス】(総)(技)説明会(任意)→ES提出→SPI→Web面接(3回)→内々定【交通費支給】なし【早期選考】⇒巻末

試験情報

重視科目 (総)(技)面接

(総)(技)(ES)⇒巻末(筆)SPI3(自宅)(面)3回(Webあり)

選考ポイント (総)(ES)自己表現力 論理性 他(面)コミュニケーション能力・熱意・人柄などで総合的に判断 (技)(ES)総合職共通(面)コミュニケーション能力・熱意・研究専攻内容 人柄などで総合的に判断

通過率 (総)(ES)選考なし(受付:(早期選考含む)604) (技)(ES)選考なし(受付:(早期選考含む)422)

倍率(応募/内定) (総)(早期選考含む)17倍 (技)(早期選考含む)6倍

●男女別採用数と配属先ほか●

【男女・文理別採用実績】

	大卒男	大卒女	修士男	修士女
23年	60(文 32 理 28)	13(文 11 理 2)	24(文 3 理 21)	3(文 2 理 1)
24年	50(文 23 理 27)	22(文 19 理 3)	20(文 3 理 17)	4(文 3 理 1)
25年	51(文 25 理 26)	22(文 20 理 2)	22(文 2 理 20)	5(文 2 理 3)

【25年4月入社者の採用実績校】(文)(院)横国大 滋賀大各1(大)立命館大5 愛知大 昭和女大 長崎大 南山大 日大 法政大 明大各2 関西学大 関東学院大 岩手県大 近大 駒澤大 慶大 國學院大 桜美林大 産能大 成蹊大 西南学大 青学大 大阪経大 阪大 拓大 筑波大 中大 中部大 奈良女大 名桜大 名城大 明学大 立正大 龍谷大 和歌山大 獨協大各1 他 (理)(院)立命館大2 宇都宮大 関西学大 関東学院大 京都工繊大 工学院大 秋田県大 神奈川工大 静岡大 電通大 東海大 都立大 東北大 徳島大 日大 兵庫県大各1(大)愛知工業大4 名城大3 芝工大 千葉工大各2 他

【24年4月入社者の配属先】(総)勤務地:(23年)東京・目黒11 神奈川(秦野8 横浜9)栃木・宇都宮6 愛知(岡崎5 名古屋2)浜松3 広島・東広島3 埼玉・朝霞1 **部署**:(23年)営業28 人事2 総務2 経理2 事業管理2 経営管理1 IR1 生産・購買管理10 (技)勤務地:(23年)東京・目黒3 神奈川(秦野23 横浜9 みなとみらい9)栃木・宇都宮1 愛知・岡崎3 浜松2 広島・東広島2 **部署**:(23年)研究8 製品設計9 先進開発5 ソフトウェア・回路設計4 構造設計7 生産技術9 品質保証7 知財2 社内システム開発1

●給与、ボーナス、週休、有休ほか●

【30歳総合職平均年収】514万円【初任給】(博士)259,455円(修士)250,375円(大卒)234,805円【ボーナス(年)】194万円、5.2カ月【25、30、35歳賃金】241,856円→273,174円→313,396円【週休】会社暦2日【夏期休暇】連続9日(平日5日＋土日4日)【年末年始休暇】連続10日(平日6日＋土日4日)【有休取得】12.1／20日

●従業員数、勤続年数、離職率ほか●

【男女別従業員数、平均年齢、平均勤続年数】計 ◇3,902(40.9歳 16.3年) 男 3,302(41.8歳 17.0年) 女 600(36.4歳 13.6年)【離職率と離職者数】◇5.3%、219名(早期定年男27名、女2名含む)【3年後新卒定着率】87.9%(男88.5%、女84.6%、3年前入社:男78名・女13名)【組合】あり

求める人材 向上心、向学心に満ちあふれる人 高い目標に対して挑戦し続けられる人

会社データ (金額は百万円)

【本社】153-8636 東京都目黒区中目黒2-9-13
☎03-6866-2222 https://www.stanley.co.jp/
【社長】貝住 泰昭【設立】1933.5【資本金】30,514【今後力を入れる事業】ランプシステム 除菌市場 他

【業績(連結)】	売上高	営業利益	経常利益	純利益
22.3	382,561	27,743	36,714	21,445
23.3	437,790	34,926	44,872	26,496
24.3	472,397	35,834	48,064	26,497

フタバ産業(株)

東京P 7241

【特色】自動車骨格プレス部品大手。マフラー国内首位

修士・大卒採用数	3年後離職率	有休取得年平均	平均年収(平均39歳)
33名	8.5→9.7%	18.2日	(総)646万円

残業(月) 20.3時間 (総)19.1時間

記者評価 自動車部品、特に排気系部品に強く、プレス・溶接部品も手がける。17年にトヨタが31%超の大株主に。トヨタ向けに日本とカナダで大型プレスライン稼働。海外拠点も多数。車体部品は大型部品の提案を本格化。電池ケースなど電動化関連製品の開発も加速。

●エントリー情報と採用プロセス●

【受付開始～終了】(総)3月～5月 (技)3月～7月【採用プロセス】(総)ES提出(3月～)→1次面接(3月～)→Webテスト・最終面接(3月～)→内々定(4月～) (技)ES提出(3月～)→1次面接(3月～)→Webテスト・最終面接(3月～)→内々定(3月～)【交通費支給】全ての面接、会社基準

試験情報

重視科目 (総)(技)面接 Webテスト

(総)(技)(ES)⇒巻末(筆)C-GAB WebGAB(面)2回(Webあり)

選考ポイント (総)(技)(ES)学生時代の取り組みや求職者の強み(面)問題解決力 行動力 チームワーク力 学び続ける力

通過率 (総)(ES)36%(受付:330→通過:120) (技)(ES)92%(受付:88→通過:81)

倍率(応募/内定) (総)41倍 (技)3倍

●男女別採用数と配属先ほか●

【男女・文理別採用実績】

	大卒男	大卒女	修士男	修士女
23年	19(文 5 理 14)	4(文 0 理 4)	10(文 0 理 10)	3(文 1 理 2)
24年	22(文 4 理 18)	7(文 3 理 4)	6(文 1 理 5)	0(文 0 理 0)
25年	18(文 2 理 16)	7(文 5 理 2)	7(文 1 理 6)	1(文 0 理 1)

【25年4月入社者の採用実績校】
(文)(院)金沢大1(大)南山大4 愛知教大 山口大 神戸大各1 (理)(院)豊橋技科大 岐阜大 静岡大各2 奈良先端科技院大1(大)名城大7 愛知工業大6 諏訪東理大 南山大 東理大 福井大 中部大各1

【24年4月入社者の配属先】
(総)勤務地:愛知(岡崎6 豊田1 幸田1) 部署:営業2 広報1 財務1 プロジェクト管理1 工務2 調達1 (技)勤務地:愛知(岡崎17 豊田1 幸田8 田原1) 部署:技術10 生産技術11 品質管理5 事業開発1

●給与、ボーナス、週休、有休ほか●

【30歳総合職平均年収】551万円【初任給】(修士)276,000円(大卒)254,000円【ボーナス(年)】167万円、5.5カ月【25、30、35歳賃金】264,600円→290,992円→325,615円【週休】完全2日(土日)【夏期休暇】連続9日(週休4日含む)【年末年始休暇】連続10日(週休4日含む)【有休取得】18.2／20日

●従業員数、勤続年数、離職率ほか●

【男女別従業員数、平均年齢、平均勤続年数】計 1,324(38.5歳 14.4年) 男 1,030(38.9歳 14.8年) 女 294(37.3歳 12.8年)【離職率と離職者数】3.0%、41名【3年後新卒定着率】90.3%(男92.7%、女71.4%、3年前入社:男55名・女7名)【組合】あり

求める人材 問題解決力 行動力 チームワーク力 学び続ける力のある人

会社データ (金額は百万円)

【本社】444-8558 愛知県岡崎市橋目町御茶屋1
☎0564-31-2212 https://www.futabasangyo.com/
【社長】魚住 吉博【設立】1945.11【資本金】16,820【今後力を入れる事業】ゾーン開発による提案力強化 新規事業開発

【業績(連結)】	売上高	営業利益	経常利益	純利益
22.3	572,118	6,115	7,807	3,307
23.3	708,072	7,681	7,768	10,576
24.3	795,802	19,213	18,489	12,831

開示 ★★★★★

㈱三五（さんご）

株式公開 計画なし

【特色】独立系自動車部品メーカー。トヨタG向け多い

修士・大卒採用数	3年後離職率	有休取得年平均	平均年収(平均41歳)
20名	5.3→7.7%	17.2日	総676万円

残業(月) 27.2時間 総27.2時間

記者評価 恒川鉄工所として1928年創業。プレス加工から出発し自動車部品へと展開。マフラーなど排気系主体で、現在は自動車部品売上比率が約9割。独立系だがトヨタG向け大半。海外は中国、アジア、欧米に拠点。海外売上比率5割超。EVやFCVへの対応急ぐ。

●エントリー情報と採用プロセス●

【受付開始～終了】総3月～6月 技3月～継続中【採用プロセス】総ES提出(3月上旬～4月上旬)→面接(3回、4月中旬～6月上旬)・Webテスト(4月中旬)→内々定(6月中旬) 技ES提出(3月上旬～中旬)→面接(3回、3月中旬～4月上旬)・Webテスト(4月上旬)→内々定(4月中旬)【交通費支給】最終面接、東海3県社内規定、それ以外実費【早期選考】⇒巻末

試験情報

重視科目 総技面接

総技 ES⇒巻末 筆WebGAB 面3回(Webあり)

選考ポイント 総技 ES志望動機が具体的か 当社の人材要件を理解しているか 面チャレンジ精神 コミュニケーション能力 論理的思考能力

通過率 総 ES64%(受付:194→通過:125) 技 ES100%(受付:27→通過:27)

倍率(応募/内定) 総8倍 技2倍

●給与、ボーナス、週休、有休ほか●

【30歳総合職平均年収】587万円【初任給】(修士)276,000円 (大卒)254,000円【ボーナス(年)】169万円、5.0カ月【25、30、35歳賃金】242,750円→269,601円→297,195円【週休】2日(土日)【夏期休暇】連続9日程度【年末年始休暇】連続9日程度【有休取得】17.2／20日

●従業員数、勤続年数、離職率ほか●

【男女別従業員数、平均年齢、平均勤続年数】計 1,104(43.1歳 17.8年) 男 942(43.6歳 18.2年) 女 162(40.4歳 15.8年)【離職率と離職者数】2.2%、25名【3年後新卒定着率】92.3%(男91.7%、女100%、3年前入社:男12名・女1名)【組合】あり

●男女別採用数と配属先ほか●

【男女・文理別採用実績】

	大卒男	大卒女	修士男	修士女
23年	4(文 2理 2)	5(文 4理 1)	3(文 0理 3)	0(文 0理 0)
24年	12(文 4理 8)	4(文 4理 0)	2(文 0理 2)	0(文 0理 0)
25年	12(文 6理 6)	7(文 7理 0)	1(文 0理 1)	0(文 0理 0)

【25年4月入社者の採用実績校】
文(大)南山大5 愛知大2 青学大 金沢大 共立女大 名古屋商大 日女大 名城大各1 理(院)大同大1(大)中部大2 愛知工科大 愛知工業大 小松大 名城大各1

【24年4月入社者の配属先】
総勤務地:愛知・みよし8 部署:営業3 生産管理1 原価企画1 SE1 経理1 工務1 技勤務地:愛知(みよし5 豊田5) 部署:設計・開発4 生産技術4 実験1 管理1

求める人材 チャレンジ精神のある人 協調性がある人 創造力がある人 原理原則で物事を考える人

会社データ (金額は百万円)

【本社】456-0023 愛知県名古屋市熱田区六野1-3-1
☎052-882-0035 https://www.sango.jp/
【社長】水野 昭智【設立】1950.6【資本金】100【今後力を入れる事業】脱炭素、電動化、車両の規制ニーズへの対応

【業績(連結)】	売上高	営業利益	経常利益	純利益
22.3	502,754	4,130	6,994	NA
23.3	675,458	7,647	8,854	NA
24.3	729,470	11,722	12,802	NA

豊田鉄工㈱（とよだてっこう）

株式公開 計画なし

【特色】トヨタ系の自動車プレス部品大手。国内外に展開

修士・大卒採用数	3年後離職率	有休取得年平均	平均年収(平均40歳)
38名	0→12.1%	18.7日	総794万円

残業(月) 33.5時間 総31.8時間

記者評価 トヨタ系自動車用プレス・樹脂部品メーカー。衝突安全・軽量化部品に強み。海外は中国、アメリカなど9カ国に16拠点を展開。マツダ系部品メーカーなど3社で米アラバマ州に合弁設立、21年9月から操業。植物工場も運営。低速小型EVの開発・実用化に挑戦中。

●エントリー情報と採用プロセス●

【受付開始～終了】総3月～4月 技3月～継続中【採用プロセス】総説明会(必須、3～4月)→ES提出・SPI(3～4月)→人事面接(4～6月)→個人面接(4～7月)→役員面接(4～7月)→内々定(4～7月) 技説明会(必須、3～6月)→ES提出・SPI(3～6月)→人事面接(3～6月)→個人面接(4～7月)→役員面接(4～7月)→内々定(4～7月)【交通費支給】2次面接以降、2次面接:会社基準 最終選考:実費

試験情報

重視科目 総技面接

総 ES⇒巻末 筆SPI3(会場) SPI3(自宅) 面3回(Webあり) 技 ES⇒巻末 筆SPI3(自宅) 面3回(Webあり)

選考ポイント 総技 ES学生生活を主体的に取り組んでいるか 面自分の考えを自分の言葉で論理的に説明できるか コミュニケーション能力

通過率 総 ESNA(受付:206→通過:NA) 技 ESNA(受付:122→通過:NA)

倍率(応募/内定) 総23倍 技4倍

●給与、ボーナス、週休、有休ほか●

【30歳総合職平均年収】622万円【初任給】(修士)276,000円 (大卒)257,000円【ボーナス(年)】253万円、5.3カ月【25、30、35歳賃金】270,100円→310,800円→348,300円 ※生産手当含む【週休】完全2日(土日)【夏期休暇】連続9日【年末年始休暇】連続10日【有休取得】18.7／20日

●従業員数、勤続年数、離職率ほか●

【男女別従業員数、平均年齢、平均勤続年数】計 943(40.2歳 16.7年) 男 843(40.7歳 17.1年) 女 100(36.5歳 13.0年)【離職率と離職者数】2.6%、25名【3年後新卒定着率】87.9%(男85.2%、女100%、3年前入社:男27名・女6名)【組合】あり

●男女別採用数と配属先ほか●

【男女・文理別採用実績】

	大卒男	大卒女	修士男	修士女
23年	25(文 8理 17)	1(文 1理 0)	4(文 1理 3)	0(文 0理 0)
24年	28(文 11理 17)	7(文 7理 0)	0(文 0理 0)	0(文 0理 0)
25年	29(文 5理 24)	6(文 4理 2)	2(文 0理 2)	1(文 0理 1)

【25年4月入社者の採用実績校】文(大)愛知大3 愛知県大2 愛知学大 中京大 中部大 東海学園大各1 理(院)名城大2 諏訪東理大1(大)中部大6 愛知工業大 大同大 中京大各3 南山大 福井大 名城大各2 東海職能大学校 富山大 室蘭工大 山口大 龍谷大各1(高専)愛知総合工科高・専攻科1

【24年4月入社者の配属先】総勤務地:愛知(豊田15 岡崎2) 部署:安全健康1 人事総務3 経理3 営業2 調達2 DX・IT推進1 生技管理1 本社工場1 広久手工場1 額田工場2 技勤務地:愛知(豊田16 岡崎1) 部署:品質保証1 品質管理1 第一開発1 第二開発1 製品化技術3 生技管理3 プラント環境技術1 プレス・化成生技2 組立生技2 本社工場1 額田工場1

求める人材 自ら考え行動し、創造力とチャレンジ精神にあふれるグローバルな人財

会社データ (金額は百万円)

【本社】471-8507 愛知県豊田市細谷町4-50
☎0565-26-1220 https://www.tiw.co.jp/
【社長】坂元 康彦【設立】1946.2【資本金】2,223【今後力を入れる事業】自動車業界の将来を見据えた製品開発 生産技術開発

【業績(連結)】	売上高	営業利益	経常利益	純利益
22.3	389,600	17,194	15,375	9,907
23.3	518,539	27,985	24,158	17,944
24.3	569,805	42,092	36,897	24,704

開示 ★★★★

東プレ㈱（とう）

東京P 5975

【特色】独立系の自動車プレス部品大手。冷凍車も

修士・大卒採用数	3年後離職率	有休取得年平均	平均年収（平均40歳）
30名	33.3→50.0%	12.3日	[総]678万円

●エントリー情報と採用プロセス●

【受付開始～終了】[総][技]3月～継続中【採用プロセス】[総][技]ES提出（随時）→1次面接・適性検査（随時）→2次面接（随時）→内々定（随時）【交通費支給】2次面接時、実費

試験情報

[重視科目] [総][技]特になし

[総][技][ES]⇒巻末[筆]RCリスクチェッカー[面]2回（Webあり）

[選考ポイント] [総][技][ES]企業への理解があるか きちんと意味の通る文章になっているか[面]コミュニケーション能力 思考能力 業務遂行能力

[通過率] [総][技][ES]NA

[倍率（応募/内定）] [総][技]NA

●男女別採用数と配属先ほか●

【男女・文理別採用実績】

	大卒男	大卒女	修士男	修士女
23年	8（文 4理 4）	0（文 0理 0）	2（文 2理 0）	1（文 1理 0）
24年	21（文 6理 15）	5（文 3理 2）	2（文 1理 1）	0（文 0理 0）
25年	22（文 8理 14）	4（文 4理 0）	4（文 0理 4）	0（文 0理 0）

【25年4月入社者の採用実績校】
[文]（大）中大5 広島経大2 他 [理]（院）千葉工大1（大）神奈川大4 東京電機大3 東京工芸大2 東北大1 他

【24年4月入社者の配属先】
[総]勤務地：相模原7 東京2 栃木2 岐阜1 部署：営業2 管理2 情報システム2 生産管理1 購買一部1 購買二部1 施設1 総務1 監査1 [技]勤務地：相模原13 栃木2 岐阜1 部署：自動車機器事業本部技術部11 商品事業本部冷凍機器事業部技術部2 商品事業本部空調機器部技術部1 商品事業本部電子機器部技術部1 品質本部品質保証二部1

[残業（月）] 28.8時間

[記者評価] 独立系の自動車プレス部品大手。主要顧客は日産、ホンダなど。フロントピラー、ドアビーム、センターピラーなどを製造。海外事業強化に向け、設備増強に積極的。EV向けの受注獲得へ軽量・高剛性部品の供給進める。冷凍車のコンテナと冷凍装置も手がける。

●給与、ボーナス、週休、有休ほか●

【30歳総合職平均年収】NA【初任給】（修士）250,000円（大卒）235,000円【ボーナス（年）】183万円、6.0カ月【25、30、35歳賃金】221,036円→241,580円→270,981円【週休】2日【夏期休暇】あり【年末年始休暇】あり【有休取得】12.3／23日

●従業員数、勤続年数、離職率ほか●

【男女別従業員数、平均年齢、平均勤続年数】計 ◇1,504（39.5歳 15.6年）男 1,399（39.6歳 15.9年）女 105（37.4歳 11.0年）【離職率と離職者数】◇4.0%、62名【3年後新卒定着率】50.0%（男50.0%、女50.0%、3年前入社：男12名・女2名）【組合】あり

[求める人材] 周りを巻き込み、チームとして成果を出せる人 目標に向かって努力し続けられる人 ロジカルに物事を捉えられる人

[会社データ] （金額は百万円）

【本社】103-0027 東京都中央区日本橋3-12-2 朝日ビル
☎03-3271-0711 https://www.topre.co.jp/
【社長】山本 豊【設立】1935.4【資本金】5,610【今後力を入れる事業】自動車機器事業 空調機器事業 冷凍機器事業 電子機器事業

【業績（連結）】	売上高	営業利益	経常利益	純利益
22.3	233,601	6,853	17,013	10,998
23.3	290,416	7,330	16,518	10,009
24.3	354,922	22,406	37,840	17,099

㈱ジーテクト

東京P 5970

【特色】ホンダ系自動車プレスメーカー。解析技術に強み

修士・大卒採用数	3年後離職率	有休取得年平均	平均年収（平均42歳）
13名	16.7→35.7%	15.5日	[総]666万円

●エントリー情報と採用プロセス●

【受付開始～終了】[総][技]3月～継続中【採用プロセス】[総][技]説明会（必須、3月～）→ES提出・適性検査（3月中旬～）→1次面接（3月下旬～）→最終面接（4月上旬～）→内々定（4月中旬～）【交通費支給】最終面接時、実費【早期選考】⇒巻末

試験情報

[重視科目] [総][技]面接

[総][技][ES]⇒巻末[筆]C-GAB[面]2回（Webあり）

[選考ポイント] [総][技][ES]論理的思考力 分かりやすく説明する力 学生時代の経験から何を学んだか[面]志望動機と熱意 自主的な思考と行動力 人柄の良さと対人スキル

[通過率] [総][ES]71%（受付：63→通過：45）[技][ES]91%（受付：57→通過：52）

[倍率（応募/内定）] [総]9倍 [技]7倍

●男女別採用数と配属先ほか●

【男女・文理別採用実績】

	大卒男	大卒女	修士男	修士女
23年	5（文 2理 3）	3（文 1理 2）	4（文 0理 4）	0（文 0理 0）
24年	10（文 5理 5）	0（文 0理 0）	1（文 0理 1）	0（文 0理 0）
25年	9（文 5理 4）	2（文 2理 0）	2（文 0理 2）	0（文 0理 0）

【25年4月入社者の採用実績校】
[文]（大）ICU 福島大 名城大 東京経大 東京家政大 東海学園大 大東文化大各1 [理]（院）東京農工大 福井大各1（大）大阪電通大2 近大 東京電機大各1（専）ホンダテクニカルカレッジ関西 ホンダテクニカルカレッジ関東各1

【24年4月入社者の配属先】
[総]勤務地：滋賀・甲賀3（予定）部署：経理2 営業1（予定）[技]勤務地：東京・羽村3 群馬・太田1 栃木・塩谷3 滋賀・甲賀2 岐阜・海津1（予定）部署：技術5 開発1 商品開発3 生産1（予定）

[残業（月）] 21.7時間 [総]22.5時間

[記者評価] 自動車プレス部品メーカー。ルーフやフロアなど車体部品を手がける。ボディ構造解析技術が強み。ホンダグループ向けが売上の5割強を占めるが、トヨタや欧州系メーカーにも供給。バッテリーケースやモーター関連部品開発も着手、EV化へ野心的。

●給与、ボーナス、週休、有休ほか●

【30歳総合職平均年収】530万円【初任給】（修士）260,000円（大卒）240,000円【ボーナス（年）】181万円、5.27カ月【25、30、35歳賃金】253,821円→281,000円→307,163円【週休】完全2日（土日）【夏期休暇】連続10日程度【年末年始休暇】連続10日程度【有休取得】15.5／20日

●従業員数、勤続年数、離職率ほか●

【男女別従業員数、平均年齢、平均勤続年数】計 755（42.0歳 17.8年）男 673（42.5歳 18.1年）女 82（37.9歳 15.5年）【離職率と離職者数】5.3%、42名【3年後新卒定着率】64.3%（男66.7%、女50.0%、3年前入社：男12名・女2名）【組合】あり

[求める人材] 変化を恐れず、「責任感」を持って「主体的」に行動し、「創造性」を発揮しながら挑戦し続ける人材

[会社データ] （金額は百万円）

【本社】330-0854 埼玉県さいたま市大宮区桜木町1-11-20 大宮JPビルディング18階
☎048-646-3400 https://www.g-tekt.jp/
【社長】高尾 直宏【設立】1953.11【資本金】4,656【今後力を入れる事業】車体部品一体化（ホットスタンプなど）

【業績（連結）】	売上高	営業利益	経常利益	純利益
22.3	236,503	10,931	12,532	8,878
23.3	314,312	12,836	14,284	10,270
24.3	344,601	16,242	18,896	13,240

ユニプレス(株)

東京P 5949

【特色】自動車用プレス部品最大手。日産向けが主力

修士・大卒採用数	3年後離職率	有休取得年平均	平均年収(平均42歳)
21名	5.8→22.0%	18.0日	[総]653万円

残業(月) 19.7時間 [総]19.7時間

記者評価 日産の系列解体を経て現在は独立系だが、日産向けの売上が7割超。大株主の日本製鉄とはプレス部品の軽量化技術などを共同開発。ハイテン材(高張力鋼板)成形技術に強み。9カ国17拠点展開し海外売上高比率は6~7割。工場の生産ライン自動化進める。

●エントリー情報と採用プロセス●

【受付開始~終了】[総][技]3月~継続中【採用プロセス】[総][技]説明会(任意、3月~)→適性検査・ES提出(3月~)→人事面接(3月~)→最終役員面接(3月下旬~)→内々定【交通費支給】最終面接、実費【早期選考】⇒巻末

試験情報

重視科目 [総][技]面接

[総][技][ES]⇒巻末[筆]WebTAP[面]2回(Webあり)

選考ポイント [総][技][ES]志望動機が自分の言葉で表現されているか 文章に論理性があるか[面]人柄 仕事に対する熱意 専門知識 他

通過率 [総][ES]71%(受付:77→通過:55) [技][ES]77%(受付:44→通過:34)

倍率(応募/内定) [総]7倍 [技]4倍

●男女別採用数と配属先ほか●

【男女・文理別採用実績】

	大卒男	大卒女	修士男	修士女
23年	9(文 5理 4)	5(文 5理 0)	3(文 0理 3)	0(文 0理 0)
24年	13(文 5理 8)	3(文 2理 1)	0(文 0理 0)	3(文 3理 0)
25年	12(文 4理 8)	5(文 5理 0)	3(文 1理 2)	1(文 1理 0)

【25年4月入社者の採用実績校】[文](院)京大 済州大各1(大)青学大 神奈川大各2 駒澤大 昭和女大 東海大 日女大 明学大各1 [理](院)東海大 日大各1(大)神奈川工大2 茨城大 関東学院大 群馬大 工学院大 信州大 拓大各1

【24年4月入社者の配属先】

[総]勤務地:横浜10 部署:UPS推進室1 原価企画部1 人事部1 情報システム部2 営業部1 TM営業部1 調達部1 生産統括部2

[技]勤務地:神奈川(横浜2 大和5)静岡・富士2 部署:先行技術開発部1 車体技術部2 TM技術部1 生産技術部3 TM生産技術部1 品質保証部1

●給与、ボーナス、週休、有休ほか●

【30歳総合職平均年収】506万円【初任給】(博士)270,000円(修士)260,000円(大卒)240,000円【ボーナス(年)】143万円、4.6カ月【25、30、35歳賃金】243,767円→292,273円→317,950円【週休】完全2日(土日)【夏期休暇】連続8~11日【年末年始休暇】連続8~11日【有休取得】18.0／20日

●従業員数、勤続年数、離職率ほか●

【男女別従業員数、平均年齢、平均勤続年数】計 1,085(44.5歳 19.7年) 男 931(45.3歳 20.6年) 女 154(39.8歳 14.7年)【離職率と離職者数】5.0%、57名【3年後新卒定着率】78.0%(男80.6%、女70.0%、3年前入社:男31名・女10名)【組合】あり

求める人材 自ら学び行動し、周囲を巻き込んでチームとして成果を上げられる人

会社データ (金額は百万円)

【本社】222-0033 神奈川県横浜市港北区新横浜1-19-20 SUN HAMADA BLDG
☎045-470-8250 https://www.unipres.co.jp/

【社長】浦西 信哉【設立】1945.3【資本金】10,168【今後力を入れる事業】グローバル事業の拡充 技術開発の強化

【業績(連結)】	売上高	営業利益	経常利益	純利益
22.3	254,450	▲7,593	▲4,718	▲7,955
23.3	304,442	3,738	5,029	2,483
24.3	335,079	10,927	12,553	5,256

トピー工業(株)

(こうぎょう)

東京P 7231

【特色】鋼材やホイール、建機足回り部品などを製造

修士・大卒採用数	3年後離職率	有休取得年平均	平均年収(平均*42歳)
22名	13.6→0%	14.9日	[総]745万円

残業(月) 14.7時間 [総]14.7時間

記者評価 日本製鉄系。トラックのホイールと建設機械向け足回り部品で国内高シェア。ホイールの同業他社を買収。電炉で鋼材を生産し、自社製品に使用する一貫生産に特徴。化粧品用マイカなど、新規事業にも積極的。発電事業を廃止するなど選択と集中を進める。

●エントリー情報と採用プロセス●

【受付開始~終了】[総][技]3月~6月【採用プロセス】[総][技]ES提出(3月~)→面接(2~3回)・適性検査→内々定(~7月)【交通費支給】最終面接以降、会社基準【早期選考】⇒巻末

試験情報

重視科目 [総][技]ES 面接

[総][技][ES]⇒巻末[筆]ミキワメ[面]2~3回(Webあり)

選考ポイント [総][ES]人柄(求める人材像にあっているか)誤字脱字の有無[面]コミュニケーション能力・素養・熱意・人柄などから人物重視で総合評価 [技][ES]研究内容 人柄(求める人材像にあっているか)[面]コミュニケーション能力・素養・熱意・人柄などから人物重視で総合評価 専門性

通過率 [総][ES]NA(受付:116→通過:NA) [技][ES]NA(受付:52→通過:NA)

倍率(応募/内定) [総]10倍 [技]5倍

●男女別採用数と配属先ほか●

【男女・文理別採用実績】

	大卒男	大卒女	修士男	修士女
23年	11(文 6理 5)	7(文 5理 2)	2(文 0理 2)	4(文 1理 3)
24年	7(文 2理 5)	10(文 9理 1)	4(文 0理 4)	0(文 0理 0)
25年	16(文 8理 8)	4(文 4理 0)	1(文 0理 1)	1(文 0理 1)

【25年4月入社者の採用実績校】[文](大)早大 立命館大 法政大 近大 関大 東海大 明海大 亜大 大阪教大 関西学大 東北学大 桃山学大各1 [理](院)群馬大 福井大各1(大)東海大 千葉工大 秋田県大各2 法政大 金沢工大各1

【24年4月入社者の配属先】[総]勤務地:東京・大崎1 愛知(豊橋4 豊川2)神奈川(綾瀬2 茅ヶ崎2) 部署:生産管理5 総括2 調達1 人事1 労務1 営業1 [技]勤務地:愛知(豊橋4 豊川2)神奈川(綾瀬2 茅ヶ崎1)福岡・京都郡1 部署:生産技術8 設備技術1 研究開発1

●給与、ボーナス、週休、有休ほか●

【30歳総合職平均年収】520万円【初任給】(修士)268,500円(大卒)250,000円【ボーナス(年)】NA【25、30、35歳賃金】262,000円→309,000円→331,000円【週休】完全2日(土日祝)※勤務地により異なる【夏期休暇】一斉有休で取得【年末年始休暇】12月29日~1月4日【有休取得】14.9／20日

●従業員数、勤続年数、離職率ほか●

【男女別従業員数、平均年齢、平均勤続年数】計 689(41.9歳 15.6年) 男 483(44.8歳 17.6年) 女 206(35.4歳 11.0年)【離職率と離職者数】3.8%、27名【3年後新卒定着率】100%(男100%、女100%、3年前入社:男9名・女6名)【組合】あり

求める人材 やる気と情熱を備え、自ら学び成長できる人

会社データ (金額は百万円)

【本社】141-8634 東京都品川区大崎1-2-2 アートヴィレッジ大崎Cタワー
☎03-3493-0120 https://www.topy.co.jp/

【社長】石井 博美【設立】1934.12【資本金】20,983【今後力を入れる事業】海外事業の拡充と国内事業基盤の強化

【業績(連結)】	売上高	営業利益	経常利益	純利益
22.3	271,178	▲1,706	▲1,401	386
23.3	334,496	7,175	8,043	6,321
24.3	333,992	10,440	10,462	4,676

メーカーⅠ

㈱エイチワン

東京P 5989

【特色】自動車の車体骨格部品メーカー。ホンダ系

修士・大卒採用数	3年後離職率	有休取得年平均	平均年収(平均46歳)
5名	20.0→27.8%	20.0日	総633万円

残業(月) 13.8時間 総13.8時間

記者評価 ホンダ系車体骨格部品メーカーのヒラタと本郷が06年に合併して誕生。車体フレームのプレスや加工組立が主力。売上の9割弱がホンダ向け。米国やタイ、中国などに生産拠点。海外売上高比率は約8割。ホンダが苦戦する中国では現地メーカーの開拓を進める。

●エントリー情報と採用プロセス●

【受付開始～終了】総技4月～継続中【採用プロセス】総技説明会(必須)→適性検査(SPI3・Web受検)・ES提出(8月)→書類選考(随時)→面接(随時)→最終面接(随時)→内々定(随時)【交通費支給】全ての面接、会社基準

試験情報

重視科目 総技面接

総技ES⇒巻末筆SPI3(自宅)面2回(Webあり)

選考ポイント 総技ES自己PR 学生時代に取り組んだこと(具体性があるか 前向きさが伝わるか)面主体性 論理的思考力 課題発見力 コミュニケーション力 自己管理力

通過率 総技ES NA

倍率(応募/内定) 総技NA

●給与、ボーナス、週休、有休ほか●

【30歳総合職平均年収】NA【初任給】(修士)236,440円(大卒)218,680円【ボーナス(年)】142万円、4.0カ月【25、30、35歳賃金】258,663円→290,760円→316,260円 ※ライフプラン支援金含む【週休】2日(土日)【夏期休暇】連続9日【年末年始休暇】連続9日【有休取得】20.0／20日

●従業員数、勤続年数、離職率ほか●

【男女別従業員数、平均年齢、平均勤続年数】計 ◇1,227(45.8歳 22.4年) 男 1,144(45.9歳 22.6年) 女 83(41.3歳 17.9年)【離職率と離職者数】NA【3年後新卒定着率】72.2%(男80.0%、女62.5%、3年前入社:男10名・女8名)【組合】あり

●男女別採用数と配属先ほか●

【男女・文理別採用実績】

	大卒男	大卒女	修士男	修士女
23年	2(文 0理 2)	2(文 0理 2)	1(文 0理 1)	1(文 0理 1)
24年	4(文 0理 4)	0(文 0理 0)	1(文 0理 1)	0(文 0理 0)
25年	4(文 0理 4)	0(文 0理 0)	1(文 0理 1)	0(文 0理 0)

【25年4月入社者の採用実績校】
文なし 理(院)岩手大1(大)日大 東京電機大 名城大 群馬大各1

【24年4月入社者の配属先】
総勤務地:群馬・太田1 部署:溶接1 技勤務地:さいたま1 栃木・芳賀1 福島・郡山1 群馬・前橋1 部署:情報システム1 製品設計1 金型設計1 品質1

求める人材 多様性を受け入れ、自ら考え、積極的に行動できる人

会社データ (金額は百万円)

【本社】330-0854 埼玉県さいたま市大宮区桜木町1-11-5 KSビル
☎048-643-0010 https://www.h1-co.jp/
【社長】真弓 世紀【設立】1939.4【資本金】4,366【今後力を入れる事業】新商品・新技術開発 新規顧客開拓

【業績(IFRS)】	売上高	営業利益	税前利益	純利益
22.3	170,588	▲4,046	▲3,714	▲1,390
23.3	225,511	▲9,270	▲9,742	▲6,993
24.3	232,730	▲18,826	▲19,354	▲21,656

たいへいようこうぎょう

太平洋工業㈱

東京P 7250

【特色】タイヤバルブとバルブコアで世界首位級メーカー

修士・大卒採用数	3年後離職率	有休取得年平均	平均年収(平均43歳)
21名	13.3→27.8%	14.5日	総663万円

残業(月) 19.1時間 総19.1時間

記者評価 独立系。タイヤの空気注入口に使われるバルブコアの国産化を目指し1930年創業。国内はほぼ独占。18年に米・仏の同業3社買収で世界シェアは約5割に。自動車用プレス・樹脂製品も展開。乗用車用タイヤ空気圧監視システムが好調。岐阜県の複数工場を増強中。

●エントリー情報と採用プロセス●

【受付開始～終了】総技3月～6月【採用プロセス】総ES提出(3～5月)→説明会(3～5月)→Webテスト(4～6月)→1次面接(4月初旬～)→最終面接(4月中旬～)→内々定(6月～) 技ES提出(3～5月)→説明会(3～5月)→Webテスト(3～5月)→1次面接(3月下旬～)→最終面接(4月中旬～)→内々定(6月～)【交通費支給】最終面接、実費【早期選考】⇒巻末

試験情報

重視科目 総技面接

総技ES⇒巻末筆SPI3(自宅)面2回(Webあり)

選考ポイント 総ES学生時代に打ち込んだこと 志望動機面コミュニケーション能力 論理的思考力 将来の伸びしろ 技ES専攻や研究内容 学生時代に打ち込んだこと 志望動機面専門分野 コミュニケーション能力 論理的思考力 将来の伸びしろ

通過率 総ES59%(受付:122→通過:72) 技ES75%(受付:(早期選考含む)68→通過:(早期選考含む)51)

倍率(応募/内定) 総17倍 技(早期選考含む)5倍

●給与、ボーナス、週休、有休ほか●

【30歳総合職平均年収】537万円【初任給】(修士)258,000円(大卒)238,000円【ボーナス(年)】215万円、5.1カ月【25、30、35歳賃金】245,300円→278,030円→317,180円【週休】完全2日(土日)【夏期休暇】連続9日【年末年始休暇】連続10日【有休取得】14.5／20日

●従業員数、勤続年数、離職率ほか●

【男女別従業員数、平均年齢、平均勤続年数】計 598(41.5歳 15.7年) 男 488(41.5歳 15.7年) 女 110(41.4歳 15.6年)【離職率と離職者数】3.2%、20名【3年後新卒定着率】72.2%(男80.0%、女33.3%、3年前入社:男15名・女3名)【組合】あり

●男女別採用数と配属先ほか●

【男女・文理別採用実績】

	大卒男	大卒女	修士男	修士女
23年	10(文 5理 5)	6(文 4理 2)	7(文 0理 7)	0(文 0理 0)
24年	16(文 4理 12)	4(文 3理 1)	4(文 0理 4)	0(文 0理 0)
25年	14(文 2理 12)	7(文 6理 1)	0(文 0理 0)	0(文 0理 0)

【25年4月入社者の採用実績校】文(大)立命館大 神戸松蔭女学大各2 愛知大 関大 中大 名古屋芸大各1 理(大)岐阜大 中部大各2 工学院大 大同大 中京大 富山県大 南山大 日大 福井工大 名城大 龍谷大各1(高専)岐阜1

【24年4月入社者の配属先】総勤務地:岐阜・大垣7 部署:営業部7 技勤務地:岐阜・大垣18 部署:プレス技術部4 樹脂技術部3 製品開発部(プレス製品)3 他8

求める人材 自身の成長を実感しながら、主体的に働く意欲のある人財

会社データ (金額は百万円)

【本社】503-8603 岐阜県大垣市久徳町100
☎0584-91-1111 https://www.pacific-ind.co.jp/
【社長】小川 哲史【設立】1930.8【資本金】7,316【今後力を入れる事業】プレス・樹脂事業 TPMS事業 新規事業(AI IoT ICT DX他)

【業績(連結)】	売上高	営業利益	経常利益	純利益
22.3	164,472	10,756	14,615	9,803
23.3	191,254	9,298	13,209	9,301
24.3	207,348	14,456	18,836	16,974

メーカーⅠ

プレス工業(株)（こうぎょう）

東京P 7246

【特色】トラック用フレーム、車軸生産で国内トップ

修士・大卒採用数	3年後離職率	有休取得年平均	平均年収(平均43歳)
11名	9.1→0%	15.0日	総827万円

●エントリー情報と採用プロセス●

【受付開始～終了】総3月～7月 技3月～継続中【採用プロセス】総技説明会(必須、3月～)→筆記(3月～)→ES提出→面接(3回、4月～)→内々定(5月～)【交通費支給】最終面接、関東圏外の遠方者に全額【早期選考】⇒巻末

試験情報

重視科目 総技筆記 面接

総技ES⇒巻末筆eF-1G(WEB筆記試験)面3回(Webあり)

選考ポイント 総技ES志望理由 マッチ度面コミュニケーション力 論理的思考 誠実さ

通過率 総技ES選考なし(受付:NA)

倍率(応募/内定) 総(早期選考・技術系含む)10倍 技—

●男女別採用数と配属先ほか●

【男女・文理別採用実績】

	大卒男	大卒女	修士男	修士女
23年	10(文 5理 5)	4(文 3理 1)	1(文 0理 1)	0(文 0理 0)
24年	11(文 5理 6)	1(文 1理 0)	0(文 0理 0)	0(文 0理 0)
25年	7(文 3理 4)	4(文 4理 0)	0(文 0理 0)	0(文 0理 0)

【25年4月入社者の採用実績校】
文(大)神奈川大 尾道市大各2 松山大 立教大 日大各1 理(大)玉川大 日大 神奈川大 湘南工大各1(短)中国職能1

【24年4月入社者の配属先】
総勤務地:神奈川・藤沢6 部署:生産管理1 営業1 調達2 情報1 教務1 技勤務地:未定 部署:未定

残業(月) NA

記者評価 商用車やSUVの車体フレーム、車軸を製造。鉄をプレスする鍛造技術に強み。大株主のいすゞ自動車が最大顧客だが、三菱ふそうトラック・バス、日産自動車など自動車関連の取引先は多い。建設機械用キャビンの製造も手がける。海外ではタイの事業規模が大きい。

●給与、ボーナス、週休、有休ほか●

【30歳総合職平均年収】650万円【初任給】(博士)273,900円(修士)251,900円(大卒)232,900円【ボーナス(年)】NA、5.3カ月【25、30、35歳モデル賃金】251,437円→311,075円→388,922円【週休】完全2日(土日)【夏期休暇】連続9～10日【年末年始休暇】連続9～10日【有休取得】15.0／20日

●従業員数、勤続年数、離職率ほか●

【男女別従業員数、平均年齢、平均勤続年数】計 1,752(42.7歳 20.0年) 男 1,611(41.1歳 20.3年) 女 141(43.8歳 19.1年)【離職率と離職者数】0.8%、14名(早期退職男2名含む)【3年後新卒定着率】100%(男100%、女—、3年前入社:男5名・女0名)【組合】あり

求める人材 グローバル市場に対応できる、知識・意欲・コミュニケーション能力を持っている人

会社データ (金額は百万円)

【本社】210-8512 神奈川県川崎市川崎区塩浜1-1-1
☎044-266-2581 https://www.presskogyo.co.jp/
【社長】清水 勇生【設立】1934.6【資本金】8,070【今後力を入れる事業】主力製品の海外展開

【業績(連結)】	売上高	営業利益	経常利益	純利益
22.3	160,060	12,424	12,673	7,107
23.3	184,844	13,110	13,714	6,793
24.3	197,817	12,807	13,461	8,078

(株)アドヴィックス

株式公開 計画なし

【特色】アイシン子会社。ブレーキ専業メーカー大手

修士・大卒採用数	3年後離職率	有休取得年平均	平均年収(平均39歳)
67名	11.1→9.6%	16.7日	NA

●エントリー情報と採用プロセス●

【受付開始～終了】総技3月～3月【採用プロセス】総技ES提出・適性検査(3月中)→面接(2回、4月中旬～)→内々定(6月)【交通費支給】全ての面接、会社基準に基づき支給(都道府県別に基準を設置)【早期選考】⇒巻末

試験情報

重視科目 総技ES 面接

総技ES⇒巻末筆SPI3(会場)面2回(Webあり)

選考ポイント 総技ES理論の一貫性面自ら成長する力 過去事例からの再現性

通過率 総技ESNA

倍率(応募/内定) 総技NA

●男女別採用数と配属先ほか●

【男女・文理別採用実績】

	大卒男	大卒女	修士男	修士女
23年	28(文 9理 19)	11(文 8理 3)	34(文 1理 33)	3(文 1理 2)
24年	37(文 8理 29)	11(文 6理 5)	13(文 0理 13)	1(文 0理 1)
25年	38(文 10理 28)	12(文 7理 5)	15(文 0理 15)	2(文 0理 2)

【25年4月入社者の採用実績校】
文(大)南山大 名大 愛知県大 愛知教大 立教大 中大 札幌大 高知大 関西学大 愛知大 中京大 名城大 理(院)名城大 名工大 名大 岐阜大 三重大 東理大 富山県大 宇都宮大 大阪公大 中京大(大)名城大 愛知工業大 山梨大 岐阜大 愛媛大 南山大 諏訪東理大 中部大 三重大 静岡大 関西学大 近大 日大 富山県大 神奈川工大

【24年4月入社者の配属先】総勤務地:愛知(刈谷8 半田2)静岡1 部署:経営企画部門1 経営管理部門1 営業部門2 調達部門1 生産部門6 技勤務地:愛知(刈谷42 半田3 豊田3) 部署:品質保証部門2 技術開発部門41 生産技術部門5

残業(月) 26.9時間 総28.8時間

記者評価 トヨタ系ブレーキメーカー。アイシン傘下。デンソー、トヨタ、住友電工も出資。自動車用ブレーキシステム国内大手。名古屋大とブレーキ設計・開発へのAI活用で共同研究展開。21年インドの2子会社を経営統合、24年7月同国自動車部品大手とブレーキ新合弁設立。

●給与、ボーナス、週休、有休ほか●

【30歳総合職平均年収】629万円【初任給】(博士)306,800円(修士)276,000円(大卒)258,000円【ボーナス(年)】NA【25、30、35歳賃金】281,385円→327,644円→372,666円【週休】完全2日(土日)【夏期休暇】連続9日【年末年始休暇】連続9日【有休取得】16.7／20日

●従業員数、勤続年数、離職率ほか●

【男女別従業員数、平均年齢、平均勤続年数】計 2,125(39.0歳 12.9年) 男 1,823(39.5歳 13.6年) 女 302(36.3歳 9.0年)【離職率と離職者数】NA【3年後新卒定着率】90.4%(男92.9%、女80.0%、3年前入社:男42名・女10名)【組合】あり

求める人材 「自成力(＝自ら成長する力)」を持っている人

会社データ (金額は百万円)

【本社】448-8688 愛知県刈谷市昭和町2-1
☎0566-63-8000 https://www.advics.co.jp/
【社長】秋山 晃【設立】2001.7【資本金】12,200【今後力を入れる事業】ブレーキシステム事業(主に自動化・電動化を推進する技術開発)

【業績(IFRS)】	売上高	営業利益	経常利益	純利益
22.3	645,237	NA	NA	NA
23.3	751,847	NA	NA	NA
24.3	810,671	NA	NA	NA

メーカーI

ジヤトコ(株)

株式公開 計画なし

【特色】日産自動車の連結子会社。自動変速機(AT)専業

修士・大卒採用数	3年後離職率	有休取得年平均	平均年収(平均45歳)
56名	7.9→0%	16.8日	総771万円

●エントリー情報と採用プロセス●

【受付開始～終了】総3月～5月 技12月～7月【採用プロセス】総Web適性検査・ES提出(～5月)→面接(2回、～5月)→内々定(～5月) 技Web適性検査・ES提出(～7月)→面接(2回、～7月)→内々定(～7月)【交通費支給】最終面接時、実費相当(会社基準)【早期選考】⇒巻末

試験情報

重視科目 総技面接

総技 ES⇒巻末 筆SPI3(自宅) 面2回(Webあり)

選考ポイント 総技 ES志望動機 自己PR 専攻内容 面求める人物像との適合性

通過率 総 ES選考なし(受付:100) 技 ES選考なし(受付:160)

倍率(応募/内定) 総9倍 技5倍

●男女別採用数と配属先ほか●

【男女・文理別採用実績】

	大卒男	大卒女	修士男	修士女
23年	19(文 3 理 16)	3(文 2 理 1)	5(文 1 理 4)	0(文 0 理 0)
24年	24(文 3 理 21)	3(文 1 理 2)	13(文 1 理 12)	1(文 0 理 1)
25年	45(文 10 理 35)	1(文 1 理 0)	10(文 0 理 10)	0(文 0 理 0)

【25年4月入社者の採用実績校】文(大)常葉大4 南山大 東海大 金沢大 愛知学大 法政大 大妻女大 山梨学大各1 理(院)富山大 茨城大各2 近大 室蘭工大 東京電機大 東京都市大 日大 名城大各1(大)静岡理工科大7 工学院大 東海大各4 東京都市大3 愛知工業大 秋田大 岩手大 金沢工大 九州工大 公立鳥取環境大 山梨大 室蘭工大 芝工大 神奈川工大 静岡大 成蹊大 中大 中京大 東京電機大 日大 名城大各1(高専)旭川1

【24年4月入社者の配属先】総勤務地:(24年)静岡・富士5 部署:(24年)調達1 財務1 生産2 法務知財1 技勤務地:(23年)静岡・富士16 神奈川・厚木5 部署:(23年)生産10 開発6 品質保証2 原価企画1 情報システム1 営業1

残業(月) 22.8時間 総22.8時間

記者評価 日産自動車傘下の自動車用自動変速機メーカー。三菱自動車、スズキも出資する。主力のCVT(無段変速機)は世界シェア首位。軽自動車から中・大型車までカバー範囲が広いのが特徴。仏ルノー、米GMにも製品を供給。EV向け電動パワートレインの開発を加速する。

●給与、ボーナス、週休、有休ほか●

【30歳総合職平均年収】483万円【初任給】(修士)243,000円(大卒)222,000円【ボーナス(年)】184万円、5.0カ月【25、30、35歳賃金】242,450円→293,800円→368,640円【週休】会社暦2日【夏期休暇】連続9日(週休4日)【年末年始休暇】連続10日(週休4日)【有休取得】16.8/20日

●従業員数、勤続年数、離職率ほか●

【男女別従業員数、平均年齢、平均勤続年数】計 1,960(44.6歳 19.3年) 男 1,678(45.0歳 19.6年) 女 282(42.0歳 17.7年)【離職率と離職者数】2.2%、44名【3年後新卒定着率】100%(男100%、女100%、3年前入社:男18名・女5名)【組合】あり

求める人材 リーダーシップを持ち、チャレンジできる人財 グローバルに活躍したい人財

会社データ (金額は百万円)

【本社】417-8585 静岡県富士市今泉700-1
☎0545-51-0047 https://www.jatco.co.jp/
【社長】佐藤 朋由【設立】1999.6【資本金】29,935【今後力を入れる事業】電動車向けパワートレイン 新規事業

【業績(連結)】	売上高	営業利益	経常利益	純利益
22.3	561,300	26,700	NA	16,500
23.3	540,000	2,800	NA	▲4,800
24.3	563,700	13,900	NA	13,700

日清紡ホールディングス(株)

にっしんぼう

(日清紡ホールディングス(株)、日清紡テキスタイル(株)、日清紡ブレーキ(株)、日清紡ケミカル(株)、日清紡メカトロニクス(株))

東京P 3105

【特色】綿紡績名門。ブレーキ摩擦材などに多角化

修士・大卒採用数	3年後離職率	有休取得年平均	平均年収(平均46歳)
17名	13.9→13.0%	13.0日	総772万円

●エントリー情報と採用プロセス●

【受付開始～終了】総技3月～未定【採用プロセス】総ES提出(3月～)→書類選考(3月～)→1次面接→2次面接・Webテスト(4月～)→最終面接→内々定(6月～) 技ES提出(3月～)→書類選考(3月～)→1次面接→2次面接・Webテスト(4月～)→事業所見学(4月～)→最終面接→内々定(6月～)【交通費支給】事業所見学 最終面接、全額【早期選考】⇒巻末

試験情報

重視科目 総技面接

総技 ES⇒巻末 筆SPI3(会場) SPI3(自宅) 面3回(Webあり)

選考ポイント 総技 ES論理的な文章構成 志望理由の明確性 アピール内容の具体性 面思考力 対人能力 成長力 自立性

通過率 総 ES56%(受付:354→通過:200) 技 ES76%(受付:173→通過:132)

倍率(応募/内定) 総89倍 技43倍

●男女別採用数と配属先ほか●

【男女・文理別採用実績】

	大卒男	大卒女	修士男	修士女
23年	2(文 2 理 0)	2(文 2 理 0)	12(文 0 理 12)	5(文 0 理 5)
24年	5(文 4 理 1)	4(文 4 理 0)	9(文 0 理 9)	3(文 1 理 2)
25年	3(文 2 理 1)	2(文 0 理 2)	10(文 0 理 10)	2(文 0 理 2)

【25年4月入社者の採用実績校】文(大)中大 近大各1 理(院)群馬大2 茨城大 岡山大 九大 信州大 千葉大 徳島大 東京電機大 東京農工大 東理大 日大各1(大)群馬大 関西学大 立教大各1

【24年4月入社者の配属先】
総勤務地:東京9 群馬・館林1 大阪1 部署:営業4 経理1 人事2 情報システム1 経営戦略2 法務1 技勤務地:千葉(千葉8 旭1) 群馬・館林2 部署:新規事業開発2 ブレーキ2 ケミカル7

残業(月) 5.8時間 総9.5時間

記者評価 繊維事業から多角化。自動車用ブレーキ摩擦材、無線通信、デバイス、工場跡地の不動産賃貸と不動産分譲など事業は多彩。日本無線や新日本無線、日立国際電気などを買収し無線通信やデバイス強化。一方、11年に買収したブレーキ事業の欧州TMDは売却。

●給与、ボーナス、週休、有休ほか●

【30歳総合職平均年収】528万円【初任給】(修士)262,850円(大卒)240,450円【ボーナス(年)】NA、4.5カ月【25、30、35歳賃金】257,250円→337,350円→416,950円【週休】2日【夏期休暇】連続5日以上【年末年始休暇】連続5日以上【有休取得】13.0/20日

●従業員数、勤続年数、離職率ほか●

【男女別従業員数、平均年齢、平均勤続年数】計 ◇1,713(46.7歳 20.0年) 男 1,365(47.8歳 21.7年) 女 348(43.1歳 14.2年)【離職率と離職者数】◇3.1%、54名【3年後新卒定着率】87.0%(男88.2%、女83.3%、3年前入社:男17名・女6名)【組合】あり

求める人材 考え抜いて行動し、果敢に挑戦出来る人

会社データ (金額は百万円)

【本社】103-8650 東京都中央区日本橋人形町2-31-11
☎03-5695-8864 https://www.nisshinbo.co.jp/
【社長】村上 雅洋【設立】1907.2【資本金】27,807【今後力を入れる事業】無線通信・半導体事業

【業績(連結)】	売上高	営業利益	経常利益	純利益
21.12	510,643	21,788	25,358	24,816
22.12	516,085	15,435	20,397	19,740
23.12	541,211	12,453	15,785	▲20,045

にっぽんはつじょう
日本発条㈱

東京P 5991

【特色】自動車向け懸架ばね首位。独立系メーカー

修士・大卒採用数	3年後離職率	有休取得年平均	平均年収(平均38歳)
74名	13.0→17.6%	19.3日	[総]782万円

●エントリー情報と採用プロセス●

【受付開始～終了】[総][技]3月～6月【採用プロセス】[総][技]説明会(必須、3月～)→適性検査(3月～)→ES提出(3月～)→面接(3回、3～6月)→内々定(4～6月)【交通費支給】1次面接以降、実費(公共交通機関利用分)【早期選考】⇒巻末

試験情報

重視科目 [総][技]面接 ミキワメ

[総][技][ES]⇒巻末[筆]ミキワメ[面]3回(Webあり)[GD作]⇒巻末

選考ポイント [総][技][ES]面接時の参考資料[面]前向きな姿勢 論理性

通過率 [総][ES]選考なし(受付:(早期選考含む)196) [技][ES]選考なし(受付:(早期選考含む)469)

倍率(応募/内定) [総](早期選考含む)12倍 [技](早期選考含む)9倍

●男女別採用数と配属先ほか●

【男女・文理別採用実績】

	大卒男	大卒女	修士男	修士女
23年	51(文 24 理 27)	8(文 5 理 3)	16(文 0 理 16)	1(文 0 理 1)
24年	54(文 27 理 27)	8(文 7 理 1)	18(文 0 理 18)	1(文 0 理 1)
25年	34(文 8 理 26)	14(文 11 理 3)	21(文 0 理 21)	5(文 1 理 4)

【25年4月入社者の採用実績校】[文](院)愛知大1(大)関東学院大3 成蹊大 法政大 神奈川大各2 関大 久留米大 青学大 筑波大 東京都市大 東北学大 同女大 日大 立命館大 龍谷大各1 [理](院)新潟大 筑波大各2 茨城大 宇都宮大 横国大 岡山大 工学院大 琉球大 山形大 山梨大 神戸大 青学大 創価大 早大 東京科学大 東理大 同大 奈良先端科技院大 日大 福岡大 豊橋技科大 北里大 立命館大各1(大)芝工大 工学院大各3 愛媛大 東京電機大 東京都市大各2 日大 関東学院大 近大 金沢大 九州工大 高知工科大 埼玉工大 山形大 秋田県大 千葉工大 中京大 帝京大 東海大 東京工科大 福岡大 明星大 立命館大各1

【24年4月入社者の配属先】[総]**勤務地**:神奈川(横浜19 伊勢原2 厚木2)群馬3 愛知(豊田1 名古屋1)長野(伊那1 宮田1 駒ヶ根2)滋賀2 **部署**:システム4 営業8 財務1 経理2 管理3 生産管理15 購買1 [技]**勤務地**:神奈川(横浜16 伊勢原3 厚木8)群馬3 豊田4 長野(伊那2 宮田1 駒ヶ根8)滋賀2 **部署**:製品設計6 生産技術22 品質管理5 研究開発10 評価実験1 電動化3

残業(月) 22.2時間 [総]25.7時間

記者評価 通称ニッパツ。自動車向け懸架ばねとシートのほか、HDD用精密ばねや半導体向け部品に展開。EV部品も育成。海外は1963年にタイ進出と早く、日系メーカーの世界展開に積極随伴。24～26年の中期計画では投資2500億円のうち500億円を処遇改善など人的資本に投入。

●給与、ボーナス、週休、有休ほか●

【30歳総合職平均年収】535万円【初任給】(博士)267,740円(修士)249,320円(大卒)230,120円【ボーナス(年)】194万円、NA【25、30、35歳賃金】253,800円→300,900円→360,900円【週休】完全2日(土日)【夏期休暇】連続9日【年末年始休暇】連続10日【有休取得】19.3/20日

●従業員数、勤続年数、離職率ほか●

【男女別従業員数、平均年齢、平均勤続年数】計 2,283(41.5歳 15.1年) 男 1,844(41.2歳 14.9年) 女 439(43.0歳 15.7年)【離職率と離職者数】2.8%、66名(早期退職男4名、女1名含む)【3年後新卒定着率】82.4%(男84.4%、女66.7%、3年前入社:男45名・女6名)【組合】あり

求める人材 意欲のある人 問題解決能力のある人 ものづくりのプロになりたい人

会社データ　(金額は百万円)

【本社】236-0004 神奈川県横浜市金沢区福浦3-10
☎045-786-7518　https://www.nhkspg.co.jp/
【社長】上村 和久【設立】1939.9【資本金】17,009【今後力を入れる事業】自動車分野 情報通信分野

【業績(連結)】	売上高	営業利益	経常利益	純利益
22.3	586,903	21,359	30,674	31,998
23.3	693,246	28,838	37,317	21,537
24.3	766,934	34,652	47,814	39,188

㈱ヨロズ

東京P 7294

【特色】自動車足回り部品メーカー。主力は日産向け

修士・大卒採用数	3年後離職率	有休取得年平均	平均年収(平均41歳)
20名	22.9→50.0%	14.0日	[総]626万円

●エントリー情報と採用プロセス●

【受付開始～終了】[総][技]2月～継続中【採用プロセス】[総][技]説明会(必須、2月上旬)→1次面接(3月上旬)→ES提出→2次面接→適性検査→最終面接(4月上旬)→内々定(4月下旬)【交通費支給】最終面接以降、会社基準【早期選考】⇒巻末

試験情報

重視科目 [総][技]面接

[総][技][ES]⇒巻末[筆]適性検査(Web)[面]3回(Webあり)

選考ポイント [総][技][面]表現力 論理力 積極性 社会性 海外志向

通過率 [総][ES]選考なし(受付:(早期選考含む)40) [技][ES]選考なし(受付:(早期選考含む)30)

倍率(応募/内定) [総](早期選考含む)4倍 [技](早期選考含む)3倍

●男女別採用数と配属先ほか●

【男女・文理別採用実績】

	大卒男	大卒女	修士男	修士女
23年	10(文 4 理 6)	1(文 1 理 0)	0(文 0 理 0)	1(文 1 理 0)
24年	13(文 5 理 8)	4(文 3 理 1)	0(文 0 理 0)	0(文 0 理 0)
25年	16(文 6 理 10)	3(文 2 理 1)	1(文 0 理 1)	0(文 0 理 0)

【25年4月入社者の採用実績校】
[文](大)日大 神奈川大 産能大 帝京大 白鴎大 同大 創価大 帝京平成大各1 [理](院)神奈川工大1(大)神奈川工大4 日工大3 日大2 帝京大 金沢工大各1

【24年4月入社者の配属先】
[総]**勤務地**:横浜7 栃木2 **部署**:調達2 営業3 生産管理1 経理1 総務1 人事1 [技]**勤務地**:栃木8 **部署**:生産技術3 品質保証2 設計3

残業(月) 19.6時間 [総]19.6時間

記者評価 自動車足回りのサスペンション部品で国内トップ級のサプライヤー。現在は独立系だが、かつては日産自動車の系列であり現在も同社グループ向けが売上の6割強を占める。ホンダなど日系各社からも受注。日米中が主力市場。電動車向けに軽量部品の開発を強化。

●給与、ボーナス、週休、有休ほか●

【30歳総合職平均年収】468万円【初任給】(博士)NA(修士)233,500円(大卒)225,500円【ボーナス(年)】152万円、5.0カ月【25、30、35歳賃金】237,080円→255,736円→275,064円【週休】完全2日(土日)【夏期休暇】連続9日(土日4日含む)【年末年始休暇】連続11日(土日4日含む)【有休取得】14.0/20日

●従業員数、勤続年数、離職率ほか●

【男女別従業員数、平均年齢、平均勤続年数】計 492(41.0歳 11.6年) 男 422(41.2歳 11.8年) 女 70(39.3歳 10.7年)【離職率と離職者数】4.8%、25名【3年後新卒定着率】50.0%(男50.0%、女―、3年前入社:男2名・女0名)【組合】あり

求める人材 何事も積極的に前向きに取り組める人 コミュニケーション能力のある人

会社データ　(金額は百万円)

【本社】222-8560 神奈川県横浜市港北区樽町3-7-60
☎045-543-6800　https://www.yorozu-corp.co.jp/
【社長】平中 勉【設立】1948.4【資本金】6,200【今後力を入れる事業】輸送用機器

【業績(連結)】	売上高	営業利益	経常利益	純利益
22.3	127,316	2,096	2,284	876
23.3	160,560	3,088	2,992	1,422
24.3	181,468	4,459	4,517	▲3,926

中央発條(株)（ちゅうおうはつじょう） 東京S 5992

【特色】自動車用ばねの大手メーカー。非自動車向け強化

修士・大卒採用数	3年後離職率	有休取得年平均	平均年収(平均44歳)
15名	0→12.5%	13.1日	総693万円

●エントリー情報と採用プロセス●

【受付開始～終了】総技3月～継続中【採用プロセス】総技説明会・ES提出(3月～)→面接(2回)→内々定(5月～)【交通費支給】面接、公共交通機関の実費

試験情報

重視科目 総技面接

総技 ES⇒巻末 筆なし 面2回(Webあり)

選考ポイント 総技ES克服、挑戦などの経験がありそこから何を学んでいるか 資格、その他経験からグローバルな視点があるか 面結論から、簡潔に、分かりやすい言葉で伝えられるか 用意していなかったことに対しても、考え、対応できるか

通過率 総ES41%(受付:108→通過:44) 技ES59%(受付:54→通過:32)

倍率(応募/内定) 総6倍 技7倍

●男女別採用数と配属先ほか●

【男女・文理別採用実績】※25年:計画数

	大卒男	大卒女	修士男	修士女
23年	1(文 0理 1)	3(文 3理 0)	4(文 0理 4)	1(文 0理 1)
24年	8(文 3理 5)	4(文 4理 0)	2(文 0理 2)	1(文 0理 1)
25年	6(文 3理 3)	5(文 4理 1)	4(文 0理 4)	0(文 0理 0)

【25年4月入社者の採用実績校】
文(24年)(大)南山大3 立命館大 明大 愛知大 愛知淑徳大各1
理(24年)(院)芝工大 北陸先端科技院大 名工大各1(大)秋田大 関西学大 東海大 中部大 アンダラス大各1

【24年4月入社者の配属先】
総勤務地:愛知(名古屋3 みよし4) 部署:事業管理1 IT1 人事1 営業1 調達1 生産管理2 技勤務地:愛知(みよし5 豊田3) 部署:技術開発2 生産技術3 品質保証3

残業(月) 23.9時間 総28.4時間

記者評価 自動車用ばねの大手メーカー。トヨタ系で同グループ向けが約6割。シャシー関連からエンジン動弁系のバルブスプリングなど幅広い。水素タンク用ばねや鉄道レール締結用クリップ展開。インドなどアジア開拓で海外売上比率の向上狙う。住環境など新領域も模索。

●給与、ボーナス、週休、有休ほか●

【30歳総合職平均年収】529万円【初任給】(修士)276,000円(大卒)254,000円【ボーナス(年)】198万円、4.6カ月【25、30、35歳賃金】262,916円→287,546円→341,667円【週休】完全2日(土日)【夏期休暇】あり【年末年始休暇】あり【有休取得】13.1／20日

●従業員数、勤続年数、離職率ほか●

【男女別従業員数、平均年齢、平均勤続年数】計 1,217(44.1歳 21.5年) 男 1,095(44.1歳 22.2年) 女 122(38.4歳 15.7年)【離職率と離職者数】2.0%、25名【3年後新卒定着率】87.5%(男75.0%、女100%、3年前入社:男4名・女4名)【組合】あり

求める人材 自ら積極的に考え自ら行動できるグローバル人材

会社データ (金額は百万円)

【本社】458-8505 愛知県名古屋市緑区鳴海町字上汐田68
☎052-624-8535 https://www.chkk.co.jp/
【社長】小出 健太【設立】1948.12【資本金】10,837【今後力を入れる事業】海外拡販と新分野への進出

【業績(連結)】	売上高	営業利益	経常利益	純利益
22.3	82,144	1,826	3,434	1,801
23.3	92,766	354	1,572	481
24.3	100,975	1,073	3,093	1,990

カヤバ(株) 東京P 7242

【特色】油圧機器大手。自動車の衝撃緩衝器で高シェア

修士・大卒採用数	3年後離職率	有休取得年平均	平均年収(平均41歳)
40名	13.8→0%	16.3日	総697万円

●エントリー情報と採用プロセス●

【受付開始～終了】総2月～5月 技12月～6月【採用プロセス】総会社説明会(必須、2月～)→ES提出・Webテスト(2月～)→書類選考(3月～)→面接(2回、4月～)→内々定(5月～) 技会社説明会(必須、2月～)→ES提出(2月～)→Webテスト・面接(2回、2月～)→内々定(3月～)【交通費支給】最終面接、実費【早期選考】⇒巻末

試験情報

重視科目 総技面接

総技 ES⇒巻末 筆WebGAB 面2回(Webあり)

選考ポイント 総ESNA(提出あり) 面人柄 熱意 コミュニケーション能力 技面人柄 熱意 コミュニケーション能力 研究内容

通過率 総ES63%(受付:115→通過:73) 技ES選考なし(受付:132)

倍率(応募/内定) 総8倍 技5倍

●男女別採用数と配属先ほか●

【男女・文理別採用実績】

	大卒男	大卒女	修士男	修士女
23年	19(文 6理 13)	2(文 1理 1)	6(文 0理 6)	1(文 1理 0)
24年	17(文 2理 15)	7(文 7理 0)	7(文 0理 7)	0(文 0理 0)
25年	27(文 8理 19)	7(文 5理 2)	6(文 1理 5)	0(文 0理 0)

【25年4月入社者の採用実績校】文(院)大阪公大1(大)南山大 近大各2 杏林大 神田外語大 中大 中部大 武蔵大 名古屋学院大 名古屋商大 立教大 立命館大各1 理(院)新潟大 秋田県大 室蘭工大 信州大 筑波大各1(大)名城大 東京電機大各3 工学院大 東海大各2 近大 金沢工大 九産大 秋田大 神奈川工大 大阪電通大 拓大 中部大 日工大 日大 北海道科学大各1

【24年4月入社者の配属先】総勤務地:東京2 神奈川2 岐阜5 部署:経理財務4 調達2 生産管理2 技勤務地:神奈川7 埼玉1 岐阜16 長野3 部署:設計9 開発7 研究5 生産技術5 DX推進1

残業(月) 総17.5時間

記者評価 トヨタ自動車が大株主だが独立系。油圧技術に強み。戦前は零戦の脚など製造。現在は自動車用ショックアブソーバや建機用シリンダ等を展開。18年に検査データ改ざんが発覚したビル免震・制振装置の交換はほぼ完了。自動車レースの製品供給・技術サポート等も。

●給与、ボーナス、週休、有休ほか●

【30歳総合職平均年収】577万円【初任給】(博士)265,500円(修士)248,000円(大卒)229,500円【ボーナス(年)】197万円、5.61カ月【25、30、35歳賃金】240,211円→299,094円→347,611円【週休】完全2日(土日)【夏期休暇】会社カレンダーによる(連続10日程度)【年末年始休暇】会社カレンダーによる(連続7～10日程度)【有休取得】16.3／20日

●従業員数、勤続年数、離職率ほか●

【男女別従業員数、平均年齢、平均勤続年数】計 4,555(41.3歳 16.7年) 男 4,067(41.6歳 16.9年) 女 488(38.7歳 15.1年)【離職率と離職者数】2.2%、104名(早期退職男9名、女3名含む)【3年後新卒定着率】100%(男NA、女NA、3年前入社:男6名・女0名)【組合】あり

求める人材 探求心、好奇心を持って主体的に行動できる人

会社データ (金額は百万円)

【本社】105-5128 東京都港区浜松町2-4-1 世界貿易センタービル南館
☎03-3435-3535 https://www.kyb.co.jp/
【社長】川瀬 正裕【設立】1948.11【資本金】27,648【今後力を入れる事業】電子制御技術

【業績(IFRS)】	売上高	営業利益	税前利益	純利益
22.3	388,360	30,001	28,817	22,549
23.3	431,205	32,547	31,770	27,210
24.3	442,781	22,417	21,361	15,818

▶『業界地図』p.250

開示 ★★★

あいさんこうぎょう 愛三工業㈱ 東京P 7283

【特色】トヨタ系部品メーカー。主力は燃料噴射装置

修士・大卒採用数	3年後離職率	有休取得年平均	平均年収(平均42歳)
30名	3.3 → 25.0%	18.0日	総 766万円

●エントリー情報と採用プロセス●

【受付開始～終了】総技3月～規定数に達し次第【採用プロセス】総技ES提出→適性検査→面接(2～3回)→内々定【交通費支給】2次面接以降、会社基準

試験情報

重視科目 総技面接

総技 ES NA 筆 SPI3(会場) SPI3(自宅) 面 2～3回(Webあり)

選考ポイント 総技 ES NA(提出あり) 面 バイタリティー コミュニケーション能力 チャレンジ精神 他

通過率 総 ES NA(受付:255→通過:NA) 技 ES NA(受付:206→通過:NA)

倍率(応募/内定) 総36倍 技9倍

●男女別採用数と配属先ほか●

【男女・文理別採用実績】

	大卒男	大卒女	修士男	修士女
23年	11(文 5理 6)	8(文 5理 3)	13(文 0理 13)	0(文 0理 0)
24年	16(文 3理 13)	7(文 5理 2)	7(文 0理 7)	4(文 0理 4)
25年	21(文 4理 17)	5(文 3理 2)	3(文 0理 3)	1(文 0理 1)

【25年4月入社者の採用実績校】
文(大)南山大4 愛知県大 中京大 立命館大各1 理(院)名古屋市大 富山県大 南山大 岐阜大各1(大)名城大6 愛知工業大3 中京大 富山大各2 立命館大 名工大 福井大 富山県大 徳島大 信州大各1

【24年4月入社者の配属先】
総勤務地:愛知・大府9 部署:調達1 生産管理1 人事1 総務1 営業1 経営企画1 他3 技勤務地:愛知・大府25 部署:ソフトウェア10 生産技術4 研究開発3 先行開発2 システム開発1 製品開発3 品質保証2

残業(月) 19.5時間 総20.1時間

記者評価 柱は電子制御燃料噴射装置。スロットルボディやポンプモジュールなど燃料供給・吸排気系の各種部品を展開。売上の約6割がトヨタグループ向け。重複する燃料ポンプ事業をデンソーから22年9月に譲受、事業拡大狙う。電池ケースなどEV関連システム製品も拡販。

●給与、ボーナス、週休、有休ほか●

【30歳総合職平均年収】487万円【初任給】(博士)301,000円 (修士)276,000円 (大卒)254,000円【ボーナス(年)】186万円、5.5カ月【25、30、35歳モデル賃金】247,000円→275,000円→299,000円【週休】完全2日(土日)【夏期休暇】連続9～11日(週休含む)【年末年始休暇】連続9～11日(週休含む)【有休取得】18.0/20日

●従業員数、勤続年数、離職率ほか●

【男女別従業員数、平均年齢、平均勤続年数】計 1,603(42.0歳 18.4年) 男 1,399(42.7歳 19.0年) 女 204(37.9歳 14.6年)【離職率と離職者数】2.2%、36名【3年後新卒定着率】75.0%(男78.6%、女66.7%、3年前入社:男14名・女6名)【組合】あり

求める人材 未来志向で前向きに物事を捉え、自律的に考動し、積極的にチャレンジしていく人

会社データ (金額は百万円)

【本社】474-8588 愛知県大府市共和町1-1-1
☎0562-47-1131 https://www.aisan-ind.co.jp/
【社長】野村 得之【設立】1938.12【資本金】10,852【今後力を入れる事業】電動化技術の強化 新興国への事業展開

【業績(連結)】	売上高	営業利益	経常利益	純利益
22.3	193,751	9,809	10,255	6,831
23.3	240,806	13,632	14,083	8,504
24.3	314,336	15,498	17,201	11,744

むさしせいみつこうぎょう 武蔵精密工業㈱ 東京P 7220

【特色】ホンダ系自動車・2輪部品メーカー。ギアを製造

修士・大卒採用数	3年後離職率	有休取得年平均	平均年収(平均42歳)
18名	30.0 → 15.4%	15.4日	総 652万円

●エントリー情報と採用プロセス●

【受付開始～終了】総4月～継続中 技2月～継続中【採用プロセス】総説明会(任意、3月)→ES提出(4月)→Webテスト・面接(2回、4月)→内々定(5月) 技説明会(任意、1月)→ES提出(2月)→Webテスト・面接(2回、2月)→内々定(3月)【交通費支給】面接以降、実費【早期選考】⇒巻末

試験情報

重視科目 総技面接

総技 ES ⇒巻末 筆 SPI3(自宅) 面 2回(Webあり)

選考ポイント 総 ES 志望動機 当社でやりたいこと 面 志望動機 自立性 入社後にやりたいこと 技 ES 総合職共通 面 志望動機 自立性 大学の研究とムサシでやりたいことの関連

通過率 総 ES 48%(受付:60→通過:29) 技 ES 85%(受付:33→通過:28)

倍率(応募/内定) 総5倍 技2倍

●男女別採用数と配属先ほか●

【男女・文理別採用実績】

	大卒男	大卒女	修士男	修士女
23年	2(文 1理 1)	0(文 0理 0)	1(文 0理 1)	0(文 0理 0)
24年	3(文 0理 3)	4(文 2理 2)	6(文 0理 6)	0(文 0理 0)
25年	8(文 1理 7)	4(文 4理 0)	5(文 0理 5)	1(文 0理 1)

【25年4月入社者の採用実績校】文(大)南山大 愛知大各2 広島大1 理(院)名工大 豊橋技科大各2 岐阜大 安徽理工大各1(大)豊橋技科大 中部大 大同大 中南財経政法大 国民大学校 光云大学校 サビトリバイ・フールプネ大各1

【24年4月入社者の配属先】総勤務地:愛知・豊橋2 部署:購買部1 人事部1 技勤務地:愛知・豊橋14 部署:e-mobility事業開発部5 Energy Solution事業開発部3 L&S事業部2 研究開発部1 DX推進部1 品質保証部1 MusashiAI㈱1

残業(月) 21.5時間 総21.5時間

記者評価 ギアやカムシャフトなど機構部品が主体。2輪車用も手がける。ホンダグループ向けが売上の5割を占める。海外売上比率約9割。非ホンダ系の拡販や、独自動車部品メーカー買収でグローバル化を加速。世界で電動部品の受注続く。非自動車向けとして蓄電器領域に進出。

●給与、ボーナス、週休、有休ほか●

【30歳総合職平均年収】572万円【初任給】(修士)265,900円 (大卒)250,000円【ボーナス(年)】155万円、5.31カ月【25、30、35歳賃金】258,990円→296,428円→329,198円【週休】完全2日(土日)【夏期休暇】5日程度【年末年始休暇】5日程度【有休取得】15.4/20日

●従業員数、勤続年数、離職率ほか●

【男女別従業員数、平均年齢、平均勤続年数】計 ◇1,128(41.5歳 16.6年) 男 1,036(42.1歳 17.2年) 女 92(35.3歳 9.3年)【離職率と離職者数】◇3.5%、41名【3年後新卒定着率】84.6%(男77.8%、女100%、3年前入社:男9名・女4名)【組合】あり

求める人材 主体性、チャレンジ精神を持って物事を進めていける力

会社データ (金額は百万円)

【本社】441-8560 愛知県豊橋市植田町字大膳39-5
☎0532-25-8111 https://www.musashi.co.jp/
【社長】大塚 浩史【設立】1944.1【資本金】5,602【今後力を入れる事業】社会課題解決に向けた新規事業(AI 農業等)

【業績(連結)】	売上高	営業利益	経常利益	純利益
22.3	241,896	8,413	9,435	5,429
23.3	301,500	7,677	7,030	2,436
24.3	349,917	18,374	15,560	7,921

(株)エクセディ

東京P 7278

【特色】自動車クラッチ最大手。EV対応など構造改革急ぐ

修士・大卒採用数	3年後離職率	有休取得年平均	平均年収(平均42歳)
3名	4.3→18.2%	18.6日	[総]647万円

●エントリー情報と採用プロセス●

【受付開始～終了】[総][技]3月～継続中【採用プロセス】[総][技]説明会・ES・書類提出(3月～)→適性検査→面接(2回)→内々定【交通費支給】最終面接、上限3万円の実費【早期選考】⇒巻末

試験情報

重視科目 [総][技]面接

[総][技][ES]⇒巻末[筆]SPI3(自宅)[面]2回(Webあり)

選考ポイント：[総][ES]NA(提出あり)[面]アピール力 コミュニケーション能力 明るさ バイタリティ グローバルな視点(海外に対する意欲)[技][ES]NA(提出あり)[面]アピール力 コミュニケーション能力 バイタリティ 論理的思考力 問題解決力

通過率 [総][ES]90%(受付:63→通過:57)[技][ES]96%(受付:(早期選考含む)71→通過:(早期選考含む)68)

倍率(応募/内定) [総]32倍 [技](早期選考含む)36倍

●男女別採用数と配属先ほか●

【男女・文理別採用実績】

	大卒男	大卒女	修士男	修士女
23年	1(文 0理 1)	0(文 0理 0)	1(文 0理 1)	0(文 0理 0)
24年	1(文 0理 1)	0(文 0理 0)	2(文 0理 2)	0(文 0理 0)
25年	2(文 1理 1)	0(文 0理 0)	0(文 0理 0)	1(文 1理 0)

【25年4月入社者の採用実績校】
[文](院)北大1(大)関西外大1 [理](大)京都先端科学大1(高専)大阪公大1

【24年4月入社者の配属先】
[総]勤務地:なし 部署:なし [技]勤務地:大阪・寝屋川4 部署:開発4

残業(月) 11.6時間 [総]11.6時間

記者評価 自動車用クラッチやトルクコンバーターなど動力伝達機器が主力、国内シェア圧倒的。ジヤトコ、アイシン、マツダなどに供給。EV化に伴う主力のAT部品需要減見越し、HEV用ダンパー拡販や電動化新製品に注力。アイシンが全保有当社株売り出し、資本関係を解消。

●給与、ボーナス、週休、有休ほか●

【30歳総合職平均年収】497万円【初任給】(博士)263,000円(修士)253,000円(大卒)238,000円【ボーナス(年)】177万円、4.91カ月【25、30、35歳モデル賃金】253,000円→303,000円→363,000円【週休】完全2日(土日)【夏期休暇】連続10日【年末年始休暇】連続9日【有休取得】18.6／20日

●従業員数、勤続年数、離職率ほか●

【男女別従業員数、平均年齢、平均勤続年数】計 1,380(40.7歳 16.1年)男 1,135(40.9歳 16.5年)女 245(39.5歳 14.1年)【離職率と離職者数】4.2%、60名(早期退職1名含む)【3年後新卒定着率】81.8%(男85.0%、女50.0%、3年前入社:男20名・女2名)【組合】あり

求める人材 チャレンジ精神を持ち、常に新しい価値を創造し続ける人材

会社データ (金額は百万円)

【本社】572-8570 大阪府寝屋川市木田元宮1-1-1
☎072-822-1151　https://www.exedy.com/
【社長】吉永 徹也【設立】1950.7【資本金】8,284【今後力を入れる事業】環境に配慮した次世代製品・電動化対応製品

【業績(IFRS)】	売上高	営業利益	税前利益	純利益
22.3	261,095	18,328	19,467	12,477
23.3	285,639	8,760	9,916	4,591
24.3	308,338	▲15,438	▲13,274	▲10,023

(株)エフテック

東京S 7212

【特色】ホンダ系自動車部品会社。足回り部品に独自性

修士・大卒採用数	3年後離職率	有休取得年平均	平均年収(平均41歳)
8名	14.3→0%	18.3日	[総]593万円

●エントリー情報と採用プロセス●

【受付開始～終了】[総][技]2月～6月【採用プロセス】[総][技]説明会(任意、2～6月)→ES提出(2～6月)→筆記(2～6月)→面接(2回、2～6月)→内々定(2～6月)【交通費支給】なし【早期選考】⇒巻末

試験情報

重視科目 [総][技]面接

[総][技][ES]⇒巻末[筆]CUBIC[面]2回(Webあり)

選考ポイント：[総][技][ES]経験・研究・PRポイントを分かりやすく書けているか 当社への入社意欲を感じるか[面]自身のPRポイント 考え方を分かりやすく話せているか 入社意欲を感じるか 今後の伸びしろを感じるか

通過率 [総][ES]97%(受付:32→通過:31)[技][ES]94%(受付:32→通過:30)

倍率(応募/内定) [総][技]2倍

●男女別採用数と配属先ほか●

【男女・文理別採用実績】

	大卒男	大卒女	修士男	修士女
23年	6(文 1理 5)	1(文 1理 0)	0(文 0理 0)	0(文 0理 0)
24年	4(文 2理 2)	4(文 3理 1)	1(文 1理 0)	0(文 0理 0)
25年	6(文 1理 5)	2(文 2理 0)	0(文 0理 0)	0(文 0理 0)

【25年4月入社者の採用実績校】
[文](大)中京大 獨協大 東京経大各1(専)大原簿記宇都宮校1 [理](大)日工大 芝工大 足利大 埼玉大 日大各1(専)ホンダテクニカルカレッジ関西2 ホンダテクニカルカレッジ関東1

【24年4月入社者の配属先】
[総]勤務地:なし 部署:なし [技]勤務地:三重・亀山5 埼玉・久喜6(仮配属) 部署:製造11

残業(月) 9.4時間 [総]9.4時間

記者評価 金属玩具の福田製作所として創業。1959年ホンダとの取引を開始し、自動車部品を製造。サスペンションやサブフレームなど足回り部品に強い。ホンダ向け売上が6割。ホンダ以外の拡販積極的。米系メーカー開拓進みメキシコの能力増強。海外売上比率は約9割。

●給与、ボーナス、週休、有休ほか●

【30歳総合職平均年収】423万円【初任給】(博士)227,020円(修士)217,960円(大卒)210,370円【ボーナス(年)】141万円、4.1カ月【25、30、35歳賃金】209,080円→250,934円→280,167円【週休】完全2日【夏期休暇】会社カレンダーによる【年末年始休暇】会社カレンダーによる【有休取得】18.3／20日

●従業員数、勤続年数、離職率ほか●

【男女別従業員数、平均年齢、平均勤続年数】計 ◇741(41.0歳 18.4年)男 660(41.5歳 18.9年)女 81(36.4歳 14.6年)【離職率と離職者数】◇3.4%、26名【3年後新卒定着率】100%(男100%、女100%、3年前入社:男1名・女1名)【組合】あり

求める人材 柔軟な思考・発想をもって自発的・積極的に行動する人

会社データ (金額は百万円)

【本社】346-0194 埼玉県久喜市菖蒲町昭和沼19
☎0480-85-5211　https://www.ftech.co.jp/
【社長】福田 祐一【設立】1964.5【資本金】6,790【今後力を入れる事業】新技術の確立 カーボンニュートラルの実現

【業績(連結)】	売上高	営業利益	経常利益	純利益
22.3	191,892	1,142	1,292	209
23.3	261,156	2,038	1,921	1,734
24.3	298,759	3,708	3,001	1,683

メーカーI

開示 ★★★★★ 638

㈱エフ・シー・シー

東京P 7296

【特色】クラッチ専業メーカー。2輪向けは世界トップ

修士・大卒採用数	3年後離職率	有休取得年平均	平均年収(平均44歳)
9名	4.2 → 45.0%	18.7日	[総] 735万円

残業(月) 10.0時間 [総] 10.0時間

●エントリー情報と採用プロセス●

【受付開始～終了】[総]3月～5月 [技]3月～継続中【採用プロセス】[総][技]説明会(3月～)→ES提出→適性検査・面接→役員面接→内々定【交通費支給】1次面接以降、会社基準【早期選考】⇒巻末

試験情報

重視科目 [総][技]面接

[総][技] [ES]⇒巻末 [筆]Web適性検査(アッテル) [面]2回(Webあり)

選考ポイント [総][技] [ES]志望動機 主体性 他 [面]人物重視

通過率 [総] [ES]33%(受付:48→通過:16) [技] [ES]88%(受付:25→通過:22)

倍率(応募/内定) [総]12倍 [技]6倍

●男女別採用数と配属先ほか●

【男女・文理別採用実績】

	大卒男	大卒女	修士男	修士女
23年	2(文 0 理 2)	2(文 0 理 2)	4(文 0 理 4)	1(文 0 理 1)
24年	9(文 2 理 7)	0(文 0 理 0)	2(文 0 理 2)	0(文 0 理 0)
25年	7(文 3 理 4)	1(文 1 理 0)	1(文 0 理 1)	0(文 0 理 0)

【25年4月入社者の採用実績校】
[文](大)静岡文芸大 東京経大 東京外大 立命館大各1 [理](院)静岡大1(大)山梨大 福知山公大 富山大 鳥取大各1

【24年4月入社者の配属先】
[総]勤務地:浜松2 部署:工場間接2 [技]勤務地:浜松9 部署:製品開発9

記者評価 クラッチ専業メーカー。筆頭株主のホンダ向け約4割。2輪車用クラッチでは世界シェア首位。海外売上比率は約9割、東南アジアが稼ぎ頭。4輪車用は米系に販路拡大。外部提携で電動2輪用部品開発も加速。EV用モーター部品投資を日本や中国、インドで推進。

●給与、ボーナス、週休、有休ほか●

【30歳総合職平均年収】566万円【初任給】(修士)232,200円(大卒)224,600円【ボーナス(年)】220万円、5.7カ月+成果配分【25、30、35歳賃金】225,396円→268,639円→301,747円【週休】2日(原則)【夏期休暇】連続9日【年末年始休暇】連続9日【有休取得】18.7/20日

●従業員数、勤続年数、離職率ほか●

【男女別従業員数、平均年齢、平均勤続年数】計 ◇1,143(44.1歳 20.0年) 男 1,017(44.1歳 20.0年) 女 126(43.1歳 20.1年)【離職率と離職者数】◇3.4%、40名(早期退職男5名含む)【3年後新卒定着率】55.0%(男52.6%、女100%、3年前入社:男19名・女1名)【組合】あり

求める人材 専攻分野に関わらず、何事にも主体的にチャレンジができる人

会社データ (金額は百万円)

【本社】431-1394 静岡県浜松市浜名区細江町中川7000-36
☎053-523-2400 https://www.fcc-net.co.jp/
【社長】斎藤 善敬【設立】1939.6【資本金】4,175【今後力を入れる事業】新製品・新事業の開発 他

【業績(IFRS)】	売上高	営業利益	税前利益	純利益
22.3	170,971	10,051	11,944	8,551
23.3	218,939	11,903	13,641	9,566
24.3	240,283	15,102	19,169	12,231

大同メタル工業㈱

だいどう こうぎょう

東京P 7245

【特色】すべり軸受け専業で世界大手。自動車向けが主

修士・大卒採用数	3年後離職率	有休取得年平均	平均年収(平均39歳)
15名	8.1 → 17.9%	16.5日	[総] 725万円

残業(月) 16.8時間 [総] 17.8時間

●エントリー情報と採用プロセス●

【受付開始～終了】[総][技]3月～6月【採用プロセス】[総][技]ES提出→1次面接→適性検査・2次面接→最終面接→内々定【交通費支給】最終面接時、会社基準【早期選考】⇒巻末

試験情報

重視科目 [総][技]面接

[総][技] [ES]⇒巻末 [筆]あり(内容NA) [面]3回(Webあり)

選考ポイント [総][技] [ES]文章に論理性があるか 求める人材と合致しているか [面]コミュニケーション能力 主体性 協調性 態度

通過率 [総][技] [ES]NA

倍率(応募/内定) [総][技]NA

●男女別採用数と配属先ほか●

【男女・文理別採用実績】

	大卒男	大卒女	修士男	修士女
23年	NA(文NA 理NA)	NA(文NA 理NA)	NA(文NA 理NA)	NA(文NA 理NA)
24年	NA(文NA 理NA)	NA(文NA 理NA)	NA(文NA 理NA)	NA(文NA 理NA)
25年	NA(文NA 理NA)	NA(文NA 理NA)	NA(文NA 理NA)	NA(文NA 理NA)

【25年4月入社者の採用実績校】
[文]岐阜大 関大 中京大 愛知大 [理]兵庫県大 名城大 大同大

【24年4月入社者の配属先】
[総]勤務地:愛知(名古屋 犬山)東京 大阪 広島 部署:営業 財務 海外業務 [技]勤務地:愛知・犬山 岐阜・関 部署:設計 材料研究開発 試験評価 生産技術 工場管理部門

記者評価 独立系。自動車エンジン用すべり軸受けで世界有数。ターボチャージャー向けも強い。国内外の主要自動車メーカーと取引。産業機械用、発電用、船舶用など幅広く展開。風力発電用特殊軸受けの生産を計画中。電動車向けにアルミダイカストの生産を本格化。

●給与、ボーナス、週休、有休ほか●

【30歳総合職平均年収】543万円【初任給】(博士)244,000円(修士)232,000円(大卒)213,000円【ボーナス(年)】133万円、4.6カ月【25、30、35歳賃金】224,831円→257,733円→275,281円【週休】完全2日(土日)【夏期休暇】連続約9日(週休含む)【年末年始休暇】連続約9日(週休含む)【有休取得】16.5/20日

●従業員数、勤続年数、離職率ほか●

【男女別従業員数、平均年齢、平均勤続年数】計 ◇1,377(40.8歳 16.7年) 男 1,163(41.4歳 17.2年) 女 214(37.4歳 14.3年)【離職率と離職者数】◇3.3%、47名【3年後新卒定着率】82.1%(男88.0%、女33.3%、3年前入社:男25名・女3名)【組合】あり

求める人材 周囲を巻き込みながら、積極的に取り組むことができる人

会社データ (金額は百万円)

【本社】460-0008 愛知県名古屋市中区栄2-3-1 名古屋広小路ビル
☎052-205-1400 https://www.daidometal.com/jp/
【社長】古川 智充【設立】1939.11【資本金】8,413【今後力を入れる事業】海外展開 技術開発 新製品開発

【業績(連結)】	売上高	営業利益	経常利益	純利益
22.3	104,024	5,042	4,836	1,897
23.3	115,480	2,824	2,909	▲2,208
24.3	128,738	6,084	5,825	2,569

開示 ★★★ 616

オートリブ(株)

株式公開 計画なし

【特色】スウェーデン企業の日本法人。エアバッグ首位

修士・大卒採用数	3年後離職率	有休取得年平均	平均年収(平均43歳)
8名	36.4 → 0%	14.1日	NA

●エントリー情報と採用プロセス●

【受付開始～終了】技12月～7月【採用プロセス】技ES提出・Webテスト(12～7月)→面接(2回、12～7月)→内々定(2～7月)【交通費支給】2次面接以降、会社基準

試験情報

重視科目 技面接

技 ES⇒巻末 筆SPI3(会場) SPI3(自宅) 面2回(Webあり)

選考ポイント 技 ES求める人物像に合致しているか(失敗を恐れず挑戦することができる人 自らAgileに主体的に行動し、自身の能力を高めることが好きな人 多様性を重んじ、チームに良い影響を与えられる人)面求める人物像に合致しているか

通過率 技 ES選考なし(受付:310)

倍率(応募/内定) 技39倍

●男女別採用数と配属先ほか●

【男女・文理別採用実績】

	大卒男	大卒女	修士男	修士女
23年	3(文 1理 2)	2(文 0理 2)	6(文 0理 6)	0(文 0理 0)
24年	2(文 0理 2)	1(文 0理 1)	2(文 0理 2)	1(文 0理 1)
25年	1(文 0理 1)	1(文 0理 1)	5(文 0理 5)	1(文 0理 1)

※25年:24年7月時点

【25年4月入社者の採用実績校】

文なし 理(院)九大 茨城大 関大 東海大 東理大 インド工科大各1(大)中大 東京都市大各1

【24年4月入社者の配属先】

技勤務地:茨城(つくば かすみがうら)6 部署:技術本部の設計・開発関連部署6

残業(月) 15.8時間 総16.3時間

記者評価 エアバッグ、シートベルト世界首位のオートリブ社日本法人。1988年に日本でのエアバッグ生産開始。ステアリングホイールも手がける。つくばの開発拠点は研究開発から営業支援まで一貫。23年11月愛知県知多市に中部事業所を新設、エアバッグなどの生産を開始。

●給与、ボーナス、週休、有休ほか●

【30歳総合職平均年収】NA【初任給】(修士)230,000円(大卒)215,000円【ボーナス(年)】NA【25、30、35歳賃金】NA【週休】完全2日(土日)【夏期休暇】連続9日(週休含む)【年末年始休暇】連続10日(有休1日、週休4日含む)【有休取得】14.1/20日

●従業員数、勤続年数、離職率ほか●

【男女別従業員数、平均年齢、平均勤続年数】計 990(43.1歳 12.6年) 男 840(43.6歳 13.3年) 女 150(40.4歳 8.5年)【離職率と離職者数】8.4%、91名(事業所閉鎖による退職男29名、女6名含む)【3年後新卒定着率】100%(男100%、女100%、3年前入社:男9名・女4名)【組合】あり

求める人材 当社のビジョンに共感し、その実現に向けて努力を惜しまない人

会社データ (金額は百万円)

【本社】222-0033 神奈川県横浜市港北区新横浜3-17-6 イノテックビル4階 ☎NA https://www.autoliv.jp/

【社長】コリン・ノックトン【設立】1987.5【資本金】499【今後力を入れる事業】自動二輪車や歩行者など交通弱者を守る安全システム

【業績(単独)】	売上高	営業利益	経常利益	純利益
21.12	83,107	5,529	5,484	4,099
22.12	92,679	292	▲377	6,536
23.12	122,129	5,682	4,951	2,836

バンドー化学(株)

東京P 5195

【特色】伝動ベルト製造大手。自動車用で高シェア

修士・大卒採用数	3年後離職率	有休取得年平均	平均年収(平均43歳)
33名	9.1 → 16.0%	14.1日	総677万円

●エントリー情報と採用プロセス●

【受付開始～終了】総 技3月～7月【採用プロセス】総ES提出(3月)→Web適性検査→GD→個別面接→最終面接→内々定 技ES提出(3月)→Web適性検査→グループ面接→個別面接→最終面接→内々定【交通費支給】最終面接、会社基準【早期選考】⇒巻末

試験情報

重視科目 総技面接

総 ES⇒巻末 筆PAT(性格検査)面2回(Webあり)GD作⇒巻末 技 ES⇒巻末 筆PAT(性格検査)面3回(Webあり)

選考ポイント 総 ES勉学以外にどんな経験を積んできたのか(アルバイト クラブ活動 ボランティア)面向上心 主体性 行動力 他 技 ES研究内容 研究成果 勉学以外の経験(アルバイト クラブ活動 ボランティア)面総合職共通

通過率 総 ES70%(受付:86→通過:60) 技 ES91%(受付:88→通過:80)

倍率(応募/内定) 総7倍 技4倍

●男女別採用数と配属先ほか●

【男女・文理別採用実績】

	大卒男	大卒女	修士男	修士女
23年	9(文 6理 3)	6(文 4理 2)	5(文 0理 5)	3(文 0理 3)
24年	14(文 7理 7)	7(文 6理 1)	6(文 1理 5)	3(文 1理 2)
25年	20(文 10理 10)	3(文 2理 1)	8(文 0理 8)	2(文 0理 2)

【25年4月入社者の採用実績校】文(大)甲南大3 関西学大 甲南女大 大阪経大 和歌山大各2 関大1 理(院)兵庫県大3 大阪公大 関大各2 大阪工大 奈良先端科技院大 甲南大各1(大)大阪工大3 大阪産大2 大和大 工学院大 兵庫県大 金沢工大 関西学大 大阪電通大各1

【24年4月入社者の配属先】総勤務地:(23年)神戸5 大阪2 東京2 部署:(23年)営業4 人事1 財務2 関係会社管理部1 情報システム部1 技勤務地:(23年)兵庫(神戸7 加古川1)大阪・泉南4 栃木・足利2 部署:(23年)研究開発2 設計技術7 生産技術5

残業(月) 21.0時間

記者評価 コンベヤベルト、Vベルトなどのベルト製品を国内で初めて生産した産業ベルトのパイオニア。無段変速機用など自動車用ベルトが中核事業。医療・ヘルスケア機器、電子資材、交通・自動車、ロボットの4つを重点領域と定め、高機能製品の開発を促進。

●給与、ボーナス、週休、有休ほか●

【30歳総合職平均年収】519万円【初任給】(修士)275,800円(大卒)260,800円【ボーナス(年)】160万円、NA【25、30、35歳賃金】229,500円→266,600円→320,625円【週休】原則2日【夏期休暇】連続9日(有休2日含む)【年末年始休暇】連続9日【有休取得】14.1/20日

●従業員数、勤続年数、離職率ほか●

【男女別従業員数、平均年齢、平均勤続年数】計 ◇1,287(42.9歳 16.1年) 男 1,173(43.1歳 16.2年) 女 114(40.0歳 13.2年)【離職率と離職者数】◇2.0%、26名【3年後新卒定着率】84.0%(男82.6%、女100%、3年前入社:男23名・女2名)【組合】あり

求める人材 向上心のある人 行動力がある人 好奇心が旺盛である人

会社データ (金額は百万円)

【本社】650-0047 兵庫県神戸市中央区港島南町4-6-6 ☎078-304-2923 https://www.bandogrp.com/

【社長】植野 富夫【設立】1937.1【資本金】10,951【今後力を入れる事業】既存事業のグローバルでの拡大と新事業創出

【業績(IFRS)】	売上高	営業利益	税前利益	純利益
22.3	93,744	2,665	3,414	1,211
23.3	103,608	8,259	8,542	5,722
24.3	108,278	7,772	8,676	6,180

開示 ★★★★★

三ツ星(みつぼし)ベルト(株)

東京P 5192

【特色】工業用ベルト製造の大手。自動車用Vベルト主力

修士・大卒採用数	3年後離職率	有休取得年平均	平均年収(平均41歳)
27名	4.2→13.6%	13.2日	[総]696万円

残業(月) 16.3時間 [総]16.3時間

記者評価 Vベルトなど伝動ベルトが主力。自動車用のほか、OA機器や産業機械用ベルトも展開。住宅用防水シートなど建設資材も手がける。海外売上比率は5割超で、10以上の国・地域に拠点。23年4月インド新工場が竣工し、生産能力が3倍に。自動車用は電動化対応を急ぐ。

●エントリー情報と採用プロセス●

【受付開始～終了】[総][技]3月～8月【採用プロセス】[総][技]会社説明会(任意、3月)→ES提出(3月)→1次面接(3月)→Webテスト・2次面接(4月)→最終面接・作文(5月)→内々定【交通費支給】2次面接以降、大学からの往復

試験情報

重視科目 [総][技]面接

[総][技][ES]⇒巻末[筆]Webテスト(基礎能力・適性)[面]3回(Webあり)[GD作]⇒巻末

選考ポイント [総][ES]自己PRは具体的か[面]理解力 論理性 表現力 積極性 判断力 [技][ES]研究テーマへの取り組み状況 自己PRは具体的か[面]総合職共通

通過率 [総][ES]90%(受付:250→通過:225)[技][ES]90%(受付:100→通過:90)

倍率(応募/内定) [総]16倍 [技]9倍

●男女別採用数と配属先ほか●

【男女・文理別採用実績】

	大卒男	大卒女	修士男	修士女
23年	11(文 9理 2)	7(文 6理 1)	7(文 0理 7)	1(文 0理 1)
24年	11(文 8理 3)	6(文 3理 3)	7(文 0理 7)	2(文 0理 2)
25年	11(文 8理 3)	10(文 8理 2)	3(文 0理 3)	3(文 0理 3)

【25年4月入社者の採用実績校】[文](大)関大5 神戸市外大2 甲南大 兵庫県大 國學院大 茨城大 神戸女学大 立命館大 徳島大 龍谷大 関西外大各1 [理](院)兵庫県大2 徳島大 山形大 大阪公大 奈良女大各1(大)近大2 公立鳥取環境大 大阪工大 京都橘大各1

【24年4月入社者の配属先】[総]勤務地:(23年)神戸9 東京3 香川1 栃木1 部署:(23年)営業5 人事総務3 生産管理2 海外業務1 法務1 経営企画1 管理1 [技]勤務地:(23年)神戸10 愛知・小牧1 部署:(23年)製品設計3 研究開発3 材料設計2 生産技術2 設備保全1

●給与、ボーナス、週休、有休ほか●

【30歳総合職平均年収】538万円【初任給】(修士)277,600円(大卒)254,600円【ボーナス(年)】210万円、6.0カ月【25、30、35歳賃金】252,000円→277,000円→357,000円【週休】完全2日(土日祝)【夏期休暇】連続9日(有休1日 週休4日含む)【年末年始休暇】連続9日(週休4日含む)【有休取得】13.2／20日

●従業員数、勤続年数、離職率ほか●

【男女別従業員数、平均年齢、平均勤続年数】計 ◇748(41.3歳 18.0年) 男 666(41.8歳 18.6年) 女 82(37.1歳 12.9年)【離職率と離職者数】◇2.5%、19名【3年後新卒定着率】86.4%(男82.4%、女100%、3年前入社:男17名・女5名)【組合】あり

求める人材 チームとして働く力を持ち、課題に対して粘り強く取り組める人

会社データ (金額は百万円)

【本社】653-0024 兵庫県神戸市長田区浜添通4-1-21
☎078-671-5071 https://www.mitsuboshi.com/
【社長】池田 浩【設立】1932.10【資本金】8,150【今後力を入れる事業】伝動システム製品 開発新製品

【業績(連結)】	売上高	営業利益	経常利益	純利益
22.3	74,870	7,640	8,552	6,380
23.3	82,911	9,030	10,471	7,071
24.3	84,014	7,759	9,605	7,102

(株)ニフコ

東京P 7988

【特色】自動車などの樹脂製ファスナー(留め具)を製造

修士・大卒採用数	3年後離職率	有休取得年平均	平均年収(平均42歳)
13名	0→4.2%	14.3日	[総]698万円

残業(月) 20.0時間 [総]23.8時間

記者評価 工業用ファスナー(留め具)など、合成樹脂部品を製造。自動車向けが柱で、日系から海外大手メーカーまで幅広く納入。技術者による提案型営業で差別化し高収益。傘下で安定収益源の高級ベッド「シモンズ」の成長推進。自動運転技術やEV関連の樹脂部品の拡販も。

●エントリー情報と採用プロセス●

【受付開始～終了】[総][技]NA～7月【採用プロセス】[総][技]説明会→ES提出・Webテスト→面接(3回)→内々定【交通費支給】最終面接、会社基準

試験情報

重視科目 [総][技]面接

[総][技][ES]⇒巻末[筆]発想力テスト(自社オリジナル)他[面]3回(Webあり)

選考ポイント [総][技][ES]自分の言葉で記入しているか これまでどのようなことに取り組んできたか[面]チャレンジ性 粘り強さ チームワーク コミュニケーション力 グローバル志向

通過率 [総][技][ES]NA

倍率(応募/内定) [総][技]NA

●男女別採用数と配属先ほか●

【男女・文理別採用実績】

	大卒男	大卒女	修士男	修士女
23年	1(文 0理 1)	1(文 1理 0)	2(文 0理 2)	1(文 0理 1)
24年	5(文 1理 4)	0(文 0理 0)	5(文 0理 5)	1(文 0理 1)
25年	6(文 1理 5)	2(文 2理 0)	3(文 0理 3)	2(文 1理 1)

【25年4月入社者の採用実績校】
[文](院)慶大1(大)早大 東洋大 麗澤大各1 [理](院)新潟大 北陸先端科技院大 東京科学大 茨城大各1(大)東京都市大2 日工大 日大 豊橋技科大各1

【24年4月入社者の配属先】
[総]勤務地:愛知・豊田2 部署:営業2 [技]勤務地:神奈川・横須賀6 愛知・豊田3 部署:商品開発8 生産技術1

●給与、ボーナス、週休、有休ほか●

【30歳総合職平均年収】493万円【初任給】(修士)260,000円(大卒)240,000円【ボーナス(年)】(非管理職)168万円、6.12カ月【25、30、35歳賃金】231,770円→253,606円→326,074円【週休】完全2日(原則土日)【夏期休暇】連続9日【年末年始休暇】連続9日【有休取得】14.3／20日

●従業員数、勤続年数、離職率ほか●

【男女別従業員数、平均年齢、平均勤続年数】計 1,363(42.3歳 16.6年) 男 1,129(42.7歳 16.8年) 女 234(39.0歳 13.6年)【離職率と離職者数】4.0%、57名【3年後新卒定着率】95.8%(男94.7%、女100%、3年前入社:男19名・女5名)【組合】なし

求める人材 粘り強いチャレンジができ、異文化対応力を有する人

会社データ (金額は百万円)

【本社】239-8560 神奈川県横須賀市光の丘5-3
☎046-839-0225 https://www.nifco.com/
【社長】柴尾 雅春【設立】1967.2【資本金】7,290【今後力を入れる事業】新商品開発 新規事業立ち上げ ESG経営

【業績(連結)】	売上高	営業利益	経常利益	純利益
22.3	283,777	30,540	33,602	22,959
23.3	321,771	34,439	37,876	21,170
24.3	371,639	43,925	49,665	18,252

開示 ★★★

ダイキョーニシカワ(株)

東京P 4246

【特色】インパネやバンパーなど自動車樹脂部品製造

修士・大卒採用数	3年後離職率	有休取得年平均	平均年収(平均41歳)
29名	25.0→17.4%	15.0日	[総]534万円

●エントリー情報と採用プロセス●

【受付開始～終了】[総][技]2月～4月【採用プロセス】[総][技]説明会(必須)→書類(ES含む)提出→SPI→面接(2回)→内々定【交通費支給】最終面接、往復実費【早期選考】⇒巻末

試験情報

重視科目 [総][技]面接

[総][技][ES]⇒巻末[筆]SPI3(自宅)[面]2回(Webあり)

選考ポイント [総][技][ES]志望動機の明確さ、設問内容と記載内容が一致しているか[面]社風とのマッチング 入社意欲 基礎力 他

通過率 [総][ES]50%(受付:(早期選考含む)58→通過:(早期選考含む)29) [技][ES]94%(受付:(早期選考含む)65→通過:(早期選考含む)61)

倍率(応募/内定) [総](早期選考含む)7倍 [技](早期選考含む)3倍

●男女別採用数と配属先ほか●

【男女・文理別採用実績】

	大卒男	大卒女	修士男	修士女
23年	14(文 2理 12)	2(文 2理 0)	2(文 0理 2)	2(文 1理 1)
24年	16(文 2理 14)	5(文 4理 1)	3(文 0理 3)	0(文 0理 0)
25年	21(文 4理 17)	5(文 4理 1)	3(文 0理 3)	0(文 0理 0)

【25年4月入社者の採用実績校】
[文](大)安田女大 広島修道大各3 島根県大 尾道市大各1 [理](院)福岡大2 広島大1(大)近大 広島工大各5 福山大2 大阪工大 島根大 広島大 山口東理大 立命館大 県立広島大各1

【24年4月入社者の配属先】
[総]勤務地:東広島6 部署:製造(事務)1 購買1 営業1 経理1 関連事業1 総務1 [技]勤務地:東広島20 部署:開発6 技術9 R&D2 システム1 製造1 品質1

残業(月) 19.0時間 [総]19.0時間

記者評価 自動車用樹脂部品メーカー。インパネ、バンパーやバックドアなど内外装部品、エンジン回りの部品を手がける。マツダの樹脂部品の主要サプライヤーで、同社向けが売上の約5割を占める。ダイハツ工業向けも。樹脂技術で電動化関連部品の軽量化に商機を探る。

●給与、ボーナス、週休、有休ほか●

【30歳総合職平均年収】427万円【初任給】(博士)242,400円(修士)229,200円(大卒)213,600円【ボーナス(年)】130万円、5.0カ月【25、30、35歳賃金】223,000円→264,000円→306,000円【週休】完全2日(土日)【夏期休暇】9～11日【年末年始休暇】9～11日【有休取得】15.0／20日

●従業員数、勤続年数、離職率ほか●

【男女別従業員数、平均年齢、平均勤続年数】計 1,497(41.0歳 15.0年) 男 1,315(41.0歳 NA) 女 182(33.0歳 NA)【離職率と離職者数】3.5%、54名【3年後新卒定着率】82.6%(男84.2%、女75.0%、3年前入社:男19名・女4名)【組合】あり

求める人材 多様性を受け入れる柔軟な姿勢と発想力、周りを巻き込んで仕事をする行動力を持つ人

会社データ (金額は百万円)

【本社】739-0049 広島県東広島市寺家産業団地5-1
☎082-493-5600 https://www.daikyonishikawa.co.jp/
【社長】杉山 郁男【設立】1961.10【資本金】5,426【今後力を入れる事業】海外事業

【業績(連結)】	売上高	営業利益	経常利益	純利益
22.3	116,669	▲2,632	▲985	▲2,085
23.3	145,744	3,453	2,864	518
24.3	159,019	8,690	8,775	5,782

リョービ(株)

東京P 5851

【特色】独立系ダイカスト専業でトップ。印刷機も展開

修士・大卒採用数	3年後離職率	有休取得年平均	平均年収(平均43歳)
33名	20.7→7.1%	13.4日	[総]701万円

●エントリー情報と採用プロセス●

【受付開始～終了】[総][技]1月～7月【採用プロセス】[総]ES・書類提出(1～7月)→筆記(C-GAB、5～7月)→面接(3回、5～7月)→内々定(6～7月) [技]ES・書類提出(1～7月)→筆記(C-GAB、3～7月)→面接(3回、3～7月)→内々定(4～7月)【交通費支給】最終面接、会社基準(大学所在地別)【早期選考】⇒巻末

試験情報

重視科目 [総][技]面接

[総][技][ES]⇒巻末[筆]C-GAB WebGAB C-GABplus[面]3回(Webあり)

選考ポイント [総][技][ES]学生時代に取り組んだこと 他[面]求める人物像か

通過率 [総][ES]24%(受付:92→通過:22) [技][ES]62%(受付:84→通過:52)

倍率(応募/内定) [総]15倍 [技]3倍

●男女別採用数と配属先ほか●

【男女・文理別採用実績】

	大卒男	大卒女	修士男	修士女
23年	11(文 1理 10)	4(文 2理 2)	1(文 0理 1)	0(文 0理 0)
24年	19(文 5理 14)	5(文 3理 2)	4(文 0理 4)	2(文 0理 2)
25年	27(文 3理 24)	2(文 1理 1)	3(文 0理 3)	1(文 1理 0)

【25年4月入社者の採用実績校】[文](院)関西学大1(大)岡山大2 福山大 立命館大各1(専)穴吹ビジネス1 [理](院)大同大 岡山大 愛媛大各1(大)広島工大6 近大4 愛媛大 広島大 高知工科大 京産大各2 岡山大 岡山理大 金沢工大 九大 島根大 福岡工大 福山大各1

【24年4月入社者の配属先】
[総]勤務地:広島・府中3 東京1 部署:経理 1 情報 1 調達 1 営業 1 [技]勤務地:広島・府中27 静岡4 部署:金型 14 工務 1 鋳造技術 3 開発設計 4 生産技術 2 研究開発 1 品質保証 1 製造 5

残業(月) 18.6時間 [総]18.6時間

記者評価 ダイカストの国内専業トップメーカー。日米欧の完成車メーカーが主顧客。海外売上比率は5割強。ハイブリッドカー含め電動化や構造材の軽量化対応でも強み。25年3月稼働予定で国内初の6000t級設備を導入へ。住建機器はドアクローザー軸に展開。

●給与、ボーナス、週休、有休ほか●

【30歳総合職平均年収】454万円【初任給】(修士)248,000円(大卒)230,000円【ボーナス(年)】189万円、4.14カ月【25、30、35歳賃金】252,756円→286,659円→339,803円【週休】完全2日(会社カレンダーによる)【夏期休暇】8月12～20日(一斉有休2日含む)【年末年始休暇】12月29日～1月7日【有休取得】13.4／20日

●従業員数、勤続年数、離職率ほか●

【男女別従業員数、平均年齢、平均勤続年数】計 1,633(43.1歳 19.1年) 男 1,409(43.3歳 19.4年) 女 224(42.0歳 17.0年)【離職率と離職者数】2.8%、47名(早期退職男5名、女2名含む)【3年後新卒定着率】92.9%(男90.9%、女100%、3年前入社:男22名・女6名)【組合】あり

求める人材 積極的で最後まで粘り強くやり遂げる人

会社データ (金額は百万円)

【本社】726-8628 広島県府中市目崎町762
☎0847-41-1111 https://www.ryobi-group.co.jp/
【社長】浦上 彰【設立】1943.12【資本金】18,472【今後力を入れる事業】ダイカスト 建築用品 印刷機器

【業績(連結)】	売上高	営業利益	経常利益	純利益
21.12	198,073	▲1,524	4	▲4,397
22.12	249,521	6,969	7,791	4,784
23.12	282,693	12,214	13,861	10,115

㈱アーレスティ

東京P 5852

【特色】ダイカスト大手。日産やホンダが主要取引先

修士・大卒採用数	3年後離職率	有休取得年平均	平均年収(平均43歳)
7名	21.4→21.4%	13.7日	◇594万円

●エントリー情報と採用プロセス●

【受付開始～終了】㊞㊌3月～7月【採用プロセス】㊞㊌説明会(必須)(3月～)→ES・Web性格診断(3月～)→人事課長面接(4月～)→役員面接→内々定【交通費支給】最終面接、会社基準

試験情報

重視科目 総技 面接 性格検査

総技 ES⇒巻末 筆OPQ 面2回(Webあり)

選考ポイント 総技 ES志望動機の具体性 学問や研究の成果 文章力 面積極性 協調性 コミュニケーション能力 忍耐力 海外志向 学問・研究の成果

通過率 総 ES75%(受付:100→通過:75) 技 ES80%(受付:50→通過:40)

倍率(応募/内定) 総20倍 技25倍

●男女別採用数と配属先ほか●

【男女・文理別採用実績】

	大卒男	大卒女	修士男	修士女
23年	3(文 1理 2)	5(文 4理 1)	2(文 0理 2)	0(文 0理 0)
24年	4(文 1理 3)	5(文 4理 1)	0(文 0理 0)	0(文 0理 0)
25年	2(文 2理 0)	3(文 3理 0)	2(文 0理 2)	0(文 0理 0)

【25年4月入社者の採用実績校】
文(大)愛知大2 目白大 南山大 東京経大各1 理(院)豊橋技科大 大同大各1

【24年4月入社者の配属先】
総勤務地:(23年)愛知3 東京2 部署:(23年)営業1 事務1 総務1 経理1 品質保証1 技勤務地:(23年)愛知5 部署:(23年)技術3 設計1 先行技術1

残業(月) 9.7時間

記者評価 自動車用アルミダイカスト部品大手。日産、ホンダ、SUBARUなどの日系メーカーのほか、欧米系とも取引。EVなど電動車向け軽量化部品の開発・受注を継続、成長市場のインド、メキシコに注力。クリーンルーム向けのアルミダイカスト製二重床で国内シェア首位。

●給与、ボーナス、週休、有休ほか●

【30歳総合職平均年収】500万円【初任給】(修士)250,000円 (大卒)230,000円【ボーナス(年)】132万円、4.6カ月【25、30、35歳賃金】NA【週休】完全2日(土日祝)【夏期休暇】連続9～10日(週休含む)【年末年始休暇】連続9～10日(週休含む)【有休取得】13.7／20日

●従業員数、勤続年数、離職率ほか●

【男女別従業員数、平均年齢、平均勤続年数】計 987(43.0歳 18.8年) 男 842(44.0歳 19.0年) 女 145(42.0歳 17.0年)【離職率と離職者数】1.5%、15名【3年後新卒定着率】78.6%(男81.8%、女66.7%、3年前入社:男11名・女3名)【組合】あり

求める人材 「誠実」「率先」「スピード」「成長」「挑戦」を実践できる人 コミュニケーション能力がある人

会社データ (金額は百万円)

【本社】441-3114 愛知県豊橋市三弥町中原1-2
☎0532-65-5210 https://www.ahresty.co.jp/
【社長】高橋 新一【設立】1943.11【資本金】6,964【今後力を入れる事業】海外事業 ボディ部品 EV対応

【業績(連結)】	売上高	営業利益	経常利益	純利益
22.3	116,313	▲2,422	▲2,032	▲5,189
23.3	140,938	23	94	▲84
24.3	158,254	2,291	2,574	▲7,699

ＴＰＲ㈱

ティーピーアール

東京P 6463

【特色】ピストンリング大手。シリンダライナ世界首位

修士・大卒採用数	3年後離職率	有休取得年平均	平均年収(平均44歳)
7名	7.1→0%	16.6日	総737万円

●エントリー情報と採用プロセス●

【受付開始～終了】総3月～6月 技3月～継続中【採用プロセス】総説明会(必須、3月)→適性検査・ES提出(3月～)→1次面接(3月～)→2次面接(3月～)→最終面接(4月～)→内々定※応募によって都度実施 技説明会(必須、3月)→適性検査・ES提出(3月～)→1次面接(3月～)→2次面接(3月～)→最終面接(3月～)→内々定※応募によって都度実施【交通費支給】2次面接以降、実費【早期選考】⇒巻末

試験情報

重視科目 総技 面接

総技 ES⇒巻末 筆SPI3(自宅) 面3回(Webあり)

選考ポイント 総技 ES求める人材と一致しているか 文章に論理性があるか 志望動機 面人物重視

通過率 総 ES67%(受付:163→通過:109) 技 ES66%(受付:83→通過:55)

倍率(応募/内定) 総技10倍

●男女別採用数と配属先ほか●

【男女・文理別採用実績】

	大卒男	大卒女	修士男	修士女
23年	4(文 2理 2)	0(文 0理 0)	2(文 0理 2)	0(文 0理 0)
24年	6(文 4理 2)	0(文 0理 0)	4(文 0理 4)	1(文 1理 0)
25年	4(文 3理 1)	2(文 2理 0)	1(文 0理 1)	0(文 0理 0)

【25年4月入社者の採用実績校】
文(大)神戸市外大 北九州市大 東京経大 武蔵大 立命館大各1 理(院)千葉工大1(大)日大1

【24年4月入社者の配属先】総勤務地:長野・岡谷7 部署:生産管理2 品質保証2 総務1 製品開発1 知的財産1 技勤務地:長野・岡谷6 山形・寒河江1 部署:生産技術2 技術開発1 製品開発1 CASE対応開発1 IT統轄1 先行開発1

残業(月) 11.8時間 総16.4時間

記者評価 航空機用など軍需向けで始まったが、戦後、自動車用をはじめ民需向けに転換。柱はピストンリングやシリンダライナなどエンジン機能部品。12年に内外装樹脂部品を手がけるファルテックを買収。エンジン需要減見据え、EV関連部品など新規事業の創出急ぐ。

●給与、ボーナス、週休、有休ほか●

【30歳総合職平均年収】NA【初任給】(修士)260,000円 (大卒)240,000円【ボーナス(年)】179万円、4.2カ月【25、30、35歳賃金】271,088円→330,870円→379,174円【週休】完全2日(土日祝)【夏期休暇】9日【年末年始休暇】9日【有休取得】16.6／20日

●従業員数、勤続年数、離職率ほか●

【男女別従業員数、平均年齢、平均勤続年数】計 ◇773(43.3歳 20.1年) 男 643(44.0歳 20.3年) 女 130(39.9歳 17.5年)【離職率と離職者数】◇2.0%、16名【3年後新卒定着率】100%(男100%、女100%、3年前入社:男7名・女2名)【組合】あり

求める人材 コミュニケーション力と論理構成力を持った人

会社データ (金額は百万円)

【本社】100-0005 東京都千代田区丸の内1-6-2 新丸の内センタービル10階
☎03-5293-2811 https://www.tpr.co.jp/
【社長】矢野 和美【設立】1939.12【資本金】4,758【今後力を入れる事業】フロンティア事業(ゴム・樹脂・ナノ素材)

【業績(連結)】	売上高	営業利益	経常利益	純利益
22.3	163,537	10,701	14,633	8,087
23.3	178,619	6,856	10,215	3,843
24.3	193,834	12,526	16,066	8,195

メーカーI

いまばりぞうせん 今治造船(株)

[株式公開していない]

【特色】造船国内首位。竣工量断トツ。JMUと1・2位連合

修士・大卒採用数	3年後離職率	有休取得年平均	平均年収(平均37歳)
61名	10.9→7.4%	14.9日	[総]730万円

●エントリー情報と採用プロセス●

【受付開始～終了】[総][技]3月～5月【採用プロセス】[総][技]説明会(必須、3月～)→ES提出(3月～)→Webテスト(3月～)→面接(2回、4月～)→内々定【交通費支給】最終面接、全額

試験情報

[重視科目] [総][技]面接

[総][技][ES]NA[筆]SPI3(会場) SPI3(自宅) SPI適性検査[面]2回(Webあり)

[選考ポイント] [総][技][ES]内容の具体性と論理性 業界・当社に対する志望度[面]当社への志望度 コミュニケーション能力 論理的思考力

[通過率] [総][技][ES]NA

[倍率(応募/内定)] [総][技]NA

●男女別採用数と配属先ほか●

【男女・文理別採用実績】

	大卒男	大卒女	修士男	修士女
23年	18(文 7理 11)	13(文 9理 4)	9(文 0理 9)	1(文 0理 1)
24年	15(文 10理 5)	3(文 2理 1)	6(文 0理 6)	0(文 0理 0)
25年	38(文 20理 18)	12(文 11理 1)	11(文 1理 10)	0(文 0理 0)

【25年4月入社者の採用実績校】[文](院)同大1(大)松山大9 神戸大 香川大各2 敬和学大 早大 中大 成城大 国士舘大 名古屋市大 同大 関西学大 近大 岡山理大 福山市大 県立広島大 広島経大 徳島大 高知大 高知県大 大分大各1 [理](院)北大2 弘前大 東京科学大 神戸大 兵庫県大 広島工大 九州工大 熊本大 崇城大各1(大)東海大3 岡山理大2 北海道科学大 信州大 東京海洋大 東京電機大 明星大 大阪産大 広島大 山口東理大 水産大 九大 福岡大 江原大 釜慶大 韓国放送通信大各1

【24年4月入社者の配属先】[総]勤務地：研修拠点で半年間実習の上で決定 部署：NA [技]勤務地：研修拠点で半年間実習の上で決定 部署：NA

残業(月) 32.9時間

[記者評価] 1901年創業。瀬戸内海に複数の造船子会社を持ち、竣工量は国内断トツ。23年度の竣工量は69隻・357万総トン。21年国内2位のジャパン マリンユナイテッド(JMU)と資本業務提携、一般商船などで合弁会社設立。LNGやアンモニアなどの代替燃料船に注力。

●給与、ボーナス、週休、有休ほか●

【30歳総合職平均年収】NA【初任給】(博士)269,927円(修士)255,401円(大卒)237,366円【ボーナス(年)】184万円、5.6カ月【25、30、35歳賃金】255,708円→280,212円→319,898円【週休】2日【夏期休暇】連続約6日【年末年始休暇】連続約7日【有休取得】14.9/22日

●従業員数、勤続年数、離職率ほか●

【男女別従業員数、平均年齢、平均勤続年数】計 ◇1,882(37.4歳 13.5年) 男 1,730(37.5歳 13.7年) 女 152(36.5歳 10.3年)【離職率と離職者数】◇1.4%、26名【3年後新卒定着率】92.6%(男91.3%、女100%、3年前入社：男23名・女4名)【組合】あり

[求める人材] 高い自立心・挑戦心を持ち、コミュニケーションを取ることに対して前向きな人

[会社データ] (金額は百万円)

【本社】799-2111 愛媛県今治市小浦町1-4-52
☎0898-36-5000　http://www.imazo.co.jp/
【社長】檜垣 幸人【設立】1943.9【資本金】30,000【今後力を入れる事業】環境対応船

【業績(単独)】	売上高	営業利益	経常利益	純利益
22.3	365,200	NA	NA	NA
23.3	376,400	NA	NA	NA
24.3	443,100	NA	NA	NA

みついイーアンドエス (株)三井E＆S

[東京P 7003]

【特色】船舶用エンジン国内首位。港湾クレーンにも強み

修士・大卒採用数	3年後離職率	有休取得年平均	平均年収(平均42歳)
47名	NA	19.4日	[総]824万円

●エントリー情報と採用プロセス●

【受付開始～終了】[総][技]3月～継続中【採用プロセス】[総]ES提出(3月～)→書類選考→適性テスト→人事面接→最終面接→内々定 [技]ES提出(3月～)→書類選考→適性テスト→人事面談→先輩社員面談→ジョブマッチング面談→内々定【交通費支給】最終選考、会社基準【早期選考】⇒巻末

試験情報

[重視科目] [総][技]面接

[総][技][ES]⇒巻末[筆]SPI3(会場) SPI3(自宅)[面]2～3回(Webあり)

[選考ポイント] [総][ES]求める人材にあっているか[面]活動性 共感性 考える力 英語力 他[技][ES]求める人材にあっているか ※学校推薦はESでの選考なし[面]活動性 共感性 考える力 技術系としての基礎知識 専門知識 他

[通過率] [総][技][ES]NA [倍率(応募/内定)] [総][技]NA

●男女別採用数と配属先ほか●

【男女・文理別採用実績】※25年：47名採用計画

	大卒男	大卒女	修士男	修士女
23年	20(文 4理 16)	4(文 3理 1)	11(文 0理 11)	1(文 0理 1)
24年	16(文 2理 14)	8(文 6理 2)	8(文 0理 8)	2(文 0理 2)
25年	-(文 -理 -)	-(文 -理 -)	-(文 -理 -)	-(文 -理 -)

【25年4月入社者の採用実績校】
[文](院)東北大1(大)慶大 明大 関西外大各1 [理](院)岡山大 北見工大 東京科学大各2 佐賀大 千葉大 山形大 東大 名大 日大 名城大各1(大)大分大 金沢工大各2 岡山理大 神奈川大 近大 神戸大 佐賀大 水産大 光州科学技術院 ディポネゴロ大各1

【24年4月入社者の配属先】[総]勤務地：東京4 岡山2 大分1 神戸1 部署：企画2 営業2 調達2 人事1 経理1 [技]勤務地：岡山18 大分12 部署：研究開発2 設計12 製造管理3 品質保証8 アフターサービス4 システム開発1

残業(月) (現業含む)28.0時間

[記者評価] 旧三井造船。米港湾クレーン最大手を子会社に持つ。船舶用ディーゼルエンジンは国内首位。海外プラント巨額損失で経営危機に。三井海洋開発を切り離し、エンジニアリングや祖業の造船からも撤退して再建。IHI原動機から舶用エンジン事業継承し新会社発足。

●給与、ボーナス、週休、有休ほか●

【30歳総合職平均年収】645万円【初任給】(博士)275,700円(修士)262,700円(大卒)237,700円【ボーナス(年)】172万円、NA【25、30、35歳賃金】NA【週休】完全2日(土日祝)【夏期休暇】<本社>5日(7～9月)<事業所>連続5日(有休含む)【年末年始休暇】連続9日(一部事業所、有休含む)【有休取得】19.4/22日

●従業員数、勤続年数、離職率ほか●

【男女別従業員数、平均年齢、平均勤続年数】計 1,399(40.8歳 15.0年) 男 1,235(40.8歳 15.4年) 女 164(40.7歳 12.5年)【離職率と離職者数】4.6%、68名【3年後新卒定着率】NA(3年前入社：男35名・女2名)【組合】あり

[求める人材] 知的好奇心が旺盛な人 挑戦する人 協働できる人「考え抜く」力をもつ人

[会社データ] (金額は百万円)

【本社】104-8439 東京都中央区築地5-6-4
☎03-3544-3013　https://www.mes.co.jp/
【社長】髙橋 岳之【設立】1937.7【資本金】8,846【今後力を入れる事業】舶用推進 港湾物流のグリーン・デジタル化

【業績(連結)】	売上高	営業利益	経常利益	純利益
22.3	579,363	▲10,029	▲25,742	▲21,825
23.3	262,301	9,376	12,532	15,554
24.3	301,875	19,630	20,711	25,051

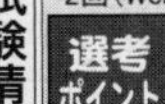

ジャパン マリンユナイテッド㈱

株式公開 計画なし

【特色】総合造船専業で建造量は国内有数。略称JMU

修士・大卒採用数	3年後離職率	有休取得年平均	平均年収(平均44歳)
32名	6.7 → 0%	19.3日	総 742万円

残業(月) 21.5時間 総9.4時間

記者評価 ユニバーサル造船とIHIマリンユナイテッドの統合で13年誕生。コンテナ船などの商船から、艦船、海洋構造物、修理・保守保船まで総合展開。今治造船と資本業務提携、商船設計業務などを21年両社の新合弁会社に移管。洋上風力浮体や無人運航船などに意欲。

●エントリー情報と採用プロセス●

【受付開始～終了】総技3月～8月【採用プロセス】総技説明会(任意、3月～)→ES提出(3月～)→Webテスト(3月～)→面接(3回、6月～)→内々定【交通費支給】面接 見学会、学校から開催地駅区間の実費【早期選考】⇒巻末

試験情報

重視科目 総技Webテスト 面接

総技ES⇒巻末 筆SPI3(自宅) 面3回(Webあり)

選考ポイント 総ES文章の具体性 論理性 業界・当社に対する理解度と熱意 面コミュニケーション能力 論理的思考力 志望動機・意欲 技ES総合職共通 面コミュニケーション能力 論理的思考力 志望動機・意欲 技術系としての基礎力

通過率 総ES77%(受付:66→通過:51) 技ES64%(受付:67→通過:43)

倍率(応募/内定) 総8倍 技3倍

●男女別採用数と配属先ほか●

【男女・文理別採用実績】

	大卒男	大卒女	修士男	修士女
23年	12(文 4理 8)	5(文 4理 1)	17(文 0理 17)	2(文 0理 2)
24年	11(文 1理 10)	1(文 1理 0)	21(文 1理 20)	4(文 1理 3)
25年	13(文 6理 7)	2(文 1理 1)	15(文 0理 15)	2(文 1理 1)

【25年4月入社者の採用実績校】文(院)明大1(大)早大 明大 中大 同大 名桜大 上智大 立教大各1 理(院)九大4 東北大 秋田大 横浜市大 宮崎大 群馬大 広島大 北大 九州工大 北見工大 東京電機大 早大 明大各1(大)横国大2 阪大 神戸大 東京海洋大 関西学大 千葉工大 東洋大各1

【24年4月入社者の配属先】総勤務地:(24年)横浜2 広島・呉2 三重・津1 部署:(24年)営業2 調達1 経理1 人事1 技勤務地:(23年)横浜16 広島・呉1 熊本・玉名3 三重・津4 京都・舞鶴2 部署:(23年)設計21 製造5

●給与、ボーナス、週休、有休ほか●

【30歳総合職平均年収】482万円【初任給】(博士)277,100円(修士)251,000円(大卒)229,000円【ボーナス(年)】203万円、4.6カ月【25、30、35歳賃金】273,782円→336,875円→420,008円【週休】完全2日(土日祝)【夏期休暇】連続7日(有休含む)【年末年始休暇】連続約7日(有休含む)【有休取得】19.3/22日

●従業員数、勤続年数、離職率ほか●

【男女別従業員数、平均年齢、平均勤続年数】計1,990(43.6歳 9.2年) 男1,744(43.5歳 9.4年) 女246(44.3歳 7.9年)【離職率と離職者数】2.5%、52名【3年後新卒定着率】100%(男100%、女100%、3年前入社:男10名・女1名)【組合】あり

求める人材 知識・技能(Technical Skill)対人関係力(Human Skill)課題解決力(Conceptual Skill)

会社データ (金額は百万円)

【本社】220-0012 神奈川県横浜市西区みなとみらい4-4-2 横浜ブルーアベニュー

☎045-264-7200 https://www.jmuc.co.jp/

【社長】灘 信之【設立】(創立)2013.1【資本金】57,500【今後力を入れる事業】艦船修理 洋上風力発電設備 環境対応船

【業績(連結)】	売上高	営業利益	経常利益	純利益
22.3	227,400	NA	800	500
23.3	266,100	NA	▲15,400	▲15,600
24.3	286,400	NA	4,900	3,700

㈱名村造船所(なむらぞうせんしょ)

東京S 7014

【特色】造船専業大手。傘下に佐世保重工業、函館どつく

修士・大卒採用数	3年後離職率	有休取得年平均	平均年収(平均41歳)
15名	26.7 → 20.0%	16.5日	総 576万円

残業(月) 28.2時間 総28.2時間

記者評価 造船専業でオーナー系。船舶竣工量で国内上位。佐賀・伊万里に造船所があり、07年函館どつく、14年佐世保重工業を傘下に。船舶市場低迷で佐世保は22年1月で船の修繕専業に切り替え。新造船需要は回復基調へ。修繕は安全保障環境悪化で海保や自衛隊向け安定。

●エントリー情報と採用プロセス●

【受付開始～終了】総技3月～継続中【採用プロセス】総技ES提出(3～5月)→部長面接・役員面接(5～6月)→内々定(6月下旬)【交通費支給】筆記・面接試験、会社基準

試験情報

重視科目 総技面接

総技ES⇒巻末 筆OPQ 面2回(Webあり)

選考ポイント 総ES志望動機 問題解決力 面物事に対して積極的で熱意があるか コミュニケーション能力に長けているか 質問への理解度 他 技ES大学での専攻内容 志望動機 問題解決力 面総合職共通

通過率 総ES選考なし(受付:13) 技ES選考なし(受付:15)

倍率(応募/内定) 総2倍 技1倍

●男女別採用数と配属先ほか●

【男女・文理別採用実績】

	大卒男	大卒女	修士男	修士女
23年	7(文 4理 3)	1(文 1理 0)	2(文 0理 2)	0(文 0理 0)
24年	8(文 0理 8)	4(文 3理 1)	0(文 0理 0)	0(文 0理 0)
25年	10(文 2理 8)	3(文 2理 1)	2(文 0理 2)	0(文 0理 0)

※25年:24年7月末時点

【25年4月入社者の採用実績校】文(大)早大 関大 近大 九産大各1 理(院)長崎総合科学大 福岡大各1(大)久留米工大2 九大 東海大 鹿児島大 福岡大 西日本工大 佐賀大 九産大各1

【24年4月入社者の配属先】総勤務地:大阪市2 佐賀・伊万里1 部署:財務1 資材調達1 総務1 技勤務地:佐賀・伊万里9 部署:船舶7 橋梁2

●給与、ボーナス、週休、有休ほか●

【30歳総合職平均年収】483万円【初任給】(修士)242,000円(大卒)225,000円【ボーナス(年)】124万円、4.0カ月【25、30、35歳賃金】242,920円→269,200円→302,440円【週休】完全2日(土日祝)【夏期休暇】8月10～18日【年末年始休暇】12月29日～1月4日【有休取得】16.5/21日

●従業員数、勤続年数、離職率ほか●

【男女別従業員数、平均年齢、平均勤続年数】計◇1,084(41.2歳 17.9年) 男1,003(41.1歳 17.9年) 女81(42.3歳 17.1年)【離職率と離職者数】◇1.6%、18名【3年後新卒定着率】80.0%(男78.6%、女100%、3年前入社:男28名・女2名)【組合】あり

求める人材 夢を実現する能力、意欲のある人

会社データ (金額は百万円)

【本社】550-0012 大阪府大阪市西区立売堀2-1-9 日建ビル

☎06-6543-3561 https://www.namura.co.jp/

【社長】名村 建介【設立】1931.4【資本金】8,200【今後力を入れる事業】船舶 鉄構

【業績(連結)】	売上高	営業利益	経常利益	純利益
22.3	83,423	▲9,532	▲8,244	▲8,419
23.3	124,080	9,595	11,369	11,194
24.3	135,006	16,493	20,007	19,954

メーカーI

しんめいわこうぎょう
新明和工業(株)

東京P 7224

【特色】ダンプなど特装車で国内首位。航空機材も強い

修士・大卒採用数	3年後離職率	有休取得年平均	平均年収(平均44歳)
62名	10.5→14.3%	17.5日	(総)739万円

残業(月) 27.0時間 (総)27.0時間

記者評価 ダンプ車、タンクローリーなど特装車で国内首位。防衛省向け救難飛行艇や旅客搭乗橋を軸に航空機材・部品を開発・製造。水処理設備や自動電線処理機、機械式立体駐車場なども。丸紅子会社と合弁会社設立し、ビジネスジェットの整備事業を24年4月開始。

●エントリー情報と採用プロセス●

【受付開始～終了】(総)(技)3月～継続中【採用プロセス】(総)(技)ES提出(3月～)→面接・Web面接(3月～)→Webテスト(3月～)→面接・Web面接(2回、3月～)→内々定【交通費支給】遠方者は2次面接以降 最終面接は全員、会社基準【早期選考】⇒巻末

試験情報

重視科目 総技 面接

(総)(ES)⇒巻末(筆)SPI3(会場) SPI3(自宅)(面)3回(Webあり) (技)(ES)⇒巻末(筆)SPI3(会場) SPI3(自宅)(面)3回(推薦)2回(Webあり)

選考ポイント (総)(ES)求める人材にあっているか(面)人物 熱意 職務適性 専門知識 (技)(ES)求める人材にあっているか(推薦はES選考なし)(面)総合職共通

通過率 総技 (ES)NA **倍率(応募/内定)** 総技 NA

●男女別採用数と配属先ほか●

【男女・文理別採用実績】

	大卒男	大卒女	修士男	修士女
23年	21(文 12理 9)	8(文 7理 1)	15(文 0理 15)	3(文 0理 3)
24年	24(文 11理 13)	10(文 7理 3)	16(文 0理 16)	2(文 0理 2)
25年	19(文 11理 8)	11(文 9理 2)	30(文 0理 30)	2(文 0理 2)

【25年4月入社者の採用実績校】(文)(大)立命館大4 同大 関大 神戸大各2 ICU 中大 東洋大 法政大 武蔵野大 京都女大 阪大 甲南大 神戸市外大 高知県大各1 (理)(院)東京電機大3 京都工繊大 大阪工大 大阪公大 岡山大 九大各2 北見工大 室蘭工大 東北大 帝京大 都立大 北陸先端科技院大 金沢工大 岐阜大 名城大 三重大 立命館大 摂南大 鳥取大 広島大 山口大 徳島大 高知工科大 九州工大 大分大各1(大)秋田県大 千葉工大 日大 法政大 金沢工大 大阪工大 近大 岡山理大 九州工大 鹿児島大各1(高専)都立産技1

【24年4月入社者の配属先】総 **勤務地**:兵庫(神戸3 宝塚1 西宮1 小野1)横浜4 東京・台東1 大阪市3 名古屋2 仙台1 広島市1 さいたま1 **部署**:営業14 資材調達2 経理財務1 人事総務1 生産管理1 技 **勤務地**:兵庫(神戸13 宝塚3 西宮3 小野3)栃木・佐野8 神奈川(横浜1 寒川6)広島・東広島4 東京・台東1 大阪市1 **部署**:設計開発32 生産技術6 施工設計1 企画1 生産管理1 施工管理1 製造技術1

●給与、ボーナス、週休、有休ほか●

【30歳総合職平均年収】573万円【初任給】(修士)270,000円(大卒)250,000円【ボーナス(年)】192万円、5.1カ月【25、30、35歳賃金】262,261円→280,673円→306,537円【週休】完全2日(土日祝)【夏期休暇】連続9日(週休5日、会社休日2日、有休2日)【年末年始休暇】連続9日(週休4日、祝日1日、会社休日4日)【有休取得】17.5／24日

●従業員数、勤続年数、離職率ほか●

【男女別従業員数、平均年齢、平均勤続年数】計 2,099(43.4歳 19.4年) 男 1,865(43.9歳 20.0年) 女 234(39.7歳 14.4年)【離職率と離職者数】2.2%、48名【3年後新卒定着率】85.7%(男82.8%、女100%、3年前入社:男29名・女6名)【組合】あり

求める人材 チームワークを大切にし、課題解決に向け総力を結集することができる人材

会社データ (金額は百万円)

【本社】665-8550 兵庫県宝塚市新明和町1-1
☎0798-56-5006 https://www.shinmaywa.co.jp/
【社長】五十川 龍之【設立】1949.11【資本金】15,981【今後力を入れる事業】新規事業開発 海外事業の拡大 DX推進

【業績(連結)】	売上高	営業利益	経常利益	純利益
22.3	216,823	10,569	11,821	6,907
23.3	225,175	9,293	9,902	7,313
24.3	257,060	11,765	12,106	7,279

きょくとうかいはつこうぎょう
極東開発工業(株)

東京P 7226

【特色】特装車総合首位。ゴミ処理施設など環境事業も

修士・大卒採用数	3年後離職率	有休取得年平均	平均年収(平均42歳)
11名	13.8→20.7%	13.6日	(総)714万円

残業(月) 28.3時間 (総)28.3時間

記者評価 自動車向け特別装備の製造や架装の総合首位。コンクリートポンプ車やトレーラーに強くタンクローリーなども。中国、インドなど生産拠点。ゴミ処理施設の建設や運転委託、立体駐車装置の製造・設置も。立体駐車場向けEV充電設備など環境サービスにも注力。

●エントリー情報と採用プロセス●

【受付開始～終了】(総)(技)12月～継続中【採用プロセス】(総)ES提出・Webテスト→個人面接(3回)→内々定 (技)ES提出・Webテスト・Web専門試験→個人面接(3回)→内々定【交通費支給】最終面接 遠方者のみ2次面接以降、実費【早期選考】⇒巻末

試験情報

重視科目 総技 面接

(総)(ES)⇒巻末(筆)WebGAB(面)3回(Webあり) (技)(ES)⇒巻末(筆)WebGAB Web専門試験(自宅受験)(面)3回(Webあり)

選考ポイント 総技(ES)志望動機 自己PR 求める人物像と合致しているか(面)コミュニケーション能力 協調性 熱意 行動力

通過率 総(ES)65%(受付:162→通過:105) 技(ES)76%(受付:59→通過:45)

倍率(応募/内定) 総32倍 技7倍

●男女別採用数と配属先ほか●

【男女・文理別採用実績】

	大卒男	大卒女	修士男	修士女
23年	8(文 5理 3)	3(文 2理 1)	2(文 0理 2)	0(文 0理 0)
24年	8(文 5理 3)	3(文 3理 0)	2(文 0理 2)	0(文 0理 0)
25年	7(文 3理 4)	1(文 1理 0)	3(文 1理 2)	0(文 0理 0)

【25年4月入社者の採用実績校】
(文)(院)大阪工大1(大)同大2 和歌山大 京産大各1 (理)(院)立命館大 信州大各1(大)愛知工業大 北海道科学大 広島大 工学院大各1(高専)岐阜 大阪公大 有明各1

【24年4月入社者の配属先】
総 **勤務地**:東京2 神奈川1 愛知1 大阪4 **部署**:営業3 管理部門5
技 **勤務地**:神奈川1 愛知1 大阪1 兵庫4 **部署**:設計5 開発2

●給与、ボーナス、週休、有休ほか●

【30歳総合職平均年収】532万円【初任給】(修士)242,500円(大卒)227,500円【ボーナス(年)】160万円、5.5カ月【25、30、35歳賃金】237,133円→267,786円→304,344円【週休】完全2日(土日祝)【夏期休暇】連続約9日(週休含む)【年末年始休暇】連続約9日(週休含む)【有休取得】13.6／20日

●従業員数、勤続年数、離職率ほか●

【男女別従業員数、平均年齢、平均勤続年数】計 ◇1,133(41.7歳 16.8年) 男 1,007(41.9歳 16.9年) 女 126(40.2歳 10.8年)【離職率と離職者数】◇3.9%、46名【3年後新卒定着率】79.3%(男76.9%、女100%、3年前入社:男26名・女3名)【組合】あり

求める人材 「挑戦心・主体性・思いやり」を持つ人 モノづくりが好きな人

会社データ (金額は百万円)

【本社】541-8519 大阪府大阪市中央区淡路町2-5-11 極東開発グループ本社ビル
☎06-6205-7800 https://www.kyokuto.com/
【社長】布原 達也【設立】1955.6【資本金】11,899【今後力を入れる事業】特装車事業 環境事業 パーキング事業 海外事業

【業績(連結)】	売上高	営業利益	経常利益	純利益
22.3	116,910	6,974	7,567	14,274
23.3	113,089	991	1,187	3,580
24.3	128,026	4,825	5,617	3,501

㈱モリタホールディングス

東京P 6455

【特色】消防車製造で国内首位。消火器など防災用品も

修士・大卒採用数	3年後離職率	有休取得年平均	平均年収(平均44歳)
15名	21.1→14.3%	12.8日	総 691万円

残業(月) 12.9時間 総 12.9時間

記者評価 1907(明治40)年創業。消防車で国内シェア約6割と圧倒的。はしご車など高付加価値品に強み。08年消火器大手の宮田工業を買収し、消火器でも国内トップ。16年フィンランドの消防車大手を買収し海外展開に意欲。業務改善につながる消防システム開発に積極的。

●エントリー情報と採用プロセス●

【受付開始〜終了】総 技 3月〜継続中【採用プロセス】総 技 説明会(必須、3月〜)→ES提出(3月〜)→Webテスト・Web1次面接→最終面接→内々定【交通費支給】最終面接以降、実費【早期選考】⇒巻末

試験情報

重視科目 総 技 面接

総 技 ES⇒巻末 筆 TG-WEB eye(自宅受験) 面 2回(Webあり)

選考ポイント 総 ES 主体的、継続的に勉学やその他の活動に取り組んだ経験 真摯な学業への取り組み 面 論理力 技 ES 主体的、継続的に勉学やその他の活動に取り組んだ経験 真摯な学業への取り組み 専門性 面 論理力 研究内容

通過率 総 ES 73%(受付:56→通過:41) 技 ES 93%(受付:14→通過:13)

倍率(応募/内定) 総 6倍 技 5倍

●給与、ボーナス、週休、有休ほか●

【30歳総合職平均年収】506万円【初任給】(博士)285,290円(修士)259,300円(大卒)240,930円【ボーナス(年)】156万円、5.4カ月【25、30、35歳賃金】233,684円→257,875円→305,840円【週休】2日【夏期休暇】8月10〜18日【年末年始休暇】12月28日〜1月5日【有休取得】12.8/20日

●従業員数、勤続年数、離職率ほか●

【男女別従業員数、平均年齢、平均勤続年数】計 81(40.3歳 12.3年) 男 55(40.6歳 11.5年) 女 26(39.8歳 13.9年)【離職率と離職者数】6.9%、6名【3年後新卒定着率】85.7%(男84.6%、女100%、3年前入社:男13名・女1名)【組合】あり

●男女別採用数と配属先ほか●

【男女・文理別採用実績】

	大卒男	大卒女	修士男	修士女
23年	7(文 4 理 3)	2(文 1 理 1)	4(文 1 理 3)	1(文 0 理 1)
24年	5(文 2 理 3)	0(文 0 理 0)	2(文 0 理 2)	0(文 0 理 0)
25年	8(文 8 理 0)	2(文 2 理 0)	4(文 0 理 4)	1(文 1 理 0)

※25年:24年7月6日時点(グループ会社採用人数を含む)

【25年4月入社者の採用実績校】文(院)法政大1(大)関西学大3 滋賀大2 関大 京都橘大 大阪学大 桃山学大 公立鳥取環境大各1 理(院)東京科学大2 豊橋技科大 弘前大各1

【24年4月入社者の配属先】総 勤務地:東京・港1 大阪(大阪1 八尾1) 部署:営業1 営業統括1 管理1 技 勤務地:大阪・八尾1 神奈川・茅ヶ崎1 兵庫・三田2 部署:設計2 開発1 研究1

求める人材 挑戦・信頼・魅力を兼ね備えた人物 具体的には積極的な人物、責任感のある人物、情熱のある人物

会社データ (金額は百万円)

【本社】541-0045 大阪府大阪市中央区道修町3-6-1 京阪神御堂筋ビル12階

☎06-6208-1907 https://www.morita119.com/

【社長】金岡 真一【設立】1932.7【資本金】4,746【今後力を入れる事業】海外展開

【業績(連結)】	売上高	営業利益	経常利益	純利益
22.3	83,602	8,115	8,761	5,350
23.3	81,344	5,081	5,913	3,996
24.3	95,205	9,453	9,627	6,011

三菱(みつびし)ロジスネクスト㈱

東京S 7105

【特色】フォークリフト世界大手。M&Aで業容拡大

修士・大卒採用数	3年後離職率	有休取得年平均	平均年収(平均42歳)
24名	8.7→15.8%	16.5日	総 672万円

残業(月) 12.4時間 総 13.0時間

記者評価 三菱重工のフォークリフト部門、ニチユ、TCM、日産フォークリフトが2017年までに段階的に経営統合して誕生。海外事業は北米が最大、欧州、東南アジアと続く。旧4社の販売会社や製品ラインナップを再編し効率化を進める。国内では京都、滋賀などに生産拠点。

●エントリー情報と採用プロセス●

【受付開始〜終了】総 技 3月〜継続中【採用プロセス】総 技 説明会(必須)→ES提出→面接→SPI→面接(2回)→内々定【交通費支給】2次面接以降、片道実費(3次面接は往復実費)【早期選考】⇒巻末

試験情報

重視科目 総 技 面接

総 技 ES⇒巻末 筆 SPI3(自宅) 面 3回(Webあり)

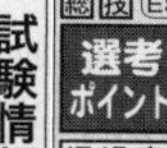

選考ポイント 総 技 ES NA(提出あり) 面 NA

通過率 総 ES 55%(受付:155→通過:85) 技 ES 98%(受付:113→通過:111)

倍率(応募/内定) 総 22倍 技 7倍

●給与、ボーナス、週休、有休ほか●

【30歳総合職平均年収】NA【初任給】(修士)272,000円(大卒)251,000円【ボーナス(年)】NA、5.16カ月【25、30、35歳賃金】NA【週休】2日【夏期休暇】年間カレンダーによる【年末年始休暇】年間カレンダーによる【有休取得】16.5/22日

●従業員数、勤続年数、離職率ほか●

【男女別従業員数、平均年齢、平均勤続年数】計 ◇1,536(42.1歳 16.0年) 男 1,379(42.7歳 16.5年) 女 157(39.1歳 11.6年)【離職率と離職者数】NA【3年後新卒定着率】84.2%(男85.7%、女80.0%、3年前入社:男14名・女5名)【組合】あり

●男女別採用数と配属先ほか●

【男女・文理別採用実績】

	大卒男	大卒女	修士男	修士女
23年	9(文 2 理 7)	10(文 6 理 4)	3(文 1 理 2)	2(文 1 理 1)
24年	12(文 2 理 10)	5(文 5 理 0)	4(文 0 理 4)	0(文 0 理 0)
25年	-(文 - 理 -)	-(文 - 理 -)	-(文 - 理 -)	-(文 - 理 -)

※25年:24名採用予定

【25年4月入社者の採用実績校】文(24年)(大)成蹊大2 名古屋市大 立命館大 龍谷大 京都ノートルダム女大 立命館APU各1 理(24年)(院)京都工繊大2 金沢工大 滋賀県大各1(大)龍谷大2 名大 静岡理工科大 富山大 福井大 福井工大 摂南大 大阪電通大 鳥取大各1(高専)明石1

【24年4月入社者の配属先】

総 勤務地:京都・長岡京7 部署:営業4 経理1 人事1 調達1 技 勤務地:滋賀・近江八幡8 滋賀・安土4 京都・長岡京3 部署:設計・開発10 生産技術2 生産管理1 品質保証2

求める人材 新たな価値創造 チャレンジ精神 多様性の尊重 コミュニケーション能力 を活かせる人材

会社データ (金額は百万円)

【本社】617-8585 京都府長岡京市東神足2-1-1

☎075-951-7171 https://www.logisnext.com/

【社長】間野 裕一【設立】1937.8【資本金】4,950【今後力を入れる事業】無人化をはじめとしたソリューション事業

【業績(連結)】	売上高	営業利益	経常利益	純利益
22.3	465,406	3,592	3,240	717
23.3	615,421	14,709	11,646	6,913
24.3	701,770	42,603	37,479	27,520

(株)シマノ

[東京P 7309]

【特色】自転車用部品製造で世界首位、釣り具も強い

修士・大卒採用数	3年後離職率	有休取得年平均	平均年収(平均41歳)
26名	8.9 → 5.6%	14.4日	◇846万円

●エントリー情報と採用プロセス●

【受付開始～終了】[総]3月～4月 [技]3月～3月【採用プロセス】[総][技]ES提出・Webテスト(テストセンター)→面談(2～3回)→内々定【交通費支給】1次面接以降、会社基準(実費相当)【早期選考】⇒巻末

試験情報

重視科目 [総][技]面接

[総][技][ES]⇒巻末[筆]SPI3(会場) 英語[面]2～3回

選考ポイント [総][技][ES]志望理由の具体性と論理性[面]学校での専攻内容 思考力 論理性 好奇心

通過率 [総][技][ES]NA

倍率(応募/内定) [総][技]NA

●男女別採用数と配属先ほか●

【男女・文理別採用実績】

	大卒男	大卒女	修士男	修士女
23年	6(文 6 理 0)	0(文 0 理 0)	12(文 0 理 12)	3(文 0 理 3)
24年	6(文 5 理 1)	3(文 2 理 1)	13(文 0 理 13)	0(文 0 理 0)
25年	13(文 10 理 3)	3(文 3 理 0)	9(文 0 理 9)	1(文 1 理 0)

【25年4月入社者の採用実績校】
[文](院)阪大(大)関大 立命館大 上智大 青学大 早大 多摩美大 湘南工大 [理](院)岡山大 大阪公大 九大 広島大 阪大 同大 立命館大(大)九州工大 千葉大 阪大 東大(高専)サレジオ 近大 新居浜 大分 八戸

【24年4月入社者の配属先】
[総]勤務地:堺 7 佐賀 1 東京・大田1 部署:営業 企画 管理部門 デザイン [技]勤務地:堺 15 山口 2 部署:開発 生産技術 製造 品質管理

残業(月) 24.4時間

記者評価 金属加工技術が土台。変減速機やブレーキなど「コンポーネント」と呼ばれる自転車用部品の世界大手。高い品質・信頼性で知られ、特にロードバイクやMTBなど高額のスポーツ車用で大きな存在感を誇る。高価格帯品は今も国内で生産。釣具のリールでも世界大手。

●給与、ボーナス、週休、有休ほか●

【30歳総合職平均年収】NA【初任給】(博士)316,840円 (修士)301,830円 (大卒)266,320円【ボーナス(年)】NA【25、30、35歳賃金】NA【週休】会社暦2日【夏期休暇】5日程度(週休含む)【年末年始休暇】6日程度(週休含む)【有休取得】14.4／21日

●従業員数、勤続年数、離職率ほか●

【男女別従業員数、平均年齢、平均勤続年数】計 ◇1,651 (41.1歳 13.9年) 男 NA 女 NA【離職率と離職者数】◇2.0%、33名【3年後新卒定着率】94.4%(男94.1%、女100%、3年前入社:男34名・女2名)【組合】あり

求める人材 会社の基本理念に共感でき、好奇心を持ち、視野を広げ、高い目標に挑戦する人

会社データ (金額は百万円)

【本社】590-8577 大阪府堺市堺区老松町3-77
☎072-223-3210　https://www.shimano.com/
【社長】島野 泰三【設立】1940.1【資本金】35,613【今後力を入れる事業】全ての事業

【業績(連結)】	売上高	営業利益	経常利益	純利益
21.12	546,515	148,287	152,562	115,937
22.12	628,909	169,158	176,568	128,178
23.12	474,362	83,653	103,369	61,142

三菱重工業(株)

みつびしじゅうこうぎょう

[東京P 7011]

【特色】総合重機の最大手。三菱グループ中核企業の一つ

修士・大卒採用数	3年後離職率	有休取得年平均	平均年収(平均42歳)
570名	[!]5.0 → [!]6.6%	17.9日	◇965万円

●エントリー情報と採用プロセス●

【受付開始～終了】[総][技]3月～6月【採用プロセス】[総]ES提出・SPI(3月～)→面接(2回)→内々定(6月～) [技]ES提出・SPI(3月～)→マッチング面談(2回)→書類審査→内々定(6月～)【交通費支給】〈事務系〉最終面接〈技術系〉マッチング面談以降、会社基準

試験情報

重視科目 [総]面接 [技]マッチング面談

[総][技][ES]⇒巻末[筆]SPI3(会場) SPI3(自宅)[面]2回(Webあり)

選考ポイント [総][技][ES]求める人材像・企業理念と合致しているか[面]人物 能力

通過率 [総][技][ES]NA **倍率(応募/内定)** [総][技]NA

●男女別採用数と配属先ほか●

【男女・文理別採用実績】

	大卒男	大卒女	修士男	修士女
23年	49(文 36 理 13)	13(文 12 理 1)	179(文 0 理 179)	13(文 1 理 12)
24年	83(文 60 理 23)	28(文 23 理 5)	226(文 1 理 225)	36(文 1 理 35)
25年	-(文 - 理 -)	-(文 - 理 -)	-(文 - 理 -)	-(文 - 理 -)

※25年:大卒事務系110名、大卒技術系460名、高専40名採用予定

【25年4月入社者の採用実績校】[文]早大 慶大 神戸大 上智大 阪大 国際教養大 立教大 東京外大 九大 一橋大 同大 東大 京大 名大 東北大 横国大 北大 筑波大 三重大 岡山大 大阪公大 広島大 アルベルトルートヴィヒ大 他 [理]北大 東北大 東大 東京科学大 名大 京大 阪大 神戸大 広島大 九大 慶大 早大 東理大 横国大 名工大 九州工大 筑波大 同大 芝工大 岡山大 他

【24年4月入社者の配属先】
[総]勤務地:本社および全国の工場 部署:営業 調達 経理財務 人事 法務 総務 他 [技]勤務地:本社および全国の工場・研究所 部署:研究開発 設計 製造技術 品質保証 システム開発 他

残業(月) 23.2時間 [総]23.2時間

記者評価 総合重機メーカー最大手。火力・原発などの発電所設備や航空・宇宙、造船、各種産業機械、プラントなど事業内容は幅広い。火力発電所用の大型ガスタービンが収益柱。防衛関連では護衛艦や潜水艦、戦闘機などを一手に手がけ、国内防衛産業における中核的存在。

●給与、ボーナス、週休、有休ほか●

【30歳総合職平均年収】NA【初任給】(修士)280,000円 (大卒)260,000円【ボーナス(年)】(含現業 組合員)220万円、(含現業 組合員)5.9カ月【25、30、35歳賃金】NA【週休】完全2日(土日祝)【夏期休暇】約3日(有休2日含む)【年末年始休暇】12月29日～1月4日【有休取得】17.9／22日

●従業員数、勤続年数、離職率ほか●

【男女別従業員数、平均年齢、平均勤続年数】計 ◇22,072 (42.4歳 19.0年) 男 20,052(42.4歳 19.1年) 女 2,020(42.5歳 17.9年)【離職率と離職者数】◇3.8%、882名【3年後新卒定着率】93.4%(男93.9%、女90.6%、3年前入社:男196名・女32名) ※旧MHPS入社者は除く【組合】あり

求める人材 情熱を持って最後までやり遂げる バランス感覚 柔軟な発想で新しい価値を生み出す

会社データ (金額は百万円)

【本社】100-8332 東京都千代田区丸の内3-2-3 丸の内二重橋ビル
☎03-6275-6200　https://www.mhi.com/jp/
【社長】泉澤 清次【設立】1950.1【資本金】265,608【今後力を入れる事業】エナジートランジション モビリティー 他

【業績(IFRS)】	売上高	営業利益	税前利益	純利益
22.3	3,860,283	160,240	173,684	113,541
23.3	4,202,797	193,324	191,126	130,451
24.3	4,657,147	282,541	315,187	222,023

メーカーI

川崎重工業(株)

かわさきじゅうこうぎょう

東京P 7012

【特色】総合重機大手。鉄道車両、大型バイクに強み

修士・大卒採用数	3年後離職率	有休取得年平均	平均年収(平均42歳)
305名	[!]7.0→[!]11.7%	18.5日	[総][!]978万円

残業(月) 22.0時間 [総]23.4時間

記者評価 鉄道車両や航空機、大型2輪・4輪、中型ガスタービンが主。鉄道車両は国内新幹線のほか、NY地下鉄で実績。航空は民間分野で米ボーイングの胴体を担当。自衛隊の輸送機、潜水艦も担う。産業用ロボットでは手術支援など医療分野にも進出。液化水素運搬船を開発。

●エントリー情報と採用プロセス●

【受付開始～終了】[総][技]3月～継続中【採用プロセス】[総]Web選考(ES・Webテスト)→1次面接(GD)→2次面接→社員面談→最終面接→内々定 [技]1次選考(ES・Webテスト)→2次選考(専門試験・GD)→最終選考(個人面接)→内々定【交通費支給】最終面接、会社基準(学校のある都道府県庁所在地より会場まで)【早期選考】⇒巻末

試験情報

重視科目 [総]面接 [技]専門試験 面接

[総][ES]NA[筆]SPI3(会場)[面]2～3回(Webあり)[GD作]NA
[技][ES]NA[筆]SPI3(自宅) 自社オリジナルの専門試験[面]2～3回(Webあり)[GD作]NA

選考ポイント [総][技][ES]NA(提出あり)[面]求める人物像への適性 業界・当社への志望度 専攻・語学等のスキル

通過率 [総][技][ES]NA　**倍率(応募/内定)** [総][技]NA

●男女別採用数と配属先ほか●

【男女・文理別採用実績】

	大卒男	大卒女	修士男	修士女
23年	47(文 32 理 15)	19(文 18 理 1)	203(文 1 理202)	4(文 0 理 4)
24年	48(文 31 理 17)	22(文 18 理 4)	194(文 1 理193)	24(文 1 理 23)
25年	-(文 - 理 -)	-(文 - 理 -)	-(文 - 理 -)	-(文 - 理 -)

※川崎重工＋川崎車両の2社分 生産職は除く 25年:事務系55名、技術系250名採用計画

【25年4月入社者の採用実績校】[文]関西学大 神戸大 早大 同大 大阪公大 北大 立命館大 京大 名大 慶大 中大 学習院大 九大 阪大 関大 明大 青学大 長崎大 法政大 一橋大 他 [理]九大 兵庫県大 徳島大 大阪公大 阪大 岐阜大 神戸大 岡山大 芝工大 京都工繊大 東北大 名工大 愛媛大 関大 岩手大 静岡大 立命館大 広島大 京大 九州工大 他

【24年4月入社者の配属先】[総]勤務地:兵庫 東京 愛知 岐阜 香川 部署:営業 資材・調達 経理・財務 人事・総務 他 [技]勤務地:兵庫 愛知 岐阜 香川 部署:研究開発 設計 生産技術 品質保証 情報システム 他

●給与、ボーナス、週休、有休ほか●

【30歳総合職平均年収】(2社平均)669万円【初任給】(博士)342,340円 (修士)281,000円 (大卒)260,000円【ボーナス(年)】(2社平均)261万円、(2社平均)5.8カ月【25、30、35歳賃金】NA【週休】完全2日(土日祝)【夏期休暇】連続9日【年末年始休暇】連続6日【有休取得】18.5／22日【平均年収(総合職)】(2社平均)978万円

●従業員数、勤続年数、離職率ほか●

【男女別従業員数、平均年齢、平均勤続年数】計 8,829(42.2歳 14.8年) 男 7,657(42.0歳 15.2年) 女 1,172(43.1歳 11.8年)【離職率と離職者数】1.9%、170名【3年後新卒定着率】88.3%(男88.5%、女87.1%、3年前入社:男200名・女31名) ※3社連結分(川崎重工+川崎車両+カワサキモータース)【組合】あり

求める人材 切磋琢磨できるチームプレーヤー

会社データ (金額は百万円)

【本社】650-8680 兵庫県神戸市中央区東川崎町1-1-3 神戸クリスタルタワー
☎078-371-9530　https://www.khi.co.jp/
【社長】橋本 康彦【設立】1896.10【資本金】104,484【今後力を入れる事業】輸送システム エネルギー環境 産業機器 他

【業績(IFRS)】	売上高	営業利益	税前利益	純利益
23.3	1,725,609	82,355	70,349	53,029
24.3	1,849,287	46,201	31,980	25,377

(株)ＩＨＩ

アイエイチアイ

東京P 7013

【特色】総合重機大手。航空エンジン、大型ボイラー強い

修士・大卒採用数	3年後離職率	有休取得年平均	平均年収(平均42歳)
未定	9.7→6.6%	17.0日	◇836万円

残業(月) (現業含む)22.6時間

記者評価 航空エンジンや大型ボイラー、LNGタンク、産業機械など主力。収益柱の航空エンジン事業では、米GE等のパートナーとして、旅客機エンジンを共同開発。アンモニア発電に注力。航空機電動化など脱炭素技術の開発推進。造船所があった豊洲に不動産保有。

●エントリー情報と採用プロセス●

【受付開始～終了】[総][技]3月～6月【採用プロセス】[総]ES提出(3月～)→適性検査(3月～)→個別面接(6月～)→最終面接(6月～)→内々定(6月～) [技]ES提出(3月～)→適性検査(3月)→技術面接(6月)→配属面接(6月～)→内々定(6月～)
【交通費支給】対面面接、会社基準

試験情報

重視科目 [総][技]面接

[総][技][ES]NA[筆]SPI3(会場) SPI3(自宅) WebGAB[面]2回(Webあり)

選考ポイント [総][ES]NA(提出あり)[面]チャレンジ精神 将来性 コミュニケーション能力 [技][ES]専門性 研究テーマ[面]技術の基礎(専門性)業務適性

通過率 [総][技][ES]NA

倍率(応募/内定) [総][技]NA

●男女別採用数と配属先ほか●

【男女・文理別採用実績】

	大卒男	大卒女	修士男	修士女
23年	15(文 13 理 2)	10(文 7 理 3)	71(文 1 理 70)	14(文 0 理 14)
24年	23(文 18 理 5)	11(文 8 理 3)	74(文 2 理 72)	13(文 1 理 12)
25年	-(文 - 理 -)	-(文 - 理 -)	-(文 - 理 -)	-(文 - 理 -)

【25年4月入社者の採用実績校】
[文]早大 関西学大 東大 上智大 慶大 同大 立命館大 明大 法政大 [理]東北大 東大 京大 東京科学大 日大 北大 東京農業大 東理大 都立大 九大 芝工大 他

【24年4月入社者の配属先】
[総]勤務地:本社および全国の事業所・工場 部署:営業 調達 企画・管理 法務 人事 他 [技]勤務地:本社および全国の事業所・工場 部署:研究開発 開発。設計 品質管理 品質保証 生産技術 情報システム

●給与、ボーナス、週休、有休ほか●

【30歳総合職平均年収】NA【初任給】(修士)294,500円 (大卒)270,000円【ボーナス(年)】(組合員 現業含む)172万円、4.8カ月【25、30、35歳賃金】NA【週休】完全2日(土日祝)【夏期休暇】連続5日(うち2日は有休利用)【年末年始休暇】12月28日～1月5日(うち1日は有休利用)【有休取得】17.0／22日

●従業員数、勤続年数、離職率ほか●

【男女別従業員数、平均年齢、平均勤続年数】計 ◇7,416(41.8歳 16.0年) 男 6,381(41.7歳 16.2年) 女 1,035(42.4歳 15.3年)【離職率と離職者数】◇1.5%、116名【3年後新卒定着率】93.4%(男93.7%、女91.7%、3年前入社:男142名・女24名)【組合】あり

求める人材 「誠実と信頼」をはじめ、IHIグループ社員に求める人材像に共感できる人

会社データ (金額は百万円)

【本社】135-8710 東京都江東区豊洲3-1-1 豊洲IHIビル
☎03-6204-7800　https://www.ihi.co.jp/
【社長】井手 博【設立】1889.1【資本金】107,165【今後力を入れる事業】資源・エネルギー・環境 社会基盤 産業システム・汎用機械 航空・宇宙・防衛

【業績(IFRS)】	売上高	営業利益	税前利益	純利益
22.3	1,172,904	81,497	87,637	66,065
23.3	1,352,940	81,985	64,865	44,545
24.3	1,322,591	▲70,138	▲72,280	▲68,214

みついかいようかいはつ 三井海洋開発(株)

東京P 6269

【特色】浮体式海洋石油生産貯蔵設備を設計・建造

修士・大卒採用数	3年後離職率	有休取得年平均	平均年収(平均42歳)
10名	8.3→0%	12.7日	総 872万円

●エントリー情報と採用プロセス●

【受付開始〜終了】総技3月〜5月【採用プロセス】総技ES提出(3〜5月)→Webテスト(3〜5月)→面接(2〜3回、3〜6月)→内々定(6月上旬)【交通費支給】1次面接以降、遠方者のみ往復全額

試験情報

重視科目 総技面接 Webテスト

総技 ES⇒巻末筆SPI3(自宅)面2〜3回(Webあり)

選考ポイント 総技ES明確な志望動機・志望職種が記載されていれば望ましい面志望動機 当社でどのようなことをしたいか

通過率 総ES21%(受付:63→通過:13) 技ES20%(受付:95→通過:19)

倍率(応募/内定) 総技16倍

●男女別採用数と配属先ほか●

【男女・文理別採用実績】

	大卒男	大卒女	修士男	修士女
23年	0(文 0理 0)	1(文 1理 0)	3(文 0理 3)	0(文 0理 0)
24年	1(文 1理 0)	1(文 1理 0)	2(文 0理 2)	0(文 0理 0)
25年	2(文 2理 0)	1(文 1理 0)	4(文 0理 4)	3(文 1理 2)

【25年4月入社者の採用実績校】
文(院)筑波大1(大)東大 上智大 学習院大各1 理(院)東大 京大 阪大 東京科学大 横国大 東京海洋大各1

【24年4月入社者の配属先】
総勤務地:東京・日本橋2 部署:SPC経理グループ1 経営企画部1 技勤務地:東京・日本橋2 部署:エンジニア(技術部)2

残業(月) 29.0時間 総29.0時間

記者評価 浮体式原油生産貯蔵設備(FPSO)専門のエンジニアリング会社。設備設計・資材調達から外部活用による建造、特別目的会社でのリース・チャーター、オペレーション・メンテナンスまで一貫。24年、三井E&Sの持分会社から外れ、三井物産と商船三井が筆頭株主に。

●給与、ボーナス、週休、有休ほか●

【30歳総合職モデル年収】800万円【初任給】(修士)279,100円(大卒)257,900円【ボーナス(年)】NA、7.5カ月【25、30、35歳賃金】NA【週休】完全2日(土日祝)【夏期休暇】2日【年末年始休暇】12月29日〜1月4日【有休取得】12.7／20日

●従業員数、勤続年数、離職率ほか●

【男女別従業員数、平均年齢、平均勤続年数】計 180(41.8歳 8.0年) 男 115(42.4歳 7.4年) 女 65(40.8歳 9.2年)【離職率と離職者数】11.3%、23名【3年後新卒定着率】100%(男100%、女—、3年前入社:男9名・女0名)【組合】あり

求める人材 モノづくりを愛し、オーナーシップを持つ人(「当事者意識」と「主体性」を持つ人)

会社データ (金額は百万円)

【本社】103-0027 東京都中央区日本橋2-3-10 日本橋丸善東急ビル ☎03-5290-1200 https://www.modec.com/

【社長】宮田 裕彦【設立】1987.6【資本金】30,675【今後力を入れる事業】新規事業開発 FPSO脱炭素化

【業績(IFRS)】	売上高	営業利益	税前利益	純利益
21.12	448,510	▲36,521	▲39,597	▲41,860
22.12	363,593	9,997	7,277	4,960
23.12	507,031	27,364	30,446	13,691

(株)クボタ

東京P 6326

【特色】関西名門企業。農機国内首位、世界でも大手の一角

修士・大卒採用数	3年後離職率	有休取得年平均	平均年収(平均41歳)
288名	6.0→8.0%	20.3日	総 911万円

●エントリー情報と採用プロセス●

【受付開始〜終了】総 技2月〜4月【採用プロセス】総ES提出(2〜4月)→書類選考→面接(2回)→内々定(6月〜)※人事労務職種は1次面接の代わりにGD(60分)を実施 技ES提出(2〜4月)→書類選考→面接(1〜2回)→内々定(6月〜)<学校推薦>ES提出→面接→内々定(6月〜)【交通費支給】最終面接、実費

試験情報

重視科目 総技面接 総ES⇒巻末筆一般的な能力試験・性格検査(Web自宅)面2回(Webあり)GD作⇒巻末 技ES⇒巻末筆一般的な能力試験・性格検査(Web自宅)面1〜2回(Webあり)

選考ポイント 総ES求める人財像と合致しているか面論理的思考力 コミュニケーション能力 意欲 活動性 粘り強さ 技ES総合職共通面事務系の観点に加え、研究テーマへの取り組み

通過率 総ES26%(受付:2,800→通過:720) 技ES37%(受付:1,350→通過:500)

倍率(応募/内定) 総技NA

●男女別採用数と配属先ほか●

【男女・文理別採用実績】

	大卒男	大卒女	修士男	修士女
23年	74(文 50理 24)	50(文 32理 18)	184(文 3理181)	20(文 5理 15)
24年	43(文 36理 7)	40(文 32理 8)	219(文 6理213)	36(文 5理 31)
25年	51(文 36理 15)	37(文 32理 5)	175(文 1理174)	25(文 3理 22)

【25年4月入社者の採用実績校】文(院)慶大 関大 兵庫県大(大)同大 阪大 早大 神戸大 関大 上智大 立命館大 関西学大 東京外大 慶大 明大 中大 立教大 京大 一橋大 他 理(院)神戸大 大阪公大 阪大 京大 東北大 岡山大 同大 九大 広島大 立命館大 九州工大 北大 日大 兵庫県大 東京農工大 筑波大 金沢大 茨城大 徳島大 慶大 早大 東大 千葉大 名大 横国大 熊本大 埼玉大 京都工繊大 三重大 和歌山大(大)同大 東京農工大 立命館大 近大 東大 東北大 奈良女大 会津大 上智大 明大 関大 大阪工大 他

【24年4月入社者の配属先】圏勤務地:大阪(大阪 堺 枚方)兵庫・尼崎 東京 茨城・つくばみらい 栃木・宇都宮 千葉・船橋 他 部署:海外営業 国内営業 経営管理・財務経理 生産管理 人事労務 広報 他 圏勤務地:大阪(大阪 堺 枚方)兵庫・尼崎 東京 茨城・つくばみらい 栃木・宇都宮 千葉・船橋 他 部署:研究 製品開発・設計 生産技術・製造 DX推進・IT企画 調達 品質保証 技術サービス プラントエンジニア 他

残業(月) 18.8時間 総23.1時間

記者評価 関西製造業の名門。農業機械と鋳鉄管で国内首位。海外売上比率8割弱。トラクタやコンバインなどの農業機械や建設機械、エンジンなど内燃機器が主力。日本と同じ稲作・米食文化を持つタイなどの東南アジアで販売強化。北米の小型建機が近年の業績を牽引する。

●給与、ボーナス、週休、有休ほか●

【30歳総合職平均年収】624万円【初任給】(博士)329,000円(修士)297,000円(大卒)274,000円【ボーナス(年)】204万円、6.2カ月【25、30、35歳賃金】298,600円→340,000円→427,800円【週休】<本社・関連部門>完全2日(土日祝)【夏期休暇】(本社)連続6日(年休2日、週休2日含む)(工場)連続最大11日(週休2日含む)【年末年始休暇】(本社)連続9日(週休2日含む)(工場)連続最大11日(年休1日、週休2日含む)【有休取得】20.3／20日

●従業員数、勤続年数、離職率ほか●

【男女別従業員数、平均年齢、平均勤続年数】計 7,933(41.0歳 13.7年) 男 6,659(41.2歳 13.6年) 女 1,274(40.0歳 14.2年)【離職率と離職者数】1.6%、128名【3年後新卒定着率】92.0%(男94.0%、女82.9%、3年前入社:男166名・女35名)【組合】あり

求める人材 チャレンジし続け、誠実さと粘り強さを兼ね備え多様性を尊重する人材

会社データ (金額は百万円)

【本社】556-8601 大阪府大阪市浪速区敷津東1-2-47 ☎06-6648-2111 https://www.kubota.co.jp/

【社長】北尾 裕一【設立】1930.12【資本金】84,130【今後力を入れる事業】機械事業 水環境事業の海外展開

【業績(IFRS)】	売上高	営業利益	税前利益	純利益
21.12	2,196,766	246,207	252,559	175,637
22.12	2,678,772	218,942	233,927	156,182
23.12	3,020,711	328,829	342,289	238,455

メーカーI

開示 ★★★ ▶『業界地図』p.90 454

ひたちけんき 日立建機(株)

東京P 6305

【特色】日立ブランドの総合建機メーカーで世界3位圏

修士・大卒採用数	3年後離職率	有休取得年平均	平均年収(平均43歳)
65名	12.3 → 29.0%	19.5日	総 847万円

●エントリー情報と採用プロセス●

【受付開始～終了】総 技 3月～継続中【採用プロセス】総 技 ES提出・性格検査・SPI3(3月～)→面接(2回、6月)→内々定【交通費支給】最終選考、実費相当(会社基準)【早期選考】⇒巻末

試験情報

重視科目 総 技 面接

総 ES⇒巻末 筆 WebGAB OPQ 面 2回(Webあり) 技 ES⇒巻末 筆 WebGAB OPQ 面 2回<学校推薦>1回(Webあり)

選考ポイント 総 ES 求める人物像とのマッチング 面 求める人物像とのマッチング 技 ES 求める人物像とのマッチング(自由応募のみ選考) 面 求める人物像とのマッチング 研究内容

通過率 総 ES NA(受付:122→通過:NA) 技 ES NA(受付:(早期選考含む)209→通過:NA)

倍率(応募/内定) 総 11倍 技 (早期選考含む)3倍

●男女別採用数と配属先ほか●

【男女・文理別採用実績】※25年:データ算出時点

	大卒男	大卒女	修士男	修士女
23年	31(文 8 理 23)	5(文 3 理 2)	30(文 1 理 29)	0(文 0 理 0)
24年	43(文 7 理 36)	10(文 6 理 4)	20(文 1 理 19)	1(文 0 理 1)
25年	29(文 7 理 22)	5(文 4 理 1)	29(文 0 理 29)	2(文 0 理 2)

【25年4月入社者の採用実績校】文(大)関西学大 慶大各2 阪大 法政大 北見工大 上智大 同大 弘益大 江原大各1 理(院)茨城大 近大 芝工大 信州大 東京電機大 明大各2 宇都宮大 関西学大 関大 岩手県大 京大 山形大 室蘭工大 上智大 青学大 早大 大阪公大 東大 東京農工大 東北大 同大 日大 北大 北陸先端科技院大 岡山大各1(大)東京電機大 日大各4 法政大 茨城大 東京都市大各2 宇都宮大 近大 山形大 秋田県大 早大 東理大 明大 兵庫県大 慶尚国立大各1(高専)小山2 奈良 一関各1

【24年4月入社者の配属先】総 勤務地:東京6 茨城(土浦5 霞ヶ浦1 つくば部品1 龍ケ崎1) 部署:営業6 経理財務2 生産管理3 資材調達2 人事1 技 勤務地:東京1 茨城(土浦59 常陸那珂臨港1 常陸那珂1 龍ケ崎1 霞ヶ浦1) 部署:製品開発43 生産技術10 開発試験・品質保証3 サービスエンジニア5 DX3

残業(月) 21.1時間 総 21.1時間

記者評価 総合建機で国内はコマツに次ぐ2位。世界で3位級。海外売上比率は8割超。65年に国産技術で初めて油圧ショベルを開発。アフターサービス事業ほか、鉱山機械やICT建機の拡大に注力。22年に米州における合弁事業を解消し、同年日立製作所が筆頭株主から外れた。

●給与、ボーナス、週休、有休ほか●

【30歳総合職平均年収】NA【初任給】(修士)281,500円(大卒)260,000円【ボーナス(年)】189万円、6.1カ月【25、30、35歳賃金】NA【週休】完全2日(土日祝)【夏期休暇】連続10日【年末年始休暇】連続9日【有休取得】19.5/24日

●従業員数、勤続年数、離職率ほか●

【男女別従業員数、平均年齢、平均勤続年数】計 3,803(42.7歳 14.5年) 男 3,418(NA) 女 385(NA)【離職率と離職者数】3.4%、135名【3年後新卒定着率】71.0%(男75.9%、女37.5%、3年前入社:男54名・女8名)【組合】あり

求める人材 明るく、前向きで、思いやりのある人 自分で考え、積極的に行動できる人

会社データ (金額は百万円)

【本社】110-0015 東京都台東区東上野2-16-1
☎03-5826-8152 https://www.hitachicm.com/global/ja/
【社長】先崎 正文【設立】1970.10【資本金】81,577【今後力を入れる事業】ソリューション提供 バリューチェーン事業 米州事業

【業績(IFRS)】	売上高	営業利益	税前利益	純利益
22.3	1,024,961	106,590	110,869	75,826
23.3	1,279,468	133,310	112,661	70,175
24.3	1,405,928	162,690	160,476	93,294

ヤンマーホールディングス(株)

株式公開 計画なし

【特色】農機、建機大手。ディーゼルエンジンで世界首位級

修士・大卒採用数	3年後離職率	有休取得年平均	平均年収(平均41歳)
67名	18.3 → 6.1%	13.6日	総 905万円

●エントリー情報と採用プロセス●

【受付開始～終了】総 技 3月～6月【採用プロセス】総 技 ES提出・適性検査(3月～)→面接(複数回)→最終面接→内々定(6月頃～)【交通費支給】最終面接、実費【早期選考】⇒巻末

試験情報

重視科目 総 技 面接

総 技 ES⇒巻末 筆 WebGAB 面 複数回(Webあり)

選考ポイント 総 技 ES NA(提出あり) 面 志望度 コミュニケーション能力 論理性 バイタリティ 他

通過率 総 技 ES NA **倍率(応募/内定)** 総 技 NA

●男女別採用数と配属先ほか●

【男女・文理別採用実績】

	大卒男	大卒女	修士男	修士女
23年	11(文 6 理 5)	3(文 1 理 2)	21(文 2 理 19)	3(文 1 理 2)
24年	9(文 5 理 4)	8(文 7 理 1)	29(文 1 理 28)	4(文 1 理 3)
25年	18(文 13 理 5)	9(文 7 理 2)	36(文 1 理 35)	4(文 0 理 4)

※総合職のみ

【25年4月入社者の採用実績校】
文(院)東大1(大)関西学大4 同大 立命館大各3 阪大 関大各2 神戸大 大阪府大 滋賀大 立教大 甲南大 京産大各1 理(院)大阪工大5 徳島大3 新潟大 立命館大 岡山大 高知工科大 関大各2 弘前大 茨城大 名大 滋賀県大 阪大 神戸大 佐賀大 岩手大 九大 鹿児島大 大阪公大 東京海洋大 奈良先端科技院大 福井大 法政大 豊橋技科大 北大 北見工大 名工大 龍谷大 近大各1(大)関大2 東大 神戸大 近大 静岡大 滋賀大各1(高専)神戸 鈴鹿各2 宇部 広島商船 松江 石川各1

【24年4月入社者の配属先】
総 勤務地:大阪 東京 兵庫 北海道 茨城 滋賀 岡山 広島 部署:営業 経理 調達 購買 人事 総務 技 勤務地:滋賀 兵庫 岡山 福岡 大阪 高知 部署:研究開発 生産 品証

残業(月) 21.3時間 総 24.4時間

記者評価 産業用エンジン・機械を製販。1912年発動機で創業、33年世界初の小形横形冷水ディーゼルエンジンを実用化し躍進。2013年持株会社化。海外戦略も積極的。ロボットとICTを活用したスマート農業を推進。24年9月インドでのアグリ事業拡大へ農機メーカーを買収。

●給与、ボーナス、週休、有休ほか●

【30歳総合職平均年収】670万円【初任給】(博士)289,800円(修士)275,000円(大卒)255,000円【ボーナス(年)】NA【25、30、35歳賃金】259,600円→297,500円→367,500円【週休】完全2日(土日祝)【夏期休暇】あり【年末年始休暇】あり【有休取得】13.6/21日

●従業員数、勤続年数、離職率ほか●

【男女別従業員数、平均年齢、平均勤続年数】計 2,624(41.9歳 16.0年) 男 2,130(42.3歳 16.4年) 女 494(40.4歳 14.4年)【離職率と離職者数】2.5%、66名(選択定年男2名含む)【3年後新卒定着率】93.9%(男94.8%、女87.5%、3年前入社:男58名・女8名)【組合】あり

求める人材 ミッションステートメントや創業者の精神に共感し、失敗を恐れず、情熱をもって物事に取り組む人材

会社データ (金額は百万円)

【本社】530-8311 大阪府大阪市北区茶屋町1-32 YANMAR FLYING-Y BUILDING
☎06-6376-6211 https://www.yanmar.com/jp/
【社長】山岡 健人【設立】1936.1【資本金】90【今後力を入れる事業】食料生産とエネルギー変換に関わる領域(アグリ、エネルギーシステム、エンジン等)

【業績(連結)】	売上高	営業利益	経常利益	純利益
22.3	871,453	36,217	48,991	36,778
23.3	1,022,283	48,110	61,830	41,992
24.3	1,081,433	61,342	80,419	49,593

開示 ★★★ ▶『業界地図』p.176 2770

2171 ▶『業界地図』p.90　開示 ★★★

コベルコ建機(株)（けんき）

株式公開していない

【特色】神鋼の完全子会社。油圧ショベルとクレーン主力

修士・大卒採用数	3年後離職率	有休取得年平均	平均年収(平均42歳)
31名	16.7→5.0%	17.6日	㊓821万円

残業(月) 20.3時間 ㊓21.8時間

記者評価 神戸製鋼所の建機部門と系列子会社が統合し1999年発足。16年コベルコクレーンを吸収。ショベルが売上の9割強。クレーンにも強み。低燃費、低騒音、環境リサイクル関連の技術に定評。ICT施工を推進。中国、米国など世界各国に製・販拠点。海外売上比率約6割。

●エントリー情報と採用プロセス●

【受付開始～終了】㊓㊕3月～6月【採用プロセス】㊓説明会(3～6月)→ES提出・Web適性検査(3月～)→個人面接(作文含む2回、3月～)→内々定(5月～)㊕説明会(3～6月)→ES提出・Web適性検査(3月～)→個人面接(作文含む1～2回、3月～)→内々定(5月～)【交通費支給】最終面談、全額【早期選考】⇒巻末

試験情報

重視科目 ㊓㊕面接

㊓ES⇒巻末㊣TG-WEB(言語数理 性格テスト)※自宅受験可能㊠2回(Webあり)GD作⇒巻末 ㊕ES⇒巻末㊣TG-WEB(言語数理 性格テスト)※自宅受験可能㊠1～2回(Webあり)GD作⇒巻末

選考ポイント ㊓㊕ES専門性の高さや論理的思考力 勉強や関心事への取り組み方 社会人として実現したいことの具体性・妥当性㊠論理的思考力 コミュニケーション能力 主体性と柔軟性

通過率 ㊓㊕ESNA **倍率(応募/内定)** ㊓㊕NA

●給与、ボーナス、週休、有休ほか●

【30歳総合職平均年収】535万円【初任給】(博士)312,000円(修士)287,000円(大卒)262,000円【ボーナス(年)】(組合員)142万円、(組合員)4.7カ月【25、30、35歳モデル賃金】289,600円→357,800円→414,300円【週休】2日(一部土曜出勤有)【夏期休暇】会社カレンダーによる【年末年始休暇】会社カレンダーによる【有休取得】17.6／20日

●従業員数、勤続年数、離職率ほか●

【男女別従業員数、平均年齢、平均勤続年数】計1,551(39.8歳12.5年)男1,314(39.8歳12.5年)女237(39.5歳12.0年)【離職率と離職者数】2.6%、41名【3年後新卒定着率】95.0%(男97.1%、女80.0%、3年前入社:男35名・女5名)【組合】あり

●男女別採用数と配属先ほか●

【男女・文理別採用実績】

	大卒男	大卒女	修士男	修士女
23年	5(文 3理 2)	4(文 2理 2)	9(文 0理 9)	1(文 0理 1)
24年	12(文 3理 9)	4(文 4理 0)	7(文 0理 7)	0(文 0理 0)
25年	6(文 4理 2)	3(文 3理 0)	21(文 1理 20)	1(文 0理 1)

【25年4月入社者の採用実績校】㊌(院)阪大1(大)広島大 中大 関大 日大 京産大 県立広島大 産業医大各1 ㊍(院)高知工科大4 金沢大2 九大 岡山大 宮崎大 京都工繊大 広島大 弘前大 山形大 山口大 芝工大 千葉工大 大阪工大 長岡技科大 東京都市大 北九州市大 上海交通大各1(大)兵庫県大 神奈川大各1

【24年4月入社者の配属先】㊓勤務地:兵庫・大久保1 広島市1 山口市1 横浜1 東京・大崎3 部署:業務2 企画1 営業3 人事1 ㊕勤務地:広島市15 横浜1 部署:開発12 生産2 品質保証1 CS1

求める人材 高い目標に挑戦し、やりきる力を持っている人 周囲を巻き込める行動力や柔軟性のある人

会社データ　(金額は百万円)

【本社】141-8626 東京都品川区北品川5-5-15 大崎ブライトコア
☎03-5789-2111　https://www.kobelcocm-global.com/jp/
【社長】山本 明【設立】1999.10【資本金】16,000【今後力を入れる事業】DXソリューション ストックビジネス

【業績(単独)】	売上高	営業利益	経常利益	純利益
22.3	371,600	NA	12,000	NA
23.3	381,700	NA	12,300	NA
24.3	404,000	NA	9,100	NA

(株)タダノ

東京P 6395

【特色】移動式建設用クレーンで国内首位、世界でも大手

修士・大卒採用数	3年後離職率	有休取得年平均	平均年収(平均42歳)
38名	12.5→7.7%	16.5日	◇645万円

残業(月) 21.3時間 ㊓21.3時間

記者評価 クレーン製造で国内最大手。移動式建設用クレーンの国内シェアは約6割でトップ、北米でも4割のシェアを誇る。カーゴクレーンなど車両搭載型クレーンや高所作業車も強い。傘下の独デマーグ社は20年12月に事業再生計画を提出、経営再建を進める。

●エントリー情報と採用プロセス●

【受付開始～終了】㊓㊕1月～5月【採用プロセス】㊓㊕説明会または自社イベント(必須)→ES提出→書類選考→1次面接→適性検査→2次面接→最終面接→内々定【交通費支給】2次面接以降の面接、会社基準【早期選考】⇒巻末

試験情報

重視科目 ㊓㊕面接

㊓㊕ES⇒巻末㊣SPI3(会場) SPI3(自宅)㊠3回(Webあり)

選考ポイント ㊓㊕ES求める人財像に基づき総合的に判断㊠求める人財像に基づき総合的に判断

通過率 ㊓㊕ESNA **倍率(応募/内定)** ㊓㊕NA

●給与、ボーナス、週休、有休ほか●

【30歳総合職平均年収】NA【初任給】(修士)236,500円(大卒)230,500円【ボーナス(年)】146万円、4.4カ月【25、30、35歳賃金】227,740円→273,190円→297,456円【週休】完全2日(土日祝)【夏期休暇】あり【年末年始休暇】あり【有休取得】16.5／20日

●従業員数、勤続年数、離職率ほか●

【男女別従業員数、平均年齢、平均勤続年数】計◇1,596(41.6歳16.1年)男1,425(41.8歳16.8年)女171(40.1歳10.2年)【離職率と離職者数】◇2.4%、39名【3年後新卒定着率】92.3%(男93.1%、女90.0%、3年前入社:男29名・女10名)【組合】あり

●男女別採用数と配属先ほか●

【男女・文理別採用実績】※25年:24年7月1日時点

	大卒男	大卒女	修士男	修士女
23年	17(文 7理 10)	6(文 5理 1)	4(文 0理 4)	0(文 0理 0)
24年	22(文 11理 11)	6(文 5理 1)	7(文 0理 7)	0(文 0理 0)
25年	21(文 9理 12)	7(文 5理 2)	10(文 0理 10)	0(文 0理 0)

【25年4月入社者の採用実績校】㊌(大)東洋大2 関西外大 関大 宮城大 京産大 甲南大 高知工科大 千葉大 追手門学大 同大 徳島大 北九州市大 立命館大各1 ㊍(院)香川大4 広島工大 高知工科大 上智大 東海大 徳島大 日工大各1(大)近大3 広島工大 徳島大 金沢工大 秋田大 大阪産大 長岡技科大 東京都市大 徳島文理大 クマラサミー工科大 モナシュ大 タンリン工科大各1(高専)香川3 釧路 群馬 高知 大分各1

【24年4月入社者の配属先】㊓勤務地:(23年)東京4 香川3 北海道1 埼玉1 愛知1 大阪1 福岡1 部署:(23年)経理1 総務1 営業統括1 営業9 ㊕勤務地:(23年)香川15 愛知2 大阪2 宮城1 石川1 広島1 福岡1 部署:(23年)開発9 生産技術3 生産管理1 品質1 カスタマーサポート9

求める人材 高い専門性を持ち、斬新なアイデアを推し進める人 信念を持って、粘り強く、解決に向けて行動できる人 仲間を動かし、大きな価値を生み出せる人

会社データ　(金額は百万円)

【本社】761-0185 香川県高松市新田町甲34
☎087-839-5555　https://www.tadano.co.jp/
【社長】氏家 俊明【設立】1948.8【資本金】13,021【今後力を入れる事業】LE(Lifting Equipment) 世界No.1

【業績(連結)】	売上高	営業利益	経常利益	純利益
22.3	205,661	5,251	5,454	13,096
22.12変	192,932	7,191	6,540	2,210
23.12	280,266	18,349	16,367	7,773

1804 ▶『業界地図』p.48,90　開示 ★★★

古河機械金属(株)（ふるかわきかいきんぞく）

東京P 5715

【特色】古河グループ源流。土木機械と搭載クレーンが柱

修士・大卒採用数	3年後離職率	有休取得年平均	平均年収(平均44歳)
24名	6.7→7.3%	13.3日	総 785万円

残業(月) 16.2時間 総 16.2時間

記者評価 足尾銅山など銅山経営がルーツ。銅山開発に使う削岩機など機械事業へ展開。現在は機械事業が利益の大半を稼ぐ。産業機械、ロックドリル、トラック搭載クレーンが主力。ロックドリルは半分が海外で米国西海岸に拡販。電子素材や化成品も。祖業の銅製錬は縮小。

●エントリー情報と採用プロセス●

【受付開始～終了】総3月～継続中 技2月～継続中【採用プロセス】総ES・書類提出(3月～)→SPI3・面接(2回、6月～)→最終面接(6月～)→内々定(6月～) 技ES・書類提出(2月～)→SPI3・面接(2回、6月～)→筆記・最終面接(6月～)→内々定(6月～)【交通費支給】最終面接、実費(片道上限25,000円)【早期選考】⇒巻末

試験情報

重視科目 総技面接

総 ES⇒巻末 筆SPI3(自宅) 面3回(Webあり) 技 ES⇒巻末 筆SPI3(自宅) 専門試験 面3回(Webあり)

選考ポイント 総技 ES NA(提出あり) 面学生時代に学んだこと 取り組んだこと 会話を通じたコミュニケーション力 礼儀 志望度 会社に関する事項の理解度 就職する上での本人希望

通過率 総技 ES NA

倍率(応募/内定) 総技NA

●男女別採用数と配属先ほか●

【男女・文理別採用実績】

	大卒男	大卒女	修士男	修士女
23年	11(文 8理 3)	3(文 3理 0)	9(文 0理 9)	0(文 0理 0)
24年	9(文 4理 5)	1(文 1理 0)	4(文 1理 3)	0(文 0理 0)
25年	13(文 9理 4)	2(文 2理 0)	8(文 1理 7)	1(文 1理 0)

【25年4月入社者の採用実績校】文(院)立命館大 東洋大各1(大)明大3 立命館大 関大 関西学大 同大 法政大 日大 学習院大 流経大各1 理(院)芝工大3 千葉工大2 東京海洋大 埼玉大 東京都市大各1(大)芝工大 青学大 法政大 東京電機大各1

【24年4月入社者の配属先】総勤務地：東京4 群馬・高崎1 部署：国内営業4 資材1 技勤務地：栃木・小山2 群馬・高崎3 千葉・佐倉4 福島・いわき1 部署：設計7 製造2 研究1

●給与、ボーナス、週休、有休ほか●

【30歳総合職平均年収】NA【初任給】(博士)295,400円(修士)270,000円(大卒)251,000円【ボーナス(年)】NA【25、30、35歳賃金】NA【週休】完全2日(土日祝)【夏期休暇】事業所により異なる【年末年始休暇】12月29日～1月3日【有休取得】13.3／20日

●従業員数、勤続年数、離職率ほか●

【男女別従業員数、平均年齢、平均勤続年数】計 ◇1,895(43.8歳 18.2年) 男 1,695(44.5歳 18.9年) 女 200(38.0歳 12.3年)【離職率と離職者数】◇2.1%、41名【3年後新卒定着率】92.7%(男93.3%、女90.9%、3年前入社：男30名・女11名)【組合】あり

求める人材 モノづくりに情熱を燃やすことができる、自律型の人材

会社データ　(金額は百万円)

【本社】100-8370 東京都千代田区大手町2-6-4 常盤橋タワー
☎03-6636-9500　https://www.furukawakk.co.jp/
【社長】中戸川 稔【設立】1918.4【資本金】28,208【今後力を入れる事業】鉱山機械 クレーン 新機能性素材

【業績(連結)】	売上高	営業利益	経常利益	純利益
22.3	199,097	7,734	8,996	6,477
23.3	214,190	9,031	9,348	6,211
24.3	188,255	8,524	10,384	16,097

井関農機(株)（いせきのうき）

東京P 6310

【特色】農業機械専業メーカー。愛媛・松山発祥

修士・大卒採用数	3年後離職率	有休取得年平均	平均年収(平均44歳)
7名	11.1→8.3%	13.4日	総 629万円

残業(月) 13.6時間

記者評価 愛媛発祥の農業機械専業メーカー。コンバイン、田植え機に強く、畑作関連も拡充。欧州で景観整備事業者向けの需要が伸長。インドネシアに生産拠点を擁し、日本から生産を段階的に移管。国内は愛媛・松山に生産拠点を集約するなどスリム化を進める。

●エントリー情報と採用プロセス●

【受付開始～終了】総技3月～継続中【採用プロセス】総技説明会・筆記(3月)→ES提出(3月)→面接(2回)→内々定【交通費支給】最終選考、会社基準【早期選考】⇒巻末

試験情報

重視科目 総技全て

総技 ES⇒巻末 筆G9neo B5 I9 面2回(Webあり)

選考ポイント 総技 面求める人物像にあっているか

通過率 総 ES選考なし(受付：43) 技 ES選考なし(受付：36)

倍率(応募/内定) 総11倍 技12倍

●男女別採用数と配属先ほか●

【男女・文理別採用実績】

	大卒男	大卒女	修士男	修士女
23年	6(文 1理 5)	2(文 2理 0)	8(文 1理 7)	2(文 1理 1)
24年	7(文 2理 5)	6(文 4理 2)	3(文 0理 3)	2(文 1理 1)
25年	6(文 3理 3)	0(文 0理 0)	1(文 0理 1)	0(文 0理 0)

【25年4月入社者の採用実績校】
文(大)青学大 成蹊大 同大各1 理(院)九大1(大)愛媛大 近大 静岡大各1

【24年4月入社者の配属先】
総勤務地：愛媛13 東京1 部署：海外営業6 国内営業4 一般管理3 購買1 技勤務地：愛媛5 部署：開発製造5

●給与、ボーナス、週休、有休ほか●

【30歳総合職平均年収】NA【初任給】(博士)268,100円(修士)252,400円(大卒)231,000円【ボーナス(年)】NA【25、30、35歳賃金】NA【週休】2日(年数回土曜出勤)【夏期休暇】連続9日(有休2日含む)【年末年始休暇】連続8日【有休取得】13.4／20日

●従業員数、勤続年数、離職率ほか●

【男女別従業員数、平均年齢、平均勤続年数】計 784(43.9歳 15.8年) 男 669(44.3歳 15.9年) 女 115(41.8歳 15.6年)【離職率と離職者数】2.1%、17名(選択定年制度利用者男2名含む)【3年後新卒定着率】91.7%(男90.9%、女100%、3年前入社：男11名・女1名)【組合】あり

求める人材 積極性があり、何事にも前向きにチャレンジする人材 問題意識が旺盛で、行動力のある人材 他

会社データ　(金額は百万円)

【本社】116-8541 東京都荒川区西日暮里5-3-14
☎03-5604-7727　https://www.iseki.co.jp/
【社長】冨安 司郎【設立】1926.8【資本金】23,344【今後力を入れる事業】NA

【業績(連結)】	売上高	営業利益	経常利益	純利益
21.12	158,192	4,147	4,687	3,196
22.12	166,629	3,534	3,762	4,119
23.12	169,916	2,253	2,092	29

㈱やまびこ

東京P 6250

修士・大卒採用数	3年後離職率	有休取得年平均	平均年収(平均41歳)
7名	9.7→17.6%	13.9日	[総]848万円

【特色】小型屋外作業機械で国内首位、北米販売が収益源

残業(月) 15.4時間 [総]17.1時間

[記者評価] 共立と新ダイワ工業が08年統合。刈払機など小型屋外作業機械、農業用管理機械、土木工事向け発電機など産業機械の3事業。収益柱の小型屋外作業機械は北米市場が主戦場。90カ国以上に展開し海外売上比率は約7割。データ活用による業務自動化などDXを推進。

●エントリー情報と採用プロセス●

【受付開始～終了】[総]3月～6月 [技]3月～継続中【採用プロセス】[総][技]説明会(必須)・筆記・ES提出(3月～)→1次面接(4月)→最終面接(5月)→内々定【交通費支給】最終面接、実費

試験情報

[重視科目] [総][技]面接

[総][技][ES]⇒巻末[筆]適性検査 学力試験[面]2回(Webあり)

[選考ポイント] [総][技][ES]NA(提出あり)[面]熱意 入社後どのようなことをやりたいか コミュニケーション能力 学業・研究への取り組み

[通過率] [総][技][ES]NA

[倍率(応募/内定)] [総][技]NA

●男女別採用数と配属先ほか●

【男女・文理別採用実績】

	大卒男	大卒女	修士男	修士女
23年	7(文 1理 6)	1(文 0理 1)	9(文 0理 9)	1(文 0理 1)
24年	8(文 3理 5)	3(文 2理 1)	2(文 0理 2)	0(文 0理 0)
25年	6(文 4理 2)	0(文 0理 0)	0(文 0理 0)	1(文 0理 1)

【25年4月入社者の採用実績校】
[文](大)香川大 日大 近大 京産大各1 [理](院)東京農工大1(大)埼玉工大 日本文理大各1(専)東京ITプログラミング&会計 横浜公務員&IT会計各1

【24年4月入社者の配属先】
[総]勤務地:東京・青梅4 部署:経理1 人事1 海外物流1 海外営業1 [技]勤務地:東京・青梅6 神奈川・横須賀1 広島1 岩手・盛岡1 部署:研究開発4 生産技術3 生産1 法規制・知財1

●給与、ボーナス、週休、有休ほか●

【30歳総合職モデル年収】602万円【初任給】(修士)254,030円(大卒)240,570円【ボーナス(年)】242万円、6.67カ月【25、30、35歳モデル賃金】259,890円→312,020円→371,290円【週休】2日(原則土日祝)【夏期休暇】連続5日以上(土日含む)地区ごとのカレンダーに従う【年末年始休暇】連続7日以上(土日含む)【有休取得】13.9／20日

●従業員数、勤続年数、離職率ほか●

【男女別従業員数、平均年齢、平均勤続年数】計◇1,145(43.8歳 18.2年) 男 985(43.7歳 18.5年) 女 160(44.9歳 16.3年)【離職率と離職者数】◇1.9%、22名【3年後新卒定着率】82.4%(男92.3%、女50.0%、3年前入社:男13名・女4名)【組合】あり

[求める人材] 幅広い視野で、探求心と情熱を持って行動できる人

[会社データ] (金額は百万円)

【本社】198-8760 東京都青梅市末広町1-7-2
☎0428-32-6111 https://www.yamabiko-corp.co.jp/
【社長】久保 浩【設立】2008.12【資本金】6,000【今後力を入れる事業】基本三事業の拡大、新規事業創造

【業績(連結)】	売上高	営業利益	経常利益	純利益
21.12	142,328	9,330	9,913	7,500
22.12	156,159	8,688	9,217	6,299
23.12	151,400	14,230	14,066	9,097

ダイキン工業㈱

東京P 6367

修士・大卒採用数	3年後離職率	有休取得年平均	平均年収(平均41歳)
367名	9.5→5.3%	20.6日	[総]912万円

【特色】エアコン世界首位級、M&Aも駆使し海外拡大

残業(月) 17.7時間 [総]17.7時間

[記者評価] グローバルに展開する空調機器メーカー。中国の格力電器や美的集団と世界シェアトップを競う。海外売上比率は約8割、現在の稼ぎ頭は米国市場。日本国内のエアコンは業務用で圧倒的シェア。家庭用も強い。欧州に加え、インド事業の育成に注力中。

●エントリー情報と採用プロセス●

【受付開始～終了】[総] [技]3月～職種により異なる【採用プロセス】[総]ES提出(3月～)→適性テスト(3月～)→面談(3回、3月～)→内々定(6月上旬～) [技]ES提出(3月～)→適性テスト(3月～)→面談(3回、4月～)→内々定(6月上旬～)【交通費支給】最終面談、都道府県毎に定額【早期選考】⇒巻末

試験情報

[重視科目] [総][技]面談

[総][技][ES]⇒巻末[筆]SPI3(会場)[面]3回(Webあり)

[選考ポイント] [総][ES]経験からくる人的魅力 説得力 論理性 自律活動性 他[面]マインド(意欲・自立心等)・基礎能力を総合的に評価 [技][ES]経験からくる専門性 チャレンジ精神 発想力 論理性 自律活動性 他[面]総合職共通

[通過率] [総][ES]NA(受付:2,411→通過:NA) [技][ES]選考なし(受付:1,265)

[倍率(応募/内定)] [総]14倍 [技]8倍

●男女別採用数と配属先ほか●

【男女・文理別採用実績】

	大卒男	大卒女	修士男	修士女
23年	31(文 15理 16)	49(文 34理 15)	104(文 0理104)	41(文 1理 40)
24年	61(文 25理 36)	66(文 56理 10)	170(文 1理169)	43(文 2理 41)
25年	67(文 38理 29)	83(文 72理 11)	168(文 2理166)	49(文 4理 45)

【25年4月入社者の採用実績校】[文](院)京大2 東大 阪大 慶大 同大各1(大)同大15 阪大 早大各10 関西学大9 神戸大 上智大 明大各7 東京外大 立命館大 関大各5 青学大4 津田塾大 立教大 中大 大阪市大各3 京大 ICU各2 他 [理](院)阪大22 大阪公大18 同大14 京都工繊大 関大各13 神戸大10 徳島大9 東大 京大各7 東京科学大 奈良女大 立命館大 兵庫県大各5 早大 名大 豊橋技科大 三重大各4 東京農工大 静岡大 奈良先端科技院大 関西学大 近大各3 北大 東北大 岩手大 芝工大 法政大 明大 千葉大 富山大 金沢大 岡山大 広島大 鳥取大 九大 九州工大 長崎大各2(大)同大 立命館大各7 関大5 関西学大 兵庫県大各2 他

【24年4月入社者の配属先】[総]勤務地:大阪(梅田 堺 摂津 心斎橋)122 滋賀・草津22 東京・八重洲3 横浜3 部署:営業7 海外営業4 調達4 サービス13 IT5 経理財務7 人事3 生産管理・事業企画27 総務4 物流4 広報2 その他4〈技能〉製造46 サービス19 他1 [技]勤務地:大阪(梅田 堺 摂津 心斎橋)236 滋賀・草津21 横浜3 部署:設計・開発・生産技術・研究118 技術営業32 サービス25 物流1 知財3 他81

●給与、ボーナス、週休、有休ほか●

【30歳総合職平均年収】NA【初任給】(博士)320,000円(修士)300,000円(大卒)280,000円【ボーナス(年)】225万円、6.06カ月【25、30、35歳賃金】311,000円→372,000円→417,400円 ※基幹職を除く【週休】完全2日(土日祝)【夏期休暇】連続9日(有休5日含む)【年末年始休暇】連続9日【有休取得】20.6／22日

●従業員数、勤続年数、離職率ほか●

【男女別従業員数、平均年齢、平均勤続年数】計◇8,894(40.8歳 16.3年) 男 7,236(41.9歳 17.3年) 女 1,658(35.9歳 12.1年)【離職率と離職者数】◇2.6%、237名(他に男2名転籍)【3年後新卒定着率】94.7%(男93.7%、女97.3%、3年前入社:男284名・女112名)【組合】あり

[求める人材] 好奇心×前向きな思考で、周りを巻き込み、巻き込まれながら、挑戦的な目標を掲げ、執念を燃やせる人

[会社データ] (金額は百万円)

【本社】530-0001 大阪府大阪市北区梅田1-13-1 大阪梅田ツインタワーズ・サウス
☎06-6147-3321 https://www.daikin.co.jp/
【社長】竹中 直文【設立】1934.2【資本金】85,032【今後力を入れる事業】空調 化学 エネルギーソリューション 他

【業績(連結)】	売上高	営業利益	経常利益	純利益
22.3	3,109,106	316,350	327,496	217,709
23.3	3,981,578	377,032	366,245	257,754
24.3	4,395,317	392,137	354,492	260,311

メーカーI

コマツ

東京P 6301

【特色】建設機械の総合メーカーで世界シェア2位

修士・大卒採用数	3年後離職率	有休取得年平均	平均年収(平均*41歳)
179名	5.0→6.3%	20.9日	総 925万円

●エントリー情報と採用プロセス●

【受付開始〜終了】総3月〜8月 技3月〜5月【採用プロセス】総<全社採用>ES提出(3月〜)→筆記(3月〜)→面接(3〜4回、3月〜)→内々定(4月中旬〜)<事業所採用>事業所により異なる 技<全社採用>ES提出(3月〜)→筆記(3月〜)→面接(1〜2回、3月〜)→内々定(4月中旬〜)<事業所採用>事業所により異なる【交通費支給】会社基準

試験情報

重視科目 総技 面接

総 ES⇒巻末 筆SPI3(会場) 面3〜4回(Webあり) 技 ES⇒巻末 筆SPI3(会場) 面1〜2回(Webあり)

選考ポイント 総技 ES NA(提出あり) 面<全社採用>コミュニケーション能力 論理的思考力 他<事業所採用>事業所により異なる

通過率 総技 ES NA 倍率(応募/内定) 総技 NA

●男女別採用数と配属先ほか●

【男女・文理別採用実績】※25年:24年8月5日時点

	大卒男	大卒女	修士男	修士女
23年	27(文 14理 13)	35(文 24理 11)	78(文 0理 78)	17(文 1理 16)
24年	44(文 20理 24)	34(文 26理 8)	89(文 0理 89)	13(文 1理 12)
25年	32(文 25理 7)	20(文 12理 8)	109(文 1理108)	18(文 1理 17)

【25年4月入社者の採用実績校】文阪大 神戸大 東京外大 横国大 慶大 早大 明大 中大 法政大 青学大 同大 立命館大 関大 他 理東大 東京科学大 北大 東北大 筑波大 名大 名工大 阪大 神戸大 九大 早大 都立大 東京農工大 東理大 横国大 芝工大 茨城大 岩手大 金沢大 宇都宮大 群馬大 埼玉大 三重大 同大 関大 大阪公大 岡山大 京都工繊大 広島大 信州大 静岡大 明大 立命館大 中大 法政大 長岡技科大 鳥取大 徳島大 兵庫県大 アルバータ大 他

【24年4月入社者の配属先】総勤務地:東京 石川 大阪 茨城 神奈川 栃木 福島 富山 他 部署:海外営業 国内営業 生産管理 調達 人事総務 経理財務 法務 技勤務地:東京 石川 大阪 茨城 神奈川 栃木 福島 富山 他 部署:研究開発 生産技術 情報システム 調達 サービスエンジニア

残業(月) 20.9時間

記者評価 一般建機、鉱山向け機械が主力。海外売上比率は9割弱。国内でエンジンや油圧部品など中核部品を生産し、海外現地工場で組み立てる。GPSを応用した車両情報システム、建設現場の3次元データやドローン活用などICTを活用したスマートコンストラクション事業に強み。

●給与、ボーナス、週休、有休ほか●

【30歳総合職平均年収】NA【初任給】(修士)(全社採用)286,600円(事業所採用)265,600円(大卒)(全社採用)276,600円(事業所採用)255,600円【ボーナス(年)】(一般社員)233万円、7.0カ月【25、30、35歳モデル賃金】294,100円→363,990円→442,600円 ※全社採用事務系【週休】完全2日(土日祝、会社暦による)【夏期休暇】8月12〜16日【年末年始休暇】12月30日〜1月4日【有休取得】20.9/20日

●従業員数、勤続年数、離職率ほか●

【男女別従業員数、平均年齢、平均勤続年数】計 ◇12,285(41.2歳 16.7年) 男 10,771(41.4歳 17.1年) 女 1,514(39.9歳 13.8年)【離職率と離職者数】◇1.6%、203名【3年後新卒定着率】93.7%(男93.8%、女93.0%、3年前入社:男211名・女43名)【組合】あり

求める人材 事業や現場に関心がある人 論理的思考力のある人 諦めずにやり抜ける人 主体的に挑戦できる人 チームワークを重視できる人 常に誠実に正しく行動し信頼される人

会社データ (金額は百万円)

【本社】105-8316 東京都港区海岸1-2-20 汐留ビルディング
☎03-5561-2619 https://home.komatsu/jp/
【社長】小川 啓之【設立】1921.5【資本金】70,336【今後力を入れる事業】施工管理DX化 電動化建機 スマート林業

【業績(SEC)】	売上高	営業利益	税前利益	純利益
22.3	2,802,323	317,015	324,568	224,927
23.3	3,543,475	490,685	476,434	326,398
24.3	3,865,122	607,194	575,663	393,426

ホシザキ(株)

東京P 6465

【特色】業務用厨房機器大手。製氷機は世界トップ級

修士・大卒採用数	3年後離職率	有休取得年平均	平均年収(平均45歳)
14名	0→0%	14.8日	総 751万円

●エントリー情報と採用プロセス●

【受付開始〜終了】総3月〜5月 技1月〜5月【採用プロセス】総ES提出(3月)→1次面接・筆記(適性検査、3月)→面接(2回、4〜5月)→内々定(5〜6月) 技ES提出(1月)→1次面接・筆記(適性検査、1月)→面接(2回、2〜5月)→内々定(3〜5月)【交通費支給】最終面接以降、往復実費相当額【早期選考】⇒巻末

試験情報

重視科目 総技 面接

総技 ES⇒巻末 筆C-GAB 面3回(Webあり)

選考ポイント 総技 ES 志望度合 会社が求める人物像との合致 面コミュニケーション力 論理性 自立・自主性 挑戦心 他

通過率 総 ES 56%(受付:351→通過:195) 技 ES 50%(受付:36→通過:18)

倍率(応募/内定) 総39倍 技12倍

●男女別採用数と配属先ほか●

【男女・文理別採用実績】

	大卒男	大卒女	修士男	修士女
23年	9(文 6理 3)	5(文 3理 2)	3(文 0理 3)	1(文 0理 1)
24年	9(文 4理 5)	3(文 3理 0)	5(文 0理 5)	0(文 0理 0)
25年	9(文 7理 2)	2(文 2理 0)	3(文 0理 3)	0(文 0理 0)

【25年4月入社者の採用実績校】
文(大)南山大2 早大 慶大 桜美林大 名大 神戸大 公立鳥取環境大 愛知東邦大各1 理(院)名大 愛知工業大 豊橋技科大各1 (大)愛知工業大 名城大各1(高専)松江2

【24年4月入社者の配属先】
総勤務地:愛知・豊明7 島根・雲南1 部署:製造管理5 企画・管理3 技勤務地:愛知・豊明8 島根・雲南4 部署:開発設計8 生産技術2 品質保証1 製造管理1

残業(月) 17.3時間 総18.5時間

記者評価 業務用厨房機器の大手。製氷機、業務用冷蔵庫が主力で国内シェアは首位級。製氷機は世界でもトップ級。業務用食洗器、生ビールディスペンサーなども手がける。全国に販売子会社を配置した直販の営業力が強み。海外中心にM&Aを積極化し、海外売上高比率は4割超。

●給与、ボーナス、週休、有休ほか●

【30歳総合職平均年収】535万円【初任給】(博士)257,200円(修士)257,200円(大卒)235,600円【ボーナス(年)】(本社地区 管理職は除く)249万円、(本社地区 管理職は除く)6.4カ月【25、30、35歳賃金】246,229円→275,846円→352,236円 ※管理職を除く 地域別手当含む【週休】会社暦2日(土日)【夏期休暇】連続9日(週休含む)【年末年始休暇】連続9日(週休含む)【有休取得】14.8/20日

●従業員数、勤続年数、離職率ほか●

【男女別従業員数、平均年齢、平均勤続年数】計 ◇1,156(44.5歳 17.8年) 男 957(45.6歳 18.8年) 女 199(39.1歳 12.8年) ※常用パート・嘱託含む【離職率と離職者数】1.8%、21名【3年後新卒定着率】100%(男100%、女100%、3年前入社:男12名・女3名)【組合】あり

求める人材 自立心旺盛 変化を起こせる 世界で戦える 自らの成長に貪欲 チームで成果を出せる

会社データ (金額は百万円)

【本社】470-1194 愛知県豊明市栄町南館3-16
☎0562-97-2111 https://www.hoshizaki.co.jp/
【社長】小林 靖浩【設立】1947.2【資本金】8,138【今後力を入れる事業】グローバル事業推進 環境配慮型製品の開発

【業績(連結)】	売上高	営業利益	経常利益	純利益
21.12	274,419	24,931	31,165	21,679
22.12	321,338	27,915	37,763	24,345
23.12	373,563	43,520	50,322	32,835

㈱富士通ゼネラル（ふじつう）

東京P 6755

【特色】富士通系。エアコン主力。新興国に強み

修士・大卒採用数	3年後離職率	有休取得年平均	平均年収（平均43歳）
38名	10.9→12.0%	15.7日	総 722万円

●エントリー情報と採用プロセス●

【受付開始～終了】総 技3月～継続中【採用プロセス】総 技ES提出(3月～)→面接(複数回)・Webテスト(6～8月)→最終面接(6～8月)→内々定(6月～)【交通費支給】最終面接、実費【早期選考】⇒巻末

試験情報

重視科目 総技面接

総 技 ES⇒巻末 筆Webテスト(オリジナル) 面複数回(Webあり)

選考ポイント 総 ES志望動機 自己PR等総合的に判断 面人物面(社会適応力 コミュニケーション能力 挑戦心 粘り強さなど)基礎学力等を総合評価 技 ES総合職共通 面人物面(社会適応力 コミュニケーション能力 挑戦心 粘り強さなど)基礎学力・研究内容・当社事業とのマッチング等を総合評価

通過率 総 ES48%(受付:(早期選考含む)312→通過:(早期選考含む)150) 技 ES74%(受付:(早期選考含む)392→通過:(早期選考含む)291)

倍率(応募/内定) 総(早期選考含む)31倍 技(早期選考含む)13倍

●男女別採用数と配属先ほか●

【男女・文理別採用実績】

	大卒男	大卒女	修士男	修士女
23年	28(文 10理 18)	13(文 8理 5)	21(文 0理 21)	4(文 0理 4)
24年	40(文 11理 29)	15(文 11理 4)	29(文 0理 29)	2(文 0理 2)
25年	22(文 7理 15)	4(文 2理 2)	8(文 0理 8)	4(文 0理 4)

【25年4月入社者の採用実績校】文(大)駒澤大2 横浜市大 関西学大 近大 青学大 日大 福岡大 法政大各1 理(院)芝工大3 岩手大 九州工大 新潟大 成蹊大 千葉工大 筑波大 長岡技科大 東京都市大 明大各1(大)東京電機大3 芝工大 法政大 明大各2 近大 広島工大 専大 長崎大 東海大 東京都市大 東京農工大 立命館大各1 他

【24年4月入社者の配属先】総勤務地:川崎24 部署:国内営業5 情報通信システム(営業)1 デザイン6 経理3 人事3 総務1 生産計画2 調達2 電子デバイス(営業)1 技勤務地:川崎64 部署:空調機(設計・開発)42 フィールドエンジニア4 社内SE5 情報通信システム(設計・開発・カスタマエンジニア)8 知的財産1 電子デバイス3 デジタルマーケティング1

残業(月) 17.3時間 総17.3時間

記者評価 1936年に蓄音機やレコードの仕入・販売で設立。60年に参入したエアコン事業が現在の主力で売上の約9割を占める。エアコンの生産拠点は中国とタイに集中。家庭用が主力で国内準大手級。海外売上比率約7割、特に中東で高シェア。23年コンプレッサーを内製化。

●給与、ボーナス、週休、有休ほか●

【30歳総合職平均年収】NA【初任給】(修士)275,000円 (大卒)250,000円【ボーナス(年)】157万円、5.0カ月【25、30、35歳モデル賃金】NA→327,400円→NA【週休】完全2日(土日祝)【夏期休暇】有休を土日と繋げて4日取得【年末年始休暇】12月30日～1月4日、および特別休日【有休取得】15.7／20日

●従業員数、勤続年数、離職率ほか●

【男女別従業員数、平均年齢、平均勤続年数】計 1,734(42.8歳 17.7年) 男 1,464(43.6歳 18.4年) 女 270(38.9歳 14.0年)【離職率と離職者数】3.5%、63名【3年後新卒定着率】88.0%(男86.5%、女91.3%、3年前入社:男52名・女23名)【組合】あり

求める人材 志を持ち、人間力を磨き、チームワークを重んじ、挑戦する人

会社データ (金額は百万円)

【本社】213-8502 神奈川県川崎市高津区末長3-3-17
☎044-866-1111　https://www.fujitsu-general.com/jp/

【社長】増田 幸司【設立】1936.1【資本金】18,219【今後力を入れる事業】空調ソリューション デジタル無線 パワーモジュール

【業績(連結)】	売上高	営業利益	経常利益	純利益
22.3	284,128	8,444	11,402	3,722
23.3	371,019	15,098	17,432	8,694
24.3	316,476	5,747	14,375	3,067

㈱キッツ

東京P 6498

【特色】国内首位の総合バルブメーカー。伸銅品でも上位

修士・大卒採用数	3年後離職率	有休取得年平均	平均年収（平均41歳）
19名	8.6→13.8%	11.6日	総 684万円

●エントリー情報と採用プロセス●

【受付開始～終了】総3月～6月 技3月～7月【採用プロセス】総Web説明会・ES提出・適性検査(3月～)→1次面接(3～5月)→2次面接(4～6月)→最終面接(4～6月)→内々定 技Web説明会・ES提出・適性検査(3月～)→1次面接(3～5月)→2次面接(4～6月)→最終面接(4～7月)→内々定【交通費支給】面接 工場見学、実費【早期選考】⇒巻末

試験情報

重視科目 総技面接

総 技 ES⇒巻末 筆SPI3(自宅) 面3回(Webあり)

選考ポイント 総 技 ES記述を総合的に判断 ※一部ES選考免除あり 面志望理由の明確さ 自分の言葉で素直に話しているか コミュニケーション能力

通過率 総 ES87%(受付:156→通過:136) 技 ES100%(受付:86→通過:86)

倍率(応募/内定) 総15倍 技8倍

●男女別採用数と配属先ほか●

【男女・文理別採用実績】

	大卒男	大卒女	修士男	修士女
23年	12(文 9理 3)	6(文 2理 4)	8(文 0理 8)	1(文 0理 1)
24年	14(文 4理 10)	9(文 8理 1)	6(文 0理 6)	0(文 0理 0)
25年	12(文 5理 7)	3(文 3理 0)	2(文 1理 1)	2(文 0理 2)

【25年4月入社者の採用実績校】文(院)大東文化大1(大)法政大2 立命館APU 武蔵大 龍谷大 駒澤大 昭和女大 大阪経大各1 理(院)長岡技科大 東京海洋大 山梨大各1(大)日大2 神奈川大 立命館大 東海大 大阪国際工科専門職大 慶大各1(高専)甲府工業高・専攻科1

【24年4月入社者の配属先】総勤務地:(23年)大阪2 東京1 埼玉1 神奈川1 新潟1 福岡1 愛知2 岡山1 静岡1 山梨1 部署:(23年)営業12 技勤務地:(23年)東京1 長野7 山梨4 部署:(23年)設計6 生産本部3 知的財産1 生産技術1品質保証1

残業(月) 13.5時間 総13.5時間

記者評価 国内でバルブ最大手、世界でも有数。建築設備や石油化学向けに強い。伸銅品も上位。国内工場は高付加価値品が軸、海外工場は現地ニーズに対応する最適地生産体制を構築。水素分野も模索。23年11月汐留に本社移転。ベトナムで半導体関連向け工場建設に着手。

●給与、ボーナス、週休、有休ほか●

【30歳総合職平均年収】541万円【初任給】(修士)250,000円(大卒)230,000円【ボーナス(年)】189万円、5.0794カ月【25、30、35歳賃金】239,003円→290,736円→330,165円【週休】完全2日(土日祝)【夏期休暇】8月10～18日【年末年始休暇】12月28日～1月5日【有休取得】11.6／20日

●従業員数、勤続年数、離職率ほか●

【男女別従業員数、平均年齢、平均勤続年数】計 819(41.1歳 14.0年) 男 580(42.0歳 14.3年) 女 239(40.1歳 13.0年)【離職率と離職者数】5.2%、45名【3年後新卒定着率】86.2%(男87.5%、女80.0%、3年前入社:男24名・女5名)【組合】あり

求める人材 チームワークを重視し、前向きに挑戦し続けられる人

会社データ (金額は百万円)

【本社】105-7305 東京都港区東新橋1-9-1 東京汐留ビルディング
☎03-5568-9300　https://www.kitz.co.jp/

【社長】河野 誠【設立】1951.1【資本金】21,207【今後力を入れる事業】海外事業拡大 水素事業

【業績(連結)】	売上高	営業利益	経常利益	純利益
21.12	135,790	8,990	8,975	4,954
22.12	159,914	11,051	12,045	8,549
23.12	166,941	13,687	14,452	10,591

アマノ(株)

東京P 6436

【特色】就業時間管理システム最大手。働き方改革で注目

修士・大卒採用数	3年後離職率	有休取得年平均	平均年収(平均46歳)
50名	14.3→14.3%	9.7日	総745万円

●エントリー情報と採用プロセス●

【受付開始～終了】総技1月～7月【採用プロセス】総技ES提出・Web試験(1月～)→面接(3回、3月～)→内々定(6月上旬)【交通費支給】最終面接、遠方者に実費【早期選考】⇒巻末

試験情報

重視科目 総技面接

総技 ES⇒巻末 筆WebGAB 面3回(Webあり)

選考ポイント 総技 ES NA(提出あり) 面志望理由 コミュニケーション能力 物事への取り組み方法や考え方 学校の学習内容 他

通過率 総 ES 59%(受付:(早期選考含む)348→通過:(早期選考含む)207) 技 ES 68%(受付:(早期選考含む)172→通過:(早期選考含む)117)

倍率(応募/内定) 総(早期選考含む)13倍 技(早期選考含む)7倍

●男女別採用数と配属先ほか●

【男女・文理別採用実績】

	大卒男	大卒女	修士男	修士女
23年	11(文 4理 7)	8(文 5理 3)	2(文 0理 2)	0(文 0理 0)
24年	21(文 10理 11)	6(文 5理 1)	3(文 0理 3)	0(文 0理 0)
25年	35(文 17理 18)	11(文 9理 2)	4(文 0理 4)	0(文 0理 0)

【25年4月入社者の採用実績校】文(大)大阪経大5 駒澤大3 帝京大 専大 産能大 桃山学大各2 立命館大 福岡工大 南山大 武蔵野大 成城大 明星大 明学大 東洋英和女学大 日大 津田塾大各1 理(院)埼玉大 東京工芸大 東京都市大 神奈川工大各1(大)福岡工大3 神奈川大 帝京大 日工大各2 都立大 長岡技科大 日大 愛知工業大 東京電機大 芝工大 広島工大 日女大 東海大 湘南工大 工学院大各1(専)情報科学1

【24年4月入社者の配属先】総勤務地:大宮2 西東京1 新宿1 東京1 横浜2 京都1 大阪2 広島1 部署:営業11 技勤務地:神奈川(横浜14 相模原2)浜松3 部署:開発エンジニア11 システムエンジニア5 プラント設計エンジニア2 事業所エンジニア1

残業(月) 13.0時間 総13.7時間

記者評価 「時間」と「空気」が事業の2大テーマ。「時間」はタイムレコーダーなどの就業時間管理システムで国内最大手。駐車場管理システムも高シェア。「空気」は床面洗浄機や工場向け集塵機を手がける。ロボット床面洗浄機は稼働管理のクラウドシステムの提案強化。

●給与、ボーナス、週休、有休ほか●

【30歳総合職平均年収】537万円【初任給】(修士)250,000円(大卒)240,000円【ボーナス(年)】191万円、5.5カ月【25、30、35歳賃金】246,000円→277,000円→296,000円【週休】2日【夏期休暇】7～10日程度【年末年始休暇】7～10日程度【有休取得】9.7/20日

●従業員数、勤続年数、離職率ほか●

【男女別従業員数、平均年齢、平均勤続年数】計 1,957(44.7歳19.3年) 男 1,630(45.3歳 20.1年) 女 327(41.8歳15.5年)【離職率と離職者数】2.3%、46名【3年後新卒定着率】85.7%(男86.4%、女83.3%、3年前入社:男22名・女6名)【組合】あり

求める人材 時代の変革に心を開き、自ら考え行動し、新しいことにチャレンジできる人

会社データ (金額は百万円)

【本社】222-8558 神奈川県横浜市港北区大豆戸町275
☎045-401-1441 https://www.amano.co.jp/
【社長】山﨑 学【設立】1945.11【資本金】18,239【今後力を入れる事業】就業管理・駐車場システム 清掃ロボット 他

【業績(連結)】	売上高	営業利益	経常利益	純利益
22.3	118,429	12,893	13,919	9,733
23.3	132,810	15,787	16,960	11,288
24.3	152,864	19,567	20,855	13,141

フクシマガリレイ(株)

東京P 6420

【特色】業務用冷凍冷蔵庫大手。中国・東南ア開拓加速

修士・大卒採用数	3年後離職率	有休取得年平均	平均年収(平均38歳)
36名	28.6→29.2%	13.1日	総725万円

●エントリー情報と採用プロセス●

【受付開始～終了】総技3月～継続中【採用プロセス】総技説明会(必須、3月～)→筆記(3月～)→ES提出・面接(2回、3月～)→内々定(4月～)【交通費支給】全ての選考会、遠方者(会社規定による:特急列車・新幹線・飛行機・高速バスの利用者に限る)【早期選考】⇒巻末

試験情報

重視科目 総技面接

総技 ES⇒巻末 筆一般常識 科目試験 適性検査 面2回(Webあり)

選考ポイント 総面コミュニケーション能力 主体性 技面コミュニケーション能力 主体性 学生時代に学んできたこと

通過率 総技 ES 選考なし(受付:NA)

倍率(応募/内定) 総技NA

●男女別採用数と配属先ほか●

【男女・文理別採用実績】

	大卒男	大卒女	修士男	修士女
23年	21(文 11理 10)	14(文 13理 1)	1(文 0理 1)	2(文 0理 2)
24年	15(文 11理 4)	17(文 14理 3)	4(文 1理 3)	1(文 0理 1)
25年	19(文 10理 9)	15(文 13理 2)	1(文 0理 1)	1(文 0理 1)

【25年4月入社者の採用実績校】
文(24年)(院)名大1(大)専大 追手門学大 明大 関大各2 関西学大 近大 中大 奈良県大 法政大 龍谷大 佛教大 甲南大 同大各1 理(24年)(院)神戸大 立命館大 東工大 水産大各1(大)泰日工業大 バングラデシュイスラミ大 関大 広島大 大阪電通大 長崎大 水産大各1(専)千葉県立船橋高等技術専門校2

【24年4月入社者の配属先】総勤務地:東京6 大阪10 神戸1 滋賀1 部署:営業13 経理2 法務1 人事1 生産管理1 技勤務地:東京2 大阪6 滋賀1 岡山2 部署:設計開発3 厨房・店舗設備設計4 SE4

残業(月) 21.2時間 総27.3時間

記者評価 業務用冷凍冷蔵庫は飲食店の厨房向けを軸に国内首位級。冷凍冷蔵ショーケースも大手。医療・介護・理化学分野にも領域を拡大。ガリレイアカデミーを運営し、技術・ブランド力強化。25年4月ガリレイに社名変更予定。滋賀県に新工場を建設、26年3月完成メド。

●給与、ボーナス、週休、有休ほか●

【30歳総合職平均年収】572万円【初任給】(修士)258,800円(大卒)246,800円【ボーナス(年)】204万円、6.7カ月【25、30、35歳賃金】273,400円→311,600円→362,300円【週休】2日(土日祝、社内カレンダーによる)【夏期休暇】5日【年末年始休暇】7日【有休取得】13.1/20日

●従業員数、勤続年数、離職率ほか●

【男女別従業員数、平均年齢、平均勤続年数】計 1,080(37.2歳 11.6年) 男 659(39.8歳 14.4年) 女 421(33.1歳7.4年)【離職率と離職者数】5.4%、62名【3年後新卒定着率】70.8%(男75.0%、女62.5%、3年前入社:男16名・女8名)【組合】なし

求める人材 素直で何事も前向きに取り組める人 誰かのために頑張ることができる人

会社データ (金額は百万円)

【本社】555-0011 大阪府大阪市西淀川区竹島2-6-18
☎06-6477-2016 https://www.galilei.co.jp/
【社長】福島 豪【設立】1951.12【資本金】2,760【今後力を入れる事業】海外事業 環境省エネ事業

【業績(連結)】	売上高	営業利益	経常利益	純利益
22.3	96,073	9,806	11,265	8,172
23.3	104,996	11,485	12,292	8,654
24.3	115,815	15,298	16,159	12,306

メーカーI

㈱東光高岳（とうこうたかおか）

東京P 6617

【特色】受変電設備と計器の2本柱。東電関連の依存度大

修士・大卒採用数	3年後離職率	有休取得年平均	平均年収(平均44歳)
36名	17.9→15.2%	16.2日	総657万円

●エントリー情報と採用プロセス●

【受付開始～終了】総 技3月～継続中【採用プロセス】総 技ES提出・履修履歴登録・適性試験(3月～)→面接(2回、4～5月)→内々定(6月)【交通費支給】最終面接、実費【早期選考】⇒巻末

試験情報

重視科目 総技面接

総技 ES⇒巻末 筆SPI3(自宅) 面2回(Webあり)

選考ポイント 総 技 ES 指定するSPIの項目が優秀か 学業成績のGPAが優秀か TOEICスコアが優秀、当社業務に関する資格を保有しているか 以上を総合的にみて判断 面主体性 チャレンジ精神 コミュニケーション力 不屈性 成長意欲 自分ならではの強み

通過率 総 ES 71%(受付:118→通過:84) 技 ES 100%(受付:102→通過:102)

倍率(応募/内定) 総10倍 技7倍

●男女別採用数と配属先ほか●

【男女・文理別採用実績】※25年:継続中

	大卒男	大卒女	修士男	修士女
23年	15(文 7理 8)	4(文 4理 0)	9(文 1理 8)	2(文 1理 1)
24年	19(文 2理 17)	7(文 5理 2)	7(文 0理 7)	4(文 3理 1)
25年	20(文 7理 13)	5(文 4理 1)	10(文 0理 10)	1(文 1理 0)

【25年4月入社者の採用実績校】文(院)京大1(大)東洋大2 日大 神奈川大 亜大 同大 京産大 逢甲大 中大 静岡県大 大阪市大各1 理(院)神奈川工大2 工学院大 東京都市大 東海大 弘前大 名大 金沢工大 高知大 新潟大各1(大)東京電機大3 千葉工大2 法政大 日工大 埼玉大 日大 東洋大 関東職能大学校 大阪工大 東理大 北陸先端科技院大各1

【24年4月入社者の配属先】総勤務地:東京(豊洲10 新宿1) 部署:営業8 事業企画2 コーポレート1 技勤務地:東京・豊洲4 埼玉・蓮田9 栃木・小山13 浜松1 部署:設計15 品質保証2 研究4 エンジ2 資材1 開発1 技術営業1 生産技術1

残業(月) 18.3時間 総18.3時間

記者評価 高岳製作所と東光電気が経営統合。14年に持株会社が2社吸収し現体制に。開閉器や変圧器などの電力機器や電力量計などの計器類を製販。半導体向けの光応用検査装置も世界的。EV急速充電器や次世代スマートメーターにも注力。24年の不正試験発覚受け体制整備。

●給与、ボーナス、週休、有休ほか●

【30歳総合職平均年収】455万円【初任給】(修士)266,000円(大卒)242,000円【ボーナス(年)】138万円、4.0カ月【25、30、35歳賃金】263,667円→285,494円→335,757円【週休】完全2日(土日祝)【夏期休暇】計画休3日(7～9月で取得)【年末年始休暇】12月29日～1月3日【有休取得】16.2／23日

●従業員数、勤続年数、離職率ほか●

【男女別従業員数、平均年齢、平均勤続年数】計◇1,833(44.3歳 19.0年) 男 1,638(44.6歳 19.3年) 女 195(41.9歳 16.6年)【離職率と離職者数】◇1.6%、30名【3年後新卒定着率】84.8%(男86.2%、女75.0%、3年前入社:男29名・女4名)【組合】あり

求める人材 変革のリーダー人財をはじめとする多様な資質・能力を持つ人材

会社データ (金額は百万円)

【本社】135-0061 東京都江東区豊洲5-6-36 豊洲プライムスクエア
☎03-6371-5000 https://www.tktk.co.jp/
【社長】一ノ瀬 貴士【設立】2012.10【資本金】8,000【今後力を入れる事業】GXソリューション事業 海外アライアンス

【業績(連結)】	売上高	営業利益	経常利益	純利益
22.3	91,936	4,625	4,172	3,279
23.3	97,752	4,847	4,704	2,919
24.3	107,378	8,247	8,017	4,668

中外炉工業㈱（ちゅうがいろこうぎょう）

東京P 1964

【特色】工業炉大手。鉄鋼や産業用熱処理装置に強い

修士・大卒採用数	3年後離職率	有休取得年平均	平均年収(平均44歳)
11名	16.7→0%	11.3日	総866万円

●エントリー情報と採用プロセス●

【受付開始～終了】総技3月～継続中【採用プロセス】総技ES提出・筆記(3月)→面接(3回、4月以降)→内々定(4月～)【交通費支給】最終面接、実費【早期選考】⇒巻末

試験情報

重視科目 総技面接

総技 ES⇒巻末 筆適性検査eF-1G 面3回(Webあり) GD作⇒巻末

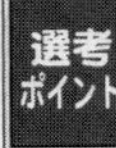

選考ポイント 総技 ES 文章がわかりやすいか 志望動機が明確でありまた根拠があるか 面コミュニケーション能力 入社後の業務・社風とのマッチング

通過率 総 ES 58%(受付:24→通過:14) 技 ES 100%(受付:17→通過:17)

倍率(応募/内定) 総8倍 技4倍

●男女別採用数と配属先ほか●

【男女・文理別採用実績】

	大卒男	大卒女	修士男	修士女
23年	3(文 1理 2)	1(文 1理 0)	3(文 0理 3)	1(文 0理 1)
24年	4(文 1理 3)	0(文 0理 0)	4(文 0理 4)	0(文 0理 0)
25年	5(文 2理 3)	1(文 1理 0)	4(文 0理 4)	1(文 0理 1)

【25年4月入社者の採用実績校】文(大)関大 関西外大 中大各1 理(院)関大2 兵庫県大 長崎大 弘前大各1(大)豊田工大 日大 関大各1(高専)高知1

【24年4月入社者の配属先】
総勤務地:堺1 部署:営業1 技勤務地:堺7 部署:設計・開発7

残業(月) 28.5時間 総28.5時間

記者評価 工業炉で他社を凌駕。鉄鋼向け加熱炉や金属素材産業向け各種連続熱処理設備、自動車用鋼板および各種機械部品の熱処理炉に強み。売上の8割強占めるエネルギー分野ほか環境保全、情報・通信分野に展開。熱技術創造センターで水素還元用加熱技術の開発を急ぐ。

●給与、ボーナス、週休、有休ほか●

【30歳総合職平均年収】537万円【初任給】(修士)268,500円(大卒)251,500円【ボーナス(年)】189万円、5.8カ月【25、30、35歳賃金】247,300円→280,600円→380,100円【週休】完全2日(土日祝)【夏期休暇】連続5日(7～9月 有休2日含む)【年末年始休暇】12月29日～1月4日【有休取得】11.3／20日

●従業員数、勤続年数、離職率ほか●

【男女別従業員数、平均年齢、平均勤続年数】計 429(43.6歳 16.6年) 男 378(43.9歳 16.4年) 女 51(41.7歳 18.1年)【離職率と離職者数】5.1%、23名【3年後新卒定着率】100%(男100%、女100%、3年前入社:男9名・女1名)【組合】あり

求める人材 現状に甘んじることなく常に探究心を持ち、革新的・創造的な発想と行動ができる人材

会社データ (金額は百万円)

【本社】541-0046 大阪府大阪市中央区平野町3-6-1 あいおいニッセイ同和損保御堂筋ビル
☎06-6221-1251 https://chugai.co.jp/
【社長】尾崎 彰【設立】1945.4【資本金】6,176【今後力を入れる事業】ゼロエミ・カーボンニュートラル事業

【業績(連結)】	売上高	営業利益	経常利益	純利益
22.3	26,317	1,263	1,493	1,360
23.3	27,977	1,309	1,575	1,231
24.3	29,283	1,477	1,714	2,197

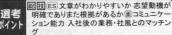

㈱ジェイテクト

東京P 6473

【特色】操舵部品、軸受け、工作機械が3本柱。トヨタ系

修士・大卒採用数	3年後離職率	有休取得年平均	平均年収(平均39歳)
83名	①4.9→①12.7%	14.9日	総692万円

●エントリー情報と採用プロセス●

【受付開始~終了】総 技3月~7月【採用プロセス】総ES提出・Web試験(3月~)→面接(2回)→内々定 技ES提出・Web試験・小論文(3月~)→面接(2回)→内々定【交通費支給】最終面接、規定額

試験情報

重視科目 総技面接

総 ES⇒巻末 筆WebGAB 面複数回(Webあり) 技 ES⇒巻末 筆WebGAB 面複数回(Webあり) GD作⇒巻末

選考ポイント 総技 ES求める人材とマッチしているか 面コミュニケーション能力 チャレンジ精神 他

通過率 総 ES45%(受付:577→通過:259) 技 ES68%(受付:334→通過:227)

倍率(応募/内定) 総16倍 技7倍

●男女別採用数と配属先ほか●

【男女・文理別採用実績】

	大卒男	大卒女	修士男	修士女
23年	33(文 20 理 13)	5(文 4 理 1)	25(文 0 理 25)	1(文 0 理 1)
24年	41(文 19 理 22)	10(文 9 理 1)	29(文 0 理 29)	1(文 0 理 1)
25年	45(文 27 理 18)	10(文 7 理 3)	28(文 1 理 27)	0(文 0 理 0)

【25年4月入社者の採用実績校】文(院)筑波大1(大)愛知大4 関大 同大 南山大各3 京産大 近大 滋賀大 名城大各2 愛知淑徳大 秋田県大 追手門学大 高知工科大 神戸大 筑波大 長野大 日大 法政大 三重大 龍谷大各1 他 理(院)秋田大 関大 静岡大 名城大 山口大各2 愛知工業大 大阪公大 香川大 金沢大 北見工大 近大 高知工科大 信州大 大同大 千葉工大 東京農工大 富山大 名古屋大 南山大 広島大 宮崎大 山形大各1(大)近大 名工大 名城大各2 愛知工業大 大阪電通大 四国職能大学校 中京大 中部大 同大 津田塾大 南山大 宮崎大 横国大各1 他(高専)愛知総合工科高・専攻科 奈良各1

【24年4月入社者の配属先】総勤務地:愛知14 大阪4 奈良6 東京1 神奈川1 静岡1 広島1 部署:営業10 調達7 経営管理5 生産6 技勤務地:愛知34 大阪11 奈良9 三重2 東京1 兵庫1 部署:自動車26 産機・軸受3 工作機械4 研究開発4 生産10 生産技術7 営業2 ITデジタル1 事業開発1

残業(月) 24.7時間 総20.2時間

記者評価 軸受け大手4社の一角。軸受けや世界初の電動パワーステアリングを量産化した光洋精工と、工作機械などを手がける豊田工機が06年合併。ステアリングは世界シェア2割強。リチウムイオンキャパシタの第2世代製品を24年投入。ステアバイワイヤの開発にも注力。

●給与、ボーナス、週休、有休ほか●

【30歳総合職平均年収】608万円【初任給】(博士)310,000円(修士)276,000円(大卒)254,000円【ボーナス(年)】177万円、5.1カ月【25、30、35歳賃金】268,186円→313,443円→339,468円【週休】完全2日(土日)【夏期休暇】連続約9日【年末年始休暇】連続約9日【有休取得】14.9/21日

●従業員数、勤続年数、離職率ほか●

【男女別従業員数、平均年齢、平均勤続年数】計◇11,134(41.2歳 17.4年)男 10,154(41.2歳 17.7年)女 980(41.2歳 14.4年)【離職率と離職者数】◇2.4%、276名(早期退職男17名含む 他に男1名転籍)【3年後新卒定着率】87.3%(男90.3%、女66.7%、3年前入社:男62名・女9名)※総合職のみ【組合】あり

求める人材 自ら学び、自ら考え、自ら行動できる人

会社データ (金額は百万円)

【本社】448-8652 愛知県刈谷市朝日町1-1
☎0566-25-7323 https://www.jtekt.co.jp/

【社長】近藤 禎人【設立】1935.1【資本金】45,591【今後力を入れる事業】自動車事業 産機・軸受事業 工作機械・システム事業

【業績(IFRS)】	売上高	営業利益	税前利益	純利益
22.3	1,428,426	36,401	43,934	20,682
23.3	1,678,146	49,325	55,889	34,276
24.3	1,891,504	62,196	72,513	40,257

エヌティエヌ

NTN㈱

東京P 6472

【特色】日本精工、ジェイテクトと並ぶ軸受け大手の一角

修士・大卒採用数	3年後離職率	有休取得年平均	平均年収(平均42歳)
74名	12.1→10.9%	18.0日	総707万円

●エントリー情報と採用プロセス●

【受付開始~終了】総 技3月~6月【採用プロセス】総ES提出・適性検査(3月~)→面接(Web・対面、3回、3月~)→内々定 技ES・適性検査(3月~)→面接(Web・対面、3回、3月~)→内々定〈推薦〉Web説明会(必須、3月~)→ES・適性検査(3月~)→面接(1回、3月~)→内々定【交通費支給】最終面接、会社基準【早期選考】⇒巻末

試験情報

重視科目 総技面接

総 ES⇒巻末 筆適性検査 面3回(Webあり) 技 ES⇒巻末 筆適性検査 面1~3回(Webあり)

選考ポイント 総技 ESNA(提出あり) 面行動を起こす力と影響を及ぼす力

通過率 総技 ESNA 倍率(応募/内定) 総技NA

●男女別採用数と配属先ほか●

【男女・文理別採用実績】

	大卒男	大卒女	修士男	修士女
23年	21(文 13 理 8)	15(文 12 理 3)	23(文 1 理 22)	0(文 0 理 0)
24年	28(文 14 理 14)	10(文 8 理 2)	24(文 0 理 24)	3(文 3 理 0)
25年	22(文 12 理 10)	21(文 21 理 0)	28(文 3 理 25)	3(文 2 理 1)

【25年4月入社者の採用実績校】文(院)大阪公大 神戸大 九大 南山大 関西学大各1(大)関大5 関西外大3 関西学大 神戸市外大 法政大 立命館大各2 神戸大 横国大 駒澤大 國學院大 神奈川大 成蹊大 大和大 中大 帝塚山大 東京学芸大 東京経大 東京農工大 同大 日大 立教大 和歌山大 大東文化大各1 理(院)愛媛大3 山口大 日大 立命館大 名大各2 宇都宮大 岡山大 近大 広島大 三重大 山梨大 新潟大 千葉大 大阪工大 大分大 島根大 東海大 東京農工大 奈良先端科技院大 豊橋技科大各1(大)近大2 関大 香川大 埼玉大 大阪工大 大阪府大 大分大 中部大 日大各1(高専)津山2

【24年4月入社者の配属先】総勤務地:三重・桑名10 東京5 静岡・磐田4 岡山3 大阪2 和歌山1 部署:営業7 生産管理6 経理4 需給統括3 物流管理1 管理4 技勤務地:静岡・磐田25 三重・桑名12 和歌山2 岡山1 東京1 部署:設計開発15 生産技術14 研究開発5 品質保証5 システム1 マーケティング1

残業(月) 5.2時間 総5.2時間

記者評価 エンジン動力をタイヤに伝えるドライブシャフトで世界2位。ハブベアリングで世界1位。これらを含め自動車向けが売上高の約3分の2占める。技術力に定評があり、EV向けに高性能ベアリングも開発。コト売りや再生可能エネルギーなど新分野にも注力。

●給与、ボーナス、週休、有休ほか●

【30歳総合職平均年収】NA【初任給】(博士)288,100円(修士)259,300円(大卒)238,000円【ボーナス(年)】NA、5.0カ月【25、30、35歳賃金】272,900円→302,000円→342,000円【週休】完全2日(土日祝)(工場は変則あり)【夏期休暇】(本社)連続2日(有休で取得)(工場)連続4~9日【年末年始休暇】(本社)12月30日~1月3日(工場)12月30日~1月5日【有休取得】18.0/20日

●従業員数、勤続年数、離職率ほか●

【男女別従業員数、平均年齢、平均勤続年数】計 5,572(42.2歳 20.2年)男 5,000(42.4歳 20.3年)女 572(40.7歳 19.1年)【離職率と離職者数】1.6%、89名【3年後新卒定着率】89.1%(男88.5%、女100%、3年前入社:男52名・女3名)【組合】あり

求める人材 自ら考え自ら行動し、常に自己革新を行い、未知の領域に挑戦し続ける次世代のリーダー

会社データ (金額は百万円)

【本社】530-0005 大阪府大阪市北区中之島3-6-32 ダイビル本館
☎06-6443-5001 https://www.ntn.co.jp/

【社長】鵜飼 英一【設立】1934.3【資本金】54,346【今後力を入れる事業】自動車の電動化事業 自然エネルギー関連事業 ロボット関連事業

【業績(連結)】	売上高	営業利益	経常利益	純利益
22.3	642,023	6,880	6,815	7,341
23.3	773,960	17,145	12,047	10,367
24.3	836,285	28,149	20,001	10,568

メーカーI

にっぽんせいこう
日本精工(株)

東京P 6471

【特色】日本最古のベアリングメーカー。国内最大手

修士・大卒採用数	3年後離職率	有休取得年平均	平均年収(平均43歳)
69名	11.5→14.9%	17.1日	◇741万円

●エントリー情報と採用プロセス●

【受付開始～終了】[総]3月～4月 [技]3月～5月【採用プロセス】[総]ES提出・Webテスト(3月～)→GD(3月末～)→面接(4月～)→面接(4月)→内々定(6月～) [技]ES提出・Webテスト(3月～)→面接(4月～)→面接・筆記(～4月末)→内々定(6月～)【交通費支給】最終面接、会社基準

試験情報

重視科目 [総]面接 [技]面接 筆記(物理・数学・専門分野)

[総][ES]⇒巻末[筆]CUBIC[面]2回(Webあり)[GD作]NA [技][ES]⇒巻末[筆]CUBIC 専門(自社オリジナル)[面]2回(Webあり)

選考ポイント [総][技][ES]NA(提出あり)[面]自分の考えを論理的に説明できるか 自ら課題を見つけ解決策を講じられるか 他

通過率 [総][技][ES]NA 倍率(応募/内定) [総][技]NA

●男女別採用数と配属先ほか●

【男女・文理別採用実績】※25年:継続中

	大卒男	大卒女	修士男	修士女
23年	19(文 7理 12)	11(文 8理 3)	44(文 0理 44)	4(文 0理 4)
24年	17(文 7理 10)	15(文 8理 7)	30(文 0理 30)	2(文 0理 2)
25年	12(文 7理 5)	11(文 8理 3)	43(文 0理 43)	3(文 0理 3)

【25年4月入社者の採用実績校】[文](大)同大4 関大2 北大 早大 中大 立教大 神戸市外大 関西学大 昭和女大 同女大 成蹊大各1 [理](院)群馬大4 明大 中大 芝工大各3 慶大 東理大 東京科学大 青学大 九州工大 豊橋技科大 東京都市大 千葉大 日大各2 東大 九大 茨城大 東京農工大 宇都宮大 熊本大 神戸大 広島大 山形大 岩手大 大阪公大 明治薬大 東京電機大 明星大 都立大各1(大)同大 横国大 埼玉大 新潟大 東京電機大 東海大 明星大 東京都市大各1(高専)苫小牧 仙台 長岡 有明 明石 佐世保 宇部 大島商船 徳山各1

【24年4月入社者の配属先】[総]勤務地:福島・東白川3 埼玉・羽生3 愛知(豊田2 名古屋1)東京・大崎2 大阪市1 滋賀・大津1 **部署**:営業6 経理2 生産管理3 人事2 [技]勤務地:神奈川・藤沢39 埼玉・羽生4 滋賀(湖南3 大津2)群馬・高崎3 福島・東白川2 東京・大崎1 **部署**:研究開発6 製品開発・設計22 生産技術開発・品質保証25 技術営業1

残業(月) 10.6時間 [総]11.7時間

記者評価 1916年設立、ベアリング業界の先駆者。シェアは国内トップ、世界でも有数。工作機械などの産業機械用と自動車用が柱。後者ではEV向けに低トルク化などの高性能化を進める。好採算のボールねじが高評価。電動油圧ブレーキ用は2026年度に世界シェア5割目指す。

●給与、ボーナス、週休、有休ほか●

【30歳総合職平均年収】NA【初任給】(修士)266,000円 (大卒)243,000円【ボーナス(年)】NA【25、30、35歳賃金】245,695円→309,525円→377,032円【週休】2日(部署により異なる)【夏期休暇】(本社)土日に連続して+平日5日【年末年始休暇】(本社)土日に連続して+平日5日【有休取得】17.1/20日

●従業員数、勤続年数、離職率ほか●

【男女別従業員数、平均年齢、平均勤続年数】計 5,077(43.1歳 17.6年) 男 4,428(43.6歳 18.1年) 女 649(39.4歳 14.2年)【離職率と離職者数】2.2%、112名【3年後新卒定着率】85.1%(男84.6%、女87.0%、3年前入社:男91名・女23名)【組合】あり

求める人材 グローバルNo.1への情熱をもてる人 仕事を楽しみ、NSKで過ごす時間を価値あるものと捉える人 自ら考え、周囲を巻き込みながら自発的に行動できる人

会社データ (金額は百万円)

【本社】141-8560 東京都品川区大崎1-6-3 日精ビル
☎03-3779-7111 https://www.nsk.com/jp-ja/
【社長】市井 明俊【設立】1916.11【資本金】67,176【今後力を入れる事業】産業機械事業(再生可能エネルギー)自動車関連(EV ハイブリット車)

【業績(IFRS)】	売上高	営業利益	税前利益	純利益
22.3	865,166	29,430	29,516	16,587
23.3	938,098	32,936	31,926	18,412
24.3	788,867	27,391	26,210	8,502

テイエイチケー
THK(株)

東京P 6481

【特色】直動ベアリングで世界首位。技術力に定評

修士・大卒採用数	3年後離職率	有休取得年平均	平均年収(平均40歳)
48名	10.5→2.5%	13.7日	[総]711万円

●エントリー情報と採用プロセス●

【受付開始～終了】[総] [技]3月～6月【採用プロセス】[総]説明会(任意、3月～)→ES提出(3月～)→Web面接→適性検査・筆記→Web面接→面接(対面)→内々定(6月～) [技]説明会(任意、3月～)→ES提出(3月～)→Web面接→適性検査→Web面接→面接(対面)→内々定(6月～)【交通費支給】2次面接以降、都道府県別一定額(実費相当)

試験情報

重視科目 [総][技]面接

[総][ES]NA[筆]SPI3(自宅) オリジナル記述試験[面]3回(Webあり)[技][ES]NA[筆]SPI3(自宅)[面]3回(Webあり)

選考ポイント [総][ES]NA(提出あり)[面]主体性 チャレンジ精神 コミュニケーション力 [技][ES]NA(提出あり)[面]主体性 チャレンジ精神 技術的素養

通過率 [総][技][ES]NA 倍率(応募/内定) [総][技]NA

●男女別採用数と配属先ほか●

【男女・文理別採用実績】

	大卒男	大卒女	修士男	修士女
23年	34(文 19理 15)	11(文 9理 2)	9(文 0理 9)	2(文 0理 2)
24年	24(文 13理 11)	8(文 8理 0)	19(文 1理 18)	3(文 0理 3)
25年	24(文 15理 9)	10(文 10理 0)	12(文 0理 12)	2(文 2理 0)

【25年4月入社者の採用実績校】[文](院)北大 立教大各1(大)関大 山梨学大 國學院大各3 同大 産能大各2 千葉大 立命館大 関西学大 東洋大 関西外大 京産大 近大 亜大 成蹊大 琉球大 龍谷大 和歌山大各1 [理](院)日大3 弘前大 山形大 山梨大 芝工大 千葉工大 大阪工大 島根大 東京電機大 日工大各1(大)関大 芝工大 千葉工大 関東職能大学校 山口東理大 拓大 東海大 東京工科大 日大各1(専)日本工学院八王子1

【24年4月入社者の配属先】[総]勤務地:東京12 神奈川3 愛知2 静岡1 長野1 新潟1 滋賀1 兵庫1 広島1 **部署**:営業10 海外営業支援3 営業支援3 DX企画推進1 経営企画1 財務経理1 法務1 情報システム1 特許1 営業技術1 [技]勤務地:東京20 山口4 山形3 宮城1 山梨1 静岡1 岐阜1 三重1 **部署**:研究開発20 設計5 生産技術3 営業技術2 品証1 試験1

残業(月) 9.2時間

記者評価 産業機械に組み込まれる直線運動案内機器「LMガイド」が主力。超精密なハイエンド品が得意。ボールねじなど関連製品も。海外売上高比率は約7割。機械業界の先行指標的な会社として注目度が高い。半導体製造装置などで高シェア。故障予知IoTサービスにも注力。

●給与、ボーナス、週休、有休ほか●

【30歳総合職平均年収】551万円【初任給】(博士)NA (修士)270,000円 (大卒)250,000円【ボーナス(年)】NA、4.77カ月【25、30、35歳賃金】NA【週休】2日(土日祝、年数回出勤あり)【夏期休暇】連続6日(週休含む)【年末年始休暇】連続6日(週休含む)【有休取得】13.7/20日

●従業員数、勤続年数、離職率ほか●

【男女別従業員数、平均年齢、平均勤続年数】計 ◇3,925(39.5歳 17.4年) 男 3,273(40.2歳 17.9年) 女 652(36.1歳 14.9年)【離職率と離職者数】◇1.9%、77名【3年後新卒定着率】97.5%(男97.1%、女100%、3年前入社:男34名・女6名)【組合】なし

求める人材 何ごとも、常に前向きに素直に受けとめ、他人や環境のせいにせず努力する人

会社データ (金額は百万円)

【本社】108-8506 東京都港区芝浦2-12-10
☎03-5730-3911 https://www.thk.com/jp/ja/
【社長】寺町 崇史【設立】1971.4【資本金】34,606【今後力を入れる事業】IoTサービス 次世代搬送ロボット 他

【業績(IFRS)】	売上高	営業利益	税前利益	純利益
21.12	318,188	30,268	29,984	23,007
22.12	393,687	34,460	35,596	21,198
23.12	351,939	23,707	25,289	18,398

㈱不二越（ふじこし）

東京P 6474

【特色】軸受け、ロボット、工具等の総合機械メーカー

修士・大卒採用数	3年後離職率	有休取得年平均	平均年収(平均40歳)
58名	NA	14.0日	◇657万円

●エントリー情報と採用プロセス●

【受付開始〜終了】[総][技]3月〜継続中【採用プロセス】[総][技]説明会(必須、3月〜)→書類・ES提出(3月〜)→筆記(4月〜)→面接(2回、6月〜)→内々定(6月中旬〜)【交通費支給】1次・2次選考、実費【早期選考】⇒巻末

試験情報

重視科目 [総][技]面接

[総][技][ES]⇒巻末[筆]SPI3(自宅)[面]2回(Webあり)

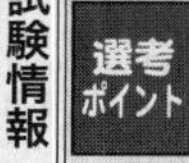

選考ポイント [総][ES]NA(提出あり)[面]コミュニケーション能力 やりたいこと・任せられたことへの高い意欲 [技][ES]NA(提出あり)[面]コミュニケーション能力 研究・授業を通して経験した専門性

通過率 [総][技][ES]NA 倍率(応募/内定) [総][技]NA

●男女別採用数と配属先ほか●

【男女・文理別採用実績】※25年：計画数

	大卒男	大卒女	修士男	修士女
23年	36(文 14 理 22)	3(文 3 理 0)	29(文 0 理 29)	0(文 0 理 0)
24年	37(文 15 理 22)	8(文 5 理 3)	11(文 0 理 11)	0(文 0 理 0)
25年	30(文 17 理 13)	8(文 5 理 3)	18(文 0 理 18)	2(文 0 理 2)

【25年4月入社者の採用実績校】
[文](24年)関大 富山大各3 中大 同大 立命館大各2 横国大 宮城教大 駒澤大 東京経大 中京大 京産大 大阪経大 甲南大各1 [理](24年)千葉工大3 名大 明大 茨城大 富山大 日大 東京都市大 金沢工大 大同大各2 東北大 阪大 京大 関大 同大 筑波大 群馬大 東京農工大 新潟大 東理大 東京電機大 湘南工大 名城大 京都工繊大 近大 高知工科大各1(高専)富山3

【24年4月入社者の配属先】[総]勤務地：富山(富山14 東富山6) 部署：工具4 工作機1 軸受4 油圧5 ロボット5 マテリアル1 [技]勤務地：富山(富山26 東富山9 滑川3) 部署：工具5 工作機2 軸受5 油圧6 カーハイドロリクス3 ロボット11 マテリアル3 情報システム3

残業(月) 13.7時間

記者評価 富山で創業した老舗機械メーカー。精密工具やベアリングのほか、工作機械、油圧機器、ロボットなどを幅広く手がける。EV製造用ロボットが拡大中。国内工場はラインの省人化を進める。産機や補修など非自動車分野の収益性が高い。ブランド名は「NACHI」。

●給与、ボーナス、週休、有休ほか●

【30歳総合職平均年収】NA【初任給】(博士)289,000円(修士)266,200円(大卒)243,200円【ボーナス(年)】NA、5.0カ月【25、30、35歳賃金】260,000円→299,000円→370,000円【週休】完全2日(土日)【夏期休暇】連続5日(週休2日含む)【年末年始休暇】連続5日(週休2日含む)【有休取得】14.0／21日

●従業員数、勤続年数、離職率ほか●

【男女別従業員数、平均年齢、平均勤続年数】計 ◇3,151(39.8歳 15.3年) 男 NA 女 NA【離職率と離職者数】◇2.6%、85名【3年後新卒定着率】NA【組合】あり

求める人材 ものづくりに興味を持ち、高い意欲でとりくんでくれる人 海外で活躍したい人

会社データ (金額は百万円)

【本社】105-0021 東京都港区東新橋1-9-2 汐留住友ビル
☎03-5568-5111 https://www.nachi-fujikoshi.co.jp/
【社長】黒澤 勉【設立】1928.12【資本金】16,074【今後力を入れる事業】海外事業 ロボット事業

【業績(連結)】	売上高	営業利益	経常利益	純利益
21.11	229,117	14,718	14,457	9,993
22.11	258,097	17,025	17,100	12,237
23.11	265,464	11,873	11,028	6,469

㈱日本製鋼所（にほんせいこうしょ）

東京P 5631

【特色】原発用の大型鋳鍛鋼で世界有数。樹脂機械が成長

修士・大卒採用数	3年後離職率	有休取得年平均	平均年収(平均*39歳)
45名	12.8→10.0%	14.2日	[総]797万円

●エントリー情報と採用プロセス●

【受付開始〜終了】[総][技]3月〜継続中【採用プロセス】[総]ES提出→Webテスト(随時)→個別面接(2〜3回)→内々定 [技]ES提出→Webテスト(随時)→個別面接(2〜3回)・工場見学→内々定※推薦は別途【交通費支給】対面面接、実費

試験情報

重視科目 [総][技]個別面接

[総][技][ES]⇒巻末[筆]SPI3(自宅)[面]2〜3回(Webあり)

選考ポイント [総][技][ES]NA(提出あり)[面]自ら学び、考え、挑戦できるかどうか

通過率 [総][技][ES]NA

倍率(応募/内定) [総][技]NA

●男女別採用数と配属先ほか●

【男女・文理別採用実績】

	大卒男	大卒女	修士男	修士女
23年	16(文 8 理 8)	6(文 6 理 0)	19(文 0 理 19)	1(文 0 理 1)
24年	17(文 8 理 9)	11(文 8 理 3)	18(文 0 理 18)	2(文 1 理 1)
25年	16(文 6 理 10)	10(文 8 理 2)	15(文 0 理 15)	4(文 3 理 1)

※25年：24年7月31日時点

【25年4月入社者の採用実績校】[文](院)阪大 東京外大 法政大各1(大)明大 立教大各2 関西外大 関西学大 関大 関東学院大 甲南大 清泉女大 中大 東京外大 同大 銘傳大各1 [理](院)山口大4 東京電機大2 愛媛大 近大 慶大 広島大 室蘭工大 同大 奈良女大 豊橋技科大 北見工大 明大 龍谷大各1(大)室蘭工大3 愛媛大2 岩手大 京都工繊大 広島大 佐賀大 秋田大 青学大 東理大各1(高専)新居浜2 松江1

【24年4月入社者の配属先】[総]勤務地：広島13 東京・大崎2 北海道・室蘭2 横浜1 部署：営業13 管理5 [技]勤務地：広島22 北海道・室蘭7 横浜3 愛知・大府2 部署：技術29 研究開発5

残業(月) 16.9時間

記者評価 三井系。兵器国産化を目的に日・英3社出資で創業。大型鋳鍛鋼と産業機械の両輪。広島、横浜、愛知・大府の3工場体制。室蘭に子会社工場。火力・原子力向け鋳鍛鋼で世界大手。利益柱は樹脂製造・加工機。IT関連装置も成長柱。堅実な社風。配偶者転勤休職制度充実。

●給与、ボーナス、週休、有休ほか●

【30歳総合職平均年収】NA【初任給】(博士)277,900円(修士)261,700円(大卒)241,700円【ボーナス(年)】NA、5.49カ月【25、30、35歳賃金】NA【週休】〈本社〉完全2日(土日祝)【夏期休暇】会社カレンダーによる【年末年始休暇】連続6〜9日【有休取得】14.2／22日

●従業員数、勤続年数、離職率ほか●

【男女別従業員数、平均年齢、平均勤続年数】計 ◇1,901(39.0歳 12.7年) 男 NA 女 NA【離職率と離職者数】◇3.5%、68名(早期退職男2名含む 他に男2名転籍)【3年後新卒定着率】90.0%(男88.9%、女100%、3年前入社：男36名・女4名)【組合】あり

求める人材 「多様性受容力」「課題創出力」「挑戦力」「自律的学習力」の4つのスキルを身につけるために、積極的にチャレンジできる人物

会社データ (金額は百万円)

【本社】141-0032 東京都品川区大崎1-11-1
☎03-5745-2001 https://www.jsw.co.jp/
【社長】松尾 敏夫【設立】1950.12【資本金】19,818【今後力を入れる事業】産業機械事業

【業績(連結)】	売上高	営業利益	経常利益	純利益
22.3	213,790	15,460	16,772	13,948
23.3	238,721	13,846	14,958	11,974
24.3	252,501	18,014	19,945	14,278

こうぎょう
オイレス工業(株)

東京P 6282

【特色】無給油式ベアリングで高シェア、免震装置も

修士・大卒採用数	3年後離職率	有休取得年平均	平均年収(平均＊45歳)
19名	5.3→0%	15.9日	(総)756万円

●エントリー情報と採用プロセス●

【受付開始～終了】(総)(技)3月～5月【採用プロセス】(総)(技)ES提出・WebGAB→面接(3回)→内々定【交通費支給】最終面接、実費相当額(会社基準)【早期選考】⇒巻末

試験情報

重視科目 [総][技]面接

[総][技](ES)⇒巻末(筆)WebGAB(面)3回(Webあり)

選考ポイント [総][技](ES)適切な回答ができているか(面)コミュニケーション能力 他

通過率 [総][技](ES)NA

倍率(応募/内定) [総][技]NA

●男女別採用数と配属先ほか

【男女・文理別採用実績】

	大卒男	大卒女	修士男	修士女
23年	2(文 2理 0)	6(文 4理 2)	3(文 0理 3)	2(文 0理 2)
24年	7(文 4理 3)	4(文 4理 0)	7(文 2理 5)	2(文 2理 0)
25年	3(文 1理 2)	2(文 1理 1)	9(文 0理 9)	0(文 0理 0)

【25年4月入社者の採用実績校】(文)(大)愛知大 京都女大 甲南大 大東文化大 武蔵野美大 南山大 早大各1 (理)(院)群馬大 東京電機大各2 近大 山梨大 鹿児島大 長岡技科大 東京都市大各1(大)山梨大 成蹊大 東京電機大各1

【24年4月入社者の配属先】[総]勤務地:東京・品川2 神奈川・藤沢7 大阪1 名古屋1 部署:営業(軸受3 免制震1)免制震企画1 軸受企画1 経理1 人事1 法務2 総務1 [技]勤務地:栃木・足利2 神奈川・藤沢7 部署:研究開発2 技術(軸受5 免制震2)

残業(月) 6.0時間 (総)7.1時間

記者評価 無給油式(オイルレス)ベアリングの草分け。自動車向けが主力で、工作機械、鉄道車両、OA機器などにも納入。ビルや橋梁など構造物用の免震・制振装置や、排煙・換気装置なども手がける。EVや先端半導体向け製品の開発・拡販に注力。保有特許多数。

●給与、ボーナス、週休、有休ほか●

【30歳総合職平均年収】562万円【初任給】(博士)289,630円(修士)252,580円(大卒)236,770円【ボーナス(年)】196万円、5.4カ月【25、30、35歳賃金】NA【週休】会社暦2日【夏期休暇】8月10～20日【年末年始休暇】12月28日～1月5日【有休取得】15.9／20日

●従業員数、勤続年数、離職率ほか●

【男女別従業員数、平均年齢、平均勤続年数】計 1,107(44.6歳 18.5年) 男 857(44.4歳 19.1年) 女 250(45.2歳 13.4年)【離職率と離職者数】3.7%、42名【3年後新卒定着率】100%(男100%、女—、3年前入社:男9名・女0名)【組合】あり

求める人材 新たな創造のために積極的に学び、挑戦することができる人

会社データ (金額は百万円)

【本社】252-0811 神奈川県藤沢市桐原町8
☎0466-44-4901 https://www.oiles.co.jp/
【社長】坂入 良和【設立】1952.3【資本金】8,585【今後力を入れる事業】海外市場における現地メーカーへの拡販

【業績(連結)】	売上高	営業利益	経常利益	純利益
22.3	59,853	5,861	6,514	4,325
23.3	62,882	5,056	5,730	4,132
24.3	68,765	7,291	7,791	5,476

すみともじゅうきかいこうぎょう
住友重機械工業(株)

東京P 6302

【特色】住友系の総合重機メーカー。産業機械分野が主力

修士・大卒採用数	3年後離職率	有休取得年平均	平均年収(平均42歳)
137名	11.0→11.1%	16.4日	(総)956万円

●エントリー情報と採用プロセス●

【受付開始～終了】(総)(技)3月～継続中【採用プロセス】(総)書類提出(ES、履修履歴)・筆記(適性)・録画面談→書類選考→面接(3回)→内々定 (技)書類提出(ES、履修履歴、研究サマリー)・筆記(適性)・録画面談→書類選考→面接(3回)→内々定【交通費支給】2次面接(工場見学含む)、実費【早期選考】⇒巻末

試験情報

重視科目 [総][技]面接 応募書類

[総][技](ES)⇒巻末(筆)SPI3(自宅)(面)3回(Webあり)

選考ポイント [総](ES)履修履歴 志望理由 成果・積極性 他(面)就職に対する意識 専門分野の知識 自己実現への意欲 他 [技](ES)事務系の観点に加え、研究への取り組み姿勢(面)総合職共通

通過率 [総][技](ES)NA　倍率(応募/内定) [総][技]NA

●男女別採用数と配属先ほか

【男女・文理別採用実績】※秋入社含む

	大卒男	大卒女	修士男	修士女
23年	18(文 15理 3)	14(文 12理 2)	76(文 0理 76)	7(文 1理 6)
24年	27(文 20理 7)	16(文 13理 3)	75(文 0理 75)	11(文 1理 10)
25年	16(文 12理 4)	18(文 17理 1)	87(文 0理 87)	16(文 0理 16)

【25年4月入社者の採用実績校】(文)(大)同大 立命館大各4 東京外大3 早大 法政大 津田塾大各2 京大 名大 神戸大 横国大 香川大 慶大 青学大 上智大 立教大 中大 関西学大 立命館APU各1 (理)(院)東京科学大 青学大各5 法政大 豊橋技科大 東京電機大 群馬大 岡山大各4 京大 横国大 東京農工大 電通大 長岡技科大 信州大 千葉大各3 名大 東北大 名工大 筑波大 金沢大 山形大 富山大 山梨大 東京都市大 明大 東理大 愛媛大 徳島大 宇都宮大 大分大 岩手大各2 九大 阪大 北大 神戸大 広島大 慶大 室蘭工大 京都工繊大 関西学大 静岡大 三重大 岐阜大 都立大 東京海洋大 埼玉大 弘前大 茨城大 佐賀大 鹿児島大 芝工大 北見工大 高知工科大各1(大)青学大 上智大 東京海洋大 都立大 福井大各1 他

【24年4月入社者の配属先】[総]勤務地:東京(区内8 西東京3)千葉・稲毛9 神奈川・横須賀3 愛知・大府6 愛媛(新居浜3 西条2) 部署:営業14 生産管理5 調達4 人事4 経理3 企画管理2 カスタマーサポート1 システム1 [技]勤務地:東京(区内20 西東京6)千葉・稲毛20 神奈川・横須賀18 愛知・大府9 愛媛(新居浜12 西条11) 部署:設計50 研究開発17 商品開発9 生産技術9 サービス5 システム3 工事管理2 技術営業1

残業(月) 25.4時間 (総)25.4時間

記者評価 総合重機メーカーで産業機械関連が主力。工場ラインやエレベーターに必要な変減速機で国内シェア1位。プラスチック製品を加工する射出成形機、建機や大型クレーン、タンカーも手がける。がん治療装置や半導体製造装置が伸長。国内外に生産・販売拠点多数。

●給与、ボーナス、週休、有休ほか●

【30歳総合職平均年収】624万円【初任給】(博士)300,190円(修士)280,440円(大卒)260,190円【ボーナス(年)】289万円、NA【25、30、35歳賃金】281,890円→353,790円→467,200円【週休】完全2日(土日祝)【夏期休暇】連続9日(有休3日、土日含む)【年末年始休暇】連続7日(有休1日、土日含む)【有休取得】16.4／22日

●従業員数、勤続年数、離職率ほか●

【男女別従業員数、平均年齢、平均勤続年数】計 ◇3,961(42.0歳 14.4年) 男 3,511(42.4歳 14.7年) 女 450(39.6歳 12.4年)【離職率と離職者数】◇2.9%、117名(早期退職男5名、女1名含む)【3年後新卒定着率】88.9%(男89.8%、女86.2%、3年前入社:男88名・女29名)【組合】あり

求める人材 高い志とモノづくりへのこだわりを持ち、変化に挑戦する意欲の旺盛な人

会社データ (金額は百万円)

【本社】141-6025 東京都品川区大崎2-1-1
☎03-6737-2332 https://www.shi.co.jp/
【社長】下村 真司【設立】1934.11【資本金】30,872【今後力を入れる事業】自動化・半導体・医療機器・環境エネルギー

【業績(連結)】	売上高	営業利益	経常利益	純利益
22.3	943,979	65,678	64,847	44,053
22.12変	854,093	44,803	43,253	5,782
23.12	1,081,533	74,367	70,250	32,742

SMC(株)（エスエムシー）

東京P 6273

【特色】FA空圧制御機器で世界1位。利益率高く財政堅実

修士・大卒採用数	3年後離職率	有休取得年平均	平均年収(平均46歳)
95名	2.2→10.1%	15.3日	総1,075万円

●エントリー情報と採用プロセス●

【受付開始～終了】総技3月～7月【採用プロセス】総技説明会(必須、3月～)→ES・Webテスト提出(3月～)→面接(2回)→内々定【交通費支給】面接、実費

試験情報

重視科目 総技面接

総 ES⇒巻末 筆Web(自宅受検)Compass 面2回(Webあり) 技 ES⇒巻末 筆Web(自宅受検)Compass 面2回(Webあり) GD作⇒巻末

選考ポイント 総技 ES積極性、努力体験等総合的に判断 面コミュニケーション能力 行動力 向上心 協調性 他

通過率 総 ES NA(受付:419→通過:NA) 技 ES NA(受付:225→通過:NA)

倍率(応募/内定) 総14倍 技3倍

●男女別採用数と配属先ほか●

【男女・文理別採用実績】

	大卒男	大卒女	修士男	修士女
23年	61(文 25理 36)	7(文 6理 1)	50(文 0理 50)	1(文 0理 1)
24年	47(文 24理 23)	4(文 4理 0)	40(文 0理 40)	3(文 0理 3)
25年	43(文 26理 17)	3(文 3理 0)	48(文 0理 48)	1(文 0理 1)

【25年4月入社者の採用実績校】文武蔵大3 愛知大 慶大 大阪経大各2 東大 阪大 筑波大 埼玉大 富山大 明大 関大 関西学大 同大 立命館大 中大 近大各1 他 理(院)群馬大6 日大5 茨城大4 岡山理大 電通大各3 宇都宮大 岩手大 東京電機大 徳島大 芝工大 信州大各2 他(大)日大3 群馬大 福岡大 工学院大各2 他(高専)仙台2 小山 佐世保 東京各1

【24年4月入社者の配属先】総勤務地:東京・千代田3 仙台1 埼玉(大宮2 草加2)神奈川・厚木1 山梨・甲府1 静岡1 愛知(名古屋2 豊田1)金沢1 京都2 大阪1 広島1 福岡1 部署:営業17 人事1 購買1 生産企画1 技勤務地:茨城(つくばみらい38 下妻6)埼玉・草加23 部署:設計開発38 生産技術29

残業(月) 7.9時間 総11.7時間

記者評価 工場の設備自動化に用いる空圧制御機器のトップメーカー。BCP重視し、約80の国と地域でサービス展開。自動車や医療機器など顧客は幅広い。特定分野に依存せず安定性抜群。26年度に売上高1兆円へ。製品の小型・軽量化でCO2削減に貢献するなどSDGsにも注力。

●給与、ボーナス、週休、有休ほか●

【30歳総合職平均年収】749万円【初任給】(修士)283,000円(大卒)255,500円【ボーナス(年)】266万円、6.9カ月【25、30、35歳賃金】317,500円→400,800円→452,300円【週休】完全2日(土日祝)【夏期休暇】連続6日【年末年始休暇】連続6日【有休取得】15.3／20日

●従業員数、勤続年数、離職率ほか●

【男女別従業員数、平均年齢、平均勤続年数】計 ◇6,286(41.3歳 19.9年) 男 4,543(42.3歳 20.1年) 女 1,743(38.9歳 19.4年)【離職率と離職者数】◇1.9%、125名【3年後新卒定着率】89.9%(男91.5%、女85.7%、3年前入社:男106名・女42名)【組合】なし

求める人材 主体的に考え行動した経験を持ち、グローバルな視点で何事にも積極的に挑戦できる人材

会社データ (金額は百万円)

【本社】101-0021 東京都千代田区外神田4-14-1 秋葉原UDX ☎03-5207-8271 https://www.smcworld.com/

【社長】髙田 芳樹【設立】1959.4【資本金】61,005【今後力を入れる事業】自動制御機器開発

【業績(連結)】	売上高	営業利益	経常利益	純利益
22.3	727,397	227,857	272,981	192,991
23.3	824,772	258,200	305,980	224,609
24.3	776,873	196,226	251,008	178,321

(株)マキタ

東京P 6586

【特色】電動工具で国内首位、世界でも最大手級

修士・大卒採用数	3年後離職率	有休取得年平均	平均年収(平均42歳)
96名	9.0→14.0%	13.7日	総754万円

●エントリー情報と採用プロセス●

【受付開始～終了】総1月～8月 技12月～6月【採用プロセス】総Web座談会(必須、1～8月)→ES提出・Webテスト(1～8月)→WebGD(2～8月)→面接(2回、3～9月)→内々定 技Web座談会(必須、12～6月)→ES提出(12～6月)→Webテスト(12～6月)→Web専門試験(12～6月)→面接(Web2回、1～6月)→内々定【交通費支給】全ての面接、会社基準【早期選考】⇒巻末

試験情報

重視科目 総技面接

総 ES⇒巻末 筆玉手箱 面2回(Webあり) GD作NA 技 ES⇒巻末 筆玉手箱 物理・電気・情報の問題(自社オリジナル) 面2回(Webあり)

選考ポイント 総 ES志望度合 GD等と複合的に判断 面社会的常識 コミュニケーション能力 当社への熱意 他 技 ES志望度合 Webテスト等と複合的に判断 面総合職共通

通過率 総技 ES NA 倍率(応募/内定) 総技NA

●男女別採用数と配属先ほか●

【男女・文理別採用実績】※25年:24年7月30日時点

	大卒男	大卒女	修士男	修士女
23年	73(文 55理 18)	9(文 9理 0)	63(文 2理 61)	2(文 1理 1)
24年	55(文 44理 11)	10(文 8理 2)	52(文 0理 52)	0(文 0理 0)
25年	38(文 29理 9)	13(文 12理 1)	44(文 0理 44)	1(文 0理 1)

【25年4月入社者の採用実績校】文(大)上智大4 愛知県大 愛知大 名城大 立命館大各3 神戸市外大 北海学園大 南山大 京産大各2 名大 福井大 滋賀大 香川大 徳島大 明大 國學院大 大東文化大 中京大 関西学大 同女大 近大 久留米大 甲南大 九産大各1 理(院)岐阜大6 福井大5 愛知工業大4 富山大 三重大 滋賀県大各3 名大 信州大 静岡大 富山県大 名城大各2 室蘭工大 山形大 群馬大 長岡技科大 東京農工大 山梨大 名工大 豊橋技科大 法政大 金沢工大 大同大各1(大)静岡大 福井大各2 名工大 富山大 愛媛大 愛知工業大 立命館大 大阪工大各1

【24年4月入社者の配属先】総勤務地:愛知18 静岡3 大阪3 北海道2 神奈川2 広島2 福岡2 宮城1 山形1 新潟1 茨城1 千葉1 東京1 埼玉1 石川1 富山1 福井1 岐阜1 長野1 滋賀1 兵庫1 香川1 徳島1 愛媛1 熊本1 部署:国内営業36 海外営業10 財務2 人事2 技勤務地:愛知66 部署:開発技術35 生産技術15 システム5 品質保証7 開発購買4

残業(月) 20.5時間 総18.6時間

記者評価 電動工具で世界的。海外売上比率は8割超と高く、欧州で強い。「充電製品の総合サプライヤー」を標榜しリチウムイオン電池式工具に傾注、22年にはエンジン製品の生産を終了。草刈り機など園芸工具も強化。充電式ライトなどはアウトドアや災害向けにも展開。

●給与、ボーナス、週休、有休ほか●

【30歳総合職平均年収】571万円【初任給】(博士)300,000円(修士)264,000円(大卒)240,000円【ボーナス(年)】198万円、5.6カ月【25、30、35歳賃金】265,229円→343,675円→387,518円【週休】完全2日(土日)【夏期休暇】(本社・岡崎工場)連続5日+連続9日(営業)連続9日【年末年始休暇】連続9日【有休取得】13.7／20日

●従業員数、勤続年数、離職率ほか●

【男女別従業員数、平均年齢、平均勤続年数】計 2,680(39.0歳 14.0年) 男 2,246(39.0歳 14.0年) 女 434(40.0歳 14.0年)【離職率と離職者数】4.0%、111名【3年後新卒定着率】86.0%(男84.9%、女100%、3年前入社:男159名・女12名)【組合】あり

求める人材 挑戦意欲を常に持ち、積極的に行動できる人財

会社データ (金額は百万円)

【本社】446-8502 愛知県安城市住吉町3-11-8 ☎0566-98-1711 https://www.makita.co.jp/

【社長】後藤 宗利【設立】1938.12【資本金】23,805【今後力を入れる事業】グローバル化のさらなる促進

【業績(IFRS)】	売上高	営業利益	税前利益	純利益
22.3	739,260	91,728	92,483	64,770
23.3	764,702	28,246	23,887	11,705
24.3	741,391	66,169	64,017	43,691

㈱ダイフク

東京P 6383

【特色】搬送システム総合メーカーで世界首位級

修士・大卒採用数	3年後離職率	有休取得年平均	平均年収（平均41歳）
88名	12.1 → 15.9%	13.8日	総 776万円

●エントリー情報と採用プロセス●

【受付開始～終了】総 技2月～6月【採用プロセス】総 技説明会(必須)→ES提出・適性検査(2月～)→面接(3回、2月～)→内々定(3月～)【交通費支給】2次面接以降、実費【早期選考】⇒巻末

試験情報

重視科目 総技面接

総技 ES⇒巻末 筆SPI3(会場) SPI3(自宅) 適性検査 面3回(Webあり)

選考ポイント 総技 ESパーソナリティー 面積極性 論理性 協調性

通過率 総 ES53%(受付:776→通過:410) 技 ES85%(受付:522→通過:446)

倍率(応募/内定) 総41倍 技10倍

●男女別採用数と配属先ほか●

【男女・文理別採用実績】

	大卒男	大卒女	修士男	修士女
23年	34(文 10理 24)	12(文 4理 8)	40(文 1理 39)	2(文 1理 1)
24年	29(文 11理 18)	4(文 3理 1)	34(文 0理 34)	5(文 0理 5)
25年	32(文 11理 21)	13(文 7理 6)	38(文 0理 38)	5(文 1理 4)

【25年4月入社者の採用実績校】文(院)同大1(大)明大3 関大 近大 関西学大 大阪経大各2 同大 金沢大 京産大 山口大 阪大 龍谷大 北海学園大各1 理(院)近大4 兵庫県大 信州大各3 東京電機大 京都工繊大 金沢大 岡山大 芝工大 徳島大 立命館大 バンドン工科大各2 大阪工大 関大 明大 愛媛大 茨城大 九州工大 九大 山梨大 神奈川大 大阪公大 東洋大 北陸先端科技院大 名大 和歌山大 ムンバイ大 国立陽明交通大各1(大)大阪工大5 近大3 愛知工業大 東京電機大各2 同大 名城大 兵庫県大 東京海洋大 大阪電通大 千葉工大 滋賀大 高知工科大 工学院大 京都工繊大 関大 マレーシアマラッカ技術大 ホーチミン市校工科大 プネ大 キングモンクット工科大各1

【24年4月入社者の配属先】総勤務地:大阪3 滋賀4 小牧2 東京5 部署:営業系9 管理系5 技勤務地:大阪13 滋賀36 小牧2 東京9 部署:技術系52 製造系2 管理系6

残業(月) 19.5時間 総19.5時間

記者評価 モノを保管、搬送、仕分け・ピッキングする「マテリアルハンドリング(マテハン)」の売上高で世界トップ級。半導体工場のクリーンルームや物流施設、自動車工場などで使われる。空港向けの自動搬送システムなども手がける。滋賀に巨大工場。

●給与、ボーナス、週休、有休ほか●

【30歳総合職平均年収】535万円【初任給】(修士)276,000円(大卒)256,000円【ボーナス(年)】NA、6.88カ月【25、30、35歳賃金】273,300円→302,503円→320,084円【週休】完全2日(土日祝)【夏期休暇】計画的付与として有休で取得【年末年始休暇】12月28日～1月5日【有休取得】13.8／20日

●従業員数、勤続年数、離職率ほか●

【男女別従業員数、平均年齢、平均勤続年数】計 3,509(41.3歳 15.3年) 男 3,067(41.1歳 15.4年) 女 442(42.4歳 14.5年) ※海外ナショナルスタッフ含む【離職率と離職者数】3.5%、129名【3年後新卒定着率】84.1%(男87.8%、女50.0%、3年前入社:男74名・女8名)【組合】あり

求める人材 個性を発揮し、何事にもチャレンジできる人材

会社データ （金額は百万円）

【本社】555-0012 大阪府大阪市西淀川区御幣島3-2-11
☎06-6476-2581 https://www.daifuku.com/jp/
【社長】下代 博【設立】1937.5【資本金】31,865【今後力を入れる事業】DXを活用したスマートロジスティクス

【業績(連結)】	売上高	営業利益	経常利益	純利益
22.3	512,268	50,252	51,253	35,877
23.3	601,922	58,854	59,759	41,248
24.3	611,477	62,079	64,207	45,461

村田機械㈱（むらたきかい）

株式公開 計画なし

【特色】総合機械メーカー。中・印・タイなど積極開拓

修士・大卒採用数	3年後離職率	有休取得年平均	平均年収（平均42歳）
65名	⑪8.5 → 8.5%	12.0日	総 753万円

●エントリー情報と採用プロセス●

【受付開始～終了】総 技3月～継続中【採用プロセス】総 技適性検査・ES提出(3月～)→面接(対面またはWeb、2～3回)・Webテスト→内々定(4月～)【交通費支給】最終面接以降、全額【早期選考】⇒巻末

試験情報

重視科目 総技面接

総 ES⇒巻末 筆一般常識 Web適性検査 面2～3回(Webあり) GD作⇒巻末 技 ES⇒巻末 筆Web適性検査 面2～3回(Webあり)

選考ポイント 総技 ESNA(提出あり) 面積極性 論理性 協調性 コミュニケーション力

通過率 総技 ESNA　倍率(応募/内定) 総技NA

●男女別採用数と配属先ほか●

【男女・文理別採用実績】

	大卒男	大卒女	修士男	修士女
23年	30(文 14理 16)	17(文 16理 1)	31(文 0理 31)	3(文 0理 3)
24年	34(文 19理 15)	15(文 14理 1)	39(文 0理 39)	0(文 0理 0)
25年	19(文 13理 6)	23(文 20理 3)	21(文 0理 21)	2(文 0理 2)

【25年4月入社者の採用実績校】文同大7 愛知大3 関大 京産大 京都女大 大阪市大 南山大 立命館大各2 愛知県大 広島大 甲南大 埼玉大 滋賀大 早大 中大 島根大 兵庫県大 龍谷大 獨協大各1 理関大 同大各3 京都工繊大 京大 近大 立命館大各2 茨城大 岡山大 京都先端科学大 群馬大 高知工科大 滋賀県大 新潟大 神戸大 大阪公大 大阪工大 阪大 大同大 東北大 南山大 富山大 兵庫県大 名工大 名城大各1 他

【24年4月入社者の配属先】総勤務地:愛知(犬山 豊橋)京都市 東京・中央 大阪市 部署:営業・技術営業 その他企画管理 経理 総務 技勤務地:愛知・犬山 京都市 石川・加賀 部署:研究開発 開発・設計(機械・電気・ソフト系)生産技術・生産管理 技術サービス(据付・アフターサービス)技術営業 購買・調達 情報システム 施工管理

残業(月) 24.2時間 総25.2時間

記者評価 西陣向け繊維機械から発展。現在は工作機械のほか情報機器、物流・FAシステムまで総合展開。「ムラテック」ブランドは内外に浸透。新規事業にも注力。光触媒の空気消臭除菌装置を拡販。海外拠点は米欧亜に34カ所以上。全国都道府県対抗女子駅伝の協賛会社。

●給与、ボーナス、週休、有休ほか●

【30歳総合職平均年収】599万円【初任給】(博士)282,000円(修士)264,000円(大卒)242,000円【ボーナス(年)】NA、6.8カ月【25、30、35歳賃金】256,000円→284,000円→309,000円【週休】完全2日(土日)【夏期休暇】夏期休暇7月27～30日 お盆休み8月12～16日【年末年始休暇】連続6日【有休取得】12.0／20日

●従業員数、勤続年数、離職率ほか●

【男女別従業員数、平均年齢、平均勤続年数】計 3,871(41.5歳 16.7年) 男 3,116(42.3歳 17.4年) 女 755(37.8歳 13.9年)【離職率と離職者数】2.4%、95名【3年後新卒定着率】91.5%(男93.8%、女81.8%、3年前入社:男48名・女11名)【組合】あり

求める人材 「人間力」を発揮できる、個性に富んだ人材

会社データ （金額は百万円）

【本社】612-8418 京都府京都市伏見区竹田向代町136
☎075-672-8117 https://www.muratec.jp/
【社長】村田 大介【設立】1935.7【資本金】900【今後力を入れる事業】半導体工場向けFA 物流システム 工作機械 繊維機械 情報通信関連

【業績(連結)】	売上高	営業利益	経常利益	純利益
22.3	391,826	60,435	80,730	50,360
23.3	466,133	63,847	81,833	49,271
24.3	497,452	79,135	103,666	67,312

三菱電機ビルソリューションズ(株)

株式公開 計画なし

【特色】エレベーターの保守・修理で国内最大手

修士・大卒採用数	3年後離職率	有休取得年平均	平均年収(平均39歳)
219名	13.6→14.0%	17.7日	総777万円

●エントリー情報と採用プロセス●

【受付開始〜終了】総3月〜8月 技3月〜継続中【採用プロセス】総説明会・Webテスト(3月下旬)→個人面接(4月下旬)→最終面接(5月上旬)→内々定(5月中旬) 技説明会・Webテスト(3月下旬)→個人面接(4月上旬)→内々定(4月下旬)【交通費支給】個人面接以降、会社基準【早期選考】⇒巻末

試験情報

重視科目 総技面接

総筆DATA-α 適性検査面2回 技筆DATA-α 適性検査面1回

選考ポイント 総ES提出なし面コミュニケーション能力 行動力 意欲の高さと持続性 学生時代の活動実績 技ES提出なし面専門知識 コミュニケーション能力 行動力 意欲の高さと持続性 学生時代の活動実績

通過率 総ES—(応募:730) 技ES—(応募:735)

倍率(応募/内定) 総9倍 技4倍

●男女別採用数と配属先ほか●

【男女・文理別採用実績】※25年:24年7月31日時点

	大卒男	大卒女	修士男	修士女
23年	168(文 34理134)	17(文 13理 4)	9(文 0理 9)	1(文 0理 1)
24年	137(文 34理103)	13(文 11理 2)	9(文 0理 9)	2(文 1理 1)
25年	164(文 45理119)	33(文 29理 4)	19(文 0理 19)	3(文 0理 3)

【25年4月入社者の採用実績校】文(大)神戸大 愛知県大 下関市大 北海道教育大 北九州市大 学習院大 早大 関西学大 立命館大 同大 関大 青学大 中大 法政大 近大 東北学大 南山大 名城大 他 理(院)京大 東京科学大 九州工大 鹿児島大(大)横国大 三重大 佐賀大 山口大 長崎大 三条市大 秋田大 大阪市大 徳島大 富山大 福井大 和歌山大 同大 東京科学大 芝工大 愛知工業大 近大 大和大 南山大 福岡大 名城大 他

【24年4月入社者の配属先】総勤務地:北海道2 東北3 首都圏17 東海8 関西10 中国1 九州5 部署:営業40 スタッフ6 技勤務地:北海道1 東北5 首都圏74 東海29 関西25 中国4 四国2 九州3 部署:昇降機営業設計・工事25 昇降機保守66 ファシリティ設計・工事16 ファシリティ保守27 品質管理・生産技術5 他4

残業(月) 24.5時間

記者評価 三菱電機の完全子会社でビルシステムの中核。エレベーターの開発・製造から保守・管理まで一貫。三菱電機ビルテクノサービスが22年4月に親会社のビルシステム事業を統合し、空調や給排水、セキュリティ設備まで総合化。最先端技術駆使しスマートビル化提案。

●給与、ボーナス、週休、有休ほか●

【30歳総合職平均年収】NA【初任給】(修士)277,000円(大卒)250,000円【ボーナス(年)】NA、6.0カ月【25、30、35歳賃金】NA【週休】完全2日(土日祝)【夏期休暇】有休・特別休日で計画取得【年末年始休暇】12月27日〜1月5日【有休取得】17.7／25日

●従業員数、勤続年数、離職率ほか●

【男女別従業員数、平均年齢、平均勤続年数】計 12,497(41.9歳 12.9年) 男 10,784(42.2歳 13.3年) 女 1,713(40.0歳 10.3年)【離職率と離職者数】1.6%、208名(他に男7名転籍)【3年後新卒定着率】86.0%(男87.0%、女70.0%、3年前入社:男169名・女10名)【組合】あり

求める人材 自ら成長できる人 仲間を信頼し大切にする人 強い使命感を持って仕事ができる人

会社データ (金額は百万円)

【本社】100-8335 東京都千代田区丸の内2-7-3 東京ビル
☎03-6206-5000 https://www.meltec.co.jp/
【社長】織田 巌【設立】1954.3【資本金】5,000【今後力を入れる事業】グローバルでの昇降機事業の強化

【業績(単独)】	売上高	営業利益	経常利益	純利益
22.3	316,312	9,919	15,337	11,567
23.3	404,939	11,320	17,540	14,037
24.3	416,823	16,667	24,744	36,189

※22.3の業績は三菱電機ビルテクノサービス㈱のもの

グローリー(株)

東京P 6457

【特色】貨幣処理機の先駆で国内首位、海外も積極展開

修士・大卒採用数	3年後離職率	有休取得年平均	平均年収(平均45歳)
66名	9.5→5.4%	15.1日	総746万円

●エントリー情報と採用プロセス●

【受付開始〜終了】総 技3月〜7月【採用プロセス】総説明会(Web)→ES提出(Web)→Webテスト→Web面接(2回)→対面面接(1回)→内々定 技説明会(Web)→ES提出(Web)→Webテスト(1回目)→Webテスト(2回目)→Web面接(2回)→対面面接(1回)→内々定【交通費支給】面接、会社基準【早期選考】⇒巻末

試験情報

重視科目 総技面接

総技ESNA筆SPI3(自宅)面3回(Webあり)

選考ポイント 総技ESNA(提出あり)面志望動機 入社後にやりたい事 コミュニケーション能力 積極性 学生時代に力を入れて取り組んだこと

通過率 総技ESNA 倍率(応募/内定) 総技NA

●男女別採用数と配属先ほか●

【男女・文理別採用実績】

	大卒男	大卒女	修士男	修士女
23年	21(文 9理 12)	11(文 10理 1)	13(文 0理 13)	1(文 0理 1)
24年	40(文 19理 21)	13(文 13理 0)	8(文 0理 8)	0(文 0理 0)
25年	49(文 20理 29)	10(文 7理 3)	7(文 0理 7)	0(文 0理 0)

【25年4月入社者の採用実績校】文(大)京産大 大阪経大 関西学大 甲南大各3 立正大 帝京大 福井工大 立命館大 京都女大 京都ノートルダム女大 佛教大 天理大 関西外大 追手門学大 神戸大 兵庫県大 神戸女学大 神戸学大 香川大各1 理(院)岡山大2 関大 香川大 大阪工大 和歌山大 ウォータールー大各1(大)大阪工大5 近大4 神戸学大3 関西学大 甲南大各2 明学大 帝京平成大 岐阜聖徳学大 大阪学大 阪南大 兵庫県大 福知山公大 岡山大 広島工大 香川大 九産大 久留米工大 重慶文理学院 香港大 ウォータールー大 浙江大城市学院各1(高専)神戸1(専)情報科学 日本工科大学校 神戸電子各1

【24年4月入社者の配属先】総勤務地:東京(千代田7 文京7)姫路6 大阪4 名古屋2 東北1 さいたま1 広島1 福岡1 部署:営業24 コーポレート2 その他4 技勤務地:姫路17 東京(文京4 品川3 千代田1 立川1)仙台1 新潟1 高崎1 横浜1 静岡1 名古屋1 大阪1 部署:設計12 生産技術1 品質保証3 保守16 コーポレート1

残業(月) 18.9時間 総18.9時間

記者評価 貨幣処理・決済機器の専門企業。金融機関向け入出金機やスーパー・コンビニ向けつり銭機などで高シェア。金融向けに強く小売店・鉄道・遊技場にも展開。顔認証やロボットSIなど新事業にも注力。25年4月入社者から大卒初任給を243,500円に増額予定。

●給与、ボーナス、週休、有休ほか●

【30歳総合職平均年収】NA【初任給】(修士)237,500〜247,500円 (大卒)221,500〜228,500円【ボーナス(年)】200万円+α、NA【25、30、35歳賃金】NA【週休】完全2日(土日祝)【夏期休暇】会社指定休日+一部事業所に限り有休の一斉付与【年末年始休暇】会社指定休日+一部事業所に限り有休の一斉付与【有休取得】15.1／23日

●従業員数、勤続年数、離職率ほか●

【男女別従業員数、平均年齢、平均勤続年数】計 ◇3,510(44.7歳 20.6年) 男 3,021(44.9歳 20.7年) 女 489(43.3歳 20.2年)【離職率と離職者数】◇3.9%、144名(早期退職男10名、女3名含む 他に15名転籍)【3年後新卒定着率】94.6%(男95.5%、女91.7%、3年前入社:男44名・女12名)【組合】あり

求める人材 課題創造力・課題達成力のある人

会社データ (金額は百万円)

【本社】670-8567 兵庫県姫路市下手野1-3-1
☎079-297-3131 https://www.glory.co.jp/
【社長】原田 明浩【設立】1944.11【資本金】12,892【今後力を入れる事業】海外の金融・流通市場への更なる拡販

【業績(連結)】	売上高	営業利益	経常利益	純利益
22.3	226,562	10,297	10,507	6,509
23.3	255,857	522	▲2,720	▲9,538
24.3	372,478	51,276	48,438	29,674

▶『業界地図』p.86

ナブテスコ(株)

東京P 6268

【特色】減速機等の部品メーカー。高シェア品多数

修士・大卒採用数	3年後離職率	有休取得年平均	平均年収(平均43歳)
31名	14.7→4.2%	16.4日	[総]732万円

●エントリー情報と採用プロセス●

【受付開始～終了】[総]3月～6月 [技]1月～6月【採用プロセス】[総]説明会(必須、3月)→ES提出・適性検査受験(3～4月)→面接(GD含む、3回、4～5月)→内々定(4～5月) [技]<1>説明会(必須、12月)→ES提出・適性検査受験(1～2月)→面接(GD含む、3回、1～2月)→内々定(3月)<2>説明会(必須、3月)→ES提出・適性検査受験(3～4月)→面接(GD含む、3回、4～5月)→内々定(5～6月)【交通費支給】最終面接、実費【早期選考】⇒巻末

試験情報

重視科目 [総][技]面接

[総][技][ES]⇒巻末[筆]WebGAB[面]2回(Webあり)[GD作]⇒巻末

選考ポイント [総][技][ES]これまでの経験やなぜ当社を選んだのかを論理的に述べられているか[面]コミュニケーション能力 積極性 協調性 部署マッチング

通過率 [総][ES]71%(受付:35→通過:25) [技][ES]94%(受付:137→通過:129)

倍率(応募/内定) [総]5倍 [技]6倍

●男女別採用数と配属先ほか●

【男女・文理別採用実績】

	大卒男	大卒女	修士男	修士女
23年	10(文 3理 7)	6(文 4理 2)	12(文 0理 12)	4(文 1理 3)
24年	13(文 5理 8)	5(文 3理 2)	19(文 0理 19)	2(文 1理 1)
25年	12(文 3理 9)	6(文 4理 2)	12(文 0理 12)	1(文 0理 1)

【25年4月入社者の採用実績校】[文](大)関西外大 関西学大各2 愛知大 成城大 立命館大各1 [理](院)関大 岩手県大 宮崎大 広島大 香川大 山口大 芝工大 神戸大 秋田大 兵庫県大 立命館大 和歌山大 清華大各1(大)愛知工業大3 京産大 芝工大 東京都市大 東理大 福岡工大 北里大 シェフィールド大 昌原大各1(高専)福井1

【24年4月入社者の配属先】[総]勤務地:東京・千代田4 神戸2 名古屋1 岐阜・不破郡1 三重・津1 部署:法務2 経理2 営業3 調達1 企画1 [技]勤務地:京都市2 岐阜・不破郡3 神戸13 三重・津12 部署:開発6 機械設計17 電気設計3 情報システム4

残業(月) 24.4時間 [総]24.4時間

記者評価 ともに老舗のティーエスコーポレーション(旧帝人製機)とナブコの事業統合で03年に誕生。主力は産業ロボットの関節向け精密減速機で、世界シェア6割を有する。ほかにも鉄道用ブレーキや自動ドア、包装機など展開。建機向け油圧機器や航空機器も。

●給与、ボーナス、週休、有休ほか●

【30歳総合職平均年収】559万円【初任給】(博士)294,200円(修士)268,200円(大卒)250,200円【ボーナス(年)】196万円、5.7カ月【25、30、35歳賃金】254,686円→286,464円→311,370円【週休】完全2日(当社カレンダーによる)【夏期休暇】5日(事業所ごとに決定)【年末年始休暇】12月30日～1月3日【有休取得】16.4/20日

●従業員数、勤続年数、離職率ほか●

【男女別従業員数、平均年齢、平均勤続年数】計 2,448(43.0歳 17.1年) 男 2,199(43.1歳 17.3年) 女 249(41.8歳 15.3年)【離職率と離職者数】2.5%、64名【3年後新卒定着率】95.8%(男95.5%、女100%、3年前入社:男22名・女2名)【組合】あり

求める人材 学ぶことを知っている人 学ぶことの楽しさを知っている人

会社データ (金額は百万円)

【本社】102-0093 東京都千代田区平河町2-7-9 JA共済ビル
☎03-5213-1139 https://www.nabtesco.com/
【社長】木村 和正【設立】2003.9【資本金】10,000【今後力を入れる事業】全事業

【業績(IFRS)】	売上高	営業利益	税前利益	純利益
21.12	299,802	30,017	101,966	64,818
22.12	308,691	18,097	15,763	9,464
23.12	333,631	17,376	25,629	14,554

(株)椿本チエイン

つばきもと

東京P 6371

【特色】産業用チェーン世界首位。自動車用でも最大手

修士・大卒採用数	3年後離職率	有休取得年平均	平均年収(平均43歳)
39名	4.9→2.9%	15.6日	[総]700万円

●エントリー情報と採用プロセス●

【受付開始～終了】[総]3月～継続中 [技]1月～継続中【採用プロセス】[総]ES提出・Webテスト(3月～)→1次選考(3月～)→最終面接(3月～)→内々定(4月～) [技]ES提出・Webテスト(1月～)→1次選考(1月～)→2次選考(2月中旬～)→最終面接(3月～)→内々定(3月～)【交通費支給】2次面接以降、全額【早期選考】⇒巻末

試験情報

重視科目 [総][技]面接

[総][ES]⇒巻末[筆]WebGAB[面]2回(Webあり)[GD作]⇒巻末 [技][ES]⇒巻末[筆]WebGAB[面]3回(Webあり)[GD作]⇒巻末

選考ポイント [総][技][ES]会社が求める人材と合致するか[面]基礎学力および論理性 コミュニケーション力 人柄・個性+志望度(企業研究)

通過率 [総][ES]約65%(受付:約230→通過:約150) [技][ES]約93%(受付:約150→通過:約140)

倍率(応募/内定) [総]約16倍 [技]約9倍

●男女別採用数と配属先ほか●

【男女・文理別採用実績】

	大卒男	大卒女	修士男	修士女
23年	12(文 6理 6)	11(文 8理 3)	15(文 0理 15)	3(文 2理 1)
24年	26(文 7理 19)	10(文 7理 3)	13(文 0理 13)	0(文 0理 0)
25年	19(文 8理 11)	8(文 5理 3)	9(文 0理 9)	3(文 0理 3)

【25年4月入社者の採用実績校】[文](大)京産大2 同大 立命館大 関大 同女大 立教大 近大 國學院大 専大 岐阜聖徳学大 龍谷大 京都ノートルダム女大各1 [理](院)東京科学大 豊橋技科大各2 東大 埼玉大 大阪公大 関大 近大 鳥取大 大分大 高知工科大各1(大)東京電機大 芝工大各3 関西学大 近大各2 同大 龍谷大 大阪産大 帝京大各1(高専)津山 大分各1

【24年4月入社者の配属先】[総]勤務地:東京・品川3 京都・京田辺7 大阪市4 部署:営業5 財務1 人事1 企画管理7 [技]勤務地:埼玉・飯能15 京都(長岡京7 京田辺15)岡山・津山2 部署:設計18 生産技術8 品質2 企画3 開発5 研究3

残業(月) 7.6時間 [総]9.4時間

記者評価 1917年自転車チェーン製造会社として創業。産業用スチールチェーン、自動車エンジン用チェーンで世界首位。自動車塗装ライン用、物流や新聞システム用の搬送装置も手がける。北米、欧州、アジアなど海外工場を保有し海外売上高比率は6割強。

●給与、ボーナス、週休、有休ほか●

【30歳総合職平均年収】520万円【初任給】(修士)277,000円(大卒)258,000円【ボーナス(年)】144万円、4.4カ月【25、30、35歳賃金】NA【週休】完全2日(土日)【夏期休暇】(工場)連続6～10日(本社・支社)連続5日【年末年始休暇】連続7～10日【有休取得】15.6/20日

●従業員数、勤続年数、離職率ほか●

【男女別従業員数、平均年齢、平均勤続年数】計 ◇2,947(42.4歳 16.5年) 男 2,669(42.4歳 17.0年) 女 278(42.5歳 12.0年)【離職率と離職者数】◇2.4%、72名(早期退職男5名含む)【3年後新卒定着率】97.1%(男96.6%、女100%、3年前入社:男29名・女5名)【組合】あり

求める人材 「変革とチャレンジ」を実行し、自ら進んで取り組める人

会社データ (金額は百万円)

【本社】530-0005 大阪府大阪市北区中之島3-3-3 中之島三井ビルディング
☎06-6441-0011 https://www.tsubakimoto.jp/
【社長】木村 隆利【設立】1941.1【資本金】17,076【今後力を入れる事業】チェーン 精機 自動車部品 マテハン

【業績(連結)】	売上高	営業利益	経常利益	純利益
22.3	215,879	17,842	20,045	14,543
23.3	251,574	18,985	20,958	13,742
24.3	266,812	21,262	23,450	18,551

メーカーI

フジテック(株)

東京P 6406

【特色】昇降機専業メーカー。東アジアの比重大

修士・大卒採用数	3年後離職率	有休取得年平均	平均年収(平均41歳)
62名	18.2→9.4%	13.1日	総681万円

●エントリー情報と採用プロセス●

【受付開始～終了】総技3月～継続中【採用プロセス】総技筆記(3月)→人事面接(2回、4月)→役員面接(5月)→内々定(5～6月)【交通費支給】最終選考、全額

試験情報

重視科目 総技面接

総技筆言語 数理 図形 論理面3回(Webあり)

選考ポイント 総技ES提出なし面コミュニケーション能力 協働力 行動力

通過率 総 技ES―(応募:NA) 倍率(応募/内定) 総技NA

●男女別採用数と配属先ほか●

【男女・文理別採用実績】

	大卒男	大卒女	修士男	修士女
23年	39(文 9理 30)	2(文 1理 1)	9(文 0理 9)	2(文 1理 1)
24年	53(文 11理 42)	10(文 6理 4)	6(文 0理 6)	0(文 0理 0)
25年	53(文 6理 47)	3(文 1理 2)	6(文 0理 6)	0(文 0理 0)

【25年4月入社者の採用実績校】文(大)滋賀大 大阪成蹊大 大阪経大 明大 東京国際大 千葉商大 成蹊大各1 他 理(院)香川大 龍谷大各2 滋賀県大 小松大各1(大)近大 龍谷大 福岡工大 大阪工大各4 滋賀県大 関大 大阪産大各3 日大 広島工大 福井工大各2 愛媛大 滋賀大 信州大 徳島大 甲南大 金沢工大 摂南大 大阪電通大 京都橘大 京都先端科学大 中京大 東海大 東京電機大 東洋大 千葉工大 埼玉工大 湘南工大 神奈川工大各1 他

【24年4月入社者の配属先】総勤務地:大阪(大阪6 茨木1)東京・港6 広島2 北海道1 名古屋1 部署:営業16 グローバル業務1 技勤務地:滋賀・彦根22 東京(港12 大田2 江東1 台東1 荒川1 豊島1 西東京1 立川1)大阪(大阪6 西区5 茨木4)兵庫(豊岡5 神戸3)横浜2 京都2 広島2 仙台2 香川1 埼玉1 静岡1 石川1 富山1 福岡1 北海道1 名古屋1 部署:保守27 開発13 設計13 施工管理12 据付9 研究2 品質管理2 生産管理1 生産技術1 生産1

残業(月) 23.4時間

記者評価 エレベーター、エスカレーター専業。国内4位で唯一の非総合電機系として独自色。関西地盤だが首都圏での存在感も高い。中国などを中心に海外売上比率は約6割。国内は滋賀県の工場に本社機能集約。モノ言う株主の提案を踏まえた経営改善が続く。

●給与、ボーナス、週休、有休ほか●

【30歳総合職平均年収】580万円【初任給】(修士)251,000円(大卒)230,000円【ボーナス(年)】NA、4.09カ月【25、30、35歳賃金】NA【週休】2日(職種により異なる)【夏期休暇】連続5～7日(計画年休3日+土日祝)【年末年始休暇】連続4～7日(土日祝含む)【有休取得】13.1／20日

●従業員数、勤続年数、離職率ほか●

【男女別従業員数、平均年齢、平均勤続年数】計 ◇3,385(41.0歳 17.6年) 男 3,056(41.1歳 18.0年) 女 329(40.4歳 14.1年)【離職率と離職者数】◇3.8%、134名(早期退職男8名含む)【3年後新卒定着率】90.6%(男91.7%、女80.0%、3年前入社:男48名・女5名)【組合】あり

求める人材 自ら考え行動し、チームで物事に取り組める人材

会社データ (金額は百万円)

【本社】522-8588 滋賀県彦根市宮田町591-1
☎0749-30-7111 https://www.fujitec.co.jp/
【社長】原田 政佳【設立】1948.2【資本金】12,533【今後力を入れる事業】昇降機事業

【業績(連結)】	売上高	営業利益	経常利益	純利益
22.3	187,018	13,777	15,713	10,835
23.3	207,589	11,619	13,332	8,433
24.3	229,401	14,571	18,717	17,830

オーエスジー(株)

東京P 6136

【特色】切削工具総合メーカー。海外戦略で業績安定基盤

修士・大卒採用数	3年後離職率	有休取得年平均	平均年収(平均44歳)
15名	9.4→18.9%	15.7日	総725万円

●エントリー情報と採用プロセス●

【受付開始～終了】総3月～3月 技9月～9月【採用プロセス】総説明会(任意、11～3月)→ES提出(3月中旬)→GD・筆記(3月下旬～4月上旬)→面接(3回、4月上旬～5月上旬)→内々定(5月中旬) 技説明会(任意、7～9月)→ES提出(9月)→筆記(10月上旬)→面接(2回、10月下旬～12月上旬)→内々定(12月中旬)※3月以降も追加で選考有【交通費支給】1次面接以降、実費相当(会社基準)【早期選考】⇒巻末

試験情報

重視科目 総技面接

総ES⇒巻末筆オリジナル一般常識(会場)面3回GD作NA 技ES⇒巻末筆オリジナル一般常識(会場)面2回

選考ポイント 総ES誤字脱字がないか 文字数・表現力 オリジナリティー面コミュニケーション能力 対応力 表現力 技ES誤字脱字がないか 文字数・表現力 研究内容面総合職共通

通過率 総ES97%(受付:87→通過:84) 技ES94%(受付:77→通過:72)

倍率(応募/内定) 総17倍 技11倍

●男女別採用数と配属先ほか●

【男女・文理別採用実績】

	大卒男	大卒女	修士男	修士女
23年	14(文 9理 5)	0(文 0理 0)	9(文 0理 9)	0(文 0理 0)
24年	19(文 15理 4)	0(文 0理 0)	5(文 0理 5)	1(文 0理 1)
25年	7(文 4理 3)	3(文 2理 1)	5(文 0理 5)	0(文 0理 0)

【25年4月入社者の採用実績校】文(大)愛知大2 名城大 中京大 愛知学大 名古屋外大各1 理(院)長岡技科大 富山大 豊橋技科大 滋賀県大 立命館大各1(大)名城大2 南山大 大同大各1(高専)豊田1

【24年4月入社者の配属先】総勤務地:東京2 愛知2 群馬1 岐阜1 大阪1 兵庫1 部署:営業8 技勤務地:愛知17 部署:技術職17

残業(月) 15.0時間 総15.0時間

記者評価 精密切削工具大手。タップ、ドリル、エンドミル、転造工具など生産し、いずれも高シェア。自動車関連向け多い。1968年に米国に現法を開設したのを皮切りに、現在では世界33カ国に拠点網。海外売上比率は約7割。微細精密加工用工具を戦略的に強化中。

●給与、ボーナス、週休、有休ほか●

【30歳総合職平均年収】423万円【初任給】(博士)256,670円(修士)240,030円(大卒)220,710円【ボーナス(年)】233万円、6.48カ月【25、30、35歳賃金】224,213円→254,182円→285,049円【週休】完全2日(土日)【夏期休暇】連続9～10日程度(週休4日含む)【年末年始休暇】連続9～10日程度(週休4日含む)【有休取得】15.7／20日

●従業員数、勤続年数、離職率ほか●

【男女別従業員数、平均年齢、平均勤続年数】計 992(43.3歳 18.4年) 男 785(43.6歳 19.1年) 女 207(42.1歳 15.8年)【離職率と離職者数】3.3%、34名【3年後新卒定着率】81.1%(男78.6%、女88.9%、3年前入社:男28名・女9名)【組合】あり

求める人材 技術革新の時代に「改革のイノベーター」となり、何事にも果敢にチャレンジをすることができる人

会社データ (金額は百万円)

【本社】442-8543 愛知県豊川市本野ケ原3-22
☎0533-82-1111 https://www.osg.co.jp/
【社長】大沢 伸朗【設立】1938.3【資本金】13,044【今後力を入れる事業】EV時代に向けた微細精密加工分野の強化

【業績(連結)】	売上高	営業利益	経常利益	純利益
21.11	126,156	16,105	16,141	10,989
22.11	142,525	21,898	23,648	16,534
23.11	147,703	19,800	21,350	14,307

㈱ミツトヨ

株式公開 計画なし

【特色】精密測定機器で世界首位級。世界約30カ国に拠点

修士・大卒採用数	3年後離職率	有休取得年平均	平均年収(平均41歳)
22名	14.3→0%	11.0日	◇720万円

●エントリー情報と採用プロセス●

【受付開始～終了】総技1月～継続中【採用プロセス】総技説明会(必須、1月頃～)→ES提出・Webテスト(1月頃～)→面接(2回、2月～)→内々定(3月～)【交通費支給】2次面接以降、実費【早期選考】⇒巻末

試験情報

重視科目 総技面接

総技ES⇒巻末筆SPI3(自宅)面2回(Webあり)

選考ポイント 総ESNA(提出あり)面精密測定への興味・関心 積極性 自主性 チャレンジ志向 他 技ESNA(提出あり)面精密測定への興味・関心 研究への取組姿勢 論理的説明 自主性 チャレンジ志向 他

通過率 総ES48%(受付:85→通過:41) 技ES75%(受付:126→通過:95)

倍率(応募/内定) 総(説明会参加)9倍 技(説明会参加)10倍

●男女別採用数と配属先ほか●

【男女・文理別採用実績】

	大卒男	大卒女	修士男	修士女
23年	9(文 2理 7)	2(文 2理 0)	11(文 0理 11)	0(文 0理 0)
24年	7(文 6理 1)	7(文 6理 1)	13(文 0理 13)	3(文 0理 3)
25年	9(文 5理 4)	4(文 3理 1)	6(文 0理 6)	3(文 0理 3)

【25年4月入社者の採用実績校】
文(大)北大 宇都宮大 立命館大 駒澤大 桜美林大 安田女大 佛教大 名古屋学院大各1 理(院)宇都宮大3 福岡工大2 東京電機大 長岡技科大 同大 徳島大各1(大)工学院大 近大 長岡技科大 群馬大 佐賀大各1(高専)呉1

【24年4月入社者の配属先】総勤務地:川崎13 部署:営業7 管理部門6 技勤務地:川崎8 栃木・宇都宮5 広島4 岐阜・中津川1 高知1 部署:研究開発・設計・生産技術・サービスエンジニア19

残業(月) 20.0時間 総20.0時間

記者評価 高精度3次元測定機が柱の精密測定機器総合メーカー。ノギス、マイクロメーターの国内シェアは約9割。川崎、札幌、宮崎に研究開発拠点を置く。海外でもシェア高く、約30カ国・地域に拠点。熟練技能者の技と経験を伝承する「匠マイスター制度」も。

●給与、ボーナス、週休、有休ほか●

【30歳総合職平均年収】NA【初任給】(博士)293,600円(修士)262,500円(大卒)239,500円【ボーナス(年)】167万円、5.0カ月【25、30、35歳賃金】NA【週休】完全2日(土日祝)【夏期休暇】連続5日【年末年始休暇】12月29日～1月3日【有休取得】11.0／20日

●従業員数、勤続年数、離職率ほか●

【男女別従業員数、平均年齢、平均勤続年数】計◇2,768(41.4歳 16.3年) 男 2,369(41.4歳 16.3年) 女 399(41.4歳 16.3年)【離職率と離職者数】◇1.4%、40名【3年後新卒定着率】100%(男100%、女100%、3年前入社:男12名・女4名)【組合】あり

求める人材 問題発見、課題解決、自りつ(律・立)、やり切る力を持った人 変革に向けてチャレンジできる人

会社データ (金額は百万円)

【本社】213-8533 神奈川県川崎市高津区坂戸1-20-1
☎044-813-8201 https://www.mitutoyo.co.jp/
【社長】沼田 恵明【設立】1938.2【資本金】391【今後力を入れる事業】今までにない新しい測定機など新技術の開発 IoTやセンシング領域の新規事業開拓

【業績(連結)】	売上高	営業利益	経常利益	純利益
21.12	117,029	11,002	11,246	8,027
22.12	134,445	10,595	10,936	6,889
23.12	144,456	11,147	11,917	9,626

メーカーⅠ

サトーホールディングス㈱

東京P 6287

【特色】バーコードプリンタの世界大手。RFIDにも注力

修士・大卒採用数	3年後離職率	有休取得年平均	平均年収(平均45歳)
43名	10.3→18.2%	12.9日	総830万円

●エントリー情報と採用プロセス●

【受付開始～終了】総技3月～継続中【採用プロセス】総技ES・履歴書提出→書類選考→1次面接(人事)→適性検査(Web)→2次面接(担当部門部長)→最終面接(役員、人事)→内々定【交通費支給】最終面接、地域ごとに上限を設定、上限以下は実費【早期選考】⇒巻末

試験情報

重視科目 総技面接

総技ES⇒巻末筆あり(内容NA)面3回(Webあり)

選考ポイント 総技ESNA(提出あり)面NA

通過率 総ESNA(受付:263→通過:NA) 技ESNA(受付:78→通過:NA)

倍率(応募/内定) 総6倍 技4倍

●男女別採用数と配属先ほか●

【男女・文理別採用実績】※25年:予定数

	大卒男	大卒女	修士男	修士女
23年	17(文 13理 4)	4(文 4理 0)	1(文 0理 1)	0(文 0理 0)
24年	28(文 22理 6)	13(文 11理 2)	0(文 0理 0)	0(文 0理 0)
25年	26(文 18理 8)	15(文 14理 1)	1(文 0理 1)	1(文 1理 0)

【25年4月入社者の採用実績校】文(院)昭和女大1(大)神田外語大 大阪経大各3 二松学舎大 東京国際大 産能大 近大各2 立命館大 駿河台大 目白大 玉川大 学習院大 城西国際大 駒澤大 日大 高千穂大 立教大 早大 山梨学大 成蹊大 高崎経大 甲南大 中京大 追手門学大 大阪工大各1 理(院)芝工大1(大)大阪工大2 日工大 玉川大 近大 長崎大 立命館大各1

【24年4月入社者の配属先】総勤務地:東京10 八王子1 大阪3 名古屋2 福岡2 新潟1 宮城1 神奈川1 千葉1 埼玉1 広島1 石川1 静岡1 部署:営業19 営業事務2 コーポレート2 事務1 生産管理2 技勤務地:東京4 八王子1 大阪2 名古屋1 福岡1 埼玉3 岩手2 宮城1 静岡1 部署:フィールドシステムエンジニア8 カスタマーエンジニア2 プリンタ開発(メカ1 ソフト1)生産製造2 新市場戦略部2

残業(月) 18.4時間 総18.4時間

記者評価 バーコード等の自動認識システムを手がけ、関連ソフトやプリンタ機器、サプライ品まで総合展開。顧客は製造業や小売、物流、医療など幅広い。RFID端末にも注力。海外事業が成長中。社員が情報・提案を3行にまとめて経営陣に直接報告する「三行提報」制度も。

●給与、ボーナス、週休、有休ほか●

【30歳総合職平均年収】510万円【初任給】(修士)246,000円(大卒)230,000円【ボーナス(年)】182万円、5.0カ月【25、30、35歳賃金】220,093円→242,527円→277,488円【週休】完全2日(土日祝)【夏期休暇】年間126日に対し調整【年末年始休暇】年間126日に対し調整【有休取得】12.9／20日

●従業員数、勤続年数、離職率ほか●

【男女別従業員数、平均年齢、平均勤続年数】計 1,978(44.0歳 16.6年) 男 1,502(44.7歳 NA) 女 476(41.4歳 NA)【離職率と離職者数】2.3%、47名(早期退職18名含む)【3年後新卒定着率】81.8%(男78.9%、女100%、3年前入社:男19名・女3名)【組合】なし

求める人材 (全体)自ら考え行動し、変化を起こせる人財(理)機・電・情・理工 における専門的な学び

会社データ (金額は百万円)

【本社】108-0023 東京都港区芝浦3-1-1 田町ステーションタワーN
☎03-6628-2400 https://www.sato.co.jp/
【社長】小沼 宏行【設立】1951.5【資本金】8,468【今後力を入れる事業】循環経済に資する自動認識ソリューション 海外事業

【業績(連結)】	売上高	営業利益	経常利益	純利益
22.3	124,783	6,404	6,057	3,794
23.3	142,824	8,841	9,068	4,184
24.3	143,446	10,383	8,961	3,565

シーケーディ CKD(株)

東京P 6407

【特色】空気圧機器、自動機械装置の総合メーカー

修士・大卒採用数	3年後離職率	有休取得年平均	平均年収(平均42歳)
63名	13.1→13.7%	13.8日	[総]756万円

●エントリー情報と採用プロセス●

【受付開始～終了】[総]3月～5月 [技]2月～7月【採用プロセス】[総]ES提出・Web試験(3月～)→Web・対面面接(3回、4月～)→内々定(5月～) [技]ES提出・Web試験(2月～)→Web・対面面接(3回、3月～)→内々定(3月～)【交通費支給】最終面接、会社基準【早期選考】⇒巻末

試験情報

重視科目 [総][技]面接

[総][技][ES]⇒巻末[筆]WebGAB[面]3回(Webあり)

選考ポイント [総][技][ES]筆記・Web試験との総合評価[面]課題解決力 実行力 創造力 共創力

通過率 [総][技][ES]NA 倍率(応募/内定) [総][技]NA

●男女別採用数と配属先ほか●

【男女・文理別採用実績】

	大卒男	大卒女	修士男	修士女
23年	15(文 9理 6)	15(文 14理 1)	5(文 1理 4)	3(文 1理 2)
24年	23(文 13理 10)	10(文 9理 1)	10(文 0理 10)	0(文 0理 0)
25年	37(文 20理 17)	19(文 15理 4)	7(文 0理 7)	0(文 0理 0)

【25年4月入社者の採用実績校】[文](大)南山大4 大阪経大 同大各3 愛知大 愛知淑徳大 小松大 中京大各2 亜大 愛知学大 関西外大 関大 京産大 金沢星稜大 専大 早大 大阪教大 中大 東北大 日大 富山大 名古屋商大 名城大 立教大 國學院大各1 [理](院)岡山理大 岐阜大 近大 金沢工大 香川大 富山大 名城大各1(大)中部大5 愛知工業大 小松大 中京大 富山県大 富山大各2 岡山理大 近大 大同大 奈良女大 名工大 名城大各1(高専)鈴鹿1

【24年4月入社者の配属先】[総]勤務地:〈営業職〉愛知・小牧2 神奈川2 静岡1 京都1 大阪1 滋賀1 埼玉1 熊本1 広島1 三重1 群馬1〈事務職〉愛知(小牧3 春日井3 犬山1)三重1 石川1 部署:営業13 調達5 生産管理3 貿易1 [技]勤務地:愛知(小牧11 春日井7)石川2 三重1 宮城1 部署:開発・技術13 生産技術7 デジタル2

残業(月) 14.5時間 [総]14.5時間

記者評価 航空機用電装品メーカーとして名古屋で創業。省力・自動機械などの大手メーカーへと発展。管球製造装置、薬品薬液制御機器などで高シェア。23年度にインドで新工場が稼働。24年末にはマレーシアの流体制御機器工場も操業開始。宮城・東北工場も増強へ。

●給与、ボーナス、週休、有休ほか●

【30歳総合職平均年収】553万円【初任給】(博士)272,000円 (修士)252,000円 (大卒)235,000円【ボーナス(年)】239万円、6.8カ月【25、30、35歳賃金】NA【週休】完全2日(土日祝)【夏期休暇】連続9日(うち1日は有休利用)【年末年始休暇】連続9日【有休取得】13.8／20日

●従業員数、勤続年数、離職率ほか●

【男女別従業員数、平均年齢、平均勤続年数】計 ◇2,407(41.8歳 17.0年) 男 2,002(42.3歳 17.4年) 女 405(39.3歳 14.8年)【離職率と離職者数】◇2.0%、49名(早期退職1名含む)【3年後新卒定着率】86.3%(男86.5%、女85.7%、3年前入社:男37名・女14名)【組合】あり

求める人材 周囲と共創しながら、新たな価値創造のために挑戦し続けられる人

会社データ (金額は百万円)

【本社】485-8551 愛知県小牧市応時2-250
☎0568-74-1240 https://www.ckd.co.jp/
【社長】奥岡 克仁【設立】1943.4【資本金】11,016【今後力を入れる事業】電動事業 半導体 医療 電池 農業 IoTによる予防保全やアフタサービス

【業績(連結)】	売上高	営業利益	経常利益	純利益
22.3	142,199	17,879	18,043	12,567
23.3	159,457	21,170	21,181	14,788
24.3	134,425	13,113	13,048	8,338

フジ (株)FUJI

東京P 6134

【特色】電子部品の自動装着装置首位級。高速機に強い

修士・大卒採用数	3年後離職率	有休取得年平均	平均年収(平均41歳)
31名	7.3→2.6%	17.7日	[総]824万円

●エントリー情報と採用プロセス●

【受付開始～終了】[総]3月～6月 [技]3月～5月【採用プロセス】[総]ES提出・Webテスト(3月)→面接(2回、4月中旬～)→内々定(5月下旬～) [技]ES提出・Webテスト(3月)→面接(2回、3月下旬～)→内々定(4月下旬～)【交通費支給】最終面接以降、会社基準【早期選考】⇒巻末

試験情報

重視科目 [総][技]面接 筆記

[総][ES]⇒巻末[筆]SPI3 CUBIC(Web版)[面]2回(Webあり)
[技][ES]⇒巻末[筆]CUBIC(Web版)[面]2回(Webあり)

選考ポイント [総][ES]希望職種 文章に一貫性があるか[面]達成志向 率先行動 対人関係 [技][ES]希望職種 ものづくりにかける思い[面]総合職共通

通過率 [総][ES]NA(受付:(早期選考含む)80→通過:NA)
[技][ES]NA(受付:(早期選考含む)100→通過:NA)

倍率(応募/内定) [総](早期選考含む)11倍 [技](早期選考含む)4倍

●男女別採用数と配属先ほか●

【男女・文理別採用実績】

	大卒男	大卒女	修士男	修士女
23年	10(文 3理 7)	6(文 3理 3)	13(文 0理 13)	1(文 0理 1)
24年	8(文 2理 6)	7(文 4理 3)	11(文 0理 11)	1(文 1理 0)
25年	12(文 3理 9)	3(文 3理 0)	15(文 1理 14)	1(文 1理 0)

【25年4月入社者の採用実績校】[文](院)大阪工大 岐阜大各1(大)南山大 名古屋外大各2 愛知県大1 [理](院)豊橋技科大 名城大各3 名工大 豊田工大 岐阜大 静岡大 三重大 福井大 電通大 同大各1(大)名城大 南山大各3 三重大 愛知工業大 金沢工大各1(高専)愛知総合工科高・専攻科2 豊田1

【24年4月入社者の配属先】[総]勤務地:(23年)愛知・知立4 部署:(23年)営業3 人事1 [技]勤務地:(23年)愛知・知立25 部署:(23年)研究開発4 機械設計5 ソフト設計12 制御設計1 新規事業開発2 企画1

残業(月) 17.3時間 [総]19.4時間

記者評価 収益柱は電子部品を基板に装着する実装ロボット。小さな面積に多くの部品を装着できる高速機に強く、スマホなどの小型部品に使用される。海外売上比率は9割、なかでも中国向け比率が高い。近年は車載部品向けが拡大中。工作機械にも注力。

●給与、ボーナス、週休、有休ほか●

【30歳総合職平均年収】616万円【初任給】(博士)286,000円 (修士)263,000円 (大卒)248,000円【ボーナス(年)】204万円、5.8カ月【25、30、35歳賃金】281,376円→326,344円→364,520円【週休】完全2日(土日)【夏期休暇】連続約9日(土日・有休2日含む)【年末年始休暇】連続約9日(土日含む)【有休取得】17.7／20日

●従業員数、勤続年数、離職率ほか●

【男女別従業員数、平均年齢、平均勤続年数】計 ◇1,716(43.2歳 19.5年) 男 1,484(43.8歳 20.0年) 女 232(40.3歳 16.8年)【離職率と離職者数】◇1.0%、17名【3年後新卒定着率】97.4%(男97.0%、女100%、3年前入社:男33名・女5名)【組合】あり

求める人材 情熱があり、チャレンジ精神が旺盛な人

会社データ (金額は百万円)

【本社】472-8686 愛知県知立市山町茶碓山19
☎0566-81-8202 https://www.fuji.co.jp/
【社長】五十棲 丈二【設立】1959.4【資本金】5,878【今後力を入れる事業】省人化・自動化ソリューションの提供

【業績(連結)】	売上高	営業利益	経常利益	純利益
22.3	148,128	28,472	29,943	21,188
23.3	153,326	27,108	29,016	20,454
24.3	127,059	13,421	15,010	10,438

メーカーI

新東工業(株)（しんとうこうぎょう）

東京P 6339

【特色】鋳造機械製造で国内首位。表面処理事業も柱

修士・大卒採用数	3年後離職率	有休取得年平均	平均年収(平均45歳)
30名	8.2→11.5%	13.8日	総 701万円

●エントリー情報と採用プロセス●

【受付開始～終了】総3月～継続中 技2月～継続中【採用プロセス】総説明会(必須、3月～随時)→ES提出→面接(2回)・適性検査→内々定 技説明会(必須、2月～随時)→ES提出→面接(2回)・適性検査→内々定【交通費支給】来社時全て、実費【早期選考】⇒巻末

試験情報

重視科目 総技面接

総技ES⇒巻末 筆Compass 面2回(Webあり)

選考ポイント 総技ES自己PR 学生時代の取り組み 力を入れた学業 面コミュニケーション能力 チャレンジ精神 理解判断力 企画創造力 協調性

通過率 総技ESNA

倍率(応募/内定) 総技NA

●男女別採用数と配属先ほか●

【男女・文理別採用実績】

	大卒男	大卒女	修士男	修士女
23年	14(文 4理 10)	9(文 8理 1)	6(文 1理 5)	0(文 0理 0)
24年	23(文 11理 12)	5(文 5理 0)	1(文 0理 1)	0(文 0理 0)
25年	23(文 10理 13)	6(文 6理 0)	1(文 0理 1)	0(文 0理 0)

※25年:24年7月時点

【25年4月入社者の採用実績校】
文(24年)(大)中京大3 富山大 関西学大 南山大 京産大 成城大 名城大 愛知学大 駿河台大各1 理(24年)(院)愛知工業大1(大)中部大3 大同大2 福井大 南山大 甲南大 神奈川工大 静岡理工科大 愛知工業大 金沢工大各1

【24年4月入社者の配属先】
総勤務地:(23年)愛知・豊川5 部署:(23年)営業部門2 生産部門2 安全環境部門1 技勤務地:(23年)愛知(豊川11 大治2 幸田2 新城1) 部署:(23年)開発部門6 設計部門8 システム部門2

残業(月) 22.4時間

記者評価 鋳造機と表面処理が両輪。鋳造は自動車向けが主体。表面処理は造船、建機など幅広い。中子造型機の評価が高く、同機で世界首位の独レンペに資本参加。集塵・粉体処理の環境分野育成。ロボット関連も注力。24年4月にフランスの表面処理製品メーカーを買収。

●給与、ボーナス、週休、有休ほか●

【30歳総合職平均年収】483万円【初任給】(修士)263,000円 (大卒)245,000円【ボーナス(年)】(組合員)123万円、4.08カ月【25、30、35歳賃金】260,000円→290,000円→320,500円【週休】完全2日(土日)【夏期休暇】連続5日【年末年始休暇】連続7日【有休取得】13.8／20日

●従業員数、勤続年数、離職率ほか●

【男女別従業員数、平均年齢、平均勤続年数】計◇1,683(41.1歳 17.3年) 男1,424(41.9歳 17.9年) 女259(37.7歳 13.7年)【離職率と離職者数】◇5.3%、95名【3年後新卒定着率】88.5%(男85.7%、女100%、3年前入社:男21名・女5名)【組合】あり

求める人材 夢を抱いて絶えずチャレンジする人

会社データ (金額は百万円)

【本社】450-6424 愛知県名古屋市中村区名駅3-28-12 大名古屋ビル24階 ☎052-582-9211 https://www.sinto.co.jp/
【社長】永井 淳【設立】1934.10【資本金】5,752【今後力を入れる事業】EV ロボット・自動化 IoT 他

【業績(連結)】	売上高	営業利益	経常利益	純利益
22.3	99,247	2,606	4,478	2,835
23.3	106,381	2,242	3,951	6,187
24.3	115,495	5,409	7,510	8,706

(株)小森コーポレーション（こもり）

東京P 6349

【特色】印刷機専業で国内首位。海外売上比率は約7割

修士・大卒採用数	3年後離職率	有休取得年平均	平均年収(平均45歳)
16名	6.3→0%	11.5日	総 724万円

●エントリー情報と採用プロセス●

【受付開始～終了】総技3月～6月【採用プロセス】総技説明会(必須、3～4月)→面接(2回、4～6月)→最終面接(4～6月)→内々定(5～7月)【交通費支給】最終面接、遠方者のみ一律定額

試験情報

重視科目 総技面接

総技筆適性テスト(筆記)面3回(Webあり)

選考ポイント 総技ES提出なし 面質問の意図を正確に理解し自分の言葉で回答しているか 自律的な考え・行動ができているか 一般常識

通過率 総技ES―(応募:NA)

倍率(応募/内定) 総技NA

●男女別採用数と配属先ほか●

【男女・文理別採用実績】

	大卒男	大卒女	修士男	修士女
23年	7(文 2理 5)	5(文 4理 1)	4(文 0理 4)	2(文 0理 2)
24年	4(文 3理 1)	5(文 3理 2)	8(文 0理 8)	1(文 0理 1)
25年	8(文 2理 6)	5(文 4理 1)	3(文 1理 2)	0(文 0理 0)

【25年4月入社者の採用実績校】
文(院)明大1(大)関大 筑波大 武蔵大 明大 獨協大 日大各1 理(院)千葉大 山形大各1(大)東京電機大2 日大 芝工大 東京国際工科専門職大 インドネシア大 ソガン大各1

【24年4月入社者の配属先】
総勤務地:東京・墨田4 茨城・つくば1 部署:営業4 管理1 技勤務地:茨城・つくば13 部署:設計・開発11 生産2

残業(月) 14.3時間 総15.6時間

記者評価 オフセット枚葉印刷機で世界首位級。輪転機にも強い。輸出比率約7割と高く、欧米で高シェア。独ハイデルベルク社がライバル。国内唯一の紙幣印刷機メーカーとしても存在感示しドイツ、ナイジェリア、インド等で採用実績。アジアでは紙幣印刷機受注に意欲的。

●給与、ボーナス、週休、有休ほか●

【30歳総合職平均年収】510万円【初任給】(修士)255,000円 (大卒)240,000円【ボーナス(年)】167万円、5.12カ月【25、30、35歳賃金】NA【週休】完全2日(土日祝)【夏期休暇】連続9日(有休1日、週休2日含む)【年末年始休暇】連続9日(週休2日含む)【有休取得】11.5／20日

●従業員数、勤続年数、離職率ほか●

【男女別従業員数、平均年齢、平均勤続年数】計◇1,052(44.7歳 18.9年) 男896(45.5歳 19.4年) 女156(37.4歳 16.0年)【離職率と離職者数】◇1.0%、11名【3年後新卒定着率】100%(男100%、女100%、3年前入社:男12名・女5名)【組合】あり

求める人材 世界を視野に入れて、自発的に行動し、成果が出せる自律型人財

会社データ (金額は百万円)

【本社】130-8666 東京都墨田区吾妻橋3-11-1 ☎03-5608-7802 https://www.komori.com/
【社長】持田 訓【設立】1946.12【資本金】37,714【今後力を入れる事業】印刷機械事業のさらなる深耕・発展

【業績(連結)】	売上高	営業利益	経常利益	純利益
22.3	87,623	2,267	3,408	6,158
23.3	97,914	5,719	6,611	5,716
24.3	104,278	4,898	6,797	4,641

ジューキ JUKI(株)

東京P 6440

【特色】アパレル向け工業用ミシン世界首位。家庭用3位

修士・大卒採用数	3年後離職率	有休取得年平均	平均年収(平均45歳)
9名	13.0 → —	13.2日	総 587万円

●エントリー情報と採用プロセス●

【受付開始～終了】総技3月～継続中【採用プロセス】総技説明会(必須、3月)→ES提出・適性試験(3～4月)→面接(3回、4～5月)→内々定(5月)【交通費支給】最終面接、実費【早期選考】⇒巻末

試験情報

重視科目 総技面接

総 ES⇒巻末 筆SPI3(自宅) ビジネス適性試験(Web) 面3回(Webあり) 技 ES⇒巻末 筆WebGAB ビジネス適性試験(Web) 面3回(Webあり)

選考ポイント 総技 ES志望動機 学生時代に力を注いだこと 総合職として広く活躍できそうか 他 面社内でうまくやっていけそうか 総合職としての適性 募集職種と本人の希望とのマッチングおよび専門性・将来性 他

通過率 総 ES NA(受付:112→通過:NA) 技 ES NA(受付:46→通過:NA)

倍率(応募/内定) 総19倍 技8倍

●男女別採用数と配属先ほか●

【男女・文理別採用実績】※25年:継続中

	大卒男	大卒女	修士男	修士女
23年	10(文 4理 6)	3(文 3理 0)	1(文 0理 1)	2(文 2理 0)
24年	15(文 4理 11)	2(文 2理 0)	1(文 0理 1)	0(文 0理 0)
25年	5(文 2理 3)	2(文 2理 0)	1(文 0理 1)	1(文 0理 1)

【25年4月入社者の採用実績校】
文(大)名古屋学芸大 専大 明星大 作新学大各1(専)大原簿記公務員医療福祉保育2 理(院)日工大 名大各1(大)近大 千葉工大 中部大各1(高専)都立産技1

【24年4月入社者の配属先】総勤務地:東京6 栃木1 部署:営業5 財務経理1 製造1 技勤務地:東京12 部署:開発12

残業(月)

9.0時間 総9.0時間

記者評価 東京都の機械業者が出資し1938年東京重機製造工業組合として発足。家庭用ミシンから始動し工業用へ。自動車内装など非アパレル強化。海外売上比率は8割。電子基板生産の表面実装装置が第2の柱。米・中・アジアで拠点の統合や工場売却など構造改革中。

●給与、ボーナス、週休、有休ほか●

【30歳総合職平均年収】455万円【初任給】(修士)250,000円(大卒)235,000円【ボーナス(年)】NA【25、30、35歳賃金】223,453円→265,858円→310,796円【週休】2日(年数回土曜営業あり)【夏期休暇】3日程度(別途2日有休で取得)【年末年始休暇】5日程度【有休取得】13.2／20日

●従業員数、勤続年数、離職率ほか●

【男女別従業員数、平均年齢、平均勤続年数】計 ◇711(45.0歳 19.5年) 男 529(45.0歳 19.6年) 女 182(44.8歳 19.1年)【離職率と離職者数】◇4.2%、31名【3年後新卒定着率】3年前採用なし【組合】あり

求める人材 グローバル感覚を持ちイノベーティブな発想ができる人材

会社データ (金額は百万円)

【本社】206-8551 東京都多摩市鶴牧2-11-1
☎042-357-2211 https://www.juki.co.jp/
【社長】成川 敦【設立】(創業)1938.12【資本金】18,044【今後力を入れる事業】生産管理システム 検査計測・再生ビジネス

【業績(連結)】	売上高	営業利益	経常利益	純利益
21.12	101,292	3,868	3,439	2,154
22.12	117,454	2,858	1,163	▲78
23.12	94,750	▲2,699	▲3,684	▲7,035

ホソカワミクロン(株)

東京P 6277

【特色】粉体関連機械の世界的大手。欧州でも強い

修士・大卒採用数	3年後離職率	有休取得年平均	平均年収(平均43歳)
10名	27.8 → 14.3%	15.3日	総 672万円

●エントリー情報と採用プロセス●

【受付開始～終了】総技3月～6月【採用プロセス】総技説明会・1次選考(2月～)→ES提出(3月～)→性格検査・面接(3回)→内々定【交通費支給】2次面接以降、遠方者のみ一定額【早期選考】⇒巻末

試験情報

重視科目 総技面接

総技 ES⇒巻末 筆OPQ 面3回(Webあり)

選考ポイント 総技 ES熱意があるか 目標に向かって努力ができるか どのような仕事がしたいか 他 面積極性 熱意 コミュニケーション能力

通過率 総 ES選考なし(受付:48) 技 ES選考なし(受付:54)

倍率(応募/内定) 総22倍 技13倍

●男女別採用数と配属先ほか●

【男女・文理別採用実績】

	大卒男	大卒女	修士男	修士女
23年	9(文 6理 3)	1(文 1理 0)	6(文 0理 6)	0(文 0理 0)
24年	6(文 2理 4)	6(文 3理 3)	2(文 0理 2)	0(文 0理 0)
25年	6(文 3理 3)	2(文 2理 0)	2(文 0理 2)	0(文 0理 0)

【25年4月入社者の採用実績校】
文(大)大阪公大 関西学大 近大 摂南大 都留文科大各1 理(院)岩手大 兵庫県大各1(大)関大2 大阪工大1

【24年4月入社者の配属先】
総勤務地:大阪・枚方3 千葉・柏1 部署:営業3 経理1 技勤務地:大阪・枚方8 千葉・柏6 部署:テストセンター9 生産1 メンテナンス2 技術1 マテリアル1

残業(月)

13.1時間 総13.1時間

記者評価 粉体の粉砕・分級・混合・乾燥装置の世界大手。ドイツ企業の買収により欧州にも地盤を持つ。プラスチックフィルムの製造装置も手がける。医薬品、食品、化学のほか、2次電池の電子材料など、顧客は広範にわたる。子会社で化粧品事業を運営。

●給与、ボーナス、週休、有休ほか●

【30歳総合職平均年収】NA【初任給】(博士)264,550円(修士)246,550円(大卒)230,350円【ボーナス(年)】246万円、6.85カ月【25、30、35歳賃金】NA【週休】完全2日(土日祝)【夏期休暇】連続6日(休日含む)【年末年始休暇】連続6日(休日含む)【有休取得】15.3／20日

●従業員数、勤続年数、離職率ほか●

【男女別従業員数、平均年齢、平均勤続年数】計 ◇414(43.4歳 19.4年) 男 363(43.3歳 19.5年) 女 51(44.1歳 18.7年)【離職率と離職者数】◇3.5%、15名【3年後新卒定着率】85.7%(男89.5%、女50.0%、3年前入社:男19名・女2名)【組合】あり

求める人材 明るさや元気のよさ 熱意 主体的に動く力 思考力

会社データ (金額は百万円)

【本社】573-1132 大阪府枚方市招提田近1-9
☎072-855-2226
https://www.hosokawamicron.co.jp/jp/global.html
【社長】細川 晃平【設立】1949.8【資本金】14,496【今後力を入れる事業】粉体技術で最先端のものづくりに貢献

【業績(連結)】	売上高	営業利益	経常利益	純利益
21.9	60,754	6,370	6,574	4,699
22.9	66,916	5,513	5,773	4,007
23.9	79,531	7,961	8,349	5,968

サノヤスホールディングス(株)

東京S 7022

【特色】設備関連のニッチ事業など展開。祖業の造船は売却

修士・大卒採用数	3年後離職率	有休取得年平均	平均年収(平均41歳)
8名	20.0 → 0%	18.3日	総 592万円

●エントリー情報と採用プロセス●

【受付開始～終了】総技3月～継続中【採用プロセス】総技会社セミナー(必須)・ES提出(3月中旬～)→テスト(3月下旬～)→面接(2回)→内々定【交通費支給】全ての対面面接、地域別定額 会社基準

試験情報

重視科目 総技面接

総技 ES⇒巻末 筆SPI3(会場) SPI3(自宅) SPI3 面2回(Webあり)

選考ポイント 総技 ES当社での自分の将来像をイメージできているか 仕事への意欲はどのくらいか 面コミュニケーション能力(人の話を聞けているか)入社への意欲(企業研究度合 やる気)応答態度(話し方 マナー)

通過率 総技 ES NA

倍率(応募/内定) 総技NA

●男女別採用数と配属先ほか●

【男女・文理別採用実績】

	大卒男	大卒女	修士男	修士女
23年	5(文 1理 4)	2(文 1理 1)	4(文 0理 4)	0(文 0理 0)
24年	7(文 3理 4)	2(文 1理 1)	1(文 0理 1)	0(文 0理 0)
25年	4(文 1理 3)	3(文 2理 1)	1(文 0理 1)	0(文 0理 0)

【25年4月入社者の採用実績校】
文(大)関大2 京産大1(短)神戸女1 理(院)京都工繊大1(大)龍谷大 大阪工大 東京工科大 京産大各1(専)修成建設1

【24年4月入社者の配属先】
総勤務地:大阪4 東京1 部署:総務1 経理1 営業1 管理2 技勤務地:大阪6 部署:施工管理1 システム企画2 ものづくり推進部1 技術開発1 設計1

残業(月) 15.4時間 総15.7時間

記者評価 1911年創業。旧住友系。岡山・水島でサノヤス造船を展開してきたが、21年新来島どっくに売却。化粧品原料の攪拌装置や制御盤、機械式駐車装置などニッチ・高シェア製品の複合企業として再出発。遊園地の遊戯機械を製販するほか遊園地の運営受託も。

●給与、ボーナス、週休、有休ほか●

【30歳総合職平均年収】482万円【初任給】(修士)249,000円(大卒)231,000円【ボーナス(年)】126万円、4.0カ月【25、30、35歳賃金】233,000円→263,230円→307,850円【週休】完全2日【夏期休暇】連続9日(公休含む)【年末年始休暇】連続9日(公休含む)【有休取得】18.3/22日

●従業員数、勤続年数、離職率ほか●

【男女別従業員数、平均年齢、平均勤続年数】計 ◇444(45.3歳 12.2年) 男 381(45.4歳 12.3年) 女 63(44.4歳 11.5年)【離職率と離職者数】◇6.3%、30名【3年後新卒定着率】100%(男100%、女100%、3年前入社:男4名・女1名)【組合】あり

求める人材 何をやりたいのか、自分に明確なビジョンを持っている人

会社データ (金額は百万円)

【本社】530-6109 大阪府大阪市北区中之島3-3-23
☎06-4803-6161 https://www.sanoyas.co.jp/
【社長】北逵 伊佐雄【設立】2011.10【資本金】2,628【今後力を入れる事業】陸上機械事業 産業機械事業

【業績(連結)】	売上高	営業利益	経常利益	純利益
22.3	19,148	222	205	434
23.3	20,145	95	395	425
24.3	23,352	509	636	459

※注記のないデータはグループ6社のもの

富士精工(株)

ふじせいこう

名古屋M 6142

【特色】超硬工具メーカー中堅。トヨタ系との取引大きい

修士・大卒採用数	3年後離職率	有休取得年平均	平均年収(平均43歳)
4名	8.3 → 20.0%	13.0日	◇575万円

●エントリー情報と採用プロセス●

【受付開始～終了】総技3月～未定【採用プロセス】総技説明会(必須、3月～)→筆記・面接(2回、4月～)→内々定(6月～)【交通費支給】なし【早期選考】⇒巻末

試験情報

重視科目 総技面接

総技 筆SCOA 面2回

選考ポイント 総技 ES提出なし 面礼儀・表現力 志望度合の高さ

通過率 総技 ES一(応募:5)

倍率(応募/内定) 総5倍 技2倍

●男女別採用数と配属先ほか●

【男女・文理別採用実績】

	大卒男	大卒女	修士男	修士女
23年	2(文 2理 0)	2(文 2理 0)	0(文 0理 0)	0(文 0理 0)
24年	4(文 2理 2)	2(文 1理 1)	1(文 0理 1)	0(文 0理 0)
25年	3(文 1理 2)	1(文 0理 1)	0(文 0理 0)	0(文 0理 0)

【25年4月入社者の採用実績校】
文(大)名古屋商大1 理(大)愛知工業大3

【24年4月入社者の配属先】
総勤務地:愛知・豊田2 部署:調達1 品証1 技勤務地:愛知・豊田4 部署:技術1 生産技術3

残業(月) 20.1時間

記者評価 愛知の町工場から興した精密工具メーカー。エンジン部品の切削・研削工程で使う超硬工具・治具が柱で、トヨタGとの取引が過半。EV用工具の開発強化。自動化困難な切削工具の省人化に進める。海外売上比率は約6割。入社後、約1カ月の現場実習。

●給与、ボーナス、週休、有休ほか●

【30歳総合職平均年収】444万円【初任給】(修士)214,900円(大卒)205,400円【ボーナス(年)】134万円、NA【25、30、35歳賃金】217,700円→239,100円→306,200円【週休】完全2日(土日)【夏期休暇】連続8～10日(週休含む)【年末年始休暇】連続8～10日(週休含む)【有休取得】13.0/20日

●従業員数、勤続年数、離職率ほか●

【男女別従業員数、平均年齢、平均勤続年数】計 ◇415(43.4歳 21.3年) 男 328(43.4歳 21.5年) 女 87(43.4歳 20.5年)【離職率と離職者数】◇5.9%、26名【3年後新卒定着率】80.0%(男77.8%、女100%、3年前入社:男9名・女1名)【組合】なし

求める人材 ものづくりやメーカーの仕事に興味のある人 海外に目を向けた仕事をしたい人

会社データ (金額は百万円)

【本社】473-8511 愛知県豊田市吉原町平子26
☎0565-53-6611 https://www.c-max.co.jp/
【会長兼社長】森 誠【設立】1958.3【資本金】2,882【今後力を入れる事業】環境貢献を意識した製品 サービス ビジネスモデルづくり

【業績(連結)】	売上高	営業利益	経常利益	純利益
22.2	20,100	359	823	665
23.2	19,747	59	671	188
24.2	21,424	431	924	174

三木プーリ(株)

株式公開 計画なし

【特色】産業機械向け伝動機器で世界屈指。海外展開活発

修士・大卒採用数	3年後離職率	有休取得年平均	平均年収(平均45歳)
5名	10.0 → 0%	13.5日	総 632万円

残業(月) 13.6時間 総 13.6時間

記者評価 ベルト式無段変速機メーカーとして創業。カップリング(軸継手)、電磁クラッチ・ブレーキ、無段変速機などは世界で高シェア。23年3月マレーシアに駐在員事務所開設。最後まで一人で作る「屋台制」製造ラインに特徴。創業家によるオーナー経営。

●エントリー情報と採用プロセス●

【受付開始～終了】総技3月～9月【採用プロセス】総技ES提出・Webテスト(3月～)→1次面接→2次面接→最終面接→内々定【交通費支給】最終面接、遠方者のみ実費【早期選考】⇒巻末

試験情報

重視科目 総技面接

総技 ES⇒巻末 筆C-GAB WebGAB 面3回(Webあり)

選考ポイント 総 ES具体的な事実をもとにアピールされているか 求める人物像と合致しているか 面求める人物像に合致するか 技 ES総合職共通 面求める人物像に合致するか 大学専攻・研究内容

通過率 総 ES73%(受付:56→通過:41) 技 ES92%(受付:38→通過:35)

倍率(応募/内定) 総11倍 技8倍

●男女別採用数と配属先ほか●

【男女・文理別採用実績】

	大卒男	大卒女	修士男	修士女
23年	3(文 1理 2)	1(文 0理 1)	0(文 0理 0)	1(文 0理 1)
24年	8(文 5理 3)	1(文 0理 1)	1(文 0理 1)	0(文 0理 0)
25年	5(文 1理 4)	0(文 0理 0)	0(文 0理 0)	0(文 0理 0)

※25年:24年7月時点

【25年4月入社者の採用実績校】
文(大)神戸学大1 理(大)神奈川工大3 東海大1

【24年4月入社者の配属先】
総勤務地:(23年)神奈川・座間2 部署:(23年)情報システム部1 総務部1 技勤務地:(23年)神奈川・座間4 部署:(23年)CB技術課1 ME技術課1 TEC技術課1 生産技術課1

●給与、ボーナス、週休、有休ほか●

【30歳総合職平均年収】434万円【初任給】(修士)227,600円(大卒)212,600円【ボーナス(年)】161万円、4.1カ月【25、30、35歳賃金】229,570円→270,766円→301,346円【週休】完全2日(土日祝)【夏期休暇】8月9～14日+有休取得推奨日2日【年末年始休暇】12月28日～1月5日【有休取得】13.5／20日

●従業員数、勤続年数、離職率ほか●

【男女別従業員数、平均年齢、平均勤続年数】計 ◇289(44.6歳 19.0年) 男 216(45.8歳 20.5年) 女 73(41.1歳 14.4年) ※再雇用者含む【離職率と離職者数】4.6%、14名【3年後新卒定着率】100%(男100%、女100%、3年前入社:男2名・女1名)【組合】あり

求める人材 世界のものづくりを動かす存在としてリーダーシップを発揮し、新ビジネスに挑戦したい人

会社データ (金額は百万円)

【本社】211-0064 神奈川県川崎市中原区今井南町10-41
☎044-733-5151 https://www.mikipulley.co.jp/JP/
【社長】三木 康治【設立】1939.10【資本金】96【今後力を入れる事業】伝動・制御機器のリーディングカンパニーとしての事業

【業績(連結)】	売上高	営業利益	経常利益	純利益
22.3	18,747	1,157	1,834	1,678
23.3	22,111	1,095	1,469	1,067
24.3	17,285	▲244	568	70

ファナック(株)

東京P 6954

【特色】工作機械用NC装置で世界首位。産業用ロボットも

修士・大卒採用数	3年後離職率	有休取得年平均	平均年収(平均42歳)
52名	2.9 → 2.0%	17.2日	総 1,502万円

残業(月) 38.0時間

記者評価 工作機械を制御するNC(数値制御)装置で世界首位。産業用ロボットや小型工作機械も手がける。1972年富士通から独立し創業。高収益で無借金。富士山麓の黄色い本社工場群と黄色いロボット製品が特徴。海外売上比率は8割超だが、生産は国内主義。

●エントリー情報と採用プロセス●

【受付開始～終了】総技3月～継続中【採用プロセス】総技Web質問会・ES提出→書類選考・適性検査→ジョブマッチング(Web)→面接(対面)→内々定【交通費支給】すべての選考時、地域別に定額【早期選考】⇒巻末

試験情報

重視科目 総技面接

総技 ES⇒巻末 筆性格検査 面2回(Webあり)

選考ポイント 総技 ESNA(提出あり) 面協調性 コミュニケーション能力 当社理解度

通過率 総技 ESNA

倍率(応募/内定) 総技NA

●男女別採用数と配属先ほか●

【男女・文理別採用実績】

	大卒男	大卒女	修士男	修士女
23年	22(文 3理 19)	3(文 2理 1)	58(文 0理 58)	2(文 0理 2)
24年	21(文 3理 18)	2(文 1理 1)	61(文 0理 61)	1(文 0理 1)
25年	9(文 3理 6)	2(文 0理 2)	39(文 0理 39)	2(文 0理 2)

【25年4月入社者の採用実績校】
文(大)東北大 横国大 関西学大 理(院)弘前大 東北大 茨城大 宇都宮大 埼玉大 千葉大 東大 東京農工大 東京科学大 電通大 横国大 山梨大 福井大 静岡大 豊橋技科大 京大 鳥取大 山口大 愛媛大 九大 九州工大 佐賀大 熊本大 慶大 東理大 明大 青学大 立命館大(大)岡山大 信州大 青学大 明大 立命館大(高専)函館 苫小牧 釧路 一関 仙台 東京 豊田 鈴鹿 高知 佐世保 都城 鹿児島 都立産技 大阪公大 神戸

【24年4月入社者の配属先】総勤務地:山梨2 部署:事務2 技勤務地:山梨98 茨城4 愛知4 栃木3 部署:研究開発56 サービス22 製造・生産技術20 セールス11

●給与、ボーナス、週休、有休ほか●

【30歳総合職平均年収】NA【初任給】(博士)NA(修士)289,000円(大卒)276,000円【ボーナス(年)】NA【25、30、35歳賃金】NA→389,660円→NA【週休】完全2日(土日祝)【夏期休暇】7日(有休3日、週休2日含む)【年末年始休暇】7日(週休2日含む)【有休取得】17.2／20日

●従業員数、勤続年数、離職率ほか●

【男女別従業員数、平均年齢、平均勤続年数】計 ◇4,689(40.0歳 14.1年) 男 4,337(39.9歳 14.2年) 女 352(40.3歳 13.2年)【離職率と離職者数】◇1.2%、59名【3年後新卒定着率】98.0%(男97.9%、女100%、3年前入社:男94名・女7名)【組合】あり

求める人材 熱意、気配り、信念を持ち、チームワークを発揮し全世界で活躍できる心身共にタフな人

会社データ (金額は百万円)

【本社】401-0597 山梨県南都留郡忍野村忍草字古馬場3580
☎0555-84-5555 https://www.fanuc.co.jp/
【社長】山口 賢治【設立】1972.5【資本金】69,014【今後力を入れる事業】FA事業 ロボット事業 ロボマシン事業

【業績(連結)】	売上高	営業利益	経常利益	純利益
22.3	733,008	183,240	213,395	155,273
23.3	851,956	191,359	231,327	170,587
24.3	795,274	141,919	181,755	133,159

▶『業界地図』p.86,92,94…

445 ▶『業界地図』p.46, 92　開示 ★★★★

ディーエムジーもりせいき
DMG森精機(株)

東京P 6141

【特色】工作機械世界首位級。TOBで欧州最大手DMGを連結

修士・大卒採用数	3年後離職率	有休取得年平均	平均年収(平均43歳)
35名	15.6 → 16.7%	18.1日	㊧892万円

残業(月) 21.8時間 ㊧21.8時間

記者評価 工作機械総合メーカー。NC旋盤、マシニングセンタで最大手級。欧州最大手の旧ギルデマイスター社と統合、欧州でも強い。顧客は航空・宇宙、医療、EV関連など幅広い。5軸・複合加工機、自動化システムが得意で、高級路線をひた走る。有休100%取得を推進。

●エントリー情報と採用プロセス●

【受付開始～終了】総技2月～6月【採用プロセス】総技ES提出(2月～)→SPI(Web)→個別面接(Web)→筆記・個別面接→最終面接→内々定(4月)【交通費支給】2次選考以降、航空機・新幹線・特急・長距離バス代【早期選考】⇒巻末

試験情報

重視科目 総技面接

総 技 ES⇒巻末 筆SPI3(自宅) 一般常識 面3回(Webあり)

選考ポイント 総 ES熱意を持ってチャレンジしたこと 面志望動機 前向きな姿勢 目標の高さ 能力 他
技 ES総合職共通 面志望動機 希望職種とのマッチング 前向きな姿勢 他

通過率 総 ES45%(受付:301→通過:134) 技 ES67%(受付:187→通過:126)

倍率(応募/内定) 総16倍 技3倍

●男女別採用数と配属先ほか●

【男女・文理別採用実績】※23・24年:10月入社含む

	大卒男	大卒女	修士男	修士女
23年	1(文 1理 0)	4(文 4理 0)	12(文 1理 11)	2(文 1理 1)
24年	16(文 5理 11)	14(文 13理 1)	23(文 0理 23)	2(文 1理 1)
25年	12(文 7理 5)	4(文 3理 1)	15(文 0理 15)	4(文 1理 3)

【25年4月入社者の採用実績校】文(院)神戸大1(大)阪大2 近大 金城学大 神戸大 筑波大 天理大 同大 立教大 立命館大各1 理(院)京大 大阪公大 阪大各2 慶大 芝工大 筑波大 中京大 電通大 東京科学大 東京農工大 同大 福岡工大 名大 立命館大 和歌山大各1(大)関西学大 近大 三重大 芝工大 筑波大 福井大各1(高専)鹿児島 北九州各3 阿南 旭川 一関 久留米 熊本 香川 佐世保 長野 津山 東京 富山 福島 明石 鈴鹿 和歌山各1

【24年4月入社者の配属先】総**勤務地**:東京・江東4 奈良市3 三重・伊賀10 **部署**:経理1 人事4 管理4 受付3 購買2 マーケティング2 事業所周辺プロジェクト1 技**勤務地**:東京都・江東1 東京都・渋谷4 三重・伊賀52 **部署**:開発16 EG8 修理復旧8 生産技術7 製造13 AIソフトウェア開発5

●給与、ボーナス、週休、有休ほか●

【30歳総合職平均年収】698万円【初任給】(博士)475,000円(修士)310,000円(大卒)300,000円【ボーナス(年)】107万円、NA【25、30、35歳賃金】346,667円→418,333円→455,970円【週休】完全2日(土日)【夏期休暇】8月10～18日【年末年始休暇】12月25日～1月5日【有休取得】18.1／20日

●従業員数、勤続年数、離職率ほか●

【男女別従業員数、平均年齢、平均勤続年数】計◇2,630(43.1歳 17.3年) 男 2,235(43.7歳 18.4年) 女 395(39.4歳 10.9年)【離職率と離職者数】◇2.8%、76名(早期退職男3名含む)【3年後新卒定着率】83.3%(男83.3%、女83.3%、3年前入社:男18名・女6名)【組合】なし

求める人材 失敗を恐れず、粘り強く仕事に取り組める人 新しい価値を生み出す創造力のある人

会社データ　(金額は百万円)

【本社】135-0052 東京都江東区潮見2-3-23
☎03-6758-5900　https://www.dmgmori.co.jp/
【社長】森 雅彦【設立】1948.10【資本金】71,230【今後力を入れる事業】ソリューション ソフトウェア開発 設計開発 グローバル営業・管理 自動化 DX GX

【業績(IFRS)】	売上高	営業利益	税前利益	純利益
21.12	396,011	23,067	19,609	13,460
22.12	474,771	41,213	36,528	25,406
23.12	539,450	54,150	47,927	33,944

(株)アマダ

東京P 6113

【特色】大手機械メーカー。板金加工機械で国内首位

修士・大卒採用数	3年後離職率	有休取得年平均	平均年収(平均44歳)
37名	3.1 → 12.5%	13.7日	㊧770万円

残業(月) 14.9時間 ㊧15.1時間

記者評価 金属板を曲げたり切ったりする板金機械の国内最大手。中でも省電力が特徴のファイバーレーザ加工機が成長柱。ロボット技術や周辺装置と組み合わせた自動化、AI技術の活用、独自のIoTシステムの開発に注力。23年に大型ショールームを刷新、顧客と新技術共創。

●エントリー情報と採用プロセス●

【受付開始～終了】総技3月～4月【採用プロセス】総技ES提出(3～4月)→グループ選考(GD・グループ面接、4月)→筆記・面接(2回、5月)→内々定(5月末)【交通費支給】最終面接、会社基準(新幹線・飛行機代)【早期選考】⇒巻末

試験情報

重視科目 総技ES 面接

総 技 ES⇒巻末 筆SPI3(自宅) 面2回(Webあり) GD作NA

選考ポイント 総技 ESあなたの最大の挑戦について 面人物性 対人スキル 熱意 能力・適性

通過率 総 ES43%(受付:167→通過:71) 技 ES50%(受付:74→通過:37)

倍率(応募/内定) 総24倍 技19倍

●男女別採用数と配属先ほか●

【男女・文理別採用実績】

	大卒男	大卒女	修士男	修士女
23年	26(文 14理 12)	15(文 14理 1)	11(文 0理 11)	3(文 0理 3)
24年	9(文 3理 6)	9(文 8理 1)	8(文 0理 8)	0(文 0理 0)
25年	20(文 6理 14)	10(文 9理 1)	7(文 0理 7)	0(文 0理 0)

【25年4月入社者の採用実績校】文(大)青学大 関大各2 立命館大 同大 法政大 長野県大 東京都市大 南山大 専大 聖心女大 國學院大 中部大 神奈川大各1 理(院)山形大 信州大 静岡大 三重大 芝工大 千葉工大 東海大各1(大)神奈川大4 東海大2 埼玉大 立命館大 芝工大 中大 千葉工大 神奈川工大 成蹊大 工学院大 中国職能大学校各1

【24年4月入社者の配属先】総**勤務地**:(23年)神奈川・伊勢原10 静岡・富士宮4 大阪・東大阪2 群馬・高崎2 茨城・水戸2 石川・金沢1 長野・松本1 神戸1 新潟市1 静岡市1 **部署**:(23年)営業13 営業支援3 生産管理4 海外事業2 財務2 人事1 技**勤務地**:(23年)神奈川・伊勢原25 静岡・富士宮12 岐阜・土岐2 **部署**:(23年)メカ開発7 サービスエンジニア6 ICT6 制御開発4 生産技術4 DX4 ソフト開発3 CE3 研究2

●給与、ボーナス、週休、有休ほか●

【30歳総合職平均年収】587万円【初任給】(博士)275,200円(修士)260,200円(大卒)242,200円【ボーナス(年)】216万円、6.0カ月【25、30、35歳賃金】251,299円→303,548円→371,590円【週休】完全2日【夏期休暇】連続9日【年末年始休暇】連続9日【有休取得】13.7／20日

●従業員数、勤続年数、離職率ほか●

【男女別従業員数、平均年齢、平均勤続年数】計 1,986(43.7歳 17.6年) 男 1,761(44.6歳 18.6年) 女 225(36.8歳 10.2年)【離職率と離職者数】3.0%、62名【3年後新卒定着率】87.5%(男83.3%、女100%、3年前入社:男24名・女8名)【組合】あり

求める人材 挑戦し続ける人

会社データ　(金額は百万円)

【本社】259-1196 神奈川県伊勢原市石田200
☎0463-96-1111　https://www.amada.co.jp/
【社長】山梨 貴昭【設立】1948.5【資本金】54,768【今後力を入れる事業】レーザ、自動化に加え、IoTを駆使したデータ活用

【業績(IFRS)】	売上高	営業利益	税前利益	純利益
22.3	312,658	38,538	40,496	27,769
23.3	365,687	49,867	49,608	34,158
24.3	403,500	56,507	58,066	40,638

441 ▶『業界地図』p.92　開示 ★★★★

オークマ(株)

東京P 6103

【特色】工作機械大手。自社製NC装置に強み。好財務体質

修士・大卒採用数	3年後離職率	有休取得年平均	平均年収(平均39歳)
70名	13.4 → 9.1%	14.2日	㊍736万円

●エントリー情報と採用プロセス●

【受付開始〜終了】㊍㊌2月〜継続中【採用プロセス】㊍㊌説明会(必須)→書類提出(ES含む)→Webテスト→面接(3回)→内々定【交通費支給】最終選考、会社基準【早期選考】⇒巻末

試験情報

重視科目 総技 面接 Web適性検査

総技 ES⇒巻末 筆SPI3(会場) 面3回(Webあり)

選考ポイント 総技 ES創意工夫した点 学生時代の取り組み(研究・ゼミ・体育会 他) 面チャレンジ精神 表現力 危機耐性 ストレス耐性 論理的思考力 客観性 専門分野の知識 他

通過率 総技 ESNA

倍率(応募/内定) 総6倍 技5倍

●男女別採用数と配属先ほか●

【男女・文理別採用実績】※25年:継続中

	大卒男	大卒女	修士男	修士女
23年	17(文 9理 8)	9(文 8理 1)	18(文 0理 18)	1(文 0理 1)
24年	19(文 7理 12)	11(文 9理 2)	27(文 0理 27)	0(文 0理 0)
25年	30(文 12理 18)	29(文 26理 3)	10(文 0理 10)	1(文 0理 1)

【25年4月入社者の採用実績校】文(大)南山大11 中京大5 成蹊大 愛知県大各3 関大 愛知淑徳大各2 神奈川大 武庫川女大 静岡県大 椙山女学大 名古屋市大 名城大 名古屋外大 岐阜大 大阪産大 阪大 立命館大 神戸市外大各1 理(院)東北大 名大各2 秋田県大 長岡技科大 千葉工大 名工大 富山大 金沢大 滋賀県大 三重大各1(大)名城大5 中部大4 中京大3 東海職能大学校2 芝工大 東京都市大 愛知工業大 富山県大 三重大 大和大 熊本大各1(高専)富山2 沼津 豊田 岐阜 鹿児島 熊本各1

【24年4月入社者の配属先】総勤務地:(23年)愛知16 埼玉1 部署:(23年)国内営業部門3 海外販売3 財務経理1 人事1 総務1 企画広報部門2 DX・社内システム構築5 生産管理1 技勤務地:(23年)愛知30 岐阜6 部署:(23年)研究開発3 加工技術開発8 機械設計6 品質管理1 ソフトウェア開発4 ハードウェア開発2 DX・社内システム構築7 生産管理3 製造2

残業(月) (組合員・含現業)22.4時間

記者評価 1898年に製麺機で創業した老舗。中小型から大型の旋盤やマシニングセンタまで幅広く扱い、中核部品のNC(数値制御)装置も内製。19年中国・常州工場が稼働。海外売上比率は約7割。省エネ技術搭載製品が強い。生産ラインを丸ごと受注し自動化する戦略を推進。

●給与、ボーナス、週休、有休ほか●

【30歳総合職平均年収】553万円【初任給】(博士)326,100円(修士)252,800円(大卒)232,100円【ボーナス(年)】(組合員)174万円、(組合員)6カ月【25、30、35歳賃金】246,406円→286,772円→321,075円【週休】完全2日(土日)【夏期休暇】連続5日(週休2日含む)×2回【年末年始休暇】連続7.5〜9.5日(週休2日含む)【有休取得】14.2／20日

●従業員数、勤続年数、離職率ほか●

【男女別従業員数、平均年齢、平均勤続年数】計 ◇2,268(40.5歳 17.6年) 男 2,019(40.8歳 18.2年) 女 249(38.4歳 13.3年)【離職率と離職者数】◇2.3%、54名【3年後新卒定着率】90.9%(男91.5%、女87.5%、3年前入社:男47名・女8名)【組合】あり

求める人材 主体的に考え行動する姿勢と学ぶ意欲を持ち、多様性を受容し、ゆとりや遊び心のある人

会社データ (金額は百万円)

【本社】480-0193 愛知県丹羽郡大口町下小口5-25-1
☎0587-95-7819 https://www.okuma.co.jp/
【社長】家城 淳【設立】1918.7【資本金】18,000【今後力を入れる事業】ものづくりを高度化するスマートマシン・スマートマニュファクチャリング技術の開発

【業績(連結)】	売上高	営業利益	経常利益	純利益
22.3	172,809	14,462	15,577	11,579
23.3	227,636	24,804	26,446	19,195
24.3	227,994	25,364	25,557	19,381

メーカーI

(株)牧野フライス製作所(まきのせいさくしょ)

東京P 6135

【特色】大手工作機械メーカー。先端志向の技術に強み

修士・大卒採用数	3年後離職率	有休取得年平均	平均年収(平均40歳)
18名	2.6 → 12.9%	14.1日	㊍722万円

●エントリー情報と採用プロセス●

【受付開始〜終了】㊍㊌3月〜継続中【採用プロセス】㊍㊌Webテスト(3月〜)→ES提出・Web人事面接(4月〜)→面接(2回)→内々定【交通費支給】全て、基本的に全額【早期選考】⇒巻末

試験情報

重視科目 総技 面接

総技 ES⇒巻末 筆SPI3(自宅) 面3回(Webあり)

選考ポイント 総技 ES読みやすさ 丁寧さ 面NA

通過率 総技 ESNA

倍率(応募/内定) 総技NA

●男女別採用数と配属先ほか●

【男女・文理別採用実績】

	大卒男	大卒女	修士男	修士女
23年	5(文 1理 4)	4(文 4理 0)	11(文 0理 11)	0(文 0理 0)
24年	16(文 4理 12)	1(文 0理 1)	10(文 0理 10)	0(文 0理 0)
25年	10(文 1理 9)	2(文 1理 1)	6(文 0理 6)	0(文 0理 0)

【25年4月入社者の採用実績校】
文(大)津田塾大 創価大各1 理(院)東北学大2 鹿児島大 埼玉大 北見工大 神奈川大各1(大)関東職能大学校2 九大 日大 芝工大 千葉工大 工学院大 ハノイ工科大 職能大学校 四国職能大学校各1(短)岩手県産業技術2 山形産技1(高専)鹿児島2 函館 大分 都立産技各1(専)栃木県立県央産業技術1

【24年4月入社者の配属先】
総勤務地:神奈川・厚木4 部署:営業3 経理1 技勤務地:神奈川・厚木31 部署:開発12 放電3 レーザ2 加工技術3 生産11

残業(月) 26.4時間 ㊍26.4時間

記者評価 工作機械大手の一角。高精度・高速・大型のマシニングセンタ(MC)と呼ばれる機械が柱。主に自動車や航空機産業で使用される。半導体製造装置向けも得意。海外売上比率8割超。特に中国をはじめとするアジアに強い。インドやベトナムを開拓。

●給与、ボーナス、週休、有休ほか●

【30歳総合職平均年収】548万円【初任給】(博士)280,000円(修士)255,000円(大卒)232,000円【ボーナス(年)】202万円、NA【25、30、35歳賃金】237,645円→276,508円→324,628円【週休】完全2日(土日祝)【夏期休暇】連続5〜9日【年末年始休暇】連続5〜9日【有休取得】14.1／20日

●従業員数、勤続年数、離職率ほか●

【男女別従業員数、平均年齢、平均勤続年数】計 ◇1,252(40.6歳 17.0年) 男 1,113(40.8歳 17.2年) 女 139(39.3歳 14.9年)【離職率と離職者数】◇2.7%、35名【3年後新卒定着率】87.1%(男89.3%、女66.7%、3年前入社:男28名・女3名)【組合】あり

求める人材 好奇心を持って物事に取り組める人

会社データ (金額は百万円)

【本社】152-8578 東京都目黒区中根2-3-19
☎03-3717-1151 https://www.makino.co.jp/
【社長】宮崎 正太郎【設立】(創業)1937.5【資本金】21,142【今後力を入れる事業】国内外における工作機械の販売・製造

【業績(連結)】	売上高	営業利益	経常利益	純利益
22.3	186,591	11,300	14,274	12,042
23.3	227,985	17,492	19,906	16,073
24.3	225,360	16,372	18,918	15,981

しばうら きかい
芝浦機械㈱

東京P 6104

【特色】成形機が主柱。工作機械やロボットなども展開

修士・大卒採用数	3年後離職率	有休取得年平均	平均年収(平均44歳)
34名	17.2 → 10.5%	17.6日	総 648万円

●エントリー情報と採用プロセス●

【受付開始～終了】総技3月～継続中【採用プロセス】総ES提出(3～9月)→面接(3回)・Webテスト・他(6～9月)→内々定(6～9月) 技ES提出(3～9月)→面接(3回)・Webテスト(6～9月)→内々定(6～9月)【交通費支給】2次面接以降、実費【早期選考】⇒巻末

試験情報

重視科目 総技 面接

総技 ES ⇒巻末 筆 SPI3(自宅) 面 3回(Webあり)

選考ポイント 総 ES NA(提出あり) 面 質疑応答時の言動から、知的能力・態度能力を評価 技 ES NA(提出あり) 面 研究内容発表から知的能力を、質疑応答時の言動から態度能力を評価

通過率 総技 ES NA　**倍率**(応募/内定) 総技 NA

●男女別採用数と配属先ほか●

【男女・文理別採用実績】※25年:継続中

	大卒男	大卒女	修士男	修士女
23年	23(文 9理 14)	1(文 0理 1)	10(文 0理 10)	0(文 0理 0)
24年	11(文 3理 8)	1(文 0理 1)	9(文 1理 8)	1(文 1理 0)
25年	18(文 5理 13)	7(文 7理 0)	9(文 0理 9)	0(文 0理 0)

【25年4月入社者の採用実績校】
文(大)日大4 法政大2 愛知東邦大 山形大 静岡大 静岡文芸大 東京農業大 聖心女大各1 理(院)東京工芸大 長岡技科大 神奈川工大 室蘭工大 福岡工大 和歌山大 秋田大 芝工大 日大各1(大)東京電機大3 工学院大 山梨大 静岡大 法政大 明大 日工大 金沢工大 愛知工業大 神奈川大 東京工芸大各1

【24年4月入社者の配属先】
総**勤務地**:東京・千代田3 静岡・沼津2 **部署**:営業4 資材1 技**勤務地**:静岡・沼津13 神奈川・座間3 静岡・御殿場2 **部署**:設計技術9 研究技術3 製造技術4 営業技術2

残業(月) 16.8時間

記者評価 1938年芝浦製作所(現東芝)から独立。プラスチック製品をつくる射出成形機や、ダイカストマシン、大型の工作機械、産業用ロボットなどを手がける。17年東芝の持分会社から離脱、20年東芝機械から現社名に。EV用電池の製造工程で使う機械が柱に成長。

●給与、ボーナス、週休、有休ほか●

【30歳総合職平均年収】NA【初任給】(修士)260,410円(大卒)242,150円【ボーナス(年)】(全従業員)165万円、(全従業員)4.5カ月【25、30、35歳賃金】248,718円→279,279円→304,882円【週休】完全2日(土日祝)【夏期休暇】4日+一斉有休1日【年末年始休暇】12月27日～1月3日+一斉有休1日【有休取得】17.6／20日

●従業員数、勤続年数、離職率ほか●

【男女別従業員数、平均年齢、平均勤続年数】計 ◇1,663(43.6歳 19.3年) 男 1,478(43.2歳 19.2年) 女 185(46.6歳 20.5年)【離職率と離職者数】◇2.3%、39名【3年後新卒定着率】89.5%(男88.9%、女100%、3年前入社:男18名・女1名)【組合】あり

求める人材 自ら考え、コミュニケーションしながら行動できる人

会社データ (金額は百万円)

【本社】100-8503 東京都千代田区内幸町2-2-2 富国生命ビル
☎03-3509-0200　https://www.shibaura-machine.co.jp/
【社長】坂元 繁友【設立】1949.3【資本金】12,484【今後力を入れる事業】環境SDGs CASE 自動化・省力化 IoT・AI

【業績(連結)】	売上高	営業利益	経常利益	純利益
22.3	107,777	4,236	4,544	3,725
23.3	123,197	5,765	5,279	6,441
24.3	160,653	13,614	14,604	17,920

メーカーⅠ

え ばらせいさくしょ
㈱荏原製作所

東京P 6361

【特色】ポンプ国内最大手、半導体研磨装置も世界有数

修士・大卒採用数	3年後離職率	有休取得年平均	平均年収(平均43歳)
179名	7.7 → 16.2%	17.0日	総 908万円

●エントリー情報と採用プロセス●

【受付開始～終了】総技1月～継続中【採用プロセス】総ES提出・Webテスト(1月～)→面接(2回、3月～)→内々定(4月～) 技ES提出・Webテスト(1月～)→面接(2回、3月～)→内々定(3月～)【交通費支給】なし【早期選考】⇒巻末

試験情報

重視科目 総技 全て　総技 ES ⇒巻末 筆 パーソナリティ 認知能力に関するWeb適性検査 面 2回(Webあり)

選考ポイント 総技 ES 主体性 面 主体性 達成力 創造性

通過率 総 ES 84%(受付:576→通過:486) 技 ES 93%(受付:565→通過:528)　**倍率**(応募/内定) 総 9倍 技 5倍

●男女別採用数と配属先ほか●

【男女・文理別採用実績】※25年:24年8月6日時点

	大卒男	大卒女	修士男	修士女
23年	42(文 12理 30)	11(文 7理 4)	41(文 2理 39)	5(文 2理 3)
24年	45(文 25理 20)	14(文 12理 2)	27(文 3理 24)	2(文 0理 2)
25年	68(文 29理 39)	26(文 17理 9)	71(文 2理 69)	14(文 6理 8)

【25年4月入社者の採用実績校】文(院)京大 新潟大 大阪工大 筑波大 東京女大 東北大 同大 立命館大各1(大)立命館大6 早大5 近大 中大各3 東洋大2 武蔵大 追手門学大 上智大 南山大 神戸市外大 高崎経大 青学大 東京外大 学習院大 同大各1 他 理(院)東京電機大6 芝工大 埼玉大各5 長岡技科大 茨城大 弘前大 中大各3 徳島大 慶大 富山大 北大 東京都市大 横国大 奈良先端科技院大 群馬大 室蘭工大 東京科学大 立命館大各2 東京海洋大 宇都宮大 都立大 京大 豊橋技科大 金沢工大 熊本大 秋田大 東北大 上智大 広島大 北陸先端科技院大 関東学院大 龍谷大 九大 早大 愛知工業大各1(大)神奈川工大 福岡工大各4 東京都市大 東京電機大 近大 工学院大各3 日大 ハノイ工科大 東海大 関大 法政大各2 他

【24年4月入社者の配属先】総**勤務地**:東京(羽田16 西東京2)神奈川・藤沢4 千葉・袖ケ浦1 札幌1 仙台1 大阪市1 福岡市1 熊本・南関町2 **部署**:営業17 人事4 調達4 経理財務2 法務2 技**勤務地**:東京・羽田25 神奈川・藤沢32 千葉・富津1 熊本・南関町3 **部署**:開発・設計33 フィールドエンジニア15 生産技術4 データサイエンス3 システムエンジニア2 研究1 施工管理1 知財管理1 技術営業1

残業(月) 26.7時間 総 28.3時間

記者評価 祖業のポンプとコンプレッサー・タービンが主力。半導体製造用の研磨装置や真空ポンプも収益柱。顧客別のセグメントに区分を変え、収益力向上に取り組む。伝統企業ながら積極的なガバナンス改革にも挑戦。ベンチャー投資に注力。給与水準が上昇傾向。

●給与、ボーナス、週休、有休ほか●

【30歳総合職平均年収】624万円【初任給】(博士)280,000円(修士)261,500円(大卒)239,000円【ボーナス(年)】302万円、8.0カ月【25、30、35歳モデル賃金】239,000円→285,485円→339,688円【週休】完全2日(土日祝)【夏期休暇】連続5日(最低3日以上)【年末年始休暇】連続7日(週休含む)【有休取得】17.0／20日

●従業員数、勤続年数、離職率ほか●

【男女別従業員数、平均年齢、平均勤続年数】計 ◇4,688(43.6歳 15.8年) 男 3,696(43.3歳 15.0年) 女 992(44.6歳 18.9年)【離職率と離職者数】◇2.6%、123名【3年後新卒定着率】83.8%(男85.7%、女75.0%、3年前入社:男91名・女20名)【組合】あり

求める人材 自ら挑戦し、新たな価値を創造できる人 多様な価値観、考えを認め合い、達成に向けて最後までやり遂げる人 持続可能な社会づくり、進化する豊かな生活づくりに貢献したい人

会社データ (金額は百万円)

【本社】144-8510 東京都大田区羽田旭町11-1
☎03-3743-6111　https://www.ebara.co.jp/
【社長】浅見 正男【設立】1920.5【資本金】80,623【今後力を入れる事業】ポンプ事業 環境プラント事業 精密電子事業

【業績(IFRS)】	売上高	営業利益	税前利益	純利益
21.12	603,213	61,372	60,302	43,616
22.12	680,870	70,572	69,481	50,488
23.12	759,328	86,025	84,733	60,283

カナデビア(株)

東京P 7004

【特色】造船を源流に環境・プラントが主力。旧日立造船

修士・大卒採用数	3年後離職率	有休取得年平均	平均年収(平均43歳)
79名	8.3→8.8%	19.8日	総699万円

残業(月) 21.4時間 総21.4時間

記者評価 1881年に英国人実業家が創業した大阪鉄工所が母体。国内造船業の先駆として成長したが、2002年に造船事業を分離。現在はゴミ焼却発電プラントが主力、スイス同業の買収で世界首位級に。風力発電など脱炭素化分野に本腰。24年10月、日立造船から現社名に変更。

●エントリー情報と採用プロセス●

【受付開始～終了】総2月～7月 技1月～継続中【採用プロセス】総ES・書類提出(2月～)→筆記・1次面接(3月～)→2次面接(4月～)→最終面接(4月～)→内々定(4月～) 技ES・書類提出(1月～)→筆記・1次面談(1月～)→2次マッチング面談(2月～)→最終面談(3月～)→内々定(3月～)〈学校推薦〉ES・書類提出(1月～)→筆記・2次マッチング面談(2月～)→最終面談(3月～)→内々定(3月～)【交通費支給】〈事務系〉2次面接以降〈技術系〉最終面接、会社基準【早期選考】⇒巻末

試験情報

重視科目 総技面接 総 ES⇒巻末 筆SPI3(自宅) 面3回(Webあり) 技 ES⇒巻末 筆SPI3(自宅) 面3回〈学校推薦〉2回(Webあり)

選考ポイント 総 ES志望動機が企業理念に合致しているか 他 面身につけた能力や経験を活かして挑戦していく熱意があるか 他 技 ES総合職共通 面技術的素養や研究領域が当社事業と合致しているか 他

通過率 総技 ES NA **倍率(応募/内定)** 総13倍 技5倍

●男女別採用数と配属先ほか●

【男女・文理別採用実績】※25年:24年9月9日時点

	大卒男	大卒女	修士男	修士女
23年	31(文 15理 16)	9(文 5理 4)	38(文 0理 38)	5(文 0理 5)
24年	49(文 18理 31)	19(文 18理 1)	32(文 0理 32)	4(文 0理 4)
25年	30(文 14理 16)	19(文 18理 1)	25(文 0理 25)	5(文 0理 5)

【25年4月入社者の採用実績校】文(大)関大5 関西学大 早大 中大各3 同大 法政大 立教大 追手門学大各2 大阪市大 立命館大 京産大 近大 同女大 武庫川女大 神戸市外大 関西外大 公立鳥取環境大 慶大各1 理(院)京大4 阪大 関大 鳥取大 山口大各2 同大 近大 金沢大 九州工大 広島大 阪南大 埼玉工大 室蘭工大 神戸大 千葉工大 大阪公大 東京電機大 徳島大 奈良先端科技院大 日大 福井工大 北九州市大 明星大 立命館大 和歌山大各1(大)ものつくり大 関大 宮崎大 近大 室蘭工大 神戸大 摂南大 大阪産大 大阪電通大 大阪府大各1 他

【24年4月入社者の配属先】総勤務地:東京・品川13 大阪(大阪17 堺1)広島・尾道2 熊本・玉名郡3 部署:営業16 人事5 経理5 企画1 ICT支援2 調達2 海外業務3 法務1 広報1 技勤務地:東京・品川4 大阪(大阪61 堺1)広島・尾道1 熊本・玉名郡4 京都・舞鶴1 部署:設計36 アフターサービス9 運営管理2 プロジェクト管理9 生産管理2 品質管理2 ICT支援6 開発2 研究4

●給与、ボーナス、週休、有休ほか●

【30歳総合職平均年収】562万円【初任給】(博士)308,500円(修士)281,500円(大卒)257,000円【ボーナス(年)】160万円、NA【25、30、35歳賃金】NA【週休】完全2日(土日祝)【夏期休暇】最大連続10日(有休・週休含む)【年末年始休暇】最大連続7日(有休・週休含む)【有休取得】19.8/22日

●従業員数、勤続年数、離職率ほか●

【男女別従業員数、平均年齢、平均勤続年数】計 ◇3,792(43.2歳 16.3年) 男 3,459(43.5歳 16.6年) 女 333(40.0歳 13.5年)【離職率と離職者数】◇2.8%、110名【3年後新卒定着率】91.2%(男91.3%、女90.9%、3年前入社:男92名・女22名)【組合】あり

求める人材 当社行動規範に合致する人物。果敢に挑戦する、真摯に対話する、広く学び深く考える

会社データ (金額は百万円)

【本社】559-8559 大阪府大阪市住之江区南港北1-7-89
☎06-6569-0019　https://www.hitachizosen.co.jp/
【社長】桑原 道【設立】(創業)1881.4【資本金】45,442【今後力を入れる事業】ごみ発電等のエネルギー事業 脱炭素化事業

【業績(連結)】	売上高	営業利益	経常利益	純利益
22.3	441,797	15,541	11,783	7,899
23.3	492,692	20,056	17,834	15,577
24.3	555,844	24,323	25,646	18,999

栗田工業(株)

東京P 6370

【特色】総合水処理最大手。超純水供給が安定収益源

修士・大卒採用数	3年後離職率	有休取得年平均	平均年収(平均43歳)
25名	9.5→6.7%	12.7日	総958万円

残業(月) 26.3時間 総27.7時間

記者評価 産業用水処理で国内首位。装置・薬品の2本柱。特に半導体・液晶などの電子産業向けに強い。客先に自社設備を設置して超純水自体を販売する超純水供給事業が安定収益源。独、仏の水処理会社を買収するなど海外戦略の強化続く。海外売上比率約5割。堅実経営。

●エントリー情報と採用プロセス●

【受付開始～終了】技12月～5月【採用プロセス】技Web説明会(任意、6月～)→ES提出・適性検査(12月～)→Web・対面面接(3回、12月～)→内々定(3月～)【交通費支給】2次面接、自宅エリアごとに一律【早期選考】⇒巻末

試験情報

重視科目 技面接

技 ES⇒巻末 筆SPI3(自宅) 面3回(Webあり)

選考ポイント 技 面水・環境への想い 主体的に行動した経験 自己研鑽意欲 コミュニケーション能力

通過率 技 ES選考なし(受付:(早期選考含む)826)

倍率(応募/内定) 技(早期選考含む)30倍

●男女別採用数と配属先ほか●

【男女・文理別採用実績】

	大卒男	大卒女	修士男	修士女
23年	9(文 5理 4)	6(文 4理 2)	14(文 0理 14)	7(文 0理 7)
24年	4(文 3理 1)	3(文 2理 1)	16(文 0理 16)	6(文 0理 6)
25年	5(文 0理 5)	4(文 3理 1)	12(文 0理 12)	4(文 0理 4)

【25年4月入社者の採用実績校】
文(大)慶大 明大 専大各1 理(院)北大 東大 東理大 千葉大 名大 九大各2 筑波大 茨城大 法政大 東京農業大 横国大 京大 山口大各1(大)立命館大2 千葉工大 東京農業大 近大 関大各1

【24年4月入社者の配属先】
総勤務地:東京(中野2 昭島1) 部署:財務1 調達1 施設管理1
技勤務地:東京(中野1 三鷹6 昭島15)岩手1 千葉1 長野1 兵庫1 大阪1 岡山1 部署:開発12 技術営業7 設計5 施工管理2 DX1 ソリューション技術1

●給与、ボーナス、週休、有休ほか●

【30歳総合職モデル年収】728万円【初任給】(博士)300,000円(修士)274,000円(大卒)250,000円【ボーナス(年)】190万円、4.376カ月【25、30、35歳モデル賃金】287,600円→328,800円→386,100円【週休】完全2日(土日祝)【夏期休暇】7日(有休で取得)【年末年始休暇】連続5日【有休取得】12.7/20日

●従業員数、勤続年数、離職率ほか●

【男女別従業員数、平均年齢、平均勤続年数】計 1,625(43.1歳 17.4年) 男 1,344(43.8歳 17.8年) 女 281(39.3歳 15.2年)【離職率と離職者数】1.5%、25名【3年後新卒定着率】93.3%(男90.6%、女100%、3年前入社:男32名・女13名)【組合】あり

求める人材 目標に向かって考え抜き、自ら行動できる人

会社データ (金額は百万円)

【本社】164-0001 東京都中野区中野4-10-1
☎03-6743-5000　https://www.kurita.co.jp/
【社長】江尻 裕彦【設立】1949.7【資本金】13,450【今後力を入れる事業】サービス事業 グローバル事業 新規事業

【業績(IFRS)】	売上高	営業利益	税前利益	純利益
22.3	288,207	35,734	30,079	18,471
23.3	344,608	29,058	30,151	20,134
24.3	384,825	41,232	41,686	29,189

メタウォーター(株)

東京P 9551

【特色】日本ガイシと富士電機の水環境事業が統合

修士・大卒採用数	3年後離職率	有休取得年平均	平均年収(平均43歳)
42名	5.5 → 1.8%	13.6日	(総) 836万円

●エントリー情報と採用プロセス●

【受付開始～終了】(総)(技)12月～未定【採用プロセス】(総)(技)説明会(必須)→ES提出・Webテスト→面接(2回)→内々定(6月)【交通費支給】2次面接以降、全額【早期選考】⇒巻末

試験情報

重視科目 [総][技]面接

[総][技](ES)⇒巻末(筆)WebGAB ESP(適性検査)(面)2回(Webあり)

選考ポイント [総][技](ES)NA(提出あり)(面)NA

通過率 [総](ES)68%(受付:254→通過:172) [技](ES)84%(受付:256→通過:214)

倍率(応募/内定) [総]21倍 [技]5倍

●男女別採用数と配属先ほか●

【男女・文理別採用実績】

	大卒男	大卒女	修士男	修士女
23年	8(文 6理 2)	5(文 4理 1)	14(文 1理 13)	3(文 0理 3)
24年	11(文 5理 6)	7(文 5理 2)	15(文 1理 14)	4(文 0理 4)
25年	18(文 7理 11)	5(文 4理 1)	16(文 0理 16)	3(文 0理 3)

【25年4月入社者の採用実績校】(文)(大)関大4 明大2 甲南女大 駿河台大 中京大 奈良県大 法政大各1 (理)(院)金沢工大 都立大各2 金沢大 北九州市大 岐阜大 中京大 筑波大 東京海洋大 東大 東邦大 東洋大 電通大 長崎大 日大 北大 明大 横国大各1(大)福岡工大3 金沢工大 東京電機大各2 宇都宮大 大阪工大 工学院大 千葉大 中大各1(高専)広島商船3 有明 八戸 旭川 仙台 函館 都城各2 秋田 阿南 石川 宇部 鳥羽商船 豊田各1

【24年4月入社者の配属先】[総]勤務地:東京・千代田7 さいたま2 横浜1 名古屋1 大阪1 広島1 部署:営業9 経理財務2 IT1 人事1 [技]勤務地:東京・千代田18 日野17 千葉1 名古屋4 大阪7 熊本1 部署:技術設計22 フィールドエンジニア8 カスタマーエンジニア5 施工管理9 開発3 PPP1

残業(月) 17.5時間 (総) 17.5時間

記者評価 上下水設備トップ級。セラミック膜ろ過システムなど機械技術の日本ガイシと、受変電設備など電気技術に強い富士電機の水環境事業が08年統合して発足。官需9割超。AI活用で設計品質を一段向上。PPP事業の拡大図るほか、東南ア、アフリカなど海外で受注深掘り。

●給与、ボーナス、週休、有休ほか●

【30歳総合職平均年収】707万円【初任給】(修士)276,000円 (大卒)253,000円【ボーナス(年)】237万円、5.7カ月【25、30、35歳賃金】NA【週休】完全2日(土日祝)【夏期休暇】8月10～16日【年末年始休暇】12月29日～1月3日【有休取得】13.6／20日

●従業員数、勤続年数、離職率ほか●

【男女別従業員数、平均年齢、平均勤続年数】計 1,843(42.7歳 17.1年) 男 1,611(43.3歳 17.4年) 女 232(38.9歳 15.1年)【離職率と離職者数】1.9%、36名【3年後新卒定着率】98.2%(男97.7%、女100%、3年前入社:男44名・女11名)【組合】あり

求める人材 メタイズム「変革・挑戦・多様性」に共感し、実践できる人

会社データ (金額は百万円)

【本社】101-0041 東京都千代田区神田須田町1-25 JR神田万世橋ビル ☎03-6853-7300 https://www.metawater.co.jp/

【社長】山口 賢二【設立】1973.10【資本金】11,946【今後力を入れる事業】海外 PPP事業

【業績(連結)】	売上高	営業利益	経常利益	純利益
22.3	135,557	8,146	8,751	6,245
23.3	150,716	8,688	9,068	6,252
24.3	165,561	9,903	10,490	6,875

三浦工業(株)

(みうらこうぎょう)

東京P 6005

【特色】産業用小型貫流ボイラー国内首位。海外積極開拓

修士・大卒採用数	3年後離職率	有休取得年平均	平均年収(平均40歳)
107名	31.6 → 13.8%	13.7日	(総) 792万円

●エントリー情報と採用プロセス●

【受付開始～終了】(総)(技)3月～継続中【採用プロセス】(総)(技)説明会(必須)→ES提出→Web試験・面接(3回)→内々定【交通費支給】最終面接、会社基準(地域により上限設定)【早期選考】⇒巻末

試験情報

重視科目 [総][技]面接

[総][技](ES)⇒巻末(筆)SPI3(自宅)(面)3回(Webあり)

選考ポイント [総](ES)具体的な志望動機と自己PR 表現力 他(面)自己PR 具体的な志望動機 語学力 [技](ES)具体的な志望動機と自己PR 表現力 研究テーマ 他(面)自己PR 具体的な志望動機 語学力 専門性の理解度・理系分野の好奇心

通過率 [総](ES)90%(受付:(技術系含む)400→通過:(技術系含む)360) [技](ES)—(受付:事務系に含む→通過:事務系に含む)

倍率(応募/内定) [総](技術系含む)4倍 [技]—

●男女別採用数と配属先ほか●

【男女・文理別採用実績】

	大卒男	大卒女	修士男	修士女
23年	69(文 38理 31)	9(文 8理 1)	6(文 0理 6)	1(文 0理 1)
24年	75(文 43理 32)	15(文 11理 4)	18(文 0理 18)	2(文 0理 2)
25年	72(文 50理 22)	20(文 14理 6)	11(文 0理 11)	4(文 2理 2)

【25年4月入社者の採用実績校】(文)(大)松山大12 愛媛大4 立命館大 関西学大 福岡大 大阪経大各3 甲南大 関大 京産大各2 立命館APU 明海大 兵庫県大 福山大 福井県大 日女大 東洋大 長崎大 中京大 中大 大同大 大阪産大 大阪工大 太成学大 早大 産能大 桜美林大 埼玉大 香川大 広島修道大 京都外大 岐阜聖徳学大 関西国際大 岡山大 愛知工業大 愛知県大 びわこ成蹊スポーツ大各1 (理)(院)愛媛大5 京大2 立命館大 北見工大 筑波大 山口大 香川大 宮崎大各1(大)愛媛大6 九産大3 北海道科学大 近大 広島工大各2 北見工大 法政大 福岡工大 東理大 東海大 鳥取大 千葉工大 高知大 工学院大 九州工大 京都先端科学大各1(高専)和歌山 大島商船 呉各1(専)河原電子ビジネス2

【24年4月入社者の配属先】[総]勤務地:北海道 青森 神奈川 埼玉 茨城 群馬 東京 岐阜 富山 石川 愛知 静岡 京都 滋賀 大阪 三重 兵庫 山口 広島 岡山 愛媛 徳島 福岡 大分 熊本 鹿児島 沖縄 他 部署:フィールドエンジニア80 スタッフ4 [技]勤務地:愛媛・松山24 部署:研究・開発・設計・生産技術24

残業(月) 24.5時間 (総) 28.5時間

記者評価 松山市本拠。工場や商業施設に不可欠な産業用小型ボイラーで高シェア。メンテ事業が安定的な収益源。空気圧縮機や水処理機器、冷熱機器や同薬品、ランドリー機器も展開。中国の食品・製薬会社向け注力。ダイキンと資本業務提携、共同で省エネ訴求。財務良好。

●給与、ボーナス、週休、有休ほか●

【30歳総合職平均年収】627万円【初任給】(博士)270,100円 (修士)256,100円 (大卒)242,100円【ボーナス(年)】NA、6.03カ月【25、30、35歳モデル賃金】293,100円→377,100円→433,000円【週休】完全2日(土日祝)【夏期休暇】連続9日(有休含む)【年末年始休暇】連続9日(有休含む)【有休取得】13.7／20日

●従業員数、勤続年数、離職率ほか●

【男女別従業員数、平均年齢、平均勤続年数】計 3,141(39.1歳 14.1年) 男 2,350(39.9歳 15.0年) 女 791(36.5歳 11.6年)【離職率と離職者数】3.7%、121名【3年後新卒定着率】86.2%(男85.9%、女88.9%、3年前入社:男85名・女9名)【組合】なし

求める人材 考動型人材 自ら考え行動できる人

会社データ (金額は百万円)

【本社】799-2696 愛媛県松山市堀江町7 ☎089-979-7014 https://www.miuraz.co.jp/

【社長】米田 剛【設立】1959.5【資本金】9,544【今後力を入れる事業】熱・水・環境の各分野と海外事業

【業績(IFRS)】	売上高	営業利益	税前利益	純利益
22.3	143,543	19,441	20,421	14,415
23.3	158,377	21,928	23,467	16,876
24.3	159,695	23,061	26,789	19,368

オルガノ(株)

[東京P] 6368

【特色】水処理装置大手。電子向け純水製造装置が主軸

修士・大卒採用数	3年後離職率	有休取得年平均	平均年収(平均43歳)
46名	8.8→6.1%	11.7日	[総]936万円

●エントリー情報と採用プロセス●

【受付開始～終了】[総][技]3月～6月【採用プロセス】[総][技]説明会(必須、3～6月)→ES提出(3～6月)→適性検査→面接(3回)→内々定【交通費支給】最終面接、各地域別設定額【早期選考】⇒巻末

試験情報

重視科目 [総][技]面接

[総][技][ES]⇒巻末[筆]SPI3(会場) SPI3(自宅)[面]3回(Webあり)

選考ポイント [総][技][ES]志望度 パーソナリティー[面]協力して推進する力 チャレンジ 本質的思考力 学意欲 志望度 他

通過率 [総][ES]100%(受付:141→通過:141) [技][ES]100%(受付:46→通過:46)

倍率(応募/内定) [総]47倍 [技]23倍

●男女別採用数と配属先ほか●

【男女・文理別採用実績】

	大卒男	大卒女	修士男	修士女
23年	6(文 1理 5)	3(文 0理 3)	11(文 0理 11)	3(文 0理 3)
24年	5(文 2理 3)	1(文 1理 0)	13(文 0理 13)	7(文 0理 7)
25年	10(文 4理 6)	6(文 1理 5)	21(文 0理 21)	9(文 1理 8)

【25年4月入社者の採用実績校】[文](院)筑波大1(大)日大 成蹊大 上智大 学習院大 東京女大各1 [理](院)立命館大 東理大 東京農工大 千葉大 筑波大各2 弘前大 龍谷大 新潟大 関大 岡山大 静岡大 島根大 室蘭工大 茨城大 九大 北大 早大 埼玉大 明大 日大 熊本大 近大 山形大 奈良女大各1(大)明大2 東洋大 芝工大 早大 日大 中大 立命館大 東理大 都立大 立正大各1

【24年4月入社者の配属先】[総]勤務地:(23年)東京・江東6 部署:(23年)営業5 企画1 [技]勤務地:(23年)東京・江東11 相模原5 三重・四日市1 部署:(23年)設計4 研究開発5 施工管理7 運転管理1

残業(月) 24.7時間 [総]28.6時間

記者評価 東ソー系の水処理大手。半導体・電子関連の超純水・純水装置が柱。水処理薬品も扱う。台湾TSMCとの関係が深く、台湾半導体市場で存在感。TSMC進出に伴い米国を強化。TSMC熊本関連も受注。中国、東南アにも展開。バイオ医薬やリチウムイオン電池向けも本腰。

●給与、ボーナス、週休、有休ほか●

【30歳総合職モデル年収】767万円【初任給】(修士)289,000円(大卒)269,000円【ボーナス(年)】254万円、7.43カ月【25、30、35歳モデル賃金】284,360円→362,970円→424,090円 ※諸手当含む【週休】完全2日(土日祝)【夏期休暇】3日(有休2日と合わせて連続5日取得可)【年末年始休暇】12月30日～1月4日【有休取得】11.7／20日

●従業員数、勤続年数、離職率ほか●

【男女別従業員数、平均年齢、平均勤続年数】計 1,263(43.9歳 16.6年) 男 1,034(44.2歳 17.0年) 女 229(42.5歳 14.6年)【離職率と離職者数】2.5%、33名【3年後新卒定着率】93.9%(男95.2%、女91.7%、3年前入社:男21名・女12名)【組合】あり

求める人材 本質的思考力・協力し推進する力・チャレンジ精神を持った人

会社データ　(金額は百万円)

【本社】136-8631 東京都江東区新砂1-2-8
☎03-5635-5100　https://www.organo.co.jp/
【社長】山田 正幸【設立】1946.5【資本金】8,225【今後力を入れる事業】電子産業・中国 台湾市場・ソリューション

【業績(連結)】	売上高	営業利益	経常利益	純利益
22.3	112,069	10,850	11,545	9,210
23.3	132,426	15,212	16,020	11,730
24.3	150,356	22,544	23,425	17,310

(株)タクマ

[東京P] 6013

【特色】ボイラー製造大手。ゴミ焼却炉や水処理装置も

修士・大卒採用数	3年後離職率	有休取得年平均	平均年収(平均42歳)
21名	12.5→12.0%	10.5日	[総]905万円

●エントリー情報と採用プロセス●

【受付開始～終了】[総][技]3月～7月【採用プロセス】[総][技]説明会(任意、3月～)→ES提出(3月～)→筆記(3月～)→小論文・マッチング面談(1回、4月～)→マッチング面談(2回、4月～)→内々定(6月上旬～)【交通費支給】マッチング面談(2次)以降、実費【早期選考】⇒巻末

試験情報

重視科目 [総][技]面談

[総][技][ES]⇒巻末[筆]SPI3(会場)[面]3回(Webあり)[GD作]⇒巻末

選考ポイント [総][ES]SPIとの総合判断[面]受け応えが的確か(コミュニケーション能力)誠実さ [技][ES]総合職共通[面]受け応えが的確か(コミュニケーション能力)誠実さ 専門性

通過率 [総][ES]83%(受付:(早期選考含む)149→通過:(早期選考含む)123) [技][ES]93%(受付:(早期選考含む)194→通過:(早期選考含む)181)

倍率(応募/内定) [総](早期選考含む)25倍 [技](早期選考含む)11倍

●男女別採用数と配属先ほか●

【男女・文理別採用実績】

	大卒男	大卒女	修士男	修士女
23年	7(文 4理 3)	3(文 1理 2)	12(文 0理 12)	0(文 0理 0)
24年	12(文 4理 8)	2(文 0理 2)	8(文 0理 8)	1(文 1理 0)
25年	10(文 4理 6)	3(文 2理 1)	6(文 0理 6)	2(文 0理 2)

【25年4月入社者の採用実績校】[文](大)広島大 山口大 早大 近大 関西学大 関大各1 [理](院)岡山大 明大 工学院大 北九州市大 阪大 信州大 奈良女大 兵庫県大各1(大)関大2 日大 信州大 県立広島大 鹿児島大 福岡大各1(高専)大阪公大2 北九州1

【24年4月入社者の配属先】[総]勤務地:兵庫4 東京1 部署:営業2 積算見積2 経理1 [技]勤務地:兵庫19 東京2 部署:計画・設計13 メンテナンス3 施工管理3 資材調達1 生産1

残業(月) 29.0時間 [総]30.9時間

記者評価 1912年、田熊常吉が「タクマ式汽罐」で創業。各種ボイラーを基盤にゴミ焼却や水処理、エネルギーなどのプラントに展開。バイオマス発電プラントで高シェア。海外は東南アジアが軸。プラント排ガスのCO_2固体化など技術開発を推進。播磨新工場が23年1月稼働。

●給与、ボーナス、週休、有休ほか●

【30歳総合職平均年収】592万円【初任給】(博士)278,980円(修士)254,170円(大卒)242,180円【ボーナス(年)】190万円、6.64カ月【25、30、35歳モデル賃金】358,000円→418,000円→475,000円 ※手当含む【週休】完全2日(土日祝)【夏期休暇】連続最大10日(週休4日含む)【年末年始休暇】連続最大9日(週休4日含む)【有休取得】10.5／21日

●従業員数、勤続年数、離職率ほか●

【男女別従業員数、平均年齢、平均勤続年数】計 935(42.2歳 14.6年) 男 852(42.1歳 14.3年) 女 83(43.0歳 18.1年)【離職率と離職者数】1.9%、18名【3年後新卒定着率】88.0%(男87.0%、女100%、3年前入社:男23名・女2名)【組合】あり

求める人材 誠実であり、何事にも前向きに取り組み、最後まで粘り強くやり抜くことができる人

会社データ　(金額は百万円)

【本社】660-0806 兵庫県尼崎市金楽寺町2-2-33
☎06-6483-2609　https://www.takuma.co.jp/
【社長】南條 博昭【設立】1938.6【資本金】13,367【今後力を入れる事業】再生可能エネルギーの活用と環境保全

【業績(連結)】	売上高	営業利益	経常利益	純利益
22.3	134,092	9,928	10,647	7,434
23.3	142,651	13,813	14,684	9,621
24.3	149,166	10,229	11,166	8,754

メーカーI

しんこうかんきょう
(株)神鋼環境ソリューション

株式公開していない

【特色】環境装置メーカー。神戸製鋼傘下。水処理に強い

修士・大卒採用数	3年後離職率	有休取得年平均	平均年収(平均44歳)
19名	11.1 → 0%	17.1日	総 862万円

●エントリー情報と採用プロセス●

【受付開始～終了】総技3月～6月【採用プロセス】総技説明会(任意、3月～)→座談会(任意)→ES提出・Webテスト→GD→面接(2回)→内々定(6月～)【交通費支給】2次選考(対面形式を希望した場合)最終面接、一部

試験情報

重視科目 総技面接

総技ES⇒巻末 筆Web(自宅)Compass 面2回(Webあり) GD作⇒巻末

選考ポイント 総技ES志望度 パーソナリティー 熱意 学生時代に取り組んだこと 面論理性 協調性 課題発見能力 主体性

通過率 総技ES NA

倍率(応募/内定) 総技NA

●男女別採用数と配属先ほか●

【男女・文理別採用実績】

	大卒男	大卒女	修士男	修士女
23年	11(文 5理 6)	1(文 1理 0)	8(文 0理 8)	2(文 0理 2)
24年	6(文 4理 2)	2(文 1理 1)	7(文 0理 7)	0(文 0理 0)
25年	4(文 2理 2)	0(文 0理 0)	14(文 0理 14)	1(文 0理 1)

【25年4月入社者の採用実績校】
文(大)北大 同大各1 理(院)北大3 阪大 大阪公大 岡山大各2 山梨大 名工大 岐阜大 神戸大 広島大 高知大各1(大)和歌山大 広島大各1

【24年4月入社者の配属先】
総勤務地:兵庫・加古郡1 大阪2 東京2 部署:営業4 品質保証1
技勤務地:兵庫(神戸9 加古郡1) 部署:設計8 施工管理1 研究開発1

残業(月) 19.3時間 総22.3時間

記者評価 03年に神鋼本体の環境部門を統合。18年にはIHIの廃棄物関連事業を統合して業容拡大。廃棄物処理と水処理をトータルで手がける。化学プロセス機器に注力。水素発生装置やミドリムシ、バイオマス発電など新規事業も。21年10月神戸製鋼が株式交換で完全子会社化。

●給与、ボーナス、週休、有休ほか●

【30歳総合職平均年収】552万円【初任給】(修士)279,500円 (大卒)257,100円【ボーナス(年)】314万円、NA【25、30、35歳賃金】306,563円→397,055円→492,492円【週休】完全2日(土日祝)【夏期休暇】連続7日(有休、週休含む)【年末年始休暇】連続7日(週休含む)【有休取得】17.1/20日

●従業員数、勤続年数、離職率ほか●

【男女別従業員数、平均年齢、平均勤続年数】計 ◇1,343(44.6歳 15.6年) 男 1,202(44.6歳 15.8年) 女 141(44.6歳 13.9年)【離職率と離職者数】◇3.0%、41名【3年後新卒定着率】100%(男100%、女100%、3年前入社:男21名・女2名)【組合】あり

求める人材 探求心を持ち、自ら踏み込む人・変化を恐れず、積極的に挑む人・粘り強くやり抜く人

会社データ (金額は百万円)

【本社】651-0072 兵庫県神戸市中央区脇浜町1-4-78
☎078-232-8018 https://www.kobelco-eco.co.jp/
【社長】佐藤 幹雄【設立】1954.6【資本金】6,020【今後力を入れる事業】再生可能エネルギーへの取り組み

【業績(連結)】	売上高	営業利益	経常利益	純利益
22.3	102,535	NA	6,656	NA
23.3	107,933	NA	5,528	NA
24.3	108,617	NA	6,550	NA

メーカー（素材·身の回り品）

食品・水産　農林　印刷・紙パルプ　化粧品・トイレタリー　医薬品　化学　衣料・繊維　ガラス・土石　金属製品　鉄鋼　非鉄　その他メーカー

加工食品

価格転嫁による利益貢献は2024年度中におおむね一巡。さらなる成長には販売量の拡大が求められる

医薬品

国内では不採算品の薬価引き上げが行われるなど向かい風がやや弱まる。高額薬の登場もあり医薬品市場の成長は続く

化粧品

マスク着用緩和でメイク品の需要回復。が、中国市場の成長鈍化で大手が軒並み苦戦。インバウンドも先行き不透明

化学

低調な需要が響いた2023年度より増益基調だが、石化は構造的に苦しい。半導体関連など上向きだが本格回復遠い

鉄鋼

国内は数量減継続も、大口顧客向け中心に価格の見直し進み採算向上。中国勢は景気低迷に伴う鋼材余り発生で厳しい

非鉄金属

銅価格が上昇に転じるなど、金属価格が底打ち。自動車や電子部品業界向けの需要回復も追い風になる

（天気図は24年度後半⇒25年度、続きは東洋経済『会社四季報業界地図 2025年版』で）

サントリーホールディングス(株)

株式公開していない

【特色】事業子会社で酒類、飲料、食品、外食などを展開

修士・大卒採用数	3年後離職率	有休取得年平均	平均年収(平均*43歳)
170名	8.0 → 4.5%	17.7日	総 1,133万円

残業(月) 19.2時間 総 19.2時間

記者評価 サントリー食品インターナショナル、サントリーフーズ、サントリーなどの事業会社が傘下。創業者・鳥井信治郎のチャレンジ精神「やってみなはれ」の伝統が息づく。「プレミアムモルツ」「金麦」軸に国内ビール類3位。飲料は「BOSS」「伊右衛門」堅調。

●エントリー情報と採用プロセス●

【受付開始～終了】総技12月～3月【採用プロセス】総技ES提出→書類選考・Webテスト→面接(複数回)→内々定【交通費支給】面接、実費【早期選考】⇒巻末

試験情報

重視科目 総技面接

総技 ES⇒巻末 筆WebGAB 面複数回(Webあり)

選考ポイント 総技 ES志望動機 自己PR 面総合的な人物評価

通過率 総技 ES NA 倍率(応募/内定) 総技NA

●男女別採用数と配属先ほか●

【男女・文理別採用実績】

	大卒男	大卒女	修士男	修士女
23年	62(文 60 理 2)	61(文 56 理 5)	23(文 1 理 22)	22(文 5 理 17)
24年	69(文 62 理 7)	82(文 80 理 2)	48(文 5 理 43)	26(文 2 理 24)
25年	43(文 41 理 2)	51(文 46 理 5)	43(文 4 理 39)	33(文 3 理 30)

※サントリー食品インターナショナル(株)と合同採用

【25年4月入社者の採用実績校】文(院)早大4 中大 神戸大 立命館大各1(大)早大 同大各10 慶大9 関西学大 立命館大各5 阪大 上智大各4 青学大 法政大 神戸大 立教大各3 東大 津田塾大 横国大 滋賀大各2 京大 一橋大 明大 学習院大 関大 金沢大 京都女大 テンプル大 九大 北大 東北大 筑波大 駒澤大 甲南大 昭和女大 多摩美大 東京外大 東京経大 明学大 武蔵野美大 龍谷大 和歌山大各1 理(院)京大10 阪大9 九大7 東大6 慶大 北大 東北大各4 東理大 早大各3 東京科学大 筑波大 東京農工大 同大 神戸大 上智大各2 ENSTAParis 茨城大 千葉大 立命館大 名大 京都工繊大 奈良先端科技院大 広島大各1(大)慶大2 早大 明大 青学大 上智大 横浜市大 静岡大 北海学園大各1

【24年4月入社者の配属先】総勤務地:東京70 大阪20 仙台10 北海道7 名古屋10 他64 部署:営業・営業企画100 スタッフ45 宣伝・マケ・DX等21 SCM15 技勤務地:京都18 神奈川8 東京5 大阪5 他9 部署:生産研究45

●給与、ボーナス、週休、有休ほか●

【30歳総合職平均年収】NA【初任給】(修士)294,800円(大卒)278,000円【ボーナス(年)】NA【25、30、35歳賃金】NA【週休】2日【夏期休暇】有休で取得【年末年始休暇】12月31日～1月3日【有休取得】17.7／24日

●従業員数、勤続年数、離職率ほか●

【男女別従業員数、平均年齢、平均勤続年数】計 5,218(43.1歳 18.2年) 男 3,807(44.3歳 19.6年) 女 1,411(40.0歳 14.6年)【離職率と離職者数】1.0%、52名【3年後新卒定着率】95.5%(男94.2%、女97.6%、3年前入社:男69名・女42名)【組合】あり

求める人材 自ら考え自ら動く主体的でチャレンジ精神溢れる人

会社データ (金額は百万円)

【本社】530-8203 大阪府大阪市北区堂島浜2-1-40
☎06-6346-1131 https://www.suntory.co.jp/
【社長】新浪 剛史【設立】2009.2【資本金】70,000【今後力を入れる事業】清涼飲料 酒類 健康食品 海外事業

【業績(IFRS)】	売上高	営業利益	税前利益	純利益
21.12	2,285,676	247,479	237,447	NA
22.12	2,658,781	276,468	261,818	NA
23.12	2,952,095	317,198	297,426	NA

アサヒビール(株)

持株会社傘下

【特色】ビール類国内首位級。「スーパードライ」が大黒柱

修士・大卒採用数	3年後離職率	有休取得年平均	平均年収(平均44歳)
88名	6.7 → 10.2%	9.2日	総 950万円

残業(月) 23.9時間 総 23.9時間

記者評価 アサヒグループホールディングスの中核企業。ビール「スーパードライ」が主力。「スマートドリンキング」をうたい、アルコール度数8%以上の「ストロング系」缶チューハイは新たに発売しない方針を発表。近年のM&Aで海外が国内と並ぶ収益柱に成長。

●エントリー情報と採用プロセス●

【受付開始～終了】総技2月～3月【採用プロセス】総技ES提出・適性診断(2～3月)→面談(3回、4～6月)→内々定(6月上旬～)【交通費支給】最終面接、往復相当分(会社基準)【早期選考】⇒巻末

試験情報

重視科目 総技面接

総技 ES⇒巻末 筆玉手箱 Web学力(OPQ 他)PAT 面3回(Webあり)

選考ポイント 総 ES主体性 突破力 内省力 再現性 熱意・熱量 論理構成 面求める人物像に合っているかをこれまでの活動(行動)を通じて判断 技 ESリーダーシップを発揮しながら主体的に行動できるか 面総合職共通

通過率 総 ES 16%(受付:5,153→通過:815) 技 ES 29%(受付:735→通過:211)

倍率(応募/内定) 総73倍 技37倍

●男女別採用数と配属先ほか●

【男女・文理別採用実績】

	大卒男	大卒女	修士男	修士女
23年	17(文 17 理 0)	22(文 21 理 1)	9(文 1 理 8)	7(文 1 理 6)
24年	32(文 28 理 4)	22(文 20 理 2)	8(文 0 理 8)	5(文 0 理 5)
25年	35(文 33 理 2)	32(文 29 理 3)	12(文 0 理 12)	9(文 0 理 9)

【25年4月入社者の採用実績校】文(大)早大14 慶大 上智大各5 明大 同大 関西学大各4 法政大 立教大 中大各3 立命館大 京産大 青学大各2 北大 ICU 日大 神戸大 小樽商大 大東文化大 一橋大 東京外大 横浜市大 神戸学大 東京音大各1 理(院)京大5 九大4 北大3 早大 立命館大各2 東京農工大 東理大 島根大 お茶女大 広島大 神戸大 東北大各1(大)東大 慶大 早大 岩手大 横国大各1

【24年4月入社者の配属先】総勤務地:北海道3 宮城4 東京8 神奈川1 千葉1 栃木1 埼玉3 石川2 新潟1 愛知5 大阪8 京都2 広島6 香川3 福岡3 鹿児島1 部署:営業48 法人営業本部1 量販統括1 マーケ1 物流1 技勤務地:福島2 茨城8 愛知2 大阪2 福岡3 部署:エンジ3 パッケ2 醸造7 研究5

●給与、ボーナス、週休、有休ほか●

【30歳総合職平均年収】655万円【初任給】(博士)311,000円(修士)288,500円(大卒)273,000円【ボーナス(年)】NA【25、30、35歳賃金】252,997円→330,499円→413,050円【週休】完全2日(土日)【夏期休暇】8月12～20日の間に1日+年休1～4日【年末年始休暇】12月31日～1月3日【有休取得】9.2／20日

●従業員数、勤続年数、離職率ほか●

【男女別従業員数、平均年齢、平均勤続年数】計 ◇2,863(43.7歳 19.0年) 男 2,325(43.8歳 19.3年) 女 538(43.3歳 18.1年)【離職率と離職者数】◇2.2%、64名【3年後新卒定着率】89.8%(男92.3%、女85.0%、3年前入社:男39名・女20名)【組合】あり

求める人材 主体性・突破力・内省力・チームワーク・誠実さ 自ら考え行動し新しい価値をつくり出せる 信念を持ち最後まで徹底的にやり抜ける 成功・失敗を内省によって成長に繋げられる 自身の成長と共にチームへの貢献ができる 明るく元気で素直

会社データ (金額は百万円)

【本社】130-8602 東京都墨田区吾妻橋1-23-1
☎03-5608-5131 https://www.asahibeer.co.jp/
【社長】松山 一雄【設立】2011.7【資本金】20,000【今後力を入れる事業】アサヒグループの中核事業としての国内酒類事業

【業績(IFRS)】	売上高	営業利益	税前利益	純利益
21.12	2,236,076	211,900	199,826	153,500
22.12	2,511,108	217,048	205,992	151,555
23.12	2,769,091	244,999	241,871	166,031

※業績はアサヒグループホールディングス(株)のもの

キリンホールディングス(株)

東京P 2503

【特色】ビール類シェア国内首位級。清涼飲料も展開

修士・大卒採用数	3年後離職率	有休取得年平均	平均年収(平均33歳)
121名	5.8→24.8%	11.0日	総749万円

●エントリー情報と採用プロセス●

【受付開始～終了】総1月～3月 技1月～2月【採用プロセス】総ES提出・適性検査(一部動画選考あり)→面接(3回)→内々定 技ES提出・適性検査→面接(3回)→内々定【交通費支給】2次面接以降、遠方者に規定額【早期選考】⇒巻末

試験情報

重視科目 総技面接

総技ES⇒巻末筆適性検査面3回(Webあり)

選考ポイント 総ESこれまでに培った経験・能力・強み KIRINでチャレンジしたいこと面リーダーシップ 挑戦姿勢 KIRIN事業への関心 他 技ES研究内容 これまでに培った経験・能力・強み KIRINでチャレンジしたいこと面総合職共通

通過率 総技ESNA 倍率(応募/内定) 総技NA

●男女別採用数と配属先ほか●

【男女・文理別採用実績】

	大卒男	大卒女	修士男	修士女
23年	22(文 21理 1)	29(文 26理 3)	31(文 0理 31)	22(文 1理 21)
24年	28(文 26理 2)	32(文 27理 5)	26(文 1理 25)	22(文 4理 18)
25年	34(文 33理 1)	41(文 33理 8)	28(文 0理 28)	18(文 3理 15)

【25年4月入社者の採用実績校】文(院)東大 早大(大)早大 慶大 明大 東大 一橋大 筑波大 法政大 日大 立教大 横国大 近大 立命館大 他 理(院)北大 東北大 東大 京大 千葉大 阪大 慶大 東京農工大 東理大 名大 立命館大(大)明大 京大 神戸大 同大 日大 他

【24年4月入社者の配属先】総勤務地:北海道2 東北3 関信越3 首都圏36 中部圏6 近畿圏12 中四国3 九州4 部署:営業33 マーケティング4 SCM(需給・物流)9 人事10 財務4 法務1 デジタルICT戦略6 コーポレートコミュニケーション1 CSV戦略1 技勤務地:北海道2 東北2 関信越1 首都圏21 中部圏3 近畿圏5 中四国8 九州2 部署:生産・品質保証・技術開発20 エンジニアリング8 応用研究5 基礎研究10 薬事1

残業(月) 28.0時間 総29.8時間

記者評価 傘下にキリンビール、キリンビバレッジなど。ビールの主力は「一番搾り」。24年に17年ぶり新ブランド「晴れ風」を発売し話題に。新ジャンル「本麒麟」も展開。免疫機能の維持をうたう独自素材「プラズマ乳酸菌」を含んだサプリメントや飲料の販売にも力。

●給与、ボーナス、週休、有休ほか●

【30歳総合職平均年収】790万円【初任給】(博士)327,500円(修士)288,500円 (大卒)270,000円【ボーナス(年)】307万円、5.61カ月【25、30、35歳賃金】286,500円→340,876円→450,089円【週休】完全2日(土日祝)【夏期休暇】有休で取得【年末年始休暇】4日以上【有休取得】11.0/20日

●従業員数、勤続年数、離職率ほか●

【男女別従業員数、平均年齢、平均勤続年数】計 2,984(38.5歳 13.3年) 男 2,144(40.3歳 14.8年) 女 840(33.9歳 9.0年)【離職率と離職者数】3.4%、104名(早期退職男16名含む)【3年後新卒定着率】75.2%(男79.2%、女70.8%、3年前入社:男72名・女65名)【組合】あり

求める人材 「熱意・誠意・多様性」を共通の価値観として、リーダーシップを発揮し、成長・発展し続けられる人財

会社データ (金額は百万円)

【本社】164-0001 東京都中野区中野4-10-2 中野セントラルパークサウス
☎03-6837-7000 https://www.kirinholdings.com/jp/

【社長】南方 健志【設立】1907.2【資本金】102,046【今後力を入れる事業】食領域(酒類・飲料事業)ヘルスサイエンス領域 医領域

【業績(IFRS)】	売上高	営業利益	税前利益	純利益
21.12	1,821,570	68,084	99,617	59,790
22.12	1,989,468	116,019	191,387	111,007
23.12	2,134,393	150,294	197,049	112,697

サッポロビール(株)

持株会社 傘下

【特色】サッポロHDの中核子会社。ビール類国内4位

修士・大卒採用数	3年後離職率	有休取得年平均	平均年収(平均44歳)
23名	17.1→20.8%	15.0日	総882万円

●エントリー情報と採用プロセス●

【受付開始～終了】総技2月～3月【採用プロセス】総ES提出(2～3月)→説明会・Webテスト(4月上旬)→グループ面接(4月中旬)→1次面接(5月上旬)→社員面談(任意、5月中旬)→最終面接(5月下旬) 技ES提出(2～3月)→説明会・Webテスト(4月上旬)→1次面接(4月中旬)→社員面談(任意、4月下旬)→最終面接(5月上旬)【交通費支給】最終面接以降、会社基準

試験情報

重視科目 総技1次面接 最終面接

総ES⇒巻末筆SPI3(自宅)面3回(Webあり) 技ES⇒巻末筆SPI3(自宅)面2回

選考ポイント 総技ES求める人財と合致しているか面NA

通過率 総ES22%(受付:2,500→通過:550) 技ES21%(受付:1,200→通過:250)

倍率(応募/内定) 総156倍 技171倍

●男女別採用数と配属先ほか●

【男女・文理別採用実績】

	大卒男	大卒女	修士男	修士女
23年	11(文 11理 0)	16(文 16理 0)	8(文 2理 6)	5(文 1理 4)
24年	13(文 13理 0)	20(文 19理 1)	5(文 1理 4)	7(文 5理 2)
25年	7(文 6理 1)	6(文 5理 1)	7(文 0理 7)	3(文 0理 3)

【25年4月入社者の採用実績校】文(大)立教大 立命館大各2 法政大 和歌山大 同大 中大 成城大 関西学大 九大各1 理(院)東大 東理大 立教大 長崎大 北大 奈良先端科技院大 東京農工大 埼玉大 金沢大 京大各1(大)東京海洋大 法政大各1

【24年4月入社者の配属先】総勤務地:東京13 大阪6 札幌3 仙台3 金沢2 埼玉1 名古屋2 新潟1 広島2 福岡2 静岡1 神奈川2 部署:営業29 経理2 DX1 SCM1 マーケティング1 人事総務3 広報1 技勤務地:北海道1 千葉3 静岡2 群馬1 部署:醸造2 パッケージング2 原料開発1 エンジニアリング2

残業(月) 17.0時間 総17.0時間

記者評価 ビール「エビス」「黒ラベル」が看板商品。近年は「濃いめのレモンサワー」などチューハイにも注力。アメリカでは「サッポロプレミアムビール」がアジアビールの中で販売トップ。親会社の傘下に酒類、食品・飲料、外食、不動産子会社を持つ。

●給与、ボーナス、週休、有休ほか●

【30歳総合職平均年収】625万円【初任給】(博士)262,000円 (修士)262,000円 (大卒)245,000円【ボーナス(年)】224万円、NA【25、30、35歳賃金】274,000円→341,000円→421,000円【週休】2日(土日、会社カレンダーによる)【夏期休暇】なし【年末年始休暇】12月30日～1月4日【有休取得】15.0/20日

●従業員数、勤続年数、離職率ほか●

【男女別従業員数、平均年齢、平均勤続年数】計 2,157(42.5歳 18.0年) 男 1,674(43.9歳 19.0年) 女 483(38.5歳 13.2年)【離職率と離職者数】2.9%、64名【3年後新卒定着率】79.2%(男71.4%、女90.0%、3年前入社:男14名・女10名)【組合】あり

求める人材 カイタク人財

会社データ (金額は百万円)

【本社】150-8522 東京都渋谷区恵比寿4-20-1
☎03-5423-2070(採用専用) https://www.sapporobeer.jp/

【社長】野瀬 裕之【設立】2003.7【資本金】10,000【今後力を入れる事業】国際事業 ダイバーシティ 新規事業 DX

【業績(IFRS)】	売上高	営業利益	経常利益	純利益
21.12	437,159	22,029	21,185	12,331
22.12	478,422	10,106	11,367	5,450
23.12	518,632	11,820	12,144	8,724

※業績はサッポロビールホールディングス(株)のもの

メーカーⅡ

開示 ★★★★ ▶『業界地図』p.174 2746

宝ホールディングス(株)

たから

東京P 2531

【特色】酒類製造大手。焼酎・みりんで国内首位

修士・大卒採用数	3年後離職率	有休取得年平均	平均年収(平均49歳)
45名	[!]9.1→[!]7.1%	12.5日	[総]743万円

●エントリー情報と採用プロセス●

【受付開始～終了】[総][技]3月～4月【採用プロセス】[総][技]ES提出(3～4月)→Webテスト(4～5月)→1次面接(5～6月)→最終面接・筆記(5～6月)→内々定【交通費支給】最終面接、会社基準

試験情報

[重視科目] [総][技]全て

[総][技][ES]⇒巻末[筆]一般常識 TG-WEB(自宅受検)[面]2回(Webあり)

[選考ポイント] [総][技][ES]NA(提出あり)[面]総合的な人物評価

[通過率] [総][ES]44%(受付:1,273→通過:563) [技][ES]61%(受付:351→通過:215)

[倍率(応募/内定)] [総]44倍 [技]22倍

●男女別採用数と配属先ほか●

【男女・文理別採用実績】

	大卒男	大卒女	修士男	修士女
23年	5(文 5理 0)	13(文 12理 1)	10(文 1理 9)	5(文 1理 4)
24年	11(文 11理 0)	9(文 9理 0)	6(文 1理 5)	6(文 0理 6)
25年	15(文 15理 0)	12(文 12理 0)	8(文 0理 8)	10(文 2理 8)

【25年4月入社者の採用実績校】
[文](院)神戸大 同大各1(大)同大6 関大5 立命館大3 明大 関西学大各2 早大 慶大 神戸大 九大 東京外大 法政大 大阪市大 神奈川大 京産大各1 [理](院)京大5 京都府大2 東大 北大 神戸大 千葉大 明大 静岡大 三重大 佐賀大 東京農業大各1

【24年4月入社者の配属先】[総]勤務地:東京6 京都3 宮城2 神奈川2 愛知2 大阪2 福岡2 群馬1 三重1 部署:国内営業15 IT2 SCM1 工場1 調味料技術サービス1 営業企画1 [技]勤務地:京都7 千葉1 三重1 兵庫1 宮崎1 部署:研究開発6 工場5

[残業(月)] 11.1時間 [総]11.1時間

[記者評価] 傘下に宝酒造、タカラバイオなどを擁する。1842年京都で創業、1925年株式会社化。焼酎・みりんで国内最大手。日本酒「昴」や「澪」、チューハイ「焼酎ハイボール」などに力点。M&Aを積極的に進める日本食材卸事業など、海外事業が大きく成長中。

●給与、ボーナス、週休、有休ほか●

【30歳総合職平均年収】536万円【初任給】(修士)256,370円(大卒)240,590円【ボーナス(年)】NA、5.1カ月【25、30、35歳モデル賃金】NA→276,580円→NA【週休】完全2日(土日祝)【夏期休暇】3日(うち1日は一斉休暇)【年末年始休暇】12月30日～1月4日【有休取得】12.5／21日

●従業員数、勤続年数、離職率ほか●

【男女別従業員数、平均年齢、平均勤続年数】計 907(47.0歳 22.5年) 男 723(48.8歳 24.2年) 女 184(40.1歳 15.8年) ※3社計【離職率と離職者数】1.6%、15名【3年後新卒定着率】92.9%(男100%、女85.7%、3年前入社:男7名・女7名) ※3社計【組合】あり

[求める人材] コミュニケーションをしっかりととれる人 新しい価値観や変化に柔軟に対応できる人

[会社データ] (金額は百万円)

【本社】600-8688 京都府京都市下京区四条通烏丸東入長刀鉾町20
☎075-241-5130 https://www.takara.co.jp/
【社長】木村 睦【設立】1925.9【資本金】13,226【今後力を入れる事業】国内酒類・調味料事業 海外酒類事業 海外日本食材卸事業

【業績(連結)】	売上高	営業利益	経常利益	純利益
22.3	300,918	43,354	43,230	20,769
23.3	350,665	37,945	38,706	21,206
24.3	339,372	22,242	23,336	16,176

コカ・コーラ ボトラーズジャパン(株)

持株会社 傘下

【特色】国内コカ・ボトラー最大手。17年4月経営統合

修士・大卒採用数	3年後離職率	有休取得年平均	平均年収(平均45歳)
87名	26.8→42.9%	12.8日	[総]630万円

●エントリー情報と採用プロセス●

【受付開始～終了】[総][技]3月～7月【採用プロセス】[総][技]説明会(任意、3月)→ES提出・Webテスト(3～4月)→面接(2～3回、5～7月)→内々定(6～7月)【交通費支給】最終面接、実費【早期選考】⇒巻末

試験情報

[重視科目] [総][技]面接

[総][技][ES]⇒巻末[筆]WebGAB[面]2～3回(Webあり)

[選考ポイント] [総][技][ES]NA(提出あり)[面]当社選考基準を満たしているか

[通過率] [総][技][ES]NA [倍率(応募/内定)] [総][技]NA

●男女別採用数と配属先ほか●

【男女・文理別採用実績】

	大卒男	大卒女	修士男	修士女
23年	21(文 16理 5)	21(文 18理 3)	2(文 1理 1)	3(文 1理 2)
24年	41(文 35理 6)	32(文 31理 1)	6(文 0理 6)	3(文 1理 2)
25年	37(文 32理 5)	46(文 38理 8)	2(文 0理 2)	2(文 0理 2)

【25年4月入社者の採用実績校】[文](大)立命館大6 関西学大5 関大 中大各4 西南学大 青学大 明大 立教大各3 学習院大 駒澤大 神戸大 中京大 同大 福岡大 法政大 明学大 上智大各2 京産大 慶大 甲南大 早大 大阪学大 東大 日大 東洋大 熊本学大 徳島大 愛知淑徳大 阪大 専大 武蔵野大 成城大 桜美林大 神戸学大 追手門学大 学習院女大 テンプル大ジャパンキャンパス 天理大各1 [理](院)東京農業大 都立大 京大 九大各1(大)東京農業大4 慶大 甲南大 青学大 大阪市大 立命館大 北九州市大 東理大 県立広島大 北里大各1

【24年4月入社者の配属先】[総]勤務地:愛知4 京都4 広島2 埼玉2 滋賀1 鹿児島1 神奈川6 千葉2 大阪10 東京14 福岡3 兵庫4 部署:営業51 カンパニースポーツ2 [技]勤務地:愛知4 宮崎2 宮城1 京都1 熊本1 広島1 佐賀3 埼玉6 山梨1 神奈川4 鳥取2 東京1 兵庫2 部署:製造職29

[残業(月)] 13.3時間

[記者評価] コカ・コーラ ボトラーズジャパンHDの中核事業会社。コカ・コーラ製品の製造販売を担う。国内コカ・ボトラー最大手で、アジアでも最大級。17年コカ・コーライーストジャパンとコカ・コーラウエストが経営統合して現体制。約70万台ある自動販売機の拡充に注力。

●給与、ボーナス、週休、有休ほか●

【30歳総合職平均年収】471万円【初任給】(修士)220,000円(大卒)210,000円【ボーナス(年)】146万円、4.5カ月【25、30、35歳賃金】234,216円→278,106円→338,676円【週休】2日【夏期休暇】有休で取得【年末年始休暇】12月29日～1月4日【有休取得】12.8／20日

●従業員数、勤続年数、離職率ほか●

【男女別従業員数、平均年齢、平均勤続年数】計 ◇7,254(44.4歳 19.3年) 男 6,136(45.5歳 20.4年) 女 1,118(38.9歳 13.3年)【離職率と離職者数】◇6.3%、486名【3年後新卒定着率】57.1%(男53.8%、女60.9%、3年前入社:男104名・女92名)【組合】あり

[求める人材] 自ら考え、自ら学び、積極的にチャレンジできる人材

[会社データ] (金額は百万円)

【本社】107-6211 東京都港区赤坂9-7-1 ミッドタウン・タワー
☎NA https://www.ccbji.co.jp/
【社長】カリン・ドラガン【設立】2001.6【資本金】100【今後力を入れる事業】アルコール事業

【業績(IFRS)】	売上高	営業利益	税前利益	純利益
21.12	785,837	▲20,971	▲21,683	▲2,503
22.12	807,430	▲11,513	▲12,491	▲8,070
23.12	868,581	3,441	3,224	1,871

※業績はコカ・コーラ ボトラーズジャパンホールディングス(株)のもの

開示 ★★★ ▶『業界地図』p.173 2131

(株)ヤクルト本社（ほんしゃ）

東京P 2267

【特色】乳酸菌飲料を主力に医薬品等も。幅広く海外展開

修士・大卒採用数	3年後離職率	有休取得年平均	平均年収(平均43歳)
90名	8.4→9.2%	16.0日	(総)1,030万円

●エントリー情報と採用プロセス●

【受付開始～終了】(総)(技)3月～6月【採用プロセス】(総)(技)ES提出・Webテスト(3～6月)→面接(3回)・筆記(3～6月)→内々定(6～7月)【交通費支給】最終面接、会社基準【早期選考】⇒巻末

試験情報

重視科目 (総)(技)面接 筆記

(総)(技)(ES)⇒巻末(筆)SPI3(会場) 玉手箱(面)3回(Webあり)

選考ポイント (総)(技)(ES)NA(提出あり)(面)志望動機 コミュニケーション能力 他

通過率 (総)(技)(ES)NA　倍率(応募/内定) (総)(技)NA

●男女別採用数と配属先ほか●

【男女・文理別採用実績】※本店採用分

	大卒男	大卒女	修士男	修士女
23年	20(文 17理 3)	10(文 8理 2)	13(文 0理 13)	5(文 0理 5)
24年	26(文 18理 8)	25(文 19理 6)	22(文 0理 22)	7(文 0理 7)
25年	31(文 20理 11)	28(文 28理 0)	22(文 0理 22)	9(文 0理 9)

【25年4月入社者の採用実績校】(文)(大)関西学大 同大各3 慶大 明大 立教大 関大 東京農業大各2 大阪府大 岐阜女大 京都教大 京産大 静岡大 成城大 専大 中大 筑波大 帝京大 日大 福岡女大 法政大 明学大 立命館大 早大 中京大各1 (理)(院)名大 北大各3 島根大 東京農業大 東理大 九州工大 徳島大各2 京大 福岡大 阪大 神戸大 同大 東北大 山形大 岐阜大 佐賀大 帝京平成大 女子栄養大 静岡大 麻布大 東京海洋大 奈良先端科技院大 広島大各1(大)東京電機大 日大 工学院大各2 青学大 金沢大 甲南大 名大 龍谷大各1

【24年4月入社者の配属先】(総)勤務地:東京19 北海道2 大阪2 福岡2 茨城1 静岡1 佐賀1 部署:総務1 人事1 経理1 情報システム2 販売会社経営ソリューション3 工場総務3 営業17 (技)勤務地:東京10 福島5 茨城9 静岡9 兵庫6 佐賀4 部署:研究5 開発5 福島工場5 茨城工場9 富士裾野工場9 兵庫三木工場6 佐賀工場4

残業(月) 10.8時間 (総)14.0時間

記者評価 「ヤクルトレディ」による乳飲料の訪問販売が特長。約40の国・地域で製造販売し、売上の4割超が海外。主力のアジアは中国とインドネシアが柱。米州も開拓進む。日本では高単価製品「ヤクルト1000」シリーズが大ヒット。化粧品やプロ野球事業も行う。

●給与、ボーナス、週休、有休ほか●

【30歳総合職平均年収】596万円【初任給】(博士)281,700円 (修士)249,500円 (大卒)241,500円【ボーナス(年)】292万円、7.35カ月【25、30、35歳賃金】254,000円→382,200円→442,400円 ※諸手当等含む【週休】完全2日(土日祝)【夏期休暇】有休で2～5日程度取得【年末年始休暇】12月31日～1月3日【有休取得】16.0／20日

●従業員数、勤続年数、離職率ほか●

【男女別従業員数、平均年齢、平均勤続年数】計 ◇2,810(42.4歳 18.3年) 男 2,057(43.2歳 19.3年) 女 753(40.3歳 16.0年)【離職率と離職者数】◇2.2%、63名【3年後新卒定着率】90.8%(男88.9%、女95.0%、3年前入社:男45名・女20名)【組合】なし

求める人材 企業理念に共感し、「社会人として」「人として」成長しつづける人

会社データ　(金額は百万円)

【本社】105-8660 東京都港区海岸1-10-30
☎03-6625-8960　https://www.yakult.co.jp/
【社長】成田 裕【設立】1955.4【資本金】31,117【今後力を入れる事業】食品 国際事業 化粧品 医薬品

【業績(連結)】	売上高	営業利益	経常利益	純利益
22.3	415,116	53,202	68,549	44,917
23.3	483,071	66,068	77,970	50,641
24.3	503,079	63,399	79,300	51,006

(株)伊藤園（いとうえん）

東京P 2593

【特色】飲料大手。緑茶が柱。子会社にタリーズなど

修士・大卒採用数	3年後離職率	有休取得年平均	平均年収(平均42歳)
未定	28.9→37.8%	11.1日	(総)654万円

●エントリー情報と採用プロセス●

【受付開始～終了】(総)3月～未定 (技)3月～6月【採用プロセス】(総)(技)ES提出(3月上旬～)→説明会・筆記→面接(2回)→内々定(6月)【交通費支給】なし【早期選考】⇒巻末

試験情報

重視科目 (総)(技)面接

(総)(技)(ES)⇒巻末(筆)自社オリジナル(Web)(面)2回(Webあり)

選考ポイント (総)(ES)志望動機 自己PR(面)意欲 コミュニケーション力 業務理解 (技)(ES)総合職共通(面)意欲 コミュニケーション力 研究内容

通過率 (総)(技)(ES)NA　倍率(応募/内定) (総)(技)NA

●男女別採用数と配属先ほか●

【男女・文理別採用実績】

	大卒男	大卒女	修士男	修士女
23年	140(文117理 23)	24(文 21理 3)	19(文 3理 16)	13(文 1理 12)
24年	122(文114理 8)	31(文 28理 3)	4(文 0理 4)	8(文 0理 8)
25年	-(文 -理 -)	-(文 -理 -)	-(文 -理 -)	-(文 -理 -)

【25年4月入社者の採用実績校】(文)(24年)(大)日大 中京大各8 東洋大 関西学大各5 中大 創価大 近大各4 法政大 駒澤大 東北学大 名古屋学院大 甲南大 帝京大 立命館大 東海大 追手門学大 青学大各3 大妻女大 明大 京産大 国士舘大 早大 順天堂大 関大 上智大 安田女大 神奈川大 立教大 専大 大東文化大各2 他 (理)(24年)(院)京大 群馬大 山形大 秋田大 神戸大 千葉大 大阪公大 東大 東北大 徳島大 麻布大 名大各1(大)日大 近大各2 明大 中部大 北里大 帝京大 龍谷大 東京電機大 東北学大各1 他

【24年4月入社者の配属先】(総)勤務地:東京38 神奈川19 静岡13 埼玉12 千葉9 愛知8 長野6 大阪5 栃木5 福岡5 広島4 三重3 茨城2 岐阜2 熊本2 群馬2 山梨2 鹿児島2 宮城2 石川1 青森1 和歌山1 宮崎1 京都1 長崎1 福島1 岡山1 滋賀1 島根1 部署:営業職139 事務職12 (技)勤務地:静岡15 部署:研究開発職12 生産職3

残業(月) 30.4時間 (総)30.4時間

記者評価 緑茶飲料の国内シェア1位。主力は「お～いお茶」。小売店へ直接訪問販売するルートセールス方式での営業力に強み。海外は北米軸に伸長中。大谷翔平選手を広告起用でグローバル展開に一層注力。傘下にタリーズコーヒーや乳製品メーカーのチチヤス。

●給与、ボーナス、週休、有休ほか●

【30歳総合職平均年収】519万円【初任給】(修士)<営業職>モデル250,000円 (大卒)<営業職>モデル240,000円【ボーナス(年)】133万円、4.9カ月【25、30、35歳賃金】256,800円→289,600円→326,000円【週休】2日【夏期休暇】計画有休により取得【年末年始休暇】12月31日～1月3日+計画年休(12月30日、1月4日)【有休取得】11.1／20日

●従業員数、勤続年数、離職率ほか●

【男女別従業員数、平均年齢、平均勤続年数】計 ◇5,226(41.5歳 17.7年) 男 4,593(42.2歳 18.5年) 女 633(36.9歳 12.3年)【離職率と離職者数】◇2.8%、150名(他に男2名転籍)【3年後新卒定着率】62.2%(男57.5%、女100%、3年前入社:男80名・女10名)【組合】なし

求める人材 経営理念「お客様第一主義」を理解し、実践できる人

会社データ　(金額は百万円)

【本社】151-8550 東京都渋谷区本町3-47-10
☎03-5371-7208　https://www.itoen.co.jp/
【社長】本庄 大介【設立】1966.8【資本金】19,912【今後力を入れる事業】米国・欧州・アジア事業の成長強化

【業績(連結)】	売上高	営業利益	経常利益	純利益
22.4	400,769	18,794	19,971	12,928
23.4	431,674	19,588	20,341	12,888
24.4	453,899	25,023	26,681	15,650

開示 ★★☆☆☆ ▶『業界地図』p.173 1664

アサヒ飲料(株)（いんりょう）

株式公開 計画なし

【特色】国内清涼飲料のシェア3位。カルピスを統合

修士・大卒採用数	3年後離職率	有休取得年平均	平均年収(平均46歳)
48名	7.3→0%	11.6日	総 869万円

●エントリー情報と採用プロセス●

【受付開始～終了】総技3月～4月【採用プロセス】総技エントリー動画(ES)提出・Webテスト(3月)→面接(2～3回、4月下旬～6月中旬)→内々定(6月上旬～7月中旬)【交通費支給】最終面接、会社基準

試験情報

重視科目 総技面接

総技ES NA 筆OPQ Web学力等適性検査 面2～3回(Webあり) GD作NA

総技 ES NA(提出あり) 面論理性 自分の言葉で表現できているか 当社でやりたいことのイメージがあるか

通過率 総技ES NA 倍率(応募/内定) 総技NA

●男女別採用数と配属先ほか●

【男女・文理別採用実績】※25年:24年8月1日時点

	大卒男	大卒女	修士男	修士女
23年	17(文 16理 1)	14(文 14理 0)	10(文 2理 8)	5(文 0理 5)
24年	12(文 12理 0)	17(文 17理 0)	8(文 0理 8)	6(文 0理 6)
25年	13(文 13理 0)	14(文 13理 1)	10(文 0理 10)	11(文 3理 8)

【25年4月入社者の採用実績校】文(院)大阪公大 早大 北大各1(大)早大 立教大各3 神戸大 同大 明大 立命館大各2 青学大 大阪市大 阪大 関西学大 九大 慶大 國學院大 聖心女大 中大 弘前大 法政大 武庫川女大各1 理(院)九大4 東京科学大2 阪大 岐阜大 京大 京都工繊大 熊本大 慶大 東大 東京農業大 東京農工大 東理大 東北大 法政大各1(大)学習院大1

【24年4月入社者の配属先】総勤務地:札幌2 盛岡1 仙台2 東京(墨田2 渋谷3)千葉1 横浜1 さいたま3 静岡1 名古屋2 京都1 大阪3 神戸1 広島2 岡山1 福岡3 部署:営業28 物流1 技勤務地:東京・渋谷1 群馬・館林4 茨城・守谷3 静岡・富士宮2 兵庫・明石2 岡山・総社2 部署:商品開発1 技術研究1 生産技術9 エンジニアリング1 出向2

残業(月) 28.8時間

記者評価 アサヒグループHD傘下。16年にカルピスを統合。「十六茶」「三ツ矢サイダー」ほか炭酸水「ウィルキンソン」、コーヒー「ワンダ」などがロングセラー商品。トクホ飲料にも注力。新充填技術によるボトル軽量化で先駆。ほぼすべての自販機に省エネ機能を搭載。

●給与、ボーナス、週休、有休ほか●

【30歳総合職平均年収】NA【初任給】(修士)288,500円(大卒)273,500円【ボーナス(年)】NA【25、30、35歳賃金】NA【週休】2日(土日祝、当社カレンダーによる)【夏期休暇】年により異なる【年末年始休暇】12月31日～1月3日【有休取得】11.6／20日

●従業員数、勤続年数、離職率ほか●

【男女別従業員数、平均年齢、平均勤続年数】計 2,724(42.9歳 19.0年) 男 2,339(43.6歳 19.4年) 女 385(38.2歳 14.8年)【離職率と離職者数】1.0%、27名【3年後新卒定着率】100%(男100%、女100%、3年前入社:男27名・女16名)【組合】あり

求める人材 社会に貢献する広い視野・関心を持ち、常に挑戦する志をもって、変化を楽しめる人

会社データ (金額は百万円)

【本社】130-8602 東京都墨田区吾妻橋1-23-1 アサヒグループ本社ビル
☎0570-005112 https://www.asahiinryo.co.jp/
【社長】米女 太一【設立】1982.3【資本金】11,081【今後力を入れる事業】国内外飲料事業

【業績(連結)】	売上高	営業利益	経常利益	純利益
21.12	357,800	NA	NA	NA
22.12	367,300	NA	NA	NA
23.12	382,200	NA	NA	NA

ダイドードリンコ(株)

持株会社 傘下

【特色】ダイドーHDの中核。販路の約9割が自販機

修士・大卒採用数	3年後離職率	有休取得年平均	平均年収(平均45歳)
6名	0→15.8%	11.2日	総 710万円

●エントリー情報と採用プロセス●

【受付開始～終了】総6月～7月 10月～11月【採用プロセス】総〈夏〉ES提出(6月)→動画選考(7月)→適性検査(8月)→ワークショップ(9月)→面接(12月)→インターンシップ(2月)→面接(2回、3月)→内々定(4月)〈冬〉ES提出(10月)→動画選考(11月)→適性検査(12月)→ワークショップ(12月)→面接(1月)→インターンシップ(2月)→面接(2回、3月)→内々定(4月)
【交通費支給】インターンシップ以降、全額【早期選考】⇒巻末

試験情報

重視科目 総インターンシップ 面接

総ES⇒巻末 筆なし 面3回(Webあり)

選考ポイント 総ES 求めている人財と合致しているか 面対人関係に関わる印象 経験から培ってきたスタンス

通過率 総ES 62%(受付:(早期選考含む)894→通過:(早期選考含む)552)

倍率(応募/内定) 総(早期選考含む)179倍

●男女別採用数と配属先ほか●

【男女・文理別採用実績】

	大卒男	大卒女	修士男	修士女
23年	4(文 3理 1)	6(文 6理 0)	0(文 0理 0)	0(文 0理 0)
24年	3(文 3理 0)	3(文 3理 0)	0(文 0理 0)	0(文 0理 0)
25年	4(文 4理 0)	2(文 2理 0)	0(文 0理 0)	0(文 0理 0)

【25年4月入社者の採用実績校】
文(大)國學院大 甲南大 関大 神戸学大 日女大 大阪府大各1
理なし

【24年4月入社者の配属先】
総勤務地:研修中のため未定 部署:営業6

残業(月) 26.4時間 総27.2時間

記者評価 縮小傾向の自販機市場においても台数を積極的に増やす。AI活用などを通じて自販機補充作業の効率化にも注力し、労働人口減少へ対応。23年1月にアサヒ飲料と合同会社を設立し、両社の直販自販機約20万台を一体的に運営。トルコやポーランドなどに現法。

●給与、ボーナス、週休、有休ほか●

【30歳総合職平均年収】530万円【初任給】(大卒)222,000円【ボーナス(年)】164万円、2.0カ月【25、30、35歳賃金】264,696円→368,489円→385,541円【週休】完全2日【夏期休暇】3日【年末年始休暇】7日【有休取得】11.2／20日

●従業員数、勤続年数、離職率ほか●

【男女別従業員数、平均年齢、平均勤続年数】計 736(44.8歳 20.3年) 男 587(44.9歳 20.4年) 女 149(44.5歳 19.9年)【離職率と離職者数】3.7%、28名【3年後新卒定着率】84.2%(男84.6%、女83.3%、3年前入社:男13名・女6名)【組合】あり

求める人材 チャレンジ精神に満ちあふれ、失敗を恐れず実行できる人

会社データ (金額は百万円)

【本社】530-0005 大阪府大阪市北区中之島2-2-7 中之島セントラルタワー
☎06-6222-2611 https://www.dydo.co.jp/
【社長】中島 孝徳【設立】2016.2【資本金】350【今後力を入れる事業】国内飲料事業

【業績(単独)】	売上高	営業利益	経常利益	純利益
22.1	118,080	6,267	NA	NA
23.1	109,770	2,758	NA	NA
24.1	153,623	4,255	NA	NA

開示 ★★★★☆ ▶『業界地図』p.173 2697

味の素ＡＧＦ(株)（あじのもとエージーエフ）

株式公開 計画なし

【特色】味の素の完全子会社。コーヒー・粉末飲料専業

修士・大卒採用数	3年後離職率	有休取得年平均	平均年収(平均42歳)
20名	18.2→12.5%	14.6日	(総)834万円

残業(月) 31.9時間 (総)31.9時間

記者評価 味の素と米ゼネラルフーヅ社(当時)の合弁会社として設立。現在は味の素の完全子会社。インスタント、レギュラー、リキッドを網羅するコーヒーメーカー。独自焙煎技術による日本人好みの味で差別化。コーヒー産地支援や森林・水資源保全にも熱心。

●エントリー情報と採用プロセス●

【受付開始～終了】(総)(技)2月～6月【採用プロセス】(総)(技)ES提出(2月中旬～)→Web説明会・適性検査(3月下旬)→面接(4回、4月～)→内々定(6月～)【交通費支給】最終選考、実費

試験情報

重視科目 (総)(技)面接

(総)(技)(ES)⇒巻末(筆)WebGAB(面)4回(Webあり)

選考ポイント (総)(技)(ES)これまでの経験 問題解決力 志望度(面)課題設定力 創造的思考力 パーソナリティ 志望度

通過率 (総)(ES)47%(受付:1,134→通過:528) (技)(ES)74%(受付:378→通過:280)

倍率(応募/内定) (総)81倍 (技)63倍

●男女別採用数と配属先ほか●

【男女・文理別採用実績】

	大卒男	大卒女	修士男	修士女
23年	6(文 5理 1)	6(文 6理 0)	2(文 0理 2)	1(文 0理 1)
24年	6(文 6理 0)	6(文 6理 0)	3(文 0理 3)	2(文 0理 2)
25年	8(文 7理 1)	4(文 4理 0)	1(文 1理 0)	7(文 2理 5)

【25年4月入社者の採用実績校】
(文)(院)広島大 名大 宮崎大各1(大)立教大2 立命館大 国士舘大 京産大 東海大 同大 関西学大 専大 共立女大 明学大各1 (理)(院)島根大 静岡大 徳島大 広島大 東京農工大各1(大)立命館大1

【24年4月入社者の配属先】
(総)勤務地:東京2 埼玉1 仙台1 名古屋2 大阪3 広島1 福岡2 部署:営業12 (技)勤務地:川崎3 三重・鈴鹿1 群馬・太田1 部署:生産2 研究3

●給与、ボーナス、週休、有休ほか●

【30歳総合職平均年収】623万円【初任給】(修士)247,000円 (大卒)229,000円【ボーナス(年)】228万円、5.1カ月【25、30、35歳賃金】247,571円→325,333円→383,033円【週休】2日(土日祝)※年間に数日の土曜出勤日あり【夏期休暇】有休で取得【年末年始休暇】12月31日～1月3日【有休取得】14.6／20日

●従業員数、勤続年数、離職率ほか●

【男女別従業員数、平均年齢、平均勤続年数】計 581(41.7歳 16.6年) 男 413(43.6歳 18.5年) 女 168(36.9歳 11.8年)【離職率と離職者数】3.3%、20名【3年後新卒定着率】87.5%(男100%、女77.8%、3年前入社:男7名・女9名)【組合】あり

求める人材 自律した考えと向上心を持ち、自立して変化を楽しめる人財

会社データ (金額は百万円)

【本社】151-8551 東京都渋谷区初台1-46-3
☎03-5365-8900 https://www.agf.co.jp/
【社長】島本 憲仁【設立】1973.8【資本金】3,862【今後力を入れる事業】嗜好飲料事業の深化

【業績(単独)】	売上高	営業利益	経常利益	純利益
22.3	85,263	5,790	5,735	3,884
23.3	83,556	2,328	2,383	1,627
24.3	87,868	1,772	1,868	973

キーコーヒー(株)

東京P 2594

【特色】レギュラーコーヒーの大手メーカー。業務用が柱

修士・大卒採用数	3年後離職率	有休取得年平均	平均年収(平均43歳)
23名	30.0→16.7%	10.3日	(総)550万円

残業(月) 13.1時間 (総)13.1時間

記者評価 レギュラーコーヒー大手。1920年横浜で創業。喫茶店、レストラン向け主力。旗艦はトアルコトラジャ。紅茶リプトンも。伊illyブランドのコーヒーを国内独占販売。石光商事と資本業務提携、シナジー拡大。海外展開にも注力。傘下のイタリアントマトは売却方針。

●エントリー情報と採用プロセス●

【受付開始～終了】(総)(技)3月～7月【採用プロセス】(総)(技)ES提出(3月～)→1次面接(3月～)→適性検査(4月～)→2次面接(4月～)→最終面接(5月～)→内々定(6月～)※事務系技術系一括採用【交通費支給】最終面接、地域別設定額【早期選考】⇒巻末

試験情報

重視科目 (総)(技)面接

(総)(技)(ES)⇒巻末(筆)あり(内容NA)(面)3回(Webあり)

選考ポイント (総)(技)(ES)アルバイト以外に取り組んだこと 求める人物要件と志望者の志向(面)ESの丸暗記でなく質問に誠実できちんと理解して受け答えできるか 考えて→判断して→回答できるか

通過率 (総)(技)(ES)NA 倍率(応募/内定) (総)(技)NA

●男女別採用数と配属先ほか●

【男女・文理別採用実績】

	大卒男	大卒女	修士男	修士女
23年	16(文 14理 2)	8(文 7理 1)	1(文 0理 1)	1(文 0理 1)
24年	22(文 15理 7)	12(文 9理 3)	2(文 0理 2)	0(文 0理 0)
25年	9(文 6理 3)	12(文 12理 0)	2(文 0理 2)	0(文 0理 0)

【25年4月入社者の採用実績校】
(文)(大)宮城大 京産大各2 茨城大 京都美工大 近大 甲南大 実践女大 順天堂大 聖心女大 跡見学園女大 大東文化大 帝京大 同女大 日大 文教大 國學院大各1 (理)(院)静岡大 龍谷大各1 (大)工学院大 東京農業大 日大各1

【24年4月入社者の配属先】(総)勤務地:東京(港6 荒川2 中央1) 名古屋3 福岡3 大阪2 仙台2 さいたま2 横浜1 栃木・宇都宮1 群馬・前橋1 千葉1 京都1 広島1 部署:営業23 経理課1 人財開発課1 マーケティング1 調達1 (技)勤務地:千葉・船橋5 佐賀・鳥栖2 愛知・春日井1 仙台1 部署:品質管理4 製造5

●給与、ボーナス、週休、有休ほか●

【30歳総合職平均年収】NA【初任給】(修士)215,780円 (大卒)205,240円【ボーナス(年)】NA、2.6カ月【25、30、35歳賃金】NA【週休】完全2日(土日祝)【夏期休暇】連続約7日奨励(有休で取得)【年末年始休暇】12月31日～1月3日【有休取得】10.3／20日

●従業員数、勤続年数、離職率ほか●

【男女別従業員数、平均年齢、平均勤続年数】計 659(45.3歳 20.7年) 男 536(45.4歳 20.7年) 女 123(45.2歳 20.5年)【離職率と離職者数】5.2%、36名【3年後新卒定着率】83.3%(男80.0%、女100%、3年前入社:男5名・女1名)【組合】あり

求める人材 人との繋がりやコミュニケーションを大切にし、明るく元気に前向きに行動出来る人

会社データ (金額は百万円)

【本社】105-8705 東京都港区西新橋2-34-4
☎03-5400-3077 https://www.keycoffee.co.jp/
【社長】柴田 裕【設立】1952.10【資本金】4,628【今後力を入れる事業】コーヒーの製造・販売・関連事業

【業績(連結)】	売上高	営業利益	経常利益	純利益
22.3	55,680	405	1,022	742
23.3	63,298	244	349	173
24.3	73,800	764	867	180

メーカーⅡ

▶『業界地図』p.292

ゆきじるし 雪印メグミルク(株)

東京P 2270

【特色】チーズなど乳製品の国内大手。海外展開を推進

修士・大卒採用数	3年後離職率	有休取得年平均	平均年収(平均42歳)
126名	10.7→12.5%	15.9日	総 736万円

●エントリー情報と採用プロセス●

【受付開始～終了】総 技3月～6月【採用プロセス】総 技Web説明会(必須、3月～)→ES提出→Webテスト→GD→面接(2回)→内々定【交通費支給】最終選考、1,000円以上の実費(上限有)

試験情報

重視科目 総 技 面接

総 技 ES⇒巻末 筆SPI3(自宅) 面2回(Webあり) GD作⇒巻末

選考ポイント 総 技 ES 自己PR 面 当社・業界の理解度・志望度 自律型の人材か 自分の言葉で思いを語れるか

通過率 総 技 ES NA　倍率(応募/内定) 総 技 NA

●男女別採用数と配属先ほか●

【男女・文理別採用実績】

	大卒男	大卒女	修士男	修士女
23年	18(文 9理 9)	18(文 12理 6)	9(文 0理 9)	3(文 0理 3)
24年	27(文 17理 10)	26(文 16理 10)	14(文 0理 14)	1(文 0理 1)
25年	48(文 23理 25)	42(文 25理 17)	23(文 0理 23)	13(文 0理 13)

【25年4月入社者の採用実績校】文(大)立命館大6 同大 明大各4 学習院大 関大各3 早大 中大 青学大 関西学大各2 お茶女大 亜大 愛知大 横国大 女子栄養大 小樽商大 上智大 神戸市外大 成城大 成蹊大 千葉大 長崎国際大 津田塾大 東京農業大 東北大 日女大 日大 法政大 明学大 立教大各1 理(院)北大5 京大 京都府大 熊本大 新潟大 大阪公大 東京農業大 北里大各2 宇都宮大 横浜市大 関西学大 京産大 九大 九州工大 甲南大 秋田県大 神戸大 成蹊大 千葉大 阪大 筑波大 東大 都立大 徳島大 名大各1(大)東京農業大10 日大4 近大3 帯畜大 北里大各2 岡山理大 京都薬大 玉川大 慶大 県立広島大 三重大 山形大 鹿児島大 室蘭工大 早大 中大 鳥取大 東京薬大 富山大 福岡工大 北大 明大 酪農学大 立教大 立命館大 龍谷大各1 他

【24年4月入社者の配属先】総 勤務地:北海道(札幌3 広尾1 川上1 標津1 野付1)仙台2 茨城・稲敷2 群馬・大泉1 千葉・野田1 埼玉・川越1 東京・四ツ谷10 神奈川・海老名1 愛知(名古屋3 豊川1)大阪・吹田3 京都・南丹1 広島市1 福岡市3 **部署**:営業13 総務13 物流5 管理3 IT2 他1 技 勤務地:北海道(広尾11 川上3 標津2 野付4 天塩3 札幌1 紋別1)茨城・稲敷5 群馬・大泉1 千葉・野田2 埼玉・川越5 神奈川・海老名2 愛知・豊川3 京都・南丹3 神戸1 福岡市1 **部署**:製造38 工務5 研究4 品質管理1

残業(月) 16.7時間

記者評価 農協が筆頭株主。ナチュラルチーズ「さけるチーズ」の伸長続く。バター、マーガリンは国内シェアトップ。エンドウ豆使用のプラントベースフードへも本格参入。25年度に虎ノ門へ本社移転予定。25年度入社者から大卒初任給を24万円に増額予定。

●給与、ボーナス、週休、有休ほか●

【30歳総合職平均年収】NA【初任給】(博士)267,000円(修士)242,000円(大卒)230,000円【ボーナス(年)】209万円、5.6カ月【25、30、35歳賃金】NA【週休】完全2日(土日祝)(部署により異なる)【夏期休暇】有休で取得【年末年始休暇】12月29日～1月3日【有休取得】15.9／20日

●従業員数、勤続年数、離職率ほか●

【男女別従業員数、平均年齢、平均勤続年数】計 3,129(41.7歳 15.8年) 男 2,601(42.4歳 16.3年) 女 528(38.0歳 13.6年)【離職率と離職者数】2.3%、75名【3年後新卒定着率】87.5%(男89.4%、女84.0%、3年前入社:男47名・女25名)【組合】あり

求める人材 自分から動き出せる人 チャレンジを楽しめる人 周囲と協力してチカラを重ねていける人

会社データ　(金額は百万円)

【本社】160-8575 東京都新宿区四谷本塩町5-1
☎03-3226-2263　https://www.meg-snow.com/
【社長】佐藤 雅俊【設立】2009.10【資本金】20,000【今後力を入れる事業】白物飲料 ヨーグルト デザート チーズ

【業績(連結)】	売上高	営業利益	経常利益	純利益
22.3	558,403	18,059	19,987	12,068
23.3	584,308	13,054	14,480	9,129
24.3	605,424	18,460	19,888	19,430

もりながにゅうぎょう 森永乳業(株)

東京P 2264

【特色】乳業の国内大手。機能性食品や流動食も手がける

修士・大卒採用数	3年後離職率	有休取得年平均	平均年収(平均40歳)
140名	9.0→10.8%	14.9日	総 782万円

●エントリー情報と採用プロセス●

【受付開始～終了】総2月～4月 技2月～6月【採用プロセス】総ES提出・Web適性→Web説明会→GD→面接(2回)→内々定 技ES提出・Web適性→Web説明会→面接(2～3回)→内々定【交通費支給】2次面接以降、会社基準により地域別一律

試験情報

重視科目 総 技 面接

総 ES⇒巻末 筆WebGAB 面2回(Webあり) GD作NA 技 ES⇒巻末 筆WebGAB 面2～3回(Webあり)

選考ポイント 総 技 ES NA(提出あり) 面NA

通過率 総 技 ES NA　倍率(応募/内定) 総 技 NA

●男女別採用数と配属先ほか●

【男女・文理別採用実績】※25年:24年7月下旬時点

	大卒男	大卒女	修士男	修士女
23年	22(文 9理 13)	15(文 12理 3)	25(文 1理 24)	10(文 0理 10)
24年	35(文 19理 16)	17(文 13理 4)	19(文 0理 19)	10(文 0理 10)
25年	56(文 20理 36)	31(文 16理 15)	35(文 0理 35)	18(文 0理 18)

【25年4月入社者の採用実績校】文(大)中大5 早大4 明大 日大 立命館大各3 上智大 法政大各2 青学大 阪大 大阪国際大 大妻女大 学習院大 京都芸大 慶大 滋賀大 摂南大 同大 明学大 横浜市大 立教大 立命館APU各1(専)つくばビジネスカレッジ1 理(院)九大6 東京農業大4 京大 慶大 東北大 名大各3 岐阜大 神戸大 大阪公大 明大各2 青学大 岩手大 大分大 阪大 鹿児島大 関大 関西学大 京産大 京都府大 工学院大 静岡大 芝工大 筑波大 東大 都立大 同大 東洋大 富山大 奈良先端科技院大 北大 山形大 山口大 早大各1(大)東京農業大10 近大6 日大 法政大各4 北里大 東理大 明大各2 青学大 大阪工大 学習院大 神奈川大 関西学大 北見工大 九大 京都府大 共立女大 埼玉工大 摂南大 拓大 玉川大 東大 東京農工大 同大 名大 日本獣医生命科学大 日女大 福井県大 宮崎大各1(短)飯田女 東洋食品工業各1(高専)津山2 宇部 大阪公大 サレジオ 都立産技 舞鶴 和歌山各1 他

【24年4月入社者の配属先】総 勤務地:東京(港7 東大和3 目黒1)愛知(名古屋5 江南1)大阪3 神戸3 広島3 神奈川・座間2 仙台2 群馬2 **部署**:営業13 営業推進5 物流4 事務3 情報システム2 マーケティング1 EC1 営業企画1 経理1 人事1 技 勤務地:神奈川・座間20 東京(東大和10 港2)神戸12 茨城・常総8 北海道(別海1 佐呂間2)岩手・盛岡2 静岡・富士2 愛知・江南1 福島1 長野・松本1 **部署**:製造・品質管理39 研究19 エンジニアリング3 酪農1

残業(月) 16.1時間 総 16.1時間

記者評価 乳業大手。ヨーグルト「パルテノ」、アイス「パルム」など基幹ブランド強化中。BtoBの「シールド乳酸菌」は採用多数。「ビヒダスヨーグルト 便通改善」など、ビフィズス菌用いた機能性表示食品の展開も加速。海外は子会社がドイツで粉ミルク原料を製造販売。

●給与、ボーナス、週休、有休ほか●

【30歳総合職平均年収】576万円【初任給】(修士)245,000円(大卒)230,000円【ボーナス(年)】(組合員)177万円、(組合員)5.8カ月【25、30、35歳モデル賃金】304,000円→346,200円→393,280円 ※東京勤務 諸手当含む【週休】会社暦2日(事業所により異なる)【夏期休暇】有休で取得【年末年始休暇】12月30日～1月3日【有休取得】14.9／20日

●従業員数、勤続年数、離職率ほか●

【男女別従業員数、平均年齢、平均勤続年数】計 3,302(40.1歳 16.7年) 男 2,620(40.7歳 17.4年) 女 682(37.6歳 14.2年)【離職率と離職者数】3.2%、109名【3年後新卒定着率】89.2%(男87.3%、女92.9%、3年前入社:男55名・女28名)【組合】あり

求める人材 お客さまと仲間と自らの笑顔のために、未来へ一歩踏み出し成長し続ける人財

会社データ　(金額は百万円)

【本社】105-7122 東京都港区東新橋1-5-2
☎03-6281-4671　https://www.morinagamilk.co.jp/
【社長】大貫 陽一【設立】1949.4【資本金】21,821【今後力を入れる事業】主力食品 BtoB 栄養・機能性食品 海外事業

【業績(連結)】	売上高	営業利益	経常利益	純利益
22.3	503,354	29,792	31,127	33,782
23.3	525,603	23,939	25,218	16,875
24.3	547,059	27,839	28,104	61,307

メーカーII

ジェイティ JT　東京P 2914

【特色】たばこ市場で世界大手。積極的にM＆Aを進める

修士・大卒採用数	3年後離職率	有休取得年平均	平均年収(平均41歳)
未定	8.2 → 4.9%	17.3日	(総)927万円

●エントリー情報と採用プロセス●

【受付開始～終了】(総)12月～5月【採用プロセス】(総)プロフィールシート(ES)提出・Webテスト→面接(3回)→内々定【交通費支給】面接、遠方在住者(会社基準)

試験情報

重視科目 (総)面接

(総)(ES)⇒巻末(筆)あり(内容NA)(面)3回(Webあり)

選考ポイント (総)(ES)NA(提出あり)(面)JTのビジョンに共感し、変化していく環境のなかで自ら考え行動を起こすことができる人財か

通過率 (総)(ES)NA

倍率(応募/内定) (総)NA

●男女別採用数と配属先ほか●

【男女・文理別採用実績】

	大卒男	大卒女	修士男	修士女
23年	36(文NA理NA)	30(文NA理NA)	26(文NA理NA)	9(文NA理NA)
24年	47(文NA理NA)	27(文NA理NA)	20(文NA理NA)	16(文NA理NA)
25年	-(文 -理 -)	-(文 -理 -)	-(文 -理 -)	-(文 -理 -)

※23・24年:第2新卒者含む 高専に短大・高卒含む 25年:前年と同程度採用予定

【25年4月入社者の採用実績校】

(文)NA (理)NA

【24年4月入社者の配属先】

(総)勤務地:本社及び国内のJTグループ各拠点事業所・国内の各研究所 部署:営業関連51 製造関連33 原料調達4 研究開発16 コーポレート関連6 他21 (技)勤務地:本社及び国内のJTグループ各拠点事業所・国内の各研究所 部署:NA

残業(月) 22.2時間 (総)22.2時間

記者評価 国内外でたばこ事業を展開する。国内ではシェア約4割強。「メビウス」「セブンスター」などが主力。M＆Aを積極的に進め、海外でも高シェア。各国で継続的な値上げを進める。火を使わず煙が出ない加熱式たばこ「プルーム」シリーズに注力、海外でも本格展開。

●給与、ボーナス、週休、有休ほか●

【30歳総合職モデル年収】558万円【初任給】(博士)278,000円 (修士)254,000円 (大卒)237,700円【ボーナス(年)】(モデル)224万円、6.0カ月【25、30、35歳モデル賃金】267,200円→310,200円→374,200円【週休】2日(土日祝)※シフト勤務者は異なる【夏期休暇】5日【年末年始休暇】5日【有休取得】17.3／20日

●従業員数、勤続年数、離職率ほか●

【男女別従業員数、平均年齢、平均勤続年数】計 ◇5,940(41.4歳 15.2年) 男 4,742(42.4歳 16.3年) 女 1,198(37.3歳 11.3年)【離職率と離職者数】◇5.8%、369名(早期退職217名含む)【3年後新卒定着率】95.1%(男95.1%、女95.1%、3年前入社:男82名・女41名)【組合】あり

求める人材 様々な個性の集合体が組織を強くするという考え方のもと、明確な人財像はない。JTのビジョンに共感し、変化していく環境のなかで自ら考え行動を起こすことができる人財が望ましい

会社データ　(金額は百万円)

【本社】105-6927 東京都港区虎ノ門4-1-1 神谷町トラストタワー
☎03-6636-2914　https://www.jti.co.jp/
【社長】寺畠 正道【設立】1985.4【資本金】100,000【今後力を入れる事業】国内・海外たばこ、医薬、加工食品の各事業

【業績(IFRS)】	売上高	営業利益	税前利益	純利益
21.12	2,324,838	499,021	472,390	338,490
22.12	2,657,832	653,575	593,450	442,716
23.12	2,841,077	672,410	621,601	482,288

あじ もと 味の素(株)　東京P 2802

【特色】調味料国内最大手。半導体向け絶縁材料も

修士・大卒採用数	3年後離職率	有休取得年平均	平均年収(平均45歳)
137名	2.1 → 3.4%	15.3日	◇1,072万円

●エントリー情報と採用プロセス●

【受付開始～終了】(総)2月～3月 (技)<研究開発>2月～3月<生産>2月～4月【採用プロセス】(総)ES提出・Webテスト(2～3月)→面接(2～4回、5～6月)→内々定(6月) (技)ES提出・研究レポート・Webテスト(2～4月)→面接(2～3回、3～5月)→内々定(4～5月)【交通費支給】対面での面接、会社基準(地域別)

試験情報

重視科目 (総)(技)面接

(総)(ES)⇒巻末(筆)パーソナリティ検査(面)2～4回(Webあり)
(技)(ES)⇒巻末(筆)パーソナリティ検査(面)2～3回(Webあり)

選考ポイント (総)(ES)学生時代の取り組みについて 他(面)主体性 論理的思考力 コミュニケーション能力 他 (技)(ES)研究内容 学生時代の取り組みについて 他(面)総合職共通

通過率 (総)(技)(ES)NA　倍率(応募/内定) (総)(技)NA

●男女別採用数と配属先ほか●

【男女・文理別採用実績】

	大卒男	大卒女	修士男	修士女
23年	22(文 19理 3)	23(文 21理 2)	43(文 1理 42)	29(文 2理 27)
24年	20(文 18理 2)	23(文 19理 4)	47(文 0理 47)	25(文 0理 25)
25年	34(文 27理 7)	28(文 23理 5)	49(文 3理 46)	26(文 1理 25)

【25年4月入社者の採用実績校】

(文)(大)早大13 青学大4 慶大 横国大 立教大 立命館大 東京外大各3 他 (理)(院)東大7 慶大6 早大5 東京科学大 九大各4 阪大 東理大 大阪公大各3 他

【24年4月入社者の配属先】(総)勤務地:東京19 大阪6 福岡5 名古屋3 広島3 さいたま3 他 部署:営業32 事業部6 財務・経理2 法務2 デジタル・情報システム2 新事業開発2 (技)勤務地:川崎60 四日市25 佐賀9 部署:研究開発55 生産39

残業(月) 25.3時間

記者評価 1925年創立。アミノ酸技術に強み。主力は「味の素」など風味調味料や「クックドゥ」など合わせ調味料。ギョーザをはじめとする冷凍食品やコーヒーなどの加工食品でもロングセラー商品が多い。アミノ酸の技術を応用した医薬品製造受託や、半導体絶縁材料も展開。

●給与、ボーナス、週休、有休ほか●

【30歳総合職平均年収】NA【初任給】(博士)320,000円 (修士)271,000円 (大卒)259,000円【ボーナス(年)】NA、8.7カ月【25、30、35歳賃金】NA【週休】完全2日(土日祝)【夏期休暇】有休で取得【年末年始休暇】12月31日～1月3日【有休取得】15.3／20日

●従業員数、勤続年数、離職率ほか●

【男女別従業員数、平均年齢、平均勤続年数】計 3,480(44.5歳 19.9年) 男 2,353(45.3歳 20.6年) 女 1,127(42.7歳 18.3年)【離職率と離職者数】1.1%、37名【3年後新卒定着率】96.6%(男94.3%、女100%、3年前入社:男35名・女24名)【組合】あり

求める人材 味の素グループWayに共感し、チャレンジに前向きな、ASVを体現できる人財

会社データ　(金額は百万円)

【本社】104-8315 東京都中央区京橋1-15-1
☎03-5250-8111　https://www.ajinomoto.com/jp/
【社長】藤江 太郎【設立】1925.12【資本金】79,863【今後力を入れる事業】食品事業 バイオ&ファインケミカル事業

【業績(IFRS)】	売上高	営業利益	税前利益	純利益
22.3	1,149,370	124,572	122,472	75,725
23.3	1,359,115	148,928	140,033	94,065
24.3	1,439,231	146,682	142,043	87,121

メーカーII

㈱明治（めいじ） [持株会社傘下]

【特色】菓子・乳製品で国内トップクラス。明治HDの中核

修士・大卒採用数	3年後離職率	有休取得年平均	平均年収(平均42歳)
38名	[!]12.2 → [!]14.3%	16.3日	◇773万円

残業(月) 12.4時間

記者評価 09年に統合した明治製菓と明治乳業が源流。菓子は「きのこの山」「アーモンドチョコ」をはじめ、有名商品多数。チョコレート、ヨーグルトなどで国内トップシェア。プロテイン「ザバス」は健康志向の高まりで人気。高齢化で流動食「メイバランス」も好調。

●エントリー情報と採用プロセス●

【受付開始～終了】[総][技]3月～4月【採用プロセス】[総][技]ES提出(3～4月)→Webテスト→面接(2～3回)→内々定(5月～)【交通費支給】最終面接、会社基準

試験情報

重視科目 [総][技]面接

[総][技][ES]⇒巻末[筆]SPI3(自宅)[面]2～3回(Webあり)

選考ポイント [総][技][ES]チャレンジ精神 個性[面]チャレンジ精神 個性

通過率 [総][技][ES]NA

倍率(応募/内定) [総][技]NA

●男女別採用数と配属先ほか●

【男女・文理別採用実績】

	大卒男	大卒女	修士男	修士女
23年	7(文 3理 4)	7(文 3理 4)	7(文 0理 7)	8(文 0理 8)
24年	9(文 3理 6)	5(文 2理 3)	7(文 0理 7)	8(文 0理 8)
25年	11(文 5理 6)	10(文 7理 3)	9(文 0理 9)	8(文 0理 8)

※総合職のみ

【25年4月入社者の採用実績校】
[文](大)早大 同大 明大各2 東大 上智大 愛知県大 中大 徳島大 青学大各1 [理](院)東大2 九大 静岡県大 大阪公大 名大 千葉大 東京科学大 東京農工大 立命館大 茨城大 岩手大 東京農業大 横国大 大分大 工学院大 東理大 京都府大各1(大)東京農業大2 東大 名大 中大 東京海洋大 明大 芝工大 東京電機大各1

【24年4月入社者の配属先】
[総]勤務地:福岡2 愛知2 北海道1 東京1 大阪1 仙台1 部署:事務1 営業5 酪農2 [技]勤務地:東京6 埼玉5 愛知2 大阪4 茨城2 京都2 部署:研究開発6 生産技術11 エンジニアリング4

●給与、ボーナス、週休、有休ほか●

【30歳総合職平均年収】NA【初任給】(修士)258,500円(大卒)240,500円【ボーナス(年)】NA、5.60カ月＋査定【25、30、35歳賃金】273,970円→330,100円→385,290円【週休】完全2日(事業所によって異なる)【夏期休暇】なし【年末年始休暇】連続5日【有休取得】16.3／20日

●従業員数、勤続年数、離職率ほか●

【男女別従業員数、平均年齢、平均勤続年数】計 ◇5,606(42.3歳 19.5年) 男 4,450(43.2歳 20.3年) 女 1,156(39.1歳 16.5年)【離職率と離職者数】NA【3年後新卒定着率】85.7%(男85.7%、女85.7%、3年前入社:男21名・女7名) ※総合職のみ【組合】あり

求める人材 チャレンジ精神溢れる、個性豊かな人財

会社データ (金額は百万円)

【本社】104-8306 東京都中央区京橋2-2-1 京橋エドグラン
☎03-5653-0301 https://www.meiji.co.jp/
【社長】松田 克也【設立】1917.12【資本金】33,640【今後力を入れる事業】発酵デイリー 加工食品 菓子 栄養 海外事業

【業績(連結)】	売上高	営業利益	経常利益	純利益
22.3	1,013,092	92,922	93,985	87,497
23.3	1,062,157	75,433	74,160	69,424
24.3	1,105,494	84,322	76,020	50,675

※業績は明治ホールディングス㈱のもの

ニチレイグループ （㈱ニチレイ、㈱ニチレイフーズ、㈱ニチレイロジグループ本社、㈱ニチレイフレッシュ、㈱ニチレイバイオサイエンス） [東京P 2871]

【特色】業務・家庭用冷食大手。低温物流と冷食が収益柱

修士・大卒採用数	3年後離職率	有休取得年平均	平均年収(平均42歳)
84名	23.7 → 11.1%	13.9日	[総]740万円

残業(月) NA

記者評価 冷凍食品メーカー大手。「本格炒め炒飯」や「本格焼きおにぎり」などの米飯類、冷凍唐揚げ「特から」などチキン類が主力製品。業務用も手がける。低温物流も強く、冷蔵倉庫では国内首位。3PL(物流の一括受託)事業や保管サービスを展開している。

●エントリー情報と採用プロセス●

【受付開始～終了】[総]3月～4月 [技]3月～3月【採用プロセス】[総]ES提出(3月)→説明会・試験(4月中旬)→面接(2～3回、4月下旬～5月下旬)→内々定(6月中旬)※事業会社により異なる [技]〈1〉ES提出(3月)→説明会・試験(4月上旬)→面接(2～3回、4月中旬～5月下旬)→内々定(6月中旬)〈2〉会社説明会・1次面接(随時)→2次面接(随時)→最終面接(随時)→内々定(随時)※事業会社により異なる【交通費支給】(主に)2次面接以降、会社基準【早期選考】⇒巻末

試験情報

重視科目 [総][技]全て

[総][技][ES]⇒巻末[筆]SPI3(自宅) BRIDGE tan θ INSIGHT Q-DOG[面]2～3回(Webあり)

選考ポイント [総][技][ES]学生時代に打ち込んできたこと 志望度[面]志望動機 仕事に対する考え方と意欲 他

通過率 [総][ES]NA(受付:2,832→通過:NA) [技][ES]NA(受付:110→通過:NA)

倍率(応募/内定) [総]37倍 [技]16倍

●男女別採用数と配属先ほか●

【男女・文理別採用実績】

	大卒男	大卒女	修士男	修士女
23年	17(文 12理 5)	17(文 10理 7)	10(文 0理 10)	6(文 0理 6)
24年	34(文 23理 11)	21(文 11理 10)	14(文 0理 14)	15(文 0理 15)
25年	26(文 20理 6)	25(文 15理 10)	17(文 1理 16)	16(文 3理 13)

【25年4月入社者の採用実績校】[文](院)広島大2 東大 阪大各1(大)明大 立教大各3 明学大 龍谷大 立命館大 東京農業大 近大各2 九大 法政大 成城大 津田塾大 成蹊大 城西大 中大 大阪市大 京都教大 北大 東北学大 東京学芸大 流経大 横国大 駒澤大 静岡大 関大 兵庫県大 中村学大各1 [理](院)京大 広島大 千葉大 都立大 東京農工大 北大各2 京都府大 九大 群馬大 埼玉大 芝工大 静岡大 大阪公大 東京海洋大 東大 東京農業大 東北大 同大 徳島大 名大 立命館大 福島大 京都情報院大各1(大)東京家政大 東理大各2 横浜薬大 岩手大 京都薬大 近大 上智大 静岡大 大阪公大 日大 名城大 芝工大 大阪府大 摂南大各1

【24年4月入社者の配属先】[総]勤務地:埼玉5 大阪12 東京17 神奈川3 福岡2 山形3 千葉20 広島2 愛知1 宮城7 福島1 部署:未定 [技]勤務地:東京3 千葉2 大阪1 部署:未定

●給与、ボーナス、週休、有休ほか●

【30歳総合職モデル年収】559万円【初任給】(修士)249,900円(大卒)236,000円【ボーナス(年)】235万円、5.5カ月【25、30、35歳モデル賃金】NA→319,200円→NA【週休】2日(土日祝、一部土曜出勤あり)【夏期休暇】任意の3日【年末年始休暇】定められた連続5日【有休取得】13.9／20日

●従業員数、勤続年数、離職率ほか●

【男女別従業員数、平均年齢、平均勤続年数】計 2,314(41.9歳 17.1年) 男 1,574(42.6歳 17.9年) 女 740(40.5歳 15.5年)【離職率と離職者数】—、96名(総合職のみ)【3年後新卒定着率】88.9%(男NA、女NA、3年前入社:男女計117名)【組合】あり

求める人材 自律自助:なにごとにも当事者意識を持ち、物事に対して全力で取り組む チャレンジ精神:現状に満足せず、常に新たな可能性を模索し、その可能性の困難さに臆せず挑む 自己成長:成功、失敗に関わらず、常に自己の経験の内省を繰り返し、自らの意思で自分自身の技術・能力向上や精神的な成長を目指す

会社データ (金額は百万円)

【本社】104-8402 東京都中央区築地6-19-20
☎03-3248-2101 https://www.nichirei.co.jp/
【社長】大櫛 顕也【設立】1942.12【資本金】30,563【今後力を入れる事業】加工食品事業 低温物流事業 海外事業

【業績(連結)】	売上高	営業利益	経常利益	純利益
22.3	602,696	31,410	31,667	23,382
23.3	662,204	32,935	33,448	21,568
24.3	680,091	36,911	38,255	24,495

※資本金・業績・会社データは㈱ニチレイのもの

ふじせいゆ
不二製油(株)

[持株会社 傘下]

【特色】製菓・製パン向け油脂大手。健康関連原料も注力

修士・大卒採用数	3年後離職率	有休取得年平均	平均年収(平均43歳)
34名	0→0%	14.3日	[総]822万円

●エントリー情報と採用プロセス●

【受付開始～終了】[総][技]2月～3月【採用プロセス】[総][技]Webテスト・ES提出(2月)→面接他(3回、3月下旬～5月)→内々定【交通費支給】最終面接、会社基準

試験情報

[重視科目] [総][技]面接

[総][技][ES]NA[筆]SPI3(会場) Webテスト(CAM)[面]3回(Webあり)[GD作]NA

[選考ポイント] [総][技][ES]経験・志向と応募職種とのマッチング 適性検査と併せて評価[面]各職種に求められる能力・素養

[通過率] [総][技][ES]NA

[倍率(応募/内定)] [総][技]NA

●男女別採用数と配属先ほか●

【男女・文理別採用実績】

	大卒男	大卒女	修士男	修士女
23年	5(文 4理 1)	7(文 6理 1)	7(文 0理 7)	7(文 0理 7)
24年	6(文 5理 1)	7(文 7理 0)	9(文 1理 8)	11(文 0理 11)
25年	8(文 4理 4)	8(文 8理 0)	6(文 0理 6)	12(文 0理 12)

【25年4月入社者の採用実績校】
[文](大)同大 中大各2 立教大 法政大 日女大 大阪市大 三重大 関大 関西学大 横浜市大各1 [理](院)阪大 筑波大各2 関大 京都工繊大 京都府大 京大 九大 広島大 青学大 大阪公大 東京農工大 北大 名大 岡山大 信州大 同大各1(大)近大3 大阪電通大1(短)東洋食品工業1(高専)茨城 津山 和歌山 熊本各1

【24年4月入社者の配属先】
[総]勤務地：東京5 大阪7 部署：営業部門5 管理部門7 [技]勤務地：大阪19 茨城6 部署：基盤研究4 製品開発8 応用開発4 生産5 エンジニアリング4

[残業(月)] 20.8時間 [総]20.4時間

[記者評価] 伊藤忠系の油脂大手。植物性油脂を中心に、業務用チョコレート、コンビニパン向けクリームなども手がける。乳化・発酵素材、大豆加工素材など展開。19年に買収した米業務用チョコ大手のブラマー社の構造改革急ぐ。25年4月に親会社と合併、事業持株会社制に移行へ。

●給与、ボーナス、週休、有休ほか●

【30歳総合職平均年収】NA【初任給】(修士)256,800円(大卒)236,800円【ボーナス(年)】244万円、5.75カ月【25、30、35歳賃金】NA【週休】完全2日(土日祝)【夏期休暇】8月14～16日【年末年始休暇】12月30日～1月3日【有休取得】14.3／20日

●従業員数、勤続年数、離職率ほか●

【男女別従業員数、平均年齢、平均勤続年数】計 1,260(42.1歳 17.9年) 男 1,027(42.7歳 18.2年) 女 233(39.8歳 16.2年)【離職率と離職者数】1.9%、24名【3年後新卒定着率】100%(男100%、女100%、3年前入社:男12名・女9名)【組合】あり

[求める人材] 人のために働くことのできる人 挑戦し続けられる人 主体的に行動し目的を達成できる人

[会社データ] (金額は百万円)

【本社】598-8540 大阪府泉佐野市住吉町1
☎072-463-1040 https://www.fujioil.co.jp/
【社長】大森 達司【設立】2015.10【資本金】500【今後力を入れる事業】主要事業全般(海外展開の強化)

【業績(連結)】	売上高	営業利益	経常利益	純利益
22.3	433,831	15,008	14,360	11,504
23.3	557,410	10,940	9,690	6,126
24.3	564,087	18,213	16,791	6,524

※業績は不二製油グループ本社(株)のもの

にっしん
日清オイリオグループ(株)

[東京P 2602]

【特色】家庭用油で国内トップ。加工油脂で海外販売拡大

修士・大卒採用数	3年後離職率	有休取得年平均	平均年収(平均44歳)
44名	10.5→8.6%	13.7日	[総]893万円

●エントリー情報と採用プロセス●

【受付開始～終了】[総][技]3月～4月【採用プロセス】[総]Webセミナー(任意、3月～)→ES提出(3月)→筆記→面接(3回)→内々定(6月)[技]Webセミナー(任意、3月～)→ES提出(3月)→筆記→面接(3～4回)→内々定(6月)【交通費支給】面接、会社基準(遠方者のみ)

試験情報

[重視科目] [総][技]面接

[総][ES]⇒巻末[筆]SPI3(会場) SPI3(自宅)[面]3回(Webあり)[技][ES]⇒巻末[筆]SPI3(会場) SPI3(自宅)[面]3～4回(Webあり)

[選考ポイント] [総][技][ES]求める人物像に合致しているか[面]主体的なチャレンジ行動 成長に向けたあくなき探求心 信頼を築き協働していく力

[通過率] [総][技][ES]NA [倍率(応募/内定)] [総][技]NA

●男女別採用数と配属先ほか●

【男女・文理別採用実績】

	大卒男	大卒女	修士男	修士女
23年	11(文 9理 2)	10(文 5理 5)	12(文 0理 12)	5(文 0理 5)
24年	13(文 10理 3)	12(文 6理 6)	9(文 0理 9)	4(文 0理 4)
25年	13(文 8理 5)	16(文 9理 7)	10(文 0理 10)	5(文 0理 5)

【25年4月入社者の採用実績校】
[文](大)明大 関西学大各4 早大2 慶大 立命館大 神戸大各1 [理](院)東京農工大 京大各2 北大 室蘭工大 千葉大 埼玉大 早大 東理大 東京海洋大 名大 京都府大 九大 宮崎大各1(大)大阪公大2 北大 立教大 日女大 岐阜大 東京農業大各1

【24年4月入社者の配属先】
[総]勤務地：東京13 横浜1 群馬・高崎1 大阪市3 名古屋2 福岡1 部署：営業11 人事2 財務2 広報1 情報企画1 物流管理1 原料購買3 [技]勤務地：東京1 横浜16 部署：研究開発12 生産5

[残業(月)] 22.6時間 [総]24.7時間

[記者評価] 02年に日清、リノール、ニッコーの製油3社が統合し発足。食用油は家庭・業務用とも国内首位級。チョコ、製菓用の加工油脂では海外展開を加速。化粧品原料などファインケミカルも拡大。J-オイルミルズと西日本の搾油工場を統合し23年10月合弁会社設立。

●給与、ボーナス、週休、有休ほか●

【30歳総合職平均年収】649万円【初任給】(修士)257,500円(大卒)243,500円【ボーナス(年)】230万円、(組合員)6.8カ月【25、30、35歳賃金】264,682円→327,500円→446,125円【週休】完全2日(土日祝)(工場部門は一部)【夏期休暇】3日+有休2日取得を奨励【年末年始休暇】12月31日～1月3日+有休取得奨励【有休取得】13.7／20日

●従業員数、勤続年数、離職率ほか●

【男女別従業員数、平均年齢、平均勤続年数】計 911(43.8歳 18.7年) 男 672(44.7歳 19.3年) 女 239(41.3歳 16.8年)【離職率と離職者数】1.8%、17名【3年後新卒定着率】91.4%(男90.9%、女92.3%、3年前入社:男22名・女13名)【組合】あり

[求める人材] 価値創造に向け、自身の強みを磨き続け、高みを目指して行動する人

[会社データ] (金額は百万円)

【本社】104-8285 東京都中央区新川1-23-1
☎03-3206-5005 https://www.nisshin-oillio.com/
【社長】久野 貴久【設立】1907.3【資本金】16,332【今後力を入れる事業】油脂 加工食品・素材 ファインケミカル

【業績(連結)】	売上高	営業利益	経常利益	純利益
22.3	432,778	11,670	12,648	8,595
23.3	556,565	16,186	16,242	11,157
24.3	513,541	20,840	20,033	15,148

メーカーII

ハウス食品(株)(ハウス食品グループ)

持株会社 傘下

【特色】カレー、シチューのルウで首位。健康食品も強い

修士・大卒採用数	3年後離職率	有休取得年平均	平均年収(平均41歳)
48名	4.5 → 5.9%	11.9日	(総)813万円

●エントリー情報と採用プロセス●

【受付開始～終了】(総)(技)3月～6月【採用プロセス】(総)ES提出(3～6月)→Web説明会→適性検査・GD(1回)・面接(3回)→内々定 (技)ES提出(3～6月)→Web説明会→適性検査・面接(3回)→内々定【交通費支給】最終選考、全額【早期選考】⇒巻末

試験情報

重視科目 (総)(技)面接

(総)(ES)⇒巻末(筆)SPI3(会場) 玉手箱 SPI3(面)3回(Webあり)(GD作)⇒巻末 (技)(ES)⇒巻末(筆)SPI3(会場) 玉手箱 SPI3(面)3回(Webあり)

選考ポイント (総)(ES)仕事に対する意欲 食への拘り(面)チャレンジ精神 創意 パーソナリティ (技)(ES)仕事に対する意欲 職種理解(面)総合職共通

通過率 (総)(ES)18%(受付:4,341→通過:780) (技)(ES)35%(受付:1,280→通過:452) 倍率(応募/内定) (総)207倍 (技)58倍

●男女別採用数と配属先ほか●

【男女・文理別採用実績】

	大卒男	大卒女	修士男	修士女
23年	15(文 10理 5)	17(文 11理 6)	18(文 3理 15)	15(文 0理 15)
24年	17(文 16理 1)	9(文 7理 2)	14(文 0理 14)	13(文 0理 13)
25年	11(文 9理 2)	12(文 11理 1)	13(文 1理 12)	12(文 1理 11)

【25年4月入社者の採用実績校】(文)(院)京大 大阪工大各1(大)慶大3 上智大 関西学大 法政大各2 和歌山大 明大 立教大 早大 青学大 大妻女大 立命館APU 横浜市大 広島大 立命館大 大阪府大各1 (理)(院)千葉大3 東大 お茶女大各2 日大 明大 東京科学大 静岡県大 東理大 東京農業大 芝工大 九大 阪大 神戸大 青学大 北大 名大 早大 名工大 大阪公大各1(大)同大 北大 静岡県大各1

【24年4月入社者の配属先】(総)勤務地:札幌3 仙台3 東京(千代田5 港2)さいたま2 千葉・四街道1 名古屋2 金沢1 大阪(淀屋橋1 東大阪1)岡山1 広島2 福岡3 部署:営業20 マーケ2 財務1 デジタル1 知的財産1 新規事業1 人事1 (技)勤務地:千葉・四街道15 栃木・佐野2 静岡・袋井2 奈良・大和郡山3 福岡4 部署:研究開発15 生産技術3 品質8

残業(月) 13.2時間 (総)21.2時間

記者評価 「バーモントカレー」などのルウ製品やレトルト食品、スパイスなど幅広く展開。海外は米国での豆腐事業や中国でのカレー事業など多様で、グループの海外売上高比率は2割超。傘下にスパイス販売のハウスギャバンや「カレーハウスCoCo壱番屋」展開する壱番屋も。

●給与、ボーナス、週休、有休ほか●

【30歳総合職平均年収】581万円【初任給】(博士)257,900円(修士)240,400円 (大卒)227,900円【ボーナス(年)】234万円、5.5カ月【25、30、35歳賃金】248,233円→302,223円→436,233円【週休】完全2日(土日祝)【夏期休暇】2日【年末年始休暇】12月30日～1月4日【有休取得】11.9/20日

●従業員数、勤続年数、離職率ほか●

【男女別従業員数、平均年齢、平均勤続年数】計 ◇1,603(41.4歳 18.8年) 男 1,119(41.9歳 19.5年) 女 484(40.3歳 17.1年)【離職率と離職者数】◇2.4%、39名(早期退職男3名、女1名含む)【3年後新卒定着率】94.1%(男94.0%、女94.3%、3年前入社:男67名・女35名)【組合】あり

求める人材 これまでの常識にとらわれず変革を起こすことができる熱意、創意、行動力をもった人

会社データ (金額は百万円)

【本社】577-8520 大阪府東大阪市御厨栄町1-5-7
☎06-6788-1231 https://housefoods.jp/

【社長】川崎 浩太郎【設立】1947.6【資本金】2,000【今後力を入れる事業】4系列バリューチェーン(スパイス系VC、機能性素材系VC、大豆系VC、付加価値野菜系VC)

【業績(連結)】	売上高	営業利益	経常利益	純利益
22.3	253,386	19,227	21,125	13,956
23.3	275,060	16,686	18,300	13,672
24.3	299,600	19,470	21,085	17,580

※業績はハウス食品グループ本社(株)のもの

(株)J-オイルミルズ

東京P 2613

【特色】業務用油で国内シェア4割。アジア展開にも本腰

修士・大卒採用数	3年後離職率	有休取得年平均	平均年収(平均44歳)
13名	11.1 → 5.6%	12.9日	(総)762万円

●エントリー情報と採用プロセス●

【受付開始～終了】(総)(技)3月～6月【採用プロセス】(総)(技)ES提出(3～6月)→Webテスト→個人面接(3回)→役員面接→内々定(6月)【交通費支給】最終面接、実費

試験情報

重視科目 (総)(技)面接

(総)(技)(ES)⇒巻末(筆)玉手箱(面)4回(Webあり)

選考ポイント (総)(技)(ES)NA(提出あり)(面)前向きさ 自ら考えられる力 主体的に行動する力

通過率 (総)(技)(ES)NA

倍率(応募/内定) (総)(技)NA

●男女別採用数と配属先ほか●

【男女・文理別採用実績】

	大卒男	大卒女	修士男	修士女
23年	1(文 1理 0)	3(文 2理 1)	2(文 0理 2)	4(文 1理 3)
24年	2(文 2理 0)	5(文 4理 1)	3(文 0理 3)	2(文 0理 2)
25年	2(文 2理 0)	3(文 3理 0)	4(文 0理 4)	4(文 0理 4)

【25年4月入社者の採用実績校】(文)(大)同大2 大阪公大 明大 青学大各1 (理)(院)名大2 横国大 大阪公大 お茶女大 金沢大 東京科学大 立命館大各1

【24年4月入社者の配属先】(総)勤務地:横浜6 東京1 仙台1 大阪2 名古屋1 福岡1 部署:研究6 営業5 原料1 (技)勤務地:なし 部署:なし

残業(月) 21.0時間 (総)21.0時間

記者評価 ホーネンと味の素製油、吉原製油が2003年に合併。製油、油脂加工品が売上高の9割を占める。オリーブ油や外・中食向けで長期使用できる油など高付加価値品を展開。植物由来のチーズも手がける。日清オイリオグループと合弁会社を設立、搾油工程を共通化。

●給与、ボーナス、週休、有休ほか●

【30歳総合職平均年収】NA【初任給】(修士)251,500円(大卒)236,000円【ボーナス(年)】NA、5.0カ月【25、30、35歳賃金】NA【週休】2日【夏期休暇】有休で取得【年末年始休暇】あり【有休取得】12.9/20日

●従業員数、勤続年数、離職率ほか●

【男女別従業員数、平均年齢、平均勤続年数】計 ◇1,275(44.0歳 17.7年) 男 NA 女 NA【離職率と離職者数】◇3.4%、45名【3年後新卒定着率】94.4%(男87.5%、女100%、3年前入社:男8名・女10名)【組合】あり

求める人材 「挑戦」「チームワーク」「自律」

会社データ (金額は百万円)

【本社】104-0044 東京都中央区明石町8-1
☎03-5148-7100 https://www.j-oil.com/

【社長】佐藤 達也【設立】2002.4【資本金】10,000【今後力を入れる事業】製油事業(海外展開含む)食品素材事業

【業績(連結)】	売上高	営業利益	経常利益	純利益
22.3	201,551	▲21	596	1,953
23.3	260,410	734	1,436	986
24.3	244,319	7,243	9,043	6,792

カゴメ(株)

東京P 2811

【特色】トマト加工品の国内最大手。野菜飲料が主力

修士・大卒採用数	3年後離職率	有休取得年平均	平均年収(平均42歳)
36名	15.6→4.3%	14.2日	総 956万円

残業(月) 12.0時間 総 11.2時間

記者評価 「野菜生活100」シリーズ、「野菜一日これ一本」などの飲料、トマト調味料などの食品が柱。トマトジュースは健康・美容需要を取り込み伸長が続く。トマトケチャップは国内トップシェア。野菜飲料やサプリの通販も行う。米国や欧州など、海外展開にも力。

●エントリー情報と採用プロセス●

【受付開始～終了】総 技 2月～3月【採用プロセス】総 ES提出(2月～)→適性検査・1次面談・GD(2～3月)→2次面談(3～5月)→役員面接(4～5月)→内々定(4～5月) 技 ES提出(2月～)→適性検査・1次面談(2～3月)→2次面談(3～5月)→役員面接(4～5月)→内々定(4～5月)【交通費支給】GD・2次面談・役員面接、会社基準

試験情報

重視科目 総技 面談 適性検査

総 ES⇒巻末 筆 SPI3(会場) SPI3(自宅) 面 3回(Webあり) GD作⇒巻末 技 ES⇒巻末 筆 SPI3(会場) SPI3(自宅) 面 3回(Webあり)

選考ポイント 総技 ES NA(提出あり) 面 自分らしさ 志望する想い

通過率 総 ES NA(受付:6,628→通過:NA) 技 ES NA(受付:2,150→通過:NA)

倍率(応募/内定) 総 316倍 技 154倍

●給与、ボーナス、週休、有休ほか●

【30歳総合職平均年収】683万円【初任給】(博士)266,320円(修士)240,000円(大卒)227,500円【ボーナス(年)】288万円、8.12カ月【25、30、35歳賃金】240,000円→320,300円→373,580円【週休】完全2日(土日祝)(部署により異なる)【夏期休暇】有休で取得【年末年始休暇】12月31日～1月3日【有休取得】14.2／20日

●従業員数、勤続年数、離職率ほか●

【男女別従業員数、平均年齢、平均勤続年数】計 ◇1,710(41.3歳 16.7年) 男 1,162(43.3歳 18.7年) 女 548(36.9歳 12.5年)【離職率と離職者数】◇2.2%、38名【3年後新卒定着率】95.7%(男95.0%、女96.2%、3年前入社:男20名・女26名)【組合】あり

●男女別採用数と配属先ほか●

【男女・文理別採用実績】

	大卒男	大卒女	修士男	修士女
23年	8(文 5理 3)	11(文 5理 6)	8(文 0理 8)	8(文 0理 8)
24年	6(文 4理 2)	11(文 7理 4)	5(文 0理 5)	6(文 0理 6)
25年	11(文 7理 4)	13(文 8理 5)	7(文 1理 6)	5(文 0理 5)

【25年4月入社者の採用実績校】文 (院)筑波大1(大)立教大4 北大 横国大 東京外大 静岡大 早大 青学大 國學院大 立命館大 同大 関西学大 関大各1 理 (院)都立大2 東北大 東大 東京科学大 東京農工大 名大 九大 鹿児島大 早大 福岡大各1(大)日女大2 北大 山形大 岩手大 大阪教大 神戸大 国士舘大 近大各1(高専)茨城 鈴鹿 福井各1

【24年4月入社者の配属先】総 勤務地:仙台1 東京2 埼玉2 愛知3 石川1 大阪4 岡山1 部署:SCM1 業務改革推進部1 営業12 技 勤務地:栃木7 茨城2 長野2 愛知1 部署:研究5 工場7

求める人材 食べること・ワイワイ・ガヤガヤ仲間と議論することが好きな人 自らの仕事・キャリアを自主的・自律的につくっていく意思のある人

会社データ (金額は百万円)

【本社】460-0003 愛知県名古屋市中区錦3-14-15
☎052-951-3573　https://www.kagome.co.jp/
【社長】山口 聡【設立】1949.8【資本金】19,985【今後力を入れる事業】生鮮野菜 海外食品飲料 通販 乳酸菌

【業績(IFRS)】	売上高	営業利益	税前利益	純利益
21.12	189,652	14,010	13,880	9,763
22.12	205,618	12,757	12,557	9,116
23.12	224,730	17,472	16,489	10,432

アサヒグループ食品(株)

株式公開 計画なし

【特色】アサヒグループHD傘下。国内食品事業の中核

修士・大卒採用数	3年後離職率	有休取得年平均	平均年収(平均42歳)
29名	0→4.0%	12.6日	総 778万円

残業(月) 18.6時間 総 18.6時間

記者評価 アサヒグループHDの食品事業3社合併で16年に事業開始。指定医薬部外品「エビオス」、国産初の育児用粉ミルク、具材一体型フリーズドライ味噌汁などロングセラー商品多数。菓子、サプリなども扱う。24年9月に完全子会社の和光食品工業と日本エフディを吸収合併。

●エントリー情報と採用プロセス●

【受付開始～終了】総 1月～3月 技 12月～3月【採用プロセス】総 技 ES提出(1月)→適性検査(4月)→面接(3回、5月～)→内々定(6月～)【交通費支給】最終面接、遠方者に区間毎に定額

試験情報

重視科目 総技 面接

総技 ES⇒巻末 筆 3Eテスト 面 3回(Webあり)

選考ポイント 総技 ES 志望動機 他 面 求める人物像に合っているかをこれまでの活動を通じて判断

通過率 総 ES 55%(受付:1,568→通過:865) 技 ES 55%(受付:808→通過:445)

倍率(応募/内定) 総 105倍 技 54倍

●給与、ボーナス、週休、有休ほか●

【30歳総合職平均年収】NA【初任給】(博士)311,000円(修士)288,500円(大卒)273,500円【ボーナス(年)】NA、5.5カ月【25、30、35歳賃金】NA【週休】完全2日(土日祝)【夏期休暇】有休で取得【年末年始休暇】12月30日～1月4日【有休取得】12.6／20日

●従業員数、勤続年数、離職率ほか●

【男女別従業員数、平均年齢、平均勤続年数】計 775(42.0歳 16.0年) 男 503(43.7歳 17.0年) 女 272(38.7歳 14.0年)【離職率と離職者数】1.6%、13名【3年後新卒定着率】96.0%(男100%、女91.7%、3年前入社:男13名・女12名)【組合】あり

●男女別採用数と配属先ほか●

【男女・文理別採用実績】

	大卒男	大卒女	修士男	修士女
23年	8(文 8理 0)	7(文 7理 0)	6(文 0理 6)	7(文 0理 7)
24年	9(文 8理 1)	4(文 4理 0)	6(文 0理 6)	6(文 0理 6)
25年	8(文 8理 0)	6(文 6理 0)	7(文 0理 7)	8(文 0理 8)

【25年4月入社者の採用実績校】
文 (大)早大 同大 関西学大各2 法政大 上智大 明大 青学大 関大 立命館大 神戸大 東理大各1 理 (院)東大2 大阪公大 鹿児島大 岐阜大 京都薬大 群馬大 慶大 東京海洋大 東京科学大 東北大 徳島大 筑波大 北大 名大 早大各1

【24年4月入社者の配属先】
総 勤務地:東京(浅草3 恵比寿2 仙川1)名古屋2 札幌1 仙台1 大阪1 福岡1 栃木・さくら1 部署:営業10 総務2 物流1 技 勤務地:東京(浅草2 仙川4 勝どき2)茨城(守谷2 茨城1)栃木・さくら1 部署:商品開発6 研究開発2 製造1 品質管理2 人事総務1

求める人材 自ら考え、自ら行動する自律型・挑戦型の人材

会社データ (金額は百万円)

【本社】130-0001 東京都墨田区吾妻橋1-23-1
☎0570-00-5112　https://www.asahi-gf.co.jp/
【社長】川原 浩【設立】2015.7【資本金】500【今後力を入れる事業】国内食品事業

【業績(単独)】	売上高	営業利益	経常利益	純利益
21.12	125,500	11,300	NA	NA
22.12	127,422	9,889	NA	NA
23.12	131,908	10,376	NA	NA

メーカーII

テーブルマーク(株)

株式公開 計画なし

【特色】JT完全子会社の加工食品メーカー。麺・米飯が軸

修士・大卒採用数	3年後離職率	有休取得年平均	平均年収(平均43歳)
42名	17.6→25.0%	13.0日	(総)762万円

●エントリー情報と採用プロセス●

【受付開始～終了】(総)(技)1月～4月【採用プロセス】(総)(技)ES提出・Webテスト(1～3月)→面接(オンライン1回、対面1回、4～6月)→内々定(5～7月)【交通費支給】最終面接以降、会社基準で一部補助【早期選考】⇒巻末

試験情報

重視科目 (総)(技)特になし

(総)(技)(ES)⇒巻末(筆)WebGAB(面)2回(Webあり)

選考ポイント (総)(技)(ES)求める人材であるか(面)食への関心 食品業界及び冷凍食品への関心 働くことへの基本姿勢(パートナーシップ・オーナーシップ・リーダーシップ)入社意欲 他

通過率 (総)(ES)NA(受付:530→通過:NA) (技)(ES)NA(受付:288→通過:NA)

倍率(応募/内定) (総)24倍 (技)14倍

●男女別採用数と配属先ほか●

【男女・文理別採用実績】※25年:24年7月末時点

	大卒男	大卒女	修士男	修士女
23年	4(文 3理 1)	6(文 4理 2)	0(文 0理 0)	2(文 0理 2)
24年	5(文 3理 2)	11(文 8理 3)	3(文 0理 3)	1(文 0理 1)
25年	15(文 5理 10)	22(文 17理 5)	1(文 0理 1)	4(文 1理 3)

【25年4月入社者の採用実績校】(文)(院)東京家政学大1(大)昭和女大3 日大 法政大 明学大各2 共立女大 東京農業大 専大 立命館大 明大 成城大 武庫川女大 信州大 関大 青学大 慶大 神田外語大 新潟産大各1 (理)(院)横浜市大 千葉大 大阪公大 静岡県大各1(大)東京農業大7 神奈川大2 東京工科大 帝京大 東理大 中大 大阪工大 新潟食農大各1(高専)長岡1

【24年4月入社者の配属先】(総)勤務地:東京5 北関東1 名古屋1 北陸1 大阪1 九州1 部署:営業9 法務1 (技)勤務地:東京3 新潟4 香川6 部署:開発3 製造技術10

残業(月) 16.1時間

記者評価 前身は冷凍食品メーカーの旧加ト吉。00年JTと提携後、08年にJTが完全子会社化。JTの加工食品・調味料事業も統合。冷凍麺、常温米飯、焼成冷凍パンなどステープル(主食)を軸に展開。家庭用に強く、業務用も扱う。味にこだわった制限食「ビヨンドフリー」が成長。

●給与、ボーナス、週休、有休ほか●

【30歳総合職平均年収】514万円【初任給】(博士)267,685円 (修士)255,420円 (大卒)241,890円【ボーナス(年)】190万円、4.79カ月【25、30、35歳賃金】236,646円→271,920円→314,231円 ※東京勤務【週休】完全2日(土日祝)※工場勤務者は工場カレンダーによる【夏期休暇】リフレッシュ休暇1日+特別休日4日(工場除く)※夏に限らず取得可 工場は工場カレンダーに則る【年末年始休暇】12月30日～1月4日【有休取得】13.0/20日

●従業員数、勤続年数、離職率ほか●

【男女別従業員数、平均年齢、平均勤続年数】計 1,068(42.0歳 13.5年) 男 739(43.4歳 14.5年) 女 329(38.8歳 11.3年)【離職率と離職者数】3.3%、36名【3年後新卒定着率】75.0%(男60.0%、女100%、3年前入社:男5名・女3名)【組合】あり

求める人材 3シップ(オーナーシップ、リーダーシップ、パートナーシップ)が備わっている人財

会社データ (金額は百万円)

【本社】104-0045 東京都中央区築地6-4-10
☎03-3546-6800　https://www.tablemark.co.jp/
【社長】松田 要輔【設立】1956.9【資本金】22,500【今後力を入れる事業】冷凍麺 米飯 お好み焼 ベーカリー・デザート

業績(連結)	売上収益	営業利益	税前利益	純利益
21.12	NA	NA	NA	NA
22.12	122,900	NA	NA	NA
23.12	129,700	NA	NA	NA

味の素冷凍食品(株)

(あじのもとれいとうしょくひん)

株式公開 計画なし

【特色】味の素傘下の冷凍食品メーカー。海外展開を加速

修士・大卒採用数	3年後離職率	有休取得年平均	平均年収(平均43歳)
29名	5.3→22.2%	13.5日	805万円

●エントリー情報と採用プロセス●

【受付開始～終了】(総)2月～3月 (技)1月～2月【採用プロセス】(総)ES提出・適性検査(2～3月)→説明会(4月)→Web面接(2回)→最終面接(5月)→内々定(5月) (技)ES提出・適性検査(1～2月)→説明会(3月)→Web面接(2回)→最終面接(4月)→内々定(4月)【交通費支給】最終面接、3県1都以外の遠方者のみ一定額

試験情報

重視科目 (総)(技)面接

(総)(技)(ES)⇒巻末(筆)玉手箱(面)3回(Webあり)

選考ポイント (総)(技)(ES)学生時代に打ち込んできたこと、志望理由などを総合的に判断(面)求める人材像に合致しているか 主体性があるか 他

通過率 (総)(ES)38%(受付:1,075→通過:409) (技)(ES)56%(受付:651→通過:366)

倍率(応募/内定) (総)72倍 (技)47倍

●男女別採用数と配属先ほか●

【男女・文理別採用実績】

	大卒男	大卒女	修士男	修士女
23年	3(文 3理 0)	4(文 3理 1)	3(文 0理 3)	0(文 0理 0)
24年	7(文 6理 1)	9(文 6理 3)	3(文 0理 3)	2(文 0理 2)
25年	10(文 4理 6)	11(文 7理 4)	4(文 0理 4)	4(文 0理 4)

【25年4月入社者の採用実績校】
(文)(大)中大 明大各2 横国大 関西学大 西南学大 中村学大 名大 立教大 立命館大各1 (理)(院)東理大2 京都工繊大 佐賀大 千葉大 大阪公大 東京都市大 東京農業大各1(大)東京農業大4 工学院大 青学大 中大 日大 立教大 龍谷大各1

【24年4月入社者の配属先】(総)勤務地:東京(銀座2 品川2)仙台1 大阪3 福岡2 名古屋1 埼玉2 岡山1 部署:営業14 (技)勤務地:千葉1 川崎4 群馬2 部署:研究1 開発3 生産管理3

残業(月) (総)21.2時間

記者評価 味の素の完全子会社。中華や唐揚げ、デザートなど各種冷凍食品を製造。ロングセラーのギョーザは冷食単品で売上トップ続く。冷凍機の脱フロン化、自然冷媒への転換など環境対応で先駆。群馬、香川、佐賀、岐阜、千葉、埼玉の国内6工場体制。

●給与、ボーナス、週休、有休ほか●

【30歳総合職平均年収】NA【初任給】(修士)256,000円 (大卒)248,000円【ボーナス(年)】NA、5.88カ月【25、30、35歳賃金】NA【週休】完全2日(土日祝)【夏期休暇】2日(有休で取得)【年末年始休暇】12月31日～1月3日【有休取得】13.5/20日

●従業員数、勤続年数、離職率ほか●

【男女別従業員数、平均年齢、平均勤続年数】計 741(42.7歳 16.0年) 男 554(43.1歳 17.1年) 女 187(39.0歳 13.0年)【離職率と離職者数】2.9%、22名【3年後新卒定着率】77.8%(男100%、女42.9%、3年前入社:男11名・女7名)【組合】あり

求める人材 自らの人材価値の向上を通して、成果を創出し、持続的な価値創造をしていく人材

会社データ (金額は百万円)

【本社】104-0061 東京都中央区銀座7-14-13 日土地銀座ビル
☎03-6367-8602　https://www.ffa.ajinomoto.com/
【社長】寺本 博之【設立】2000.10【資本金】953【今後力を入れる事業】国内(家庭用・業務用)事業、および海外事業

業績(単独)	売上高	営業利益	経常利益	純利益
22.3	89,709	4,343	5,352	2,700
23.3	90,221	3,388	4,705	6,586
24.3	87,613	4,080	5,874	4,403

ホクト(株)

東京P 1379

【特色】キノコの生産で大手。北米、台湾等に進出

修士・大卒採用数	3年後離職率	有休取得年平均	平均年収(平均40歳)
10名	22.2→42.3%	15.0日	◇532万円

●エントリー情報と採用プロセス●

【受付開始～終了】㊗技3月～継続中【採用プロセス】㊗技ES提出(3月～)→Webテスト→面接(3回)→内々定【交通費支給】最終面接、現住所に応じて一部【早期選考】⇒巻末

試験情報

重視科目 ㊗技 個人面接

㊗技 ES⇒巻末 筆SPI3(自宅) 面3回(Webあり)

選考ポイント ㊗ ES 学生時代特に力を入れたこと 面 コミュニケーション能力 積極性 目標達成志向 対人折衝力 技 ES 総合職共通 面 物づくりが好きか 熱意 チームワーク 体力

通過率 ㊗技 ES NA

倍率(応募/内定) ㊗技 NA

●男女別採用数と配属先ほか●

【男女・文理別採用実績】

	大卒男	大卒女	修士男	修士女
23年	8(文 0理 8)	7(文 3理 4)	3(文 0理 3)	0(文 0理 0)
24年	3(文 0理 3)	3(文 2理 1)	1(文 0理 1)	1(文 0理 1)
25年	5(文 1理 4)	3(文 1理 2)	1(文 0理 1)	1(文 0理 1)

【25年4月入社者の採用実績校】

文(大)神戸学大1 理(院)山梨学大 鳥取大各1(大)女子栄養大2 新潟食農大 東京農業大 琉球大 富山県大各1

【24年4月入社者の配属先】

㊗勤務地:名古屋1 長野1 部署:営業2 技勤務地:長野5 静岡1 部署:研究1 生産3 製造2

残業(月) 15.6時間

記者評価 ブナシメジ、エリンギ、マイタケ、霜降りひらたけ、シイタケを専用培地で生産。米国、台湾、マレーシアに工場。うまみや効能を訴求する販促がコロナ禍で制約受け業績悪化に陥ったが、投資会社の資本支援などで復調。包装・農業資材や加工食品など多角化推進。

●給与、ボーナス、週休、有休ほか●

【30歳総合職平均年収】NA【初任給】(大卒)264,660円【ボーナス(年)】127万円、4.3カ月【25、30、35歳賃金】NA【週休】完全2日(土日祝)【夏期休暇】8月13～16日【年末年始休暇】12月30日～1月3日【有休取得】15.0／20日

●従業員数、勤続年数、離職率ほか●

【男女別従業員数、平均年齢、平均勤続年数】計 ◇1,041(39.6歳 13.6年) 男 919(40.0歳 14.4年) 女 122(35.9歳 8.0年)【離職率と離職者数】◇6.9%、77名【3年後新卒定着率】57.7%(男52.6%、女71.4%、3年前入社:男19名・女7名)【組合】なし

求める人材 目的を明確にし、個人・組織のビジョンに向かってチャレンジし続けられる人

会社データ (金額は百万円)

【本社】381-8533 長野県長野市南堀138-1
☎026-243-3111 https://www.hokto-kinoko.co.jp/

【社長】水野 雅義【設立】1964.7【資本金】5,500【今後力を入れる事業】新商品開発 海外事業

【業績(連結)】	売上高	営業利益	経常利益	純利益
22.3	70,932	2,014	3,658	2,530
23.3	72,980	▲2,948	▲1,854	▲2,037
24.3	79,426	3,180	4,715	3,525

ミツカングループ

(株)Mizkan J plus Holdings)

株式公開していない

【特色】食酢で国内首位。1804年(文化元年)創業の老舗

修士・大卒採用数	3年後離職率	有休取得年平均	平均年収(平均45歳)
43名	4.2→15.6%	12.1日	㊗860万円

●エントリー情報と採用プロセス●

【受付開始～終了】㊗技3月～7月【採用プロセス】㊗技ES提出・Web適性検査(3～7月)→セミナー・GD→個人面接→最終面接→内々定【交通費支給】最終面接、会社基準

試験情報

重視科目 ㊗技 NA

㊗技 ES NA 筆 能力・適性検査(Web) 面2回(Webあり) GD作NA

選考ポイント ㊗技 ES NA(提出あり) 面 主体性 コミュニケーション力 他

通過率 ㊗技 ES NA

倍率(応募/内定) ㊗技 NA

●男女別採用数と配属先ほか●

【男女・文理別採用実績】

	大卒男	大卒女	修士男	修士女
23年	3(文 2理 1)	13(文 11理 2)	13(文 2理 11)	11(文 0理 11)
24年	3(文 0理 3)	26(文 23理 3)	7(文 0理 7)	12(文 0理 12)
25年	13(文 12理 1)	17(文 12理 5)	10(文 0理 10)	3(文 0理 3)

【25年4月入社者の採用実績校】

文(大)関西学大3 上智大 中大 法政大 立命館大 立命館APU各2 関大 学習院大 共立女大 慶大 静岡県大 同大 東洋大 日大 武蔵大 明学大 名城大各1 理(院)岐阜大 名大各3 帯畜大2 阪大 京大 群馬大 東理大 広島大各1(大)京大 金城学大 中大 法政大 横浜市大 立命館大各1

【24年4月入社者の配属先】㊗勤務地:愛知(半田8 名古屋2)東京8 大阪4 埼玉1 福岡1 宮城1 部署:営業15 管理4 マーケティング2 人事2 SCM1 生産物流1 技勤務地:愛知(半田12 名古屋1)東京3 群馬3 大阪2 兵庫2 部署:生産7 研究所6 開発5 デジタルマーケ2 情報システム2 SCM1

残業(月) 21.3時間 ㊗22.6時間

記者評価 酒粕酢醸造で創業。東京にヘッドオフィス。食酢やみりん等調味料を軸に加工食品、納豆など手がける。ロングセラー商品「味ぽん」が著名。「ZENB」ブランド浸透に注力。海外売上比率6割超。未来ビジョンに「おいしさと健康の一致」を掲げる。子育て支援充実。

●給与、ボーナス、週休、有休ほか●

【30歳総合職平均年収】634万円【初任給】(博士)281,500円 (修士)240,000円 (大卒)225,000円【ボーナス(年)】210万円、5.6カ月【25、30、35歳賃金】299,304円→382,706円→433,591円【週休】原則2日【夏期休暇】連続5日(土日含む)【年末年始休暇】連続6日(土日含む)【有休取得】12.1／20日

●従業員数、勤続年数、離職率ほか●

【男女別従業員数、平均年齢、平均勤続年数】計 1,549(44.3歳 19.5年) 男 1,063(46.8歳 22.0年) 女 486(38.5歳 13.7年)【離職率と離職者数】NA【3年後新卒定着率】84.4%(男70.0%、女96.0%、3年前入社:男20名・女25名)【組合】あり

求める人材 企業理念の2つの原点に共感し、未来ビジョン宣言達成に向け、自ら行動し成長できる人

会社データ (金額は百万円)

【本社】475-8585 愛知県半田市中村町2-6
☎0569-21-3331 http://www.mizkan.co.jp/

【代表兼グループCEO】中埜 美和【設立】(創業)1804年【資本金】33【今後力を入れる事業】NA

【業績(連結)】	売上高	営業利益	経常利益	純利益
22.2	235,500	NA	7,200	NA
23.2	270,000	NA	4,600	NA
24.2	300,100	NA	12,000	NA

※業績はグループ合計のもの

メーカーII

エスビー食品(株)
東京S 2805

【特色】スパイスで国内首位。カレー、シチューも有力

修士・大卒採用数	3年後離職率	有休取得年平均	平均年収(平均39歳)
25名	20.8→21.4%	15.2日	㊕800万円

残業(月) 22.7時間

記者評価 スパイスの国内シェアは約6割。「ゴールデンカレー」などのルウ、チューブ入りわさびなどの調味料を展開。レトルトカレーなどのインスタント食品も。パウダールウなど時短・簡便な製品に注力。22年度に7%だった海外売上高比率は2043年に40%超を目指す。

●エントリー情報と採用プロセス●
【受付開始～終了】㊕2月～5月 ㊋2月～3月【採用プロセス】㊕㊋ES提出・適性検査→面接→説明会→面接(2回)→内々定【交通費支給】最終面接、会社規定額

試験情報

重視科目 ㊕㊋面接

㊕㊋ ES ⇒巻末㊡SPI3(会場) SPI3(自宅)㊆3回(Webあり)

選考ポイント ㊕㊋ ES 求める人材と合致しているか㊆持ち味 求める人材像と合致するか

通過率 ㊕㊋ ES NA

倍率(応募/内定) ㊕㊋NA

●男女別採用数と配属先ほか●
【男女・文理別採用実績】

	大卒男	大卒女	修士男	修士女
23年	9(文 8理 1)	7(文 6理 1)	5(文 0理 5)	2(文 0理 2)
24年	10(文 9理 1)	8(文 4理 4)	4(文 0理 4)	2(文 0理 2)
25年	10(文 10理 0)	7(文 6理 1)	5(文 0理 5)	3(文 0理 3)

【25年4月入社者の採用実績校】
㊛(大)同大2 大阪市大 小樽商大 関西学大 神田外語大 近大 上智大 高崎経大 玉川大 中大 法政大 宮城大 明大 横国大 早大各1 ㊣(院)島根大 東京農業大 東理大 東北大 福井県大 福島大 立命館大 早大各1(大)東京家政大1

【24年4月入社者の配属先】
㊕勤務地:東京2 北海道2 岩手1 埼玉1 千葉1 長野1 石川1 静岡1 愛知1 神奈川1 広島1 香川1 福岡1 部署:営業15 ㊋勤務地:長野・上田3 埼玉・東松山3 宮城2 静岡1 部署:開発センター9

●給与、ボーナス、週休、有休ほか●
【30歳総合職平均年収】700万円【初任給】(博士)263,900円(修士)242,100円(大卒)232,500円【ボーナス(年)】NA、5.51カ月【25、30、35歳賃金】244,357円→332,857円→355,531円【週休】完全2日(土日祝)【夏期休暇】最大9連休(有休取得推奨日あり)【年末年始休暇】12月28日～1月5日【有休取得】15.2／20日

●従業員数、勤続年数、離職率ほか●
【男女別従業員数、平均年齢、平均勤続年数】計836(40.7歳 13.6年)男 558(41.7歳 14.8年)女 278(38.6歳 11.8年)【離職率と離職者数】3.6%、31名【3年後新卒定着率】78.6%(男81.3%、女75.0%、3年前入社:男16名・女12名)【組合】あり

求める人材 主体的に、"理想"へ向かって挑戦できる人

会社データ (金額は百万円)

【本社】103-0026 東京都中央区日本橋兜町18-6
☎03-3668-0551 https://www.sbfoods.co.jp/
【社長】池村 和也【設立】1940.4【資本金】1,744【今後力を入れる事業】スパイス・ハーブ事業

【業績(連結)】	売上高	営業利益	経常利益	純利益
22.3	118,046	8,617	8,709	6,225
23.3	120,651	5,399	5,465	4,080
24.3	126,443	7,778	8,079	6,717

キッコーマン(株)
東京P 2801

【特色】国内しょうゆシェア3割超で首位。海外が収益柱

修士・大卒採用数	3年後離職率	有休取得年平均	平均年収(平均*44歳)
40名	!7.5→!23.8%	13.7日	㊕905万円

残業(月) 16.9時間

記者評価 千葉・野田市発祥のしょうゆ・調味料大手。密封ボトルの「いつでも新鮮」シリーズが成長。「デルモンテ」ブランドでケチャップも展開する。利益に占める海外比率は約9割に拡大し、北米が稼ぎ頭に。日本・アジア食材の卸売り(他社製品含む)事業も成長中。

●エントリー情報と採用プロセス●
【受付開始～終了】㊕㊋3月～4月【採用プロセス】㊕ES提出(3～4月)→適性検査(4～5月)→面接(4～5月)→GD(5月)→面接(2回、5～6月)→内々定(5～6月) ㊋ES提出(3～4月)→適性検査(3～4月)→面接(3回、5～6月)→内々定(5～6月)
【交通費支給】最終面接、全額【早期選考】⇒巻末

試験情報

重視科目 ㊕面接 GD 適性検査 ㊋面接 適性検査

㊕ ES NA㊡C-GAB㊆3回(Webあり) GD作 NA ㊋ ES NA ㊡C-GAB㊆3回(Webあり)

選考ポイント ㊕㊋ ES 各設問に対して読み手のことを考えてわかりやすく書いているか㊆学生時代に何に取り組みどんな成果をあげたのか

通過率 ㊕㊋ ES NA

倍率(応募/内定) ㊕㊋NA

●男女別採用数と配属先ほか●
【男女・文理別採用実績】

	大卒男	大卒女	修士男	修士女
23年	6(文 5理 1)	4(文 4理 0)	7(文 0理 7)	4(文 0理 4)
24年	12(文 11理 1)	7(文 7理 0)	9(文 0理 9)	3(文 0理 3)
25年	15(文 13理 2)	8(文 8理 0)	11(文 0理 11)	6(文 2理 4)

【25年4月入社者の採用実績校】
㊛(院)東大 ICU各1(大)慶大5 早大4 東京外大 立教大各2 ICU 国際教養大 東理大 青学大 同大 法政大 立命館大 開南大各1 ㊣(院)東大5 京大 阪大 北大各2 筑波大 神戸大 名大 東北大 岡山大各1(大)早大 慶大各1

【24年4月入社者の配属先】
㊕勤務地:東京12 大阪2 千葉1 福岡1 愛知1 広島1 部署:営業13 経理3 営業企画1 証券管理1 ㊋勤務地:千葉13 部署:商品開発6 研究開発4 設備開発3

●給与、ボーナス、週休、有休ほか●
【30歳総合職平均年収】NA【初任給】(博士)NA(修士)265,000円(大卒)250,000円【ボーナス(年)】231万円、6.37カ月【25、30、35歳賃金】NA【週休】完全2日(土日祝)【夏期休暇】8月13～15日【年末年始休暇】12月30日～1月4日【有休取得】13.7／20日

●従業員数、勤続年数、離職率ほか●
【男女別従業員数、平均年齢、平均勤続年数】計590(43.6歳 14.1年)男 277(45.7歳 16.8年)女 313(41.8歳 11.6年)【離職率と離職者数】—、19名(在籍出向者含む、キッコーマン総合病院を除く)【3年後新卒定着率】76.2%(男66.7%、女88.9%、3年前入社:男12名・女9名)※総合職のみ、在籍出向者含む【組合】あり

求める人材 「プロ人財」と「グローバル人財」

会社データ (金額は百万円)

【本社】105-8428 東京都港区西新橋2-1-1
☎03-5521-5029 https://www.kikkoman.com/jp/
【社長】中野 祥三郎【設立】1917.12【資本金】11,599【今後力を入れる事業】しょうゆ及びしょうゆ周辺調味料 海外事業 豆乳事業

【業績(IFRS)】	売上高	営業利益	税前利益	純利益
22.3	516,440	50,682	54,231	38,903
23.3	618,899	55,370	60,797	43,733
24.3	660,835	66,733	75,605	56,441

キユーピー(株)

東京P 2809

【特色】マヨネーズ、ドレッシングで国内首位

修士・大卒採用数	3年後離職率	有休取得年平均	平均年収(平均46歳)
52名	15.1→16.7%	14.4日	[総]847万円

残業(月) 16.9時間 [総]22.1時間

[記者評価] 1919年創業。マヨネーズ、ドレッシングに加えてカット野菜やタマゴサラダなどの総菜、液卵などの卵加工品を展開する。傘下にジャムやフルーツ加工品のアヲハタを擁する。海外売上高比率は約17%(23年度)で、中国、東南アジア、北米、欧州で製造・販売。

●エントリー情報と採用プロセス●

【受付開始～終了】[総][技]2月～3月 4月～5月【採用プロセス】[総]<1次>ES提出(2～3月)→1次選考(Webテスト・録画面接)→2次選考(面接・筆記)→最終選考(面接)→内々定(5月末)<2次>ES提出(4～5月)→1次選考(Webテスト・録画面接)→2次選考(面接・筆記)→最終選考(面接)→内々定(6月末) [技]<1次>ES提出(2～3月)→1次選考(Webテスト・録画面接)→2次選考(面接・筆記)→最終選考(面接)→内々定(4月末)<2次>ES提出(4～5月)→1次選考(Webテスト・録画面接)→2次選考(面接・筆記)→最終選考(面接)→内々定(6月末)【交通費支給】2次選考 最終選考、会社基準

試験情報

重視科目 [総][技]面接

[総][技][ES]NA[筆]SPI3(自宅)[面]3回(Webあり)

選考ポイント [総][技][ES]真剣さ 丁寧さ 自分の言葉で表現できているか[面]明るさ 主体性 行動力 向上心 バランス 理念への共感

通過率 [総][技][ES]NA 倍率(応募/内定) [総][技]NA

●男女別採用数と配属先ほか●

【男女・文理別採用実績】

	大卒男	大卒女	修士男	修士女
23年	11(文 7理 4)	10(文 4理 6)	10(文 0理 10)	3(文 0理 3)
24年	18(文 14理 4)	12(文 7理 5)	8(文 0理 8)	8(文 0理 8)
25年	17(文 15理 2)	12(文 8理 4)	10(文 0理 10)	13(文 0理 13)

【25年4月入社者の採用実績校】[文]中大 関西学大各3 早大 東京農業大 立命館大各2 明大 横国大 学習院大 京産大 京都女大 慶大 國學院大 青学大 千葉大 東理大 和歌山大各1 [理]東京農業大8 東京農工大 東京海洋大各4 お茶女大 宮崎大 玉川大 九大 信州大 青学大 千葉大 大阪公大 長崎大 鳥取大 東北大 明大 立命館大各1

【24年4月入社者の配属先】[総]勤務地:札幌2 栃木・宇都宮2 東京・渋谷9 名古屋3 兵庫・伊丹3 広島市2 福岡市3 部署:営業18 ファインケミカル営業2 財務1 法務2 海外1 [技]勤務地:茨城・五霞6 東京(調布9 府中3)大阪・泉佐野3 佐賀・鳥栖1 部署:生産6 品質保証6 研究開発9 ファインケミカル生産1

●給与、ボーナス、週休、有休ほか●

【30歳総合職平均年収】NA【初任給】(博士)260,500円(修士)242,800円(大卒)228,000円【ボーナス(年)】NA【25、30、35歳賃金】NA【週休】完全2日(土日祝)【夏期休暇】連続3日(計画有休取得により連続最大10日)【年末年始休暇】連続4日(計画有休取得により連続最大7日)【有休取得】14.4/20日

●従業員数、勤続年数、離職率ほか●

【男女別従業員数、平均年齢、平均勤続年数】計 ◇2,332(42.0歳 16.2年)男 1,232(44.2歳 18.4年)女 1,100(39.5歳 13.7年)【離職率と離職者数】◇4.5%、109名【3年後新卒定着率】83.3%(男84.6%、女81.8%、3年前入社:男13名・女11名)【組合】なし

[求める人材] 正直で誠実な人 何が正しいかを自分で考え、判断できる人 本気でチャレンジし行動できる人

[会社データ] (金額は百万円)

【本社】150-0002 東京都渋谷区渋谷1-4-13
☎03-3486-3090 https://www.kewpie.com/
【社長】髙宮 満【設立】1919.11【資本金】24,104【今後力を入れる事業】海外事業

【業績(連結)】	売上高	営業利益	経常利益	純利益
21.11	407,039	27,972	29,698	18,014
22.11	430,304	25,433	27,249	16,033
23.11	455,086	19,694	20,490	13,174

日本食研ホールディングス(株)

(にほんしょっけん)

株式公開 計画なし

【特色】調味料大手の日本食研などを傘下に擁す持株会社

修士・大卒採用数	3年後離職率	有休取得年平均	平均年収(平均42歳)
103名	25.8→20.0%	16.7日	[総]629万円

残業(月) 2.8時間 [総]2.7時間

[記者評価] 日本食研、日本食研製造が中核の持株会社。愛媛、千葉2本社制。たれ出荷量は国内首位で、唐揚げ粉も強い。売上の約9割が業務用でPB含め9000種超の商品。海外戦略を加速。海外6カ所目となるタイの新工場が25年1月から稼働予定、東南アジアへの供給を拡大。

●エントリー情報と採用プロセス●

【受付開始～終了】[総][技]3月～継続中【採用プロセス】[総][技]ES提出(3～7月)→面接(3回)→内々定【交通費支給】最終選考会、一部支給(会社規程)【早期選考】⇒巻末

試験情報

重視科目 [総][技]面接

[総][技][ES]⇒巻末[筆]なし[面]3回(Webあり)[GD作]⇒巻末

選考ポイント [総][技][ES]NA(提出あり)[面]志望度 コミュニケーション能力 行動力 思考力 チャレンジ精神 協調性

通過率 [総][ES]NA(受付:(早期選考含む)1,824→通過:NA) [技][ES]NA(受付:(早期選考含む)1,028→通過:NA)

倍率(応募/内定) [総](早期選考含む)24倍 [技](早期選考含む)32倍

●男女別採用数と配属先ほか●

【男女・文理別採用実績】

	大卒男	大卒女	修士男	修士女
23年	89(文 78理 11)	68(文 52理 16)	6(文 0理 6)	4(文 1理 3)
24年	59(文 45理 14)	47(文 34理 13)	11(文 0理 11)	5(文 0理 5)
25年	41(文 35理 6)	50(文 37理 13)	8(文 0理 8)	4(文 0理 4)

【25年4月入社者の採用実績校】[文](大)中京大 広島修道大各4 明大 法政大 関西学大 立命館大 中村学大各3 東京農業大 宮城大 金沢大 同大 専大 愛知大 京都女大 愛知学大各2 北大 埼玉大 静岡大 徳島大 愛媛大 早大 上智大 立教大 関大 明学大 名古屋学芸大 近大 名城大 東洋大 駒澤大 武蔵野大 日大 獨協大 龍谷大 共立女大 神奈川大 東海大 大阪体大 立正大 星城大 中央学大 長崎国際大 聖カタリナ大 京都府大 都留文科大 新潟県大 北九州市大 下関市大 県立広島大 公立鳥取環境大各1(専)日本鉄道&スポーツビジネスカレッジ21専1 [理](院)岩手大 大阪公大各2 京大 九大 香川大 徳島大 愛媛大 高知大 名古屋市大各1(大)静岡大3 鳥取大 愛媛大 東京農業大各2 名大 岩手大 弘前大 立命館大 近大 女子栄養大 京産大 酪農学大 中部大 県立広島大各1

【24年4月入社者の配属先】[総]勤務地:中部33 関東18 九州・沖縄14 関西11 中国7 東北6 四国4 北海道4 部署:営業95 調理1 事務1 [技]勤務地:関東10 四国14 部署:研究17 製造5 IT・システム開発2

●給与、ボーナス、週休、有休ほか●

【30歳総合職平均年収】537万円【初任給】(修士)246,000円(大卒)232,000円【ボーナス(年)】160万円、4.2カ月【25、30、35歳賃金】264,739円→342,233円→367,671円【週休】2日(土日祝)(8月・12月は土曜一部出勤)【夏期休暇】連続5日【年末年始休暇】連続7日【有休取得】16.7/20日

●従業員数、勤続年数、離職率ほか●

【男女別従業員数、平均年齢、平均勤続年数】計 ◇3,770(39.7歳 16.8年)男 2,951(41.4歳 18.4年)女 819(33.6歳 10.9年)【離職率と離職者数】◇4.2%、166名【3年後新卒定着率】80.0%(男87.5%、女66.7%、3年前入社:男16名・女9名)【組合】なし

[求める人材] 経営理念、企業使命に共感し、社是である「誠実・熱意・正確」を実行できる人

[会社データ] (金額は百万円)

【本社】799-1582 愛媛県今治市富田新港1-3
☎0898-24-1881 http://www.nihonshokken.co.jp/
【社長】大沢 哲也【設立】1973.2【資本金】388【今後力を入れる事業】ブレンド調味料 加工食品事業 海外事業

【業績(連結)】	売上高	営業利益	経常利益	純利益
21.9	114,998	5,220	5,521	NA
22.9	125,212	6,043	7,428	NA
23.9	137,736	6,818	7,528	NA

メーカーII

▶「業界地図」p.170,280

ケンコーマヨネーズ(株)

東京P 2915

【特色】マヨネーズ大手、業務用中心。サラダに強い

修士・大卒採用数	3年後離職率	有休取得年平均	平均年収(平均40歳)
21名	28.6→22.2%	10.3日	(総)661万円

●エントリー情報と採用プロセス●

【受付開始～終了】(総)3月～継続中 (技)3月～未定【採用プロセス】(総)(技)説明会(3月)→ES提出(3月)→適性検査(4月)→面接(2回、4月・5月)→内々定(6月)※説明会・面接はWebでも実施【交通費支給】最終面接、実費

試験情報

重視科目 (総)(技)面接

(総)(技)(ES)⇒巻末(筆)SPI3(自宅) 適性検査(面)2回(Webあり)

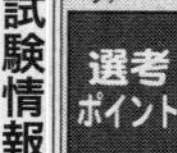

選考ポイント (総)(技)(ES)求める人材と合致しているか 具体的なエピソードを交えて説明できているか(面)求める人材と合致しているか 面接官とのコミュニケーション内容

通過率 (総)(技)(ES)NA

倍率(応募/内定) (総)(技)NA

●男女別採用数と配属先ほか●

【男女・文理別採用実績】

	大卒男	大卒女	修士男	修士女
23年	10(文 7理 3)	24(文 6理 18)	2(文 0理 2)	3(文 0理 3)
24年	14(文 6理 8)	11(文 7理 4)	2(文 0理 2)	2(文 0理 2)
25年	5(文 2理 3)	13(文 5理 8)	1(文 0理 1)	2(文 0理 2)

※25年:24年7月末時点

【25年4月入社者の採用実績校】(文)(大)大妻女大2 東京家政大 日大 法政大 和歌山大 早大各1 (理)(院)大阪公大 東京農業大 東京薬大各1(大)東京農業大3 関西学大 九産大 実践女大 十文字学女大 中部大 東洋大 日大 法政大各1

【24年4月入社者の配属先】(総)勤務地:東京15 大阪2 部署:販売10 経営企画2 財務経理2 流通1 マーケティング1 総務1 (技)勤務地:神奈川3 東京9 山梨1 静岡4 京都3 兵庫2 部署:商品開発6 品質保証3 生産12 システム1

残業(月) 20.9時間

記者評価 業務用マヨネーズやドレッシング、サラダ・総菜のほか、卵加工品も扱う。とくに長期保存できるサラダに強い。外食やコンビニ、量販店などが大手取引先でメニュー提案に強み。全国に工場を持つ。一般消費者向けの小型製品にも注力。米国向けなど輸出拡大狙う。

●給与、ボーナス、週休、有休ほか●

【30歳総合職平均年収】NA【初任給】(修士)223,000円(大卒)223,000円【ボーナス(年)】NA、5.08カ月【25、30、35歳賃金】NA【週休】原則2日(年125日)※部署により異なる【夏期休暇】8月13～15日【年末年始休暇】12月30日～1月3日【有休取得】10.3／20日

●従業員数、勤続年数、離職率ほか●

【男女別従業員数、平均年齢、平均勤続年数】計 ◇1,466(38.1歳 13.7年) 男 760(41.8歳 16.8年) 女 706(32.5歳 9.1年)【離職率と離職者数】NA【3年後新卒定着率】77.8%(男57.1%、女90.9%、3年前入社:男7名・女11名)【組合】なし

求める人材 新たな道を「自ら」切り拓くことに「わくわく」する人材

会社データ　(金額は百万円)

【本社】168-0072 東京都杉並区高井戸東3-8-13
☎03-5962-7777　https://www.kenkomayo.co.jp/
【社長】島本 国一【設立】1958.3【資本金】5,424【今後力を入れる事業】マヨネーズ・ドレッシング事業 サラダ・総菜事業 たまご事業

【業績(連結)】	売上高	営業利益	経常利益	純利益
22.3	75,647	1,616	1,622	1,211
23.3	82,363	105	169	485
24.3	88,724	2,949	3,099	2,735

理研(りけん)ビタミン(株)

東京P 4526

【特色】食品・化成品改良剤、ドレッシング、わかめ展開

修士・大卒採用数	3年後離職率	有休取得年平均	平均年収(平均40歳)
32名	0→9.1%	14.9日	(総)772万円

●エントリー情報と採用プロセス●

【受付開始～終了】(総) (技)3月～4月【採用プロセス】(総)Web説明会(必須、3月)→ES提出(3月)→Webテスト(3～4月)→面接(3回、4月下旬～6月下旬)・2次面接前にWeb社員座談会→内々定(5月中旬～) (技)Web説明会(必須、3月)→ES提出(3月)→Webテスト(3～4月)→面接(3回、4月中旬～6月下旬)・2次面接前にWeb社員座談会→内々定(5月中旬～)【交通費支給】2次面接以降、会社基準【早期選考】⇒巻末

試験情報

重視科目 (総)(技)面接

(総) (技)(ES)⇒巻末(筆)玉手箱 Web-IMAGES(面)3回(Webあり)

選考ポイント (総) (技)(ES)志望動機・志望職種が明確か 自己PRの独自性(面)新しい事や困難な事にも積極的に挑戦する熱意 入社意欲および当社とのマッチング 志望職種で具体的にどのようなことを行いたいか

通過率 (総)(ES)86%(受付:416→通過:359) (技)(ES)71%(受付:494→通過:349)

倍率(応募/内定) (総)28倍 (技)25倍

●男女別採用数と配属先ほか●

【男女・文理別採用実績】

	大卒男	大卒女	修士男	修士女
23年	11(文 2理 9)	5(文 4理 1)	6(文 0理 6)	5(文 0理 5)
24年	15(文 6理 9)	6(文 1理 5)	5(文 0理 5)	4(文 0理 4)
25年	14(文 7理 7)	6(文 3理 3)	7(文 0理 7)	5(文 0理 5)

【25年4月入社者の採用実績校】(文)(大)関西学大2 早大 順天堂大 日大 立命館APU 群馬大 神戸大 大阪市大 大阪府大各1 (理)(院)東北大 広島大各2 東京海洋大 筑波大 信州大 岐阜大 大阪公大 岡山大 愛媛大 徳島大各1(大)日大5 日工大 上智大 東京農工大 東京農業大 岩手大各1(高専)鶴岡 都立産技 新居浜 宇部各1

【24年4月入社者の配属先】(総)勤務地:東京・四ツ谷13 大阪市1 部署:営業9 経理2 経営企画1 法務1 企画開発1 (技)勤務地:千葉市7 大阪・枚方6 埼玉・草加5 部署:製造10 研究開発6 品質管理2

残業(月) 8.4時間 (総)8.4時間

記者評価 理化学研究所にルーツ。収益柱は食品、化成品に用いる品質改良剤で、業務用食品原料にも強み。海藻の陸上養殖を事業化。食の西欧化進む中国、東南アで顧客深耕。米国のラーメン需要増に対応しオクラホマ州のポークエキス生産設備を増強。24年7月にベースアップ実施。

●給与、ボーナス、週休、有休ほか●

【30歳総合職モデル年収】580万円【初任給】(修士)248,100円(大卒)235,150円【ボーナス(年)】250万円、6.241カ月【25、30、35歳賃金】247,680円→296,813円→365,960円【週休】完全2日(土日祝)【夏期休暇】連続3日【年末年始休暇】12月29日～1月3日【有休取得】14.9／20日

●従業員数、勤続年数、離職率ほか●

【男女別従業員数、平均年齢、平均勤続年数】計 ◇993(39.7歳 16.0年) 男 766(40.3歳 16.5年) 女 227(37.6歳 14.7年)【離職率と離職者数】◇4.3%、45名【3年後新卒定着率】90.9%(男89.5%、女92.9%、3年前入社:男19名・女14名)【組合】あり

求める人材 自ら課題を設定し、行動し、解決できる人

会社データ　(金額は百万円)

【本社】160-0004 東京都新宿区四谷1-6-1
☎03-5362-1311　https://www.rikenvitamin.jp/
【社長】山木 一彦【設立】1949.8【資本金】2,537【今後力を入れる事業】海外事業 食品用改良剤 海藻事業

【業績(連結)】	売上高	営業利益	経常利益	純利益
22.3	79,231	5,840	6,182	21,582
23.3	88,750	7,158	7,723	6,414
24.3	91,484	9,371	10,296	8,755

▶「業界地図」p.48

日清食品(株)
にっしんしょくひん

持株会社 傘下

【特色】カップラーメン国内最大手、袋麺も首位級

修士・大卒採用数	3年後離職率	有休取得年平均	平均年収(平均39歳)
86名	11.1→17.8%	15.6日	総 797万円

●エントリー情報と採用プロセス●

【受付開始～終了】総 技2月～3月【採用プロセス】総ES提出・1分動画・Webテスト(2～3月)→1次面接(4月)→2次面接(4月)→社員交流会(5月)→最終面接(5月)→内々定(5月) 技ES提出・Webテスト(2～3月)→1次面接(4月)→2次面接(4月)→社員交流会(5月)→最終面接(5月)→内々定(5月)【交通費支給】最終面接、自宅から会社までの公共交通機関利用分【早期選考】⇒巻末

試験情報

重視科目 総 技 面接

総 ES⇒巻末 筆SPI3(自宅) デザイン思考テスト 面3回(Webあり) 技 ES⇒巻末 筆SPI3(自宅) 面3回(Webあり)

選考ポイント 総 技 ES 求める人物像に合うか 面コミュニケーション力 成長意欲 責任感

通過率 総 技 ES NA 倍率(応募/内定) 総 技 NA

●男女別採用数と配属先ほか●

【男女・文理別採用実績】

	大卒男	大卒女	修士男	修士女
23年	21(文 18 理 3)	18(文 15 理 3)	23(文 0 理 23)	14(文 0 理 14)
24年	31(文 23 理 8)	24(文 18 理 6)	29(文 1 理 28)	15(文 0 理 15)
25年	28(文 17 理 11)	21(文 12 理 9)	17(文 1 理 16)	20(文 1 理 19)

【25年4月入社者の採用実績校】文(院)神戸大 早大各1(大)立命館大5 早大4 明大 関西学大 関大各3 東北大2 神戸大 慶大 同大 青学大 立教大 学習院大 大阪公大 横浜市大 武蔵野美大各1 理(院)京大5 東大 筑波大各3 東京科学大 九大 千葉大 奈良先端科技院大 東理大各2 北大 東北大 名大 お茶女大 岐阜大 三重大 大分大 同大 立命館大 大阪公大 東京海洋大 東京農工大 東京農業大 都立大 工学院大各1(大)近大5 立命館大3 立教大 法政大 日大 滋賀大 山口大 高知大 長崎大 芝工大 東京農業大 工学院大 県立広島大 北九州市大各1

【24年4月入社者の配属先】総勤務地:東京・新宿25 札幌3 名古屋3 大阪6 広島3 福岡4 部署:営業29 マーケティング2 宣伝1 デザイン2 人事1 財務経理3 情報企画5 原料調達1 技勤務地:東京・八王子24 茨城6 静岡9 滋賀13 下関3 部署:研究開発17 包材開発2 安全研究3 技術開発2 生産技術31

残業(月) 21.6時間

記者評価 1948年に大阪で創業。58年に即席袋麺の「チキンラーメン」を開発。71年に発売した「カップヌードル」が主力商品。高たんぱく&低糖質など付加価値タイプの開発にも注力。「日清のどん兵衛」も主力ブランド。生成AIを活用したマーケなどデジタル投資も重点。

●給与、ボーナス、週休、有休ほか●

【30歳総合職モデル年収】577万円【初任給】(博士)NA (修士)250,000円 (大卒)235,000円【ボーナス(年)】NA、7.4カ月【25、30、35歳モデル賃金】257,500円→322,000円→363,400円【週休】完全2日(土日祝)【夏期休暇】有休利用【年末年始休暇】12月30日～1月4日【有休取得】15.6／20日

●従業員数、勤続年数、離職率ほか●

【男女別従業員数、平均年齢、平均勤続年数】計 2,570(38.7歳 NA) 男 1,956(39.5歳 NA) 女 614(36.3歳 NA)【離職率と離職者数】NA【3年後新卒定着率】82.2%(男78.1%、女92.3%、3年前入社:男32名・女13名)【組合】あり

求める人材 成長に貪欲であらゆる努力を惜しまず、どんな状況でも前を向き自分らしい答えを出せる人

会社データ (金額は百万円)

【本社】160-8524 東京都新宿区新宿6-28-1
☎03-3205-5111 https://www.nissin.com/
【HD社長】安藤 宏基【設立】1948.9【資本金】25,122【今後力を入れる事業】最適化栄養食事業

【業績(IFRS)】	売上高	営業利益	税前利益	純利益
22.3	569,722	46,614	49,182	35,412
23.3	669,248	55,636	57,950	44,760
24.3	732,933	73,361	76,915	54,170

※資本金・業績は日清食品ホールディングス㈱のもの

東洋水産(株)
とうようすいさん

東京P 2875

【特色】即席麺国内2位、米国・メキシコで高シェア

修士・大卒採用数	3年後離職率	有休取得年平均	平均年収(平均44歳)
18名	0→10.5%	12.5日	総 857万円

●エントリー情報と採用プロセス●

【受付開始～終了】総 技3月～5月【採用プロセス】総 技履歴書・ES・適性検査(3～5月)→面接(2回)→内々定(6月)【交通費支給】面接、会社基準(地域ごとに設定)

試験情報

重視科目 総 技 面接

総 技 ES⇒巻末 筆TG-WEB 面2回

選考ポイント 総 技 ES NA(提出あり) 面NA

通過率 総 技 ES NA

倍率(応募/内定) 総 技 NA

●男女別採用数と配属先ほか●

【男女・文理別採用実績】

	大卒男	大卒女	修士男	修士女
23年	11(文 11 理 0)	2(文 1 理 1)	5(文 0 理 5)	0(文 0 理 0)
24年	12(文 10 理 2)	5(文 3 理 2)	4(文 0 理 4)	0(文 0 理 0)
25年	8(文 8 理 0)	6(文 2 理 4)	4(文 0 理 4)	0(文 0 理 0)

【25年4月入社者の採用実績校】
文(大)立命館大2 法政大 金沢大 広島修道大 甲南大 明大 近大 同大 拓大各1 理(院)北大 東京海洋大各2(大)岩手大 東京農業大 日女大 東京家政大各1

【24年4月入社者の配属先】
総勤務地:東京・港5 北海道・小樽1 仙台1 栃木・宇都宮1 新潟1 静岡・焼津1 名古屋1 神戸1 広島・安芸1 福岡1 部署:営業12 商品企画1 事務1 技勤務地:北海道・小樽1 千葉・銚子1 埼玉・日高1 群馬・舘林3 静岡・焼津1 神戸1 部署:開発3 製造管理3 品質管理2

残業(月) 25.0時間 総25.0時間

記者評価 「マルちゃん」ブランドで有名。ロングセラーの「赤いきつね」、「緑のたぬき」など和風麺が主力。袋麺「マルちゃん正麺」やカップ麺「QTTA」も展開。海外は米国、メキシコで強く、利益柱に。40～50セントの安い商品が中心で、1ドル近辺の高価格帯も拡販へ。

●給与、ボーナス、週休、有休ほか●

【30歳総合職平均年収】594万円【初任給】(修士)250,000円 (大卒)244,000円【ボーナス(年)】NA、7.19カ月【25、30、35歳モデル賃金】268,000円→335,000円→381,000円 ※東京本社【週休】完全2日(土日祝)【夏期休暇】2日【年末年始休暇】連続5日【有休取得】12.5／20日

●従業員数、勤続年数、離職率ほか●

【男女別従業員数、平均年齢、平均勤続年数】計 1,266(43.9歳 21.4年) 男 1,013(44.4歳 22.0年) 女 253(41.8歳 19.0年)【離職率と離職者数】2.8%、36名(早期退職6名含む)【3年後新卒定着率】89.5%(男85.7%、女100%、3年前入社:男14名・女5名)【組合】なし

求める人材 真面目に誠意をもって何事にも果敢にチャレンジできる人

会社データ (金額は百万円)

【本社】108-8501 東京都港区港南2-13-40
☎03-3458-5111 https://www.maruchan.co.jp/
【社長】住本 憲隆【設立】1948.4【資本金】18,969【今後力を入れる事業】全事業

【業績(連結)】	売上高	営業利益	経常利益	純利益
22.3	361,495	29,737	31,834	22,414
23.3	435,786	40,330	43,724	33,126
24.3	489,013	66,696	74,889	55,653

メーカーII

日本ハム㈱（にっぽん）

東京P 2282

【特色】食肉で国内首位。生産から加工、販売まで一貫

修士・大卒採用数	3年後離職率	有休取得年平均	平均年収(平均42歳)
54名	9.8→4.9%	12.8日	総 823万円

●エントリー情報と採用プロセス●

【受付開始～終了】総技2月～3月【採用プロセス】総ES提出・Webテスト(2～3月)→GD(3～4月)→面接(2回、4～5月)→内々定(6月) 技ES提出・Webテスト(2～3月)→GD(3～4月)→面接(2回、4～6月)→内々定(6月)【交通費支給】最終面接、自宅から会場までの実費

試験情報

重視科目 総全て 技<研究職>全て

総技 ES⇒巻末筆テストセンター(ヒューマネージ社) 面2回(Webあり) GD作NA

選考ポイント 総技 ES説得力 語彙力 表現力 面最終面接では当社の社員としての適性を確認

通過率 総技 ES NA 倍率(応募/内定) 総技NA

●男女別採用数と配属先ほか●

【男女・文理別採用実績】

	大卒男	大卒女	修士男	修士女
23年	22(文 16理 6)	19(文 13理 6)	6(文 0理 6)	2(文 0理 2)
24年	32(文 25理 7)	14(文 11理 3)	7(文 0理 7)	6(文 2理 4)
25年	22(文 14理 8)	22(文 13理 9)	7(文 0理 7)	3(文 1理 2)

【25年4月入社者の採用実績校】文(院)早大1(大)早大 関西学大各4 同大 法政大 明学大各2 愛知大 関大 近大 皇學館大 國學院大 滋賀大 信州大 神戸大 専大 中大 東京農業大 龍谷大 立命館大各1 理(院)北大 阪大 鹿児島大 関西学大 九大 東理大 佐賀大 東北大 日本獣医生命科学大各1(大)東京農業大3 近大 明大各2 岡山大 岩手大 共立女大 九大 神戸大 大阪電通大 東京電機大 東理大 法政大 摂南大各1

【24年4月入社者の配属先】
総勤務地:東京28 大阪12 長崎8 茨城5 部署:営業27 製造開発13 人事3 海外3 経理財務3 IT戦略2 品質保証1 法務1 技勤務地:茨城6 部署:基礎研究4 製造開発2

残業(月) 18.7時間 総20.4時間

記者評価 食肉国内首位。生産から販売まで一貫体制に特徴。食肉生産・卸売りが収益柱。加工品ではウインナー「シャウエッセン」やチルドピザなど。米国、豪州、アジアなど海外展開に積極的。球団運営も。アレルギー対応や機能性表示製品など新分野の開拓注力。

●給与、ボーナス、週休、有休ほか●

【30歳総合職平均年収】667万円【初任給】(修士)288,500円(大卒)262,000円【ボーナス(年)】204万円、4.24カ月【25、30、35歳賃金】279,100円→344,600円→399,000円 ※基本給【週休】原則2日(日、週休日)【夏期休暇】連続3日【年末年始休暇】12月30日～1月3日【有休取得】12.8／20日

●従業員数、勤続年数、離職率ほか●

【男女別従業員数、平均年齢、平均勤続年数】計1,557(41.9歳 18.0年) 男1,119(43.6歳 20.0年) 女438(37.3歳 13.0年)【離職率と離職者数】4.2%、69名【3年後新卒定着率】95.1%(男100%、女87.5%、3年前入社:男25名・女16名)【組合】あり

求める人材 確かな信頼を構築できる人 新たな創造ができる人 あくなき挑戦ができる人

会社データ (金額は百万円)

【本社】530-0001 大阪府大阪市北区梅田2-4-9 ブリーゼタワー ☎06-7525-3026 https://www.nipponham.co.jp/

【社長】井川 伸久【設立】1949.5【資本金】36,294【今後力を入れる事業】加工事業 食肉事業 海外事業

【業績(IFRS)】	売上高	営業利益	税前利益	純利益
22.3	1,174,389	44,133	51,366	48,049
23.3	1,259,792	17,859	22,162	16,637
24.3	1,303,432	40,232	40,599	28,078

伊藤ハム米久ホールディングス㈱（いとう よねきゅう）

東京P 2296

【特色】国内食肉大手。伊藤ハムと米久が経営統合して設立

修士・大卒採用数	3年後離職率	有休取得年平均	平均年収(平均40歳)
72名	11.6→12.7%	11.2日	総 747万円

●エントリー情報と採用プロセス●

【受付開始～終了】総技3月～7月【採用プロセス】総技ES提出(3月～)→説明会→Webテスト(3月～)→面接(3回、4月～)→内々定(6月～)【交通費支給】最終選考、定額

試験情報

重視科目 総技面接

総技 ES⇒巻末筆SPI3(自宅) 面3回(Webあり)

選考ポイント 総技 ES志望度 語彙力 個性 面志望動機と自分のやりたい仕事に対する意欲

通過率 総技 ES NA 倍率(応募/内定) 総技NA

●男女別採用数と配属先ほか●

【男女・文理別採用実績】

	大卒男	大卒女	修士男	修士女
23年	37(文 25理 12)	13(文 10理 3)	14(文 0理 14)	3(文 0理 3)
24年	36(文 28理 8)	16(文 8理 8)	13(文 0理 13)	4(文 1理 3)
25年	46(文 30理 16)	15(文 9理 6)	10(文 1理 9)	1(文 0理 1)

【25年4月入社者の採用実績校】文(院)阪大1(大)関大5 立命館大 中京大各3 早大 明大 立教大 中大 関西学大 法政大 甲南大各2 阪大 大阪公大 同大 岡山大 駒澤大 東洋大 武蔵大 京都女大 東京農業大 学習院大 東京経大 昭和女大 帝京大各1 他 理(院)北大 九大 神戸大 千葉大 東京農工大 茨城大 静岡県大 立命館大 近大 東海大各1(大)明大 近大 名城大各3 中大 東京農業大 日大各2 京都府大 富山大 静岡大 学習院大 甲南大 日本獣医生命科学大 共立女大各1

【24年4月入社者の配属先】
総勤務地:東京・目黒25 兵庫・西宮15 埼玉・越谷3 群馬・高崎1 佐賀・鳥栖1 青森・十和田1 部署:営業43 システム2 経理1 技勤務地:兵庫(西宮5 神戸3)千葉・柏6 茨城(取手3 守谷1)愛知・豊橋3 富山・小矢部2 部署:生産22 研究1

残業(月) 25.6時間 総26.1時間

記者評価 2016年に伊藤ハムと米久の統合で誕生した持株会社。筆頭株主は三菱商事。伊藤ハムは看板製品「グランドアルトバイエルン」などハム・ソーセージで首位級。大豆ミートも強化中。ニュージーランドに食肉子会社。調達や営業、生産などの統合を進めている。

●給与、ボーナス、週休、有休ほか●

【30歳総合職平均年収】513万円【初任給】(修士)253,710円(大卒)247,710円【ボーナス(年)】191万円、5.3カ月【25、30、35歳賃金】256,710円→317,190円→370,580円 ※東京勤務【週休】会社暦2日(主に土日または水日)【夏期休暇】連続4日(週休2日含む)【年末年始休暇】連続6日(週休2日含む)【有休取得】11.2／20日

●従業員数、勤続年数、離職率ほか●

【男女別従業員数、平均年齢、平均勤続年数】計◇747(41.3歳 17.6年) 男526(42.7歳 19.4年) 女221(37.9歳 13.2年)【離職率と離職者数】◇1.1%、8名【3年後新卒定着率】87.3%(男87.2%、女87.5%、3年前入社:男47名・女24名)【組合】あり

求める人材 自律的に考え挑戦心を持って行動できる人

会社データ (金額は百万円)

【本社】153-0062 東京都目黒区三田1-6-21 アルト伊藤ビル ☎03-5723-8619 https://www.itoham-yonekyu-holdings.com/

【社長】宮下 功【設立】2016.4【資本金】30,003【今後力を入れる事業】コア事業である食肉および食肉加工業

【業績(連結)】	売上高	営業利益	経常利益	純利益
22.3	854,374	24,611	28,596	19,118
23.3	922,682	22,994	26,044	16,975
24.3	955,580	22,336	26,036	15,553

※採用情報は伊藤ハム米久ホールディングス㈱と伊藤ハム㈱の合算

プリマハム(株)

東京P 2281

【特色】食肉大手、伊藤忠が筆頭株主。セブン向け総菜も

修士・大卒採用数	3年後離職率	有休取得年平均	平均年収(平均42歳)
47名	17.1 → 15.9%	12.2日	総 768万円

●エントリー情報と採用プロセス●

【受付開始～終了】総技3月～未定【採用プロセス】総技ES提出(3月～)→Webテスト(SPI)→面接(複数回)→内々定【交通費支給】役員(最終)面接、原則実費【早期選考】⇒巻末

試験情報

重視科目 総技面接

総技ES⇒巻末筆SPI3(自宅)面複数回(Webあり)

選考ポイント 総技ES NA(提出あり)面NA

通過率 総技ES NA

倍率(応募/内定) 総技NA

●男女別採用数と配属先ほか●

【男女・文理別採用実績】

	大卒男	大卒女	修士男	修士女
23年	26(文 19理 7)	12(文 9理 3)	4(文 0理 4)	2(文 0理 2)
24年	17(文 13理 4)	18(文 14理 4)	3(文 0理 3)	2(文 0理 2)
25年	24(文 18理 6)	16(文 12理 4)	6(文 0理 6)	1(文 0理 1)

※25年:24年7月19日時点

【25年4月入社者の採用実績校】文(大)明大5 同大4 早大3 法政大2 神戸大 広島大 國學院大 立命館大 近大 学習院大 東洋大 中大 日大 日女大 武庫川女大 明学大 桜美林大 南山大 公立鳥取環境大 亜大各1 理(院)東理大2 九大 青学大 東京海洋大 新潟大 北大各1(大)立命館大 東京農大各2 神戸大 日本獣医生命科学大 北里大 明大 日大 水産大各1

【24年4月入社者の配属先】総勤務地:東京・品川13 大阪2 名古屋2 仙台2 千葉1 京都1 福岡1 香川・高松1 三重1 鹿児島1 広島1 部署:営業22 人事1 財務経理2 IT推進1 技勤務地:三重6 茨城4 埼玉1 鹿児島1 東京・品川1 北海道1 部署:製造4 製造・生産技術4 開発3 品質管理2 研究1

残業(月) 24.6時間 総24.6時間

記者評価 加工食品に強く、ハム・ソーセージの国内シェア上位。看板製品のウインナー「香薫」は近年シェア拡大が続く。食肉事業では国内で養豚を強化中。子会社のプライムデリカを通じ、コンビニ大手へ総菜などを供給するベンダー事業も手がける。

●給与、ボーナス、週休、有休ほか●

【30歳総合職平均年収】543万円【初任給】(修士)252,500円(大卒)231,000円【ボーナス(年)】158万円、4.88カ月【25、30、35歳賃金】255,000円→309,000円→466,000円【週休】2日【夏期休暇】3日【年末年始休暇】6日【有休取得】12.2/20日

●従業員数、勤続年数、離職率ほか●

【男女別従業員数、平均年齢、平均勤続年数】計 1,172(41.9歳 17.4年) 男 955(43.1歳 19.0年) 女 217(36.2歳 10.7年)【離職率と離職者数】2.7%、33名【3年後新卒定着率】84.1%(男89.5%、女50.0%、3年前入社:男38名・女6名)【組合】あり

求める人材 互いを尊重し、協力しながら仕事に取り組むことができる人

会社データ　(金額は百万円)

【本社】140-8529 東京都品川区東品川4-12-2 品川シーサイドウエストタワー
☎03-6386-1800　https://www.primaham.co.jp/

【社長】千葉 尚登【設立】1948.7【資本金】7,908【今後力を入れる事業】成長市場に向けた事業創造とグローバル展開

業績(連結)	売上高	営業利益	経常利益	純利益
22.3	419,591	12,966	14,883	9,718
23.3	430,740	9,725	10,510	4,505
24.3	448,429	11,820	12,884	7,489

まるだいしょくひん

丸大食品(株)

東京P 2288

【特色】ハム・ソーセージなど食肉加工食品大手の一角

修士・大卒採用数	3年後離職率	有休取得年平均	平均年収(平均45歳)
54名	19.4 → 31.8%	10.8日	総 618万円

●エントリー情報と採用プロセス●

【受付開始～終了】総3月～3月 技3月～3月 5月～6月 8月～8月【採用プロセス】総技Web説明会・ES提出(3月)→GD(3月)→SPI(4月)→Web面接(5月)→役員面接(5月)→内々定(5月)【交通費支給】最終選考、実費

試験情報

重視科目 総技面接

総技ES⇒巻末筆SPI3(会場)面2回(Webあり)GD作⇒巻末

選考ポイント 総技面個性 志望度 コミュニケーション能力 他

通過率 総技ES選考なし(受付:NA)

倍率(応募/内定) 総技NA

●男女別採用数と配属先ほか●

【男女・文理別採用実績】

	大卒男	大卒女	修士男	修士女
23年	16(文 4理 12)	20(文 7理 13)	3(文 0理 3)	3(文 0理 3)
24年	15(文 3理 12)	15(文 3理 12)	4(文 0理 4)	3(文 0理 3)
25年	16(文 8理 8)	23(文 13理 10)	8(文 1理 7)	7(文 0理 7)

【25年4月入社者の採用実績校】文(院)岡山大1(大)近大 昭和女大各3 東京家政大 同大各2 関東学院大 広島修道大 成城大 中大 同女大 武庫川女大 法政大 立教大 立命館大 龍谷大 佛教大各1 理(院)京大2 愛媛大 横浜市大 九大 新潟大 大阪公大 長崎大 東京海洋大 東京科学大 東北大 徳島大 兵庫県大 明大各1(大)近大4 同女大3 立命館大 龍谷大各2 京都府大 県立広島大 中大 鳥取大 東京農大 名城大 明大各1

【24年4月入社者の配属先】総勤務地:東京7 大阪・高槻4 名古屋1 仙台1 部署:営業11 情報1 総務1 技勤務地:大阪・高槻11 栃木7 佐賀・唐津3 茨城1 岡山1 静岡1 部署:生産18 研究開発5 人事1

残業(月) 26.1時間 総26.1時間

記者評価 ハム・ソーセージをはじめ総菜、ピザ、レトルト食品などの加工食品が主力。看板製品はソーセージ「燻製屋」。スンドゥブなど韓国料理にも強い。食肉卸や、子会社で手がけるタピオカ飲料やデザートが成長中。大豆肉製品も。開発や営業の改革推進。

●給与、ボーナス、週休、有休ほか●

【30歳総合職平均年収】525万円【初任給】(修士)225,200円(大卒)219,000円【ボーナス(年)】99万円、3.5カ月【25、30、35歳モデル賃金】215,000円→248,500円→304,800円【週休】2日(土日または水日)【夏期休暇】8月13～15日【年末年始休暇】12月31日～1月3日【有休取得】10.8/20日

●従業員数、勤続年数、離職率ほか●

【男女別従業員数、平均年齢、平均勤続年数】計 926(45.2歳 22.4年) 男 767(47.1歳 24.2年) 女 159(36.3歳 13.9年)【離職率と離職者数】3.8%、37名【3年後新卒定着率】68.2%(男57.1%、女87.5%、3年前入社:男14名・女8名)【組合】あり

求める人材 自由な発想や新たなことにチャレンジすることが好きな人

会社データ　(金額は百万円)

【本社】569-8577 大阪府高槻市緑町21-3
☎072-661-2524　http://www.marudai.jp/

【社長】佐藤 勇二【設立】1958.6【資本金】6,716【今後力を入れる事業】ハムソー事業 調理加工食品事業

業績(連結)	売上高	営業利益	経常利益	純利益
22.3	218,610	▲865	▲380	▲376
23.3	221,979	▲1,400	▲897	▲4,987
24.3	228,808	3,117	3,639	▲9,414

メーカーⅡ

江崎(えざき)グリコ(株)

東京P 2206

【特色】菓子の国内大手。アイス、カレー、乳製品も展開

修士・大卒採用数	3年後離職率	有休取得年平均	平均年収(平均44歳)
30名	3.8 → 3.8%	14.3日	(総) 841万円

残業(月) 25.7時間

記者評価 「ポッキー」「プリッツ」で有名な菓子メーカー。「パピコ」「アイスの実」などアイスも有名。糖質を抑えた商品やアーモンド飲料など健康関連も注力。品質管理や商品開発でのAI活用模索。24年4月のシステム障害で一部商品が一時的に出荷停止に。再発防止に全力。

●エントリー情報と採用プロセス●

【受付開始～終了】(総)(技)23年6月～継続中【採用プロセス】(総)(技)ES提出(6月～、11月～、3月～)→適性検査・筆記(7月、12月、4月)→面接(8月、12月、4月)→ワークショップ(9月、2月、4月)→面接(10月、2月、5月)→内々定【交通費支給】3次選考以降、会社基準【早期選考】⇒巻末

試験情報

重視科目 総 技 面接 ワークショップ

総 (ES)⇒巻末(筆)SPI3(会場) 筆記試験(マーケティング)(面)2回(Webあり)(GD作)NA 技 (ES)⇒巻末(筆)SPI3(会場) 筆記試験(商品技術開発研究)(面)2回(Webあり)(GD作)NA

選考ポイント 総 (ES)主体性 創造力 目的意識 論理思考 他(面)求める人財像との合致度 技 (ES)主体性 創造力 目的意識 論理思考 専門性 他(面)総合職共通

通過率 総 技 (ES)NA **倍率(応募/内定)** 総 技 NA

●男女別採用数と配属先ほか●

【男女・文理別採用実績】

	大卒男	大卒女	修士男	修士女
23年	4(文 3理 1)	7(文 7理 0)	4(文 0理 4)	5(文 1理 4)
24年	0(文 0理 0)	13(文 12理 1)	2(文 0理 2)	7(文 1理 6)
25年	5(文 4理 1)	12(文 10理 2)	7(文 0理 7)	6(文 1理 5)

【25年4月入社者の採用実績校】
(文)(院)神奈川県保健福祉大1(大)同大3 早大2 慶大 広島大 上智大 神戸大 青学大 阪大 明大 立教大 立命館大各1 (理)(院)京大4 北大 東京科学大 筑波大 明大 阪大 立命館大 広島大 九大各1(大)同大 お茶女大 兵庫県大各1

【24年4月入社者の配属先】総 勤務地:大阪8 名古屋2 宮城2 広島1 群馬1 東京1 福岡1 部署:マーケティング4 カスタマーリサーチ1 セールス9 法務1 デジタル1 技 勤務地:大阪6 部署:研究5 技術開発1

求める人材 食品事業を通じて社会課題を解決したいと考え、積極果敢に変革と挑戦ができる人財

●給与、ボーナス、週休、有休ほか●

【30歳総合職平均年収】NA【初任給】(修士)271,400円(大卒)254,000円【ボーナス(年)】NA【25、30、35歳賃金】NA【週休】完全2日(土日祝)【夏期休暇】連続5日【年末年始休暇】12月30日～1月3日+1日【有休取得】14.3／20日

●従業員数、勤続年数、離職率ほか●

【男女別従業員数、平均年齢、平均勤続年数】計 1,393(43.8歳 16.9年) 男 983(45.5歳 18.9年) 女 410(39.5歳 11.5年)【離職率と離職者数】NA【3年後新卒定着率】96.2%(男92.9%、女100%、3年前入社:男14名・女12名)【組合】あり

会社データ (金額は百万円)

【本社】555-8502 大阪府大阪市西淀川区歌島4-6-5
☎06-6477-8364 https://www.glico.com/jp/
【社長】江崎 悦朗【設立】1929.2【資本金】7,773【今後力を入れる事業】海外事業 健康事業

【業績(連結)】	売上高	営業利益	経常利益	純利益
21.12	338,571	19,307	21,708	13,519
22.12	303,921	12,845	13,646	8,099
23.12	332,590	18,622	21,285	14,133

カルビー(株)

東京P 2229

【特色】スナック菓子の国内最大手。海外も展開

修士・大卒採用数	3年後離職率	有休取得年平均	平均年収(平均*47歳)
53名	16.7 → 10.9%	NA	(総) 828万円

残業(月) NA

記者評価 スナックは「ポテトチップス」「かっぱえびせん」「じゃがりこ」などヒット商品多数。海外は米国や中国、英国、インドネシアで展開。社長や経営陣とのスモールミーティング、社員の成長のための上司との面談など、社内コミュニケーションや人事改革に熱心。

●エントリー情報と採用プロセス●

【受付開始～終了】(総)(技)12月～3月【採用プロセス】(総)(技)適性検査(3月)→動画選考・ES提出(3～4月)→面接(2回、4～5月)→内々定(6月上旬)※入社後のキャリアパスに沿ったコース別選考【交通費支給】最終選考、地域により一律【早期選考】⇒巻末

試験情報

重視科目 総 技 面接

総 技 (ES)⇒巻末(筆)eF-1G(面)2回(Webあり)

選考ポイント 総 技 (ES)NA(提出あり)(面)NA

通過率 総 技 (ES)NA **倍率(応募/内定)** 総 技 NA

●男女別採用数と配属先ほか●

【男女・文理別採用実績】※25年:継続中

	大卒男	大卒女	修士男	修士女
23年	2(文 2理 0)	9(文 5理 4)	9(文 0理 9)	9(文 0理 9)
24年	12(文 7理 5)	25(文 18理 7)	5(文 0理 5)	18(文 3理 15)
25年	13(文 6理 7)	22(文 15理 7)	13(文 0理 13)	5(文 1理 4)

【25年4月入社者の採用実績校】
(文)(院)長崎県大1(大)法政大3 同大 早大 慶大各2 國學院大 立命館大 立教大 武蔵大 東洋大 中大 西南学大 神戸大 昭和女大 関西学大 学習院大 横浜市大 横国大各1 (理)(院)京大 名大各2 横国大 関西学大 岐阜大 宮崎大 近大 九大 広島大 山口大 神戸大 秋田県大 大分大 筑波大 東京農工大 豊橋技科大各1(大)東京農業大2 近大 山形大 昭和女大 成蹊大 千葉大 東京工科大 東京農工大 徳島大 日大 東理大各1

【24年4月入社者の配属先】
総 勤務地:東京9 栃木4 広島2 大阪2 名古屋2 福岡2 北海道2 茨城1 岐阜1 宮城1 埼玉1 滋賀1 鹿児島1 部署:営業12 物流8 営業支援3 財務経理4 他2 技 勤務地:北海道3 茨城2 岐阜1 栃木7 滋賀6 京都1 広島11 部署:製造26 品質保証3 研究開発2

●給与、ボーナス、週休、有休ほか●

【30歳総合職平均年収】552万円【初任給】(修士)253,000円(大卒)235,000円【ボーナス(年)】200万円、NA【25、30、35歳賃金】291,890円→352,458円→399,830円【週休】完全2日(土日祝)【夏期休暇】8月13～15日【年末年始休暇】12月30日～1月3日【有休取得】NA／20日

●従業員数、勤続年数、離職率ほか●

【男女別従業員数、平均年齢、平均勤続年数】計 1,185(46.8歳 15.5年) 男 592(47.6歳 17.6年) 女 593(46.1歳 13.4年)【離職率と離職者数】2.1%、26名【3年後新卒定着率】89.1%(男86.7%、女93.8%、3年前入社:男30名・女16名)【組合】あり

求める人材 当社長期ビジョン(Next Calbee & Beyond)実現やその先を見据え、変革と挑戦を推進していく人財

会社データ (金額は百万円)

【本社】100-0005 東京都千代田区丸の内1-8-3 丸の内トラストタワー本館
☎03-5220-6222 https://www.calbee.co.jp/
【社長】江原 信【設立】1949.9【資本金】12,046【今後力を入れる事業】海外事業 新たな食領域での事業確立 他

【業績(連結)】	売上高	営業利益	経常利益	純利益
22.3	245,419	25,135	26,938	18,053
23.3	279,315	22,233	23,460	14,772
24.3	303,027	27,304	31,155	19,886

もりながせいか 森永製菓㈱

東京P 2201

【特色】菓子の国内大手。アイス、健康領域に注力

修士・大卒採用数	3年後離職率	有休取得年平均	平均年収(平均45歳)
46名	10.0→2.6%	14.4日	総760万円

残業(月) 14.1時間 総14.1時間

記者評価 日本で初めてチョコレートの一貫製造を開始したパイオニア。アイスの「チョコモナカジャンボ」、「ハイチュウ」、「inゼリー」などロングセラー多数。ハイチュウを米国で拡販。27年1月稼働メドに新現地工場建設も。職種別の採用で人材幅広い。

●エントリー情報と採用プロセス●

【受付開始～終了】総2月～4月 技2月～3月【採用プロセス】総技ES提出(2月中旬～)→適性検査(3月～)→GD→面接(2回)→内々定(6月～)【交通費支給】会社基準による定額

試験情報

重視科目 総技全て

総技 ES⇒巻末 筆SPI3(会場) 能力・適性試験 面2回(Webあり) GD作⇒巻末

選考ポイント 総技 ES NA(提出あり) 面求める人物像に合致しているか

通過率 総 ES NA(受付:NA→通過:1,171) 技 ES NA(受付:NA→通過:165)

倍率(応募/内定) 総技NA

●男女別採用数と配属先ほか●

【男女・文理別採用実績】

	大卒男	大卒女	修士男	修士女
23年	14(文 11理 3)	6(文 6理 0)	7(文 1理 6)	3(文 0理 3)
24年	19(文 17理 2)	12(文 11理 1)	9(文 0理 9)	8(文 1理 7)
25年	16(文 11理 5)	15(文 11理 4)	8(文 0理 8)	7(文 0理 7)

【25年4月入社者の採用実績校】文(大)関西学大 上智大 早大 同大 明大 立命館大各2 学習院大 鎌倉女大 京産大 駒澤大 神戸大 青学大 阪大 南山大 立教大 和歌山大各1 理(院)九大 大阪公大各2 九州工大 慶大 千葉大 早大 東大 東京農工大 東理大 東北大 北大 名工大 明大各1(大)立命館大2 学習院大 近大 九大 東理大 東洋大 徳島大 名城大各1(高専)沼津2 鶴岡1

【24年4月入社者の配属先】総勤務地:北海道1 仙台1 埼玉2 神奈川2 東京7 静岡1 石川1 愛知2 香川1 岡山1 広島2 福岡2 大阪5 群馬1 部署:営業27 経理1 IT1 技勤務地:神奈川14 愛知2 静岡1 栃木3 群馬1 部署:研究12 生産9

●給与、ボーナス、週休、有休ほか●

【30歳総合職平均年収】NA【初任給】(修士)242,000円(大卒)230,000円【ボーナス(年)】225万円、6.61カ月【25、30、35歳賃金】NA【週休】完全2日(土日祝)【夏期休暇】有休で取得【年末年始休暇】あり【有休取得】14.4／20日

●従業員数、勤続年数、離職率ほか●

【男女別従業員数、平均年齢、平均勤続年数】計 1,504(44.5歳 19.2年) 男 1,138(44.6歳 20.2年) 女 366(40.3歳 16.2年)【離職率と離職者数】2.0%、30名【3年後新卒定着率】97.4%(男95.8%、女100%、3年前入社:男24名・女14名)【組合】あり

求める人材 チャレンジできる 主体的に行動できる 考え抜くことができる 周囲を巻き込むことができる

会社データ (金額は百万円)

【本社】105-0023 東京都港区芝浦1-13-16 森永芝浦ビル
☎NA https://morinaga.co.jp/
【社長】太田 栄二郎【設立】1910.2【資本金】18,612【今後力を入れる事業】in事業 通販事業 米国事業 冷菓事業 他

【業績(連結)】	売上高	営業利益	経常利益	純利益
22.3	181,251	17,685	18,247	27,773
23.3	194,373	15,235	15,757	10,059
24.3	213,368	20,273	21,039	15,154

㈱ロッテ(㈱ロッテホールディングス)

株式公開 計画なし

【特色】国内ロッテグループの中核。総合菓子トップ

修士・大卒採用数	3年後離職率	有休取得年平均	平均年収(平均42歳)
62名	11.1→17.3%	17.0日	総792万円

残業(月) 15.4時間 総15.4時間

記者評価 チョコ、ガム、冷菓など総合菓子首位。キャッチコピー「お口の恋人 ロッテ」で消費者の好感度つかみ成長。「キシリトールガム」など先駆的な開発力に強み。「雪見だいふく」は訪日客に人気。携帯カイロも扱う。関連会社にロッテ球団、銀座コージーコーナー。

●エントリー情報と採用プロセス●

【受付開始～終了】総技2月～6月【採用プロセス】総技ES提出(2月～)→Web(学力適性検査)テスト→面接(2～3回)・GD→内々定【交通費支給】面接、会社基準・実費 他(面接地区などにより異なる)

試験情報

重視科目 総技面接

総技 ES⇒巻末 筆適性検査 他 面2～3回(Webあり) GD作NA

選考ポイント 総技 ES NA(提出あり) 面自ら考え行動し、成果を出す人材であるか

通過率 総技 ES NA **倍率(応募/内定)** 総技NA

●男女別採用数と配属先ほか●

【男女・文理別採用実績】

	大卒男	大卒女	修士男	修士女
23年	16(文 16理 0)	12(文 7理 5)	8(文 0理 8)	4(文 0理 4)
24年	25(文 21理 4)	23(文 16理 7)	9(文 0理 9)	7(文 0理 7)
25年	25(文 22理 3)	28(文 23理 5)	8(文 0理 8)	7(文 0理 7)

【25年4月入社者の採用実績校】文(大)明大7 関西学大 立命館大各3 日大 立教大各2 関大 近大 駒澤大 慶大 神戸大 國學院大 ICU 順天堂大 神奈川大 上智大 専大 早大 筑波大 中大 東洋大 同大 武蔵大 武蔵野美大 法政大 北大 立正大 立命館APU各1(高専)宇部1 理(院)関大 千葉大各2 大阪公大 岐阜大 神戸大 芝工大 筑波大 東京農工大 新潟大 北大 横国大 立命館大 早大各1(大)学習院大 工学院大 東京電機大 東京農業大 奈良女大 法政大 明大 横国大各1(高専)都城1

【24年4月入社者の配属先】
総勤務地:東京15 大阪7 福岡6 愛知5 埼玉4 宮城3 北海3 群馬2 神奈川2 広島2 岡山1 千葉1 新潟1 部署:営業37 経理6 情シス6 法務2 広報1 技勤務地:埼玉14 滋賀2 部署:研究9 技術7

●給与、ボーナス、週休、有休ほか●

【30歳総合職平均年収】573万円【初任給】(修士)258,500円(大卒)240,500円【ボーナス(年)】227万円、5.7カ月【25、30、35歳賃金】NA【週休】完全2日(土日祝)【夏期休暇】連続3日【年末年始休暇】連続4日【有休取得】17.0／20日

●従業員数、勤続年数、離職率ほか●

【男女別従業員数、平均年齢、平均勤続年数】計 1,257(42.3歳 18.3年) 男 864(43.4歳 19.3年) 女 393(39.7歳 16.3年)【離職率と離職者数】2.6%、34名【3年後新卒定着率】82.7%(男84.8%、女80.0%、3年前入社:男46名・女35名)【組合】あり

求める人材 「創造力」「情熱」「ビジョン」を持ち、自ら考え行動し成果を出す人材

会社データ (金額は百万円)

【本社】160-0023 東京都新宿区西新宿3-20-1
☎03-5388-5604 https://www.lotte.co.jp/
【社長】中島 英樹【設立】(創業)1948.6【資本金】217【今後力を入れる事業】食品事業 海外事業

【業績(単独)】	売上高	営業利益	経常利益	純利益
22.3	187,561	19,426	20,813	17,141
23.3	192,720	19,483	21,821	15,453
24.3	207,902	20,549	22,978	17,645

※採用情報は㈱ロッテ・㈱ロッテホールディングス合算のもの、その他のデータは㈱ロッテのもの

メーカーII

亀田製菓(株)（かめだせいか）

東京P 2220

【特色】あられ・せんべい軸に米菓国内首位。海外強化

修士・大卒採用数	3年後離職率	有休取得年平均	平均年収(平均43歳)
20名	0 → 11.8%	12.4日	総 653万円

●エントリー情報と採用プロセス●

【受付開始～終了】総技3月～3月【採用プロセス】総技ES提出(3月中旬)→1次面接(4月上旬)→SPI(4月中旬)→2次面接(4月下旬)→最終面接(5月上旬)→内々定(5月中旬)【交通費支給】最終選考のみ、往復実費【早期選考】⇒巻末

試験情報

重視科目 総技面接

総技 ES⇒巻末 筆SPI3(自宅) 面3回(Webあり)

選考ポイント 総技 ES求める人物像と合致しているか 面創造思考 主体性 コミュニケーション能力 課題解決力 バランス思考 ポジティブ思考

通過率 総 ES NA(受付:915→通過:NA) 技 ES NA(受付:456→通過:NA)

倍率(応募/内定) 総92倍 技114倍

●男女別採用数と配属先ほか●

【男女・文理別採用実績】

	大卒男	大卒女	修士男	修士女
23年	5(文 5理 0)	6(文 4理 2)	3(文 0理 3)	3(文 2理 1)
24年	6(文 5理 1)	4(文 2理 2)	4(文 0理 4)	1(文 0理 1)
25年	5(文 4理 1)	9(文 9理 0)	1(文 0理 1)	5(文 2理 3)

【25年4月入社者の採用実績校】
文(院)マサリク大 事業創造院大各1(大)京産大2 筑波大 宮城大 新潟大 ICU 中大 明大 立命館大 関西学大 神戸市外大 関西外大 國學院大各1 理(院)新潟大 静岡大 鹿児島大 東京農工大各1(大)金沢工大1

【24年4月入社者の配属先】
総勤務地:仙台1 さいたま1 東京1 名古屋1 大阪2 福岡1 部署:営業7 技勤務地:新潟8 部署:開発6 研修1 設備開発1

残業(月) 15.1時間 総15.1時間

記者評価 「亀田の柿の種」「ハッピーターン」が主力で、米菓の国内シェアは3割以上。19年玄米加工会社、21年米粉パン事業をそれぞれ買収し食品事業を強化。保存食の新工場を宮城県に建設中、25年秋稼働へ。海外で米菓需要深耕、米国、ベトナム、タイ、中国で展開。

●給与、ボーナス、週休、有休ほか●

【30歳総合職平均年収】440万円【初任給】(修士)239,000円(大卒)229,100円【ボーナス(年)】NA、4.75カ月【25、30、35歳賃金】NA【週休】完全2日(土日祝)【夏期休暇】あり【年末年始休暇】あり【有休取得】12.4／20日

●従業員数、勤続年数、離職率ほか●

【男女別従業員数、平均年齢、平均勤続年数】計549(41.0歳 15.0年) 男381(42.8歳 16.3年) 女168(36.8歳 12.0年)【離職率と離職者数】NA【3年後新卒定着率】88.2%(男90.9%、女83.3%、3年前入社:男11名・女6名)【組合】あり

求める人材 自ら考え、自ら行動し、新たな事へ果敢にチャレンジする人

会社データ (金額は百万円)

【本社】950-0198 新潟県新潟市江南区亀田工業団地3-1-1
☎025-382-2111 https://www.kamedaseika.co.jp/
【社長】髙木 政紀【設立】1957.8【資本金】1,946【今後力を入れる事業】食品事業 海外事業

【業績(連結)】	売上高	営業利益	経常利益	純利益
22.3	85,163	4,863	6,099	4,428
23.3	94,992	3,564	5,215	1,892
24.3	95,534	4,467	6,798	2,257

井村屋グループ(株)（いむらや）

東京P 2209

【特色】「あずきバー」や中華まん主力。BtoB向け拡大中

修士・大卒採用数	3年後離職率	有休取得年平均	平均年収(平均38歳)
21名	36.0 → 13.6%	12.6日	総 572万円

●エントリー情報と採用プロセス●

【受付開始～終了】総技2月～3月【採用プロセス】総技ES提出(2～3月)→GD(2～3月)→面接(3月下旬)→Webテスト(4月上旬)→最終面接(4月下旬)→内々定(5月上旬)【交通費支給】最終面接、実費

試験情報

重視科目 総技面接

総技 ES⇒巻末 筆SPI3(自宅) 面2回(Webあり) GD作⇒巻末

選考ポイント 総技 ES質問に対する答えが明確であるか 面論理的に話ができるか 自身で考えて行動をしてきているか 協働していけるか

通過率 総 ES43%(受付:336→通過:143) 技 ES56%(受付:182→通過:102)

倍率(応募/内定) 総42倍 技13倍

●男女別採用数と配属先ほか●

【男女・文理別採用実績】

	大卒男	大卒女	修士男	修士女
23年	7(文 5理 2)	6(文 2理 4)	1(文 0理 1)	0(文 0理 0)
24年	6(文 2理 4)	8(文 5理 3)	3(文 0理 3)	2(文 1理 1)
25年	7(文 5理 2)	13(文 9理 4)	1(文 0理 1)	0(文 0理 0)

【25年4月入社者の採用実績校】文(大)愛知学大2 京都府大 玉川大 金城学大 実践女大 東洋英和女学大 同女大 南山大 名古屋学芸大 立命館大 日大 名古屋学院大 名城大各1(短)愛知学泉1 理(院)富山大1(大)三重大 東京農業大 奈良女大 日大 立命館大 鈴鹿医療科学大各1

【24年4月入社者の配属先】
総勤務地:東京・文京4 大阪市1 福岡市1 三重・津1 部署:営業6 ファイナンス1 技勤務地:三重・津10 愛知・豊橋2 部署:商品開発7 品質管理2 生産管理1 営業開発2

残業(月) 18.2時間 総18.2時間

記者評価 売上高の約7割があずき由来製品の中堅菓子メーカー。「あずきバー」含む冷菓と、中華まんなど点心が柱。レトルト食品の受託生産などBtoB事業が拡大中。日本酒など新事業に意欲的。海外は中国、米国、マレーシアで展開。冷凍和菓子需要対応で本社工場を増強。

●給与、ボーナス、週休、有休ほか●

【30歳総合職平均年収】NA【初任給】(修士)(名古屋・営業)235,000円(大卒)(名古屋・営業)231,000円【ボーナス(年)】NA、4.8カ月【25、30、35歳賃金】NA【週休】会社暦2日【夏期休暇】連続6日【年末年始休暇】連続6日【有休取得】12.6／20日

●従業員数、勤続年数、離職率ほか●

【男女別従業員数、平均年齢、平均勤続年数】計424(37.5歳 13.3年) 男252(40.1歳 15.3年) 女172(33.7歳 10.4年)【離職率と離職者数】3.2%、14名【3年後新卒定着率】86.4%(男81.8%、女90.9%、3年前入社:男11名・女11名)【組合】あり

求める人材 成長意欲を持って自ら力量を高めていける人「食」を届ける仕事に強い関心がある人

会社データ (金額は百万円)

【本社】514-8530 三重県津市高茶屋7-1-1
☎059-234-2131 https://www.imuraya-group.com/
【社長】大西 安樹【設立】1947.4【資本金】2,576【今後力を入れる事業】海外事業

【業績(連結)】	売上高	営業利益	経常利益	純利益
22.3	42,151	1,704	2,075	1,473
23.3	44,685	1,992	2,284	1,611
24.3	48,222	2,537	2,904	1,930

日清製粉グループ（にっしんせいふん）
（㈱日清製粉グループ本社、及び主な事業会社 計8社）

東京P 2002

【特色】製粉シェア約4割。パスタ、冷食等食品も大手級

修士・大卒採用数	3年後離職率	有休取得年平均	平均年収(平均42歳)
115名	0→0%	15.5日	869万円

●エントリー情報と採用プロセス●
【受付開始～終了】㊙技3月～7月【採用プロセス】㊙技ES提出・適性検査→説明会→面接・座談会・他→内々定(6月～)※会社により異なる【交通費支給】2次面接以降、遠方者のみ規定額(最終面接は実費)

試験情報
重視科目 総技面接） 総 ES ⇒巻末筆SPI3(自宅)能力・適性試験面3回(Webあり) 技 ES ⇒巻末筆SPI3(自宅)能力・適性試験面2～3回(Webあり)

選考ポイント 総技 ES 学生時代に励んだこと・得たもの、論理的文章表現力などを、求める人物像と照合し評価 面コミュニケーション能力(正確に伝え受け取る力)大切にしている考え方 課題設定・解決能力

通過率 総 ES 42%(受付:1,689→通過:713) 技 ES 41%(受付:1,263→通過:513)

倍率(応募/内定) 総41倍 技16倍

●男女別採用数と配属先ほか●
【男女・文理別採用実績】※25年:24年7月31日時点

	大卒男	大卒女	修士男	修士女
23年	19(文 12 理 7)	13(文 8 理 5)	25(文 0 理 25)	8(文 0 理 8)
24年	21(文 17 理 4)	20(文 13 理 7)	35(文 1 理 34)	19(文 1 理 18)
25年	22(文 18 理 4)	23(文 13 理 10)	38(文 0 理 38)	32(文 0 理 32)

【25年4月入社者の採用実績校】文(大)慶大 早大 同大 明大 立命館大各3 学習院大 関西学大 国際教養大各2 上智大 中大 関大 広島大 大阪市大 津田塾大 都立大 東北大 立教大 龍谷大各1 他 理(院)東京農工大6 九大 筑波大 東大各4 京大 阪大 長岡技科大 東京海洋大各3 岡山大 山形大 早大 東京農工大 東理大 東北大 名大各2 お茶女大 愛媛大 茨城大 横国大 横浜市大 金沢大 神戸大 千葉大 同大 北大 明大各1(大)東京農大 明大各2 岡山大 金沢大 同大 立教大各1 他

【24年4月入社者の配属先】総勤務地:大阪3 東京30 福岡1 名古屋4 山梨1 部署:スタッフ17 営業16 業務6 技勤務地:茨城2 群馬2 千葉2 東京39 兵庫2 名古屋4 山梨3 埼玉1 滋賀3 部署:プラントエンジニアリング5 商品開発3 基礎研究9 研究開発13 生産技術・技術研究12 生産・品質管理13 品質管理3

残業(月) NA

記者評価 国内製粉業界でトップ。少子高齢化を見据え、中食・総菜の強化と、海外展開に力を入れる。祖業である製粉を起点に、家庭用パスタ、中食・総菜、冷凍食品、エンジニアリング事業に事業を拡大。北米や豪州の製粉会社買収など海外でのM&Aに積極的。

●給与、ボーナス、週休、有休ほか●
【30歳総合職平均年収】NA【初任給】(修士)254,900円(大卒)240,300円【ボーナス(年)】NA【25、30、35歳賃金】NA【週休】完全2日(土日祝)【夏期休暇】有休で取得【年末年始休暇】12月30日～1月3日【有休取得】15.5／20日

●従業員数、勤続年数、離職率ほか●
【男女別従業員数、平均年齢、平均勤続年数】計 344(41.8歳 15.5年) 男 242(42.1歳 14.9年) 女 102(41.2歳 16.8年)【離職率と離職者数】NA【3年後新卒定着率】100%(男100%、女100%、3年前入社:男4名・女3名)【組合】あり

求める人材 周囲との信頼を大切にする、ボーダーレスに行動する、自分の想いを周囲に浸透できる人

会社データ (金額は百万円)

【本社】101-8441 東京都千代田区神田錦町1-25
☎03-5282-6607 https://www.nisshin.com/
【社長】瀧原 賢二【設立】1900.10【資本金】17,117【今後力を入れる事業】成長分野の多角的展開 海外事業

【業績(連結)】	売上高	営業利益	経常利益	純利益
22.3	679,736	29,430	32,626	17,509
23.3	798,681	32,831	33,051	▲10,381
24.3	858,248	47,791	49,992	31,743

※採用はグループ全体、その他データは㈱日清製粉グループ本社のもの

㈱ニップン

東京P 2001

【特色】製粉業界最古参で国内2位。加工食品・総菜強化

修士・大卒採用数	3年後離職率	有休取得年平均	平均年収(平均37歳)
67名	11.1→8.6%	13.3日	総791万円

●エントリー情報と採用プロセス●
【受付開始～終了】総技3月～4月【採用プロセス】総ES提出→GD→Webテスト→面接(2回)→内々定 技<食品化学系>ES提出→GD→Webテスト→面接(2回)→内々定<設備エンジニアリング系>ES提出→GD→Webテスト→面接(2回)→内々定【交通費支給】面接、会社基準

試験情報
重視科目 総技面接

総技 ES ⇒巻末筆あり(内容NA) 面2回(Webあり) GD作 NA

選考ポイント 総技 ES 適性検査と総合判断 面コミュニケーション能力 協調性 問題解決能力

通過率 総技 ES NA **倍率(応募/内定)** 総技NA

●男女別採用数と配属先ほか●
【男女・文理別採用実績】

	大卒男	大卒女	修士男	修士女
23年	18(文 17 理 1)	8(文 6 理 2)	9(文 0 理 9)	4(文 0 理 4)
24年	17(文 13 理 4)	15(文 12 理 3)	12(文 1 理 11)	7(文 0 理 7)
25年	24(文 17 理 7)	16(文 13 理 3)	13(文 0 理 13)	14(文 2 理 12)

【25年4月入社者の採用実績校】文(院)大阪公大2(大)法政大4 明大3 阪大 神戸大 筑波大 新潟県大 和歌山大 関大 近大 順天堂大 上智大 中大 東京経大 東京女大 東京都市大 東洋大 同大 獨協大 日女大 明学大 大和大 立教大 立命館大 早大 CA州立大各1 理(院)大阪公大 東大各3 九大2 神戸大 岐阜大 京大 千葉大 筑波大 福岡大 北大 宮崎大 九州工大 近大 東京海洋大 東京科学大 東京農業大 東京薬大 明大 立命館大 早大各1(大)近大2 大阪公大 神戸大 熊本大 群馬大 長崎大 大阪工大 日大 立命館大各1

【24年4月入社者の配属先】総勤務地:東京20 宮城2 愛知1 大阪2 広島2 福岡3 部署:営業20 業務4 海外事業2 経理1 広報1 情報1 マーケティング1 技勤務地:東京3 茨城3 群馬2 千葉2 神奈川5 愛知1 兵庫4 福岡1 部署:生産管理・品質管理20 設備エンジニアリング1

残業(月) 17.0時間

記者評価 1896年創業、国内初の機械式製粉会社。シェアは日清製粉に次いで第2位。パスタや冷凍食品などの加工食品に加え、健康関連製品など高付加価値品の開発にも力を入れる。21年に社名を「日本製粉」から変更し、製粉を軸とした総合食品企業を指向している。

●給与、ボーナス、週休、有休ほか●
【30歳総合職平均年収】NA【初任給】(修士)244,720円(大卒)229,630円【ボーナス(年)】(勤続15年標準モデル)184万円、NA【25、30、35歳賃金】NA【週休】完全2日(土日祝)【夏期休暇】有休で取得【年末年始休暇】12月30日～1月3日【有休取得】13.3／20日

●従業員数、勤続年数、離職率ほか●
【男女別従業員数、平均年齢、平均勤続年数】計 1,173(39.8歳 15.2年) 男 831(40.0歳 15.8年) 女 342(39.2歳 14.0年)【離職率と離職者数】2.5%、30名【3年後新卒定着率】91.4%(男86.4%、女100%、3年前入社:男44名・女26名)【組合】あり

求める人材 自ら考え、まわりを巻き込みながら行動できる人

会社データ (金額は百万円)

【本社】102-0083 東京都千代田区麹町4-8
☎03-3511-5301 https://www.nippn.co.jp/
【社長】前鶴 俊哉【設立】1896.12【資本金】12,240【今後力を入れる事業】食品事業 海外事業

【業績(連結)】	売上高	営業利益	経常利益	純利益
22.3	321,317	11,282	14,270	9,327
23.3	365,525	12,288	14,816	10,260
24.3	400,514	20,340	23,280	26,367

メーカーⅡ

昭和産業(株)

しょうわさんぎょう

東京P 2004

【特色】製粉、油脂が2本柱。食品、糖化品など多角展開

修士・大卒採用数	3年後離職率	有休取得年平均	平均年収(平均41歳)
32名	5.9→10.8%	12.3日	総 797万円

●エントリー情報と採用プロセス●

【受付開始～終了】総 技 3月～3月【採用プロセス】総 技 ES提出(3月)・Webテスト→GD→面接(2～3回)→内々定【交通費支給】最終面接、会社基準【早期選考】⇒巻末

試験情報

重視科目 総 技 面接

総 技 ES ⇒巻末 筆 SPI3(自宅) 面 2～3回(Webあり) GD 作 NA

選考ポイント 総 ES 他選考との総合評価 面 論理的思考力 巻き込み力 成長意欲 技 ES 総合職共通 面 論理的思考力 業務適性 成長意欲

通過率 総 ES 52%(受付:350→通過:182) 技 ES 75%(受付:242→通過:181)

倍率(応募/内定) 総 21倍 技 17倍

●男女別採用数と配属先ほか●

【男女・文理別採用実績】※25年:24年7月時点

	大卒男	大卒女	修士男	修士女
23年	16(文 12理 4)	7(文 5理 2)	6(文 0理 6)	11(文 0理 11)
24年	12(文 7理 5)	11(文 8理 3)	7(文 0理 7)	5(文 0理 5)
25年	8(文 7理 1)	10(文 9理 1)	10(文 0理 10)	4(文 0理 4)

【25年4月入社者の採用実績校】
文 (大)青学大 お茶女大 関西学大 近大 國學院大 昭和女大 女子栄養大 信州大 椙山女学大 中大 東京農業大 武蔵大 明学大 明大 立教大 立命館大各1 理 (院)千葉大 東京農工大 東北大各2 大阪工大 お茶女大 芝工大 信州大 東京海洋大 東京農業大 東理大 山形大各1(大)北里大 麻布大各1

【24年4月入社者の配属先】
総 勤務地:東京・千代田14 大阪1 部署:営業12 財務1 デジタル1 人財1 技 勤務地:東京・千代田2 茨城3 千葉9 部署:技術営業1 品質保証1 研究開発8 設備技術1 飼料技術2 知的財産1

残業(月) 10.4時間 総 10.3時間

記者評価 国内製粉大手の一角。家庭向け製品「昭和天ぷら粉」の知名度が高い。食用油も大手級で、外食産業向けに製粉と油脂を組み合わせた総合的な提案に力を入れる。油はコメ油、オリーブオイルなど高付加価値品を強化している。糖質、加工食品、飼料などにも展開。

●給与、ボーナス、週休、有休ほか●

【30歳総合職平均年収】NA【初任給】(修士)243,000円(大卒)228,000円【ボーナス(年)】NA【25、30、35歳モデル賃金】254,000円→289,000円→324,000円【週休】完全2日(土日祝)【夏期休暇】4日【年末年始休暇】連続5日【有休取得】12.3／20日

●従業員数、勤続年数、離職率ほか●

【男女別従業員数、平均年齢、平均勤続年数】計 ◇1,270(40.8歳 16.5年) 男 912(41.0歳 17.4年) 女 358(40.4歳 14.2年)【離職率と離職者数】◇2.9%、38名【3年後新卒定着率】89.2%(男95.8%、女76.9%、3年前入社:男24名・女13名)【組合】あり

求める人材 常に高い向上心を持ち、多種多様な価値観や環境変化を楽しみながら挑戦し続ける人

会社データ (金額は百万円)

【本社】101-8521 東京都千代田区内神田2-2-1
☎03-3257-2023 https://www.showa-sangyo.co.jp/
【社長】塚越 英行【設立】1936.2【資本金】14,293【今後力を入れる事業】多様な食材のシナジー効果の発揮

【業績(連結)】	売上高	営業利益	経常利益	純利益
22.3	287,635	5,564	6,576	4,006
23.3	335,053	4,184	6,525	7,776
24.3	346,358	13,146	16,558	12,358

山崎製パン(株)

やまざきせい

東京P 2212

【特色】製パン首位、菓子パン主力。子会社に不二家など

修士・大卒採用数	3年後離職率	有休取得年平均	平均年収(平均39歳)
351名	28.2→29.4%	13.4日	総 706万円

●エントリー情報と採用プロセス●

【受付開始～終了】総 技 2月～継続中【採用プロセス】総 技 説明会・ES提出・適性検査→面接(3～4回)→内々定【交通費支給】なし【早期選考】⇒巻末

試験情報

重視科目 総 技 面接

総 技 ES ⇒巻末 筆 WebGAB 面 3～4回(Webあり)

選考ポイント 総 技 ES Webテストとの総合判断 面 社業の理解・入社意欲・業務適性等が、求める人物像と合致するか

通過率 総 技 ES NA

倍率(応募/内定) 総 (早期選考含む)16倍 技 (早期選考含む)10倍

●男女別採用数と配属先ほか●

【男女・文理別採用実績】

	大卒男	大卒女	修士男	修士女
23年	169(文105理 64)	86(文 39理 47)	11(文 0理 11)	4(文 0理 4)
24年	207(文125理 82)	144(文 85理 59)	11(文 0理 11)	9(文 0理 9)
25年	174(文 92理 82)	151(文101理 50)	16(文 0理 16)	10(文 1理 9)

【25年4月入社者の採用実績校】文 (院)早大1(大)日大10 同大7 明大 中大 立命館大 関西学大 関大各6 京産大 龍谷大各5 早大 青学大 法政大 成城大 女子栄養大 中京大 同女大各4 学習院大 東洋大 東京女大 共立女大 大妻女大 実践女大 神奈川大 甲南大 追手門学大各3(高専)明石1(専)大原9 立志社4 岡山情報ビジネス学院3 他 理 (院)阪大3 近大 京都府大 奈良先端科技院大各2 東北大 横国大 東理大 北里大 筑波大 群馬大 名大 金沢工大 長浜バイオ大 龍谷大 京都工繊大 広島大 島根大 香川大 高知大 九大各1(大)近大22 東京農業大10 日大6 摂南大 龍谷大各5 東京工科大 名城大 甲南大各4 芝工大 中部大 大阪工大 広島工大 鳥取大各3(短)大阪成蹊 桐生大 東洋食品工業各1(高専)津山 呉各1(専)横浜スイーツ&カフェ 中部製菓各1 他

【24年4月入社者の配属先】総 勤務地:東京61 神奈川15 千葉22 埼玉5 茨城10 大阪21 京都8 兵庫3 愛知18 北海道5 宮城5 新潟4 岡山8 広島7 福岡5 熊本4 部署:営業109 店舗運営33 総務3 人事22 経理20 社内SE6 海外事業5 購買2 法務1 他 技 勤務地:東京36 神奈川11 千葉30 埼玉6 茨城8 群馬3 大阪23 京都10 兵庫6 愛知23 北海道2 青森3 宮城5 新潟6 岡山7 広島5 福岡4 熊本2 部署:生産技術164 エンジニア10 食品衛生10 研究6 他

残業(月) 21.1時間 総 21.1時間

記者評価 食パン「ロイヤルブレッド」、菓子・総菜パン「ランチパック」などロングセラー商品多数。業務用パンやコンビニスイーツも展開。コンビニ「デイリーヤマザキ」事業は立て直しを進めている。神戸屋の包装パンとデリカ食品の製造販売事業を譲受。

●給与、ボーナス、週休、有休ほか●

【30歳総合職平均年収】543万円【初任給】(修士)261,100円(大卒)254,100円【ボーナス(年)】121万円、4.42カ月【25、30、35歳賃金】261,000円→333,000円→390,080円【週休】会社暦2日(月9日)【夏期休暇】有休等で取得【年末年始休暇】有休等で取得【有休取得】13.4／20日

●従業員数、勤続年数、離職率ほか●

【男女別従業員数、平均年齢、平均勤続年数】計 ◇19,446(39.0歳 15.3年) 男 15,363(41.0歳 10.3年) 女 4,083(31.3歳 16.7年)【離職率と離職者数】◇6.2%、1,291名【3年後新卒定着率】70.6%(男70.2%、女71.6%、3年前入社:男245名・女95名)【組合】あり

求める人材 社業に共感し、熱意・意欲にあふれ、創造性豊かな人物

会社データ (金額は百万円)

【本社】101-8585 東京都千代田区岩本町3-10-1
☎03-5821-2255 https://www.yamazakipan.co.jp/
【社長】飯島 延浩【設立】1948.6【資本金】11,014【今後力を入れる事業】パン・和洋菓子関連事業

【業績(連結)】	売上高	営業利益	経常利益	純利益
21.12	1,052,972	18,359	21,382	10,378
22.12	1,077,009	22,032	26,127	12,368
23.12	1,175,562	41,962	45,526	30,168

敷島製パン(株)（しきしませい）

株式公開 計画なし

【特色】製パン業界の老舗。「Pasco」ブランドが浸透

修士・大卒採用数	3年後離職率	有休取得年平均	平均年収(平均40歳)
60名	25.0 → 24.2%	12.8日	(総)565万円

残業(月) 23.0時間 (総)23.0時間

記者評価 製パン国内大手。「Pasco」ブランドで商品展開。食パンでシェアトップ級の「超熟」などロングセラー品多数。国産小麦を使用した商品開発を推進。名古屋銘菓「なごやん」など和菓子も。ベーカリー、外食向けに冷凍生地も手がける。国内12工場、40事業所体制。

●エントリー情報と採用プロセス●

【受付開始～終了】(総)3月～6月 (技)3月～継続中【採用プロセス】(総)〈第1〉ES提出(3月)→Webテスト(3月)→1次選考(3月)→2次選考(4月)→役員面接(5月)→内々定(5月)〈第2〉ES提出(6月)→Webテスト(6月)→1次選考(6月)→役員面接(7月)→内々定(7月) (技)〈第1〉ES提出・Webテスト(3月)→1次面接(3月)→役員面接(4月)→内々定(4月)〈第2〉ES提出・Webテスト(6月)→1次面接(6月)→役員面接(6月)→内々定(6月)〈第3〉ES提出・Webテスト(7月)→1次面接(7月中旬)→役員面接(7月下旬)→内々定(7月下旬)【交通費支給】役員面接、全額【早期選考】⇒巻末

試験情報

重視科目 (総)(技)面接

(総)(ES)⇒巻末(筆)SPI3(自宅)(面)2回(Webあり)(GD作)⇒巻末 (技)(ES)⇒巻末(筆)SPI3(自宅)(面)2回(Webあり)

選考ポイント (総)(技)(ES)質問に対して明確に答えているか (面)自主独立性 説得力 主導力 果敢性

通過率 (総)(ES)56%(受付:907→通過:504) (技)(ES)86%(受付:21→通過:18)　**倍率**(応募/内定) (総)18倍 (技)5倍

●男女別採用数と配属先ほか●

【男女・文理別採用実績】

	大卒男	大卒女	修士男	修士女
23年	16(文 3理 13)	27(文 7理 20)	3(文 0理 3)	1(文 0理 1)
24年	13(文 6理 7)	15(文 6理 9)	0(文 0理 0)	1(文 0理 1)
25年	29(文 13理 16)	27(文 18理 9)	2(文 0理 2)	2(文 0理 2)

【25年4月入社者の採用実績校】(文)(大)中京大4 南山大3 愛知大 近大 龍谷大各2 愛知県大 学習院大 関西外大 岩手大 京産大 京都府大 金城学大 甲南大 国士舘大 専大 大阪府大 帝京大 東京経大 同女大 日大 法政大 明学大 明大各1 (理)(院)東京歯科大2 名大 静岡大各1(大)東京農業大8 日大4 中部大 名城大各2 関東学院大 宮崎大 近大 神奈川大 青学大 島根大 東京聖栄大 東洋大 福井県大各1

【24年4月入社者の配属先】(総)勤務地:東京4 神奈川4 千葉2 愛知7 兵庫3 大阪3 京都1 岡山2 部署:営業13 生産13 (技)勤務地:神奈川1 愛知2 大阪1 千葉1 部署:設備5

●給与、ボーナス、週休、有休ほか●

【30歳総合職平均年収】NA【初任給】(修士)248,700円 (大卒)237,400円【ボーナス(年)】139万円、4.75カ月【25、30、35歳賃金】249,116円→271,116円→279,260円【週休】完全2日【夏期休暇】3日(連続休暇制度)【年末年始休暇】年間10日の特別休暇・有休で取得【有休取得】12.8／20日

●従業員数、勤続年数、離職率ほか●

【男女別従業員数、平均年齢、平均勤続年数】計 3,732(39.6歳 17.9年) 男 2,764(41.7歳 19.8年) 女 968(33.7歳 12.4年)【離職率と離職者数】4.0%、154名【3年後新卒定着率】75.8%(男85.7%、女64.5%、3年前入社:男35名・女31名)【組合】あり

求める人材 チャレンジ意欲、コミュニケーション能力、忍耐力、問題解決力がある人

会社データ (金額は百万円)

【本社】461-8721 愛知県名古屋市東区白壁5-3
☎052-933-2111　https://www.pasconet.co.jp/
【社長】盛田 淳夫【設立】1919.12【資本金】1,799【今後力を入れる事業】国内産小麦を使用した製品の開発・訴求

【業績(単独)】	売上高	営業利益	経常利益	純利益
21.8	154,327	1,612	2,516	1,092
22.8	148,436	1,984	3,021	2,075
23.8	161,704	4,538	6,108	4,279

(株)ＹＫベーキングカンパニー（ワイケイ）

株式公開 していない

【特色】神戸屋の包装パン事業が分離、山崎製パン傘下に

修士・大卒採用数	3年後離職率	有休取得年平均	平均年収(平均44歳)
27名	ND	8.9日	(総)601万円

残業(月) 30.7時間

記者評価 食パン、菓子パン、調理パンなど、スーパーやコンビニで売られる包装パンの製販を手がける。ケーキなど洋菓子も。「ハムマヨ」「ミルクフランス」などがロングセラー。23年2月に神戸屋の包装パン事業を分離して発足、同3月から山崎製パングループに。

●エントリー情報と採用プロセス●

【受付開始～終了】(総)(技)3月～4月【採用プロセス】(総)(技)ES提出(3～4月初旬)→1次面接(4月)→適性検査(4月)→最終面接(5月)→内々定【交通費支給】役員最終面接、実費【早期選考】⇒巻末

試験情報

重視科目 (総)(技)面接

(総)(技)(ES)⇒巻末(筆)SPI3(自宅) SPI性格(面)2回(Webあり)

選考ポイント (総)(技)(ES)NA(提出あり)(面)コミュニケーション能力 人柄

通過率 (総)(ES)87%(受付:210→通過:183) (技)(ES)99%(受付:99→通過:98)

倍率(応募/内定) (総)14倍 (技)8倍

●男女別採用数と配属先ほか●

【男女・文理別採用実績】

	大卒男	大卒女	修士男	修士女
23年	5(文 2理 3)	4(文 4理 0)	0(文 0理 0)	0(文 0理 0)
24年	9(文 7理 2)	12(文 11理 1)	0(文 0理 0)	0(文 0理 0)
25年	9(文 5理 4)	15(文 9理 6)	1(文 0理 1)	2(文 0理 2)

※25年:24年8月時点

【25年4月入社者の採用実績校】
(文)(大)関大 近大 京都女大 阪大 東京農業大 畿央大 関西外大 甲南大 京産大 大阪経法大 大阪学大 大阪産大 神戸学大 龍谷大各1 (理)(院)宇都宮大 明大 信州大各1(大)龍谷大 近大各2 同女大 日大 石川県大 玉川大 畿央大 立命館大各1

【24年4月入社者の配属先】(総)勤務地:大阪(大阪7 寝屋川3) 埼玉・戸田3 神奈川・海老名2 部署:営業12 管理3 (技)勤務地:大阪(大阪1 寝屋川2) 埼玉・戸田2 神奈川・海老名1 部署:製造6

●給与、ボーナス、週休、有休ほか●

【30歳総合職平均年収】428万円【初任給】(修士)227,300円 (大卒)222,800円【ボーナス(年)】63万円、2.28カ月【25、30、35歳賃金】243,250円→255,151円→378,489円【週休】2日【夏期休暇】なし【年末年始休暇】なし【有休取得】8.9／20日

●従業員数、勤続年数、離職率ほか●

【男女別従業員数、平均年齢、平均勤続年数】計 610(43.9歳 21.7年) 男 487(46.8歳 24.5年) 女 123(32.4歳 10.6年)【離職率と離職者数】5.6%、36名【3年後新卒定着率】ND【組合】あり

求める人材 失敗を恐れず、積極的にチャレンジできる人 自ら考え行動できる人 向上心を持ち、目標に向かって努力できる人

会社データ (金額は百万円)

【本社】533-0014 大阪府大阪市東淀川区豊新2-16-14
☎06-6321-7202　https://www.ykbaking.co.jp/
【社長】深澤 忠史【設立】2022.10【資本金】1,110【今後力を入れる事業】包装パン事業

【業績(単独)】	売上高	営業利益	経常利益	純利益
23.12変	29,779	241	299	204

開示 ★★★ ▶『業界地図』p.170 1197

フジパングループ本社(株)

株式公開 計画なし

【特色】製パン大手の持株会社。マクドナルド向けに強み

修士・大卒採用数	3年後離職率	有休取得年平均	平均年収(平均36歳)
176名	30.8 → 0%	7.6日	(総)550万円

●エントリー情報と採用プロセス●

【受付開始～終了】(総)3月～継続中【採用プロセス】(総)説明会(必須、3～6月)→ES提出→面接(3回、4～8月)・SPI検査→内々定(6～8月)※事務系技術系一括採用【交通費支給】最終面接、上限20,000円【早期選考】⇒巻末

試験情報

重視科目 (総)面接

(総)(ES)NA(筆)SPI3(会場)(面)3回(Webあり)

選考ポイント (総)(ES)会社からの課題(面)志望動機 態度 コミュニケーション能力 積極性

通過率 (総)(ES)98%(受付:(早期選考含む)2,071→通過:(早期選考含む)2,028) **倍率(応募/内定)** (総)(早期選考含む)16倍

●男女別採用数と配属先ほか●

【男女・文理別採用実績】※25年:見込数

	大卒男	大卒女	修士男	修士女
23年	98(文 59 理 39)	32(文 16 理 16)	9(文 0 理 9)	4(文 0 理 4)
24年	89(文 45 理 44)	37(文 19 理 18)	5(文 0 理 5)	5(文 0 理 5)
25年	94(文 47 理 47)	74(文 55 理 19)	4(文 0 理 4)	4(文 0 理 4)

【25年4月入社者の採用実績校】(文)(大)名城大5 関西学大 京産大 中京大 日大 立命館大 龍谷大各4 愛知学大 専大 名古屋文理大各3 愛知大 近大 九州国際大 上智大 西九州大 東京家政大 東京農業大 東洋大 武庫川女大 愛知淑徳大各2 愛知県大 茨城大 学習院大 関西外大 関大 岐阜協大 岐阜女大 京都橘大 京都女大 京都先端科学大 金城学大 慶大 国士舘大 女子栄養大 昭和女大 松本大 神戸学大 神戸女大 成城大 青学大 摂南大 千葉商大 千葉大 大妻女大 大阪樟蔭女大 大和大 中大 中部大 追手門学大 帝京大 東京家政学大 東京経大 東京国際大 同大 南山大 日本福祉大 法政大 名古屋外大 名古屋学院大 名古屋女大 名大 明学大 佛教大 國學院大各1 他 (理)(院)東京農業大2 名城大 広島大 静岡県大 阪大 法政大 名大各1(大)近大11 東京農業大8 名城大6 中部大 日大各5 金沢工大 神奈川大 摂南大 龍谷大各3 茨城大2 愛媛大 学習院大 岐阜大 玉川大 甲南大 山口大 大同大 東京工芸大 東京聖栄大 同大 奈良女大 武蔵野大 福岡工大 福島大 北見工大 明大 立命館大各1 他

【24年4月入社者の配属先】(総)勤務地:(23年)仙台1 埼玉(八潮14 入間10)東京3 横浜9 千葉4 茨城10 愛知(豊明13 西春7 名古屋13)大阪8 神戸2 他 部署:(23年)生産81 施設4 販売29 事務20 ベーカリー5 リテイルサポート1 物流6

残業(月) (総)31.7時間

記者評価 1922年和洋菓子製造で創業。製パン業界上位。「本仕込食パン」を主力に、「ネオバターロール」「スナックサンド」「ぶどうパン」など売れ筋。国内8工場体制。アレルゲン管理で高付加価値化。物流、弁当・総菜、麺製造、パン製造直売店の経営コンサルも行う。

●給与、ボーナス、週休、有休ほか●

【30歳総合職平均年収】483万円【初任給】(修士)245,730円(大卒)235,530円【ボーナス(年)】102万円、4.25カ月【25、30、35歳賃金】233,191円→264,850円→297,010円【週休】会社暦2日【夏期休暇】5日程度(年間休日に含む)【年末年始休暇】5日程度(年間休日に含む)【有休取得】7.6/20日

●従業員数、勤続年数、離職率ほか●

【男女別従業員数、平均年齢、平均勤続年数】計 ◇4,144(35.8歳 13.4年) 男 3,139(37.6歳 14.9年) 女 1,005(30.4歳 8.6年)【離職率と離職者数】◇8.4%、379名【3年後新卒定着率】100%(男100%、女100%、3年前入社:男4名・女2名)【組合】あり

求める人材 コミュニケーション力のある人 地道にコツコツ頑張れる人 情熱をもって仕事に取組む事が出来る人

会社データ (金額は百万円)

【本社】467-8651 愛知県名古屋市瑞穂区松園町1-50
☎052-831-5152 https://www.fujipan.co.jp/
【会長兼社長】安田 智彦【設立】1951.2【資本金】4,682【今後力を入れる事業】ホールセール(食パン・菓子パン)

【業績(連結)】	売上高	営業利益	経常利益	純利益
22.6	268,923	4,714	5,133	1,806
23.6	288,165	2,828	3,338	1,878
24.6	300,783	7,851	8,195	3,219

マルハニチロ(株)

東京P 1333

【特色】水産業界の最大手。冷凍食品でも首位級

修士・大卒採用数	3年後離職率	有休取得年平均	平均年収(平均42歳)
101名	10.7 → 8.6%	14.0日	(総)759万円

●エントリー情報と採用プロセス●

【受付開始～終了】(総)3月～6月【採用プロセス】(総)ES提出・適性検査(3月～)→1次面接(4～5月)→社員座談会(5月)→最終面接(5～6月)→内々定(5～6月)※事務系技術系一括採用【交通費支給】最終面接、会社基準(首都圏以外)

試験情報

重視科目 (総)面接

(総)(ES)⇒巻末(筆)SPI3(会場) 玉手箱(面)2回(Webあり)

選考ポイント (総)(ES)高校から現在までに頑張ってきたことと苦労したこと、そのときにとった行動 向上心 論理性 志望動機(面)本人の希望適性が当社の求める人物像と合致しているか

通過率 (総)(ES)約18%(受付:約3,800→通過:約700)

倍率(応募/内定) (総)約35倍

●男女別採用数と配属先ほか●

【男女・文理別採用実績】

	大卒男	大卒女	修士男	修士女
23年	28(文 20 理 8)	35(文 27 理 8)	13(文 0 理 13)	10(文 2 理 8)
24年	28(文 19 理 9)	33(文 28 理 5)	12(文 0 理 12)	7(文 1 理 6)
25年	36(文 31 理 5)	41(文 34 理 7)	14(文 1 理 13)	10(文 3 理 7)

【25年4月入社者の採用実績校】(文)(院)神戸大 宮城大 日大 大阪公大各1(大)明大9 早大5 立教大 中大 東京農業大各4 関大 大阪市大各3 立命館大 法政大 関西学大 日女大 学習院大 愛知大各2 慶大 青学大 上智大 同大 共立女大 同女大 近大 宮城大 東京家政大 信州大 静岡県大 横浜市大 高崎経大 東海大 東洋大 福岡大 千葉大 京都女大 津田塾大 創価大 香川大各1 (理)(院)北大 九大各2 京大 神戸大 筑波大 明大 東理大 東京農業大 東京農工大 東京海洋大 鹿児島大 岐阜大 都立大 広島大 新潟大 山梨大 静岡県大 山口大各1(大)東京農業大4 神奈川工大 女子栄養大各2 早大 三重大 福井県大 関西学大各1

【24年4月入社者の配属先】(総)勤務地:東京・江東55 大阪2 名古屋2 広島3 福岡4 北海道2 下関1 部署:広報1 DX4 総務1 人事1 マーケ1 経理3 財務1 物流3 海外戦略3 増養殖3 北米事業3 水産12 食品28 メディケア3 化成1 畜産1 (技)勤務地:東京・江東7 宇都宮2 茨城・つくば2 部署:生産7 品質保証2 研究2

残業(月) 18.4時間 (総)18.8時間

記者評価 07年にマルハグループ本社とニチロが経営統合、水産業界で首位。水産物の漁獲・養殖、買い付け、販売を一貫で行う。国内首位級の冷凍食品や缶詰、レトルト食品など食品も強い。民間初のクロマグロ完全養殖に成功。畜産のほか、タイでペットフード事業も。

●給与、ボーナス、週休、有休ほか●

【30歳総合職平均年収】548万円【初任給】(修士)271,000円(大卒)261,000円【ボーナス(年)】263万円、6.0カ月【25、30、35歳賃金】257,483円→284,988円→323,655円【週休】完全2日(土日祝)【夏期休暇】2日【年末年始休暇】12月28日～1月5日【有休取得】14.0/21日

●従業員数、勤続年数、離職率ほか●

【男女別従業員数、平均年齢、平均勤続年数】計 1,938(41.2歳 16.2年) 男 1,370(43.2歳 18.2年) 女 568(36.5歳 11.1年)【離職率と離職者数】3.1%、62名【3年後新卒定着率】91.4%(男88.6%、女95.7%、3年前入社:男35名・女23名)【組合】あり

求める人材 向上心と適応力を有し、何事にも挑戦しようとする人材

会社データ (金額は百万円)

【本社】135-8608 東京都江東区豊洲3-2-20 豊洲フロント
☎03-6833-0696 https://www.maruha-nichiro.co.jp/
【社長】池見 賢【設立】1943.3【資本金】20,000【今後力を入れる事業】海外事業 養殖事業

【業績(連結)】	売上高	営業利益	経常利益	純利益
22.3	866,702	23,819	27,596	16,898
23.3	1,020,456	29,575	33,500	18,596
24.3	1,030,674	26,534	31,106	20,853

メーカーII

開示 ★★★★★ ▶『業界地図』p.170, 180… 1559

㈱ニッスイ

東京P 1332

【特色】水産業界2位。漁業・養殖、加工食品などを展開

修士・大卒採用数	3年後離職率	有休取得年平均	平均年収(平均43歳)
33名	12.5→11.1%	16.3日	総 766万円

残業(月) 19.0時間 総 19.0時間

記者評価 水産業界大手。水産品の漁獲から加工、販売まで一貫して展開。ブリやサーモンなどの養殖事業にも強みを持つ。冷凍食品など食品事業の比重が大きい。EPAを軸に水産資源由来の化成品を育成中。ヨーロッパなど成長余地が大きい海外での市場開拓にも邁進。

●エントリー情報と採用プロセス●

【受付開始～終了】総技3月～3月【採用プロセス】総録画選考・適性検査→ES提出→面接(3回)→内々定 技ES提出・適性検査・研究概要提出→デザイン思考テスト・面接(4回)→内々定【交通費支給】2次面接以降、実費

試験情報

重視科目 総技面接

総 ES⇒巻末筆SPI3(自宅) 適性検査面3回(Webあり)
技 ES⇒巻末筆SPI3(自宅) 適性検査面4回(Webあり)

選考ポイント 総技 ES文章の論理性 志望職種と理由面NA

通過率 総 ES62%(受付:288→通過:179) 技 ES45%(受付:88→通過:40)

倍率(応募/内定) 総技NA

●給与、ボーナス、週休、有休ほか●

【30歳総合職モデル年収】637万円【初任給】(博士)265,000円(修士)247,000円(大卒)237,000円【ボーナス(年)】276万円、6.01カ月【25、30、35歳賃金】NA【週休】完全2日(部署により異なる)【夏期休暇】有休で取得(連続5日以上、土日祝を組み合わせ9連休取得を推奨)【年末年始休暇】12月30日～1月4日【有休取得】16.3／20日

●従業員数、勤続年数、離職率ほか●

【男女別従業員数、平均年齢、平均勤続年数】計 1,504(43.1歳 15.9年) 男 1,089(43.2歳 16.8年) 女 415(42.7歳 13.4年)【離職率と離職者数】2.5%、38名【3年後新卒定着率】88.9%(男87.5%、女91.7%、3年前入社:男24名・女12名)【組合】あり

●男女別採用数と配属先ほか●

【男女・文理別採用実績】

	大卒男	大卒女	修士男	修士女
23年	5(文 5理 0)	5(文 2理 3)	11(文 0理 11)	7(文 0理 7)
24年	7(文 6理 1)	9(文 7理 2)	8(文 0理 8)	11(文 0理 11)
25年	11(文 9理 2)	6(文 3理 3)	10(文 1理 9)	6(文 0理 6)

【25年4月入社者の採用実績校】文(院)法政大1(大)関西学大3 明大2 成蹊大 立教大 慶大 中大 明学大 早大 神戸大各1 理(院)総合研究院大1 東大 九大各2 東京海洋大 熊本大 北大 鹿児島大 お茶女大 神戸大 慶大 岐阜大 立命館大 大阪公大 奈良先端科技院大各1(大)早大 岡山大 明大 千葉大 東京海洋大各1

【24年4月入社者の配属先】総勤務地:東京(新橋17 八王子1)広島市2 福岡市1 部署:営業14 人事2 経理2 総務1 情報システム1 物流1 技勤務地:東京(新橋3 八王子7)愛知・安城1 兵庫・姫路2 大分・佐伯1 部署:生産5 研究4 技術開発1 商品開発1 品質保証1 水産技術2

求める人材 変革の意志と情熱を持ち、新たな価値創造に挑戦し続ける人

会社データ (金額は百万円)

【本社】105-8676 東京都港区西新橋1-3-1 西新橋スクエア
☎03-6206-7000 https://www.nissui.co.jp/
【社長】浜田 晋吾【設立】1943.3【資本金】30,685【今後力を入れる事業】海外事業 ファインケミカル事業 養殖事業

【業績(連結)】	売上高	営業利益	経常利益	純利益
22.3	693,682	27,076	32,372	17,275
23.3	768,181	24,488	27,776	21,233
24.3	831,375	29,663	31,963	23,850

㈱極洋(きょくよう)

東京P 1301

【特色】水産物の調達・加工・販売が主力。寿司ネタ強い

修士・大卒採用数	3年後離職率	有休取得年平均	平均年収(平均42歳)
54名	6.7→22.6%	11.7日	総 936万円

残業(月) 14.1時間

記者評価 捕鯨ビジネスから出発。水産品の貿易、加工、買い付けが主力。加工食品は業務用が中心で海外加工比率が高い。近年は寿司ネタに加え、白身フライなど冷凍食品や魚の缶詰など常温食品にも注力。欧米や東南アジアを軸に海外事業の拡大を図る。

●エントリー情報と採用プロセス●

【受付開始～終了】総技3月～6月【採用プロセス】総技ES提出(3月～)→Webテスト(3月～)→面接(3回、4月～)・Webテスト→内々定(6月～)【交通費支給】最終面接、会社基準

試験情報

重視科目 総技面接 書類 適性検査

総技 ES⇒巻末筆eF-1G Webテスト面3回(Webあり)

選考ポイント 総技 ES志望動機 自己PR面志望職種への適性・意欲 コミュニケーション能力 他

通過率 総技 ESNA

倍率(応募/内定) 総技NA

●給与、ボーナス、週休、有休ほか●

【30歳総合職平均年収】694万円【初任給】(修士)287,000円(大卒)287,000円【ボーナス(年)】172万円、4.8カ月【25、30、35歳賃金】NA【週休】完全2日(土日祝)【夏期休暇】連続2日【年末年始休暇】連続5日【有休取得】11.7／20日

●従業員数、勤続年数、離職率ほか●

【男女別従業員数、平均年齢、平均勤続年数】計 711(41.3歳 16.6年) 男 506(43.3歳 19.0年) 女 205(35.8歳 10.6年)【離職率と離職者数】4.8%、36名【3年後新卒定着率】77.4%(男78.9%、女75.0%、3年前入社:男19名・女12名)【組合】あり

●男女別採用数と配属先ほか●

【男女・文理別採用実績】

	大卒男	大卒女	修士男	修士女
23年	12(文 10理 2)	12(文 11理 1)	6(文 1理 5)	4(文 0理 4)
24年	9(文 6理 3)	17(文 9理 8)	10(文 0理 10)	0(文 0理 0)
25年	17(文 8理 9)	20(文 13理 7)	17(文 0理 17)	0(文 0理 0)

【25年4月入社者の採用実績校】
文(大)法政大2 小樽商大 関西外大 関大 京大 高麗大 駒澤大 下関市大 中央学大 中大 津田塾大 東洋大 立教大 立命館APU 麗澤大 早大各1 他 理(院)北大5 長崎大3 東京海洋大 鹿児島大各2 近大 大阪公大 金沢大 上智大 東大各1(大)近大 東京海洋大 同女大各2 鹿児島大 北里大 水産大 日大 広島大 明大各1 他

【24年4月入社者の配属先】
総勤務地:(23年)東京・赤坂18 大阪4 静岡・焼津1 名古屋1 福岡1 部署:(23年)営業20 総務2 品質管理2 経理1 技勤務地:(23年)宮城・塩釜2 部署:(23年)研究開発2

求める人材 チャレンジする気持ちを大切にし、目的意識と責任感を持って自発的に仕事に取り組める人

会社データ (金額は百万円)

【本社】107-0052 東京都港区赤坂3-3-5
☎03-5545-0704 https://www.kyokuyo.co.jp/
【社長】井上 誠【設立】1937.9【資本金】7,527【今後力を入れる事業】食品事業 海外事業 生鮮事業 水産事業

【業績(連結)】	売上高	営業利益	経常利益	純利益
22.3	253,575	6,392	6,904	4,634
23.3	272,167	8,105	8,182	5,782
24.3	261,604	8,806	8,856	5,936

メーカーⅡ

フィード・ワン(株)

東京P 2060

【特色】三井物産系の飼料メーカー。クロマグロの養殖も

修士・大卒採用数	3年後離職率	有休取得年平均	平均年収(平均41歳)
27名	17.6 → 16.7%	13.6日	643万円

エントリー情報と採用プロセス

【受付開始～終了】㊙3月～3月【採用プロセス】㊙Web説明会(任意、3月上旬)→WebES提出(3月下旬)→Webテスト(4月上旬)→1次面接(Web、4月中旬)→2次面接(対面、5月中旬)→役員面接(5月下旬)→内々定(6月上旬)【交通費支給】2次面接以降、居住地域に応じた一定額【早期選考】⇒巻末

試験情報

重視科目 ㊙面接

㊙ES⇒巻末 筆SPI3(自宅) 面3回(Webあり)

選考ポイント ㊙ES志望動機が具体的か 文章に論理性が備わっているか 面コミュニケーション能力 行動力 前向きさ 持続性 柔軟性

通過率 ㊙ES NA

倍率(応募/内定) ㊙NA

男女別採用数と配属先ほか

【男女・文理別採用実績】

	大卒男	大卒女	修士男	修士女
23年	11(文 5理 6)	9(文 2理 7)	1(文 0理 1)	0(文 0理 0)
24年	12(文 4理 8)	6(文 2理 4)	6(文 0理 6)	2(文 0理 2)
25年	13(文 3理 10)	2(文 0理 2)	7(文 0理 7)	5(文 0理 5)

【25年4月入社者の採用実績校】
文(大)日大 東京農業大 岐阜協大各1 理(院)愛媛大2 北大 帯畜大 新潟大 茨城大 芝工大 東京海洋大 信州大 静岡大 広島大 高知大各1(大)日大 宮崎大各2 帯畜大 東京農業大 日本獣医生命科学大 明大 岐阜大 近大 水産大 琉球大各1

【24年4月入社者の配属先】
㊙勤務地:北海道・苫小牧2 青森・八戸2 宮城(仙台2 石巻2) 茨城・神栖3 愛知(名古屋2 知多3) 北九州8 鹿児島・志布志2 部署:生産管理26(入社後約半年間は工場配属)

残業(月) 6.9時間 ㊙8.3時間

記者評価 協同飼料と日本配合飼料が設立した持株会社フィード・ワンHDが15年、両社を吸収合併し現体制に。畜産、水産などの配合飼料が主力。食品も扱う。畜産飼料は業界トップ級。北海道で子牛用粉ミルク設備新設など牛用飼料を強化。海外はベトナム、インドに拠点。

給与、ボーナス、週休、有休ほか

【30歳総合職平均年収】NA【初任給】(修士)256,000円(大卒)246,000円【ボーナス(年)】NA【25、30、35歳賃金】NA【週休】完全2日(土日祝)【夏期休暇】6月1日～10月31日の期間で3日【年末年始休暇】12月30日～1月4日【有休取得】13.6／23日

従業員数、勤続年数、離職率ほか

【男女別従業員数、平均年齢、平均勤続年数】計 556(40.6歳 16.6年) 男 442(41.3歳 17.6年) 女 114(38.2歳 13.0年)【離職率と離職者数】3.1%、18名【3年後新卒定着率】83.3%(男81.3%、女87.5%、3年前入社:男16名・女8名)【組合】あり

求める人材 自ら率先して行動できる人 誠実であり、周囲と協調できる人 何事にも好奇心を持ち、チャレンジできる人

会社データ (金額は百万円)

【本社】220-0012 神奈川県横浜市西区みなとみらい5-1-2 横浜シンフォステージ ウエストタワー11階
☎045-211-6524 https://www.feed-one.co.jp/
【社長】庄司 英洋【設立】2014.10【資本金】10,000【今後力を入れる事業】畜産飼料事業 水産飼料事業 食品事業 海外事業

【業績(連結)】	売上高	営業利益	経常利益	純利益
22.3	243,202	4,293	5,067	3,659
23.3	307,911	1,422	1,711	1,030
24.3	313,875	7,748	7,737	5,084

(株)サカタのタネ

東京P 1377

【特色】種苗首位級。世界各地の自社農場で開発、卸売

修士・大卒採用数	3年後離職率	有休取得年平均	平均年収(平均43歳)
17名	11.1 → 9.1%	15.1日	㊙741万円

エントリー情報と採用プロセス

【受付開始～終了】㊙1月～4月 技12月～4月【採用プロセス】㊙ES提出・Webテスト→筆記・面接(3～4回)→内々定 技ES提出・Webテスト→農場実習・筆記・面接(3～4回)→内々定【交通費支給】2次選考以降、居住地域に応じ一定額

試験情報

重視科目 ㊙技 面接 一般常識 適性

㊙技 ES NA 筆あり(内容NA) 面NA(Webあり) GD作NA

選考ポイント ㊙技 ES志望動機 自己PR 面NA

通過率 ㊙技 ES NA

倍率(応募/内定) ㊙技 NA

男女別採用数と配属先ほか

【男女・文理別採用実績】

	大卒男	大卒女	修士男	修士女
23年	5(文 2理 3)	3(文 1理 2)	3(文 0理 3)	5(文 0理 5)
24年	5(文 3理 2)	7(文 4理 3)	4(文 0理 4)	6(文 0理 6)
25年	4(文 3理 1)	4(文 2理 2)	4(文 0理 4)	5(文 0理 5)

【25年4月入社者の採用実績校】
文(大)法政大 東京農業大 早大 神戸市外大 明大各1(短)湘北1(専)仙台大原簿記情報公務員1 理(院)北大 茨城大 宇都宮大 千葉大 東京農工大 東京農業大 名城大 鳥取大 岡山大各1(大)千葉大 信州大 鳥取大各1(短)静岡農林環境専門職大2(専)埼玉県農業大学校1

【24年4月入社者の配属先】
㊙勤務地:横浜12 千葉市1 部署:営業11 事務2 技勤務地:横浜11 静岡・掛川3 長野・安曇野1 部署:研究15

残業(月) 9.3時間 ㊙9.3時間

記者評価 横浜の有力企業。ブロッコリー、カボチャ、ニンジンなど野菜種子、トルコギキョウ、パンジーなど花種子が代表格。ペッパー軸に新興国拡大し、海外比率は7割強。多角化は農業資材が貢献も、造園緑化や家庭園芸は低採算。管理部門除く最終学歴は農業系が目立つ。

給与、ボーナス、週休、有休ほか

【30歳総合職平均年収】501万円【初任給】(博士)277,000円(修士)254,700円(大卒)233,800円【ボーナス(年)】NA【25、30、35歳賃金】NA【週休】完全2日(土日祝)【夏期休暇】年により異なる【年末年始休暇】12月29日～1月3日【有休取得】15.1／20日

従業員数、勤続年数、離職率ほか

【男女別従業員数、平均年齢、平均勤続年数】計 737(39.4歳 13.9年) 男 455(41.5歳 16.7年) 女 282(36.2歳 13.5年)【離職率と離職者数】2.9%、22名【3年後新卒定着率】90.9%(男92.9%、女87.5%、3年前入社:男14名・女8名)【組合】あり

求める人材 花や野菜を愛し、誠実で粘り強く仕事に取り組む人

会社データ (金額は百万円)

【本社】224-0041 神奈川県横浜市都筑区仲町台2-7-1
☎045-945-8800 https://www.sakataseed.co.jp/
【社長】坂田 宏【設立】1942.12【資本金】13,500【今後力を入れる事業】海外事業

【業績(連結)】	売上高	営業利益	経常利益	純利益
22.5	73,049	11,181	12,114	12,256
23.5	77,263	10,918	12,304	9,489
24.5	88,677	10,495	11,124	16,162

カネコ種苗(しゅびょう)㈱

東京S 1376

【特色】野菜種子など国内種苗大手。農薬や農業資材も販売

修士・大卒採用数	3年後離職率	有休取得年平均	平均年収(平均41歳)
24名	23.3 → 14.3%	11.6日	609万円

残業(月) 9.0時間

記者評価 1895年創業。種苗は野菜や花きに強み。農業資材も全国の支店網活用し拡販。「ハイテクと国際化」が経営方針。タイやフィリピンの子会社も活用し野菜・飼料作物種子の新品種開発に注力。センサーやAIによる監視システムを使った養液栽培プラントの開発も。

●エントリー情報と採用プロセス●

【受付開始～終了】総技3月～5月【採用プロセス】総技対面またはWeb説明会・ES提出(3月～)→筆記(Web)→集団面接→役員面接→内々定(6月)【交通費支給】面接(群馬県会場のみ)、実費(請求額の1,000円未満切り上げ)【早期選考】⇒巻末

試験情報

重視科目 総技面接

総技ES⇒巻末筆SPI3(自宅)面2回

選考ポイント 総ES自己表現力と志望動機面バイタリティ 表現力 主体性 熱意 技ES総合職共通面 バイタリティ 表現力 主体性 理解力 熱意

通過率 総ES69%(受付:(技術系・一般職含む)658→通過:(技術系・一般職含む)455) 技ES—(受付:事務系に含む→通過:事務系に含む)

倍率(応募/内定) 総技NA

●男女別採用数と配属先ほか●

【男女・文理別採用実績】

	大卒男	大卒女	修士男	修士女
23年	16(文 8理 8)	7(文 3理 4)	9(文 0理 9)	2(文 0理 2)
24年	28(文 11理 17)	4(文 2理 2)	2(文 0理 2)	1(文 0理 1)
25年	16(文 9理 7)	3(文 2理 1)	5(文 0理 5)	0(文 0理 0)

【25年4月入社者の採用実績校】文(大)東京農業大3 法政大2 筑波大 山口大 高崎経大 東洋大 甲南大 龍谷大各1 理(院)筑波大2 九大 神戸大 信州大各1(大)東京農業大2 岩手大 福島大 島根大 高崎健康福祉大 名城大 龍谷大各1

【24年4月入社者の配属先】総勤務地:群馬12 栃木3 愛知2 福島2 広島2 北海道2 宮城2 宮崎2 熊本1 岩手1 山形1 千葉1 部署:営業28 事務3 技勤務地:群馬(伊勢崎2 前橋2) 部署:生産品質管理3 研究開発1

●給与、ボーナス、週休、有休ほか●

【30歳総合職平均年収】498万円【初任給】(大卒)232,000円【ボーナス(年)】160万円、5.2カ月【25、30、35歳賃金】232,588円→256,637円→275,561円【週休】完全2日(土日祝)【夏期休暇】連続2日【年末年始休暇】連続5日【有休取得】11.6／20日

●従業員数、勤続年数、離職率ほか●

【男女別従業員数、平均年齢、平均勤続年数】計645(41.3歳 12.7年) 男522(NA) 女123(NA)【離職率と離職者数】4.4%、30名【3年後新卒定着率】85.7%(男87.5%、女80.0%、3年前入社:男16名・女5名)【組合】あり

求める人材 農業分野で活躍したい気持ちのある人

会社データ (金額は百万円)

【本社】371-8503 群馬県前橋市古市町1-50-12
☎027-251-1614　https://www.kanekoseeds.jp/
【社長】金子 昌彦【設立】1947.6【資本金】1,491【今後力を入れる事業】海外事業

【業績(連結)】	売上高	営業利益	経常利益	純利益
22.5	60,691	1,835	1,909	1,302
23.5	62,179	1,785	1,913	1,426
24.5	61,598	1,478	1,570	1,177

TOPPAN(トッパン)ホールディングス㈱

東京P 7911

【特色】印刷業界2強。産業資材や電子部材も展開

修士・大卒採用数	3年後離職率	有休取得年平均	平均年収(平均43歳)
351名	①13.1 → ①14.6%	11.7日	総756万円

残業(月) NA

記者評価 商業・出版印刷から、ICカードなど紙以外の印刷、さらに産業資材や半導体関連部材などに事業を多角化。産業資材では、印刷技術を応用したフィルム包装材などを展開。半導体用フォトマスクや液晶などエレクトロニクス分野が収益を支える。23年10月持ち株会社制に移行。

●エントリー情報と採用プロセス●

【受付開始～終了】総技3月～継続中【採用プロセス】総ES提出(3月～)→適性検査→面接(2～3回、3月～)→内々定(5～7月) 技ES提出(3月～)→適性検査→面接(2回、3月～)→内々定(5～7月)【交通費支給】最終面接(会場が東京のみの職種は1次面接以降)、会社基準【早期選考】⇒巻末

試験情報

重視科目 総技面接 総ES⇒巻末筆SPI3(会場)面2～3回(Webあり)GD作⇒巻末 技ES⇒巻末筆SPI3(会場)面2回(Webあり)GD作⇒巻末

選考ポイント 総ES就職に対する夢や意欲 過去の経験や価値観面コミュニケーション能力 問題意識 積極性 取り組み姿勢 技ES就職に対する夢や意欲 身に付けたスキル 知識面総合職共通

通過率 総技ES NA　**倍率**(応募/内定) 総技NA

●男女別採用数と配属先ほか●

【男女・文理別採用実績】※25年:24年7月2日時点

	大卒男	大卒女	修士男	修士女
23年	120(文 80理 40)	120(文115理 5)	120(文 10理110)	60(文 2理 58)
24年	147(文 93理 54)	150(文123理 27)	134(文 3理131)	54(文 4理 50)
25年	99(文 62理 37)	88(文 75理 13)	115(文 0理115)	49(文 4理 45)

【25年4月入社者の採用実績校】文早大 慶大 明大 中大 同大 上智大 関大 関西学大 東北大 青学大 立命館大 立教大 武蔵野美大 東大 他 理東京電機大 東京都市大 工学院大 早大 明大 東京科学大 千葉工大 中大 日大 芝工大 東理大 埼玉大 山形大 九州工大 東大 神戸大 横国大 慶大 他

【24年4月入社者の配属先】総勤務地:東京(秋葉原 小石川 他)埼玉・朝霞 大阪 名古屋 福岡 札幌 仙台 他 部署:営業 企画 販売促進 経営企画 法務 財務 総務 他 技勤務地:東京(秋葉原 小石川 他)埼玉(杉戸 朝霞 他)大阪 名古屋 福岡 札幌 仙台 他 部署:研究開発 商品開発 生産技術 設備技術 品質保証 情報処理 SE 生産システム技術 技術 企画 特許業務 他

●給与、ボーナス、週休、有休ほか●

【30歳総合職平均年収】650万円【初任給】(修士)273,000円(大卒)254,000円【ボーナス(年)】NA【25、30、35歳賃金】NA【週休】完全2日(土日祝)【夏期休暇】連続9日【年末年始休暇】連続6日【有休取得】11.7／20日

●従業員数、勤続年数、離職率ほか●

【男女別従業員数、平均年齢、平均勤続年数】計1,676(43.0歳 17.8年) 男1,292(44.6歳 19.3年) 女384(37.5歳 12.7年)【離職率と離職者数】5.2%、92名(早期退職男18名、女6名含む)【3年後新卒定着率】85.4%(男84.7%、女86.1%、3年前入社:男236名・女202名) ※TOPPAN㈱の数値【組合】あり

求める人材 主体性を持ち、成果にこだわり、挑戦できる人財

会社データ (金額は百万円)

【本社】112-8531 東京都文京区水道1-3-3
☎03-3835-5111　https://www.holdings.toppan.com/ja/
【社長】麿 秀晴【設立】1908.6【資本金】104,986【今後力を入れる事業】DX・SX領域 ソーシャル領域 グローバル領域

【業績(連結)】	売上高	営業利益	経常利益	純利益
22.3	1,547,533	73,505	76,318	123,182
23.3	1,638,833	76,636	81,172	60,866
24.3	1,678,249	74,286	82,812	74,395

だいにっぽんいんさつ 大日本印刷(株)

東京P 7912

【特色】印刷業界2強。産業資材や電子部材などにも展開

修士・大卒採用数	3年後離職率	有休取得年平均	平均年収(平均44歳)
未定	7.3→9.2%	10.5日	総804万円

●エントリー情報と採用プロセス●

【受付開始～終了】総技12月～継続中【採用プロセス】総ES提出(12月～)→Webテスト(適性、12月～)→GD(1～2月)→面接(複数回、2月)→内々定(6月～) 技ES提出(12月～)→Webテスト(適性、12月～)→面接(複数回、2月)→内々定(6月～)【交通費支給】最終面接、会社基準【早期選考】⇒巻末

試験情報

重視科目 総技面接

総 ES⇒巻末 筆WebGAB Web適性検査 面複数回(Webあり) GD作NA 技 ES⇒巻末 筆WebGAB Web適性検査 面複数回(Webあり)

選考ポイント 総ES NA(提出あり)面コミュニケーション力・チャレンジ精神を中心に総合的に評価 技 ES NA(提出あり)面専門性とコミュニケーション力を中心に総合的に評価

通過率 総技 ES NA 倍率(応募/内定) 総技NA

●男女別採用数と配属先ほか●

【男女・文理別採用実績】

	大卒男	大卒女	修士男	修士女
23年	45(文 33 理 12)	44(文 36 理 8)	65(文 1 理 64)	23(文 1 理 22)
24年	45(文 36 理 9)	40(文 34 理 6)	74(文 1 理 73)	19(文 5 理 14)
25年	-(文 - 理 -)	-(文 - 理 -)	-(文 - 理 -)	-(文 - 理 -)

【25年4月入社者の採用実績校】
文(24年)早大7 法政大 明大 立命館大各6 中大 関西学大各5 他 理(24年)東理大7 東工大6 日大 九州工大各5 筑波大 横国大 明大 東京電機大 東京都市大 関大各4 他

【24年4月入社者の配属先】総勤務地:東京 大阪 他 部署:営業企画 コーポレートスタッフ デザイン企画 技勤務地:東京 福島 茨城 埼玉 千葉 神奈川 京都 大阪 岡山 広島 福岡 他 部署:研究開発 製品・プロセス開発 システム開発

残業(月) 総13.0時間

記者評価 商業印刷、出版印刷に加え、大型書店や電子書籍関連など出版業界への関与が深い。また、印刷技術を応用した包装材、住宅資材、リチウムイオン電池部材などの産業資材事業と液晶・有機EL、半導体関連部材のエレクトロニクス事業も拡大を続けている。

●給与、ボーナス、週休、有休ほか●

【30歳総合職平均年収】NA【初任給】(博士)301,000円(修士)272,000円(大卒)252,000円【ボーナス(年)】175万円、NA【25、30、35歳賃金】NA【週休】完全2日(土日祝)【夏期休暇】連続9日【年末年始休暇】連続9日【有休取得】10.5／20日

●従業員数、勤続年数、離職率ほか●

【男女別従業員数、平均年齢、平均勤続年数】計 ◇9,589(44.2歳 20.3年)男 7,352(45.8歳 21.7年)女 2,237(38.9歳 16.0年)【離職率と離職者数】◇1.8%、176名【3年後新卒定着率】90.8%(男91.3%、女89.9%、3年前入社:男126名・女69名)【組合】あり

求める人材 高い志を持ってビジョンを描き、「未来のあたりまえ」を体現できる人

会社データ (金額は百万円)

【本社】162-8001 東京都新宿区市谷加賀町1-1-1
☎03-3266-2111 https://www.dnp.co.jp/
【社長】北島 義斉【設立】1894.1【資本金】114,464【今後力を入れる事業】ビジョンで定めた成長領域における新規事業

【業績(連結)】	売上高	営業利益	経常利益	純利益
22.3	1,344,147	66,788	81,249	97,182
23.3	1,373,209	61,233	83,661	85,692
24.3	1,424,822	75,450	98,702	110,929

トッパン TOPPANエッジ(株)

株式公開 計画なし

【特色】データプリントサービス大手。TOPPANグループ

修士・大卒採用数	3年後離職率	有休取得年平均	平均年収(平均44歳)
47名	12.3→7.5%	12.5日	総685万円

●エントリー情報と採用プロセス●

【受付開始～終了】総技2月～未定【採用プロセス】総説明会(必須、2～3月)→初回選考(ES・適性検査、2～3月)→GD(3～4月)→面接(2回、4～5月)→内々定(5～6月) 技説明会(必須、2～3月)→ES提出(2～3月)→GD(3～4月)→適性検査・面接(2回、4～5月)→内々定(5～6月)【交通費支給】最終面接、大学からの実費相当【早期選考】⇒巻末

試験情報

重視科目 総技面接

総技 ES⇒巻末 筆SPI3(会場)面2回(Webあり) GD作⇒巻末

選考ポイント 総技ES志望動機 自己PR 専攻内容 面志望度 適格性 成長性

通過率 総 ES NA 技 ES 選考なし(受付:NA)

倍率(応募/内定) 総技NA

●男女別採用数と配属先ほか●

【男女・文理別採用実績】

	大卒男	大卒女	修士男	修士女
23年	21(文 13 理 8)	20(文 16 理 4)	9(文 1 理 8)	2(文 0 理 2)
24年	24(文 18 理 6)	38(文 34 理 4)	6(文 0 理 6)	3(文 0 理 3)
25年	21(文 13 理 8)	23(文 19 理 4)	2(文 0 理 2)	1(文 0 理 1)

【25年4月入社者の採用実績校】文(大)明大 法政大 同大 京都府大 東洋大各2 早大 上智大 立教大 関大 日女大 長野県大 滋賀大 近大 山口大 熊本大 鹿児島大 武蔵大 駒澤大 中京大 愛知大 広島修道大 福岡大 武蔵野大 立正大 帝京大 大正大 神奈川大各1 理(院)早大 埼玉大 東海大各1(大)東京電機大4 芝工大 大阪工大各2 日大 名城大 近大 長崎県大各1

【24年4月入社者の配属先】総勤務地:東京(汐留34 区内1)札幌2 仙台2 さいたま2 名古屋3 大阪5 広島2 福岡1 部署:営業31 SE3 販売促進7 企画3 総務8 技勤務地:東京(汐留11 八王子5 豊洲1 他区内1)大阪1 部署:研究開発4 SE11 生産技術2 販売促進1 総務1

残業(月) 18.7時間 総18.7時間

記者評価 23年4月トッパン・フォームズと凸版印刷セキュア事業部が統合して現体制。企業の顧客データ管理から請求書などの印刷、発送まで代行するデータプリントサービス(DPS)で実績。DPSを核として、顧客の業務全般を請け負うBPO(業務請負)が主力事業。

●給与、ボーナス、週休、有休ほか●

【30歳総合職平均年収】498万円【初任給】(修士)273,000円(大卒)254,000円【ボーナス(年)】NA、4.44カ月【25、30、35歳賃金】NA【週休】完全2日(土日祝)【夏期休暇】連続9～10日(有休2日、土日祝含む)【年末年始休暇】12月29日～1月3日【有休取得】12.5／20日

●従業員数、勤続年数、離職率ほか●

【男女別従業員数、平均年齢、平均勤続年数】計 2,030(43.9歳 18.2年)男 1,471(46.1歳 20.3年)女 559(38.1歳 12.8年)【離職率と離職者数】6.8%、148名(早期退職男70名、女20名含む他に男8名グループ間の移籍)【3年後新卒定着率】92.5%(男89.3%、女96.0%、3年前入社:男28名・女25名)【組合】あり

求める人材 自ら考え行動し、最後までやり抜く人 プロ意識を持ち、果敢に挑戦する人 お客様のために、最善を尽くす人 常に成長し、前進し続ける人 自分を磨き、存在感を出す人

会社データ (金額は百万円)

【本社】105-8311 東京都港区東新橋1-7-3 TOPPANエッジビル
☎03-6253-6000 https://www.edge.toppan.com/
【社長】添田 秀樹【設立】1955.5【資本金】500【今後力を入れる事業】インフォメーションソリューション事業 ハイブリッドBPO事業 コミュニケーションメディア事業 セキュアプロダクト事業

【業績(単独)】	売上高	営業利益	経常利益	純利益
22.3	181,634	2,674	6,000	3,315
23.3	176,883	1,956	5,398	3,391
24.3	258,651	1,847	5,423	4,414

きょうどういんさつ
共同印刷(株)

東京P 7914

【特色】国内印刷3位。情報セキュリティや生活資材も

修士・大卒採用数	3年後離職率	有休取得年平均	平均年収(平均44歳)
33名	11.1→0%	12.4日	総627万円

●エントリー情報と採用プロセス●

【受付開始～終了】総3月～7月 技3月～継続中【採用プロセス】総技ES提出・Webテスト(3月頃予定)→面談・面接(3回、4月～)→内々定(6月～)【交通費支給】最終面接、遠方者のみ実費 会社基準【早期選考】⇒巻末

試験情報

重視科目 総技面接

総技 ES⇒巻末 筆WebGAB 面3回(Webあり)

選考ポイント 総 ES自己PR 志望動機 面主体性 論理的思考力 コミュニケーション能力 誠実さ 技 ES自己PR 志望動機 研究内容 面事務系の観点に専門性を追加

通過率 総 ES NA(受付:321→通過:NA) 技 ES NA(受付:60→通過:NA)

倍率(応募/内定) 総15倍 技5倍

●男女別採用数と配属先ほか●

【男女・文理別採用実績】

	大卒男	大卒女	修士男	修士女
23年	8(文 5理 3)	12(文 9理 3)	2(文 0理 2)	2(文 0理 2)
24年	9(文 7理 2)	11(文 10理 1)	0(文 0理 0)	4(文 2理 2)
25年	10(文 4理 6)	19(文 16理 3)	4(文 1理 3)	0(文 0理 0)

【25年4月入社者の採用実績校】文(院)埼玉大1(大)武蔵大5 立教大 駒澤大 日大各2 慶大 明大 法政大 女子美大 昭和女大 東京女大 成城大 武蔵野大 立命館大各1 理(院)慶大 北陸先端科技院大 日大各1(大)明大 法政大 工学院大 芝工大 東海大 東洋大 日大 日女大 神奈川工大各1

【24年4月入社者の配属先】
総勤務地:東京本社17 名古屋1 部署:営業18 技勤務地:東京本社5 茨城・守谷1 部署:研究開発2 SE3 製造1

残業(月) 18.2時間 総18.2時間

記者評価 1897年創業の老舗で総合印刷3位。出版は伝統的にコミック誌が強かったが、現在ではICカード印刷やデータプリントサービスが主力に。ラミネートチューブや紙容器といった生活資材への印刷も重要な収益源。顧客の販促・業務DX化支援など事業領域拡大に注力。

●給与、ボーナス、週休、有休ほか●

【30歳総合職平均年収】NA【初任給】(修士)258,000円(大卒)240,000円【ボーナス(年)】127万円、3.75カ月【25、30、35歳賃金】245,350円→269,172円→320,974円 ※管理職は付加給を含まず【週休】完全2日(土日祝)【夏期休暇】3日【年末年始休暇】連続7日【有休取得】12.4/20日

●従業員数、勤続年数、離職率ほか●

【男女別従業員数、平均年齢、平均勤続年数】計◇1,872(44.4歳 16.2年) 男 1,391(46.0歳 18.1年) 女 481(39.9歳 10.8年)【離職率と離職者数】◇2.9%、56名【3年後新卒定着率】100%(男100%、女100%、3年前入社:男10名・女7名)【組合】あり

求める人材 未来の開拓者:4つの価値観を持つ人(1)未来志向(2)価値創造(3)対人感受性(4)顧客志向

会社データ (金額は百万円)

【本社】112-8501 東京都文京区小石川4-14-12
☎03-3817-2072 https://www.kyodoprinting.co.jp/
【社長】藤森 康彰【設立】1918.12【資本金】4,510【今後力を入れる事業】情報系事業 生活・産業資材系事業

【業績(連結)】	売上高	営業利益	経常利益	純利益
22.3	88,416	756	1,298	683
23.3	93,363	775	1,289	1,253
24.3	96,992	1,577	2,083	1,495

トッパン
TOPPANクロレ(株)

株式公開 計画なし

【特色】凸版印刷子会社。印刷から教育関連等に展開

修士・大卒採用数	3年後離職率	有休取得年平均	平均年収(平均47歳)
0名	28.6→18.2%	14.8日	NA

●エントリー情報と採用プロセス●

【受付開始～終了】総3月～3月【採用プロセス】総ES提出(3月中旬)→説明会・適性検査(3月下旬)→面接(4月上～中旬)→面接(4月下旬)→内々定(5月上旬)【交通費支給】最終面接、地方在住者に新幹線・飛行機代を実費(往復)

試験情報

重視科目 総面接 適性検査

総 ES⇒巻末 筆OPQ CUBIC(能力検査・適性検査) 面2回(Webあり)

選考ポイント 総 ES当社事業領域の理解 学生時代の過ごし方(興味関心・打ち込んだこと) 面コミュニケーション能力 志望動機

通過率 総 ES NA

倍率(応募/内定) 総NA

●男女別採用数と配属先ほか●

【男女・文理別採用実績】

	大卒男	大卒女	修士男	修士女
23年	6(文 6理 0)	4(文 3理 1)	1(文 1理 0)	0(文 0理 0)
24年	3(文 3理 0)	2(文 2理 0)	0(文 0理 0)	0(文 0理 0)
25年	0(文 0理 0)	0(文 0理 0)	0(文 0理 0)	0(文 0理 0)

【25年4月入社者の採用実績校】
文なし 理なし

【24年4月入社者の配属先】
総勤務地:東京・東十条5 部署:営業・企画系5

残業(月) NA

記者評価 19年親会社の凸版印刷が株式交換で完全子会社化。出版印刷が中心だったが、事業環境変化に伴い周辺分野に進出。現在は出版印刷・マーケティングの情報デザインと、語学学習・研修などの教育ソリューションが2本柱。24年7月、図書印刷から現社名に変更。

●給与、ボーナス、週休、有休ほか●

【30歳総合職平均年収】NA【初任給】(大卒)230,000円【ボーナス(年)】NA【25、30、35歳賃金】NA【週休】完全2日(土日祝)【夏期休暇】6日(有休3日含む)【年末年始休暇】連続6日(有休1日含む)【有休取得】14.8/20日

●従業員数、勤続年数、離職率ほか●

【男女別従業員数、平均年齢、平均勤続年数】計◇936(47.0歳 23.9年) 男 818(47.3歳 24.5年) 女 118(40.2歳 17.0年)【離職率と離職者数】◇6.3%、63名(早期退職男14名、女3名含む)【3年後新卒定着率】81.8%(男85.7%、女75.0%、3年前入社:男7名・女4名)【組合】あり

求める人材 自ら変化の波に乗っていくことができる人財

会社データ (金額は百万円)

【本社】114-0001 東京都北区東十条3-10-36
☎03-5843-9700 https://www.toppan-colorer.co.jp/
【社長】岡沢 宏和【設立】(創業)1911.3【資本金】500【今後力を入れる事業】情報デザイン事業

【業績(単独)】	売上高	営業利益	経常利益	純利益
22.3	36,683	75	437	▲586
23.3	35,303	▲304	▲140	▲747
24.3	36,148	617	807	91

※採用情報は24年実績

メーカーII

王子ホールディングス(株)（おうじ）

東京P 3861

【特色】製紙国内首位の持株会社。板紙1位、紙2位

修士・大卒採用数	3年後離職率	有休取得年平均	平均年収(平均47歳)
83名	0→12.2%	15.5日	総 843万円

●エントリー情報と採用プロセス●

【受付開始〜終了】総3月〜5月 技3月〜継続中【採用プロセス】総ES提出→適性検査→面接(3回)→内々定 技ES提出→適性検査→面接(2回)→内々定【交通費支給】2次面接・最終面接、実費【早期選考】⇒巻末

試験情報

重視科目 総技面接

総 ES⇒巻末 筆C-GAB 面3回(Webあり) 技 ES⇒巻末 筆C-GAB 面2回(Webあり)

選考ポイント 総 ES NA(提出あり) 面コミュニケーション力 積極性 論理的思考力 技 ES NA(提出あり) 面コミュニケーション力 積極性 論理的思考力 専門性

通過率 総技 ES NA **倍率(応募/内定)** 総技 NA

●男女別採用数と配属先ほか●

【男女・文理別採用実績】※25年:計画数

	大卒男	大卒女	修士男	修士女
23年	11(文 9理 2)	8(文 7理 1)	22(文 1理 21)	12(文 1理 11)
24年	23(文 11理 12)	17(文 15理 2)	18(文 0理 18)	11(文 0理 11)
25年	27(文 14理 13)	15(文 13理 2)	26(文 0理 26)	15(文 0理 15)

【25年4月入社者の採用実績校】文(大)立命館大3 阪大 早大 中大 法政大 同大 関西学大各2 奈良女大 九大 鹿児島大 慶大 上智大 立教大 明大 國學院大 日大 専大 関大 津田塾大各1 理(院)京大 東京農工大各5 阪大4 北大 筑波大 神戸大 名大各2 室蘭工大 東大 東京科学大 東理大 東京薬大 千葉大 静岡大 京都府大 山口大 九大 慶大 早大 同大各1(大)明大2 千歳科技大 北海道科学大 東大 東京農工大 高知大 工学院大 埼玉工大 青学大各1

【24年4月入社者の配属先】総勤務地:東京10 静岡3 兵庫2 佐賀2 北海道1 福島1 神奈川1 愛知1 長野1 岐阜1 滋賀1 大阪1 広島1 大分1 宮崎1 部署:事務28 技勤務地:東京20 愛知5 滋賀3 栃木2 兵庫2 宮崎2 北海道1 福島1 長野1 静岡1 滋賀1 徳島1 大分1 部署:研究22 施設19

残業(月) 17.2時間 総17.1時間

記者評価 1873年創立の旧王子製紙の戦後分割3社のうち苫小牧製紙と本州製紙を継承。2012年から持ち株会社体制。パルプ・紙の国内最大手、世界でも有力。段ボール原紙など板紙は国内首位。家庭紙「ネピア」ブランドで展開。24年4月に欧州の包装資材加工会社を買収。

●給与、ボーナス、週休、有休ほか●

【30歳総合職モデル年収】610万円【初任給】(博士)266,200円 (修士)253,400円 (大卒)236,500円【ボーナス(年)】(4社)147万円、4.54カ月【25、30、35歳モデル賃金】262,233円→304,609円→437,528円 ※王子製紙・王子グリーンリソース・王子イメージングメディア・王子マネジメントオフィス、4社のもの【週休】完全2日(土日祝)【夏期休暇】有休で取得【年末年始休暇】12月30日〜1月3日【有休取得】15.5/20日

●従業員数、勤続年数、離職率ほか●

【男女別従業員数、平均年齢、平均勤続年数】計 ◇8,002(45.1歳 20.0年) 男 7,109(45.2歳 20.5年) 女 893(44.3歳 16.2年)【離職率と離職者数】◇3.2%、267名【3年後新卒定着率】87.8%(男88.6%、女85.7%、3年前入社:男35名・女14名)【組合】あり

求める人材 高い倫理観 経営理念・経営戦略の理解と実践 変革意識と挑戦 自己研鑽と組織の成長への貢献 世界を意識した行動

会社データ (金額は百万円)

【本社】104-0061 東京都中央区銀座4-7-5
☎03-3563-4400 https://www.ojiholdings.co.jp/
【社長】磯野 裕之【設立】1949.8【資本金】103,880【今後力を入れる事業】新規事業 新製品開発 海外事業の拡大

【業績(連結)】	売上高	営業利益	経常利益	純利益
22.3	1,470,161	120,119	135,100	87,509
23.3	1,706,641	84,818	95,008	56,483
24.3	1,696,268	72,600	85,987	50,812

※注記のないデータは傘下9社を含む主要10社のもの

日本製紙(株)（にっぽんせいし）

東京P 3863

【特色】製紙で王子HDと国内2強。製紙、板紙ともに有数

修士・大卒採用数	3年後離職率	有休取得年平均	平均年収(平均*43歳)
49名	10.4→14.0%	15.9日	総 748万円

●エントリー情報と採用プロセス●

【受付開始〜終了】総技3月〜5月【採用プロセス】総ES・Webテスト・履修履歴提出(3〜5月)→面接(3回、3〜7月)→内々定(6月以降) 技ES・Webテスト・履修履歴提出(3〜5月)→面接(2〜3回、3〜7月)→内々定(6月以降)【交通費支給】対面面接以降、実費相当(大学所在地毎(都道府県別)に一律)

試験情報

重視科目 総技面接

総 ES⇒巻末 筆WebGAB 面3回(Webあり) 技 ES⇒巻末 筆WebGAB 面2〜3回(Webあり)

選考ポイント 総 技 ES 論理性 志望度合 面求める人物像の素養を有しているか 当社への志望度 当社との適性

通過率 総技 ES NA **倍率(応募/内定)** 総技 NA

●男女別採用数と配属先ほか●

【男女・文理別採用実績】

	大卒男	大卒女	修士男	修士女
23年	11(文 8理 3)	10(文 7理 3)	11(文 0理 11)	11(文 0理 11)
24年	23(文 14理 9)	17(文 14理 3)	16(文 0理 16)	5(文 0理 5)
25年	8(文 4理 4)	15(文 11理 4)	15(文 0理 15)	11(文 1理 10)

【25年4月入社者の採用実績校】文(院)早大1(大)関大 立教大各2 大阪教大 関西学大 国際教養大 島根県大 西南学大 同大 日大 一橋大 福岡大 法政大 早大各1 理(院)九大 静岡大各2 青学大 茨城大 大阪公大 岡山大 金沢大 北見工大 京都府大 熊本大 神戸大 埼玉大 上智大 信州大 筑波大 電通大 富山大 奈良女大 奈良先端科技院大 新潟大 新潟薬大 三重大 横国大各1(大)北海道科学大2 群馬大 静岡大 東京工科大 東京女大 東洋大 山形大各1

【24年4月入社者の配属先】総勤務地:北海道(旭川1 白老1)秋田市1 宮城(石巻6 勿来2)埼玉・草加2 東京・御茶ノ水13 静岡・富士1 山口・岩国3 熊本・八代2 部署:本社営業10 本社人事1 事業企画2 工場生産・出荷管理4 工場調達3 工場経理3 工場人事3 その他6 技勤務地:宮城・石巻4 栃木・足利2 埼玉・東松山2 東京・王子6 静岡・富士12 広島・大竹1 山口・岩国3 熊本・八代1 部署:研究開発13 技術開発5 生産技術3 エンジニア(機械)3 エンジニア(電気)4 エンジニア(発電プラント)3

残業(月) 11.1時間 総12.7時間

記者評価 製紙国内2強の一角。旧王子製紙の戦後分割3社のうち十條製紙を継承、1993年山陽国策パルプ、2001年大昭和製紙と統合。家庭紙は「クリネックス」「スコッティ」ブランド。需要減続く新聞・印刷用紙は一部抄紙機停機など再編。バイオマス発電や紙容器など強化。

●給与、ボーナス、週休、有休ほか●

【30歳総合職平均年収】NA【初任給】(博士)262,800円 (修士)246,800円 (大卒)228,400円【ボーナス(年)】141万円、4.6カ月【25、30、35歳賃金】254,800円→338,300円→399,600円【週休】完全2日(土日祝)【夏期休暇】有休で取得【年末年始休暇】12月29日〜1月3日【有休取得】15.9/20日

●従業員数、勤続年数、離職率ほか●

【男女別従業員数、平均年齢、平均勤続年数】計 ◇4,745(43.3歳 20.7年) 男 4,336(43.4歳 20.9年) 女 409(42.2歳 18.4年)【離職率と離職者数】◇4.8%、237名【3年後新卒定着率】86.0%(男80.0%、女100%、3年前入社:男30名・女13名)【組合】あり

求める人材 "未来を拓く人"新しいことに挑戦し続ける力 公正に判断し実行できる力 周囲を巻き込むチームワーク力 困難を乗り越える強い精神力

会社データ (金額は百万円)

【本社】101-0062 東京都千代田区神田駿河台4-6 御茶ノ水ソラシティ
☎03-6665-1111 https://www.nipponpapergroup.com/
【社長】野沢 徹【設立】1949.8【資本金】104,873【今後力を入れる事業】生活関連・エネルギー事業

【業績(連結)】	売上高	営業利益	経常利益	純利益
22.3	1,045,086	12,090	14,490	1,990
23.3	1,152,645	▲26,855	▲24,530	▲50,406
24.3	1,167,314	17,266	14,550	22,747

206 ▶『業界地図』p.133　開示 ★★★

レンゴー(株)

東京P 3941

【特色】製紙3位。板紙専業最大手で樹脂包装も併営

修士・大卒採用数	3年後離職率	有休取得年平均	平均年収(平均42歳)
63名	18.9 → 19.0%	15.3日	◇751万円

●エントリー情報と採用プロセス●

【受付開始～終了】[総][技]3月～継続中【採用プロセス】[総][技]Web説明会(必須)→履歴書・ES提出(3月～)→面接(Web2回)→適性検査→面接(対面)→内々定【交通費支給】最終面接、遠方学生:実費(上限50,000円)近隣学生:相当の図書券【早期選考】⇒巻末

試験情報

[重視科目] [総][技]面接

[総][技][ES]⇒巻末[筆]職業適性検査[面]3回(Webあり)

[選考ポイント] [総][技][ES]文章に論理性があるか[面]志望度(入社したいという熱意があるか)コミュニケーション能力

[通過率] [総][ES]51%(受付:925→通過:472)[技][ES]84%(受付:218→通過:184) [倍率(応募/内定)] [総]66倍 [技]17倍

●男女別採用数と配属先ほか●

【男女・文理別採用実績】

	大卒男	大卒女	修士男	修士女
23年	25(文 13理 12)	16(文 13理 3)	15(文 1理 14)	3(文 0理 3)
24年	28(文 19理 9)	15(文 10理 5)	12(文 0理 12)	6(文 0理 6)
25年	28(文 20理 8)	16(文 9理 7)	14(文 0理 14)	5(文 1理 4)

【25年4月入社者の採用実績校】[文](院)阪大1(大)関西学大3 大阪市大 京産大 中大 法政大各2 大阪経大 香川大 関大 慶大 甲南大 神戸大 東京女大 都立大 東北大 同大 名古屋市大 明大 山形大 横浜市大 立教大 立命館大 龍谷大 早大各1 [理](院)神戸大 名大 福井大各2 大阪公大 鹿児島大 関大 北見工大 九州工大 京大 近大 信州大 東京海洋大 東北大 新潟大 龍谷大各1(大)千葉工大3 多摩美大 室蘭工大各2 愛媛大 大阪府大 京都市芸大 近大 千葉大 東京造形大 同大 明大各1(高専)呉1

【24年4月入社者の配属先】[総]勤務地:大阪市7 東京(葛飾2 品川1)小山2 川口2 名古屋2 岡山2 仙台1 利根川1 前橋1 千葉1 湘南1 清水1 豊橋1 滋賀1 尼崎1 広島1 愛媛1 部署:営業20 総務7 人事1 経理1 [技]勤務地:大阪市13 埼玉(川口3 八潮2)東京(葛飾2 品川2)福井3 小山1 利根川1 清水1 豊橋1 京都1 三田1 尼崎1 部署:生産技術11 研究8 包装技術5 情報システム2 デザイン2 技術開発1 パケ開1 包装システム1 商品開発1

[残業(月)] 17.2時間

[記者評価] 段ボール原紙の板紙生産から段ボール製品の最終加工まで一貫。食品用フィルムなど樹脂系軟包装や重量物の包装、自動包装機械まで手がける。総合包装メーカーを志向。M&Aも意欲的で欧米の段ボールメーカーや包装資材メーカーを買収。大興製紙の経営再建支援。

●給与、ボーナス、週休、有休ほか●

【30歳総合職平均年収】NA【初任給】(修士)(東京本社)283,000円(大卒)(東京本社)268,000円【ボーナス(年)】166万円、5.5カ月【25、30、35歳モデル賃金】286,500円→340,000円→398,000円 ※定期入社者の基本給＋地域手当(東京本社)【週休】完全2日(土日祝)※本社関係事業所【夏期休暇】2日【年末年始休暇】12月30日～1月4日【有休取得】15.3／20日

●従業員数、勤続年数、離職率ほか●

【男女別従業員数、平均年齢、平均勤続年数】計 ◇4,523(42.2歳 16.9年) 男 3,918(42.9歳 17.8年) 女 605(37.6歳 11.7年)【離職率と離職者数】◇2.7%、125名【3年後新卒定着率】81.0%(男78.0%、女91.3%、3年前入社:男82名・女23名)【組合】あり

[求める人材] コミュニケーション能力を備え、主体的に働ける人物

[会社データ] (金額は百万円)

【本社】530-0005 大阪府大阪市北区中之島2-2-7 中之島セントラルタワー

☎06-6223-2371　https://www.rengo.co.jp/

【社長】川本 洋祐【設立】1920.5【資本金】31,066【今後力を入れる事業】グループ経営 海外事業 SDGsへの取組み

【業績(連結)】	売上高	営業利益	経常利益	純利益
22.3	746,926	33,279	36,641	28,188
23.3	846,080	25,957	28,682	20,425
24.3	900,791	48,855	47,984	33,025

大王製紙(株)

だいおうせいし

東京P 3880

【特色】製紙4位。四国に大規模工場擁し、家庭紙首位級

修士・大卒採用数	3年後離職率	有休取得年平均	平均年収(平均38歳)
36名	16.4 → 11.1%	15.5日	[総]689万円

●エントリー情報と採用プロセス●

【受付開始～終了】[総]3月～4月 [技]3月～6月【採用プロセス】[総]ES提出・Webテスト→GD→面接(2回)→内々定(6月) [技]ES提出→Webテスト→面接(2回)→内々定(6月)【交通費支給】最終面接、会社基準

試験情報

[重視科目] [総][技]面接

[総][ES]⇒巻末[筆]能力検査 適性検査[面]2回(Webあり) [GD作]⇒巻末 [技][ES]⇒巻末[筆]能力検査 適性検査[面]2回(Webあり)

[選考ポイント] [総][ES]自発性 積極性 勤労意欲 顕示欲求 論理性 カルチャーフィット等[面]コミュニケーション力 論理性 信頼性 カルチャーフィット 自発性 積極性 勤労意欲 前向きさ 顕示欲求 他 [技][ES]積極性 勤労意欲 身体性等[面]コミュニケーション力 自主性 説明力 責任感 リーダーシップ 顕示欲求 他

[通過率] [総][技][ES]NA [倍率(応募/内定)] [総][技]NA

●男女別採用数と配属先ほか●

【男女・文理別採用実績】※25年:24年8月1日時点

	大卒男	大卒女	修士男	修士女
23年	21(文 8理 13)	8(文 6理 2)	7(文 0理 7)	6(文 0理 6)
24年	7(文 2理 5)	4(文 2理 2)	6(文 0理 6)	1(文 0理 1)
25年	12(文 8理 4)	19(文 18理 1)	3(文 0理 3)	2(文 0理 2)

【25年4月入社者の採用実績校】

[文](大)関大8 中大4 早大 法政大 明大 青学大各2 立命館大 関西学大 同大 駒澤大 東洋大 立教大各1 [理](院)近大4 徳島大1(大)愛媛大 徳島大 近大 広島工大 福岡工大各1

【24年4月入社者の配属先】[総]勤務地:東京1 仙台1 愛媛1 福岡1 部署:営業2 工場予算1 経理1 [技]勤務地:愛媛8 岐阜3 栃木2 静岡1 部署:保全メンテナンス7 開発4 操業管理3

[残業(月)] 22.2時間 [総]24.4時間

[記者評価] 新聞、印刷・情報用紙と板紙を生産。トイレ紙、ティッシュや紙おむつなど「エリエール」はブランド力抜群。四国中央市に国内最大級の製紙工場。23年に三菱自動車の岐阜・加茂郡工場建屋を取得、衛生紙等の製造拠点に。筆頭株主の北越コーポレーションと戦略提携。

●給与、ボーナス、週休、有休ほか●

【30歳総合職平均年収】460万円【初任給】(修士)252,600円(大卒)242,600円【ボーナス(年)】181万円、4.51カ月【25、30、35歳賃金】244,300円→283,900円→335,300円【週休】完全2日(土日祝)【夏期休暇】年次休5日【年末年始休暇】12月29日～1月3日【有休取得】15.5／20日

●従業員数、勤続年数、離職率ほか●

【男女別従業員数、平均年齢、平均勤続年数】計 2,288(43.3歳 19.3年) 男 1,904(44.5歳 21.0年) 女 384(38.0歳 10.1年)【離職率と離職者数】3.6%、86名【3年後新卒定着率】88.9%(男95.0%、女71.4%、3年前入社:男20名・女7名)【組合】あり

[求める人材] 自ら考え、決断して実行する人財

[会社データ] (金額は百万円)

【本社】102-0071 東京都千代田区富士見2-10-2 飯田橋グラン・ブルーム

☎03-6856-7505　https://www.daio-paper.co.jp/

【社長】若林 頼房【設立】1943.5【資本金】53,884【今後力を入れる事業】H&PC事業(海外事業・ペット事業)新規事業(CNF)等

【業績(連結)】	売上高	営業利益	経常利益	純利益
22.3	612,314	37,569	37,696	23,721
23.3	646,213	▲21,441	▲24,050	▲34,705
24.3	671,688	14,367	9,622	4,507

205 ▶『業界地図』p.48, 133…　開示 ★★★

メーカーII

開示 ★★★ ▶『業界地図』p.130, 184

(株)資生堂（しせいどう）

東京P 4911

【特色】化粧品国内首位。高収益のスキンケアに集中

修士・大卒採用数	3年後離職率	有休取得年平均	平均年収(平均40歳)
49名	16.6→12.5%	14.4日	総 739万円

●エントリー情報と採用プロセス●

【受付開始～終了】総23年6月～8月 技1月～2月【採用プロセス】総技ES提出・Web適性テスト→1次選考→本選考GW→面接→内々定※職種による【交通費支給】対面でのGW・面接、自宅から会場までの実費【早期選考】⇒巻末

試験情報

重視科目 総技NA

総ES⇒巻末筆TG-WEB面1～2回GD作⇒巻末 技ES⇒巻末筆TG-WEB面2回(Webあり)GD作⇒巻末

選考ポイント 総技ES ワーキングプリンシプルTRUST8に則り評価 面職種による

通過率 総技ESNA

倍率(応募/内定) 総技NA

●男女別採用数と配属先ほか●

【男女・文理別採用実績】

	大卒男	大卒女	修士男	修士女
23年	3(文 1理 2)	7(文 6理 1)	10(文 0理 10)	12(文 0理 12)
24年	8(文 5理 3)	25(文 24理 1)	8(文 1理 7)	9(文 1理 8)
25年	6(文 5理 1)	20(文 19理 1)	10(文 2理 8)	13(文 1理 12)

※総合職のみ

【25年4月入社者の採用実績校】
文NA 理NA

【24年4月入社者の配属先】
総勤務地：東京20 大阪3 仙台2 広島2 福岡2 部署：ブランドマーケティング11 セールス18 技勤務地：東京5 神奈川8 栃木3 大阪3 静岡2 福岡2 部署：研修開発8 品質保証2 サプライチェーン13

残業(月) 16.6時間 総18.9時間

記者評価 化粧品国内首位。世界でも大手。中国が日本に並ぶ売り上げの柱。女性や外部人材の登用に積極的。コロナ禍で構造改革を進め、「ベアミネラル」などメイク化粧品や、「TSUBAKI」「uno」など日用品事業から撤退。25年1月藤原憲太郎新社長が就任予定。

●給与、ボーナス、週休、有休ほか●

【30歳総合職平均年収】637万円【初任給】(博士)293,450円(修士)261,310円(大卒)237,890円【ボーナス(年)】NA【25、30、35歳賃金】281,518円→341,895円→421,247円【週休】完全2日(土日祝)【夏期休暇】連続9日(週休含む)【年末年始休暇】12月30日～1月4日【有休取得】14.4／21日

●従業員数、勤続年数、離職率ほか●

【男女別従業員数、平均年齢、平均勤続年数】計◇5,937(40.4歳 13.5年) 男 2,999(41.4歳 14.8年) 女 2,938(39.4歳 12.2年)【離職率と離職者数】◇4.7%、291名(他に男260名、女192名転籍)【3年後新卒定着率】87.5%(男91.1%、女85.0%、3年前入社:男56名・女80名)【組合】あり

求める人材 資生堂社員が仕事を進めるうえで持つべき心構え「TRUST8」を体現することが出来る人

会社データ (金額は百万円)

【本社】104-0061 東京都中央区銀座7-5-5
☎03-3572-5111 https://www.shiseidogroup.jp/
【会長】魚谷 雅彦【設立】1927.6【資本金】64,506【今後力を入れる事業】日本事業 中国事業 米州事業 欧州事業 アジアパシフィック事業 トラベルリテール事業

【業績(IFRS)】	売上高	営業利益	税前利益	純利益
22.12	1,067,355	46,572	50,428	34,202
23.12	973,038	28,133	31,037	21,749

(株)コーセー

東京P 4922

【特色】化粧品大手。低価格帯から高級化粧品まで幅広い

修士・大卒採用数	3年後離職率	有休取得年平均	平均年収(平均42歳)
55名	11.3→16.7%	11.8日	総 806万円

●エントリー情報と採用プロセス●

【受付開始～終了】総3月～3月 技1月～1月【採用プロセス】総技ES提出・Webテスト→面接(複数回)→内々定【交通費支給】部門長選考以降、会社基準

試験情報

重視科目 総技全て

総ES⇒巻末筆言語 計数 英語 適性検査面複数回(Webあり)GD作NA 技ES⇒巻末筆言語 計数 英語 適性検査面複数回GD作NA

選考ポイント 総技ESその職種への志望度 熱意 当社とのマッチング面チャレンジ精神 発想力 思考力 当社とのマッチング

通過率 総技ESNA

倍率(応募/内定) 総技NA

●男女別採用数と配属先ほか●

【男女・文理別採用実績】

	大卒男	大卒女	修士男	修士女
23年	2(文 2理 0)	10(文 8理 2)	5(文 0理 5)	8(文 0理 8)
24年	5(文 5理 0)	11(文 11理 0)	8(文 0理 8)	7(文 1理 6)
25年	9(文 7理 2)	21(文 17理 4)	10(文 1理 9)	15(文 2理 13)

※25年:24年8月1日時点

【25年4月入社者の採用実績校】
文(院)阪大 広島大 関大各1(大)青学大 明大各3 慶大 法政大各2 横国大 阪大 東京外大 上智大 早大 立教大 中大 関西学大 聖心女大 東洋大 京都市芸大 多摩美大 女子美大 バージニア・ウェズリアン大各1 理(院)東京科学大 慶大各4 千葉大3 東理大2 北大 東京農工大 東京薬大 早大 山形大 群馬大 名工大 京都工繊大 岡山大各1(大)東京科学大 明大 東邦大 東京薬大 芝工大 関大各1

【24年4月入社者の配属先】NA

残業(月) 17.7時間 総17.7時間

記者評価 創業家経営で現社長は4代目。「アルビオン」など百貨店で販売する高級ブランドから「ヴィセ」といったドラッグストア向けまで幅広く展開。米国は「タルト」が人気。「コスメデコルテ」の美容液が大ヒット、23年に大谷翔平を起用した広告で拍車をかける。

●給与、ボーナス、週休、有休ほか●

【30歳総合職平均年収】NA【初任給】(博士)NA(修士)255,450円(大卒)232,350円【ボーナス(年)】NA【25、30、35歳賃金】NA【週休】完全2日(土日祝)【夏期休暇】連続5日(週休含む)【年末年始休暇】連続5日(週休含む)【有休取得】11.8／20日

●従業員数、勤続年数、離職率ほか●

【男女別従業員数、平均年齢、平均勤続年数】計 1,480(42.3歳 17.1年) 男 855(44.5歳 19.5年) 女 625(39.4歳 13.7年) ※総合職のみ(美容スタッフは除く)【離職率と離職者数】2.6%、39名(早期退職男1名含む)【3年後新卒定着率】83.3%(男72.7%、女88.0%、3年前入社:男11名・女25名)【組合】あり

求める人材 前例や常識にとらわれず、ボーダーレスな視点で新たな価値を創造できる人材

会社データ (金額は百万円)

【本社】103-8251 東京都中央区日本橋3-6-2
☎03-3273-1511 https://corp.kose.co.jp/ja/
【社長】小林 一俊【設立】(創業)1946.3【資本金】4,848【今後力を入れる事業】新規事業 海外事業

【業績(連結)】	売上高	営業利益	経常利益	純利益
21.12変	224,983	18,852	22,371	13,341
22.12	289,136	22,120	28,394	18,771
23.12	300,406	15,985	20,252	11,663

開示 ★★ ▶『業界地図』p.182, 184

㈱ファンケル

東京P 4921

【特色】無添加化粧品が主力のメーカー。サプリも強い

修士・大卒採用数	3年後離職率	有休取得年平均	平均年収(平均41歳)
71名	23.5 → 18.2%	17.8日	647万円

●エントリー情報と採用プロセス●

【受付開始～終了】㊀2月～3月【採用プロセス】㊀ES提出・適性検査→Webテスト→面接(3回)→内々定【交通費支給】最終選考、会社基準【早期選考】⇒巻末

試験情報

重視科目 ㊀NA

㊀ES⇒巻末㊂適性検査・WEBテスト(独自)㊃3回(Webあり)

選考ポイント ㊀ES理念・キャリア方針への共感・求める人物像に即した人材であるか㊃求める人物像とマッチし、学生時代の経験を自分の言葉で話すことができているか

通過率 ㊀ESNA

倍率(応募/内定) ㊀NA

●男女別採用数と配属先ほか●

【男女・文理別採用実績】

	大卒男	大卒女	修士男	修士女
23年	9(文 8理 1)	19(文 17理 2)	3(文 0理 3)	5(文 2理 3)
24年	7(文 7理 0)	26(文 23理 3)	4(文 0理 4)	10(文 2理 8)
25年	7(文 6理 1)	42(文 37理 5)	9(文 1理 8)	13(文 0理 13)

※25卒:予定数

【25年4月入社者の採用実績校】㊀(院)QLD大1(大)明大3 法政大 上智大 同大 日大各2 阪大 中大 早大 学習院大 青学大 慶大 福岡教大 ICU 東洋大 横浜市大 弘前大各1 ㊁(院)神戸大 新潟大 名大各1(大)立命館大 奈良女大 日大各1

【24年4月入社者の配属先】

㊀勤務地:(23年)神奈川20 部署:(23年)通販営業2 流通営業2 カスタマーサービス2 情報システム2 経理2 海外事業1 広告宣伝1 化粧品商品企画1 経営企画1 フードテック1 人事1 総務1 ファンケル大学1㈱アテニア化粧品商品企画1

残業(月) 5.1時間

記者評価 無添加化粧品「マイルドクレンジングオイル」などロングセラー多数。通信販売が主力。サプリは「カロリミット」など生活習慣関連が強い。海外は中国などが中心。24年に資本業務提携先のキリンHDによるTOBが成立、年内メドに上場廃止、完全子会社へ。

●給与、ボーナス、週休、有休ほか●

【30歳総合職平均年収】NA【初任給】(博士)237,000円 (修士)237,000円 (大卒)226,000円【ボーナス(年)】NA【25、30、35歳賃金】NA【週休】完全2日(概ね土日祝)※部署により一部シフト制、販売職はシフト制【夏期休暇】5日【年末年始休暇】12月30日～1月3日【有休取得】17.8／22日

●従業員数、勤続年数、離職率ほか●

【男女別従業員数、平均年齢、平均勤続年数】計 877(41.2歳 13.0年) 男 332(41.7歳 13.3年) 女 545(40.8歳 12.8年)【離職率と離職者数】7.4%、70名【3年後新卒定着率】81.8%(男87.5%、女78.6%、3年前入社:男16名・女28名)【組合】なし

求める人材 失敗を恐れずに挑戦できる人 実行力がある人 チームワークを発揮できる人

会社データ (金額は百万円)

【本社】231-8528 神奈川県横浜市中区山下町89-1
☎045-226-1200 https://www.fancl.jp/
【社長】島田 和幸【設立】1981.8【資本金】10,795【今後力を入れる事業】海外事業 新規事業

【業績(連結)】	売上高	営業利益	経常利益	純利益
22.3	103,992	9,771	10,401	7,421
23.3	103,595	7,843	8,557	4,970
24.3	110,881	12,570	12,940	8,833

㈱ポーラ

持株会社 傘下

【特色】化粧品訪問販売業界トップ、エステ併設店も

修士・大卒採用数	3年後離職率	有休取得年平均	平均年収(平均40歳)
28名	23.5 → 25.0%	14.1日	㊀588万円

●エントリー情報と採用プロセス●

【受付開始～終了】㊀23年6月～23年11月【採用プロセス】㊀インターンシップES提出(必須、6～11月)→インターンシップ(必須、9～2月)→本選考ES提出(12～3月)→面接(3回、2～5月)→内々定(4～5月)【交通費支給】2次面接以降、1都3県外(会社基準)【早期選考】⇒巻末

試験情報

重視科目 ㊀インターンシップ 面接

㊀ES⇒巻末㊂あり(内容NA)㊃3回(Webあり)

選考ポイント ㊀ES求める人物像を軸に判断㊃求める人物像を軸に判断

通過率 ㊀ESNA

倍率(応募/内定) ㊀NA

●男女別採用数と配属先ほか●

【男女・文理別採用実績】

	大卒男	大卒女	修士男	修士女
23年	2(文 2理 0)	17(文 16理 1)	2(文 1理 1)	1(文 0理 1)
24年	5(文 3理 2)	8(文 8理 0)	2(文 1理 1)	0(文 0理 0)
25年	8(文 7理 1)	19(文 15理 4)	1(文 0理 1)	0(文 0理 0)

※技術系はポーラ化成工業で採用

【25年4月入社者の採用実績校】
㊀(大)神戸大 青学大各2 横国大 関西学大 上智大 早大 都立大 法政大 名大 明大 立教大 多摩美大各1 ㊁(院)東北大1(大)立教大 琉球大各1

【24年4月入社者の配属先】
㊀勤務地:東京・五反田8 部署:国内事業5 商品企画1 品質保証1 人事1

残業(月) 7.4時間

記者評価 ポーラ・オルビスHD中核。グループで化粧品業界4位。販売員による訪問販売が発祥、近年はエステなどが複合した店舗での委託販売やEC販売に注力。高価格のエイジングケア化粧品「B.A」や「リンクルショット」に強み。24年7月に一律15,000円のベースアップを実施。

●給与、ボーナス、週休、有休ほか●

【30歳総合職平均年収】NA【初任給】(博士)254,500円 (修士)254,500円 (大卒)254,500円【ボーナス(年)】123万円、NA【25、30、35歳賃金】NA【週休】2日【夏期休暇】連続3～8日【年末年始休暇】連続5～6日【有休取得】14.1／20日

●従業員数、勤続年数、離職率ほか●

【男女別従業員数、平均年齢、平均勤続年数】計 944(41.5歳 12.4年) 男 246(43.8歳 14.6年) 女 698(40.7歳 11.6年)【離職率と離職者数】NA【3年後新卒定着率】75.0%(男57.1%、女82.4%、3年前入社:男7名・女17名)【組合】なし

求める人材 VALUE CREATOR・・・人と社会の可能性を信じ、未知なる世界にも仲間とともに挑戦し完遂できる存在

会社データ (金額は百万円)

【本社】141-8523 東京都品川区西五反田2-2-3
☎03-3494-7111 https://www.pola.co.jp/
【社長】及川 美紀【設立】1946.7【資本金】110【今後力を入れる事業】国内外の対面販売及びEC事業

【業績(単独)】	売上高	営業利益	経常利益	純利益
21.12	105,168	13,440	13,630	9,332
22.12	88,683	11,030	11,177	7,031
23.12	88,994	10,505	10,672	6,125

メーカーII

㈱ミルボン

東京P 4919

【特色】美容室向け業務用ヘア化粧品首位。海外も注力

修士・大卒採用数	3年後離職率	有休取得年平均	平均年収(平均36歳)
40名	13.0→17.1%	11.5日	(総)831万円

●エントリー情報と採用プロセス●

【受付開始～終了】(総)(技)11月～3月【採用プロセス】(総)ES提出→テストセンター→GD(2回)→面接(2回)→内々定(3月下旬～)(技)〈研究職〉ES提出→テストセンター→GD→面接(3回)→内々定(3月下旬～)〈生産職〉ES提出→テストセンター→GD→面接(2回)→内々定(3月下旬～)【交通費支給】4次選考(役員面接)以降、実費【早期選考】⇒巻末

試験情報

重視科目 (総)(技)面接 (総)(ES)⇒巻末(筆)SPI3(会場)(面)2回(Webあり)(GD作)⇒巻末 (技)(ES)⇒巻末(筆)SPI3(会場)(面)2～3回(Webあり)(GD作)⇒巻末

選考ポイント (総)(ES)NA(提出あり)(面)求める人材にマッチしているか 社風に合っているか 目標が明確か 志望意欲度 (技)(ES)NA(提出あり)(面)求める人材にマッチしているか 社風に合っているか 知識が活かせるか 目標が明確か 志望意欲度

通過率 (総)(ES)77%(受付:3,502→通過:2,712)(技)(ES)79%(受付:1,372→通過:1,088) 倍率(応募/内定) (総)81倍 (技)69倍

●男女別採用数と配属先ほか●

【男女・文理別採用実績】

	大卒男	大卒女	修士男	修士女
23年	16(文 12 理 4)	13(文 13 理 0)	3(文 0 理 3)	5(文 0 理 5)
24年	12(文 10 理 2)	30(文 23 理 7)	6(文 0 理 6)	4(文 0 理 4)
25年	14(文 11 理 3)	22(文 19 理 3)	2(文 0 理 2)	2(文 0 理 2)

【25年4月入社者の採用実績校】(文)(大)立命館大5 同大 法政大各3 関大2 神戸学大 西南学大 愛知大 南山大 神戸市外大 甲南大 大谷大 早大 日大 東洋大 専大 大妻女大 関東学院大 国士舘大 聖心女大 京産大 立命館APU各1 (理)(院)早大 名大 東理大 北大各1(大)神戸大 近大 京産大 県立広島大 明大 横浜市大各1(高専)鈴鹿3 新居浜1

【24年4月入社者の配属先】(総)勤務地:東京(青山7 銀座8)埼玉5 名古屋6 京都6 大阪7 広島3 福岡2 部署:営業職45 (技)勤務地:大阪7 三重2 部署:研究職7 生産職2

残業(月) 26.5時間 (総)26.5時間

記者評価 「オージュア」と「グローバルミルボン」が2大柱。ヘアケア、染毛剤、パーマ剤を展開。自社商品の販売に加え、美容技術提供など美容室に課題解決策の提案も行い、関係性を深める。コーセーやパナソニックとの協業商品も。海外は米国、中国などに進出。

●給与、ボーナス、週休、有休ほか●

【30歳総合職平均年収】613万円【初任給】(博士)284,280円(修士)257,600円(大卒)240,600円【ボーナス(年)】236万円、6.64カ月【25、30、35歳賃金】259,563円→297,427円→370,566円【週休】完全2日(土日祝)【夏期休暇】8月13～15日(週休含む)【年末年始休暇】12月30日～1月4日【有休取得】11.5／20日

●従業員数、勤続年数、離職率ほか●

【男女別従業員数、平均年齢、平均勤続年数】計 826(35.5歳 12.5年)男 465(37.2歳 14.6年)女 361(33.0歳 9.5年)【離職率と離職者数】3.7%、32名【3年後新卒定着率】82.9%(男85.7%、女81.5%、3年前入社:男14名・女27名)【組合】なし

求める人材 前提:自主自立、リーダーシップ チャレンジ精神旺盛な人 グローバルマインドを持つ人

会社データ　(金額は百万円)

【本社】104-0031 東京都中央区京橋2-2-1 京橋エドグラン
☎03-3517-3915　https://www.milbon.com/
【社長】坂下 秀憲【設立】1960.7【資本金】2,000【今後力を入れる事業】グローバル市場構築を図るネットワーク拡充

【業績(連結)】	売上高	営業利益	経常利益	純利益
21.12	41,582	7,817	7,158	5,109
22.12	45,238	7,551	7,829	5,577
23.12	47,762	5,525	5,586	4,001

花王㈱（かおう）

東京P 4452

【特色】日用品首位。傘下に06年買収のカネボウ化粧品

修士・大卒採用数	3年後離職率	有休取得年平均	平均年収(平均43歳)
143名	5.0→2.5%	16.0日	(総)866万円

●エントリー情報と採用プロセス●

【受付開始～終了】(総)(技)3月～未定【採用プロセス】(総)ES提出・Web適性検査→面接(3回)→内々定 (技)ES提出→Web適性検査・面接(2回、最終面接時小論文)→内々定【交通費支給】最終面接、会社基準【早期選考】⇒巻末

試験情報

重視科目 (総)(技)面接

(総)(ES)⇒巻末(筆)Web適性検査(面)3回(Webあり)(技)(ES)⇒巻末(筆)Web適性検査(面)2回(Webあり)(GD作)⇒巻末

選考ポイント (総)(ES)就職に対する価値観(面)人物 コミュニケーション能力 志望度 ポテンシャル (技)(ES)専門性 研究への取り組み方 志望理由 花王で取り組みたいこと 他(面)専門性と人物

通過率 (総)(ES)NA(受付:約3,000→通過:NA)(技)(ES)NA(受付:約850→通過:NA) 倍率(応募/内定) (総)約52倍 (技)約10倍

●男女別採用数と配属先ほか●

【男女・文理別採用実績】※25年:修士1名性別未回答

	大卒男	大卒女	修士男	修士女
23年	10(文 7 理 3)	17(文 11 理 6)	32(文 1 理 31)	23(文 1 理 22)
24年	10(文 7 理 3)	21(文 16 理 5)	38(文 2 理 36)	22(文 0 理 22)
25年	15(文 11 理 4)	31(文 20 理 11)	57(文 1 理 56)	40(文 0 理 40)

【25年4月入社者の採用実績校】(文)(院)大阪工大1(大)早大5 慶大 上智大各3 一橋大 横国大 明大各2 お茶女大 横浜市大 立教大 中大 学習院大 京大 関西学大 同大 立命館大 関西外大 西南学大 女子美大 奈良女大 武蔵野大各1 (理)(院)東理大 阪大各7 東京科学大 京大 九大各6 北大 東北大各5 東大 東京農工大 筑波大 名大 神戸大 関西学大 大阪公大各3 早大 慶大 中大 横国大 関大 岡山大 徳島大各2 お茶女大 横浜市大 岡山理大 京都工繊大 金沢大 埼玉大 三重大 山梨大 信州大 新潟大 青学大 千葉大 都立大 同大 奈良先端科技院大 富山大 北里大 北陸先端科技院大 立命館大各1 他(大)早大3 星薬大 京都薬大 津田塾大 立命館大 横浜市大 上智大 明大 芝工大 東洋大 東京海洋大 神戸大 青学大各1(高専)沖縄 沼津 富山 北九州各2 旭川 高知 大阪公大 大島商船 津山 都城 都立産技各1

【24年4月入社者の配属先】(総)勤務地:東京(茅場町23 墨田15)茨城・鹿島1 神奈川(小田原1 川崎1)愛知・豊橋1 部署:NA (技)勤務地:東京・墨田14 茨城・鹿島1 神奈川・小田原6 栃木12 和歌山19 部署:NA

残業(月) 11.9時間 (総)11.9時間

記者評価 日用品メーカーの国内圧倒的首位、世界でも大手。研究開発に強みを持ち、原材料の加工から最終製品まで一貫生産。衣料用洗剤「アタック」をはじめ、シェア首位級のブランド多数。化粧品は06年にカネボウ化粧品を買収。花王「ソフィーナ」と合わせて国内首位級に。

●給与、ボーナス、週休、有休ほか●

【30歳総合職平均年収】615万円【初任給】(博士)281,200円(修士)260,500円(大卒)240,000円【ボーナス(年)】274万円、6.1カ月【25、30、35歳賃金】270,057円→314,671円→355,150円【週休】完全2日(土日祝)【夏期休暇】連続2日【年末年始休暇】連続6日【有休取得】16.0／20日

●従業員数、勤続年数、離職率ほか●

【男女別従業員数、平均年齢、平均勤続年数】計 6,126(42.8歳 17.7年)男 3,971(43.9歳 19.1年)女 2,155(40.7歳 15.0年)【離職率と離職者数】3.6%、226名(早期退職男54名、女16名含む)【3年後新卒定着率】97.5%(男96.8%、女98.8%、3年前入社:男157名・女86名)【組合】あり

求める人材 高い倫理観と大志を有し、グローバルに協働しながら挑戦・価値創造に努められる人財

会社データ　(金額は百万円)

【本社】103-8210 東京都中央区日本橋茅場町1-14-10
☎03-3660-7111　https://www.kao.com/jp/
【社長】長谷部 佳宏【設立】1940.5【資本金】85,424【今後力を入れる事業】海外事業 ライフケア事業

【業績(IFRS)】	売上高	営業利益	税前利益	純利益
21.12	1,418,768	143,510	150,002	109,636
22.12	1,551,059	110,071	115,848	86,038
23.12	1,532,579	60,035	63,842	43,870

メーカーⅡ

ユニ・チャーム(株)

東京P 8113

【特色】生理用品・紙おむつで国内首位級。新興国も開拓

修士・大卒採用数	3年後離職率	有休取得年平均	平均年収(平均*41歳)
62名	7.3→13.0%	NA	総855万円

●エントリー情報と採用プロセス●

【受付開始～終了】総技3月～5月【採用プロセス】総技WebES→適性検査→面接(複数回)→内々定【交通費支給】最終面接、会社基準

試験情報

重視科目 総技ES 面接

総 ES NA 筆WebGAB 面複数回(Webあり) GD作NA 技 ES NA 筆WebGAB 面複数回(Webあり)

選考ポイント 総技 ES NA(提出あり) 面思考 行動 特性

通過率 総技 ES NA 倍率(応募/内定) 総技NA

●男女別採用数と配属先ほか●

【男女・文理別採用実績】

	大卒男	大卒女	修士男	修士女
23年	32(文 27理 5)	14(文 10理 4)	10(文 0理 10)	4(文 0理 4)
24年	24(文 22理 2)	16(文 15理 1)	15(文 0理 15)	3(文 0理 3)
25年	31(文 30理 1)	18(文 16理 2)	7(文 0理 7)	6(文 0理 6)

【25年4月入社者の採用実績校】文(大)関西学大6 早大5 同大4 青学大 中大各3 関大 上智大 立命館大各2 横浜市大 学習院大 近大 駒澤大 慶大 甲南大 多摩美大 大和大 拓大 筑波大 帝京平成大 東海大 東大 東京造形大 東洋大 法政大 明大 龍谷大 愛媛大各1 理(院)岡山大2 関大 岐阜大 京大 鹿児島大 摂南大 東京科学大 都立大 東理大 同大 奈良先端科技院大 名大各1(大)東京農工大 九大 明大各1

【24年4月入社者の配属先】総勤務地:東京21 名古屋4 大阪4 福岡4 札幌2 仙台2 岡山2 部署:営業32 マーケティング6 パッケージデザイン1 技勤務地:香川14 伊丹4 三重1 部署:パーソナルケア商品開発10 ペットフード商品開発3 設備開発3 ペットケア製造技術2 購買1

残業(月) 14.7時間 総14.7時間

記者評価 紙おむつ、生理用品で国内首位級。1961年、建材メーカーとして愛媛で創業。63年発売の生理用ナプキンを軸に発展。マスク、掃除用品やペット用品も展開。市場拡大中の大人用紙おむつも強化。現地の特性に合わせた商品づくりが奏功し、海外売上高比率は6割強。

●給与、ボーナス、週休、有休ほか●

【30歳総合職平均年収】NA【初任給】(修士)250,000円(大卒)235,000円【ボーナス(年)】NA【25、30、35歳賃金】NA【週休】2日(一部3交替勤務)【夏期休暇】連続9日(有休、週休含む)【年末年始休暇】連続7日【有休取得】NA/20日

●従業員数、勤続年数、離職率ほか●

【男女別従業員数、平均年齢、平均勤続年数】計 1,457(40.6歳 16.3年) 男 993(41.1歳 17.5年) 女 464(38.2歳 12.6年)【離職率と離職者数】6.2%、97名【3年後新卒定着率】87.0%(男83.9%、女91.3%、3年前入社:男31名・女23名)【組合】あり

求める人材 「素直さ」をもち、何事にも「好奇心」をもって主体的に「チャレンジ」できる人材

会社データ (金額は百万円)

【本社】108-8575 東京都港区三田3-5-19 東京三田ガーデンタワー
☎03-6722-1029 https://www.unicharm.co.jp/

【社長】高原 豪久【設立】1961.2【資本金】15,993【今後力を入れる事業】海外市場 大人用紙オムツ市場 ペットケア市場

【業績(IFRS)】	売上高	営業利益	税前利益	純利益
21.12	782,723	118,272	121,977	72,745
22.12	898,022	115,223	115,708	67,608
23.12	941,790	130,709	132,308	86,053

ライオン(株)

東京P 4912

【特色】洗剤や口腔ケア分野に強い。国内日用品3位

修士・大卒採用数	3年後離職率	有休取得年平均	平均年収(平均36歳)
65名	3.9→8.0%	13.8日	総735万円

●エントリー情報と採用プロセス●

【受付開始～終了】総技3月～5月【採用プロセス】総技ES提出(3月～)→面接(3回)・適性検査→内々定【交通費支給】最終面接以降、会社基準

試験情報

重視科目 総技面接

総技 ES ⇒巻末 筆あり(内容NA) 面3回(Webあり)

選考ポイント 総 ES 志望動機が具体的か 求める人物像との合致 面責任感や目標に対する達成意欲があるか 論理的に考え新しい発想を生み出し、行動を起こすことが出来るか 技 ES 研究内容 面総合職共通

通過率 総技 ES NA 倍率(応募/内定) 総技NA

●男女別採用数と配属先ほか●

【男女・文理別採用実績】

	大卒男	大卒女	修士男	修士女
23年	10(文 8理 2)	11(文 7理 4)	20(文 0理 20)	16(文 0理 16)
24年	6(文 6理 0)	12(文 9理 3)	10(文 0理 10)	24(文 1理 23)
25年	13(文 11理 2)	15(文 13理 2)	21(文 1理 20)	16(文 1理 15)

【25年4月入社者の採用実績校】文(院)東京学芸大 龍谷大各1(大)早大5 同大 立命館大各3 青学大 関大各2 関西学大 京産大 慶大 東理大 テンプル大 法政大 宮崎公大 明大 立教大各1 理(院)東理大5 九大4 東京科学大 東京農工大各3 北里大 筑波大 東大 明大 横国大 早大各2 阪大 大阪公大 岡山大 金沢大 京都府大 ICU 芝工大 東京薬大 日大 立命館大各1(大)青学大 京都薬大 慶大 弘前大各1(高専)宇部 和歌山各1

【24年4月入社者の配属先】総勤務地:札幌1 仙台1 東京11 名古屋2 大阪1 福岡1 部署:営業13 経理1 DX2 パッケージデザイン1 技勤務地:東京27 小田原8 千葉1 大阪1 部署:研究29 生産8

残業(月) 12.6時間

記者評価 歯磨き「クリニカ」、解熱鎮痛剤「バファリン」やハンドソープ「キレイキレイ」など有名ブランドが多い。好採算の歯科製品でトップシェア。洗濯用洗剤・柔軟剤は22年から大型新製品を投入し、挽回を狙う。海外は中国で口腔ケア展開に注力。新規国開拓も。

●給与、ボーナス、週休、有休ほか●

【30歳総合職平均年収】579万円【初任給】(博士)269,580円(修士)256,440円(大卒)237,530円【ボーナス(年)】209万円、5.3カ月【25、30、35歳賃金】262,860円→302,467円→382,719円【週休】完全2日(土日祝)【夏期休暇】連続6日(有休、週休含む)【年末年始休暇】連続6日(週休、祝日含む)【有休取得】13.8/20日

●従業員数、勤続年数、離職率ほか●

【男女別従業員数、平均年齢、平均勤続年数】計 ◇3,147(43.9歳 16.5年) 男 1,926(44.6歳 18.1年) 女 1,221(42.8歳 14.0年)【離職率と離職者数】◇2.1%、67名(選択定年退職男2名、女1名含む)【3年後新卒定着率】92.0%(男92.6%、女90.9%、3年前入社:男54名・女33名)【組合】あり

求める人材 LIONのパーパスに共感し、その実践のためにビリーフスを携え共に行動できる人

会社データ (金額は百万円)

【本社】111-8644 東京都台東区蔵前1-3-28
☎03-6739-3711 https://www.lion.co.jp/

【社長】竹森 征之【設立】1918.9【資本金】34,433【今後力を入れる事業】国内・海外(アジア)市場 ヘルスケア事業

【業績(IFRS)】	売上高	営業利益	税前利益	純利益
21.12	366,234	31,178	34,089	23,759
22.12	389,869	28,843	31,292	21,939
23.12	402,767	20,505	22,375	14,624

メーカーⅡ

アース製薬(株)

せいやく

東京P 4985

【特色】殺虫剤首位。日用品も展開。大塚製薬グループ。

修士・大卒採用数	3年後離職率	有休取得年平均	平均年収(平均42歳)
28名	6.3→13.5%	14.6日	[総]795万円

●エントリー情報と採用プロセス●

【受付開始～終了】[総][技]3月～5月【採用プロセス】[総]説明会(任意、3月～)→ES動画提出・面接(3回)・適性検査(4月上旬～下旬)→内々定(5月下旬) [技]説明会(任意、3月～)→ES動画提出・面接(2回)・適性検査(4月上旬～下旬)→内々定(5月下旬)【交通費支給】最終面接、実費

試験情報

重視科目 [総][技]面接

[総][ES]⇒巻末[筆]compass[面]3回(Webあり) [技][ES]⇒巻末[筆]compass[面]2回(Webあり)

選考ポイント [総][技][ES]録画(動画提出)との総合評価 志望動機 具体的な将来のビジョン 学外での活動(スポーツ アルバイト等)リーダー経験 他[面]コミュニケーション能力 協調性 当社で働く意欲

通過率 [総][技][ES]選考なし(受付:NA)

倍率(応募/内定) [総][技]NA

●男女別採用数と配属先ほか●

【男女・文理別採用実績】

	大卒男	大卒女	修士男	修士女
23年	22(文 19理 3)	9(文 7理 2)	6(文 0理 6)	3(文 0理 3)
24年	20(文 18理 2)	14(文 11理 3)	10(文 0理 10)	5(文 0理 5)
25年	8(文 5理 3)	4(文 2理 2)	8(文 0理 8)	8(文 0理 8)

【25年4月入社者の採用実績校】[文](大)上智大 法政大 立命館大 名城大 大東文化大 関東学院大 大阪体大各1 [理](院)岡山大3 広島大2 阪大 名大 東北大 千葉大 鹿児島大 大阪医薬大 奈良先端科技院大 北陸先端科技院大 兵庫県大 日女大 北里大各1(大)大阪府大 香川大 鳥取大 近大 東京聖栄大各1

【24年4月入社者の配属先】[総]勤務地:東京11 大阪4 名古屋4 広島3 仙台2 札幌1 岡山1 福岡1 鹿児島1 沖縄1 部署:営業27 事務2 [技]勤務地:兵庫・赤穂20 部署:研究13 知的財産2 品質保証2 デザイナー3

残業(月) 12.0時間 [総]12.0時間

記者評価 殺虫剤は国内シェア5割強で首位。「アースジェット」や「ごきぶりホイホイ」などロングセラー商品が多い。入浴剤「バスロマン」や洗口剤「モンダミン」など日用品でも高シェア。海外進出に積極的で、ベトナム、タイ、中国を軸にアジアで展開。

●給与、ボーナス、週休、有休ほか●

【30歳総合職平均年収】NA【初任給】(博士)240,000円 (修士)240,000円 (大卒)220,000円【ボーナス(年)】NA、6.0カ月【25、30、35歳モデル賃金】260,000円→300,000円→350,000円【週休】完全2日(土日祝)【夏期休暇】5日(有休で取得)【年末年始休暇】12月29日～1月4日【有休取得】14.6／20日

●従業員数、勤続年数、離職率ほか●

【男女別従業員数、平均年齢、平均勤続年数】計 ◇1,358(42.2歳 13.8年) 男 811(42.6歳 16.0年) 女 547(41.6歳 10.5年)【離職率と離職者数】◇4.5%、64名(早期退職2名含む)【3年後新卒定着率】86.5%(男80.0%、女100%、3年前入社:男35名・女17名)【組合】なし

求める人材 コミュニケーション能力 チームワークを重視できる 計画的に行動できる 難しい事にも積極的にチャレンジ

会社データ (金額は百万円)

【本社】101-0048 東京都千代田区神田司町2-12-1
☎03-5207-7451 https://corp.earth.jp/
【社長】川端 克宜【設立】1925.8【資本金】10,192【今後力を入れる事業】海外展開 MA-T

【業績(連結)】	売上高	営業利益	経常利益	純利益
21.12	203,785	10,667	11,362	7,142
22.12	152,339	7,434	8,133	5,303
23.12	158,344	6,370	6,791	4,102

田辺三菱製薬(株)

た なべみつびしせいやく

株式公開 計画なし

【特色】国内製薬準大手。三菱ケミカルHDの傘下

修士・大卒採用数	3年後離職率	有休取得年平均	平均年収(平均*48歳)
31名	0→5.0%	16.1日	[総]881万円

●エントリー情報と採用プロセス●

【受付開始～終了】[総][技]3月～6月【採用プロセス】[総]ES提出・Web適性検査(3月～)→WebSPI→面接(2～3回)→内々定(6月) [技]ES提出・Web適性検査(3月～)→WebSPI→面接(1～2回)→内々定(6月)【交通費支給】面接、大学所在県から面接地までの当社規定額

試験情報

重視科目 [総][技]面接

[総][ES]NA[筆]SPI3(会場) SPI3(自宅) Web適性検査[面]2～3回(Webあり) [技][ES]NA[筆]SPI3(会場) SPI3(自宅) Web適性検査[面]1～2回(Webあり)

選考ポイント [総][ES]NA(提出あり)[面]対人・協調 活動・課題遂行 企画 [技][ES]NA(提出あり)[面]対人・協調 活動・課題遂行 企画 専門性

通過率 [総][技][ES]NA

倍率(応募/内定) [総]37倍 [技]85倍

●男女別採用数と配属先ほか●

【男女・文理別採用実績】※25年:24年7月末時点

	大卒男	大卒女	修士男	修士女
23年	1(文 1理 0)	3(文 3理 0)	3(文 0理 3)	3(文 0理 3)
24年	10(文 3理 7)	7(文 0理 7)	7(文 0理 7)	8(文 0理 8)
25年	8(文 3理 5)	9(文 2理 7)	5(文 0理 5)	9(文 0理 9)

【25年4月入社者の採用実績校】[文](大)岡山大 日大 福岡大 南山大 関西学大各1 [理](院)名古屋市大3 東京科学大 東大各2 東理大 慶大 横浜市大 熊本大 九大 筑波大 愛媛大 大阪医薬大各1(大)千葉大 阪大 大阪市大 九大 成蹊大 武庫川女大 岐阜薬大 慶大 立教大 金沢大 北里大 明治薬大各1

【24年4月入社者の配属先】[総]勤務地:〈営業〉全国各地13〈スタッフ〉大阪1 部署:営業13 スタッフ1 [技]勤務地:神奈川(横浜5 藤沢3)山口・山陽小野田6 東京・丸の内4 大阪1 部署:研究14 開発5

残業(月) NA

記者評価 三菱ウェルファーマと田辺製薬の合併で07年誕生。中枢神経、免疫炎症、糖尿病・腎をコア領域として医療用医薬品を開発・製造・販売するほか、胃腸薬などのOTC医薬品も扱う。ALS治療薬のラジカヴァは北米軸に海外でも展開、経口懸濁剤も投入し強化。

●給与、ボーナス、週休、有休ほか●

【30歳総合職平均年収】679万円【初任給】(博士)288,000円 (修士)254,000円 (大卒)230,000円【ボーナス(年)】NA【25、30、35歳賃金】NA【週休】完全2日(土日祝)【夏期休暇】2日+有休1日【年末年始休暇】12月29日～1月4日【有休取得】16.1／22日

●従業員数、勤続年数、離職率ほか●

【男女別従業員数、平均年齢、平均勤続年数】計 3,075(47.6歳 22.3年) 男 2,312(48.7歳 23.3年) 女 763(44.4歳 19.2年)【離職率と離職者数】3.8%、120名(早期退職33名、女5名含む)【3年後新卒定着率】95.0%(男100%、女91.7%、3年前入社:男8名・女12名)【組合】あり

求める人材 病と向き合う人々を第一に考え、各々の主体性・専門性・柔軟性を持った人材

会社データ (金額は百万円)

【本社】541-8505 大阪府大阪市中央区道修町3-2-10
☎06-6205-5032 https://www.mt-pharma.co.jp/
【代表取締役】辻村 明広【設立】1933.12【資本金】50,000【今後力を入れる事業】医療用医薬品事業

【業績(IFRS)】	売上高	営業利益	税前利益	純利益
22.3	299,800	10,500	▲148	6,100
23.3	4,634,532	182,718	167,964	96,066
24.3	4,387,218	261,831	240,547	119,596

※23.3および24.3の業績は(株)三菱ケミカルグループのもの

メーカーⅡ

アステラス製薬(株)（せいやく）

東京P 4503

【特色】国内製薬2位。前立腺がん、泌尿器に強み

修士・大卒採用数	3年後離職率	有休取得年平均	平均年収(平均43歳)
32名	0→5.7%	16.6日	総1,110万円

●エントリー情報と採用プロセス●

【受付開始～終了】総12月～3月 技12月～2月【採用プロセス】総技NA【交通費支給】最終面接、全額

試験情報

重視科目 総技ES 面接

総技 ES⇒巻末 筆SPI3(自宅) 面1～2回(Webあり)

選考ポイント 総技 ES学生時代の取り組み等を含め総合的に評価 面患者志向 主体性 結果への拘り 多様性 誠実 相互カルチャーフィット 他

通過率 総技 ES NA

倍率(応募/内定) 総技NA

●男女別採用数と配属先ほか●

【男女・文理別採用実績】

	大卒男	大卒女	修士男	修士女
23年	2(文NA 理NA)	4(文NA 理NA)	37(文NA 理NA)	35(文NA 理NA)
24年	6(文NA 理NA)	6(文NA 理NA)	16(文NA 理NA)	17(文NA 理NA)
25年	1(文NA 理NA)	1(文NA 理NA)	14(文NA 理NA)	16(文NA 理NA)

【25年4月入社者の採用実績校】
文NA 理NA

【24年4月入社者の配属先】
総勤務地：全国各営業基点 東京・日本橋 **部署**：営業8 開発9 ファーマコヴィジランス2 メディカルサイエンスリエゾン1 技勤務地：茨城(つくば 高萩)静岡・焼津 富山(富山 高岡) **部署**：デジタル部門2 製薬技術39

残業(月) 6.8時間 総6.8時間

記者評価 山之内製薬と藤沢薬品が05年統合。泌尿器、免疫・神経が得意。大型薬に育った前立腺がん薬「イクスタンジ」が売上高の約4割占めるが、この特許切れ後を補う薬の開発が課題。技術の買収などを通じて眼科領域など新分野開拓に積極的。国内MRは大幅削減。

●給与、ボーナス、週休、有休ほか●

【30歳総合職平均年収】NA【初任給】(博士)406,600円 (修士)364,100円 (大卒)326,700円【ボーナス(年)】NA【25、30、35歳賃金】NA【週休】完全2日(土日祝)【夏期休暇】選択4日(職種により異なる)【年末年始休暇】12月29日～1月4日【有休取得】16.6／20日

●従業員数、勤続年数、離職率ほか●

【男女別従業員数、平均年齢、平均勤続年数】計 4,806 (42.7歳 16.5年) 男 3,309(43.9歳 17.8年) 女 1,497(40.0歳 13.8年)【離職率と離職者数】13.9%、778名(早期退職を含む)【3年後新卒定着率】94.3%(男97.4%、女90.6%、3年前入社：男38名・女32名)【組合】あり

求める人材 変化を先取りし挑戦する人材 多様性を尊重する人材 他者へ貢献する人材 誠実に行動する人材

会社データ (金額は百万円)

【本社】103-8411 東京都中央区日本橋本町2-5-1
☎03-3244-3000 https://www.astellas.com/jp/ja/
【社長】岡村 直樹【設立】1939.3【資本金】103,001【今後力を入れる事業】医薬品の製造・販売および輸出入

【業績(IFRS)】	売上高	営業利益	税前利益	純利益
22.3	1,296,163	155,686	156,886	124,086
23.3	1,518,619	133,029	132,361	98,714
24.3	1,603,672	25,518	24,969	17,045

中外製薬(株)（ちゅうがいせいやく）

東京P 4519

【特色】医療用医薬品準大手。がん国内首位。ロシュ傘下

修士・大卒採用数	3年後離職率	有休取得年平均	平均年収(平均43歳)
123名	4.1→2.8%	14.4日	総1,198万円

●エントリー情報と採用プロセス●

【受付開始～終了】総 技3月～3月【採用プロセス】総説明会(任意、3月)→ES提出・適性検査(3月)→面接(2回、6月)→内々定(6月) 技〈研究職〉説明会(任意、3月)→ES提出・適性検査(3～4月)→面接(2回、6月)→内々定(6月)〈研究職以外〉説明会(任意、3月)→ES提出・適性検査(3月)→面接(2回、6月)→内々定(6月)【交通費支給】最終面接、実費【早期選考】⇒巻末

試験情報

重視科目 総技面接 総 ES ⇒巻末 筆SPI3(自宅) TAL(自宅受験) 面2回(Webあり) 技 ES⇒巻末 筆SPI3(自宅) TAL(自宅受験) 面2回(Webあり) GD作⇒巻末

選考ポイント 総 ES NA(提出あり) 面コミュニケーション力 行動力 誠実さ 論理的思考 意欲 情熱 主体性 自分の言葉で話せているか 技 ES NA(提出あり) 面専門性 発想力

通過率 総 ES 14%(受付：431→通過：60) 技 ES 10%(受付：774→通過：75) 倍率(応募/内定) 総144倍 技60倍

●男女別採用数と配属先ほか●

【男女・文理別採用実績】

	大卒男	大卒女	修士男	修士女
23年	17(文 3 理 14)	22(文 2 理 20)	33(文 0 理 33)	31(文 0 理 31)
24年	14(文 0 理 14)	18(文 0 理 18)	41(文 0 理 41)	45(文 0 理 45)
25年	22(文 5 理 17)	20(文 2 理 18)	55(文 0 理 55)	26(文 0 理 26)

【25年4月入社者の採用実績校】文(大)関西学大 慶大 上智大 東洋大 同大 明大 立教大各1 理(院)東大25 京大18 東京科学大11 東北大9 慶大8 九大7 早大 阪大各6 東理大 名大各4 筑波大3 岡山大 東京農工大 名古屋市大 千葉大 静岡県大各2 横国大 関西学大 鳥取大 東京医大 都立大 奈良先端科技院大 沖縄科技院大 金沢大 広島大 順天堂大 北大 ミネソタ大各1(大)慶大 東理大 北大各4 阪大3 岐阜薬大 千葉大 東京薬大 名古屋市大 明治薬大各2 他

【24年4月入社者の配属先】総勤務地：仙台5 埼玉3 東京・大崎1 名古屋4 大阪1 広島2 福岡2 **部署**：営業(MR)職18 技勤務地：横浜62 浮間43 東京本社35 **部署**：研究職96 臨床開発職19 医薬安全性職4 信頼性保証職8 医科学薬理職5 メディカルサイエンス職2 薬事職3 知的財産2 DXU職1

残業(月) 20.0時間 総20.0時間

記者評価 がん治療薬は国内首位。2002年からスイス・ロシュ傘下。創薬研究から初期までの開発にフォーカスする独自の経営モデルで、戦略的提携の下に独立経営を維持。自社創製の抗体改変技術に強み。自社創製の血友病薬などが成長牽引。研究所は戸塚に集約。

●給与、ボーナス、週休、有休ほか●

【30歳総合職平均年収】788万円【初任給】(博士)315,000円 (修士)275,000円 (大卒)250,000円【ボーナス(年)】NA【25、30、35歳賃金】NA【週休】完全2日(土日祝)【夏期休暇】時期関係なく4日付与【年末年始休暇】12月30日～1月4日【有休取得】14.4／23日

●従業員数、勤続年数、離職率ほか●

【男女別従業員数、平均年齢、平均勤続年数】計 4,903 (42.7歳 15.8年) 男 3,332(44.0歳 17.3年) 女 1,571(39.6歳 12.9年)【離職率と離職者数】8.7%、465名(早期退職374名含む)【3年後新卒定着率】97.2%(男95.2%、女100%、3年前入社：男83名・女61名)【組合】あり

求める人材 道を切り拓く人 自ら考え、行動できる人 チャレンジ精神旺盛な人

会社データ (金額は百万円)

【本社】103-8324 東京都中央区日本橋室町2-1-1
☎03-3281-6611 https://www.chugai-pharm.co.jp/
【社長】奥田 修【設立】1943.3【資本金】73,202【今後力を入れる事業】医療用医薬品事業

【業績(IFRS)】	売上高	営業利益	税前利益	純利益
21.12	999,759	421,897	419,385	302,995
22.12	1,259,946	533,309	531,166	374,429
23.12	1,111,367	439,174	443,821	325,472

メーカーⅡ

開示 ★★☆☆☆ ▶『業界地図』p.194

エーザイ(株)

東京P 4523

【特色】国内製薬大手。オーナー色。中枢神経系に強い

修士・大卒採用数	3年後離職率	有休取得年平均	平均年収(平均44歳)
103名	3.1 → 9.1%	12.1日	[総]1,053万円

残業(月) 7.7時間

[記者評価] 1999年発売の「アリセプト」で一世風靡の認知症薬では米バイオジェンと提携。足元では「レケンビ」の育成進める。抗がん剤では米メルクと18年に戦略提携し「レンビマ」成長。全社員に就業時間の1%を患者と過ごすことを推奨するなど「hhc活動」展開。

●エントリー情報と採用プロセス●

【受付開始～終了】[総]3月～5月 [技]3月～4月【採用プロセス】[総]ES提出・Web適性検査・成績証明書(3月～)→面接(2～3回)→内々定(6月)※エントリー書類は職種により異なる [技]ES提出・Web適性検査・小論文・研究サマリ・成績証明書(3月～)→面接(2～3回)→内々定(6月)※エントリー書類は職種により異なる【交通費支給】最終面接、実費全額

試験情報

重視科目 [総][技]面接

[総][ES]⇒巻末[筆]SPI3(自宅) SPI3[面]2～3回(Webあり)
[技][ES]⇒巻末[筆]SPI3(自宅) SPI3[面]2～3回(Webあり)
[GD作]⇒巻末

選考ポイント [総][ES]NA(提出あり)[面]コミュニケーション力 実行力 挑戦意欲 柔軟性 他 [技][ES]NA(提出あり)[面]専門性 仕事へのコミット 信頼が構築できるか 他

通過率 [総][技][ES]NA

倍率(応募/内定) [総][技]NA

●男女別採用数と配属先ほか●

【男女・文理別採用実績】

	大卒男	大卒女	修士男	修士女
23年	8(文 3理 5)	11(文 5理 6)	12(文 0理 12)	5(文 0理 5)
24年	6(文 5理 1)	7(文 4理 3)	32(文 0理 32)	19(文 0理 19)
25年	12(文 11理 1)	25(文 22理 3)	35(文 0理 35)	31(文 0理 31)

【25年4月入社者の採用実績校】
[文]NA [理]NA

【24年4月入社者の配属先】
NA

●給与、ボーナス、週休、有休ほか●

【30歳総合職平均年収】NA【初任給】(博士)350,000円(修士)320,000円(大卒)300,000円【ボーナス(年)】NA【25、30、35歳賃金】NA【週休】完全2日(土日祝)【夏期休暇】連続2日【年末年始休暇】12月30日～1月3日【有休取得】12.1/20日

●従業員数、勤続年数、離職率ほか●

【男女別従業員数、平均年齢、平均勤続年数】計 2,984(44.2歳 18.5年) 男 2,152(46.2歳 20.3年) 女 832(39.0歳 13.8年)【離職率と離職者数】3.5%、109名【3年後新卒定着率】90.9%(男92.5%、女89.4%、3年前入社:男93名・女104名)【組合】あり

[求める人材] 企業理念に共感し、環境変化に先取適応し、期待された成果を出す、課題を解決する人

[会社データ] (金額は百万円)

【本社】112-8088 東京都文京区小石川4-6-10
☎03-3817-3700 https://www.eisai.co.jp/
【CEO】内藤 晴夫【設立】1941.12【資本金】44,986【今後力を入れる事業】医薬品事業

【業績(IFRS)】	売上高	営業利益	税前利益	純利益
22.3	756,226	53,750	54,458	47,954
23.3	744,402	40,040	45,012	55,432
24.3	741,751	53,408	61,823	42,406

小野薬品工業(株)

おのやくひんこうぎょう

東京P 4528

【特色】製薬中堅。「オプジーボ」でがん免疫薬をリード

修士・大卒採用数	3年後離職率	有休取得年平均	平均年収(平均43歳)
48名	8.3 → 11.0%	13.4日	987万円

残業(月) 16.2時間

[記者評価] 医療用医薬品専業。自社創製の「オプジーボ」はがん免疫治療薬の先駆けで、本庶佑氏のノーベル賞受賞で脚光を浴びる。米社などと組み、様々ながん種への適応拡大を進める。水無瀬、筑波の両研究所が創薬研究拠点。欧米での自販体制の構築を推進。

●エントリー情報と採用プロセス●

【受付開始～終了】[総][技]3月～5月【採用プロセス】[総][技]ES提出(3～5月)→GD(Web)→面接(2回、5～6月)→内々定(6月)【交通費支給】最終面接、会社基準

試験情報

重視科目 [総][技]面接

[総][技][ES]⇒巻末[筆]SPI3(会場) G9 英語[面]2回(Webあり)
[GD作]⇒巻末

選考ポイント [総][技][ES]論理的な文章か 志望理由は明確か 他[面]チームで仕事ができるか チャレンジ精神 積極性

通過率 [総][ES]NA(受付:376→通過:NA) [技][ES]NA(受付:1,002→通過:NA)

倍率(応募/内定) [総]38倍 [技]18倍

●男女別採用数と配属先ほか●

【男女・文理別採用実績】

	大卒男	大卒女	修士男	修士女
23年	11(文 3理 8)	14(文 1理 13)	19(文 0理 19)	12(文 0理 12)
24年	10(文 1理 9)	9(文 0理 9)	17(文 0理 17)	12(文 0理 12)
25年	5(文 0理 5)	11(文 2理 9)	19(文 0理 19)	13(文 0理 13)

【25年4月入社者の採用実績校】
[文]NA [理]NA

【24年4月入社者の配属先】
[総]勤務地:全国営業本部・各支店10 部署:営業10 [技]勤務地:大阪44 茨城9 東京2 山口2 部署:研究42 開発6 PV3 MA2 製造技術2 経理1 知財1

●給与、ボーナス、週休、有休ほか●

【30歳総合職平均年収】NA【初任給】(博士)334,000円(修士)295,000円(大卒)273,000円【ボーナス(年)】NA【25、30、35歳賃金】NA【週休】会社暦2日【夏期休暇】連続5日以上(土日含む)【年末年始休暇】12月30日～1月4日【有休取得】13.4/20日

●従業員数、勤続年数、離職率ほか●

【男女別従業員数、平均年齢、平均勤続年数】計 3,437(43.4歳 16.7年) 男 2,739(44.5歳 17.8年) 女 698(39.0歳 12.2年)【離職率と離職者数】2.1%、74名【3年後新卒定着率】89.0%(男87.8%、女90.9%、3年前入社:男49名・女33名)【組合】あり

[求める人材] 「チャレンジ」&「自律」する人財

[会社データ] (金額は百万円)

【本社】541-8564 大阪府大阪市中央区久太郎町1-8-2
☎06-6263-5670 https://www.ono-pharma.com/
【社長】滝野 十一【設立】1947.7【資本金】17,358【今後力を入れる事業】医療用医薬品事業

【業績(IFRS)】	売上高	営業利益	税前利益	純利益
22.3	361,361	103,195	105,025	80,519
23.3	447,187	141,963	143,532	112,723
24.3	502,672	159,935	163,734	127,977

開示 ★★★☆☆ ▶『業界地図』p.194

塩野義製薬(株)

しおのぎせいやく

東京P 4507

【特色】製薬準大手。感染症、疼痛・中枢神経領域に強み

修士・大卒採用数	3年後離職率	有休取得年平均	平均年収(平均41歳)
66名	7.5→8.5%	13.7日	(総)964万円

●エントリー情報と採用プロセス●

【受付開始～終了】(総)(技)3月～継続中【採用プロセス】(総)(技)ES提出(3月～)→適性検査→個人面接(2～3回)→内々定【交通費支給】2次面接以降、公共交通機関利用時の片道相当

試験情報

重視科目 (総)(技)面接

(総)(技)(ES)⇒巻末(筆)SPI3(会場)(面)2～3回(Webあり)
(GD作)NA

選考ポイント (総)(ES)求める人材要件に合致するか(面)求める人材要件に合致するか (技)(ES)求める人材要件に合致するか 研究内容 研究に対する姿勢(面)求める人材要件に合致するか 研究内容プレゼン

通過率 (総)(ES)NA(受付:942→通過:NA) (技)(ES)NA(受付:364→通過:NA)

倍率(応募/内定) (総)34倍 (技)7倍

●男女別採用数と配属先ほか●

【男女・文理別採用実績】

	大卒男	大卒女	修士男	修士女
23年	9(文 1理 8)	7(文 3理 4)	22(文 0理 22)	5(文 1理 4)
24年	8(文 4理 4)	7(文 2理 5)	19(文 0理 19)	14(文 1理 13)
25年	13(文 7理 6)	11(文 6理 5)	32(文 0理 32)	10(文 0理 10)

【25年4月入社者の採用実績校】(文)(大)中大 立教大 青学大各2 信州大 立命館APU 関西学大 筑波大 岡山大 関大 国際教養大各1 (理)(院)京大 東北大 北大各6 阪大5 九大 東大各4 神戸大 名古屋市大各3 広島大 静岡県大 大阪公大 筑波大 東理大 慶大各2 インペリアル・カレッジ・ロンドン 岐阜大 京都薬大 東京医大 徳島大 武庫川女大 北九州市大 関西学大各1(大)阪大4 岡山大 明大 同大 山口東理大 神戸薬大 慶大 東邦大各1

【24年4月入社者の配属先】(総)勤務地:<営業職>全国10<営業職以外>大阪7 部署:営業10 DX4 信頼性保証2 その他1 (技)勤務地:大阪33 兵庫10 部署:研究27 開発16

残業(月) NA

記者評価 大阪・道修町本拠の製薬名門。準大手の一角。英ViiV社と連携する抗HIV薬が成長、ロイヤルティ収入が収益柱に。新薬開発力の高さに定評。得意の感染症分野ではインフルエンザ薬「ゾフルーザ」、新型コロナ薬「ゾコーバ」を自社創製。抗生剤なども。

●給与、ボーナス、週休、有休ほか●

【30歳総合職平均年収】NA【初任給】(博士)305,000円(修士)275,000円(大卒)250,000円【ボーナス(年)】NA【25、30、35歳賃金】NA【週休】完全2日(土日祝)【夏期休暇】連続3日【年末年始休暇】12月30日～1月4日【有休取得】13.7／21日

●従業員数、勤続年数、離職率ほか●

【男女別従業員数、平均年齢、平均勤続年数】計 2,117(40.9歳 15.1年) 男 1,558(41.3歳 15.2年) 女 559(39.7歳 14.8年)【離職率と離職者数】NA【3年後新卒定着率】91.5%(男91.9%、女91.2%、3年前入社:男37名・女34名)【組合】あり

求める人材 他者を惹きつける強みを持ち、貪欲に知識とスキルを高めつつ、積極的に挑戦しやり遂げる人

会社データ (金額は百万円)

【本社】541-0045 大阪府大阪市中央区道修町3-1-8
☎06-6202-2161 https://www.shionogi.com/
【会長兼社長】手代木 功【設立】1919.6【資本金】21,279【今後力を入れる事業】感染症 中枢神経 新規事業

【業績(IFRS)】	売上高	営業利益	税前利益	純利益
22.3	335,138	110,312	126,268	114,185
23.3	426,684	149,003	220,332	184,965
24.3	435,081	153,310	198,283	162,030

住友ファーマ(株)

すみとも

東京P 4506

【特色】製薬準大手。精神神経に強み、再生医療で先行

修士・大卒採用数	3年後離職率	有休取得年平均	平均年収(平均44歳)
0名	13.6→18.8%	14.8日	867万円

●エントリー情報と採用プロセス●

【受付開始～終了】(技)NA【採用プロセス】(技)ES提出→適性検査→Webテスト→面接→最終面接→内々定【交通費支給】会社基準

試験情報

重視科目 (技)面接

(技)(ES)NA(筆)SPI3(会場) SPI3(自宅)(面)2回(Webあり)
(GD作)NA

選考ポイント (技)(ES)NA(提出あり)(面)専門技術・知識 論理的思考力 分析力 探究心 独創的アイデア プレゼンテーション能力 コミュニケーション能力 他

通過率 (技)(ES)NA

倍率(応募/内定) (技)NA

●男女別採用数と配属先ほか●

【男女・文理別採用実績】

	大卒男	大卒女	修士男	修士女
23年	8(文 2理 6)	8(文 4理 4)	11(文 0理 11)	5(文 1理 4)
24年	4(文 0理 4)	5(文 2理 3)	7(文 0理 7)	5(文 0理 5)
25年	0(文 0理 0)	0(文 0理 0)	0(文 0理 0)	0(文 0理 0)

【25年4月入社者の採用実績校】
(文)なし (理)東大 筑波大 名大 金沢大 京大 阪大 大阪公大各1

【24年4月入社者の配属先】
(総)勤務地:全国各地6 東京5 部署:営業6 開発3 データサイエンス2 (技)勤務地:大阪21 神戸2 三重2 部署:研究23 生産2

残業(月) NA

記者評価 05年大日本製薬と住友製薬が合併し誕生。住友化学子会社。北米で販売の抗精神病薬「ラツーダ」が売上高の約4割を占める大黒柱だったが、23年の特許切れで業績急悪化。23年に過去最大規模の人員削減を発表するなど、経営建て直しを進める。

●給与、ボーナス、週休、有休ほか●

【30歳総合職平均年収】NA【初任給】(博士)288,000円(修士)254,000円(大卒)230,000円【ボーナス(年)】NA【25、30、35歳賃金】NA【週休】完全2日(土日祝)【夏期休暇】連続約5日【年末年始休暇】連続約7日【有休取得】14.8／20日

●従業員数、勤続年数、離職率ほか●

【男女別従業員数、平均年齢、平均勤続年数】計 2,908(44.3歳 18.7年) 男 NA 女 NA【離職率と離職者数】NA【3年後新卒定着率】81.3%(男86.7%、女76.5%、3年前入社:男30名・女34名)【組合】あり

求める人材 変化を恐れず、挑戦することが出来る人 目的思考を持ち、自律・自立して最後までやりきることの出来る人

会社データ (金額は百万円)

【本社】541-0045 大阪府大阪市中央区道修町2-6-8
☎06-6203-5305 https://www.sumitomo-pharma.co.jp/
【社長】木村 徹【設立】1897.5【資本金】22,400【今後力を入れる事業】NA

【業績(IFRS)】	売上高	営業利益	税前利益	純利益
22.3	560,035	60,234	82,961	56,413
23.3	555,544	▲76,979	▲47,920	▲74,512
24.3	314,558	▲354,859	▲323,114	▲314,969

メーカーII

参天製薬(株)（さんてんせいやく）

東京P 4536

【特色】眼科用医薬品に特化し国内首位。市販品も著名

修士・大卒採用数	3年後離職率	有休取得年平均	平均年収(平均44歳)
25名	0 → 37.5%	12.9日	◇873万円

残業(月) 10.8時間

記者評価 売上高は医療用が9割。市販用は「サンテ」が有名。加齢黄斑変性治療薬や医療用ドライアイ薬などが強い。眼科のスペシャリティ・カンパニーを目指し、米メルクの眼科製品や緑内障用デバイス開発企業を買収。失明や視覚障がいへの理解向上に注力。

●エントリー情報と採用プロセス●

【受付開始～終了】(総)(技)3月～6月【採用プロセス】(総)ES提出(3～6月)→適性試験(3～6月)→面接(3回)・GW(3～6月)→内々定(5～7月)(技)ES提出(3月～)→適性試験(3月～)→面接(3回、4～5月)→内々定(5月)【交通費支給】GW(技術系以外)最終面接、遠方者に実費相当(新幹線、航空券等)会社基準

試験情報

重視科目 (総)(技)面接

(総)(ES)⇒巻末(筆)SPI3(会場)(面)3回(Webあり)(GD作)⇒巻末 (技)(ES)⇒巻末(筆)SPI3(会場)(面)3回(Webあり)

選考ポイント (総)(ES)自信をもって自己PRできているか 職種に活かせる活動があるか(面)論理性 企業理念や行動指針、職種への合致度合い (技)(ES)質問に正しく論理的に回答しているか(面)総合職共通

通過率 (総)(ES)75%(受付:428→通過:323)(技)(ES)93%(受付:232→通過:215)

倍率(応募/内定) (総)25倍 (技)33倍

●男女別採用数と配属先ほか●

【男女・文理別採用実績】

	大卒男	大卒女	修士男	修士女
23年	0(文 0理 0)	5(文 3理 2)	4(文 0理 4)	0(文 0理 0)
24年	1(文 1理 0)	1(文 1理 0)	1(文 0理 1)	1(文 0理 1)
25年	5(文 4理 1)	12(文 8理 4)	4(文 0理 4)	4(文 0理 4)

【25年4月入社者の採用実績校】(文)(大)専大 立命館大各2 三重大 東洋大 明大 北星学大 順天堂大 東京女大 高崎経大 青学大各1 (理)(院)金沢大2 埼玉大 京都工繊大 阪大 岡山大 山梨大 東京科学大各1(大)神戸薬大2 明大 兵庫医大 京都薬大各1

【24年4月入社者の配属先】(総)勤務地:(23年)愛知1 千葉1 東京1 熊本1 部署:(23年)営業4 (技)勤務地:(24年)石川1 滋賀1 部署:(24年)品質管理2

●給与、ボーナス、週休、有休ほか●

【30歳総合職平均年収】NA【初任給】(博士)385,700円(修士)346,200円(大卒)314,100円【ボーナス(年)】NA、2.4カ月【25、30、35歳賃金】NA【週休】完全2日(土日祝)【夏期休暇】なし【年末年始休暇】12月29日～1月3日【有休取得】12.9／20日

●従業員数、勤続年数、離職率ほか●

【男女別従業員数、平均年齢、平均勤続年数】計◇1,669(43.8歳 16.8年) 男 1,214(44.3歳 17.5年) 女 455(42.3歳 14.9年)【離職率と離職者数】NA【3年後新卒定着率】62.5%(男100%、女40.0%、3年前入社:男3名・女5名)【組合】あり

求める人材 人を中心に物事を考え、戦略性をもって迅速に行動を起こすことができる人

会社データ (金額は百万円)

【本社】530-8552 大阪府大阪市北区大深町4-20 グランフロント大阪タワーA

☎06-7664-8621　https://www.santen.com/ja/

【社長】伊藤 毅【設立】1925.8【資本金】8,777【今後力を入れる事業】細胞・遺伝子治療関連 デジタルヘルス事業 他

【業績(IFRS)】	売上高	営業利益	税前利益	純利益
22.3	266,257	35,886	35,616	27,218
23.3	279,037	▲3,090	▲5,799	▲14,948
24.3	301,965	38,541	29,874	26,642

ロート製薬(株)（せいやく）

東京P 4527

【特色】一般用目薬で国内首位。基礎化粧品、医療用も

修士・大卒採用数	3年後離職率	有休取得年平均	平均年収(平均42歳)
35名	0 → 3.8%	14.4日	(総)947万円

残業(月) 13.3時間 (総)13.3時間

記者評価 一般用目薬で国内首位だが、売上の柱は88年に米メンソレータム社の買収で開始したスキンケア事業。「肌ラボ」や高額品「オバジ」など成長が続く。再生医療テコに医療用に参入。健康経営のため従業員の喫煙率ゼロを目標に掲げる。会長は創業家4代目。

●エントリー情報と採用プロセス●

【受付開始～終了】(総)(技)12月～12月【採用プロセス】(総)(技)筆記・ES提出(12月)→面接(1回、1月)→GD・実践型選考(1回、2月)→面接(1回、2月)→最終面接(3月)→内々定(3月)【交通費支給】実践型選考以降、会社基準【早期選考】⇒巻末

試験情報

重視科目 (総)(技)全て

(総)(技)(ES)⇒巻末(筆)OPQ TAL(面)3回(Webあり)(GD作)⇒巻末

選考ポイント (総)(技)(ES)物事の捉え方や価値観(面)物事の捉え方や価値観、会社での活躍イメージがあるか

通過率 (総)(ES)65%(受付:367→通過:237)(技)(ES)58%(受付:457→通過:266)

倍率(応募/内定) (総)28倍 (技)20倍

●男女別採用数と配属先ほか●

【男女・文理別採用実績】

	大卒男	大卒女	修士男	修士女
23年	6(文 2理 4)	10(文 8理 2)	4(文 0理 4)	5(文 0理 5)
24年	7(文 1理 6)	7(文 6理 1)	7(文 0理 7)	13(文 1理 12)
25年	11(文 5理 6)	11(文 6理 5)	5(文 0理 5)	8(文 3理 5)

【25年4月入社者の採用実績校】(文)(院)國立政治大 同大 東京国際大各1(大)法政大 東京国際大各2 大阪市大 金沢大 同大 広島大 関大 北九州市大 関西学大各1 (理)(院)阪大2 神戸大 高知大 横国大 岩手大 北大 東大 九大 名大 熊本大 三重大 同大 近大各1(大)阪大 大阪医薬大各2 金沢大 静岡大 静岡県大 慶大 立命館大 麻布大 芝工大各1(高専)鈴鹿 舞鶴各2 近大1(専)大村美容ファッション2 大阪医療技術学園 大阪バイオメディカル 京都医健各1

【24年4月入社者の配属先】(総)勤務地:(23年)大阪5 東京5 札幌1 広島1 福岡1 部署:(23年)営業8 マーケ5 (技)勤務地:(23年)大阪6 京都8 三重4 東京1 部署:(23年)基礎・研究7 開発7 生産技術3 品質2

●給与、ボーナス、週休、有休ほか●

【30歳総合職平均年収】633万円【初任給】(博士)277,000円(修士)262,000円(大卒)240,000円【ボーナス(年)】NA【25、30、35歳賃金】289,229円→341,713円→354,636円【週休】完全2日(土日祝)【夏期休暇】連続5日【年末年始休暇】連続7日【有休取得】14.4／20日

●従業員数、勤続年数、離職率ほか●

【男女別従業員数、平均年齢、平均勤続年数】計 1,144(42.0歳 15.8年) 男 587(43.0歳 16.3年) 女 557(40.8歳 15.2年)【離職率と離職者数】1.7%、20名【3年後新卒定着率】96.2%(男90.0%、女100%、3年前入社:男10名・女16名)【組合】あり

求める人材 健康の領域に関心があり、サイエンスの力で世の中に変革を起こしていきたい人

会社データ (金額は百万円)

【本社】544-8666 大阪府大阪市生野区巽西1-8-1

☎06-6758-1231　https://www.rohto.co.jp/

【社長】杉本 雅史【設立】1949.9【資本金】6,504【今後力を入れる事業】ヘルス&ビューティー市場

【業績(連結)】	売上高	営業利益	経常利益	純利益
22.3	199,646	29,349	29,084	21,018
23.3	238,664	33,959	35,568	26,377
24.3	270,840	40,048	42,434	30,936

メーカーII

とうわやくひん
東和薬品(株)

東京P 4553

【特色】後発医薬品大手。直販主体だが卸ルートを開拓中

修士・大卒採用数	3年後離職率	有休取得年平均	平均年収(平均37歳)
29名	11.5→3.8%	12.8日	775万円

●エントリー情報と採用プロセス●

【受付開始〜終了】[総]3月〜5月 [技]3月〜4月【採用プロセス】[総][技]説明会・ES提出→面接→筆記→面接(2回)→内々定※職種・選考時期によりGW実施の場合あり【交通費支給】最終面接以降、実費【早期選考】⇒巻末

試験情報

重視科目 [総][技]面接

[総][技][ES]⇒巻末[筆]あり(内容NA)[面]3回(Webあり)[GD作]NA

選考ポイント [総][技][面]創造力 論理的思考 協調性 柔軟性 ストレス耐性

通過率 [総][技][ES]選考なし(受付:NA)

倍率(応募/内定) [総][技]NA

●男女別採用数と配属先ほか●

【男女・文理別採用実績】

	大卒男	大卒女	修士男	修士女
23年	15(文 12理 3)	15(文 9理 6)	16(文 0理 16)	19(文 0理 19)
24年	1(文 1理 1)	10(文 3理 7)	4(文 0理 4)	6(文 0理 6)
25年	2(文 1理 1)	7(文 1理 6)	12(文 0理 12)	8(文 0理 8)

【25年4月入社者の採用実績校】

[文](大)関大 立命館大各1 [理](院)静岡県大2 東大 京大 慶大 北大 山形大 神奈川大 東京薬大 明治薬大 金沢大 名古屋市大 阪大 大阪公大 奈良先端科技院大 京都薬大 近大 甲南大 同女大 鳥取大 鹿児島大 北九州市大各1(大)静岡県大 岐阜薬大 近大 関西学大 立命館大 徳島大 福岡大各1(高専)和歌山1

【24年4月入社者の配属先】

[総]勤務地:山梨1 東京1 愛知1 京都1 福岡1 部署:営業5 [技]勤務地:大坂10 京都1 兵庫2 山形2 岡山1 部署:研究開発16

残業(月) 17.8時間

[記者評価] ジェネリック薬で国内首位。ビタミン剤や胃腸薬の製造販売から出発。循環器系に強み。営業所展開による直販体制で、開業医向けが強い。大阪、岡山、山形に工場を置く。後発薬業界で他社の不正が相次いだことを受け、当社の販売量が急増中。

●給与、ボーナス、週休、有休ほか●

【30歳総合職平均年収】635万円【初任給】(博士)266,000円(修士)246,000円(大卒)228,000円【ボーナス(年)】242万円、6.5カ月【25、30、35歳賃金】258,400円→288,200円→324,000円【週休】完全2日(土日祝)【夏期休暇】3日【年末年始休暇】あり【有休取得】12.8/20日

●従業員数、勤続年数、離職率ほか●

【男女別従業員数、平均年齢、平均勤続年数】計◇2,684(36.9歳 10.6年)男1,778(37.0歳 11.0年)女906(36.6歳 9.8年)【離職率と離職者数】◇3.9%、109名【3年後新卒定着率】96.2%(男96.9%、女95.2%、3年前入社:男32名・女21名)【組合】なし

[求める人材] あらゆる健康を支える製品やサービスの提供に向け、高い志と夢を持って、積極的にチャレンジできる人材

[会社データ] (金額は百万円)

【本社】571-8580 大阪府門真市新橋町2-11
☎06-6900-9100 https://www.towayakuhin.co.jp/
【社長】吉田 逸郎【設立】1957.4【資本金】4,717【今後力を入れる事業】ジェネリック医薬品事業 健康関連事業

【業績(連結)】	売上高	営業利益	経常利益	純利益
22.3	165,615	19,205	22,739	15,914
23.3	208,859	5,514	5,141	2,201
24.3	227,934	17,647	24,477	16,173

メイジ セイカ
Meiji Seika ファルマ(株)

持株会社傘下

【特色】明治HDの医薬品子会社。ワクチン開発も

修士・大卒採用数	3年後離職率	有休取得年平均	平均年収(平均43歳)
46名	NA	11.3日	878万円

●エントリー情報と採用プロセス●

【受付開始〜終了】[総][技]3月〜6月【採用プロセス】[総][技]ES提出(3月〜)→説明会(3月)→適性検査・面接(3〜4回、6月)→内々定(6月)【交通費支給】最終面接、会社基準

試験情報

重視科目 [総][技]面接

[総][技][ES]NA[筆]あり(内容NA)[面]3〜4回(Webあり)

選考ポイント [総][技][ES]NA(提出あり)[面]自分の考えを自分の言葉で話しているか 論理性・具体性・説明能力 困難な課題にも前向きに取り組むチャレンジ精神はあるか

通過率 [総][技][ES]NA 倍率(応募/内定) [総][技]NA

●男女別採用数と配属先ほか●

【男女・文理別採用実績】

	大卒男	大卒女	修士男	修士女
23年	7(文 5理 2)	5(文 2理 3)	3(文 0理 3)	0(文 0理 0)
24年	18(文 6理 12)	18(文 11理 7)	6(文 0理 6)	4(文 0理 4)
25年	11(文 7理 4)	24(文 15理 9)	9(文 1理 8)	2(文 0理 2)

【25年4月入社者の採用実績校】

[文](院)横国大1(大)立教大5 国際教養大 関西学大各3 中大 立命館大 関大各2 早大 法政大 千葉大 大阪教大 金沢大各1 [理](院)東理大 慶大 明治薬大 東北大 金沢大 群馬大 名大 岡山大 九大 長崎大各1(大)東大 東理大 東京薬大 明大 上智大 阪大 名古屋市大 静岡県大 神戸学大 京都薬大 東北医薬大 北里大 帝京大各1

【24年4月入社者の配属先】[総]勤務地:北海道1 宮城1 岩手1 福島1 東京4 千葉2 神奈川2 埼玉2 栃木1 茨城1 山梨1 愛知2 静岡1 富山1 京都2 大阪2 兵庫2 広島1 岡山1 徳島1 福岡2 鹿児島1 部署:営業32 コーポレート1 [技]勤務地:東京5 神奈川6 岐阜2 部署:研究開発6 生産技術4 信頼性保証3

残業(月) (組合員)7.9時間 [総](組合員)8.3時間

[記者評価] ペニシリン製造でスタートした旧明治製菓の薬品事業が源流。ペニシリン系抗菌薬で高シェア。感染症を軸に血液、免疫炎症も重点領域。抗菌薬の国内安定供給のため、岐阜工場での原薬製造に着手。米バイオ企業開発の新型コロナワクチンの供給販売権を取得。

●給与、ボーナス、週休、有休ほか●

【30歳総合職平均年収】NA【初任給】(博士)305,000円(修士)267,000円(大卒)245,000円【ボーナス(年)】NA【25、30、35歳賃金】NA【週休】完全2日(土日祝)【夏期休暇】8月13〜14日(会社カレンダーに準ずる)【年末年始休暇】12月30日〜1月3日(会社カレンダーに準ずる)【有休取得】11.3/20日

●従業員数、勤続年数、離職率ほか●

【男女別従業員数、平均年齢、平均勤続年数】計1,982(42.7歳 16.9年)男1,323(44.1歳 18.2年)女659(40.0歳 14.3年)【離職率と離職者数】NA【3年後新卒定着率】NA【組合】あり

[求める人材] 自ら課題を見出し、やりぬくことができる人材

[会社データ] (金額は百万円)

【本社】104-8002 東京都中央区京橋2-4-16
☎03-3273-6030 https://www.meiji-seika-pharma.co.jp/
【社長】小林 大吉郎【設立】1916.10【資本金】28,363【今後力を入れる事業】医療用医薬品 海外事業

【業績(単独)】	売上高	営業利益	経常利益	純利益
22.3	131,469	782	1,073	24,795
23.3	126,289	7,153	9,499	14,787
24.3	206,100	22,700	23,100	10,000

※24.3の業績は明治グループの医薬品セグメントのもの

たいしょうせいやく
大正製薬(株)

株式公開 計画なし

【特色】大衆薬国内首位。医療用医薬品も。オーナー経営

修士・大卒採用数	3年後離職率	有休取得年平均	平均年収(平均45歳)
7名	NA	NA	NA

●エントリー情報と採用プロセス●

【受付開始～終了】技3月～未定【採用プロセス】技ES提出・適性検査→面接(2～3回)→内々定【交通費支給】1次面接以降、会社基準

試験情報

重視科目 技面接

技ES⇒巻末筆あり(内容NA)面2～3回(Webあり)

選考ポイント 技ES研究概要 他面問題意識を持ち物事に取り組んだ経験 成功体験の有無 コミュニケーション能力 研究概要

通過率 技ESNA

倍率(応募/内定) 技NA

●男女別採用数と配属先ほか●

【男女・文理別採用実績】

	大卒男	大卒女	修士男	修士女
23年	14(文 8 理 6)	10(文 5 理 5)	18(文 0 理 18)	9(文 0 理 9)
24年	2(文 2 理 0)	1(文 1 理 0)	3(文 0 理 3)	3(文 0 理 3)
25年	0(文 0 理 0)	0(文 0 理 0)	3(文 0 理 3)	4(文 0 理 4)

【25年4月入社者の採用実績校】
文NA 理NA
【24年4月入社者の配属先】
技NA

残業(月) NA

記者評価 ドリンク剤「リポビタンD」、風邪薬「パブロン」、育毛剤「リアップ」が大衆薬3本柱。医療用医薬品も展開。19年米ブリストル・マイヤーズ欧州子会社を買収。23年には米バイオリンク社とグルコールセンサーで独占ライセンス契約。ベトナムなどアジア事業強化。

●給与、ボーナス、週休、有休ほか●

【30歳総合職平均年収】NA【初任給】(博士)350,000円(修士)300,000円(大卒)265,000円【ボーナス(年)】NA、6.0カ月【25、30、35歳賃金】NA【週休】完全2日(土日祝)【夏期休暇】連続約5日【年末年始休暇】連続約5日【有休取得】NA／20日

●従業員数、勤続年数、離職率ほか●

【男女別従業員数、平均年齢、平均勤続年数】計 2,811(44.5歳 NA)男 NA 女 NA【離職率と離職者数】NA【3年後新卒定着率】NA【組合】あり

求める人材 常に「何故か？」を追求し、自ら考え、行動できる人物

会社データ (金額は百万円)

【本社】170-8633 東京都豊島区高田3-24-1
☎03-3985-1111 https://www.taisho.co.jp/
【社長】上原 茂【設立】1928.5【資本金】29,837【今後力を入れる事業】健康関連事業 海外事業

【業績(単独)】	売上高	営業利益	経常利益	純利益
22.3	172,302	9,404	17,972	8,165
23.3	179,994	16,680	29,746	23,280
24.3	186,841	14,461	18,896	11,100

(株)ツムラ

東京P 4540

【特色】医療用漢方薬でシェア8割超。中国事業を育成

修士・大卒採用数	3年後離職率	有休取得年平均	平均年収(平均*43歳)
47名	2.1 → 7.7%	14.0日	総806万円

●エントリー情報と採用プロセス●

【受付開始～終了】総技3月～6月【採用プロセス】総技Web説明会(3月)→ES提出・Web適性検査(3月下旬～4月下旬)→リクルーター面談・Web能力試験(5月)→1次面接・最終面接(6月)→内々定(6月中旬)【交通費支給】最終面接、実費

試験情報

重視科目 総技全て

総技ES⇒巻末筆適性検査 能力検査面2回(Webあり)

選考ポイント 総ES仕事理解 職種適性 人間力(思考 対人力 伸びしろ ストレス耐性 他)面知識・技術・態度を総合した人物面 技ES仕事理解 専門性 職種適性 人間力(思考 対人力 伸びしろ ストレス耐性 他)面総合職共通

通過率 総ES63%(受付:336→通過:211) 技ES49%(受付:401→通過:196)

倍率(応募/内定) 総15倍 技16倍

●男女別採用数と配属先ほか●

【男女・文理別採用実績】

	大卒男	大卒女	修士男	修士女
23年	8(文 2 理 6)	15(文 8 理 7)	13(文 0 理 13)	6(文 0 理 6)
24年	8(文 2 理 6)	23(文 8 理 15)	8(文 0 理 8)	9(文 0 理 9)
25年	14(文 10 理 4)	15(文 3 理 12)	9(文 0 理 9)	9(文 1 理 8)

【25年4月入社者の採用実績校】文(院)お茶女大1(大)駒澤大 日大各2 共立女大 近大 中大 東京農業大 同大 武蔵大 明大 立教大 流経大各1 理(院)茨城大2 関西学大 愛媛大 宇都宮大 岩手大 九大 静岡県大 大阪公大 筑波大 東理大 奈良先端科技院大 日大 富山大 福岡大 北大 北里大各1(大)星薬大3 岐阜薬大 熊本大 大阪医薬大 東理大 東邦大 富山県大 武蔵野大 法政大 北里大 明大 明治薬大 立命館大 龍谷大各1
【24年4月入社者の配属先】総勤務地:全国15 東京本社2 茨城1 部署:営業15 信頼性保証3 技勤務地:茨城20 石岡1 静岡6 本社3 部署:研究4 生薬(調達・研究・栽培技術)2 品質管理18 CMC4 エンジニアリング2

残業(月) 12.0時間 総10.5時間

記者評価 1893年に婦人用生薬製剤「中将湯」で創業。医療用漢方薬に集中。高齢者、女性、がん支持療法の3領域に注力し、重点的に医師へ情報を提供。処方数増、医療用医薬品としての知名度向上のため医学部でも啓蒙活動。中国事業の基盤構築を推進中。

●給与、ボーナス、週休、有休ほか●

【30歳総合職平均年収】NA【初任給】(修士)258,100円(大卒)247,700円【ボーナス(年)】NA【25、30、35歳賃金】NA【週休】完全2日(土日祝)【夏期休暇】連続4日【年末年始休暇】連続6日【有休取得】14.0／20日

●従業員数、勤続年数、離職率ほか●

【男女別従業員数、平均年齢、平均勤続年数】計 2,704(43.0歳 17.2年)男 2,020(44.2歳 18.5年)女 684(39.5歳 13.4年)【離職率と離職者数】2.7%、75名(早期退職男7名、女1名含む)【3年後新卒定着率】92.3%(男100%、女83.3%、3年前入社:男21名・女18名)【組合】あり

求める人材 「一人ひとりが成長することによってはじめて会社は成長する」という意識のもと、「誰からも信頼される人格」が形成され、「志情熱」「使命感」をもち、「プロフェッショナル」「自立」「利他」の精神で行動できる人材

会社データ (金額は百万円)

【本社】107-8521 東京都港区赤坂2-17-11
☎03-6361-7114 https://www.tsumura.co.jp/
【社長】加藤 照和【設立】1936.4【資本金】30,142【今後力を入れる事業】医薬品(漢方薬 他)

【業績(連結)】	売上高	営業利益	経常利益	純利益
22.3	129,546	22,376	25,904	18,836
23.3	140,043	20,916	23,453	16,482
24.3	150,845	20,017	23,493	16,707

日本新薬(株)（にっぽんしんやく）

東京P 4516

【特色】医療用医薬品中堅。泌尿器、血液内科に強み

修士・大卒採用数	3年後離職率	有休取得年平均	平均年収(平均42歳)
57名	6.0 → 3.5%	13.8日	総 798万円

●エントリー情報と採用プロセス●

【受付開始～終了】総2月～3月 技12月～3月【採用プロセス】総ES提出・適性検査(2～3月)→面接(グループ)→面接(2回、個別)→内々定 技ES提出・適性検査(12～3月)→面接(グループ)→面接(2回、個別)→内々定【交通費支給】2次選考以降、2次選考一部 最終選考実費

試験情報

重視科目 総技面接 筆記 書類

総 技 ES⇒巻末 筆TG-WEB 面3回(Webあり) GD作⇒巻末

選考ポイント 総 ES人物重視 面人物重視 技 ES研究内容 人物 面研究内容 人物

通過率 総 ES NA(受付:321→通過:NA) 技 ES NA(受付:874→通過:NA) 倍率(応募/内定) 総12倍 技24倍

●男女別採用数と配属先ほか●

【男女・文理別採用実績】

	大卒男	大卒女	修士男	修士女
23年	12(文 4理 8)	15(文 5理 10)	20(文 1理 19)	11(文 1理 10)
24年	16(文 5理 11)	13(文 5理 8)	24(文 0理 24)	13(文 0理 13)
25年	13(文 3理 10)	14(文 4理 10)	19(文 0理 19)	11(文 1理 10)

【25年4月入社者の採用実績校】文(院)早大1(大)同大2 小樽商大 順天堂大 立命館大 関大 産能大各1 理(院)大阪公大 岡山大 広島大 長崎大各3 九大 名大 神戸大各2 東大 東京科学大 東京医大 東京都市大 東理大 順天堂大 千葉大 新潟大 静岡県大 岐阜大 金沢大 京大 立命館大 関大 関西学大 香川大 山口大各1(大)京都薬大5 阪大3 帯畜大 帝京大 東理大 東京農業大 日大 静岡県大 岐阜薬大 京大 京産大 摂南大 武庫川女大 岡山大各1

【24年4月入社者の配属先】総勤務地:〈メディカル総合職(MR職)〉全国6〈学術職〉京都4〈スタッフ職〉京都5 部署:医薬企画部6 営業本部4 人事部2 知的財産部1 広報部1 内部統制部1 技勤務地:〈医薬品研究職〉京都26 茨城・つくば7〈臨床開発職〉京都3〈MA職〉京都3〈信頼性保証職〉京都10〈生産技術職〉神奈川・小田原8〈食品研究職〉京都2 部署:創薬研究所33 開発統括部3 メディカルプランニング部3 信頼性保証統括部9 サプライチェーンマネジメント部1 小田原総合製剤工場8 食品科学研究所2

残業(月) 9.9時間 総9.9時間

記者評価 排尿障害改善剤など泌尿器系や血液内科主軸。肺動脈性肺高血圧症治療薬は機序の違う3種を持ち対応範囲が広い。難病・希少疾患や耳鼻科などニッチ分野にも強み。核酸医薬にも強く、筋ジストロフィー薬は国産の核酸医薬として初承認。機能食品にも注力。

●給与、ボーナス、週休、有休ほか●

【30歳総合職平均年収】NA【初任給】(博士)304,000円(修士)284,000円(大卒)264,000円【ボーナス(年)】NA【25、30、35歳賃金】NA【週休】完全2日(土日祝)【夏期休暇】時季指定年休【年末年始休暇】連続6日【有休取得】13.8／20日

●従業員数、勤続年数、離職率ほか●

【男女別従業員数、平均年齢、平均勤続年数】計 1,865(41.5歳 17.4年) 男 1,283(42.2歳 17.9年) 女 582(39.8歳 16.4年)【離職率と離職者数】1.5%、29名【3年後新卒定着率】96.5%(男93.1%、女100%、3年前入社:男29名・女28名)【組合】あり

求める人材 自ら考え行動する人

会社データ (金額は百万円)

【本社】601-8550 京都府京都市南区吉祥院西ノ庄門口町14
☎075-321-1111 https://www.nippon-shinyaku.co.jp/
【社長】中井 亨【設立】1919.10【資本金】5,174【今後力を入れる事業】医薬品事業 機能食品事業

【業績(IFRS)】	売上高	営業利益	税前利益	純利益
22.3	137,484	32,948	33,301	24,986
23.3	144,175	30,049	30,489	22,812
24.3	148,255	33,295	33,616	25,851

杏林製薬(株)（きょうりんせいやく）

東京P 4569

【特色】医療用医薬品中堅。抗菌剤、呼吸器、泌尿器が軸

修士・大卒採用数	3年後離職率	有休取得年平均	平均年収(平均45歳)
25名	NA	14.0日	総 858万円

●エントリー情報と採用プロセス●

【受付開始～終了】総技3月～6月【採用プロセス】総ES提出→セミナー・筆記→面接(3回)→内々定 技ES提出→筆記→面接(3回)→内々定【交通費支給】最終面接以降、会社基準【早期選考】⇒巻末

試験情報

重視科目 総技面接

総 ES NA 筆SPI3(会場) SPI3 OPQ 面3回(Webあり) 技 ES NA 筆SPI3(会場) SPI3 面3回(Webあり)

選考ポイント 総技 ES自己PR 作文 面NA

通過率 総技 ES NA

倍率(応募/内定) 総技NA

●男女別採用数と配属先ほか●

【男女・文理別採用実績】

	大卒男	大卒女	修士男	修士女
23年	16(文 6理 10)	4(文 4理 0)	8(文 0理 8)	0(文 0理 0)
24年	4(文 4理 0)	4(文 3理 1)	8(文 0理 8)	5(文 0理 5)
25年	10(文 7理 3)	5(文 3理 2)	6(文 0理 6)	4(文 0理 4)

【25年4月入社者の採用実績校】文(大)明学大 順天堂大各2 山形大 同大 京産大 追手門学大 武庫川女大 大阪産大各1 理(院)昭和薬大2 千葉大 中大 京都薬大 新潟大 慶大 鹿児島大 東京薬大 東邦大 横浜薬大各1(大)東京薬大 東京工科大 東洋大 日大 東京農業大各1

【24年4月入社者の配属先】総勤務地:北海道1 東北1 関越1 首都圏2 東京2 東海北陸2 関西3 中国四国2 九州2 本社1 部署:営業職16 人事1 技勤務地:栃木3 本社1 部署:研究開発4

残業(月) 5.0時間

記者評価 キョーリン製薬グループの中核。新薬主体。世界初のニューキノロン系合成抗菌剤が有名。呼吸器、泌尿器、耳鼻が重点領域。過活動膀胱薬が成長中。国内外の製薬企業と開発案件拡充。23年に早期退職を実施も今後の新薬比率増を見据えMRは除外。

●給与、ボーナス、週休、有休ほか●

【30歳総合職平均年収】NA【初任給】(博士)293,000円(修士)259,000円(大卒)235,000円【ボーナス(年)】NA【25、30、35歳賃金】NA【週休】完全2日(土日祝)【夏期休暇】計画年休5日を7～9月で取得【年末年始休暇】12月29日～1月4日【有休取得】14.0／20日

●従業員数、勤続年数、離職率ほか●

【男女別従業員数、平均年齢、平均勤続年数】計 1,250(42.4歳 17.8年) 男 967(43.2歳 18.3年) 女 283(39.8歳 16.2年)【離職率と離職者数】NA【3年後新卒定着率】NA(3年前入社:男21名・女11名)【組合】なし

求める人材 主体性と積極性を持つ人 自らの人間性・能力を向上できる人 仲間と協働できる人

会社データ (金額は百万円)

【本社】100-0004 東京都千代田区大手町1-3-7 日本経済新聞社東京本社ビル
☎03-6374-9701 https://www.kyorin-pharm.co.jp/
【社長】荻原 豊【設立】1940.12【資本金】700【今後力を入れる事業】医薬品事業を中核とするヘルスケア事業の多核化

【業績(連結)】	売上高	営業利益	経常利益	純利益
22.3	105,534	5,007	5,569	3,932
23.3	113,270	5,123	5,827	4,723
24.3	119,532	6,013	6,602	5,322

持田製薬(株)（もちだせいやく）

東京P 4534

【特色】医薬品中堅。消化器、循環器、婦人科系が軸

修士・大卒採用数	3年後離職率	有休取得年平均	平均年収(平均43歳)
37名	7.1→13.2%	12.8日	822万円

●エントリー情報と採用プロセス●

【受付開始～終了】[総]3月～5月 [技]3月～3月【採用プロセス】[総]ES提出(3～5月)→Web適性検査(4～5月)→職種別説明会・適性検査・座談会・質問会(3～5月)→面接(2回、5～7月)→内々定(6月～) [技]ES提出(3月)→書類選考(4月)→Web適性検査・職種別説明会・座談会(3～5月)→適性検査・面接(2回、5月～)→内々定(6月～)【交通費支給】最終面接、会社基準

試験情報

重視科目 [総]適性検査 面接 [技]書類選考 適性検査 面接

[総][技][ES]⇒巻末[筆]WebGAB 適性試験[面]2回(Webあり)

選考ポイント [総][面]バイタリティ チームワーク ストレス耐性 人柄 業界理解度 他 [技][ES]ES提出時に研究概要を提出し書類選考[面]バイタリティ チームワーク ストレス耐性 人柄 専門性 他

通過率 [総][ES]選考なし(受付:363) [技][ES]59%(受付:573→通過:338) 倍率(応募/内定) [総]13倍 [技]48倍

●男女別採用数と配属先ほか●

【男女・文理別採用実績】

	大卒男	大卒女	修士男	修士女
23年	8(文 3理 5)	13(文 2理 11)	7(文 0理 7)	5(文 0理 5)
24年	9(文 7理 2)	10(文 4理 6)	9(文 0理 9)	6(文 1理 5)
25年	9(文 6理 3)	19(文 9理 10)	7(文 0理 7)	2(文 0理 2)

【25年4月入社者の採用実績校】[文](大)立命館大3 名桜大 福岡大 南山大 同大 東北福祉大 久留米大 関西学大 開志専大 早大 筑波技大 下関市大 関大各1 [理](院)京大2 立命館大 明治薬大 麻布大 東北大 東大 千葉工大 九大 北大各1(大)北里大2 名古屋市大 星薬大 広島大 東北福祉大 立命館大 東理大 神戸薬大 昭和薬大 昭和大 近大 京都薬大各1

【24年4月入社者の配属先】[総]勤務地:青森1 郡山1 松本1 土浦1 東京(市ヶ谷2 四谷1 多摩2)神奈川・厚木1 名古屋1 金沢1 京都1 神戸1 岡山1 山口1 香川・高松1 北九州1 熊本1 部署:MR18 スタッフ1 [技]勤務地:静岡(御殿場4 藤枝3)東京・四谷8 部署:研究7 開発8

残業(月) NA

記者評価 高脂血薬「エパデール」特許切れも、循環器、産婦人科、皮膚、精神科に加え、潰瘍性大腸炎など消化器系に注力。慢性便秘薬は作用機序が異なる2製品を販売。皮膚科学を生かすスキンケア製品も特長。研究機関や大学とのオープンイノベーションを推進。

●給与、ボーナス、週休、有休ほか●

【30歳総合職平均年収】NA【初任給】(博士)300,000円(修士)266,000円(大卒)237,000円【ボーナス(年)】NA【25、30、35歳賃金】NA【週休】完全2日(土日祝)【夏期休暇】8月13～16日(計画年休4日一斉取得)【年末年始休暇】12月30日～1月3日【有休取得】12.8／20日

●従業員数、勤続年数、離職率ほか●

【男女別従業員数、平均年齢、平均勤続年数】計 1,247(42.8歳 16.9年) 男 862(44.1歳 17.8年) 女 385(39.9歳 15.0年)【離職率と離職者数】3.1%、40名(早期退職男1名含む)【3年後新卒定着率】86.8%(男100%、女79.2%、3年前入社:男14名・女24名)【組合】あり

求める人材 自ら学び、気づき、考えることができる人

会社データ (金額は百万円)

【本社】160-8515 東京都新宿区四谷1-7
☎03-3358-7211 https://www.mochida.co.jp/
【社長】持田 直幸【設立】1945.4【資本金】7,229【今後力を入れる事業】生命・健康関連の事業

【業績(連結)】	売上高	営業利益	経常利益	純利益
22.3	110,179	14,392	14,799	10,569
23.3	103,261	8,507	9,085	6,649
24.3	102,885	5,802	6,037	4,547

ゼリア新薬工業(株)（しんやくこうぎょう）

東京P 4559

【特色】医薬品中堅メーカー。医療用薬と市販薬が2本柱

修士・大卒採用数	3年後離職率	有休取得年平均	平均年収(平均45歳)
未定	44.0→14.8%	10.5日	[総]768万円

●エントリー情報と採用プロセス●

【受付開始～終了】[総][技]3月～継続中【採用プロセス】[総]ES提出→Webテスト→面接→Web適性検査→面接→内々定 [技]ES提出→Webテスト→Web適性検査→面接→面接→内々定【交通費支給】最終面接、会社基準

試験情報

重視科目 [総][技]面接

[総][ES]⇒巻末[筆]あり(内容NA)[面]2回(Webあり) [技][ES]⇒巻末[筆]あり(内容NA)[面]2～3回(Webあり)

選考ポイント [総][技][ES]NA(提出あり)[面]規律性 協調性 積極性 知識 技能 判断力 指導力 他

通過率 [総][技][ES]NA

倍率(応募/内定) [総][技]NA

●男女別採用数と配属先ほか●

【男女・文理別採用実績】

	大卒男	大卒女	修士男	修士女
23年	10(文 7理 3)	6(文 3理 3)	2(文 0理 2)	3(文 0理 3)
24年	8(文 7理 1)	6(文 4理 2)	6(文 0理 6)	2(文 0理 2)
25年	-(文 -理 -)	-(文 -理 -)	-(文 -理 -)	-(文 -理 -)

【25年4月入社者の採用実績校】
[文](24年)(大)立命館大2 中大 法政大 日大 東京農業大 富山大 関西学大 関大 京産大 西南学大各1 [理](24年)(院)電通大 北里大 日大 東海大 名古屋市大 金沢大 高知大 熊本大各1(大)弘前大 東京農業大 立命館大各1

【24年4月入社者の配属先】
[総]勤務地:札幌1 東京8 名古屋2 大阪2 福岡1 部署:営業14 [技]勤務地:東京1 埼玉・熊谷6 茨城・牛久1 部署:研究2 開発1 製造5

残業(月) NA

記者評価 医療用は消化器系が得意で、潰瘍性大腸炎薬「アサコール」は欧州を中心に販売国数の拡大が続く。スイスの医薬メーカー買収で海外事業を強化し、近年海外売上高比率が急速に拡大している。国内の市販用では「ヘパリーゼ」の品ぞろえが強力。

●給与、ボーナス、週休、有休ほか●

【30歳総合職平均年収】NA【初任給】(博士)332,380円(修士)286,430円(大卒)260,560円【ボーナス(年)】NA【25、30、35歳賃金】NA【週休】完全2日(土日祝)【夏期休暇】2日【年末年始休暇】12月30日～1月4日【有休取得】10.5／20日

●従業員数、勤続年数、離職率ほか●

【男女別従業員数、平均年齢、平均勤続年数】計 823(44.5歳 17.3年) 男 655(45.3歳 18.0年) 女 168(41.2歳 14.6年)【離職率と離職者数】NA【3年後新卒定着率】85.2%(男82.4%、女90.0%、3年前入社:男17名・女10名)【組合】あり

求める人材 グローバルな視点に立って「社会貢献・専門性・自己成長」を追求できる人

会社データ (金額は百万円)

【本社】103-8351 東京都中央区日本橋小舟町10-11
☎03-3661-0275 https://www.zeria.co.jp/
【社長】伊部 充弘【設立】1955.12【資本金】6,593【今後力を入れる事業】医療用医薬品・コンシューマーヘルスケア 海外事業

【業績(連結)】	売上高	営業利益	経常利益	純利益
22.3	59,532	6,366	5,935	3,961
23.3	68,383	9,014	7,579	6,195
24.3	75,725	9,621	8,513	7,731

▶『業界地図』p.194

扶桑薬品工業(株)
（ふそうやくひんこうぎょう）

東京P 4538

【特色】中堅医薬品メーカー。人工腎臓透析液・補液が柱

修士・大卒採用数	3年後離職率	有休取得年平均	平均年収(平均42歳)
20名	28.6→23.9%	13.4日	◇565万円

●エントリー情報と採用プロセス●

【受付開始～終了】[総][技]3月～継続中【採用プロセス】[総][技]説明会・筆記・ES提出(3月～)→1次面接(2週間後)→2次面接(2～3週間後)→内々定(面接後3日内)【交通費支給】最終面接、実費

試験情報

[重視科目] [総][技]面接

[総][技][ES]⇒巻末[筆]一般常識 OPQ 計算 読解力[面]2回(Webあり)

[選考ポイント] [総][技][ES]自己の強み 学生時代の取り組み、力を入れた学業 保有資格や趣味[面]誠実性 協調性 コミュニケーション能力

[通過率] [総][ES]選考なし(受付:74) [技][ES]選考なし(受付:120)

[倍率(応募/内定)] [総]8倍 [技]11倍

●男女別採用数と配属先ほか●

【男女・文理別採用実績】

	大卒男	大卒女	修士男	修士女
23年	10(文 5理 5)	4(文 2理 2)	7(文 0理 7)	2(文 0理 2)
24年	9(文 5理 4)	6(文 2理 4)	7(文 0理 7)	3(文 0理 3)
25年	6(文 2理 4)	7(文 3理 4)	3(文 0理 3)	4(文 0理 4)

【25年4月入社者の採用実績校】
[文](大)日大2 信州大 福岡大 阪南大各1 [理](院)神戸大 静岡県大 近大 岡山大 九大 名大 群馬大各1(大)近大3 京産大2 山形大 武庫川女大 摂南大各1

【24年4月入社者の配属先】
[総]勤務地:大阪2 部署:総務2 [技]勤務地:札幌1 仙台1 茨城2 東京1 埼玉1 神奈川1 名古屋1 大阪11 岡山2 広島1 福岡1 部署:研究開発7 生産技術6 営業(MR)10

[残業(月)] 6.7時間

[記者評価] 独立系。1937年ブドウ糖販売で創業、同注射液など医薬品製造へ進出。人工腎臓透析液・補液で業界大手。腎・透析領域を重点領域に位置づけ。生理食塩剤も強い。透析器など関連医療機器も手がける。資本効率改善のため、保有固定資産は売却方針。

●給与、ボーナス、週休、有休ほか●

【30歳総合職平均年収】410万円【初任給】(博士)265,800円(修士)244,900円(大卒)225,700円【ボーナス(年)】143万円、4.95カ月【25、30、35歳賃金】NA【週休】完全2日(土日祝)【夏期休暇】連続2日【年末年始休暇】12月30日～1月3日【有休取得】13.4／20日

●従業員数、勤続年数、離職率ほか●

【男女別従業員数、平均年齢、平均勤続年数】計 ◇1,307(41.7歳 19.6年) 男 743(43.0歳 20.4年) 女 564(40.0歳 18.6年)【離職率と離職者数】◇3.5%、47名【3年後新卒定着率】76.1%(男73.9%、女78.3%、3年前入社:男23名・女23名)【組合】あり

[求める人材] 自主的に行動できる チャレンジを恐れない 常に目標を持って取り組める 高い倫理観を持つ

[会社データ] (金額は百万円)

【本社】536-8523 大阪府大阪市城東区森之宮2-3-11
☎06-6969-1131 https://www.fuso-pharm.co.jp/
【社長】戸田 幹雄【設立】1937.3【資本金】10,758【今後力を入れる事業】生殖補助医療(ART)分野 海外

【業績(単独)】	売上高	営業利益	経常利益	純利益
22.3	49,632	1,924	1,996	1,483
23.3	51,015	2,206	2,215	1,605
24.3	55,407	1,964	1,868	1,377

鳥居薬品(株)
（とりいやくひん）

東京P 4551

【特色】JT傘下の製薬中堅。抗アレルギー薬開発等に強み

修士・大卒採用数	3年後離職率	有休取得年平均	平均年収(平均41歳)
10名	―→8.3%	16.4日	827万円

●エントリー情報と採用プロセス●

【受付開始～終了】[総]3月～4月 [技]3月～3月【採用プロセス】[総]Webテスト→ES提出→1次面接→Web座談会→最終面接→内々定 [技]Web説明会(必須)→テスト・ES提出→面接→内々定【交通費支給】最終面接、会社基準

試験情報

[重視科目] [総][技]面接

[総][ES]⇒巻末[筆]SPI3(自宅)[面]2回(Webあり) [技][ES]⇒巻末[筆]SPI3(自宅)[面]1回

[選考ポイント] [総][技][ES]求める人物像と記載内容を照らし合わせて評価[面]誠実さ コミュニケーション能力 学生生活における行動特性

[通過率] [総][技][ES]NA

[倍率(応募/内定)] [総][技]NA

●男女別採用数と配属先ほか●

【男女・文理別採用実績】

	大卒男	大卒女	修士男	修士女
23年	4(文 0理 4)	5(文 2理 3)	0(文 0理 0)	0(文 0理 0)
24年	7(文 2理 5)	3(文 2理 1)	2(文 0理 2)	0(文 0理 0)
25年	3(文 2理 1)	6(文 3理 3)	0(文 0理 0)	1(文 0理 1)

【25年4月入社者の採用実績校】
[文](大)関大 関西学大 西南学大 中大 津田塾大各1 [理](院)岡山大1(大)芝工大 東京薬大 新潟大 龍谷大各1

【24年4月入社者の配属先】
[総]勤務地:宮城1 埼玉1 千葉1 東京3 石川1 大阪2 兵庫1 広島1 福岡1 部署:MR12 [技]NA

[残業(月)] 15.2時間

[記者評価] 1872年に洋薬輸入商で創業。1998年にJTの傘下入り。主力は透析患者向け経口そう痒症改善剤。米ギリアドの抗HIV薬の国内独占販売契約は18年末に終了。人員削減や工場売却、研究開発もJTに一任。花粉症やダニなどの抗アレルギー薬、皮膚科領域の薬を育成中。

●給与、ボーナス、週休、有休ほか●

【30歳総合職平均年収】NA【初任給】(博士)287,000円(修士)247,500円(大卒)231,000円【ボーナス(年)】NA【25、30、35歳賃金】NA【週休】完全2日(土日祝)【夏期休暇】1日【年末年始休暇】12月30日～1月4日【有休取得】16.4／21日

●従業員数、勤続年数、離職率ほか●

【男女別従業員数、平均年齢、平均勤続年数】計 583(41.0歳 14.5年) 男 445(41.8歳 15.4年) 女 138(38.1歳 11.3年)【離職率と離職者数】NA【3年後新卒定着率】91.7%(男87.5%、女100%、3年前入社:男8名・女4名)【組合】あり

[求める人材] なりたい自分を思い描き、その実現に向けた行動ができる 相手の立場で考え、真摯で誠実な対応をすることで、相手の信頼を得ることができる

[会社データ] (金額は百万円)

【本社】103-8439 東京都中央区日本橋本町3-4-1 トリイ日本橋ビル
☎03-3231-6811 https://www.torii.co.jp/
【社長】松田 剛一【設立】1921.11【資本金】5,190【今後力を入れる事業】医療用医薬品事業

【業績(単独)】	売上高	営業利益	経常利益	純利益
21.12	46,987	4,656	4,847	3,374
22.12	48,896	5,540	5,537	3,944
23.12	54,638	5,035	5,307	4,119

メーカーII

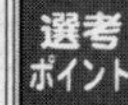

佐藤製薬(株)
さとうせいやく

株式公開 計画なし

【特色】大衆薬主体の中堅製薬会社。「ユンケル」で著名

修士・大卒採用数	3年後離職率	有休取得年平均	平均年収(平均44歳)
20名	18.2→22.2%	11.6日	◇735万円

●エントリー情報と採用プロセス●
【受付開始～終了】[総][技]3月～7月【採用プロセス】[総][技]ES提出(3月～)→説明会(3～6月)→面接(3回、4～6月)・Webテスト(5月)→内々定(6月末)【交通費支給】最終面接、実費

試験情報

重視科目 [総][技]面接

[総][技][ES]NA[筆]Webテスト[面]3回(Webあり)

選考ポイント [総][ES]NA(提出あり)[面]コミュニケーション能力 表現力 思考能力 適性 [技][ES]NA(提出あり)[面]コミュニケーション能力 表現力 思考能力 専門知識・技術

通過率 [総][技][ES]NA

倍率(応募/内定) [総][技]NA

●男女別採用数と配属先ほか●
【男女・文理別採用実績】

	大卒男	大卒女	修士男	修士女
23年	5(文 1理 4)	4(文 2理 2)	11(文 0理 11)	4(文 0理 4)
24年	2(文 0理 2)	2(文 1理 1)	12(文 0理 12)	6(文 0理 6)
25年	4(文 2理 2)	2(文 2理 0)	7(文 0理 7)	7(文 0理 7)

【25年4月入社者の採用実績校】
[文](大)早大2 慶大1 他 [理](院)慶大 東京薬大各3 東理大 麻布大 広島大各1 他

【24年4月入社者の配属先】
[総]勤務地:東京・港4 大阪市1 部署:営業4 事務1 [技]勤務地:東京(港4 品川9 八王子6) 部署:研究開発13 品質管理3 製造3

残業(月) 11.0時間 [総]11.0時間

[記者評価] 1915年創業。滋養強壮剤「ユンケル」、かぜ薬「ストナ」、歯周病薬「アセス」などを扱う大衆薬メーカー。皮膚科領域が中心の医療用医薬品や化粧品も展開。八王子工場を基幹に国内2工場、台湾でも現地生産。海外はアジア中心に欧米にも拠点を置く。

●給与、ボーナス、週休、有休ほか●
【30歳総合職平均年収】NA【初任給】(博士)258,000円〈営業〉287,000円 (修士)244,000円〈営業〉272,000円 (大卒)230,000円〈営業〉258,000円【ボーナス(年)】NA【25、30、35歳賃金】NA【週休】2日【夏期休暇】4日【年末年始休暇】12月30日～1月3日【有休取得】11.6／20日

●従業員数、勤続年数、離職率ほか●
【男女別従業員数、平均年齢、平均勤続年数】計 ◇757(44.3歳 17.3年) 男 590(45.7歳 18.8年) 女 167(39.1歳 12.1年)【離職率と離職者数】◇5.8%、47名(早期退職男8名含む)【3年後新卒定着率】77.8%(男72.7%、女85.7%、3年前入社:男11名・女7名)【組合】あり

[求める人材] コミュニケーションスキルを重視し、より消費者に近い視点で価値を創造していく人材

[会社データ] (金額は百万円)
【本社】107-0051 東京都港区元赤坂1-5-27
☎03-5412-7310 https://www.sato-seiyaku.co.jp/
【社長】佐藤 誠一【設立】1939.8【資本金】2,000【今後力を入れる事業】NA

【業績(連結)】	売上高	営業利益	経常利益	純利益
21.7	43,151	695	755	547
22.7	44,492	956	1,068	743
23.7	47,915	2,837	2,936	1,965

日本ケミファ(株)
にっぽん

東京S 4539

【特色】後発品業界中堅。新薬メーカー出発で先発品も

修士・大卒採用数	3年後離職率	有休取得年平均	平均年収(平均46歳)
2名	0→6.3%	11.6日	[総]621万円

●エントリー情報と採用プロセス●
【受付開始～終了】[総][技]3月～3月【採用プロセス】[総][技]ES提出(3月)→面接(2回、5月～)→内々定(6月～)【交通費支給】最終面接、エリア毎規定

試験情報

重視科目 [総][技]面接

[総][技][ES]⇒巻末[筆]なし[面]2回(Webあり)

選考ポイント [総][ES]自己PR[面]意欲 協調性 コミュニケーション能力 マナー 専門性 [技][ES]自己PR 研究サマリー[面]総合職共通

通過率 [総][ES]100%(受付:5→通過:5) [技][ES]75%(受付:92→通過:69)

倍率(応募/内定) [総]— [技]23倍

●男女別採用数と配属先ほか●
【男女・文理別採用実績】

	大卒男	大卒女	修士男	修士女
23年	1(文 0理 1)	0(文 0理 0)	6(文 0理 6)	5(文 0理 5)
24年	0(文 0理 0)	0(文 0理 0)	0(文 0理 0)	0(文 0理 0)
25年	0(文 0理 0)	0(文 0理 0)	1(文 0理 1)	1(文 0理 1)

【25年4月入社者の採用実績校】
[文]なし [理](院)東大 東京農業大 東京科学大 名大各1

【24年4月入社者の配属先】
[総]勤務地:なし 部署:なし [技]勤務地:なし 部署:なし

残業(月) 5.0時間 [総]5.0時間

[記者評価] 2000年から軸足を移した後発医薬品が現在の主事業で売上の約8割を占める。臨床検査薬事業では、短時間で行えるアレルギー検査薬の販売に力点。国内営業拠点の再編・統廃合を推進。肺がん治療薬候補の国内権利獲得。23年6月富士フイルムメディカルと販売提携。

●給与、ボーナス、週休、有休ほか●
【30歳総合職平均年収】419万円【初任給】(博士)291,000円 (修士)256,100円 (大卒)223,000円【ボーナス(年)】136万円、4.25カ月【25、30、35歳賃金】249,200円→280,412円→315,317円【週休】完全2日(土日祝)【夏期休暇】会社が指定する日【年末年始休暇】12月30日～1月3日【有休取得】11.6／18日

●従業員数、勤続年数、離職率ほか●
【男女別従業員数、平均年齢、平均勤続年数】計 468(46.1歳 15.5年) 男 340(48.4歳 17.6年) 女 128(40.0歳 9.7年)【離職率と離職者数】4.9%、24名【3年後新卒定着率】93.8%(男100%、女80.0%、3年前入社:男11名・女5名)【組合】あり

[求める人材] 誠実かつ様々な障壁を乗り越える逞しさを持ち、周囲と協力して物事に取り組める人

[会社データ] (金額は百万円)
【本社】101-0032 東京都千代田区岩本町2-2-3
☎03-3863-1214 https://www.chemiphar.co.jp/
【社長】山口 一城【設立】1950.6【資本金】4,304【今後力を入れる事業】本業

【業績(連結)】	売上高	営業利益	経常利益	純利益
22.3	32,506	825	1,022	700
23.3	31,559	▲241	58	339
24.3	30,748	▲494	▲219	▲180

メーカーⅡ

みつびし 三菱ケミカル(株)

持株会社 傘下

【特色】三菱ケミカルグループ中核の総合化学大手

修士・大卒採用数	3年後離職率	有休取得年平均	平均年収(平均45歳)
88名	10.2→10.2%	17.5日	総 851万円

●エントリー情報と採用プロセス●

【受付開始～終了】総 技11月～7月【採用プロセス】総書類送付(ES(研究概要含む)・履修履歴登録・適性検査、11月～)→面談・面接(3回、1月～)→内々定(3月～) 技書類送付(ES(研究概要含む)・履修履歴登録・適性検査、11月～)→面談・面接(2～3回、1月～)→内々定(3月～)【交通費支給】対面実施の場合、一定基準を超えた距離に応じて

試験情報

重視科目 総技面接

総 ES⇒巻末筆SPI3(自宅) その他適性検査面3回(Webあり) 技 ES⇒巻末筆SPI3(自宅) その他適性検査面2～3回(Webあり)

選考ポイント 総 ES応募のきっかけ 希望職種 希望勤務地 チームで取り組んだこと面対人・協調 活動・課題遂行 企画 技 ES応募のきっかけ 希望職種 希望勤務地 研究概要 チームで取り組んだこと面対人・協調 活動・課題遂行 企画 専門性

通過率 総 ES NA(受付:1,522→通過:NA) 技 ES NA(受付:2,021→通過:NA) 倍率(応募/内定) 総63倍 技27倍

●男女別採用数と配属先ほか●

【男女・文理別採用実績】※25年:24年7月上旬時点

	大卒男	大卒女	修士男	修士女
23年	12(文 9理 3)	11(文 6理 5)	47(文 0理 47)	18(文 2理 16)
24年	20(文 11理 9)	1(文 1理 0)	48(文 0理 48)	8(文 0理 8)
25年	13(文 8理 5)	13(文 8理 5)	49(文 0理 49)	13(文 1理 12)

【25年4月入社者の採用実績校】文(大)明大 学習院大各2 中大 早大 岡山大 関西学大 慶大 筑波大各1 他 理(院)九大6 京都工繊大 阪大 東理大 関大各3 千葉工大 岡山大 東北大 弘前大 東大 京大 東京科学大 山口大各2(大)千葉工大 茨城大 東京農業大各1(高専)津山4 他

【24年4月入社者の配属先】総勤務地:東京16 茨城1 大阪1 福岡2 部署:IT6 営業4 経理2 資材2 事業管理2 事業化推進1 物流1 知的財産1 購買1 技勤務地:神奈川2 茨城15 岐阜4 愛知2 三重9 滋賀5 岡山10 広島6 香川4 福岡7 部署:製造技術21 設備技術15 研究開発15 生産技術12 ユーティリティ1

残業(月) 19.4時間

記者評価 三菱化学、三菱レイヨン、三菱樹脂が17年4月に合併し発足。国内最大級の総合化学会社。石油化学基礎品からアクリル樹脂原料、炭素繊維、エンプラ、高機能樹脂、各種フィルムなど幅広く展開するが、近年は事業の取捨選択に踏み出す。人材配置は原則公募制。

●給与、ボーナス、週休、有休ほか●

【30歳総合職平均年収】642万円【初任給】(博士)328,000円(修士)280,000円(大卒)260,000円【ボーナス(年)】132万円、4.154カ月【25、30、35歳賃金】256,600円→344,300円→396,400円【週休】完全2日(土日祝)【夏期休暇】8月15日【年末年始休暇】12月30日～1月3日【有休取得】17.5／21日

●従業員数、勤続年数、離職率ほか●

【男女別従業員数、平均年齢、平均勤続年数】計◇16,109(45.6歳 19.7年) 男 13,760(45.7歳 19.8年) 女 2,349(45.0歳 19.3年)【離職率と離職者数】◇2.8%、471名【3年後新卒定着率】89.8%(男90.0%、女89.0%、3年前入社:男271名・女73名)【組合】あり

求める人材 論理的なコミュニケーションができ、人を巻き込みながら自ら課題を設定する力がある人

会社データ (金額は百万円)

【本社】100-8251 東京都千代田区丸の内1-1-1 パレスビル ☎03-4405-3072 https://www.m-chemical.co.jp/

【代表取締役】下平 靖雄【設立】(発足)2017.4【資本金】53,229【今後力を入れる事業】機能商品 素材 ヘルスケア

【業績(IFRS)】	売上高	営業利益	税前利益	純利益
22.3	3,976,948	303,194	290,370	177,162
23.3	4,634,532	182,718	167,964	96,066
24.3	4,387,218	261,831	240,547	119,596

※業績は㈱三菱ケミカルグループのもの

ふじ 富士フイルム(株)

持株会社 傘下

【特色】写真フィルムから多角化、医療や半導体材料展開

修士・大卒採用数	3年後離職率	有休取得年平均	平均年収(平均43歳)
178名	7.1→5.6%	12.7日	総 974万円

●エントリー情報と採用プロセス●

【受付開始～終了】総 技3月～4月【採用プロセス】総ES提出・Web適性検査(3～4月)→SPI3→面接(複数回)→内々定(6月～) 技ES提出・Web適性検査(3～4月)→SPI3・面接(複数回)→内々定(6月～)【交通費支給】〈事務系〉最終面接〈技術系〉技術面接以降、遠方者(会社基準)【早期選考】⇒巻末

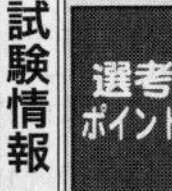

試験情報

重視科目 総技面接 総技 ES⇒巻末筆SPI3(会場) SPI3(自宅) Web適性検査面複数回(Webあり)

選考ポイント 総 ES文章の論理性 学生時代の取り組みに想いを感じるか 経験や学んだことを自分の言葉で表現できているか面総合的な人物評価 技 ES文章の論理性 学生時代の研究等の活動に対して、深く考えた取り組み方ができているか面総合的な人物評価 専門性

通過率 総技 ES NA 倍率(応募/内定) 総技NA

●男女別採用数と配属先ほか●

【男女・文理別採用実績】※大卒に修士・博士を含む

	大卒男	大卒女	修士男	修士女
23年	93(文 38理 55)	29(文 14理 15)	0(文 0理 0)	0(文 0理 0)
24年	120(文 44理 76)	40(文 25理 15)	0(文 0理 0)	0(文 0理 0)
25年	116(文 33理 83)	62(文 21理 41)	0(文 0理 0)	0(文 0理 0)

【25年4月入社者の採用実績校】文北大 小樽商大 東北大 東大 一橋大 東京外大 早大 慶大 上智大 明大 立教大 千葉大 京大 阪大 神戸大 大阪公大 関西学大 関大 同大 立命館大 台湾大 SF州立大 パシフィック・ルーテラン大 リーズ大 ワシントン大 フレズノパシフィック大 他 理北大 東北大 東大 東京科学大 早大 慶大 筑波大 千葉大 東京農工大 埼玉大 東理大 東京芸大 多摩美大 横国大 信州大 新潟大 金沢大 金沢美工大 名大 京大 京都工繊大 阪大 神戸大 立命館大 同大 徳島大 九大 九州工大 大分大 インペリアル・カレッジ・ロンドン(高専)福島 東京 都立産技 茨城 沼津 豊田 鈴鹿 津山 新居浜 他

【24年4月入社者の配属先】総勤務地:東京 神奈川 埼玉 静岡 愛知 大阪 部署:国内・海外営業(マーケティング・販売)SCM 商品企画 広報／宣伝 経理 法務 人事 他 技勤務地:東京 神奈川 埼玉 静岡 部署:化学 材料開発 バイオ開発 機器開発 ソフトウェア開発・ITエンジニアリング プロセス開発・生産技術 知的財産 他

残業(月) 19.8時間 総26.8時間

記者評価 収益源だった写真フィルムがデジカメの普及に伴い激減し業態転換を断行。医療機器や半導体材料などBtoBビジネスに重点を移した。X線画像診断や内視鏡、創薬など医療分野に参入。バイオ医薬品分野にも注力。インスタントカメラ「チェキ」は世界で人気。

●給与、ボーナス、週休、有休ほか●

【30歳総合職平均年収】700万円【初任給】(博士)331,900円(修士)307,900円(大卒)280,000円【ボーナス(年)】243万円、NA【25、30、35歳モデル賃金】314,600円→352,900円→397,150円【週休】完全2日(土日祝)【夏期休暇】9日(週休含む)【年末年始休暇】5～7日(週休含む)※カレンダー・勤務地により変動【有休取得】12.7／20日

●従業員数、勤続年数、離職率ほか●

【男女別従業員数、平均年齢、平均勤続年数】計 4,982(42.6歳 17.5年) 男 4,022(43.2歳 17.8年) 女 960(40.3歳 16.3年)【離職率と離職者数】1.2%、59名【3年後新卒定着率】94.4%(男94.0%、女95.8%、3年前入社:男83名・女24名)【組合】あり

求める人材 様々な分野に高い意欲を持って挑戦し、成長し続ける人材

会社データ (金額は百万円)

【本社】107-0052 東京都港区赤坂9-7-3 東京ミッドタウン ☎03-6271-3111 https://www.fujifilm.com/jp/ja

【社長】後藤 禎一【設立】1934.1【資本金】40,000【今後力を入れる事業】ヘルスケア分野 エレクトロニクス分野 他

【業績(SEC)】	売上高	営業利益	税前利益	純利益
22.3	2,525,773	229,702	260,446	211,180
23.3	2,859,041	273,079	282,224	219,422
24.3	2,969,916	276,725	317,288	243,509

※業績は富士フイルムホールディングス㈱のもの

あさひかせい 旭化成グループ

東京P 3407

【特色】大手総合化学メーカー。住宅、医療、電子部品も

修士・大卒採用数	3年後離職率	有休取得年平均	平均年収(平均43歳)
130名	10.9→13.9%	15.9日	総 904万円

●エントリー情報と採用プロセス●

【受付開始～終了】総 技 3月～5月【採用プロセス】総 技 ES提出・Webテスト(3月～)→面接(2～3回、6月～)→内々定(6月～)【交通費支給】最終面接、会社基準【早期選考】⇒巻末

試験情報

重視科目 総 技 個人面接

総 技 ES⇒巻末 筆 WebGAB 面 2～3回(Webあり)

選考ポイント 総 ES NA(提出あり) 面 論理的思考力 コミュニケーション能力 主体性 挑戦する力 やり抜く力 技 ES NA(提出あり) 面 専門性 論理的思考力 創造性 コミュニケーション能力 主体性 挑戦する力 やり抜く力

通過率 総 技 ES NA　倍率(応募/内定) 総 技 NA

●男女別採用数と配属先ほか●

【男女・文理別採用実績】

	大卒男	大卒女	修士男	修士女
23年	27(文 22理 5)	22(文 19理 3)	97(文 1理 96)	11(文 2理 9)
24年	25(文 25理 0)	19(文 17理 2)	101(文 1理100)	33(文 0理 33)
25年	18(文 14理 4)	12(文 10理 2)	75(文 1理 74)	25(文 0理 25)

【25年4月入社者の採用実績校】文 (院)サウサンプトン大 東北大 北陸先端科技院大 筑波大(大)北大 東北大 国際教養大 茨城大 東大 一橋大 横浜市大 静岡大 阪大 神戸大 早大 慶大 中大 明大 星薬大 明治薬大 関西学大 立命館大 中原大 理 (院)カーディフ大 北大 東北大 山形大 筑波大 東大 東京科学大 横国大 千葉大 埼玉大 静岡県大 山梨大 名大 名工大 金沢大 京大 阪大 神戸大 広島大 九大 九州工大 熊本大 宮崎大 早大 慶大 東理大 北里大 同大 立命館大

【24年4月入社者の配属先】総 勤務地:東京 大阪市 他 部署:事務系42 MR10 技 勤務地:東京 千葉・袖ケ浦 神奈川(川崎 厚木)静岡(富士 伊豆の国)三重・鈴鹿 滋賀・守山 岡山・水島 大分 宮崎・延岡 部署:技術系152

残業(月) 14.4時間 総 22.1時間

記者評価 総合化学メーカーとして石油化学製品や高機能樹脂、合成繊維を手がけるほか、住宅、建材、医薬、医療機器、電子部品などをグループで展開。攻めの経営姿勢で、海外の医薬や医療など複数企業を買収。EV需要をにらみカナダでセパレーター工場建設にも踏み出す。

●給与、ボーナス、週休、有休ほか●

【30歳総合職平均年収】633万円【初任給】(博士)317,010円(修士)272,610円(大卒)247,750円【ボーナス(年)】176万円、5.04カ月【25、30、35歳賃金】268,749円→332,109円→409,914円【週休】完全2日(土日祝)【夏期休暇】有休で取得【年末年始休暇】連続4～6日(地域により異なる)【有休取得】15.9／20日

●従業員数、勤続年数、離職率ほか●

【男女別従業員数、平均年齢、平均勤続年数】計 8,446(42.8歳 17.4年)男 7,439(43.3歳 17.8年)女 1,007(39.7歳 14.6年)【離職率と離職者数】2.9%、252名【3年後新卒定着率】86.1%(男84.8%、女90.1%、3年前入社:男224名・女71名)【組合】あり

求める人材 高い理想と独自の「発想力」を持ち、その実現に向けて周囲を巻き込みながら、自ら変革を起こし、やり抜くことができる人財

会社データ (金額は百万円)

【本社】100-0006 東京都千代田区有楽町1-1-2 日比谷三井タワー ☎03-6699-3000 https://www.asahi-kasei.com/

【社長】工藤 幸四郎【設立】1931.5【資本金】103,389【今後力を入れる事業】ヘルスケア デジタル 畜エネルギー

【業績(連結)】	売上高	営業利益	経常利益	純利益
22.3	2,461,317	202,647	212,052	161,880
23.3	2,726,485	128,352	121,535	▲91,312
24.3	2,784,878	140,746	90,118	43,806

※会社データは旭化成(株)のもの

※グループ5社(旭化成、旭化成エレクトロニクス、旭化成ファーマ、旭化成メディカル、旭化成建材)のデータ

とう 東レ(株)

東京P 3402

【特色】化学繊維で国内最大手。炭素繊維は世界首位

修士・大卒採用数	3年後離職率	有休取得年平均	平均年収(平均43歳)
165名	14.2→11.9%	18.7日	総 975万円

●エントリー情報と採用プロセス●

【受付開始～終了】総 技 3月～継続中【採用プロセス】総 技 ES提出・Webテスト(3月～)→面接→内々定【交通費支給】往復分の実費

試験情報

重視科目 総 技 面接　総 技 ES⇒巻末 筆 SPI3(会場) SPI3(自宅) 面 2～3回(Webあり)

選考ポイント 総 ES 学生生活で力を入れて取り組んだこと 面 総合的な人物評価 技 ES 研究内容 面 総合的な人物評価 専門能力(研究・技術開発者としての基礎能力)

通過率 総 ES 41%(受付:6,300→通過:2,600) 技 ES 40%(受付:3,000→通過:1,200)　倍率(応募/内定) 総 126倍 技 24倍

●男女別採用数と配属先ほか●

【男女・文理別採用実績】

	大卒男	大卒女	修士男	修士女
23年	42(文 39理 3)	15(文 13理 2)	72(文 1理 71)	11(文 0理 11)
24年	47(文 44理 3)	19(文 17理 2)	100(文 1理 99)	25(文 1理 24)
25年	28(文 26理 2)	24(文 23理 1)	77(文 1理 76)	36(文 1理 35)

※文系は事務系職種、理系は技術系職種の数値

【25年4月入社者の採用実績校】文 (院)阪大 慶大各1(大)慶大 早大 同大各5 一橋大4 阪大 関西学大 北大各3 中大 上智大各2 筑波大 滋賀大 東京外大 京大 大阪公大 関大 天理大 弘前大 山形大 東大 神戸市外大 法政大 神戸大 明大 青学大 千葉大 立命館大各1 理 (院)阪大17 東京科学大 京都工繊大 名大各8 九大 京大各7 神戸大6 東理大5 慶大4 立命館大 東北大 金沢大 筑波大 早大各3 岡山大 東京電機大 名工大 信州大 東京農工大 岐阜大 北大 大阪公大 広島大 横浜市大 東大各2 中大 横国大 兵庫県大 金沢工大 関大 弘前大 福井大 山形大 豊橋技科大 茨城大 三重大 山口大 明大 関西学大 鳥取大 同大各1(大)工学院大 関西学大 関大各1

【24年4月入社者の配属先】総 勤務地:東京34 大阪16 滋賀6 静岡4 石川1 愛知1 部署:営業・事業管理40 人事・勤労8 財務・経理5 他4 購買・物流3 法務2 技 勤務地:滋賀53 愛知26 愛媛21 東京12 静岡10 神奈川9 岐阜5 石川3 茨城2 部署:技術開発・生産技術65 研究開発42 プラントエンジニア・装置設計・装置開発17 システム開発11 臨床開発・薬事・安全性情報3 分析評価3

残業(月) 15.2時間 総 21.0時間

記者評価 三井系のレーヨン製造会社として発祥。化学繊維はじめ高機能樹脂、フィルム、電子材料、水処理膜、医薬品など事業領域は幅広い。化繊は原糸から生地、縫製に至るまで一貫して手がける。「ユニクロ」ヒートテックでも知られ、技術開発力の先進性にも強み。

●給与、ボーナス、週休、有休ほか●

【30歳総合職平均年収】670万円【初任給】(博士)321,460円(修士)275,170円(大卒)256,170円【ボーナス(年)】188万円、5.31カ月【25、30、35歳モデル賃金】296,500円→371,150円→448,050円【週休】完全2日(土日祝)【夏期休暇】連続4～6日【年末年始休暇】連続4日【有休取得】18.7／20日

●従業員数、勤続年数、離職率ほか●

【男女別従業員数、平均年齢、平均勤続年数】計 4,885(42.7歳 18.3年)男 4,324(43.2歳 18.8年)女 561(39.0歳 14.5年)【離職率と離職者数】NA【3年後新卒定着率】88.1%(男87.6%、女90.0%、3年前入社:男105名・女30名)【組合】あり

求める人材 高い目標に向かい挑戦できる人 バイタリティ溢れる人

会社データ (金額は百万円)

【本社】103-8666 東京都中央区日本橋室町2-1-1 日本橋三井タワー ☎03-3245-5111 https://www.toray.co.jp/

【社長】大矢 光雄【設立】1926.1【資本金】147,873【今後力を入れる事業】サスティナビリティイノベーション デジタルイノベーション

【業績(IFRS)】	売上高	営業利益	税前利益	純利益
22.3	2,228,523	100,565	120,315	84,235
23.3	2,489,330	109,001	111,870	72,823
24.3	2,464,596	57,651	59,567	21,897

住友化学(株)

すみとも かがく

東京P 4005

【特色】総合化学メーカー大手。傘下に住友ファーマ

修士・大卒採用数	3年後離職率	有休取得年平均	平均年収(平均42歳)
50名	7.7 → 11.5%	16.8日	[総]982万円

残業(月) 19.4時間 [総]21.5時間

記者評価 石油化学品や農薬、電子材料、医薬品等を手がける。サウジの石化合弁は経営難で出資比率引き下げ。シンガポールや国内の石化やファーマも苦戦。一方、半導体材料など成長分野も持つ。農薬は国内最大手で海外も開拓。現任含む経団連会長を輩出する財界名門。

●エントリー情報と採用プロセス●

【受付開始～終了】[総][技]3月～継続中【採用プロセス】[総][技]ES提出・適性検査(3月)→面接(3回)→内々定【交通費支給】全対面面接、会社基準

試験情報

重視科目 [総][技]面接

[総][技][ES]⇒巻末[筆]SPI3(自宅)[面]3回(Webあり)

選考ポイント [総][ES]NA(提出あり)[面]〈総合職〉論理的思考力 達成意欲 基礎能力 他〈プロフェッショナルスタッフ職〉勤勉性 協調性 基礎能力 他 [技][ES]NA(提出あり)[面]〈総合職〉論理的思考力 達成意欲 基礎能力 専門性 他〈プロフェッショナルスタッフ職〉勤勉性 協調性 基礎能力 他

通過率 [総][技][ES]NA **倍率**(応募/内定) [総][技]NA

●男女別採用数と配属先ほか●

【男女・文理別採用実績】

	大卒男	大卒女	修士男	修士女
23年	43(文 32 理 11)	23(文 15 理 8)	72(文 1 理 71)	23(文 0 理 23)
24年	25(文 19 理 6)	19(文 16 理 3)	66(文 0 理 66)	21(文 1 理 20)
25年	19(文 12 理 7)	9(文 7 理 2)	15(文 1 理 14)	7(文 0 理 7)

【25年4月入社者の採用実績校】[文](院)東大1(大)名大 同大各3 東大 早大 神戸大各2 北大 東北大 慶大 中大 阪大 大阪公大 広島大各1 [理](院)阪大5 神戸大 名大 九大各4 大阪公大 東北大 京大 北大 東大 東京科学大各2 ユタ大 筑波大 東京農工大 岡山大 同大 慶大 信州大各1(大)山形大 京大 同大 名工大 芝工大 法政大 京都薬大 日大 東海大各1(高専)新居浜1

【24年4月入社者の配属先】[総]勤務地:東京・中央20 愛媛・新居浜7 千葉・市原5 大阪市4 大分市3 部署:〈総合職〉事業企画9 生産企画7 人事3 経理・財務3 総務3 購買・物流3 法務他2〈プロフェッショナルスタッフ職〉総務・人事・購買・物流3 営業2 システム2 経理1 知財1 [技]勤務地:大阪市40 愛媛・新居浜33 兵庫・宝塚20 千葉(袖ヶ浦10 市原6)大分市7 茨城(つくば5 日立1)東京・中央1 部署:〈総合職〉研究開発84 製造技術21 エンジ6 RC・知財4〈プロフェッショナルスタッフ職〉生産管理・製造技術3 RC2 実験技術1 工務1 システム1

●給与、ボーナス、週休、有休ほか●

【30歳総合職平均年収】625万円【初任給】(博士)311,000円(修士)268,500円(大卒)245,400円【ボーナス(年)】(組合員)151万円、NA【25、30、35歳モデル賃金】271,000円→339,500円→476,000円【週休】完全2日(土日祝)【夏期休暇】本社:連続5日(2日は有休の計画的付与日)【年末年始休暇】本社:連続5日【有休取得】16.8／20日

●従業員数、勤続年数、離職率ほか●

【男女別従業員数、平均年齢、平均勤続年数】計 ◇6,706(41.6歳 15.7年) 男 5,653(41.9歳 16.0年) 女 1,053(39.8歳 14.1年)【離職率と離職者数】◇2.2%、151名【3年後新卒定着率】88.5%(男90.2%、女82.1%、3年前入社:男153名・女39名)【組合】あり

求める人材 問題の本質は何か、何が真に求められているかを考え、その解決法を探し、行動できる人

会社データ (金額は百万円)

【本社】103-6020 東京都中央区日本橋2-7-1 東京日本橋タワー
☎03-5201-0200 https://www.sumitomo-chem.co.jp/
【社長】岩田 圭一【設立】1925.6【資本金】89,938【今後力を入れる事業】食糧 ICT ヘルスケア 環境

【業績(IFRS)】	売上高	営業利益	税前利益	純利益
22.3	2,765,321	215,003	251,136	162,130
23.3	2,895,283	▲30,984	231	6,987
24.3	2,446,893	▲488,826	▲462,792	▲311,838

信越化学工業(株)

しんえつ かがくこうぎょう

東京P 4063

【特色】塩ビ樹脂や半導体ウエハの世界的メーカー

修士・大卒採用数	3年後離職率	有休取得年平均	平均年収(平均42歳)
101名	8.9 → 4.7%	16.2日	◇886万円

残業(月) 17.9時間

記者評価 日本の化学業界を代表する高収益企業。米国子会社シンテックを中核とする塩ビ樹脂、半導体用シリコンウエハはそれぞれ世界トップ。半導体用フォトレジストやレアアース磁石、各種シリコーンなどの事業でも大手。海外売上比率約8割。超キャッシュリッチ企業。

●エントリー情報と採用プロセス●

【受付開始～終了】[総][技]3月～6月【採用プロセス】[総]ES提出(3～6月)→GD・Webテスト(6月)→面接(2～3回、6～7月)→内々定(6～7月)[技]ES提出(3～6月)→面接(2～3回、6～7月)→内々定(6～7月)【交通費支給】最終面接、会社基準

試験情報

重視科目 [総][技]面接

[総][ES]⇒巻末[筆]Web性格検査 Webテスト[面]2～3回(Webあり)[GD作]⇒巻末 [技][ES]⇒巻末[筆]Web性格検査[面]2～3回(Webあり)

選考ポイント [総][ES]内容の論理性 学生時代取り組んだことの主体性[面]論理的か 学生時代の過ごし方 英語力 他 [技][ES]総合職共通[面]事務系の観点+技術的知識、研究・学業への取組姿勢

通過率 [総][技][ES]NA **倍率**(応募/内定) [総][技]NA

●男女別採用数と配属先ほか●

【男女・文理別採用実績】

	大卒男	大卒女	修士男	修士女
23年	8(文 8 理 0)	6(文 6 理 0)	67(文 1 理 66)	5(文 0 理 5)
24年	10(文 8 理 2)	5(文 5 理 0)	58(文 1 理 57)	7(文 0 理 7)
25年	13(文 9 理 4)	9(文 9 理 0)	70(文 0 理 70)	9(文 0 理 9)

【25年4月入社者の採用実績校】[文](大)早大 明大 法政大 上智大 北大 立教大 横国大 東理大 東京外大 同大 [理](院)東京科学大 東北大 新潟大 名大 山形大 金沢大 阪大 早大 東大 慶大 群馬大 千葉大 東理大 筑波大 大阪公大 立命館大 埼玉大 長岡技科大(大)京大 九大 他

【24年4月入社者の配属先】[総]勤務地:群馬・安中3 福井・越前3 茨城・神栖2 新潟・上越2 福島・新白河2 部署:約1年間工場経理部門等へ仮配属後 本配属 [技]勤務地:群馬・安中20 新潟・上越20 福島・新白河12 茨城・神栖10 福井・越前6 東京2 堺1 部署:研究開発 生産技術 プラントエンジニアリング 機器開発 他

●給与、ボーナス、週休、有休ほか●

【30歳総合職平均年収】NA【初任給】(博士)338,000円(修士)296,850円(大卒)272,450円【ボーナス(年)】(組合員)206万円、6.7カ月【25、30、35歳賃金】293,950円→400,400円→447,050円【週休】完全2日(土日祝)【夏期休暇】連続3日(週休含む)【年末年始休暇】連続6日(週休含む)【有休取得】16.2／20日

●従業員数、勤続年数、離職率ほか●

【男女別従業員数、平均年齢、平均勤続年数】計 ◇3,680(41.9歳 20.1年) 男 3,335(42.2歳 20.4年) 女 345(39.2歳 17.7年)【離職率と離職者数】◇0.9%、32名【3年後新卒定着率】95.3%(男94.8%、女100%、3年前入社:男77名・女9名)【組合】あり

求める人材 自立した価値観と判断力、論理的思考力を持つ人

会社データ (金額は百万円)

【本社】100-0005 東京都千代田区丸の内1-4-1 丸の内永楽ビルディング
☎03-6812-2320 https://www.shinetsu.co.jp/jp/
【社長】斉藤 恭彦【設立】1926.9【資本金】119,419【今後力を入れる事業】エネルギー ヘルスケア 半導体材料 インフラ 他

【業績(連結)】	売上高	営業利益	経常利益	純利益
22.3	2,074,428	676,322	694,434	500,117
23.3	2,808,824	998,202	1,020,211	708,238
24.3	2,414,937	701,038	787,228	520,140

三井化学(株)

みつい かがく

東京P 4183

【特色】総合化学国内大手。機能性材料を強化中

修士・大卒採用数	3年後離職率	有休取得年平均	平均年収(平均45歳)
111名	6.3 → 9.0%	17.3日	総 1,068万円

残業(月) 20.2時間 総 19.0時間

記者評価 国内総合化学メーカー大手。エチレン生産で首位だが付加価値高い機能性材料に経営資源集中。自動車部材用の高機能コンパウンド、リチウムイオン電池用電解液、食品包装用の高機能フィルムなどが柱。メガネレンズ材や歯科材など医療系やICT関連の育成にも注力。

●エントリー情報と採用プロセス●

【受付開始～終了】総2月～4月 技2月～3月【採用プロセス】総ES提出・適性検査(2～3月)→社員面談→面接(2回、3月～)→内々定 技説明会(任意)→ES提出(2～3月)→面接(2回、3月～)→内々定【交通費支給】2次面接、会社基準

試験情報

重視科目 総技全て

総技 ES⇒巻末筆Compass面2回(Webあり)

選考ポイント 総 ES 求める人材像に合致しているか 他 面 挑戦する力 考える力と行動 興味・視野の広さ 技 ES 求める人材像に合致しているか 研究に取り組む姿勢 他 面 主体性 物事の本質を見極める力 専門性

通過率 総 ES 54%(受付:1,063→通過:573) 技 ES 45%(受付:1,320→通過:589)

倍率(応募/内定) 総46倍 技13倍

●給与、ボーナス、週休、有休ほか●

【30歳総合職平均年収】695万円【初任給】(博士)328,000円(修士)278,000円(大卒)256,000円【ボーナス(年)】176万円、5.8カ月【25、30、35歳賃金】294,000円→373,000円→498,000円【週休】完全2日(土日祝)【夏期休暇】なし【年末年始休暇】12月30日～1月3日【有休取得】17.3/22日(うち2日はリフレッシュ休暇)

●従業員数、勤続年数、離職率ほか●

【男女別従業員数、平均年齢、平均勤続年数】計 ◇5,199(40.2歳 16.2年) 男 4,469(40.0歳 16.3年) 女 730(40.9歳 15.9年)【離職率と離職者数】◇2.2%、119名【3年後新卒定着率】91.0%(男93.1%、女85.0%、3年前入社:男58名・女20名)【組合】あり

●男女別採用数と配属先ほか●

【男女・文理別採用実績】

	大卒男	大卒女	修士男	修士女
23年	11(文 11理 0)	8(文 7理 1)	67(文 1理 66)	19(文 0理 19)
24年	9(文 9理 0)	9(文 9理 0)	61(文 0理 61)	38(文 0理 38)
25年	11(文 9理 2)	7(文 6理 1)	57(文 0理 57)	36(文 1理 35)

【25年4月入社者の採用実績校】文(院)阪大1(大)立命館APU 明大 同大各2 立命館大 阪大 大阪市大 千葉大 青学大 滋賀大 慶大 一橋大 関西学大各1 理(院)東京科学大8 九大7 阪大 東理大 北大各6 熊本大 大阪公大 東京農工大 東北大各4 京大 広島大 山形大 東大 同大 名大各3 横国大 関大 九州工大 秋田大 神戸大 静岡大 千葉大 早大 福岡大 名工大各2 茨城大 岡山大 岐阜大 京都工繊大 金沢大 群馬大 慶大 山口大 信州大 新潟大 都立大 徳島大 豊橋技科大 立命館大 上智大各1(大)上智大 東京科学大 明大各1

【24年4月入社者の配属先】総勤務地:東京・八重洲12 大阪・高石4 千葉(市原2 袖ケ浦1)山口・玖珂郡3 福岡・大牟田1 部署:事業12 人事・総務5 経理3 物流1 購買1 衛生管理者1 技勤務地:千葉(市原18 袖ヶ浦51 茂原4)山口・玖珂郡12 福岡・大牟田9 名古屋5 大阪・高石4 部署:研究開発65 プロセスエンジニア29 設備エンジニア9

求める人材 自ら考え、行動できる人材

会社データ (金額は百万円)

【本社】104-0028 東京都中央区八重洲2-2-1 八重洲セントラルタワー

☎03-6253-2278 https://jp.mitsuichemicals.com/jp/

【社長】橋本 修【設立】1955.7【資本金】125,738【今後力を入れる事業】ライフ&ヘルスケア モビリティ ICT

【業績(IFRS)】	売上高	営業利益	税前利益	純利益
22.3	1,612,688	147,310	141,274	109,990
23.3	1,879,547	128,998	117,278	82,936
24.3	1,749,743	74,124	73,331	49,999

(株)レゾナック

持株会社 傘下

【特色】半導体材料が主力の化学大手、黒鉛電極も

修士・大卒採用数	3年後離職率	有休取得年平均	平均年収(平均42歳)
84名	7.7 → 11.3%	18.2日	総 959万円

残業(月) 22.2時間 総 22.2時間

記者評価 高純度ガスや研磨材料、感光性フィルムなどの半導体材料が主力。後工程材料に強い。自動車部材や石油化学、黒鉛電極など事業領域は幅広い。2023年1月、昭和電工と昭和電工マテリアルズ(旧日立化成)が統合して現体制に。半導体・電子材料事業への投資加速。

●エントリー情報と採用プロセス●

【受付開始～終了】総1月～7月 技1月～継続中【採用プロセス】総説明会・各種セミナー(任意)→ES提出→Webテスト→GW→マッチング面接→最終面接→内々定 技説明会・各種セミナー(任意)→ES提出→書類審査→Webテスト→写真提出→技術面接→マッチング面接→最終面接→内々定【交通費支給】面接、実費【早期選考】⇒巻末

試験情報

重視科目 総GW 面接 技面接

総 ES⇒巻末筆WebGAB ESP診断面2回(Webあり)GD作⇒巻末 技 ES⇒巻末筆WebGAB ESP診断面3回(Webあり)

選考ポイント 総 ES 1分動画 適性検査との総合判断 面 パーパス&バリューへのマッチ度 職種マッチング 他 技 ES 研究テーマ 技術説明の分かりやすさ 面 パーパス&バリューへのマッチ度 専門とその周辺知識 職種マッチング 他

通過率 総 ES 44%(受付:677→通過:298) 技 ES 80%(受付:1,035→通過:828)

倍率(応募/内定) 総45倍 技13倍

●給与、ボーナス、週休、有休ほか●

【30歳総合職平均年収】726万円【初任給】(博士)325,000円(修士)270,000円(大卒)250,000円【ボーナス(年)】NA【25、30、35歳賃金】318,600円→330,470円→371,808円【週休】完全2日【夏期休暇】あり【年末年始休暇】あり【有休取得】18.2/20日

●従業員数、勤続年数、離職率ほか●

【男女別従業員数、平均年齢、平均勤続年数】計 4,436(45.0歳 19.5年) 男 3,903(45.6歳 20.5年) 女 533(39.9歳 12.8年)【離職率と離職者数】2.1%、93名【3年後新卒定着率】88.7%(男87.8%、女90.9%、3年前入社:男49名・女22名)【組合】あり

●男女別採用数と配属先ほか●

【男女・文理別採用実績】

	大卒男	大卒女	修士男	修士女
23年	16(文 14理 2)	14(文 11理 3)	79(文 0理 79)	13(文 1理 12)
24年	10(文 10理 0)	17(文 16理 1)	87(文 4理 83)	21(文 2理 19)
25年	3(文 3理 0)	12(文 12理 0)	63(文 0理 63)	6(文 0理 6)

【25年4月入社者の採用実績校】文(大)明大4 上智大 東京女大 慶大 一橋大 神戸大 名古屋市大 横浜市大 立正大 関大 立命館大 中大各1 理(院)千葉大8 東京科学大7 横国大 筑波大 北大各5 山形大 早大 名大各3 岡山大 熊本大 慶大 広島大 阪大 中大 東京農工大 東理大 東北大 名工大 九大各2 お茶女大 学習院大 関西学大 関大 岩手大 京都工繊大 京大 金沢大 鹿児島大 芝工大 信州大 神奈川大 成蹊大 長岡技科大 東大 同大 日大 立命館大各1

【24年4月入社者の配属先】総勤務地:東京15 神奈川6 千葉3 埼玉1 茨城1 名古屋1 長野1 大分4 部署:営業14 SCM11 経理4 人事2 企画1 技勤務地:東京6 埼玉6 千葉24 神奈川26 茨城42 大分6 滋賀3 富山2 山口1 長野1 徳島1 栃木1 福島1 兵庫1 部署:開発55 研究21 生産技術35 品質保証6 知的財産3 ITインフラ1

求める人材 当社のパーパス・バリューに共感し、体現できるポテンシャルを有する人材

会社データ (金額は百万円)

【本社】105-7325 東京都港区東新橋1-9-1 東京汐留ビルディング

☎03-6263-8000 https://www.resonac.com/jp/

【社長】髙橋 秀仁【設立】1962.10【資本金】15,500【今後力を入れる事業】半導体材料

【業績(連結)】	売上高	営業利益	経常利益	純利益
21.12	1,419,635	87,198	86,861	▲12,094
22.12	1,392,621	59,371	59,367	30,793
23.12	1,288,869	▲3,764	▲14,773	▲18,955

※資本金・業績は(株)レゾナック・ホールディングスのもの

積水化学工業(株)

せきすいかがくこうぎょう

東京P 4204

【特色】化学大手。住宅、環境関連、高機能樹脂等多角化

修士・大卒採用数	3年後離職率	有休取得年平均	平均年収(平均45歳)
113名	10.7→11.1%	14.1日	◇913万円

●エントリー情報と採用プロセス●

【受付開始～終了】総 技10月～7月【採用プロセス】総〈秋冬〉ES提出(10月～)→適性検査(10月～)→面接(3～4回、11月～)→内々定(2月～)〈春夏〉ES提出(2月～)→適性検査(2月～)→面接(3～4回、4月～)→内々定(5月～) 技〈秋冬〉ES提出(10月～)→適性検査(10月～)→面接(3～4回、11月～)→内々定(1月～)〈春夏〉ES提出(1月～)→適性検査(1月～)→面接(3～4回、2月～)→内々定(4月～)【交通費支給】最終面接一つ前の面接と最終面接、遠方者(会社基準)【早期選考】⇒巻末

試験情報

重視科目 総技 面接

総技 ES⇒巻末 筆 適性検査 面 3～4回(Webあり)

選考ポイント 総技 ES 学生時代に力を入れてきたこと 面 主体性 求める人材像にマッチしているか

通過率 総 ES 33%(受付:1,933→通過:641) 技 ES 40%(受付:2,605→通過:1,045) 倍率(応募/内定) 総121倍 技130倍

●男女別採用数と配属先ほか●

【男女・文理別採用実績】

	大卒男	大卒女	修士男	修士女
23年	33(文 30理 3)	20(文 17理 3)	46(文 1理 45)	13(文 1理 12)
24年	36(文 29理 7)	14(文 11理 3)	51(文 1理 50)	21(文 1理 20)
25年	31(文 25理 6)	13(文 11理 2)	50(文 0理 50)	19(文 2理 17)

【25年4月入社者の採用実績校】文 関西学大8 立命館大5 関大4 同大 早大各3 立教大2 東北大 九大 北大 上智大 津田塾大 青学大 横浜市大 一橋大 諏訪東理大 明大 大阪公大 慶大 中大各1 理 阪大7 大阪公大 京大 京都工繊大各6 岡山大5 同大 関大 神戸大各4 東理大 東京科学大 東北大 立命館大 千葉大各3 東大 東京農工大 北大各2 埼玉大 山形大 熊本大 徳島大 明大 芝工大 滋賀県大 信州大 津田塾大 筑波大 豊田工大 関西学大 群馬大 金沢大 愛媛大 静岡大各1

【24年4月入社者の配属先】総 勤務地:東京・港31 大阪3 仙台5 埼玉・蓮田1 名古屋2 滋賀・甲賀1 岡山5 福岡1 部署:営業17 新築営業13 DX5 経理・財務5 人事労務4 法務2 企画1 情シス1 購買1 技 勤務地:東京・港23 大阪・三島16 岩手・久慈1 茨城・つくば9 埼玉・蓮田6 愛知(名古屋1 蒲郡1) 滋賀(犬上5 甲賀7) 京都5 岡山1 部署:製品開発31 研究開発16 生産技術14 商品開発3 製造3 設計3 技術サービス2 設備技術2 事業化推進1

残業(月) 18.7時間

記者評価 樹脂加工が祖業、現在は住宅、環境・ライフライン、高機能樹脂へ多角的に展開。積水ハウスの母体だが、自社でも工場生産住宅「セキスイハイム」を販売。自動車用中間膜など高機能樹脂が業績牽引。液晶用微粒子などでも高シェア。医療事業を育成中。

●給与、ボーナス、週休、有休ほか●

【30歳総合職平均年収】NA【初任給】(博士)307,500円(修士)272,000円(大卒)255,000円【ボーナス(年)】NA【25、30、35歳モデル賃金】280,500円→333,000円→400,500円【週休】2日【夏期休暇】連続5日(週休2日含む)【年末年始休暇】6日【有休取得】14.1／20日

●従業員数、勤続年数、離職率ほか●

【男女別従業員数、平均年齢、平均勤続年数】計 ◇3,787(44.7歳 16.2年) 男 3,119(45.7歳 17.1年) 女 668(40.2歳 12.2年)【離職率と離職者数】◇1.7%、67名【3年後新卒定着率】88.9%(男88.9%、女88.9%、3年前入社:男63名・女18名)【組合】あり

求める人材 様々な環境へ適応できる人 自らの役割を考え前向きに取り組める人 成果を出すまで諦めない人

会社データ (金額は百万円)

【本社】530-8565 大阪府大阪市北区西天満2-4-4 堂島関電ビル
☎06-6365-4045 https://www.sekisui.co.jp/

【社長】加藤 敬太【設立】1947.3【資本金】100,002【今後力を入れる事業】住宅・インフラ・自動車分野・IT分野 他

【業績(連結)】	売上高	営業利益	経常利益	純利益
22.3	1,157,945	88,879	97,001	37,067
23.3	1,242,521	91,666	104,241	69,263
24.3	1,256,538	94,399	105,921	77,930

帝人(株)

ていじん

東京P 3401

【特色】合成繊維大手、炭素繊維世界2位級。医薬関連も

修士・大卒採用数	3年後離職率	有休取得年平均	平均年収(平均38歳)
50名	9.8→7.8%	15.1日	総888万円

●エントリー情報と採用プロセス●

【受付開始～終了】総 技3月～7月【採用プロセス】総ES提出→Webテスト→説明会→作文→面接(3回)→内々定 技ES提出→Webテスト→説明会→面接(2回)→内々定【交通費支給】最終面接、会社基準

試験情報

重視科目 総技 面接

総 ES⇒巻末 筆 SPI3(自宅) 面 3回(Webあり) GD 作⇒巻末 技 ES⇒巻末 筆 SPI3(自宅) 面 2回(Webあり)

選考ポイント 総 ES NA(提出あり) 面 求める人財像にマッチしているか 技 ES NA(提出あり) 面 求める人財像にマッチしているか 専門性 研究内容

通過率 総技 ES NA 倍率(応募/内定) 総技 NA

●男女別採用数と配属先ほか●

【男女・文理別採用実績】

	大卒男	大卒女	修士男	修士女
23年	6(文 4理 2)	7(文 4理 3)	19(文 0理 19)	5(文 0理 5)
24年	9(文 8理 1)	7(文 6理 1)	17(文 1理 16)	3(文 0理 3)
25年	17(文 16理 1)	14(文 11理 3)	14(文 0理 14)	5(文 0理 5)

【25年4月入社者の採用実績校】文(大)関西学大4 法政大 同大 早大各3 立教大 中大各2 横浜市大 西南学大 大阪市大 慶大 愛媛大 関大 駒澤大 明大 南山大 追手門学大各1 理(院)九大3 阪大 東京科学大各2 大阪市大 京大 神戸大 関大 千葉大 信州大 熊本大 東北大 東大 東洋大 北里大 東京薬大各1 (大)奈良女大 立命館大 九大 愛媛大各1

【24年4月入社者の配属先】総 勤務地:東京 千葉 静岡 大阪 愛媛 山口 全国各都道府県の営業所 部署:ヘルスケア営業14 マテリアル営業2 経理4 人事1 技 勤務地:東京 千葉 静岡 大阪 愛媛 山口 全国各都道府県の営業所 部署:素材研究開発生産技術11 再生医療等製品プロセス開発2 プラントエンジニア2

残業(月) 18.3時間 総 18.3時間

記者評価 アラミド繊維や先端軽量素材の炭素繊維など工業用の高機能繊維・複合材料をはじめ、ポリカーボネート樹脂、衣料繊維、医薬品など幅広く展開。グループの米国企業を通じ自動車部品製造も。研究開発力が強くまじめな社風、新規の次世代分野にも意欲的。

●給与、ボーナス、週休、有休ほか●

【30歳総合職平均年収】615万円【初任給】(博士)327,460円(修士)273,640円(大卒)251,640円【ボーナス(年)】271万円、5.28カ月【25、30、35歳モデル賃金】270,200円→396,100円→449,550円【週休】完全2日(土日祝)【夏期休暇】なし【年末年始休暇】連続4日【有休取得】15.1／20日

●従業員数、勤続年数、離職率ほか●

【男女別従業員数、平均年齢、平均勤続年数】計 5,349(46.3歳 22.9年) 男 4,292(46.6歳 23.3年) 女 1,057(44.7歳 21.3年)【離職率と離職者数】2.5%、136名【3年後新卒定着率】92.2%(男91.4%、女93.8%、3年前入社:男35名・女16名)【組合】あり

求める人材 変化を糧に成長できる人財

会社データ (金額は百万円)

【本社】100-8585 東京都千代田区霞が関3-2-1 霞が関コモンゲート西館
☎03-3506-4529 https://www.teijin.co.jp/

【社長】内川 哲茂【設立】1918.6【資本金】71,833【今後力を入れる事業】ヘルスケア事業 マテリアル事業 他

【業績(連結)】	売上高	営業利益	経常利益	純利益
22.3	926,054	44,208	49,692	23,158
23.3	1,018,751	12,863	9,100	▲17,695
24.3	1,032,773	13,542	15,564	10,599

メーカーII

東ソー(株)

東京P 4042

【特色】総合化学の一角。塩ビ・苛性ソーダでは大手

修士・大卒採用数	3年後離職率	有休取得年平均	平均年収(平均39歳)
84名	2.5→7.1%	17.4日	総925万円

●エントリー情報と採用プロセス●

【受付開始～終了】総技3月～4月【採用プロセス】総ES提出・適性検査→1次面接→最終面接→内々定 技ES提出・適性検査→技術面接→最終面接→内々定【交通費支給】最終面接、実費【早期選考】⇒巻末

試験情報

重視科目 総技面接

総技ES⇒巻末筆eF-1G面2回(Webあり)

選考ポイント 総技ES NA(提出あり)面求める人物像に合致しているか 誠実さ

通過率 総技ES NA 倍率(応募/内定) 総技NA

●男女別採用数と配属先ほか●

【男女・文理別採用実績】

	大卒男	大卒女	修士男	修士女
23年	16(文 16理 0)	9(文 9理 0)	55(文 3理 52)	20(文 3理 17)
24年	15(文 15理 0)	13(文 13理 0)	53(文 3理 50)	13(文 0理 13)
25年	11(文 10理 1)	16(文 16理 0)	37(文 2理 35)	20(文 2理 18)

【25年4月入社者の採用実績校】文(院)東京農工大 静岡大 神戸大 同大各1(大)同大5 早大 慶大 上智大 明大 立教大 中大 明学大 横浜市大 関大 神戸大 広島大 熊本大各1 理(院)山口大7 九大6 東京科学大5 京大 早大 名大各4 広島大 阪大 東北大各3 岡山大2 グスターヴエッフェル大 愛媛大 岐阜大 京都工繊大 京都府大 九州工大 鹿児島大 信州大 神戸大 千葉大 大阪公大 大分大 長岡技科大 鳥取大 東大 東京農工大 東理大 福岡大 名工大各1(大)横国大1(高専)徳山2

【24年4月入社者の配属先】

総勤務地:東京・中央7 山口・周南8 三重・四日市4 神奈川・綾瀬2 大阪2 部署:営業・営業管理10 経理6 物流4 人事2 情シス1

技勤務地:山口・周南34 三重・四日市14 神奈川・綾瀬18 部署:研究部門35 製造・生産技術部門27 設備管理4

残業(月) 18.8時間 総19.8時間

記者評価 塩ビ・苛性ソーダはアジアでも規模上位。石油化学も手がけ、四日市でエチレンなど基礎化学品生産。排ガス触媒や歯科材料、バイオサイエンス事業も展開。研究開発はライフサイエンス、電子材料、環境エネルギーに重点。汎用品から高機能領域へシフト。

●給与、ボーナス、週休、有休ほか●

【30歳総合職モデル年収】689万円【初任給】(博士)310,746円(修士)286,330円(大卒)268,975円【ボーナス(年)】(組合員)195万円、(組合員)6.07カ月【25、30、35歳モデル賃金】279,307円→354,886円→410,794円 ※東京本社【週休】完全2日(土日祝)【夏期休暇】1日【年末年始休暇】5日【有休取得】17.4/20日

●従業員数、勤続年数、離職率ほか●

【男女別従業員数、平均年齢、平均勤続年数】計◇4,748(39.0歳 14.3年)男 4,205(39.0歳 14.4年)女 543(39.1歳 13.7年)【離職率と離職者数】◇1.6%、75名【3年後新卒定着率】92.9%(男91.7%、女100%、3年前入社:男96名・女17名)※総合職のみ【組合】あり

求める人材 探究者×開拓者:深く知ることに対して労力を惜しまず、仲間と課題解決を推進できる人

会社データ (金額は百万円)

【本社】104-8467 東京都中央区八重洲2-2-1 八重洲セントラルタワー
☎03-6636-3700 https://www.tosoh.co.jp/
【社長】桒田 守【設立】1935.2【資本金】55,173【今後力を入れる事業】ライフサイエンス 電子材料 環境・エネルギー

【業績(連結)】	売上高	営業利益	経常利益	純利益
22.3	918,580	144,045	160,467	107,938
23.3	1,064,376	74,606	89,983	50,335
24.3	1,005,640	79,845	95,920	57,324

三菱ガス化学(株)

東京P 4182

【特色】芳香族化学品等を生産。海外で生産合弁事業

修士・大卒採用数	3年後離職率	有休取得年平均	平均年収(平均41歳)
59名	9.6→5.1%	18.2日	総989万円

●エントリー情報と採用プロセス●

【受付開始～終了】総 技3月～未定【採用プロセス】総ES提出(3月～)→適性検査→面談・面接(複数回)→内々定 技ES提出(3月～)→適性検査→面談・面接(2回)→内々定【交通費支給】最終面接、会社規定(東京都市圏を除く)【早期選考】⇒巻末

試験情報

重視科目 総技面談・面接

総ES⇒巻末筆WebGAB面複数回(Webあり)技ES⇒巻末筆WebGAB面2回(Webあり)

選考ポイント 総ES価値観 論理性 努力できる人か面主体性 目的意識 周囲との関わり方 他 技ES専門性 価値観 論理性 努力できる人か面研究・学業の取り組み姿勢 主体性 目的意識 周囲との関わり方 他

通過率 総技ES NA 倍率(応募/内定) 総技NA

●男女別採用数と配属先ほか●

【男女・文理別採用実績】

	大卒男	大卒女	修士男	修士女
23年	9(文 9理 0)	5(文 4理 1)	35(文 0理 35)	10(文 0理 10)
24年	11(文 11理 0)	6(文 5理 1)	40(文 0理 40)	4(文 0理 4)
25年	9(文 7理 2)	9(文 9理 0)	31(文 0理 31)	10(文 0理 10)

【25年4月入社者の採用実績校】文(大)一橋大4 慶大3 上智大 神戸大 関西学大各2 東北大 早大 阪大各1 理(院)東北大 東京科学大各5 北大 九大各4 金沢大 中大 都立大 名大各3 東大 東理大 千葉大 筑波大 阪大 関西学大各2 山形大 新潟大 埼玉大 お茶女大 慶大 明大 横国大 静岡大 京大 岡山大 長崎大各1(大)新潟大 三条市大各1(高専)長岡2 函館 八戸 奈良 和歌山 大島商船 新居浜 阿南各1

【24年4月入社者の配属先】総勤務地:東京・千代田9 新潟3 茨城・鹿島2 神奈川・山北1 岡山・水島1 部署:営業4 事業管理2 原料1 人事1 生産管理・物流4 財務経理3 工場総務1 技勤務地:東京(千代田7 葛飾15)新潟16 三重・四日市5 神奈川・平塚4 茨城・鹿島3 岡山・水島2 神奈川・山北1 部署:研究開発42 営業・企画7 製造・工務4

残業(月) 14.4時間

記者評価 新潟産天然ガス利用から発祥。天然ガス系化学品、機能化学品、特殊機能材等を手がける。サウジアラビア、ブルネイなどガス資源国でメタノールの生産プロジェクトに参画。M&Aでなく自前志向が強く、医・食など幅広いターゲットで新製品開発に注力。

●給与、ボーナス、週休、有休ほか●

【30歳総合職平均年収】678万円【初任給】(博士)321,220円(修士)288,185円(大卒)275,125円【ボーナス(年)】187万円、5.13カ月【25、30、35歳モデル賃金】310,665円→399,820円→467,380円【週休】完全2日(土日祝)【夏期休暇】有休で取得【年末年始休暇】12月29日～1月4日【有休取得】18.2/20日

●従業員数、勤続年数、離職率ほか●

【男女別従業員数、平均年齢、平均勤続年数】計◇2,486(40.8歳 17.4年)男 2,189(41.3歳 18.0年)女 297(37.0歳 12.9年)【離職率と離職者数】◇1.6%、40名【3年後新卒定着率】94.9%(男96.1%、女87.5%、3年前入社:男51名・女8名)【組合】あり

求める人材 変化に適応し、仕事を通じ共に学び、成長できる意欲に満ちた人材

会社データ (金額は百万円)

【本社】100-8324 東京都千代田区丸の内2-5-2 三菱ビル
☎03-3283-5073 https://www.mgc.co.jp/
【社長】藤井 政志【設立】1951.4【資本金】41,970【今後力を入れる事業】ICT モビリティ 医・食

【業績(連結)】	売上高	営業利益	経常利益	純利益
22.3	705,656	55,360	74,152	48,295
23.3	781,211	49,030	69,764	49,085
24.3	813,417	47,337	46,040	38,818

㈱クラレ

東京P 3405

【特色】化学準大手。各種フィルムや高機能樹脂が主力

修士・大卒採用数	3年後離職率	有休取得年平均	平均年収(平均40歳)
77名	6.7→0%	17.3日	総1,048万円

●エントリー情報と採用プロセス●

【受付開始～終了】総2月～5月 技2月～7月【採用プロセス】総ES提出・適性検査→GD→面接(3回)→内々定 技ES提出・適性検査→1次面接→GD→最終面接→内々定【交通費支給】最終面接、会社基準【早期選考】⇒巻末

試験情報

重視科目 総技面接

総 ES ⇒巻末 筆SPI3(自宅) 面3回(Webあり) GD作NA

技 ES ⇒巻末 筆SPI3(自宅) 面2回(Webあり) GD作NA

選考ポイント 総 ES 主体性 協働性 チャレンジ精神 面コミュニケーション能力 主体性 協働力 やり抜く力 チャレンジ精神 技 ES 研究概要 主体性 協働性 チャレンジ精神 面コミュニケーション能力 主体性 協働力 やり抜く力 専門性

通過率 総 ES 33%(受付:(早期選考含む)1,275→通過:(早期選考含む)422) 技 ES 44%(受付:(早期選考含む)508→通過:(早期選考含む)223)

倍率(応募/内定) 総(早期選考含む)51倍 技(早期選考含む)9倍

●男女別採用数と配属先ほか●

【男女・文理別採用実績】※総合職のみ

	大卒男	大卒女	修士男	修士女
23年	4(文 4 理 0)	15(文 15 理 0)	38(文 0 理 38)	7(文 0 理 7)
24年	10(文 9 理 1)	12(文 11 理 1)	34(文 0 理 34)	6(文 1 理 5)
25年	10(文 9 理 1)	11(文 11 理 0)	42(文 0 理 42)	14(文 1 理 13)

【25年4月入社者の採用実績校】文(院)神戸大1(大)早大4 同大 明大 横浜市大各2 阪大 京大 神戸大 上智大 東大 東北大 北大 法政大 立教大 カリフォルニア大各1 理(院)九大8 岡山大5 阪大 東理大 新潟大 広島大 山口大各4 神戸大 名大各3 京大 東大 東北大 北大 山形大 早大各2 関大 慶大 信州大 筑波大 東京科学大 東京農工大 名工大各1(大)明大1

【24年4月入社者の配属先】総勤務地:東京・千代田15 大阪市7 岡山市1 部署:販売10 事業スタッフ3 DX・IT3 経理・財務2 人事2 購買2 法務1 技勤務地:岡山(倉敷18 岡山6 備前2)茨城(つくば4 神栖2)新潟・胎内4 愛媛・西条2 東京・千代田2 愛知・みよし1 部署:事業部開発12 設備設計・プラントエンジニア10 研究開発9 生産技術8 技術サービス1 知財1

残業(月) 13.8時間

記者評価 高機能フィルムや機能性樹脂「ポバール」「エバール」が柱。液晶用偏光フィルム、ジェルボール洗剤に使用される水溶性フィルムで高シェア。人工皮革「クラリーノ」を展開、活性炭なども育成中。海外比率高いが、国内製造拠点多く現場に強み。まじめな社風。

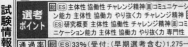

●給与、ボーナス、週休、有休ほか●

【30歳総合職平均年収】(大卒モデル)701万円【初任給】(博士)317,400円 (修士)290,600円 (大卒)270,000円【ボーナス(年)】199万円、5.97カ月【25、30、35歳賃金】317,000円→369,900円→426,400円【週休】完全2日(土日祝)【夏期休暇】有休で取得【年末年始休暇】12月31日～1月3日【有休取得】17.3／20日

●従業員数、勤続年数、離職率ほか●

【男女別従業員数、平均年齢、平均勤続年数】計 4,427(41.9歳 17.9年) 男 3,809(41.9歳 18.2年) 女 618(41.8歳 15.9年)【離職率と離職者数】1.6%、71名【3年後新卒定着率】100%(男100%、女100%、3年前入社:男35名・女15名)【組合】あり

求める人材 クラレの価値観に共鳴し、好奇心と柔軟性を持って主体的に周囲と物事を推進できる人

会社データ (金額は百万円)

【本社】100-0004 東京都千代田区大手町2-6-4 常盤橋タワー
☎03-6701-1171 https://www.kuraray.co.jp/

【社長】川原 仁【設立】1926.6【資本金】88,955【今後力を入れる事業】環境 食料・水 通信 エネルギー 生活

【業績(連結)】	売上高	営業利益	経常利益	純利益
21.12	629,370	72,256	68,765	37,262
22.12	756,376	87,139	84,060	54,307
23.12	780,938	75,475	69,025	42,446

㈱カネカ

東京P 4118

【特色】塩ビを中心に医療機器、食品など事業が多彩

修士・大卒採用数	3年後離職率	有休取得年平均	平均年収(平均42歳)
59名	1.3→11.6%	14.7日	総855万円

●エントリー情報と採用プロセス●

【受付開始～終了】総 技3月～6月【採用プロセス】総ES提出・適性検査(3月～)→面接(3回)→内々定(6月～) 技適性検査・ES等提出(3月～)→面接(2回)→内々定(6月～)〈推薦〉適性検査・推薦書類等提出(3月～)→面接(2回)→内々定(6月～)【交通費支給】〈事務系〉2次面接以降〈技術系〉最終面接、会社基準

試験情報

重視科目 総技面接

総 ES ⇒巻末 筆SPI3(会場) SPI3(自宅) 面3回(Webあり)

技 ES ⇒巻末 筆SPI3(会場) SPI3(自宅) 面2回(Webあり)

選考ポイント 総 ES 主体性 柔軟性 論理性 面主体性 柔軟性 達成志向性 ポジティブマインド 考え抜く力 技 ES 主体性 専門性 論理性 面専門技術能力 課題設定力 発想力 主体性 協調性 他

通過率 総技 ES NA **倍率(応募/内定)** 総技NA

●男女別採用数と配属先ほか●

【男女・文理別採用実績】

	大卒男	大卒女	修士男	修士女
23年	10(文 8 理 2)	7(文 7 理 0)	22(文 0 理 22)	7(文 0 理 7)
24年	12(文 7 理 5)	9(文 8 理 1)	20(文 0 理 20)	8(文 0 理 8)
25年	10(文 5 理 5)	11(文 9 理 2)	25(文 0 理 25)	13(文 0 理 13)

【25年4月入社者の採用実績校】文(大)国際教養大 立教大 同大各2 神戸市外大 早大 明大 中大 学習院大 日大各1 他 理(院)阪大 大阪公大 立命館大各3 東京科学大 北大 京都工繊大 山口大 東理大 近大各2 東大 京大 東北大 名大 神戸大 九大 筑波大 京都府大 千葉大 長崎大 広島大 金沢大 弘前大 立教大 同大 関西学大 関大 京産大 龍谷大各1(大)信州大 山形大 立教大 立命館大 近大 大阪医薬大 明治薬大各1(高専)和歌山3 阿南2 旭川 函館 八戸 奈良 大阪公大 神戸 新居浜 高知 大島商船 北九州各1 他

【24年4月入社者の配属先】総勤務地:東京・港20 兵庫・高砂2 大阪・摂津1 部署:営業・企画7 事業部管理8 購買1 物流1 経理2 人事1生産管理1 他2 技勤務地:兵庫・高砂26 大阪(摂津14・大阪2)兵庫・豊岡3 茨城・鹿島3 北海道・苫東1 部署:研究開発22 製造技術14 エンジニアリング5 システム2 他6

残業(月) 20.0時間 総20.0時間

記者評価 創立時の社名は鐘淵化学工業。塩化ビニル樹脂を筆頭に、サプリ「コエンザイムQ10」をはじめ食品や電子材料など、豊富な製品を手がける。血液浄化システムなどの医療機器、植物油等を原料とする生分解性バイオポリマーなどの環境対応製品にも注力。

●給与、ボーナス、週休、有休ほか●

【30歳総合職平均年収】577万円【初任給】(博士)297,000円 (修士)265,400円 (大卒)243,000円【ボーナス(年)】167万円、5.0カ月【25、30、35歳賃金】253,440円→303,367円→358,181円【週休】完全2日(土日祝)【夏期休暇】有休で取得【年末年始休暇】4日【有休取得】14.7／20日

●従業員数、勤続年数、離職率ほか●

【男女別従業員数、平均年齢、平均勤続年数】計 ◇3,390(41.5歳 17.3年) 男 2,878(41.8歳 18.1年) 女 512(39.8歳 13.3年)【離職率と離職者数】◇3.6%、128名【3年後新卒定着率】88.4%(男83.3%、女100%、3年前入社:男30名・女13名)【組合】あり

求める人材 好奇心があり、チャレンジする人 強い芯を持ち、伝える力・傾聴力のある人

会社データ (金額は百万円)

【本社】530-8288 大阪府大阪市北区中之島2-3-18 中之島フェスティバルタワー
☎06-6226-5027 https://www.kaneka.co.jp/

【社長】藤井 一彦【設立】1949.9【資本金】33,046【今後力を入れる事業】ライフサイエンス領域(医療 食糧 環境)

【業績(連結)】	売上高	営業利益	経常利益	純利益
22.3	691,530	43,562	40,816	26,487
23.3	755,821	35,087	32,411	23,008
24.3	762,302	32,579	29,222	23,220

メーカーII

開示 ★★★★★ ▶『業界地図』p.130 227

㈱ダイセル

東京P 4202

【特色】高機能樹脂やエアバッグ部品を展開する中堅化学

修士・大卒採用数	3年後離職率	有休取得年平均	平均年収(平均42歳)
35名	6.3 → 3.3%	16.3日	㊣814万円

●エントリー情報と採用プロセス●

【受付開始～終了】㊣3月～継続中 ㊕3月～6月【採用プロセス】㊣ ㊕ES提出(3月)→書類選考(3月)→筆記(3～4月)→社員面談(4～5月)→面接(6月)→内々定(6月)【交通費支給】なし

試験情報

重視科目 総技面接

総技ES⇒巻末筆SPI3(自宅)面2回(Webあり)

選考ポイント 総ES学生時代に取り組んだこと(具体的であること、行動プロセスや成果結果の内容を評価)自己PR(文章力、主語が明確であること)面実行力 飛び込む意識 課題発見力 働きかけ力 技ES学生時代に取り組んだこと(具体的であること、行動プロセスや成果結果の内容を評価)自己PR(文章力、主語が明確であること)研究概要(専攻分野と当社事業との親和性、プロセスや成果の充実度)面総合職共通

通過率 総ES10%(受付:475→通過:46) 技ES40%(受付:452→通過:179) **倍率**(応募/内定) 総59倍 技16倍

●男女別採用数と配属先ほか●

【男女・文理別採用実績】※25年:24年7月22日時点

	大卒男	大卒女	修士男	修士女
23年	4(文 3理 1)	5(文 2理 3)	12(文 0理 12)	7(文 0理 7)
24年	7(文 4理 3)	5(文 5理 0)	10(文 1理 9)	6(文 0理 6)
25年	4(文 3理 1)	3(文 3理 0)	24(文 1理 23)	4(文 0理 4)

【25年4月入社者の採用実績校】文(院)関西学大1(大)滋賀大 関大各2 九大 中大各1 理(院)岡山大6 関大 金沢大 神奈川大 兵庫県大各2 静岡大 近大 三重大 山口大 新潟大 神戸大 大阪公大 大阪電通大 東京科学大 東京農工大 富山県大 福岡大 名城大 立命館大各1(大)近大1(高専)大島商船1

【24年4月入社者の配属先】総勤務地:(24年)大阪市3 兵庫(姫路2 たつの2)東京・港2 広島・大竹1 部署:(24年)生産計画3 営業2 生産準備1 工場1 人事1 経理1 システム1 技勤務地:(23年)兵庫(姫路14 たつの3)新潟・妙高2 広島・大竹6 石川・金沢1 部署:(23年)研究開発10 生産技術6 生産管理3 設備管理6 品質保証1

残業(月) 20.1時間 ㊣20.1時間

記者評価 創立時の社名は大日本セルロイド。稼ぎ頭は、自動車部品などで金属の代わりに使われる高機能樹脂のエンジニアリングプラスチック(エンプラ)。液晶材料やたばこフィルター材料を手がけるほか、エアバッグを膨らませるガス発生器(インフレータ)も有力。

●給与、ボーナス、週休、有休ほか●

【30歳総合職平均年収】647万円【初任給】(博士)305,200円(修士)272,100円(大卒)250,000円【ボーナス(年)】184万円、5.09カ月【25、30、35歳賃金】281,800円→333,300円→397,800円【週休】完全2日(土日祝)【夏期休暇】事業場で個別に社定休、有休奨励日を設定【年末年始休暇】連続5日(12月30日～1月3日)【有休取得】16.3/20日

●従業員数、勤続年数、離職率ほか●

【男女別従業員数、平均年齢、平均勤続年数】計 ◇2,510(42.4歳 16.1年) 男 2,157(42.4歳 16.3年) 女 353(42.5歳 14.6年)【離職率と離職者数】◇1.8%、45名【3年後新卒定着率】96.7%(男100%、女88.9%、3年前入社:男21名・女9名)【組合】あり

求める人材 主体性 チャレンジ精神 創造力 協調性・柔軟性 統率力を備えた人物

会社データ (金額は百万円)

【本社】530-0011 大阪府大阪市北区大深町3-1 グランフロント大阪タワーB
☎06-7639-7209 https://www.daicel.com/
【社長】小河 義美【設立】1919.9【資本金】36,275【今後力を入れる事業】コスメ・ヘルスケア 医療関連 電子材料 他

【業績(連結)】	売上高	営業利益	経常利益	純利益
22.3	467,937	50,697	57,291	31,254
23.3	538,026	47,508	52,035	40,682
24.3	558,056	62,393	68,396	55,834

ユービーイー
ＵＢＥ㈱

東京P 4208

【特色】中堅化学。産業機械も展開。旧社名は宇部興産

修士・大卒採用数	3年後離職率	有休取得年平均	平均年収(平均32歳)
36名	9.3 → 6.1%	17.4日	㊣952万円

●エントリー情報と採用プロセス●

【受付開始～終了】㊣4月～未定 ㊕2月～未定【採用プロセス】㊣ES提出(4月)→Webテスト→1次面接・SPI→最終面接→内々定 ㊕ES提出(3月)→Webテスト→技術面接・SPI→最終面接→内々定【交通費支給】最終面接、会社基準(往復相当)【早期選考】⇒巻末

試験情報

重視科目 総なし 技専門科目

総技ES⇒巻末筆SPI3(会場) SPI3(自宅) Compass面2回(Webあり)

選考ポイント 総ES学生時代に注力したこと面達成意欲 専門性 コミュニケーション能力 どのように学生時代を過ごしたか 技ES専門内容面専門性 どのように研究に取り組んできたか

通過率 総ES41%(受付:173→通過:71) 技ES41%(受付:(早期選考含む)272→通過:(早期選考含む)111)

倍率(応募/内定) 総16倍 技(早期選考含む)9倍

●男女別採用数と配属先ほか●

【男女・文理別採用実績】

	大卒男	大卒女	修士男	修士女
23年	2(文 2理 0)	4(文 4理 0)	19(文 1理 18)	6(文 0理 6)
24年	4(文 3理 1)	3(文 2理 1)	9(文 0理 9)	2(文 0理 2)
25年	7(文 6理 1)	6(文 6理 0)	19(文 1理 18)	4(文 0理 4)

【25年4月入社者の採用実績校】文(院)明大1(大)明大 中大 西南学大各2 都留文科大 関大 広島大 同大各1(高専)宇部1 理(院)山口大 阪大各3 東京科学大 名大 千葉大 岡山大各2 金沢大 広島大 神戸大 東理大 山形大 島根大 千葉工大 京都工繊大各1(大)東京科学大 福岡大 産業医大各1(高専)宇部3

【24年4月入社者の配属先】総勤務地:山口・宇部3 堺2 千葉・市原1 部署:管理6 技勤務地:山口・宇部10 堺1 千葉・市原2 部署:研究開発7 生産技術・製造4 システム1 環境安全1

残業(月) 16.0時間 ㊣18.5時間

記者評価 樹脂・化成品が主力事業。食品包装フィルムや、自動車部材に使われるナイロン樹脂、電子機器に用いるポリイミドなど製品は多種多様。自動車メーカー向け射出成形機といった産業機械も手がける。22年にセメント事業を三菱マテリアルとの合弁会社に移管。

●給与、ボーナス、週休、有休ほか●

【30歳総合職平均年収】673万円【初任給】(博士)313,200円(修士)276,000円(大卒)258,000円【ボーナス(年)】167万円、NA【25、30、35歳賃金】259,850円→339,183円→404,542円【週休】完全2日(土日祝)【夏期休暇】連続2日【年末年始休暇】連続4日【有休取得】17.4/20日

●従業員数、勤続年数、離職率ほか●

【男女別従業員数、平均年齢、平均勤続年数】計 ◇2,243(42.8歳 16.0年) 男 2,004(43.2歳 16.4年) 女 239(39.7歳 13.2年)【離職率と離職者数】◇1.3%、29名【3年後新卒定着率】93.9%(男95.8%、女88.9%、3年前入社:男24名・女9名)【組合】あり

求める人材 主体的・自律的・継続的にものごとに取り組める人材

会社データ (金額は百万円)

【本社】105-8449 東京都港区芝浦1-2-1 シーバンスN館
☎03-5419-6141 https://www.ube.co.jp/
【社長】泉原 雅人【設立】1942.3【資本金】58,435【今後力を入れる事業】ポリイミド 分離膜 セパレータ

【業績(連結)】	売上高	営業利益	経常利益	純利益
22.3	655,265	44,038	41,549	24,500
23.3	494,738	16,290	▲8,689	▲7,006
24.3	468,237	22,456	36,333	28,981

開示 ★★★★★ ▶『業界地図』p.48, 129… 232

とうようぼう
東洋紡(株)

東京P 3101

【特色】液晶など向けのフィルムが柱、診断薬関連も

修士・大卒採用数	3年後離職率	有休取得年平均	平均年収(平均40歳)
64名	7.8→12.3%	15.1日	(総)643万円

●エントリー情報と採用プロセス●

【受付開始～終了】(総)3月～6月 (技)2月～6月【採用プロセス】(総)ES提出(3月～)→適性検査→グループ面談→GD→課題提出→個人面談→内々定 (技)ES提出(2月～)→適性検査→個人面談(2回)→内々定【交通費支給】個人面談、実費

試験情報

重視科目 [総]面談(グループ・個人) [技]面談(個人)

[総](ES)⇒巻末(筆)SPI3(会場) SPI3(自宅) SCOA SCOA(Web) (面)2回(Webあり) (GD作)⇒巻末 [技](ES)⇒巻末(筆)SPI3(会場) SPI3(自宅) SCOA SCOA(Web) (面)2回(Webあり)

選考ポイント [総](ES)自分の意志を持って取り組んだこと(面)学生時代に取り組んだこと、その背景やプロセスなどを自分の言葉で説明できるか [技](ES)研究内容 自分の意志を持って取り組んだこと(面)総合職共通

通過率 [総](ES)37%(受付:698→通過:261) [技](ES)35%(受付:1,187→通過:416) **倍率(応募/内定)** [総]44倍 [技]24倍

●男女別採用数と配属先ほか●

【男女・文理別採用実績】

	大卒男	大卒女	修士男	修士女
23年	18(文 12 理 6)	17(文 9 理 8)	46(文 0 理 46)	16(文 0 理 16)
24年	7(文 3 理 4)	10(文 8 理 2)	39(文 0 理 39)	20(文 0 理 20)
25年	10(文 7 理 3)	10(文 7 理 3)	31(文 0 理 31)	13(文 0 理 13)

【25年4月入社者の採用実績校】(文)(大)立命館大4 関大3 関西学大2 阪大 大阪市大 明大 近大 産能大各1 (理)(院)名工大 京都工繊大 立命館大各3 神戸大 岡山大 鳥取大 九州工大 滋賀県大 兵庫県大 名大各2 阪大 九大 関大 岐阜大 京都府大 金沢大 熊本大 広島大 山形大 信州大 新潟大 静岡大 大阪公大 電通大 東京海洋大 東理大 東洋大 富山大 福井大 福岡大 千葉工大 甲南大各1(大)阪大 北大 兵庫県大 明大 関大 名城大各1

【24年4月入社者の配属先】[総]勤務地:大阪市8 東京・中央2 愛知・犬山2 福井・敦賀1 山口・岩国1 部署:営業7 財務・経理3 システム2 調達・物流1 人事1 [技]勤務地:福井・敦賀19 滋賀・大津16 愛知・犬山10 栃木・宇都宮7 兵庫・高砂4 富山・射水3 山口・岩国2 部署:基礎研究10 応用開発17 生産技術21 技術開発11 品質保証2

残業(月) 10.2時間

記者評価 食品包装用フィルムや自動車部品向け機能樹脂、エアバッグ用基布、水処理膜など幅広く取り扱う。液晶の光をより自然光に近い状態へ変換する偏光子保護フィルムは、液晶テレビ市場で高いシェアを持つ。診断試薬をはじめヘルスケア関連にも力を注ぐ。

●給与、ボーナス、週休、有休ほか●

【30歳総合職平均年収】524万円【初任給】(博士)288,000円(修士)258,500円(大卒)235,500円【ボーナス(年)】130万円、3.94カ月【25、30、35歳賃金】277,917円→375,978円→411,243円 ※手当含む【週休】完全2日(土日)(事業所により異なる)【夏期休暇】連続4日以上(事業所により異なる)【年末年始休暇】連続4～5日(事業所により異なる)【有休取得】15.1／20日

●従業員数、勤続年数、離職率ほか●

【男女別従業員数、平均年齢、平均勤続年数】計 ◇3,063(40.1歳 13.4年) 男 2,254(40.4歳 13.3年) 女 809(39.3歳 13.6年) ※社外出向者除く【離職率と離職者数】2.5%、78名【3年後新卒定着率】87.7%(男87.3%、女88.5%、3年前入社:男55名・女26名)【組合】あり

求める人材 変化を恐れず、変化を楽しみ、変化をつくる

会社データ (金額は百万円)

【本社】530-0001 大阪府大阪市北区梅田1-13-1 大阪梅田ツインタワーズ・サウス
☎06-6348-3111　https://www.toyobo.co.jp/
【社長】竹内 郁夫【設立】1914.6【資本金】51,730【今後力を入れる事業】環境 ヘルスケア フイルム 機能樹脂

【業績(連結)】	売上高	営業利益	経常利益	純利益
22.3	375,720	28,430	23,092	12,865
23.3	399,921	10,063	6,590	▲655
24.3	414,265	8,995	6,962	2,455

ジェイエスアール
ＪＳＲ(株)

株式公開 していない

【特色】半導体用フォトレジストで世界トップ

修士・大卒採用数	3年後離職率	有休取得年平均	平均年収(平均41歳)
48名	6.7→0%	18.3日	◇823万円

●エントリー情報と採用プロセス●

【受付開始～終了】(技)3月～5月【採用プロセス】(技)ES提出(3月～)→SPI(4～5月)→技術面接(2回、6月以降)→内々定(6月上旬)【交通費支給】最終面接、会社基準【早期選考】⇒巻末

試験情報

重視科目 [技]面接

[技](ES)⇒巻末(筆)SPI3(会場) SPI3(自宅)(面)2回(Webあり)

選考ポイント [技](ES)研究概要 自分の研究目的を理解した上で研究を進めているか(面)人物重視 研究への取り組み姿勢

通過率 [技](ES)69%(受付:392→通過:272)

倍率(応募/内定) [技]8倍

●男女別採用数と配属先ほか●

【男女・文理別採用実績】

	大卒男	大卒女	修士男	修士女
23年	3(文 2 理 1)	1(文 0 理 1)	23(文 0 理 23)	3(文 0 理 3)
24年	1(文 1 理 0)	3(文 3 理 0)	26(文 0 理 26)	6(文 0 理 6)
25年	0(文 0 理 0)	0(文 0 理 0)	37(文 0 理 37)	11(文 0 理 11)

※23年:第二新卒を含む

【25年4月入社者の採用実績校】(文)なし (理)(院)東京科学大7 阪大 東理大各4 東北大 名工大各3 大阪公大 信州大 広島大 北大各2 秋田大 宇都宮大 愛媛大 岡山大 神奈川大 金沢大 九大 京都工繊大 京都府大 熊本大 高知大 神戸大 埼玉大 千葉大 中大 筑波大 東京農業大 名大 新潟大 宮崎大 明大 山口大 早大各1(高専)鈴鹿1

【24年4月入社者の配属先】
[総]勤務地:東京・汐留4 部署:営業1 経理1 財務1 人事1 [技]勤務地:三重・四日市37 部署:研究32 製造技術5

残業(月) 16.6時間

記者評価 半導体用フォトレジストなどデジタルソリューション事業が全社利益の大半を稼ぐ。医薬品受託製造などのライフサイエンス事業も育成。構造改革で祖業の合成ゴム事業は22年4月売却。19年初の外国人CEOが就任。政府系ファンドによるTOBに賛同、24年6月上場廃止。

●給与、ボーナス、週休、有休ほか●

【30歳総合職平均年収】NA【初任給】(博士)319,000円(修士)290,000円(大卒)260,000円【ボーナス(年)】(35歳高卒総合職勤続17年モデル)147万円、3.8カ月【25、30、35歳モデル賃金】293,100円→375,100円→453,100円【週休】完全2日(土日祝)【夏期休暇】なし【年末年始休暇】12月29日(指定年休)12月30日～1月3日 1月4日(指定年休)【有休取得】18.3／21日

●従業員数、勤続年数、離職率ほか●

【男女別従業員数、平均年齢、平均勤続年数】計 ◇2,139(41.0歳 14.5年) 男 1,745(41.0歳 14.3年) 女 394(41.0歳 15.2年)【離職率と離職者数】◇2.5%、55名【3年後新卒定着率】100%(男100%、女100%、3年前入社:男14名・女9名)【組合】あり

求める人材 一人一人の個性を発揮し、共に新しいJSRを創っていける人 社員の行動指針である4Cを実現できる人

会社データ (金額は百万円)

【本社】105-8640 東京都港区東新橋1-9-2 汐留住友ビル
☎03-6218-3500　https://www.jsr.co.jp/
【社長】エリック ジョンソン【設立】1957.12【資本金】23,370【今後力を入れる事業】ライフサイエンス 半導体材料

【業績(IFRS)】	売上高	営業利益	税前利益	純利益
22.3	340,997	43,760	45,521	37,303
23.3	408,880	29,370	29,846	15,784
24.3	404,631	3,649	▲124	▲5,551

㈱ADEKA（アデカ）

東京P 4401

【特色】半導体・車向けに強い化学中堅。子会社で農薬も

修士・大卒採用数	3年後離職率	有休取得年平均	平均年収（平均40歳）
53名	16.3→8.6%	13.7日	(総)719万円

残業（月） 13.4時間 (総)13.4時間

記者評価 化学品事業が主力。自動車や建築材料に使われる塩ビ用安定剤やプラスチック用添加剤などを展開する。先端半導体メモリー向け高誘電材料は世界で高シェア。マーガリンをはじめ、加工油脂や加工食品も手がける。子会社の日本農薬も上場している。

●エントリー情報と採用プロセス●

【受付開始～終了】(総)3月～継続中 (技)3月～7月【採用プロセス】(総)(技)ES提出(3月～)→説明会・Webテスト・動画選考→面接(2回)→内々定【交通費支給】最終面接、全額【早期選考】⇒巻末

試験情報

重視科目 (総)(技)面接

(総)(技)(ES)⇒巻末(筆)SPI3(自宅)(面)2回(Webあり)

選考ポイント (総)(技)(ES)NA(提出あり)(面)コミュニケーション能力 理論的思考能力 自主性

通過率 (総)(ES)96%(受付:482→通過:465) (技)(ES)91%(受付:464→通過:420)

倍率(応募/内定) (総)48倍 (技)17倍

●給与、ボーナス、週休、有休ほか●

【30歳総合職平均年収】551万円【初任給】(博士)276,560円(修士)252,190円(大卒)237,190円【ボーナス(年)】164万円、5.04カ月【25、30、35歳モデル賃金】259,190円→360,470円→404,770円【週休】完全2日(土日祝)【夏期休暇】5日(有休で取得)【年末年始休暇】連続6日【有休取得】13.7／20日

●男女別採用数と配属先ほか●

【男女・文理別採用実績】

	大卒男	大卒女	修士男	修士女
23年	7(文 5理 2)	4(文 4理 0)	21(文 0理 21)	8(文 0理 8)
24年	8(文 6理 2)	4(文 4理 0)	21(文 0理 21)	13(文 1理 12)
25年	6(文 4理 2)	9(文 7理 2)	28(文 0理 28)	10(文 0理 10)

【25年4月入社者の採用実績校】(文)(大)法政大2 立教大 慶大 上智大 順天堂大 日女大 同大 関西学大 大阪公大 千歳科技大各1(専)日本工学院1 (理)(院)東京科学大 埼玉大各3 東京農工大 関大 千葉大 大阪公大各2 龍谷大 長崎大 筑波大 東理大 青学大 山形大 早大 東京薬大 京大 東大 神戸大 東北大 近大 中大 法政大 東京電機大 立命館大 芝工大 東洋大 山口大 東邦大 千歳科技大 岡山大 北陸先端科技院大 広島大 名工大各1(大)山梨大 明大 愛媛大 弘前大各1

【24年4月入社者の配属先】(総)勤務地:東京・荒川11 部署:営業8 財務経理1 法務広報2 (技)勤務地:東京・荒川11 埼玉(浦和3 久喜5)茨城(鹿島・神栖9)三重・員弁郡2 千葉・袖ヶ浦2 福島・相馬1 静岡・富士2 兵庫・加古郡2 部署:研究開発19 生産技術18

●従業員数、勤続年数、離職率ほか●

【男女別従業員数、平均年齢、平均勤続年数】計◇1,815(39.9歳 16.8年) 男 1,519(40.2歳 17.3年) 女 296(38.1歳 14.3年)【離職率と離職者数】◇3.7%、69名(早期退職男5名、女2名含む 他に男2名転籍)【3年後新卒定着率】91.4%(男87.0%、女100%、3年前入社:男23名・女12名)【組合】あり

求める人材 プラス思考で自主行動型の人 国際感覚豊かな人

会社データ （金額は百万円）

【本社】116-8554 東京都荒川区東尾久7-2-35
☎03-4455-2811
https://www.adeka.co.jp/

【社長】城詰 秀尊【設立】1917.1【資本金】23,048【今後力を入れる事業】ライフサイエンス 環境 エネルギー 次世代ICT

【業績(連結)】	売上高	営業利益	経常利益	純利益
22.3	363,034	34,927	35,770	23,744
23.3	403,343	32,369	32,579	16,778
24.3	399,770	35,428	35,763	22,977

デンカ㈱

東京P 4061

【特色】合成ゴム、機能性樹脂、スチレンなどを生産

修士・大卒採用数	3年後離職率	有休取得年平均	平均年収（平均41歳）
32名	10.2→7.1%	14.3日	(総)935万円

残業（月） 11.5時間 (総)12.6時間

記者評価 1915年に三井系資本で発祥。半導体封止材向け溶融シリカは世界首位。炭化カルシウムも強い。半導体向け高機能フィルムや車両電動化関連も展開。コロナ・インフルエンザ検査試薬やワクチンなども製造。特殊合成ゴムのクロロプレンゴムは再編へ。まじめな社風。

●エントリー情報と採用プロセス●

【受付開始～終了】(総)(技)3月～6月【採用プロセス】(総)(技)説明会(3月～)→ES・適性検査(3月～)→面接(3回)→内々定【交通費支給】最終面接、実費相当(会社基準)【早期選考】⇒巻末

試験情報

重視科目 (総)(技)面接

(総)(技)(ES)⇒巻末(筆)適性検査(面)3回(Webあり)

選考ポイント (総)(技)(ES)NA(提出あり)(面)働くことに対する熱意 大学で学んだことや社会・経済の事象を論理的な自分の意見・考えとして説明できるか

通過率 (総)(技)(ES)NA

倍率(応募/内定) (総)(技)NA

●給与、ボーナス、週休、有休ほか●

【30歳総合職平均年収】603万円【初任給】(博士)318,322円(修士)264,547円(大卒)247,570円【ボーナス(年)】174万円、4.95カ月【25、30、35歳モデル賃金】291,364円→350,986円→444,259円【週休】完全2日(土日祝)【夏期休暇】有休で取得【年末年始休暇】12月31日～1月3日【有休取得】14.3／20日

●男女別採用数と配属先ほか●

【男女・文理別採用実績】

	大卒男	大卒女	修士男	修士女
23年	14(文 11理 3)	8(文 8理 0)	37(文 1理 36)	10(文 0理 10)
24年	11(文 8理 3)	7(文 5理 2)	36(文 0理 36)	14(文 0理 14)
25年	4(文 3理 1)	2(文 1理 1)	14(文 0理 14)	12(文 2理 10)

【25年4月入社者の採用実績校】(文)(院)明大 富山大各1(大)東大 東京外大 法政大 新潟大各1 (理)(院)新潟大3 早大 山形大 信州大各2 東理大 東京科学大 東京農工大 中大 神奈川大 筑波大 電通大 北大 名大 奈良先端科技院大 神戸大 愛媛大 九大 福岡工大 福岡大各1(大)阪大 関大各1(高専)函館 苫小牧 佐世保各1

【24年4月入社者の配属先】(総)勤務地:東京・中央14 福岡・大牟田2 部署:総務1 経理3 経営企画1 資材1 デジタル1 営業9 (技)勤務地:東京・町田11 新潟(青海6 五泉21)福岡・大牟田6 千葉・市原6 群馬(渋川4 伊勢崎5) 部署:研究35 設計プロセス開発24

●従業員数、勤続年数、離職率ほか●

【男女別従業員数、平均年齢、平均勤続年数】計 4,330(40.7歳 16.1年) 男 3,489(41.2歳 17.6年) 女 841(38.7歳 10.0年)【離職率と離職者数】1.1%、48名【3年後新卒定着率】92.9%(男96.7%、女83.3%、3年前入社:男30名・女12名)【組合】あり

求める人材 主体性があり、意欲とチャレンジ精神を持った人物

会社データ （金額は百万円）

【本社】103-8338 東京都中央区日本橋室町2-1-1 日本橋三井タワー
☎03-5290-5533
https://www.denka.co.jp/

【社長】今井 俊夫【設立】1915.5【資本金】36,998【今後力を入れる事業】ICT&Energy Healthcare Sustainable Living

【業績(連結)】	売上高	営業利益	経常利益	純利益
22.3	384,849	40,123	36,474	26,012
23.3	407,559	32,324	28,025	12,768
24.3	389,263	13,376	5,474	11,947

日本ゼオン(株)（にっぽん）

東京P 4205

【特色】古河系で合成ゴム大手。高機能樹脂・材料も

修士・大卒採用数	3年後離職率	有休取得年平均	平均年収(平均42歳)
29名	4.3 → 13.5%	14.3日	[総]930万円

●エントリー情報と採用プロセス●

【受付開始～終了】[総][技]3月～5月【採用プロセス】[総][技]Web会社説明会(必須、3月～)→ES提出(3月～)→SPI→面接(オンライン、複数回)→最終面接(対面)→内々定【交通費支給】最終面接、往復実費【早期選考】⇒巻末

試験情報

重視科目 [総][技]面接

[総][技][ES]⇒巻末[筆]SPI3(自宅)[面]複数回(Webあり)

選考ポイント：[総][ES]NA(提出あり)[面]自分の言葉で経験を語っているか 真摯でポジティブか 精神的身体的に健康でたくましいか [技][ES]NA(提出あり)[面]自分の言葉で経験を語っているか 真摯でポジティブか 精神的身体的に健康でたくましいか 自律的に研究を行っているか

通過率 [総][技][ES]NA 倍率(応募/内定) [総][技]NA

●男女別採用数と配属先ほか●

【男女・文理別採用実績】

	大卒男	大卒女	修士男	修士女
23年	3(文 3 理 0)	6(文 5 理 1)	25(文 1 理 24)	10(文 0 理 10)
24年	7(文 4 理 3)	3(文 3 理 0)	20(文 0 理 20)	8(文 0 理 8)
25年	4(文 2 理 2)	4(文 4 理 0)	12(文 2 理 10)	9(文 0 理 9)

【25年4月入社者の採用実績校】[文](院)広島大 近大各1(大)早大 明大 神戸大 関西学大 芝工大 東京農工大各1 [理](院)東京科学大4 大阪公大 広島大 山口大各2 阪大 京都工繊大 三重大 東京農業大 東京農工大 福井大 明大 芝工大 関西学大 関大 同大 東海大各1(大)福井大 成均館大各1

【24年4月入社者の配属先】[総]勤務地：東京・丸の内2 川崎1 高岡1 徳山1 水島1 氷見二上1 部署：本社人事総務2 工場人事総務5 [技]勤務地：川崎18 水島4 徳山4 高岡2 氷見二上3 敦賀1 京都1 鶴見1 部署：研究開発20 生産技術12 設備管理2

残業(月) 16.4時間

【記者評価】柱の自動車タイヤ用では低燃費タイヤ用の高機能ゴム(S-SBR)が主力。中期的にディスプレイ用フィルム、リチウムイオン電池部材等の高機能材料への投資を拡大・育成。子会社で医療機器も。医療・生命科学分野はM＆Aなどで強化図る。堅実な社風。

●給与、ボーナス、週休、有休ほか●

【30歳総合職平均年収】624万円【初任給】(博士)320,900円(修士)288,750円(大卒)264,150円【ボーナス(年)】(組合員)179万円、5.26カ月【25、30、35歳賃金】266,674円→311,176円→387,945円【週休】2日(年間休日数調整のため土曜出勤の場合あり)【夏期休暇】連続3日(土日含む)【年末年始休暇】連続5日(土日含む)【有休取得】14.3／22日

●従業員数、勤続年数、離職率ほか●

【男女別従業員数、平均年齢、平均勤続年数】計◇2,562(39.2歳13.4年)男2,216(39.6歳13.9年)女346(36.6歳10.2年)【離職率と離職者数】◇2.3%、61名【3年後新卒定着率】86.5%(男92.0%、女75.0%、3年前入社：男25名・女12名)【組合】あり

【求める人材】高い目標に向かって、自ら考え抜いて行動し、変え続けられる人材

【会社データ】 (金額は百万円)

【本社】100-8246 東京都千代田区丸の内1-6-2 新丸の内センタービル
☎03-3216-1795 https://www.zeon.co.jp/
【社長】豊嶋 哲也【設立】1950.4【資本金】24,211【今後力を入れる事業】記録 半導体 表示 エネルギー 通信

【業績(連結)】	売上高	営業利益	経常利益	純利益
22.3	361,730	44,432	49,468	33,413
23.3	388,614	27,179	31,393	10,569
24.3	382,279	20,500	26,906	31,101

(株)トクヤマ

東京P 4043

【特色】化学準大手。半導体用シリコンは世界有数

修士・大卒採用数	3年後離職率	有休取得年平均	平均年収(平均39歳)
38名	2.0 → 6.8%	15.9日	[総]790万円

●エントリー情報と採用プロセス●

【受付開始～終了】[総]3月～4月 [技]2月～5月【採用プロセス】[総]説明会(必須、3～4月)→ES提出→SPI→リクルーター面談(2回)→面接(2回)→内々定 [技]説明会(必須、2～3月)→ES提出→SPI→面接(2回)→内々定【交通費支給】人事・最終面接、実費相当【早期選考】⇒巻末

試験情報

重視科目 [総][技]面接

[総][ES]⇒巻末[筆]SPI3(会場) SPI3(自宅)[面]4回(Webあり)
[技][ES]⇒巻末[筆]SPI3(会場) SPI3(自宅)[面]2回(Webあり)

選考ポイント：[総][ES]自らの言葉で、経験や自身のことを分かりやすく論理的に書いているか[面]コミュニケーション能力 主体性 問題解決力 [技][ES]研究・研究以外を問わず課外活動において目的を持って取り組んできたか[面]コミュニケーション能力 学業・研究への取り組み方 専門性

通過率 [総][ES]73%(受付：333→通過：244) [技][ES]95%(受付：(早期選考含む)250→通過：(早期選考含む)238)

倍率(応募/内定) [総]30倍 [技](早期選考含む)7倍

●男女別採用数と配属先ほか●

【男女・文理別採用実績】

	大卒男	大卒女	修士男	修士女
23年	10(文 7 理 3)	2(文 1 理 1)	20(文 0 理 20)	8(文 0 理 8)
24年	8(文 5 理 3)	4(文 3 理 1)	29(文 0 理 29)	5(文 0 理 5)
25年	8(文 7 理 1)	3(文 3 理 0)	22(文 1 理 21)	5(文 0 理 5)

【25年4月入社者の採用実績校】[文](院)山口大1(大)山口大3 青学大2 早大 愛知県大 立命館大 関大 甲南大各1 [理](院)山口大5 岡山大3 阪大 九大 広島大 横浜市大各2 東大 北大 名大 筑波大 神戸大 岐阜大 長崎大 九州工大 鹿児島大 宮崎大 東理大 芝工大 福岡大各1(大)長崎大1(高専)徳山 宇部各2

【24年4月入社者の配属先】[総]勤務地：山口6 東京3 部署：経理3 物流2 営業1 企画1 広報1 人事1 [技]勤務地：山口38 茨城11 部署：研究開発24 生産技術25

残業(月) 11.4時間 [総]15.5時間

【記者評価】山口県の名門企業。大半の製品は同県の徳山製造所で生産。半導体用の多結晶シリコンは世界大手の一角。塩ビ・苛性ソーダ、セメントなども製造。レンズ関連材料、歯科器材、医療診断システムを育成中。電子工業用高純度薬液や半導体装置向けに放熱材も展開。

●給与、ボーナス、週休、有休ほか●

【30歳総合職平均年収】549万円【初任給】(博士)305,358円(修士)281,925円(大卒)264,000円【ボーナス(年)】(組合員)149万円、(組合員)4.4カ月【25、30、35歳モデル賃金】283,766円→359,092円→438,953円【週休】完全2日(土日祝)【夏期休暇】連続5日(有休1日含む)【年末年始休暇】連続7日(有休2日含む)【有休取得】15.9／23日

●従業員数、勤続年数、離職率ほか●

【男女別従業員数、平均年齢、平均勤続年数】計◇2,520(41.4歳17.0年)男2,191(41.6歳17.6年)女329(40.0歳12.3年)【離職率と離職者数】◇1.6%、40名(早期退職1名含む)【3年後新卒定着率】93.2%(男93.8%、女91.7%、3年前入社：男32名・女12名)【組合】あり

【求める人材】どんなことにも前向きに挑戦し、責任感と成長意欲を持って取り組む人

【会社データ】 (金額は百万円)

【本社】101-8618 東京都千代田区外神田1-7-5 フロントプレイス秋葉原
☎03-5207-2500 https://www.tokuyama.co.jp/
【社長】横田 浩【設立】1918.2【資本金】10,000【今後力を入れる事業】電子 健康 環境

【業績(連結)】	売上高	営業利益	経常利益	純利益
22.3	293,830	24,539	25,855	28,000
23.3	351,790	14,336	14,783	9,364
24.3	341,990	25,637	26,292	17,751

開示 ★★★★

すみとも
住友ベークライト(株)

東京P 4203

【特色】住化系の樹脂加工大手。半導体封止材で世界首位

修士・大卒採用数	3年後離職率	有休取得年平均	平均年収(平均47歳)
32名	13.3→0%	本文参照	[総]911万円

●エントリー情報と採用プロセス●

【受付開始～終了】[総]3月～5月 [技]3月～6月【採用プロセス】[総]ES提出(3～5月)→1次面接(4～5月)→適性検査(5月)→2次面接(4～5月)→最終面接(5月)→内々定(5月) [技]ES提出(3～5月)→1次面接(4～5月)→適性検査(5月)→最終面接(5～6月)→内々定(5～6月)【交通費支給】最終面接、実費【早期選考】⇒巻末

試験情報

重視科目 [総]面接 [技]面接 専門試験

[総][ES]⇒巻末[筆]C-GAB 一般常識 各種適性検査[面]3回(Webあり) [技][ES]⇒巻末[筆]一般常識 SCOA 専門試験(自社オリジナル)英語 各種適性検査[面]2回(Webあり)

選考ポイント [総][技][ES]学生時代に努力をした経験とそこから学んだこと、活かしていること[面]論理的にしっかりとした受け答えができるか 自分の言葉で真摯に話ができているか

通過率 [総][ES]85%(受付:261→通過:223) [技][ES]64%(受付:221→通過:141) **倍率(応募/内定)** [総]24倍 [技]16倍

●男女別採用数と配属先ほか●

【男女・文理別採用実績】

	大卒男	大卒女	修士男	修士女
23年	10(文 10理 0)	3(文 3理 0)	17(文 0理 17)	5(文 0理 5)
24年	9(文 8理 1)	6(文 6理 0)	12(文 0理 12)	4(文 0理 4)
25年	6(文 6理 0)	5(文 5理 0)	17(文 0理 17)	4(文 0理 4)

【25年4月入社者の採用実績校】[文](大)中大 明大 早大各2 信州大 明学大 立命館大 大阪市大 上智大各1 [理](院)九大 東京科学大各4 東北大3 大分大 名工大各2 大阪公大 岡山大 京都工繊大 神戸大 都立大 東理大各1

【24年4月入社者の配属先】[総]勤務地:東京・品川12 静岡・藤枝1 福岡・直方1 部署:営業・マーケティング8 経理3 業務2 人事1 [技]勤務地:静岡・藤枝11 福岡・直方3 栃木・宇都宮1 兵庫(尼崎1 神戸1) 部署:コーポレート研究12 応用研究5

残業(月) 本文参照

記者評価 住友化学系の樹脂加工大手。国内で初めてプラスチックを製造した企業。半導体封止用のエポキシ樹脂成形材料で世界トップ。フェノール樹脂成形材料など高機能プラスチックや医薬品の包装フィルムシートなども手がける。次世代半導体材料の開発を推進。

●給与、ボーナス、週休、有休ほか●

【30歳総合職平均年収】554万円【初任給】(修士)260,230円 (大卒)242,530円【ボーナス(年)】(総合職)342万円、(総合職)7.2カ月【25、30、35歳賃金】249,584円→311,996円→407,242円 ※海外駐在員は除く【週休】会社暦2日【夏期休暇】連続6日+連続2日(有休利用推奨)【年末年始休暇】連続5日【有休取得】(管理職除く)14.7／20日

●従業員数、勤続年数、離職率ほか●

【男女別従業員数、平均年齢、平均勤続年数】計 ◇2,186(47.3歳 23.3年) 男 1,930(47.6歳 23.4年) 女 256(45.3歳 22.1年)【離職率と離職者数】◇2.1%、47名【3年後新卒定着率】100%(男100%、女100%、3年前入社:男25名・女6名)【組合】あり【残業(月)】(管理職除く)8.5時間 [総](管理職除く)12.0時間

求める人材 (育てたい人材像)成長志向型 変革志向型 チーム型 プロフェッショナル型

会社データ (金額は百万円)

【本社】140-0002 東京都品川区東品川2-5-8
☎03-5462-4111 https://www.sumibe.co.jp/
【社長】藤原 一彦【設立】1932.1【資本金】37,143【今後力を入れる事業】情報通信材料 高機能プラスチック フィルム・ヘルスケア 他QOL関連 各セグメント

【業績(IFRS)】	売上高	営業利益	税前利益	純利益
22.3	263,114	24,887	25,880	18,299
23.3	284,939	24,823	26,736	20,289
24.3	287,267	27,200	31,489	21,831

リンテック(株)

東京P 7966

【特色】粘接着素材で最大級。半導体・光学関連が強い

修士・大卒採用数	3年後離職率	有休取得年平均	平均年収(平均43歳)
46名	4.3→17.1%	15.0日	[総]793万円

●エントリー情報と採用プロセス●

【受付開始～終了】[総]3月～7月 [技]3月～6月【採用プロセス】[総]Web説明会(必須、1月～)→ES提出(1月～)→適性試験(2月～)→面接(3回、2月～)→内々定(4月～) [技]Web説明会(必須、1月～)→ES提出(1月～)→適性試験(2月～)→面接(2回、2月～)→内々定(4月～)【交通費支給】最終面接、実費【早期選考】⇒巻末

試験情報

重視科目 [総][技]面接

[総][ES]⇒巻末[筆]WebGAB[面]3回(Webあり) [技][ES]⇒巻末[筆]WebGAB[面]2回(Webあり)

選考ポイント [総][ES]志望意欲 学生時代に注力したこと・苦労した経験[面]自分の言葉で話し説明できているか 志望意欲 適性 人柄 他 [技][ES]志望意欲 技術・専門的内容の修得度合[面]専門知識 現場との適合性 志望意欲 人柄 他

通過率 [総][ES]70%(受付:146→通過:102) [技][ES]67%(受付:171→通過:114) **倍率(応募/内定)** [総]16倍 [技]12倍

●男女別採用数と配属先ほか●

【男女・文理別採用実績】

	大卒男	大卒女	修士男	修士女
23年	8(文 6理 2)	4(文 2理 2)	13(文 0理 13)	4(文 0理 4)
24年	11(文 8理 3)	4(文 4理 0)	10(文 0理 10)	5(文 0理 5)
25年	12(文 6理 6)	7(文 4理 3)	20(文 0理 20)	7(文 0理 7)

【25年4月入社者の採用実績校】[文](大)日大 明大各2 関大 慶大 専大 帝京大 同大 法政大各1 [理](院)芝工大 中大 都立大 山形大 横国大各2 宇都宮大 愛媛大 大分大 金沢大 関大 九大 京都工繊大 近大 埼玉大 静岡大 信州大 東京工科大 東京農業大 東京農工大 富山大 兵庫県大 山口大各1(大)神奈川大 関大 関東職能大学校 工学院大 上智大 千葉工大 東大 日大 明大各1

【24年4月入社者の配属先】[総]勤務地:東京(文京9 板橋3) 部署:営業9 財務1 人事1 広報・IR1 [技]勤務地:東京・板橋1 埼玉(蕨14 熊谷1 北足立郡1)愛媛・四国中央1 部署:研究14 生産2 エンジニア2

残業(月) 13.0時間 [総]17.1時間

記者評価 祖業はガムテープ製造。粘接着・剥離技術を生かした多彩な製品を有し、創業以来黒字を維持。海外売上比率6割強。半導体、積層セラミックコンデンサー向けが収益柱。EUV露光機用CNTペリクル量産体制の確立急ぐ。アジアに加え、北米でもM&Aを進め事業拡大図る。

●給与、ボーナス、週休、有休ほか●

【30歳総合職平均年収】532万円【初任給】(博士)270,000円 (修士)253,200円 (大卒)236,400円【ボーナス(年)】149万円、4.8カ月【25、30、35歳賃金】260,984円→321,738円→388,368円【週休】完全2日(土日祝)※一部工場を除く【夏期休暇】連続3日(土日に連続して)【年末年始休暇】連続4日【有休取得】15.0／20日

●従業員数、勤続年数、離職率ほか●

【男女別従業員数、平均年齢、平均勤続年数】計 ◇2,618(42.3歳 19.8年) 男 2,237(42.8歳 20.3年) 女 381(39.4歳 16.8年)【離職率と離職者数】◇3.6%、98名【3年後新卒定着率】82.9%(男87.5%、女72.7%、3年前入社:男24名・女11名)【組合】あり

求める人材 「創造性・国際性・協調性と熱い想い」を持ち、積極果敢にチャレンジし、行動できる人

会社データ (金額は百万円)

【本社】173-0001 東京都板橋区本町23-23
☎03-5248-7711 https://www.lintec.co.jp/
【社長】服部 真【設立】1934.10【資本金】23,355【今後力を入れる事業】エレクトロニクス 光学 自動車 環境 エネルギー

【業績(連結)】	売上高	営業利益	経常利益	純利益
22.3	256,836	21,584	22,698	16,641
23.3	284,603	13,796	15,602	11,512
24.3	276,321	10,628	11,537	5,243

メーカーII

開示 ★★★★★

アイカ工業(株)（こうぎょう）

東京P 4206

【特色】住宅建材のメラミン化粧板、樹脂、接着剤を製販

修士・大卒採用数	3年後離職率	有休取得年平均	平均年収(平均41歳)
36名	29.6→9.5%	13.8日	(総)785万円

●エントリー情報と採用プロセス●

【受付開始～終了】(総)1月～7月 (技)1月～5月【採用プロセス】(総)説明会(必須、1～2月)→ES提出(2～3月)→面接(2回)・SPI(2～4月)→役員面接(4～5月)→内々定(4～6月) (技)説明会(必須、1～2月)→ES提出(1～2月)→面接(2回)・SPI(2～3月)→役員面接(3～4月)→内々定(4～5月)【交通費支給】最終面接、実費【早期選考】⇒巻末

試験情報

重視科目 (総)(技)面接

(総)(技)(ES)⇒巻末(筆)SPI3(面)3回(Webあり)

選考ポイント (総)(ES)設問に対する的確な答えか 入社してどのように活躍したいか 何の商品に興味を持ったか(面)自分の言葉で自分の考えを論理的に話しているか 入社したい強い意志があるか 企業研究をしているか (技)(ES)研究テーマ 発想力(面)研究テーマ 内容をしっかりと理解しており、説明できているか 企業研究をしているか

通過率 (総)(技)(ES)NA　倍率(応募/内定) (総)(技)NA

●男女別採用数と配属先ほか●

【男女・文理別採用実績】

	大卒男	大卒女	修士男	修士女
23年	8(文 4理 4)	6(文 4理 2)	7(文 0理 7)	5(文 0理 5)
24年	9(文 0理 9)	4(文 3理 1)	10(文 0理 10)	3(文 0理 3)
25年	13(文 12理 1)	6(文 4理 2)	10(文 0理 10)	7(文 0理 7)

【25年4月入社者の採用実績校】(文)(大)愛知大2 名古屋市大 獨協大 龍谷大 佛教大 金城学大 関大 専大 兵庫県大 大阪経大 明学大 中京大 京産大 名城大 東北芸工大各1 (理)(院)福井大5 岐阜大3 茨城大2 金沢大 信州大 名工大 関大 京都工繊大 東理大 兵庫県大各1(大)琉球大 東京農業大 中大各1

【24年4月入社者の配属先】(総)**勤務地**:北海道2 東京(練馬1 大手町2)横浜1 石川・金沢1 大阪3 名古屋2 広島1 **部署**:営業13 (技)**勤務地**:愛知(清須8 甚目寺2)福島1 群馬・伊勢崎1 兵庫・丹波1 **部署**:研究開発10 生産技術3

残業(月) 10.6時間

記者評価 メラミン化粧板で国内首位、接着剤も大手。自動車、電子部品向け機能材料にも注力。国内住宅着工が伸び悩む中、中国、東南アジアで積極的に事業買収、海外売上比率は約5割。中国の生産拠点を強化中。社会課題解決型の商品群では抗ウイルス建材が好調。堅実な社風。

●給与、ボーナス、週休、有休ほか●

【30歳総合職平均年収】554万円【初任給】(博士)260,010円 (修士)243,750円 (大卒)226,190円【ボーナス(年)】184万円、6.18カ月【25、30、35歳賃金】248,332円→305,047円→328,168円【週休】2日【夏期休暇】連続6日(土日、有休2日含む)【年末年始休暇】連続7日(土日、有休2日含む)【有休取得】13.8／20日

●従業員数、勤続年数、離職率ほか●

【男女別従業員数、平均年齢、平均勤続年数】計 ◇1,216(41.1歳 16.8年) 男 999(41.5歳 17.1年) 女 217(39.9歳 14.8年)【離職率と離職者数】◇3.2%、40名【3年後新卒定着率】90.5%(男94.4%、女66.7%、3年前入社:男18名・女3名)【組合】あり

求める人材 失敗を恐れずに新しいことに挑戦できるチャレンジ精神旺盛な人

会社データ　(金額は百万円)

【本社】450-6326 愛知県名古屋市中村区名駅1-1-1 JPタワー名古屋
☎052-533-3134　https://www.aica.co.jp/

【社長】海老原 健治【設立】1936.10【資本金】9,891【今後力を入れる事業】海外・医療福祉事業・補修補強事業

【業績(連結)】	売上高	営業利益	経常利益	純利益
22.3	214,514	20,348	21,840	13,117
23.3	242,055	20,557	22,088	10,059
24.3	236,625	25,286	26,135	15,135

(株)エフピコ

東京P 7947

【特色】食品トレー、弁当・総菜容器の最大手

修士・大卒採用数	3年後離職率	有休取得年平均	平均年収(平均42歳)
45名	21.2→8.8%	11.7日	(総)802万円

●エントリー情報と採用プロセス●

【受付開始～終了】(総)(技)3月～7月【採用プロセス】(総)(技)説明会(必須、3月)→ES提出・WebGAB(4月)→面接(3回、5～6月)→内々定(7月)【交通費支給】最終面接、場所により異なる【早期選考】⇒巻末

試験情報

重視科目 (総)(技)面接

(総)(技)(ES)⇒巻末(筆)WebGAB(面)3回(Webあり)

選考ポイント (総)(技)(ES)当社への関心度・意欲 学生生活での主体的な取り組み(面)求める人物像への適性 当社への志望度 意欲

通過率 (総)(ES)39%(受付:(早期選考・技術系含む)509→通過:(早期選考・技術系含む)199) (技)(ES)―(受付:事務系に含む→通過:事務系に含む)

倍率(応募/内定) (総)(早期選考・技術系含む)15倍 (技)―

●男女別採用数と配属先ほか●

【男女・文理別採用実績】

	大卒男	大卒女	修士男	修士女
23年	17(文 11理 6)	11(文 10理 1)	2(文 0理 2)	1(文 1理 0)
24年	17(文 12理 5)	20(文 19理 1)	2(文 0理 2)	0(文 0理 0)
25年	18(文 12理 6)	23(文 21理 2)	3(文 0理 3)	1(文 0理 1)

【25年4月入社者の採用実績校】(文)(大)大阪経大3 県立広島大 関大各2 宮城大 下関市大 学習院大 國學院大 明学大 成城大 武蔵大 立正大 南山大 関西外大 阪南大 京都女大 安田女大 広島修道大 松山大各1 (理)(院)千葉大 広島大 鳥取大 長崎大各1(大)広島大 愛媛大 東海大 湘南工大 関大 立命館大 広島工大各1(高専)茨城1

【24年4月入社者の配属先】(総)**勤務地**:東京・新宿16 大阪5 広島・福山4 **部署**:営業17 経営企画1 サステナビリティ1 人事1 経理1 情報システム2 SCM2 (技)**勤務地**:広島・福山3 岐阜1 **部署**:基礎技術1 生産技術1 設備管理1 リサイクル1

残業(月) 7.5時間 (総)10.0時間

記者評価 食品トレー、弁当容器最大手。SCMシステム導入し生産から物流、販売まで一元管理するなど総合力で圧倒。全国に自社物流網を備える。食品トレーのリサイクルでも先行。容器の軽量化や環境対応、作業効率に貢献する新製品など開発力に定評。営業も強い。

●給与、ボーナス、週休、有休ほか●

【30歳総合職平均年収】536万円【初任給】(修士)249,100円 (大卒)238,100円【ボーナス(年)】204万円、5.35カ月【25、30、35歳賃金】259,008円→299,092円→356,520円【週休】完全2日(土日祝)【夏期休暇】連続5日【年末年始休暇】連続6日以上【有休取得】11.7／20日

●従業員数、勤続年数、離職率ほか●

【男女別従業員数、平均年齢、平均勤続年数】計 984(41.8歳 16.0年) 男 657(44.8歳 18.0年) 女 327(35.7歳 12.0年)【離職率と離職者数】3.0%、30名【3年後新卒定着率】91.2%(男88.2%、女94.1%、3年前入社:男17名・女17名)【組合】なし

求める人材 エフピコを理解し、共感し、情熱を持って挑戦することができる人

会社データ　(金額は百万円)

【本社】721-8607 広島県福山市曙町1-13-15
☎084-953-1145　https://www.fpco.jp/

【会長】佐藤 守正【設立】1962.7【資本金】13,150【今後力を入れる事業】使用済み食品トレーの完全循環型リサイクル

【業績(連結)】	売上高	営業利益	経常利益	純利益
22.3	195,700	15,884	16,703	11,206
23.3	211,285	16,703	17,328	11,529
24.3	222,100	16,429	16,780	11,724

メーカーII

日本化薬(株)（にほんかやく）

東京P 4272

【特色】中堅の化学・医薬企業。ニッチで高シェア品多い

修士・大卒採用数	3年後離職率	有休取得年平均	平均年収(平均41歳)
41名	6.9→9.7%	13.3日	総749万円

●エントリー情報と採用プロセス●

【受付開始～終了】総技3月～継続中【採用プロセス】総ES提出(3月～)→Webテスト→動画選考(一部職種のみ)→面接(2回)→内々定(6月～) 技ES提出(3月～)→Webテスト→GD(一部職種のみ)→面接(2回)→内々定(6月～)【交通費支給】全ての選考会(面接・筆記)、実費【早期選考】⇒巻末

試験情報

重視科目 総技面接

総ES⇒巻末筆TG-WEB面2回(Webあり) 技ES⇒巻末筆TG-WEB面2回(Webあり)GD作⇒巻末

選考ポイント 総ES NA(提出あり)面コミュニケーション能力・論理的思考能力はあるか 技ES NA(提出あり)面コミュニケーション能力・論理的思考能力はあるか 研究を自主的に行ってきたか

通過率 総ES 44%(受付:189→通過:83) 技ES 43%(受付:(早期選考含む)558→通過:(早期選考含む)238)

倍率(応募/内定) 総21倍 技(早期選考含む)17倍

●男女別採用数と配属先ほか●

【男女・文理別採用実績】

	大卒男	大卒女	修士男	修士女
23年	2(文 2理 0)	3(文 0理 3)	18(文 0理 18)	7(文 0理 7)
24年	12(文 8理 4)	3(文 2理 1)	26(文 0理 26)	7(文 0理 7)
25年	7(文 4理 3)	5(文 2理 3)	22(文 0理 22)	7(文 0理 7)

【25年4月入社者の採用実績校】文(大)関大2 立教大 立命館大 日大 学習院大各1 理(院)山口大5 埼玉大3 九大 東理大各2 北大 東京科学大 神戸大 静岡県大 福井大 島根大 九州工大 熊本大 徳島大 東京農業大 東京電機大 東京薬大 前橋工大 北里大 中部大 関西学大 近大各1(大)広島大 九大 静岡県大 東京電機大 東京農業大 岡山理大各1

【24年4月入社者の配属先】総勤務地:東京5 兵庫3 神奈川2 宮城1 福岡1 部署:営業6 情報システム2 調達2 経理1 法務1 技勤務地:東京18 兵庫7 群馬4 広島3 山口3 茨城3 部署:研究29 技術9

残業(月) 11.2時間 総11.2時間

記者評価 産業用火薬が起源で機能化学品、医薬品、自動車安全部品が3本柱。機能化学品は半導体封止材が主力。半導体向けエポキシ樹脂工場を順次増強。医薬品は後発品主体で、抗がん剤に強み。自動車安全部品は海外生産強化。農薬も手がける。若手に挑戦機会多い。

●給与、ボーナス、週休、有休ほか●

【30歳総合職平均年収】618万円【初任給】(博士)293,200円 (修士)256,200円 (大卒)238,000円【ボーナス(年)】(組合員)161万円、(組合員)4.78カ月【25、30、35歳賃金】263,000円→335,000円→408,000円【週休】完全2日(土日祝)【夏期休暇】連続3日 有休取得奨励日および土日を合わせて連続9日【年末年始休暇】12月28日～1月3日【有休取得】13.3／20日

●従業員数、勤続年数、離職率ほか●

【男女別従業員数、平均年齢、平均勤続年数】計 ◇2,113(41.0歳 15.1年) 男 1,770(40.6歳 14.9年) 女 343(42.9歳 16.4年)【離職率と離職者数】◇2.4%、51名【3年後新卒定着率】90.3%(男95.8%、女71.4%、3年前入社:男24名・女7名)【組合】あり

求める人材 自ら考えスピーディーに行動できる人

会社データ　(金額は百万円)

【本社】100-0005 東京都千代田区丸の内2-1-1 明治安田生命ビル ☎03-6731-5801 https://www.nipponkayaku.co.jp/

【社長】涌元 厚宏【設立】1916.6【資本金】14,932【今後力を入れる事業】モビリティ、環境エネルギー、エレクトロニクス、ライフサイエンス

【業績(連結)】	売上高	営業利益	経常利益	純利益
22.3	184,805	21,050	23,154	17,181
23.3	198,380	21,505	23,025	14,984
24.3	201,791	7,337	12,562	4,113

(株)イノアックコーポレーション

株式公開 計画なし

【特色】ウレタンフォームの草分け。グローバル展開

修士・大卒採用数	3年後離職率	有休取得年平均	平均年収(平均41歳)
21名	13.0→13.0%	12.9日	総710万円

●エントリー情報と採用プロセス●

【受付開始～終了】総技12月～6月【採用プロセス】総技説明会(必須、12～3月)→ES提出→面接(3回)→内々定(6月)【交通費支給】最終面接、全額【早期選考】⇒巻末

試験情報

重視科目 総技ES 面接

総技ES⇒巻末筆SPI3(自宅)面3回(Webあり)

選考ポイント 総技ES何に興味を持ち、どんな仕事がしたいか 学生時代に注力したこと 誰にも負けない強み面人物評価 行動力 コミュニケーション力 職場との適合性

通過率 総技ES NA

倍率(応募/内定) 総技NA

●男女別採用数と配属先ほか●

【男女・文理別採用実績】

	大卒男	大卒女	修士男	修士女
23年	12(文 5理 7)	6(文 5理 1)	8(文 0理 8)	3(文 1理 2)
24年	13(文 5理 8)	6(文 5理 1)	17(文 0理 17)	0(文 0理 0)
25年	8(文 4理 4)	11(文 9理 2)	2(文 0理 2)	0(文 0理 0)

【25年4月入社者の採用実績校】

文(大)名古屋外大4 南山大2 上智大 埼玉大 愛知大 愛知淑徳大 同大 重慶大 ポイント大各1 理(院)岐阜大 中部大各1(大)愛知工業大2 日大 名城大 福井大 滋賀県大各1

【24年4月入社者の配属先】

総勤務地:愛知(名古屋9 安城3) 部署:経理5 営業2 事業企画3 貿易2 技勤務地:愛知(安城13 新城6 名古屋5 武豊3)神奈川・秦野3 岐阜・垂井1 部署:素材開発11 生産技術9 基礎研究2 品質技術2 プロセス技術1 IT推進3 設備保全1 製造技能2

残業(月) 20.3時間

記者評価 ウレタン、ゴム、プラスチック、複合材を手がける化学メーカー。ウレタンフォームを日本で初めて量産化した。自動車部品、情報通信機器、産業資材、生活用品向けなどに供給。植物由来原料を使用したポリウレタンフォームなど環境対応製品の開発にも注力。

●給与、ボーナス、週休、有休ほか●

【30歳総合職平均年収】520万円【初任給】(博士)262,200円 (修士)247,200円 (大卒)232,200円【ボーナス(年)】NA、5.6カ月【25、30、35歳賃金】246,807円→305,464円→339,364円【週休】完全2日(土日)【夏期休暇】連続9日(土日含む)【年末年始休暇】12月28日～1月5日【有休取得】12.9／21日

●従業員数、勤続年数、離職率ほか●

【男女別従業員数、平均年齢、平均勤続年数】計 ◇1,897(41.2歳 16.1年) 男 1,581(41.9歳 16.7年) 女 316(37.7歳 13.4年)【離職率と離職者数】◇2.9%、56名【3年後新卒定着率】87.0%(男86.7%、女87.5%、3年前入社:男15名・女8名)【組合】あり

求める人材 ものづくりが好きで、何事にも積極的に取り組む意欲のある学生 また、グローバルマインドを持った学生

会社データ　(金額は百万円)

【本社】450-0003 愛知県名古屋市中村区名駅南2-13-4 ☎052-581-1086 https://www.inoac.co.jp/

【会長】井上 聰一【設立】1954.8【資本金】720【今後力を入れる事業】環境に配慮した素材開発事業

【業績(単独)】	売上高	営業利益	経常利益	純利益
21.12	176,398	1,367	10,106	7,820
22.12	163,259	466	10,971	5,740
23.12	197,814	3,806	14,794	10,525

東京応化工業(株)（とうきょうおうかこうぎょう）

東京P 4186

【特色】半導体用フォトレジストの世界大手で首位級

修士・大卒採用数	3年後離職率	有休取得年平均	平均年収(平均43歳)
33名	2.6 → 10.6%	15.1日	総 994万円

●エントリー情報と採用プロセス●

【受付開始～終了】総技3月～6月【採用プロセス】総技説明会(必須、3～6月)→ES提出(3～6月)→面接(2回、3～6月)→筆記(3～6月)→GD(3～6月)→役員面接(3～6月)→内々定(4～7月)【交通費支給】なし

試験情報

重視科目 総技面接 ミキワメ

総技ES⇒巻末筆ミキワメ面3回(Webあり)GD作⇒巻末

選考ポイント 総技ES企業理解度 論理性 熱意面志望動機 専攻内容 語学力 しっかりとした受け答え

通過率 総ES69%(受付:127→通過:87) 技ES73%(受付:489→通過:356)

倍率(応募/内定) 総25倍 技18倍

●男女別採用数と配属先ほか●

【男女・文理別採用実績】

	大卒男	大卒女	修士男	修士女
23年	11(文 7理 4)	3(文 2理 1)	21(文 0理 21)	3(文 1理 2)
24年	3(文 1理 2)	3(文 0理 3)	20(文 0理 20)	8(文 0理 8)
25年	4(文 1理 3)	5(文 4理 1)	18(文 0理 18)	6(文 0理 6)

【25年4月入社者の採用実績校】文(大)同大2 法政大 上智大 慶大各1 理(院)青学大 芝工大 日大 東京科学大各2 中大 岡山大 群馬大 京都工繊大 埼玉大 東京薬大 山形大 千葉大 上智大 東邦大 北大 北里大 宇都宮大 筑波大 阪大 大阪工大 大阪公大各1(大)東京工科大 東邦大 工学院大 立命館大各1

【24年4月入社者の配属先】

総勤務地:川崎2 部署:経営企画1 情報システム1 技勤務地:神奈川(川崎2 寒川町29)静岡・御殿場1 福島・郡山1 部署:開発17 生産技術開発7 品質管理3 品質保証2 営業4

残業(月) 17.1時間 総22.6時間

記者評価 半導体、液晶の製造工程で使用されるフォトレジスト(感光剤)メーカー。半導体用では世界首位級。海外売上比率は約8割。最先端のEUV(極端紫外線)露光向けも。洗浄液など化学薬品も手がける。活発な半導体増産投資を背景に、熊本や米アリゾナで拠点開設。

●給与、ボーナス、週休、有休ほか●

【30歳総合職平均年収】690万円【初任給】(修士)253,300円 (大卒)230,600円【ボーナス(年)】155万円、7.13カ月【25、30、35歳賃金】267,146円→302,024円→363,294円【週休】完全2日(土日祝)【夏期休暇】8月11～15日【年末年始休暇】12月30日～1月4日【有休取得】15.1／20日

●従業員数、勤続年数、離職率ほか●

【男女別従業員数、平均年齢、平均勤続年数】計 ◇1,355(41.1歳 17.5年) 男 1,148(42.3歳 18.7年) 女 207(35.0歳 10.8年)【離職率と離職者数】◇2.4%、34名【3年後新卒定着率】89.4%(男89.7%、女87.5%、3年前入社:男39名・女8名)【組合】あり

求める人材 自らリスクを背負いながら能力を発揮することが可能な自立型人材

会社データ (金額は百万円)

【本社】211-0012 神奈川県川崎市中原区中丸子150
☎044-435-3000　https://www.tok.co.jp/
【社長】種市 順昭【設立】1940.10【資本金】14,640【今後力を入れる事業】フォトレジスト ライフサイエンス 機能性フィルム 他

【業績(連結)】	売上高	営業利益	経常利益	純利益
21.12	140,055	20,707	21,664	17,748
22.12	175,434	30,181	30,966	19,693
23.12	162,270	22,706	24,260	12,712

クミアイ化学工業(株)（くみあいかがくこうぎょう）

東京P 4996

【特色】全農系農薬メーカー。化成品は収益強化が課題

修士・大卒採用数	3年後離職率	有休取得年平均	平均年収(平均40歳)
23名	3.6 → 0%	10.6日	◇780万円

●エントリー情報と採用プロセス●

【受付開始～終了】総3月～NA【採用プロセス】総ES提出(3月)→説明会→1次面接(WebGD、3月)→2次面接(Web、4月)→適性検査→3次面接(対面、5月)→内々定(5月)【交通費支給】3次面接、一部補助

試験情報

重視科目 総面接

総ES⇒巻末筆あり(内容NA)面3回(Webあり)GD作NA

総ESNA(提出あり)面就職に向けて考えが整理されているか 自立した考え方をもっているか 学業の取組 他

通過率 総ESNA

倍率(応募/内定) 総NA

●男女別採用数と配属先ほか●

【男女・文理別採用実績】

	大卒男	大卒女	修士男	修士女
23年	0(文 0理 0)	1(文 1理 0)	6(文 0理 6)	2(文 0理 2)
24年	5(文 2理 3)	4(文 3理 1)	3(文 0理 3)	6(文 0理 6)
25年	5(文 3理 2)	4(文 1理 3)	9(文 0理 9)	5(文 0理 5)

【25年4月入社者の採用実績校】

文(大)明大 愛知淑徳大 東京農業大 駒澤大各1 理(院)鳥取大 埼玉大各2 静岡県大 中大 静岡理工科大 京大 滋賀県大 近大 東北大 玉川大 岐阜大 静岡大各1(大)東京農業大 高知大 明大 日大 山形大各1(短)静岡農林環境専門職大1

【24年4月入社者の配属先】

総勤務地:静岡9 東京3 北海道1 青森1 群馬1 石川1 兵庫1 香川1 部署:研究9 営業6 総務1 人事1 プラント1

残業(月) 13.6時間 総13.6時間

記者評価 全農系の大手農薬メーカー。環境負荷が低い畑作用除草剤「アクシーブ」が主力製品。水稲用除草剤でも高シェア。樹脂原料や樹脂硬化剤など化成品も手がける。研究拠点は静岡・清水に集約。原体製造のイハラケミカル工業を吸収合併。海外売上高比率は6割。

●給与、ボーナス、週休、有休ほか●

【30歳総合職平均年収】NA【初任給】(博士)270,360円 (修士)253,860円 (大卒)236,600円【ボーナス(年)】NA、7.59カ月【25、30、35歳賃金】NA【週休】2日【夏期休暇】年間休日(本社125日工場117日)の中で休暇取得【年末年始休暇】12月30日～1月3日【有休取得】10.6／20日

●従業員数、勤続年数、離職率ほか●

【男女別従業員数、平均年齢、平均勤続年数】計 ◇761(39.9歳 14.3年) 男 629(39.2歳 14.4年) 女 132(43.5歳 13.5年)【離職率と離職者数】NA【3年後新卒定着率】100%(男NA、女NA、3年前入社:男女計25名)【組合】あり

求める人材 相手を尊重し、自身の考えをきちんと伝えることのできる人材

会社データ (金額は百万円)

【本社】110-8782 東京都台東区池之端1-4-26
☎03-3822-5036　https://www.kumiai-chem.co.jp/
【社長】高木 誠【設立】1949.6【資本金】4,534【今後力を入れる事業】NA

【業績(連結)】	売上高	営業利益	経常利益	純利益
21.10	118,176	8,456	12,829	9,023
22.10	145,302	12,673	23,570	16,329
23.10	161,002	14,089	24,115	18,024

三洋化成工業(株)
さんようかせいこうぎょう

東京P 4471

【特色】界面制御技術に強みを持つ化学中堅。車向けが柱

修士・大卒採用数	3年後離職率	有休取得年平均	平均年収(平均42歳)
10名	8.8→19.6%	13.5日	総 750万円

残業(月) 5.5時間 総 5.5時間

記者評価 自動車向けの内装・外装材料が主力。半導体関連材料も。全社員の20%超が研究開発に携わる。紙おむつ原料となる高吸水性樹脂事業は、中国メーカーの安値攻勢などを受けて撤退決定。育成中の機能性タンパク質「シルクエラスチン」に経営資源を集中。

●エントリー情報と採用プロセス●
【受付開始～終了】総技3月～6月【採用プロセス】総技ES提出(3～6月)→適性検査・面接(2回)→内々定【交通費支給】面接、実費【早期選考】⇒巻末

試験情報

重視科目 総技面接

総技ES⇒巻末筆SPI3(会場)面2回(Webあり)

選考ポイント 総技ES応募理由 セールスポイント 他面論理性 志望意欲 自己PR

通過率 総ES49%(受付:84→通過:41) 技ES54%(受付:160→通過:86)

倍率(応募/内定) 総28倍 技10倍

●男女別採用数と配属先ほか●
【男女・文理別採用実績】

	大卒男	大卒女	修士男	修士女
23年	0(文 0理 0)	1(文 1理 0)	7(文 0理 7)	7(文 0理 7)
24年	1(文 1理 0)	1(文 1理 0)	2(文 0理 2)	5(文 0理 5)
25年	2(文 1理 1)	2(文 1理 1)	5(文 0理 5)	1(文 0理 1)

※6年制薬学部は修士に含む、11月入社含む

【25年4月入社者の採用実績校】
文(大)関大 立命館大各1 理(院)京大 阪大各2 関大 大阪公大各1(大)日大 近大各1(高専)鈴鹿2 和歌山 福島 苫小牧 小山 高知 久留米 阿南各1

【24年4月入社者の配属先】
総勤務地:東京2 部署:営業2 技勤務地:京都7 愛知12 神奈川1 部署:研究7 生産13

●給与、ボーナス、週休、有休ほか●
【30歳総合職平均年収】566万円【初任給】(博士)322,300円(修士)287,950円(大卒)255,500円【ボーナス(年)】187万円、4.38カ月【25、30、35歳賃金】275,812円→330,121円→381,463円【週休】完全2日(土日祝)【夏期休暇】連続9日(土日祝含む)【年末年始休暇】12月28日～1月5日【有休取得】13.5／20日

●従業員数、勤続年数、離職率ほか●
【男女別従業員数、平均年齢、平均勤続年数】計◇1,637(42.2歳 17.8年) 男 1,295(42.7歳 18.7年) 女 342(40.4歳 14.7年)【離職率と離職者数】◇4.5%、77名【3年後新卒定着率】80.4%(男71.0%、女100%、3年前入社:男31名・女15名)【組合】あり

求める人材 自主性にもとづくチャレンジ精神旺盛な人

会社データ (金額は百万円)

【本社】605-0995 京都府京都市東山区一橋野本町11-1
☎075-541-4322 https://www.sanyo-chemical.co.jp/
【社長】樋口 章憲【設立】1949.11【資本金】13,051【今後力を入れる事業】パフォーマンスケミカルス(機能化学品)

【業績(連結)】	売上高	営業利益	経常利益	純利益
22.3	162,526	11,868	12,771	6,699
23.3	174,973	8,405	9,918	5,684
24.3	159,510	4,886	8,186	▲8,501

タキロンシーアイ(株)

株式公開 していない

【特色】総合プラスチック加工大手。伊藤忠商事系

修士・大卒採用数	3年後離職率	有休取得年平均	平均年収(平均45歳)
14名	0→0%	16.7日	総 732万円

残業(月) 6.8時間 総 10.1時間

記者評価 1919年創業のタキロンがシート・フィルムメーカーのシーアイ化成と合併。塩ビ製波板のトップメーカーで、雨どいや配管材などの住宅用製品、大型建築物向けの屋根材、マンション共用部分用床材などが主力。伊藤忠商事によるTOBに賛同、完全子会社となる予定。

●エントリー情報と採用プロセス●
【受付開始～終了】総技2月～5月【採用プロセス】総技説明会(必須)→ES提出・適性検査→GD→面接(2回)→内々定【交通費支給】最終面接、実費【早期選考】⇒巻末

試験情報

重視科目 総技全て

総技ES⇒巻末筆WebGAB面2回(Webあり)GD作⇒巻末

選考ポイント 総技ESWebテストとの総合判断面チャレンジカ コミュニケーション力 知的好奇心 仕事や会社への理解 他

通過率 総ES70%(受付:88→通過:62) 技ES84%(受付:77→通過:65)

倍率(応募/内定) 総(早期選考含む)18倍 技(早期選考含む)9倍

●男女別採用数と配属先ほか●
【男女・文理別採用実績】

	大卒男	大卒女	修士男	修士女
23年	4(文 1理 3)	6(文 4理 2)	0(文 0理 0)	1(文 0理 1)
24年	5(文 4理 1)	5(文 5理 0)	8(文 1理 7)	5(文 0理 5)
25年	5(文 3理 2)	1(文 1理 0)	6(文 1理 5)	2(文 0理 2)

※25年:24年7月時点

【25年4月入社者の採用実績校】
文(院)関大1(大)学習院大 京産大 富山大 京都女大各1 理(院)大阪公大 信州大 九大 兵庫県大 鹿児島大 岡山大 大阪工大各1(大)山形大 大阪工大各1

【24年4月入社者の配属先】
総勤務地:東京11 部署:営業6 経理2 システム2 法務1 技勤務地:茨城2 滋賀4 兵庫4 岡山2 部署:製造技術8 研究開発4

●給与、ボーナス、週休、有休ほか●
【30歳総合職平均年収】488万円【初任給】(修士)251,200円(大卒)240,000円【ボーナス(年)】161万円、4.3カ月【25、30、35歳賃金】230,700円→266,123円→324,628円 ※基本給のみ【週休】2日【夏期休暇】連続5日(土日祝含む)【年末年始休暇】連続5日(土日祝含む)【有休取得】16.7／20日

●従業員数、勤続年数、離職率ほか●
【男女別従業員数、平均年齢、平均勤続年数】計◇1,067(44.7歳 19.7年) 男 866(45.4歳 20.9年) 女 201(41.4歳 14.3年)【離職率と離職者数】◇4.0%、45名【3年後新卒定着率】100%(男100%、女100%、3年前入社:男9名・女4名)【組合】あり

求める人材 チームワークを尊重して働ける人 積極的に新しいことにチャレンジできる人

会社データ (金額は百万円)

【本社】530-0001 大阪府大阪市北区梅田3-1-3
☎06-6453-3700 https://www.takiron-ci.co.jp/
【社長】福田 祐士【設立】1935.12【資本金】15,216【今後力を入れる事業】NA

【業績(連結)】	売上高	営業利益	経常利益	純利益
22.3	141,936	8,651	9,084	6,660
23.3	145,725	5,791	5,923	2,460
24.3	137,581	6,228	6,501	5,102

ZACROS(株)（ザクロス）

東京P 7917

【特色】フィルム包装材大手。電子機器・日用品向け等

修士・大卒採用数	3年後離職率	有休取得年平均	平均年収(平均42歳)
14名	26.3 → 14.3%	12.9日	総 611万円

●エントリー情報と採用プロセス●

【受付開始～終了】総技3月～5月【採用プロセス】総技ES提出・適性検査(3月)→GD・面接(4月)→面接(2回、4～5月)→内々定(5月下旬)【交通費支給】3次面接、実費【早期選考】⇒巻末

試験情報

重視科目 総技面接

総技 ES⇒巻末 筆INSIGHT 面3回(Webあり) GD作NA

選考ポイント 総技 ES NA(提出あり) 面NA

通過率 総 ES73%(受付:26→通過:19) 技 ES85%(受付:34→通過:29)

倍率(応募/内定) 総26倍 技17倍

●男女別採用数と配属先ほか●

【男女・文理別採用実績】

	大卒男	大卒女	修士男	修士女
23年	2(文 1理 1)	8(文 6理 2)	6(文 0理 6)	3(文 0理 3)
24年	0(文 0理 0)	5(文 4理 1)	4(文 0理 4)	0(文 0理 0)
25年	3(文 3理 0)	4(文 4理 0)	6(文 0理 6)	1(文 0理 1)

【25年4月入社者の採用実績校】
文(大)法政大2 獨協大 日大 立命館大 成蹊大 学習院大各1
理(院)東邦大2 茨城大 山形大 前橋工大 東京農業大 京都工繊大各1

【24年4月入社者の配属先】
総勤務地:東京・文京5 部署:営業5 技勤務地:横浜1 群馬(昭和2 沼田1)静岡1 三重(三重1 名張1) 部署:工場技術7

残業(月) 22.9時間

記者評価 樹脂包装材の大手メーカー。食品、医薬品向け包装材などのライフサイエンスと、保護フィルムなどの電子情報が両輪。偏光板用保護フィルムは世界シェア50%超で首位。26年度下期完了メドに161億円投じ偏光板用の能力増強推進。24年10月に藤森工業から社名変更。

●給与、ボーナス、週休、有休ほか●

【30歳総合職平均年収】534万円【初任給】(博士)289,500円(修士)254,500円(大卒)238,500円【ボーナス(年)】153万円、5.0カ月【25、30、35歳賃金】232,246円→236,032円→262,455円 ※全従業員ベース【週休】2日(土日祝)【夏期休暇】有休利用【年末年始休暇】あり【有休取得】12.9／20日

●従業員数、勤続年数、離職率ほか●

【男女別従業員数、平均年齢、平均勤続年数】計 ◇1,312(41.5歳 15.9年) 男 1,105(42.4歳 16.7年) 女 207(37.0歳 11.7年)【離職率と離職者数】◇3.4%、46名(早期退職男1名含む)【3年後新卒定着率】85.7%(男93.3%、女66.7%、3年前入社:男15名・女6名)【組合】あり

求める人材 自ら目標を立て挑戦し続ける人 チームや誰かの目標に共感し協力・支援できる人

会社データ (金額は百万円)

【本社】112-0002 東京都文京区小石川1-1-1 文京ガーデンゲートタワー ☎03-6381-4211 https://www.zacros.co.jp/
【社長】下田 拓【設立】1936.11【資本金】6,600【今後力を入れる事業】NA

【業績(連結)】	売上高	営業利益	経常利益	純利益
22.3	127,819	10,341	11,102	7,693
23.3	129,364	5,882	6,828	4,854
24.3	136,155	8,344	8,910	4,532

ユニチカ(株)

東京P 3103

【特色】高分子素材が柱。繊維事業の構造改革が進展

修士・大卒採用数	3年後離職率	有休取得年平均	平均年収(平均42歳)
0名	20.0 → 24.0%	14.4日	総 675万円

●エントリー情報と採用プロセス●

【受付開始～終了】技3月～8月【採用プロセス】技説明会(任意)→ES提出・テストセンター(3月～)→面談・面接(2回)→内々定【交通費支給】最終面接、実費

試験情報

重視科目 技面接

技 ES⇒巻末 筆SCOA 面2回

選考ポイント 技 ES NA(提出あり) 面バイタリティ 向上心 論理的思考力 コミュニケーション力 他

通過率 技 ES NA

倍率(応募/内定) 技NA

●男女別採用数と配属先ほか●

【男女・文理別採用実績】

	大卒男	大卒女	修士男	修士女
23年	5(文 3理 2)	4(文 4理 0)	9(文 0理 9)	5(文 0理 5)
24年	3(文 3理 0)	0(文 0理 0)	3(文 0理 3)	2(文 0理 2)
25年	0(文 0理 0)	0(文 0理 0)	0(文 0理 0)	0(文 0理 0)

【25年4月入社者の採用実績校】
文なし 理(高専)津山 大阪公大 東京各1

【24年4月入社者の配属先】
総勤務地:大阪市3 部署:営業2 管理1 技勤務地:京都・宇治10 愛知・岡崎1 岐阜・垂井1 部署:研究開発5 製造1 品質保証4 プラントエンジニア2

残業(月) 総8.2時間

記者評価 1889年創業の尼崎紡績が前身の名門繊維メーカー。14年取引銀行に金融支援要請し、繊維事業の構造改革断行。食品包装用ナイロンフィルム、樹脂などの高分子事業を核に再成長に挑戦。22年5月から重縮合ポリマーの開発・製造受託事業展開。フィルム生産能力増強。

●給与、ボーナス、週休、有休ほか●

【30歳総合職平均年収】NA【初任給】(博士)NA (修士)237,800円 (大卒)217,100円【ボーナス(年)】147万円、3.2カ月【25、30、35歳モデル賃金】245,000円→305,000円→353,000円【週休】完全2日(土日祝)【夏期休暇】有休で取得【年末年始休暇】連続5日【有休取得】14.4／20日

●従業員数、勤続年数、離職率ほか●

【男女別従業員数、平均年齢、平均勤続年数】計 1,324(42.1歳 20.0年) 男 1,029(41.4歳 19.4年) 女 295(44.2歳 23.1年)【離職率と離職者数】7.6%、109名【3年後新卒定着率】76.0%(男71.4%、女100%、3年前入社:男21名・女4名)【組合】あり

求める人材 自分の「夢」やユニチカの「あるべき姿」の実現に向け、挑戦し続け、変化を起こす人

会社データ (金額は百万円)

【本社】541-8566 大阪府大阪市中央区久太郎町4-1-3 ☎06-6281-5624 https://www.unitika.co.jp/
【社長】上埜 修司【設立】1889.6【資本金】100【今後力を入れる事業】高分子事業

【業績(連結)】	売上高	営業利益	経常利益	純利益
22.3	114,713	6,005	6,399	2,223
23.3	117,942	1,327	1,069	102
24.3	118,341	▲2,475	▲1,014	▲5,443

メーカーⅡ

▶『業界地図』p.134

さかい かがくこうぎょう 堺化学工業(株)

東京P 4078

【特色】酸化チタン大手。電子材料や医薬品へ多角化

修士・大卒採用数	3年後離職率	有休取得年平均	平均年収(平均40歳)
5名	0 → 12.5%	17.0日	総 740万円

残業(月) 11.8時間 総 11.8時間

記者評価 無機材料、樹脂添加剤、触媒などを手がける化学メーカー。微粒子・高純度・粒子形状制御などが基盤技術。酸化チタンは石原産業と双璧。積層セラミックコンデンサ向け誘導体も強い。造影剤用バリウムで国内首位。子会社に風邪薬「改源」のカイゲンファーマ。

●エントリー情報と採用プロセス●

【受付開始～終了】総技3月～未定【採用プロセス】総技説明会・筆記・ES提出(3月～)→面接(2～3回)→内々定(6月)※選考途中でSPI実施【交通費支給】最終面接以降、往復実費【早期選考】⇒巻末

試験情報

重視科目 総技面接

総技 ES⇒巻末 筆SPI3(会場) 面2～3回(Webあり)

選考ポイント 総技 ES NA(提出あり) 面バイタリティ 好奇心 柔軟性 考え抜く力 巻き込み力 他

通過率 総技 ES NA

倍率(応募/内定) 総技NA

●給与、ボーナス、週休、有休ほか●

【30歳総合職モデル年収】540万円【初任給】(修士)256,300円(大卒)240,400円【ボーナス(年)】120万円、4.1カ月【25、30、35歳モデル賃金】240,300円→334,000円→396,100円【週休】完全2日(土日祝)(祝日週は年3回土曜営業あり)【夏期休暇】連続2日【年末年始休暇】連続6日【有休取得】17.0/19日

●男女別採用数と配属先ほか●

【男女・文理別採用実績】

	大卒男	大卒女	修士男	修士女
23年	1(文 1理 0)	2(文 1理 1)	4(文 0理 4)	2(文 0理 2)
24年	3(文 1理 2)	3(文 2理 1)	4(文 0理 4)	4(文 0理 4)
25年	3(文 1理 2)	1(文 1理 0)	0(文 0理 0)	1(文 0理 1)

【25年4月入社者の採用実績校】
文(大)関大 関西学大各1 理(院)岩手大1(大)東京農業大 宇都宮大各1

【24年4月入社者の配属先】
総勤務地:大阪・堺2 東京1 福島・いわき1 部署:営業2 CR1 総務1 技勤務地:大阪・堺5 福島・いわき5 部署:研究開発5 生産技術5

●従業員数、勤続年数、離職率ほか●

【男女別従業員数、平均年齢、平均勤続年数】計 ◇805(41.7歳 15.2年) 男 665(42.2歳 15.8年) 女 140(39.6歳 12.2年)【離職率と離職者数】◇4.4%、37名【3年後新卒定着率】87.5%(男85.7%、女100%、3年前入社:男7名・女1名)【組合】あり

求める人材 バイタリティ・知的好奇心を持ち、企業理念の実現に向け社会の変化から会社の変革を生み出すリーダー

会社データ (金額は百万円)

【本社】590-8502 大阪府堺市堺区戎島町5-2
☎072-223-4112 http://www.sakai-chem.co.jp/
【社長】矢倉 敏行【設立】1932.2【資本金】21,838【今後力を入れる事業】化粧品材料 電子材料分野 他

【業績(連結)】	売上高	営業利益	経常利益	純利益
22.3	80,135	7,494	8,840	6,747
23.3	83,861	4,407	4,854	2,344
24.3	82,105	2,942	3,066	▲7,092

ふじくら かせい 藤倉化成(株)

東京S 4620

【特色】フジクラ系。アクリル樹脂派生製品が事業の柱

修士・大卒採用数	3年後離職率	有休取得年平均	平均年収(平均41歳)
2名	14.3 → 16.7%	16.3日	総 678万円

残業(月) 12.9時間 総 12.9時間

記者評価 フジクラ系の塗料メーカー。1938年に藤倉コンポジット、フジクラの化学部門が分離して設立された。自動車向けプラスチック用コーティング材、建築用塗料、電子材料、機能材料の4事業が柱。自動車向けは日米欧の大手自動車メーカーが顧客。

●エントリー情報と採用プロセス●

【受付開始～終了】総技3月～継続中【採用プロセス】総技応募受付(3月～)→書類選考(4月～)→面接(3回、4月～)→内々定(5月～)【交通費支給】2次面接以降、実費【早期選考】⇒巻末

試験情報

重視科目 総技面接

総技 筆SPI3(自宅) 面3回(Webあり)

選考ポイント 総 ES提出なし 面受け応え 誠実さ 会話内容 取組課題(卒論など)の説明方法 周囲の人とのかかわり方 技 ES提出なし 面受け応え 誠実さ 会話内容 研究テーマの説明方法 周囲の人とのかかわり方

通過率 総 ES―(応募:18) 技 ES―(応募:32)

倍率(応募/内定) 総― 技16倍

●給与、ボーナス、週休、有休ほか●

【30歳総合職平均年収】459万円【初任給】(博士)242,000円(修士)223,000円(大卒)213,000円【ボーナス(年)】(組合員)152万円、(組合員)5.1カ月【25、30、35歳賃金】218,000円→240,187円→291,531円【週休】2日(土日祝)【夏期休暇】連続3日【年末年始休暇】連続5日【有休取得】16.3/20日

●男女別採用数と配属先ほか●

【男女・文理別採用実績】

	大卒男	大卒女	修士男	修士女
23年	1(文 1理 0)	0(文 0理 0)	3(文 0理 3)	0(文 0理 0)
24年	1(文 1理 0)	0(文 0理 0)	2(文 0理 2)	0(文 0理 0)
25年	0(文 0理 0)	0(文 0理 0)	2(文 0理 2)	0(文 0理 0)

※25年:継続中

【25年4月入社者の採用実績校】
文なし 理(院)群馬大 工学院大各1

【24年4月入社者の配属先】
総勤務地:東京・浜松町1 部署:管理本部1 技勤務地:埼玉・久喜2 部署:事業部技術部2

●従業員数、勤続年数、離職率ほか●

【男女別従業員数、平均年齢、平均勤続年数】計 ◇437(41.2歳 16.6年) 男 366(41.9歳 17.5年) 女 71(38.0歳 11.8年)【離職率と離職者数】◇2.5%、11名【3年後新卒定着率】83.3%(男83.3%、女―、3年前入社:男6名・女0名)【組合】あり

求める人材 高い志とグローバルな視野を持ち、自ら考えて行動できる人

会社データ (金額は百万円)

【本社】105-0011 東京都港区芝公園2-6-15 黒龍芝公園ビル
☎03-3436-1101 https://www.fkkasei.co.jp/
【社長】加藤 大輔【設立】1938.9【資本金】5,352【今後力を入れる事業】体外診断薬市場 海外市場

【業績(連結)】	売上高	営業利益	経常利益	純利益
22.3	48,214	1,229	1,449	741
23.3	50,843	350	533	9
24.3	52,611	1,299	1,846	1,074

ニチバン㈱

東京P 4218

【特色】「セロテープ」が著名。絆創膏など医療用も

修士・大卒採用数	3年後離職率	有休取得年平均	平均年収(平均43歳)
15名	20.0→0%	12.6日	総688万円

●エントリー情報と採用プロセス●

【受付開始～終了】総 技3月～3月【採用プロセス】総 技Webセミナー(必須、3月)→書類選考(SPI3・ES、3月下旬)→GD(4月)→面接(1回、4～5月)→面談(1回、4～5月)→内々定(6月)【交通費支給】2次面接 最終面接、全額【早期選考】⇒巻末

試験情報

重視科目 総技面接

総技 ES⇒巻末 筆SPI3(自宅) 面2回(Webあり) GD作⇒巻末

選考ポイント 総 技 ESSPIとの総合判断 面コミュニケーション能力 仕事・会社への理解の深さ やりぬく力

通過率 総 ES22%(受付:(早期選考含む)166→通過:(早期選考含む)36) 技 ES36%(受付:(早期選考含む)83→通過:(早期選考含む)30)

倍率(応募/内定) 総(早期選考含む)24倍 技(早期選考含む)10倍

●男女別採用数と配属先ほか●

【男女・文理別採用実績】

	大卒男	大卒女	修士男	修士女
23年	7(文 4理 3)	6(文 4理 2)	8(文 0理 8)	4(文 1理 3)
24年	5(文 3理 2)	3(文 1理 2)	2(文 0理 2)	7(文 0理 7)
25年	3(文 3理 0)	4(文 4理 0)	4(文 0理 4)	4(文 0理 4)

【25年4月入社者の採用実績校】文(大)立命館大 関大各2 立教大 東京農業大 東海大各1 理(院)東京科学大2 東京農工大 法政大 京都工繊大 大阪工大 長岡技科大 長崎大各1

【24年4月入社者の配属先】総勤務地:東京(本社2 飯田橋1)大阪2 名古屋1 仙台1 福岡1 部署:経営企画1 総務部1 営業6 技勤務地:愛知・安城5 埼玉・日高4 部署:医薬品生産技術開発課1 生産技術開発課1 品質保証部1 品質環境管理部1 先端応用研究所3 製品設計部2

残業(月) 6.7時間 総6.7時間

記者評価「セロテープ」の登録商標を持つテープ大手。文具・産業用と医療用の2分野で展開。鎮痛消炎剤や絆創膏など医療用が成長分野。筆頭株主の大鵬薬品工業との共同開発も推進。愛知・安城市の医薬品工場に研究拠点を移転集約。25年夏に千代田区に本社移転予定。

●給与、ボーナス、週休、有休ほか●

【30歳総合職平均年収】535万円【初任給】(博士)251,050円(修士)232,050円(大卒)221,950円【ボーナス(年)】198万円、5.28カ月【25、30、35歳モデル賃金】235,050円→321,750円→379,950円【週休】完全2日(土日祝)【夏期休暇】連続3日【年末年始休暇】連続5日【有休取得】12.6／20日

●従業員数、勤続年数、離職率ほか●

【男女別従業員数、平均年齢、平均勤続年数】計◇783(42.4歳 16.8年) 男577(42.9歳 17.6年) 女206(41.1歳 14.4年)【離職率と離職者数】◇2.4%、19名【3年後新卒定着率】100%(男100%、女100%、3年前入社:男6名・女3名)【組合】あり

求める人材 ニチバングループの理念・行動指針を理解し、取り組んでくれる人

会社データ (金額は百万円)

【本社】112-8663 東京都文京区関口2-3-3
☎03-5978-5621　https://www.nichiban.co.jp/
【社長】高津 敏明【設立】1934.12【資本金】5,451【今後力を入れる事業】国内メディカル事業 海外事業

【業績(連結)】	売上高	営業利益	経常利益	純利益
22.3	43,134	2,450	2,561	1,809
23.3	45,560	1,609	1,748	2,371
24.3	46,859	2,073	2,201	1,827

大陽日酸㈱(日本酸素HDグループ)

たいようにっさん

持株会社 傘下

【特色】産業ガス国内首位。海外事業をM&Aで拡大中

修士・大卒採用数	3年後離職率	有休取得年平均	平均年収(平均42歳)
50名	6.6→6.4%	13.8日	総862万円

●エントリー情報と採用プロセス●

【受付開始～終了】総 技3月～5月【採用プロセス】総 技ES提出(3～4月)→説明会・筆記→面接(2回、5月)→内々定(5月)【交通費支給】1次面接以降、会社基準【早期選考】⇒巻末

試験情報

重視科目 総技面接 ES

総技 ES⇒巻末 筆一般常識 面2回

選考ポイント 総 ES学生時代に力を入れてきたこと 他 面求める人材像をベースとした当社との相性(人物重視) 技 ES学生時代に力を入れてきたこと 研究内容 他 面総合職共通

通過率 総技 ESNA　倍率(応募/内定) 総技NA

●男女別採用数と配属先ほか●

【男女・文理別採用実績】

	大卒男	大卒女	修士男	修士女
23年	15(文 12理 3)	11(文 11理 0)	17(文 0理 17)	3(文 0理 3)
24年	14(文 13理 1)	10(文 8理 2)	25(文 1理 24)	1(文 0理 1)
25年	15(文 12理 3)	10(文 7理 3)	19(文 1理 18)	6(文 0理 6)

【25年4月入社者の採用実績校】文(院)マッコーリー大 高崎経大各1(大)同大3 青学大 成蹊大 南山大各2 学習院大 法政大 横浜市大 関西学大 大阪市大 明星大 北九州市大 広島修道大 日大 韓国外大各1 理(院)東京科学大 東北大各2 東大 都立大 東京農工大 阪大 電通大 成蹊大 法政大 関大 岩手大 金沢大 総合研究院大 千葉大 信州大 静岡大 神戸大 奈良女大 広島大 島根大 山口大 九大 熊本大 宮崎大各1(大)東理大 東京電機大 東京農業大 都立大 三重大 兵庫県大各1(高専)鈴鹿2 福島 舞鶴各1

【24年4月入社者の配属先】総勤務地:東京7 福岡3 神奈川3 宮城2 名古屋2 埼玉1 新潟1 群馬1 愛媛1 三重1 千葉1 広島1福島1 大阪1 部署:営業17 管理5 物流4 技勤務地:神奈川4 茨城・つくば4 山梨4 東京4 広島3 大阪2 三重1 宮城1 埼玉1 千葉1 山口1 岩手1 名古屋1 福岡1 部署:産業ガス(技術管理及び技術営業)10 産業ガス生産工場 管理8 研究開発7 産業ガスプラント製作4

残業(月) 17.0時間 総18.5時間

記者評価 大陽酸素と東洋酸素が合併しさらに日本酸素と統合。生産工程で使用する産業ガスで国内最大手。日本酸素HDの日本事業の位置づけ。14年から三菱ケミカルグループ傘下。HDとして米欧でM&Aを行い現地での産業ガス事業拡大。子会社にマグボトルのサーモス事業。

●給与、ボーナス、週休、有休ほか●

【30歳総合職平均年収】653万円【初任給】(修士)255,000円(大卒)240,000円【ボーナス(年)】262万円、5.4カ月【25、30、35歳賃金】248,833円→315,714円→393,571円【週休】完全2日(土日祝)【夏期休暇】なし【年末年始休暇】12月30日～1月4日【有休取得】13.8／20日

●従業員数、勤続年数、離職率ほか●

【男女別従業員数、平均年齢、平均勤続年数】計1,454(42.8歳 17.6年) 男1,135(43.4歳 19.0年) 女319(40.6歳 13.3年)【離職率と離職者数】3.1%、46名【3年後新卒定着率】93.6%(男93.9%、女92.9%、3年前入社:男33名・女14名)【組合】あり

求める人材 元気さ、誠実さ、知的好奇心を兼ね備えた人

会社データ (金額は百万円)

【本社】142-0062 東京都品川区小山1-3-26
☎03-5788-8100　https://www.tn-sanso.co.jp/jp/
【社長】永田 研二【設立】2020.2【資本金】37,344【今後力を入れる事業】国内事業 開発 海外展開 医療

【業績(IFRS)】	売上高	営業利益	税前利益	純利益
22.3	957,169	101,183	91,611	64,103
23.3	1,186,683	119,524	105,503	73,080
24.3	1,255,081	172,041	150,720	105,901

※資本金・業績は日本酸素ホールディングス㈱のもの

2787 ▶『業界地図』p.99, 130 開示 ★★★

エアー・ウォーター㈱

東京P 4088

【特色】産業ガス2位。M&Aで事業の多角化を図る

修士・大卒採用数	3年後離職率	有休取得年平均	平均年収(平均43歳)
88名	22.7→14.3%	12.1日	㊔877万円

●エントリー情報と採用プロセス●

【受付開始～終了】㊔㊕3月～継続中【採用プロセス】㊔㊕ES提出・適性検査(3月～)→面接(複数回)→内々定(6月頃～)【交通費支給】最終面接、実費全額【早期選考】⇒巻末

試験情報

重視科目 ㊔㊕面接

㊔㊕ES⇒巻末㊕TAP㊕複数回(Webあり)

選考ポイント ㊔㊕ES学生時代に最も注力したこと㊕バイタリティ 柔軟性 協働性 解釈力 論理性 表現力

通過率 ㊔ES 34%(受付:631→通過:216) ㊕ES 58%(受付:246→通過:143)

倍率(応募/内定) ㊔49倍 ㊕11倍

●男女別採用数と配属先ほか●

【男女・文理別採用実績】※25年:継続中

	大卒男	大卒女	修士男	修士女
23年	1(文 1理 0)	2(文 2理 0)	6(文 0理 6)	4(文 0理 4)
24年	13(文 10理 3)	12(文 12理 0)	11(文 0理 11)	2(文 0理 2)
25年	15(文 12理 3)	22(文 17理 5)	28(文 0理 28)	23(文 3理 20)

【25年4月入社者の採用実績校】㊕(院)阪大 大阪工大 延世大各1(大)関大5 関西学大3 立命館大 近大 神戸市外大各2 京大 阪大 同大 島根大 龍谷大 東京外大 明大 香川大 青学大 追手門学大 慶大 山梨県大 法政大 学習院大 早大各1 ㊕(院)関大6 九大4 阪大 京都工繊大各3 東大 関西学大 近大 大阪工大 室蘭工大 金沢大 徳島大各2 東京科学大 神戸大 島根大 信州大 芝工大 愛媛大 静岡大 秋田大 宮城大 山口大 上智大 千葉大 奈良先端科技院大 宮崎大 九州工大 豊橋技科大 熊本大 クイーンズ大各1(大)近大2 立命館大 信州大 芝工大 大阪公大 東邦大 国立中興大各1

【24年4月入社者の配属先】㊔勤務地:研修後決定予定 部署:研修後決定予定 ㊕勤務地:研修後決定予定 部署:研修後決定予定

残業(月) 12.8時間 ㊔14.8時間

記者評価 ほくさん、大同酸素の合併会社に共同酸素が統合し誕生。酸素、窒素など生産工程で使う産業ガスの大手。半導体など向け特殊ガスやLPG・LNG、医療用ガス・医療機器から防災設備、食品・農産品、物流、塩まで幅広く手掛ける。北米やインド、豪州にも展開。

●給与、ボーナス、週休、有休ほか●

【30歳総合職平均年収】565万円【初任給】(修士)280,000円(大卒)260,000円【ボーナス(年)】241万円、6.0カ月【25、30、35歳賃金】238,088円→273,247円→314,124円【週休】完全2日(土日祝)【夏期休暇】8月15日+有休で取得【年末年始休暇】12月29日～1月4日【有休取得】12.1／20日

●従業員数、勤続年数、離職率ほか●

【男女別従業員数、平均年齢、平均勤続年数】計571(45.2歳11.9年)男421(47.6歳12.3年)女150(38.9歳9.8年)【離職率と離職者数】9.4%、59名【3年後新卒定着率】85.7%(男88.9%、女83.3%、3年前入社:男9名・女12名)【組合】あり

求める人材 1.未知の状況でも前向きに取り組むバイタリティ 2.環境の変化に適応できる柔軟性 3.チームとして取り組む協働性

会社データ (金額は百万円)

【本社】542-0081 大阪府大阪市中央区南船場2-12-8 エア・ウォータービル ☎06-6252-5411 https://www.awi.co.jp/ja/

【会長】豊田 喜久夫【設立】1929.9【資本金】55,855【今後力を入れる事業】海外事業 地球環境関連事業 ウェルネス関連事業

【業績(IFRS)】	売上高	営業利益	税前利益	純利益
22.3	888,668	65,174	64,230	43,214
23.3	1,004,914	62,181	60,978	40,137
24.3	1,024,540	68,272	66,712	44,360

㈱日本触媒（にっぽんしょくばい）

東京P 4114

【特色】アクリル酸や高吸水性樹脂の世界上位メーカー

修士・大卒採用数	3年後離職率	有休取得年平均	平均年収(平均39歳)
45名	8.6→12.9%	17.2日	◇817万円

●エントリー情報と採用プロセス●

【受付開始～終了】㊔㊕3月～7月【採用プロセス】㊔ES・動画提出→Webテスト→座談会→筆記・面接(3～4回)→内々定 ㊕ES提出→Webテスト→筆記→面接(1～2回)→内々定【交通費支給】最終選考 他、実費(当社基準ルートに基づく)【早期選考】⇒巻末

試験情報

重視科目 ㊔㊕面接

㊔ES⇒巻末㊕SPI3(自宅)㊕3～4回(Webあり) ㊕ES⇒巻末㊕SPI3(自宅)㊕1～2回(Webあり)

選考ポイント ㊔㊕ES NA(提出あり)㊕主体性 達成意欲 コミュニケーション能力

通過率 ㊔㊕ES NA　倍率(応募/内定) ㊔㊕NA

●男女別採用数と配属先ほか●

【男女・文理別採用実績】

	大卒男	大卒女	修士男	修士女
23年	5(文 4理 1)	4(文 4理 0)	24(文 0理 24)	8(文 0理 8)
24年	6(文 6理 0)	4(文 4理 0)	21(文 1理 20)	12(文 0理 12)
25年	5(文 4理 1)	4(文 4理 0)	28(文 0理 28)	8(文 0理 8)

【25年4月入社者の採用実績校】㊕(院)名大1(大)上智大2 都立大 慶大 東理大 中大 同大 神戸大各1 ㊕(院)阪大6 神戸大 九大各4 京大 大阪公大 広島大各3 金沢大 同大 岡山大 熊本大各2 東北大 東京科学大 東理大 早大 信州大 名大 名工大 京都工繊大 甲南大 奈良先端科技院大各1(大)近大1(高専)苫小牧 神戸 東京 鈴鹿 大阪公大 宇部 有明 津山各1

【24年4月入社者の配属先】

㊔勤務地:大阪市5 東京・千代田3 兵庫・姫路2 大阪・吹田1 川崎1 部署:総務4 経理3 営業2 法務1 DX1 人事1 ㊕勤務地:兵庫・姫路19 大阪・吹田17 川崎6 部署:研究33 生産技術6 エンジニアリング3

残業(月) 15.0時間

記者評価 中堅化学企業。基礎化学品のアクリル酸は世界シェア2位。主に紙おむつに使われる高吸水性樹脂では世界シェア首位。建築物などの塗料に使われるアクリル酸エステル、界面活性剤などに用いられる酸化エチレン、リチウムイオン電池の電解質も展開する。

●給与、ボーナス、週休、有休ほか●

【30歳総合職平均年収】683万円【初任給】(博士)339,000円(修士)271,400円(大卒)255,800円【ボーナス(年)】195万円、5.68カ月【25、30、35歳賃金】287,200円→383,900円→451,700円【週休】完全2日(土日祝)【夏期休暇】有休で取得【年末年始休暇】連続6日【有休取得】17.2／20日

●従業員数、勤続年数、離職率ほか●

【男女別従業員数、平均年齢、平均勤続年数】計◇2,491(39.0歳16.5年)男2,244(38.9歳16.8年)女247(40.0歳13.8年)【離職率と離職者数】◇2.3%、59名(早期退職男4名、女1名含む)【3年後新卒定着率】87.1%(男87.8%、女84.6%、3年前入社:男49名・女13名)【組合】あり

求める人材 自律型人財 リーダー人財 グローバル人財

会社データ (金額は百万円)

【本社】541-0043 大阪府大阪市中央区高麗橋4-1-1 興銀ビル ☎06-6223-9128 https://www.shokubai.co.jp/

【社長】野田 和宏【設立】1941.8【資本金】25,038【今後力を入れる事業】ソリューションズ事業

【業績(IFRS)】	売上高	営業利益	税前利益	純利益
22.3	369,293	29,062	33,675	23,720
23.3	419,568	23,528	26,175	19,392
24.3	392,009	16,562	15,744	11,008

にっさんかがく

日産化学(株)

東京P 4021

【特色】高収益の中堅化学。液晶向け材料や農薬が主力

修士・大卒採用数	3年後離職率	有休取得年平均	平均年収(平均40歳)
41名	2.5 → 7.5%	16.2日	㊍1,010万円

●エントリー情報と採用プロセス●

【受付開始～終了】㊍ 技1月～4月【採用プロセス】㊍ES提出(1月)→面接(2月)→Webテスト(3月)→面接・内々定(3～4月) 技ES提出(1月)→面接(2月)→面接・Webテスト(3月)→面接・内々定(3～4月)【交通費支給】面接、実費(交通費 宿泊費)【早期選考】⇒巻末

試験情報

重視科目 ㊍技 面接

㊍技 ES ⇒巻末 筆SPI3(会場) SPI3(自宅) 面2～3回(Webあり)

選考ポイント ㊍ ES 活躍できるフィールドを当社に見出しているか 面自分の言葉で話しているか 主体性はあるか 学生時代に何かを成し遂げたか 技 ES 総合職共通 面自分の言葉で話しているか 主体性はあるか 研究遂行能力

通過率 ㊍ ES 24%(受付:553→通過:132) 技 ES 39%(受付:1,238→通過:485) 倍率(応募/内定) ㊍55倍 技39倍

●男女別採用数と配属先ほか●

【男女・文理別採用実績】

	大卒男	大卒女	修士男	修士女
23年	3(文 2理 1)	2(文 2理 0)	20(文 0理 20)	10(文 0理 10)
24年	3(文 3理 0)	0(文 0理 0)	36(文 0理 36)	13(文 0理 13)
25年	5(文 2理 3)	6(文 3理 3)	20(文 0理 20)	10(文 0理 10)

【25年4月入社者の採用実績校】文(大)関大 一橋大 上智大 東理大 東京外大各1 理(院)富山大 東北大 千葉大 東理大各2 明大 名大 北大 奈良先端科技院大 徳島大 東京農工大 東京農業大 東大 東京科学大 長岡技科大 筑波大 大阪公大 早大 上智大 鹿児島大 山形大 埼玉大 慶大 群馬大 熊本大 関大 関西学大 横国大各1(大)近大 北里大 静岡大 阪大 東邦大 釜山大各1

【24年4月入社者の配属先】㊍勤務地:東京1 富山2 部署:財務1 工場総務1 工場生産管理1 技勤務地:千葉(船橋30 市原2)埼玉・白岡9 富山5 山口・小野田3 部署:研究開発39 生産技術10

残業(月) 16.5時間 ㊍19.4時間

記者評価 1887年に化学肥料製造企業として創業。農薬や液晶・半導体向け材料を中心に、ペット用寄生虫薬の原薬、医薬品などを手がける。国内での農薬販売額はトップクラス。中堅規模の化学メーカーだが、機能品にいち早くシフトしたことで高収益を誇る。

●給与、ボーナス、週休、有休ほか●

【30歳総合職平均年収】652万円【初任給】(博士)311,900円(修士)277,000円(大卒)266,600円【ボーナス(年)】(組合員)200万円、(組合員)5.85カ月【25、30、35歳モデル賃金】289,500円→356,100円→435,100円【週休】完全2日(土日祝)【夏期休暇】有休で取得【年末年始休暇】12月29日～1月3日【有休取得】16.2／20日

●従業員数、勤続年数、離職率ほか●

【男女別従業員数、平均年齢、平均勤続年数】計 ◇2,011(40.4歳 15.7年) 男 1,750(40.7歳 16.0年) 女 261(38.6歳 13.7年)【離職率と離職者数】◇2.4%、49名【3年後新卒定着率】92.5%(男96.7%、女80.0%、3年前入社:男30名・女10名)【組合】あり

求める人材 使命感を持ち、周りを巻き込みながら、理想の未来像を実現する「未来創造人材」

会社データ (金額は百万円)

【本社】103-6119 東京都中央区日本橋2-5-1 日本橋高島屋三井ビルディング

☎03-4463-8111　https://www.nissanchem.co.jp/

【社長】八木 晋介【設立】1921.4【資本金】18,942【今後力を入れる事業】環境エネルギー 情報通信 ライフサイエンス

【業績(連結)】	売上高	営業利益	経常利益	純利益
22.3	207,972	50,959	53,690	38,776
23.3	228,065	52,283	55,793	41,087
24.3	226,705	48,201	51,629	38,033

にちゆ

日油(株)

東京P 4403

【特色】中堅化学メーカー。医薬や化薬事業も手がける

修士・大卒採用数	3年後離職率	有休取得年平均	平均年収(平均43歳)
46名	8.8 → 8.6%	15.5日	㊍983万円

●エントリー情報と採用プロセス●

【受付開始～終了】㊍ 技3月～6月【採用プロセス】㊍説明会(2月～、必須)→ES提出・適性検査・小論文(3月～)→GD・面談・面接(複数回、3月～)→内々定(6月～) 技ES提出・適性検査・研究概要(3月～)→面談・面接(複数回、3月～)→内々定(6月～)【交通費支給】全ての対面面接、会社基準

試験情報

重視科目 ㊍技 面接

㊍ ES ⇒巻末 筆TG-WEB V-CAT 面2回(Webあり) GD作NA 技 ES ⇒巻末 筆TG-WEB V-CAT 面2～3回(Webあり)

選考ポイント ㊍技 ES 自らの言葉で表現しているか 文章に論理性があるか 面コミュニケーション能力 論理的思考能力 志望理由や入社後のビジョン 他

通過率 ㊍技 ES NA

倍率(応募/内定) ㊍31倍 技14倍

●男女別採用数と配属先ほか●

【男女・文理別採用実績】

	大卒男	大卒女	修士男	修士女
23年	1(文 1理 0)	7(文 6理 1)	32(文 0理 32)	11(文 0理 11)
24年	1(文 1理 0)	3(文 2理 1)	29(文 0理 29)	16(文 0理 16)
25年	0(文 0理 0)	4(文 2理 2)	28(文 0理 28)	14(文 0理 14)

【25年4月入社者の採用実績校】文(大)関大 法政大各1 理(院)東京農工大4 東理大 新潟大各3 岡山大 鹿児島大 千葉大 筑波大 東京科学大 同大 早大各2 愛媛大 大阪公大 北里大 九州工大 京大 熊本大 静岡大 東京都市大 都立大 東京薬大 東北大 徳島大 豊橋技科大 名大 名工大 広島大 福岡大 三重大 横国大各1(大)静岡大 上智大各1

【24年4月入社者の配属先】㊍勤務地:東京・恵比寿2 川崎2 部署:企画1 情シス1 物流(工場)2 技勤務地:川崎22 愛知・武豊町12 兵庫・尼崎9 茨城・つくば4 部署:研究開発33 技術(製造・プラントエンジニア)10 技術(品質保証)4

残業(月) 13.4時間

記者評価 シャンプーなどに使われる界面活性剤や、自動車部品の防錆処理剤など機能化学品が主力。狙った患部に薬物を届けるDDS医薬用製剤原料で世界高シェア。宇宙ロケット用固体推進薬といった化薬事業も。24年5月にベア実施、大卒初任給を257,300円に増額。

●給与、ボーナス、週休、有休ほか●

【30歳総合職平均年収】NA【初任給】(修士)259,100円(大卒)244,300円【ボーナス(年)】(組合員)195万円、NA【25、30、35歳賃金】NA【週休】〈本社〉完全2日(土日祝)〈工場〉2日(土日祝)【夏期休暇】あり【年末年始休暇】あり【有休取得】15.5／21日

●従業員数、勤続年数、離職率ほか●

【男女別従業員数、平均年齢、平均勤続年数】計 ◇1,794(43.4歳 18.4年) 男 1,544(44.0歳 19.2年) 女 250(39.6歳 13.7年)【離職率と離職者数】◇2.9%、54名【3年後新卒定着率】91.4%(男95.0%、女86.7%、3年前入社:男20名・女15名)【組合】あり

求める人材 「挑戦」「公正」「調和」の価値観を体現し、自己の成長を目指すことができる人材

会社データ (金額は百万円)

【本社】150-6012 東京都渋谷区恵比寿4-20-3 恵比寿ガーデンプレイスタワー

☎03-5424-6631　http://www.nof.co.jp/

【社長】沢村 孝司【設立】1949.7【資本金】17,742【今後力を入れる事業】ライフ・ヘルスケア 環境・エネルギー 電子・情報

【業績(連結)】	売上高	営業利益	経常利益	純利益
22.3	192,642	35,595	37,624	26,690
23.3	217,709	40,624	43,183	33,973
24.3	222,252	42,142	45,577	33,990

メーカーⅡ

開示 ★★★★ ▶『業界地図』p.130

たかさごこうりょうこうぎょう

高砂香料工業(株)

東京P 4914

【特色】香料で国内最大手。世界でも大手の一角占める

修士・大卒採用数	3年後離職率	有休取得年平均	平均年収(平均41歳)
27名	9.4→10.5%	16.0日	総 824万円

●エントリー情報と採用プロセス●

【受付開始～終了】総技2月～3月【採用プロセス】総ES提出(2～3月)→Webテスト(4月)→社員との座談会(4月)→面接(2回、5月)→内々定(5月) 技ES提出(2～3月)→Webテスト(3月)→社員との座談会(3～4月)→筆記・面接(2回、4～5月)→内々定(5月)【交通費支給】2次面接、会社基準(地域別)

試験情報

重視科目 総技面接

総技 ES⇒巻末 筆C-GAB C-GAB Plus 面2回(Webあり)

選考ポイント 総 ES学生時代の取り組み 表現力 面コミュニケーション能力 意欲 積極性 技 ES学生時代の取り組み 研究テーマ 面コミュニケーション能力 意欲 積極性 専門性

通過率 総 ES16%(受付:786→通過:129) 技 ES15%(受付:1,233→通過:190)

倍率(応募/内定) 総71倍 技73倍

●男女別採用数と配属先ほか●

【男女・文理別採用実績】

	大卒男	大卒女	修士男	修士女
23年	12(文 5理 7)	5(文 4理 1)	7(文 0理 7)	9(文 0理 9)
24年	9(文 5理 4)	4(文 2理 2)	8(文 0理 8)	7(文 1理 6)
25年	7(文 6理 1)	7(文 3理 4)	5(文 0理 5)	8(文 0理 8)

【25年4月入社者の採用実績校】文(大)専大2 早大 長崎大 東洋大 法政大 明大 立命館大 中大各1 理(院)横国大 九大各2 慶大 お茶女大 宇都宮大 岐阜大 早大 東北大 日女大 北大 北里大 琉球大各1(大)近大 九大 城西大 神戸大 立命館大各1

【24年4月入社者の配属先】
総勤務地:東京・蒲田13 部署:営業9 経理部1 物流部2 調達部1 技勤務地:神奈川・平塚10 静岡・磐田3 茨城・鹿島2 広島・三原2 部署:研究開発11 生産4 品質保証2

残業(月) 9.4時間

記者評価 食品・飲料用フレーバー、香水・トイレタリー用フレグランスを製造・販売。1983年不斉合成法によるL-メントールの工業化に成功。同発明でノーベル賞の野依良治氏は社外取締役。この技術を医薬品などファインケミカルに展開。海外売上比率65%。穏やかな社風。

●給与、ボーナス、週休、有休ほか●

【30歳総合職平均年収】507万円【初任給】(博士)266,300円(修士)238,800円(大卒)221,000円【ボーナス(年)】(組合員)186万円、(組合員)6.12カ月【25、30、35歳賃金】235,900円→271,600円→315,700円 ※基本給【週休】完全2日(土日祝)【夏期休暇】(工場)連続5日(その他)有休で取得【年末年始休暇】連続7日【有休取得】16.0／20日

●従業員数、勤続年数、離職率ほか●

【男女別従業員数、平均年齢、平均勤続年数】計◇1,055(41.4歳 17.5年) 男 786(42.1歳 18.0年) 女 269(40.4歳 16.2年)【離職率と離職者数】◇2.9%、31名【3年後新卒定着率】89.5%(男92.3%、女83.3%、3年前入社:男26名・女12名)【組合】あり

求める人材 周囲と協力しながら、何事にも挑戦し、会社と共に成長していける人

会社データ (金額は百万円)

【本社】144-8721 東京都大田区蒲田5-37-1
☎03-5744-0511 https://www.takasago.com/
【社長】桝村 聡【設立】1951.2【資本金】9,248【今後力を入れる事業】香料事業における海外展開 技術・素材開発

【業績(連結)】	売上高	営業利益	経常利益	純利益
22.3	162,440	8,812	10,165	8,909
23.3	186,792	5,947	7,958	7,393
24.3	195,940	2,316	4,707	2,698

(株)クレハ

東京P 4023

【特色】工業薬品・肥料が発祥。ファイン分野を深耕

修士・大卒採用数	3年後離職率	有休取得年平均	平均年収(平均43歳)
22名	10.0→12.9%	16.1日	総 907万円

●エントリー情報と採用プロセス●

【受付開始～終了】総2月～7月 技12月～7月【採用プロセス】総ES提出→適性検査→面接→小論文・面接→面接→内々定 技ES提出→適性検査→面接(3回)→内々定【交通費支給】2次面接(人事部長面接 技術面接)以降、実費相当(会社基準)

試験情報

重視科目 総技面接

総 ES⇒巻末 筆WebGAB 面3回(Webあり) GD作⇒巻末
技 ES⇒巻末 筆WebGAB 面3回(Webあり)

選考ポイント 総 ES ES(論理性)・適性検査との総合判断 面自ら考え、主体的・自律的に行動しているか プレッシャーへの耐力 問題解決力 論理性 積極性 技 ES ES(論理性)・研究概要(論理性 専門性)との総合判断 面自ら考え、主体的・自律的に行動しているか 専門性 プレッシャーへの耐力 問題解決力 論理性 積極性

通過率 総 ES32%(受付:273→通過:86) 技 ES94%(受付:376→通過:352)

倍率(応募/内定) 総39倍 技21倍

●男女別採用数と配属先ほか●

【男女・文理別採用実績】※25年:24年7月24日時点

	大卒男	大卒女	修士男	修士女
23年	2(文 1理 1)	2(文 2理 0)	20(文 0理 20)	4(文 0理 4)
24年	6(文 4理 2)	2(文 2理 0)	16(文 1理 15)	5(文 0理 5)
25年	4(文 4理 0)	2(文 2理 0)	8(文 0理 8)	8(文 1理 7)

【25年4月入社者の採用実績校】文(院)東理大1(大)立教大 同大 明大 中大 東京外大 近大各1 理(院)山口大3 東京科学大 千葉大 山形大各2 北大 筑波大 明大 中大 東理大 東京農工大 宇都宮大 京都工繊大 茨城大各1

【24年4月入社者の配属先】総勤務地:福島・いわき5 茨城・小美玉2 部署:人事3 生産企画3 経理1 技勤務地:福島・いわき17 茨城・小美玉5 部署:研究開発11 新事業開発4 生産技術5 プロセス開発2

残業(月) 11.8時間 総13.6時間

記者評価 呉羽紡績の化学品部門として塩素化学で出発。クレラップで有名。「ナケレバ、ツクレバ」の開発精神で有機合成・高分子分野の新素材開発。生分解性PGA樹脂、電池部材に強み。農薬や腎不全薬などの医薬品も展開。車載電池用バインダー向けPVDFにも力を入れる。

●給与、ボーナス、週休、有休ほか●

【30歳総合職平均年収】590万円【初任給】(博士)297,500円(修士)268,500円(大卒)251,500円【ボーナス(年)】180万円、5.329カ月【25、30、35歳モデル賃金】293,900円→339,200円→408,600円【週休】2日(土日祝)【夏期休暇】8月15日【年末年始休暇】12月29日～1月3日【有休取得】16.1／20日

●従業員数、勤続年数、離職率ほか●

【男女別従業員数、平均年齢、平均勤続年数】計 1,062(43.7歳 19.6年) 男 781(43.6歳 19.2年) 女 281(43.7歳 20.7年)【離職率と離職者数】2.6%、28名(他に男性8名転籍)【3年後新卒定着率】87.1%(男82.6%、女100%、3年前入社:男23名・女8名)【組合】あり

求める人材 自律的に物事に取り組む意欲・挑戦心のある人 周囲を巻き込みながら粘り強く実行できる人

会社データ (金額は百万円)

【本社】103-8552 東京都中央区日本橋浜町3-3-2
☎03-3249-4661 https://www.kureha.co.jp/
【社長】小林 豊【設立】1944.6【資本金】18,169【今後力を入れる事業】機能製品事業 化学製品事業 樹脂製品事業

【業績(IFRS)】	売上高	営業利益	税前利益	純利益
22.3	168,341	20,142	20,398	14,164
23.3	191,277	22,350	22,992	16,868
24.3	177,973	12,800	13,913	9,734

開示 ★★★★★

2535 ▶『業界地図』p.130 開示 ★★★

とうあごうせい
東亞合成(株)

東京P 4045

【特色】アクリル酸エステルの先駆。「アロンアルフア」も

修士・大卒採用数	3年後離職率	有休取得年平均	平均年収(平均43歳)
34名	3.4→0%	19.0日	(総)810万円

●エントリー情報と採用プロセス●

【受付開始～終了】(総)3月～継続中 (技)3月～6月【採用プロセス】(総)ES提出(3～6月)→Webテスト(3～6月)→面接(3回、6～7月)→内々定(6～7月) (技)ES提出(3～6月)→Webテスト(3～6月)→面接(2回、6～7月)→内々定(6～7月)【交通費支給】最終面接、会社基準(往復相当額分)

試験情報

重視科目 (総)(技)面接

(総)(ES)⇒巻末(筆)性格検査(面)3回(Webあり) (技)(ES)⇒巻末(筆)性格検査(面)2回(Webあり)

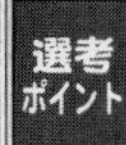

選考ポイント (総)(ES)論理性 主体性 他(面)論理性 主体性 粘り強さ 挑戦意欲 他 (技)(ES)論理性 主体性 研究への取り組み方 他(面)論理性 主体性 粘り強さ 挑戦意欲 研究への取り組み方 他

通過率 (総)(技)(ES)NA 倍率(応募/内定) (総)(技)NA

●男女別採用数と配属先ほか●

【男女・文理別採用実績】

	大卒男	大卒女	修士男	修士女
23年	7(文 5理 2)	4(文 2理 2)	23(文 0理 23)	5(文 0理 5)
24年	6(文 5理 1)	4(文 3理 1)	17(文 0理 17)	9(文 0理 9)
25年	3(文 3理 0)	6(文 4理 2)	19(文 0理 19)	6(文 0理 6)

【25年4月入社者の採用実績校】(文)(大)明大 中大 滋賀大 立命館大 関大 関西学大 金沢大各1 (理)(院)三重大3 信州大 名工大 京大 京都工繊大 奈良先端科技院大 神戸大各2 東北大 筑波大 東大 立教大 静岡大 名大 豊橋技科大 岐阜大 金沢大 阪大 九大各1(大)東京農業大 奈良女大各1

【24年4月入社者の配属先】(総)勤務地:名古屋4 横浜2 富山・高岡2 徳島2 香川・坂出1 福島・広野1 部署:人事6 品質保証4 総務1 物流1 (技)勤務地:名古屋9 横浜3 富山・高岡4 徳島3 香川・坂出2 福島・広野2 大分2 部署:製造16 生産技術9

残業(月) 10.7時間 (総)16.7時間

記者評価 塗料や接着剤の原料となるアクリル酸エステルの先駆。液晶パネルのコーティングなどで使われる光硬化型樹脂をはじめ、独自開発のアクリルポリマー製品を持つ。家庭用瞬間接着剤「アロンアルフア」は国内トップシェア。半導体向け高純度液化塩化水素も強い。

●給与、ボーナス、週休、有休ほか●

【30歳総合職平均年収】589万円【初任給】(博士)297,000円(修士)272,000円(大卒)252,000円【ボーナス(年)】215万円、NA【25、30、35歳モデル賃金】277,000円→332,500円→398,000円【週休】完全2日(土日祝)【夏期休暇】連続9日(計画年休3日、週休4日含む)【年末年始休暇】12月29日～1月3日(計画年休1日含む)【有休取得】19.0/20日

●従業員数、勤続年数、離職率ほか●

【男女別従業員数、平均年齢、平均勤続年数】計 ◇1,600(44.1歳 19.8年) 男 1,365(44.8歳 20.6年) 女 235(39.3歳 14.5年)【離職率と離職者数】◇1.8%、30名【3年後新卒定着率】100%(男100%、女100%、3年前入社:男26名・女9名)【組合】あり

求める人材 主体的に考えて課題に取り組み、最後までやりとげる情熱と粘り強さがある人

会社データ (金額は百万円)

【本社】105-8419 東京都港区西新橋1-14-1
☎03-3597-7215 https://www.toagosei.co.jp/
【社長】高村 美己志【設立】1942.3【資本金】20,886【今後力を入れる事業】海外事業 高付加価値製品分野

【業績(連結)】	売上高	営業利益	経常利益	純利益
21.12	156,313	17,676	18,983	13,771
22.12	160,825	14,382	16,446	12,494
23.12	159,371	12,499	14,503	12,179

にほんそーだ
日本曹達(株)

東京P 4041

【特色】農薬が柱の中堅化学。半導体材料も有力

修士・大卒採用数	3年後離職率	有休取得年平均	平均年収(平均44歳)
19名	5.0→0%	16.6日	(総)1,086万円

●エントリー情報と採用プロセス●

【受付開始～終了】(総)(技)12月～7月【採用プロセス】(総)ES提出(12月～)→適性検査→面接(3回)→内々定 (技)ES提出・適性検査(12月～)→面接(3回、12月後半～)→内々定(2月～)【交通費支給】最終面接以降、実費

試験情報

重視科目 (総)面接 (技)面接 研究概要

(総)(技)(ES)⇒巻末(筆)CUBIC(Web)(面)3回(Webあり)

選考ポイント (総)(ES)今まで取り組んできたこと(学業・部活動 他)について本人の特徴が分かり易く表されているか(面)「人物」を総合的に評価 論理的説明ができているか (技)(ES)今まで取り組んできたこと(研究・学業・部活動 他)について本人の特徴や考え方が分かり易く表されているか(面)「人物」を総合的に評価 大学での研究テーマ 研究者としての考え方や捉え方

通過率 (総)(技)(ES)NA

倍率(応募/内定) (総)62倍 (技)34倍

●男女別採用数と配属先ほか●

【男女・文理別採用実績】

	大卒男	大卒女	修士男	修士女
23年	0(文 0理 0)	0(文 0理 0)	7(文 0理 7)	5(文 0理 5)
24年	2(文 1理 1)	1(文 1理 0)	5(文 0理 5)	9(文 0理 9)
25年	2(文 2理 0)	2(文 2理 0)	8(文 0理 8)	7(文 0理 7)

【25年4月入社者の採用実績校】(文)(大)東京外大 明大 國學院大 南山大各1 (理)(院)東京農工大2 北大 名大 九大 神戸大 岐阜大 信州大 東京薬大 東理大 中大 近大 関西学大 千葉工大 福岡工大各1

【24年4月入社者の配属先】(総)勤務地:富山・高岡2 新潟・上越2 千葉・市原1 部署:生産管理4 総務1 (技)勤務地:神奈川・小田原4 静岡・牧之原3 富山・高岡3 新潟・上越2 千葉・市原1 部署:研究13

残業(月) 8.5時間 (総)10.8時間

記者評価 農薬事業は殺虫剤「モスピラン」や殺菌剤「トップジン」などロングセラー品を擁する。新製品の開発にも積極的。需要が旺盛な半導体のフォトレジスト材料や、医薬品を錠剤にする際に用いる添加剤「HPC」も業績を牽引。HPCは国内シェア首位級、海外でも拡販。

●給与、ボーナス、週休、有休ほか●

【30歳総合職平均年収】712万円【初任給】(博士)284,000円(修士)265,700円(大卒)253,700円【ボーナス(年)】478万円、10.69カ月【25、30、35歳賃金】271,700円→302,900円→331,200円【週休】完全2日(土日祝)【夏期休暇】3日(6～9月)【年末年始休暇】12月29日～1月3日【有休取得】16.6/20日

●従業員数、勤続年数、離職率ほか●

【男女別従業員数、平均年齢、平均勤続年数】計 ◇1,336(44.0歳 20.0年) 男 1,156(43.4歳 19.7年) 女 180(48.1歳 21.9年)【離職率と離職者数】◇1.8%、25名【3年後新卒定着率】100%(男100%、女100%、3年前入社:男11名・女8名)【組合】あり

求める人材 自律し、主体的に学び、考え、行動できる人材

会社データ (金額は百万円)

【本社】100-7010 東京都千代田区丸の内2-7-2 JPタワー
☎03-4212-9630 https://www.nippon-soda.co.jp/
【社長】阿賀 英司【設立】1920.2【資本金】29,166【今後力を入れる事業】アグリビジネス 医薬添加剤 電子材料

【業績(連結)】	売上高	営業利益	経常利益	純利益
22.3	152,536	11,930	16,512	12,683
23.3	172,811	16,893	26,456	16,692
24.3	154,429	13,872	23,297	16,612

212 ▶『業界地図』p.176,251 開示 ★★★★

日本パーカライジング(株)

にほん

東京P 4095

【特色】金属表面処理で国内トップ。加工も手がける

修士・大卒採用数	3年後離職率	有休取得年平均	平均年収(平均42歳)
20名	6.7 → 20.0%	13.0日	[総]749万円

●エントリー情報と採用プロセス●

【受付開始〜終了】[総][技]3月〜継続中【採用プロセス】[総][技]説明会(必須、3月〜)→ES提出・Webテスト(3月〜)→面接(2回、4月中下旬)→役員面接(5月下旬)→内々定(6月初旬)【交通費支給】最終面接、実費【早期選考】⇒巻末

試験情報

重視科目 [総][技]面接

[総][技][ES]⇒巻末[筆]SPI3(自宅)[面]3回(Webあり)

選考ポイント [総][ES]NA(提出あり)[面]これまで何に、どのように取組み、どう成長してきたか(理解力 思考力 実行力 対人能力 協調性 主体性 他)[技][ES]NA(提出あり)[面]これまで何に、どのように取組み、どう成長してきたか(理解力 思考力 実行力 対人能力 協調性 主体性 論理性 他)

通過率 [総][ES]76%(受付:25→通過:19)[技][ES]79%(受付:57→通過:45)

倍率(応募/内定) [総][技]3倍

●男女別採用数と配属先ほか●

【男女・文理別採用実績】

	大卒男	大卒女	修士男	修士女
23年	4(文 4理 0)	1(文 1理 0)	4(文 0理 4)	2(文 1理 1)
24年	12(文 7理 5)	1(文 1理 0)	7(文 0理 7)	1(文 0理 1)
25年	8(文 5理 3)	1(文 0理 1)	8(文 0理 8)	3(文 1理 2)

【25年4月入社者の採用実績校】[文](院)岡山大1(大)日大 関大 信州大 獨協大 青学大各1 [理](院)宮崎大 横国大 群馬大 芝工大 東京農工大 千葉大 工学院大 東海大 香川大 青学大各1(大)東理大 信州大 東京電機大 甲南大各1

【24年4月入社者の配属先】[総]勤務地:東京・日本橋1 埼玉・所沢1 愛知・半田1 岡山・倉敷1 神奈川・平塚2 栃木・宇都宮1 名古屋1 部署:営業6 情報システム1 研究管理センター1 [技]勤務地:神奈川・平塚10 名古屋1 岡山・倉敷1 栃木・宇都宮2 部署:研究7 技術5 工場技術2

残業(月) 11.8時間 [総]12.5時間

記者評価 表面処理薬剤の製造、表面処理の受託加工が柱。自動車と鉄鋼が主要客だがライフサイエンスなど新規分野開拓に注力。国内46拠点、アジア・欧米など世界12カ国地域に51拠点、自動車メーカーの海外シフトに対応。25年メドに平塚市に総合研究所を拡張。

●給与、ボーナス、週休、有休ほか●

【30歳総合職平均年収】556万円【初任給】(博士)281,210円(修士)257,210円(大卒)239,210円【ボーナス(年)】274万円、NA【25、30、35歳賃金】242,585円→295,867円→359,231円【週休】完全2日(土日祝)※工場以外【夏期休暇】なし【年末年始休暇】12月29日〜1月4日【有休取得】13.0/20日

●従業員数、勤続年数、離職率ほか●

【男女別従業員数、平均年齢、平均勤続年数】計◇909(42.5歳 16.8年)男 779(42.5歳 16.9年)女 130(42.6歳 16.1年)【離職率と離職者数】◇5.0%、48名(早期退職男2名含む)【3年後新卒定着率】80.0%(男81.3%、女75.0%、3年前入社:男16名・女4名)【組合】あり

求める人材 挑戦意欲・協調性があり、幅広い視野と変化を恐れない柔軟性を持ち合わせた人

会社データ (金額は百万円)

【本社】103-0027 東京都中央区日本橋1-15-1 パーカービル
☎03-3278-4318 https://www.parker.co.jp/
【社長】青山 雅之【設立】1928.7【資本金】4,560【今後力を入れる事業】新規市場開拓 既存事業グローバル展開

【業績(連結)】	売上高	営業利益	経常利益	純利益
22.3	117,752	13,370	17,003	9,046
23.3	119,177	12,668	16,625	9,973
24.3	125,085	15,258	19,945	13,194

日本農薬(株)

にほんのうやく

東京P 4997

【特色】農薬専業国内大手。海外はインド、ブラジル深耕

修士・大卒採用数	3年後離職率	有休取得年平均	平均年収(平均42歳)
15名	0 → 0%	12.8日	[総]774万円

●エントリー情報と採用プロセス●

【受付開始〜終了】[総]2月〜3月 [技]1月〜2月【採用プロセス】[総]書類提出(2〜3月)→Webテスト(3月)→面接(2回、3〜4月)→内々定(4月下旬) [技]書類提出(1〜2月)→専門試験(2月)→面接(2回、3〜4月)→内々定(4月下旬)【交通費支給】1次面接以降、地域により異なる

試験情報

重視科目 [総][技]面接

[総][ES]⇒巻末[筆]SPI3(自宅)[面]2回(Webあり)[技][ES]⇒巻末[筆]SPI性格 専門試験・英語[面]2回(Webあり)

選考ポイント [総][技][ES]NA(提出あり)[面]志望意欲 求める人物像とのマッチング コミュニケーション能力

通過率 [総][ES]93%(受付:55→通過:51)[技][ES]64%(受付:318→通過:203)

倍率(応募/内定) [総]14倍 [技]27倍

●男女別採用数と配属先ほか●

【男女・文理別採用実績】

	大卒男	大卒女	修士男	修士女
23年	2(文 2理 0)	3(文 1理 2)	5(文 0理 5)	1(文 0理 1)
24年	2(文 1理 1)	2(文 1理 1)	9(文 0理 9)	4(文 0理 4)
25年	4(文 1理 3)	0(文 0理 0)	8(文 0理 8)	3(文 0理 3)

【25年4月入社者の採用実績校】
[文](大)東洋大1 [理](院)東京農工大2 立命館大 大阪公大 千葉大 岐阜大 静岡大 神戸大 徳島大 北里大 関大 岡山大各1(大)工学院大 岡山大 玉川大各1

【24年4月入社者の配属先】
[総]勤務地:札幌1 仙台1 東京3 福岡2 部署:国内営業6 管理スタッフ1 [技]勤務地:大阪・河内長野12 部署:合成研究1 生物研究4 安全性研究4 製剤・プロセス化学研究3

残業(月) 13.6時間 [総]13.6時間

記者評価 高機能化学品のADEKA子会社だが経営は独自色。農薬が売上の95%占める。水稲用殺菌・殺虫剤、園芸用殺虫剤と品数は多彩。シロアリや爪白癬用も収益源。海外比重7割強で、インドやブラジルとその周辺国開拓を強化。農薬散布を効率化する独自スマホアプリ普及。

●給与、ボーナス、週休、有休ほか●

【30歳総合職モデル年収】552万円【初任給】(博士)285,900円(修士)260,000円(大卒)251,200円【ボーナス(年)】175万円、5.11カ月【25、30、35歳モデル賃金】264,400円→322,400円→382,700円 ※基礎賃金【週休】完全2日(土日祝)【夏期休暇】原則連続5日【年末年始休暇】12月29日〜1月3日(休日)【有休取得】12.8/20日

●従業員数、勤続年数、離職率ほか●

【男女別従業員数、平均年齢、平均勤続年数】計 381(41.8歳 15.0年)男 290(42.2歳 15.1年)女 91(40.5歳 15.0年)【離職率と離職者数】1.0%、4名【3年後新卒定着率】100%(男100%、女100%、3年前入社:男10名・女9名)【組合】あり

求める人材 自ら考え、最後まで主体者として動ける チームに貢献できる 仕事を通じて成長を楽しめる

会社データ (金額は百万円)

【本社】104-8386 東京都中央区京橋1-19-8 京橋OMビル
☎0570-09-1177 https://www.nichino.co.jp/
【社長】岩田 浩幸【設立】1928.11【資本金】14,939【今後力を入れる事業】農薬の新規開発 海外販路拡大 スマート農業

【業績(連結)】	売上高	営業利益	経常利益	純利益
22.3	81,910	6,642	5,768	4,502
23.3	102,090	8,739	7,779	4,488
24.3	103,033	7,438	5,932	4,777

▶『業界地図』p.176

荒川化学工業(株)

あらかわかがくこうぎょう

東京P 4968

【特色】製紙用薬品や印刷インキ用樹脂で大手の一角

修士・大卒採用数	3年後離職率	有休取得年平均	平均年収(平均44歳)
11名	0 → 13.3%	16.7日	総 752万円

●エントリー情報と採用プロセス●

【受付開始～終了】総技3月～3月【採用プロセス】総技説明会(必須)→筆記→ES(書類)提出・適性検査→面接(2回)→内々定【交通費支給】最終面接時、距離に応じて定額【早期選考】⇒巻末

試験情報

重視科目 総技面接 適性検査 筆記

総 ES⇒巻末 筆一般常識 適性検査(eF-1G) 面2回(Webあり) 技 ES⇒巻末 筆化学(自社オリジナル)適性検査(eF-1G) 面2回(Webあり)

選考ポイント 総技 ES経営理念への共感 設問に的確に答えているか※筆記試験・適性検査との総合判断 面研究・学業への取り組み姿勢 経営理念への共感 コミュニケーションカ バイタリティ

通過率 総 ES14%(受付:35→通過:5) 技 ES21%(受付:53→通過:11)

倍率(応募/内定) 総35倍 技53倍

●男女別採用数と配属先ほか●

【男女・文理別採用実績】

	大卒男	大卒女	修士男	修士女
23年	3(文 2理 1)	1(文 0理 1)	6(文 0理 6)	4(文 0理 4)
24年	1(文 0理 1)	0(文 0理 0)	6(文 0理 6)	3(文 0理 3)
25年	2(文 2理 0)	1(文 0理 1)	7(文 0理 7)	1(文 0理 1)

【25年4月入社者の採用実績校】
文(大)関大 和歌山大各1 理(院)大阪公大3 愛媛大 岡山大 関大 岐阜大 京都工繊大各1(大)神戸大1

【24年4月入社者の配属先】総勤務地:大阪1 部署:営業1 技勤務地:大阪9 部署:研究開発8 生産技術1

残業(月) 12.9時間 総9.6時間

記者評価 紙力増強剤など製紙用薬品、印刷インキや塗料用樹脂で有力。5G向け光硬化型樹脂や超淡色ロジンなどハイテク分野が育つ。光硬化型樹脂やHDD用精密研磨剤の生産能力増強が23年度完了。半導体関連先端材料用ファインケミカルの設備増強も24年12月完了へ。

●給与、ボーナス、週休、有休ほか●

【30歳総合職平均年収】493万円【初任給】(博士)274,800円(修士)253,000円(大卒)235,000円【ボーナス(年)】(非管理職)113万円、(非管理職)4カ月【25、30、35歳賃金】257,833円→302,850円→350,760円【週休】完全2日(土日祝)【夏期休暇】連続5日(有休2日含む)【年末年始休暇】12月28日～1月5日【有休取得】16.7／20日

●従業員数、勤続年数、離職率ほか●

【男女別従業員数、平均年齢、平均勤続年数】計 ◇822(43.2歳 18.0年)男 719(43.6歳 18.9年)女 103(40.1歳 12.1年)【離職率と離職者数】◇2.3%、19名【3年後新卒定着率】86.7%(男81.8%、女100%、3年前入社:男11名・女4名)【組合】あり

求める人材 人の話をよく聞き、よく考え、チャレンジできる人

会社データ (金額は百万円)

【本社】541-0046 大阪府大阪市中央区平野町1-3-7
☎06-6209-8500 https://www.arakawachem.co.jp/jp/
【社長】高木 信之【設立】1931.1【資本金】3,343【今後力を入れる事業】持続可能な天然資源の活用 国内外事業の強化

【業績(連結)】	売上高	営業利益	経常利益	純利益
22.3	80,515	3,304	3,566	1,502
23.3	79,431	▲2,907	▲2,687	▲4,941
24.3	72,222	▲2,617	▲2,412	▲1,042

日本ペイントグループ

にっぽん

(日本ペイントコーポレートソリューションズ(株)、日本ペイント(株)、日本ペイント・オートモーティブコーティングス(株)、日本ペイント・サーフケミカルズ(株)、他4社)

東京P 4612

【特色】塗料世界4位、国内首位級。M＆Aで国際展開に積極

修士・大卒採用数	3年後離職率	有休取得年平均	平均年収(平均43歳)
26名	!4.0 → !7.4%	13.1日	総 842万円

●エントリー情報と採用プロセス●

【受付開始～終了】総技4月～5月【採用プロセス】総技ES提出・筆記(4月～)→面接(3回)→内々定【交通費支給】会社基準【早期選考】⇒巻末

試験情報

重視科目 総技面接

総技 ES⇒巻末 筆SPI3(会場) 面3回(Webあり)

選考ポイント 総技 ES求める人材と合致しているか 面リーダーシップとやり抜く力

通過率 総 ES50%(受付:(早期選考含む)193→通過:(早期選考含む)97) 技 ES54%(受付:(早期選考含む)246→通過:(早期選考含む)134)

倍率(応募/内定) 総(早期選考含む)19倍 技(早期選考含む)14倍

●男女別採用数と配属先ほか●

【男女・文理別採用実績】

	大卒男	大卒女	修士男	修士女
23年	0(文 0理 0)	0(文 0理 0)	0(文 0理 0)	0(文 0理 0)
24年	1(文 1理 0)	2(文 2理 0)	0(文 0理 0)	0(文 0理 0)
25年	5(文 5理 0)	4(文 2理 2)	15(文 0理 15)	2(文 0理 2)

※24年:グループ全体での採用数

【25年4月入社者の採用実績校】
文(大)明大2 関西学大 東京外大 神戸市外大 日女大 関大各1 理(院)阪大4 関西学大3 千葉大 立命館大 広島大各2 東大 東理大 東京科学大 大阪公大 信州大各1(大)中大 関大各1

【24年4月入社者の配属先】
総勤務地:東京1 大阪2 部署:営業2 生産1 技勤務地:なし 部署:なし

残業(月) 20.5時間 総20.5時間

記者評価 国産塗料の草分け、国内は関西ペイントと双璧。自動車用と中国の建築用が主力。塗料周辺分野で世界的にM＆Aを推進。グループとして海外売上比率9割弱。国際展開の過程で親会社はシンガポール資本に。理系学生も営業・事務系職種として採用の実績あり。

●給与、ボーナス、週休、有休ほか●

【30歳総合職平均年収】648万円【初任給】(博士)303,670円(修士)271,740円(大卒)257,320円【ボーナス(年)】233万円、NA【25、30、35歳賃金】351,982円→391,783円→499,901円【週休】完全2日(土日祝)【夏期休暇】あり【年末年始休暇】あり【有休取得】13.1／20日

●従業員数、勤続年数、離職率ほか●

【男女別従業員数、平均年齢、平均勤続年数】計 2,509(42.5歳 9.3年)男 1,994(42.9歳 9.6年)女 515(40.8歳 8.3年)【離職率と離職者数】4.2%、109名【3年後新卒定着率】92.6%(男94.9%、女86.7%、3年前入社:男78名・女30名)※中核グループ会社を含む【組合】あり

求める人材 社会情勢やビジネス環境の変化に柔軟に対応し、継続的に業績貢献できる自律型人材

会社データ (金額は百万円)

【本社】531-8511 大阪府大阪市北区大淀北2-1-2
☎06-6458-1111 https://www.nipponpaint-holdings.com/
【共同社長】若月 雄一郎 ウィー・シューキム【設立】1898.3【資本金】671,432【今後力を入れる事業】4中核塗料事業 ファインケミカル事業

【業績(IFRS)】	売上高	営業利益	税前利益	純利益
21.12	998,276	87,615	86,467	67,569
22.12	1,309,021	111,882	104,495	79,418
23.12	1,442,574	168,745	161,500	118,476

※資本金・業績・会社データは日本ペイントホールディングス(株)のもの

▶『業界地図』p.130, 136

ディーアイシー
DIC(株)

東京P 4631

【特色】インキで世界首位。樹脂、機能素材などに展開

修士・大卒採用数	3年後離職率	有休取得年平均	平均年収(平均42歳)
31名	13.2→7.7%	12.8日	総 865万円

●エントリー情報と採用プロセス●

【受付開始～終了】総技1月～未定【採用プロセス】総ES・履歴書提出(1月～)→Web試験→面接(2回)→最終面接→内々定 技ES・履歴書提出(1月～)→Web試験→1次面接→技術面接→最終面接→内々定【交通費支給】2次面接以降、実費【早期選考】⇒巻末

試験情報

重視科目 総技全て
総技 ES⇒巻末 筆WebGAB Webテスト 面3回(Webあり)
選考ポイント 総ES論理性 主体性 積極性 自律性 他 面論理的思考力 志望動機 技ES総合職共通 面論理的思考力 研究内容 志望動機
通過率 総技ESNA 倍率(応募/内定) 総技NA

●男女別採用数と配属先ほか●

【男女・文理別採用実績】

	大卒男	大卒女	修士男	修士女
23年	7(文 6理 1)	10(文 9理 1)	28(文 0理 28)	12(文 0理 12)
24年	9(文 7理 2)	6(文 4理 2)	34(文 1理 33)	14(文 0理 14)
25年	4(文 2理 2)	7(文 7理 0)	13(文 0理 13)	7(文 0理 7)

【25年4月入社者の採用実績校】
文(大)明大 早大各2 法政大 上智大 立命館大 青学大 一橋大各1 理(院)東大6 東京科学大3 横国大 鹿児島大 千葉大 東理大各2 お茶女大 金沢大 九大 山形大 信州大 新潟大 静岡大 早大 明大各1(大)東理大 明大各1(高専)一関 北九州 阿南 熊本 苫小牧 米子 秋田 大阪公大 有明 旭川各1

【24年4月入社者の配属先】総勤務地：東京・日本橋17 大阪市2 千葉・市原1 鹿島・神栖1 部署：営業11 情シス5 総務人事2 経理1 購買1 法務1 技勤務地：千葉(市原14 佐倉10)大阪・高石12 埼玉・上尾9 鹿島・神栖11 東京(板橋4 日本橋1)石川・白山2 部署：研究開発30 製造19 生産技術13 安全環境1

残業(月) 13.4時間 総13.4時間

記者評価 印刷インキメーカーとして国内2位、米国子会社の貢献で世界首位だが、売上に占めるインキ事業の割合は約半分。インキ以外でエポキシ樹脂など電子関連向けに強み。機能性顔料、天然色素にも展開。インキ生産体制の再構築など構造改革推進。海外売上比率7割強。

●給与、ボーナス、週休、有休ほか●

【30歳総合職平均年収】650万円【初任給】(博士)321,120円(修士)271,720円(大卒)251,720円【ボーナス(年)】236万円、4.57カ月【25、30、35歳モデル賃金】266,720円→392,520円→412,520円【週休】完全2日(土日祝)【夏期休暇】あり【年末年始休暇】あり【有休取得】12.8／20日

●従業員数、勤続年数、離職率ほか●

【男女別従業員数、平均年齢、平均勤続年数】計◇3,557(42.3歳 18.5年)男 2,798(42.4歳 18.3年)女 759(42.2歳 19.2年)【離職率と離職者数】◇1.9%、70名【3年後新卒定着率】92.3%(男95.5%、女88.2%、3年前入社：男22名・女17名)【組合】あり

求める人材 国際的視野を持ち、失敗を恐れず何事にも意欲的に取り組める人物

会社データ (金額は百万円)

【本社】103-8233 東京都中央区日本橋3-7-20 ディーアイシービル
☎03-6733-3010 https://www.dic-global.com/ja/
【社長】池田 尚志【設立】1937.3【資本金】96,557【今後力を入れる事業】自動車・電気電子・包材向け環境対応型素材

【業績(連結)】	売上高	営業利益	経常利益	純利益
21.12	855,379	42,893	43,758	4,365
22.12	1,054,201	39,682	39,946	17,610
23.12	1,038,736	17,943	9,216	▲39,857

かんさい
関西ペイント(株)

東京P 4613

【特色】国内は日ペと2強。BtoBに強み。世界9位

修士・大卒採用数	3年後離職率	有休取得年平均	平均年収(平均43歳)
39名	14.3→0%	15.1日	総 778万円

●エントリー情報と採用プロセス●

【受付開始～終了】総技3月～4月【採用プロセス】総技ES提出(3月～)→適性検査・面接(3回、3月～)→内々定(6月～)【交通費支給】最終面接、会社基準

試験情報

重視科目 総技面接 筆記
総技 ES⇒巻末 筆SCOA OPQ 面3回(Webあり)
選考ポイント 総技ESこれまでの実経験とそれに対する行動 面自分の考え方を論理的に説明することができるか 活動的で課題を解決できる人材か
通過率 総技ESNA
倍率(応募/内定) 総技NA

●男女別採用数と配属先ほか●

【男女・文理別採用実績】

	大卒男	大卒女	修士男	修士女
23年	12(文 12理 0)	5(文 5理 0)	7(文 0理 7)	4(文 0理 4)
24年	7(文 7理 0)	8(文 8理 0)	6(文 0理 6)	6(文 0理 6)
25年	11(文 10理 1)	8(文 8理 0)	12(文 0理 12)	8(文 0理 8)

【25年4月入社者の採用実績校】
文(大)立命館大5 関西学大 関大 同大各3 早大 大阪市大 滋賀大 龍谷大各1 理(院)関西学大3 長崎大 都立大各2 横浜市大 金沢大 九大 香川大 青学大 大阪公大 阪大 東理大 同大 奈良先端科技院大 豊橋技科大 立教大 立命館大各1(大)名大1

【24年4月入社者の配属先】
総勤務地：(24年)大阪市9 東京・大田1 栃木・鹿沼1 愛知・みよし1 兵庫・尼崎1 広島市1 福岡市1 部署：(24年)営業7 IT2 経企2 経理1 人財開発1 調達1 生産管理1 技勤務地：(23年)神奈川・平塚9 愛知・みよし2 部署：(23年)研究開発11

残業(月) 8.0時間 総8.0時間

記者評価 総合塗装の国内2強の一角。国内は自動車用が主力、海外は牽引役のインドで自動車用、建築用とも強い。欧州で積極的に小規模M&Aを実施。アフリカ事業は売却予定だったが独禁当局の認可が得られず再度強化。人事制度は年功から実力主義色高める。

●給与、ボーナス、週休、有休ほか●

【30歳総合職平均年収】NA【初任給】(修士)267,700円(大卒)252,200円【ボーナス(年)】196万円、5.66カ月【25、30、35歳賃金】NA【週休】完全2日(土日祝)【夏期休暇】8月14～18日【年末年始休暇】12月28日～1月5日【有休取得】15.1／20日

●従業員数、勤続年数、離職率ほか●

【男女別従業員数、平均年齢、平均勤続年数】計◇1,832(43.4歳 20.0年)男 1,619(43.6歳 20.5年)女 213(41.7歳 16.7年)【離職率と離職者数】◇1.9%、35名【3年後新卒定着率】100%(男100%、女100%、3年前入社：男21名・女4名)【組合】あり

求める人材 強い責任感を持って、誠実に行動し、信頼関係を構築できる人

会社データ (金額は百万円)

【本社】530-0001 大阪府大阪市北区梅田1-13-1 大阪梅田ツインタワーズ・サウス
☎06-7178-8655 https://www.kansai.co.jp/
【社長】毛利 訓士【設立】1918.5【資本金】25,658【今後力を入れる事業】海外事業

【業績(連結)】	売上高	営業利益	経常利益	純利益
22.3	419,190	30,096	37,611	26,525
23.3	509,070	32,077	40,216	25,195
24.3	562,277	51,595	57,685	67,109

アーティエンス
artience(株)

東京P 4634

【特色】インキ国内首位、世界3位。凸版印刷系列

修士・大卒採用数	3年後離職率	有休取得年平均	平均年収(平均46歳)
32名	13.7→8.2%	13.6日	総 777万円

●エントリー情報と採用プロセス●

【受付開始～終了】総 技3月～6月【採用プロセス】総〈営業・スタッフ系〉ES提出(3月～)→適性検査→面接(2回)→SPI・面接→内々定〈生産系、情報・システム系〉ES提出(3月～)→面接→SPI・面接→内々定 技ES提出(3月～)→面接(2回)→SPI・面接→内々定【交通費支給】最終面接、遠方者(会社基準)

試験情報

重視科目 総技面接

総 ES⇒巻末 筆SPI3(会場) SPI3(自宅) Compass 面〈営業・スタッフ系〉3回〈生産系、情報・システム系〉2回(Webあり)
技 ES⇒巻末 筆SPI3(会場) SPI3(自宅) 面3回(Webあり)

選考ポイント 総 技 ES志望度 具体性 設問に対する回答となっているか 面人物重視 成長意欲 コミュニケーション能力 論理性 思考のフレキシビリティ

通過率 総 ES60%(受付:162→通過:97) 技 ES90%(受付:336→通過:301)

倍率(応募/内定) 総11倍 技14倍

●男女別採用数と配属先ほか●

【男女・文理別採用実績】

	大卒男	大卒女	修士男	修士女
23年	6(文 3理 3)	3(文 2理 1)	15(文 0理 15)	8(文 0理 8)
24年	5(文 3理 2)	3(文 2理 1)	15(文 0理 15)	9(文 0理 9)
25年	3(文 2理 1)	4(文 4理 0)	16(文 0理 16)	9(文 0理 9)

【25年4月入社者の採用実績校】文(大)立教大 文教大 横浜市大 同大 関大 駿河台大各1 理(院)埼玉大4 都立大3 山形大2 東京科学大 東京農工大 東理大 学習院大 成蹊大 千葉大 山梨大 静岡大 信州大 金沢大 阪大 大阪公大 京大 京都工繊大 徳島大 九大 復旦大各1(大)埼玉工大1(高専)八戸 群馬 小山 茨城 長岡 奈良 北九州各1
【24年4月入社者の配属先】総勤務地:東京8 埼玉4 静岡2 滋賀2 部署:営業5 法務1 システム1 生産1 生産管理3 品質管理3 生産設備1 設備1 技勤務地:埼玉16 静岡7 滋賀1 部署:応用開発15 基礎研究9

残業(月) 7.9時間

記者評価 印刷インキで国内首位。同事業は低収益性が難点で、構造改革進める。液晶パネル用着色剤、電機向け塗工材料や粘接着剤などが収益源。海外売上比率は5割強。リチウムイオン電池材料は中国EVの活況背景に珠海工場(広東省)生産能力増強。24年1月現社名に変更。

●給与、ボーナス、週休、有休ほか●

【30歳総合職平均年収】591万円【初任給】(博士)301,210円(修士)274,410円(大卒)255,510円【ボーナス(年)】197万円、NA【25、30、35歳賃金】277,033円→352,910円→407,937円【週休】完全2日(土日祝)【夏期休暇】連続2日【年末年始休暇】12月30日～1月4日【有休取得】13.6／20日

●従業員数、勤続年数、離職率ほか●

【男女別従業員数、平均年齢、平均勤続年数】計 2,208(45.6歳 21.5年) 男 1,873(46.5歳 22.4年) 女 335(40.6歳 16.5年)【離職率と離職者数】4.2%、96名(早期退職男41名、女8名含む)【3年後新卒定着率】91.8%(男90.9%、女93.8%、3年前入社:男33名・女16名)【組合】あり

求める人材 チームワークを大切にしながら自らの熱意で新しい価値を創出し、粘り強く行動する人材

会社データ　(金額は百万円)

【本社】104-8377 東京都中央区京橋2-2-1 京橋エドグラン
☎03-3272-6955　https://www.artiencegroup.com/
【社長】髙島 悟【設立】1907.1【資本金】31,733【今後力を入れる事業】モビリティ・バッテリー事業 ディスプレイ・先端エレクトロニクス事業

【業績(連結)】	売上高	営業利益	経常利益	純利益
21.12	287,989	13,005	15,442	9,492
22.12	315,927	6,865	7,906	9,308
23.12	322,122	13,372	12,880	9,737

サカタインクス(株)

東京P 4633

【特色】印刷インキ国内3位。米・アジアの海外展開で先行

修士・大卒採用数	3年後離職率	有休取得年平均	平均年収(平均43歳)
19名	5.9→8.7%	12.3日	総 784万円

●エントリー情報と採用プロセス●

【受付開始～終了】総 技3月～3月【採用プロセス】総 技説明会(任意、配信動画視聴)→ES提出・適性検査→面接(2回)→内々定【交通費支給】全ての対面面接・事業所見学時、実費【早期選考】⇒巻末

試験情報

重視科目 総技面接

総 技 ES⇒巻末 筆SPI3(自宅) 性格検査 面2回(Webあり)

選考ポイント 総 ES求める人物像との合致 文章の論理性 面求める人物像との合致 コミュニケーション能力 技 ES求める人物像との合致 文章の論理性 研究成果 研究への取組姿勢 面求める人物像との合致 コミュニケーション能力 研究への取組姿勢

通過率 総 ES82%(受付:130→通過:106) 技 ES52%(受付:172→通過:89)

倍率(応募/内定) 総12倍 技22倍

●男女別採用数と配属先ほか●

【男女・文理別採用実績】

	大卒男	大卒女	修士男	修士女
23年	1(文 1理 0)	8(文 6理 2)	3(文 0理 3)	0(文 0理 0)
24年	6(文 3理 3)	3(文 3理 0)	7(文 0理 7)	5(文 0理 5)
25年	2(文 2理 0)	6(文 6理 0)	7(文 1理 6)	4(文 0理 4)

【25年4月入社者の採用実績校】文(院)大阪工大1(大)関大3 明大2 日大 同大 龍谷大各1 理(院)関大 鳥取大各2 東北大 東京科学大 法政大 大阪公大 近大 広島大各1
【24年4月入社者の配属先】総勤務地:大阪市3 東京・飯田橋1 千葉・野田2 部署:営業5 情報システム1 技勤務地:兵庫・伊丹10 千葉・野田5 部署:研究開発12 開発製造2 生産技術1

残業(月) 9.5時間 総18.3時間

記者評価 祖業の新聞用・包装用インキに強み。印刷機材販売も手がける。植物由来の環境配慮型インキで先駆。海外進出は1960年と比較的早い。海外売上比率は7割強。同業よりインキ比重が高く、環境、電子等の非インキ事業育成。印刷関連廃棄物の再資源化にも取り組む。

●給与、ボーナス、週休、有休ほか●

【30歳総合職モデル年収】580万円【初任給】(修士)261,700円(大卒)247,100円【ボーナス(年)】167万円、NA【25、30、35歳モデル賃金】258,000円→281,800円→319,600円【週休】完全2日(土日祝)【夏期休暇】連続5～6日【年末年始休暇】連続6～9日【有休取得】12.3／20日

●従業員数、勤続年数、離職率ほか●

【男女別従業員数、平均年齢、平均勤続年数】計 ◇894(44.6歳 18.5年) 男 743(45.0歳 19.0年) 女 151(42.3歳 16.3年)【離職率と離職者数】◇2.9%、27名(早期退職男2名、女2名含む)【3年後新卒定着率】91.3%(男90.5%、女100%、3年前入社:男21名・女2名)【組合】あり

求める人材 グローバルな視点を持ったうえで、自ら変革を起こし、周囲とともに挑戦を楽しめる人財

会社データ　(金額は百万円)

【本社】550-0002 大阪府大阪市西区江戸堀1-23-37
☎06-6447-5810　https://www.inx.co.jp/
【社長】上野 吉昭【設立】1920.9【資本金】7,472【今後力を入れる事業】グローバル展開 環境配慮型製品 新規事業

【業績(連結)】	売上高	営業利益	経常利益	純利益
21.12	181,487	7,414	8,506	4,933
22.12	215,531	4,125	4,961	4,555
23.12	228,311	11,398	13,634	7,466

開示 ★★★

だいにちせいかこうぎょう 大日精化工業(株)

東京P 4116

【特色】顔料の国産化目指し創業した色彩の総合メーカー

修士・大卒採用数	3年後離職率	有休取得年平均	平均年収(平均41歳)
28名	5.1→4.8%	13.5日	㊍706万円

●エントリー情報と採用プロセス●

【受付開始～終了】㊍㊎3月～7月【採用プロセス】㊍説明会(必須)→ES提出→1次面接→筆記テスト→2次面接→適性検査・社員懇談→最終面接→内々定 ㊎説明会(必須)→ES提出→1次面接→筆記テスト→2次面接→適性検査・研究概要書・社員懇談→最終面接→内々定【交通費支給】最終面接、全額【早期選考】⇒巻末

試験情報

重視科目 ㊍㊎面接

㊍㊎ESNA筆あり(内容NA)面3～4回(Webあり)

選考ポイント ㊍㊎面求める人物像に合致するか 人柄

通過率 ㊍㊎ES選考なし(受付:NA)

倍率(応募/内定) ㊍㊎NA

●男女別採用数と配属先ほか●

【男女・文理別採用実績】

	大卒男	大卒女	修士男	修士女
23年	12(文 11理 1)	8(文 4理 4)	17(文 0理 17)	4(文 0理 4)
24年	6(文 6理 0)	2(文 2理 0)	12(文 0理 12)	3(文 0理 3)
25年	6(文 3理 3)	8(文 7理 1)	9(文 0理 9)	5(文 1理 4)

【25年4月入社者の採用実績校】

文(院)明大1(大)同大3 明大2 早大 大阪経大 法政大 日大 関西学大各1 理(院)埼玉大4 東京農業大2 弘前大 金沢大 静岡大 芝工大 龍谷大 秋田大 千葉工大各1(大)明大 富山大 東京農業大 山形大各1(高専)秋田 阿南 一関 茨城 熊本 高知 神戸 苫小牧 和歌山 久留米 都立産技 八戸各1

【24年4月入社者の配属先】㊍勤務地:東京・日本橋9 部署:営業4 人事2 海外1 購買1 広報1 ㊎勤務地:東京・足立14 埼玉・加須4 千葉(佐倉5 成田2)茨城・坂東3 静岡・磐田5 愛知・東郷2 大阪・交野2 部署:開発12 研究5 施設3 品質8 生産8 環境管理1

残業(月) 5.0時間 ㊍5.0時間

記者評価 プラスチック向け着色剤で国内首位。顔料合成、分散加工、樹脂合成の3つがコア技術。繊維や食品包装などの日用品向けから、産業用資材や情報関連素材まで、幅広い品ぞろえ。海外での成長を志向し、インドを重点地域と位置づけ。グループ保険代理事業を再編。

●給与、ボーナス、週休、有休ほか●

【30歳総合職平均年収】543万円【初任給】(博士)288,000円(修士)261,000円(大卒)244,000円【ボーナス(年)】(組合員)125万円、(組合員)3.82カ月【25、30、35歳賃金】236,992円→343,500円→378,018円【週休】完全2日(土日祝)【夏期休暇】事業所により異なる【年末年始休暇】事業所により異なる【有休取得】13.5／20日

●従業員数、勤続年数、離職率ほか●

【男女別従業員数、平均年齢、平均勤続年数】計◇1,437(41.3歳 17.4年)男 1,145(42.6歳 18.7年)女 292(36.3歳 12.5年)【離職率と離職者数】◇4.1%、61名【3年後新卒定着率】95.2%(男95.0%、女95.5%、3年前入社:男40名・女22名)【組合】あり

求める人材 未来への道を切り拓ける人 自ら考え自ら行動できる人

会社データ (金額は百万円)

【本社】103-8383 東京都中央区日本橋馬喰町1-7-6
☎03-3662-7111 https://www.daicolor.co.jp/
【社長】髙橋 弘二【設立】1931.10【資本金】10,039【今後力を入れる事業】IT エレクトロニクス 機能性材料 ライフサイエンス パーソナルケア モビリティ パッケージ

【業績(連結)】	売上高	営業利益	経常利益	純利益
22.3	121,933	7,446	8,315	6,166
23.3	122,005	2,635	3,373	2,007
24.3	119,824	4,550	5,003	3,660

くらしきぼうせき クラボウ(倉敷紡績(株))

東京P 3106

【特色】綿紡大手。繊維と化成品を軸にバイオなど多角化

修士・大卒採用数	3年後離職率	有休取得年平均	平均年収(平均44歳)
19名	16.7→10.0%	14.6日	㊍705万円

●エントリー情報と採用プロセス●

【受付開始～終了】㊍㊎3月～継続中【採用プロセス】㊍㊎ES提出→説明会→1次面接→適性検査→2次面接→最終面接→内々定【交通費支給】最終面接、実費【早期選考】⇒巻末

試験情報

重視科目 ㊍㊎面接 ES 試験

㊍㊎ES⇒巻末筆C-GABplus面3回(Webあり)

選考ポイント ㊍㊎ES論理性 仕事への意欲面コミュニケーション能力 論理性 バイタリティ

通過率 ㊍ES34%(受付:(早期選考含む)362→通過:(早期選考含む)123) ㊎ES62%(受付:(早期選考含む)440→通過:(早期選考含む)274)

倍率(応募/内定) ㊍(早期選考含む)72倍 ㊎(早期選考含む)28倍

●男女別採用数と配属先ほか●

【男女・文理別採用実績】

	大卒男	大卒女	修士男	修士女
23年	7(文 3理 4)	7(文 5理 2)	4(文 0理 4)	1(文 0理 1)
24年	4(文 3理 1)	2(文 2理 0)	5(文 0理 5)	4(文 2理 2)
25年	5(文 1理 4)	3(文 3理 0)	9(文 0理 9)	2(文 0理 2)

【25年4月入社者の採用実績校】

文(大)立命館大 富山大 愛媛大 漢陽大各1 理(院)信州大2 九大 奈良先端科技院大 大阪工大 近大 愛媛大 工学院大 広島市大 山梨大 鳥取大 名大各1(大)鳥取大 龍谷大 東京農業大 啓明大各1

【24年4月入社者の配属先】

㊍勤務地:大阪6 東京1 熊本1 部署:総務1 営業7 ㊎勤務地:大阪・寝屋川4 熊本2 徳島1 三重1 部署:生産技術・開発4 品質管理1 技術営業1 製造管理・工程管理1 研究1

残業(月) 10.9時間 ㊍11.9時間

記者評価 1888年創業。カジュアル衣料素材などの繊維と、自動車用硬質ウレタンや住宅用断熱材、半導体製造装置向け樹脂加工品などの化成品が柱。計測機器、排ガス処理設備、バイオ関連も展開。倉敷の旧本社工場はホテルとして活用。半導体・エネルギー関連分野に注力。

●給与、ボーナス、週休、有休ほか●

【30歳総合職平均年収】558万円【初任給】(博士)267,500円(修士)264,900円(大卒)253,100円【ボーナス(年)】185万円、4.54カ月【25、30、35歳賃金】268,268円→302,310円→335,231円【週休】完全2日(土日祝)【夏期休暇】連続5日程度【年末年始休暇】連続5日程度【有休取得】14.6／20日

●従業員数、勤続年数、離職率ほか●

【男女別従業員数、平均年齢、平均勤続年数】計 724(44.2歳 19.1年)男 549(45.5歳 20.5年)女 175(40.2歳 14.6年)【離職率と離職者数】4.5%、34名【3年後新卒定着率】90.0%(男85.7%、女100%、3年前入社:男7名・女3名)【組合】あり

求める人材 「面白いことやってやろう」と、好奇心や探求心を持ち、自ら考え行動できる人

会社データ (金額は百万円)

【本社】541-8581 大阪府大阪市中央区久太郎町2-4-31
☎06-6266-5093 https://www.kurabo.co.jp/
【社長】西垣 伸二【設立】1888.3【資本金】22,040【今後力を入れる事業】化成品・エレクトロニクス関連等 非繊維事業

【業績(連結)】	売上高	営業利益	経常利益	純利益
22.3	132,215	7,528	8,783	5,602
23.3	153,522	8,676	10,024	5,516
24.3	151,314	9,186	10,191	6,738

開示 ★★★★

▶『業界地図』p.134

セーレン(株)

東京P 3569

【特色】繊維が発祥、自動車用シートも。車両資材が柱

修士・大卒採用数	3年後離職率	有休取得年平均	平均年収(平均44歳)
45名	19.4 → 25.0%	10.3日	(総)662万円

●エントリー情報と採用プロセス●

【受付開始～終了】(総)(技)3月～継続中【採用プロセス】(総)ES提出(3月)→面接(3回、3月下旬～4月下旬)→内々定(5月上旬)(技)ES提出(3月)→面接(3回、3月下旬～4月中旬)→内々定(4月下旬)【交通費支給】最終面接、県間移動を伴う場合に会社規定【早期選考】⇒巻末

試験情報

重視科目 [総][技]面接

[総][技](ES)⇒巻末(筆)なし(面)3回(Webあり)

選考ポイント [総](ES)NA(提出あり)(面)自己表現力 コミュニケーション能力 他 [技](ES)NA(提出あり)(面)自己表現力 コミュニケーション能力 専攻 他

通過率 [総](ES)61%(受付:(早期選考含む)188→通過:(早期選考含む)114) [技](ES)82%(受付:(早期選考含む)125→通過:(早期選考含む)102)

倍率(応募/内定) [総](早期選考含む)9倍 [技](早期選考含む)5倍

●男女別採用数と配属先ほか●

【男女・文理別採用実績】

	大卒男	大卒女	修士男	修士女
23年	14(文 2理 12)	4(文 3理 1)	10(文 1理 9)	2(文 0理 2)
24年	19(文 10理 9)	9(文 3理 6)	12(文 0理 12)	2(文 1理 1)
25年	24(文 11理 13)	9(文 7理 2)	12(文 1理 11)	0(文 0理 0)

【25年4月入社者の採用実績校】(文)(院)滋賀県大1(大)福井大3 金沢大 立命館大各2 愛知大 関西外大 関大 金沢学大 大阪府大 同大 日体大 日大 法政大 名城大 龍谷大各1(短)仁愛女2 (理)(院)福井大5 金沢大3 甲南大 信州大 長岡技科大 東京農工大各1(大)静岡大 福井大 立命館大 金沢工大各2 関西学大 金沢大 東京農工大 富山県大 富山大 福井県大 福井工大各1

【24年4月入社者の配属先】

[総]勤務地:福井15 部署:営業12 経理1 総務2 [技]勤務地:福井30 部署:研究開発14 商品開発4 生産10 情報2

残業(月) 1.7時間 (総)1.7時間

記者評価 絹の精練が祖業。1980年代末から川田達男現会長が改革を推進、05年にカネボウの繊維事業を継承。現在は自動車用シート材やエアバッグが収益柱。衣料品はIoTを活用した生産システムを展開。エレクトロニクス、化粧品、医療・介護関連資材など多角化。

●給与、ボーナス、週休、有休ほか●

【30歳総合職平均年収】500万円【初任給】(博士)302,000円(修士)287,000円(大卒)277,000円【ボーナス(年)】176万円、5.91カ月【25、30、35歳賃金】291,000円→319,000円→365,000円 ※東京本社勤務【週休】会社暦2日(原則土日)【夏期休暇】(本社)連続5日【年末年始休暇】(本社)連続7日【有休取得】10.3／20日

●従業員数、勤続年数、離職率ほか●

【男女別従業員数、平均年齢、平均勤続年数】計◇1,791(44.4歳 18.7年) 男 1,314(43.9歳 18.2年) 女 477(45.8歳 20.0年)【離職率と離職者数】◇2.1%、39名【3年後新卒定着率】75.0%(男72.7%、女100%、3年前入社:男22名・女2名)【組合】あり

求める人材 心身とも健康で何事にも積極果敢にチャレンジする人

会社データ　(金額は百万円)

【本社】918-8560 福井県福井市毛矢1-10-1
☎0776-35-2111　https://www.seiren.com/
【会長】川田 達男【設立】1923.5【資本金】17,520【今後力を入れる事業】車輌資材 産業資材 エレクトロニクス

【業績(連結)】	売上高	営業利益	経常利益	純利益
22.3	109,771	10,901	11,927	8,553
23.3	132,364	12,831	15,345	11,023
24.3	141,915	14,068	16,214	12,156

グンゼ(株)

東京P 3002

【特色】肌着老舗、紳士肌着首位。機能性材料など多角化

修士・大卒採用数	3年後離職率	有休取得年平均	平均年収(平均45歳)
35名	11.8 → 18.8%	14.9日	(総)740万円

●エントリー情報と採用プロセス●

【受付開始～終了】(総)3月～継続中 (技)3月～7月【採用プロセス】(総)(技)ES提出→説明会・Webテスト→1次面接→2次面接→最終面接→内々定【交通費支給】最終選考、地域による定額

試験情報

重視科目 [総][技]面接

[総][技](ES)⇒巻末(筆)WebGAB(面)2～3回(Webあり)

選考ポイント [総][技](ES)NA(提出あり)(面)当社への志望度の高さ 求める人財像と合っているか

通過率 [総](ES)NA(受付:500→通過:NA) [技](ES)NA(受付:208→通過:NA)

倍率(応募/内定) [総]26倍 [技]12倍

●男女別採用数と配属先ほか●

【男女・文理別採用実績】

	大卒男	大卒女	修士男	修士女
23年	10(文 2理 8)	8(文 8理 0)	6(文 0理 6)	5(文 1理 4)
24年	13(文 8理 5)	11(文 9理 2)	5(文 0理 5)	5(文 0理 5)
25年	12(文 8理 4)	11(文 9理 2)	8(文 1理 7)	4(文 1理 3)

【25年4月入社者の採用実績校】(文)(院)お茶女大 関大各1(大)近大5 関大 同大 奈良女大 立命館大各2 横浜市大 公立鳥取環境大 日大 龍谷大各1 (理)(院)山口大 関大 大阪工大 九州工大 三重大 長崎大 金沢工大 京都工繊大 龍谷大 明大各1(大)大阪工大3 宮崎大 島根大 福岡工大各1(高専)久留米2 舞鶴1

【24年4月入社者の配属先】[総]勤務地:大阪・梅田9 東京・汐留4 滋賀・守山2 愛知・江南1 兵庫・尼崎1 京都・綾部1 茨城・阿見1 部署:営業13 経理3 労務2 SE1 [技]勤務地:滋賀・守山5 京都(綾部4 宮津3)愛知・江南3 岡山・津山2 部署:生産技術8 製品開発5 研究開発3 設備保全1

残業(月) 6.0時間

記者評価 1896年創業。生糸輸出で外貨獲得に貢献。現在は肌着やストッキングなどアパレルと、プラスチックフィルムなど機能材料が柱。生体吸収性縫合糸が軸の医療分野は、京都・綾部第三工場整備や開発施設増強を推進。子会社での商業施設開発やスポーツクラブ運営も。

●給与、ボーナス、週休、有休ほか●

【30歳総合職平均年収】530万円【初任給】(修士)260,000円(大卒)240,000円【ボーナス(年)】183万円、4.15カ月【25、30、35歳賃金】264,000円→304,000円→351,000円【週休】年116日または123日【夏期休暇】3日【年末年始休暇】3日【有休取得】14.9／20日

●従業員数、勤続年数、離職率ほか●

【男女別従業員数、平均年齢、平均勤続年数】計 1,092(44.5歳 19.9年) 男 950(45.8歳 21.5年) 女 142(35.7歳 9.5年) ※総合職のみ【離職率と離職者数】2.8%、31名【3年後新卒定着率】81.3%(男85.7%、女72.7%、3年前入社:男21名・女11名)【組合】あり

求める人材 ファーストペンギン:考え込むよりまず行動にうつしてやってみる人

会社データ　(金額は百万円)

【本社】530-0001 大阪府大阪市北区梅田2-5-25 ハービスOSAKAオフィスタワー
☎06-6348-1313　https://www.gunze.co.jp/
【社長】佐口 敏康【設立】1896.8【資本金】26,071【今後力を入れる事業】メディカル事業

【業績(連結)】	売上高	営業利益	経常利益	純利益
22.3	124,314	4,880	5,399	2,939
23.3	136,030	5,812	6,021	4,501
24.3	132,885	6,777	6,774	5,109

メーカーII

開示 ★★★★

おかもと
岡本㈱

[株式公開 計画なし]

【特色】靴下専業メーカー。靴下製造卸で国内首位

修士・大卒採用数	3年後離職率	有休取得年平均	平均年収(平均42歳)
17名	40.0→22.2%	12.0日	[総]534万円

●エントリー情報と採用プロセス●

【受付開始〜終了】[総]2月〜4月【採用プロセス】[総]1次選考GW(2月中旬)→ES提出・2次選考個人面接(3月上旬)→3次選考個人面接・適性検査(3月中旬)→最終面接(4月上旬)→内々定(4月上旬)※総合職技術系・技術系以外一括採用【交通費支給】最終面接、実費【早期選考】⇒巻末

試験情報

[重視科目] [総]面接 GW 適性検査

[総][ES]⇒巻末[筆]総合コンピテンシー診断(適性検査)[面]3回(Webあり)[GD作]⇒巻末

[選考ポイント] [総][ES]読み手が理解できるように具体的に書かれているか[面]求める人材像と合っているか

[通過率] [総][ES]選考なし(受付:NA)

[倍率(応募/内定)] [総]28倍

●男女別採用数と配属先ほか●

【男女・文理別採用実績】

	大卒男	大卒女	修士男	修士女
23年	5(文 4理 1)	4(文 2理 2)	0(文 0理 0)	2(文 0理 2)
24年	4(文 4理 0)	6(文 6理 0)	1(文 1理 0)	0(文 0理 0)
25年	4(文 3理 1)	13(文 13理 0)	0(文 0理 0)	0(文 0理 0)

【25年4月入社者の採用実績校】
[文](大)関大4 立命館大3 関西学大2 同大 同女大 甲南女大 武庫川女大 龍谷大 宇都宮大 京都女大各1 [理](大)国士舘大1

【24年4月入社者の配属先】
[総]勤務地:大阪5 千葉5 福岡1 部署:営業4 企画営業3 マーケティング1 生産統括1 開発企画1 SCM1

[残業(月)] 9.6時間 [総]9.6時間

[記者評価] 奈良県で創業。紳士・婦人用からスポーツ用まで多種多様のレッグウェアを製販、業界シェアは首位。主力ブランドは吸放湿性と消臭効果に優れた「SUPER SOX」。「脱げないココピタ」シリーズもロングセラーに。海外は中国、タイ、米国に生産・販売拠点。

●給与、ボーナス、週休、有休ほか●

【30歳総合職平均年収】375万円【初任給】(修士)233,800円(大卒)226,100円【ボーナス(年)】175万円、1.5カ月【25、30、35歳賃金】228,900円→254,800円→308,900円【週休】完全2日(土日)【夏期休暇】5日(フレックス休暇制度)【年末年始休暇】連続9日【有休取得】12.0/20日

●従業員数、勤続年数、離職率ほか●

【男女別従業員数、平均年齢、平均勤続年数】計481(42.4歳 14.8年)男270(46.4歳 19.2年)女211(37.4歳 9.3年)※契約社員含む【離職率と離職者数】6.6%、34名【3年後新卒定着率】77.8%(男66.7%、女83.3%、3年前入社:男3名・女6名)【組合】あり

[求める人材] 相手の立場に立って考え、行動できる人 自分の考えを持ち、現状に満足せずに改善していく人 目標達成のため、周囲と協力できる人

[会社データ] (金額は百万円)

【本社】550-0005 大阪府大阪市西区西本町1-11-9
☎06-6539-1551 https://www.okamotogroup.com/
【社長】岡本 隆太郎【設立】1948.10【資本金】97【今後力を入れる事業】生活者の足もとの悩みにお応えする機能性商品の開発強化

【業績(連結)】	売上高	営業利益	経常利益	純利益
22.3	37,800	NA	500	NA
23.3	43,100	NA	1,400	NA
24.3	48,200	NA	3,400	NA

㈱ワコール

[持株会社 傘下]

【特色】女性下着メーカー国内首位。海外展開も加速

修士・大卒採用数	3年後離職率	有休取得年平均	平均年収(平均44歳)
12名	20.7→17.4%	NA	NA

●エントリー情報と採用プロセス●

【受付開始〜終了】[総]2月〜3月【採用プロセス】[総]ES提出→適性検査→面接(2回)→内々定【交通費支給】最終面接、全額

試験情報

[重視科目] [総]面接

[総][ES]NA[筆]適性検査[面]2回(Webあり)

[選考ポイント] [総][ES]ワコールの企業理念を理解し、実現したいこととワコールの事業がマッチしているか 文章に論理性があるか[面]これまでどのようなチャレンジをしてきたか 自律的行動をどれだけとってきたか 他

[通過率] [総][ES]NA(受付:1,500→通過:NA)

[倍率(応募/内定)] [総]107倍

●男女別採用数と配属先ほか●

【男女・文理別採用実績】

	大卒男	大卒女	修士男	修士女
23年	1(文 1理 0)	9(文 9理 0)	1(文 1理 0)	2(文 0理 2)
24年	5(文 5理 0)	10(文 9理 1)	1(文 0理 1)	2(文 2理 0)
25年	4(文 4理 0)	7(文 7理 0)	0(文 0理 0)	1(文 0理 1)

【25年4月入社者の採用実績校】
[文](大)滋賀大 同大各2 青学大 学習院大 京産大 京都先端科学大 同女大 広島大 立命館APU各1 [理](院)千葉大1

【24年4月入社者の配属先】
[総]NA

[残業(月)] 5.7時間

[記者評価] 「ワコール」「ウイング」など百貨店・量販店への卸販売が柱。実店舗と連携したECや3次元の自動採寸システム開発などDX推進。国内は百貨店離れのあおりで苦戦。中国や欧米など海外でも展開。ジョブローテーション、定期社内公募などキャリア形成を促進。

●給与、ボーナス、週休、有休ほか●

【30歳総合職平均年収】NA【初任給】(修士)267,700円(大卒)259,200円【ボーナス(年)】NA【25、30、35歳賃金】NA【週休】完全2日【夏期休暇】5日(有休で取得)【年末年始休暇】あり【有休取得】NA

●従業員数、勤続年数、離職率ほか●

【男女別従業員数、平均年齢、平均勤続年数】計3,830(44.4歳 NA)男NA 女NA【離職率と離職者数】NA【3年後新卒定着率】82.6%(男85.7%、女81.3%、3年前入社:男7名・女16名)【組合】あり

[求める人材] 「自律革新型人財」主体的に自己の能力を高め、挑戦を続け、自分の大切なキャリアを自律的に切り拓いていってほしい

[会社データ] (金額は百万円)

【本社】601-8530 京都府京都市南区吉祥院中島町29
☎075-682-5111 https://www.wacoal.jp/
【社長】川西 啓介【設立】1949.11【資本金】13,260【今後力を入れる事業】海外 Web通販事業 新規事業(DX)

【業績(IFRS)】	売上高	営業利益	税前利益	純利益
22.3	172,072	3,291	4,083	1,732
23.3	188,592	▲3,490	▲699	▲1,601
24.3	187,208	▲9,503	▲8,290	▲8,743

※資本金・業績は㈱ワコールホールディングスのもの

メーカーⅡ

開示 ★★ ▶『業界地図』p.276

㈱オンワード樫山（かしやま）

持株会社傘下

【特色】アパレル大手。「23区」「自由区」などを展開

修士・大卒採用数	3年後離職率	有休取得年平均	平均年収(平均42歳)
未定	[!]22.7→[!]0%	11.7日	[総]736万円

●エントリー情報と採用プロセス●

【受付開始～終了】[総]3月～6月【採用プロセス】[総]説明会(必須、3月)→ES提出(4月)→GD(Web、4月)→面接(1回)→適性検査・筆記→面接(3回)→内々定(6月～)【交通費支給】<総合職>最終面接、会社基準

試験情報

重視科目 [総]適性検査 面接

[総][ES]⇒巻末[筆]一般常識 SPI3[面]4回(Webあり)[GD作]⇒巻末

選考ポイント [総][ES]NA(提出あり)[面]人柄 コミュニケーション力 仕事に対する志の高さ ファッションへの興味・関心

通過率 [総][ES]NA

倍率(応募/内定) [総]NA

●男女別採用数と配属先ほか●

【男女・文理別採用実績】

	大卒男	大卒女	修士男	修士女
23年	7(文 7理 0)	20(文 20理 0)	0(文 0理 0)	0(文 0理 0)
24年	5(文 5理 0)	22(文 22理 0)	0(文 0理 0)	0(文 0理 0)
25年	-(文 -理 -)	-(文 -理 -)	-(文 -理 -)	-(文 -理 -)

【25年4月入社者の採用実績校】
[文](24年)(大)早大 南山大 成城大 都立大 埼玉大 愛知大 日大 横浜市大 中京大 名城大各1 他 [理](24年)なし

【24年4月入社者の配属先】
[総]勤務地：(23年)東京10 部署：(23年)企画9 EC1

残業(月) 10.4時間 [総]12.4時間

記者評価 「23区」「自由区」などの人気ブランドを多数擁し、百貨店やSCで展開。商品取り寄せサービスの「クリック&トライ」に注力し、店舗とEC両軸での成長を志向する。アパレルの他、バレエ用品「チャコット」やペット用雑貨「ペットパラダイス」も展開する。

●給与、ボーナス、週休、有休ほか●

【30歳総合職平均年収】NA【初任給】(大卒)(首都圏手当含む)240,000円【ボーナス(年)】NA【25、30、35歳賃金】255,188円→327,800円→370,900円【週休】平均2～3日(1年間の変形労働時間制)【夏期休暇】8月11～15日(原則)【年末年始休暇】12月29日～1月3日(原則)【有休取得】11.7／25日

●従業員数、勤続年数、離職率ほか●

【男女別従業員数、平均年齢、平均勤続年数】計 362(41.7歳 18.9年) 男 218(45.8歳 21.5年) 女 144(36.3歳 13.5年) ※専門職除く【離職率と離職者数】NA【3年後新卒定着率】100%(男100%、女100%、3年前入社:男4名・女7名) ※総合職のみ【組合】あり

求める人材 自ら何かをやりとげたいという情熱・志向を持ち、それを実行できる人物

会社データ　(金額は百万円)

【本社】103-8239 東京都中央区日本橋3-10-5 オンワードパークビルディング
☎03-4512-1040　https://www.onward.co.jp/
【社長】保元 道宣【設立】1947.9【資本金】100【今後力を入れる事業】提供価値の多様化 顧客基盤の拡大

【業績(単独)】	売上高	営業利益	経常利益	純利益
22.2	90,128	▲3,713	▲3,276	4,155
23.2	99,636	2,534	1,178	928
24.2	107,601	6,725	6,051	4,252

㈱三陽商会（さんようしょうかい）

東京P 8011

【特色】アパレルメーカー大手。コートが主力商品

修士・大卒採用数	3年後離職率	有休取得年平均	平均年収(平均45歳)
7名	20.0→—	12.2日	[総]766万円

●エントリー情報と採用プロセス●

【受付開始～終了】[総]3月～未定【採用プロセス】[総]ES提出(3月)→面接(2回、4月下旬～5月上旬)→筆記(5月下旬)→面接(2回、5月下旬～6月)→内々定(6月)【交通費支給】最終面接、関東在住者以外に規定額

試験情報

重視科目 [総]面接

[総][ES]⇒巻末[筆]SPI3[面]4回(Webあり)

選考ポイント [総][ES]執着心 信頼感 タフさが窺える経験や体験 考え方[面]コミュニケーション能力 論理的思考力 執着心 信頼感 タフさ

通過率 [総][ES]50%(受付:400→通過:200)

倍率(応募/内定) [総]57倍

●男女別採用数と配属先ほか●

【男女・文理別採用実績】

	大卒男	大卒女	修士男	修士女
23年	2(文 2理 0)	4(文 4理 0)	0(文 0理 0)	0(文 0理 0)
24年	3(文 3理 0)	9(文 9理 0)	0(文 0理 0)	1(文 1理 0)
25年	2(文 2理 0)	5(文 5理 0)	0(文 0理 0)	0(文 0理 0)

【25年4月入社者の採用実績校】
[文](大)名古屋外大2 法政大 青学大 日大 関大 近大各1 [理]なし

【24年4月入社者の配属先】
[総]勤務地：東京13 部署：営業13

残業(月) 12.4時間 [総]16.7時間

記者評価 1942年創業の老舗アパレル。主な販路は百貨店で、アッパーミドルの価格帯が中心。国内販売の柱だった英国「バーバリー」のライセンス契約が15年に終了。その後は後継ブランド「マッキントッシュ ロンドン」はじめ自社ブランドを育成。ネット通販を強化中。

●給与、ボーナス、週休、有休ほか●

【30歳総合職平均年収】549万円【初任給】(博士)235,000円 (修士)235,000円 (大卒)235,000円【ボーナス(年)】150万円、3.6カ月【25、30、35歳賃金】235,000円→310,900円→382,650円【週休】完全2日【夏期休暇】連続5日(有休で取得)【年末年始休暇】連続5日【有休取得】12.2／20日

●従業員数、勤続年数、離職率ほか●

【男女別従業員数、平均年齢、平均勤続年数】計 585(44.9歳 16.7年) 男 312(46.0歳 18.8年) 女 273(43.7歳 14.4年)【離職率と離職者数】4.7%、29名【3年後新卒定着率】3年前採用なし【組合】あり

求める人材 周囲を巻き込む力・周囲をはげます力を有する人材

会社データ　(金額は百万円)

【本社】160-0003 東京都新宿区四谷本塩町6-14
☎03-3357-4111　https://www.sanyo-shokai.co.jp/
【社長】大江 伸治【設立】1943.5【資本金】15,002【今後力を入れる事業】新ブランド・基幹事業の規模拡大

【業績(連結)】	売上高	営業利益	経常利益	純利益
22.2	38,642	▲1,058	▲735	661
23.2	58,273	2,235	2,437	2,155
24.2	61,353	3,047	3,184	2,787

メーカーII

開示 ★★★★★ ▶『業界地図』p.276 182

クロスプラス(株)

東京S 3320

【特色】婦人服主体の製造卸大手。名古屋が地盤

修士・大卒採用数	3年後離職率	有休取得年平均	平均年収(平均43歳)
26名	25.0 → 28.6%	12.0日	[総]540万円

●エントリー情報と採用プロセス●

【受付開始～終了】[総]3月～5月【採用プロセス】[総]説明会(必須、3月)→ES提出(4月)→面接(4月上旬)→筆記(4～5月)→面接(2回、5月)→内々定(5月下旬)【交通費支給】最終面接のみ、遠方者のみ実費【早期選考】⇒巻末

試験情報

[重視科目] [総]面接

[総][ES]⇒巻末[筆]一般常識[面]3回(Webあり)

[選考ポイント] [総][ES]学生時代の取り組み 志望動機 文章力[面]コミュニケーション能力 主体性 柔軟性 協調性

[通過率] [総][ES]44%(受付:335→通過:147)

[倍率(応募/内定)] [総]21倍

●男女別採用数と配属先ほか●

【男女・文理別採用実績】

	大卒男	大卒女	修士男	修士女
23年	7(文 7 理 0)	4(文 4 理 0)	0(文 0 理 0)	0(文 0 理 0)
24年	15(文 15 理 0)	10(文 10 理 0)	0(文 0 理 0)	0(文 0 理 0)
25年	10(文 10 理 0)	16(文 15 理 1)	0(文 0 理 0)	0(文 0 理 0)

【25年4月入社者の採用実績校】
[文](大)愛知大4 愛知学大 名城大 国際ファッション専門職大 中京大 長岡造形大各2 愛知淑徳大 甲南大 大阪経大 獨協大 帝京平成大 名古屋経大 東京女大各1(専)中部ファッション 東京モード学園各3 名古屋ファッション2 大阪モード学園 愛知文化服装各1 [理](大)中大1

【24年4月入社者の配属先】
[総]勤務地:名古屋21 東京・中央15 部署:営業22 デザイナー14

[残業(月)] 5.2時間 [総]5.9時間

[記者評価] 量販店向け婦人服卸で首位級。イオンやしまむらといった総合スーパー・専門店向けが主力。「ジュンコシマダ」などのブランド衣料のSPA事業も。ASEANでの生産を拡大。子会社で紳士服や婦人用帽子も手がける。季節雑貨やコスメなどの非衣料品やECを強化中。

●給与、ボーナス、週休、有休ほか●

【30歳総合職平均年収】545万円【初任給】(大卒)240,000円【ボーナス(年)】132万円、4.0カ月【25、30、35歳賃金】237,000円→268,000円→293,000円【週休】完全2日(土日)【夏期休暇】5日(選択制)【年末年始休暇】連続9日(有休4日含む)【有休取得】12.0／20日

●従業員数、勤続年数、離職率ほか●

【男女別従業員数、平均年齢、平均勤続年数】計 590(43.1歳 16.1年)男 260(47.9歳 21.9年)女 330(39.3歳 11.6年)※再雇用含む【離職率と離職者数】3.6%、22名【3年後新卒定着率】71.4%(男33.3%、女81.8%、3年前入社:男3名・女11名)【組合】なし

[求める人材] 自ら考え行動でき、バイタリティのあふれる人

[会社データ] (金額は百万円)

【本社】451-8560 愛知県名古屋市西区花の木3-9-13
☎052-532-2227 https://www.crossplus.co.jp/
【社長】山本 大寛【設立】1953.4【資本金】1,944【今後力を入れる事業】EC事業及び新規業態への販売

【業績(連結)】	売上高	営業利益	経常利益	純利益
22.1	59,120	▲1,560	▲1,296	▲1,666
23.1	57,056	183	413	455
24.1	60,190	1,797	1,974	2,064

エイジーシー AGC(株)

東京P 5201

【特色】三菱系。硝子世界首位級、化学、電子の3本柱

修士・大卒採用数	3年後離職率	有休取得年平均	平均年収(平均45歳)
117名	3.0 → 5.5%	19.8日	[総]1,127万円

●エントリー情報と採用プロセス●

【受付開始～終了】[総][技]3月～6月【採用プロセス】[総][技]ES提出・適性検査(3月)→説明会(Web)→面談・面接(3回)→内々定(6月)【交通費支給】〈事務系〉最終面接〈技術系〉社員面談・最終面接、会社基準

試験情報

[重視科目] [総][技]面接

[総][技][ES]⇒巻末[筆]SPI3(会場) SPI3(自宅)[面]3回(Webあり)

[選考ポイント] [総][技][ES]NA(提出あり)[面]主体性 チャレンジ精神 論理性があるか

[通過率] [総][技][ES]NA [倍率(応募/内定)] [総][技]NA

●男女別採用数と配属先ほか●

【男女・文理別採用実績】

	大卒男	大卒女	修士男	修士女
23年	12(文 11 理 1)	9(文 6 理 3)	74(文 1 理 73)	31(文 0 理 31)
24年	16(文 14 理 2)	9(文 9 理 0)	82(文 0 理 82)	41(文 1 理 40)
25年	12(文 11 理 1)	10(文 6 理 4)	66(文 3 理 63)	29(文 1 理 28)

【25年4月入社者の採用実績校】[文](院)関西学大 東大 東理大 北大各1(大)慶大6 早大5 阪大2 神戸大 中大 東理大 立教大各1 [理](院)東大 東京科学大各9 阪大8 九大7 慶大 北大 横国大 名大 早大各5 東京農工大 東理大 東北大各4 広島大 名工大 大阪公大 千葉大各3 上智大 同大 京大 静岡大 神戸大各2 金沢大 岡山大 鹿児島大 東京電機大 立命館大 青学大 鳥取大 学習院大 熊本大 明大 九州工大各1(大)東理大 同大 慶大 北大 上智大各1(高専)明石2 久留米1

【24年4月入社者の配属先】[総]勤務地:東京(丸の内3)神奈川(鶴見1 相模1)兵庫・高砂1 千葉・市原5 愛知・武豊5 茨城・神栖7 福島・郡山2 山形・米沢1 部署:営業12 調達・ロジスティクス5 経理3 人事・総務4 広報1 法務1 [技]勤務地:東京(丸の内3)神奈川(鶴見18 相模5)兵庫(高砂7 尼崎4)千葉・市原32 愛知・武豊17 茨城・神栖13 福岡(福岡1 若松1)静岡・御殿場1 山形・米沢7 福島(郡山11 本宮8) 部署:製造29 開発47 製造・開発13 生産管理3 技術営業2 環境安全品質1 品質保証4 プラントエンジ19 知的財産1 情報システム2 調達・ロジスティクス3 デジタル・イノベーション推進4

[残業(月)] 22.9時間 [総]28.3時間

[記者評価] 旧旭硝子。世界首位級の建築・自動車用ガラスは構造改革急ぐ。液晶パネル用など情報電子品は世界上位。近年は苛性ソーダや塩ビ樹脂など化学品が利益面を牽引。電子部材やライフサイエンスも戦略強化事業として注力。医薬品製造受託も。30年まで賃上げ継続。

●給与、ボーナス、週休、有休ほか●

【30歳総合職平均年収】950万円【初任給】(博士)356,252円(修士)303,552円(大卒)271,932円【ボーナス(年)】370万円、6.0カ月【25、30、35歳賃金】315,551円→385,937円→513,220円【週休】完全2日(土日祝)【夏期休暇】有休で取得【年末年始休暇】連続7日以上【有休取得】19.8／20日

●従業員数、勤続年数、離職率ほか●

【男女別従業員数、平均年齢、平均勤続年数】計 4,785(42.9歳 15.5年)男 3,785(42.9歳 15.6年)女 1,000(42.9歳 15.1年)【離職率と離職者数】NA【3年後新卒定着率】94.5%(男94.7%、女93.8%、3年前入社:男94名・女16名)【組合】あり

[求める人材] 情熱・チャレンジ・革新・インテグリティを体現し、周りを巻き込める人財

[会社データ] (金額は百万円)

【本社】100-8405 東京都千代田区丸の内1-5-1 新丸の内ビルディング
☎03-3218-5741 https://www.agc.com/
【社長】平井 良典【設立】1950.6【資本金】90,873【今後力を入れる事業】戦略事業(エレ モビ ライフ 機能化学品)

【業績(IFRS)】	売上高	営業利益	税前利益	純利益
21.12	1,697,383	210,247	210,045	123,840
22.12	2,035,874	57,206	58,512	▲3,152
23.12	2,019,254	128,277	122,775	65,798

メーカーII

開示 ★★★ ▶『業界地図』p.99, 137 390

日本板硝子(株)
にほんいたがらす

東京P 5202

【特色】傘下に英国ピルキントン、板ガラスで世界首位級

修士・大卒採用数	3年後離職率	有休取得年平均	平均年収(平均46歳)
25名	20.0→14.3%	15.4日	◇743万円

●エントリー情報と採用プロセス●

【受付開始～終了】(総)(技)3月～6月【採用プロセス】(総)(技)ES提出(3～6月)→面接(2回、6月～)→内々定(6月～)【交通費支給】最終面接、実費

試験情報

重視科目 (総)(技)面接

(総)(技)(ES)⇒巻末(筆)SPI3(自宅)(面)2回(Webあり)

選考ポイント (総)(ES)自身の視点で書けているか 取り組んだことへのこだわりが感じられるか(面)自身の考えを語れているか 物事に前向きに取り組む姿勢があるか (技)(ES)自身の視点で書けているか 研究テーマが当社事業領域と一致しているか(面)総合職共通

通過率 (総)(ES)49%(受付:202→通過:98) (技)(ES)72%(受付:78→通過:56)

倍率(応募/内定) (総)34倍 (技)4倍

●男女別採用数と配属先ほか●

【男女・文理別採用実績】

	大卒男	大卒女	修士男	修士女
23年	0(文 0理 0)	0(文 0理 0)	1(文 0理 1)	0(文 0理 0)
24年	1(文 0理 1)	1(文 0理 1)	8(文 0理 8)	2(文 0理 2)
25年	3(文 3理 0)	3(文 2理 1)	16(文 0理 16)	3(文 1理 2)

【25年4月入社者の採用実績校】(文)(院)関大1(大)立命館大2 明大 慶大 法政大各1 (理)(院)信州大2 東京科学大 早大 神戸大 秋田大 群馬大 岡山大 愛媛大 熊本大 兵庫県大 滋賀県大 岡山県大 芝工大 室蘭工大 関西学大 関大 日大各1(大)千葉工大1

【24年4月入社者の配属先】(総)勤務地:なし 部署:なし (技)勤務地:兵庫・伊丹2 千葉2 相模原3 三重・津1 京都・舞鶴4 東京1 部署:研究開発4 技術開発4 製造4 設備システム1

残業(月) (総)14.9時間

記者評価 住友系名門で国内唯一のガラス専業。自動車用と建築用を展開。06年に当時売上高2倍のピルキントンを子会社化。海外は欧州の比率が高い。世界各地に製造拠点を持ち、100ヵ国以上で製品を販売。太陽電池パネル用ガラスなど高付加価値事業の拡大に注力している。

●給与、ボーナス、週休、有休ほか●

【30歳総合職平均年収】582万円【初任給】(博士)300,750円(修士)279,000円(大卒)256,600円【ボーナス(年)】155万円、NA【25、30、35歳賃金】NA【週休】完全2日(土日祝)【夏期休暇】3日【年末年始休暇】4日【有休取得】15.4／20日

●従業員数、勤続年数、離職率ほか●

【男女別従業員数、平均年齢、平均勤続年数】計 639(46.1歳 18.5年) 男 586(46.7歳 19.4年) 女 53(37.4歳 8.7年)【離職率と離職者数】2.3%、15名【3年後新卒定着率】85.7%(男100%、女50.0%、3年前入社:男5名・女2名)【組合】あり

求める人材 目標に向かって努力する自立したプロフェッショナル

会社データ　(金額は百万円)

【本社】108-6321 東京都港区三田3-5-27 住友不動産東京三田サウスタワー
☎03-5443-9522　https://www.nsg.co.jp/
【社長】細沼 宗浩【設立】1918.11【資本金】116,859【今後力を入れる事業】高付加価値品(VA品)

【業績(IFRS)】	売上高	営業利益	税前利益	純利益
22.3	600,568	23,626	11,859	4,134
23.3	763,521	▲10,342	▲21,933	▲33,761
24.3	832,537	35,950	17,597	10,633

日本電気硝子(株)
にっぽんでんきがらす

東京P 5214

【特色】液晶パネル用ガラス大手。自動車用にも注力

修士・大卒採用数	3年後離職率	有休取得年平均	平均年収(平均43歳)
30名	3.0→8.0%	18.8日	(総)882万円

●エントリー情報と採用プロセス●

【受付開始～終了】(総)(技)3月～6月【採用プロセス】(総)(技)説明会(必須)・筆記(3月～)→面接(3回)→内々定【交通費支給】2次面接以降、居住地の都道府県による(会社基準)【早期選考】⇒巻末

試験情報

重視科目 (総)(技)面接 筆記 作文

(総)(技)(筆)SCOA 適性検査(面)3回(Webあり)(GD)(作)NA

選考ポイント (総)(技)(ES)提出なし(面)論理的な思考力 行動力・実行力 自己革新力 柔軟性・対応力

通過率 (総)(技)(ES)―(応募:NA)

倍率(応募/内定) (総)(技)NA

●男女別採用数と配属先ほか●

【男女・文理別採用実績】

	大卒男	大卒女	修士男	修士女
23年	9(文 4理 5)	10(文 10理 0)	28(文 0理 28)	4(文 0理 4)
24年	4(文 4理 0)	6(文 6理 0)	17(文 0理 17)	5(文 1理 4)
25年	2(文 1理 1)	6(文 6理 0)	19(文 0理 19)	3(文 1理 2)

【25年4月入社者の採用実績校】(文)(院)神戸大1(大)同大 立命館大各2 龍谷大 関大 滋賀大各1 (理)(院)大阪公大3 京都工繊大 阪大各2 熊本大 信州大 兵庫県大 福井大 同大 長岡技科大 近大 関西学大 神戸大 東北大 琉球大 立命館大 徳島大 龍谷大 富山大 富山県大各1(大)滋賀県大1

【24年4月入社者の配属先】(総)勤務地:(23年)滋賀・大津9 大阪5 部署:(23年)営業5 人事2 資材1 経理2 総務2 情報システム1 マーケティング1 (技)勤務地:(23年)滋賀(大津24 草津1 能登川7 高月5) 部署:(23年)技術部門13 工務部門7 各事業部15 知的財産2

残業(月) 14.4時間

記者評価 主力は薄型パネルディスプレイ(FPD)用ガラスで、韓国LGディスプレイが主要顧客。テレビ市況に左右されやすいが、韓国子会社解散などで構造改革。自動車や風車ブレード用のガラスファイバーを安定収益源として強化中。海外で事業買収を行い展開を加速。

●給与、ボーナス、週休、有休ほか●

【30歳総合職モデル年収】575万円【初任給】(博士)316,000円(修士)284,000円(大卒)261,000円【ボーナス(年)】276万円、5.7カ月【25、30、35歳賃金】NA【週休】完全2日(土日祝)【夏期休暇】3日【年末年始休暇】12月30日～1月3日【有休取得】18.8／24日

●従業員数、勤続年数、離職率ほか●

【男女別従業員数、平均年齢、平均勤続年数】計 ◇1,713(44.5歳 22.2年) 男 1,541(44.9歳 22.9年) 女 172(40.4歳 16.2年)【離職率と離職者数】◇1.9%、34名【3年後新卒定着率】92.0%(男94.7%、女83.3%、3年前入社:男19名・女6名)【組合】あり

求める人材 <求める要件・行動>プロ意識 執念 変革力 主体的行動力 チャレンジ精神

会社データ　(金額は百万円)

【本社】520-8639 滋賀県大津市晴嵐2-7-1
☎077-537-1700　https://www.neg.co.jp/
【社長】岸本 暁【設立】1944.10【資本金】32,155【今後力を入れる事業】エネルギー 環境 医療 食料

【業績(連結)】	売上高	営業利益	経常利益	純利益
21.12	292,033	32,779	44,979	27,904
22.12	324,634	26,184	34,058	28,167
23.12	279,974	▲10,420	▲9,480	▲26,188

メーカーⅡ

開示 ★★

▶『業界地図』p.137

セントラル硝子(株)

がらす

東京P 4044

【特色】板ガラス国内3位。麻酔剤で世界首位級薬を保有

修士・大卒採用数	3年後離職率	有休取得年平均	平均年収(平均*36歳)
26名	22.9 → 4.3%	13.0日	総 771万円

●エントリー情報と採用プロセス●

【受付開始～終了】総3月～7月 技3月～8月【採用プロセス】総ES提出・適性検査→面接(2回)→内々定 技ES提出→面接(2回)→内々定【交通費支給】1次面接以降、実費(全額)【早期選考】⇒巻末

試験情報

重視科目 総技 面接

総 ES NA 筆 Compass(適性検査のみ) 面 2回 技 ES NA 筆 なし 面 2回

選考ポイント 総 ES NA(提出あり) 面 人物重視 技 ES 研究内容 面 研究内容への理解度 研究への自発性

通過率 総技 ES NA

倍率(応募/内定) 総技 NA

●男女別採用数と配属先ほか●

【男女・文理別採用実績】

	大卒男	大卒女	修士男	修士女
23年	3(文 0理 3)	7(文 7理 0)	15(文 0理 15)	1(文 0理 1)
24年	7(文 4理 3)	4(文 4理 0)	21(文 0理 21)	8(文 0理 8)
25年	5(文 4理 1)	2(文 2理 0)	13(文 0理 13)	6(文 2理 4)

【25年4月入社者の採用実績校】

文(院)同大 国士舘大各1(大)同大 明大 中大 京産大 都留文科大 明知大各1 理(院)山口大4 信州大2 東京科学大 埼玉大 群馬大 秋田大 三重大 鳥取大 佐賀大 熊本大 鹿児島大 兵庫県大 東京薬大 工学院大 九州工大各1(大)福岡大1

【24年4月入社者の配属先】

総 勤務地:東京8 部署:人事2 経理2 営業4 技 勤務地:山口11 埼玉13 三重7 神奈川5 部署:研究所31 工場5

残業(月) 7.7時間

記者評価 板ガラスで国内大手だが、売上高に占めるガラス事業の比率は4割未満。残りを占める化成品事業では肥料や半導体向け洗浄剤、麻酔剤など展開。伸び盛りのリチウムイオン電池関連では、EV向けを軸にPHVや産業用蓄電池向けなどの需要を開拓。

●給与、ボーナス、週休、有休ほか●

【30歳総合職平均年収】NA【初任給】(博士)318,000円(修士)289,000円(大卒)262,000円【ボーナス(年)】164万円、NA【25、30、35歳賃金】NA【週休】完全2日(土日祝)【夏期休暇】5日【年末年始休暇】12月30日～1月3日【有休取得】13.0／20日

●従業員数、勤続年数、離職率ほか●

【男女別従業員数、平均年齢、平均勤続年数】計 ◇1,345(36.4歳 14.5年) 男 1,177(NA) 女 168(NA)【離職率と離職者数】◇2.5%、35名【3年後新卒定着率】95.7%(男94.7%、女100%、3年前入社:男19名・女4名)【組合】あり

求める人材 旺盛な好奇心を持ち変化に対応できる人 まわりを巻き込み結果を出す人

会社データ (金額は百万円)

【本社】101-0054 東京都千代田区神田錦町3-7-1 興和一橋ビル
☎0120-259-077 https://www.cgco.co.jp/

【社長】前田 一彦【設立】1936.10【資本金】18,168【今後力を入れる事業】電子材料事業 エネルギー材料事業

【業績(連結)】	売上高	営業利益	経常利益	純利益
22.3	206,184	7,262	11,936	▲39,844
23.3	169,309	16,757	19,637	42,494
24.3	160,339	14,526	16,269	12,478

日東紡

にっとうぼう

東京P 3110

【特色】ガラス繊維大手。子会社で体外診断用医薬品も

修士・大卒採用数	3年後離職率	有休取得年平均	平均年収(平均43歳)
30名	3.7 → 22.2%	12.1日	総 672万円

●エントリー情報と採用プロセス●

【受付開始～終了】総3月～6月 技3月～継続中【採用プロセス】総技説明会(3月)→ES・履歴書提出→適性検査→面接(3回、内オンライン2回対面1回)→内々定(6月～)【交通費支給】最終面接、実費(全額)【早期選考】⇒巻末

試験情報

重視科目 総技 面接

総技 ES ⇒巻末 筆 適性検査 面 3回(Webあり)

選考ポイント 総技 ES 志望動機 志望職種 自己PR 研究内容 他 面 活気・活力 柔軟性 チャレンジ精神 コミュニケーション能力 他

通過率 総技 ES NA

倍率(応募/内定) 総技 NA

●男女別採用数と配属先ほか●

【男女・文理別採用実績】

	大卒男	大卒女	修士男	修士女
23年	1(文 0理 1)	5(文 5理 0)	11(文 0理 11)	3(文 0理 3)
24年	4(文 2理 2)	3(文 3理 0)	13(文 0理 13)	4(文 1理 3)
25年	9(文 7理 2)	5(文 4理 1)	12(文 0理 12)	4(文 0理 4)

【25年4月入社者の採用実績校】

文(大)同大2 青森公大 宇都宮大 慶大 上智大 名古屋市大 阪大 明大 名桜大 新潟県大各1 理(院)山形大4 筑波大 東理大各2 宇都宮大 京大 埼玉大 静岡大 東京科学大 名大 名城大 阪大各1(大)千葉工大 日大 京都工繊大各1

【24年4月入社者の配属先】

総 勤務地:東京・千代田6 部署:営業2 人事2 経理1 経営企画1
技 勤務地:福島(福島2 郡山17) 部署:研究開発・技術19

残業(月) 7.2時間

記者評価 自動車部品やスマホ筐体などに使用されるガラス繊維(グラスファイバー)の製造・販売が中核事業。高機能ガラスはデータセンターや半導体向けの需要が絶好調。体外診断用医薬品を育成中。ほかにも住宅用の断熱材や衣料副資材の接着芯地を手がける。

●給与、ボーナス、週休、有休ほか●

【30歳総合職平均年収】NA【初任給】(博士)286,000円(修士)261,000円(大卒)238,500円【ボーナス(年)】NA、4.83カ月【25、30、35歳賃金】NA【週休】<本社>完全2日(土日祝)<工場>会社暦2日【夏期休暇】連続5日【年末年始休暇】連続5日【有休取得】12.1／20日

●従業員数、勤続年数、離職率ほか●

【男女別従業員数、平均年齢、平均勤続年数】計 ◇793(43.0歳 18.0年) 男 614(43.2歳 18.0年) 女 179(42.2歳 17.0年)【離職率と離職者数】◇3.9%、32名【3年後新卒定着率】77.8%(男75.0%、女83.3%、3年前入社:男12名・女6名)【組合】あり

求める人材 広く見渡し、深く考え、果敢に、粘り強くチャレンジし、やり遂げる活気に満ちた人財

会社データ (金額は百万円)

【本社】102-8489 東京都千代田区麹町2-4-1 麹町大通りビル
☎03-4582-5040 https://www.nittobo.co.jp/

【社長】多田 弘行【設立】1923.4【資本金】19,699【今後力を入れる事業】電子材料事業 メディカル事業

【業績(連結)】	売上高	営業利益	経常利益	純利益
22.3	84,051	7,268	8,065	6,519
23.3	87,529	4,880	6,067	2,772
24.3	93,253	8,387	9,752	7,296

メーカーII

開示 ★★★

▶『業界地図』p.134

▶『業界地図』p.129

たいへいよう
太平洋セメント㈱

東京P 5233

【特色】セメント国内販売シェア首位。海外展開多彩

修士・大卒採用数	3年後離職率	有休取得年平均	平均年収(平均40歳)
65名	13.4→7.5%	15.8日	[総]868万円

●エントリー情報と採用プロセス●

【受付開始～終了】[総][技]3月～未定【採用プロセス】[総]ES提出・Web試験(3月～)→面接(3回)→内々定(順次) [技]ES提出・Web試験(3月～)→面接(2～3回)→内々定(順次)※学校推薦は別【交通費支給】最終面接、会社基準【早期選考】⇒巻末

試験情報

重視科目 [総][技]面接

[総][ES]⇒巻末[筆]WebGAB[面]3回(Webあり) [技][ES]⇒巻末[筆]WebGAB[面]2～3回(Webあり)

選考ポイント [総][ES]学生時代に力を入れたこと[面]志望意欲 やり甲斐を持って学生時代を過ごして来たか [技][ES]総合職共通[面]志望意欲 やり甲斐を持って学生時代を過ごして来たか 専門性

通過率 [総][技][ES]NA **倍率(応募/内定)** [総][技]NA

●男女別採用数と配属先ほか●

【男女・文理別採用実績】

	大卒男	大卒女	修士男	修士女
23年	27(文 15 理 12)	11(文 6 理 5)	21(文 0 理 21)	3(文 0 理 3)
24年	21(文 17 理 4)	6(文 4 理 2)	21(文 0 理 21)	5(文 0 理 5)
25年	24(文 14 理 10)	13(文 10 理 3)	23(文 1 理 22)	5(文 1 理 4)

【25年4月入社者の採用実績校】[文](院)同大 サラマンカ大各1(大)國學院大 成蹊大各3 慶大 青学大 明大 日大各2 法政大 関西学大 秋田大 高知大 千葉大 金沢大 津田塾大 明学大 山口大 立命館大各1 [理](院)熊本大4 秋田大3 日大 群馬大 山口大各2 北大 明大 高知大 千葉大 埼玉大 東京都市大 東北大 広島大 都立大 近大 福岡大 徳島大 大阪公大 阪大各1(大)大分大 宮崎大 同大 中大 高知大 千葉大 日大 金沢大 名城大 東京電機大 九州工大 群馬大 近大各1(高専)仙台 函館各1

【24年4月入社者の配属先】[総]勤務地:東京(文京3 港1)北海道(北斗2 札幌1)仙台1 埼玉(熊谷1 日高1)群馬・高崎1 名古屋2 三重・いなべ1 大阪市1 広島市3 福岡市1 大分・津久見1 部署:経理12 営業7 総務1 [技]勤務地:東京・文京2 北海道・北斗3 岩手・大船渡1 仙台1 新潟・糸魚川1 埼玉(熊谷1 日高3)千葉・佐倉14 三重・いなべ2 大阪市1 広島市1 高知市1 福岡(福岡市1 田川1)大分・津久見3 部署:研究開発14 設備技術4 資源開発7 生産技術6 技術営業5

残業(月) 17.9時間

記者評価 セメント販売で国内シェア3割強。廃棄物リサイクルも収益源。国内は国土強靭化やリニア関連などあるが中長期的に減退傾向。海外はインドネシアはじめ東南アジアの事業拡大を推進。26年1月の稼働を目指しフィリピンでセメントターミナルを新設中。米国にも注力。

●給与、ボーナス、週休、有休ほか●

【30歳総合職平均年収】566万円【初任給】(博士)299,800円(修士)283,000円(大卒)263,000円【ボーナス(年)】(組合員)130万円、NA【25、30、35歳モデル賃金】290,800円→347,440円→412,750円【週休】完全2日(土日祝)【夏期休暇】連続2日【年末年始休暇】12月31日～1月3日【有休取得】15.8／20日

●従業員数、勤続年数、離職率ほか●

【男女別従業員数、平均年齢、平均勤続年数】計◇1,821(39.7歳 17.3年) 男 1,607(40.0歳 17.8年) 女 214(37.8歳 13.3年)【離職率と離職者数】◇1.7%、32名【3年後新卒定着率】92.5%(男90.9%、女100%、3年前入社:男55名・女12名)【組合】あり

求める人材 枠にとらわれず自己実現の為に未知の分野にも果敢に挑戦していく人材

会社データ (金額は百万円)

【本社】112-8503 東京都文京区小石川1-1-1 文京ガーデン ゲートタワー
☎03-5801-0333 https://www.taiheiyo-cement.co.jp/
【社長】田浦 良文【設立】1881.5【資本金】86,174【今後力を入れる事業】2050年カーボンニュートラル実現に向けた取り組み

【業績(連結)】	売上高	営業利益	経常利益	純利益
22.3	708,201	46,701	50,193	28,971
23.3	809,542	4,456	1,015	▲33,206
24.3	886,275	56,470	59,472	43,272

ユービーイーみつびし
ＵＢＥ三菱セメント㈱

株式公開 していない

【特色】セメント国内大手。UBEと三菱マテリアルの合弁

修士・大卒採用数	3年後離職率	有休取得年平均	平均年収(平均33歳)
20名	ND	18.0日	[総]767万円

●エントリー情報と採用プロセス●

【受付開始～終了】[総]2月～5月 [技]2月～8月【採用プロセス】[総]説明会(任意)→ES提出・Webテスト(2月～)→面接(2回)→内々定 [技]説明会(任意)→ES提出・Webテスト(2月～)→面接(3回)→内々定【交通費支給】最終面接(対面)、会社基準

試験情報

重視科目 [総][技]面接

[総][ES]⇒巻末[筆]CUBIC(Web・自宅)[面]2回(Webあり) [技][ES]⇒巻末[筆]CUBIC(Web・自宅)[面]3回(Webあり)

選考ポイント [総][ES]志望意欲 設問に適切に回答しているか [面]コミュニケーション力 チームワーク力 チャレンジ精神 誠実さ・真摯さ [技][ES]総合職共通[面]専攻分野の基礎知識 コミュニケーション力 チームワーク力 チャレンジ精神 誠実さ・真摯さ

通過率 [総][ES]92%(受付:115→通過:106) [技][ES]98%(受付:122→通過:119)

倍率(応募/内定) [総]13倍 [技]9倍

●男女別採用数と配属先ほか●

【男女・文理別採用実績】※25年:24年8月末時点

	大卒男	大卒女	修士男	修士女
23年	2(文 1 理 1)	2(文 2 理 0)	4(文 0 理 4)	2(文 0 理 2)
24年	5(文 5 理 0)	2(文 2 理 0)	7(文 0 理 7)	2(文 0 理 2)
25年	7(文 5 理 2)	3(文 3 理 0)	7(文 0 理 7)	3(文 1 理 2)

【25年4月入社者の採用実績校】[文](院)立命館大1(大)学習院大2 成蹊大 法政大 明大 同大 立命館大 関大各1 [理](院)筑波大 千葉大 電通大 日大 富山大 岡山大 広島大 山口東理大 高知大 九州工大 北九州市大 佐賀大各1(大)山口大 長崎大各1

【24年4月入社者の配属先】[総]勤務地:福岡・苅田町4 東京・千代田2 大阪市1 部署:工場事務(経理・総務・資材等)4 営業3 [技]勤務地:福岡・苅田町1 山口(宇部1 美祢2) 部署:生産1 研究1 資源2

残業(月) [総]19.7時間

記者評価 22年4月に三菱マテリアルと宇部興産(現UBE)のセメント事業が統合して発足。両社が50%ずつ出資。九州工場のセメント生産能力は国内最大規模を誇る。グループで石灰石鉱山を保有し、採掘や関連製品の販売も手がける。海外はアジア、北中米などに9拠点。

●給与、ボーナス、週休、有休ほか●

【30歳総合職平均年収】539万円【初任給】(博士)302,000円(修士)275,000円(大卒)267,000円【ボーナス(年)】159万円、NA【25、30、35歳賃金】281,000円→338,000円→383,000円【週休】完全2日(土日祝)【夏期休暇】有休取得奨励日を設定【年末年始休暇】12月31日～1月3日、別途有休取得奨励日を設定【有休取得】18.0／22日

●従業員数、勤続年数、離職率ほか●

【男女別従業員数、平均年齢、平均勤続年数】計 1,789(42.1歳 19.2年) 男 1,611(42.3歳 19.5年) 女 178(40.9歳 16.1年)【離職率と離職者数】3.3%、61名【3年後新卒定着率】ND【組合】あり

求める人材 前例にとらわれない 仕事にこだわり自らを高める 協働しチームで成果を出す

会社データ (金額は百万円)

【本社】100-8521 東京都千代田区内幸町2-1-1 飯野ビルディング
☎03-6275-0330 https://www.mu-cc.com/
【社長】小山 誠【設立】2021.4【資本金】50,250【今後力を入れる事業】カーボンニュートラル関連 海外事業

【業績(連結)】	売上高	営業利益	経常利益	純利益
23.3	576,304	▲28,366	▲25,757	▲47,332
24.3	585,298	45,687	47,666	24,585

メーカーII

すみともおおさか
住友大阪セメント(株)
東京P 5232

【特色】セメント販売で国内3位。光電子や新材料で多角化

修士・大卒採用数	3年後離職率	有休取得年平均	平均年収(平均44歳)
55名	0 → 6.5%	17.3日	総 807万円

残業(月) 9.4時間 総 12.1時間

記者評価 セメント国内シェアは約2割。廃材など廃棄物リサイクルやバイオマス発電で先行。セメント輸出拡大に向け、豪州にセメントターミナル。脱炭素策も推進。新材料の半導体製造装置向け静電チャックは設備増強中、25年度の竣工後は生産能力が約2倍に。

●エントリー情報と採用プロセス●

【受付開始〜終了】総3月〜3月 技2月〜3月【採用プロセス】総ES提出(3月)→Web適性検査→Web社員面談→1次面接(Web)→最終面接(対面)→内々定 技ES提出(2月)→Web適性検査→1次面接(Web)→最終面接(対面)→内々定【交通費支給】最終面接、実費相当【早期選考】⇒巻末

試験情報

重視科目 総技 面接

総技 ES⇒巻末 筆ADVANTAGE INSIGHT(Web) 面2回(Webあり)

選考ポイント 総 ES志望動機 自己PR 他 面コミュニケーション能力 基礎学力 誠実性 素直さ 技 ES志望動機 自己PR 研究内容 他 面総合職共通

通過率 総技 ES NA 倍率(応募/内定) 総技 NA

●男女別採用数と配属先ほか●

【男女・文理別採用実績】

	大卒男	大卒女	修士男	修士女
23年	14(文 8理 6)	3(文 2理 1)	17(文 0理 17)	0(文 0理 0)
24年	18(文 11理 7)	7(文 5理 2)	21(文 0理 21)	3(文 0理 3)
25年	14(文 9理 5)	9(文 7理 2)	30(文 0理 30)	2(文 0理 2)

【25年4月入社者の採用実績校】文(大)関大 同大各3 関西学大 日大各2 立命館大 学習院大 青学大 中大 法政大 國學院大各1 理(院)秋田大4 埼玉大 山形大各3 日大 宮崎大 岡山大 東海大 東北大各2 筑波大 北大 大阪公大 金沢大 島根大 山口大 鹿児島大 茨城大 長岡技科大 室蘭工大 北見工大 成蹊大各1(大)大和大2 秋田大 千葉工大 日大 芝工大 金城学大各1

【24年4月入社者の配属先】総勤務地:東京5 栃木2 兵庫・赤穂2 高知2 岐阜1 千葉1 名古屋1 広島1 部署:営業4 工場事務7 不動産1 物流1 資材1 経理1 技勤務地:東京4 千葉17 名古屋1 大阪1 仙台1 岐阜3 兵庫・赤穂4 高知2 部署:生産技術4 プラントエンジニアリング5 研究開発11 資源開発3 技術支援1 技術営業2 事業部技術6 知財1

●給与、ボーナス、週休、有休ほか●

【30歳総合職平均年収】539万円【初任給】(博士)305,000円(修士)281,000円(大卒)260,000円【ボーナス(年)】(組合員)143万円、(組合員)4.67カ月【25、30、35歳モデル賃金】293,290円→332,140円→433,670円【週休】完全2日(土日祝)【夏期休暇】連続7日(計画年休2日含む)の取得を推奨【年末年始休暇】連続7日(計画年休1日、年休1日を含む)の取得を推奨【有休取得】17.3/21日

●従業員数、勤続年数、離職率ほか●

【男女別従業員数、平均年齢、平均勤続年数】計 ◇1,197(42.2歳 18.5年) 男 1,040(42.2歳 19.0年) 女 157(42.0歳 15.5年)【離職率と離職者数】◇2.6%、32名【3年後新卒定着率】93.5%(男92.0%、女100%、3年前入社:男25名・女6名)【組合】あり

求める人材 挑戦できる人 様々な立場や年齢の人と協働できる人 何事にも誠実に向き合いやり遂げる人

会社データ (金額は百万円)

【本社】105-8641 東京都港区東新橋1-9-2 汐留住友ビル
☎03-6370-2704 https://www.soc.co.jp/
【社長】諸橋 央典【設立】1907.11【資本金】41,654【今後力を入れる事業】セメント 環境リサイクル 高機能品事業 他

【業績(連結)】	売上高	営業利益	経常利益	純利益
22.3	184,209	6,878	9,834	9,674
23.3	204,705	▲8,555	▲7,849	▲5,719
24.3	222,502	7,251	8,476	15,339

にっぽんとくしゅとうぎょう
日本特殊陶業(株)
東京P 5334

【特色】自動車用プラグ、排気系センサーで世界一

修士・大卒採用数	3年後離職率	有休取得年平均	平均年収(平均42歳)
30名	27.3 → 13.1%	16.4日	総 902万円

残業(月) 16.5時間 総 19.0時間

記者評価 森村グループ。自動車部品で群を抜く高収益である一方、エンジン関連事業の比率が高いことが長期課題。M&Aや新規事業に集中投資。電子部品や医療関連、全固体電池など新規事業の育成に注力。同時にプラグ・センサー事業を買収(予定)など現実路線も。

●エントリー情報と採用プロセス●

【受付開始〜終了】総2月〜6月 技2月〜7月【採用プロセス】総 技 説明会(2月)→ES提出・Webテスト(2月中旬)→面接(3回)→内々定【交通費支給】最終面接、各都道府県別設定額【早期選考】⇒巻末

試験情報

重視科目 総技 面接

総技 ES⇒巻末 筆SPI3(自宅) 面3回(Webあり)

選考ポイント 総技 ES価値観と強み 学生時代に力を入れた活動 面コミュニケーション能力 論理的思考 他

通過率 総 ES45%(受付:435→通過:195) 技 ES81%(受付:255→通過:206)

倍率(応募/内定) 総(早期選考含む)62倍 技(早期選考含む)12倍

●男女別採用数と配属先ほか●

【男女・文理別採用実績】

	大卒男	大卒女	修士男	修士女
23年	13(文 9理 4)	7(文 6理 1)	16(文 0理 16)	5(文 0理 5)
24年	5(文 4理 1)	20(文 17理 3)	22(文 2理 20)	8(文 0理 8)
25年	10(文 5理 5)	3(文 1理 2)	13(文 0理 13)	4(文 1理 3)

【25年4月入社者の採用実績校】文(院)九大1(大)法政大 青学大 金沢大 千葉大 東北大 同大各1 理(院)名工大5 名大3 東理大2 豊橋技科大 東北大 静岡大 広島大 九大 関大 愛知県大各1(大)愛知工業大 インド工科大各2 名大 関大 立教大各1

【24年4月入社者の配属先】総勤務地:愛知(名古屋12 小牧8)東京2 大阪1 部署:新規ビジネス開発4 社内システム構築・運用3 販売管理2 経理2 人事2 採用2 国内営業2 総務1 知財1 SCM1 調達1 秘書1 財務1 技勤務地:愛知(名古屋2 小牧30) 部署:新規ビジネス開発8(うちICTシステム3 マーケティング1)製品開発・設計7 研究開発4 営業技術4 生産技術2 SCM1 社内システム構築・運用1 プラットフォーム開発1 生産設計1 品質統括1 環境安全1 調達1

●給与、ボーナス、週休、有休ほか●

【30歳総合職平均年収】606万円【初任給】(博士)276,400円(修士)266,300円(大卒)244,000円【ボーナス(年)】357万円、NA【25、30、35歳賃金】261,457円→304,254円→349,230円【週休】会社暦2日【夏期休暇】連続5日(7月)連続9日(8月)【年末年始休暇】連続10日【有休取得】16.4/20日

●従業員数、勤続年数、離職率ほか●

【男女別従業員数、平均年齢、平均勤続年数】計 3,289(41.8歳 17.5年) 男 2,691(42.3歳 17.7年) 女 598(40.0歳 16.5年)【離職率と離職者数】3.0%、103名【3年後新卒定着率】86.9%(男87.5%、女85.7%、3年前入社:男40名・女21名)【組合】あり

求める人材 「四海兄弟、素志貫徹、至誠真実、独立自営」の共有価値観に共感し、体現できる人財

会社データ (金額は百万円)

【本社】461-0005 愛知県名古屋市東区東桜1-1-1 アーバンネット名古屋ネクスタ
☎052-218-6312 https://www.ngkntk.co.jp/
【会長】尾堂 真一【設立】1936.10【資本金】47,869【今後力を入れる事業】環境・エネルギー モビリティ 医療 情報通信

【業績(IFRS)】	売上高	営業利益	税前利益	純利益
22.3	491,733	75,512	83,642	60,200
23.3	562,559	89,219	93,384	66,293
24.3	614,486	107,591	117,184	82,646

メーカーII

にっぽん
日本ガイシ(株)

東京P 5333

【特色】電力用ガイシ世界一。排ガス浄化装置が主力

修士・大卒採用数	3年後離職率	有休取得年平均	平均年収(平均43歳)
127名	13.3→3.7%	14.1日	(総)892万円

残業(月) 20.8時間 (総)21.6時間

記者評価 森村グループ。祖業は電力用ガイシだが、セラミックス技術を応用した自動車向け排ガス浄化用フィルターが現在の収益柱。EV時代を見据え半導体関連や産業炉など育成。再エネ普及に欠かせないとしてNAS電池に注力。仮想発電所事業なども。海外売上比率は7割強。

●エントリー情報と採用プロセス●

【受付開始～終了】(総)2月～5月 (技)1月～3月【採用プロセス】(総)筆記・ES提出(2月～)→個人面接(Web2回、対面1回)→内々定(5月) (技)筆記・ES提出(1月～)→個人面接(Web2回、対面1回)→内々定(5月)※学校推薦は都度対応【交通費支給】最終面接 他、会社基準(大学所在地をもとに)【早期選考】⇒巻末

試験情報

重視科目 [総][技]面接

[総][技](ES)⇒巻末(筆)WebGAB CUBIC(面)3回(Webあり)

選考ポイント [総](ES)学生時代に力を入れたこと 読み手を考慮した読みやすさ 適度な字数(面)状況把握力 最適行動力 影響統率力 他 [技](ES)総合職共通(面)状況把握力 最適行動力 実践行動力 他

通過率 [総](ES)34%(受付:(早期選考含む)861→通過:(早期選考含む)291) [技](ES)64%(受付:(早期選考含む)629→通過:(早期選考含む)400)

倍率(応募/内定) [総](早期選考含む)30倍[技](早期選考含む)6倍

●男女別採用数と配属先ほか●

【男女・文理別採用実績】

	大卒男	大卒女	修士男	修士女
23年	14(文 11 理 3)	13(文 11 理 2)	82(文 0 理 82)	15(文 0 理 15)
24年	18(文 14 理 4)	11(文 10 理 1)	81(文 0 理 81)	13(文 0 理 13)
25年	19(文 17 理 2)	14(文 13 理 1)	78(文 0 理 78)	16(文 1 理 15)

【25年4月入社者の採用実績校】(文)(院)京大1(大)同大4 名大 関西学大 慶大各3 早大 南山大各2 国立台北大 北大 横国大 一橋大 阪大 神戸大 九大 筑波大 国際教養大 上智大 青学大 立命館大 明大各1 (理)(院)名工大17 岐阜大11 三重大10 名大9 立命館大5 静岡大4 豊橋技科大 富山大 金沢大各3 東理大 山梨大 九大 鹿児島大各2 北見工大 東北大 東京科学大 横国大 茨城大 信州大 長岡技科大 金沢工大 工学院大 名古屋市大 名城大 京大 京都工繊大 関大 大阪公大 岡山大 島根大 鳥取大 山口大 広島大 熊本大各1(大)静岡大 岐阜大 豊田工大各1

【24年4月入社者の配属先】[総]勤務地:愛知(名古屋18 知多2)大阪1 東京3 部署:国内営業9 海外営業3 管理6 財務4 資材1 人事1 [技]勤務地:愛知(名古屋67 知多16 小牧15)石川1 部署:研究開発19 製品設計・開発26 製造技術開発・設備設計34 DX推進15 品質保証3 知的財産1 生産管理1

●給与、ボーナス、週休、有休ほか●

【30歳総合職平均年収】665万円【初任給】(博士)310,200円(修士)283,000円(大卒)263,000円【ボーナス(年)】201万円、5.98カ月【25、30、35歳賃金】282,000円→348,176円→390,643円【週休】完全2日(土日祝)【夏期休暇】(技術部門の一部・製造部門)連続9日(事務・営業・技術部門の一部)なし【年末年始休暇】連続11日【有休取得】14.1/20日

●従業員数、勤続年数、離職率ほか●

【男女別従業員数、平均年齢、平均勤続年数】計 3,742(40.2歳 15.0年) 男 3,125(40.3歳 15.1年) 女 617(39.5歳 14.6年)【離職率と離職者数】2.1%、81名【3年後新卒定着率】96.3%(男95.5%、女100%、3年前入社:男67名・女14名)【組合】あり

求める人材 「聡明」「誠実」「柔軟」「快活」という資質を兼ね備えて前向きなチャレンジマインドを持った人

会社データ (金額は百万円)

【本社】467-8530 愛知県名古屋市瑞穂区須田町2-56
☎0120-34-7331 https://www.ngk.co.jp/
【社長】小林 茂【設立】1919.5【資本金】70,064【今後力を入れる事業】カーボンニュートラル デジタル社会関連製品

【業績(連結)】	売上高	営業利益	経常利益	純利益
22.3	510,439	83,527	86,248	70,851
23.3	559,240	66,761	65,887	55,048
24.3	578,913	66,397	63,042	40,562

とうかい
東海カーボン(株)

東京P 5301

【特色】炭素製品大手。電炉用電極や半導体用素材も

修士・大卒採用数	3年後離職率	有休取得年平均	平均年収(平均43歳)
5名	4.2→0%	13.4日	793万円

残業(月) 10.4時間 (総)12.6時間

記者評価 1918年に東海電極製造として発足。タイヤ向けカーボンブラックでは国内首位級で、タイ、中国などで日系タイヤメーカー向けに材料を供給。電炉向け黒鉛電極でも業界大手だが、25年7月までに日欧の生産能力削減へ。半導体向けのファインカーボンが成長事業。

●エントリー情報と採用プロセス●

【受付開始～終了】(総)3月～6月 (技)3月～継続中【採用プロセス】(総)(技)説明会(必須、3月)→1次選考(ES提出・面接、3月)→2次選考(Web適性検査・面接、4月)→最終選考(面接、4月)→内々定(5月)【交通費支給】最終面接、会社基準(大学所在地別)【早期選考】⇒巻末

試験情報

重視科目 [総][技]面接

[総][技](ES)⇒巻末(筆)Compass(面)3回(Webあり)

選考ポイント [総][技](面)志望度 積極性 意欲 業務遂行能力 組織適応性 対人関係 ストレス耐性

通過率 [総][技](ES)選考なし(受付:53)

倍率(応募/内定) [総]18倍 [技]53倍

●男女別採用数と配属先ほか●

【男女・文理別採用実績】

	大卒男	大卒女	修士男	修士女
23年	1(文 0 理 1)	1(文 1 理 0)	5(文 0 理 5)	2(文 0 理 2)
24年	4(文 3 理 1)	1(文 0 理 1)	2(文 0 理 2)	2(文 0 理 2)
25年	3(文 2 理 1)	1(文 1 理 0)	1(文 0 理 1)	0(文 0 理 0)

※25年:継続中

【25年4月入社者の採用実績校】
(文)(大)法政大 学習院大 専大各1 (理)(院)近大1(大)千葉大1

【24年4月入社者の配属先】
[総]勤務地:東京・港2 愛知・知多1 部署:人事1 原料調達1 工場1 [技]勤務地:静岡・御殿場2 愛知・知多2 山口・防府1 熊本・田ノ浦1 部署:研究所2 工場4

●給与、ボーナス、週休、有休ほか●

【30歳総合職モデル年収】600万円【初任給】(博士)286,450円(修士)258,000円(大卒)240,000円【ボーナス(年)】150万円、6.0カ月【25、30、35歳賃金】261,100円→293,500円→331,250円【週休】完全2日【夏期休暇】あり【年末年始休暇】あり【有休取得】13.4/20日

●従業員数、勤続年数、離職率ほか●

【男女別従業員数、平均年齢、平均勤続年数】計 779(42.5歳 15.6年) 男 707(42.6歳 16.0年) 女 72(41.1歳 11.2年)【離職率と離職者数】3.0%、24名【3年後新卒定着率】100%(男100%、女100%、3年前入社:男2名・女1名)【組合】あり

求める人材 高い目標に向かって、自ら発想し、行動できる人

会社データ (金額は百万円)

【本社】107-8636 東京都港区北青山1-2-3 青山ビル
☎03-3746-5100 https://www.tokaicarbon.co.jp/
【社長】長坂 一【設立】1918.4【資本金】20,436【今後力を入れる事業】CB事業とFC事業の付加価値向上

【業績(連結)】	売上高	営業利益	経常利益	純利益
21.12	258,874	24,647	24,770	16,105
22.12	340,371	40,588	42,521	22,418
23.12	363,946	38,728	41,607	25,468

ニチアス(株)

東京P 5393

【特色】中堅化学メーカー。プラント向け工事も有力

修士・大卒採用数	3年後離職率	有休取得年平均	平均年収(平均40歳)
54名	14.3→20.7%	14.9日	総823万円

●エントリー情報と採用プロセス●

【受付開始～終了】総2月～5月 技1月～5月【採用プロセス】総Web説明会(必須)→ES提出・Web筆記(2～5月)→面接(3回、2～6月)→内々定(3～6月) 技Web説明会(必須)→ES提出・Web筆記(1～5月)→面接(3回、2～6月)→内々定(2～6月)【交通費支給】2次面接以降、2次面接:飛行機・新幹線・高速バス利用者かつ片道10,000円以上の場合に一部支給 最終面接:実費

試験情報

重視科目 総技面接

総技 ES⇒巻末 筆I9NEO I9E 面3回(Webあり)

選考ポイント 総技 ES力を注いだ学業 他 面応答態度 コミュニケーション能力(対人能力)ストレス耐性 行動力 協調性 適応力

通過率 総 ES78%(受付:232→通過:180) 技 ES92%(受付:334→通過:307) 倍率(応募/内定) 総12倍 技10倍

●男女別採用数と配属先ほか●

【男女・文理別採用実績】

	大卒男	大卒女	修士男	修士女
23年	9(文 6理 3)	4(文 2理 2)	17(文 0理 17)	7(文 0理 7)
24年	13(文 8理 5)	6(文 4理 2)	17(文 0理 17)	7(文 0理 7)
25年	17(文 15理 2)	7(文 5理 2)	26(文 0理 26)	4(文 0理 4)

【25年4月入社者の採用実績校】文(大)東洋大 大阪経大各3 法政大2 慶大 中大 日大 専大 獨協大 国士舘大 成城大 日女大 関大 関西学大 近大 名城大各1 理(院)信州大3 中大 青学大 成蹊大 群馬大各2 北大 秋田大 東北大 上智大 学習院大 明大 立教大 法政大 東京農工大 芝工大 東海大 千葉工大 埼玉大 関大 豊橋技科大 九州工大 鹿児島大 長崎大 高知工科大各1(大)東理大 都立大 近大 大阪工大各1

【24年4月入社者の配属先】総勤務地:東京・中央6 神奈川・大和1 大阪市1 名古屋市3 浜松1 福岡市1 熊本・菊地1 部署:営業13 管理1 技勤務地:東京・中央5 神奈川・鶴見8 浜松12 岐阜・羽島1 奈良・王寺2 熊本・菊地1 部署:研究開発5 技術開発15 生産・設備技術6 全社品質保証・全社安全衛生環境3

残業(月) 13.6時間 総14.9時間

記者評価 シール材・断熱材メーカーとして創立。旧社名は日本アスベスト。音や熱、振動、漏れを「断つ・保つ」独自技術が強み。半導体製造装置関連や自動車部品、建築材料を手がける。石油精製・火力発電所など、プラント向け工事の売上高比率も高い。現預金豊富。

●給与、ボーナス、週休、有休ほか●

【30歳総合職平均年収】642万円【初任給】(修士)268,400円(大卒)253,000円【ボーナス(年)】215万円、7.0カ月【25、30、35歳モデル賃金】282,300円→367,100円→444,500円【週休】2日(原則土日祝)【夏期休暇】連続5日【年末年始休暇】連続6日【有休取得】14.9／20日

●従業員数、勤続年数、離職率ほか●

【男女別従業員数、平均年齢、平均勤続年数】計1,829(41.0歳 14.2年) 男1,486(41.8歳 14.8年) 女343(37.6歳 11.7年)【離職率と離職者数】2.4%、45名【3年後新卒定着率】79.3%(男80.0%、女77.8%、3年前入社:男20名・女9名)【組合】あり

求める人材 仲間との仕事が楽しい人 若い時から責任のある仕事をしたい人

会社データ (金額は百万円)

【本社】104-8555 東京都中央区八丁堀1-6-1
☎03-4413-1111 https://www.nichias.co.jp/
【社長】亀津 克己【設立】1896.4【資本金】12,128【今後力を入れる事業】環境関連

【業績(連結)】	売上高	営業利益	経常利益	純利益
22.3	216,236	26,264	30,572	22,034
23.3	238,116	29,954	33,082	21,398
24.3	249,391	35,208	38,974	26,961

黒崎播磨(株)（くろさきはりま）

東京P 5352

【特色】日本製鉄系。高炉向けなど総合耐火物で大手

修士・大卒採用数	3年後離職率	有休取得年平均	平均年収(平均44歳)
18名	11.8→5.6%	14.5日	総823万円

●エントリー情報と採用プロセス●

【受付開始～終了】総技2月～継続中【採用プロセス】総技ES提出(2月～)→面接(3月～)→Webテスト・面接(3月～)→面接(4月～)→内々定(4月～)【交通費支給】2次面接以降、全額

試験情報

重視科目 総技面接

総技 ES⇒巻末 筆C-GAB WebGAB OPQ 面3回(Webあり)

選考ポイント 総技 面論理的思考力 コミュニケーション能力 主体性

通過率 総技 ES選考なし(受付:NA)

倍率(応募/内定) 総技NA

●男女別採用数と配属先ほか●

【男女・文理別採用実績】

	大卒男	大卒女	修士男	修士女
23年	4(文 3理 1)	1(文 1理 0)	5(文 0理 5)	0(文 0理 0)
24年	6(文 4理 2)	2(文 1理 1)	6(文 0理 6)	3(文 0理 3)
25年	5(文 2理 3)	2(文 2理 0)	10(文 0理 10)	1(文 0理 1)

※25年:21名採用予定

【25年4月入社者の採用実績校】文(大)関西学大 北九州市大 神戸女学大 山口大各1 理(院)岡山大 九州工大 佐賀大 福岡大各2 北九州市大 東京海洋大 山口大各1(大)九州職能大学校 九大 山口大各1

【24年4月入社者の配属先】総勤務地:北九州2 千葉・君津1 大分市1 名古屋1 部署:営業3 工程管理1 財務1 技勤務地:北九州7 兵庫・赤穂2 岡山・備前1 兵庫・高砂1 千葉・木更津1 部署:生産技術(機械含む)7 技術サービス3 研究開発1 設備保全1

残業(月) 16.3時間 総24.4時間

記者評価 2000年に黒崎窯業とハリマセラミックが合併して誕生。柱は高炉向け耐火れんがで、溶かした鉄の通り道や受け皿に使われる。半導体・電子部品・断熱材等の成長分野と併せ環境関連強化。海外はインド、東南アに重点。欧米はパートナー企業との連携で拡販。

●給与、ボーナス、週休、有休ほか●

【30歳総合職平均年収】584万円【初任給】(博士)255,400円(修士)253,400円(大卒)240,400円【ボーナス(年)】369万円、NA【25、30、35歳賃金】253,945円→293,400円→350,983円【週休】完全2日(原則土日祝)【夏期休暇】あり【年末年始休暇】あり【有休取得】14.5／20日

●従業員数、勤続年数、離職率ほか●

【男女別従業員数、平均年齢、平均勤続年数】計885(44.3歳 16.2年) 男707(43.9歳 16.6年) 女178(46.0歳 14.6年)【離職率と離職者数】2.6%、24名(早期退職男1名含む)【3年後新卒定着率】94.4%(男93.3%、女100%、3年前入社:男15名・女3名)【組合】あり

求める人材 論理的思考力・コミュニケーション能力のある人 考え抜く力、主体的に前に踏み出す力、協働適応力を兼ね備えた人

会社データ (金額は百万円)

【本社】806-8586 福岡県北九州市八幡西区東浜町1-1
☎093-622-7225 https://www.krosaki.co.jp/
【社長】江川 和宏【設立】1918.10【資本金】5,537【今後力を入れる事業】本業(製鉄用耐火物の製造販売)

【業績(連結)】	売上高	営業利益	経常利益	純利益
22.3	133,778	7,566	8,679	5,490
23.3	165,202	11,173	12,083	8,282
24.3	177,029	14,692	16,389	12,416

よしのせっこう
吉野石膏(株)

株式公開 計画なし

【特色】焼石膏と石膏耐火建材の老舗。石膏ボード首位

修士・大卒採用数	3年後離職率	有休取得年平均	平均年収(平均43歳)
13名	13.0→33.3%	11.2日	[総]854万円

残業(月) 13.4時間 [総]19.6時間

記者評価 1901年創業、石膏製品の老舗。「タイガー」ブランド。超高層ビルから一般住宅まで利用される耐火建材石膏ボードで国内シェア約8割。土壌改良材やセラミックスなど歯科・医療用製品にも展開。太陽光発電導入など脱炭素化追求。石膏リサイクルにも意欲。

●エントリー情報と採用プロセス●

【受付開始～終了】[総][技]3月～9月【採用プロセス】[総][技]説明会(必須、3月)→適性検査(3月中旬)→面接(3回、4月)→内々定(5月下旬)【交通費支給】1次面接以降、実費【早期選考】⇒巻末

試験情報

重視科目 [総][技]面接 SPI3

[総][技][ES]NA[筆]SPI3(会場) SPI3(自宅)[面]3回(Webあり)

選考ポイント [総][技][面]積極性 コミュニケーション能力

通過率 [総][技][ES]選考なし(受付:NA)

倍率(応募/内定) [総]22倍 [技]24倍

●男女別採用数と配属先ほか●

【男女・文理別採用実績】

	大卒男	大卒女	修士男	修士女
23年	12(文 8理 4)	20(文 19理 1)	2(文 0理 2)	0(文 0理 0)
24年	14(文 10理 4)	4(文 4理 0)	1(文 0理 1)	2(文 0理 2)
25年	9(文 6理 3)	3(文 3理 0)	1(文 0理 1)	0(文 0理 0)

【25年4月入社者の採用実績校】
[文](大)日大3 國學院大 関大 福岡大 武庫川女大 名古屋学院大各1 [理](院)明大1(大)日大2

【24年4月入社者の配属先】
[総]**勤務地**:東京・丸の内3 大阪2 仙台1 千葉1 横浜1 広島1 福岡1 **部署**:営業8 経理2 [技]**勤務地**:東京・足立7 **部署**:研究6 エンジニアリング1

●給与、ボーナス、週休、有休ほか●

【30歳総合職平均年収】548万円【初任給】(修士)246,500円(大卒)226,600円【ボーナス(年)】271万円、5.6カ月【25、30、35歳賃金】234,270円→262,133円→308,032円【週休】完全2日(土日祝)【夏期休暇】連続5日【年末年始休暇】連続5日【有休取得】11.2／20日

●従業員数、勤続年数、離職率ほか●

【男女別従業員数、平均年齢、平均勤続年数】計734(40.8歳 16.3年) 男480(43.3歳 18.1年) 女254(36.2歳 12.9年)【離職率と離職者数】2.8%、21名【3年後新卒定着率】66.7%(男68.2%、女62.5%、3年前入社:男22名・女8名)【組合】あり

求める人材 素直さと謙虚さを大切にし、コミュニケーション能力に優れ、行動力のある人

会社データ　(金額は百万円)
【本社】100-0005 東京都千代田区丸の内3-3-1 新東京ビル
☎03-3216-0951　https://yoshino-gypsum.com/
【社長】須藤 永作【設立】1937.3【資本金】100【今後力を入れる事業】石膏ボード使用部位の拡大・海外展開

【業績(単独)】	売上高	営業利益	経常利益	純利益
21.12	113,860	7,168	15,267	NA
22.12	130,527	12,353	19,082	NA
23.12	150,581	24,924	32,425	NA

ノリタケ(株)

東京P 5331

【特色】高級食器が祖業。工業用研削砥石や電子材料が柱

修士・大卒採用数	3年後離職率	有休取得年平均	平均年収(平均45歳)
24名	8.1→17.8%	13.4日	[総]788万円

残業(月) 14.7時間 [総]16.7時間

記者評価 日本ガイシ、TOTOを生んだ森村グループの中核。祖業は高級陶磁器食器「ノリタケ」だが、現在の主力は工業用研削砥石や電子部品用セラミックス材料、工業炉(リチウムイオン電池向け)。高級食器は再建中。24年4月に人事評価制度刷新、若手社員の登用狙う。

●エントリー情報と採用プロセス●

【受付開始～終了】[総][技]3月～5月【採用プロセス】[総][技]ES提出(3～5月)→面接(2回)・適性検査→内々定【交通費支給】最終面接、実費【早期選考】⇒巻末

試験情報

重視科目 [総][技]面接

[総][技][ES]⇒巻末[筆]あり(内容NA)[面]2回(Webあり)

選考ポイント [総][技][ES]論理的思考力 行動力[面]基礎学力 コミュニケーション能力 積極性 リーダーシップ 前向きさ

通過率 [総][ES]NA(受付:390→通過:NA) [技][ES]NA(受付:180→通過:NA)

倍率(応募/内定) [総]43倍 [技](早期選考含む)12倍

●男女別採用数と配属先ほか●

【男女・文理別採用実績】

	大卒男	大卒女	修士男	修士女
23年	2(文 2理 0)	2(文 1理 1)	11(文 0理 11)	5(文 0理 5)
24年	6(文 6理 0)	7(文 5理 2)	11(文 0理 11)	5(文 0理 5)
25年	5(文 4理 1)	7(文 5理 2)	9(文 0理 9)	3(文 0理 3)

※25年:24年7月末時点

【25年4月入社者の採用実績校】
[文](大)名古屋市大 愛知県大 南山大 神戸市外大 立命館大 関西学大 上智大 [理](院)名大 名工大 九大 静岡大 金沢大 岐阜大 名城大 関西学大 中京大(大)名城大 熊本大

【24年4月入社者の配属先】
[総]**勤務地**:愛知(名古屋8 三好1)横浜1 大阪1 **部署**:工業機材6 セラミック・マテリアル1 総務1 財務1 人事2 [技]**勤務地**:愛知(名古屋7 三好5 小牧1)未確定5 **部署**:工業機材5 セラミック・マテリアル2 エンジニアリング7 研究開発センター3 情報企画1

●給与、ボーナス、週休、有休ほか●

【30歳総合職平均年収】NA【初任給】(修士)249,000円(大卒)228,000円【ボーナス(年)】NA、5.0カ月【25、30、35歳賃金】NA【週休】完全2日(土日祝)【夏期休暇】連続5日(週休2日含む)【年末年始休暇】連続7日(週休2日含む)【有休取得】13.4／20日

●従業員数、勤続年数、離職率ほか●

【男女別従業員数、平均年齢、平均勤続年数】計◇1,875(44.7歳 21.4年) 男1,476(45.0歳 22.1年) 女399(43.6歳 18.9年)【離職率と離職者数】◇1.8%、35名【3年後新卒定着率】82.2%(男81.3%、女84.6%、3年前入社:男32名・女13名)【組合】あり

求める人材 自らの目標を掲げ、失敗を恐れずに挑戦する「有言実行型」の人

会社データ　(金額は百万円)
【本社】451-8501 愛知県名古屋市西区則武新町3-1-36
☎052-561-7126　https://www.noritake.co.jp/
【社長】東山 明【設立】1917.7【資本金】15,632【今後力を入れる事業】環境 エレクトロニクス ウェルビーイング

【業績(連結)】	売上高	営業利益	経常利益	純利益
22.3	127,641	9,353	12,509	9,068
23.3	139,494	8,969	12,405	10,024
24.3	137,912	10,709	14,643	11,480

日本コークス工業(株)（にほんこうぎょう）

東京P 3315

【特色】製鉄用コークス製造大手。旧社名は三井鉱山

修士・大卒採用数	3年後離職率	有休取得年平均	平均年収(平均44歳)
9名	20.0 → 33.3%	15.2日	(総)685万円

●エントリー情報と採用プロセス●

【受付開始～終了】(総)3月～7月 (技)3月～8月【採用プロセス】(総)説明会・インターンシップ(必須)→ES提出(3月～)→Webテスト(3月～)→面接(3回、3月中旬～)→内々定(4月中旬～) (技)説明会・インターンシップ(必須)→ES提出(3月～)→Webテスト(3月～)→面接(2～3回、3月中旬～)→内々定(4月中旬～)【交通費支給】〈事務系〉3次面接以降〈技術系〉1次または2次面接以降、原則実費【早期選考】⇒巻末

試験情報

重視科目 (総)(技)面接

(総)(ES)⇒巻末(筆)C-GAB WebGAB 性格検査 計数 言語 英語(面)3回(Webあり) (技)(ES)⇒巻末(筆)C-GAB WebGAB 性格検査 計数 言語 英語(面)2～3回(Webあり)

選考ポイント (総)(ES)志望動機:文章の論理性、自身の経験や学びを自分の言葉で表現できているか 自己PR:向上心 協調性 主体性(面)コミュニケーション能力 業務への適性等を含めた総合的な人物評価 (技)(ES)研究領域 文章の論理性 自身の経験や学びを自分の言葉で表現できているか 向上心 協調性(面)総合職共通

通過率 (総)(ES)38%(受付:160→通過:60) (技)(ES)46%(受付:59→通過:27) **倍率(応募/内定)** (総)32倍 (技)15倍

●男女別採用数と配属先ほか●

【男女・文理別採用実績】

	大卒男	大卒女	修士男	修士女
23年	2(文 1理 1)	2(文 1理 1)	2(文 0理 2)	0(文 0理 0)
24年	3(文 3理 0)	1(文 1理 0)	2(文 0理 2)	0(文 0理 0)
25年	3(文 3理 0)	4(文 2理 2)	2(文 0理 2)	0(文 0理 0)

【25年4月入社者の採用実績校】(文)(大)学習院大 専大 奈良女大 成城大 神戸市外大各1 (理)(院)香川大 群馬大各1(大)九州工大 近大各1

【24年4月入社者の配属先】(総)勤務地:東京・江東2 大阪・吹田1 部署:技術営業1 総務1 経理1 (技)勤務地:栃木2 北九州2 部署:設計1 開発1 製造技術2

残業(月) (総)11.3時間

記者評価 日本製鉄、住友商事が大株主。1997年まで三池炭鉱を運営。石炭を蒸し焼きにしたコークスの製造が主力。鉄鋼生産に使用され、日本製鉄などに販売。化学・電子部品業界向け粉体化工機の開発・販売も事業の柱。発電所向け一般炭の販売も手がける。

●給与、ボーナス、週休、有休ほか●

【30歳総合職平均年収】530万円【初任給】(博士)277,400円(修士)259,100円(大卒)242,100円【ボーナス(年)】174万円、4.2カ月【25、30、35歳賃金】237,340円→284,317円→329,600円【週休】完全2日(土日祝)【夏期休暇】有休で取得【年末年始休暇】あり【有休取得】15.2／20日

●従業員数、勤続年数、離職率ほか●

【男女別従業員数、平均年齢、平均勤続年数】計 ◇503(40.7歳 16.7年) 男 456(40.8歳 17.0年) 女 47(39.8歳 16.4年)【離職率と離職者数】◇4.7%、25名【3年後新卒定着率】66.7%(男75.0%、女50.0%、3年前入社:男4名・女2名)【組合】あり

求める人材 事業を担う気概を持つ人 好奇心旺盛で、物事を粘り強く成しとげていく人

会社データ　(金額は百万円)

【本社】135-6007 東京都江東区豊洲3-3-3 豊洲センタービル ☎03-5560-1311 https://www.n-coke.com/

【社長】松岡 弘明【設立】1911.12【資本金】7,000【今後力を入れる事業】非コークス事業の強化

【業績(連結)】	売上高	営業利益	経常利益	純利益
22.3	124,711	12,253	11,454	7,380
23.3	174,062	▲397	▲752	▲1,075
24.3	135,152	4,390	3,640	1,898

(株)LIXIL（リクシル）

東京P 5938

【特色】住宅設備機器の国内最大手。20年事業会社体制に

修士・大卒採用数	3年後離職率	有休取得年平均	平均年収(平均46歳)
175名	6.8 → 8.4%	11.1日	◇686万円

●エントリー情報と採用プロセス●

【受付開始～終了】(総)1月～7月 (技)11月～5月【採用プロセス】(総)コース選択(1～7月)→セミナー(コースにより必須、2月～)→ES・筆記(3月～)→面接(2回、4月～)→内々定(5月～)※ES有無はコースによる (技)コース選択(11～5月)→セミナー(コースにより必須、12月～)→筆記(12月～)→面接(2回、2月～)→内々定(3月中旬～)【交通費支給】NA【早期選考】⇒巻末

試験情報

重視科目 (総)(技)面接 筆記

(総)(ES)NA(筆)SPI3(会場) SPI3(自宅)(面)2回(Webあり) (技)(筆)SPI3(会場) SPI3(自宅)(面)2回(Webあり)

選考ポイント (総)(面)素直に学ぶ 柔軟性 関係構築力(より多くの人と積極的に良好な関係を築ける)他 (技)(面)素直に学ぶ 柔軟性 関係構築力(より多くの人と積極的に良好な関係を築ける)チャレンジ精神 他

通過率 (総)(ES)選考なし(受付:NA) (技)(ES)―(応募:913)

倍率(応募/内定) (総)15倍 (技)9倍

●男女別採用数と配属先ほか●

【男女・文理別採用実績】

	大卒男	大卒女	修士男	修士女
23年	48(文 18理 30)	27(文 14理 13)	37(文 1理 36)	16(文 0理 16)
24年	51(文 30理 21)	63(文 38理 25)	45(文 3理 42)	15(文 3理 12)
25年	48(文 25理 23)	69(文 39理 30)	37(文 0理 37)	21(文 4理 17)

【25年4月入社者の採用実績校】(文)(院)金沢美工大 多摩美大 中大 立命館大各1(大)関大6 立命館大 明大各5 中大 日大各4 関西学大3 京産大 東洋大 同大 法政大 北九州市大 明学大各2 他 (理)(院)九大 名工大各4 横国大 岐阜大 金沢工大 熊本大 芝工大 信州大 大分大 東京電機大 北大 日女大各2(大)芝工大4 近大 東京電機大 日大 法政大各3 大阪市大 東理大 名城大 明大 立命館大各2 他

【24年4月入社者の配属先】(総)勤務地:東京33 愛知4 茨城1 宮城1 京都2 熊本2 広島2 香川2 埼玉2 三重2 神奈川2 静岡1 石川1 千葉4 大阪8 長野2 栃木1 福岡1 兵庫1 北海道2 部署:営業35 マーケティング16 人事10 経理6 ビル事業6 知的財産1 (技)勤務地:東京10 愛知18 茨城21 岡山2 岩手5 岐阜5 熊本4 群馬5 広島1 埼玉4 三重10 富山6 福島5 北海道4 全国各生産拠点63 部署:商品開発・製造92 デジタル8 全国各生産拠点63

残業(月) 17.1時間 (総)17.1時間

記者評価 住宅設備最大手。11年に窓サッシのトステムと水回りのINAXほか3社が統合して、持株会社のLIXILグループが誕生。20年12月に合併し事業会社に一本化。「グローエ」「アメリカンスタンダード」など欧米有力ブランドを保有。リモート勤務が定着。

●給与、ボーナス、週休、有休ほか●

【30歳総合職平均年収】NA【初任給】(博士)262,200円(修士)246,200円(大卒)229,200円【ボーナス(年)】NA【25、30、35歳賃金】236,595円→276,700円→324,668円【週休】完全2日(土日祝)【夏期休暇】連続5日(週休含む)【年末年始休暇】12月30日～1月4日【有休取得】11.1／20日

●従業員数、勤続年数、離職率ほか●

【男女別従業員数、平均年齢、平均勤続年数】計 16,053(45.8歳 20.6年) 男 11,767(47.0歳 21.7年) 女 4,286(42.7歳 17.5年)【離職率と離職者数】2.8%、457名(早期退職男135名、女19名含む)【3年後新卒定着率】91.6%(男91.9%、女91.2%、3年前入社:男62名・女57名)【組合】あり

求める人材 オーナーシップ 誠実かつ信念を持った行動 失敗を恐れず挑戦 素直に学べる柔軟性

会社データ　(金額は百万円)

【本社】141-0033 東京都品川区西品川1-1-1 大崎ガーデンタワー ☎050-17905765 https://www.lixil.com/jp/

【社長】瀬戸 欣哉【設立】1949.9【資本金】68,654【今後力を入れる事業】リフォーム事業 海外事業

【業績(IFRS)】	売上高	営業利益	税前利益	純利益
22.3	1,428,578	69,471	67,262	48,603
23.3	1,495,987	24,903	19,759	15,991
24.3	1,483,224	16,351	6,664	▲13,908

とうようせいかん

東洋製罐グループホールディングス(株)

東京P 5901

【特色】缶、PETボトルなど包装容器関連のシェア絶大

修士・大卒採用数	3年後離職率	有休取得年平均	平均年収(平均42歳)
89名	[!]13.8 → [!]13.6%	13.8日	[総]727万円

●エントリー情報と採用プロセス●

【受付開始～終了】[総] [技]12月～継続中【採用プロセス】[総]説明会(任意)・ES提出(12～6月)→面接(4回、1～6月)→内々定 [技]説明会(任意)・ES提出(12～6月)→面接(3回、1～6月)→内々定【交通費支給】最終面接、大学所在地に応じて一定額【早期選考】⇒巻末

試験情報

重視科目 [総][技]面接

[総] [ES]⇒巻末[筆]SPI3(自宅)[面]4回(Webあり) [技] [ES]⇒巻末[筆]SPI3(自宅)[面]3回(Webあり)

選考ポイント [総] [ES]NA(提出あり)[面]コミュニケーション能力 主体性 協調性 行動力 [技] [ES]NA(提出あり)[面]コミュニケーション能力 主体性 協調性 専攻分野の理解力 行動力

通過率 [総] [ES]NA [技] [ES]NA(受付:504→通過:NA)

倍率(応募/内定) [総][技]NA

●男女別採用数と配属先ほか●

【男女・文理別採用実績】※25年:24年8月9日時点

	大卒男	大卒女	修士男	修士女
23年	28(文 17理 11)	16(文 9理 7)	16(文 0理 16)	4(文 0理 4)
24年	36(文 22理 14)	16(文 15理 1)	21(文 2理 19)	6(文 0理 6)
25年	28(文 16理 12)	20(文 18理 2)	30(文 2理 28)	11(文 1理 10)

【25年4月入社者の採用実績校】[文](院)明大 マサリク大 立正大各1(大)関大 日大各5 中大4 國學院大3 立命館大2 神戸大 お茶女大 東京外大 東京海洋大 北九州市大 山口大 弘前大 青学大 明大 同大 南山大 京産大 福岡大 白百合女大 多摩美大各1 [理](院)東京科学大4 明大3 東京海洋大 埼玉大 新潟大 山形大 東理大 中大 福岡大 長崎大各2 岩手大 近大 熊本大 東京農工大 東京農業大 茨城大 電通大 芝工大 佐賀大 大阪公大 山口東理大 水産大 愛媛大 北大 東北大 三重大 秋田県大 同大 豊橋技科大各1(大)近大3 日大2 東京農業大 明大 東京電機大 東京都市大 大阪工大 工学院大 同大 神奈川大 立教大各1(高専)宇部 徳山各1

【24年4月入社者の配属先】[総]勤務地:大阪(泉佐野2 茨木3 大阪1)山口・下松3 愛知(豊橋3 小牧4)東京・大崎12 佐賀・基山2 埼玉・久喜2 仙台4 滋賀1 広島1 **部署**:営業20 総務・人事5 経営企画1 経理・財務7 SCM生産管理3 法務2 [技]勤務地:神奈川(横浜9 平塚2 川崎1)大阪(泉佐野3 茨木1)埼玉(久喜2 埼玉1)静岡・御殿場5 山口・下松8 佐賀・基山2 広島1 滋賀2 茨城・石岡3 仙台1 愛知・豊橋2 **部署**:研究6 開発21 生産技術10 品質保証5 知的財産1

残業(月) 18.6時間

記者評価 缶、PETボトルの飲料容器で世界有数。国内市場は頭打ちの一方、海外展開を加速。製缶設備や飲料充填も手がけ、バリューチェーン全体のシステム提案を中期的に推進。飲料充填はタイ新ライン稼働、マレーシア同業も買収し強化。車載用2次電池部材にも積極投資。

●給与、ボーナス、週休、有休ほか●

【30歳総合職モデル年収】535万円【初任給】(修士)250,000円 (大卒)232,000円【ボーナス(年)】140万円、4.19カ月【25、30、35歳モデル賃金】251,500円→286,000円→352,000円【週休】会社暦2日【夏期休暇】配属先により異なる【年末年始休暇】12月29日～1月4日【有休取得】13.8／20日

●従業員数、勤続年数、離職率ほか●

【男女別従業員数、平均年齢、平均勤続年数】計 ◇7,982(39.2歳 17.8年) 男 6,793(39.6歳 18.3年) 女 1,189(36.6歳 15.1年) ※7社データ【離職率と離職者数】—、254名(自己都合退職者のみ)【3年後新卒定着率】86.4%(男83.7%、女91.3%、3年前入社:男43名・女23名) ※7社データ【組合】なし

求める人材 自ら成長するために努力し、挑戦し続ける人材

会社データ (金額は百万円)

【本社】141-8627 東京都品川区東五反田2-18-1 大崎フォレストビルディング
☎03-4514-2008 https://www.tskg-hd.com/
【社長】大塚 一男【設立】1941.7【資本金】11,094【今後力を入れる事業】新規事業 海外事業

【業績(連結)】	売上高	営業利益	経常利益	純利益
22.3	821,565	34,114	45,712	44,422
23.3	906,025	7,396	13,770	10,363
24.3	950,663	33,850	38,740	23,083

ワイケイケイ

ＹＫＫ(株)

株式公開 計画なし

【特色】ファスナー世界大手。子会社でアルミ建材

修士・大卒採用数	3年後離職率	有休取得年平均	平均年収(平均41歳)
84名	9.3 → 14.3%	16.1日	[総]800万円

●エントリー情報と採用プロセス●

【受付開始～終了】[総][技]3月～5月【採用プロセス】[総][技]説明会(必須、3月～)→ES提出・適性検査→面接(2～3回)→内々定【交通費支給】対面で実施した面接、会社規準

試験情報

重視科目 [総][技]面接

[総][技] [ES]NA[筆]SPI3(会場) SPI3(自宅)[面]2～3回(Webあり)

選考ポイント [総][技] [ES]求める人財と合致しているか[面]人物像 適性 他

通過率 [総][技] [ES]NA **倍率**(応募/内定) [総][技]NA

●男女別採用数と配属先ほか●

【男女・文理別採用実績】

	大卒男	大卒女	修士男	修士女
23年	15(文 9理 6)	13(文 9理 4)	27(文 1理 26)	3(文 1理 2)
24年	28(文 15理 13)	13(文 9理 4)	21(文 2理 19)	7(文 2理 5)
25年	35(文 17理 18)	14(文 10理 4)	28(文 2理 26)	7(文 0理 7)

【25年4月入社者の採用実績校】[文](院)広島大 大阪工大各1(大)成城大3 中大 同大 法政大 立教大各2 阪大 金沢大 信州大 東京外大 横浜市大 神奈川大 金沢工大 関西外大 関西学大 神田外語大 京都橘大 近大 慶大 上智大 武蔵野大 早大各1 [理](院)信州大4 富山大 新潟大 富山県大各3 金沢大 福井大 筑波大各2 京都工繊大 静岡大 千葉大 長岡技科大 名大 奈良先端科技院大 北大 秋田県大 高知工科大 大阪工大 慶大 上智大 東京電機大 名城大各1(大)近大3 信州大 富山大 諏訪東理大 千葉工大 東京理科大各2 金沢大 滋賀大 新潟大 富山県大 工学院大 摂南大 東京電機大 東邦大 福岡大 武蔵野大 立命館大各1

【24年4月入社者の配属先】[総]勤務地:(23年)東京・秋葉原8 富山・黒部7 埼玉・上尾3 大阪市2 **部署**:(23年)営業系11 人事4 情報システム3 財務・経理2 [技]勤務地:(23年)富山・黒部38 埼玉・上尾1 **部署**:(23年)技術系39

残業(月) 12.2時間 [総]16.9時間

記者評価 スライドファスナー、面ファスナーなどファスナー製品の世界的大手メーカー。バックルなど樹脂製品や繊維テープ、スナップボタンも製造。約70の国・地域でグローバル展開、中国・アジア地域に重点投資。富山・黒部事業所周辺で社有寮を整備。

●給与、ボーナス、週休、有休ほか●

【30歳総合職平均年収】541万円【初任給】(修士)260,000円(大卒)240,000円【ボーナス(年)】180万円、(一般社員)4.10カ月【25、30、35歳モデル賃金】271,500円→365,600円→430,000円【週休】完全2日(年123日)【夏期休暇】連続9日(事業所により異なる、週休含む)【年末年始休暇】連続8日(事業所により異なる、週休含む)【有休取得】16.1／20日

●従業員数、勤続年数、離職率ほか●

【男女別従業員数、平均年齢、平均勤続年数】計 ◇4,225(41.9歳 18.0年) 男 2,794(42.0歳 17.8年) 女 1,431(41.7歳 18.3年)【離職率と離職者数】◇4.3%、191名(早期退職男42名、女28名含む)【3年後新卒定着率】85.7%(男86.8%、女80.0%、3年前入社:男53名・女10名)【組合】あり

求める人材 明朗で前向きな姿勢、声の大きさ(考え抜き発言する姿勢)、チャレンジ精神を持った人

会社データ (金額は百万円)

【本社】101-8642 東京都千代田区神田和泉町1
☎0120-011-367 https://www.ykk.co.jp/
【社長】大谷 裕明【設立】1934.1【資本金】11,992【今後力を入れる事業】本業

【業績(連結)】	売上高	営業利益	経常利益	純利益
22.3	797,019	60,161	63,964	44,097
23.3	893,226	55,962	60,689	37,929
24.3	920,234	55,241	60,824	42,365

開示 ★★★ ▶『業界地図』p.238 1269

ワイケイケイ エーピー
ＹＫＫ ＡＰ㈱

株式公開 計画なし

【特色】窓・サッシ等アルミ建材メーカー。YKKの子会社

修士・大卒採用数	3年後離職率	有休取得年平均	平均年収(平均44歳)
152名	8.7 → 16.3%	14.7日	[総]872万円

●エントリー情報と採用プロセス●

【受付開始～終了】[総]1月～6月 [技]1月～7月【採用プロセス】[総][技]ES提出・適性検査→面接(2～3回)→内々定【交通費支給】最終面接時、大学から会場までの往復規定額【早期選考】⇒巻末

試験情報

重視科目 [総][技]面接

[総][技][ES]⇒巻末[筆]SPI3(会場)[面]2～3回(Webあり)

選考ポイント [総][技][ES]NA(提出あり)[面]人物像 適性 他

通過率 [総][技][ES]NA 倍率(応募/内定) [総][技]NA

●男女別採用数と配属先ほか●

【男女・文理別採用実績】

	大卒男	大卒女	修士男	修士女
23年	34(文 25理 9)	19(文 14理 5)	27(文 2理 25)	7(文 0理 7)
24年	55(文 32理 23)	60(文 46理 14)	17(文 0理 17)	2(文 0理 2)
25年	66(文 39理 27)	62(文 45理 17)	16(文 0理 16)	8(文 0理 8)

【25年4月入社者の採用実績校】[文](大)日大6 関西学大5 甲南大 同大各4 専大 明大 立教大各3 青学大 関大 近大 駒澤大 成蹊大 中大 横国大 立命館大各2 愛知学大 愛知大 愛媛大 岡山大 関西外大 岩手大 京産大 京都女大 共栄大 共立女大 金沢星稜大 広島大 高崎経大 埼玉大 山梨学大 滋賀県大 昭和女大 神戸大 神田外語大 神奈川大 成城大 西南学大 早大 大阪経大 阪大 拓大 中京大 津田塾大 東京女大 東洋大 同女大 南山大 日女大 富山大 福岡大 北星学大 名古屋商大 龍谷大 鈴鹿大 獨協大各1 [理](院)富山大4 信州大3 お茶女大 宇都宮大 関大 京大 金沢工大 九大 香川大 鹿児島大 中部大 津田塾大 長岡技科大 東京科学大 東洋大 日大 福井大 福岡大 立命館大各1(大)近大8 金沢工大5 千葉工大 富山大各3 工学院大 東海大 立命館大各2 岡山理大 京都工繊大 京都女大 諏訪東理大 秋田県大 新潟大 青学大 東北芸工大 東北工大 同大 奈良女大 日大 武蔵野美大 福岡大 北大 北陸職能大学校 明大 名城大 龍谷大各1

【24年4月入社者の配属先】[総]勤務地:(23年)北海道 岩手 福島 東京 千葉 埼玉 横浜 富山 長野 愛知 静岡 大阪 兵庫 広島 福岡 部署:(23年)営業系26 管理系/国際事業5 経購買3 IT・デジタル3 経理1 総務1 ロジスティクス1 [技]勤務地:(23年)北海道 福島 東京 埼玉 富山 愛知 大阪 香川 熊本 部署:(23年)商品開発16 ビル外装設計12 生産技術11 要素技術4 設備開発3 技術開発1 施設管理1

残業(月) 18.5時間 [総]21.9時間

記者評価 YKKグループの建材メーカー。アルミサッシはLIXILに次ぎ国内2位。サッシとガラスを組み合わせた窓事業に注力。海外は北米、中国、アジアを中心に展開。23年埼玉美里町に新工場、24年には米ジョージア州にも。関電工と共同で建材一体型の太陽光発電設備を開発。

●給与、ボーナス、週休、有休ほか●

【30歳総合職平均年収】564万円【初任給】(修士)260,000円 (大卒)240,000円【ボーナス(年)】143万円、5.2カ月【25、30、35歳賃金】280,000円→362,400円→410,000円【週休】完全2日(当社就業カレンダーに基づく)【夏期休暇】稼働カレンダーに基づく連続5日程度【年末年始休暇】稼働カレンダーに基づく連続6日程度【有休取得】14.7／20日

●従業員数、勤続年数、離職率ほか●

【男女別従業員数、平均年齢、平均勤続年数】計◇12,991(43.1歳 19.8年) 男 9,483(44.3歳 20.9年) 女 3,508(42.0歳 18.6年)【離職率と離職者数】◇3.4%、457名【3年後新卒定着率】83.7%(男80.9%、女94.4%、3年前入社:男68名・女18名)【組合】あり

求める人材 相互尊重 他者・自己実現 着実遂行

会社データ (金額は百万円)

【本社】101-0024 東京都千代田区神田和泉町1 YKK80ビル
☎0120-011-367 https://www.ykkapglobal.com/ja/
【社長】魚津 彰【設立】1957.7【資本金】14,000【今後力を入れる事業】本業

【業績(連結)】	売上高	営業利益	経常利益	純利益
22.3	446,300	17,300	18,600	11,100
23.3	508,600	17,800	21,300	15,200
24.3	538,100	25,600	28,300	18,800

㈱SUMCO

東京P 3436

【特色】半導体シリコンウエハ大手で世界トップ級

修士・大卒採用数	3年後離職率	有休取得年平均	平均年収(平均43歳)
31名	3.6 → 3.4%	16.1日	[総]873万円

●エントリー情報と採用プロセス●

【受付開始～終了】[総][技]3月～5月【採用プロセス】[総][技]ES提出(3月上旬～)→筆記(3月中旬～)→面接(3回、4月上旬～)→内々定(4月下旬～)【交通費支給】1次面接以降、距離に応じた定額【早期選考】⇒巻末

試験情報

重視科目 [総]面接 [技]面接 研究テーマ

[総][技][ES]⇒巻末[筆]SPI3(会場) SPI3(自宅)[面]3回(Webあり)

選考ポイント [総][技][ES]志望動機 研究内容 他[面]研究内容 コミュニケーション力 論理的思考力 行動力

通過率 [総][ES]34%(受付:(早期選考含む)223→通過:(早期選考含む)75) [技][ES]81%(受付:(早期選考含む)204→通過:(早期選考含む)165)

倍率(応募/内定) [総](早期選考含む)32倍 [技](早期選考含む)7倍

●男女別採用数と配属先ほか●

【男女・文理別採用実績】

	大卒男	大卒女	修士男	修士女
23年	3(文 3理 0)	5(文 5理 0)	20(文 0理 20)	4(文 0理 4)
24年	7(文 5理 2)	2(文 2理 0)	15(文 0理 15)	2(文 0理 2)
25年	4(文 3理 1)	5(文 4理 1)	21(文 0理 21)	1(文 0理 1)

【25年4月入社者の採用実績校】[文](大)神戸市外大4 立教大 立命館大 佐賀大各1 [理](院)佐賀大5 九州工大4 島根大3 九大 熊本大各2 山形大 青学大 広島大 愛媛大 宮崎大 鹿児島大各1(大)九州工大 長崎大各1(高専)佐世保4

【24年4月入社者の配属先】[総]勤務地:東京・港5 佐賀(伊万里1 江北町1) 部署:営業1 経理1 財務1 資材1 生産管理1 総務1 人事1 [技]勤務地:佐賀・伊万里19 長崎・大村3 山形・米沢1 部署:プロセス技術12 技術開発・評価技術4 ICT技術・システム4 設備技術・設備管理2 製造技術1

残業(月) 11.1時間 [総]13.9時間

記者評価 半導体の基板材料となるシリコンウエハ専業メーカー。信越化学工業と双璧をなす世界トップ級。ウエハの平坦性や均一性で半導体の進化を支える。経済産業省が佐賀県のウエハ新工場に助成金を出すなど経済安全保障上の重要性も増している。

●給与、ボーナス、週休、有休ほか●

【30歳総合職平均年収】580万円【初任給】(博士)303,830円 (修士)285,000円 (大卒)250,000円【ボーナス(年)】220万円、NA【25、30、35歳賃金】287,830円→323,680円→370,876円【週休】完全2日(土日祝)【夏期休暇】4日【年末年始休暇】5日【有休取得】16.1／20日

●従業員数、勤続年数、離職率ほか●

【男女別従業員数、平均年齢、平均勤続年数】計 1,186(43.3歳 13.7年) 男 1,089(44.2歳 14.4年) 女 97(33.1歳 5.9年) ※総合職のみ【離職率と離職者数】1.2%、15名【3年後新卒定着率】96.6%(男95.8%、女100%、3年前入社:男24名・女5名)【組合】あり

求める人材 問題意識を失うことなく、課題発見と改善・工夫のため、ひたむきに取り組む人

会社データ (金額は百万円)

【本社】105-8634 東京都港区芝浦1-2-1 シーバンスN館
☎03-5444-3943 https://www.sumcosi.com/
【会長】橋本 眞幸【設立】1999.7【資本金】199,034【今後力を入れる事業】半導体用シリコンウェーハ

【業績(連結)】	売上高	営業利益	経常利益	純利益
21.12	335,674	51,543	51,107	41,120
22.12	441,083	109,683	111,339	70,205
23.12	425,941	73,080	72,627	63,884

開示 ★★★★ ▶『業界地図』p.99 197

三協立山(株)（さんきょうたてやま）

東京P 5932

【特色】サッシ国内3位級。アルミ建材も大手。富山地盤

修士・大卒採用数	3年後離職率	有休取得年平均	平均年収(平均47歳)
64名	7.1→22.9%	12.4日	総587万円

●エントリー情報と採用プロセス●

【受付開始～終了】総技3月～8月【採用プロセス】総技ES提出(3～8月)→筆記(3～8月)→面接(2回、4～8月)→内々定(5～8月)※代表例【交通費支給】なし【早期選考】⇒巻末

試験情報

重視科目 総技面接

総技 ES NA 筆 SPI3(会場) SPI3(自宅) 面2回(Webあり)

選考ポイント 総技 ES NA(提出あり) 面理解・判断力 表現力 適応性 積極性 志望動機

通過率 総技 ES 選考有無NA

倍率(応募/内定) 総技NA

●男女別採用数と配属先ほか●

【男女・文理別採用実績】

	大卒男	大卒女	修士男	修士女
23年	53(文 39理 14)	21(文 18理 3)	3(文 1理 2)	1(文 0理 1)
24年	57(文 48理 9)	20(文 14理 6)	4(文 0理 4)	0(文 0理 0)
25年	40(文 34理 6)	21(文 17理 4)	2(文 0理 2)	1(文 0理 1)

【25年4月入社者の採用実績校】文(大)金沢星稜大5 富山大 北陸大各4 愛知大 名城大各3 愛知淑徳大 岐阜経大 京都女大 近大 中京大 富山国際大 桃山学大各2 亜大 学習院大 関大 京都橘大 金沢学大 神戸学大 静岡大 大和大 中村学大 長岡大 同大 日大 福井県大 法政大 名古屋外大 名古屋学院大 名古屋商大 大阪経大各1 理(院)富山大2 近大1(大)富山大3 金沢工大 富山県大各2 関大 滋賀県大 日大各1

【24年4月入社者の配属先】総勤務地:富山25 東京5 埼玉2 千葉1 大阪4 愛知4 広島2 静岡1 宮城1 部署:営業28 情報システム4 購買3 財務経理3 知財2 広報1 総務1 人事1 生産管理1 品質管理1 技勤務地:富山32 大阪1 部署:設計18 生産技術6 技術開発5 商品開発3 試験技術1

残業(月) 16.0時間 総16.0時間

記者評価 主力はビル・住宅用アルミ建材。アルミ加工技術を生かし産業用形材も手がける。ショーケースなど店舗什器類も。自動車のEV化に対応してアルミ形材を成長分野と位置づけ、新ラインへの投資を続ける。欧州、アジアに展開する国際事業のテコ入れを推進中。

●給与、ボーナス、週休、有休ほか●

【30歳総合職平均年収】391万円【初任給】(修士)226,300円(大卒)221,000円【ボーナス(年)】91万円、2.94カ月【25、30、35歳賃金】NA→361,350円→NA ※各種手当・残業代含む 東京勤務【週休】完全2日(土日祝)【夏期休暇】連続6日(週休含む)【年末年始休暇】連続6日(週休含む)【有休取得】12.4/20日

●従業員数、勤続年数、離職率ほか●

【男女別従業員数、平均年齢、平均勤続年数】計◇4,782(46.2歳22.5年) 男3,650(46.9歳23.4年) 女1,132(43.7歳19.6年)【離職率と離職者数】◇2.5%、124名【3年後新卒定着率】77.1%(男84.0%、女60.0%、3年前入社:男25名・女10名)【組合】あり

求める人材 様々なことに好奇心と問題意識を持ち、自ら考え、自ら行動できる人

会社データ (金額は百万円)

【本社】933-8610 富山県高岡市早川70
☎0766-20-2101 https://www.st-grp.co.jp/
【社長】平能 正三【設立】1960.6【資本金】15,000【今後力を入れる事業】改装・リフォーム マテリアル 商業施設 海外展開

【業績(連結)】	売上高	営業利益	経常利益	純利益
22.5	340,553	3,782	4,198	395
23.5	370,385	2,669	3,419	1,630
24.5	353,027	3,807	3,880	▲1,019

三和シヤッター工業(株)（さんわこうぎょう）

持株会社傘下

【特色】シャッターで国内首位、海外展開強化中

修士・大卒採用数	3年後離職率	有休取得年平均	平均年収(平均41歳)
72名	17.3→17.3%	9.3日	総778万円

●エントリー情報と採用プロセス●

【受付開始～終了】総技3月～7月【採用プロセス】総技説明会(必須、3月上旬～7月上旬)→筆記(3月下旬～7月下旬)→面接(2回、4月上旬～8月中旬)→内々定(5月中旬～)【交通費支給】面接、遠方者に一部

試験情報

重視科目 総技面接

総技 ES ⇒巻末 筆 SPI3(自宅) 面2回(Webあり)

選考ポイント 総技 面人間性 志望動機 入社意欲 コミュニケーション能力

通過率 総 ES —(応募:231) 技 ES —(応募:31)

倍率(応募/内定) 総4倍 技2倍

●男女別採用数と配属先ほか●

【男女・文理別採用実績】※25年:計画数

	大卒男	大卒女	修士男	修士女
23年	50(文 42理 8)	18(文 14理 4)	3(文 0理 3)	0(文 0理 0)
24年	50(文 42理 8)	20(文 17理 3)	2(文 1理 1)	0(文 0理 0)
25年	50(文 42理 8)	20(文 17理 3)	2(文 1理 1)	0(文 0理 0)

【25年4月入社者の採用実績校】文(24年)(院)立命館大1(大)大阪経大5 日大4 明大3 関西外大 関西学大 京産大 東海大 福岡大 福岡工大 法政大各2 愛知学大 茨城大 追手門学大 帯畜大 神奈川大 関大 関西国際大 関東学園大 北九州市大 熊本学大 甲南大 国士舘大 城西大 城西国際大 聖学大 成蹊大 摂南大 駿河台大 創価大 大正大 中京大 帝京大 長崎大 新潟大 日女大 広島経大 広島修道大 フェリス女学大 北海学園大 武蔵野大 明星大 立命館大 早大各1 理(24年)(院)神奈川工大1(大)福岡工大4 近大 芝工大 千葉工大 東京電機大 東京都市大 公立鳥取環境大 日大各1

【24年4月入社者の配属先】総勤務地:北海道2 宮城2 栃木4 東京27 静岡1 愛知4 京都1 大阪9 兵庫1 島根2 福岡6 熊本1 部署:営業37 管理14 情報システム3 人事2 製造管理2 設計2 技勤務地:東京8 大阪1 香川1 福岡2 部署:設計4 開発4 製造管理2 情報システム1 管理1

残業(月) 37.2時間 総37.2時間

記者評価 三和HDの中核会社。商業施設やビル、倉庫などの重量・軽量シャッターでは国内シェアが断トツで利益率も高い。ドアやステンレス建材なども扱う。緊急修理やメンテに24時間・365日対応するサービスで先駆。グループでは北米での事業が高収益。

●給与、ボーナス、週休、有休ほか●

【30歳総合職平均年収】592万円【初任給】(修士)244,800円(大卒)234,200円【ボーナス(年)】171万円、6.48カ月【25、30、35歳賃金】240,000円→278,500円→292,500円【週休】完全2日(土日祝)【夏期休暇】3日(8月10日より週休祝日含め連続6日)【年末年始休暇】12月28日～1月5日【有休取得】9.3/20日

●従業員数、勤続年数、離職率ほか●

【男女別従業員数、平均年齢、平均勤続年数】計2,534(40.8歳14.0年) 男2,338(41.4歳14.5年) 女196(32.8歳7.8年) ※エリア総合職除く【離職率と離職者数】3.3%、86名【3年後新卒定着率】82.7%(男79.5%、女92.3%、3年前入社:男39名・女13名)【組合】なし

求める人材 コミュニケーション能力に加え、自分の考えをしっかり表現できる人

会社データ (金額は百万円)

【本社】175-0081 東京都板橋区新河岸2-3-5
☎03-5998-9111 https://www.sanwa-ss.co.jp/
【社長】髙山 盟司【設立】2007.10【資本金】500【今後力を入れる事業】メンテナンス事業 間仕切商品 防水商品

【業績(単独)】	売上高	営業利益	経常利益	純利益
22.3	206,035	21,036	21,268	14,492
23.3	223,021	21,749	21,956	15,369
24.3	230,937	23,965	24,325	17,006

文化シヤッター(株)（ぶんか）

東京P 5930

【特色】シャッター2位。防減災、IoTなど製品開発に熱心

修士・大卒採用数	3年後離職率	有休取得年平均	平均年収(平均43歳)
38名	21.9→7.4%	12.8日	[総]717万円

●エントリー情報と採用プロセス●

【受付開始～終了】[総][技]3月～7月【採用プロセス】[総][技]Web説明会(必須、3月)→ES提出(3月)→社員とのWeb懇談(3月)→Webテスト(4月)→Web面談(4月)→対面面談(4月)→内々定(4月)【交通費支給】2次面接以降、実費

試験情報

重視科目 [総][技]面接

[総][ES]⇒巻末[筆]SPI3(自宅) SPI3-U[面]2回(Webあり) [技][ES]⇒巻末[筆]SPI3(自宅) SPI3 SPI3-U[面]2回(Webあり)

選考ポイント [総][技][面]求める人材像に合致しているか 質問に対するレスポンス 他

通過率 [総][ES]選考なし(受付:332) [技][ES]選考なし(受付:33)

倍率(応募/内定) [総]11倍 [技]5倍

●男女別採用数と配属先ほか●

【男女・文理別採用実績】※25年:継続中

	大卒男	大卒女	修士男	修士女
23年	32(文 27 理 5)	16(文 14 理 2)	0(文 0 理 0)	0(文 0 理 0)
24年	43(文 34 理 9)	7(文 5 理 2)	0(文 0 理 0)	0(文 0 理 0)
25年	31(文 25 理 6)	6(文 6 理 0)	1(文 0 理 1)	0(文 0 理 0)

【25年4月入社者の採用実績校】[文](大)名古屋学院大4 関東学院大 広島経大 東洋大 名古屋商大 流経大 獨協大各2 関西外大 駒澤大 札幌大 四天王寺大 実践女大 駿河台大 大阪経大 大東文化大 帝塚山大 東洋学大 桃山学大 日体大 日大 白鴎大 明星大各1 [理](院)岐阜大1 (大)関東学院大 静岡理工科大 摂南大 拓大 東洋大 北見工大各1

【24年4月入社者の配属先】[総]勤務地:東京(文京10 西多摩郡1)北海道(北見1 苫小牧1)仙台1 山形市1 長野・松本1 茨城・つくば1 群馬・高崎1 さいたま1 横浜2 千葉市1 石川・金沢1 富山市1 愛知(名古屋3 岡崎1)静岡市1 大阪(大阪6 高槻1)兵庫・姫路1 岡山市1 福岡市1 大分市1 宮崎・延岡1 部署:CSR1 経営企画1 経理1 営業企画1 その他事務1 営業32 施工管理4 [技]勤務地:東京・文京4 栃木・小山3 大阪市2 静岡(静岡1 掛川1) 部署:商品開発3 製造企画1 設計6 その他技術系1

残業(月) 22.6時間 [総]22.8時間

記者評価 1955年創業の老舗。店舗・住宅用の軽量品が柱。ビルや倉庫向け重量シャッターも扱い、防減災製品やドア開発など製品拡充中。海外は豪州やニュージーランド強い。資本効率を意識した事業再編推進。定年年齢を23年度から2年ごとに1歳ずつ切り上げ31年度65歳へ。

●給与、ボーナス、週休、有休ほか●

【30歳総合職平均年収】573万円【初任給】(修士)255,000円 (大卒)236,000円【ボーナス(年)】163万円、5.7カ月【25、30、35歳賃金】248,949円→269,418円→298,659円【週休】完全2日(土日祝)【夏期休暇】連続3日【年末年始休暇】連続3日【有休取得】12.8／20日

●従業員数、勤続年数、離職率ほか●

【男女別従業員数、平均年齢、平均勤続年数】計 ◇2,173(43.0歳 16.1年) 男 1,920(43.4歳 16.3年) 女 253(40.0歳 14.6年)【離職率と離職者数】◇2.3%、52名【3年後新卒定着率】92.6%(男89.5%、女100%、3年前入社:男19名・女8名)【組合】あり

求める人材 何事にも積極的にチャレンジし、常に前向きに考え行動できる人

会社データ　(金額は百万円)

【本社】113-8535 東京都文京区西片1-17-3
☎03-5844-7160　https://www.bunka-s.co.jp/
【社長】小倉 博之【設立】1955.4【資本金】15,051【今後力を入れる事業】エコと防災をキーワードにした新事業

【業績(連結)】	売上高	営業利益	経常利益	純利益
22.3	182,313	9,105	9,081	6,706
23.3	199,179	9,685	9,992	7,899
24.3	221,076	14,472	15,941	10,582

アルインコ(株)

東京P 5933

【特色】建設用仮設材の販売・リース大手。住宅機器も

修士・大卒採用数	3年後離職率	有休取得年平均	平均年収(平均41歳)
17名	25.8→7.1%	10.5日	[総]711万円

●エントリー情報と採用プロセス●

【受付開始～終了】[総][技]3月～継続中【採用プロセス】[総][技]説明会(必須、3月下旬)→ES提出(3月下旬)→面接(4月中旬)→筆記(5月上旬)→面接・役員面接(5月下旬)→内々定(6月上旬)【交通費支給】役員面接、遠方者のみ大阪本社までの実費

試験情報

重視科目 [総][技]面接

[総][技][ES]NA[筆]Talent Analytics[面]3回(Webあり)

選考ポイント [総][技][面]入社2～3年後のビジョンと採用職種の適応能力 ストレス対処能力

通過率 [総][ES]選考なし(受付:361) [技][ES]選考なし(受付:47)

倍率(応募/内定) [総]60倍 [技]9倍

●男女別採用数と配属先ほか●

【男女・文理別採用実績】

	大卒男	大卒女	修士男	修士女
23年	14(文 9 理 5)	6(文 5 理 1)	1(文 0 理 1)	0(文 0 理 0)
24年	10(文 8 理 2)	4(文 2 理 2)	1(文 0 理 1)	0(文 0 理 0)
25年	12(文 8 理 4)	5(文 4 理 1)	0(文 0 理 0)	0(文 0 理 0)

※25年:予定数

【25年4月入社者の採用実績校】
[文](24年)(大)近大2 学習院大 明大 京産大 甲南大 拓大 大阪経大各1 [理](24年)(院)大阪産大1(大)秋田県大 滋賀県大 関大 福岡工大各1

【24年4月入社者の配属先】
[総]勤務地:大阪4 東京3 部署:営業4 技術支援1 総務1 経理1
[技]勤務地:大阪4 兵庫2 部署:設計開発3 品質保証1 工程管理1 社内SE1

残業(月) 12.5時間 [総]14.8時間

記者評価 足場などの建設用仮設機材メーカー。仮設機材の販売・リースのほかDIY・エクステリア製品、無線機、フィットネス用品と多角化。阪・東2本社制。中国、タイ、インドネシア等に展開。21年に東電子工業を買収、プリント配線基板がAI関連需要で成長期待。

●給与、ボーナス、週休、有休ほか●

【30歳総合職平均年収】579万円【初任給】(修士)282,100円 (大卒)276,700円【ボーナス(年)】135万円、4.15カ月【25、30、35歳賃金】285,340円→317,958円→343,686円 ※年齢給+能力給+製造手当+技術手当【週休】完全2日(土日祝)【夏期休暇】お盆3日【年末年始休暇】連続7日【有休取得】10.5／20日

●従業員数、勤続年数、離職率ほか●

【男女別従業員数、平均年齢、平均勤続年数】計 ◇790(40.5歳 14.0年) 男 569(41.0歳 14.9年) 女 221(39.1歳 11.7年)【離職率と離職者数】◇3.9%、32名【3年後新卒定着率】92.9%(男88.9%、女100%、3年前入社:男9名・女5名)【組合】なし

求める人材 社会性を以って、広く良好な人間関係を育てつつ、真摯に前向きに業務にあたれる人

会社データ　(金額は百万円)

【本社】541-0043 大阪府大阪市中央区高麗橋4-4-9 淀屋橋ダイビル
☎06-7636-2222　https://www.alinco.co.jp/
【社長】小林 宣夫【設立】1970.7【資本金】6,361【今後力を入れる事業】コア事業の進化と事業ポートフォリオ再構築

【業績(連結)】	売上高	営業利益	経常利益	純利益
22.3	55,255	1,119	1,126	451
23.3	60,717	2,420	3,568	1,546
24.3	57,876	1,781	2,879	1,988

にっぽんせいてつ
日本製鉄(株)
東京P 5401

【特色】国内首位、世界4位の名門鉄鋼(高炉)メーカー

修士・大卒採用数	3年後離職率	有休取得年平均	平均年収(平均*40歳)
226名	16.4 → 12.8%	17.2日	総 1,251万円

●エントリー情報と採用プロセス●
【受付開始～終了】総 技 3月～継続中【採用プロセス】総 ES提出・適性検査(3～5月)→面接(複数回)→内々定(6月～) 技 ES提出・適性検査(3～4月)→面接(複数回)→内々定(6月～)〈学校推薦〉当社イベント(工場見学など)→推薦書提出(随時)→面接(複数回、6月～)→内々定(6月～)【交通費支給】工場見学 面接、学校最寄駅と工場・本社の往復分

試験情報
重視科目 総 技 面接
総 技 ES NA 筆 あり(内容NA) 面 複数回(Webあり)
選考ポイント 総 ES 過去の具体的な行動事実 面 どのように学生時代を過ごしたか、目的意識や具体的行動事例から総合的に人物を評価 技 ES 過去の具体的な行動事実 研究の取り組み 面 事務系の観点に加え技術専門性を評価
通過率 総 技 ES NA 倍率(応募/内定) 総 技 NA

●男女別採用数と配属先ほか●
【男女・文理別採用実績】

	大卒男	大卒女	修士男	修士女
23年	38(文 29 理 9)	19(文 13 理 6)	75(文 0 理 75)	16(文 1 理 15)
24年	34(文 33 理 1)	25(文 22 理 3)	77(文 0 理 77)	13(文 0 理 13)
25年	42(文 38 理 4)	31(文 30 理 1)	131(文 0 理131)	22(文 1 理 21)

【25年4月入社者の採用実績校】文 北大 東北大 東大 国際教養大 一橋大 早大 慶大 上智大 東京外大 ICU 中大 法政大 立教大 明大 東海大 筑波大 甲南大 中京大 京大 京産大 阪大 関西学大 天理大 神戸大 九大 理 北大 北見工大 東北大 秋田大 東大 東京科学大 早大 慶大 東理大 横国大 青学大 明大 芝工大 電通大 千葉大 筑波大 静岡大 名大 名工大 豊橋技科大 岐阜大 三重大 金沢大 京大 京都工繊大 阪大 大阪公大 関大 立命館大 同大 滋賀県大 奈良女大 岡山大 兵庫県大 広島大 山口大 九大 九州工大 北九州市大 熊本大 大分大 長崎大 佐賀大 宮崎大 鹿児島大 産業医大(高専)呉 鹿児島 大分 豊田 北九州
【24年4月入社者の配属先】総 勤務地:北海道 茨城 千葉 東京 愛知 和歌山 大阪 兵庫 福岡 大分 部署:国内・海外営業 グローバル購買 工程マネジメント コーポレート(人事・財務等) 技 勤務地:北海道 茨城 千葉 新潟 愛知 和歌山 大阪 兵庫 山口 福岡 大分 部署:研究開発 操業技術 設備技術 品質管理 ITシステム IE 土木・建築 衛生

残業(月) 20.7時間 総 30.8時間

記者評価 官営八幡製鉄所を起源に持つ新日本製鐵が住友金属工業と12年に合併、19年から現社名に。名門意識強く、財界での存在感は健在。粗鋼生産量は国内首位、世界4位。超ハイテンや電磁鋼板など高級鋼の技術力高い。国内の過剰生産能力削減、値上げで収益性高まる。

●給与、ボーナス、週休、有休ほか●
【30歳総合職平均年収】NA【初任給】(博士)355,000円(修士)290,000円(大卒)265,000円【ボーナス(年)】230万円、NA【25、30、35歳賃金】NA【週休】完全2日(土日祝)【夏期休暇】有休で取得【年末年始休暇】連続5日【有休取得】17.2/20日

●従業員数、勤続年数、離職率ほか●
【男女別従業員数、平均年齢、平均勤続年数】計 ◇28,543(39.9歳 17.6年) 男 25,721(40.3歳 18.0年) 女 2,822(35.6歳 13.5年)【離職率と離職者数】NA【3年後新卒定着率】87.2%(男87.5%、女84.8%、3年前入社:男336名・女46名)【組合】あり

求める人材 幅広いフィールドで、人と協力し、創造性とチャレンジ精神を発揮できる人

会社データ (金額は百万円)
【本社】100-8071 東京都千代田区丸の内2-6-1 丸の内パークビルディング
☎03-6867-4111 https://www.nipponsteel.com/
【社長】今井 正【設立】2012.10【資本金】449,779【今後力を入れる事業】鉄鋼(技術先進性 現場力の一層の強化)

【業績(IFRS)】	売上高	営業利益	税前利益	純利益
22.3	6,808,890	840,901	816,583	637,321
23.3	7,975,586	883,646	866,849	694,016
24.3	8,868,097	778,662	763,972	549,372

ジェイエフイー
ＪＦＥスチール(株)
持株会社 傘下

【特色】国内2位の鉄鋼メーカー。JFEHDの中核事業会社

修士・大卒採用数	3年後離職率	有休取得年平均	平均年収(平均*42歳)
209名	15.0 → 10.2%	18.2日	総 1,070万円

●エントリー情報と採用プロセス●
【受付開始～終了】総 3月～4月 技 3月～継続中【採用プロセス】総 WebES(3月～)→面接(3～5回、6月～)→内々定(6月～) 技 WebES(3月～)→面接(3回程度、6月～)→内々定(6月～)〈学校推薦〉推薦書提出→面接(2回程度、6月～)→内々定(6月～)【交通費支給】最終面接 工場見学、会社基準(大学から会場まで)

試験情報
重視科目 総 技 面接
総 ES ⇒巻末 筆 玉手箱 TG-WEB 面 3～5回(Webあり) 技 ES ⇒巻末 筆 玉手箱 TG-WEB 面 3回程度〈推薦〉2回程度(Webあり)
選考ポイント 総 ES NA(提出あり) 面 論理性 主体性 熱意 技 ES NA(提出あり) 面 専門知識 論理性 主体性 熱意
通過率 総 技 ES NA 倍率(応募/内定) 総 技 NA

●男女別採用数と配属先ほか●
【男女・文理別採用実績】

	大卒男	大卒女	修士男	修士女
23年	26(文 21 理 5)	8(文 7 理 1)	73(文 3 理 70)	5(文 1 理 4)
24年	48(文 29 理 19)	18(文 17 理 1)	91(文 1 理 90)	14(文 2 理 12)
25年	35(文 28 理 7)	39(文 37 理 2)	120(文 2 理118)	15(文 1 理 14)

【25年4月入社者の採用実績校】文 (院)東北大 阪大 広島大各1(大)東大 北大各6 早大5 明大4 慶大 阪大 同大 九大 立教大各3 青学大 国際教養大 名大 神戸大 関西学大 立命館大 岡山大 広島大各2 京大 一橋大 ICU 学習院大 中大 法政大 東北大 上智大 東京学芸大 横浜市大 南山大 大阪市大 愛媛大各1 理 (院)東北大11 北大 岡山大各8 東京科学大 徳島大各7 早大 茨城大各6 東大 九大各5 京大 阪大 熊本大各4 千葉大 神戸大 金沢大 香川大 山口大各3 愛媛大 宮崎大 新潟大 筑波大 長岡技科大 島根大 奈良女大 富山大 兵庫県大 豊橋技科大 名大各2 東理大 東京電機大 明大 法政大 横国大 関西学大 関大 埼玉大 岐阜大 三重大 広島大各1(大)東京科学大 横国大 関大各2 明大 愛媛大 九州工大各1(高専)津山1 他
【24年4月入社者の配属先】総 勤務地:東京6 千葉8 川崎7 知多4 倉敷11 福山13 部署:生産管理19 経理8 営業6 人事8 資材4 総務4 技 勤務地:千葉22 川崎10 知多2 倉敷41 福山46 仙台2 部署:製造技術59 設備技術37 研究開発27

残業(月) 25.8時間 総 28.5時間

記者評価 02年に川崎製鉄とNKKが統合して発足した持株会社JFEHD傘下の鉄鋼メーカー。粗鋼生産量は国内2位、世界では13位(23年)。国内生産は東日本(千葉)と西日本(福山・倉敷)の2拠点体制。川崎の高炉を23年に休止。電磁鋼板など高級鋼に注力。

●給与、ボーナス、週休、有休ほか●
【30歳総合職平均年収】NA【初任給】(博士)334,770円(修士)301,000円(大卒)282,000円【ボーナス(年)】NA【25、30、35歳賃金】NA【週休】完全2日(土日祝)【夏期休暇】あり【年末年始休暇】12月29日～1月3日【有休取得】18.2/20日

●従業員数、勤続年数、離職率ほか●
【男女別従業員数、平均年齢、平均勤続年数】計 4,238(42.2歳 18.0年) 男 3,312(41.0歳 16.6年) 女 926(46.7歳 23.3年)【離職率と離職者数】3.4%、148名【3年後新卒定着率】89.8%(男90.3%、女86.7%、3年前入社:男113名・女15名)【組合】あり

求める人材 常に志を高く、情熱を持って誠実に物事に取り組める人

会社データ (金額は百万円)
【本社】100-0011 東京都千代田区内幸町2-2-3 日比谷国際ビル
☎03-3597-3111 https://www.jfe-steel.co.jp/
【社長】広瀬 政之【設立】2003.4【資本金】239,644【今後力を入れる事業】鉄鋼(DX 環境対応プロセス 商品開発 他)

【業績(IFRS)】	売上高	営業利益	税前利益	純利益
22.3	3,173,475	NA	NA	NA
23.3	3,881,139	NA	NA	NA
24.3	3,716,057	NA	NA	NA

メーカーⅡ

㈱神戸製鋼所（こうべせいこうしょ）

東京P 5406

【特色】鉄鋼・アルミなど素材を軸に建機や発電を展開

修士・大卒採用数	3年後離職率	有休取得年平均	平均年収（平均42歳）
126名	①11.3→①10.7%	16.5日	総988万円

●エントリー情報と採用プロセス●

【受付開始～終了】総3月～6月 技3月～継続中【採用プロセス】総ES提出・適性検査(3月～)→面接(4回、3月～)→内々定(6月～) 技ES提出・適性検査(3月～)→面接(1～2回、3月～)→内々定(6月～)【交通費支給】最終面談 工場見学、会社基準

試験情報

重視科目 総技面接 総 ES ⇒巻末 筆SPI3(自宅)適性検査 面4回(Webあり) GD作 ⇒巻末 技 ES ⇒巻末 筆SPI3(自宅)適性検査 面1～2回(Webあり) GD作 ⇒巻末

選考ポイント 総 ES 適性検査との総合判断 面 主体性 粘り強さ 論理性 好奇心 協調性 他 技 ES 総合職共通 面(技術的)専門性 論理性 協調性 粘り強さ 主体性 好奇心 他

通過率 総 ES 54%(受付:1,299→通過:705) 技 ES 78%(受付:300→通過:234) 倍率(応募/内定) 総28倍 技4倍

●男女別採用数と配属先ほか●

【男女・文理別採用実績】

	大卒男	大卒女	修士男	修士女
23年	29(文 16理 13)	17(文 14理 3)	44(文 2理 42)	4(文 1理 3)
24年	37(文 25理 12)	21(文 20理 1)	59(文 0理 59)	10(文 0理 10)
25年	34(文 25理 9)	20(文 18理 2)	64(文 0理 64)	8(文 3理 5)

【25年4月入社者の採用実績校】文(院)関西学大2 対外経済貿易大1(大)関西学大9 神戸大 同大各5 阪大4 関大 明大各3 神戸市外大2 京都女大 甲南大 山梨大 上智大 早大 中大 追手門学大 東京外大 日女大 立教大 立命館大 國學院大各1 理(院)阪大 兵庫県大各8 東北大 豊橋技科大各5 愛媛大4 九大3 岡山大 関大 岩手大 京大 広島大 高知工科大 芝工大 島根大 富山大 北大各2 東大 神戸大 横国大 岡山県大 金沢大 九州工大 熊本大 秋田大 青学大 早大 大阪公大 津田塾大 東京電機大 徳島大 福井大 北陸先端科技院大 名工大各1(大)兵庫県大2 他

【24年4月入社者の配属先】総勤務地:兵庫19 東京・大崎11 栃木・真岡6 大阪4 三重・大安2 名古屋1 京都・福知山1 山口・長府1 部署:営業15 財務・経理11 生管・工程9 調達・購買5 労働2 システム1 安全衛生1 監理1 技勤務地:兵庫66 栃木・真岡9 神奈川・藤沢3 山口・長府3 三重・大安2 部署:研究開発28 製造・生産技術27 生管・工程1 設計8 設備7 品質保証4 土木建築3 システム3 環境防災1 企画1

残業(月) 16.1時間 総18.9時間

記者評価 国内3位の鉄鋼メーカーだが上位2社とは差。鉄鋼は自動車向け比率高い。鉄、アルミ・銅などの素材、建設機械、電力(電力会社へ卸売り)が3本柱。鉄事業の収益力改善進む。低炭素化で有利とされる直接還元製鉄技術を持つ。ラグビーが会社のアイデンティティ。

●給与、ボーナス、週休、有休ほか●

【30歳総合職平均年収】705万円【初任給】(博士)306,500円(修士)279,000円(大卒)257,060円【ボーナス(年)】375万円、NA【25、30、35歳賃金】293,420円→362,500円→455,400円【週休】完全2日(土日祝)【夏期休暇】連続5日(週休2日含む)+年休奨励2日【年末年始休暇】連続5日以上【有休取得】16.5／20日

●従業員数、勤続年数、離職率ほか●

【男女別従業員数、平均年齢、平均勤続年数】計 3,953(42.0歳 15.8年) 男 3,651(42.6歳 16.4年) 女 302(35.0歳 8.7年) ※総合職のみ【離職率と離職者数】1.7%、67名【3年後新卒定着率】89.3%(男89.9%、女86.7%、3年前入社:男69名・女15名) ※総合職のみ【組合】あり

求める人材 <総合職>誠意を持って行動する人材 変革を目指す人材 切磋琢磨しながら取り組む人材

会社データ （金額は百万円）

【本社】651-8585 兵庫県神戸市中央区脇浜海岸通2-2-4
☎078-261-4310 https://www.kobelco.co.jp/
【社長】勝川 四志彦【設立】1911.6【資本金】250,930【今後力を入れる事業】素材系事業 機械系事業 電力事業

【業績(連結)】	売上高	営業利益	経常利益	純利益
22.3	2,082,582	87,622	93,233	60,083
23.3	2,472,508	86,365	106,837	72,566
24.3	2,543,142	186,628	160,923	109,552

合同製鐵㈱（ごうどうせいてつ）

東京P 5410

【特色】日本製鉄系の電炉大手。建設用鋼材に強み

修士・大卒採用数	3年後離職率	有休取得年平均	平均年収（平均42歳）
4名	0→14.3%	14.0日	831万円

●エントリー情報と採用プロセス●

【受付開始～終了】総3月～7月 技3月～継続中【採用プロセス】総技ES提出・説明会(3月～)→面接(3回、6月～)→Web適性診断→内々定(6月～)【交通費支給】2次面接以降、実費【早期選考】⇒巻末

試験情報

重視科目 総技面接
総技 ES ⇒巻末 筆B-pass(適性検査) 面3回(Webあり)

選考ポイント 総技 ES 志望動機・自己PRが具体的な内容か 面 自分の言葉で語っているか 多くの人と一緒にものづくりを行う姿勢があるか

通過率 総 ES NA(受付:197→通過:NA) 技 ES NA(受付:164→通過:NA)

倍率(応募/内定) 総25倍 技27倍

●男女別採用数と配属先ほか●

【男女・文理別採用実績】

	大卒男	大卒女	修士男	修士女
23年	5(文 2理 3)	2(文 2理 0)	0(文 0理 0)	0(文 0理 0)
24年	5(文 2理 3)	2(文 2理 0)	1(文 0理 1)	0(文 0理 0)
25年	1(文 1理 0)	2(文 2理 0)	1(文 0理 1)	0(文 0理 0)

【25年4月入社者の採用実績校】
文(大)立命館大2 京都橘大1 理(院)大阪公大1

【24年4月入社者の配属先】
総勤務地:大阪市1 兵庫・姫路2 千葉・船橋1 部署:管理4 技勤務地:大阪市2 兵庫・姫路1 千葉・船橋1 部署:生産技術4

残業(月) 15.4時間 総21.3時間

記者評価 日本製鉄系の電炉メーカー大手。鉄筋用棒鋼や線材、形鋼など建設用の比重が大きい。建機向け構造用鋼や形鋼も手がける。独自の機械式継ぎ手・定着板を投入するなど付加価値製品開発に力を入れる。子会社の朝日工業とは関西・関東で製品補完。

●給与、ボーナス、週休、有休ほか●

【30歳総合職平均年収】557万円【初任給】(修士)300,000円(大卒)270,000円【ボーナス(年)】318万円、7.4カ月【25、30、35歳賃金】290,130円→334,000円→385,670円【週休】2日(土日祝、年7日土曜出勤)【夏期休暇】お盆3日【年末年始休暇】12月30日～1月3日【有休取得】14.0／20日

●従業員数、勤続年数、離職率ほか●

【男女別従業員数、平均年齢、平均勤続年数】計 188(41.8歳 17.4年) 男 147(42.4歳 17.5年) 女 41(40.0歳 15.7年)【離職率と離職者数】2.1%、4名(他に3名転籍)【3年後新卒定着率】85.7%(男100%、女66.7%、3年前入社:男4名・女3名)【組合】あり

求める人材 何事にも前向きでチャレンジ精神をもって仕事に取り組む人

会社データ （金額は百万円）

【本社】530-0004 大阪府大阪市北区堂島浜2-2-8
☎06-6343-7600 https://www.godo-steel.co.jp/
【社長】内田 裕之【設立】1937.12【資本金】34,896【今後力を入れる事業】グループ連携による棒鋼事業のシナジー発揮

【業績(連結)】	売上高	営業利益	経常利益	純利益
22.3	204,201	▲2,697	▲1,252	▲1,112
23.3	235,387	13,907	15,867	12,508
24.3	222,850	17,850	20,301	15,193

メーカーⅡ

㈱プロテリアル

株式公開 していない

【特色】特殊鋼やネオジム磁石で高シェア。旧日立金属

修士・大卒採用数	3年後離職率	有休取得年平均	平均年収(平均46歳)
19名	14.1→7.8%	15.4日	総903万円

残業(月) 16.2時間 総22.6時間

記者評価 金型や特殊鋼、自動車電動化で需要増のネオジム磁石など磁性材料、自動車用鋳物など素形材製品を生産。13年に日立電線と統合し、電線材料も。22年10月にベインキャピタルによるTOBが成立、日立製作所が持分売却し上場廃止、23年1月から現社名。

●エントリー情報と採用プロセス●

【受付開始～終了】総3月～4月 技3月～5月【採用プロセス】総ES提出・Webテスト・履修履歴データ提出(3月～)→面接(3回、随時)→内々定(順次) 技ES提出・Webテスト・履修履歴データ提出(3月～)→面接(自由応募のみ、随時)→技術面接(プレゼン含む、随時)→最終面接(プレゼン含む、随時)→内々定(順次)【交通費支給】最終面接、会社基準(大学所在地別に一律)【早期選考】⇒巻末

試験情報

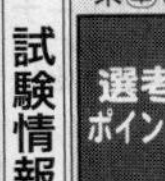

重視科目 総面接 技面接 プレゼン

総 ES⇒巻末 筆WebGAB 面3回(Webあり) 技 ES⇒巻末 筆WebGAB 基礎学力テスト 面3回(Webあり)

選考ポイント 総 ES Webテストとの総合判断 面学生時代に何かに打ち込み、困難を自力で乗り越え成し遂げた経験 技 ES 総合職共通 面学生時代に何かに打ち込み、困難を自力で乗り越え成し遂げた経験 研究内容とその理解度

通過率 総 ES 38%(受付:80→通過:30) 技 ES 88%(受付:(早期選考含む)162→通過:(早期選考含む)143)

倍率(応募/内定) 総― 技(早期選考含む)7倍

●給与、ボーナス、週休、有休ほか●

【30歳総合職平均年収】567万円【初任給】(博士)301,000円 (修士)271,600円 (大卒)250,600円【ボーナス(年)】(組合員)144万円、(組合員)4.47カ月【25、30、35歳賃金】275,000円→322,000円→380,000円【週休】完全2日(土日祝)【夏期休暇】(本社)連続7日(週休3日、一斉有休3日含む)【年末年始休暇】(本社)連続8日【有休取得】15.4／20日

●従業員数、勤続年数、離職率ほか●

【男女別従業員数、平均年齢、平均勤続年数】計 ◇5,759(45.3歳 19.9年) 男 4,931(45.3歳 20.3年) 女 828(45.0歳 17.3年)【離職率と離職者数】NA【3年後新卒定着率】92.2%(男93.0%、女87.5%、3年前入社:男43名・女8名)【組合】あり

●男女別採用数と配属先ほか●

【男女・文理別採用実績】

	大卒男	大卒女	修士男	修士女
23年	16(文 10理 6)	6(文 4理 2)	19(文 0理 19)	2(文 0理 2)
24年	13(文 9理 4)	3(文 3理 0)	31(文 2理 29)	3(文 3理 0)
25年	2(文 0理 2)	0(文 0理 0)	15(文 0理 15)	2(文 0理 2)

【25年4月入社者の採用実績校】文なし 理(院)豊橋技科大 阪大 香川大各2 九大 早大 長岡技科大 岩手大 茨城大 宇都宮大 東理大 群馬大 京都工繊大 佐賀大 九州工大 成蹊大 東京海洋大各1(大)島根大 日大各1

【24年4月入社者の配属先】総勤務地:茨城4 埼玉3 島根3 鳥取1 福岡2 東京2 大阪1 部署:生産管理7 経理3 資材調達3 営業2 人事総務1 技勤務地:島根10 茨城10 埼玉8 大阪4 鳥取3 福岡1 部署:製造・生技17 設計・開発11 研究開発4 品質保証3 SE1

求める人材 失敗を恐れず、常に挑戦し続ける人

会社データ　(金額は百万円)

【本社】135-0061 東京都江東区豊洲5-6-36 豊洲プライムスクエア ☎0120-603-303 https://www.proterial.com/

【会長兼社長】Sean M. Stack(ショーン・スタック)【設立】1956.4【資本金】310【今後力を入れる事業】自動車 エレクトロニクス 産業インフラ

【業績(IFRS)】	売上高	営業利益	税前利益	純利益
22.3	942,701	26,695	32,740	12,030
23.3	1,118,910	38,816	43,338	23,285
24.3	1,033,200	NA	NA	NA

大同特殊鋼㈱

だいどうとくしゅこう

東京P 5471

【特色】特殊鋼では世界最大規模。自動車向けが中心

修士・大卒採用数	3年後離職率	有休取得年平均	平均年収(平均41歳)
36名	7.5→18.9%	13.5日	総934万円

残業(月) 25.2時間 総27.7時間

記者評価 特殊鋼大手。鉄スクラップを電炉で溶かし、合金を加え製造。主力は自動車向けで、エンジン関連が多いが、モーター用磁石やセンサーなど電動化領域も強化。半導体製造装置用ステンレスは世界有数で成長期待。企業学校として高卒者対象の技術学園を持つ。

●エントリー情報と採用プロセス●

【受付開始～終了】総 技3月～4月【採用プロセス】総 技説明会・ES提出(3月初旬～)→面接(2～3回)→内々定(6月上旬～)【交通費支給】対面面接、1次・2次は会社基準、最終は実費

試験情報

重視科目 総技面接

総 ES⇒巻末 筆SPI3(自宅) 面2～3回(Webあり) 技 ES⇒巻末 筆SPI3(自宅) 面2～3回

選考ポイント 総 ES 問いに対する答えが適確か 内容に自分らしさが感じられるか 面問題解決力 統率力 プレッシャーへの耐力 チームワーク 態度・礼儀 志望意欲 技 ES 総合職共通 面問題解決力 創造的思考力 プレッシャーへの耐力 チームワーク 専門性 態度・礼儀 志望意欲

通過率 総 ES 選考なし(受付:455) 技 ES 選考なし(受付:122)

倍率(応募/内定) 総28倍 技6倍

●給与、ボーナス、週休、有休ほか●

【30歳総合職平均年収】676万円【初任給】(博士)269,500円 (修士)267,000円 (大卒)242,000円【ボーナス(年)】363万円、NA【25、30、35歳賃金】276,500円→345,250円→414,980円【週休】2日【夏期休暇】連続9日(一部事業場除く)【年末年始休暇】連続9日(一部事業場除く)【有休取得】13.5／20日

●従業員数、勤続年数、離職率ほか●

【男女別従業員数、平均年齢、平均勤続年数】計 1,376(42.1歳 16.8年) 男 1,095(41.6歳 16.5年) 女 281(43.8歳 18.0年)【離職率と離職者数】2.1%、29名【3年後新卒定着率】81.1%(男80.0%、女100%、3年前入社:男35名・女2名)【組合】あり

●男女別採用数と配属先ほか●

【男女・文理別採用実績】

	大卒男	大卒女	修士男	修士女
23年	6(文 6理 0)	5(文 5理 0)	15(文 0理 15)	2(文 1理 1)
24年	12(文 7理 5)	6(文 6理 0)	15(文 1理 14)	1(文 0理 1)
25年	11(文 10理 1)	5(文 5理 0)	17(文 1理 16)	3(文 1理 2)

【25年4月入社者の採用実績校】文(院)関大2(大)同大3 名大 南山大 京大 関西学大 明大 新潟大 愛知大各1 他 理(院)富山大3 名工大 北大 九大 三重大各2 名城大 福岡大 東北大 早大 大同大 岐阜大 愛知県大各1(大)名城大 豊田工大各1

【24年4月入社者の配属先】総勤務地:愛知(東海6 名古屋5) 群馬・渋川3 部署:生産管理9 原材料1 経理2 安全1 総務1 技勤務地:愛知(東海7 名古屋7) 群馬・渋川4 岐阜・中津川2 部署:製造技師9 研究開発5 設備技師4 機械技師2

求める人材 チャレンジ精神に溢れ、自ら考え、実行できる人

会社データ　(金額は百万円)

【本社】461-8581 愛知県名古屋市東区東桜1-1-10 アーバンネット名古屋ビル ☎052-963-7501 https://www.daido.co.jp/

【社長】清水 哲也【設立】1950.2【資本金】37,172【今後力を入れる事業】エレクトロニクス 環境ビジネス

【業績(IFRS)】	売上高	営業利益	税前利益	純利益
24.3	578,564	42,250	45,068	30,555

さんようとくしゅせいこう
山陽特殊製鋼(株)
東京P 5481

【特色】特殊鋼専業で軸受け鋼に強み。日本製鉄子会社

修士・大卒採用数	3年後離職率	有休取得年平均	平均年収(平均42歳)
18名	17.9→19.0%	15.1日	[総]890万円

●エントリー情報と採用プロセス●

【受付開始～終了】[総][技]3月～継続中【採用プロセス】[総][技]説明会(必須)→ES提出(3月～)→適性検査→1次面接→2次面接→最終面接→内々定※全体で2～3カ月程度【交通費支給】2次面接以降、実費【早期選考】⇒巻末

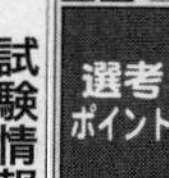

試験情報

重視科目 [総][技]面接

[総][技][ES]⇒巻末[筆]C-GAB WebGAB[面]3回(Webあり)

選考ポイント [総][ES]分かりやすく表現できているか[面]適切な受け答えができるか 志望度 新しい環境・課題に果敢に挑むチャレンジ精神があるか [技][ES]総合職共通[面]事務系の観点に加え、専門性

通過率 [総][ES]61%(受付:137→通過:83) [技][ES]87%(受付:38→通過:33)

倍率(応募/内定) [総]17倍 [技]4倍

●男女別採用数と配属先ほか●

【男女・文理別採用実績】

	大卒男	大卒女	修士男	修士女
23年	7(文 6理 1)	8(文 8理 0)	4(文 0理 4)	2(文 0理 2)
24年	7(文 6理 1)	4(文 4理 0)	12(文 1理 11)	0(文 0理 0)
25年	7(文 5理 2)	2(文 2理 0)	8(文 0理 8)	1(文 1理 0)

【25年4月入社者の採用実績校】
[文](院)関西学大1(大)関西学大3 神戸市外大 同大 関大 新潟大各1 [理](院)兵庫県大2 阪大 九大 名工大 香川大 鳥取大 山口東理大各1(大)東北大 兵庫県大各1

【24年4月入社者の配属先】
[総]勤務地:兵庫・姫路4 東京・日本橋2 大阪市1 部署:営業3 財務2 人材企画1 安全防災1 [技]勤務地:兵庫・姫路12 部署:研究開発2 粉末2 条鋼2 鋼管2 製鋼1 技管1 設備1 素形材1

残業(月) 13.2時間 [総]16.7時間

記者評価 自動車や産業機械向け軸受け鋼で国内首位。姫路市に本社工場。タイ、インドネシア、米国、中国、メキシコなどに子会社。インドのマヒンドラ社やスウェーデンのオバコ社を買収するなど海外展開を強化。オバコは低炭素が特徴。トップ含め経営陣は日本製鉄から。

●給与、ボーナス、週休、有休ほか●

【30歳総合職平均年収】621万円【初任給】(博士)301,000円(修士)267,000円(大卒)243,000円【ボーナス(年)】182万円、NA【25、30、35歳賃金】NA【週休】2日【夏期休暇】5～10月で任意の有休5日【年末年始休暇】12月30日～1月4日【有休取得】15.1/20日

●従業員数、勤続年数、離職率ほか●

【男女別従業員数、平均年齢、平均勤続年数】計 587(43.3歳 19.8年) 男 438(44.1歳 20.6年) 女 149(41.1歳 17.6年)【離職率と離職者数】2.5%、15名(早期退職男1名含む)【3年後新卒定着率】81.0%(男86.7%、女66.7%、3年前入社:男15名・女6名)【組合】あり

求める人材 自らを律し、自ら考え、行動できる人

会社データ (金額は百万円)

【本社】672-8677 兵庫県姫路市飾磨区中島3007
☎079-244-9491 http://www.sanyo-steel.co.jp/
【社長】宮本 勝弘【設立】1935.1【資本金】53,800【今後力を入れる事業】グローバル競争力の強化 環境課題対応

【業績(連結)】	売上高	営業利益	経常利益	純利益
22.3	363,278	21,416	21,664	15,267
23.3	393,843	28,492	28,856	20,743
24.3	353,810	11,366	12,119	9,056

あいちせいこう
愛知製鋼(株)
東京P 5482

【特色】自動車向け特殊鋼大手でトヨタ系。磁石など育成

修士・大卒採用数	3年後離職率	有休取得年平均	平均年収(平均42歳)
17名	0→6.5%	15.8日	[総]800万円

●エントリー情報と採用プロセス●

【受付開始～終了】[総][技]3月～3月【採用プロセス】[総]ES提出(3月)→Webテスト・GD→面接(2回)→内々定(6月上旬) [技]ES提出(3月)→Webテスト・面接(2回)→内々定(6月上旬)【交通費支給】面接以降、実費【早期選考】⇒巻末

試験情報

重視科目 [総][技]面接

[総][ES]⇒巻末[筆]C-GAB[面]2回(Webあり)[GD作]⇒巻末
[技][ES]⇒巻末[筆]C-GAB[面]2回(Webあり)

選考ポイント [総][技][ES]志望動機 学生時代の経験[面]人物像 基礎能力 成長意欲 巻き込む力 当事者意識

通過率 [総][ES]63%(受付:(早期選考含む)437→通過:(早期選考含む)276) [技][ES]70%(受付:(早期選考含む)96→通過:(早期選考含む)67)

倍率(応募/内定) [総](早期選考含む)109倍 [技](早期選考含む)7倍

●男女別採用数と配属先ほか●

【男女・文理別採用実績】

	大卒男	大卒女	修士男	修士女
23年	3(文 2理 1)	4(文 3理 1)	10(文 0理 10)	1(文 0理 1)
24年	6(文 5理 1)	4(文 3理 1)	11(文 0理 11)	0(文 0理 0)
25年	5(文 3理 2)	1(文 1理 0)	10(文 0理 10)	1(文 0理 1)

【25年4月入社者の採用実績校】[文](大)名大 名古屋市大 南山大 上武大各1 [理](院)名大3 九大2 名工大 東北大 岐阜大 三重大 富山県大 北陸先端科技院大各1(大)名城大2

【24年4月入社者の配属先】
[総]勤務地:愛知・東海7 部署:生産管理2 営業1 経理1 総務1 人事1 工場工務1 [技]勤務地:愛知・東海12 岐阜1 部署:研究開発4 生産技術6 IT2 設備技術1

残業(月) 9.4時間 [総]14.1時間

記者評価 豊田自動織機の製鋼部として誕生。自動車のエンジンや駆動系に使われる特殊鋼鋼材と鍛造品が2本柱。トヨタ以外に、日本製鉄も大株主。電磁品を育成中。磁気センサーを用いた自動運転支援技術や小型・軽量で省資源の電動車向け駆動装置の実用化にも注力。

●給与、ボーナス、週休、有休ほか●

【30歳総合職平均年収】581万円【初任給】(博士)297,000円(修士)276,000円(大卒)254,000円【ボーナス(年)】(総合職)227万円、NA【25、30、35歳賃金】269,429円→321,749円→360,358円【週休】完全2日(土日)【夏期休暇】連続8～11日【年末年始休暇】連続8～11日【有休取得】15.8/20日

●従業員数、勤続年数、離職率ほか●

【男女別従業員数、平均年齢、平均勤続年数】計 ◇2,721(40.9歳 18.2年) 男 2,467(41.2歳 18.6年) 女 254(37.6歳 14.1年)【離職率と離職者数】◇2.2%、62名(早期退職5名含む、他に3名転籍)【3年後新卒定着率】93.5%(男95.7%、女87.5%、3年前入社:男23名・女8名)【組合】あり

求める人材 「Aichi Way」の実践ができる人材

会社データ (金額は百万円)

【本社】476-8666 愛知県東海市荒尾町ワノ割1
☎052-604-1111 https://www.aichi-steel.co.jp/
【社長】後藤 尚英【設立】1940.3【資本金】25,016【今後力を入れる事業】次世代自動車事業(磁石・モータ・センサ・特殊鋼)インフラ事業

【業績(IFRS)】	売上高	営業利益	税前利益	純利益
22.3	260,117	2,139	2,895	1,089
23.3	285,141	3,260	4,099	1,610
24.3	296,516	10,372	10,947	6,593

みつびしせいこう
三菱製鋼㈱
東京P 5632

【特色】三菱グループの特殊鋼・鋳鍛造品メーカー

修士・大卒採用数	3年後離職率	有休取得年平均	平均年収(平均44歳)
17名	30.0→18.2%	15.0日	総769万円

残業(月) 14.6時間 総14.6時間

記者評価 1964年、三菱鋼材と三菱製鋼の合併で発足。工業用ばねの一貫メーカーとして需要先は幅広い。建機向け太巻きばねでは世界トップシェアを誇る。特殊鋼は建機や産機、ばねは自動車や建機を中心に供給。原料調達で日本製鉄と親密。アジア・北米に生産拠点。

●エントリー情報と採用プロセス●
【受付開始～終了】総技1月～7月【採用プロセス】総技説明会(必須、1月)→履歴書提出・Webテスト(1月)→1次面接(Web、2月)→最終面接(3月)→内々定(3月)【交通費支給】面接以降、往復全額、宿泊費(上限9,000円)

試験情報
重視科目 総技面接

総技筆COMPASS面2回(Webあり)

選考ポイント 総技ES提出なし面業務適性(大学で学んだことが活かせるか)社風とのマッチ度

通過率 総ES―(応募:38) 技ES―(応募:25)

倍率(応募/内定) 総4倍 技3倍

●男女別採用数と配属先ほか●
【男女・文理別採用実績】

	大卒男	大卒女	修士男	修士女
23年	4(文 2理 2)	1(文 1理 0)	6(文 0理 6)	1(文 1理 0)
24年	10(文 6理 4)	0(文 0理 0)	2(文 0理 2)	0(文 0理 0)
25年	11(文 6理 5)	4(文 3理 1)	1(文 0理 1)	1(文 0理 1)

【25年4月入社者の採用実績校】
文(大)立正大2 一橋大 慶大 関大 成城大 千葉商大 敬愛大 CA州立大各1 理(院)日工大 千葉工大各1(大)室蘭工大2 電通大 北海道科学大 北見工大 福岡工大各1

【24年4月入社者の配属先】
総勤務地:東京4 千葉(市原1 市川1) 部署:営業4 資材2 技勤務地:北海道・室蘭2 千葉(市原3 市川1) 部署:設備1 製造2 設計1 生産管理1 研究開発1

●給与、ボーナス、週休、有休ほか●
【30歳総合職平均年収】557万円【初任給】(修士)268,300円(大卒)248,100円【ボーナス(年)】212万円、NA【25、30、35歳賃金】246,900円→290,200円→348,600円【週休】完全2日(土日祝)【夏期休暇】8月10～18日(うち4日有休)【年末年始休暇】12月27日～1月5日(うち1日有休)【有休取得】15.0／20日

●従業員数、勤続年数、離職率ほか●
【男女別従業員数、平均年齢、平均勤続年数】計◇676(43.5歳 20.9年) 男584(44.2歳 21.9年) 女92(38.9歳 14.3年)【離職率と離職者数】◇1.7%、12名【3年後新卒定着率】81.8%(男88.9%、女50.0%、3年前入社:男9名・女2名)【組合】あり

求める人材 環境が変化しても成果を出せる人材(チャレンジ精神 自律性 主体性)

会社データ (金額は百万円)
【本社】104-8550 東京都中央区月島4-16-13 Daiwa月島ビル
☎03-3536-3111 https://www.mitsubishisteel.co.jp/
【社長】山口 淳【設立】1949.12【資本金】10,003【今後力を入れる事業】鋼材 自動車用ばね 金属粉末 洋上風力

【業績(連結)】	売上高	営業利益	経常利益	純利益
22.3	146,292	6,270	5,780	4,068
23.3	170,537	5,547	3,743	2,190
24.3	169,943	4,808	1,949	▲969

よどがわせいこうしょ
㈱淀川製鋼所
東京P 5451

【特色】圧延専業で表面処理鋼板が主力。家庭用物置も

修士・大卒採用数	3年後離職率	有休取得年平均	平均年収(平均42歳)
12名	5.0→23.5%	12.8日	総750万円

残業(月) 8.5時間 総8.5時間

記者評価 独立系圧延メーカー。亜鉛メッキ鋼板など表面処理鋼板が主力。カラー鋼板に強み。建築向けを柱に、家電や住設機器向けにも展開。「ヨドコウ」ブランドで家庭用物置も。エクステリア製品の製造子会社を資本支援。一般消費者向け製品の新ブランド浸透に注力。

●エントリー情報と採用プロセス●
【受付開始～終了】総技3月～継続中【採用プロセス】総技説明会(必須、3月～)→ES提出(3月～)→1次面接(4月～)→適性検査(5月～)→2次面接(5月～)→最終面接(5月～)→内々定(6月～)【交通費支給】2次面接以降、実費

試験情報
重視科目 総技面接

総技ES⇒巻末筆GAB(テストセンター)面3回(Webあり)

選考ポイント 総技ES論理的で分かりやすい文章か面コミュニケーション能力 論理性 入社意欲 職種適性

通過率 総技ESNA

倍率(応募/内定) 総技NA

●男女別採用数と配属先ほか●
【男女・文理別採用実績】

	大卒男	大卒女	修士男	修士女
23年	7(文 4理 3)	5(文 4理 1)	4(文 0理 4)	0(文 0理 0)
24年	8(文 6理 2)	3(文 3理 0)	3(文 0理 3)	0(文 0理 0)
25年	7(文 3理 4)	3(文 1理 2)	2(文 0理 2)	0(文 0理 0)

※25年:23名採用予定

【25年4月入社者の採用実績校】
文(大)近大 大阪市大 関大 龍谷大各1 理(院)広島大 龍谷大各1(大)近大 関大各3

【24年4月入社者の配属先】
総勤務地:大阪市6 広島・呉1 名古屋1 札幌1 部署:営業4 生産管理3 営業管理1 総務1 技勤務地:大阪市1 東京1 広島・呉3 千葉・市川1 部署:生産技術3 工務1 工事2

●給与、ボーナス、週休、有休ほか●
【30歳総合職平均年収】530万円【初任給】(修士)268,000円(大卒)242,000円【ボーナス(年)】200万円、NA【25、30、35歳賃金】267,940円→310,900円→342,050円【週休】2日【夏期休暇】有休で取得可(7～9月で5日程度)【年末年始休暇】連続6日程度【有休取得】12.8／20日

●従業員数、勤続年数、離職率ほか●
【男女別従業員数、平均年齢、平均勤続年数】計◇1,217(41.8歳 20.3年) 男1,038(42.7歳 21.5年) 女179(36.6歳 13.1年)【離職率と離職者数】◇2.1%、26名【3年後新卒定着率】76.5%(男66.7%、女100%、3年前入社:男12名・女5名)【組合】あり

求める人材 創造力に富んだバイタリティーのある人

会社データ (金額は百万円)
【本社】541-0054 大阪府大阪市中央区南本町4-1-1
☎06-6245-1111 https://www.yodoko.co.jp/
【社長】二田 哲【設立】1935.1【資本金】23,220【今後力を入れる事業】鋼板事業 建材・エクステリア事業 建設工事事業

【業績(連結)】	売上高	営業利益	経常利益	純利益
22.3	201,655	14,349	17,916	9,789
23.3	220,314	12,665	17,686	10,593
24.3	203,957	12,017	15,202	4,456

(株)栗本鐵工所（くりもとてっこうしょ）

東京P 5602

【特色】鋳鉄管で2位。産業機械やエンジニアリングも主力

修士・大卒採用数	3年後離職率	有休取得年平均	平均年収(平均44歳)
22名	10.0→13.8%	15.9日	(総)891万円

残業(月) 15.9時間 (総)15.9時間

記者評価 独立系機械メーカー。鉄管・バルブなどのパイプシステムが中核事業。産機や給排気用スパイラルダクトなどの設備製品も。鍛圧機など機械システム軸に海外展開。上下水道管路設計・施工などの子会社擁す。不燃性ガラス繊維強化プラスチック複合材の水平展開推進。

●エントリー情報と採用プロセス●

【受付開始～終了】(総)(技)3月～6月【採用プロセス】(総)(技)説明会・ES提出(3月上旬～)→GD・Webテスト・面接(2回)→内々定(6月上旬)【交通費支給】最終面接、実費【早期選考】⇒巻末

試験情報

重視科目 (総)(技)面接

(総)(技)(ES)⇒巻末(筆)SPI3(自宅)(面)2回(Webあり)(GD作)⇒巻末

選考ポイント (総)(技)(ES)求める人物像に合致しているか(面)コミュニケーション能力 論理性

通過率 (総)(ES)49%(受付:291→通過:143) (技)(ES)73%(受付:88→通過:64)

倍率(応募/内定) (総)24倍 (技)4倍

●男女別採用数と配属先ほか●

【男女・文理別採用実績】

	大卒男	大卒女	修士男	修士女
23年	7(文 3理 4)	2(文 2理 0)	6(文 0理 6)	1(文 0理 1)
24年	14(文 8理 6)	3(文 3理 0)	6(文 0理 6)	0(文 0理 0)
25年	11(文 4理 7)	4(文 4理 0)	6(文 0理 6)	1(文 0理 1)

【25年4月入社者の採用実績校】
(文)(大)関大 立命館大 近大 法政大 都立大 神戸学大 大阪府大 日大各1 (理)(院)熊本大 金沢工大 京都工繊大 徳島大 九州工大 長崎大 近大各1(大)関大3 徳島大 滋賀県大 静岡大 福岡工大各1

【24年4月入社者の配属先】
(総)勤務地:大阪市7 東京・港3 部署:営業7 システム1 財務1 総務1 (技)勤務地:大阪(大阪市10 交野1)東京・港1 部署:技術12

●給与、ボーナス、週休、有休ほか●

【30歳総合職平均年収】561万円【初任給】(修士)267,490円 (大卒)250,000円【ボーナス(年)】190万円、5.48カ月【25、30、35歳賃金】258,831円→308,718円→336,077円【週休】完全2日(土日祝)【夏期休暇】連続6日【年末年始休暇】連続6日【有休取得】15.9／22日

●従業員数、勤続年数、離職率ほか●

【男女別従業員数、平均年齢、平均勤続年数】計◇1,316(45.5歳 21.1年) 男 1,210(45.6歳 21.4年) 女 106(44.2歳 17.1年)【離職率と離職者数】◇1.6%、22名(早期退職男2名含む)【3年後新卒定着率】86.2%(男88.0%、女75.0%、3年前入社:男25名・女4名)【組合】あり

求める人材 主体的に行動できる人 自分の考えを論理だてて伝えられる人 挑戦することを諦めない人

会社データ (金額は百万円)

【本社】550-8580 大阪府大阪市西区北堀江1-12-19
☎06-6538-7602 http://www.kurimoto.co.jp/
【社長】菊本 一高【設立】1909.2【資本金】31,186【今後力を入れる事業】社会インフラ 産業設備(プラントエンジニアリング 他)

【業績(連結)】	売上高	営業利益	経常利益	純利益
22.3	105,954	4,172	4,179	2,917
23.3	124,827	6,840	6,868	4,727
24.3	125,925	7,460	7,816	5,470

住友電気工業(株)（すみともでんきこうぎょう）

東京P 5802

【特色】電力ケーブルや自動車用ワイヤーハーネスで大手

修士・大卒採用数	3年後離職率	有休取得年平均	平均年収(平均*43歳)
227名	10.8→10.4%	19.2日	(総)974万円

残業(月) 16.9時間 (総)20.6時間

記者評価 国内電線首位級で旧電線御三家。自動車用ワイヤハーネスでは世界大手で、光ファイバーなど通信インフラも展開。自動車関連が売上の柱だが、送電線等に使用される電力ケーブル、情報通信分野も安定的な収益を稼ぐ。自動車用焼結部品などの産業素材も手がける。

●エントリー情報と採用プロセス●

【受付開始～終了】(総)(技)3月～6月【採用プロセス】(総)(技)ES提出・Webテスト(3月～)→面接(1～2回、6月)→内々定【交通費支給】最終面接以降、会社基準

試験情報

重視科目 (総)(技)面接

(総)(技)(ES)⇒巻末(筆)SPI3(会場)(面)1～2回(Webあり)

選考ポイント (総)(技)(ES)NA(提出あり)(面)熱意 論理性 志望度 他

通過率 (総)(技)(ES)NA **倍率**(応募/内定) (総)(技)NA

●男女別採用数と配属先ほか●

【男女・文理別採用実績】

	大卒男	大卒女	修士男	修士女
23年	48(文 41理 7)	33(文 28理 5)	114(文 1理113)	10(文 0理 10)
24年	59(文 49理 10)	36(文 33理 3)	109(文 2理107)	20(文 1理 19)
25年	60(文 44理 16)	34(文 30理 4)	117(文 1理116)	16(文 0理 16)

【25年4月入社者の採用実績校】(文)(院)京大(大)関西学大 早大 同大 阪大 慶大 神戸大 関大 立命館大 上智大 一橋大 北大 中大 東京外大 滋賀大 東大 京大 九大 名大 岡山大 学習院大 広島大 新潟大 大阪市大 津田塾大 東理大 東京学芸大 法政大 立教大 和歌山大 (理)(院)阪大 京大 東北大 岡山大 大阪公大 東理大 北大 東京科学大 名大 立命館大 東大 神戸大 静岡大 電通大 名工大 茨城大 弘前大 三重大 芝工大 青学大 早大 東京農工大 同大 奈良先端科技院大 九州工大 関西学大 宮崎大 宇都宮大 奈良女大 愛媛大 横国大 関大 京都工繊大 金沢大 慶大 佐賀大 埼玉大 山口大 山梨大 鹿児島大 上智大 新潟大 長岡技科大 都立大 福井大 豊橋技科大 豊田工大 明大(大)東理大 宮崎大 大阪市大 法政大 立命館大 関西学大 九州工大 埼玉工大 宇都宮大 奈良女大 東京海洋大(高専)岐阜 新居浜 大阪公大 奈良 鈴鹿 他

【24年4月入社者の配属先】(総)勤務地:大阪(大阪 熊取)22 東京(赤坂 目白 汐留)22 名古屋16 兵庫・伊丹6 滋賀(信楽 水口)4 栃木・鹿沼3 茨城・日立2 横浜2 岡山・高梁2 山梨・昭和町1 部署:管理部門26 企画・営業35 事業部門19 (技)勤務地:大阪(大阪 西島 土佐堀)61 兵庫・伊丹19 神奈川(横浜 茅ヶ崎)17 山梨・昭和町14 三重(四日市 塩浜)13 茨城(日高 みなと 豊浦)9 滋賀(信楽 水口)9 栃木(鹿沼 宇都宮)7 東京(赤坂 汐留 品川 羽田)6 岡山・高梁2 名古屋1 富山・射水1 部署:研究部門49 事業部門100 生産技術部門6 情報システム部門4

●給与、ボーナス、週休、有休ほか●

【30歳総合職平均年収】668万円【初任給】(博士)319,700円 (修士)288,200円 (大卒)271,000円【ボーナス(年)】NA、5.0カ月【25、30、35歳賃金】NA【週休】完全2日(土日)【夏期休暇】(工場部門)連続9日【年末年始休暇】(工場部門)連続7日【有休取得】19.2／20日

●従業員数、勤続年数、離職率ほか●

【男女別従業員数、平均年齢、平均勤続年数】計 6,995(43.2歳 17.5年) 男 NA 女 NA【離職率と離職者数】3.7%、268名【3年後新卒定着率】89.6%(男91.4%、女82.9%、3年前入社:男151名・女41名)【組合】あり

求める人材 自ら考え、自ら行動できる人 創造力と探求心のある人 グローバルに活躍できる人

会社データ (金額は百万円)

【本社】541-0041 大阪府大阪市中央区北浜4-5-33 住友ビル
☎06-6220-4134 https://sumitomoelectric.com/jp/
【社長】井上 治【設立】1911.8【資本金】99,737【今後力を入れる事業】エネルギー 情報通信 自動車関連

【業績(連結)】	売上高	営業利益	経常利益	純利益
22.3	3,367,863	122,195	138,160	96,306
23.3	4,005,561	177,443	173,348	112,654
24.3	4,402,814	226,618	215,341	149,723

▶『業界地図』p.78,129,46

ふるかわでんき こうぎょう 古河電気工業㈱

東京P 5801

【特色】古河グループ中核。光ファイバーで世界有数

修士・大卒採用数	3年後離職率	有休取得年平均	平均年収(平均42歳)
123名	10.7→9.6%	14.7日	[総]781万円

●エントリー情報と採用プロセス●

【受付開始～終了】[総][技]3月～7月【採用プロセス】[総][技]ES提出(3～7月)→筆記(4～7月)→面接(3回、4～7月)→内々定(6月～)【交通費支給】最終選考、会社基準による定額【早期選考】⇒巻末

試験情報

重視科目 [総][技]面接

[総][技][ES]⇒巻末[筆]SPI3(会場) SPI3(自宅)[面]3回(Webあり)

選考ポイント [総][ES]主体性 論理性 コミュニケーション能力[面]自分の意見を自分の言葉で伝えられるか コミュニケーション能力 論理的思考力 主体性 実行力 創造性[技][ES]事務系の観点に加え、専門系統[面]自分の意見を自分の言葉で伝えられるか コミュニケーション能力 論理的思考力 技術的専門性 主体性 実行力

通過率 [総][技][ES]NA 倍率(応募/内定) [総][技]NA

●男女別採用数と配属先ほか●

【男女・文理別採用実績】

	大卒男	大卒女	修士男	修士女
23年	28(文 11 理 17)	17(文 12 理 5)	41(文 0 理 41)	15(文 0 理 15)
24年	23(文 13 理 10)	19(文 15 理 4)	58(文 0 理 58)	11(文 0 理 11)
25年	30(文 18 理 12)	14(文 13 理 1)	67(文 0 理 67)	12(文 0 理 12)

【25年4月入社者の採用実績校】[文](大)同大7 早大 阪大 法政大 関西学大各2 上智大 新潟大 神戸大 長崎大 東京外大 東理大 北大 北九州市大 立教大 立命館大各1 他 [理](院)東京科学大7 東大 京都工繊大各6 横国大 大阪公大各4 千葉工大 千葉大 富山大各3 同大 北大 豊橋技科大 室蘭工大 東北大 日女大 法政大 早大 宇都宮大 山形大 電通大各2 九大 東京農工大 青学大 徳島大 関大 岩手大 兵庫県大 北里大 長崎大 東理大 群馬大 横浜市大 岡山大 金沢大 豊田工大 東京工芸大 芝工大 東海大 学習院大 阪大 北陸先端科技院大 筑波大 日大各1(大)工学院大2 香川大 山形大 長岡技科大 東海大 東京科学大 東京電機大 日大 福岡大 豊田工大 立命館大 産業医大各1 他

【24年4月入社者の配属先】[総]勤務地:千葉・市原5 東京(千代田4 羽田1)三重・亀山4 神奈川(平塚3 横浜1)栃木・日光2 大阪2 福岡1 部署:生産管理12 人事総務3 営業4 経理3 資材1 [技]勤務地:千葉・市原27 神奈川(横浜9 平塚18)東京(千代田1 羽田8)三重・亀山8 栃木(日光5 今市1)滋賀4 愛知3 部署:事業部門50 新事業・研究開発23 生産技術部門10 DX部門1

残業(月) 22.8時間 [総]23.7時間

[記者評価] かつての「電線御三家」の一角。世界で初めて光ファイバーを製造し、技術力に定評。米州の光ファイバーなどでの情報通信インフラのほか電力インフラとワイヤハーネスなど自動車部品が主力事業。データセンター向けの冷却装置もAIブームで急成長中。

●給与、ボーナス、週休、有休ほか●

【30歳総合職平均年収】560万円【初任給】(博士)314,000円(修士)275,600円(大卒)250,000円【ボーナス(年)】133万円、4.05カ月【25、30、35歳賃金】NA【週休】完全2日(土日祝)【夏期休暇】(工場部門)連続5日程度【年末年始休暇】12月30日～1月3日【有休取得】14.7/25日

●従業員数、勤続年数、離職率ほか●

【男女別従業員数、平均年齢、平均勤続年数】計 ◇4,172(43.8歳 19.7年) 男 3,632(44.3歳 20.3年) 女 540(40.2歳 16.2年)【離職率と離職者数】◇3.5%、152名【3年後新卒定着率】90.4%(男88.3%、女100%、3年前入社:男94名・女21名)【組合】あり

[求める人材] 自ら進んで考え、周りを巻き込んで新しいことに粘り強くチャレンジできる明るい人で、「やりきる力」「自律心」「クリエイティビティ」を備えた人材

[会社データ] (金額は百万円)

【本社】100-8322 東京都千代田区大手町2-6-4 常盤橋タワー
☎03-6281-8515 https://www.furukawa.co.jp/
【社長】森平 英也【設立】1896.6【資本金】69,395【今後力を入れる事業】エネルギー・通信インフラ 自動車関連 新規事業

【業績(連結)】	売上高	営業利益	経常利益	純利益
22.3	930,496	11,428	19,666	10,093
23.3	1,066,326	15,441	19,639	17,911
24.3	1,056,528	11,171	10,267	6,508

㈱フジクラ

東京P 5803

【特色】旧電線御三家の一角で独立系。改革の効果発現中

修士・大卒採用数	3年後離職率	有休取得年平均	平均年収(平均44歳)
53名	20.3→6.7%	13.9日	◇845万円

●エントリー情報と採用プロセス●

【受付開始～終了】[総][技]3月～7月【採用プロセス】[総][技]説明会(任意、2～3月)→適性検査・ES提出(3月～)→面接(複数回、順次)→内々定【交通費支給】最終面接以降、実費【早期選考】⇒巻末

試験情報

重視科目 [総][技]面接

[総][技][ES]⇒巻末[筆]eF-1G[面]複数回(Webあり)

選考ポイント [総][ES]相手に伝わりやすい文章を適正な分量で記載できているか[面]コミュニケーション力 素直さ 自分自身や取り組んでいる活動について分かりやすく伝えることができるか 職種に対する自分なりの理解を持っているか 他[技][ES]総合職共通[面]コミュニケーション力 素直さ 自分自身や取り組んでいる研究内容を分かりやすく伝えることができるか 不明点についての質問ができるか 他

通過率 [総][技][ES]NA 倍率(応募/内定) [総][技]NA

●男女別採用数と配属先ほか●

【男女・文理別採用実績】※25年:24年7月時点

	大卒男	大卒女	修士男	修士女
23年	6(文 1 理 5)	3(文 3 理 0)	6(文 0 理 6)	2(文 0 理 2)
24年	11(文 6 理 5)	8(文 8 理 0)	14(文 0 理 14)	3(文 1 理 2)
25年	20(文 3 理 17)	7(文 6 理 1)	25(文 0 理 25)	1(文 0 理 1)

【25年4月入社者の採用実績校】[文](大)拓大 國學院大 龍谷大 山口大 エイドリアン大 名古屋外大 アメリカ創価大 甲南大 関西外大各1 [理](院)茨城大 千葉大 東京電機大各3 山形大 千葉工大 鳥取大各2 筑波大 東北大 芝工大 宇都宮大 九州工大 香川大 埼玉大 室蘭工大 都立大 東理大 明大各1(大)千葉工大4 日大3 東京電機大2 近大 工学院大 芝工大 湘南工大 静岡大 中大 東海大 東理大 東洋大各1

【24年4月入社者の配属先】[総]勤務地:東京・木場12 千葉・佐倉2 群馬・太田1 部署:営業6 生産管理3 人事2 SE1 調達1 経理1 広報1 [技]勤務地:東京・木場4 千葉・佐倉17 部署:情報通信事業6 新事業創生・研究開発5 電子部品・コネクタ事業4 自動車事業2 生産技術3 超電導事業1

残業(月) [総]25.9時間

[記者評価] 1885年創業の旧電線御三家の一角、独立系。光ファイバーでは高付加価値品を軸に海外向けに注力、米国などの大手IT企業向けにデータセンター用途で事業成長中。フレキシブルプリント基板(FPC)も世界有数規模。東京・木場にある深川ギャザリアの大家。

●給与、ボーナス、週休、有休ほか●

【30歳総合職平均年収】NA【初任給】(博士)295,000円(修士)275,000円(大卒)255,000円【ボーナス(年)】(現業者含む組合員)168万円、(現業者含む組合員)5.35カ月【25、30、35歳賃金】271,890円→302,920円→369,140円【週休】完全2日(土日)【夏期休暇】事業所は4日 ※本社は7～9月の間に3日間を目安として有休取得を奨励【年末年始休暇】12月30日～1月4日【有休取得】13.9/20日

●従業員数、勤続年数、離職率ほか●

【男女別従業員数、平均年齢、平均勤続年数】計 ◇2,068(43.9歳 17.2年) 男 1,758(44.1歳 17.4年) 女 310(42.5歳 16.0年)【離職率と離職者数】◇1.9%、40名【3年後新卒定着率】93.3%(男91.7%、女100%、3年前入社:男24名・女6名)【組合】あり

[求める人材] 常に自己研鑽を行う人 チームで仕事を進められる人 相手の立場に立って考え行動できる人

[会社データ] (金額は百万円)

【本社】135-8512 東京都江東区木場1-5-1
☎03-5606-1033 https://www.fujikura.co.jp/
【社長】岡田 直樹【設立】1910.3【資本金】53,076【今後力を入れる事業】情報通信事業

【業績(連結)】	売上高	営業利益	経常利益	純利益
22.3	670,350	38,288	34,089	39,101
23.3	806,453	70,163	67,897	40,891
24.3	799,760	69,483	69,733	51,011

エスダブリューシーシー
ＳＷＣＣ(株)

東京P 5805

【特色】総合電線・ケーブルメーカー。車載を強化中

修士・大卒採用数	3年後離職率	有休取得年平均	平均年収(平均44歳)
15名	11.8 → 0%	15.5日	[総]716万円

●エントリー情報と採用プロセス●

【受付開始～終了】[総][技]3月～継続中【採用プロセス】[総][技]説明会(必須)・ES提出(3月)→面接(6月)→面接・筆記(6月～)→最終面接→内々定【交通費支給】2次面接以降、大学所在地に応じ一定【早期選考】⇒巻末

試験情報

重視科目 [総][技]面接

[総][技][ES]⇒巻末[筆]SPI3(会場)[面]3回(Webあり)

選考ポイント [総][技][ES]コミュニケーション能力 主体性[面]大学(学内・学外)でやってきたこと 論理構成力 部署の適性 積極性

通過率 [総][ES]選考なし(受付:62) [技][ES]選考なし(受付:35)

倍率(応募/内定) [総]16倍 [技]5倍

●男女別採用数と配属先ほか●

【男女・文理別採用実績】

	大卒男	大卒女	修士男	修士女
23年	4(文 2理 2)	1(文 1理 0)	4(文 0理 4)	1(文 0理 1)
24年	4(文 3理 1)	4(文 2理 2)	4(文 0理 4)	2(文 2理 0)
25年	2(文 2理 0)	2(文 2理 0)	7(文 0理 7)	4(文 0理 4)

※25年:予定数

【25年4月入社者の採用実績校】
[文](院)立命館大1(大)東洋大 駒澤大各1 [理](院)東京農工大 東京電機大 千歳科技大 東海大各1(大)東海大2

【24年4月入社者の配属先】
[総]勤務地:川崎7 部署:営業2 経理2 資材1 法務1 広報1 [技]勤務地:神奈川・相模原5 三重2 愛知1 部署:技術設計2 研究開発4 品質保証1 製造1

残業(月) 17.0時間

記者評価 東芝発祥。電力ケーブル、巻線など重電系が得意。11年中国の富通集団と資本提携したが、現在は資本関係を大幅解消、業務提携を続ける。電力インフラではケーブル・機器・工事・保守を一貫して手がける。自動車関連製品を強化。経営改革で収益が大幅に改善。

●給与、ボーナス、週休、有休ほか●

【30歳総合職平均年収】520万円【初任給】(博士)294,000円 (修士)261,000円 (大卒)241,000円【ボーナス(年)】145万円、4.47カ月【25、30、35歳賃金】276,300円→339,201円→385,824円【週休】2日(土日)(拠点により祝日出勤あり)【夏期休暇】(事業所)連続8～9日(本社)有休で取得【年末年始休暇】12月29日～1月4日【有休取得】15.5／20日

●従業員数、勤続年数、離職率ほか●

【男女別従業員数、平均年齢、平均勤続年数】計 1,437(44.4歳 16.8年) 男 1,244(44.3歳 16.7年) 女 193(45.3歳 17.2年)【離職率と離職者数】0.6%、8名【3年後新卒定着率】100%(男100%、女100%、3年前入社:男6名・女4名)【組合】あり

求める人材 自己を高め 改革を実行できる人

会社データ (金額は百万円)

【本社】210-0024 神奈川県川崎市川崎区日進町1-14 JMFビル川崎01
☎044-223-0530 https://www.swcc.co.jp/
【社長】長谷川 隆代【設立】1936.5【資本金】24,221【今後力を入れる事業】次世代エネルギー・インフラ関連事業

【業績(連結)】	売上高	営業利益	経常利益	純利益
22.3	199,194	10,039	9,882	9,353
23.3	209,111	10,474	10,393	9,410
24.3	213,904	12,824	12,213	8,838

みつびし
三菱マテリアル(株)

東京P 5711

【特色】非鉄総合首位級。セメントや電子材料なども展開

修士・大卒採用数	3年後離職率	有休取得年平均	平均年収(平均44歳)
92名	13.8 → 14.3%	本文参照	[総]875万円

●エントリー情報と採用プロセス●

【受付開始～終了】[総]2月～5月 [技]1月～6月【採用プロセス】[総]ES提出(2月～)→Webテスト→面接(3回)・適性検査→内々定 [技]ES提出(1月～)→Webテスト→面接(2回)・適性検査→内々定【交通費支給】最終面接、会社基準(大学所在地別)【早期選考】⇒巻末

試験情報

重視科目 [総][技]面接 ES Webテスト

[総][ES]NA[筆]Webテスト 適性検査[面]3回(Webあり) [技][ES]NA[筆]Webテスト 適性検査[面]2回(Webあり)

選考ポイント [総][ES]NA(提出あり)[面]コミュニケーション能力 就職に際しての目的意識 学生時代の様々な経験 [技][ES]NA(提出あり)[面]事務系の観点に加え、勉学・研究活動への取り組み姿勢

通過率 [総][技][ES]NA **倍率**(応募/内定) [総][技]NA

●男女別採用数と配属先ほか●

【男女・文理別採用実績】

	大卒男	大卒女	修士男	修士女
23年	24(文 17理 7)	13(文 8理 5)	40(文 0理 40)	11(文 0理 11)
24年	15(文 10理 5)	15(文 15理 0)	36(文 2理 34)	10(文 0理 10)
25年	26(文 14理 12)	16(文 13理 3)	43(文 1理 42)	7(文 0理 7)

【25年4月入社者の採用実績校】[文](院)京大1(大)成蹊大4 上智大 法政大各3 明大 関大 関西学大各2 早大 慶大 青学大 中大 一橋大 立教大 横国大 阪大 神戸大 立命館大 秋田大各1 [理](院)北大4 秋田大3 早大 東理大 千葉大 筑波大 阪大 関西学大 新潟大 北陸先端科技院大 東北大 山梨大各2 茨城大 大阪工大 関大 九州工大 九大 高知工科大 埼玉大 静岡大 芝工大 信州大 千葉工大 中部大 東京科学大 東京電機大 東京農工大 長岡技科大 日工大 兵庫県大 法政大 山口大 横国大 成蹊大各1(大)茨城大 芝工大 千葉工大各2 阪大 京都先端科学大 成蹊大 筑波大 東京都市大 名大 兵庫県大 早大 イェール大各1

【24年4月入社者の配属先】[総]勤務地:東京16 茨城1 福島2 岐阜1 大阪2 兵庫2 香川3 部署:高機能製品事業(営業)3 高機能製品事業(管理)3 金属事業(営業)5 金属事業(管理)4 加工事業(営業)4 加工事業(管理)4 情報システム4 [技]勤務地:東京4 埼玉5 茨城11 秋田5 福島6 岐阜6 静岡1 大阪2 兵庫3 香川6 部署:高機能製品事業9 金属事業11 加工事業13 再生可能エネルギー事業2 技術開発8 事業開発1 情報システム5

残業(月) (含現業)18.6時間 [総]18.6時間

記者評価 1871年設立の九十九商会が前身。銅加工や超硬工具などの自動車関連、半導体関連の電子材料、銅を中心に非鉄金属の製錬などを総合展開。海外で鉱山投資を継続するほか、再生可能エネルギーで地熱発電も。22年宇部興産とセメント事業統合し分離。

●給与、ボーナス、週休、有休ほか●

【30歳総合職平均年収】568万円【初任給】(博士)(ライフプラン手当含)292,500円 (修士)(ライフプラン手当含)280,000円 (大卒)(ライフプラン手当含)257,000円【ボーナス(年)】140万円、NA【25、30、35歳賃金】(モデル)281,000円→(モデル)350,500円→(34歳モデル)396,000円【週休】完全2日(土日祝)【夏期休暇】(本社)8月10～15日(事業所により異なる)【年末年始休暇】(本社)12月28日～1月3日(事業所により異なる)【有休取得】(含現業)17／22日

●従業員数、勤続年数、離職率ほか●

【男女別従業員数、平均年齢、平均勤続年数】計 ◇5,408(42.6歳 18.2年) 男 4,582(43.0歳 18.8年) 女 826(39.5歳 14.2年)【離職率と離職者数】◇2.9%、160名【3年後新卒定着率】85.7%(男85.1%、女87.5%、3年前入社:男94名・女32名)【組合】あり

求める人材 自律的に課題を解決する人 協調性のある人 リーダーシップを発揮できる人

会社データ (金額は百万円)

【本社】100-8117 東京都千代田区丸の内3-2-3 丸の内二重橋ビル
☎03-5252-5200 https://www.mmc.co.jp/
【社長】小野 直樹【設立】1950.4【資本金】119,457【今後力を入れる事業】各事業を戦略的に強化していく

【業績(連結)】	売上高	営業利益	経常利益	純利益
22.3	1,811,759	52,708	76,080	45,015
23.3	1,625,933	50,076	25,306	20,330
24.3	1,540,642	23,276	54,102	29,793

ジェイエックスきんぞく

ＪＸ金属(株)

持株会社 傘下

【特色】非鉄金属の国内大手。銅精錬技術に強み

修士・大卒採用数	3年後離職率	有休取得年平均	平均年収(平均39歳)
61名	10.0→13.5%	18.5日	総936万円

●エントリー情報と採用プロセス●

【受付開始〜終了】総 技3月〜未定【採用プロセス】総ES提出・Webテスト→動画選考→面接(3回)→内々定 技ES提出・Webテスト→面接(2〜3回)→内々定【交通費支給】事務系:3次面接以降 技術系:最終面接、本社あるいは事業所等に訪問の場合、実費

試験情報

重視科目 総面接 技面接 研究内容

総 ES ⇒巻末 筆WebGAB TAL 面3回(Webあり) 技 ES ⇒巻末 筆WebGAB TAL 面2〜3回(Webあり)

選考ポイント 総 ES 論理性 行動力(実行力) 面論理性 行動力 実行力 協調性(コミュニケーション)学生時代に力を入れたこと 技 ES 総合職共通 面論理性 行動力 実行力 協調性(コミュニケーション)研究内容に関する知識

通過率 総 技 ES NA 倍率(応募/内定) 総 技 NA

●男女別採用数と配属先ほか●

【男女・文理別採用実績】

	大卒男	大卒女	修士男	修士女
23年	27(文 21 理 6)	7(文 7 理 0)	51(文 0 理 51)	4(文 0 理 4)
24年	23(文 21 理 2)	14(文 13 理 1)	46(文 0 理 46)	5(文 0 理 5)
25年	16(文 15 理 1)	13(文 12 理 1)	29(文 1 理 28)	3(文 0 理 3)

【25年4月入社者の採用実績校】文(院)同大1(大)同大5 中大4 上智大3 関西学大 早大 阪大 明大各2 関大 九大 ICU 順天堂大 小樽商大 立教大 立命館大各1 理(院)東北大4 茨城大 九大 芝工大 北大各3 東京科学大2 愛媛大 横国大 関西学大 関大 京大 慶大 佐賀大 埼玉大 秋田大 大分大 東京農工大 同大 法政大 豊橋技科大各1(大)千葉工大 東洋大各1(高専)津山1

【24年4月入社者の配属先】総勤務地:東京・港10 神奈川・高座郡9 茨城(北茨城11 日立2)大分市2 部署:営業20 経理5 購買2 総務人事5 物流1 法務1 技勤務地:東京・港6 神奈川・高座郡8 茨城(北茨城23 日立14)大分市6 北海道1 秋田1 部署:システム5 環境安全1 エンジニアリング9 製造・開発・分析42 資源2

残業(月) 13.1時間

記者評価 エネオスHD傘下の非鉄金属国内大手。南米チリで銅鉱山権益を持つ。銅中心に金属資源開発、製錬、薄膜材料などの加工を手がける。圧延銅箔などニッチ製品で世界シェア1位。電材加工や機能材料などに注力。24年8月タツタ電線をTOBで買収、完全子会社化へ。

●給与、ボーナス、週休、有休ほか●

【30歳総合職平均年収】NA【初任給】(博士)320,800円(修士)287,100円(大卒)260,000円【ボーナス(年)】(組合)186万円、(組合)6.417カ月【25、30、35歳モデル賃金】292,300円→371,900円→448,300円【週休】完全2日(土日)【夏期休暇】事業所により異なる【年末年始休暇】事業所により異なる【有休取得】18.5/22日

●従業員数、勤続年数、離職率ほか●

【男女別従業員数、平均年齢、平均勤続年数】計◇4,237(39.8歳 12.4年)男 3,725(40.1歳 12.9年)女 512(37.6歳 8.7年)【離職率と離職者数】NA【3年後新卒定着率】86.5%(男88.6%、女75.0%、3年前入社:男44名・女8名)【組合】あり

求める人材 Ownershipを持ち、ロジカルに課題を捉え、周りを巻き込み物事を推進できる人

会社データ (金額は百万円)

【本社】105-8417 東京都港区虎ノ門2-10-4 オークラ プレステージタワー ☎03-6433-6000 https://www.jx-nmm.com/

【社長】林 陽一【設立】2002.9【資本金】75,000【今後力を入れる事業】半導体材料 情報通信材料 リサイクル事業

【業績(IFRS)】	売上高	営業利益	税前利益	純利益
22.3	1,293,000	158,200	NA	93,100
23.3	1,637,800	68,700	NA	36,500
24.3	1,513,100	81,100	NA	139,397

すみともきんぞくこうざん

住友金属鉱山(株)

東京P 5713

【特色】非鉄大手。鉱山開発、製錬、材料と3事業を通貫

修士・大卒採用数	3年後離職率	有休取得年平均	平均年収(平均42歳)
65名	!7.1→!8.5%	17.0日	総1,084万円

●エントリー情報と採用プロセス●

【受付開始〜終了】総 技3月〜未定【採用プロセス】総 技ES提出・Webテスト(3月〜)→面接(3回)→内々定【交通費支給】すべての面接、実費(交通費・宿泊費)

試験情報

重視科目 総 技面接

総 技 ES NA 筆SPI3(自宅) 面3回(Webあり)

選考ポイント 総 技 ES NA(提出あり) 面NA

通過率 総 技 ES NA

倍率(応募/内定) 総 技 NA

●男女別採用数と配属先ほか●

【男女・文理別採用実績】

	大卒男	大卒女	修士男	修士女
23年	8(文 6 理 2)	12(文 10 理 2)	37(文 0 理 37)	3(文 0 理 3)
24年	14(文 11 理 3)	12(文 10 理 2)	49(文 2 理 47)	7(文 1 理 6)
25年	11(文 9 理 2)	10(文 10 理 0)	40(文 0 理 40)	4(文 1 理 3)

※本社採用のみ

【25年4月入社者の採用実績校】文(院)早大1(大)同大4 関大 法政大各2 秋田大 叡啓大 関西学大 九大 慶大 筑波大 東京外大 横国大 立命館大各1 理(院)愛媛大 東北大 北大各4 九州工大 東京科学大各3 秋田大 岡山大 九大 京大 東理大 山口大各2 阪大 大阪公大 関西学大 鹿児島大 高知大 千葉大 都立大 徳島大 名大 名工大 新潟大 日大 広島大 早大 長岡技科大各1(大)九州工大 日大各1

【24年4月入社者の配属先】総勤務地:(23年)東京3 愛媛5 兵庫2 宮崎1 部署:(23年)経理7 人事3 資材1 技勤務地:(23年)東京8 愛媛28 千葉6 鹿児島4 福島1 北海道1 宮崎1 部署:(23年)研究開発15 設備10 材料8 金属6 資源5 電池5

残業(月) 16.3時間 総20.0時間

記者評価 別子銅山がルーツで住友グループの源流企業。鉱山開発から製錬、材料まで一貫体制に特徴。海外鉱山に積極投資の方針。ニッケル製錬で独自のHPAL法を展開のほか、ニッケル権益獲得を強化。EV向け電池正極材料はパナソニック(テスラ向け)などに供給する。

●給与、ボーナス、週休、有休ほか●

【30歳総合職平均年収】668万円【初任給】(博士)321,600円(修士)287,400円(大卒)260,000円【ボーナス(年)】235万円、7.455カ月【25、30、35歳賃金】248,007円→383,413円→593,161円【週休】完全2日(土日祝)【夏期休暇】各事業所により異なる【年末年始休暇】各事業所により異なる【有休取得】17.0/22日

●従業員数、勤続年数、離職率ほか●

【男女別従業員数、平均年齢、平均勤続年数】計◇2,892(40.7歳 17.0年)男 2,468(41.1歳 17.7年)女 424(37.9歳 13.0年)※出向者除く【離職率と離職者数】2.6%、76名(早期退職男20名含む)【3年後新卒定着率】91.5%(男88.6%、女100%、3年前入社:男44名・女15名)※本社採用のみ【組合】あり

求める人材 「事業は人なり」の考え方に共感し、協調性と認識力、構想力、実行力をもっている人

会社データ (金額は百万円)

【本社】105-8716 東京都港区新橋5-11-3 新橋住友ビル ☎03-3436-7821 https://www.smm.co.jp/

【社長】松本 伸弘【設立】1950.3【資本金】93,242【今後力を入れる事業】資源 製錬 材料

【業績(IFRS)】	売上高	営業利益	税前利益	純利益
22.3	1,259,091	270,982	357,434	281,037
23.3	1,422,989	172,581	229,910	160,585
24.3	1,445,388	62,154	95,795	58,601

DOWAホールディングス(株)

（ドウワ）

東京P 5714

【特色】非鉄大手。貴金属回収、リサイクルに強み

修士・大卒採用数	3年後離職率	有休取得年平均	平均年収(平均41歳)
68名	17.4 → 6.1%	16.1日	(総)918万円

●エントリー情報と採用プロセス●

【受付開始～終了】(総)(技)3月～6月【採用プロセス】(総)説明会(必須)→Webテスト・ES提出→面接(3回、随時)→内々定(順次)(技)説明会(必須)→Webテスト・ES提出→面接(2回、随時)→内々定(順次)【交通費支給】最終面接、実費【早期選考】⇒巻末

試験情報

重視科目 総技 面接

総 (ES)⇒巻末(筆)SPI3(自宅) 適性検査(面)3回(Webあり)
技 (ES)⇒巻末(筆)SPI3(自宅) 適性検査(面)2回(Webあり)

選考ポイント 総技 (ES)求める人材像に合致しているか(面)求める人材像に近いか

通過率 総 (ES)80%(受付:(早期選考含む)235→通過:(早期選考含む)189) 技 (ES)86%(受付:(早期選考含む)233→通過:(早期選考含む)201)

倍率(応募/内定) 総(早期選考含む)12倍 技(早期選考含む)5倍

●男女別採用数と配属先ほか●

【男女・文理別採用実績】

	大卒男	大卒女	修士男	修士女
23年	12(文 10理 2)	9(文 7理 2)	28(文 0理 28)	9(文 0理 9)
24年	10(文 10理 0)	7(文 6理 1)	24(文 0理 24)	7(文 0理 7)
25年	16(文 14理 2)	6(文 5理 1)	35(文 0理 35)	11(文 0理 11)

【25年4月入社者の採用実績校】(文)(大)明大4 神戸大 早大 学習院大 法政大各2 関西外大 三重大 秋田大 同大 武蔵大 福井大 立命館大各1 (理)(院)秋田大5 室蘭工大 熊本大各4 愛媛大 岩手大 山形大 東理大各3 北大 東北大各2 九大 茨城大 弘前大 群馬大 香川大 高知工科大 埼玉大 成蹊大 静岡大 東京農工大 奈良先端科技院大 富山大 福岡大 福岡工大 龍谷大 芝工大 大同大各1(大)秋田大 千葉工大 新潟大各1(高専)秋田1

【24年4月入社者の配属先】総 **勤務地**:秋田5 東京3 千葉1 埼玉1 愛知1 静岡1 岡山3 **部署**:経理7 総務5 生産管理3 技 **勤務地**:秋田12 岡山7 静岡6 埼玉5 千葉1 愛知1 滋賀1 長野1 **部署**:生産技術11 操業スタッフ12 研究開発10 分析スタッフ1

残業(月) 19.4時間 (総)19.4時間

記者評価 秋田県の小坂鉱山が発祥。現在は銅・亜鉛などの製錬を中心に、廃棄物処理・リサイクル、電子材料、金属加工、熱処理と幅広い事業の展開に特徴。貴金属回収に強く、産廃処理を東南アジアなど海外でも展開。箱根小涌園などを手がける藤田観光の筆頭株主。

●給与、ボーナス、週休、有休ほか●

【30歳総合職平均年収】639万円【初任給】(博士)318,000円(修士)286,000円(大卒)254,000円【ボーナス(年)】299万円、NA【25、30、35歳賃金】249,498円→300,808円→367,254円【週休】完全2日(土日祝)【夏期休暇】事業所により異なる【年末年始休暇】事業所により異なる【有休取得】16.1／22日

●従業員数、勤続年数、離職率ほか●

【男女別従業員数、平均年齢、平均勤続年数】計 1,242(41.1歳 15.8年)男 1,145(41.9歳 16.5年)女 97(31.5歳 6.6年)【離職率と離職者数】3.7%、48名【3年後新卒定着率】93.9%(男97.4%、女81.8%、3年前入社:男38名・女11名)【組合】あり

求める人材 変化を楽しみ、ともに未来を切り拓く人

会社データ　(金額は百万円)

【本社】101-0021 東京都千代田区外神田4-14-1 秋葉原UDXビル22階
☎03-6847-1102　https://hd.dowa.co.jp/
【社長】関口 明【設立】1937.3【資本金】36,437【今後力を入れる事業】成長市場における事業拡大と既存ビジネスでの競争力強化

【業績(連結)】	売上高	営業利益	経常利益	純利益
22.3	831,794	63,824	76,073	51,012
23.3	780,060	44,610	55,501	25,041
24.3	717,194	30,003	44,745	27,853

三井金属

（みついきんぞく）

東京P 5706

【特色】三井系の非鉄大手。極薄銅箔など機能材料に注力

修士・大卒採用数	3年後離職率	有休取得年平均	平均年収(平均42歳)
43名	8.0 → 23.1%	15.1日	(総)983万円

●エントリー情報と採用プロセス●

【受付開始～終了】(総)1月～8月 (技)1月～7月【採用プロセス】(総)説明会(任意、1月)→ES提出(1月以降、随時)→適性検査・面接(スピーチを含め3回、随時)→内々定(6月～)(技)説明会(任意、1月)→ES提出(1月以降、随時)→適性検査・筆記・面接(研究内容紹介含め3回、随時)→内々定(6月～)【交通費支給】2次面接以降、全額(宿泊費・上限有)【早期選考】⇒巻末

試験情報

重視科目 総技 面接

総 (ES)⇒巻末(筆)適性検査2種類(面)3回(Webあり) 技 (ES)⇒巻末(筆)専門分野の筆記・適性検査2種類(面)3回(Webあり)

選考ポイント 総技 (ES)NA(提出あり)(面)専門能力 コミュニケーション能力 周りと上手く協働できるか リーダーシップ 他

通過率 総 (ES)42%(受付:445→通過:186) 技 (ES)45%(受付:141→通過:64)

倍率(応募/内定) 総 40倍 技 18倍

●男女別採用数と配属先ほか●

【男女・文理別採用実績】※25年:24年7月時点

	大卒男	大卒女	修士男	修士女
23年	9(文 8理 1)	2(文 2理 0)	25(文 0理 25)	1(文 0理 1)
24年	4(文 3理 1)	6(文 6理 0)	22(文 1理 21)	4(文 1理 3)
25年	7(文 5理 2)	3(文 3理 0)	28(文 1理 27)	5(文 1理 4)

【25年4月入社者の採用実績校】(文)(院)一橋大 京大各1(大)福井大 成蹊大 早大 同大 上智大 神戸大 法政大 関西学大各1 (理)(院)山口大 秋田大各3 東京科学大 熊本大 大阪公大 茨城大 東理大各2 埼玉大 名大 福岡工大 九州工大 京都府大 筑波大 愛媛大 千葉大 佐賀大 北大 山形大 大阪電通大 山梨大 芝工大 成蹊大 東北大各1(大)宮崎大 東北大各1

【24年4月入社者の配属先】総 **勤務地**:東京・大崎4 横浜2 埼玉・上尾2 福岡・三池2 広島・竹原1 岐阜・神岡1 **部署**:経理3 人事総務2 営業・調達3 法務2 コーポレートコミュニケーション1 ICT1 技 **勤務地**:埼玉・上尾19 広島・竹原2 岐阜・神岡2 岡山・日比1 青森・八戸1 **部署**:研究開発・製造(機能材18 金属3)生産技術3 資源1

残業(月) 15.4時間 (総)18.6時間

記者評価 非鉄金属大手。鉱山開発などの川上よりも電子機器や自動車に使われる材料、部品など川下展開に軸。半導体パッケージ基板向け極薄銅箔が世界シェア9割と圧倒的なほか2輪用触媒でもシェア5割。亜鉛や銅などの製錬も手がける。全固体電池材料にも注力。

●給与、ボーナス、週休、有休ほか●

【30歳総合職平均年収】624万円【初任給】(博士)320,000円(修士)286,000円(大卒)254,000円【ボーナス(年)】(管理職含む)182万円、(組合員)5.164カ月【25、30、35歳賃金】275,900円→333,575円→NA【週休】完全2日(本社)【夏期休暇】連続9日(土日、年休3日含む、事業所による)【年末年始休暇】連続9日(土日、事業所による)【有休取得】15.1／20日

●従業員数、勤続年数、離職率ほか●

【男女別従業員数、平均年齢、平均勤続年数】計 ◇2,791(42.5歳 14.4年)男 2,481(43.0歳 15.2年)女 310(37.9歳 7.7年)【離職率と離職者数】◇1.7%、49名(他に男9名転籍)【3年後新卒定着率】76.9%(男78.3%、女66.7%、3年前入社:男23名・女3名)【組合】あり

求める人材 広い視野と新しい発想で物事に挑戦し、周囲と協力しながらやり遂げる力を備えた人

会社データ　(金額は百万円)

【本社】141-8584 東京都品川区大崎1-11-1 ゲートシティ大崎ウエストタワー20階
☎03-5437-8035　https://www.mitsui-kinzoku.com/
【社長】納 武士【設立】1950.5【資本金】42,223【今後力を入れる事業】機能材料(銅箔、機能性粉体など)

【業績(連結)】	売上高	営業利益	経常利益	純利益
22.3	633,346	60,737	65,990	52,088
23.3	651,965	12,528	19,886	8,511
24.3	646,697	31,694	44,513	25,989

メーカーⅡ

田中貴金属グループ（たなかききんぞく）

株式公開していない

【特色】貴金属取扱量で国内トップ級。海外展開に積極的

修士・大卒採用数	3年後離職率	有休取得年平均	平均年収(平均42歳)
35名	8.5 → 4.2%	NA	㊕867万円

●エントリー情報と採用プロセス●

【受付開始～終了】㊕㊗3月～継続中【採用プロセス】㊕㊗ES提出(3月～)→筆記(3月～)→面接(2回、6月～)→内々定(6月～)【交通費支給】最終面接、実費【早期選考】⇒巻末

試験情報

重視科目 ㊕㊗面接

㊕㊗ES⇒巻末㊞SPI3(会場) SPI3-UE㊞2回(Webあり)

選考ポイント ㊕ES NA(提出あり)㊞協調性 コミュニケーション能力 ㊗ES NA(提出あり)㊞協調性 コミュニケーション能力 研究内容と研究構築能力

通過率 ㊕㊗ES NA 倍率(応募/内定) ㊕㊗NA

●男女別採用数と配属先ほか●

【男女・文理別採用実績】

	大卒男	大卒女	修士男	修士女
23年	7(文 3理 4)	8(文 7理 1)	8(文 0理 8)	2(文 0理 2)
24年	9(文 4理 5)	5(文 5理 0)	11(文 1理 10)	3(文 0理 3)
25年	10(文 5理 5)	6(文 6理 0)	16(文 0理 16)	3(文 0理 3)

【25年4月入社者の採用実績校】㊛(大)神奈川大2 秋田大 上智大 成蹊大 聖心女大 青学大 日大 福岡大 明大 実践女大各1 ㊚(院)静岡大 芝工大 東北大各2 九大 熊本大 埼玉大 信州大 成蹊大 千葉工大 阪大 東海大 都立大 東京農工大 東理大 東邦大 豊橋技科大 名大各1(大)会津大 芝工大 神奈川工大 千葉工大 千葉大各1(高専)長野 一関 茨城 久留米 鹿児島 秋田 松江 神戸 仙台 都城 木更津 鈴鹿各1

【24年4月入社者の配属先】㊕勤務地：東京(茅場町10 銀座2) 部署：営業3 システム3 ジュエリー2 貴金属1 管理3 ㊗勤務地：神奈川(平塚9 伊勢原3) 千葉・市川3 筑波・つくば4 群馬・富岡1 佐賀・吉野ヶ里1 部署：新事業開発5 マテリアルカンパニー5 化学回収カンパニー8 APカンパニー1 半導体カンパニー1 分析1

残業(月) NA

記者評価 1885年に両替商・田中商店として創業。TANAKAホールディングス傘下に基幹4社。産業用貴金属製品を手がける田中貴金属工業が中核。半導体用ボンディングワイヤ、燃料電池用触媒などで世界首位級。24年4月、創業の地である日本橋茅場町に本社移転。

●給与、ボーナス、週休、有休ほか●

【30歳総合職平均年収】647万円【初任給】(博士)303,200円(修士)262,000円(大卒)244,000円【ボーナス(年)】NA【25、30、35歳賃金】262,505円→322,881円→353,980円【週休】会社暦2日【夏期休暇】あり【年末年始休暇】あり【有休取得】NA／20日

●従業員数、勤続年数、離職率ほか●

【男女別従業員数、平均年齢、平均勤続年数】計 ◇2,341(41.1歳 15.4年) 男 1,817(41.3歳 15.1年) 女 524(40.9歳 15.6年)【離職率と離職者数】◇1.6%、37名【3年後新卒定着率】95.8%(男94.3%、女100%、3年前入社:男35名・女13名)【組合】あり

求める人材 誠実で信用できる人 常に感謝の気持ちをもって行動できる人 チャレンジする心をいつも忘れない人

会社データ (金額は百万円)

【本社】103-0025 東京都中央区日本橋茅場町2-6-6 田中貴金属ビルディング
☎03-6311-5511 https://www.tanaka.co.jp/
【社長】田中 浩一朗【設立】1918.7【資本金】500【今後力を入れる事業】燃料電池用触媒 貴金属リサイクル

【業績(連結)】	売上高	営業利益	経常利益	純利益
22.3	787,728	NA	NA	37,757
23.3	680,036	NA	NA	35,436
23.12変	611,128	NA	NA	22,683

※会社データはTANAKAホールディングス㈱のもの

日鉄鉱業㈱（にってつこうぎょう）

東京P 1515

【特色】日本製鉄系。石灰石やチリ・銅事業を推進

修士・大卒採用数	3年後離職率	有休取得年平均	平均年収(平均41歳)
19名	16.7 → 20.0%	12.7日	㊕949万円

●エントリー情報と採用プロセス●

【受付開始～終了】㊕㊗3月～7月【採用プロセス】㊕㊗ES提出(3～7月)→適性検査(4～7月)→1次面接(4～7月)→2次面接(5～7月)→最終面接(6～7月)→内々定(6～7月)【交通費支給】最終選考、実費

試験情報

重視科目 ㊕㊗面接

㊕㊗ES⇒巻末㊞V-CAT㊞3回(Webあり)

選考ポイント ㊕㊗ES経歴 文章構成 学生時代に力を入れたこと㊞質問の意図を汲み取っているか

通過率 ㊕ES69%(受付:178→通過:123) ㊗ES90%(受付:77→通過:69)

倍率(応募/内定) ㊕20倍 ㊗7倍

●男女別採用数と配属先ほか●

【男女・文理別採用実績】

	大卒男	大卒女	修士男	修士女
23年	10(文 5理 5)	3(文 3理 0)	5(文 0理 5)	0(文 0理 0)
24年	4(文 2理 2)	6(文 5理 1)	6(文 0理 6)	2(文 1理 1)
25年	8(文 6理 2)	3(文 3理 0)	6(文 0理 6)	2(文 0理 2)

【25年4月入社者の採用実績校】㊛(大)秋田大 阪大 鹿児島大 学習院大 国士舘大 芝工大 奈良女大 弘前大 法政大各1 ㊚(院)秋田大 愛媛大 京大 筑波技大 東北大 富山大 広島大 北大各1(大)近大 日本文理大各1(高専)神戸1

【24年4月入社者の配属先】㊕勤務地：東京2 高知2 大阪1 青森1 大分1 栃木1 部署：営業3 経理4 総務・人事1 ㊗勤務地：東京5 青森2 岡山2 大分1 部署：地質2 採鉱3 機械1 電気1 化学3

残業(月) 9.2時間 ㊕9.3時間

記者評価 高知県の鳥形山で日本製鉄向けやセメント用の石灰石を採掘するほかチリ・アタカマ鉱山の銅精鉱など製錬事業も。近年は水処理材や太陽光発電所など再生可能エネルギー事業も手がける。国内外の鉱山で新規投資や開発を継続する。石灰石は販路をアジアに拡大中。

●給与、ボーナス、週休、有休ほか●

【30歳総合職平均年収】NA【初任給】(修士)275,000円(大卒)253,000円【ボーナス(年)】170万円、NA【25、30、35歳賃金】304,400円→411,500円→521,100円【週休】2日【夏期休暇】なし【年末年始休暇】連続6日【有休取得】12.7／20日

●従業員数、勤続年数、離職率ほか●

【男女別従業員数、平均年齢、平均勤続年数】計 ◇736(41.9歳 17.1年) 男 613(42.4歳 18.0年) 女 123(39.6歳 12.8年)【離職率と離職者数】◇2.4%、18名【3年後新卒定着率】80.0%(男82.4%、女75.0%、3年前入社:男17名・女8名)【組合】あり

求める人材 逞しい人(環境適応力があり、柔軟な思考力を兼ね備えた人)

会社データ (金額は百万円)

【本社】100-8377 東京都千代田区丸の内2-3-2
☎03-3284-0516 https://www.nittetsukou.co.jp/
【社長】森川 玲一【設立】1939.5【資本金】4,176【今後力を入れる事業】再生可能エネルギー事業 機械・環境事業 資源事業

【業績(連結)】	売上高	営業利益	経常利益	純利益
22.3	149,082	15,715	16,605	9,279
23.3	164,020	13,632	13,204	9,780
24.3	166,884	11,177	12,056	6,602

東邦亜鉛(株)（とうほう あえん）

東京P 5707

【特色】亜鉛・鉛の製錬大手。収益体質への脱皮図る

修士・大卒採用数	3年後離職率	有休取得年平均	平均年収(平均44歳)
0名	17.4→18.2%	13.7日	◇572万円

●エントリー情報と採用プロセス●

【受付開始～終了】[総][技]3月～7月【採用プロセス】[総][技]ES提出(3月～)→書類審査→Webテスト→社員面接→筆記→役員面接→内々定【交通費支給】NA

試験情報

重視科目 [総][技]面接 ES 筆記 履修履歴

[総][ES]⇒巻末[筆]適性検査[面]2～3回(Webあり) [技][ES]⇒巻末[筆]数学・物理・化学(自社オリジナル)適性検査(筆記)[面]2～3回(Webあり)

選考ポイント [総][ES]文章の論理性 自己PRの具体性[面]コミュニケーション能力 積極性 協調性 誠実さ [技][ES]研究内容ややりたい仕事が当社に合っているか[面]問題解決能力 協調性

通過率 [総][技][ES]NA

倍率(応募/内定) [総][技]NA

●男女別採用数と配属先ほか●

【男女・文理別採用実績】

	大卒男	大卒女	修士男	修士女
23年	3(文 0理 3)	1(文 1理 0)	3(文 0理 3)	0(文 0理 0)
24年	0(文 0理 0)	1(文 1理 0)	3(文 0理 3)	0(文 0理 0)
25年	0(文 0理 0)	0(文 0理 0)	0(文 0理 0)	0(文 0理 0)

【25年4月入社者の採用実績校】
[文]NA [理]NA

【24年4月入社者の配属先】
[総]勤務地：東京・丸の内1 部署：経理部1 [技]勤務地：群馬(安中1 藤岡1)広島1 部署：製品開発部1 技術部1 生産技術部1

残業(月) 10.4時間

記者評価 1937年安中精錬所の電気亜鉛製錬で創業。亜鉛・鉛の精錬が柱。ポートフォリオ再編で収益体質化に取り組む。苦戦続いた豪州ラプス鉱山は24年9月に閉山・売却。鉛・亜鉛はリサイクル原料比率引き上げ。世界トップシェアの電解鉄、電子部材などに経営資源シフト。

●給与、ボーナス、週休、有休ほか●

【30歳総合職平均年収】NA【初任給】(修士)243,000～253,000円 (大卒)228,000～238,000円【ボーナス(年)】(組合員)120万円、NA【25、30、35歳賃金】NA【週休】完全2日【夏期休暇】有休を利用 ※事業所による【年末年始休暇】12月29日～1月3日【有休取得】13.7／20日

●従業員数、勤続年数、離職率ほか●

【男女別従業員数、平均年齢、平均勤続年数】計 ◇539(43.9歳 19.3年) 男 473(44.4歳 19.5年) 女 66(40.1歳 16.8年)【離職率と離職者数】◇3.8%、21名【3年後新卒定着率】81.8%(男100%、女60.0%、3年前入社：男6名・女5名)【組合】あり

求める人材 チャレンジ精神、熱意と行動力、目立たない仕事でもコツコツ頑張れる人

会社データ (金額は百万円)

【本社】105-0001 東京都港区虎ノ門3-18-19 UD神谷町ビル
☎03-4334-7313
https://www.toho-zinc.co.jp/
【社長】伊藤 正人【設立】1937.2【資本金】14,630【今後力を入れる事業】環境・リサイクル 電子部材 機能材料事業

【業績(連結)】	売上高	営業利益	経常利益	純利益
22.3	124,279	10,509	9,353	7,922
23.3	145,764	4,049	3,137	794
24.3	130,803	▲690	▲10,727	▲46,452

※採用情報は24年実績

(株)フルヤ金属（きんぞく）

東京P 7826

【特色】工業用貴金属製造。レアメタル精製、改鋳に強み

修士・大卒採用数	3年後離職率	有休取得年平均	平均年収(平均35歳)
8名	33.3→16.7%	10.4日	◇660万円

●エントリー情報と採用プロセス●

【受付開始～終了】[総][技]3月～6月【採用プロセス】[総][技]説明会(必須、3月上旬)→適性検査(3月中旬)→ES提出(3～6月)→面接(3回、3月)→内々定(4月中旬)【交通費支給】最終面接、会社基準・距離に応じて【早期選考】⇒巻末

試験情報

重視科目 [総][技]面接

[総][技][ES]⇒巻末[筆]適性検査[面]3回(Webあり)

選考ポイント [総][技][ES]NA(提出あり)[面]チャレンジ精神や積極性、コミュニケーション能力、チームワーク、リーダーシップなどを学生時代の行動・実績から感じ取れるか

通過率 [総][技][ES]NA

倍率(応募/内定) [総][技]NA

●男女別採用数と配属先ほか●

【男女・文理別採用実績】

	大卒男	大卒女	修士男	修士女
23年	11(文 5理 6)	6(文 4理 2)	5(文 0理 5)	0(文 0理 0)
24年	6(文 5理 1)	2(文 2理 0)	4(文 0理 4)	1(文 0理 1)
25年	3(文 1理 2)	3(文 3理 0)	1(文 0理 1)	1(文 0理 1)

【25年4月入社者の採用実績校】
[文](大)白鴎大 青学大 神奈川大 立教大各1 [理](院)筑波大 室蘭工大各1(大)工学院大 大分大各1

【24年4月入社者の配属先】
[総]勤務地：東京・豊島8 部署：営業5 営業以外3 [技]勤務地：茨城(筑西4 土浦3) 部署：製造3 研究3 管理1

残業(月) 27.7時間

記者評価 イリジウムなどプラチナ系レアメタルの溶解・加工技術に世界的な評価。LED基板の酸化物単結晶製造用ルツボで著名。半導体やFDP、HD用ターゲット材の薄膜など深掘り。海外売上比率約5割。半導体製造の温度センサーに用いる石英製品工場を北海道に建設、26年稼働へ。

●給与、ボーナス、週休、有休ほか●

【30歳総合職平均年収】NA【初任給】(修士)277,100円 (大卒)268,100円【ボーナス(年)】NA、7.4カ月【25、30、35歳賃金】NA【週休】会社暦2日【夏期休暇】連続4日(有休利用2日)【年末年始休暇】連続7日【有休取得】10.4／20日

●従業員数、勤続年数、離職率ほか●

【男女別従業員数、平均年齢、平均勤続年数】計 ◇404(35.0歳 8.4年) 男 323(35.4歳 8.4年) 女 81(33.5歳 8.3年)【離職率と離職者数】◇4.3%、18名【3年後新卒定着率】83.3%(男86.7%、女77.8%、3年前入社：男15名・女9名)【組合】なし

求める人材 高い協調性と行動力をもって常にチャレンジし続ける人 フルヤ金属の独自性を生かして世界を切り拓く人

会社データ (金額は百万円)

【本社】170-0005 東京都豊島区南大塚2-37-5
☎03-5977-3388
https://www.furuyametals.co.jp/
【社長】古屋 堯民【設立】1968.8【資本金】10,662【今後力を入れる事業】イリジウム・ルテニウム事業

【業績(連結)】	売上高	営業利益	経常利益	純利益
22.6	45,321	13,055	13,297	9,142
23.6	48,115	11,485	12,383	9,406
24.6	47,527	9,813	10,690	7,410

ユーエーシージェー

㈱ＵＡＣＪ

東京P 5741

【特色】アルミニウム圧延で国内首位。世界でも大手

修士・大卒採用数	3年後離職率	有休取得年平均	平均年収(平均43歳)
48名	8.1→8.3%	16.4日	[総]882万円

残業(月) 21.0時間

記者評価 13年に古河スカイと住友軽金属が合併、アルミ圧延の生産能力で世界第3位、国内シェア約5割。海外売上比率6割で、生産は日・米・タイの3極体制。自動車関連の比重高く、EV向け部材開発にも注力。海外では缶材に強く、環境負荷低減に向けた飲料の缶化は商機。

●エントリー情報と採用プロセス●

【受付開始～終了】[総][技]3月～未定【採用プロセス】[総]ES提出→Webテスト→面接(3回)→内々定 [技]ES提出→Webテスト→面接(2回)→内々定【交通費支給】1次選考以降、会社基準(1都3県以外からのみ)

試験情報

重視科目 [総][技]面接

[総][ES]⇒巻末[筆]INSIGHT(WEB)[面]3回(Webあり)[技][ES]⇒巻末[筆]INSIGHT(WEB)[面]2回(Webあり)[GD作]⇒巻末

選考ポイント [総][ES]卒論・ゼミ等への取り組み 志望動機[面]論理的な思考 自分の意志を自分の言葉で表現できること 創造的思考力[技][ES]ものづくりへの興味 専門性 希望職種[面]論理的な思考 自分の意志を自分の言葉で表現できること 問題解決能力

通過率 [総][ES]NA(受付:230→通過:NA)[技][ES]NA(受付:117→通過:NA)

倍率(応募/内定) [総]18倍 [技]3倍

●給与、ボーナス、週休、有休ほか●

【30歳総合職平均年収】541万円【初任給】(博士)293,250円(修士)270,950円(大卒)257,150円【ボーナス(年)】144万円、4.36カ月【25、30、35歳モデル賃金】277,850円→350,250円→502,250円【週休】2日【夏期休暇】日数は拠点により異なる【年末年始休暇】日数は拠点により異なる【有休取得】16.4／25日

●従業員数、勤続年数、離職率ほか●

【男女別従業員数、平均年齢、平均勤続年数】計◇2,993(41.0歳 16.3年)男 2,700(41.2歳 16.5年)女 293(40.7歳 14.2年)【離職率と離職者数】◇3.7%、116名【3年後新卒定着率】91.7%(男94.7%、女80.0%、3年前入社:男19名・女5名)【組合】あり

●男女別採用数と配属先ほか●

【男女・文理別採用実績】

	大卒男	大卒女	修士男	修士女
23年	11(文 5 理 6)	5(文 5 理 0)	24(文 1 理 23)	0(文 0 理 0)
24年	7(文 6 理 1)	4(文 4 理 0)	22(文 1 理 21)	1(文 0 理 1)
25年	10(文 6 理 4)	6(文 6 理 0)	26(文 0 理 26)	6(文 1 理 5)

【25年4月入社者の採用実績校】[文](院)事業創造院大1(大)國學院大 同大各2 一橋大 早大 上智大 明大 立教大 昭和女大 成城大 関大各1 [理](院)日大 芝工大 東京電機大 長岡技科大 名工大 京大 京都工繊大 近大各2 北大 東北大 筑波大 茨城大 千葉工大 東京科学大 工学院大 金沢大 岐阜大 大同大 三重大 兵庫県大 鳥取大 広島大 佐賀大 熊本大各1(大)千葉工大 早大 日大 福井大各1

【24年4月入社者の配属先】[総]勤務地:東京・大手町5 名古屋3 栃木・小山2 埼玉・深谷1 部署:営業3 生産管理2 経理2 人事2 広報1 調達1 [技]勤務地:名古屋20 福井・坂井3 埼玉・深谷1 東京・大手町1 部署:研究開発15 生産技術4 設備技術5 情報システム1

求める人材 「相互の理解と尊重」「誠実さと未来志向」「好奇心と挑戦心」の価値観に共感できる人

会社データ (金額は百万円)

【本社】100-0004 東京都千代田区大手町1-7-2 東京サンケイビル
☎03-6202-2600 https://www.uacj.co.jp/
【社長】田中 信二【設立】1964.12【資本金】52,277【今後力を入れる事業】海外事業 飲料缶事業 モビリティ事業

【業績(IFRS)】	売上高	営業利益	税前利益	純利益
24.3	892,781	31,378	21,969	13,858

にっぽんけいきんぞく

日本軽金属㈱

持株会社 傘下

【特色】板・化成品・パネルなどアルミ総合メーカー

修士・大卒採用数	3年後離職率	有休取得年平均	平均年収(平均40歳)
42名	10.7→11.4%	15.4日	[総]725万円

残業(月) 17.0時間 [総]20.7時間

記者評価 1903年創業。2012年に持株会社設立、電子・光学材料のアルミナ、自動車や半導体製造装置向けアルミ材、トラック架装、クリーンルームの断熱パネルなど幅広く手がける。箔事業は官民ファンドのもとUACJの同事業と統合で事業再編を推進。海外展開は比較的慎重。

●エントリー情報と採用プロセス●

【受付開始～終了】[総][技]3月～継続中【採用プロセス】[総]Web説明会・ES提出→1次面接→適性検査→2次面接→最終面接→内々定 [技]Web説明会・ES提出→1次面接→適性検査・筆記→2次面接→最終面接→内々定【交通費支給】最終面接、距離に応じて定額【早期選考】⇒巻末

試験情報

重視科目 [総]面接 [技]面接 筆記

[総][ES]⇒巻末[筆]SPI3(自宅)[面]3回(Webあり)[技][ES]⇒巻末[筆]SPI3(自宅) 一般常識 自社オリジナル[面]3回(Webあり)

選考ポイント [総][ES]自身のことをしっかり書けているか[面]挑戦・情熱 自主・自律 協力・協働[技][ES]自身のことをしっかり書けているか(同時に筆記の評価)[面]基礎学力 挑戦・情熱 自主・自律 協力・協働

通過率 [総][ES]88%(受付:311→通過:273)[技][ES]99%(受付:(早期選考含む)172→通過:(早期選考含む)171)

倍率(応募/内定) [総]21倍 [技](早期選考含む)6倍

●給与、ボーナス、週休、有休ほか●

【30歳総合職平均年収】560万円【初任給】(博士)〈技術職〉267,000円〈事務職〉257,000円(修士)〈技術職〉259,000円〈事務職〉249,000円(大卒)241,000円【ボーナス(年)】130万円、4.52カ月【25、30、35歳賃金】264,969円→321,137円→362,226円【週休】2日(本店・工場により異なる)【夏期休暇】本店・工場により異なる【年末年始休暇】12月30日～1月3日【有休取得】15.4／20日

●従業員数、勤続年数、離職率ほか●

【男女別従業員数、平均年齢、平均勤続年数】計◇1,130(41.1歳 15.8年)男 870(42.2歳 16.0年)女 260(40.6歳 15.0年)【離職率と離職者数】◇7.4%、90名【3年後新卒定着率】88.6%(男88.9%、女87.5%、3年前入社:男27名・女8名)【組合】あり

●男女別採用数と配属先ほか●

【男女・文理別採用実績】

	大卒男	大卒女	修士男	修士女
23年	12(文 8 理 4)	6(文 5 理 1)	9(文 0 理 9)	1(文 0 理 1)
24年	16(文 9 理 7)	5(文 5 理 0)	15(文 1 理 14)	1(文 1 理 0)
25年	12(文 4 理 8)	12(文 12 理 0)	16(文 0 理 16)	2(文 0 理 2)

【25年4月入社者の採用実績校】[文](大)立命館大 同大各2 早大 関大 神戸大 阪大 立教大 法政大 明大 専大 津田塾大各1 [理](院)東京電機大 室蘭工大各2 埼玉大 東京農工大 香川大 信州大 東海大 高知工科大 日大 東北大 静岡大 千葉工大 富山大 名城大 法政大 茨城大各1(大)名工大 千葉工大 東京都市大 芝工大 日大 近大 立命館大 埼玉工大各1

【24年4月入社者の配属先】[総]勤務地:東京・新橋8 愛知4 静岡1 千葉1 部署:経理4 営業3 人事2 工程管理品証3 工程管理1 法務1 [技]勤務地:静岡18 名古屋2 千葉2 長野2 部署:研究開発5 設計1 設備設計生産技術4 設備設計保全1 生産技術6 開発生産技術2 知財1 分析1 製造管理1 設備設計2

求める人材 自らチャレンジし続け、チームの中で能力を発揮できる人

会社データ (金額は百万円)

【本社】105-0004 東京都港区新橋1-1-13 アーバンネット内幸町ビル
☎03-6810-7101 https://www.nikkeikin.co.jp/
【社長】岡本 一郎【設立】1939.3【資本金】30,000【今後力を入れる事業】自動車 電機・電子 環境・安全・エネルギー 他

【業績(連結)】	売上高	営業利益	経常利益	純利益
22.3	486,579	22,198	22,928	16,759
23.3	516,954	7,539	8,859	7,203
24.3	523,715	18,189	19,033	9,037

※業績は日本軽金属ホールディングス㈱のもの

メーカーⅡ

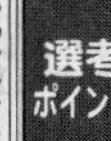

開示 ★★★ ▶『業界地図』p.190,226… 727

㈱アシックス

東京P 7936

【特色】ランニングシューズの世界大手。海外比率高い

修士・大卒採用数	3年後離職率	有休取得年平均	平均年収(平均41歳)
36名	8.3 → 8.7%	12.4日	[総]898万円

●エントリー情報と採用プロセス●

【受付開始～終了】[総][技]3月～3月【採用プロセス】[総][技]ES提出(3月)→説明会(3月)→適性検査(5月)→面接(2～3回、6月)→内々定(6月)【交通費支給】3次面接以降、会社基準

試験情報

重視科目 [総][技]面接

[総][技][ES]⇒巻末[筆]SPI3(自宅)[面]2～3回(Webあり)

選考ポイント [総][技][ES]当社の課題への取り組みについて [面]達成志向性 他

通過率 [総][技][ES]NA

倍率(応募/内定) [総][技]NA

●男女別採用数と配属先ほか●

【男女・文理別採用実績】

	大卒男	大卒女	修士男	修士女
23年	12(文 12理 0)	12(文 12理 0)	3(文 1理 2)	4(文 1理 3)
24年	12(文 11理 1)	11(文 11理 0)	8(文 0理 8)	4(文 1理 3)
25年	11(文 11理 0)	13(文 12理 1)	10(文 3理 7)	2(文 0理 2)

【25年4月入社者の採用実績校】

[文](院)海外大2 神戸大1(大)早大 関大各3 同大 立命館大 関西学大 上智大各2 神戸大 神戸市外大 慶大 青学大 立教大 国際教養大 日大 武蔵野美大 東北芸工大各1 [理](院)筑波大3 名大 阪大各2 千葉大 東京科学大各1(大)海外大1

【24年4月入社者の配属先】

[総]勤務地:神戸19 東京10 部署:企画開発8 デジタル6 管理部門4 マーケ3 戦略3 営業2 デザイン2 生産1 [技]勤務地:神戸7 部署:研究6 デジタル技術1

残業(月) 17.2時間 [総]17.2時間

記者評価 ランニングを核とするスポーツシューズメーカー。欧米豪など海外のマラソン大会でも着用率が高い。テニスなど各種競技用も手がける。レトロスニーカー「オニツカ」は中国、東南アジアで大人気。テック系のスニーカーも欧米で人気に。近年は業績絶好調。

●給与、ボーナス、週休、有休ほか●

【30歳総合職平均年収】NA【初任給】(修士)290,000円(大卒)275,000円【ボーナス(年)】NA【25、30、35歳賃金】NA【週休】2日【夏期休暇】なし【年末年始休暇】連続4日【有休取得】12.4／20日

●従業員数、勤続年数、離職率ほか●

【男女別従業員数、平均年齢、平均勤続年数】計 8,927(41.3歳 13.8年) 男 NA 女 NA ※従業員数はグローバル含めた連結【離職率と離職者数】NA【3年後新卒定着率】91.3%(男85.7%、女100%、3年前入社:男14名・女9名)【組合】あり

求める人材 アシックスのグローバル経営・事業をリードできる人財

会社データ

(金額は百万円)

【本社】650-8555 兵庫県神戸市中央区港島中町7-1-1

☎078-303-6888 https://corp.asics.com/jp/

【社長】富永 満之【設立】1949.9【資本金】23,972【今後力を入れる事業】海外事業 デジタル事業 他

【業績(連結)】	売上高	営業利益	経常利益	純利益
21.12	404,082	21,945	22,166	9,402
22.12	484,601	34,002	30,913	19,887
23.12	570,463	54,215	50,670	35,272

デサントジャパン㈱

持株会社傘下

【特色】衣料中心のスポーツ用品大手。ブランド多数

修士・大卒採用数	3年後離職率	有休取得年平均	平均年収(平均40歳)
18名	12.5 → 0%	9.9日	[総]830万円

●エントリー情報と採用プロセス●

【受付開始～終了】[総]3月～3月【採用プロセス】[総]ES提出(3月)→筆記・適性検査・GD・面接(3回)→内々定(6月)【交通費支給】最終選考、実費

試験情報

重視科目 [総]面接

[総][ES]⇒巻末[筆]TAP[面]3回(Webあり)[GD作]⇒巻末

選考ポイント [総][ES]志望動機が具体的か 文章に論理性があるか [面]志望度 コミュニケーション能力 個性

通過率 [総][ES]NA

倍率(応募/内定) [総]NA

●男女別採用数と配属先ほか●

【男女・文理別採用実績】

	大卒男	大卒女	修士男	修士女
23年	1(文 1理 0)	6(文 6理 0)	2(文 2理 0)	0(文 0理 0)
24年	7(文 6理 1)	9(文 8理 1)	2(文 1理 1)	0(文 0理 0)
25年	6(文 6理 0)	9(文 9理 0)	3(文 1理 2)	0(文 0理 0)

【25年4月入社者の採用実績校】

[文](院)新潟大1(大)法政大 立命館大 関大各2 千葉大 近大 静岡県大 早大 上智大 東理大 立教大 順天堂大 甲南女大各1 [理](院)早大 信州大各1

【24年4月入社者の配属先】

[総]勤務地:東京・目白16 大阪市2 部署:営業8 直営店事業3 経営企画2 海外営業1 仕入れ1 経理1 IT1 人事1

残業(月) 14.2時間 [総]12.0時間

記者評価 社名の「デサント」のほか、「ルコックスポルティフ」「アリーナ」など海外ブランド事業も展開。デサントは韓国、中国で高級スポーツ系ファッションとして人気で、国内でもリブランディングに取り組む。伊藤忠商事によるTOBに賛同、同社の完全子会社へ。

●給与、ボーナス、週休、有休ほか●

【30歳総合職平均年収】NA【初任給】(修士)260,800円(大卒)257,000円【ボーナス(年)】NA【25、30、35歳賃金】NA【週休】完全2日(土日祝)【夏期休暇】有休の連続取得を推奨【年末年始休暇】当社のビジネスカレンダーに準ずる【有休取得】9.9／20日

●従業員数、勤続年数、離職率ほか●

【男女別従業員数、平均年齢、平均勤続年数】計 471(39.9歳 14.4年) 男 260(41.4歳 15.1年) 女 211(38.0歳 13.5年)【離職率と離職者数】4.5%、22名【3年後新卒定着率】100%(男100%、女100%、3年前入社:男5名・女3名)【組合】あり

求める人材 プロとしてのこだわりを持ち、競い合い、やりがいを追求する人

会社データ

(金額は百万円)

【本社】171-8580 東京都豊島区目白1-4-8

☎03-5979-6006 https://www.descente.co.jp/

【社長】嶋田 剛【設立】2016.9【資本金】90【今後力を入れる事業】ブランディング DTC事業 モノづくり 新規事業

【業績(連結)】	売上高	営業利益	経常利益	純利益
22.3	108,892	5,138	7,556	6,229
23.3	120,614	7,793	11,664	10,550
24.3	126,989	8,740	15,729	12,014

※業績は㈱デサントのもの

ヨネックス(株)

東京S 7906

【特色】バドミントン用品の世界大手。オーナー系企業

修士・大卒採用数	3年後離職率	有休取得年平均	平均年収(平均40歳)
21名	12.5→0%	NA	572万円

●エントリー情報と採用プロセス●

【受付開始～終了】総技3月～4月【採用プロセス】総書類提出(3～4月)→GD(オンライン、4月)→1次面接(オンライン、4～5月)→筆記・2次面接(対面、4～5月)→内々定(5月下旬) 技書類提出(3～4月)→1次面接(オンライン、4～5月)→筆記・2次面接(対面、4～5月)→内々定(5月下旬)【交通費支給】なし【早期選考】⇒巻末

試験情報

重視科目 総技面接

総ES⇒巻末 筆一般常識 自社オリジナル試験 面2回(Webあり) GD作⇒巻末 技ES⇒巻末 筆一般常識 自社オリジナル試験 面2回(Webあり)

選考ポイント 総ES入社意欲 入社後のビジョンが明確か 面入社意欲 コミュニケーション能力 一般常識 語学力 技ES総合職共通 面入社意欲 コミュニケーション能力 一般常識 専門知識

通過率 総ES29%(受付:350→通過:100) 技ES50%(受付:100→通過:50) 倍率(応募/内定) 総技NA

●男女別採用数と配属先ほか●

【男女・文理別採用実績】

	大卒男	大卒女	修士男	修士女
23年	9(文 6理 3)	13(文 10理 3)	4(文 1理 3)	2(文 1理 1)
24年	11(文 6理 5)	15(文 14理 1)	4(文 2理 2)	1(文 0理 1)
25年	7(文 5理 2)	6(文 5理 1)	7(文 0理 7)	1(文 1理 0)

【25年4月入社者の採用実績校】文(院)立命館大1(大)法政大2 上智大 慶大 立教大 青学大 金沢学大 大東文化大 中央学大 日体大各1 理(院)宇都宮大 茨城大 長岡技科大 都立大 東海大 弘前大 龍谷大各1(大)金沢大 金沢工大 岩手大各1

【24年4月入社者の配属先】総勤務地:東京18 埼玉4 新潟1 部署:国内営業8 販売促進5 海外営業2 調達1 事業開発1 総務3 資材1 経理2 技勤務地:東京2 埼玉1 新潟9 部署:製品開発2 技術開発9 研究開発1

残業(月) 13.3時間

記者評価 バドミントン用品の世界首位。高価格帯品は国内で生産。21年に中国代表チームの公式サプライヤーに返り咲いたのを機に現地販売が激増し、業績も急拡大。第2の柱としてテニス用品の強化にも取り組む。創業家のアリサ・ヨネヤマ氏が30代の若さで22年社長就任。

●給与、ボーナス、週休、有休ほか●

【30歳総合職平均年収】NA【初任給】(修士)243,000円(大卒)233,000円【ボーナス(年)】NA【25、30、35歳賃金】NA【週休】完全2日(土日祝)【夏期休暇】連続3日以上の有休を6～10月の期間にて取得可【年末年始休暇】12月29日～1月3日【有休取得】NA/20日

●従業員数、勤続年数、離職率ほか●

【男女別従業員数、平均年齢、平均勤続年数】計 665(39.6歳 13.4年) 男 379(41.7歳 15.3年) 女 286(36.8歳 11.0年)【離職率と離職者数】4.9%、34名【3年後新卒定着率】100%(男100%、女100%、3年前入社:男3名・女2名)【組合】なし

求める人材 グローバルな視点を持ち、創造力とチャレンジ精神の旺盛な人

会社データ (金額は百万円)

【本社】113-8543 東京都文京区湯島3-23-13
☎03-3836-1221 https://www.yonex.co.jp/

【社長】アリサ・ヨネヤマ【設立】1958.6【資本金】4,706【今後力を入れる事業】海外事業

【業績(連結)】	売上高	営業利益	経常利益	純利益
22.3	74,485	6,738	7,246	5,780
23.3	107,019	10,063	9,961	7,331
24.3	116,442	11,611	12,195	8,859

(株)タカラトミー

東京P 7867

【特色】玩具大手。06年3月トミーがタカラを吸収合併

修士・大卒採用数	3年後離職率	有休取得年平均	平均年収(平均44歳)
35名	6.9→12.5%	NA	◇801万円

●エントリー情報と採用プロセス●

【受付開始～終了】総技3月～3月【採用プロセス】総技ES提出(3月)→Web試験→オンライン面接→対面面接(2回)→内々定【交通費支給】最終面接、上限設定し支給(新幹線・飛行機代含む)

試験情報

重視科目 総技面接

総技ES⇒巻末 筆独自テスト 面3回(Webあり)

選考ポイント 総技ES NA(提出あり) 面NA

通過率 総技ES NA

倍率(応募/内定) 総技NA

●男女別採用数と配属先ほか●

【男女・文理別採用実績】

	大卒男	大卒女	修士男	修士女
23年	15(文 8理 7)	11(文 10理 1)	5(文 1理 4)	1(文 1理 0)
24年	10(文 8理 2)	20(文 19理 1)	3(文 0理 3)	2(文 2理 0)
25年	13(文 12理 1)	19(文 16理 3)	2(文 0理 2)	1(文 0理 1)

【25年4月入社者の採用実績校】
文(大)多摩美大3 明大 学習院大 上智大 立教大 女子美大 國學院大各2 早大 法政大 関西学大 関大 北大 名大 名城大 日女大 藤女大 大東文化大 静岡文芸大 近大 トロント大各1 理(院)芝工大 東京都市大 金沢大各1(大)津田塾大 法政大 立命館APU 島根大各1(高専)沼津1

【24年4月入社者の配属先】
総勤務地:東京・葛飾33 部署:人事2 財務1 法務1 マーケティング11 営業10 企画8 技勤務地:東京・葛飾5 栃木1 部署:商品設計1 生産管理1 生産業務・技術1 試作1 エレ技術1 生産1

残業(月) NA

記者評価 1924年創業。「プラレール」「トミカ」「リカちゃん」など定番商品に強み。「ベイブレード」や「黒ひげ危機一発」、カードゲームも人気。海外はアジアが拡大。欧米では20年10月に米国の玩具会社を買収。24年7月から大卒初任給を24.2万円に引き上げ。

●給与、ボーナス、週休、有休ほか●

【30歳総合職平均年収】NA【初任給】(博士)252,045円(修士)240,021円(大卒)232,005円【ボーナス(年)】NA【25、30、35歳賃金】NA【週休】2日(年数回土曜祝日出勤)【夏期休暇】8月10～18日【年末年始休暇】12月28日～1月5日【有休取得】NA/20日

●従業員数、勤続年数、離職率ほか●

【男女別従業員数、平均年齢、平均勤続年数】計 562(44.0歳 12.0年) 男 NA 女 NA【離職率と離職者数】NA【3年後新卒定着率】87.5%(男81.3%、女100%、3年前入社:男16名・女8名)【組合】あり

求める人材 企業理念に共感できる人や、新たな弊社戦略に理解がある人

会社データ (金額は百万円)

【本社】124-8511 東京都葛飾区立石7-9-10
☎03-5654-1223 https://www.takaratomy.co.jp/

【会長】小島 一洋【設立】1953.1【資本金】3,459【今後力を入れる事業】グローバル事業 ハイターゲット事業

【業績(連結)】	売上高	営業利益	経常利益	純利益
22.3	165,448	12,344	12,666	9,114
23.3	187,297	13,119	12,043	8,314
24.3	208,326	18,818	17,807	9,808

※採用情報はタカラトミーグループ合同のもの

開示 ★★☆☆☆ ▶『業界地図』p.192 1578

(株)バンダイ

[持株会社傘下]

【特色】バンダイナムコHD傘下。強力キャラクター多数

修士・大卒採用数	3年後離職率	有休取得年平均	平均年収(平均39歳)
47名	3.6→0%	13.3日	NA

残業(月) 21.5時間 [総]21.5時間

[記者評価] バンダイナムコグループのトイホビー事業統括会社。「仮面ライダー」「ワンピース」などテレビ番組や出版、映画と連動したキャラクターの商品化ビジネスに強み。食玩や雑貨も手がける。カプセルトイの「ガシャポン」も好調。BANDAI SPIRITS社も一括採用。

●エントリー情報と採用プロセス●

【受付開始～終了】[総][技]3月～4月【採用プロセス】[総]ES受付会(3月)→GD・面談→面接(2回)→内々定(6月上旬)[技]ES受付会(3月)→面接(3回)→内々定(6月上旬)【交通費支給】最終面接、実費

試験情報

[重視科目] [総][技]ES 面接

[総][ES]⇒巻末[筆]SPI3(会場)[面]3回[GD作]NA[技][ES]⇒巻末[筆]SPI3(会場)[面]3回

[選考ポイント] [総][ES]NA(提出あり)[面]自己PR 志望動機 他 [技][ES]NA(提出あり)[面]自己PR 志望動機 モノづくり経験 他

[通過率] [総][技][ES]NA

[倍率(応募/内定)] [総][技]NA

●男女別採用数と配属先ほか●

【男女・文理別採用実績】

	大卒男	大卒女	修士男	修士女
23年	27(文 19理 8)	30(文 29理 1)	6(文 0理 6)	1(文 0理 1)
24年	33(文 24理 9)	27(文 25理 2)	4(文 0理 4)	1(文 0理 1)
25年	19(文 17理 2)	20(文 17理 3)	7(文 0理 7)	1(文 0理 1)

【25年4月入社者の採用実績校】
[文](大)早大6 青学大 関西学大 同大 立教大各3 京大 中大各2 秋田大 岐阜大 京都芸大 近大 神戸大 上智大 多摩美大 千葉大 東大 法政大 武蔵野美大 明大各1 [理](院)佐賀大 静岡大 拓大 筑波大 東大 東京科学大 名大 横国大各1(大)芝工大 東理大 法政大 明大 立命館大各1

【24年4月入社者の配属先】
[総]勤務地:東京54 部署:NA [技]勤務地:東京5 静岡6 部署:NA

●給与、ボーナス、週休、有休ほか●

【30歳総合職平均年収】NA【初任給】(博士)290,000円(修士)290,000円(大卒)290,000円【ボーナス(年)】NA【25、30、35歳賃金】NA【週休】完全2日(土日祝)【夏期休暇】連続7日(週休祝日、有休含む)【年末年始休暇】連続7日(週休祝日含む)【有休取得】13.3/20日

●従業員数、勤続年数、離職率ほか●

【男女別従業員数、平均年齢、平均勤続年数】計 1,647(38.5歳 11.0年) 男 1,038(40.0歳 12.2年) 女 609(36.1歳 9.1年)【離職率と離職者数】NA【3年後新卒定着率】100%(男100%、女100%、3年前入社:男34名・女29名)【組合】なし

[求める人材] 楽しいときを創りたいという気持ちを強く持ち、個性や能力を十分に発揮できる人

[会社データ] (金額は百万円)

【本社】111-8081 東京都台東区駒形1-4-8
☎03-3847-3751 https://www.bandai.co.jp/
【社長】竹中 一博【設立】1950.7【資本金】10,000【今後力を入れる事業】海外事業の拡大 新規IPの創出

【業績(単独)】	売上高	営業利益	経常利益	純利益
22.3	131,017	11,263	12,299	8,854
23.3	149,155	12,241	13,446	9,947
24.3	190,631	28,550	30,139	21,620

※採用・従業員に関するデータは(株)バンダイ、(株)BANDAI SPIRITSの合算

ピジョン(株)

[東京P 7956]

【特色】育児用品メーカー。哺乳瓶は世界シェア首位

修士・大卒採用数	3年後離職率	有休取得年平均	平均年収(平均43歳)
11名	0→12.5%	14.8日	[総]807万円

残業(月) 5.3時間 [総]5.3時間

[記者評価] 世界シェア1位の哺乳瓶など日用小物が強く、スキンケアにも注力。国内では少子化に対応するため、ベビーカーなど取り扱い品目拡大や高付加価値化を進める。中国では「安心・安全」への訴求が当たり急成長。ASEANや北米、欧州でも展開。海外売上比率は6割超。

●エントリー情報と採用プロセス●

【受付開始～終了】[総][技]3月～3月【採用プロセス】[総]WebES・Web適性検査1(3月)→録画選考・Web適性検査2・対面個人面接(4月)→対面役員面接(5月)→対面社長面接(5～6月)→内々定(6月)※説明会は2月Web実施、オンデマンド配信[技]WebES・Web適性検査1(3月)→録画選考・Web適性検査2・対面個人面接 事前課題あり(4月)→対面役員面接(5月)→対面社長面接(5～6月)→内々定(6月)※説明会は2月Web実施、オンデマンド配信【交通費支給】個人・役員・最終面接、都道府県別の実費相当額の往復分【早期選考】⇒巻末

試験情報

[重視科目] [総][技]面接

[総][技][ES]⇒巻末[筆]WebGAB ESP(性格適性検査)[面]3回(Webあり)

[選考ポイント] [総][技][ES]期日内の回答 出題に対する回答率・正解率[面]求める人材像に合致しているか

[通過率] [総][ES]90%(受付:(早期選考含む)305→通過:(早期選考含む)275)[技][ES]90%(受付:(早期選考含む)40→通過:(早期選考含む)36)

[倍率(応募/内定)] [総](早期選考含む)31倍[技](早期選考含む)40倍

●男女別採用数と配属先ほか●

【男女・文理別採用実績】

	大卒男	大卒女	修士男	修士女
23年	3(文 2理 1)	5(文 5理 0)	1(文 0理 1)	1(文 0理 1)
24年	3(文 3理 0)	6(文 4理 2)	2(文 0理 2)	2(文 0理 2)
25年	1(文 1理 0)	9(文 9理 0)	0(文 0理 0)	1(文 0理 1)

【25年4月入社者の採用実績校】[文](大)西南学大2 立命館大 成蹊大 お茶女大 慶大 津田塾大 上智大 成城大 学習院女大各1 [理](院)北大1

【24年4月入社者の配属先】[総]勤務地:東京8 宮城1 愛知1 福岡1 部署:営業3 人事1 経営戦略1 法務1 経理1 デザイン1 マーケティング2 サプライチェーンマネジメント1 [技]勤務地:茨城2 部署:品質管理1 研究1

●給与、ボーナス、週休、有休ほか●

【30歳総合職平均年収】590万円【初任給】(修士)279,380円(大卒)265,000円【ボーナス(年)】201万円、NA【25、30、35歳賃金】305,524円→360,420円→423,272円【週休】完全2日(土日祝)【夏期休暇】8月11～15日(就業日程表による)【年末年始休暇】12月29日～1月4日【有休取得】14.8/20日

●従業員数、勤続年数、離職率ほか●

【男女別従業員数、平均年齢、平均勤続年数】計 334(43.2歳 15.5年) 男 198(45.4歳 17.6年) 女 136(40.0歳 12.4年) ※出向者除く、受入出向者含む【離職率と離職者数】5.1%、18名【3年後新卒定着率】87.5%(男0%、女100%、3年前入社:男1名・女7名)【組合】あり

[求める人材] Pigeon DNA、Pigeon Wayに共感でき、誰にも負けない個の強さを持った人材

[会社データ] (金額は百万円)

【本社】103-8480 東京都中央区日本橋久松町4-4
☎03-3661-4200 https://www.pigeon.co.jp/
【社長】北澤 憲政【設立】1957.8【資本金】5,199【今後力を入れる事業】4事業(日本 中国 シンガポール ランシノ)

【業績(連結)】	売上高	営業利益	経常利益	純利益
21.12	93,080	13,336	14,648	8,785
22.12	94,921	12,195	13,465	8,581
23.12	94,461	10,726	11,522	7,423

開示 ★★★★☆ ▶『業界地図』p.280 1795

ヤマハ(株)

東京P 7951

【特色】楽器の世界的盟主。ピアノや電子楽器を展開

修士・大卒採用数	3年後離職率	有休取得年平均	平均年収(平均44歳)
62名	2.8 → NA	15.8日	◇893万円

●エントリー情報と採用プロセス●

【受付開始～終了】総技1月～3月【採用プロセス】総技ES・Web適性検査(1～3月)→GD(2～4月)→面接(2回、3月～)→内々定(3月下旬～5月)【交通費支給】本社での面接時、会社基準

試験情報

重視科目　総技ES 面接

総技ES⇒巻末筆Webテスト面2回(Webあり)GD作⇒巻末

選考ポイント　総技ES志望職種に対する適性 保有スキルや趣味のレベル 思考や行動の特徴面興味関心と志望業務とのマッチング 人物特性 コミュニケーションスキル

通過率　総技ES NA

倍率(応募/内定)　総技NA

●男女別採用数と配属先ほか●

【男女・文理別採用実績】

	大卒男	大卒女	修士男	修士女
23年	4(文 1理 3)	5(文 3理 2)	30(文 1理 29)	8(文 2理 6)
24年	6(文 3理 3)	11(文 7理 4)	39(文 0理 39)	7(文 0理 7)
25年	10(文 5理 5)	8(文 7理 1)	30(文 0理 30)	14(文 2理 12)

【25年4月入社者の採用実績校】文(院)岡山大 東京芸大各1(大)阪大3 早大2 明大 立教大 津田塾大 多摩美大 横浜市大 愛知学大 関西学大各1 理(院)東理大 名大 立命館大各3 東大 京大 九大 熊本大 静岡大 阪大 筑波大 中大 電通大 名工大各2 青学大 横国大 広島大 三重大 芝工大 信州大 神戸大 千葉工大 長岡技科大 長崎大 東京科学大 東北大 日大各1(大)三重大 新潟大 千葉工大 日大 静岡大 静岡県大各1

【24年4月入社者の配属先】総勤務地：浜松(本社)13 部署：NA 技勤務地：浜松(本社)49 部署：NA

残業(月)　18.6時間

記者評価　世界唯一の総合楽器メーカー。ピアノや電子楽器、ギター、管楽器などの楽器に加え、音響機器、自動車用内装部品も展開。アジア新興国が成長柱。海外売上比率は7割強。車載オーディオがEVの普及進む中国で高評価。24年、横浜みなとみらいに研究開発拠点を新設。

●給与、ボーナス、週休、有休ほか●

【30歳総合職平均年収】NA【初任給】(博士)287,000円(修士)265,000円(大卒)240,000円【ボーナス(年)】NA【25、30、35歳賃金】NA【週休】完全2日(土日祝)【夏期休暇】原則連続9日(有休の計画的取得日3日と、前後の土日を含む)【年末年始休暇】12月30日～1月4日(6日)【有休取得】15.8／20日

●従業員数、勤続年数、離職率ほか●

【男女別従業員数、平均年齢、平均勤続年数】計 2,341(44.3歳 19.4年) 男 NA(45.3歳 19.2年) 女 NA(43.4歳 19.5年)【離職率と離職者数】2.0%、47名【3年後新卒定着率】NA【組合】あり

求める人材　チャレンジ精神を持って自発的に行動し、最後まで誠実に、粘り強くやり遂げる人

会社データ　(金額は百万円)

【本社】430-8650 静岡県浜松市中央区中沢町10-1
☎053-460-1111(代)　https://www.yamaha.com/ja/
【社長】山浦 敦【設立】1897.10【資本金】28,534【今後力を入れる事業】楽器・音響事業 部品・装置事業

【業績(IFRS)】	売上高	営業利益	税前利益	純利益
22.3	408,197	49,320	53,010	37,255
23.3	451,410	46,484	50,552	38,183
24.3	462,866	28,999	37,629	29,642

ローランド(株)

東京P 7944

【特色】電子楽器の大手。ソフト、音源技術に強み

修士・大卒採用数	3年後離職率	有休取得年平均	平均年収(平均44歳)
16名	17.4 → 12.5%	13.8日	総739万円

●エントリー情報と採用プロセス●

【受付開始～終了】総技3月～3月【採用プロセス】総ES提出・Webテスト→面接(3回)→内々定 技ES提出・Webテスト→技術系専門試験・面接(3回)→内々定【交通費支給】なし

試験情報

重視科目　総面接 技面接 技術系専門試験

総ES⇒巻末筆SPI3(自宅)面3回(Webあり) 技ES⇒巻末筆SPI3(自宅) 技術系専門試験面3回(Webあり)

選考ポイント　総ES力を入れて取り組んだこと 志望動機面これまでの経験事象に対する取り組み方 コミュニケーション能力 技ES力を入れて取り組んだこと 研究内容と取り組み方 志望動機面研究・学習・実績の確認 コミュニケーション能力

通過率　総ES NA(受付：82→通過：NA) 技ES NA(受付：109→通過：NA)

倍率(応募/内定)　総21倍 技9倍

●男女別採用数と配属先ほか●

【男女・文理別採用実績】

	大卒男	大卒女	修士男	修士女
23年	1(文 0理 1)	1(文 1理 0)	6(文 0理 6)	1(文 0理 1)
24年	0(文 0理 0)	1(文 1理 0)	6(文 0理 6)	3(文 1理 2)
25年	2(文 1理 1)	1(文 1理 0)	11(文 1理 10)	2(文 1理 1)

【25年4月入社者の採用実績校】文(院)早大 洗足音大各1(大)上智大 明学大各1 理(院)大阪公大 東京電機大各2 名大 千葉大 九大 広島大 関西学大 横国大 宇都宮大各1(大)茨城大1

【24年4月入社者の配属先】総勤務地：東京2 部署：営業1 マーケティング1 技勤務地：浜松9 部署：開発9

残業(月)　15.4時間 総17.8時間

記者評価　電子楽器大手。日本で初めてシンセサイザーを商品化した。ピアノ、ドラムなど電子楽器で先駆。メディア制作機器、業務用音響も手がける。ギターアンプ「BOSS」で有名。ソフトウェア音源のクラウドサービスを展開。22年にドラム大手の米・DW社を買収。

●給与、ボーナス、週休、有休ほか●

【30歳総合職平均年収】548万円【初任給】(修士)243,000円(大卒)221,000円【ボーナス(年)】200万円、5.48カ月【25、30、35歳賃金】245,500円→283,889円→302,250円【週休】完全2日(土日祝)【夏期休暇】5日【年末年始休暇】連続7日(有休2日含む)【有休取得】13.8／20日

●従業員数、勤続年数、離職率ほか●

【男女別従業員数、平均年齢、平均勤続年数】計 741(44.3歳 17.6年) 男 583(45.1歳 18.6年) 女 158(41.3歳 14.3年)【離職率と離職者数】2.0%、15名【3年後新卒定着率】87.5%(男77.8%、女100%、3年前入社：男9名・女7名)【組合】あり

求める人材　好奇心を持ち、自ら学び成長する意欲のある人 変化に対応しチャレンジできる人

会社データ　(金額は百万円)

【本社】431-1304 静岡県浜松市浜名区細江町中川2036-1
☎053-523-0230　https://www.roland.com/jp/
【社長】蓑輪 雅弘【設立】1972.4【資本金】9,641【今後力を入れる事業】電子楽器

【業績(連結)】	売上高	営業利益	経常利益	純利益
21.12	80,032	11,093	10,102	8,586
22.12	95,840	10,751	10,250	8,938
23.12	102,445	11,871	11,154	8,151

㈱河合楽器製作所

かわいがっきせいさくしょ

東京P 7952

【特色】ピアノ世界首位級。音楽教室や素材加工も展開

修士・大卒採用数	3年後離職率	有休取得年平均	平均年収(平均43歳)
42名	19.5→22.2%	10.4日	(総)790万円

残業(月) 8.2時間

記者評価 1927年創業、浜松に本社を置く老舗楽器メーカー。ピアノが柱。電子ピアノも製造する。最高級モデル「Shigeru Kawai」シリーズを拡販。ブランド浸透に国際コンクール開催。音楽・体育教室はオンライン開催も実施。木材など素材加工も展開。海外開拓強化。

●エントリー情報と採用プロセス●

【受付開始～終了】(総)(技)3月～未定【採用プロセス】(総)(技)説明会(任意、3月)→ES提出・書類選考(3月)→筆記・面接(2～3回、4～5月)→内々定(4～5月)【交通費支給】最終面接、全額【早期選考】⇒巻末

試験情報

重視科目 (総)(技)面接

(総)(技)(ES)⇒巻末(筆)SPI3(自宅)(面)2～3回(Webあり)

選考ポイント (総)(技)(ES)入社意欲 具体的な仕事内容をイメージしているか(面)理解力 表現力 企業理解 入社意欲

通過率 (総)(ES)70%(受付:(早期選考含む)216→通過:(早期選考含む)151) (技)(ES)63%(受付:(早期選考含む)59→通過:(早期選考含む)37)

倍率(応募/内定) (総)(早期選考含む)6倍 (技)(早期選考含む)8倍

●男女別採用数と配属先ほか●

【男女・文理別採用実績】※25年:暫定数

	大卒男	大卒女	修士男	修士女
23年	7(文 4理 3)	12(文 11理 1)	2(文 0理 2)	3(文 1理 2)
24年	13(文 10理 3)	11(文 9理 2)	5(文 1理 4)	1(文 0理 1)
25年	15(文 13理 2)	20(文 18理 2)	5(文 1理 4)	2(文 1理 1)

【25年4月入社者の採用実績校】(文)(院)東京音大2(大)洗足音大3 名古屋音大 京都市芸大 愛知県芸大 東海大各2 岐阜聖徳学大 立命館大 関西学大 玉川大 同大 南山大 長崎大 高崎経大 帝京大 専大 青学大 中京大 徳島大 阪大 同女大 国際医療福祉大 九産大 静岡大 日体大 京都先端科学大各1(専)名古屋大原学園1 (理)(院)東京科学大 東理大 横国大 三重大 滋賀県大各1(大)早大 明大 名工大 新潟大各1

【24年4月入社者の配属先】(総)勤務地:(24年)東京4 神奈川2 埼玉1 栃木1 群馬1 宮城2 新潟(新潟1 長岡1)長野1 静岡(静岡2 浜松5)岐阜1 石川1 大阪1 広島1 京都1 兵庫1 福岡1 **部署**:(24年)営業11 調律7 体育5 事務4 IT1 (技)勤務地:(23年)浜松7 **部署**:(23年)ピアノ3 電子2 デザイン1 音響1

●給与、ボーナス、週休、有休ほか●

【30歳総合職平均年収】475万円【初任給】(修士)243,000円 (大卒)221,000円【ボーナス(年)】NA、5.5カ月【25、30、35歳賃金】238,636円→272,589円→312,763円【週休】完全2日(土日)【夏期休暇】連続9日(週休4日含む)【年末年始休暇】連続9日(週休4日含む)【有休取得】10.4/20日

●従業員数、勤続年数、離職率ほか●

【男女別従業員数、平均年齢、平均勤続年数】計 ◇1,131(41.7歳 20.1年) 男 825(43.2歳 21.3年) 女 306(37.4歳 16.6年)【離職率と離職者数】◇2.3%、27名【3年後新卒定着率】77.8%(男72.7%、女85.7%、3年前入社:男11名・女7名)【組合】あり

求める人材 どの活動拠点でも逞しく仕事をこなせ、組織としての成果を大事にできる人

会社データ　(金額は百万円)

【本社】430-8665 静岡県浜松市中央区寺島町200
☎053-457-1233　https://www.kawai.co.jp/
【社長】河合 健太郎【設立】1951.5【資本金】7,122【今後力を入れる事業】楽器事業 教育事業

【業績(連結)】	売上高	営業利益	経常利益	純利益
22.3	85,703	6,696	7,304	5,046
23.3	87,771	5,045	5,639	3,672
24.3	80,192	3,255	4,201	2,782

パラマウントベッド㈱

持株会社 傘下

【特色】医療・介護ベッド大手。在宅介護のレンタル卸も

修士・大卒採用数	3年後離職率	有休取得年平均	平均年収(平均41歳)
34名	30.0→10.0%	10.4日	(総)815万円

残業(月) 18.7時間

記者評価 病院や介護施設向けのベッド国内最大手。医療や在宅介護向け福祉用具レンタルが利益を牽引する。家庭用も好調。睡眠状態をモニタリングできるセンサー付きベッドで介護業界のDXを推進。中国、インドネシア、ベトナムに生産拠点を置き、海外での販売本格化。

●エントリー情報と採用プロセス●

【受付開始～終了】(総)12月～7月 (技)11月～7月【採用プロセス】(総)(技)説明会(任意)→ES提出→適性検査→1次面接→2次面接→3次面接→最終面接→内々定※1次から最終面接まで個人面接【交通費支給】3次面接以降、遠方者のみ、会社基準【早期選考】⇒巻末

試験情報

重視科目 (総)(技)面接

(総)(技)(ES)⇒巻末(筆)CUBIC(面)4回(Webあり)

選考ポイント (総)(技)(ES)求める人物像との合致度 具体性があり、その人らしさがイメージできる(面)主体性 達成意欲 聞く力 伝える力 巻き込み力 他

通過率 (総)(技)(ES)NA

倍率(応募/内定) (総)(技)NA

●男女別採用数と配属先ほか●

【男女・文理別採用実績】

	大卒男	大卒女	修士男	修士女
23年	11(文 9理 2)	11(文 10理 1)	5(文 0理 5)	1(文 0理 1)
24年	11(文 9理 2)	9(文 8理 1)	9(文 0理 9)	3(文 1理 2)
25年	12(文 10理 2)	14(文 12理 2)	5(文 0理 5)	3(文 0理 3)

【25年4月入社者の採用実績校】
(文)(大)明大 同大各3 明学大2 神戸大 中大 青学大 学習院大 法政大 関大 立命館大 都立大 茨城大 専大 甲南大 福岡大 関西学大 日大各1 (理)(院)法政大2 東北大 早大 千葉大 岡山大 佐賀大 北陸先端科技院大各1(大)中大 秋田公美大 立命館大 東京工科大各1

【24年4月入社者の配属先】(総)勤務地:札幌1 仙台1 さいたま1 東京(江東3 町田1)名古屋3 大阪3 広島2 福岡2 **部署**:営業16 経営企画1 (技)勤務地:東京・江東13 千葉・山武2 **部署**:開発7 要素3 IBSソリューション開発1 研究開発1 生技2 品証1

●給与、ボーナス、週休、有休ほか●

【30歳総合職平均年収】580万円【初任給】(修士)<技術系総合職のみ>258,000円 (大卒)241,000円【ボーナス(年)】210万円、5.5カ月【25、30、35歳賃金】240,883円→271,076円→308,530円【週休】完全2日(土日祝)【夏期休暇】6日【年末年始休暇】12月28日～1月5日【有休取得】10.4/20日

●従業員数、勤続年数、離職率ほか●

【男女別従業員数、平均年齢、平均勤続年数】計 ◇1,000(42.7歳 18.2年) 男 778(43.4歳 19.5年) 女 222(40.5歳 13.8年)【離職率と離職者数】◇4.6%、48名【3年後新卒定着率】90.0%(男85.7%、女100%、3年前入社:男14名・女6名)【組合】あり

求める人材 自ら考え行動することが出来る人 周りの人に対して良い影響を与えてきた人 学生時代を通じて何かに挑戦してきた人

会社データ　(金額は百万円)

【本社】136-8670 東京都江東区東砂2-14-5
☎03-3648-1111　http://www.paramount.co.jp/
【社長】木村 友彦【設立】1950.5【資本金】6,591【今後力を入れる事業】国内新規事業(健康デジタル領域)海外事業

【業績(連結)】	売上高	営業利益	経常利益	純利益
22.3	90,352	12,340	13,543	9,092
23.3	99,009	13,452	14,139	9,215
24.3	106,016	13,818	15,920	10,622

※業績はパラマウントベッドホールディングス㈱のもの

▶『業界地図』p.306

フランスベッド(株)

持株会社傘下

【特色】高級ベッド製造・販売。在宅介護用のレンタルも

修士・大卒採用数	3年後離職率	有休取得年平均	平均年収(平均42歳)
55名	21.1→6.1%	8.1日	総664万円

●エントリー情報と採用プロセス●

【受付開始～終了】総 技3月～7月【採用プロセス】総 技ES提出・説明会・筆記(3～7月)→面接(2回、5～7月)→内々定(6～8月)【交通費支給】最終面接、遠方者のみ一定額【早期選考】⇒巻末

試験情報

重視科目 総技面接

総技 ES⇒巻末 筆一般常識 独自問題 面2回(Webあり)

選考ポイント 総 ES志望動機 学生時代に最も打ち込んだこと 面行動力 コミュニケーション能力 問題解決力 思考力 挑戦意欲 技 ES志望動機 学生時代に最も打ち込んだこと 研究内容 面総合職共通

通過率 総 ES選考なし(受付:102) 技 ES選考なし(受付:15)

倍率(応募/内定) 総5倍 技8倍

●男女別採用数と配属先ほか●

【男女・文理別採用実績】

	大卒男	大卒女	修士男	修士女
23年	15(文 13 理 2)	12(文 11 理 1)	0(文 0 理 0)	0(文 0 理 0)
24年	25(文 24 理 1)	13(文 13 理 0)	1(文 0 理 1)	1(文 1 理 0)
25年	33(文 31 理 2)	22(文 21 理 1)	0(文 0 理 0)	0(文 0 理 0)

【25年4月入社者の採用実績校】文(大)目白大4 東洋大 立正大各3 関大 関西学大 大東文化大 帝塚山大 明学大 龍谷大各2 愛知淑徳大 桜美林大 大阪経大 大阪体大 追手門学大 北九州市大 京都府大 杏林大 高千穂大 玉川大 中大 中部大 帝京大 東海大 東京経大 東京女体大 東京農業大 東京福祉大 徳島大 獨協大 南山大 日本福祉大 阪南大 武庫川女大 武蔵野大 安田女大 大和大 立教大 立命館大 麗澤大各1 理(大)近大 東京電機大 北海道科学大各1

【24年4月入社者の配属先】総勤務地:入社後半年は研修配置 <研修先>東京12 さいたま4 愛知6 千葉4 神奈川3 大阪6 福岡2 三重1 部署:営業職38 技勤務地:東京・昭島3 部署:商品開発1 品質管理1 生産企画1

残業(月) 13.9時間 総13.9時間

記者評価 フランスベッドHDの事業子会社。家庭用ベッドの大手。医療・介護施設向けも販売。医療より介護の比重大。レンタルが利益を牽引する。家庭用のベッドも高単価商品に絞ることで、採算性が改善。インバウンドに沸く宿泊業界など法人営業を強化。

●給与、ボーナス、週休、有休ほか●

【30歳総合職平均年収】512万円【初任給】(修士)217,000円(大卒)207,700円【ボーナス(年)】185万円、4.9カ月【25、30、35歳賃金】242,006円→281,274円→310,448円【週休】2日(土日祝)【夏期休暇】連続7日(休暇付与3日、計画有休1日、土日祝含む)【年末年始休暇】連続7日(休暇付与4日、土日祝含む)【有休取得】8.1／20日

●従業員数、勤続年数、離職率ほか●

【男女別従業員数、平均年齢、平均勤続年数】計 1,367(41.6歳 15.9年)男 1,069(42.2歳 16.6年)女 298(39.2歳 13.4年)【離職率と離職者数】2.4%、34名【3年後新卒定着率】93.9%(男92.0%、女100%、3年前入社:男25名・女8名)【組合】あり

求める人材 仕事に対し責任を持ち、チャレンジ精神にあふれる人材 周囲の意見を受け入れ、自らの考えを分かりやすく表現できる人

会社データ (金額は百万円)

【本社】163-1105 東京都新宿区西新宿6-22-1 新宿スクエアタワー ☎03-6741-5555 https://www.francebed.co.jp/

【社長】池田 茂【設立】1946.6【資本金】5,604【今後力を入れる事業】シニアの安心や自立をサポートする商品施策

【業績(単独)】	売上高	営業利益	経常利益	純利益
22.3	49,673	3,770	3,906	2,622
23.3	52,295	4,268	4,364	2,984
24.3	52,782	4,215	4,321	3,093

大建工業(株)

だいけんこうぎょう

株式公開していない

【特色】住宅資材の総合大手。エコ素材合板代替材に強み

修士・大卒採用数	3年後離職率	有休取得年平均	平均年収(平均42歳)
44名	18.2→20.7%	12.2日	総730万円

●エントリー情報と採用プロセス●

【受付開始～終了】総技12月～5月【採用プロセス】総技オンラインセミナー(任意、随時)→ES(自己紹介書)提出・適性検査(12～5月)→面接(3回、1～6月)→内々定(2～6月)【交通費支給】最終面接以降、実費【早期選考】⇒巻末

試験情報

重視科目 総技面接

総技 ES⇒巻末 筆玉手箱 TAL 面3回(Webあり)

選考ポイント 総技面人物印象 理解・判断力 表現・意思伝達力 積極性 挑戦意欲 協調性 柔軟性 ストレスコントロール力

通過率 総 ES選考なし(受付:(早期選考含む)218) 技 ES選考なし(受付:(早期選考含む)41)

倍率(応募/内定) 総(早期選考含む)6倍 技(早期選考含む)4倍

●男女別採用数と配属先ほか●

【男女・文理別採用実績】

	大卒男	大卒女	修士男	修士女
23年	14(文 12 理 2)	14(文 13 理 1)	3(文 0 理 3)	5(文 1 理 4)
24年	15(文 13 理 2)	14(文 8 理 6)	2(文 0 理 2)	1(文 1 理 0)
25年	17(文 13 理 4)	21(文 16 理 5)	3(文 0 理 3)	3(文 1 理 2)

【25年4月入社者の採用実績校】文(院)立命館大1(大)立命館大 大阪経大各3 関西学大 関大 追手門学大各2 安田女大 関西外大 関東学院大 近大 女子美大 成蹊大 大阪芸大 大和大 帝京大 東洋大 日大 武庫川女大 北京外大 名城大 明学大 龍谷大各1 理(院)京大 京都府大 九大 静岡大 明大各1(大)日大4 宇都宮大 近大 三重大 信州大 静岡大各1

【24年4月入社者の配属先】総勤務地:東京9 大阪3 横浜1 岡山1 石川・金沢1 熊本1 福島1 広島1 埼玉1 新潟1 札幌1 静岡1 福岡1 名古屋1 部署:営業19 経営企画1 商品企画1 物流1 IT1 ショールーム1 技勤務地:岡山4 東京3 三重1 茨城1 部署:製品開発4 研究開発3 生産技術1 技術営業1

残業(月) 9.9時間 総11.2時間

記者評価 繊維板や床材・内装材、ドアなどが主力。建築音響製品も。開発から施工・工事まで一貫体制。未利用資源を活用したエコ素材で高評価。公共・商業建築、住宅リフォーム、海外市場開拓に注力。伊藤忠によるTOBが成立し23年12月上場廃止、同社の完全子会社に。

●給与、ボーナス、週休、有休ほか●

【30歳総合職平均年収】513万円【初任給】(博士)273,900円(修士)261,460円(大卒)250,000円【ボーナス(年)】181万円、5.0カ月【25、30、35歳賃金】244,586円→283,732円→315,902円【週休】完全2日(土日祝)【夏期休暇】有休で取得【年末年始休暇】連続5日【有休取得】12.2／20日

●従業員数、勤続年数、離職率ほか●

【男女別従業員数、平均年齢、平均勤続年数】計 ◇1,633(42.3歳 18.6年)男 1,292(43.3歳 20.0年)女 341(38.7歳 13.3年)【離職率と離職者数】◇3.3%、55名【3年後新卒定着率】79.3%(男80.0%、女78.6%、3年前入社:男15名・女14名)【組合】あり

求める人材 何事にも探求熱心な姿勢で取り組み、新しいことに挑戦できる人材

会社データ (金額は百万円)

【本社】530-8210 大阪府大阪市北区中之島3-2-4 中之島フェスティバルタワーW ☎06-6205-7151 https://www.daiken.jp/

【社長】億田 正則【設立】1945.9【資本金】15,300【今後力を入れる事業】公共・商業建築分野 海外市場 住宅リフォーム市場 素材事業 エンジニアリング事業 新規事業

【業績(連結)】	売上高	営業利益	経常利益	純利益
22.3	223,377	17,361	18,725	7,872
23.3	228,826	9,856	13,008	10,325
24.3	210,642	5,938	9,314	3,970

メーカーII

㈱ウッドワン

東京S 7898

【特色】建材大手メーカー。ニュージーランドで造林経営

修士・大卒採用数	3年後離職率	有休取得年平均	平均年収(平均43歳)
22名	18.8→26.9%	11.4日	総548万円

●エントリー情報と採用プロセス●

【受付開始～終了】総技3月～8月【採用プロセス】総技説明会(必須)・ES提出・SPI適性検査(3月～)→面接(3回、3月～)→内々定(4月上旬～)【交通費支給】最終選考、会社基準【早期選考】⇒巻末

試験情報

重視科目 総技面接

総技 ES⇒巻末 筆SPI3(自宅) 面3回(Webあり) GD作⇒巻末

選考ポイント 総技ES志望動機 学生時代で最も力を入れて取り組んだこと 面表現力 理解力(質問に対する)社会性 他

通過率 総ES選考なし(受付:(早期選考含む)89) 技ES選考なし(受付:(早期選考含む)15)

倍率(応募/内定) 総(早期選考含む)5倍 技(早期選考含む)4倍

●男女別採用数と配属先ほか●

【男女・文理別採用実績】

	大卒男	大卒女	修士男	修士女
23年	14(文 9理 5)	21(文 18理 3)	1(文 0理 1)	0(文 0理 0)
24年	11(文 7理 4)	10(文 7理 3)	0(文 0理 0)	1(文 0理 1)
25年	11(文 7理 4)	11(文 10理 1)	0(文 0理 0)	0(文 0理 0)

【25年4月入社者の採用実績校】
文(大)広島経大5 安田女大 福岡大 広島修道大各2 広島市大 岡山商大 近大 桜美林大 立命館大各1(専)広島会計学院ビジネス1 理(大)広島工大2 高知大 近大 大阪産大各1

【24年4月入社者の配属先】総勤務地:札幌1 仙台2 栃木・宇都宮1 埼玉・大宮1 千葉・柏1 東京・多摩1 石川・金沢1 愛知(豊橋1 岡崎1)大阪3 滋賀1 山口1 広島2 部署:営業15 情報システム1 総務人事部1 技勤務地:広島4 愛知・豊橋1 部署:事業管理4 品質管理1

残業(月) 16.7時間 総19.6時間

記者評価 床材(フローリング材など)、建具(室内ドアなど)、木質住宅設備機器(システムキッチンなど)を原木から一貫生産。ニュージーランドで造林しアジアで加工。無垢材を使用した高付加価値製品が得意。リフォーム、商環境用などの市場開拓。バイオマス発電も。

●給与、ボーナス、週休、有休ほか●

【30歳総合職平均年収】421万円【初任給】(修士)238,000円 (大卒)225,000円【ボーナス(年)】86万円、2.77カ月【25、30、35歳賃金】212,471円→228,080円→243,560円【週休】会社暦2日(日曜 月3～4日の土曜を含む会社指定休日)【夏期休暇】連続6日【年末年始休暇】連続9日【有休取得】11.4/20日

●従業員数、勤続年数、離職率ほか●

【男女別従業員数、平均年齢、平均勤続年数】計 732(42.3歳 16.4年) 男 470(44.5歳 18.9年) 女 262(38.3歳 11.9年)【離職率と離職者数】6.0%、47名【3年後新卒定着率】73.1%(男78.9%、女57.1%、3年前入社:男19名・女7名)【組合】あり

求める人材 チャレンジ精神を持っている人 問題解決能力を持っている人 明るく前向きで素直な人

会社データ (金額は百万円)

【本社】738-8502 広島県廿日市市木材港南1-1
☎0829-32-3333 https://www.woodone.co.jp/
【社長】中本 祐昌【設立】1950.8【資本金】7,324【今後力を入れる事業】本業 キッチン部門

【業績(連結)】	売上高	営業利益	経常利益	純利益
22.3	66,582	2,351	2,147	1,308
23.3	65,829	766	668	365
24.3	64,779	▲939	▲1,286	▲2,315

㈱パロマ

株式公開 計画なし

【特色】コンロや給湯器などのガス器具大手。北米に強い

修士・大卒採用数	3年後離職率	有休取得年平均	平均年収(平均39歳)
8名	20.7→15.4%	14.0日	総750万円

●エントリー情報と採用プロセス●

【受付開始～終了】総3月～7月 技3月～継続中【採用プロセス】総技説明会・GD(必須、3月)→筆記(3月～)→ES提出→面接(2回)→内々定(5月)【交通費支給】最終面接、全額【早期選考】⇒巻末

試験情報

重視科目 総技GD 面接

総技 ES⇒巻末 筆CUBIC 面2回 GD作⇒巻末

選考ポイント 総ES1次面接との総合判断 面問題解決力 コミュニケーション能力 技ES総合職共通 面問題解決力 研究への取り組み内容 コミュニケーション能力

通過率 総ES100%(受付:(早期選考含む)81→通過:(早期選考含む)81) 技ES100%(受付:(早期選考含む)48→通過:(早期選考含む)48)

倍率(応募/内定) 総(早期選考含む)12倍 技(早期選考含む)24倍

●男女別採用数と配属先ほか●

【男女・文理別採用実績】

	大卒男	大卒女	修士男	修士女
23年	4(文 3理 1)	1(文 1理 0)	2(文 0理 2)	1(文 0理 1)
24年	4(文 3理 1)	1(文 0理 1)	3(文 0理 3)	1(文 0理 1)
25年	7(文 7理 0)	1(文 0理 1)	0(文 0理 0)	0(文 0理 0)

【25年4月入社者の採用実績校】
文(大)国士舘大2 名城大 立命館大 近大 広島経大 京産大各1 理(大)名工大1

【24年4月入社者の配属先】
総勤務地:東京2 群馬1 大阪1 部署:営業4 技勤務地:愛知5 部署:技術本部5

残業(月) 6.9時間 総6.9時間

記者評価 1911年創業。ガステーブルなどのガス調理機器、ガス温水機器などを手がける。家庭用が主軸。炊飯器やフライヤーなど業務用も展開。24年3月持株会社体制に移行、持株会社傘下で当社が日本事業、米リーム社が海外事業をそれぞれ統括・運営する体制に。

●給与、ボーナス、週休、有休ほか●

【30歳総合職平均年収】570万円【初任給】(修士)250,450円 (大卒)230,450円【ボーナス(年)】NA【25、30、35歳賃金】270,877円→352,807円→400,636円【週休】会社暦2日【夏期休暇】連続6日【年末年始休暇】連続8日【有休取得】14.0/20日

●従業員数、勤続年数、離職率ほか●

【男女別従業員数、平均年齢、平均勤続年数】計 943(43.1歳 16.3年) 男 714(43.8歳 16.8年) 女 229(40.6歳 15.0年)【離職率と離職者数】3.9%、38名【3年後新卒定着率】84.6%(男80.0%、女100%、3年前入社:男10名・女3名)【組合】あり

求める人材 チャレンジ精神を持って、周りを巻き込み、物事に取り組める人

会社データ (金額は百万円)

【本社】467-8585 愛知県名古屋市瑞穂区桃園町6-23
☎052-824-5111 https://www.paloma.co.jp/
【社長】小林 弘明【設立】1964.5【資本金】86【今後力を入れる事業】国内・海外への高付加価値製品の拡販

【業績(連結)】	売上高	営業利益	経常利益	純利益
21.12	674,928	80,020	101,763	NA
22.12	907,414	113,461	131,899	NA
23.12	904,574	107,006	119,762	NA

▶『業界地図』p.238

TOTO(株)
トートー

東京P 5332

【特色】トイレなど衛生陶器で最大手。海外開拓に重点

修士・大卒採用数	3年後離職率	有休取得年平均	平均年収(平均45歳)
122名	10.2→15.4%	18.6日	総932万円

残業(月) 16.7時間 総19.5時間

記者評価 世界シェア6割の衛生陶器メーカー。北九州・小倉発祥で現在も本社を置く。温水洗浄便座「ウォシュレット」のほか、節水、汚れ防止などに独自技術。国内はリフォーム需要を開拓、海外は柱の中国に加え米州、アジア強化。セラミック事業が半導体関連で育つ。

●エントリー情報と採用プロセス●

【受付開始～終了】総技1月～未定【採用プロセス】総技ES提出・適性検査→面接・他→最終面接→内々定【交通費支給】最終面接、会社基準(1,000円超を対象)

試験情報

重視科目 総技面接

総技 ES⇒巻末筆未定面2回(Webあり)

選考ポイント 総 ES NA(提出あり)面企業理念への共感 コミュニケーション能力 大学時代の行動実績(自律・挑戦)のレベル 技 ES NA(提出あり)面企業理念への共感 コミュニケーション能力 大学時代の行動実績(自律・挑戦)のレベル エンジニアとしての専門能力

通過率 総技 ES NA 倍率(応募/内定) 総技NA

●給与、ボーナス、週休、有休ほか●

【30歳総合職平均年収】NA【初任給】(修士)280,000円(大卒)254,000円【ボーナス(年)】316万円、6.45カ月【25、30、35歳賃金】約280,000円→約350,000円→約420,000円【週休】完全2日(土日祝)【夏期休暇】あり【年末年始休暇】あり【有休取得】18.6／20日

●従業員数、勤続年数、離職率ほか●

【男女別従業員数、平均年齢、平均勤続年数】計 6,165(44.2歳 18.0年)男 3,500(44.9歳 20.5年)女 2,665(43.2歳 14.7年)【離職率と離職者数】NA【3年後新卒定着率】84.6%(男84.6%、女84.6%、3年前入社:男91名・女26名)【組合】あり

●男女別採用数と配属先ほか●

【男女・文理別採用実績】

	大卒男	大卒女	修士男	修士女
23年	44(文 38 理 6)	19(文 16 理 3)	31(文 0 理 31)	4(文 0 理 4)
24年	43(文 36 理 7)	22(文 20 理 2)	41(文 2 理 39)	10(文 0 理 10)
25年	46(文 40 理 6)	15(文 11 理 4)	51(文 0 理 51)	10(文 1 理 9)

【25年4月入社者の採用実績校】文東北大 慶大 早大 青学大 大分大 関大 関西学大 北九州市大 学習院大 高知大 静岡県大 西南学大 中大 筑波大 津田塾大 東京農業大 同大 鳥取大 新潟大 福岡大 法政大 三重大 明大 立教大 立命館大 立命館APU 他 理九大 東北大 名大 北大 大分大 岡山大 鹿児島大 金沢大 関大 九州工大 京都芸大 熊本大 高知工科大 神戸大 佐賀大 静岡大 信州大 千葉大 中大 東京科学大 同大 長岡造形大 長崎大 広島大 三重大 山口大 横国大(高専)有明 北九州 久留米 徳山 他

【24年4月入社者の配属先】総勤務地:北海道 東北 関東 信越 中部 関西 北陸 中国 四国 九州 部署:国内営業 事業企画 人事 経理 経営企画 情報 総務 法務 購買 物流 他 技勤務地:関東 中部 九州 部署:研究 商品開発 生産技術 商品技術 情報 工務 購買 物流 法務 他

求める人材 失敗を恐れずに挑戦し続けることができる人

会社データ (金額は百万円)

【本社】802-8601 福岡県北九州市小倉北区中島2-1-1
☎093-951-2162 https://jp.toto.com/
【社長】清田 徳明【設立】1917.5【資本金】35,579【今後力を入れる事業】リモデル事業 海外事業 新領域事業

【業績(連結)】	売上高	営業利益	経常利益	純利益
22.3	645,273	52,180	56,870	40,131
23.3	701,187	49,121	54,760	38,943
24.3	702,284	42,766	51,515	37,196

リンナイ(株)

東京P 5947

【特色】ガスの厨房・給湯機器で国内首位。海外にも展開

修士・大卒採用数	3年後離職率	有休取得年平均	平均年収(平均41歳)
98名	14.9→14.3%	12.4日	総792万円

残業(月) 16.1時間 総24.0時間

記者評価 1920年創業で名古屋地盤に全国展開。社名は創業者の内藤秀次郎と林兼吉の苗字に由来。ガスの厨房・給湯機器で国内首位。ストレス低減や衛生改善など「生活の質向上」を図る製品を強化。業界初の超微細気泡発生装置付き給湯器を発売。米国で現地生産進める。

●エントリー情報と採用プロセス●

【受付開始～終了】総2月～未定 技1月～未定【採用プロセス】総 技ES提出→適性検査→面接(3回)→内々定【交通費支給】〈総合職〉2次面接、最終面接〈一般職〉1次面接、最終面接、遠方者のみ往復相当額【早期選考】⇒巻末

試験情報

重視科目 総技面接 SPI

総 技 ES⇒巻末筆SPI3(会場) SPI3(自宅)面3回(Webあり)

選考ポイント 総技 ES志望動機の具体性 文章の論理性 面コミュニケーション能力 創造性 積極性 論理性 協調性 入社意欲 熱意

通過率 総 ES 55%(受付:(早期選考含む)2,423→通過:(早期選考含む)1,335) 技 ES 77%(受付:(早期選考含む)308→通過:(早期選考含む)236)

倍率(応募/内定) 総(早期選考含む)35倍 技(早期選考含む)11倍

●給与、ボーナス、週休、有休ほか●

【30歳総合職平均年収】577万円【初任給】(博士)282,000円(修士)253,000円(大卒)235,000円【ボーナス(年)】187万円、5.8カ月【25、30、35歳賃金】249,186円→300,936円→339,420円【週休】会社暦2日【夏期休暇】連続9日(週休含む)【年末年始休暇】連続9日(週休含む)【有休取得】12.4／20日

●従業員数、勤続年数、離職率ほか●

【男女別従業員数、平均年齢、平均勤続年数】計 ◇3,532(40.6歳 18.8年)男 2,506(41.7歳 19.5年)女 1,026(37.9歳 16.9年)【離職率と離職者数】◇2.2%、80名【3年後新卒定着率】85.7%(男84.5%、女92.3%、3年前入社:男71名・女13名)【組合】なし

●男女別採用数と配属先ほか●

【男女・文理別採用実績】

	大卒男	大卒女	修士男	修士女
23年	37(文 34 理 3)	10(文 9 理 1)	19(文 3 理 16)	1(文 0 理 1)
24年	66(文 53 理 13)	11(文 11 理 0)	25(文 0 理 25)	2(文 0 理 2)
25年	59(文 50 理 9)	25(文 21 理 4)	12(文 0 理 12)	2(文 0 理 2)

【25年4月入社者の採用実績校】文(大)関大8 南山大 同大 福岡大各4 愛知大 中京大 立命館大 関西学大 甲南大各3 東北学大 中大 立教大 京産大 金城学大各2 北大 富山大 名大 横浜市大 大阪府大 北九州市大 北海学園大 城西大 駿河台大 獨協大 青学大 学習院大 成蹊大 帝京大 日大 日体大 法政大 明大 早大 大阪工大 近大 新潟県大 聖心女大 滋賀県大 大和大各1 理(院)名工大 岐阜大 三重大各3 静岡大2 福井大 名大 日大各1(大)名城大4 三重大 中部大各2 名工大 東京電機大 静岡文芸大 愛知工業大 立命館大各1(高専)愛知総合工科高・専攻科2

【24年4月入社者の配属先】総勤務地:北海道3 宮城2 新潟2 埼玉4 千葉3 東京7 神奈川4 静岡3 岐阜1 愛知16 三重1 滋賀1 京都1 大阪1 兵庫1 香川1 岡山1 広島1 鳥取1 福岡5 佐賀1 長崎1 部署:国内営業53 海外事業2 経理3 総務1 人事1 法務1 経営企画1 技勤務地:愛知40 部署:開発20 生産技術13 生産6 情報システム1

求める人材 何事にも強い責任感と誠意を持ち、前向きに挑戦できる人 一緒に仕事をする相手を思いやり、力を合わせて物事をやり遂げられる人

会社データ (金額は百万円)

【本社】454-0802 愛知県名古屋市中川区福住町2-26
☎052-361-8211 https://www.rinnai.co.jp/
【社長】内藤 弘康【設立】1950.9【資本金】6,484【今後力を入れる事業】環境・省エネ・新エネルギー技術

【業績(連結)】	売上高	営業利益	経常利益	純利益
22.3	366,185	35,864	39,060	23,748
23.3	425,229	41,418	44,565	26,096
24.3	430,186	39,362	46,071	26,667

開示 ★★★ ▶『業界地図』p.238 431

㈱ノーリツ

東京P 5943

【特色】ガス風呂釜・給湯器の大手。中国、北米にも展開

修士・大卒採用数	3年後離職率	有休取得年平均	平均年収(平均44歳)
41名	14.7→25.0%	13.0日	◇656万円

●エントリー情報と採用プロセス●

【受付開始～終了】[総][技]1月～9月【採用プロセス】[総][技]説明会(任意、12月～)→ES提出・筆記(1月～)→面接(3回、1～9月)→内々定(9月)【交通費支給】最終面接、会社基準 実費【早期選考】⇒巻末

試験情報

重視科目 [総][技]面接

[総][技][ES]⇒巻末[筆]TG-WEB[面]3回(Webあり)

選考ポイント [総][ES]求める人物像と合致しているか 丁寧さ[面]対人力 論理的思考 リーダーシップ 志望度 社内風土とのマッチング [技][ES]総合職共通[面]対人力 論理的思考 専門知識 研究・開発者に求められる素養 志望度 社内風土とのマッチング

通過率 [総][ES]52%(受付:(早期選考含む)383→通過:(早期選考含む)199) [技][ES]72%(受付:(早期選考含む)89→通過:(早期選考含む)64)

倍率(応募/内定) [総](早期選考含む)13倍 [技](早期選考含む)4倍

●男女別採用数と配属先ほか●

【男女・文理別採用実績】※25年:24年9月時点

	大卒男	大卒女	修士男	修士女
23年	13(文 11理 2)	3(文 1理 2)	4(文 0理 4)	1(文 0理 1)
24年	28(文 16理 12)	9(文 7理 2)	5(文 0理 5)	1(文 0理 1)
25年	23(文 15理 8)	11(文 9理 2)	7(文 0理 7)	0(文 0理 0)

【25年4月入社者の採用実績校】[文](24年)(大)立命館大 近大各3 同大 関大 龍谷大各2 関西学大 京産大 甲南大 甲南女大 福岡大 桜美林大 札幌国際大 摂南大 大阪国際大 大東文化大 追手門学大各1 [理](24年)(院)岡山大2 兵庫県大 徳島文理大 甲南大 岡山理大各1(大)関西学大 近大 大阪工大各2 岡山大 信州大 島根大 愛知工業大 福知山公大 岡山理大 九産大 東京電機大各1(専)日本工科大学校1

【24年4月入社者の配属先】[総]勤務地:兵庫6 東京4 千葉3 神奈川2 愛知2 福岡2 大阪1 埼玉1 岡山1 群馬1 部署:営業18 国際事業3 人事1 広報IR1 [技]勤務地:兵庫21 部署:研究開発20 社内SE1

残業(月) NA

記者評価 ガス温水機器でリンナイと双璧。独自の生産方式で少量多品種生産。国内市場の頭打ち受け、海外展開を積極化。柱の中国では高付加価値商品を強みに、ネット販売に加え地方都市の開拓も強化。米国は規模拡大中。他に豪州にも注力。ベトナムは現地企業に出資。

●給与、ボーナス、週休、有休ほか●

【30歳総合職平均年収】NA【初任給】(修士)241,800円(大卒)223,800円【ボーナス(年)】130万円、4.13カ月【25、30、35歳賃金】NA【週休】完全2日(土日祝)【夏期休暇】連続6日(週休含む)【年末年始休暇】連続7日(週休含む)【有休取得】13.0/20日

●従業員数、勤続年数、離職率ほか●

【男女別従業員数、平均年齢、平均勤続年数】計 2,263(43.8歳 18.2年) 男 1,695(44.2歳 18.2年) 女 568(42.3歳 18.4年)【離職率と離職者数】5.1%、122名(早期退職男20名、女2名含む)【3年後新卒定着率】75.0%(男73.1%、女83.3%、3年前入社:男26名・女6名)【組合】あり

求める人材 自ら課題を見つけ、課題解決に向けて挑戦できる人

会社データ (金額は百万円)

【本社】650-0033 兵庫県神戸市中央区江戸町93 栄光ビル
☎078-334-2811 https://www.noritz.co.jp/
【社長】腹巻 知【設立】1951.3【資本金】20,167【今後力を入れる事業】海外事業 温水事業 脱炭素社会に向けた商品開発

【業績(連結)】	売上高	営業利益	経常利益	純利益
21.12	178,142	2,500	3,976	5,479
22.12	210,966	6,889	7,900	4,800
23.12	201,891	3,840	1,245	868

タカラスタンダード㈱

東京P 7981

【特色】システムキッチン首位。ホーロー技術に強み

修士・大卒採用数	3年後離職率	有休取得年平均	平均年収(平均41歳)
101名	18.8→22.8%	12.5日	[総]711万円

●エントリー情報と採用プロセス●

【受付開始～終了】[総][技]1月～7月【採用プロセス】[総][技]WebES提出→個人面接(対面またはWeb)・適性検査→内々定【交通費支給】最終面接時、遠方のみ実費【早期選考】⇒巻末

試験情報

重視科目 [総][技]面接

[総][技][ES]⇒巻末[筆]SPI3(自宅)[面]3回(Webあり)

選考ポイント [総][ES]求める人材と合致しているか[面]人財ポリシーを基軸に発信力 主体性(フットワーク)傾聴力 継続力を評価 [技][ES]総合職共通[面]人財ポリシーを基軸に考動力 着実遂行 専門性(研究内容)を評価

通過率 [総][ES]56%(受付:2,939→通過:1,635) [技][ES]88%(受付:328→通過:290)

倍率(応募/内定) [総]47倍 [技]19倍

●男女別採用数と配属先ほか●

【男女・文理別採用実績】

	大卒男	大卒女	修士男	修士女
23年	73(文 55理 18)	50(文 44理 6)	5(文 0理 5)	1(文 0理 1)
24年	70(文 56理 14)	55(文 47理 8)	6(文 0理 6)	2(文 0理 2)
25年	55(文 37理 18)	39(文 36理 3)	5(文 0理 5)	2(文 0理 2)

【25年4月入社者の採用実績校】[文](院)東理大 阪大 近大 北九州市大 長崎大 東京都市大(大)京大 慶大 早大 明大 中大 法政大 青学大 明学大 立教大 北大 小樽商大 弘前大 東北学大 横国大 横浜市大 筑波大 高崎経大 東京外大 國學院大 日大 東洋大 駒澤大 専大 名大 名工大 名古屋市大 南山大 名城大 中京大 静岡大 神戸大 滋賀大 大阪府大 大阪市大 同大 立命館大 関西学大 関大 和歌山大 京都工繊大 岡山大 広島大 広島修道大 山口大 下関市大 香川大 愛媛大 九大 九州工大 西南学大 福岡大 熊本大 他(理系含む) [理]文系に含む

【24年4月入社者の配属先】[総]勤務地:東京 大阪 福岡 その他各支店・営業所 他 部署:営業69 ショールームアドバイザー34 [技]勤務地:千葉 愛知 大阪 福岡 その他支社・支店・工場 他 部署:素材研究・製品開発・生産技術17 設計・施工管理9 社内SE6

残業(月) 8.7時間 [総]14.3時間

記者評価 1912年にホーロー鉄器の製造で創業、57年に流し台へ参入。キッチンから洗面、浴槽などに展開。新築マンション向けで高シェア。リフォーム市場も深耕。ホーロー製内外装パネルを育成中。福岡工場でホーロー製品の大幅増産を準備中。愛知でも新工場計画。

●給与、ボーナス、週休、有休ほか●

【30歳総合職平均年収】572万円【初任給】(修士)250,000円(大卒)230,000円【ボーナス(年)】142万円、4.6カ月【25、30、35歳賃金】285,250円→365,360円→464,600円【週休】完全2日(土日祝)【夏期休暇】9日(計画有休含む)【年末年始休暇】連続6日【有休取得】12.5/20日

●従業員数、勤続年数、離職率ほか●

【男女別従業員数、平均年齢、平均勤続年数】計 3,558(41.9歳 15.6年) 男 2,335(43.7歳 18.1年) 女 1,223(38.5歳 10.9年)【離職率と離職者数】5.7%、217名【3年後新卒定着率】77.2%(男76.7%、女77.8%、3年前入社:男86名・女72名)【組合】あり

求める人材 人財ポリシー:チャレンジ・育成成長・自律自走

会社データ (金額は百万円)

【本社】536-8536 大阪府大阪市城東区鴫野東1-2-1
☎06-6962-1501 https://www.takara-standard.co.jp/
【社長】小森 大【設立】1912.5【資本金】26,356【今後力を入れる事業】リフォーム事業 海外事業 建材パネル事業

【業績(連結)】	売上高	営業利益	経常利益	純利益
22.3	211,587	14,428	14,856	10,905
23.3	227,423	10,940	11,490	8,417
24.3	234,738	12,427	12,792	9,500

開示 ★★★★★ ▶『業界地図』p.238 740

733 ▶『業界地図』p.238　開示 ★★★

クリナップ(株)

東京P 7955

【特色】システムキッチン大手。浴槽、洗面化粧台も

修士・大卒採用数	3年後離職率	有休取得年平均	平均年収(平均42歳)
87名	27.7 → NA	11.3日	(総)625万円

残業(月) 21.7時間

記者評価 柱のシステムキッチンはシェア約2割。浴槽や洗面化粧台も手がける。地場工務店経由の販売多い。中高級クラスの「ステディア」を軸に積極販売。全国約100カ所にショールーム。イタリア企業と共同開発した超高級キッチンの日本限定ブランドを発売。

●エントリー情報と採用プロセス●

【受付開始～終了】(総)(技)2月～6月【採用プロセス】(総)(技)説明会動画(任意)・ES提出・性格検査(2～3月)→面接(Web2回・対面1回、3月中旬～4月中旬)→内々定(4月下旬)【交通費支給】最終面接、実費【早期選考】⇒巻末

試験情報

重視科目 (総)(技)面接

(総)(技)(ES)⇒巻末(筆)玉手箱(性格検査のみ)(面)3回(Webあり)

選考ポイント (総)(ES)挑戦した出来事 自己PR 自動車免許の有無(面)積極性 目標設定 向上心 自律性 (技)(ES)総合職共通(面)積極性 目標設定 向上心 自律性 技術系(理系)専門スキル

通過率 (総)(技)(ES)NA　**倍率(応募/内定)** (総)(技)NA

●男女別採用数と配属先ほか●

【男女・文理別採用実績】

	大卒男	大卒女	修士男	修士女
23年	43(文 41 理 2)	46(文 41 理 5)	1(文 0 理 1)	0(文 0 理 0)
24年	46(文 43 理 3)	58(文 57 理 1)	0(文 0 理 0)	0(文 0 理 0)
25年	49(文 46 理 3)	38(文 35 理 3)	0(文 0 理 0)	0(文 0 理 0)

【25年4月入社者の採用実績校】(文)(大)九大 札幌市大 立教大 青学大 法政大 同大 立命館大 関西学大 関大 國學院大 専大 日大 駒澤大 東洋大 順天堂大 国士舘大 中央学大 帝京大 東京国際大 東京未来大 日体大 武蔵野大 文教大 横浜商大 神奈川大 京産大 龍谷大 大阪経大 阪南大 四天王寺大 桃山学大 京都先端科学大 福岡大 広島修道大 松山大 福山大 南山大 名城大 愛知学大 愛知大 四日市大 中京大 日本福祉大 京都女大 大妻女大 宮城学院女大 (理)(大)秋田大 法政大 芝工大 日大 帝京大

【24年4月入社者の配属先】(総)勤務地:北海道1 東北6 関東27 信越1 中部7 近畿7 中国・四国4 九州3 部署:営業48 営業管理1 工務2 情報システム2 法務1 購買1 海外事業推進1 (技)勤務地:東京4 福島3 部署:開発7

●給与、ボーナス、週休、有休ほか●

【30歳総合職平均年収】NA【初任給】(修士)225,580円(大卒)217,320円【ボーナス(年)】NA、3.7カ月【25、30、35歳賃金】NA【週休】完全2日(土日祝)※一般職はシフト制【夏期休暇】年により異なる(計画有休含む)【年末年始休暇】年により異なる(計画有休含む)【有休取得】11.3/20日

●従業員数、勤続年数、離職率ほか●

【男女別従業員数、平均年齢、平均勤続年数】計 ◇2,973(40.9歳 15.2年) 男 1,977(42.5歳 17.5年) 女 996(37.7歳 10.7年)【離職率と離職者数】◇5.4%、169名(早期退職男4名、女1名含む 他に男11名転籍)【3年後新卒定着率】NA(3年前入社:男49名・女66名)【組合】あり

求める人材 人との信頼関係を築きながら、誠実に何事にも前向きに取り組む人材

会社データ (金額は百万円)

【本社】116-8587 東京都荒川区西日暮里6-22-22
☎03-3894-4771　https://cleanup.jp/
【社長】竹内 宏【設立】1954.10【資本金】13,267【今後力を入れる事業】住生活空間サービス創造業

【業績(連結)】	売上高	営業利益	経常利益	純利益
22.3	113,305	3,795	4,261	3,155
23.3	124,012	3,014	3,562	2,523
24.3	127,982	1,282	1,809	1,468

コクヨ(株)

東京P 7984

【特色】文具・事務用品の最大手。中国・インドに注力

修士・大卒採用数	3年後離職率	有休取得年平均	平均年収(平均44歳)
113名	0 → 3.0%	12.0日	(総)756万円

残業(月) 19.8時間

記者評価 文具・事務用品の総合メーカー。「Campus」ノートはロングセラー。文具はアジア展開を志向。オフィス向け通販「カウネット」も。働き方の変化を受け、オフィス家具販売は空間提案を積極化。試行錯誤を繰り返し価値を創出していく「実験カルチャー」を掲げる。

●エントリー情報と採用プロセス●

【受付開始～終了】(総)1月～3月 (技)12月～4月【採用プロセス】(総)ES提出・適性検査(1～3月)→面接またはGW(3回、3～5月)→内々定(5月) (技)ES提出・適性検査(12～4月)→面接(3回、1～6月)→内々定(5～6月)【交通費支給】GW 最終面接、遠方者のみ全額

試験情報

重視科目 (総)面接 GW (技)面接

(総)(技)(ES)⇒巻末(筆)SPI3(自宅)(面)3回(Webあり)

選考ポイント (総)(ES)適性検査との総合判断(面)NA (技)(ES)適性検査、課題との総合判断(面)NA

通過率 (総)(ES)NA(受付:5,305→通過:NA) (技)(ES)NA(受付:451→通過:NA)

倍率(応募/内定) (総)66倍 (技)14倍

●男女別採用数と配属先ほか●

【男女・文理別採用実績】

	大卒男	大卒女	修士男	修士女
23年	23(文 16 理 7)	22(文 17 理 5)	8(文 0 理 8)	3(文 1 理 2)
24年	30(文 23 理 7)	53(文 50 理 3)	22(文 2 理 20)	7(文 1 理 6)
25年	34(文 24 理 10)	47(文 35 理 12)	17(文 1 理 16)	15(文 1 理 14)

【25年4月入社者の採用実績校】(文)(院)京大 東大各1(大)関西学大 立教大各6 多摩美大5 早大 同大 明大各4 青学大 法政大 立命館大各3 金沢美工大 神戸大 成蹊大 阪大 立命館APU各2 愛知大 関大 駒澤大 慶大 ICU 産能大 上智大 中大 日大 武蔵大 福岡大各1 (理)(院)京都工繊大4 芝工大3 法政大 阪大 都立大各2 金沢美工大 神戸大 慶大 日大 愛媛大 宇都宮大 横国大 岩手大 京大 はこだて未来大 香川大 千葉大 筑波大 東京電機大 東京農工大 東理大 北里大各1(大)東京電機大 立命館大 日女大各2 芝工大 法政大 日大 宇都宮大 同大 明大 関大 岐阜大 京産大 京都先端科学大 京都府大 金沢大 工学院大 埼玉大 中京大 東京工芸大各1

【24年4月入社者の配属先】(総)勤務地:東京62 千葉2 大阪14 三重2 部署:システム開発1 マーケティング7 営業37 経理1 商品開発11 人事2 生産管理11 販売企画4 物流企画4 流通企画2 (技)勤務地:東京16 千葉2 大阪12 三重3 部署:意匠設計10 施工管理8 商品開発12 生産技術3

●給与、ボーナス、週休、有休ほか●

【30歳総合職平均年収】563万円【初任給】(修士)239,000円(大卒)229,000円【ボーナス(年)】233万円、6.371カ月【25、30、35歳賃金】NA【週休】完全2日(土日祝)【夏期休暇】旧盆(3日)【年末年始休暇】12月30日～1月4日【有休取得】12.0/20日

●従業員数、勤続年数、離職率ほか●

【男女別従業員数、平均年齢、平均勤続年数】計 ◇2,142(44.1歳 17.5年) 男 1,480(45.8歳 18.9年) 女 662(40.0歳 14.3年)【離職率と離職者数】◇2.2%、49名【3年後新卒定着率】97.0%(男95.2%、女100%、3年前入社:男21名・女12名)【組合】あり

求める人材 壁を自分で乗り越え、仲間や社会をワクワクさせられる人材

会社データ (金額は百万円)

【本社】537-8686 大阪府大阪市東成区大今里南6-1-1
☎06-6976-1221　https://www.kokuyo.co.jp/
【社長】黒田 英邦【設立】1920.7【資本金】15,847【今後力を入れる事業】ファニチャー事業 ステーショナリー事業 ビジネスサプライ流通事業

【業績(連結)】	売上高	営業利益	経常利益	純利益
21.12	320,170	20,004	16,415	13,703
22.12	300,929	19,321	21,355	18,375
23.12	328,753	23,830	25,989	19,069

741 ▶『業界地図』p.191　開示 ★★★

(株)パイロットコーポレーション

東京P 7846

【特色】筆記具老舗で国内トップ。海外比率が高い

修士・大卒採用数	3年後離職率	有休取得年平均	平均年収(平均*43歳)
31名	4.8→7.4%	13.0日	(総)706万円

残業(月) NA

記者評価 1918年国産初の万年筆メーカーとして創業。ボールペン「フリクション」のヒットでシェア拡大。海外に19拠点、世界190以上の国と地域に販売し、海外売上比率は約80%と高水準。現地組み立て工場も多い。セラミックス製品や宝飾製品など非筆記具事業を拡大。

●エントリー情報と採用プロセス●

【受付開始～終了】(総)(技)3月～3月【採用プロセス】(総)ES提出→Web録画面接→適性検査→面接(3回)→内々定 (技)ES提出→適性検査→面接(3回)→内々定【交通費支給】2次面接以降、全額

試験情報

重視科目 [総][技]個人面接

[総][技](ES)⇒巻末(筆)SPI3(自宅)(面)3回(Webあり)

選考ポイント [総](ES)求める人財像に近いか(面)積極性・責任感 問題解決力 創造的思考力 [技](ES)総合職共通(面)専門能力 コミュニケーション能力 問題解決力 積極性・責任感

通過率 [総][技](ES)NA

倍率(応募/内定) [総][技]NA

●男女別採用数と配属先ほか●

【男女・文理別採用実績】

	大卒男	大卒女	修士男	修士女
23年	13(文 4理 9)	18(文 9理 9)	8(文 0理 8)	3(文 0理 3)
24年	10(文 7理 3)	18(文 13理 5)	7(文 0理 7)	1(文 0理 1)
25年	8(文 7理 1)	14(文 13理 1)	5(文 0理 5)	4(文 1理 3)

【25年4月入社者の採用実績校】

(文)(院)千葉大1(大)法政大 立教大 獨協大各2 明大 中大 東洋大 明学大 群馬大 駒澤大 日大 青森公大 岡山大 近大 成城大 同大 武蔵野美大 大阪芸大各1 (理)(院)芝工大3 東理大 日大 名工大 三重大 九州工大各1(大)電通大 群馬大各1

【24年4月入社者の配属先】

[総]勤務地:東京・中央15 大阪市4 名古屋1 静岡市1 福岡市1 部署:国内営業14 海外営業2 企画4 情報システム1 人事1 [技]勤務地:東京・中央1 神奈川・平塚9 群馬・伊勢崎5 部署:研究開発8 生産技術5 品質管理2

●給与、ボーナス、週休、有休ほか●

【30歳総合職平均年収】NA【初任給】(修士)271,400円(大卒)251,000円【ボーナス(年)】207万円、6.0カ月【25、30、35歳賃金】NA【週休】完全2日(土日祝)【夏期休暇】連続約7日以上(週休及び計画有休5日含む)【年末年始休暇】12月30日～1月4日【有休取得】13.0／20日

●従業員数、勤続年数、離職率ほか●

【男女別従業員数、平均年齢、平均勤続年数】計 ◇1,056(42.8歳 18.5年) 男 NA 女 NA【離職率と離職者数】◇1.5%、16名【3年後新卒定着率】92.6%(男85.7%、女100%、3年前入社:男14名・女13名)【組合】あり

求める人材 多様性を認めコミュニケーションを図り、自ら行動しグローバルな視点で考えられる人

会社データ (金額は百万円)

【本社】104-8304 東京都中央区京橋2-6-21
☎03-3538-3700 https://www.pilot.co.jp/
【社長】藤﨑 文男【設立】2002.1【資本金】2,340【今後力を入れる事業】付加価値のある筆記具の製造・販売

【業績(連結)】	売上高	営業利益	経常利益	純利益
21.12	103,057	19,325	20,362	14,270
22.12	112,850	21,244	22,633	15,773
23.12	118,590	19,003	20,840	13,661

みつびしえんぴつ

三菱鉛筆(株)

東京P 7976

【特色】筆記具メーカー2強の一角。ブランドは「uni」

修士・大卒採用数	3年後離職率	有休取得年平均	平均年収(平均42歳)
17名	0→0%	14.0日	790万円

残業(月) 14.7時間 (総)17.0時間

記者評価 明治時代の逓信省局用鉛筆が起源の老舗。筆記具でパイロットと双璧。米国やアジアなど海外での販売に注力。「ジェットストリーム」が主力。欧米で「ポスカ」のアート需要拡大。化粧品OEMも。傘下に独ラミー。旧三菱財閥の流れをくむ三菱グループとは無関係。

●エントリー情報と採用プロセス●

【受付開始～終了】(総)2月～3月 (技)12月～3月【採用プロセス】(総)ES提出→説明会(任意)→筆記→面接→GD→面接(2回)→内々定 (技)説明会(必須)→ES提出→筆記→面接(3回)→内々定【交通費支給】2次面接以降、実費

試験情報

重視科目 [総][技]面接

[総](ES)NA(筆)SPI3(会場)(面)3回(Webあり)(GD作)NA [技](ES)NA(筆)SPI3(会場)(面)3回(Webあり)

選考ポイント [総][技](ES)NA(提出あり)(面)創造性 チャレンジ精神 コミュニケーション能力

通過率 [総][技](ES)NA

倍率(応募/内定) [総][技]NA

●男女別採用数と配属先ほか●

【男女・文理別採用実績】

	大卒男	大卒女	修士男	修士女
23年	3(文 3理 0)	1(文 1理 0)	6(文 0理 6)	1(文 0理 1)
24年	5(文 4理 1)	2(文 2理 0)	6(文 1理 5)	2(文 1理 1)
25年	5(文 5理 0)	4(文 4理 0)	6(文 0理 6)	2(文 0理 2)

【25年4月入社者の採用実績校】

(文)(大)早大 慶大 法政大 東北大 千葉大 武蔵野美大 筑波大 神戸大 兵庫県大各1 (理)(院)慶大 東京科学大 法政大 埼玉大 鳥取大 名大 群馬大 東北大各1

【24年4月入社者の配属先】

[総]勤務地:東京・品川9 部署:国内営業3 海外営業1 商品開発3 経理1 ITC1 [技]勤務地:東京・品川3 群馬・藤岡3 部署:研究開発4 生産技術2

●給与、ボーナス、週休、有休ほか●

【30歳総合職平均年収】640万円【初任給】(修士)267,070円(大卒)249,550円【ボーナス(年)】NA、6.5カ月【25、30、35歳賃金】NA【週休】完全2日(土日、年5日程度土曜出勤)【夏期休暇】あり【年末年始休暇】あり【有休取得】14.0／20日

●従業員数、勤続年数、離職率ほか●

【男女別従業員数、平均年齢、平均勤続年数】計 560(41.8歳 18.2年) 男 NA 女 NA【離職率と離職者数】0.2%、1名【3年後新卒定着率】100%(男100%、女100%、3年前入社:男8名・女2名)【組合】なし

求める人材 創造性・チャレンジ精神・コミュニケーション能力を持った人

会社データ (金額は百万円)

【本社】140-8537 東京都品川区東大井5-23-37
☎03-3458-6221 https://www.mpuni.co.jp/
【社長】数原 滋彦【設立】1925.4【資本金】4,497【今後力を入れる事業】筆記具 化粧品炭素材等新規事業

【業績(連結)】	売上高	営業利益	経常利益	純利益
21.12	61,894	7,520	8,309	5,658
22.12	68,997	9,243	10,128	6,951
23.12	74,801	11,851	12,889	10,166

メーカーII

㈱オカムラ

東京P 7994

【特色】オフィス家具首位級。小売店舗用も展開

修士・大卒採用数	3年後離職率	有休取得年平均	平均年収(平均43歳)
133名	12.6→6.6%	13.0日	737万円

●エントリー情報と採用プロセス●

【受付開始～終了】[総]2月～7月 [技]2月～継続中【採用プロセス】[総][技]説明会動画視聴・Webテスト・ES提出(2月～)→面接(3～4回)・社員座談会→内々定【交通費支給】最終面接、実費【早期選考】⇒巻末

試験情報

[重視科目] [総][技]個人面接

[総][ES]⇒巻末[筆]SPI3(自宅)[面]3～4回 [技][ES]⇒巻末[筆]SPI3(自宅)[面]3～4回(Webあり)

[選考ポイント] [総][技][ES]NA(提出あり)[面]表現力 理解力 積極性 精神力 協調性 創造力 他

[通過率] [総][技][ES]NA [倍率(応募/内定)] [総][技]NA

●男女別採用数と配属先ほか●

【男女・文理別採用実績】

	大卒男	大卒女	修士男	修士女
23年	51(文 32理 19)	42(文 28理 14)	11(文 1理 10)	14(文 1理 13)
24年	68(文 46理 22)	48(文 37理 11)	12(文 0理 12)	9(文 2理 7)
25年	53(文 38理 15)	59(文 44理 15)	14(文 0理 14)	7(文 1理 6)

【25年4月入社者の採用実績校】[文](院)京都女大1(大)関西学大6 立教大 同大 関大各5 明大 成城大 学習院大各3 神戸大 専大 中大 武蔵大 明学大 立命館APU 金沢美工大 東洋大 早大 日大各2 南山大 滋賀大 兵庫県大 宮城学院女大 福岡大 日女大 東京学芸大 甲南大 都留文科大 玉川大 法政大 成蹊大 和歌山大 神奈川大 岩手大 昭和女大 立命館大 國學院大 名城大 駒澤大 武庫川女大 近大 千葉商大 京産大 静岡大 奈良大 西南学大 獨協大 大阪市大 横浜市大 大阪経大 大妻女大各1 [理](院)千葉大3 和歌山大2 名古屋市大 埼玉大 芝工大 兵庫県大 京都工繊大 日大 神奈川工大 東京電機大 鹿児島大 中京大 熊本大 大阪公大 宇都宮大 立命館大 神奈川大各1(大)日大3 神奈川工大 東理大 立命館大 芝工大 東京電機大各2 神奈川大 山口大 同大 東京都市大 成蹊大 埼玉大 日工大 広島工大 山梨大 玉川大 明大 龍谷大 工学院大 長岡造形大 宮城大 阪大 静岡大各1(短)港湾職能1(高専)沼津1(専)沼津情報ビジネス4 栃木県立県央産業技術1

【24年4月入社者の配属先】[総]勤務地:東京 大阪 愛知 宮城 広島 福岡などの全国事業所 部署:営業職 デザイン職 [技]勤務地:東京 大阪 神奈川 静岡 茨城などの全国事業所 部署:技術職

[残業(月)] 21.6時間

[記者評価] オフィス家具は、コクヨなどと並び国内最大手級。大規模ビル建設や再開発案件が追い風に。医療施設や自治体、学校などの専門家具にも強い。ドラッグストアなどの冷蔵用什器、物流施設の自動倉庫も手がける。三菱グループと密接。ASEANや中国で海外事業強化。

●給与、ボーナス、週休、有休ほか●

【30歳総合職平均年収】NA【初任給】(修士)264,000円(大卒)250,000円【ボーナス(年)】214万円、6.4カ月【25、30、35歳賃金】NA【週休】2日(土日祝)【夏期休暇】8月10～13日【年末年始休暇】12月28日～1月5日【有休取得】13.0／20日

●従業員数、勤続年数、離職率ほか●

【男女別従業員数、平均年齢、平均勤続年数】計 ◇3,940(43.0歳 17.0年)男 3,088(NA)女 852(NA)【離職率と離職者数】◇2.8%、112名【3年後新卒定着率】93.4%(男92.8%、女95.8%、3年前入社:男97名・女24名)【組合】あり

[求める人材] 総合的な視野を持ちながら現状を打破していけるチャレンジ精神を持つ人

[会社データ] (金額は百万円)

【本社】220-0004 神奈川県横浜市西区北幸1-4-1 天理ビル

☎045-319-3401 https://www.okamura.co.jp/

【社長】中村 雅行【設立】1946.7【資本金】18,670【今後力を入れる事業】オフィス 商環境 物流システム パワートレーン 海外

【業績(連結)】	売上高	営業利益	経常利益	純利益
22.3	261,175	15,972	17,491	14,992
23.3	277,015	17,372	18,924	15,906
24.3	298,295	24,036	26,227	20,280

㈱イトーキ

東京P 7972

【特色】オフィス家具の一角。製版一貫体制に強み

修士・大卒採用数	3年後離職率	有休取得年平均	平均年収(平均41歳)
55名	20.3→17.6%	11.0日	[総]677万円

●エントリー情報と採用プロセス●

【受付開始～終了】[総]3月～6月 [技]3月～8月【採用プロセス】[総][技]ES提出(3月～)→SPI(3月～)→面接(3回、3月～)→内々定(6月～)【交通費支給】最終面接、遠方者(会社基準)

試験情報

[重視科目] [総][技]面接

[総][技][ES]⇒巻末[筆]SPI3(会場)[面]3回(Webあり)

[選考ポイント] [総][技][ES]NA(提出あり)[面]顧客志向 創造性 巻き込む力 主体的な行動 巻き込む力

[通過率] [総][技][ES]NA

[倍率(応募/内定)] [総][技]NA

●男女別採用数と配属先ほか●

【男女・文理別採用実績】

	大卒男	大卒女	修士男	修士女
23年	22(文 17理 5)	26(文 17理 9)	4(文 0理 4)	4(文 0理 4)
24年	11(文 8理 3)	29(文 26理 3)	3(文 0理 3)	2(文 0理 2)
25年	13(文 9理 4)	32(文 29理 3)	3(文 0理 3)	7(文 2理 5)

【25年4月入社者の採用実績校】
[文](院)日女大 沖縄県芸大各1(大)青学大3 関大 成蹊大 金沢美工大 武蔵野美大 京産大 中大 同大 法政大各2 同女大 大阪経大 明学大 武庫川女大 成城大 京都先端科学大 宮城大 日大 横浜市大 明大 西南学大 立命館大 立教大 山口大 創価大 日体大 滋賀大 追手門学大 甲南大各1 [理](院)京都工繊大 東北大 名工大 九大 青学大 龍谷大 神戸大 東理大各1(大)滋賀県大2 立命館大 東京工科大 東北工大 東京電機大 日大各1

【24年4月入社者の配属先】
[総]勤務地:東京32 横浜1 滋賀1 部署:営業25 営業事務5 経理2 情報システム2 [技]勤務地:東京5 名古屋1 大阪1 福岡1 滋賀3 部署:空間デザイン5 プロダクトデザイン1 WEBデザイン1 機械設計1 ソフト設計1 電気1 デジタル技術推進1

[残業(月)] 20.6時間 [総]24.5時間

[記者評価] 1890年大阪で創業した老舗。オフィス家具でオカムラ、コクヨに次ぐ規模。「働き方改革」に対応した新しいオフィス空間の提案に力を入れる。18年12月の本社移転で、東京地区のオフィスを集約。DX等のシステム投資にも積極的で、幅広い改装ニーズに対応。

●給与、ボーナス、週休、有休ほか●

【30歳総合職平均年収】521万円【初任給】(修士)241,000円(大卒)228,000円【ボーナス(年)】NA、4.5カ月【25、30、35歳賃金】NA【週休】完全2日(土日祝)【夏期休暇】有休で取得【年末年始休暇】12月29日～1月4日【有休取得】11.0／25日

●従業員数、勤続年数、離職率ほか●

【男女別従業員数、平均年齢、平均勤続年数】計 1,708(41.3歳 15.4年)男 1,067(43.4歳 16.7年)女 641(37.7歳 11.0年)【離職率と離職者数】2.8%、50名【3年後新卒定着率】82.4%(男80.0%、女85.7%、3年前入社:男20名・女14名)【組合】あり

[求める人材] 自分のチカラで「働く」の未来に向けてシナジーを巻き起こす人財

[会社データ] (金額は百万円)

【本社】103-6113 東京都中央区日本橋2-5-1 日本橋髙島屋三井ビルディング

☎03-6910-3950 https://www.itoki.jp/

【社長】湊 宏司【設立】1950.4【資本金】7,351【今後力を入れる事業】ワークプレイス事業 設備機器・パブリック事業

【業績(連結)】	売上高	営業利益	経常利益	純利益
21.12	115,839	2,536	2,437	1,166
22.12	123,324	4,582	4,177	5,294
23.12	132,985	8,523	8,555	5,905

建設・不動産

建設　住宅・マンション　不動産

建設

建築から土木まで建設需要は旺盛だが、現場監督や専門職人などが不足しているため、工事の進行遅れが懸念される

プラント・エンジニアリング

海外油田開発などは活発。案件豊富な脱炭素関連事業は人手不足が深刻な中、収益確保の工夫が求められる

戸建て住宅

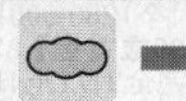

住宅価格の上昇を背景に、注文・分譲住宅ともに需要回復の動きは鈍い。住宅ローン金利の上昇も懸念材料

マンション

供給戸数の抑制と原価上昇を背景に販売価格高騰が続く。金利が上昇していけば、需要が冷え込む懸念も

不動産

機関投資家の需要底堅く価格上昇続く。ホテルや物流施設の開発が盛んだが、金利上昇や資材高などリスクも

（天気図は24年度後半⇒25年度、続きは東洋経済『会社四季報業界地図 2025年版』で）

鹿島（かじま）

東京P 1812

【特色】超大手。超高層ビルに強み。不動産事業を積極化

修士・大卒採用数	3年後離職率	有休取得年平均	平均年収(平均44歳)
352名	5.8 → 2.6%	10.0日	総 1,256万円

●エントリー情報と採用プロセス●

【受付開始～終了】総 技 3月～6月【採用プロセス】総 ES提出(3月)→適性検査・小論文→面接(3回)→内々定 技 ES提出(3月)→適性検査→面接(2～3回)→内々定※職種により異なる【交通費支給】職種により異なる、会社基準

試験情報

重視科目 総技 面接 総 ES ⇒巻末 筆 SPI3(会場) SPI3(自宅) 面 3回(Webあり) GD 作 NA 技 ES ⇒巻末 筆 SPI3(会場) SPI3(自宅) 面 2～3回(Webあり) GD 作 NA

選考ポイント 総技 ES NA(提出あり) 面 的確に、論理的に、反応良く、自分の言葉で語っているか 当社の仕事を理解し、情熱をもって取り組めるか

通過率 総技 ES NA 倍率(応募/内定) 総技 NA

●男女別採用数と配属先ほか●

【男女・文理別採用実績】

	大卒男	大卒女	修士男	修士女
23年	114(文 37 理 77)	44(文 22 理 22)	129(文 1 理128)	37(文 0 理 37)
24年	106(文 34 理 72)	59(文 30 理 29)	131(文 1 理130)	33(文 0 理 33)
25年	124(文 42 理 82)	58(文 36 理 22)	132(文 0 理132)	38(文 1 理 37)

【25年4月入社者の採用実績校】文 (院)早大1(大)早大5 一橋大 慶大各4 青学大 阪大 東大 北大各3 横国大 京大 九大 成蹊大 中大 東北大 名大 立教大各2 学習院大 関西学大 関大 金沢大 熊本大 広島大 滋賀大 小樽商大 上智大 神戸大 千葉大 創価大 同大 南山大 日大 名古屋市大 明大 和歌山大各1 他 理 (院)東大20 東京科学大13 早大12 京大11 東理大8 横国大7 神戸大6 阪大 日大各5 九大 広島大 東北大各4 金沢工大 熊本大 青学大 筑波大 法政大 北大 北九州市大 名工大各3 愛媛大 岩手大 金沢大 慶大 山口大 室蘭工大 芝工大 信州大 大阪公大 中大 同大 徳島大 豊橋技科大 明大 立命館大各2(大)日大9 東理大 明大各6 工学院大 芝工大各5 鹿児島大4 室蘭工大 早大 福岡大 法政大 立命館大各3 横国大 関大 熊本大 佐賀大 三重大 大阪工大 中大 東京都市大 東北工大 徳島大 北大各2(高専)豊田3 群馬 神戸各2 他

【24年4月入社者の配属先】総 勤務地:北海道2 東北7 関東5 東京12 横浜5 北陸2 中部4 関西6 中国2 四国2 九州2 部署:支店49 技 勤務地:北海道8 東北10 関東18 東京153 横浜15 北陸6 中部15 関西22 中国7 四国5 九州11 部署:支店153 ITソリューション部4 エンジニアリング事業本部6 海外土木事業部1 開発事業部17 環境本部5 機械部6 技術研究部10 建設本部46 原子力部8 小堀鐸二研究所2 土木設計本部12

残業(月) 35.2時間 総 40.7時間

記者評価 スーパーゼネコン5社の一角。1840年創業。ダム、トンネル、原子力発電所など大型土木分野で技術力に定評。建築分野でも日本初の超高層ビルである霞が関ビルを手がけたパイオニア。最近は欧米や日本などで物流施設など不動産開発事業を強化している。

●給与、ボーナス、週休、有休ほか●

【30歳総合職平均年収】904万円【初任給】(博士)330,000円(修士)300,000円(大卒)280,000円【ボーナス(年)】420万円、NA【25、30、35歳賃金】354,000円→424,000円→560,900円【週休】完全2日(土日祝)【夏期休暇】連続6日【年末年始休暇】12月30日～1月3日【有休取得】10.0／20日

●従業員数、勤続年数、離職率ほか●

【男女別従業員数、平均年齢、平均勤続年数】計 8,219(43.7歳 17.9年) 男 6,784(44.8歳 18.4年) 女 1,435(38.7歳 15.7年)【離職率と離職者数】1.1%、89名(依願退職者のみ)【3年後新卒定着率】97.4%(男97.0%、女98.5%、3年前入社:男200名・女66名)【組合】あり

求める人材 顧客や社会や仲間とともに、未来を切り拓く人材

会社データ (金額は百万円)

【本社】107-8388 東京都港区元赤坂1-3-1
☎03-5544-1111 https://www.kajima.co.jp/
【社長】天野 裕正【設立】1930.2【資本金】81,447【今後力を入れる事業】海外 不動産開発 環境 エンジニアリング 他

【業績(連結)】	売上高	営業利益	経常利益	純利益
22.3	2,079,695	123,382	152,103	103,867
23.3	2,391,579	123,526	156,731	111,789
24.3	2,665,175	136,226	150,112	115,033

㈱大林組（おおばやしぐみ）

東京P 1802

【特色】超大手の一角。関西発祥。大型建築や土木に実績

修士・大卒採用数	3年後離職率	有休取得年平均	平均年収(平均43歳)
397名	5.0 → 6.9%	11.0日	総 1,066万円

●エントリー情報と採用プロセス●

【受付開始～終了】総 3月～継続中 技 3月～職種により異なる【採用プロセス】総 ES提出(3月～)→筆記・面接(2～3回)→内々定 技 ES提出(3月～)→筆記・面接→内々定※時期は職種により異なる【交通費支給】最終面接等、会社基準

試験情報

重視科目 総技 面接 総 ES ⇒巻末 筆 SPI3(会場) 一般常識 SPI3 自社オリジナル 面 2～3回 技 ES ⇒巻末 筆 SPI3(会場) SPI3 職種により異なる 面 職種により異なる GD 作 ⇒巻末

選考ポイント 総 ES 当社の業務内容・建設業における文系職員の役割を理解しているか 他 面 質問の本質を理解し、自分の言葉で考え方を述べることができるか 技 ES 職種により異なる 面 総合職共通

通過率 総技 ES NA(受付:約1,000→通過:NA)

倍率(応募/内定) 総 約19倍 技 約3倍

●男女別採用数と配属先ほか●

【男女・文理別採用実績】

	大卒男	大卒女	修士男	修士女
23年	128(文 28 理100)	57(文 23 理 34)	115(文 0 理115)	31(文 0 理 31)
24年	148(文 28 理120)	46(文 21 理 25)	113(文 0 理113)	29(文 0 理 29)
25年	162(文 24 理138)	58(文 26 理 32)	140(文 0 理140)	37(文 1 理 36)

【25年4月入社者の採用実績校】文 (大)京大 東北大 早大 慶大各4 明大3 名大 九大 神戸大 関西学大 法政大 中大各2 一橋大 千葉大 筑波大 東京外大 阪大 大阪公大 金沢大 小樽商大 青学大 立教大 関大 同大 立命館大 甲南大各1 他 理 (院)京大 日大各12 名大8 九大 鹿児島大各7 東理大 東京科学大 東北大 神戸大各6 東大5 阪大 大阪公大 広島大 芝工大 九州工大 立命館大各4 横国大 千葉大 室蘭工大 信州大 京都工繊大 山口大 徳島大 法政大 近大各3 大阪工大 岩手大 岡山大 愛媛大 熊本大 早大 明大各2(大)工学院大 関大 福岡大各6 香川大 名工大 広島工大各4 熊本大 金沢工大各3 北大 金沢大各2 他

【24年4月入社者の配属先】総 勤務地:東京25 横浜1 大阪10 名古屋4 博多2 仙台3 札幌2 広島2 香川1 新潟1 部署:総務・人事・法務15 経理・財務11 営業企画推進12 不動産開発4 生産支援6 新領域1 情報2 技 勤務地:首都圏144 関西65 東海39 九州17 東北11 札幌6 中国11 四国5 北陸4 部署:不動産開発5 生産支援9 設計31 施工管理243 研究開発11 情報3

残業(月) 35.0時間 総 35.0時間

記者評価 スーパーゼネコン5社の一角。1892年創業。六本木ヒルズや東京スカイツリーなど都心のランドマークを相次ぎ施工。本社がある品川では、リニア新幹線の新駅建設工事を手がける。大分県で地熱由来のグリーン水素製造・供給の実証実験に取り組む。

●給与、ボーナス、週休、有休ほか●

【30歳総合職平均年収】797万円【初任給】(博士)330,000円(修士)300,000円(大卒)280,000円【ボーナス(年)】294万円、NA【25、30、35歳賃金】330,500円→441,700円→600,400円【週休】完全2日(土日祝)【夏期休暇】連続9日(有休1日含む)【年末年始休暇】連続9日(有休含まず)【有休取得】11.0／20日

●従業員数、勤続年数、離職率ほか●

【男女別従業員数、平均年齢、平均勤続年数】計 9,253(42.6歳 16.7年) 男 7,642(42.6歳 16.8年) 女 1,611(42.4歳 16.4年)【離職率と離職者数】1.4%、128名【3年後新卒定着率】93.1%(男92.5%、女95.2%、3年前入社:男241名・女63名)【組合】あり

求める人材 ものづくりが好きな人、さまざまな業務にチャレンジし自らの可能性を切り拓きたい人

会社データ (金額は百万円)

【本社】108-8502 東京都港区港南2-15-2 品川インターシティB棟
☎03-5769-1241 https://www.obayashi.co.jp/
【社長】蓮輪 賢治【設立】1936.12【資本金】57,752【今後力を入れる事業】海外 不動産開発 新領域 グリーンエネルギー 他

【業績(連結)】	売上高	営業利益	経常利益	純利益
22.3	1,922,884	41,051	49,844	39,127
23.3	1,983,888	93,800	100,802	77,671
24.3	2,325,162	79,381	91,515	75,059

しみずけんせつ
清水建設(株)

東京P 1803

【特色】超大手ゼネコン。宮大工が起源。建築に強み

修士・大卒採用数	3年後離職率	有休取得年平均	平均年収(平均43歳)
436名	5.5→6.8%	12.4日	総!1,064万円

●エントリー情報と採用プロセス●

【受付開始～終了】総 技3月～職種による【採用プロセス】総ES提出→適性検査→GD→面接(1回)→内々定 技ES提出→適性検査→面接(1～2回)→内々定※職種により専門試験【交通費支給】面接、実費

試験情報

重視科目 総技面接

総 ES⇒巻末 筆SPI3(会場) SPI3(自宅) 面1回(Webあり) GD作⇒巻末 技 ES⇒巻末 筆SPI3(会場) SPI3(自宅) 一部職種で専門試験 面(職種により異なる)1～2回(Webあり)

選考ポイント 総 ES志望動機・自己PR:自分の考えを自分の言葉で明確に表現できているか 面主体性 積極性 コミュニケーション能力 リーダーシップ 課題解決能力 他 技 ES総合職共通 面総合職(技術系以外)の観点に専門性を追加

通過率 総 ES NA(受付:558→通過:NA) 技 ES NA(受付:990→通過:NA) 倍率(応募/内定) 総10倍 技3倍

●男女別採用数と配属先ほか●

【男女・文理別採用実績】※25年:436名採用計画

	大卒男	大卒女	修士男	修士女
23年	109(文 30理 79)	68(文 21理 47)	98(文 0理 98)	31(文 2理 29)
24年	140(文 33理107)	64(文 30理 34)	106(文 1理105)	31(文 1理 30)
25年	-(文 -理 -)	-(文 -理 -)	-(文 -理 -)	-(文 -理 -)

【25年4月入社者の採用実績校】文(24年)(院)一橋大1(大)慶大4 早大 上智大 明大各3 東大 九大 立教大各2 他 理(24年)(院)早大10 東大 東理大各9 阪大7 東工大 東北大各6 九大 熊本大各5 横国大4 京大 北大 九州工大 立命館大 東京都市大各3 名大 東京農工大 都立大 京都工繊大 信州大 愛媛大 慶大 金沢工大 愛知工業大 関東学院大各2(大)日大10 東理大 工学院大各7 近大6 明大 関大各5 三重大 立命館大 東京都市大各4 九大 神戸大 山口大 早大 福岡大 金沢工大各3 他

【24年4月入社者の配属先】総勤務地:東京43 部署:総務・経理他43 技勤務地:東京232 北海道5 宮城3 石川7 愛知4 大阪6 広島3 香川4 福岡4 部署:建築施工91 土木72 設備施工13 設計42 エンジニアリング16 研究6 他28

残業(月) 31.5時間 総33.1時間

記者評価 スーパーゼネコン5社の一角。1804年創業で宮大工が源流。渋沢栄一の経営参画以来、渋沢の経営理念「論語と算盤」を社是に掲げ堅実な社風を貫く。大学・病院など民間建築に強み。都心再開発にも積極的で日本一の高さとなる複合ビル「トーチタワー」を建設中。

●給与、ボーナス、週休、有休ほか●

【30歳総合職平均年収】〈グローバル職〉774万円【初任給】(博士)〈グローバル職〉333,000円〈エリア職〉(首都圏)300,000円 (修士)〈グローバル職〉300,000円〈エリア職〉(首都圏)270,000円 (大卒)〈グローバル職〉280,000円〈エリア職〉(首都圏)252,000円【ボーナス(年)】283万円、NA【25、30、35歳賃金】331,600円→404,400円→515,400円 ※グローバル職【週休】完全2日(土日祝)【夏期休暇】連続9日(特別休暇1日、計画年休3日含む)【年末年始休暇】連続9日(年末年始12月30日～1月3日)【有休取得】12.4/20日【平均年収(総合職)】〈グローバル職〉1,064万円

●従業員数、勤続年数、離職率ほか●

【男女別従業員数、平均年齢、平均勤続年数】計 10,949(43.6歳 15.9年) 男 8,954(44.4歳 17.5年) 女 1,995(40.3歳 9.2年) ※従業員数は契約社員含む【離職率と離職者数】2.0%、227名【3年後新卒定着率】93.2%(男91.6%、女97.1%、3年前入社:男250名・女104名)【組合】あり

求める人材 課題の解決に向けて多様性を受容し、コミュニケーション良く、主体的に物事を推進する人財

会社データ (金額は百万円)

【本社】104-8370 東京都中央区京橋2-16-1
☎03-3561-1111　https://www.shimz.co.jp/
【社長】井上 和幸【設立】1937.8【資本金】74,365【今後力を入れる事業】国内・海外の建設事業 不動産開発 エンジニアリング LCV フロンティア

【業績(連結)】	売上高	営業利益	経常利益	純利益
22.3	1,482,961	45,145	50,419	47,761
23.3	1,933,814	54,647	56,546	49,057
24.3	2,005,518	▲24,685	▲19,834	17,163

たいせいけんせつ
大成建設(株)

東京P 1801

【特色】超大手ゼネコン。高層ビルや大型土木技術に実績

修士・大卒採用数	3年後離職率	有休取得年平均	平均年収(平均43歳)
406名	10.3→9.6%	14.7日	総1,117万円

●エントリー情報と採用プロセス●

【受付開始～終了】総 技3月～継続中【採用プロセス】総ES提出・履修履歴登録・SPI→リクルーター面談・ジョブマッチング・本社面談→選考面接→内々定 技ES提出・履修履歴登録・SPI→リクルーター面談・部門面談→選考面接→内々定【交通費支給】本社面談 選考面接 最終役員面接、会社基準

試験情報

重視科目 総技面接

総 技 ES⇒巻末 筆SPI3(会場) SPI性格 面2～3回(Webあり)

選考ポイント 総 技 ES目的意識 意欲 面目的意識を持って行動してきたか 積極性・意欲があるか バランス感覚 他

通過率 総 ES24%(受付:448→通過:108) 技 ES39%(受付:736→通過:288) 倍率(応募/内定) 総7倍 技2倍

●男女別採用数と配属先ほか●

【男女・文理別採用実績】

	大卒男	大卒女	修士男	修士女
23年	138(文 29理109)	45(文 14理 31)	101(文 0理101)	21(文 0理 21)
24年	198(文 40理158)	72(文 27理 45)	100(文 1理 99)	31(文 1理 30)
25年	196(文 40理156)	60(文 22理 38)	116(文 4理112)	34(文 0理 34)

【25年4月入社者の採用実績校】文(院)早大2 北大 東北大各1(大)明大 早大 法政大各5 立命館大 関大 成蹊大各3 日大 東大 駒澤大 國學院大 青学大 中大 立教大 都立大 南山大各2 他 理(院)日大10 東京科学大9 東大 早大 九大各8 名大7 北大 東北大 東理大 芝工大各6 法政大 京大 明大各5 熊本大4 広島大 千葉大 鹿児島大 東京都市大 筑波大各3 三重大 室蘭工大 徳島大 岡山大 東京農工大 東海大 山口大 工学院大 近大 横国大 神戸大 信州大各2(大)日大38 東京電機大12 工学院大10 福岡大 東理大 近大 明大 芝工大各6 東京都市大 広島工大各5 大阪工大4 名工大 関大 香川大 早大各3 鳥取大 武蔵野大 東北職能大学校 宇都宮大 北海学園大 横国大 東海大 室蘭工大 東洋大 関東学院大 法政大 昭和女大 名城大 神奈川大 立命館大 日女大各2(高専)豊田 徳山 長岡 小山各2 他

【24年4月入社者の配属先】総勤務地:本社63 部署:本社63(研修中) 技勤務地:本社282 支店(東京15 関西12 中部8 九州3 札幌3 東北4 中国1 横浜8 北信越4 四国2 千葉2 関東3) 部署:本社および全国支店作業所 他347

残業(月) 36.5時間 総37.2時間

記者評価 スーパーゼネコン5社の一角。1873年大倉組商会として創業。旧大倉系の財閥企業だったが1946年に現社名に変更し同族経営を脱却。土木ではボスポラス海峡横断トンネルなど難易度の高い分野で定評。建築では国立競技場を手がける。都心再開発案件も多い。

●給与、ボーナス、週休、有休ほか●

【30歳総合職平均年収】896万円【初任給】(博士)320,000円 (修士)300,000円〈専任職〉(地域による)276,300～252,300円 (大卒)280,000円〈専任職〉(地域による)262,300～238,300円【ボーナス(年)】322万円、5.6カ月【25、30、35歳賃金】352,400円→416,400円→552,600円 ※首都圏在住【週休】完全2日(土日祝)【夏期休暇】連続9日(計画年休1日含む)【年末年始休暇】連続10日(計画年休1日含む)【有休取得】14.7/20日

●従業員数、勤続年数、離職率ほか●

【男女別従業員数、平均年齢、平均勤続年数】計 8,720(42.9歳 17.9年) 男 6,976(43.4歳 18.6年) 女 1,744(40.9歳 15.2年)【離職率と離職者数】1.6%、143名【3年後新卒定着率】90.4%(男89.3%、女95.9%、3年前入社:男253名・女49名)【組合】あり

求める人材 多様なメンバーと1つのゴールを目指せる人 ポジティブ思考と実行力を兼ね備えた人「地図に残る仕事。」に携わりたいという「熱い想い」を持った人

会社データ (金額は百万円)

【本社】163-0606 東京都新宿区西新宿1-25-1 新宿センタービル
☎03-3348-1111　https://www.taisei.co.jp/
【社長】相川 善郎【設立】1917.12【資本金】122,742【今後力を入れる事業】海外 エネルギー 都市開発 リニューアル エンジニアリング 他

【業績(連結)】	売上高	営業利益	経常利益	純利益
22.3	1,543,240	96,077	103,247	71,436
23.3	1,642,712	54,740	63,125	47,124
24.3	1,765,023	26,480	38,910	40,272

建設

㈱竹中工務店（たけなかこうむてん）

株式公開 計画なし

【特色】超大手の一角。建築が主体。財務体質健全

修士・大卒採用数	3年後離職率	有休取得年平均	平均年収(平均43歳)
250名	3.6 → 1.6%	13.0日	総 1,077万円

残業(月) 24.6時間 総31.2時間

記者評価 スーパーゼネコン5社の一角。創業1610年、織田信長の元家臣・竹中藤兵衛正高にまでさかのぼる大阪の名門。非上場を貫く。建築が主体で、設計から施工まで一貫して手がける。東京タワーやあべのハルカス、東京ミッドタウンなどシンボリックな案件で実績多数。

●エントリー情報と採用プロセス●

【受付開始～終了】総技3月～5月【採用プロセス】総技ES提出→適性検査→GD・面接(1～2回)→内々定※GDは職種による【交通費支給】面接、自宅から会場までの実費

試験情報

重視科目 総面接 適性検査 技面接 専門審査 適性検査

総 ES⇒巻末 筆C-GAB 面1～2回(Webあり) GD作⇒巻末 技 ES⇒巻末 筆C-GAB 面(職種により異なる)1～2回(Webあり) GD作⇒巻末

選考ポイント 総技 ES学生時代の取り組み 強み 志望度 他 面コミュニケーション能力 意欲 知性 専門性 自分の考えを自らの言葉で語っているか

通過率 総 ES63%(受付:630→通過:400) 技 ES77%(受付:778→通過:600) **倍率(応募/内定)** 総21倍 技4倍

●男女別採用数と配属先ほか●

【男女・文理別採用実績】

	大卒男	大卒女	修士男	修士女
23年	87(文 26理 61)	22(文 8理 14)	70(文 0理 70)	26(文 0理 26)
24年	91(文 29理 62)	27(文 10理 17)	71(文 1理 70)	28(文 1理 27)
25年	94(文 22理 72)	32(文 11理 21)	79(文 0理 79)	45(文 0理 45)

【25年4月入社者の採用実績校】文(大)明大 立命館大 早大各3 関西学大2 岡山大 小樽商大 名大 北海道教育大 名古屋市大 甲南大 福岡大 愛知大 日大 神戸大 東北大 国際教養大 長崎大 広島大 中大 学習院大 大阪府大 杏林大 立命館APU 愛知県大 創価大 成蹊大各1 理(院)神戸大8 阪大 早大 名工大 京大各7 芝工大 東理大各6 九大5 京都工繊大 立命館大 名大各4 法政大 東京芸大 大阪工大各3 明大 東北大 鹿児島大 都立大 横国大 東京都市大 千葉大 東京電機大 金沢大 東大 東北工大 東京農業大 長崎大 武庫川女大各2(大)日大8 近大6 工学院大5 室蘭工大 芝工大各4 法政大 広島工大 熊本大 北海道職能大学校 立命館大 愛知工業大 東北学大 大阪工大各3 富山大 九州職能大学校 山口大 東京電機大 金沢工大 東海大 北九州市大 日女大 名工大各2(高専)豊田3 明石 呉各2 他

【24年4月入社者の配属先】総**勤務地**:大阪 神戸 京都 **部署**:営業部 総務部 人事部 経理部 工務部 デジタル室 作業所 他 技**勤務地**:大阪 神戸 京都 **部署**:設計部 技術部 見積部 設備部 調達部 作業所 他

●給与、ボーナス、週休、有休ほか●

【30歳総合職平均年収】753万円【初任給】(博士)320,000円(修士)300,000円(大卒)280,000円【ボーナス(年)】261万円、3.37カ月【25、30、35歳モデル賃金】346,600円→426,000円→493,000円【週休】完全2日(土日祝)【夏期休暇】連続9日(週休含む)【年末年始休暇】12月30日～1月3日【有休取得】13.0／20日

●従業員数、勤続年数、離職率ほか●

【男女別従業員数、平均年齢、平均勤続年数】計 7,882(43.5歳 18.5年) 男 6,468(44.2歳 19.0年) 女 1,414(40.1歳 16.2年) ※出向者除く【離職率と離職者数】1.7%、137名【3年後新卒定着率】98.4%(男100%、女94.4%、3年前入社:男137名・女54名)【組合】あり

求める人材 建築の仕事が好きで、覚悟と粘り強さを持ち、困難な課題にも自ら考え行動して解決できる人

会社データ (金額は百万円)

【本社】541-0053 大阪府大阪市中央区本町4-1-13
☎06-6252-1201 https://www.takenaka.co.jp/
【社長】佐々木 正人【設立】1899.2【資本金】50,000【今後力を入れる事業】都市再生 リニューアル 環境関連

【業績(連結)】	売上高	営業利益	経常利益	純利益
21.12	1,260,430	46,367	57,799	39,346
22.12	1,375,410	28,333	39,392	30,266
23.12	1,612,423	45,676	59,301	37,464

㈱長谷工コーポレーション（はせこう）

東京P 1808

【特色】マンション専業、用地・設計・施工まで一括受注

修士・大卒採用数	3年後離職率	有休取得年平均	平均年収(平均41歳)
235名	10.4 → 21.5%	13.2日	総 998万円

残業(月) 30.5時間 総31.4時間

記者評価 マンション建設トップ。首都圏中心に全国展開。板状マンションが得意でタワーマンションなど開拓中。用地仕入れや設計・施工のほか、グループ会社で販売、管理、リフォームまで一気通貫。徹底した施工効率化や品質管理に定評。初任給を大幅アップ。

●エントリー情報と採用プロセス●

【受付開始～終了】総技3月～6月【採用プロセス】総技ES提出(3月～)→筆記(4月～)→面接(3回、6月～)→内々定(6月～)【交通費支給】なし【早期選考】⇒巻末

試験情報

重視科目 総技面接

総技 ES⇒巻末 筆SPI3(会場) 面3回(Webあり)

選考ポイント 総技 ES NA(提出あり) 面志望動機 職種への興味・関心 挑戦心 行動力 工夫力 他

通過率 総技 ES NA **倍率(応募/内定)** 総技NA

●男女別採用数と配属先ほか●

【男女・文理別採用実績】※25年:計画数

	大卒男	大卒女	修士男	修士女
23年	90(文 30理 60)	24(文 11理 13)	15(文 0理 15)	5(文 0理 5)
24年	95(文 34理 61)	33(文 18理 15)	21(文 0理 21)	3(文 0理 3)
25年	130(文 81理 49)	52(文 26理 26)	34(文 0理 34)	19(文 0理 19)

【25年4月入社者の採用実績校】文(院)中大1(大)立教大7 関大6 駒澤大 中大各5 同大4 学習院大 関西学大 日大 法政大各3 筑波大 都立大 甲南大 立命館大 神戸大 青学大各2 広島大 高崎経大 武蔵大 信州大 東北大 新潟大 宮崎大 金沢大 名古屋市大 龍谷大 滋賀大 國學院大 東洋大 横国大 日女大 関西外大 富山大 慶大 香川大 中京大 明大 東京外大 滋賀県大 広島市大 東京農業大 獨協大 千葉大 早大各1 他 理(院)大阪公大 茨城大各3 信州大 京都工繊大 東理大 三重大 明大各2 都立大 横国大 芝工大 法政大 東京電機大 千葉大 前橋工大 日大 神戸大 神戸芸工大 長崎大 北九州市大 札幌市大 金沢工大 大分大各1(大)日大21 工学院大9 大阪工大8 芝工大 近大各6 金沢工大 東海大 摂南大 東京都市大各5 東理大 立命館大 関大 東洋大 九大 神奈川大 千葉工大各3 東北学大 明大 法政大 国士舘大 京都美工大 日工大 滋賀県大各2 東京電機大 駒沢女大 広島工大 足利大 大阪市大 東京工科大 熊本大 武蔵野大 実践女大 信州大 名城大 愛知工業大 大阪電通大 武蔵野美大 大和大 関東学院大 三重大 高知工科大 前橋工大各1

【24年4月入社者の配属先】総**勤務地**:首都圏40 関西10 東海2 **部署**:用地取得52 技**勤務地**:首都圏71 関西25 東海4 **部署**:施工72 設計27 研究1

●給与、ボーナス、週休、有休ほか●

【30歳総合職平均年収】836万円【初任給】(修士)320,000円(大卒)300,000円【ボーナス(年)】262万円、NA【25、30、35歳賃金】370,000円→465,000円→497,500円【週休】完全2日(土日祝)【夏期休暇】9連休(うち4日計画年休)【年末年始休暇】9連休(うち2日計画年休)【有休取得】13.2／20日

●従業員数、勤続年数、離職率ほか●

【男女別従業員数、平均年齢、平均勤続年数】計 2,447(40.8歳 16.8年) 男 2,048(42.0歳 17.5年) 女 399(34.6歳 10.9年)【離職率と離職者数】3.4%、87名(選択定年制度利用者男3名含む)【3年後新卒定着率】78.5%(男75.3%、女86.7%、3年前入社:男77名・女30名)【組合】あり

求める人材 挑戦心が高く、逞しい人材

会社データ (金額は百万円)

【本社】105-8507 東京都港区芝2-32-1
☎03-3456-5428 https://www.haseko.co.jp/hc/
【社長】池上 一夫【設立】1946.8【資本金】57,500【今後力を入れる事業】建設関連事業およびサービス関連事業

【業績(連結)】	売上高	営業利益	経常利益	純利益
22.3	909,708	82,702	81,871	54,490
23.3	1,027,277	90,162	88,265	59,326
24.3	1,094,421	85,747	83,334	56,038

まえだけんせつこうぎょう
前田建設工業(株)
[持株会社 傘下]

【特色】準大手ゼネコン。土木から大型建築まで展開

修士・大卒採用数	3年後離職率	有休取得年平均	平均年収(平均43歳)
98名	5.3→5.4%	15.0日	[総]1,002万円

●エントリー情報と採用プロセス●
【受付開始〜終了】[総]3月〜4月 [技]11月〜4月【採用プロセス】[総]ES提出(3月)→筆記・作文(3月)→面接(2回)→内々定(4月) [技]ES提出(11月)→筆記・作文(11月)→面接(2回)→内々定(11月)〈意匠設計職〉ES提出(11月)→筆記・作文(11月)→面接(1回)→即日設計(1回)→面接(1回)→内々定(11月)
【交通費支給】2次面接以降〈意匠設計職〉即日設計試験以降、会社基準

試験情報

[重視科目] [総][技]面接 [総][技][ES]⇒巻末[筆]SPI3(会場)一般常識 SPI3[面]2回(Webあり)[GD作]⇒巻末

[選考ポイント] [総][技][ES]自己PRが具体的か 志望動機が業界・会社研究をした上で書かれているか[面]力を入れた授業・活動 面接時の態度

[通過率] [総][ES]62%(受付:180→通過:111) [技][ES]71%(受付:353→通過:251) [倍率(応募/内定)] [総]12倍 [技]4倍

●男女別採用数と配属先ほか●
【男女・文理別採用実績】

	大卒男	大卒女	修士男	修士女
23年	69(文 8理 61)	13(文 5理 8)	25(文 0理 25)	4(文 0理 4)
24年	68(文 12理 56)	16(文 7理 9)	25(文 0理 25)	7(文 0理 7)
25年	59(文 9理 50)	14(文 5理 9)	19(文 0理 19)	6(文 1理 5)

【25年4月入社者の採用実績校】[文](院)ダルムシュタット工科大1(大)青学大2 愛知大 安田女大 関大 岐阜大 慶大 国士舘大 上智大 成蹊大 専大 大妻女大 中大 日大各1 [理](院)芝工大4 東理大3 信州大2 鹿児島大 京都工繊大 京大 金沢大 九大 新潟大 長崎大 法政大 豊橋技科大 北見工大 名工大 名城大 明大 立命館大 東京都市大各1(大)日大12 広島大6 近大5 熊本大4 金沢工大 大阪工大 名城大各3 近畿職能大学校 芝工大 中大 福岡大各2 愛知工業大 愛媛大 宮崎大 金沢大 九大 九大工学院大 山形大 山口大 室蘭工大 千葉工大 長岡技科大 東北学大 同大 北見工大 名工大各1(高専)石川 有明各1(専)東京テクカレ2
【24年4月入社者の配属先】[総]勤務地:(23年)関東10 中部1 部署:(23年)管理1 経理1 法務1 事業戦略3 営業5 [技]勤務地:(23年)北海道3 東北6 関東53 北陸4 中部12 関西10 中国1 九州10 部署:(23年)施工管理81 設計15 技術開発3

[残業(月)] 19.2時間 [総]19.2時間

[記者評価] トンネルや高層ビルに実績。仙台空港や有料道路などインフラ運営事業も積極化。スタジアムなどスポーツ施設も。小売店舗の維持管理を手がける子会社を持つなど先進的な社風。21年10月に前田道路、前田製作所と持株会社インフロニア・ホールディングスを設立。

●給与、ボーナス、週休、有休ほか●
【30歳総合職平均年収】725万円【初任給】(修士)288,000円(大卒)261,000円【ボーナス(年)】258万円、NA【25、30、35歳賃金】302,851円→358,066円→420,163円【週休】完全2日(土日祝)【夏期休暇】8月14〜18日(有休取得奨励日)【年末年始休暇】12月29日〜1月3日(前後2日有休取得奨励日)【有休取得】15.0/24日

●従業員数、勤続年数、離職率ほか●
【男女別従業員数、平均年齢、平均勤続年数】計 3,462(43.4歳 17.4年) 男 3,003(44.0歳 18.0年) 女 459(39.4歳 13.3年)【離職率と離職者数】2.0%、69名【3年後新卒定着率】94.6%(男95.9%、女86.7%、3年前入社:男97名・女15名)【組合】なし

[求める人材] 変化を恐れず挑戦できる人 好奇心を持ち自ら成長できる人 使命感のある人

[会社データ] (金額は百万円)
【本社】102-8151 東京都千代田区富士見2-10-2
☎03-3265-5551 https://www.maeda.co.jp/
【社長】前田 操治【設立】1946.11【資本金】28,463【今後力を入れる事業】脱請負事業

【業績(連結)】	売上高	営業利益	経常利益	純利益
22.3	682,912	37,489	38,036	26,689
23.3	711,810	44,415	44,739	31,859
24.3	793,264	51,060	49,439	68,198

※業積はインフロニア・ホールディングス(株)のもの

(株)フジタ
[株式公開 未定]

【特色】ゼネコン準大手。中国やメキシコで不動の強さ

修士・大卒採用数	3年後離職率	有休取得年平均	平均年収(平均43歳)
127名	16.4→19.4%	15.0日	[総]915万円

●エントリー情報と採用プロセス●
【受付開始〜終了】[総] [技]3月〜継続中【採用プロセス】[総] [技]説明会(必須、3月〜)→ES提出・Webテスト→面接・適性→面接→内々定【交通費支給】1次試験以降、新幹線・飛行機利用者(実費)【早期選考】⇒巻末

試験情報

[重視科目] [総][技]面接
[総][技][ES]⇒巻末[筆]文章完成法テスト Webテスト(自社オリジナルテスト)[面]2回(Webあり)

[選考ポイント] [総][技][ES]志望理由(業界理解、やりたい仕事の具体性)学生時代に取り組んだこと[面]自己PR 志望理由 学生時代に打ち込んできたもの 仕事・会社を選ぶ軸 他

[通過率] [総][技][ES]NA [倍率(応募/内定)] [総][技]NA

●男女別採用数と配属先ほか●
【男女・文理別採用実績】

	大卒男	大卒女	修士男	修士女
23年	51(文 6理 45)	18(文 6理 12)	16(文 0理 16)	5(文 0理 5)
24年	51(文 8理 43)	11(文 4理 7)	31(文 1理 30)	7(文 0理 7)
25年	68(文 7理 61)	22(文 12理 10)	25(文 1理 24)	12(文 0理 12)

【25年4月入社者の採用実績校】[文](院)千葉大(大)名古屋市大 東京国際大 東洋大 中大 創価大 玉川大 大妻女大 成蹊大 学習院大 日大 明大 南山大 中京大 立命館大 大阪経大 関西学大 広島修道大 延世大 [理](院)千葉大 名工大 豊橋技科大 京都工繊大 京大 奈良女大 広島大 大分大 千葉工大 法政大 芝工大 東理大 早大 日大 湘南工大 京都精華大 近大 大阪工大 広島工大(大)秋田大 秋田県大 長岡技科大 京都工繊大 京大 鳥取大 山口大 愛媛大 高知工科大 琉球大 北海道職能大学校 東北職能大学校 東北学大 東北工大 東洋大 ものつくり大 千葉工大 日大 法政大 武蔵野大 東京都市大 工学院大 神奈川大 神奈川工大 愛知工業大 大同大 中部大 愛知産大 日本福祉大 立命館大 大阪工大 摂南大 近大 大阪産大 関大 近畿職能大学校 広島工大 西日本工大 九州職能大学校(高専)秋田 福島 呉 都城(専)日本工学院八王子 日本工科大学校
【24年4月入社者の配属先】[総]勤務地:東京7 名古屋1 大阪2 広島2 九州1 部署:本社・支店内部署13 [技]勤務地:本社29 東京21 東北5 関東4 横浜4 名古屋8 大阪11 広島5 九州4 部署:本社・支店内部署91

[残業(月)] 35.1時間

[記者評価] 大和ハウス傘下のゼネコン準大手。15年に大和小田急建設と合併して現体制。民間建築が主体で、設計段階からの提案営業で本領発揮。区画整理や都市再生でも持ち味。低コストでの建設に強み。海外は中国、メキシコで強く、日系ゼネコンでトップ級の実績。

●給与、ボーナス、週休、有休ほか●
【30歳総合職平均年収】658万円【初任給】(修士)290,000円(大卒)270,000円【ボーナス(年)】NA、5.2カ月【25、30、35歳モデル賃金】297,200円→341,200円→480,400円【週休】完全2日(土日祝)【夏期休暇】連続5日(特別休暇・有休で取得)【年末年始休暇】12月29日〜1月3日【有休取得】15.0/25日

●従業員数、勤続年数、離職率ほか●
【男女別従業員数、平均年齢、平均勤続年数】計 3,136(41.9歳 15.4年) 男 2,587(42.9歳 17.0年) 女 549(37.4歳 7.8年)【離職率と離職者数】3.3%、108名【3年後新卒定着率】80.6%(男82.8%、女75.9%、3年前入社:男64名・女29名)【組合】あり

[求める人材] 他人の価値観を認め、かつ自らの考えを持って行動する人 自ら進んで物事に取り組む人 タフで性格の明るい人

[会社データ] (金額は百万円)
【本社】151-8570 東京都渋谷区千駄ヶ谷4-25-2
☎03-3402-1911 https://www.fujita.co.jp/
【社長】奥村 洋治【設立】2002.10【資本金】14,002【今後力を入れる事業】まちづくり事業 DX GX

【業績(連結)】	売上高	営業利益	経常利益	純利益
22.3	472,905	15,470	5,921	1,343
23.3	580,797	18,277	15,803	10,017
24.3	591,112	22,126	20,895	12,300

建設

戸田建設(株)

とだけんせつ

東京P 1860

【特色】準大手ゼネコン。建築の名門で学校、病院が得意

修士・大卒採用数	3年後離職率	有休取得年平均	平均年収(平均41歳)
177名	15.2→7.4%	12.9日	総902万円

残業(月) 17.8時間

記者評価 1881年創業。民間建築が得意で病院・学校に強い。早稲田大学大隈講堂や慶應義塾図書館旧館など実績豊富。リニア新幹線松川トンネルなど土木にも注力。風力工事も積極化。東京・京橋に耐震性能の高い新本社ビルを建設中(24年秋竣工)。堅実な社風。

●エントリー情報と採用プロセス●

【受付開始〜終了】総 技3月〜NA【採用プロセス】総 技ES提出(3月〜)→Webテスト→本社面接→役員面接→内々定【交通費支給】本社面接、実費(地域ごとに上限あり)【早期選考】⇒巻末

試験情報

重視科目 総技面接 適性

総技 ES⇒巻末 筆WebGAB 面2回(Webあり)

選考ポイント 総 技 ES志望動機(業界・会社)自己PR(強みと、それを当社でどう活かすか)面人柄 柔軟な思考力 順応性 当社に対する熱意 成長意欲 コミュニケーション力

通過率 総技 ES NA 倍率(応募/内定) 総技NA

●給与、ボーナス、週休、有休ほか●

【30歳総合職平均年収】643万円【初任給】(博士)320,000円 (修士)290,000円 (大卒)270,000円【ボーナス(年)】170万円、4.05カ月【25、30、35歳賃金】NA【週休】完全2日(土日祝)【夏期休暇】特別休暇3日+有休2日(分散取得可)【年末年始休暇】あり【有休取得】12.9/20日

●従業員数、勤続年数、離職率ほか●

【男女別従業員数、平均年齢、平均勤続年数】計 4,342(44.2歳 18.6年) 男 3,621(45.4歳 19.8年) 女 721(38.7歳 12.4年)【離職率と離職者数】3.3%、148名【3年後新卒定着率】92.6%(男93.1%、女91.2%、3年前入社:男101名・女34名)【組合】あり

●男女別採用数と配属先ほか●

【男女・文理別採用実績】※25年:24年7月24日時点

	大卒男	大卒女	修士男	修士女
23年	68(文 11 理 57)	24(文 10 理 14)	25(文 1 理 24)	5(文 1 理 4)
24年	85(文 24 理 61)	26(文 6 理 20)	26(文 3 理 23)	8(文 1 理 7)
25年	103(文 14 理 89)	31(文 5 理 26)	32(文 0 理 32)	11(文 0 理 11)

【25年4月入社者の採用実績校】文(大)関西学大3 明大 東洋大各2 早大 法政大 埼玉大 創価大 杏林大 獨協大 高崎経大 関大 同大 近大 秋田大 九大各1 理(院)東京科学大 東理大 日大各3 芝工大 宇都宮大 近大 熊本大 琉球大各2 早大 埼玉大 千葉大 明大 工学院大 東洋大 東京都市大 東京工芸大 名工大 立命館大 信州大 大阪公大 滋賀県大 広島工大 岡山大 岡山県大 北見工大 秋田県大 東北大 長崎大 福岡大 宮崎大 徳島大 鹿児島大各1(大)日大25 東海大10 工学院大 近大 摂南大各5 芝工大 昭和女大 広島工大各4 東理大 千葉工大 関大 東北工大各3 神奈川大 東洋大 武蔵野大 中部大 立命館大 大和大 京都美工大 北海学園大 愛媛大 福岡大 九産大各2 他

【24年4月入社者の配属先】総勤務地:東京(中央5 港5)千葉市2 さいたま3 横浜2 大阪市4 名古屋3 札幌2 仙台1 広島市2 高松市1 福岡市4 部署:事務14 ICT5 投資開発3 環境ソリューション1 建築営業11 技勤務地:東京(中央5 港29)千葉市6 さいたま11 横浜8 大阪市17 名古屋11 札幌5 仙台7 広島市8 高松市2 福岡市8 部署:建築施工・技術43 生産設計6 設備施工6 建築設計(計画5 構造5 設備3 BIM2)エンジニアリング1 積算3 開発2 技術研究開発3 土木施工・技術35 土木機電1 浮体式洋上風力技術1 技術開発企画1

求める人材 建設業における「ものづくり」に「喜び」を感じられる人 物事に対し、達成意欲を持って主体的に行動できる人 多様な価値観を受け入れ、チームで協力し、物事を成し遂げることのできる人 日々変化するグローバル社会において、柔軟な考えを持って対応できる人

会社データ (金額は百万円)

【本社】104-0032 東京都中央区八丁堀2-8-5
☎03-3535-1354 https://www.toda.co.jp/
【社長】大谷 清介【設立】1936.7【資本金】23,001【今後力を入れる事業】建設 環境・エネルギー 投資開発等

【業績(連結)】	売上高	営業利益	経常利益	純利益
22.3	501,509	24,385	28,111	18,560
23.3	547,155	14,135	19,039	10,995
24.3	522,434	17,908	25,483	16,101

三井住友建設(株)

みついすみともけんせつ

東京P 1821

【特色】準大手の一角。橋梁・マンションなどが強い

修士・大卒採用数	3年後離職率	有休取得年平均	平均年収(平均43歳)
83名	10.1→10.3%	11.3日	総930万円

残業(月) 21.0時間 総23.8時間

記者評価 明治期創業の三井建設と住友建設が03年に合併して誕生。橋梁建築に強く世界初のバタフライウェブ橋「寺迫ちょうちょ大橋」も手がけた。タワーマンションも展開。東南アジアやインドなど海外強化。環境関連事業として水上太陽光発電所を積極展開する。

●エントリー情報と採用プロセス●

【受付開始〜終了】総3月〜6月 技3月〜継続中【採用プロセス】総ES提出→Webテスト→面接(2回)→内々定 技ES提出→Webテスト→面接(1回)→専門筆記→面接(1回)→内々定【交通費支給】2次面接、実費

試験情報

重視科目 総技面接

総技 ES⇒巻末 筆WebGAB 面2回(Webあり)

選考ポイント 総技 ES業界・当社の研究度合 志望動機が論理的か 学業以外もバランスよく取り組んできたか 面コミュニケーション能力 主体性 チャレンジ精神 熱意 職業観

通過率 総 ES86%(受付:162→通過:139) 技 ES89%(受付:308→通過:275) 倍率(応募/内定) 総11倍 技4倍

●給与、ボーナス、週休、有休ほか●

【30歳総合職平均年収】732万円【初任給】(博士)305,000円 (修士)285,000円 (大卒)265,000円【ボーナス(年)】268万円、5.5カ月【25、30、35歳賃金】299,500円→405,000円→441,000円【週休】2日【夏期休暇】夏季休暇3日+有休の一斉付与1日(土日祝と併せて9連休)【年末年始休暇】12月30日〜1月3日+有休の一斉付与1日(土日祝と併せて10連休)【有休取得】11.3/20日

●従業員数、勤続年数、離職率ほか●

【男女別従業員数、平均年齢、平均勤続年数】計 2,963(46.1歳 20.9年) 男 2,497(47.5歳 22.3年) 女 466(38.5歳 13.4年)【離職率と離職者数】3.6%、110名【3年後新卒定着率】89.7%(男87.9%、女96.6%、3年前入社:男107名・女29名)【組合】あり

●男女別採用数と配属先ほか●

【男女・文理別採用実績】

	大卒男	大卒女	修士男	修士女
23年	58(文 14 理 44)	29(文 14 理 15)	14(文 0 理 14)	5(文 0 理 5)
24年	48(文 9 理 39)	18(文 6 理 12)	10(文 0 理 10)	6(文 0 理 6)
25年	51(文 10 理 41)	15(文 6 理 9)	11(文 0 理 11)	6(文 0 理 6)

【25年4月入社者の採用実績校】文(大)青学大 駒澤大 関西学大各2 滋賀大 大阪市大 神戸市外大 学習院大 成蹊大 法政大 立教大 立命館大 関大 同大各1 理(院)宮崎大 日大各2 室蘭工大 北見工大 宇都宮大 長岡技科大 岐阜大 京都工繊大 熊本大 明大 神奈川大 京都精華大 大阪工大 東京都市大 日女大各1(大)日大5 千葉工大 東洋大各4 大阪工大 近大各3 山梨大 芝工大 東理大 第一工科大 関大各2 室蘭工大 弘前大 岩手大 東北大 秋田大 横国大 香川大 佐賀大 琉球大 北九州市大 中大 東京電機大 法政大 明大 立命館大 大阪電通大 摂南大 天理大 広島工大 福岡大 北海道科学大各1(高専)函館 苫小牧 長野 神戸 近大各1(専)青山製図1

【24年4月入社者の配属先】総勤務地:東京6 横浜1 名古屋2 大阪2 広島1 部署:工務6 経理4 総務2 技勤務地:札幌1 仙台1 東京62 横浜4 名古屋2 大阪3 広島1 新居浜1 部署:土木施工・設計43 建築施工20 設備3 建築設計5 BIM1 研究開発3

求める人材 「ものづくり」に夢と情熱をもち、失敗をおそれずチャレンジできる人 絶えず学ぶ意欲を持てる人 グローバル人材として自らの成長を実現させ、私たちの将来を牽引する原動力になれる人

会社データ (金額は百万円)

【本社】104-0051 東京都中央区佃2-1-6
☎03-4582-3000 https://www.smcon.co.jp/
【社長】柴田 敏雄【設立】1941.10【資本金】12,003【今後力を入れる事業】海外事業 新規・新領域事業

【業績(連結)】	売上高	営業利益	経常利益	純利益
22.3	403,275	▲7,459	▲8,340	▲7,022
23.3	458,622	▲18,759	▲18,483	▲25,702
24.3	479,488	8,500	6,291	4,006

1764 ▶『業界地図』p.20,230　開示 ★★★★

くまがいぐみ
(株)熊谷組

東京P 1861

【特色】準大手ゼネコン。大型土木などを得意とする名門

修士・大卒採用数	3年後離職率	有休取得年平均	平均年収(平均42歳)
93名	22.9→15.6%	11.3日	[総]879万円

残業(月) 18.5時間 [総]21.5時間

記者評価 1898年創業、土木の名門で黒部ダムや青函トンネルなど巨大プロジェクトに実績。17年に住友林業と資本業務提携し同社の持分会社に。目下、協業を進める。阪神タイガースの2軍球場建築を手がけ話題に。25年4月入社者の大卒総合職初任給を28万円に増額予定。

●エントリー情報と採用プロセス●

【受付開始～終了】[総][技]1月～設定なし【採用プロセス】[総][技]ES提出→SPI→1次面接→最終面接→内々定【交通費支給】最終面接、実費

試験情報

重視科目 [総][技]ES 面接

[総][技][ES]⇒巻末[筆]SPI3(会場) SPI3(自宅)[面]2回(Webあり)

選考ポイント [総][ES]志望理由 理想とする社会人像 他[面]コミュニケーション能力 自主性 ストレス耐性 [技][ES]総合職共通[面]業界と当社への熱い想い 志望度 身体活動性 ストレス耐性

通過率 [総][ES]70%(受付:164→通過:115) [技][ES]82%(受付:292→通過:239) 倍率(応募/内定) [総]8倍 [技]4倍

●男女別採用数と配属先ほか●

【男女・文理別採用実績】※25年:継続中

	大卒男	大卒女	修士男	修士女
23年	55(文 10理 45)	22(文 15理 7)	9(文 0理 9)	7(文 0理 7)
24年	59(文 10理 49)	21(文 12理 9)	23(文 0理 23)	3(文 0理 3)
25年	55(文 16理 39)	17(文 8理 9)	15(文 1理 14)	6(文 0理 6)

【25年4月入社者の採用実績校】[文](院)京大1(大)青学大 日大各3 愛知学大 愛知大 安田女大 学習院大 京産大 近大 産能大 西南学大 創価大 早大 拓大 同大 法政大各1 [理](院)大阪公大2 久留米工大 日大 東大 明大 福井大 京都工繊大 東海大 芝工大 早大 長崎大 東理大 武庫川女大 信州大 九大 大阪府大 関大 摂南大 北大各1(大)日大5 愛知工業大 東京都市大各4 広島工大3 明大 熊本大 室蘭工大 千葉工大 日本文理大 福井工大 名城大各2 近大 九産大 国士舘大 三重大 山口大 崇城大 青学大 大阪工大 帝京大 東京工芸大 東京電機大 東京農業大 東北学大 東北工大 北海学園大 北大各1(高専)近大 小山 神戸 福井 石川各1(専)日本工学院1

【24年4月入社者の配属先】[総]勤務地:札幌1 仙台1 東京3 名古屋2 石川・金沢2 大阪2 広島2 福岡1 部署:作業所支援14 [技]勤務地:札幌5 仙台4 東京46 名古屋15 石川・金沢3 大阪14 広島4 福岡5 部署:施工管理(土木・建築)67建築設計14建築積算3設備(建築)8技術支援(土木・機電)1土木設計1研究2

●給与、ボーナス、週休、有休ほか●

【30歳総合職平均年収】670万円【初任給】(博士)300,000円(修士)285,000円(大卒)265,000円【ボーナス(年)】215万円、5.0カ月【25、30、35歳賃金】NA【週休】完全2日(土日祝)【夏期休暇】会社が定める連続4日【年末年始休暇】12月30日～1月3日【有休取得】11.3/25日

●従業員数、勤続年数、離職率ほか●

【男女別従業員数、平均年齢、平均勤続年数】計 2,654(44.1歳 18.9年) 男 2,200(45.8歳 20.5年) 女 454(36.0歳 11.4年)【離職率と離職者数】2.4%、65名(早期退職7名含む、他に男1名転籍)【3年後新卒定着率】84.4%(男84.3%、女84.8%、3年前入社:男102名・女33名)【組合】なし

求める人材 「自らを高め、未来をつくり、人を支える」ことができる人

会社データ (金額は百万円)

【本社】162-8557 東京都新宿区津久戸町2-1
☎03-3260-2111　https://www.kumagaigumi.co.jp/
【社長】上田 真【設立】1938.1【資本金】30,108【今後力を入れる事業】建設請負事業の深化 建設周辺事業の進化 新たな事業領域の開拓 経営基盤の強化

【業績(連結)】	売上高	営業利益	経常利益	純利益
22.3	425,216	22,743	23,732	15,850
23.3	403,502	11,483	12,236	7,973
24.3	443,193	12,649	13,040	8,316

にしまつけんせつ
西松建設(株)

東京P 1820

【特色】準大手ゼネコン。ダム・トンネル、物流に強い

修士・大卒採用数	3年後離職率	有休取得年平均	平均年収(平均41歳)
116名	13.1→12.1%	9.9日	[総]914万円

残業(月) 31.5時間

記者評価 1874年創業の老舗。トンネル、ダムなど官公庁土木で成長。65年香港進出、シンガポールにも実績。再生可能エネルギーやインフラ関連サービスに力を注ぐ。大株主の伊藤忠商事と不動産開発や海外事業などで協業。REIT(不動産投資信託)にも参入した。

●エントリー情報と採用プロセス●

【受付開始～終了】[総][技]3月～継続中【採用プロセス】[総][技]ES提出→Webテスト→面接(2回)→内々定【交通費支給】最終面接、会社基準【早期選考】⇒巻末

試験情報

重視科目 [総][技]面接

[総][技][ES]⇒巻末[筆]SPI3(会場) SPI3(自宅)[面]2回(Webあり)

選考ポイント [総][技][ES]NA(提出あり)[面]コミュニケーション力 ものづくりへの情熱

通過率 [総][技][ES]NA 倍率(応募/内定) [総][技]NA

●男女別採用数と配属先ほか●

【男女・文理別採用実績】

	大卒男	大卒女	修士男	修士女
23年	64(文 5理 59)	19(文 7理 12)	20(文 0理 20)	0(文 0理 0)
24年	64(文 7理 57)	14(文 7理 7)	19(文 0理 19)	1(文 0理 1)
25年	75(文 8理 67)	23(文 10理 13)	15(文 0理 15)	3(文 0理 3)

【25年4月入社者の採用実績校】[文](大)関西学大4 日大2 小樽商大 九大 成蹊大 東京女大 東北学大 東洋大 広島大 福岡女学大 福岡大 藤女大 北海学園大 宮城大各1 [理](院)芝工大3 京都工繊大 東京電機大 室蘭工大 山口大各2 大阪電通大 金沢工大 近大 埼玉大 東海大 富山県大 八戸工大各1(大)近大5 大阪工大4 金沢工大 摂南大 東京都市大 日大 広島工大 大和大各3 岩手大 関東学院大 九産大 近畿職能大学校 東海大 東京工芸大 東京電機大 東理大 東洋大 日本文理大 福岡大 三重大 室蘭工大各2 愛知工業大 秋田大 大阪産大 神奈川大 関大 畿央大 京都美工大 工学院大 国士舘大 昭和女大 星槎道都大 崇城大 千葉工大 中部大 東京工科大 徳島文理大 鳥取大 八戸工大 兵庫県大 北海学園大 北海道科学大 北大 前橋工大 明大 名城大 明星大 山口大各1(高専)石川 大分 呉 苫小牧 米子各1(専)東京テクニカルカレッジ3 麻生建築&デザイン 日本工学院各1

【24年4月入社者の配属先】[総]勤務地:東京・港4 仙台3 大阪4 福岡2 部署:現場工務革新センター12 営業1 [技]勤務地:東京・港43 仙台11 大阪21 九州12 部署:土木34 土木設計4 建築施工29 設備4 建築設計9 開発3 機電2 研究2

●給与、ボーナス、週休、有休ほか●

【30歳総合職平均年収】745万円【初任給】(修士)285,000円(大卒)265,000円【ボーナス(年)】225万円、4.389カ月【25、30、35歳賃金】295,000円→335,000円→380,000円【週休】完全2日(土日祝)【夏期休暇】3日【年末年始休暇】12月30日～1月3日【有休取得】9.9/20日

●従業員数、勤続年数、離職率ほか●

【男女別従業員数、平均年齢、平均勤続年数】計 2,892(44.7歳 18.1年) 男 2,482(45.3歳 19.3年) 女 410(40.8歳 10.0年)【離職率と離職者数】2.4%、72名【3年後新卒定着率】87.9%(男88.8%、女83.3%、3年前入社:男98名・女18名)【組合】あり

求める人材 街を、社会を、未来を、まかせられる人財

会社データ (金額は百万円)

【本社】105-6407 東京都港区虎ノ門1-17-1 虎ノ門ヒルズ ビジネスタワー
☎03-3502-0232　https://www.nishimatsu.co.jp/
【社長】細川 雅一【設立】1937.9【資本金】23,513【今後力を入れる事業】開発不動産事業 海外事業 環境エネルギー事業

【業績(連結)】	売上高	営業利益	経常利益	純利益
22.3	323,754	23,540	23,497	15,103
23.3	339,757	12,615	13,176	9,648
24.3	401,633	18,827	19,578	12,388

2405 ▶『業界地図』p.230　開示 ★★★

安藤ハザマ（あんどう）

東京P 1719

【特色】ダム、トンネルなど土木に強い準大手ゼネコン

修士・大卒採用数	3年後離職率	有休取得年平均	平均年収(平均43歳)
92名	20.9→15.7%	9.9日	総1,048万円

残業(月) 26.5時間 総28.1時間

記者評価 ダム、トンネルなど土木の名門で官公庁に強いハザマと、オフィスビルやマンションなど民間建築中堅の安藤建設が13年に合併。ZEB(ゼロエネルギービル)開発に注力。山岳トンネル工事は遠隔操作で省人化。25年度から修士・大卒初任給を1万円増額予定。

●エントリー情報と採用プロセス●

【受付開始～終了】総 技3月～継続中【採用プロセス】総 技説明会(必須、3月)→ES提出・Webテスト(3月～)→面接(2回)→内々定(6月)【交通費支給】役員面接、会社基準【早期選考】⇒巻末

試験情報

重視科目 総技面接

総技ES⇒巻末 筆WebTAP 面2回(Webあり)

選考ポイント 総 技 ES自己の特性や夢と志望動機との関連 面達成意欲 使命感 主体性 挑戦意欲 行動力

通過率 総技ESNA 倍率(応募/内定) 総技NA

●男女別採用数と配属先ほか●

【男女・文理別採用実績】

	大卒男	大卒女	修士男	修士女
23年	27(文 4理 23)	11(文 5理 6)	11(文 0理 11)	4(文 0理 4)
24年	58(文 7理 51)	15(文 9理 6)	13(文 0理 13)	2(文 0理 2)
25年	61(文 8理 53)	14(文 6理 8)	10(文 0理 10)	7(文 0理 7)

【25年4月入社者の採用実績校】文(大)日大 立教大各3 明大2 白百合女大 高崎経大 中大 福岡大 法政大 早大各1 理(院)鹿児島大 法政大 早大各2 金沢工大 関大 京都精華大 千葉工大 東京都市大 東理大 豊橋技科大 日女大 日大 弘前大 三重大 明大各1(大)日大7 芝工大4 東理大3 愛知産大 大阪工大 金沢工大 九産大 近大 東北工大 西日本工大 日工大 法政大 北海道科学大各2 愛知工業大 岩手大 大阪電通大 神奈川大 金沢大 関東学院大 熊本大 工学院大 埼玉大 信州大 大同大 千葉工大 中大 筑波大 東京工芸大 東京都市大 東京農業大 東北職能大学校 長岡技科大 日本福祉大 日本文理大 福岡大 北大 武蔵野大 名城大 ものつくり大 早大各1(専)大阪工業技術 東京テクニカルカレッジ 新潟工科各1

【24年4月入社者の配属先】総勤務地：札幌1 東北1 北陸1 東京6 名古屋2 大阪2 広島1 九州2 部署：管理部15 財務1 技勤務地：札幌3 東北6 北陸4 東京8 関東6 名古屋6 大阪5 広島1 九州5 未定36 部署：土木41 建築27 設備9 機電3

●給与、ボーナス、週休、有休ほか●

【30歳総合職平均年収】758万円【初任給】(博士)NA (修士)285,000円 (大卒)265,000円【ボーナス(年)】270万円、6.0カ月【25、30、35歳賃金】293,000円→391,700円→435,100円【週休】完全2日(土日祝)【夏期休暇】3日+特別休暇(有休)3日【年末年始休暇】12月29日～1月3日(他に12月28日に有休一斉付与)【有休取得】9.9／20日

●従業員数、勤続年数、離職率ほか●

【男女別従業員数、平均年齢、平均勤続年数】計 2,730(43.6歳 16.9年) 男 2,322(44.2歳 17.6年) 女 408(40.1歳 13.3年)【離職率と離職者数】2.9%、82名【3年後新卒定着率】84.3%(男80.4%、女100%、3年前入社:男56名・女14名) ※修士・大卒のみ【組合】あり

求める人材 仲間の価値観を大切にし対話を重ねながら成果を生み出せる人 より良いものづくりのために責任をもって最後までやり遂げる人 未来を見据え、変化と挑戦を楽しめる人

会社データ (金額は百万円)

【本社】105-7360 東京都港区東新橋1-9-1
☎03-3575-6001 https://www.ad-hzm.co.jp/
【社長】国谷 一彦【設立】2013.4【資本金】17,006【今後力を入れる事業】ライフサイクルサポート エネルギー事業 不動産関連事業

【業績(連結)】	売上高	営業利益	経常利益	純利益
22.3	340,293	26,600	25,838	17,671
23.3	372,146	19,853	19,608	15,187
24.3	394,128	18,591	18,545	13,878

㈱奥村組（おくむらぐみ）

東京P 1833

【特色】関西地盤の中堅ゼネコン。免震技術などに定評

修士・大卒採用数	3年後離職率	有休取得年平均	平均年収(平均41歳)
137名	16.7→19.3%	9.9日	総983万円

残業(月) 24.1時間 総26.1時間

記者評価 日本初の実用免震ビル建設など免震技術で先鞭。土木は効率的なトンネル掘削技術に強み。海外事業や子会社での不動産賃貸など事業領域拡大を推進。北海道・石狩新港バイオマス発電所は23年3月運転開始。埼玉・川口に木造ハイブリッド構造の社員寮を建設中。

●エントリー情報と採用プロセス●

【受付開始～終了】総 技3月～継続中【採用プロセス】総Webテスト・ES提出・履修履歴提出→1次面接→最終面接→内々定 技Webテスト・ES提出・履修履歴提出→1次面接・筆記(設計職のみ)→最終面接→内々定【交通費支給】最終面接、実費【早期選考】⇒巻末

試験情報

重視科目 総技面接

総ES⇒巻末 筆WebGAB 面2回(Webあり) 技ES⇒巻末 筆WebGAB 専門試験(設計職のみ) 面2回(Webあり)

選考ポイント 総 技 ESNA(提出あり) 面自己理解 企業理解 業界理解 コミュニケーション能力 入社意欲

通過率 総ES57%(受付:303→通過:172) 技ES92%(受付:431→通過:395) 倍率(応募/内定) 総10倍 技4倍

●男女別採用数と配属先ほか●

【男女・文理別採用実績】

	大卒男	大卒女	修士男	修士女
23年	71(文 15理 56)	17(文 6理 11)	13(文 0理 13)	4(文 0理 4)
24年	95(文 13理 82)	18(文 7理 11)	17(文 0理 17)	4(文 0理 4)
25年	93(文 17理 76)	23(文 14理 9)	17(文 0理 17)	4(文 0理 4)

【25年4月入社者の採用実績校】文(大)関西学大5 同大 関大各3 青学大 大阪公大各2 早大 慶大 中大 都立大 法政大 明学大 愛知県芸大 滋賀大 同女大 龍谷大 立命館大 阪大 近大 甲南大 長崎県大 西南学大各1 理(院)芝工大3 筑波大 鳥取大 徳島大各2 長岡技科大 千葉工大 千葉大 東理大 岐阜大 京大 立命館大 大阪公大 関大 九大 北九州市大 熊本大各1(大)近大 大阪工大各6 愛知工業大5 東京都市大 日大 関東学院大 関大各4 前橋工大 東理大 立命館大 広島工大 福岡大各3 室蘭工大 芝工大 千葉工大 名城大 摂南大 愛媛大 九州工大各2 北見工大 新潟大 長岡造形大 中大 東海大 東京電機大 東洋大 工学院大 神奈川大 信州大 滋賀県大 関西学大 大手前大 神戸大 三重大 岡山県大 広島大 山口大 徳島大 香川大 九州職能大学校 日本文理大 熊本大各1(高専)豊田 神戸各1

【24年4月入社者の配属先】総勤務地：東京11 大阪9 部署：総務経理・工事事務他17 安全品質環境3 技勤務地：札幌7 東北6 東京42 名古屋13 大阪33 広島4 四国4 九州8 部署：土木施工・設計54 建築施工51 設備11 技術研究所1

●給与、ボーナス、週休、有休ほか●

【30歳総合職平均年収】727万円【初任給】(修士)300,000円 (大卒)260,000円【ボーナス(年)】NA【25、30、35歳賃金】290,000円→406,000円→490,000円【週休】完全2日(土日祝)【夏期休暇】連続5日【年末年始休暇】12月29日～1月3日【有休取得】9.9／20日

●従業員数、勤続年数、離職率ほか●

【男女別従業員数、平均年齢、平均勤続年数】計 2,265(42.4歳 15.8年) 男 2,029(43.1歳 16.3年) 女 236(36.7歳 12.1年)【離職率と離職者数】2.7%、63名【3年後新卒定着率】80.7%(男79.6%、女87.5%、3年前入社:男93名・女16名)【組合】あり

求める人材 幅広い視野を持ちコミュニケーション能力に長けた人材

会社データ (金額は百万円)

【本社】545-8555 大阪府大阪市阿倍野区松崎町2-2-2
☎06-6621-1101 https://www.okumuragumi.co.jp/
【社長】奥村 太加典【設立】1938.3【資本金】19,838【今後力を入れる事業】リニューアル分野 不動産事業 新規事業

【業績(連結)】	売上高	営業利益	経常利益	純利益
22.3	242,458	12,647	14,012	12,541
23.3	249,442	11,847	12,908	11,261
24.3	288,146	13,708	14,878	12,493

東急建設(株)（とうきゅうけんせつ）

東京P 1720

【特色】東急系準大手ゼネコン、建築と鉄道関連工事が柱

修士・大卒採用数	3年後離職率	有休取得年平均	平均年収(平均43歳)
91名	12.3→7.5%	11.6日	[総]852万円

残業(月) 27.3時間 [総]29.6時間

記者評価 準大手ゼネコンの一角で首都圏に強み。東急や東急不動産などグループ関連の受注は約1～2割。グループの地盤である渋谷駅周辺や東急沿線など都市開発案件で実績豊富。北海道新幹線トンネルなど鉄道工事にも強みを持つ。環境配慮型ビルの展開も注力する。

●エントリー情報と採用プロセス●

【受付開始～終了】[総]〈事務以外〉11月～継続中〈事務〉3月～継続中 [技]11月～継続中【採用プロセス】[総]〈事務以外〉ES提出(11月～)→適性検査→面接(3回)→内々定(2月)〈事務〉ES提出(3月～)→適性検査→GD→面接(2回)→内々定(6月) [技]ES提出(11月～)→適性検査→面接(3回)→内々定(2月)【交通費支給】全ての面接、全地域(会社基準)【早期選考】⇒巻末

試験情報

重視科目 [総][技]面接 [総][ES]⇒巻末[筆]WebGAB[面]3回(Webあり)[GD作]⇒巻末 [技][ES]⇒巻末[筆]WebGAB[面]3回(Webあり)

選考ポイント [総][技][ES]志望動機 学生時代に力を入れた事 学業への取り組み姿勢[面]問題解決力 主体性 オーガナイズ能力 コミュニケーション能力

通過率 [総][ES]76%(受付:283→通過:216) [技][ES]96%(受付:627→通過:602) **倍率(応募/内定)** [総]17倍 [技]3倍

●男女別採用数と配属先ほか●

【男女・文理別採用実績】

	大卒男	大卒女	修士男	修士女
23年	50(文 5 理 45)	13(文 3 理 10)	23(文 0 理 23)	7(文 0 理 7)
24年	47(文 6 理 41)	12(文 7 理 5)	18(文 0 理 18)	6(文 0 理 6)
25年	54(文 7 理 47)	12(文 3 理 9)	20(文 0 理 20)	5(文 0 理 5)

【25年4月入社者の採用実績校】[文](大)法政大2 亜大 関大 実践女大 成蹊大 帝京大 日大 武蔵大 明大各1 [理](院)東理大5 阪大 熊本大 名工大 日大各2 工学院大 千葉工大 東海大 東京科学大 東京電機大 東京都市大 都立大 長崎大 法政大 北大 明大 横国大各1(大)日大7 東京都市大6 工学院大4 千葉工大3 愛知工業大 秋田大 近大 芝工大 第一工科大 東海大 東京電機大 明星大各2 愛知産大 足利大 岩手大 神奈川大 金沢工大 京大 国士舘大 埼玉大 静岡理工科大 専大 中大 東京科学大 東理大 東北学大 東北工大 東洋大 富山県大 福岡大 宮崎大 早大各1(高専)都城1(専)東海工業金山校3 日本工学院2 日本工科大 青山製図 浅野工学 国際理工 静岡産業技術 修成 中央工学校 東京テクカレ 日本工学院八王子 福岡国土建設 読売理工医療福祉各1

【24年4月入社者の配属先】[総]勤務地:東京・渋谷9 大阪市2 福岡市2 名古屋1 札幌1 部署:事務13 ICT2 [技]勤務地:東京・渋谷74 部署:施工48 設計15 設備7 技術開発・支援4

●給与、ボーナス、週休、有休ほか●

【30歳総合職平均年収】717万円【初任給】(博士)285,000円 (修士)285,000円 (大卒)265,000円【ボーナス(年)】192万円、4.5カ月【25、30、35歳賃金】280,000円→397,000円→444,000円【週休】完全2日(土日祝)【夏期休暇】連続5日【年末年始休暇】連続5日【有休取得】11.6／20日

●従業員数、勤続年数、離職率ほか●

【男女別従業員数、平均年齢、平均勤続年数】計 2,471(43.9歳 18.7年) 男 2,152(44.5歳 19.7年) 女 319(37.0歳 11.9年)【離職率と離職者数】4.9%、127名【3年後新卒定着率】92.5%(男90.8%、女100%、3年前入社:男76名・女17名)【組合】なし

求める人材 高い目標に向かって自ら率先して行動でき、タフな状況でも諦めず目的を達成できる人

会社データ　(金額は百万円)

【本社】150-8340 東京都渋谷区渋谷1-16-14 渋谷地下鉄ビル
☎03-5466-5020　https://www.tokyu-cnst.co.jp/
【社長】寺田 光宏【設立】2003.4【資本金】16,354【今後力を入れる事業】国際 不動産 コンセッション 再エネ関連

【業績(連結)】	売上高	営業利益	経常利益	純利益
22.3	258,083	▲6,078	▲5,132	▲7,459
23.3	288,867	5,107	5,020	5,245
24.3	285,681	8,155	9,736	7,266

(株)鴻池組（こうのいけぐみ）

株式公開 計画なし

【特色】大阪地盤の老舗中堅ゼネコン。積水ハウス子会社

修士・大卒採用数	3年後離職率	有休取得年平均	平均年収(平均43歳)
92名	17.3→14.7%	13.6日	[総]915万円

残業(月) 29.9時間 [総]31.7時間

記者評価 1871年(明治4年)鴻池忠治郎氏による個人経営の建設・運輸会社として創業。運輸業は1945年に分離独立し、建設業専門に。道路・鉄道などのインフラや、オフィスビル、文化施設など実績は幅広い。海外はタイ、ベトナムなどアジアに加え、アフリカにも拠点。

●エントリー情報と採用プロセス●

【受付開始～終了】[総][技]3月～設定なし【採用プロセス】[総][技]ES提出→筆記→面接(2回)→内々定【交通費支給】1次面接以降、実費【早期選考】⇒巻末

試験情報

重視科目 [総][技]面接
[総][技][ES]⇒巻末[筆]SPI3(自宅)[面]2回(Webあり)

選考ポイント [総][技][ES]志望理由(業界、会社)今までに一番努力したこと 周囲と協力して取り組んだエピソード[面]業界、仕事への理解度 コミュニケーション能力 志望度他

通過率 [総][ES]49%(受付:(早期選考含む)159→通過:(早期選考含む)78) [技][ES]72%(受付:(早期選考含む)286→通過:(早期選考含む)205)

倍率(応募/内定) [総](早期選考含む)12倍 [技](早期選考含む)3倍

●男女別採用数と配属先ほか●

【男女・文理別採用実績】

	大卒男	大卒女	修士男	修士女
23年	57(文 5 理 52)	9(文 6 理 3)	12(文 0 理 12)	3(文 0 理 3)
24年	44(文 10 理 34)	21(文 13 理 8)	7(文 0 理 7)	7(文 1 理 6)
25年	69(文 8 理 61)	9(文 4 理 5)	11(文 1 理 10)	3(文 0 理 3)

【25年4月入社者の採用実績校】[文](院)甲南大1(大)同大 近大各2 京大 愛知大 関西学大 関大 千葉工大 中京大 明大 立教大各1 [理](院)信州大2 愛媛大 岡山大 京都府大 近大 工学院大 秋田県大 神戸大 摂南大 大阪公大 阪大 名大各1(大)近大7 前橋工大5 立命館大4 大阪工大 広島工大 関大各3 岩手大 福岡大 日大 大阪市大 大阪産大 摂南大 山口大 近畿職能大学校 日本福祉大各2 ものつくり大 愛知工業大 愛媛大 岡山大 岐阜大 九産大 広島大 高知工科大 佐賀大 三重大 秋田大 西日本工大 第一工科大 島根大 東海大 東北学大 東北職能大学校 徳島文理大 富山県大 福井大 北見工大 大手前大 千葉工大各1(高専)呉2 大阪公大1

【24年4月入社者の配属先】[総]勤務地:大阪10 東京5 名古屋2 部署:財務1 情報システム1 デジタル戦略1 経理2 営業3 総務7 事務管理1 営業事務1 [技]勤務地:大阪22 東京26 名古屋4 広島1 九州4 東北2 部署:土木17 土木技術2 建築21 設備2 建築設計13 技術研究(建築)1 環境3

●給与、ボーナス、週休、有休ほか●

【30歳総合職平均年収】726万円【初任給】(修士)280,000円 (大卒)260,000円【ボーナス(年)】NA【25、30、35歳賃金】285,000円→350,000円→410,000円【週休】完全2日(土日祝)【夏期休暇】連続10日(週休4日、祝日4日、計画年休2日)【年末年始休暇】連続7日(週休2日、祝日4日、計画年休1日)【有休取得】13.6／25日

●従業員数、勤続年数、離職率ほか●

【男女別従業員数、平均年齢、平均勤続年数】計 1,932(42.8歳 18.7年) 男 1,698(43.7歳 19.8年) 女 234(36.0歳 10.8年)【離職率と離職者数】3.4%、68名【3年後新卒定着率】85.3%(男87.1%、女80.0%、3年前入社:男70名・女25名)【組合】あり

求める人材 もの創りに情熱を注げる人物 自己を律し、プロ意識を持って仕事に正面から取り組める人物

会社データ　(金額は百万円)

【本社】541-0057 大阪府大阪市中央区北久宝寺町3-6-1 本町南ガーデンシティ
☎06-6245-6500　https://www.konoike.co.jp/
【社長】渡津 弘己【設立】1918.6【資本金】5,350【今後力を入れる事業】PFI・PPP・インフラ再生事業 新事業、新領域への取り組み強化 海外事業

【業績(単独)】	売上高	営業利益	経常利益	純利益
21.12変	205,201	11,817	12,081	8,518
22.12	241,529	8,989	9,852	6,616
23.12	248,508	10,308	10,881	7,904

開示 ★★★ ▶『業界地図』p.230 1960

てっけんけんせつ 鉄建建設㈱

東京P 1815

【特色】JR東日本系の中堅ゼネコン。鉄道工事に強み

修士・大卒採用数	3年後離職率	有休取得年平均	平均年収(平均42歳)
48名	23.5 → NA	NA	総 857万円

●エントリー情報と採用プロセス●

【受付開始～終了】総 技3月～継続中【採用プロセス】総 技説明会(必須)→書類選考(ES提出・SPI)→1次選考(面接)→2次選考(面接)→内々定【交通費支給】1次選考(面接)以降、実費【早期選考】⇒巻末

試験情報

重視科目 総技面接

総 技 ES ⇒巻末 筆 SPI3(会場) SPI性格 面 2回(Webあり)

選考ポイント 総 技 ES 全体の文章量 誤字がなく言葉遣いが適切か 志望動機や自己PRがわかりやすくまとめられているか 面 志望動機 業界及び仕事への理解 主体性 コミュニケーション力 他

通過率 総 ES 87%(受付:(早期選考含む)61→通過:(早期選考含む)53) 技 ES 96%(受付:(早期選考含む)113→通過:(早期選考含む)109)

倍率(応募/内定) 総(早期選考含む)6倍 技(早期選考含む)3倍

●男女別採用数と配属先ほか●

【男女・文理別採用実績】

	大卒男	大卒女	修士男	修士女
23年	50(文 8 理 42)	4(文 2 理 2)	7(文 0 理 7)	0(文 0 理 0)
24年	26(文 6 理 20)	5(文 4 理 1)	3(文 0 理 3)	1(文 0 理 1)
25年	31(文 5 理 26)	9(文 5 理 4)	6(文 0 理 6)	2(文 0 理 2)

【25年4月入社者の採用実績校】文(大)東京経大2 高崎経大 順天堂大 近大 広島経大 日大 京産大 昭和女大 青学大各1 理(院)関東学院大2 秋田大 茨城大 千葉工大 工学院大 明大 京大各1(大)日大6 明星大3 北見工大 関東学院大 東海大 東北工大各2 大阪産大 西日本工大 第一工科大 千葉工大 大阪工大 福井工大 国士舘大 北海道科学大 金沢工大 ものつくり大 愛知産大 日本福祉大 近大各1(短)新潟職能1(高専)豊田1(専)大阪工業技術2 仙台工科1

【24年4月入社者の配属先】総勤務地:札幌1 東北1 関越1 東京3 名古屋1 大阪2 九州1 部署:総務10 技勤務地:札幌3 東北2 関越1 東京16 名古屋2 大阪4 九州1 部署:土木作業所11 建築作業所14 建築設計部2 地下基礎技術部1 橋梁技術部1

残業(月) 27.0時間 総27.0時間

記者評価 戦時中に陸運輸送力の確保・増強のための国策会社として設立。現在は駅舎整備や橋梁など鉄道関連工事や、マンションなど民間や公共工事をバランスよく手がける。海外は東南アジアを中心にODA関連工事に実績。DX推進の専門部隊を軸に現場改革を加速。

●給与、ボーナス、週休、有休ほか●

【30歳総合職平均年収】NA【初任給】(修士)290,000円(大卒)270,000円【ボーナス(年)】NA、4.4カ月【25、30、35歳賃金】295,000円→327,000円→363,000円【週休】完全2日(土日祝)【夏期休暇】3日(8月10～20日の間で)【年末年始休暇】12月29日～1月3日【有休取得】NA／20日

●従業員数、勤続年数、離職率ほか●

【男女別従業員数、平均年齢、平均勤続年数】計 1,766(41.6歳 16.0年)男 1,565(42.3歳 16.6年)女 201(35.3歳 10.6年)【離職率と離職者数】NA【3年後新卒定着率】NA【組合】あり

求める人材 前向きに自ら考え実践できる人

会社データ (金額は百万円)

【本社】101-8366 東京都千代田区神田三崎町2-5-3
☎03-3221-2152 https://www.tekken.co.jp/
【社長】伊藤 泰司【設立】1944.2【資本金】18,293【今後力を入れる事業】新規事業開発 ESG事業

【業績(連結)】	売上高	営業利益	経常利益	純利益
22.3	151,551	5,247	6,224	4,706
23.3	160,743	1,233	965	2,360
24.3	183,586	958	2,278	4,260

ふくだぐみ ㈱福田組

東京P 1899

【特色】新潟最大のゼネコン。土木から大型商業施設へ

修士・大卒採用数	3年後離職率	有休取得年平均	平均年収(平均44歳)
18名	27.3 → 15.6%	9.8日	総 713万円

●エントリー情報と採用プロセス●

【受付開始～終了】総3月～7月 技3月～継続中【採用プロセス】総 技説明会(必須、3月下旬～4月上旬)→ES提出(3月～)→1次面接・小論文・性格検査(5月上旬)→2次面接(5月下旬)→内々定(6月上旬)【交通費支給】1次面接・2次面接、全額【早期選考】⇒巻末

試験情報

重視科目 総技面接

総 ES ⇒巻末 筆 SPI3(会場) SPI3(自宅) 面 2回 GD作 ⇒巻末 技 ES ⇒巻末 筆 SPI3(会場) SPI3(自宅) 選考部門別能力試験(Web自宅) 面 2回 GD作 ⇒巻末

選考ポイント 総 技 ES 学生時代に力を注いだこと 志望動機 面 当社に対する理解 情熱・意欲があるか

通過率 総 ES 68%(受付:(早期選考含む)57→通過:(早期選考含む)39) 技 ES 87%(受付:(早期選考含む)69→通過:(早期選考含む)60)

倍率(応募/内定) 総(早期選考含む)10倍 技(早期選考含む)4倍

●男女別採用数と配属先ほか●

【男女・文理別採用実績】※25年:24年7月時点

	大卒男	大卒女	修士男	修士女
23年	8(文 2 理 6)	3(文 0 理 3)	1(文 0 理 1)	0(文 0 理 0)
24年	21(文 5 理 16)	1(文 0 理 1)	3(文 0 理 3)	0(文 0 理 0)
25年	10(文 3 理 7)	6(文 3 理 3)	1(文 0 理 1)	1(文 0 理 1)

【25年4月入社者の採用実績校】文(大)新潟大2 獨協大 新潟国際情報大 千葉工大 東理大各1 理(院)新潟大2(大)新潟大3 新潟工大2 日大 長岡技科大 金沢工大 東北工大 関東職能大学校各1(専)新潟日建工科2 中央工学校 新潟工科各1

【24年4月入社者の配属先】総勤務地:東北1 新潟1 東京1 大阪1 九州1 部署:現場管理5 技勤務地:東北2 新潟8 東京9 大阪2 九州1 名古屋2 部署:土木施工管理8 土木機電1 土木設計1 建築施工管理11 建築意匠設計2 建築構造設計1

残業(月) 31.7時間 総34.6時間

記者評価 1902年創業。新潟県内土木で地歩を固め、道路・鉄道・港湾・エネルギー関連工事で成長。業界中堅。道路損傷の画像診断システムを武器に公共工事深耕。近年は民間案件も多い。物流団地造成を首都圏・九州で展開。関西、東北への領域拡大も進む。タイに現法。

●給与、ボーナス、週休、有休ほか●

【30歳総合職平均年収】539万円【初任給】(修士)245,000円(大卒)230,000円【ボーナス(年)】175万円、6.15カ月【25、30、35歳賃金】NA【週休】2日(土日祝)【夏期休暇】連続3日【年末年始休暇】連続4日【有休取得】9.8／20日

●従業員数、勤続年数、離職率ほか●

【男女別従業員数、平均年齢、平均勤続年数】計 ◇861(44.4歳 18.0年)男 764(45.2歳 38.3年)女 97(18.4歳 15.5年)【離職率と離職者数】◇3.7%、33名【3年後新卒定着率】84.4%(男85.7%、女75.0%、3年前入社:男28名・女4名)【組合】あり

求める人材 具体的な目標を持ち、主体的に考え行動できる人 自己の成長に旺盛な自助努力の精神を持つ人

会社データ (金額は百万円)

【本社】951-8668 新潟県新潟市中央区一番堀通町3-10
☎025-266-9111 https://www.fkd.co.jp/
【社長】荒明 正紀【設立】1927.12【資本金】5,158【今後力を入れる事業】土木事業 建築事業

【業績(連結)】	売上高	営業利益	経常利益	純利益
21.12	179,846	8,891	9,147	5,864
22.12	154,358	5,208	5,451	3,650
23.12	162,243	5,205	5,478	3,386

開示 ★★★★ ▶『業界地図』p.44,230 2522

さとうこうぎょう
佐藤工業(株)

株式公開 計画なし

【特色】1862年創業のゼネコン。歴史的大規模工事に実績

修士・大卒採用数	3年後離職率	有休取得年平均	平均年収(平均40歳)
42名	25.5→20.3%	11.4日	総860万円

残業(月) 27.6時間 総28.7時間

記者評価 江戸末期の1862年、佐藤助九郎が富山で創業した大手ゼネコン。黒部ダムや東北新幹線八甲田トンネルなど大型プロジェクトの実績が多い。土木はトンネル・シールドエ事、建築は医療・教育施設等に強み。シンガポールに支店、マレーシアとミャンマーに営業所。

●エントリー情報と採用プロセス●

【受付開始～終了】総 技3月～継続中【採用プロセス】総説明会→ES提出・Web適性検査→面接(3回)→内々定 技説明会→ES提出・Web適性検査→面接(2回)→内々定【交通費支給】最終面接時、会社基準

試験情報

重視科目 総ES Web適性検査 面接 技面接

総 ES⇒巻末筆SPI3(自宅)面3回(Webあり) 技 ES⇒巻末筆SPI3(自宅)面2回(Webあり)

選考ポイント 総 ES志望動機 学生時代に取り組んだこと 面業界研究、企業研究、志望理由を熱意をもって話せるか 技 ES総合職共通面志望度合い コミュニケーション能力 誠実さ 他

通過率 総 ES67%(受付:90→通過:60) 技 ES76%(受付:105→通過:80)

倍率(応募/内定) 総9倍 技3倍

●男女別採用数と配属先ほか●

【男女・文理別採用実績】※25年:24年7月31日時点

	大卒男	大卒女	修士男	修士女
23年	17(文 5理 12)	5(文 3理 2)	4(文 0理 4)	2(文 1理 1)
24年	32(文 8理 24)	7(文 1理 6)	6(文 0理 6)	4(文 1理 3)
25年	22(文 5理 17)	12(文 5理 7)	5(文 0理 5)	3(文 0理 3)

【25年4月入社者の採用実績校】文(24年)(院)近大1(大)滋賀大 創価大各2 高崎経大 都留文科大 青学大 学習院大 国士舘大各1 理(24年)(院)日大2 室蘭工大 宇都宮大 関東学院大 芝工大 東理大 摂南大 武庫川女大各1(大)日大5 東海大3 北海学園大2 富山大 都立大 富山県大 八戸工大 国士舘大 芝工大 千葉工大 東京農業大 東洋大 明星大 新潟工大 福井工大 大同大 摂南大 大阪工大 大阪電通大 京都建築大学校 京産大 九産大 大田大各1(高専)函館 小山 有明各1(専)日本工学院1

【24年4月入社者の配属先】総勤務地:東京・日本橋4 茨城・つくば2 富山市2 名古屋1 大阪市1 部署:ICT2 総務3 経理3 現場2 技勤務地:東京・日本橋16 札幌4 仙台5 富山市5 名古屋5 大阪市5 福岡市3 部署:作業所43

●給与、ボーナス、週休、有休ほか●

【30歳総合職平均年収】688万円【初任給】(修士)285,000円(大卒)265,000円【ボーナス(年)】179万円、4.2カ月【25、30、35歳賃金】293,720円→326,900円→358,400円【週休】完全2日(土日祝)【夏期休暇】5日(作業所勤務者は+3日のリフレッシュ休暇あり)【年末年始休暇】12月29日～1月3日(作業所勤務者は+3日のリフレッシュ休暇あり)【有休取得】11.4/24日

●従業員数、勤続年数、離職率ほか●

【男女別従業員数、平均年齢、平均勤続年数】計 1,005(41.5歳 16.5年) 男 849(42.2歳 17.3年) 女 156(37.8歳 12.2年)【離職率と離職者数】3.4%、35名【3年後新卒定着率】79.7%(男80.4%、女76.9%、3年前入社:男51名・女13名)【組合】あり

求める人材 構造物の創造を通して社会貢献したい人 困難に逃げず果敢にチャレンジする人

会社データ (金額は百万円)

【本社】103-8639 東京都中央区日本橋本町4-12-19
☎03-3661-0502 https://www.satokogyo.co.jp/
【社長】平間 宏【設立】1931.7【資本金】3,000【今後力を入れる事業】再開発・PFI 海外 再生エネ 技術開発関連事業

【業績(連結)】	売上高	営業利益	経常利益	純利益
22.6	121,643	▲479	1,764	1,296
23.6	157,390	1,119	2,240	1,424
24.6	161,745	2,469	4,685	2,927

ピーエス・コンストラクション(株)

東京P 1871

【特色】大成建設傘下。PC橋梁草分けでトップ級

修士・大卒採用数	3年後離職率	有休取得年平均	平均年収(平均44歳)
45名	8.3→22.6%	12.1日	総939万円

残業(月) 22.2時間 総27.0時間

記者評価 02年に三菱建設と三菱重工業七尾造船所の流れを汲むピー・エスが合併して誕生。PC橋梁工事を中心に、土木、建築工事を国内外で広く展開。海外はインドネシアに強み。23年12月に大成建設の子会社化。24年7月にピーエス三菱から現社名に社名変更。

●エントリー情報と採用プロセス●

【受付開始～終了】総技3月～未定【採用プロセス】総技説明会(必須、3月～)→筆記・面接→面接→内々定【交通費支給】1次面接以降、実費

試験情報

重視科目 総技面接

総筆SPI3(自宅)面2回 技筆SPI性格 専門試験(Web)面2回

選考ポイント 総技 ES提出なし面なぜ当社を志望しているか、入社後どうなりたいかを自身の言葉で伝えられているか

通過率 総技 ES—(応募:NA)

倍率(応募/内定) 総技NA

●男女別採用数と配属先ほか●

【男女・文理別採用実績】

	大卒男	大卒女	修士男	修士女
23年	20(文 2理 18)	10(文 4理 6)	5(文 0理 5)	0(文 0理 0)
24年	22(文 3理 19)	10(文 4理 6)	5(文 0理 5)	1(文 0理 1)
25年	36(文 4理 32)	9(文 3理 6)	0(文 0理 0)	0(文 0理 0)

【25年4月入社者の採用実績校】文(24年)(大)明学大 九産大 駿河台大 日大 名城大 東海大 大阪経大各1 理(24年)(院)大阪工大 信州大 岡山大 静岡理工科大 東京電機大 琉球大各1(大)日大5 金沢工大 明星大 安田女大 大阪工大 近大各2 高知大 広島工大 摂南大 山口大 北見工大 第一工科大 北海道科学大 福山大 岡山理大 名城大各1(高専)木更津 鹿児島 釧路各1

【24年4月入社者の配属先】総勤務地:東京3 仙台1 名古屋1 大阪1 福岡1 部署:事務管理4 総務2 経理1 技勤務地:東京15 札幌1 仙台3 名古屋4 大阪5 広島1 福岡5 部署:工事34

●給与、ボーナス、週休、有休ほか●

【30歳総合職平均年収】631万円【初任給】(修士)290,000円(大卒)270,000円【ボーナス(年)】268万円、4.5カ月【25、30、35歳賃金】292,000円→333,000円→365,500円【週休】完全2日(土日祝)【夏期休暇】連続9日(計画年休・有休含む)【年末年始休暇】12月29日～1月3日【有休取得】12.1/20日

●従業員数、勤続年数、離職率ほか●

【男女別従業員数、平均年齢、平均勤続年数】計 1,144(44.7歳 18.8年) 男 979(45.6歳 20.2年) 女 165(38.5歳 10.7年)【離職率と離職者数】2.8%、33名【3年後新卒定着率】77.4%(男76.0%、女83.3%、3年前入社:男25名・女6名)【組合】あり

求める人材 粘り強さと何事もあきらめない人材 常に先を見据えることができる人材

会社データ (金額は百万円)

【本社】105-7318 東京都港区東新橋1-9-1 東京汐留ビルディング
☎03-6385-9111 https://www.psc.co.jp/
【社長】森 拓也【設立】1952.3【資本金】4,218【今後力を入れる事業】海外 高速道路大規模更新 メンテナンス 他

【業績(連結)】	売上高	営業利益	経常利益	純利益
22.3	109,639	6,618	6,647	4,539
23.3	109,327	5,715	5,629	3,790
24.3	129,294	7,827	7,743	5,054

建設

ぜにたかぐみ (株)錢高組

東京S 1811

【特色】1705年創業の中堅ゼネコン。関西本拠に全国展開

修士・大卒採用数	3年後離職率	有休取得年平均	平均年収(平均44歳)
23名	27.3→31.4%	12.0日	(総)825万円

●エントリー情報と採用プロセス●

【受付開始～終了】(総)(技)3月～継続中【採用プロセス】(総)(技)Web説明会→筆記・作文・適性(性格)検査→面接(2回)→内々定【交通費支給】1次面接以降、実費【早期選考】⇒巻末

試験情報

重視科目 (総)(技)面接

(総)(筆)一般常識 専門試験(事務)適性(性格)検査(面)2回(Webあり)(GD作)⇒巻末(技)(筆)一般常識 専門試験(各職種)適性(性格)検査(面)2回(Webあり)(GD作)⇒巻末

選考ポイント (総)(ES)提出なし(面)チャレンジ精神 建設という仕事への熱意 責任感 誠実さ コミュニケーション能力 (技)(ES)提出なし(面)チャレンジ精神 建設という仕事への熱意 責任感 誠実さ コミュニケーション能力(意匠設計は作品プレゼン)

通過率 (総)(ES)—(応募:56) (技)(ES)—(応募:98)

倍率(応募/内定) (総)8倍 (技)2倍

●男女別採用数と配属先ほか●

【男女・文理別採用実績】

	大卒男	大卒女	修士男	修士女
23年	25(文 3理 22)	2(文 0理 2)	7(文 0理 7)	0(文 0理 0)
24年	21(文 3理 18)	2(文 0理 2)	5(文 1理 4)	2(文 0理 2)
25年	10(文 2理 8)	7(文 2理 5)	5(文 0理 5)	1(文 0理 1)

【25年4月入社者の採用実績校】(文)(大)高知工科大 甲南大 共立女大 立命館大各1 (理)(院)新潟大 東洋大 東京科学大 大阪公大 広島大 日大各1(大)関東学院大 大阪工大 大阪産大 国士舘大 日大 東京都市大 実践女大 愛知工業大 武庫川女大 京都芸大 近大 西日本工大 日本文理大各1

【24年4月入社者の配属先】(総)勤務地:東京・千代田2 大阪市2 部署:工事事務2 経理2 (技)勤務地:東京・千代田8 大阪市7 名古屋3 福岡市4 広島市1 仙台2 札幌1 部署:施工管理20 意匠設計3 設備設計2 構造設計1

残業(月) 28.7時間 (総)31.3時間

記者評価 錢高家の資産管理会社が筆頭株主で、歴代経営トップは錢高家から。橋梁と文化施設に実績を持ち、旧大阪市庁舎や東京・勝鬨橋施工を手がけてきた。官民比率は3対7でマンション1割。作業所に自販機を導入するなど作業環境改善にも前向き。豊富な技術力に定評。

●給与、ボーナス、週休、有休ほか●

【30歳総合職平均年収】659万円【初任給】(修士)290,000円 (大卒)270,000円【ボーナス(年)】211万円、5.2カ月【25、30、35歳賃金】269,375円→311,156円→362,000円【週休】完全2日(土日祝)【夏期休暇】連続5日(有休で取得)【年末年始休暇】12月29日～1月3日(曜日により変わる)【有休取得】12.0／20日

●従業員数、勤続年数、離職率ほか●

【男女別従業員数、平均年齢、平均勤続年数】計 920(43.9歳 16.5年) 男 771(45.1歳 17.0年) 女 149(37.8歳 13.0年)【離職率と離職者数】7.4%、73名【3年後新卒定着率】68.6%(男67.6%、女100%、3年前入社:男34名・女1名)【組合】あり

求める人材 チャレンジ精神旺盛なバイタリティーのある人物

会社データ (金額は百万円)

【本社】102-8678 東京都千代田区一番町31
☎03-3265-4611 https://www.zenitaka.co.jp/
【社長】錢高 久善【設立】1931.4【資本金】3,695【今後力を入れる事業】国内外の土木・建築事業

【業績(連結)】	売上高	営業利益	経常利益	純利益
22.3	101,903	2,247	3,425	1,812
23.3	107,635	1,526	2,873	2,245
24.3	120,977	3,321	4,986	2,737

やはぎけんせつこうぎょう 矢作建設工業(株)

東京P 1870

【特色】愛知県地盤の中堅ゼネコン。名鉄が筆頭株主

修士・大卒採用数	3年後離職率	有休取得年平均	平均年収(平均42歳)
43名	20.0→19.1%	13.4日	(総)822万円

●エントリー情報と採用プロセス●

【受付開始～終了】(総)3月～4月 (技)3月～継続中【採用プロセス】(総)(技)ES提出→面接→Webテスト→面接→内々定【交通費支給】最終面接 他、会場から大学までの往復費用【早期選考】⇒巻末

試験情報

重視科目 (総)(技)面接

(総)(技)(ES)⇒巻末(筆)インサイト(面)2回(Webあり)

選考ポイント (総)(技)(ES)学生時代に打ち込んだこと これまでの人生における成功体験とそこから学んだこと(面)当社への入社意欲 業界や仕事に対する理解度

通過率 (総)(ES)100%(受付:76→通過:76) (技)(ES)98%(受付:(早期選考含む)177→通過:(早期選考含む)173)

倍率(応募/内定) (総)13倍 (技)(早期選考含む)4倍

●男女別採用数と配属先ほか●

【男女・文理別採用実績】

	大卒男	大卒女	修士男	修士女
23年	36(文 8理 28)	11(文 4理 7)	4(文 0理 4)	2(文 0理 2)
24年	54(文 9理 45)	18(文 10理 8)	2(文 0理 2)	0(文 0理 0)
25年	35(文 2理 33)	7(文 4理 3)	0(文 0理 0)	1(文 0理 1)

【25年4月入社者の採用実績校】
(文)(大)南山大2 日大 愛知大 中京大 愛知淑徳大各1 (理)(院)高知工科大1(大)名城大10 愛知工業大8 中部大5 大同大 金城学大各2 東海大 三重大 鳥取大 京都美工大 湘南工大 神奈川大 大阪電通大 愛媛大 東北学大各1(専)東海工業4

【24年4月入社者の配属先】
(総)勤務地:愛知15 部署:経営企画2 人事3 総務2 経理2 建築管理3 土木管理3 (技)勤務地:愛知49 東京4 三重1 福井1 和歌山1 部署:施工管理44 設計6 工務4 設備2

残業(月) 25.9時間 (総)27.3時間

記者評価 民間建築が核。名鉄と密接。独自の完全外付け耐震補強技術「ピタコラム」高評価。同技術は韓国でも技術認定取得。分譲マンション販売は年200戸以上のペースが続く。リニア中央新幹線の中央アルプストンネル工事を共同受注。名鉄沿線駅舎新築などの案件も豊富。

●給与、ボーナス、週休、有休ほか●

【30歳総合職平均年収】667万円【初任給】(修士)275,000円 (大卒)255,000円【ボーナス(年)】NA【25、30、35歳賃金】NA【週休】完全2日(土日祝)【夏期休暇】8月12～16日【年末年始休暇】12月30日～1月3日【有休取得】13.4／20日

●従業員数、勤続年数、離職率ほか●

【男女別従業員数、平均年齢、平均勤続年数】計 ◇921(42.4歳 18.4年) 男 818(43.4歳 19.3年) 女 103(34.2歳 11.6年)【離職率と離職者数】◇4.8%、46名【3年後新卒定着率】80.9%(男81.6%、女77.8%、3年前入社:男38名・女9名)【組合】なし

求める人材 建設業・街づくりへの想いがある人 誠実で相手と真摯に向き合える人

会社データ (金額は百万円)

【本社】461-0004 愛知県名古屋市東区葵3-19-7 葵センタービル
☎052-935-2393 https://www.yahagi.co.jp/
【社長】髙柳 充広【設立】1949.5【資本金】6,808【今後力を入れる事業】土木・建築などのコア事業 不動産開発事業

【業績(連結)】	売上高	営業利益	経常利益	純利益
22.3	93,090	6,169	6,174	4,842
23.3	111,110	7,212	7,259	4,508
24.3	119,824	9,514	9,588	6,462

まつい けんせつ
松井建設㈱

東京S 1810

【特色】社寺建築の豊富な実績に定評、民間建築が中心

修士・大卒採用数	3年後離職率	有休取得年平均	平均年収(平均45歳)
26名	32.1→13.8%	10.5日	(総)831万円

残業(月) 20.4時間 (総)24.0時間

記者評価 1586年の加賀藩越中守山城普請が起源。上場建設会社で最古参。創業家色強い。東京築地本願寺、名古屋城本丸御殿の復元など歴史的建築物や文化財の修復に実績多い。「質素・堅実・地道」の工匠精神貫く。VR災害模擬体験など安全教育に余念ない。財務状況健全。

●エントリー情報と採用プロセス●

【受付開始～終了】(総)(技)24年3月～25年2月【採用プロセス】(総)(技)説明会(必須、3～2月)→ES提出(3～2月)→Web試験→面接(2回)→内々定【交通費支給】最終面接、実費【早期選考】⇒巻末

試験情報

重視科目 [総][技]面接

[総][技](ES)⇒巻末(筆)INSIGHT(面)2回(Webあり)

選考ポイント [総][技](ES)当社への企業理解ができているか (面)コミュニケーション能力 積極性 熱意 成長意欲 他

通過率 [総](ES)33%(受付:51→通過:17) [技](ES)71%(受付:42→通過:30)

倍率(応募/内定) [総]9倍 [技]5倍

●男女別採用数と配属先ほか●

【男女・文理別採用実績】

	大卒男	大卒女	修士男	修士女
23年	20(文 3 理 17)	3(文 2 理 1)	0(文 0 理 0)	0(文 0 理 0)
24年	14(文 3 理 11)	8(文 3 理 5)	0(文 0 理 0)	0(文 0 理 0)
25年	18(文 3 理 15)	6(文 2 理 4)	1(文 0 理 1)	1(文 0 理 1)

※25年:予定数

【25年4月入社者の採用実績校】(文)(大)東京経大 武蔵大 上智大 神奈川大 名古屋市大 九産大各1 (理)(大)東北工大2 日大 東京工芸大 前橋工大 日工大 金沢工大 九産大各1(専)青山製図1

【24年4月入社者の配属先】[総]勤務地:東京・中央5 福岡市1 部署:管理4 営業1 DX1 [技]勤務地:東京・中央12 大阪市1 金沢1 仙台1 福岡市1 部署:構造設計1 施工管理15

●給与、ボーナス、週休、有休ほか●

【30歳総合職平均年収】608万円【初任給】(修士)272,200円 (大卒)265,000円【ボーナス(年)】210万円、4.6カ月【25、30、35歳賃金】274,856円→304,088円→358,350円【週休】完全2日(土日祝)【夏期休暇】連続4日(計画有休)【年末年始休暇】12月28日～1月5日(今年は計画有休なし)【有休取得】10.5／20日

●従業員数、勤続年数、離職率ほか●

【男女別従業員数、平均年齢、平均勤続年数】計 741(44.5歳 19.3年) 男 644(45.3歳 19.9年) 女 97(36.9歳 13.4年)【離職率と離職者数】3.8%、29名(早期退職男1名含む)【3年後新卒定着率】86.2%(男87.0%、女83.3%、3年前入社:男23名・女6名)【組合】あり

求める人材 何事にも明るく、前向きに、物事を筋道立てて考え実行できる人

会社データ　(金額は百万円)

【本社】104-8281 東京都中央区新川1-17-22
☎03-3553-1157　https://www.matsui-ken.co.jp/

【社長】松井 隆弘【設立】1939.1【資本金】4,000【今後力を入れる事業】社寺 教育文化施設 医療福祉施設 他

【業績(連結)】	売上高	営業利益	経常利益	純利益
22.3	82,468	2,415	2,779	1,792
23.3	88,664	2,268	2,702	1,702
24.3	96,969	264	767	1,161

ごようけんせつ
五洋建設㈱

東京P 1893

【特色】海洋土木の最大手。大型港湾工事が得意領域

修士・大卒採用数	3年後離職率	有休取得年平均	平均年収(平均38歳)
188名	16.2→12.7%	11.7日	(総)932万円

残業(月) 14.5時間 (総)15.5時間

記者評価 1896年創業。マリコン(海洋土木)の最大手で土木・建築に実績。海外では香港やシンガポールでの大型建設の実績多数。大型SEP船(多目的起重機船)を複数保有、洋上風力関連事業に本腰。22年10月竣工の北海道・室蘭の新工場はゼロエネルギービル化を図る。

●エントリー情報と採用プロセス●

【受付開始～終了】(総)3月～7月 (技)3月～未定【採用プロセス】(総)自己紹介シート(3月～)→グループ面接(4月～)→個人面接→最終面接準備シート・SPI→役員面接・筆記→内々定(4月下旬～) (技)自己紹介シート(3月～)→個人面接(4月～)→最終面接準備シート・SPI→役員面接・筆記→内々定(4月下旬～)【交通費支給】役員面接、実費【早期選考】⇒巻末

試験情報

重視科目 [総][技]面接

[総](ES)⇒巻末(筆)SPI3(会場) SPI3(自宅) 職種別専門筆記試験(面)3回(Webあり) [技](ES)⇒巻末(筆)SPI3(会場) SPI3(自宅) 職種別専門筆記試験(面)2回(Webあり)

選考ポイント [総][技](ES)自分の言葉で述べているか 具体的な表現か 経験や志望との関連(面)コミュニケーション力 論理的思考力 志望度

通過率 [総][技](ES)NA

倍率(応募/内定) [総](早期選考含む)24倍 [技](早期選考含む)3倍

●男女別採用数と配属先ほか●

【男女・文理別採用実績】

	大卒男	大卒女	修士男	修士女
23年	108(文 14 理 94)	28(文 5 理 23)	26(文 0 理 26)	8(文 0 理 8)
24年	100(文 19 理 81)	27(文 9 理 18)	20(文 0 理 20)	4(文 0 理 4)
25年	117(文 13 理104)	37(文 13 理 24)	30(文 2 理 28)	4(文 1 理 3)

【25年4月入社者の採用実績校】(文)(院)京大 レスター大各1(大)専大 早大 関西学大各2 京大 神戸大 大分大 愛知県芸大 下関市大 学習院大 國學院大 創価大 中大 東洋大 日大 法政大 立教大 甲南大 同大 広島修道大各1 (理)(院)東海大 東理大 大阪工大 関大 近大 山口大 九大 佐賀大各2 東北大 東大 宇都宮大 千葉工大 慶大 日大 法政大 明大 早大 名工大各1(大)近大13 日大7 東海大 広島工大各5 鳥取大 金沢工大 東京農業大各4 関東学院大 芝工大 昭和女大 千葉工大 東洋大 愛知工業大 大阪工大 摂南大 大和大 愛媛大 九産大 西日本工大 長崎総合科学大 福岡大各3 北見工大 秋田大 埼玉大 東京海洋大 足利大 国士舘大 東京都市大 東京電機大 東理大 法政大 ものつくり大 中部大各2 他

【24年4月入社者の配属先】[総]勤務地:東京(研修中)23 部署:経営企画・総務・経理・財務・ICT・人事・広報・法務・現場事務23 [技]勤務地:札幌5 東北3 北陸2 東京100 名古屋5 大阪7 中国4 四国3 九州10 部署:土木65 機電15 建築施工41 建築設計10 建築設備8

●給与、ボーナス、週休、有休ほか●

【30歳総合職平均年収】724万円【初任給】(博士)320,000円(修士)300,000円 (大卒)280,000円【ボーナス(年)】(35歳モデル)230万円、NA【25、30、35歳モデル賃金】297,900円→347,900円→395,800円【週休】完全2日(土日祝)【夏期休暇】平日休暇付与3日+有休利用1日【年末年始休暇】平日休暇付与3日+有休利用1日【有休取得】11.7／20日

●従業員数、勤続年数、離職率ほか●

【男女別従業員数、平均年齢、平均勤続年数】計 3,274(41.4歳 17.0年) 男 2,859(42.0歳 17.5年) 女 415(37.2歳 13.6年)【離職率と離職者数】3.0%、100名【3年後新卒定着率】87.3%(男86.8%、女90.0%、3年前入社:男167名・女30名)【組合】あり

求める人材 「先見性・勇気・スピード」でお客様の要望や社会の要請に応える人材

会社データ　(金額は百万円)

【本社】112-8576 東京都文京区後楽2-2-8
☎03-3816-7111　https://www.penta-ocean.co.jp/

【社長】清水 琢三【設立】1950.4【資本金】30,449【今後力を入れる事業】洋上風力事業 建設周辺の環境事業 他

【業績(連結)】	売上高	営業利益	経常利益	純利益
22.3	458,231	15,939	15,659	10,753
23.3	502,206	4,119	1,415	684
24.3	617,708	29,152	27,221	17,875

▶『業界地図』p.20,230

開示 ★★★★★ ▶『業界地図』p.230 1787

とうあけんせつこうぎょう
東亜建設工業(株)

東京P 1885

【特色】旧浅野系の海洋土木大手。倉庫等の民間建築も

修士・大卒採用数	3年後離職率	有休取得年平均	平均年収(平均45歳)
74名	18.0 → 15.1%	10.2日	(総)920万円

残業(月) 29.9時間 (総)31.5時間

記者評価 浅野財閥の東京湾埋立事業が起源。京浜地区の国際貨物ターミナル整備で先導的役割を担ってきた。建築は倉庫・物流、住宅、福祉、PFI案件が得意。海外はODAの土木案件のほか、建築分野強化のためインドネシアに現法設立。24年度に社長直轄の技術戦略室を創設。

●エントリー情報と採用プロセス●

【受付開始～終了】(総)(技)3月～継続中【採用プロセス】(総)(技)説明会(必須、3月～)→ES提出→適性検査→面接(2回)・筆記→内々定【交通費支給】面接以降、実費

試験情報

重視科目 (総)(技)面接

(総)(ES)⇒巻末(筆)SPI3(会場) SPI3(自宅) 一般常識(面)2回(Webあり)(GD作)⇒巻末 (技)(ES)⇒巻末(筆)SPI3(会場) SPI3(自宅) 専門試験(面)2回(Webあり)

選考ポイント (総)(技)(ES)きちんと自分の言葉で書けているか 入社意欲を感じられるか(面)熱意や意欲はあるか いままでどのようなことをがんばってきたのか

通過率 (総)(ES)66%(受付:138→通過:91)(技)(ES)99%(受付:199→通過:198) **倍率(応募/内定)** (総)11倍 (技)3倍

●給与、ボーナス、週休、有休ほか●

【30歳総合職平均年収】758万円【初任給】(修士)290,000円(大卒)280,000円【ボーナス(年)】212万円、NA【25、30、35歳モデル賃金】308,860円→339,740円→386,020円 ※基本給【週休】完全2日(土日祝)【夏期休暇】3日【年末年始休暇】12月29日～1月3日【有休取得】10.2／20日

●従業員数、勤続年数、離職率ほか●

【男女別従業員数、平均年齢、平均勤続年数】計 1,685(44.7歳 18.8年) 男 1,493(45.4歳 19.5年) 女 192(39.9歳 13.4年)【離職率と離職者数】1.8%、31名【3年後新卒定着率】84.9%(男84.7%、女85.7%、3年前入社:男59名・女14名)【組合】あり

●男女別採用数と配属先ほか●

【男女・文理別採用実績】

	大卒男	大卒女	修士男	修士女
23年	49(文 7 理 42)	9(文 2 理 7)	10(文 2 理 8)	2(文 0 理 2)
24年	48(文 7 理 41)	7(文 3 理 4)	6(文 0 理 6)	0(文 0 理 0)
25年	56(文 8 理 48)	8(文 4 理 4)	9(文 1 理 8)	1(文 0 理 1)

【25年4月入社者の採用実績校】(文)(院)東京農工大1(大)中大2 早大 上智大 明大 青学大 立命館大 駒澤大 関大 国士舘大 京産大 日大各1 (理)(院)横国大2 茨城大 豊橋技科大 弘前大 芝工大 金沢工大 関大 関東学院大各1(大)日大5 山口大 広島工大各4 千葉工大 東北学大各3 関東学院大 岩手大 近大 香川大 鹿児島大 大分大 鳥取大 東北工大各2 愛知工業大 九産大 室蘭工大 椙山女学大 摂南大 早大 中部大 長崎大 東海大 東洋大 日本福祉大 日本文理大 富山大 北見工大 名工大 明星大 京都建築大学校各1(高専)神戸2 高知 石川 長岡 米子各1(専)京都建築 浅野工学 福岡建設各1

【24年4月入社者の配属先】(総)勤務地:東京5 大阪2 神奈川1 沖縄1 部署:総務6 経理1 営業1 人事1 (技)勤務地:北海道2 岩手1 秋田1 茨城2 千葉2 東京18 神奈川11 新潟1 富山1 愛知2 大阪3 兵庫4 広島2 岡山1 香川1 高知1 山口2 福岡4 大分1 長崎1 鹿児島3 沖縄2 部署:施工管理60 建築設計3 機械2 電気1

求める人材 チャレンジ精神が旺盛で、向上心を持ちながら、周りにも積極的に働きかけができる人材

会社データ (金額は百万円)

【本社】163-1031 東京都新宿区西新宿3-7-1 新宿パークタワー
☎03-6757-3804 https://www.toa-const.co.jp/
【社長】早川 毅【設立】1920.1【資本金】18,976【今後力を入れる事業】海外 リニューアル 防災 減災 資源開発 他

【業績(連結)】	売上高	営業利益	経常利益	純利益
22.3	219,814	9,874	10,138	7,385
23.3	213,569	6,555	6,614	4,835
24.3	283,852	17,231	16,630	10,517

とうようけんせつ
東洋建設(株)

東京P 1890

【特色】海洋土木大手。任天堂創業家資産運用会社が出資

修士・大卒採用数	3年後離職率	有休取得年平均	平均年収(平均41歳)
84名	24.1 → 22.8%	9.5日	(総)877万円

残業(月) 26.1時間 (総)31.0時間

記者評価 南満州鉄道と山下汽船の共同出資で設立した阪神築港が前身。海上に加え陸上土木や倉庫・住宅など民間建築に展開。海外はフィリピン、ベトナムからアフリカまで大型工事の実績多い。大株主である任天堂創業家の資産運用会社が提案した取締役が過半を占める。

●エントリー情報と採用プロセス●

【受付開始～終了】(総)(技)3月～継続中【採用プロセス】(総)(技)説明会(必須)→応募書類提出→適性検査(Web)→個別面接(2回)→内々定【交通費支給】2次面接、実費【早期選考】⇒巻末

試験情報

重視科目 (総)(技)面接

(総)(技)(筆)SPI3(自宅)(面)2回

選考ポイント (総)(技)(ES)提出なし(面)積極性 コミュニケーション能力 質問への理解度

通過率 (総)(ES)―(応募:74)(技)(ES)―(応募:155)

倍率(応募/内定) (総)6倍 (技)2倍

●給与、ボーナス、週休、有休ほか●

【30歳総合職平均年収】668万円【初任給】(修士)290,000円(大卒)270,000円【ボーナス(年)】251万円、4.53カ月【25、30、35歳賃金】301,200円→344,300円→498,300円【週休】完全2日(土日祝)【夏期休暇】3日(8月中)【年末年始休暇】12月29日～1月3日【有休取得】9.5／20日

●従業員数、勤続年数、離職率ほか●

【男女別従業員数、平均年齢、平均勤続年数】計 1,311(43.3歳 17.9年) 男 1,130(44.5歳 18.9年) 女 181(35.6歳 11.8年)【離職率と離職者数】2.7%、36名【3年後新卒定着率】77.2%(男79.1%、女71.4%、3年前入社:男43名・女14名)【組合】あり

●男女別採用数と配属先ほか●

【男女・文理別採用実績】※25年:継続中

	大卒男	大卒女	修士男	修士女
23年	53(文 3 理 50)	11(文 5 理 6)	4(文 0 理 4)	0(文 0 理 0)
24年	48(文 1 理 47)	22(文 12 理 10)	7(文 0 理 7)	2(文 0 理 2)
25年	55(文 8 理 47)	18(文 10 理 8)	8(文 0 理 8)	3(文 0 理 3)

【25年4月入社者の採用実績校】(文)(大)日大2 成蹊大 中大 國學院大 東京経大 北海学園大 関大 大和大 立命館大 神戸大 下関市大 福岡大各1 (理)(院)都立大 芝工大 茨城大 日女大 富山大 京大 和歌山大 九州工大 日大 信州大 東海大各1(大)日大7 愛知工業大4 東海大 ものつくり大 室蘭工大各3 東洋大 北見工大 金沢工大 大同大 広島工大 高知工科大 鹿児島大 明星大 第一工科大 西日本工大各2 千葉工大 芝工大 都立大 富山大 大阪工大 鳥取大 九大 東北工大 神奈川大 金沢大 摂南大 近大 福山大 水産大 立命館大各1(高専)松江 明石各1

【24年4月入社者の配属先】(総)勤務地:東京・千代田2 仙台1 金沢1 大阪1 広島1 福岡1 部署:支店総務7 (技)勤務地:東京・千代田24 茨城・土浦1 仙台4 金沢2 名古屋6 大阪9 兵庫・西宮3 広島4 高松3 福岡12 部署:土木技術2 建築設計4 土木研究3 土木施工管理40 建築施工管理17 機械2

求める人材 積極的に行動する人 人と一緒に物事を成し遂げようとする人 向上心のある人

会社データ (金額は百万円)

【本社】101-0051 東京都千代田区神田神保町1-105 神保町三井ビルディング
☎03-6361-5450 https://www.toyo-const.co.jp/
【社長】中村 龍由【設立】1929.7【資本金】14,049【今後力を入れる事業】洋上風力 海外建設 既存建設物リニューアル

【業績(連結)】	売上高	営業利益	経常利益	純利益
22.3	152,524	9,616	9,139	5,863
23.3	168,351	8,995	8,551	5,656
24.3	186,781	10,887	10,057	7,016

建設

開示 ★★★★ ▶『業界地図』p.230 1972

768 ▶『業界地図』p.241 開示 ★★★★

㈱横河ブリッジホールディングス（よこがわ）

東京P 5911

【特色】鋼製橋梁の最大手。システム建築事業が拡大中

修士・大卒採用数	3年後離職率	有休取得年平均	平均年収(平均41歳)
58名	9.5→9.2%	11.8日	総924万円

●エントリー情報と採用プロセス●

【受付開始～終了】総 技3月～未定【採用プロセス】総 技説明会(必須、3月)→ES提出・Webテスト(3月)→Web人事面談(3月下旬～4月上旬)→Web1次面接(4月中旬)→最終面接(4月下旬)→内々定(4月下旬)【交通費支給】1次面接以降、実費【早期選考】⇒巻末

試験情報

重視科目 総技面接

総 技 ES⇒巻末 筆SPI3(会場) SPI3(自宅) 面3回(Webあり)

選考ポイント 総 ES事業内容の理解と志望動機の具体性 面コミュニケーション能力 事業内容の理解と志望度 技 ES研究テーマおよび志望動機 当社事業とのマッチング 面研究してきたことを踏まえ、当社でどうなりたいかが明確か

通過率 総 ES100%(受付:(早期選考含む)66→通過:(早期選考含む)66) 技 ES100%(受付:(早期選考含む)122→通過:(早期選考含む)122)

倍率(応募/内定) 総(早期選考含む)4倍 技(早期選考含む)2倍

●男女別採用数と配属先ほか●

【男女・文理別採用実績】

	大卒男	大卒女	修士男	修士女
23年	19(文 4理 15)	13(文 5理 8)	13(文 0理 13)	4(文 0理 4)
24年	14(文 4理 10)	12(文 5理 7)	13(文 0理 13)	2(文 1理 1)
25年	23(文 12理 11)	13(文 6理 7)	17(文 0理 17)	5(文 0理 5)

【25年4月入社者の採用実績校】文(大)学習院大 上智大 中大各2 立教大 青学大 大阪市大 大阪府大 東海大 都立大 日大 日体大 法政大 名城大 明学大 同大各1 理(院)岩手大 金沢大各2 愛知工業大 宇都宮大 阪大 関大 佐賀大 芝工大 東京電機大 東京都市大 富山県大 長岡技科大 日大 福岡大 法政大 前橋工大 山口大 山梨大 横国大 早大各1(大)日大 北海道科学大 前橋工大 明星大各2 岩手大 近大 芝工大 千葉工大 中大 東海大 東京都市大 北大 三重大 名城大各1(高専)舞鶴2 有明 石川 北九州 岐阜 熊本 徳山 函館 松江 都城 米子各1

【24年4月入社者の配属先】総勤務地:東京2 千葉5 大阪3 **部署**:総務1 人事3 経理1 営業4 調達1 技勤務地:東京4 千葉20 大阪13 茨城1 **部署**:設計13 生産2 計画3 工事15 研究開発2 システム開発3

残業(月) 18.0時間 総21.8時間

記者評価 橋梁中心に鋼構造物の設計製作、施工、保全が柱。液晶製造装置用のフレーム、海洋構造物も手がける。橋梁の総合保全体制確立。システム建築に注力し、千葉の専用工場を増強。トンネルなど土木関連や海外事業育成。工事、倉庫の生産性、安全性向上狙いDX推進。

●給与、ボーナス、週休、有休ほか●

【30歳総合職平均年収】773万円【初任給】(修士)267,900円(大卒)257,500円【ボーナス(年)】261万円、NA【25、30、35歳賃金】267,130円→327,367円→385,500円【週休】完全2日(土日祝)【夏期休暇】3日(8月)【年末年始休暇】12月30日～1月4日【有休取得】11.8／20日

●従業員数、勤続年数、離職率ほか●

【男女別従業員数、平均年齢、平均勤続年数】計 1,397(41.3歳 15.5年) 男 1,247(42.1歳 16.5年) 女 150(35.2歳 6.9年)【離職率と離職者数】1.5%、21名【3年後新卒定着率】90.8%(男88.7%、女100%、3年前入社:男53名・女12名)【組合】あり

求める人材 問題解決に向けて知恵を絞り、周りと協働しながら、最後までやり遂げられる人

会社データ (金額は百万円)

【本社】108-0023 東京都港区芝浦4-4-44
☎03-3453-4111 https://www.ybhd.co.jp/
【社長】髙田 和彦【設立】(創業)1907.2【資本金】9,435【今後力を入れる事業】橋梁保全 システム建築 先端技術

【業績(連結)】	売上高	営業利益	経常利益	純利益
22.3	136,931	14,752	14,995	11,043
23.3	164,968	15,218	15,452	11,243
24.3	164,076	15,946	15,857	11,854

飛島建設㈱（とびしまけんせつ）

持株会社 傘下

【特色】土木主体の老舗。トンネルで実績、耐震補強も

修士・大卒採用数	3年後離職率	有休取得年平均	平均年収(平均45歳)
35名	12.2→18.4%	10.9日	842万円

●エントリー情報と採用プロセス●

【受付開始～終了】総4月～5月 技3月～継続中【採用プロセス】総ES提出→1次面接→適性検査(Web)→GD・一般常識→最終面接→内々定 技ES提出→1次面接→適性検査(Web)→GD・基礎学力→最終面接→内々定【交通費支給】最終面接、実費

試験情報

重視科目 総技面接

総 ES⇒巻末 筆一般常識(Web)適性検査(Web) 面2回(Webあり) GD作⇒巻末 技 ES⇒巻末 筆基礎学力(Web)適性検査(Web) 面2回(Webあり) GD作⇒巻末

選考ポイント 総技 面志望動機が明確か 自己PRや今まで何かに努力して取り組んだ事を自身の言葉でしっかりと伝えられるか

通過率 総技 ES選考なし(受付:NA)

倍率(応募/内定) 総技NA

●男女別採用数と配属先ほか●

【男女・文理別採用実績】

	大卒男	大卒女	修士男	修士女
23年	27(文 2理 25)	9(文 2理 7)	1(文 0理 1)	2(文 0理 2)
24年	27(文 3理 24)	6(文 3理 3)	0(文 0理 0)	1(文 0理 1)
25年	29(文 2理 27)	4(文 2理 2)	2(文 0理 2)	0(文 0理 0)

【25年4月入社者の採用実績校】文(大)駒澤大 甲南大 東海大各1 理(院)日大 国士舘大各1(大)足利大 日工大 東北工大各3 東京都市大 千葉工大 西日本工大 関東職能大学校各2 目白大 第一工科大 愛知工業大 関大 東北学大 神奈川大 大阪産大 東京工芸大 名城大 九産大各1(短)岩手県大盛岡 静岡工科各1(高専)松江 熊本各1(専)青山製図2 福岡建設専門1

【24年4月入社者の配属先】総勤務地:北海道1 東京・港1 愛知1 大阪1 福岡1 **部署**:管理5 技勤務地:北海道3 秋田1 宮城1 茨城1 埼玉1 東京(文京1 練馬1 大田1 千代田1 港2 青梅1)千葉1 神奈川4 岐阜1 長野1 福井1 愛知2 大阪1 広島3 徳島1 福岡2 鹿児島1 **部署**:土木作業所12 建築設計1 建築作業所19

残業(月) 27.8時間

記者評価 大型土木が源流の中堅ゼネコン。青函トンネルや本州四国連絡橋、東京湾アクアライン、飛騨トンネルを手がけた。トンネル工事の実績多い。トグル制振構法で後付け制震に強み。24年10月、持ち株会社体制に移行。24年7月から大卒総合職の初任給を28万円に増額。

●給与、ボーナス、週休、有休ほか●

【30歳総合職平均年収】NA【初任給】(博士)285,000円(修士)265,000円(大卒)245,000円【ボーナス(年)】190万円、5.2カ月【25、30、35歳賃金】283,000円→331,000円→365,800円【週休】完全2日(土日祝)【夏期休暇】連続11日(有休取得推進日1日、計画取得2日含む)【年末年始休暇】連続7日(有休取得推進日1日含む)【有休取得】10.9／20日

●従業員数、勤続年数、離職率ほか●

【男女別従業員数、平均年齢、平均勤続年数】計 1,142(44.9歳 18.7年) 男 1,007(45.9歳 19.6年) 女 135(37.2歳 12.1年)【離職率と離職者数】3.2%、38名【3年後新卒定着率】81.6%(男89.5%、女54.5%、3年前入社:男38名・女11名)【組合】あり

求める人材 自主性・主体性があり、チャレンジ精神旺盛な人 協調性・コミュニケーション能力・傾聴力のある人

会社データ (金額は百万円)

【本社】108-0075 東京都港区港南1-8-15 Wビル
☎03-6455-8300 https://www.tobishima.co.jp/
【社長】乗京 正弘【設立】1947.3【資本金】5,519【今後力を入れる事業】建設業に軸をおいた新事業

【業績(連結)】	売上高	営業利益	経常利益	純利益
22.3	117,665	4,575	4,212	3,219
23.3	125,941	4,146	3,677	3,038
24.3	132,049	5,252	4,775	3,403

757 ▶『業界地図』p.20,24 開示 ★★★

開示 ★★ ▶『業界地図』p.230,245 2717

ライト工業(株)（こうぎょう）

東京P 1926

【特色】法面工事や地盤改良など特殊土木工事に強い

修士・大卒採用数	3年後離職率	有休取得年平均	平均年収(平均44歳)
56名	24.4 → 30.6%	12.0日	916万円

●エントリー情報と採用プロセス●

【受付開始～終了】㊓㊌3月～継続中【採用プロセス】㊓㊌説明会(必須)→ES提出→1次選考(適性検査・1次面接)→2次選考(役員面接)→内々定【交通費支給】2次面接以降、実費

試験情報

重視科目 総技面接

総技 ES NA 筆SPI性格 適性検査 面2回(Webあり)

選考ポイント 総技面 自分の考えをしっかりもっているか コミュニケーション力があるか 質問に対し的確な回答ができるか

通過率 総技 ES 選考なし(受付:NA)

倍率(応募/内定) 総技NA

●男女別採用数と配属先ほか●

【男女・文理別採用実績】

	大卒男	大卒女	修士男	修士女
23年	25(文 2理 23)	3(文 2理 1)	4(文 1理 3)	0(文 0理 0)
24年	24(文 10理 14)	8(文 6理 2)	2(文 0理 2)	0(文 0理 0)
25年	45(文 14理 31)	10(文 4理 6)	1(文 0理 1)	0(文 0理 0)

【25年4月入社者の採用実績校】
㊫常葉大 富士大 沖縄国際大 大阪学大 山梨学大 上武大 九州共立大 創価大 小樽商大 駿河台大 同大 他 ㊮和歌山大 大阪工大 佐賀大 九産大 福岡大 日本文理大 東北学大 広島工大 金沢工大 大阪産大 立命館大 近大 創価大 日大 金沢大 東京農業大 東海大 高知大 弘前大 北海学園大 摂南大 関東学院大 徳島文理大 日工大 法政大 他

【24年4月入社者の配属先】
総 **勤務地**:東京2 愛知1 広島1 **部署**:事務職4 技 **勤務地**:北海道1 東北1 東京14 愛知2 大阪4 広島2 **部署**:施工管理職24

残業(月) NA

記者評価 秋田のトンネル防水事業で創業。法面工事や軟弱地盤強化の地盤改良など特殊土木が得意。省人化・機械化の新工法開発でも実績。法面対策工事の全自動吹き付けシステムなど技術力に定評。米国、シンガポール、ベトナムに拠点。アンゴラではLNG石油基地建設も。

●給与、ボーナス、週休、有休ほか●

【30歳総合職平均年収】NA【初任給】(修士)(東京)270,000円(大卒)(東京)255,000円【ボーナス(年)】NA【25、30、35歳賃金】NA【週休】完全2日(土日)【夏期休暇】8月13～16日【年末年始休暇】12月30日～1月3日【有休取得】12.0／20日

●従業員数、勤続年数、離職率ほか●

【男女別従業員数、平均年齢、平均勤続年数】計 ◇967(44.0歳 17.8年) 男 892(44.8歳 18.0年) 女 75(43.2歳 14.7年)【離職率と離職者数】◇1.8%、18名【3年後新卒定着率】69.4%(男69.7%、女66.7%、3年前入社:男33名・女3名)【組合】なし

求める人材 自ら考えて行動し、向上させていこうとする意欲・姿勢を持った人物

会社データ (金額は百万円)

【本社】102-8236 東京都千代田区九段北4-2-35
☎03-3265-2551 https://www.raito.co.jp/
【社長】阿久津 和浩【設立】1948.9【資本金】6,119【今後力を入れる事業】従来事業強化 研究開発強化

【業績(連結)】	売上高	営業利益	経常利益	純利益
22.3	109,504	13,236	13,976	8,930
23.3	114,974	12,785	13,310	9,489
24.3	117,324	11,245	11,609	8,181

(株)NIPPO（ニッポ）

株式公開していない

【特色】ENEOS・HD系で道路舗装の最大手。民間建築も

修士・大卒採用数	3年後離職率	有休取得年平均	平均年収(平均43歳)
59名	17.0 → 15.9%	13.3日	総 988万円

●エントリー情報と採用プロセス●

【受付開始～終了】㊓3月～7月 ㊌3月～継続中【採用プロセス】㊓㊌ES提出・Webテスト・作文・1次面接(3月～)→2次面接→役員面接→内々定【交通費支給】全ての面接、実費【早期選考】⇒巻末

試験情報

重視科目 総技面接 適性

総 技 ES⇒巻末 筆SPI3(自宅) 面3回(Webあり) GD作⇒巻末

選考ポイント 総技 ES 自分の考えを自らの言葉で述べ、読み手に配慮した文章を書けているか 面積極性 協調性 適性 他

通過率 総技 ES 選考なし(受付:NA)

倍率(応募/内定) 総技NA

●男女別採用数と配属先ほか●

【男女・文理別採用実績】

	大卒男	大卒女	修士男	修士女
23年	54(文 12理 42)	6(文 4理 2)	2(文 0理 2)	0(文 0理 0)
24年	42(文 7理 35)	8(文 4理 4)	7(文 0理 7)	0(文 0理 0)
25年	42(文 12理 30)	13(文 10理 3)	4(文 0理 4)	0(文 0理 0)

【25年4月入社者の採用実績校】㊫(大)成蹊大3 中大 立教大各2 明大 亜大 関西学大 広島修道大 国士舘大 成城大 専大 早大 津田塾大 同大 福岡大 立命館大 國學院大 滋賀大 広島大各1 ㊮(院)北見工大 金沢工大 筑波大 熊本大各1 (大)日大9 東京農業大3 広島工大 国士舘大 東北工大 徳島大各2 ものつくり大 愛知工業大 崇城大 千葉工大 大阪工大 長岡技科大 東海大 東京都市大 東北学大 日本文理大 福岡大 北海道科学大 北里大各1(高専)苫小牧 函館 木更津各1

【24年4月入社者の配属先】総 **勤務地**:東京1 札幌1 仙台1 福島1 栃木1 横浜1 新潟市1 名古屋1 広島1 山口市1 香川1 福岡市1 熊本市1 **部署**:総務13 技 **勤務地**:東京(江戸川1 台東5 東大和1 品川1)北海道(苫小牧1 北見1)青森市1 仙台1 福島・郡山1 茨城(つくば1 古河1)栃木・宇都宮1 群馬・太田1 埼玉(さいたま1 川口1)千葉(千葉1 船橋1)神奈川(横浜1 厚木1)新潟(新潟1 上越1)山梨・笛吹1 静岡市3 愛知・豊田1 三重・四日市1 滋賀・大津2 神戸1 鳥取・米子1 島根(益田1 出雲1)岡山市1 広島市1 徳島市1 高知・南国1 福岡市2 宮崎(宮崎2 児湯1) **部署**:土木41 建築5

残業(月) 25.7時間 総28.8時間

記者評価 旧日本石油と浅野物産の道路部が合併し1934年設立。全国150カ所超に舗装資材の供給拠点を配する。道路や空港滑走路などの舗装土木が主力。スポーツ施設建設も手がける。海外はアジアでのアスファルト合材製販や、自動車テストコース工事などを展開。

●給与、ボーナス、週休、有休ほか●

【30歳総合職平均年収】763万円【初任給】(修士)290,000円(大卒)270,000円【ボーナス(年)】298万円、6.278カ月【25、30、35歳賃金】290,160円→354,053円→428,427円【週休】完全2日(土日祝)【夏期休暇】連続9日(特別休暇3日+計画年休2日+週休4日)【年末年始休暇】連続7日(特別休暇4日+週休3日)【有休取得】13.3／20日

●従業員数、勤続年数、離職率ほか●

【男女別従業員数、平均年齢、平均勤続年数】計 1,620(42.7歳 17.7年) 男 1,506(43.2歳 18.0年) 女 114(36.2歳 13.2年)【離職率と離職者数】3.2%、54名【3年後新卒定着率】84.1%(男82.0%、女92.3%、3年前入社:男50名・女13名)【組合】あり

求める人材 常に問題意識・当事者意識を持ち、挑戦する心を忘れない人

会社データ (金額は百万円)

【本社】104-8380 東京都中央区京橋1-19-11
☎03-3563-6742 https://www.nippo-c.co.jp/
【社長】和田 千弘【設立】1934.2【資本金】15,324【今後力を入れる事業】建築 開発 環境 海外 他

【業績(連結)】	売上高	営業利益	経常利益	純利益
22.3	436,655	38,865	40,771	26,451
23.3	437,521	33,202	33,973	21,359
24.3	442,629	35,072	36,410	32,333

開示 ★★★★ ▶『業界地図』p.230 37

建設

まえだどうろ 前田道路(株)

持株会社傘下

【特色】道路舗装の大手。インフロニアHDの傘下に

修士・大卒採用数	3年後離職率	有休取得年平均	平均年収(平均42歳)
54名	18.4→18.0%	11.1日	総1,013万円

●エントリー情報と採用プロセス●

【受付開始～終了】総技1月～9月【採用プロセス】総技説明会・履歴書提出(1～7月)→1次面接・性格検査(1～9月)→2次面接(2～9月)→最終面接(3～9月)→内々定(3～9月)【交通費支給】1次面接以降、実費【早期選考】⇒巻末

試験情報

重視科目 総技面接

総技 ES⇒巻末 筆OPQ 面3回(Webあり)

選考ポイント 総技 ES当社の理解度 面コミュニケーション能力 積極性 志望動機 適性 熱意

通過率 総 ES92%(受付:118→通過:109) 技 ES選考なし(受付:80) 倍率(応募/内定) 総11倍 技3倍

●男女別採用数と配属先ほか●

【男女・文理別採用実績】※25年:24年7月31日時点

	大卒男	大卒女	修士男	修士女
23年	60(文 15 理 45)	6(文 5 理 1)	4(文 0 理 4)	0(文 0 理 0)
24年	57(文 10 理 47)	4(文 1 理 3)	3(文 0 理 3)	1(文 0 理 1)
25年	45(文 11 理 34)	6(文 0 理 6)	3(文 0 理 3)	0(文 0 理 0)

【25年4月入社者の採用実績校】文(大)日大2 亜大 宮崎大 金沢大 産能大 松山大 青学大 明学大 立正大 龍谷大各1 理(院)東京工芸大 東京農業大 徳島大各1(大)日大9 東京農業大6 関東学院大 広島工大 湘南工大 新潟食農大 東海大 東洋大 北見工大各2 宇都宮大 大阪工大 第一工科大 拓大 島根大 東京工芸大 東京都市大 日本文理大 八戸工大 福岡大 琉球大各1(高専)阿南 八戸各1(専)福岡建設1

【24年4月入社者の配属先】総勤務地:(24年)札幌1 仙台1 さいたま1 東京(大崎1 目黒2)横浜1 名古屋1 大阪1 広島1 博多1 部署:(24年)総務・経理11 技勤務地:(23年)北海道(旭川1 帯広1 札幌4 苫小牧1 函館1)岩手1 福島・郡山1 茨城5 群馬・館林1 埼玉(さいたま2 朝霞1 三郷1)東京(武蔵野1 大崎2 西多摩1 江東1 足立1 世田谷1 八王子1)千葉(君津1 千葉2 船橋1)神奈川(横浜2 湘南1 川崎1)長野1 三重・四日市1 静岡(浜松1 富士1)名古屋2 大阪2 滋賀1 神戸1 広島(広島1 福山2)岡山・倉敷1 香川・丸亀1 愛媛・西条1 福岡(大野城1 福岡1) 部署:(23年)施工管理31 技術16 機械7

残業(月) 26.6時間 総32.2時間

記者評価 前身の高野組を前田建設工業が再建支援し68年に現社名に。民間小口の開拓で先行。アスファルト合材製造販売も展開する。都市圏に強み。経営は自主独立志向だったが20年3月に前田建設によるTOBが成立して子会社化。21年10月に共同持株会社体制に移行した。

●給与、ボーナス、週休、有休ほか●

【30歳総合職平均年収】744万円【初任給】(修士)280,000円(大卒)260,000円【ボーナス(年)】287万円、6.25カ月【25、30、35歳賃金】280,967円→337,194円→420,487円【週休】完全2日(土日祝)【夏期休暇】連続9日(有休2日、週休4日含む)【年末年始休暇】連続9日(週休2日含む)【有休取得】11.1／20日

●従業員数、勤続年数、離職率ほか●

【男女別従業員数、平均年齢、平均勤続年数】計 2,435(42.8歳 17.1年) 男 1,946(43.0歳 18.5年) 女 489(41.9歳 11.5年)【離職率と離職者数】3.6%、92名(早期退職男4名含む)【3年後新卒定着率】82.0%(男82.5%、女75.0%、3年前入社:男57名・女4名)【組合】あり

求める人材 バイタリティーを持ち、新しい目標に積極的に取り組みチャレンジできる人

会社データ (金額は百万円)

【本社】141-8665 東京都品川区大崎1-11-3
☎03-5487-0011 https://ssl.maedaroad.co.jp/
【社長】今泉 保彦【設立】1930.7【資本金】19,350【今後力を入れる事業】インフラ維持管理 カーボンニュートラル

【業績(単独)】	売上高	営業利益	経常利益	純利益
22.3	235,600	11,682	12,160	9,698
23.3	248,662	11,485	11,935	9,496
24.3	256,031	16,209	16,608	11,387

にっぽんどうろ 日本道路(株)

東京P 1884

【特色】道路舗装大手、清水建設系。建築土木など多角化

修士・大卒採用数	3年後離職率	有休取得年平均	平均年収(平均41歳)
29名	14.3→30.0%	13.2日	総847万円

●エントリー情報と採用プロセス●

【受付開始～終了】総技3月～7月【採用プロセス】総技1次面接→2次面接→適性検査→最終面接→内々定(6月～)【交通費支給】全ての面接、実費【早期選考】⇒巻末

試験情報

重視科目 総技面接

総技 筆I-Dats 面2～3回(Webあり)

選考ポイント 総技 ES提出なし 面就業意欲(熱意)が高く、自己分析・アピールが的確に行えるか

通過率 総 ES—(応募:(早期選考含む)81) 技 ES—(応募:(早期選考含む)56)

倍率(応募/内定) 総技(早期選考含む)5倍

●男女別採用数と配属先ほか●

【男女・文理別採用実績】

	大卒男	大卒女	修士男	修士女
23年	20(文 10 理 10)	3(文 2 理 1)	2(文 1 理 1)	0(文 0 理 0)
24年	27(文 12 理 15)	5(文 1 理 4)	2(文 0 理 2)	0(文 0 理 0)
25年	24(文 14 理 10)	5(文 3 理 2)	0(文 0 理 0)	0(文 0 理 0)

【25年4月入社者の採用実績校】
文(大)成蹊大 日本文理大各2 駒澤大 立正大 国士舘大 白百合女大 学習院大 創価大 東京経大 筑波大 愛知学大 名城大 滋賀大 新潟医療福祉大 宮城大各1 理(大)日大5 日本文理大2 茨城大 徳島大 安田女大 金沢工大 八戸工大各1

【24年4月入社者の配属先】
総勤務地:東京(浜松町7 蒲田1)さいたま1 愛知1 福岡市1 新潟市1 仙台1 部署:総務2 人事3 経理2 管理6 技勤務地:茨城・土浦23 部署:施工管理23

残業(月) 30.1時間 総27.2時間

記者評価 道路舗装大手の一角。創業1929年の老舗。清水建設系だが社長は歴代生え抜き。高速道路整備を軸に業容拡大。公園のランナー舗装などスポーツ関連も実績豊富。22年に清水建設が追加出資し同社子会社に。清水建設と共同での営業や脱炭素関連の技術開発を推進。

●給与、ボーナス、週休、有休ほか●

【30歳総合職平均年収】633万円【初任給】(修士)280,000円(大卒)260,000円【ボーナス(年)】182万円、4.6カ月【25、30、35歳モデル賃金】287,900円→339,100円→474,100円【週休】完全2日(土日祝)【夏期休暇】連続4日【年末年始休暇】12月30日～1月3日【有休取得】13.2／20日

●従業員数、勤続年数、離職率ほか●

【男女別従業員数、平均年齢、平均勤続年数】計 ◇1,622(41.4歳 14.4年) 男 1,329(41.1歳 15.0年) 女 293(42.8歳 12.0年)【離職率と離職者数】◇5.8%、100名【3年後新卒定着率】70.0%(男71.1%、女50.0%、3年前入社:男38名・女2名)【組合】なし

求める人材 積極的な姿勢を持ちコミュニケーション能力に優れた人

会社データ (金額は百万円)

【本社】105-0023 東京都港区芝浦1-2-3 シーバンスS館7階
☎03-4477-4041 https://www.nipponroad.co.jp/
【社長】石井 敏行【設立】1929.3【資本金】12,290【今後力を入れる事業】工事事業強化 海外事業拡大

【業績(連結)】	売上高	営業利益	経常利益	純利益
22.3	156,379	8,202	8,582	5,667
23.3	155,353	5,695	5,920	5,704
24.3	160,519	7,833	7,994	5,053

建設

東亜道路工業(株)
とうあどうろこうぎょう

東京P 1882

【特色】独立系道路舗装大手。アスファルト乳剤で最大手

修士・大卒採用数	3年後離職率	有休取得年平均	平均年収(平均44歳)
20名	15.0→26.2%	11.0日	[総]809万円

●エントリー情報と採用プロセス●

【受付開始～終了】[総][技]3月～継続中【採用プロセス】[総][技]説明会・ES配付(必須、3月～)→筆記・面接(4月上旬～)→面接(4月下旬～)→内々定(4月下旬～)【交通費支給】2次面接、地域毎に定額【早期選考】⇒巻末

試験情報

重視科目 [総][技]面接

[総][技][ES]⇒巻末[筆]GPS[面]2回(Webあり)

選考ポイント [総][技][ES]学生時代に注力した活動とその経験内容 当社にて実現したいこと[面]人物重視 志望動機 自己PR

通過率 [総][技][ES]NA

倍率(応募/内定) [総][技]NA

●男女別採用数と配属先ほか●

【男女・文理別採用実績】

	大卒男	大卒女	修士男	修士女
23年	28(文 18理 10)	6(文 4理 2)	1(文 0理 1)	0(文 0理 0)
24年	24(文 9理 15)	7(文 6理 1)	1(文 0理 1)	3(文 1理 2)
25年	16(文 9理 7)	3(文 3理 0)	1(文 0理 1)	0(文 0理 0)

【25年4月入社者の採用実績校】

[文](大)國學院大2 近大 宮城大 立命館大 駒澤大 東洋大 武蔵野大 同大 南山大 愛知工業大 広島経大各1 [理](院)日大1 (大)日大3 東京農業大 関東学院大 福岡大 金沢工大各1

【24年4月入社者の配属先】

[総]勤務地:東北3 関東6 中部2 九州2 部署:事務2 営業11 [技]勤務地:北海道2 東北3 関東8 関西2 中部4 中四国2 九州1 部署:研究2 製品製造・品質管理2 工事18

残業(月) 25.0時間

記者評価 道路舗装業界内でも合材・乳剤など舗装材製造部門に強みを持ち、アスファルト乳剤で高シェア。日本サッカー協会とグラウンド舗装などでパートナー契約。太陽光発電舗装に注力するなど環境対応も強化。2020年に経団連入会と、独立系としての矜持打ち出す。

●給与、ボーナス、週休、有休ほか●

【30歳総合職平均年収】640万円【初任給】(修士)278,000円(大卒)258,000円【ボーナス(年)】210万円、4.5カ月【25、30、35歳モデル賃金】273,000円→340,000円→377,000円【週休】4週8休【夏期休暇】連続4日【年末年始休暇】連続5日【有休取得】11.0／20日

●従業員数、勤続年数、離職率ほか●

【男女別従業員数、平均年齢、平均勤続年数】計1,093(44.0歳 19.3年) 男1,006(NA) 女87(NA)【離職率と離職者数】5.6%、65名【3年後新卒定着率】73.8%(男73.0%、女80.0%、3年前入社:男37名・女5名)【組合】あり

求める人材 明るく前向きで意欲的、コミュニケーション意欲がある、積極性の高い人

会社データ (金額は百万円)

【本社】106-0032 東京都港区六本木7-3-7
☎03-3405-1811 https://www.toadoro.co.jp/
【社長】森下 協一【設立】1930.11【資本金】7,584【今後力を入れる事業】スポーツ施設 環境配慮型の道路 官民連携事業(PFI)太陽光発電装置

【業績(連結)】	売上高	営業利益	経常利益	純利益
22.3	112,118	5,516	5,590	3,714
23.3	118,721	4,736	4,957	3,160
24.3	118,060	5,473	5,707	3,793

大成ロテック(株)
たいせい

株式公開 計画なし

【特色】大成建設の完全子会社で、道路舗装大手の一角

修士・大卒採用数	3年後離職率	有休取得年平均	平均年収(平均42歳)
40名	10.8→13.2%	10.0日	[総]873万円

●エントリー情報と採用プロセス●

【受付開始～終了】[総][技]3月～継続中【採用プロセス】[総][技]説明会(必須、3月～)→ES提出・SPI→1次面接→最終面接→内々定(6月上旬～)【交通費支給】1次面接以降、会社基準【早期選考】⇒巻末

試験情報

重視科目 [総][技]面接

[総][技][ES]⇒巻末[筆]SPI3(会場)[面]2回(Webあり)

選考ポイント [総][技][ES]志望動機が明確か 希望職種に対する理解度[面]自分の言葉で語っているか 前向きな姿勢があるか 協調性があるか 業界・仕事内容が理解できているか

通過率 [総][ES]87%(受付:31→通過:27) [技][ES]91%(受付:47→通過:43)

倍率(応募/内定) [総][技]2倍

●男女別採用数と配属先ほか●

【男女・文理別採用実績】

	大卒男	大卒女	修士男	修士女
23年	26(文 18理 8)	11(文 8理 3)	1(文 0理 1)	0(文 0理 0)
24年	20(文 12理 8)	13(文 6理 7)	1(文 0理 1)	1(文 0理 1)
25年	35(文 15理 20)	5(文 4理 1)	0(文 0理 0)	0(文 0理 0)

【25年4月入社者の採用実績校】[文](24年)(大)東京経大3 日大2 佐賀大 関西学大 獨協大 追手門学大 國學院大 淑徳大 福岡工大 神戸女学大 大阪国際大 愛知学大 九産大 共栄大 朝日大各1 [理](24年)(院)福岡大 北陸先端科技院大各1(大)東京農業大 北海道科学大 タンリン工科大 モウラミャイン工科大各2 日大 東洋大 北里大 東北工大 郡山女大 西ヤンゴン工科大 マウビ工科大各1(専)日本工学院1

【24年4月入社者の配属先】[総]勤務地:福島・須賀川1 千葉・船橋1 埼玉・川越1 東京・江東1 浜松1 京都・福知山1 熊本・菊池1 部署:工事事務所・事務6 合材工場・事務1 [技]勤務地:千葉(成田5 柏1)埼玉(さいたま3 鴻巣2)東京・江東5 愛知(名古屋5 小牧1)大阪市5 山口・防府1 福岡・糟屋1 部署:技術研究所1 機械技術センター1 合材工場・製品管理5 支社・施工管理22

残業(月) 35.8時間 [総]41.5時間

記者評価 大成建設グループの道路舗装会社。土木、建築工事も手がける。建設資材リサイクル、再エネに熱心。海外は中国、ベトナムでも実績多い。京大の経営管理大学院に出光興産などと「インフラ物性産学共同講座」を開設。25年度から大卒初任給を2万円増額予定。

●給与、ボーナス、週休、有休ほか●

【30歳総合職モデル年収】710万円【初任給】(博士)275,000円(修士)270,000円(大卒)250,000円【ボーナス(年)】(総合職)237万円、(総合職)5.0カ月【25、30、35歳賃金】276,231円→331,200円→404,100円【週休】完全2日(土日祝)【夏期休暇】週休5日+特別休4日+計画休1日【年末年始休暇】週休5日+特別休4日+計画休1日【有休取得】10.0／20日

●従業員数、勤続年数、離職率ほか●

【男女別従業員数、平均年齢、平均勤続年数】計1,209(43.0歳 17.0年) 男1,009(42.9歳 17.5年) 女200(43.5歳 14.8年)【離職率と離職者数】3.9%、49名【3年後新卒定着率】86.8%(男80.8%、女100%、3年前入社:男26名・女12名)【組合】あり

求める人材 向上意欲が旺盛で、幅広い視野に立って何事にもチャレンジする人材

会社データ (金額は百万円)

【本社】160-6112 東京都新宿区西新宿8-17-1 住友不動産新宿グランドタワー
☎03-5925-9431 https://www.taiseirotec.co.jp/
【社長】加賀田 健司【設立】1961.6【資本金】11,305【今後力を入れる事業】海外 中小水力発電 脱炭素リサイクル技術

【業績(単独)】	売上高	営業利益	経常利益	純利益
22.3	117,324	2,962	3,120	1,999
23.3	112,360	677	818	467
24.3	115,987	3,994	4,175	2,429

おおばやしどうろ 大林道路(株)

株式公開 計画なし

【特色】大林組の完全子会社。道路、土木工事が事業柱

修士・大卒採用数	3年後離職率	有休取得年平均	平均年収(平均43歳)
43名	12.1→22.6%	12.4日	総 842万円

残業(月) 27.1時間 総 27.1時間

記者評価 1933年創業の道路工事大手。大林グループ舗装専業の東洋舗装が前身。得意の道路舗装(空港の滑走路含む)と土木工事を両輪に建築、太陽光発電など再エネ関連へと業容拡大。スポーツ施設整備や景観工事にも取り組む。条件を満たせば月2回の帰省旅費を支給。

●エントリー情報と採用プロセス●

【受付開始～終了】総技3月～継続中【採用プロセス】総技説明会(必須、随時)→ES提出・適性検査(Web)→面接(2回)→内々定【交通費支給】宿泊費・交通費全額

試験情報

重視科目 総技面接

総技 ES ⇒巻末 筆 一般常識 適性検査 面 2回(Webあり)

選考ポイント 総技 ES 当社業務の理解度及び志望度 面 当社業務の理解 業務内容と本人資質のマッチング

通過率 総 ES 56%(受付:112→通過:63) 技 ES 96%(受付:84→通過:81)

倍率(応募/内定) 総9倍 技2倍

●給与、ボーナス、週休、有休ほか●

【30歳総合職平均年収】700万円【初任給】(博士)265,200円(修士)265,200円(大卒)255,200円【ボーナス(年)】198万円、4.5カ月【25、30、35歳賃金】296,322円→341,433円→400,536円【週休】完全2日【夏期休暇】連続9日(土日祝、特別休暇含む)【年末年始休暇】連続9日(土日祝、特別休暇含む)【有休取得】12.4／22日

●男女別採用数と配属先ほか●

【男女・文理別採用実績】

	大卒男	大卒女	修士男	修士女
23年	30(文 9 理 21)	5(文 4 理 1)	2(文 0 理 2)	0(文 0 理 0)
24年	28(文 10 理 18)	8(文 4 理 4)	1(文 0 理 1)	1(文 0 理 1)
25年	31(文 15 理 16)	10(文 6 理 4)	2(文 0 理 2)	0(文 0 理 0)

【25年4月入社者の採用実績校】文(大)法政大 専大各2 関西外大 関西学大 関大 京都先端科学大 近大 甲南大 札幌国際大 摂南大 創価大 大阪産大 大正大 中大 日本文理大 富山大 富士大 流経大 立命館大各1 理(院)新潟大 日大各1(大)日大3 北海道科学大 西日本工大 大阪産大 大同大 東北工大各2 愛知工業大 金沢工大 熊本県大 大阪工大 福岡大 北里大 名城大各1(専)日本工科大学校3 国際理工カレッジ1

【24年4月入社者の配属先】総勤務地:東京3 宮城1 大阪1 広島1 福岡1 部署:営業所2 総務4 経理1 技勤務地:埼玉7 神奈川3 静岡3 兵庫3 愛知2 岐阜2 宮城2 山口2 滋賀2 大阪2 福島2 茨城1 群馬1 香川1 千葉1 東京1 栃木1 部署:営業所27 機械センター3 機械部2 技術研究所1 建築部3

●従業員数、勤続年数、離職率ほか●

【男女別従業員数、平均年齢、平均勤続年数】計 ◇1,286(44.7歳 18.1年) 男 1,095(44.8歳 19.0年) 女 191(43.7歳 13.3年)【離職率と離職者数】◇4.3%、58名【3年後新卒定着率】77.4%(男80.0%、女66.7%、3年前入社:男25名・女6名)【組合】あり

求める人材 チャレンジ精神に富み、仲間を大切にし、自分の意見を発せられる人物

会社データ (金額は百万円)

【本社】101-8228 東京都千代田区神田猿楽町2-8-8 住友不動産猿楽町ビル ☎03-3295-8860 https://www.obayashi-road.co.jp/

【社長】黒川 修治【設立】1933.8【資本金】6,293【今後力を入れる事業】インフラ維持管理業務 橋梁メンテナンス工事

【業績(単独)】	売上高	営業利益	経常利益	純利益
22.3	106,708	4,825	4,917	4,822
23.3	98,471	2,233	2,324	2,147
24.3	102,677	4,364	4,445	4,130

せいきとうきゅうこうぎょう 世紀東急工業(株)

東京P 1898

【特色】道路舗装大手の一角。東急系。景観など技術多彩

修士・大卒採用数	3年後離職率	有休取得年平均	平均年収(平均38歳)
32名	!16.7→!19.5%	14.0日	総 840万円

残業(月) 12.4時間 総 33.4時間

記者評価 1982年に世紀建設が東急道路と合併し誕生。東日本が地盤。道路舗装が事業の柱で、高速道路や空港向けの舗装に実績。道路舗装に使用するアスファルト合材の製造販売も手がける。景観舗装やスポーツ施設建設など事業領域の拡大にも力を入れる。

●エントリー情報と採用プロセス●

【受付開始～終了】総3月～7月 技3月～継続中【採用プロセス】総技説明会(任意、3月～)→ES提出(3月～)→Web適性試験(3月～)→面接(2回、4月頃～)→内々定(6月頃～)【交通費支給】面接、実費【早期選考】⇒巻末

試験情報

重視科目 総技面接 適性試験

総 技 ES ⇒巻末 筆 Web適性試験(TG-WEB) 面 2回(Webあり)

選考ポイント 総 ES 志望度の高さ 大学時代にやってきたことの行動特性 誠実性 面 大学時代にやってきたことの行動特性 誠実性 コミュニケーション能力 会社選びの軸 技 ES 総合職共通 面 志望度の高さ 大学時代にやってきたことの行動特性 誠実性 コミュニケーション能力 会社選びの軸

通過率 総 ES 98%(受付:55→通過:54) 技 ES 100%(受付:56→通過:56)

倍率(応募/内定) 総9倍 技8倍

●給与、ボーナス、週休、有休ほか●

【30歳総合職平均年収】641万円【初任給】(修士)265,000円(大卒)245,000円【ボーナス(年)】230万円、6.0カ月【25、30、35歳賃金】266,100円→302,800円→387,700円【週休】完全2日(土日祝)【夏期休暇】連続9日(休暇付与1日、土日祝5日、有休推奨3日)【年末年始休暇】連続9日(休暇付与2日、土日祝5日、有休推奨2日)12月28日～1月5日【有休取得】14.0／25日

●男女別採用数と配属先ほか●

【男女・文理別採用実績】※25年:計画数

	大卒男	大卒女	修士男	修士女
23年	11(文 3 理 8)	2(文 2 理 0)	1(文 0 理 1)	0(文 0 理 0)
24年	11(文 3 理 8)	6(文 0 理 6)	2(文 0 理 2)	1(文 0 理 1)
25年	21(文 2 理 19)	9(文 3 理 6)	1(文 0 理 1)	1(文 0 理 1)

【25年4月入社者の採用実績校】文(24年)(大)國學院大 立正大 大阪経大各1 理(24年)(院)東京都市大2 日大1(大)東京都市大4 日大3 第一工科大 立正大 東海大 宇都宮大 熊本大 はこだて未来大 神奈川大各1(専)日本工科大学校2 日本工学院 筑波研究学園各1

【24年4月入社者の配属先】総勤務地:福岡1 部署:事務1 技勤務地:北海道1 青森1 岩手1 富山1 埼玉3 千葉2 東京3 神奈川3 愛知1 三重3 大阪1 山口1 福岡1 熊本1 部署:施工管理職(営業所)20 品質管理職(合材工場)3

●従業員数、勤続年数、離職率ほか●

【男女別従業員数、平均年齢、平均勤続年数】計 ◇995(40.1歳 13.6年) 男 846(41.1歳 15.1年) 女 149(37.1歳 7.1年)【離職率と離職者数】◇3.4%、35名【3年後新卒定着率】80.5%(男75.0%、女100%、3年前入社:男32名・女9名)※現業含む【組合】なし

求める人材 自ら考えて、進んで行動できる人 自分の意見を相手にはっきり伝えられる人

会社データ (金額は百万円)

【本社】105-8509 東京都港区芝公園2-9-3 ☎03-6770-4014 https://www.seikitokyu.co.jp/

【社長】平 喜一【設立】1950.1【資本金】2,000【今後力を入れる事業】環境関連事業・顧客のニーズに対応する技術開発

【業績(連結)】	売上高	営業利益	経常利益	純利益
22.3	85,132	4,418	4,358	3,304
23.3	92,414	2,669	2,647	1,127
24.3	88,037	4,091	4,078	2,740

建設

日揮(にっき)ホールディングス㈱

東京P 1963

【特色】国内首位、世界屈指の総合エンジニアリング企業

修士・大卒採用数	3年後離職率	有休取得年平均	平均年収(平均43歳)
133名	11.7→5.1%	14.8日	(総)(!)1,162万円

残業(月) 27.0時間

記者評価 独立系のプラントエンジニアリング企業。大規模プラント設計・資材調達・建設(EPC)を一括請負。高い技術を要するLNG(液化天然ガス)プラント建設でも実績。イラク製油所設備、サウジ油ガス処理プラントなどが牽引。24年7月にベースアップを実施。

●エントリー情報と採用プロセス●

【受付開始～終了】(総)(技)3月～6月【採用プロセス】(総)説明会・セミナー(任意)→ES・ライフラインチャート提出・テストセンター(3月)→人事面談→面接(2回)→内々定(6月～) (技)説明会・セミナー(任意)→ES・ライフラインチャート提出・テストセンター→人事面談→面接(2回)→内々定(6月～)【交通費支給】2次面接、東京・横浜エリア一律1,000円 その他地域会社基準

試験情報

重視科目 [総][技]面接

[総][技](ES)⇒巻末(筆)C-GAB OPQ(面)2回(Webあり)

選考ポイント [総][技](ES)学生時代の経験(面)論理的思考 説明能力(学生時代の経験)

通過率 [総][技](ES)NA 倍率(応募/内定) [総][技]NA

●男女別採用数と配属先ほか●

【男女・文理別採用実績】

	大卒男	大卒女	修士男	修士女
23年	22(文 12理 10)	13(文 9理 4)	73(文 0理 73)	13(文 0理 13)
24年	20(文 8理 12)	12(文 8理 4)	93(文 0理 93)	21(文 0理 21)
25年	20(文 14理 6)	10(文 8理 2)	86(文 0理 86)	17(文 0理 17)

※日揮ホールディングス㈱、日揮グローバル㈱、日揮㈱合同採用

【25年4月入社者の採用実績校】(文)(大)東京外大 早大 明大 中大 横国大 横浜市大 阪大各2 東北大 一橋大 法政大 東京都市大 立教大 上智大 大阪市大 大阪府大各1 (理)(院)東理大9 北大 横国大各7 東北大 都立大各6 東京科学大5 早大4 東大 千葉大 芝工大 青学大 阪大 立命館大各3 新潟大 千葉工大 明大 名大 京大 同大 神戸大 九大各2 弘前大 金沢大 金沢工大 埼玉大 東京海洋大 東京農業大 東京農工大 上智大 成蹊大 中大 工学院大 日大 関東学院大 三重大 関西学大 関大 京都工繊大 近大 鳥取大 広島大 徳島大 福岡大 佐賀大 北九州市大 鹿児島大各1(大)東理大 青学大 東京電機大 日大 法政大 明大 神戸大 関大各1(高専)茨城2 仙台 福井 明石各1

【24年4月入社者の配属先】[総]勤務地:横浜13 部署:財務経理4 人事3 法務2 コンプライアンス1 総務1 経営企画2 [技]勤務地:横浜135 部署:設計系84 プロジェクト系38 メンテナンス7 新規事業系6

●給与、ボーナス、週休、有休ほか●

【30歳総合職平均年収】968万円【初任給】(博士)300,000円 (修士)270,000円 (大卒)240,000円【ボーナス(年)】NA【25、30、35歳賃金】NA【週休】完全2日(土日祝)【夏期休暇】有休で取得【年末年始休暇】12月30日～1月4日【有休取得】14.8/23日【平均年収(総合職)】(3社)1,162万円

●従業員数、勤続年数、離職率ほか●

【男女別従業員数、平均年齢、平均勤続年数】計 3,237(43.1歳 14.6年) 男 2,740(43.4歳 14.9年) 女 497(41.1歳 13.2年)【離職率と離職者数】4.4%、149名【3年後新卒定着率】94.9%(男95.1%、女92.9%、3年前入社:男122名・女14名)【組合】なし

求める人材 新たな領域、技術、手法に挑戦できること 社会への好奇心を持ち、ニーズに応えて創造性を発揮できる人 多様な人や技術を結集できる柔軟性とリーダーシップを持てる人

会社データ (金額は百万円)

【本社】220-6001 神奈川県横浜市西区みなとみらい2-3-1
☎045-682-1111 https://www.jgc.com/
【社長】石塚 忠【設立】1928.10【資本金】23,798【今後力を入れる事業】環境事業 各種インフラ事業 新エネルギー

【業績(連結)】	売上高	営業利益	経常利益	純利益
22.3	428,401	20,688	30,028	▲35,551
23.3	606,890	36,699	50,560	30,665
24.3	832,595	▲18,995	358	▲7,830

JFE(ジェイエフイー)エンジニアリング㈱

株式公開 計画なし

【特色】JFEグループ系列の総合エンジニアリング会社

修士・大卒採用数	3年後離職率	有休取得年平均	平均年収(平均43歳)
108名	13.9→4.0%	19.4日	(総)1,040万円

残業(月) 26.4時間 (総)26.4時間

記者評価 旧NKKと旧川崎製鉄のエンジ部門統合で発足。鉄鋼、造船関連が源流。現在は都市整備やエネ関連を核に各種プラント、水処理施設の比重大。バイオマス発電、太陽光発電など再エネ注力。途上国インフラ建設も積極的。独身寮は本社まで30分の通勤圏内に4棟完備。

●エントリー情報と採用プロセス●

【受付開始～終了】(総)3月～6月 (技)3月～8月【採用プロセス】(総)(技)仕事理解セミナー・Web試験(10～3月)→ES提出(3月～)→面接(複数回、6月～)→内々定(6月～)【交通費支給】仕事理解セミナー以降、遠方者のみに会社基準額(仕事理解セミナーは片道分、面接は往復分)

試験情報

重視科目 [総][技]面接

[総][技](ES)⇒巻末(筆)WebGAB(面)複数回(Webあり)

選考ポイント [総][技](ES)論理性 志望動機の強さ 他(面)人物 志望度

通過率 [総](ES)NA(受付:534→通過:NA) [技](ES)NA(受付:549→通過:NA) 倍率(応募/内定) [総]15倍 [技]7倍

●男女別採用数と配属先ほか●

【男女・文理別採用実績】

	大卒男	大卒女	修士男	修士女
23年	18(文 10理 8)	9(文 8理 1)	43(文 0理 43)	11(文 1理 10)
24年	19(文 8理 11)	13(文 10理 3)	44(文 1理 43)	7(文 1理 6)
25年	33(文 19理 14)	13(文 10理 3)	57(文 0理 57)	5(文 0理 5)

【25年4月入社者の採用実績校】(文)(院)明大1(大)同大3 阪大 九大 中大 北大 立教大 立命館大 早大各2 宇都宮大 大阪公大 学習院女大 関西学大 上智大 専大 東京外大 東北大 名大 日大 法政大 立命館APU各1 (理)(院)北大7 大阪公大 筑波大 東北大各4 阪大 慶大 横国大各3 青学大 九州工大 九大 信州大 東理大 長岡技科大 名大 早大各2 愛媛大 岡山大 岡山理大 神奈川大 金沢大 関大 京都工繊大 京大 熊本大 芝工大 島根大 中大 中京大 東京海洋大 東大 東京都市大 同大 日大 広島大各1(大)九大2 青学大 岩手大 岡山大 金沢大 京大 神戸大 芝工大 上智大 第一工大 東京科学大 東京都市大 日大 法政大 室蘭工大 大和大各1(高専)八戸1

【24年4月入社者の配属先】[総]勤務地:横浜・鶴見20 東京1 三重1 部署:営業10 管理3 調達2 経理2 人事2 総務2 法務1 [技]勤務地:横浜・鶴見61 東京1 三重1 部署:設計・計画54 建設9

●給与、ボーナス、週休、有休ほか●

【30歳総合職平均年収】785万円【初任給】(修士)287,500円 (大卒)265,000円【ボーナス(年)】370万円、6.6カ月【25、30、35歳賃金】NA【週休】完全2日(土日祝)【夏期休暇】連続5日取得を奨励【年末年始休暇】連続6日【有休取得】19.4/22日

●従業員数、勤続年数、離職率ほか●

【男女別従業員数、平均年齢、平均勤続年数】計 3,646(44.8歳 15.8年) 男 3,094(45.0歳 15.8年) 女 552(43.3歳 15.4年)【離職率と離職者数】2.8%、104名(早期退職7名含む)【3年後新卒定着率】96.0%(男96.8%、女92.3%、3年前入社:男62名・女13名)【組合】あり

求める人材 自由で柔軟な発想を持つ人 常に挑戦する人 誠実な人 逆境に強い人

会社データ (金額は百万円)

【本社】100-0011 東京都千代田区内幸町2-2-3 日比谷国際ビル
☎03-3539-7250 https://www.jfe-eng.co.jp/
【社長】福田 一美【設立】2003.4【資本金】10,000【今後力を入れる事業】環境・エネルギー・その他EPC事業及び運営型事業

【業績(IFRS)】	売上高	営業利益	税前利益	純利益
22.3	508,215	NA	26,005	NA
23.3	512,500	NA	13,481	NA
24.3	539,975	NA	24,383	NA

建設

千代田化工建設(株)

ちよだかこうけんせつ

東京S 6366

【特色】総合エンジ国内2位。三菱商事が経営支援

修士・大卒採用数	3年後離職率	有休取得年平均	平均年収(平均41歳)
57名	8.3 → 9.1%	14.3日	[総]1,025万円

●エントリー情報と採用プロセス●

【受付開始～終了】[総][技]3月～6月【採用プロセス】[総]Webテスト・ES提出→面接(3回)・GD→内々定(6月～)[技]Webテスト・ES提出→面接(3回)→内々定(6月～)【交通費支給】2次選考以降、会社基準【早期選考】⇒巻末

試験情報

重視科目 [総][技]面接

[総][ES]⇒巻末[筆]C-GAB Compass[面]3回(Webあり)[GD作]NA [技][ES]⇒巻末[筆]C-GAB Compass[面]3回(Webあり)

選考ポイント [総][技][ES]NA(提出あり)[面]問題設定・完遂力 主体性とチャレンジ精神 顧客志向 俯瞰力

通過率 [総][技][ES]NA　倍率(応募/内定) [総][技]NA

●男女別採用数と配属先ほか●

【男女・文理別採用実績】

	大卒男	大卒女	修士男	修士女
23年	12(文 6理 6)	4(文 4理 0)	29(文 1理 28)	6(文 0理 6)
24年	15(文 2理 13)	12(文 5理 7)	13(文 0理 13)	4(文 1理 3)
25年	9(文 6理 3)	6(文 4理 2)	38(文 0理 38)	4(文 0理 4)

【25年4月入社者の採用実績校】[文](大)法政大2 東京外大 滋賀大 上智大 立命館大 慶大 学習院大 東理大 創価大各1 [理](院)東理大5 東京農工大 東北大各3 横国大 早大 大阪公大 東大 名大各2 愛知工業大 宇都宮大 岩手大 金沢工大 工学院大 埼玉大 芝工大 青学大 千葉大 阪大 東京医大 東京海洋大 東京科学大 東京都市大 徳島大 奈良先端科技院大 日大 豊田工大 名工大 明大 立命館大各1(大)鹿児島大 東京工科大 東京科学大 明大 日女大各1(高専)福井 鈴鹿各1

【24年4月入社者の配属先】
[総]勤務地:横浜9 部署:財務・主計2 法務2 営業2 調達2 建設1
[技]勤務地:横浜37 部署:設計27 品質管理1 建設2 プロジェクトマネジメント1 プロジェクト1 技術開発4 デジタル1

残業(月) 38.2時間 [総]39.1時間

記者評価 プラントエンジニアリング国内2位でLNGプラントに強み。米LNGプラントでの損失で一時債務超過に陥ったが三菱商事が筆頭株主となり経営支援。研究開発してきた水素関連技術を生かした事業展開を目指す。ライフサイエンスなどを育成。蓄電関連で実績重ねる。

●給与、ボーナス、週休、有休ほか●

【30歳総合職平均年収】738万円【初任給】(博士)321,000円(修士)271,000円 (大卒)241,000円【ボーナス(年)】308万円、6.52カ月【25、30、35歳賃金】234,240円→315,260円→407,167円【週休】完全2日(土日祝)【夏期休暇】なし【年末年始休暇】12月29日～1月3日【有休取得】14.3／23日

●従業員数、勤続年数、離職率ほか●

【男女別従業員数、平均年齢、平均勤続年数】計 1,622(41.6歳 13.2年) 男 1,355(42.2歳 14.0年) 女 267(38.7歳 9.4年)【離職率と離職者数】4.9%、84名【3年後新卒定着率】90.9%(男88.5%、女100%、3年前入社:男26名・女7名)【組合】あり

求める人材 英知を結集し研鑽された技術を駆使してエネルギーと環境の調和を目指す当社の一員として、持続可能な社会の発展に貢献する意欲のある人 当事者意識とチャレンジ精神を持ってこのゴールに向かって共に邁進し、目標を完遂することに魅力を感じられる人

会社データ　(金額は百万円)

【本社】220-8765 神奈川県横浜市西区みなとみらい4-6-2 みなとみらいグランドCタワー
☎045-225-7738　https://www.chiyodacorp.com/
【社長】太田 光治【設立】1948.1【資本金】15,014【今後力を入れる事業】既存分野EPC 脱炭素分野 デジタル革新技術

【業績(連結)】	売上高	営業利益	経常利益	純利益
22.3	311,115	10,545	11,431	▲12,629
23.3	430,163	18,116	20,322	15,187
24.3	505,981	▲15,006	▲5,461	▲15,831

日鉄エンジニアリング(株)

にってつ

株式公開 計画なし

【特色】日本製鉄のエンジニアリング部門。海外開発強化

修士・大卒採用数	3年後離職率	有休取得年平均	平均年収(平均43歳)
65名	6.5 → 3.6%	17.2日	[総]1,167万円

●エントリー情報と採用プロセス●

【受付開始～終了】[総][技]3月～6月【採用プロセス】[総]ES提出(3月～)→セミナー→面接(複数回)→内々定(6月)[技]ES提出(3月～)→セミナー・見学会→面接(複数回)→内々定(6月)【交通費支給】2次選考以降、会社基準

試験情報

重視科目 [総][技]面接

[総][ES]⇒巻末[筆]SPI3(自宅)[面]複数回(Webあり)[技][ES]⇒巻末[筆]SPI3(自宅) 専攻別試験(自社オリジナル)[面]複数回(Webあり)

選考ポイント [総][ES]論理性 自分の言葉で語られているか[面]志望度 能力 人物 [技][ES]総合職共通[面]志望度 専門性 能力 人物

通過率 [総][技][ES]NA　倍率(応募/内定) [総][技]NA

●男女別採用数と配属先ほか●

【男女・文理別採用実績】

	大卒男	大卒女	修士男	修士女
23年	4(文 4理 0)	7(文 7理 0)	33(文 0理 33)	1(文 0理 1)
24年	7(文 3理 4)	9(文 9理 0)	36(文 4理 32)	4(文 0理 4)
25年	3(文 2理 1)	15(文 15理 0)	38(文 0理 38)	9(文 1理 8)

【25年4月入社者の採用実績校】
[文](院)北大1(大)一橋大 阪大各2 北大 東北大 慶大 早大 立命館大各1 [理](院)九大6 京大 阪大各5 北大 東北大各4 東大 名大 大阪公大 九州工大各3 東京科学大 早大 横国大各2 日大 法政大 上智大 名工大各1(大)東北大1(高専)呉 久留米 北九州各2

【24年4月入社者の配属先】[総]勤務地:東京・大崎8 北九州1 部署:財務3 調達2 営業1 法務1 総務1 営業管理1 [技]勤務地:東京・大崎20 北九州24 部署:技術開発3 設計22 構造技術2 構造解析1 制御3 計画3 工事8 企画推進2

残業(月) 24.1時間 [総]26.1時間

記者評価 日本製鉄の完全子会社で、グループのエンジ部門担う。環境・エネルギー、都市インフラ、製鉄プラントを戦略セクターに設定。バイオマスエタノール、大規模沖合養殖システムにも取り組む。フィリピン、ベトナムなどに支店。AIやIoT活用し次世代技術の実用化推進。

●給与、ボーナス、週休、有休ほか●

【30歳総合職平均年収】935万円【初任給】(博士)345,000円 (修士)292,000円 (大卒)265,000円【ボーナス(年)】NA【25、30、35歳賃金】NA【週休】完全2日(土日祝)【夏期休暇】連続5日奨励(有休で取得)【年末年始休暇】12月29日～1月3日+有休取得奨励【有休取得】17.2／20日

●従業員数、勤続年数、離職率ほか●

【男女別従業員数、平均年齢、平均勤続年数】計 1,453(43.3歳 17.0年) 男 1,229(441.0歳 17.5年) 女 224(38.9歳 13.9年)【離職率と離職者数】2.1%、31名【3年後新卒定着率】96.4%(男97.8%、女90.9%、3年前入社:男45名・女11名)【組合】あり

求める人材 高い意欲と自律性のある人 周囲と連携し行動できる人 挑戦し続ける情熱を持った人

会社データ　(金額は百万円)

【本社】141-8604 東京都品川区大崎1-5-1 大崎センタービル
☎03-6665-2000　https://www.eng.nipponsteel.com/
【社長】石倭 行人【設立】2006.7【資本金】15,000【今後力を入れる事業】脱炭素化 レジリエントな街づくり

【業績(IFRS)】	売上高	営業利益	税前利益	純利益
22.3	279,260	NA	6,302	NA
23.3	352,231	NA	11,674	NA
24.3	409,233	NA	▲1,340	NA

建設

東洋エンジニアリング(株)（とうよう）

東京P 6330

【特色】三井化学の工務部門が発祥。肥料プラントに強み

修士・大卒採用数	3年後離職率	有休取得年平均	平均年収(平均40歳)
59名	15.6 → 7.1%	12.5日	総 1,032万円

●エントリー情報と採用プロセス●

【受付開始～終了】総技1月～6月【採用プロセス】総技ES提出(2～4月)→Webテスト(2～5月)→GD(2月上旬～)→個人面接(2回、2月上旬～6月)→内々定(2月中旬～6月)【交通費支給】最終面接、往復分(会社基準)【早期選考】⇒巻末

試験情報

重視科目 総技面接 学業成績

総技 ES⇒巻末 筆Web(自宅受験)ミキワメ 面2回(Webあり) GD作⇒巻末

選考ポイント 総技 ES キャリアの希望 学生時代に力を入れたこと 研究内容 他 面論理的思考力 自分の言葉で語れるか 専門課程の知識 コミュニケーション能力 過去の経験

通過率 総 ES86%(受付:144→通過:124) 技 ES93%(受付:269→通過:251)

倍率(応募/内定) 総18倍 技6倍

●男女別採用数と配属先ほか●

【男女・文理別採用実績】

	大卒男	大卒女	修士男	修士女
23年	5(文 4理 1)	6(文 6理 0)	38(文 2理 36)	4(文 0理 4)
24年	5(文 3理 2)	11(文 10理 1)	32(文 0理 32)	7(文 0理 7)
25年	5(文 3理 2)	8(文 7理 1)	41(文 0理 41)	5(文 1理 4)

【25年4月入社者の採用実績校】文(院)鹿児島大1(大)明大2 北大 長崎大 横浜市大 立教大 法政大各1 理(院)北大4 九大 大阪公大 静岡大各3 東大 京大 東北大 東京科学大 横国大 早大各2 名大 上智大 室蘭工大 筑波大 千葉大 埼玉大 電通大 新潟大 長岡技科大 金沢大 岐阜大 鳥取大 広島大 九州工大 佐賀大 鹿児島大 日大 中大 東海大 芝工大 同大 神戸情報院大各1(大)上智大 東理大 芝工大各1

【24年4月入社者の配属先】総勤務地:千葉・習志野10 部署:人事1 調達2 経理2 営業4 IT1 技勤務地:千葉・習志野42 部署:設計31 工事3 プロジェクト4 調達1 営業2 IT1

残業(月) 12.6時間 総19.8時間

記者評価 総合エンジニアリング国内3位。三井物産の関連会社。肥料系プラントの実績は世界有数。再エネ関連設備がコア事業。燃料アンモニア関連事業に意欲。次世代航空燃料プラントで日揮と協業も。インドで国営電力公社とe-メタノール製造の事業性検証を進める。

●給与、ボーナス、週休、有休ほか●

【30歳総合職平均年収】752万円【初任給】(博士)320,000円(修士)260,700円(大卒)237,900円【ボーナス(年)】272万円、4.03カ月【25、30、35歳賃金】259,600円→337,367円→572,709円【週休】完全2日(土日祝)【夏期休暇】5日(有休利用、連続取得奨励)【年末年始休暇】連続6日【有休取得】12.5／21日

●従業員数、勤続年数、離職率ほか●

【男女別従業員数、平均年齢、平均勤続年数】計 968(43.1歳 15.9年) 男 780(43.6歳 16.0年) 女 188(41.1歳 15.2年)【離職率と離職者数】6.9%、72名【3年後新卒定着率】92.9%(男94.1%、女87.5%、3年前入社:男34名・女8名)【組合】あり

求める人材 人間的感性が豊かでバイタリティと知的好奇心にあふれた明るい人

会社データ （金額は百万円）

【本社】275-0024 千葉県習志野市茜浜2-8-1
☎047-454-1519 https://www.toyo-eng.com/jp/ja/
【社長】細井 栄治【設立】1961.5【資本金】18,198【今後力を入れる事業】燃料アンモニア SAF FPSO 他

【業績(連結)】	売上高	営業利益	経常利益	純利益
22.3	202,986	2,963	3,126	1,620
23.3	192,908	4,764	3,888	1,647
24.3	260,825	6,712	6,995	9,821

レイズネクスト(株)

東京P 6379

【特色】製油所などのプラントメンテ大手。定修が利益柱

修士・大卒採用数	3年後離職率	有休取得年平均	平均年収(平均42歳)
41名	8.3 → 9.1%	18.1日	総 803万円

●エントリー情報と採用プロセス●

【受付開始～終了】総技3月～継続中【採用プロセス】総技説明会(必須、3月～)→ES提出・Web適性検査(3月中旬～)→面接(2回、3月下旬～)→内々定(4月～)【交通費支給】1次試験最終面接、実費【早期選考】⇒巻末

試験情報

重視科目 総技面接

総技 ES⇒巻末 筆COMPASS 面2回(Webあり)

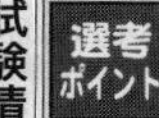

選考ポイント 総技 ES論理的記述ができているか 学生時代の経験 面業務内容の理解 入社後の成長ポテンシャル 社風との合致(人物重視)

通過率 総 ES61%(受付:57→通過:35) 技 ES94%(受付:(早期選考含む)149→通過:(早期選考含む)140)

倍率(応募/内定) 総5倍 技(早期選考含む)4倍

●男女別採用数と配属先ほか●

【男女・文理別採用実績】※25年:24年8月上旬時点

	大卒男	大卒女	修士男	修士女
23年	30(文 5理 25)	9(文 6理 3)	9(文 0理 9)	3(文 1理 2)
24年	20(文 5理 15)	14(文 8理 6)	3(文 0理 3)	2(文 0理 2)
25年	29(文 7理 22)	6(文 4理 2)	6(文 0理 6)	0(文 0理 0)

【25年4月入社者の採用実績校】文(大)関西学大2 静岡県大 長崎県大 明大 帝京大 神奈川大 同大 関大 京都先端科学大 中大各1 理(院)日大2 東洋大 東海大 東北工大 群馬大各1(大)日大5 東北工大 関東学院大 大阪市大各2 横浜商大 金沢工大 千歳科技大 芝工大 信州大 神奈川大 静岡大 千葉工大 東京都市大 東洋大 日工大 福岡大 龍谷大各1(高専)沖縄2 鶴岡 一関各1

【24年4月入社者の配属先】総勤務地:横浜13 部署:人事2 調達1 経理1 営業1 経営企画1 法務1 総務1 メンテナンス事業部総括3 デジタル戦略1 プロジェクト総括1 技勤務地:神奈川(横浜17 川崎4)仙台1 千葉2 鹿島2 岡山2 名古屋1 和歌山1 山口(徳山1 岩国1)大阪1 部署:施工管理18 プロジェクトエンジニア2 安全衛生4 検査2 設計4 技術開発1 デジタル戦略1 営業1

残業(月) 総15.4時間

記者評価 新興プランテックとJXエンジが19年統合し現体制。製油所や石化プラントなどの客先に常駐し保全、修理からプラントの改修、エンジニアリングまで担う。DX活用で熟練工の技術共有化。ENEOS向けが売上の約4割を占める。グリーンアンモニアなど脱炭素化に取り込む。

●給与、ボーナス、週休、有休ほか●

【30歳総合職平均年収】NA【初任給】(修士)241,400円(大卒)231,400円【ボーナス(年)】195万円、7.09カ月【25、30、35歳賃金】NA【週休】完全2日(土日祝)【夏期休暇】5日程度(有休利用)【年末年始休暇】12月29日～1月3日【有休取得】18.1／22日

●従業員数、勤続年数、離職率ほか●

【男女別従業員数、平均年齢、平均勤続年数】計 1,641(42.0歳 15.6年) 男 1,467(42.0歳 16.3年) 女 174(38.0歳 9.2年)【離職率と離職者数】2.6%、43名【3年後新卒定着率】90.9%(男90.5%、女92.3%、3年前入社:男42名・女13名)【組合】あり

求める人材 自ら考え行動できる人 自分を成長させたいと思っている人

会社データ （金額は百万円）

【本社】231-0062 神奈川県横浜市中区桜木町1-1-8 日石横浜ビル
☎045-415-1110 https://www.raiznext.co.jp/
【社長】毛利 照彦【設立】1938.7【資本金】2,754【今後力を入れる事業】各種タンク クリーンエネルギー 化学分野

【業績(連結)】	売上高	営業利益	経常利益	純利益
22.3	129,832	10,982	11,270	7,748
23.3	140,061	10,918	11,243	7,741
24.3	140,366	9,968	10,261	7,249

建設

たいへいでんぎょう
太平電業(株)

東京P 1968

【特色】プラント工事会社。海外は東南アジアに展開

修士・大卒採用数	3年後離職率	有休取得年平均	平均年収(平均39歳)
58名	23.3 → 37.5%	11.7日	[総]823万円

●エントリー情報と採用プロセス●

【受付開始～終了】[総][技]12月～継続中【採用プロセス】[総]説明会(必須)→WebES提出→SPI→書類選考→1次面接→最終面接→フォロー面談(希望制)→内々定 [技]説明会(必須)→WebES提出→SPI→1次面接→最終面接→フォロー面談(希望制)→内々定【交通費支給】1次面接以降、最寄り支店までの実費(上限5,000円)【早期選考】⇒巻末

試験情報

重視科目 [総]SPI 面接 [技]面接

[総][技] [ES]⇒巻末[筆]SPI3(自宅)[面]2回(Webあり)

選考ポイント [総][ES]志望動機が具体的か 学生時代に打ち込んだものがあるか 志望意欲が感じられるか[面]コミュニケーション能力 人柄 フットワークの良さ 積極性 業界業種・職種への理解度 [技][ES]学部・学科と職種の親和性(必須ではない)学生時代に打ち込んだものがあるか[面]総合職共通

通過率 [総][ES]47%(受付:304→通過:143) [技][ES]選考なし(受付:124) 倍率(応募/内定) [総]5倍 [技]2倍

●男女別採用数と配属先ほか●

【男女・文理別採用実績】

	大卒男	大卒女	修士男	修士女
23年	23(文 2理 21)	9(文 9理 0)	2(文 0理 2)	0(文 0理 0)
24年	38(文 8理 30)	16(文 14理 2)	0(文 0理 0)	1(文 0理 1)
25年	39(文 10理 29)	17(文 15理 2)	2(文 0理 2)	0(文 0理 0)

【25年4月入社者の採用実績校】[文](24年)(大)神戸学大3 宮城大 仙台白百合女大各2 立教大 日大 駒澤大 龍谷大 甲南女大 大阪工大 追手門学大 岡山商大 東北工大 東北学大 愛知大 名古屋商大 桐蔭横浜大 多摩大 東洋学大各1 他 [理](24年)(院)琉球大1(大)福岡工大4 崇城大3 神奈川大 東北工大 愛知工業大 長崎総合科学大各2 専大 東京都市大 日工大 東京経大 千葉工大各1 他

【24年4月入社者の配属先】[総]勤務地:東京・千代田7 札幌1 宮城(仙台2 多賀城1)福島・いわき2 東海2 名古屋1 富山市1 福井・敦賀1 大阪市2 広島市2 北九州1 部署:現場5 業務1 営業3 総務1 経理1 人事1 支店11 [技]勤務地:千葉・木更津9 埼玉・久喜8 宮城・多賀城3 福島・いわき3 千葉市1 川崎1 茨城・神栖1 東海1 横浜1 静岡・御前崎1 福井・敦賀1 兵庫(姫路2 加古川1 神戸1)岡山・倉敷1 島根1 部署:現場36

残業(月) 30.4時間 [総]33.5時間

記者評価 火力・原子力発電所のプラント工事が主体。石油化学の基幹装置や環境装置にも強み。関西、中部の原発に実績。バイオマス発電所は広島の自社施設に続き、東北電力等と共同で秋田に2カ所建設中。24年6月シンガポールのプラント保守会社を子会社化し海外を強化。

●給与、ボーナス、週休、有休ほか●

【30歳総合職平均年収】NA【初任給】(修士)247,800円(大卒)238,800円【ボーナス(年)】248万円、7.8カ月【25、30、35歳賃金】NA【週休】完全2日(土日祝)【夏期休暇】1日+年次有休一斉使用日3日(連続7日以上)【年末年始休暇】会社指定休日2日+年次有休一斉使用日2日(連続7日以上)【有休取得】11.7/20日

●従業員数、勤続年数、離職率ほか●

【男女別従業員数、平均年齢、平均勤続年数】計 ◇1,317(39.7歳 16.2年) 男 1,156(40.2歳 17.0年) 女 161(36.7歳 10.8年)【離職率と離職者数】◇3.4%、47名【3年後新卒定着率】62.5%(男60.0%、女71.4%、3年前入社:男50名・女14名)【組合】なし

求める人材 周囲から信頼される人 目標に対して粘り強くコミットできる人 チームで協力できる人

会社データ (金額は百万円)

【本社】101-8416 東京都千代田区神田神保町2-4
☎03-5213-7211 https://www.taihei-dengyo.co.jp/
【社長】野尻 穰【設立】1947.3【資本金】4,808【今後力を入れる事業】バイオマス発電所 洋上風力発電所 ESG 他

【業績(連結)】	売上高	営業利益	経常利益	純利益
22.3	126,908	10,457	13,125	8,406
23.3	125,774	14,345	15,092	10,619
24.3	129,363	10,049	11,512	8,395

エヌティティ
(株)N T Tファシリティーズ

株式公開 計画なし

【特色】NTT系エンジニアリング会社。省エネ関連が得意

修士・大卒採用数	3年後離職率	有休取得年平均	平均年収(平均*40歳)
70名	13.0 → [!]40.9%	18.6日	[総]872万円

●エントリー情報と採用プロセス●

【受付開始～終了】[総][技]3月～6月【採用プロセス】[総][技]ES提出→適性検査→面接(複数回)→内々定【交通費支給】対面面接以降、学校最寄駅または自宅最寄駅より実費

試験情報

重視科目 [総][技]面接

[総][技] [ES]NA[筆]SPI3(自宅) OPQ[面]複数回(Webあり)

選考ポイント [総][技][ES]NA(提出あり)[面]志望動機・自己PRをもとに各種能力・専門性・当社(職種)への適性を総合的に判断

通過率 [総][技] [ES]NA

倍率(応募/内定) [総][技]NA

●男女別採用数と配属先ほか●

【男女・文理別採用実績】

	大卒男	大卒女	修士男	修士女
23年	30(文 3理 27)	15(文 4理 11)	30(文 0理 30)	11(文 0理 11)
24年	7(文 2理 5)	5(文 1理 4)	26(文 0理 26)	12(文 0理 12)
25年	-(文 -理 -)	-(文 -理 -)	-(文 -理 -)	-(文 -理 -)

※25年:70名採用予定

【25年4月入社者の採用実績校】[文](24年)(大)東海大 大阪経大 立正大各1 [理](24年)(院)芝工大4 東理大 関大各3 東京都市大 千葉大 名工大 九大各2 北大 横国大 工学院大 日大 法政大 東大 東京電機大 東洋大 茨城大 宇都宮大 名古屋市大 神戸大 奈良女大 滋賀県大 金沢大 広島大 島根大 熊本大 九州工大 名大各1(大)東京都市大2 工学院大 名城大 近大 兵庫県大 広島工大 佐賀大 愛知工業大各1(高専)秋田 高知各1

【24年4月入社者の配属先】
[総]勤務地:東京3 部署:営業1 経理1 総務1 [技]勤務地:東京33 神奈川1 名古屋1 大阪14 部署:設計49

残業(月) 31.8時間 [総]31.8時間

記者評価 NTTグループの一角。通信施設などの企画・設計監理・CM(コンストラクションマネジメント)・維持管理等のエンジニアリングサービスを提供。大規模データセンターの設計・構築・運用に実績。街づくりにもグループ連携で取り組む。ZEBの設計・コンサルに注力。

●給与、ボーナス、週休、有休ほか●

【30歳総合職平均年収】NA【初任給】(修士)274,790円(大卒)262,790円【ボーナス(年)】163万円、NA【25、30、35歳賃金】NA【週休】完全2日(土日祝)【夏期休暇】5日【年末年始休暇】12月29日～1月3日【有休取得】18.6/20日

●従業員数、勤続年数、離職率ほか●

【男女別従業員数、平均年齢、平均勤続年数】計 4,526(39.9歳 15.0年) 男 3,813(40.9歳 15.9年) 女 713(35.0歳 10.2年)【離職率と離職者数】2.2%、103名【3年後新卒定着率】59.1%(男46.6%、女83.3%、3年前入社:男58名・女30名)※事業承継による転籍男27名、女4名含む【組合】あり

求める人材 コミュニケーション・チームワーク・チャレンジの3つの資質をもった人

会社データ (金額は百万円)

【本社】108-0023 東京都港区芝浦3-4-1 グランパークタワー
☎03-5444-5114 https://www.ntt-f.co.jp/
【社長】松原 和彦【設立】1992.12【資本金】12,400【今後力を入れる事業】施設全般に関わるコンサルティング、企画、設計、維持管理など

【業績(単独)】	売上高	営業利益	経常利益	純利益
22.3	226,722	6,823	11,242	11,835
23.3	124,519	▲424	3,290	4,871
24.3	123,885	2,406	6,303	6,345

建設

▶『業界地図』p.230

しんりょうれいねつこうぎょう 新菱冷熱工業(株)

株式公開計画なし

【特色】空調・衛生・電気等総合設備工事最大手。三菱系

修士・大卒採用数	3年後離職率	有休取得年平均	平均年収(平均44歳)
78名	19.0→11.1%	17.6日	[総]1,007万円

●エントリー情報と採用プロセス●

【受付開始～終了】[総][技]3月～継続中【採用プロセス】[総][技]説明会(必須、3月)→ES提出・SPI受験(1次選考、3月～)→面接(2回、3月～)→内々定【交通費支給】最終面接、会社基準【早期選考】⇒巻末

試験情報

重視科目 [総][技]面接

[総][技][ES]⇒巻末[筆]SPI3(自宅)[面]2回(Webあり)

選考ポイント [総][技][ES]志望動機 学生時代に力を入れたこと コミュニケーション能力[面]コミュニケーション能力 論理性 自分の言葉で語っているか

通過率 [総][ES]NA(受付:224→通過:NA)[技][ES]NA(受付:263→通過:NA) 倍率(応募/内定) [総]12倍 [技]4倍

●男女別採用数と配属先ほか●

【男女・文理別採用実績】※25年:継続中

	大卒男	大卒女	修士男	修士女
23年	41(文 12理 29)	16(文 3理 13)	6(文 0理 6)	4(文 0理 4)
24年	44(文 10理 34)	19(文 7理 12)	4(文 0理 4)	1(文 0理 1)
25年	48(文 13理 35)	22(文 6理 16)	3(文 0理 3)	5(文 0理 5)

【25年4月入社者の採用実績校】[文](大)高知大 駒澤大 國學院大各2 金沢大 下関市大 立教大 法政大 武蔵大 日大 専大 創価大 東京農業大 中部大 近大 桃山学大 西南学大各1 [理](院)東理大 秋田大 富山大 新潟大 静岡理工科大 京都工繊大 奈良女大 創価大各1(大)東京都市大 東洋大各4 広島工大 摂南大 九産大各3 工学院大 日大 椙山女学大 中部大 関大 西日本工大各2 京大 神奈川大 福岡大 山形大 京都府大 前橋工大 山口東理大 中大 明大 法政大 北海道科学大 東北工大 玉川大 昭和女大 東京工科大 東京電機大 東京工芸大 愛知工業大 名城大 大阪工大 神戸学大 岡山理大各1(高専)仙台 鈴鹿 沖縄各1(専)青山製図1

【24年4月入社者の配属先】[総]勤務地:(23年)仙台1 東京・四谷11 さいたま1 大阪2 部署:(23年)営業9 事務5 情報1 [技]勤務地:(23年)札幌1 仙台2 つくば2 東京(四ツ谷25 西新宿2 丸の内2)横浜5 名古屋4 大阪5 神戸1 広島2 福岡3 部署:(23年)施工管理43 設計6 研究開発2 技術支援3

残業(月) 33.6時間 [総]33.6時間

記者評価 三菱重工系の総合設備工事最大手。大型地域冷暖房やクリーンルームに強い。海外はシンガポールや香港での地下鉄空気空調工事などアジアや中東を中心に実績。オフィスビル、工場などに省エネ提案営業を推進。スマート養蚕システムを導入し、新蚕業に挑戦中。

●給与、ボーナス、週休、有休ほか●

【30歳総合職平均年収】691万円【初任給】(博士)NA(修士)288,000円(大卒)280,000円【ボーナス(年)】361万円、8.65カ月【25、30、35歳賃金】300,465円→325,257円→349,528円【週休】完全2日(土日祝)【夏期休暇】連続11日(有休6日含む)【年末年始休暇】連続6日(有休2日含む)【有休取得】17.6／20日

●従業員数、勤続年数、離職率ほか●

【男女別従業員数、平均年齢、平均勤続年数】計 2,262(44.5歳 18.7年)男 2,034(45.5歳 20.0年)女 228(35.2歳 7.0年)※契約社員含む【離職率と離職者数】2.8%、64名【3年後新卒定着率】88.9%(男89.5%、女87.5%、3年前入社:男57名・女24名)【組合】なし

求める人材 社会や生活を支えるためになくてはならない仕事、高層ビル・プラントなどの大型プロジェクト、業界No.1の地域冷暖房システム、グローバルな活躍ができる海外事業 こういう仕事に、"ワクワク"を感じる学生

会社データ (金額は百万円)

【本社】160-8510 東京都新宿区四谷1-6-1 コモレ四谷・四谷タワー ☎03-3357-3108 https://www.shinryo.com/

【社長】加賀美 猛【設立】1956.2【資本金】3,500【今後力を入れる事業】環境(省エネ、省資源、地冷)海外 産設

【業績(連結)】	売上高	営業利益	経常利益	純利益
21.9	233,297	15,448	17,251	5,626
22.9	259,072	16,670	24,817	13,135
23.9	272,982	19,525	21,425	13,229

さんきこうぎょう 三機工業(株)

東京P 1961

【特色】三井系の総合設備工事大手。プラント設備も

修士・大卒採用数	3年後離職率	有休取得年平均	平均年収(平均41歳)
81名	10.3→17.4%	12.7日	[総]967万円

●エントリー情報と採用プロセス●

【受付開始～終了】[総][技]12月～継続中【採用プロセス】[総][技]説明会(必須)→Webテスト→1次面接・ES提出→最終面接→内々定【交通費支給】最終面接、実費【早期選考】⇒巻末

試験情報

重視科目 [総][技]面接

[総][技][ES]⇒巻末[筆]SPI3(自宅)[面]2回(Webあり)

選考ポイント [総][技][ES]ESの設問内容に即しているか[面]柔軟性 楽観性(ストレス耐性)調和性 交渉調整力 行動力 リーダーシップ 挑戦心

通過率 [総][技][ES]選考なし(受付:NA)

倍率(応募/内定) [総](早期選考・技術系・一般含む)6倍 [技]—

●男女別採用数と配属先ほか●

【男女・文理別採用実績】※25年:24年8月2日時点

	大卒男	大卒女	修士男	修士女
23年	59(文 13理 46)	7(文 4理 3)	14(文 1理 13)	1(文 0理 1)
24年	27(文 8理 19)	8(文 4理 4)	8(文 0理 8)	1(文 0理 1)
25年	57(文 9理 48)	13(文 5理 8)	9(文 0理 9)	2(文 0理 2)

【25年4月入社者の採用実績校】[文](大)関西学大 近大各2 下関市大 愛知学大 青森中央学大 大阪工大 慶大 上智大 成城大 早大 日大 明大各1 [理](院)群馬大2 東京農工大 徳島大 室蘭工大 関大 慶大 工学院大 成蹊大 創価大 立命館大各1(大)芝工大 東京都市大 日大 広島工大 大和大各4 九産大 近大 日工大 名城大各3 金沢工大 関東学院大 中部大 北海道科学大各2 大分大 北見工大 三重大 横国大 大阪工大 神奈川大 慶大 工学院大 湘南工大 摂南大 東京農業大 同大 東北工大 福岡工大 福岡大 明大各1(短)静岡工科1(高専)石川 呉各1(専)中央工学3 青山製図2 大阪工業技1

【24年4月入社者の配属先】[総]勤務地:(23年)東京10 大阪1 京都1 愛知2 宮城1 部署:(23年)安全1 総務2 人事1 経理4 営業1 施工管理6 [技]勤務地:(23年)東京20 神奈川18 埼玉2 千葉1 茨城1 大阪6 京都1 兵庫1 香川1 愛知5 静岡1 福岡2 北海道2 広島3 宮城1 富山2 部署:(23年)情報システム1 施工管理53 設計8 営業3 生産2

残業(月) 28.4時間 [総]32.6時間

記者評価 空調・衛生・電気など総合設備工事大手。自動車、電機向け産業空調に強い。商業施設などの一般空調・給排水設備、オフィスのICTコンサル、上下水処理場、搬送システム含むプラント設備も展開。退職事由条件を大幅緩和したキャリアリターン制度を導入。

●給与、ボーナス、週休、有休ほか●

【30歳総合職平均年収】698万円【初任給】(修士)292,000円(大卒)280,000円【ボーナス(年)】360万円、9.0カ月【25、30、35歳賃金】289,733円→311,765円→373,405円【週休】完全2日(土日祝)【夏期休暇】3日+有休利用(3日)推奨【年末年始休暇】12月29日～1月3日【有休取得】12.7／20日

●従業員数、勤続年数、離職率ほか●

【男女別従業員数、平均年齢、平均勤続年数】計 ◇2,100(42.3歳 17.9年)男 1,782(42.9歳 18.3年)女 318(39.3歳 15.5年)※再雇用含む【離職率と離職者数】1.9%、41名【3年後新卒定着率】82.6%(男82.2%、女84.2%、3年前入社:男73名・女19名)【組合】あり

求める人材 知識や知見を持ち思考を通じて「知恵」を生み出せる人財 コミュニケーション力が豊かな人財 社会性を持ち、自ら積極的に行動できる人財

会社データ (金額は百万円)

【本社】104-8506 東京都中央区明石町8-1 聖路加タワー ☎03-6367-7080 https://www.sanki.co.jp/

【社長】石田 博一【設立】1949.8【資本金】8,105【今後力を入れる事業】脱炭素技術などのサステナビリティ推進事業

【業績(連結)】	売上高	営業利益	経常利益	純利益
22.3	193,189	9,112	9,817	6,489
23.3	190,865	5,409	6,247	4,750
24.3	221,920	11,586	12,750	8,951

とうしば
東芝プラントシステム(株)

[株式公開 計画なし]

【特色】東芝完全子会社。発電設備の据え付け工事が主力

修士・大卒採用数	3年後離職率	有休取得年平均	平均年収(平均48歳)
42名	18.8→4.8%	16.9日	NA

●エントリー情報と採用プロセス●

【受付開始～終了】[総][技]3月～6月【採用プロセス】[総][技]説明会(必須、3～5月)→ES提出(3～6月)→Webテスト・面接(3回)→内々定(6月)【交通費支給】最終面接以降、実費(地域による上限あり)【早期選考】⇒巻末

試験情報

[重視科目] [総][技]NA

[総][技][ES]NA[筆]WebGAB[面]3回(Webあり)

[選考ポイント] [総][ES]NA(提出あり)[面]バイタリティ コミュニケーション力 [技][ES]NA(提出あり)[面]志望動機 バイタリティ コミュニケーション力

[通過率] [総][技][ES]NA

[倍率(応募/内定)] [総][技]NA

●男女別採用数と配属先ほか●

【男女・文理別採用実績】

	大卒男	大卒女	修士男	修士女
23年	37(文 9理 28)	4(文 4理 0)	17(文 0理 17)	0(文 0理 0)
24年	29(文 7理 22)	2(文 2理 0)	12(文 0理 12)	2(文 0理 2)
25年	31(文 12理 19)	6(文 4理 2)	3(文 0理 3)	2(文 0理 2)

【25年4月入社者の採用実績校】[文](大)日大3 東海大2 愛知大 法政大 東洋大 関西学大 滋賀大 駒澤大 城西大 立命館大 日女大 帝京科学大 関東学院大各1 [理](院)福岡大 湘南工大 大阪工大 秋田大 京大各1(大)東洋大 東京都市大 日大 東海大各3 東京電機大2 金沢工大 帝京大 福岡工大 立命館大 東北学大 福岡大 秋田大各1(高専)北九州2 八戸1

【24年4月入社者の配属先】

[総]勤務地:川崎6 磯子2 関西1 部署:営業8 スタッフ1 [技]勤務地:川崎18 磯子10 府中9 浜川崎1 中部1 部署:設計13 施工管理14 現地調整11 SE1

[残業(月)] 18.6時間 [総]18.6時間

[記者評価] 04年東芝プラント建設と東芝エンジニアリングの合併で発足。発電システムや社会インフラ設備の企画、設計から施工、保守まで一貫。発電システムは国内外の事業用火力発電で豊富な実績を持つ。社会インフラは上下水道設備や官公庁関連、鉄道関連など幅広く展開。

●給与、ボーナス、週休、有休ほか●

【30歳総合職平均年収】NA【初任給】(修士)275,000円(大卒)250,000円【ボーナス(年)】NA【25、30、35歳賃金】NA【週休】完全2日(土日祝)【夏期休暇】連続6日(うち1日は有休利用、週休4日含む)【年末年始休暇】12月29日～1月4日【有休取得】16.9/24日

●従業員数、勤続年数、離職率ほか●

【男女別従業員数、平均年齢、平均勤続年数】計 3,199(48.0歳 22.4年)男 2,923(48.2歳 22.7年)女 276(45.9歳 18.9年)【離職率と離職者数】1.6%、53名【3年後新卒定着率】95.2%(男94.9%、女100%、3年前入社:男39名・女3名)【組合】あり

[求める人材] 粘り強く取りくむバイタリティ 柔軟な対応力 広い知識を身につける探求心

[会社データ] (金額は百万円)

【本社】212-8585 神奈川県川崎市幸区堀川町72-34
☎044-578-6001 https://www.toshiba-tpsc.co.jp/
【社長】小西 崇夫【設立】1938.10【資本金】11,876【今後力を入れる事業】NA

【業績(単独)】	売上高	営業利益	経常利益	純利益
22.3	180,660	16,016	17,385	10,163
23.3	232,975	15,808	14,749	4,883
24.3	215,068	15,570	18,570	11,859

さんけんせつびこうぎょう
三建設備工業(株)

[株式公開 計画なし]

【特色】空調・衛生・電気の総合エンジニアリング会社

修士・大卒採用数	3年後離職率	有休取得年平均	平均年収(平均39歳)
39名	16.2→23.6%	12.0日	[総]836万円

●エントリー情報と採用プロセス●

【受付開始～終了】[総][技]3月～継続中【採用プロセス】[総][技]説明会・適性検査・ES提出(3月～)→面接(2回)→内々定【交通費支給】1次面接以降、実費【早期選考】⇒巻末

試験情報

[重視科目] [総][技]面接 適性検査

[総][技][ES]⇒巻末[筆]適性テスト 学力テスト(言語・計数)[面]2回(Webあり)

[選考ポイント] [総][技][ES]学生時代に最も力を入れて取り組んだこと[面]会話力 職務に対する理解度

[通過率] [総][ES]選考なし(受付:33) [技][ES]選考なし(受付:(早期選考含む)89)

[倍率(応募/内定)] [総]11倍 [技](早期選考含む)2倍

●男女別採用数と配属先ほか●

【男女・文理別採用実績】

	大卒男	大卒女	修士男	修士女
23年	32(文 5理 27)	5(文 3理 2)	3(文 0理 3)	2(文 0理 2)
24年	38(文 2理 36)	4(文 0理 4)	0(文 0理 0)	1(文 0理 1)
25年	29(文 1理 28)	8(文 2理 6)	2(文 0理 2)	0(文 0理 0)

【25年4月入社者の採用実績校】[文](大)明学大 大正大 北海学園大各1 [理](院)長崎大 福岡大各1(大)日大 北海道科学大 前橋工大各3 明星大 福岡大 広島工大 中部大各2 工学院大 東洋大 東京工芸大 神奈川大 埼玉大 千葉工大 北見工大 札幌市大 東北工大 東北文化学園大 名工大 近大 神戸芸工大 大阪電通大 岡山理大 島根大 福山大各1(高専)有明 岐阜 沖縄各1 他

【24年4月入社者の配属先】

[総]勤務地:東京・茅場町1 福岡市1 部署:営業2 [技]勤務地:東京・茅場町9 千葉市5 さいたま3 横浜5 札幌3 仙台2 名古屋5 大阪市2 広島市4 福岡市6 部署:工事35 技術9

[残業(月)] 25.6時間 [総]28.3時間

[記者評価] 空調・給排水衛生・電気の各設備を手がける総合エンジニアリング会社。設計・施工・保守まで一貫。医療施設やクリーンルーム等に実績。ゼロエネルギービル(ZEB)に注力。茨城・つくばみらい市の技術センターや札幌支社ビルなど自社施設のZEB化を進める。

●給与、ボーナス、週休、有休ほか●

【30歳総合職平均年収】672万円【初任給】(修士)278,000円(大卒)270,000円【ボーナス(年)】228万円、6.9カ月【25、30、35歳賃金】295,000円→327,000円→401,000円【週休】完全2日(土日祝)【夏期休暇】時季指定の有休で4日取得【年末年始休暇】12月30日～1月3日【有休取得】12.0/20日

●従業員数、勤続年数、離職率ほか●

【男女別従業員数、平均年齢、平均勤続年数】計 1,270(43.9歳 17.3年)男 1,045(45.1歳 18.6年)女 225(38.7歳 11.3年)※契約社員を含む【離職率と離職者数】3.1%、40名【3年後新卒定着率】76.4%(男75.0%、女85.7%、3年前入社:男48名・女7名)【組合】あり

[求める人材] 自分で考え行動する、自走能力のある人

[会社データ] (金額は百万円)

【本社】104-0033 東京都中央区新川1-17-21 茅場町ファーストビル2階
☎03-6280-2561 https://skk.jp/
【社長】松井 栄一【設立】1947.5【資本金】1,000【今後力を入れる事業】ZEB(ゼロエネルギービル)化の推進

【業績(単独)】	売上高	営業利益	経常利益	純利益
22.3	75,096	2,992	1,991	1,104
23.3	82,718	2,091	1,634	1,875
24.3	92,915	▲2,112	964	774

開示 ★★★★★

あさひこうぎょうしゃ
㈱朝日工業社

東京P 1975

【特色】空調・衛生工事の専業大手。半導体関連に強み

修士・大卒採用数	3年後離職率	有休取得年平均	平均年収(平均44歳)
41名	16.3 → 15.6%	12.1日	[総]1,035万円

●エントリー情報と採用プロセス●

【受付開始～終了】[総][技]3月～継続中【採用プロセス】[総][技]説明会(必須、3月～)→ES提出→1次面接→Webテスト→最終面接→内々定【交通費支給】1次面接以降、実費【早期選考】⇒巻末

試験情報

重視科目 [総][技]面接

[総][技][ES]⇒巻末[筆]SPI3(自宅) Web診断サービス[面]2回(Webあり)

選考ポイント [総][技][ES]志望動機が具体的か[面]コミュニケーション能力 主体性 積極性 協調性 業界・職種の理解度

通過率 [総][ES]54%(受付:90→通過:49) [技][ES]93%(受付:(早期選考含む)127→通過:(早期選考含む)118)

倍率(応募/内定) [総]13倍 [技](早期選考含む)3倍

●男女別採用数と配属先ほか●

【男女・文理別採用実績】※25年:継続中

	大卒男	大卒女	修士男	修士女
23年	21(文 5理 16)	2(文 0理 2)	0(文 0理 0)	0(文 0理 0)
24年	19(文 6理 13)	8(文 7理 1)	0(文 0理 0)	0(文 0理 0)
25年	36(文 11理 25)	4(文 2理 2)	1(文 0理 1)	0(文 0理 0)

【25年4月入社者の採用実績校】[文](大)東京経大2 関大 関西学大 関東学院大 札幌学大 創価大 高崎経大 高千穂大 徳島文理大 日大 武蔵野大 名城大各1 [理](院)北九州市大1(大)愛知工業大3 岡山理大 中部大 日大各2 秋田大 大阪電通大 京産大 工学院大 埼玉工大 芝工大 湘南工大 東海大 東京工科大 東京工芸大 東京電機大 日工大 広島工大 福井工大 宮崎大 名城大 ものつくり大 近畿職能大学校各1(高専)サレジオ1(専)東海工業5

【24年4月入社者の配属先】[総]勤務地:(23年)東京・港4 大阪1 名古屋1 部署:(23年)営業2 総務1 経理1 人事1 工事務1 [技]勤務地:(23年)東京・港5 大阪9 名古屋7 札幌1 仙台1 さいたま2 千葉(千葉2 船橋1)横浜1 部署:(23年)施工管理28 機器製造1

残業(月) 33.5時間 [総]36.0時間

記者評価 1925年に温湿度調整や真空防塵など発明技術の事業化を目的に大阪で創業。空調・衛生設備の設計・施工、環境制御機器の製販が核。「空気・水・熱」の専門集団を自負。現場の3Dスキャナー計測で施工支援も。建設中のつくば新研究所は25年秋に完成予定。

●給与、ボーナス、週休、有休ほか●

【30歳総合職平均年収】800万円【初任給】(修士)288,000円(大卒)280,000円【ボーナス(年)】405万円、10.25カ月【25、30、35歳賃金】289,400円→324,300円→363,200円【週休】完全2日(土日祝)【夏期休暇】連続3～4日(有休で取得)【年末年始休暇】12月29日～1月3日【有休取得】12.1／20日

●従業員数、勤続年数、離職率ほか●

【男女別従業員数、平均年齢、平均勤続年数】計 935(44.6歳 19.7年) 男 835(44.8歳 19.7年) 女 100(43.5歳 19.6年)【離職率と離職者数】3.2%、31名【3年後新卒定着率】84.4%(男81.5%、女100%、3年前入社:男27名・女5名)【組合】なし

求める人材 バイタリティにあふれ、積極的に行動できる人 スペシャリストを目指す人

会社データ (金額は百万円)

【本社】105-8543 東京都港区浜松町1-25-7
☎03-6452-8181 https://www.asahikogyosha.co.jp/
【社長】髙須 康有【設立】1940.8【資本金】3,857【今後力を入れる事業】既存設備のリニューアル、保守メンテナンス

【業績(連結)】	売上高	営業利益	経常利益	純利益
22.3	68,820	2,287	2,596	1,860
23.3	80,171	2,697	3,127	2,480
24.3	91,676	4,568	4,896	3,712

たかさごねつがくこうぎょう
高砂熱学工業㈱

東京P 1969

【特色】空調工事の最大手。大規模物件の施工で高シェア

修士・大卒採用数	3年後離職率	有休取得年平均	平均年収(平均42歳)
126名	11.5 → 7.1%	13.2日	[総]1,028万円

●エントリー情報と採用プロセス●

【受付開始～終了】[総]3月～6月 [技]3月～8月【採用プロセス】[総][技]説明会(必須、3月～)→ES提出→1次面接(3月～)→Webテスト→最終面接→内々定【交通費支給】最終面接、会社基準

試験情報

重視科目 [総][技]面接

[総][技][ES]⇒巻末[筆]特性診断テスト[面]2回(Webあり)

選考ポイント [総][技][ES]応募資格 学生時代に打ち込んだことと自分の将来にかける思い[面]コミュニケーション力 協調性 論理性 チャレンジ精神 他

通過率 [総][ES]NA(受付:323→通過:NA) [技][ES]NA(受付:235→通過:NA) 倍率(応募/内定) [総]12倍 [技]2倍

●男女別採用数と配属先ほか●

【男女・文理別採用実績】※25年:予定数

	大卒男	大卒女	修士男	修士女
23年	35(文 10理 25)	26(文 14理 12)	7(文 1理 6)	3(文 0理 3)
24年	79(文 22理 57)	39(文 33理 6)	9(文 0理 9)	2(文 0理 2)
25年	73(文 25理 48)	29(文 14理 15)	20(文 2理 18)	4(文 1理 3)

【25年4月入社者の採用実績校】[文]東京経大4 慶大 創価大 国士舘大 立命館大各2 釧路公大 国際教養大 山形大 日大 関東学院大 明星大 早大 神奈川大 青学大 立教大 立正大 國學院大 山梨学大 横国大 都立大 日体大 順天堂大 城西国際大 日女大 明学大 東京工科大 名城大 愛知大 名古屋商大 関大 大和大 関西外大 岡山大 長崎大 西南学大各1 [理]名城大8 金沢工大6 日大 東京都市大各4 東京電機大 芝工大 椙山女学大 近大 福岡大各3 東北工大 東海大 関東学院大 中大 東理大 中部大 愛知工業大 同大 広島工大各2 北見工大 北大 東北文化学園大 東北学大 明星大 国士舘大 東洋大 早大 明大 神奈川大 神奈川工大 工学院大 東京工芸大 東京農工大 日工大 千葉工大 前橋工大 長岡技科大 大同大 名大 愛知淑徳大 福井工大 関西学大 大阪公大 大阪電通大 摂南大 兵庫県大 岡山理大 北九州市大 琉球大 高雄科技大各1(専)日本工学院5 中央工学校1

【24年4月入社者の配属先】[総]勤務地:東京24 名古屋5 関西5 札幌3 東北3 関信越3 横浜3 中四国3 九州3 部署:施工管理(研修)52 [技]勤務地:東京28 関信越12 名古屋8 関西8 横浜6 札幌5 東北5 中四国5 九州5 部署:施工管理(研修)82

残業(月) 37.2時間 [総]37.2時間

記者評価 一般空調が主力でビル空調工事最大手。大型案件に強み。独自技術による環境負荷低減に熱心。海外事業は中国、ASEANが軸。AI・IoT活用した省エネ支援など育成。大型水素製造装置は24年度から受注活動を開始。月面で水素と酸素を生成する水電解装置も開発。

●給与、ボーナス、週休、有休ほか●

【30歳総合職平均年収】927万円【初任給】(博士)300,000円(修士)285,000円(大卒)270,000円【ボーナス(年)】296万円、7.8カ月【25、30、35歳モデル賃金】281,000円→307,000円→384,000円【週休】完全2日(土日祝)【夏期休暇】3日(7～9月)【年末年始休暇】12月29日～1月3日【有休取得】13.2／20日

●従業員数、勤続年数、離職率ほか●

【男女別従業員数、平均年齢、平均勤続年数】計 2,230(42.2歳 15.5年) 男 1,798(43.6歳 16.4年) 女 432(37.0歳 11.5年)【離職率と離職者数】2.4%、55名【3年後新卒定着率】92.9%(男93.7%、女90.9%、3年前入社:男63名・女22名)【組合】あり

求める人材 <Takasago Way>Beyond(期待以上の価値を提供する)Pride(正々堂々とやり抜く)Trust(人との縁が財産)の 3つの価値観に共感し、主体的に環境課題に挑戦できる人

会社データ (金額は百万円)

【本社】160-0022 東京都新宿区新宿6-27-30 新宿イーストサイドスクエア
☎03-6369-8217 https://www.tte-net.com/
【社長】小島 和人【設立】1923.11【資本金】13,134【今後力を入れる事業】環境エンジニアリング事業

【業績(連結)】	売上高	営業利益	経常利益	純利益
22.3	302,746	14,383	15,639	11,535
23.3	338,831	15,326	16,685	12,227
24.3	363,366	24,192	26,150	19,612

建設

▶『業界地図』p.241

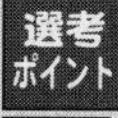

(株)大気社（たいきしゃ）

東京P 1979

【特色】空調関連工事と自動車塗装システムの両輪経営

修士・大卒採用数	3年後離職率	有休取得年平均	平均年収(平均43歳)
100名	18.8→14.9%	12.2日	総1,068万円

●エントリー情報と採用プロセス●

【受付開始～終了】総3月～8月 技3月～7月末【採用プロセス】総 技 説明会(必須、3月～)→適性検査・ES提出・履修履歴登録→面接(2回)→内々定【交通費支給】最終面接、実費【早期選考】⇒巻末

試験情報

重視科目 総技面接

総技 ES⇒巻末 筆SPI3(会場) 面2回(Webあり)

選考ポイント 総技 ES NA(提出あり) 面業界をよく理解しているか 自分の考えを主張しつつ他者の考えも受け入れられる人物か

通過率 総 ES 75%(受付:125→通過:94) 技 ES 104%(受付:357→通過:371) 倍率(応募/内定) 総8倍 技14倍

●男女別採用数と配属先ほか●

【男女・文理別採用実績】※25年:継続中

	大卒男	大卒女	修士男	修士女
23年	47(文 7理 40)	4(文 4理 0)	17(文 0理 17)	0(文 0理 0)
24年	60(文 8理 52)	17(文 5理 12)	8(文 0理 8)	3(文 1理 2)
25年	71(文 10理 61)	13(文 7理 6)	13(文 0理 13)	3(文 1理 2)

【25年4月入社者の採用実績校】文(院)早大1(大)立命館大3 関大 中大 明大 早大各2 大阪工大 金沢大 上智大 東京経大 一橋大 立教大各1 理(院)お茶女大 神奈川大 金沢工大 関大 近大 群馬大 工学院大 埼玉大 芝工大 東大 東京電機大 弘前大 三重大 宮崎大 室蘭工大各1(大)工学院大6 近大5 東京電機大4 関東学院大 九産大 東海大 広島工大 福岡大 福岡工大各3 大阪工大 学習院大 久留米工大 芝工大 椙山女学大 摂南大 東理大各2 愛知産大 秋田大 大分大 金沢工大 関大 北見工大 実践女大 諏訪東理大 大同大 中部大 東洋大 西日本工大 日大 兵庫県大 福井大 福井工大 明大 明星大 山梨大 早大各1(高専)岐阜2 鹿児島1(専)中央工学校2 沖縄職業能力開発大学校1

【24年4月入社者の配属先】総勤務地:研修中 部署:研修中 技勤務地:東京32 大阪22 名古屋13 福岡5 仙台4 部署:環境システム事業部67 塗装システム事業部9

残業(月) 22.2時間 総22.2時間

記者評価 一般ビル・産業空調と、自動車塗装システム(国内首位、世界2位)を展開する業界で異色の存在。自動車塗装はトヨタ、ホンダはじめ、国内外メーカー向けに実績。鉄道・航空機向けも展開。海外進出は1970年代と他社に先行。24年7月から新卒入社者の給与引き上げ。

●給与、ボーナス、週休、有休ほか●

【30歳総合職平均年収】908万円【初任給】(修士)258,000円(大卒)243,000円【ボーナス(年)】NA【25、30、35歳賃金】250,838円→283,952円→346,944円【週休】完全2日(土日祝)【夏期休暇】有休で取得【年末年始休暇】12月28日午後～1月3日【有休取得】12.2／20日

●従業員数、勤続年数、離職率ほか●

【男女別従業員数、平均年齢、平均勤続年数】計 1,654(42.5歳 15.9年) 男 1,426(42.3歳 16.0年) 女 228(43.5歳 15.0年)【離職率と離職者数】3.1%、53名(早期退職男1名含む)【3年後新卒定着率】85.1%(男84.5%、女87.5%、3年前入社:男71名・女16名)【組合】なし

求める人材 モラル意識の高い人 コミュニケーション意欲の高い人 チャレンジ意欲のある人

会社データ (金額は百万円)

【本社】160-6129 東京都新宿区西新宿8-17-1 住友不動産新宿グランドタワー
☎03-3365-5320　https://www.taikisha.co.jp/
【社長】長田 雅士【設立】1949.7【資本金】6,455【今後力を入れる事業】海外事業 エンジニアリング事業

【業績(連結)】	売上高	営業利益	経常利益	純利益
22.3	209,261	9,428	10,818	7,248
23.3	214,793	11,556	13,001	7,917
24.3	293,556	18,270	19,852	15,602

ダイダン(株)

東京P 1980

【特色】明治期からの総合設備老舗。関西地盤に首都圏も

修士・大卒採用数	3年後離職率	有休取得年平均	平均年収(平均42歳)
106名	17.5→19.8%	10.0日	総905万円

●エントリー情報と採用プロセス●

【受付開始～終了】総3月～7月 技3月～継続中【採用プロセス】総 技説明会(必須)・ES提出→SPI→Web面接→役員面接→内々定【交通費支給】2次(最終)選考会、会社基準【早期選考】⇒巻末

試験情報

重視科目 総技面接

総技 ES⇒巻末 筆SPI3(自宅) 面2回(Webあり)

選考ポイント 総技 ES NA(提出あり) 面コミュニケーション能力 会社の理解度

通過率 総 ES 49%(受付:289→通過:142) 技 ES 98%(受付:336→通過:330) 倍率(応募/内定) 総10倍 技4倍

●男女別採用数と配属先ほか●

【男女・文理別採用実績】

	大卒男	大卒女	修士男	修士女
23年	73(文 8理 65)	9(文 3理 6)	4(文 0理 4)	2(文 0理 2)
24年	63(文 11理 52)	9(文 4理 5)	2(文 0理 2)	0(文 0理 0)
25年	77(文 19理 58)	23(文 11理 12)	4(文 1理 3)	2(文 1理 1)

【25年4月入社者の採用実績校】文(院)京都芸大 立命館大各1(大)立命館大7 関大3 明大 近大 創価大各2 一橋大 法政大 滋賀大 武蔵野大 駒澤大 日大 龍谷大 甲南大 京産大 大阪電通大 日本福祉大 玉川大 跡見学園女大 大妻女大各1(専)中央工学校1 理(院)明大 大阪公大 大分大 静岡理工科大各1(大)広島工大7 日大6 名城大5 明星大4 近大 摂南大 金沢工大 崇城大各3 大阪電通大 関東学院大 愛知工業大 東洋大 東京工芸大 久留米工大 西日本工大 東北工大 九産大 神奈川大 鳥取大各2 明大 名工大 和歌山大 福井県大 滋賀県大 芝工大 工学院大 中京大 国士舘大 大阪工大 日工大 中部大 職能大学校 山口東理大各1(高専)近大 豊田 米子各2

【24年4月入社者の配属先】総勤務地:(23年)東京・千代田5 名古屋3 大阪3 部署:(23年)経理1 総務4 技術管理2 営業企画1 営業3 技勤務地:(23年)東京・千代田21 横浜5 埼玉(大宮5 入間2) 大阪29 愛知(豊田5 名古屋13) 部署:(23年)技術78 研究開発2

残業(月) 30.2時間 総30.1時間

記者評価 関西が地盤の総合設備工事会社。空調に加え、電気、給排水設備など設備工事全般を扱う。官公庁向けや医療向けに強い。支店ビルをネット・ゼロ・エネルギー・ビル(ZEB)化して知見を蓄積。細胞製造環境施設が軸の再生医療は、細胞製剤受託製造にも展開。

●給与、ボーナス、週休、有休ほか●

【30歳総合職平均年収】719万円【初任給】(修士)283,000円(大卒)270,000円【ボーナス(年)】282万円、8.23カ月【25、30、35歳モデル賃金】291,000円→323,000円→381,000円【週休】完全2日(土日祝)【夏期休暇】3日【年末年始休暇】連続6日【有休取得】10.0／20日

●従業員数、勤続年数、離職率ほか●

【男女別従業員数、平均年齢、平均勤続年数】計 1,687(41.9歳 16.9年) 男 1,437(42.8歳 17.8年) 女 250(36.6歳 12.2年)【離職率と離職者数】3.2%、56名【3年後新卒定着率】80.2%(男80.3%、女80.0%、3年前入社:男76名・女25名)【組合】あり

求める人材 ものづくりが好きで、何事にも積極的にチャレンジし、物事を論理的に考えられる人

会社データ (金額は百万円)

【本社】550-8520 大阪府大阪市西区江戸堀1-9-25
☎0120-418-231　https://www.daidan.co.jp/
【社長】山中 康宏【設立】1933.10【資本金】4,479【今後力を入れる事業】空調衛生工事 電気工事 海外事業 再生医療事業

【業績(連結)】	売上高	営業利益	経常利益	純利益
22.3	162,929	7,584	8,095	5,778
23.3	185,961	8,428	9,288	6,626
24.3	197,431	10,877	11,918	9,087

しんにっぽんくうちょう
新日本空調(株)
東京P 1952

【特色】三井系の空調設備工事会社。原子力空調も

修士・大卒採用数	3年後離職率	有休取得年平均	平均年収(平均40歳)
47名	11.4→13.6%	12.8日	[総]993万円

●エントリー情報と採用プロセス●

【受付開始～終了】[総][技]2月～10月予定【採用プロセス】[総][技]説明会(必須、2～10月予定)→適性検査→面接(2回)→内々定(随時)【交通費支給】役員面接、実費【早期選考】⇒巻末

試験情報

重視科目 [総][技]適性検査 面接

[総][技][筆]WebTAP[面]2回(Webあり)

選考ポイント [総][技][ES]提出なし[面]業界研究および当社を理解しているか コミュニケーション能力 豊かな想像力 発想 信頼される行動 自分の意見をもっているか

通過率 [総][ES]—(応募:(早期選考含む)169)[技][ES]—(応募:(早期選考含む)219)

倍率(応募/内定) [総](早期選考含む)21倍 [技](早期選考含む)5倍

●男女別採用数と配属先ほか●

【男女・文理別採用実績】

	大卒男	大卒女	修士男	修士女
23年	36(文 12 理 24)	16(文 6 理 10)	2(文 0 理 2)	0(文 0 理 0)
24年	37(文 12 理 25)	15(文 8 理 7)	5(文 0 理 5)	0(文 0 理 0)
25年	36(文 8 理 28)	6(文 5 理 1)	5(文 1 理 4)	0(文 0 理 0)

【25年4月入社者の採用実績校】[文](院)千葉大1(大)日大2 大阪市大 東海学園大 福岡大 九産大 東北工大 国士舘大 近大 東北学大 國學院大 順天堂大 青学大各1 [理](院)金沢大 長岡技科大 北九州市大 北見工大各1(大)神奈川工大4 日大3 久留米工大 東海大 福井工大各2 秋田大 関大 関東学院大 群馬大 広島工大 山形大 愛知産大 東京工芸大 東京電機大 同大 富山大 北海道科学大 北九州市大 名城大 立命館大 東北工大各1(高専)苫小牧1

【24年4月入社者の配属先】[総]勤務地:東京・日本橋9 横浜1 名古屋1 部署:営業7 経理1 人事1 法務1 管理1 [技]勤務地:東京・日本橋21 仙台3 長野・茅野1 千葉市4 横浜2 名古屋7 大阪市4 広島市2 福岡2 部署:施工管理・設計・研究開発46

残業(月) 30.7時間 [総]35.0時間

記者評価 生活空間に対する保健空調と、半導体のクリーンルームなどの産業空調や原子力空調も展開。独自開発の微粒子可視化システムに優位性。グローバル企業とのネットワーク構築。22年4月太陽光発電事業参入。CO_2ガスの回収・固定化技術で東北大などと共同展開。

●給与、ボーナス、週休、有休ほか●

【30歳総合職平均年収】795万円【初任給】(博士)286,000円(修士)275,000円(大卒)265,000円【ボーナス(年)】362万円、9.9カ月【25、30、35歳賃金】257,941円→284,564円→321,169円【週休】完全2日(土日祝)【夏期休暇】8月13～17日【年末年始休暇】12月30日～1月3日【有休取得】12.8/20日

●従業員数、勤続年数、離職率ほか●

【男女別従業員数、平均年齢、平均勤続年数】計 1,167(43.8歳 16.4年) 男 995(44.3歳 17.0年) 女 172(41.1歳 12.8年)【離職率と離職者数】2.7%、32名【3年後新卒定着率】86.4%(男84.6%、女100%、3年前入社:男39名・女5名)【組合】あり

求める人材 コミュニケーション力、目標達成意欲、豊かな創造力・発想力、フットワーク・行動力を持った人

会社データ (金額は百万円)

【本社】103-0007 東京都中央区日本橋浜町2-31-1 浜町センタービル
☎03-3639-2700 https://www.snk.co.jp/
【社長】廣島 雅則【設立】1969.10【資本金】5,158【今後力を入れる事業】環境・省エネ関連事業 リニューアル事業

【業績(連結)】	売上高	営業利益	経常利益	純利益
22.3	106,718	6,881	7,366	5,403
23.3	112,234	7,124	7,914	5,597
24.3	127,978	9,235	9,725	7,168

とうようねつこうぎょう
東洋熱工業(株)
株式公開 いずれしたい

【特色】空調衛生設備の設計・施工大手。技術力に定評

修士・大卒採用数	3年後離職率	有休取得年平均	平均年収(平均40歳)
50名	33.3→22.7%	15.6日	[総]877万円

●エントリー情報と採用プロセス●

【受付開始～終了】[総][技]3月～継続中【採用プロセス】[総][技]説明会(必須)→履歴書・ES提出→1次面接→2次面接→内々定【交通費支給】2次面接、実費【早期選考】⇒巻末

試験情報

重視科目 [総][技]面接

[総][技][ES]⇒巻末[筆]SPI3(会場)[面]2回(Webあり)

選考ポイント [総][技][ES]やる気と熱意を持っているか[面]志望度合 コミュニケーション能力 志望動機の的確さ 知識を習得できる能力 やる気・責任感

通過率 [総][ES]71%(受付:173→通過:123)[技][ES]99%(受付:(早期選考含む)142→通過:(早期選考含む)140)

倍率(応募/内定) [総]13倍 [技](早期選考含む)4倍

●男女別採用数と配属先ほか●

【男女・文理別採用実績】

	大卒男	大卒女	修士男	修士女
23年	37(文 4 理 33)	6(文 3 理 3)	0(文 0 理 0)	0(文 0 理 0)
24年	24(文 3 理 21)	13(文 5 理 8)	1(文 0 理 1)	0(文 0 理 0)
25年	36(文 2 理 34)	13(文 11 理 2)	1(文 0 理 1)	0(文 0 理 0)

【25年4月入社者の採用実績校】[文](大)日大3 明星大2 北九州市大 広島修道大 北星学大 聖心女大 同大 安田女大 福岡女学大 中大各1 [理](院)新潟大1(大)国士舘大 明星大各3 福岡大 茨城大 日大 東北工大各2 金沢工大 専大 湘南工大 洗足音大 近大 日女大 兵庫県大 工学院大 岩手大 福山大 鳥取大 北海道職能大学校 東京工芸大 拓大 関東学院大 日工大 山口東理大 愛知産大 千葉工大 和光大 東邦大 神奈川大各1

【24年4月入社者の配属先】[総]勤務地:東京8 部署:営業4 総務1 人事1 経理1 管理1 [技]勤務地:東京16 大阪2 名古屋2 福岡2 横浜2 広島1 仙台2 千葉2 札幌1 部署:施工管理30

残業(月) 24.5時間 [総]26.1時間

記者評価 空調設備、給排水衛生設備の設計・施工・メンテが主柱。東京スカイツリータウンや成田空港第1旅客ターミナルなどに実績。自前開発の熱源最適制御と置換換気空調は省エネ効果に定評。新築・保守・新エネなど提案営業。グアム、マニラ、ミャンマーに海外現法。

●給与、ボーナス、週休、有休ほか●

【30歳総合職平均年収】689万円【初任給】(博士)295,000円(修士)270,000円(大卒)256,000円【ボーナス(年)】343万円、8.97カ月【25、30、35歳賃金】347,755円→390,535円→470,101円【週休】完全2日(土日祝)【夏期休暇】連続3日(8月中旬)【年末年始休暇】12月29日～1月3日【有休取得】15.6/20日

●従業員数、勤続年数、離職率ほか●

【男女別従業員数、平均年齢、平均勤続年数】計 840(43.5歳 18.4年) 男 723(44.0歳 18.9年) 女 117(40.6歳 14.9年)【離職率と離職者数】3.3%、29名【3年後新卒定着率】77.3%(男78.0%、女66.7%、3年前入社:男41名・女3名)【組合】なし

求める人材 あらゆることに興味を持ち、知識を習得できる人 やる気がある人 責任感がある人

会社データ (金額は百万円)

【本社】104-8324 東京都中央区京橋2-5-12
☎03-5250-4112 https://www.tonets.co.jp
【社長】谷口 昌伸【設立】1937.8【資本金】1,010【今後力を入れる事業】総合エンジニアリング企業としての省エネ化

【業績(単独)】	売上高	営業利益	経常利益	純利益
22.3	66,680	5,180	5,445	3,66
23.3	68,978	5,032	5,472	3,56
24.3	72,818	4,860	5,384	3,07

建設

エクシオグループ(株)

東京P 1951

【特色】電気通信工事大手。情報システムや再エネに注力

修士・大卒採用数	3年後離職率	有休取得年平均	平均年収(平均44歳)
37名	13.2→6.7%	15.8日	総 745万円

残業(月) 29.5時間

記者評価 電気通信工事大手。NTT向け光ケーブル工事、設備保守や携帯電話の基地局建設が主力。同業のM&Aで業容を拡大してきた。データセンターや再生可能エネルギー関連などの都市インフラ整備事業が成長中。システム構築も展開。21年10月協和エクシオから社名変更。

●エントリー情報と採用プロセス●

【受付開始～終了】総技3月～9月【採用プロセス】総技説明会(必須、3月上旬～)→ES提出・Webテスト(3月上旬～)→面接(2回)・適性検査(3月中旬～)→内々定【交通費支給】1次面接以降、実費【早期選考】⇒巻末

試験情報

重視科目 総技面接

総技 ES⇒巻末 筆WebGAB V-CAT適性検査 面2回(Webあり)

選考ポイント 総技ES志望動機 業界・企業の理解度 保有スキル 基礎的な文章力 論理性 他 面志望職種とのマッチング 入社意欲 発言内容の論理性 精神的健康度 コミュニケーションスキル

通過率 総 ES NA(受付:164→通過:NA) 技 ES NA(受付:102→通過:NA) **倍率**(応募/内定) 総9倍 技5倍

●給与、ボーナス、週休、有休ほか●

【30歳総合職平均年収】536万円【初任給】(修士)249,000円 (大卒)232,200円【ボーナス(年)】(組合員)137万円+成果、NA【25、30、35歳賃金】238,000円→307,000円→363,000円【週休】完全2日(土日祝)【夏期休暇】8月13～16日【年末年始休暇】12月29日～1月3日【有休取得】15.8／20日

●従業員数、勤続年数、離職率ほか●

【男女別従業員数、平均年齢、平均勤続年数】計 3,766(44.2歳 18.3年) 男 3,483(44.8歳 18.7年) 女 283(37.9歳 14.5年)【離職率と離職者数】1.8%、69名【3年後新卒定着率】93.3%(男92.0%、女100%、3年前入社:男75名・女14名)【組合】あり

●男女別採用数と配属先ほか●

【男女・文理別採用実績】※25年:24年7月30日時点

	大卒男	大卒女	修士男	修士女
23年	45(文 8理 37)	16(文 11理 5)	5(文 0理 5)	2(文 0理 2)
24年	34(文 5理 29)	11(文 8理 3)	2(文 0理 2)	0(文 0理 0)
25年	28(文 12理 16)	7(文 7理 0)	1(文 0理 1)	1(文 0理 1)

【25年4月入社者の採用実績校】文(大)明大2 香川大 神田外語大 北九州市大 岐阜大 高知工科大 國學院大 信州大 玉川大 中大 東京経大 東京通信大 東北学大 南山大 日大 日体大 明学大 桃山学大各1 理(院)北大2(大)東北工大3 日大 北海道科学大 福岡工大各2 神奈川工大 高知工科大 芝工大 第一工科大 拓大 玉川大 明星大各1(高専)香川 近大 福島各1

【24年4月入社者の配属先】総勤務地:東京10 北海道1 部署:営業5 ビジネスマネジメント6 技勤務地:東京43 大阪3 部署:インフラエンジニア_通信キャリア事業(アクセス分野6 モバイル分野4 ネットワーク分野3)インフラエンジニア_都市インフラ事業(電気電力5 土木4 環境2)ITインフラエンジニア22

求める人材 一緒に働く仲間を大切にチームワークで仕事をし、自ら考え新たな価値を切り開ける人財

会社データ (金額は百万円)

【本社】150-0002 東京都渋谷区渋谷3-29-20
☎03-5778-1122 https://www.exeo.co.jp/
【社長】舩橋 哲也【設立】1954.5【資本金】6,888【今後力を入れる事業】データセンター 再エネ DX支援 他

【業績(連結)】	売上高	営業利益	経常利益	純利益
22.3	594,840	42,380	45,217	27,766
23.3	627,607	32,552	33,771	22,233
24.3	614,095	34,121	36,922	20,058

(株)ミライト・ワン

東京P 1417

【特色】電気通信工事大手。建設など非通信にも注力中

修士・大卒採用数	3年後離職率	有休取得年平均	平均年収(平均44歳)
116名	11.4→11.0%	14.2日	総 720万円

残業(月) 20.1時間 総20.1時間

記者評価 電気通信工事大手。光回線や携帯基地局工事を手がける。ICTソリューション分野に注力。ローカル5G導入支援事業も展開。22年に建設大手の西武建設、23年に測量大手の国際航業を買収。22年7月に持株会社と事業会社が合併し、当社に集約。海外展開にも積極的。

●エントリー情報と採用プロセス●

【受付開始～終了】総 技4月～7月【採用プロセス】総 技説明会・ES提出(4月上旬)→1次面接→Web試験→最終面接→内々定(4月下旬)【交通費支給】最終面接、実費【早期選考】⇒巻末

試験情報

重視科目 総技面接

総技 ES⇒巻末 筆WebGAB 面2回(Webあり)

選考ポイント 総技ES希望職種 当社の業務内容を理解し前向きな意欲が感じられるか 面理解力 論理性 考えの明確さ 人間的魅力 心の健康

通過率 総 ES 74%(受付:(早期選考含む)19→通過:(早期選考含む)14) 技 ES 48%(受付:(早期選考含む)861→通過:(早期選考含む)413)

倍率(応募/内定) 総(早期選考含む)5倍 技(早期選考含む)7倍

●給与、ボーナス、週休、有休ほか●

【30歳総合職平均年収】545万円【初任給】(修士)249,000円 (大卒)232,200円【ボーナス(年)】149万円、NA【25、30、35歳賃金】239,700円→277,200円→310,410円【週休】完全2日(土日祝)【夏期休暇】連続3日【年末年始休暇】連続6日【有休取得】14.2／20日

●従業員数、勤続年数、離職率ほか●

【男女別従業員数、平均年齢、平均勤続年数】計 3,622(43.2歳 16.9年) 男 3,235(43.9歳 17.4年) 女 387(37.1歳 12.6年)【離職率と離職者数】2.7%、102名【3年後新卒定着率】89.0%(男88.5%、女90.5%、3年前入社:男131名・女42名)【組合】あり

●男女別採用数と配属先ほか●

【男女・文理別採用実績】

	大卒男	大卒女	修士男	修士女
23年	55(文 18理 37)	20(文 19理 1)	5(文 0理 5)	0(文 0理 0)
24年	30(文 16理 14)	14(文 12理 2)	1(文 1理 0)	1(文 1理 0)
25年	84(文 50理 34)	30(文 29理 1)	2(文 1理 1)	0(文 0理 0)

【25年4月入社者の採用実績校】文(24年)(院)東洋大 城西国際大各1(大)桃山学大4 関西学大 近大 神戸松蔭女学大 同大各2 亜大 京都女大 国際武道大 四天王寺大 新潟大 神戸女大 神田外語大 成城大 摂南大 創価大 大妻女大 大東文化大 拓大 追手門学大 白鴎大 立命館大各1(短)大妻女1 理(24年)(大)大阪工大5 八戸工大3 日工大2 大阪電通大 金沢工大 東北職能大学校 日大 福岡工大 北海道職能大学校各1(高専)旭川 小山 香川 福島各1(専)北海道情報 YIC情報ビジネス 専修学校国際電子ビジネス 東北電子 栃木県立県央産業技術 日本電子各1

【24年4月入社者の配属先】総勤務地:東京4 大阪1 部署:財務3 総務1 海外事業1 技勤務地:東京35 大阪14 愛知2 福岡1 部署:通信インフラ14 ICTソリューション10 モバイル9 営業8 電気5 情報4 土木2

求める人材 誠実な人物 他人を思いやる人間性を持ち、挑戦し進化し続ける意欲を持った人物

会社データ (金額は百万円)

【本社】135-0061 東京都江東区豊洲5-6-36
☎03-6807-3111 https://www.mirait-one.com/
【社長】中山 俊樹【設立】2010.10【資本金】7,000【今後力を入れる事業】街づくり・里づくり／企業DX・GX グリーン発電事業

【業績(連結)】	売上高	営業利益	経常利益	純利益
22.3	470,385	32,804	34,152	25,163
23.3	483,987	21,803	22,384	14,781
24.3	518,384	17,830	18,690	12,535

日本コムシス(株)

にっぽん

持株会社 傘下

【特色】通信工事大手。NTT、携帯キャリアに強い

修士・大卒採用数	3年後離職率	有休取得年平均	平均年収(平均44歳)
78名	14.4→15.7%	14.3日	総733万円

●エントリー情報と採用プロセス●

【受付開始～終了】総 技3月～継続中【採用プロセス】総 技説明会(必須、3月～)→ES提出・Webテスト(3月～)→面接(2回)→内々定【交通費支給】最終面接、概算支給【早期選考】⇒巻末

試験情報

重視科目 総技面接

総技 ES⇒巻末 筆SPI3(会場) 面2回(Webあり)

選考ポイント 総 技 ES企業理解 希望職種 自己分析 他 面志望動機 当社への理解・熱意 自主性 活動意欲

通過率 総 ES45%(受付:(早期選考含む)71→通過:(早期選考含む)32) 技 ES97%(受付:(早期選考含む)190→通過:(早期選考含む)185)

倍率(応募/内定) 総(早期選考含む)14倍 技(早期選考含む)3倍

●男女別採用数と配属先ほか●

【男女・文理別採用実績】

	大卒男	大卒女	修士男	修士女
23年	43(文 10理 33)	24(文 20理 4)	5(文 0理 5)	0(文 0理 0)
24年	45(文 16理 29)	20(文 16理 4)	7(文 0理 7)	0(文 0理 0)
25年	56(文 14理 42)	18(文 16理 2)	4(文 1理 3)	0(文 0理 0)

【25年4月入社者の採用実績校】文(24年)(大)國學院大 大妻女大各3 武蔵大 桃山学大 清泉女大各2 高知工科大 東京女大 実践女大 玉川大 近大 都立大 摂南大 大阪経法大 白百合女大 神奈川大 獨協大 筑波学大 大東文化大 早大 追手門学大 東京農大 都留文科大 創価大 流通科学大 明大各1(専)大原簿記1 理(24年)(院)神奈川工大2 千葉工大 日大 大阪電通大 工学院大 千歳科技大各1(大)千葉工大7 神奈川工大 工学院大 大阪電通大各3 金沢工大 日大 武蔵野大各2 西日本工大 関東学院大 芝工大 東北工大 福岡工大 大阪工大 室蘭工大 東京海洋大 玉川大 秋田大 立命館大各1(専)早稲田大学芸術学校1

【24年4月入社者の配属先】総勤務地:東京・大崎6 部署:人材育成部4 DX推進本部1 ITビジネス事業本部1 技勤務地:東京・大崎62 大阪6 部署:通信基盤EX事業本部17 ITビジネス事業本部33 社会基盤事業本部16 DX推進本部2

残業(月) 27.5時間 総27.5時間

記者評価 電気通信工事大手。コムシスホールディングスの中核企業。光回線や携帯基地局の工事が中心。NTT向けの売り上げが多く、経営陣もNTT出身者が多い。企業や官公庁・自治体を顧客とするICTソリューション事業、電気関連工事も手がける。データセンター構築が成長。

●給与、ボーナス、週休、有休ほか●

【30歳総合職平均年収】549万円【初任給】(博士)NA (修士)249,000円 (大卒)232,200円【ボーナス(年)】168万円、5.4カ月【25、30、35歳賃金】273,918円→330,301円→390,582円【週休】完全2日(土日祝)【夏期休暇】連続4日【年末年始休暇】連続6日【有休取得】14.3／25日

●従業員数、勤続年数、離職率ほか●

【男女別従業員数、平均年齢、平均勤続年数】計 2,686(45.1歳 16.8年) 男 2,463(45.8歳 17.2年) 女 223(37.8歳 12.0年)【離職率と離職者数】2.9%、81名(他に男51名転籍)【3年後新卒定着率】84.3%(男83.6%、女87.5%、3年前入社:男67名・女16名)【組合】あり

求める人材 行動力があり、新しい分野に前向きに挑戦できる人物

会社データ (金額は百万円)

【本社】141-8647 東京都品川区東五反田2-17-1
☎03-3448-7030 https://www.comsys.co.jp/
【社長】田辺 博【設立】1951.12【資本金】10,000【今後力を入れる事業】ICTソリューション事業 社会システム関連事業

【業績(単独)】	売上高	営業利益	経常利益	純利益
22.3	224,672	13,914	16,993	12,018
23.3	185,482	5,106	5,701	3,758
24.3	180,347	11,756	13,697	10,601

日本電設工業(株)

にっぽんでんせつこうぎょう

東京P 1950

【特色】JR東日本向け中心に鉄道電気工事首位。総合化志向

修士・大卒採用数	3年後離職率	有休取得年平均	平均年収(平均43歳)
110名	12.6→8.4%	13.3日	総836万円

●エントリー情報と採用プロセス●

【受付開始～終了】総技3月～継続中【採用プロセス】総技各種説明会(必須)→ES提出→適性検査・一般常識→面接(2回)→内々定【交通費支給】最終面接、実費【早期選考】⇒巻末

試験情報

重視科目 総技面接

総技 ES⇒巻末 筆一般常識 適性検査 面2回(Webあり)

選考ポイント 総技 ESNA(提出あり) 面入社意欲 コミュニケーション能力

通過率 総 ESNA(受付:246→通過:NA) 技 ESNA(受付:226→通過:NA)

倍率(応募/内定) 総19倍 技2倍

●男女別採用数と配属先ほか●

【男女・文理別採用実績】

	大卒男	大卒女	修士男	修士女
23年	66(文 4理 62)	3(文 3理 0)	2(文 0理 2)	0(文 0理 0)
24年	65(文 14理 51)	7(文 5理 2)	0(文 0理 0)	0(文 0理 0)
25年	104(文 9理 95)	6(文 4理 2)	0(文 0理 0)	0(文 0理 0)

※25年:計画数(大卒に院・高専・短大・専門含む)

【25年4月入社者の採用実績校】文(大)立命館大2 明大 学習院大 東洋大 明学大 関東学院大 日大 産能大 成蹊大 拓大 大東文化大各1 理(大)東北学大8 日大4 東北工大 埼玉工大各3 日工大 東京工科大 芝工大 東海大 福井工大 大阪電通大 広島工大 八戸工大各2 北海道科学大 千歳科技大 明星大 神奈川工大 群馬大 東京電機大 千葉工大 工学院大 金沢工大 諏訪東理大 佐賀大各1

【24年4月入社者の配属先】総勤務地:東京(上野12 王子1 西六郷2) 部署:営業5 事務(財務・人事・総務)10 技勤務地:千葉・柏(研修所)78 部署:鉄道電気(電車線・発変電・送電線・電灯電力・信号・通信)43 一般電気27 空調衛生2 情報通信6

残業(月) 20.1時間 総20.1時間

記者評価 JR・官庁関連の電気・信号工事が主力。鉄道電気工事が5割超。鉄道電気では駅改良・新設工事や整備新幹線関連にも実績。一般電気工事のほか、携帯事業各社の基地局新設工事など情報通信工事も手がける。ZEB(ネット・ゼロ・エネルギービル)化事業を推進。

●給与、ボーナス、週休、有休ほか●

【30歳総合職平均年収】595万円【初任給】(修士)246,570円 (大卒)230,930円【ボーナス(年)】256万円、6.25カ月【25、30、35歳賃金】237,546円→281,013円→341,276円【週休】完全2日(土日祝)【夏期休暇】6日【年末年始休暇】12月29日～1月3日【有休取得】13.3／20日

●従業員数、勤続年数、離職率ほか●

【男女別従業員数、平均年齢、平均勤続年数】計 2,546(42.6歳 15.0年) 男 2,391(42.6歳 17.1年) 女 155(42.2歳 13.6年)【離職率と離職者数】2.3%、60名【3年後新卒定着率】91.6%(男91.1%、女100%、3年前入社:男101名・女6名)【組合】あり

求める人材 コミュニケーション能力が高く協調性があり、自ら考えて行動できる人

会社データ (金額は百万円)

【本社】110-8706 東京都台東区池之端1-2-23
☎03-3822-8811 https://www.densetsuko.co.jp/
【社長】安田 一成【設立】1942.12【資本金】8,494【今後力を入れる事業】全国公民鉄工事 エネルギーソリューション

【業績(連結)】	売上高	営業利益	経常利益	純利益
22.3	173,569	7,454	8,703	5,222
23.3	172,100	9,658	10,903	7,171
24.3	194,031	13,448	14,900	10,042

すみともでんせつ
住友電設(株)

東京P 1949

【特色】住友電工系。一般電気や空調など設備工事を展開

修士・大卒採用数	3年後離職率	有休取得年平均	平均年収(平均44歳)
49名	9.3 → 16.1%	14.0日	㊔913万円

●エントリー情報と採用プロセス●

【受付開始～終了】㊔4月～9月 ㊕3月～継続中【採用プロセス】㊔説明会(必須)→ES・SPI提出→書類選考→1次面接・筆記→最終面接→内々定 ㊕説明会(必須)→ES・SPI提出→1次面接・筆記→最終面接→内々定【交通費支給】最終面接、実費【早期選考】⇒巻末

試験情報

重視科目 ㊔㊕面接

㊔ ES ⇒巻末㊥SPI3(自宅) 一般常識㊞2回(Webあり)
㊕ ES ⇒巻末㊥SPI3(自宅) ペーパーテストで数学試験(範囲:高校数学基礎レベル)㊞2回(Webあり)

選考ポイント ㊔ ES NA(提出あり)㊞業務遂行上の基礎的能力 コミュニケーション能力 職務適応性 ㊕㊞総合職共通

通過率 ㊔ ES NA ㊕ ES 選考なし(受付:NA)

倍率(応募/内定) ㊔㊕NA

●男女別採用数と配属先ほか●

【男女・文理別採用実績】

	大卒男	大卒女	修士男	修士女
23年	47(文 3理 44)	3(文 2理 1)	1(文 0理 1)	0(文 0理 0)
24年	38(文 3理 35)	3(文 1理 2)	0(文 0理 0)	0(文 0理 0)
25年	43(文 2理 41)	4(文 4理 0)	1(文 0理 1)	1(文 1理 0)

【25年4月入社者の採用実績校】㊦(院)椙山女学大1(大)近大2 同大 関西学大 立命館大 専大各1 ㊧(院)徳島大1(大)日大 大阪工大各6 東京電機大4 神奈川工大 千葉工大 明星大 金沢工大 近大各3 秋田大 工学院大 兵庫県大 摂南大 広島工大 岡山大 岡山理大 徳島大 福岡工大 九産大各1(高専)都立産技 鈴鹿 和歌山 舞鶴 香川各1(専)浅野工学1

【24年4月入社者の配属先】㊔勤務地:東京21 大阪22 愛知1 部署:電力流通設備8 電気設備18 電気計装設備4 情報通信設備6 通信設備2 機械設備5 データサイエンティスト1 ㊕勤務地:東京1 大阪3 部署:営業2 経理2

残業(月) 38.8時間 ㊔40.8時間

記者評価 住友電工の連結子会社。ビル・工場の内線工事を主力に、情報通信、空調など設備工事を手がける。系統連系など高難度の電力工事に強い。5G向け通信基地局敷設の増勢が続く。提案営業を強化し、風力発電など再エネ案件を深掘り。新技術・新工法にも積極的。

●給与、ボーナス、週休、有休ほか●

【30歳総合職平均年収】604万円【初任給】(修士)271,800円(大卒)265,200円【ボーナス(年)】150万円、5.35カ月【25、30、35歳賃金】278,100円→351,900円→398,500円【週休】完全2日【夏期休暇】連続9日(有休4日、週休4日、祝日1日)【年末年始休暇】12月28日～1月5日【有休取得】14.0／23日

●従業員数、勤続年数、離職率ほか●

【男女別従業員数、平均年齢、平均勤続年数】計 ◇1,753(44.2歳 17.4年) 男 1,500(44.4歳 17.6年) 女 253(43.2歳 16.3年)【離職率と離職者数】◇2.0%、36名【3年後新卒定着率】83.9%(男82.0%、女100%、3年前入社:男50名・女6名)【組合】あり

求める人材 社会のニーズに誠心誠意応える人材 多様性を認め、チームの力を発揮できる人材 高い技術で持続可能な未来を創造し、挑戦を続ける人材

会社データ (金額は百万円)

【本社】550-8550 大阪府大阪市西区阿波座2-1-4
☎06-6537-3400 https://www.sem.co.jp/
【社長】谷 信【設立】1950.4【資本金】6,440【今後力を入れる事業】環境・再生可能エネルギー IoT等新分野

【業績(連結)】	売上高	営業利益	経常利益	純利益
22.3	167,594	13,005	13,900	9,140
23.3	175,120	13,461	14,394	9,384
24.3	185,524	12,548	13,502	10,060

とうこうでんきこうじ
東光電気工事(株)

株式公開 計画なし

【特色】電気工事大手。独立系。太陽光など再エネも強化

修士・大卒採用数	3年後離職率	有休取得年平均	平均年収(平均42歳)
39名	26.6 → 21.6%	11.4日	㊔968万円

●エントリー情報と採用プロセス●

【受付開始～終了】㊔12月～7月 ㊕12月～継続中【採用プロセス】㊔説明会(必須、12月)→ES(12月～)→面接(2回、2月～)→AI適性検査(2月下旬)→内々定(3月～) ㊕説明会・ES(12月～)→面接(2回、1月～)→内々定(1月下旬～)【交通費支給】1次面接以降、実費【早期選考】⇒巻末

試験情報

重視科目 ㊔㊕面接

㊔ ES ⇒巻末㊥Web AIによる性格検査(2回)㊞2回(Webあり) ㊕ ES ⇒巻末㊥Webによる性格検査(1回)㊞2回(Webあり)

選考ポイント ㊔ ES 志望動機 学業や私生活での取り組み㊞積極性 行動力 論理的思考 協調性 ㊕ ES 総合職共通㊞コミュニケーション能力 成長意欲 協調性

通過率 ㊔㊕ ES NA 倍率(応募/内定) ㊔5倍 ㊕3倍

●男女別採用数と配属先ほか●

【男女・文理別採用実績】

	大卒男	大卒女	修士男	修士女
23年	18(文 2理 16)	1(文 1理 0)	0(文 0理 0)	0(文 0理 0)
24年	38(文 8理 30)	4(文 3理 1)	0(文 0理 0)	0(文 0理 0)
25年	34(文 9理 25)	5(文 5理 0)	0(文 0理 0)	0(文 0理 0)

【25年4月入社者の採用実績校】㊦(大)中京大 日大 西南学大 実践女大 国士舘大 駒澤大 明星大 北翔大 北海学園大 神奈川大 拓大 駿河台大 愛知学大 横浜商大各1 ㊧(大)東北工大 日大各3 千葉工大 大同大 北海道科学大各2 東京電機大 福岡工大 八戸工大 東北学大 工学院大 東海大 明星大 関東学院大 金沢工大 愛知工業大 中部大 九産大 久留米工大各1(専)日本工学院八王子 日本工学院各2 大阪電子 上越テクノスクール各1

【24年4月入社者の配属先】㊔勤務地:(24年)東京(千代田4 中央1) 部署:(24年)本社人事1 本社経理1 本社営業2 支社総務1 ㊕勤務地:(23年)東京(千代田区2 中央3 新宿2)茨城1 千葉1 神奈川2 中部1 関西1 九州1 北海道2 部署:(23年)内線11 送電4 再エネ1

残業(月) 23.8時間 ㊔28.1時間

記者評価 1923年関東大震災の電灯復旧を目的に創業。内・外線、再エネ、空調などの工事が柱。業界大手の一角。洋上風力、メガソーラーにも実績多い。太陽光と風力を組み合わせたクロス発電に新機軸。つくばに技能開発センター。タイ、ベトナム、ミャンマーに海外拠点。

●給与、ボーナス、週休、有休ほか●

【30歳総合職平均年収】700万円【初任給】(修士)261,600円(大卒)254,000円【ボーナス(年)】272万円、7.15カ月【25、30、35歳モデル賃金】265,400円→319,100円→348,100円【週休】完全2日(土日祝)【夏期休暇】連続2日【年末年始休暇】連続5日【有休取得】11.4／21日

●従業員数、勤続年数、離職率ほか●

【男女別従業員数、平均年齢、平均勤続年数】計 1,239(43.5歳 16.9年) 男 1,059(43.8歳 17.3年) 女 180(41.5歳 14.8年)【離職率と離職者数】1.7%、22名【3年後新卒定着率】78.4%(男77.3%、女85.7%、3年前入社:男44名・女7名)【組合】あり

求める人材 素直で誠実であり、自ら考え行動し挑戦し続ける人

会社データ (金額は百万円)

【本社】101-8350 東京都千代田区西神田1-4-5
☎03-3292-2111 https://www.tokodenko.co.jp/
【社長】山本 隆洋【設立】1947.5【資本金】1,134【今後力を入れる事業】空調衛生事業 再生可能エネルギー事業

【業績(連結)】	売上高	営業利益	経常利益	純利益
22.3	103,289	2,218	2,601	1,544
23.3	100,578	3,156	3,345	1,794
24.3	108,298	5,623	5,968	3,797

建設

㈱HEXEL Works（ヘクセル ワークス）

株式公開 未定

【特色】独立系の内線電設工事専門会社。業界上位

修士・大卒採用数	3年後離職率	有休取得年平均	平均年収(平均42歳
16名	22.6 → 21.1%	10.5日	[総]786万円

残業(月) 35.2時間 [総]35.2時間

記者評価 旧六興電気。電気設備工事の準大手。官庁工事が主力だったが、現在はマンション工事の比率が高い。医療施設、宿泊施設などの工事も手がける。03年に参入した米軍関連工事では国内首位級の実績を誇る。入社4年目以降の社員を対象に副業を奨励する取り組みを実施。

●エントリー情報と採用プロセス●

【受付開始～終了】[総][技]3月～継続中【採用プロセス】[総][技]説明会(必須、3～10月)→履歴書・適性検査(3～10月)→面談・面接(2回、3～10月)→内々定(4～10月)【交通費支給】面接、実費【早期選考】⇒巻末

試験情報

重視科目 [総][技]面接

[総][技][ES]⇒巻末[筆]Compass[面]2回(Webあり)

選考ポイント [総][技][ES]提出なし[面]企業・仕事への理解度 コミュニケーション能力

通過率 [総][ES]―(応募:(早期選考含む)9) [技][ES]―(応募:(早期選考含む)104)

倍率(応募/内定) [総]― [技](早期選考含む)3倍

●男女別採用数と配属先ほか●

【男女・文理別採用実績】

	大卒男	大卒女	修士男	修士女
23年	28(文 2理 26)	2(文 2理 0)	0(文 0理 0)	0(文 0理 0)
24年	21(文 6理 15)	2(文 2理 0)	0(文 0理 0)	0(文 0理 0)
25年	15(文 0理 15)	1(文 0理 1)	0(文 0理 0)	0(文 0理 0)

【25年4月入社者の採用実績校】
[文]なし [理](大)日工大 千葉工大各2 大阪電通大 日大 大同大 東京都市大 中部大 北海道科学大 東北工大 近大 福岡工大 愛知工業大 北陸大 法政大各1(専)日本工学院 札幌科学技術各1

【24年4月入社者の配属先】
[総]勤務地:東京1 宮城2 兵庫1 部署:営業2 事務2 [技]勤務地:東京5 茨城1 埼玉1 北海道1 宮城1 新潟1 静岡2 愛知2 大阪1 兵庫1 広島1 福岡1 沖縄1 部署:工事20 工務1

●給与、ボーナス、週休、有休ほか●

【30歳総合職平均年収】636万円【初任給】(修士)240,000円(大卒)225,000円【ボーナス(年)】238万円、6.34カ月【25、30、35歳賃金】232,900円→260,313円→290,563円【週休】2日(現場により異なる)【夏期休暇】連続3日【年末年始休暇】連続6日【有休取得】10.5／20日

●従業員数、勤続年数、離職率ほか●

【男女別従業員数、平均年齢、平均勤続年数】計 ◇897(41.5歳 15.1年) 男 784(41.8歳 15.7年) 女 113(39.7歳 11.1年)【離職率と離職者数】◇4.9%、46名【3年後新卒定着率】78.9%(男76.5%、女100%、3年前入社:男17名・女2名)【組合】なし

求める人材 自ら主体的に考えて決めることが出来る人

会社データ (金額は百万円)

【本社】105-0012 東京都港区芝大門1-1-30
☎03-3459-3366 https://www.hexel.co.jp
【社長】坂本 孝行【設立】1950.1【資本金】110【今後力を入れる事業】大型マンション工事 米軍施設工事

【業績(単独)】	売上高	営業利益	経常利益	純利益
21.9	39,014	2,805	2,984	1,949
22.9	44,303	2,147	2,931	2,104
23.12変	34,879	▲1,151	▲911	▲717

㈱きんでん

東京P 1944

【特色】関西電力系で電設工事首位級。関電依存度は2割弱

修士・大卒採用数	3年後離職率	有休取得年平均	平均年収(平均42歳
192名	11.0 → 11.7%	10.5日	◇848万円

残業(月) 24.5時間 [総]27.5時間

記者評価 関電系。電気設備工事を柱に情報通信設備、空調・衛生設備、計装設備、内装設備など総合設備エンジニアリングを展開。全国に営業網。海外はASEAN中心に約10カ国に拠点。太陽光発電設備やVPP(バーチャル・パワープラント)構築実証事業などに注力。

●エントリー情報と採用プロセス●

【受付開始～終了】[総]1月～4月 [技]1月～継続中【採用プロセス】[総]ES提出(1月～)→1次面接→2次面接→SPI→最終面接→内々定 [技]ES提出(1月～)→面接(応募方法により回数が異なる)・SPI→最終面接→内々定【交通費支給】最終面接、実費【早期選考】⇒巻末

試験情報

重視科目 [総][技]面接 [総][ES]⇒巻末[筆]SPI3(会場) SPI3(自宅)[面]3回 [技][ES]⇒巻末[筆]SPI3(会場) SPI3(自宅)[面]複数回(Webあり)

選考ポイント [総][技][ES]NA(提出あり)[面]学生時代の経験 能力・適性 志望理由 志望度

通過率 [総][ES]NA(受付:587→通過:NA) [技][ES]NA(受付:218→通過:NA) **倍率(応募/内定)** [総]15倍 [技]3倍

●男女別採用数と配属先ほか●

【男女・文理別採用実績】※25年:192名採用予定

	大卒男	大卒女	修士男	修士女
23年	158(文 23理135)	13(文 8理 5)	4(文 0理 4)	1(文 0理 1)
24年	151(文 24理127)	16(文 8理 8)	4(文 0理 4)	0(文 0理 0)
25年	-(文 -理 -)	-(文 -理 -)	-(文 -理 -)	-(文 -理 -)

【25年4月入社者の採用実績校】[文](大)名大 名古屋市大 阪大 大阪公大 神戸大 奈良女大 和歌山大 東北学大 青学大 専大 法政大 武蔵大 名城大 同大 立命館大 龍谷大 関大 関西学大 甲南大 [理](院)室蘭工大 鳥取大 琉球大(大)北見工大 岐阜大 静岡大 京都工繊大 大阪公大 鳥取大 島根大 山口大 山口東理大 高知大 宮崎大 琉球大 北海道科学大 北海道情報大 東北学大 東北工大 獨協大 千葉工大 芝工大 工学院大 東海大 東京工科大 東京電機大 日大 明星大 湘南工大 福井工大 愛知工業大 中京大 中部大 京産大 同大 龍谷大 大阪工大 大阪産大 大阪電通大 関大 近大 摂南大 大和大 関西学大 広島工大 西日本工大 福岡工大 福岡大 関東職能大学校 他

【24年4月入社者の配属先】[総]勤務地:(23年)北海道1 東京6 神奈川1 愛知2 滋賀1 京都2 大阪10 兵庫3 奈良1 和歌山1 広島1 福岡1 部署:(23年)管理19 営業・営業事務5 工事関係事務6 [技]勤務地:(23年)北海道2 宮城5 埼玉3 千葉5 東京28 神奈川5 愛知13 滋賀4 京都9 大阪46 兵庫14 奈良3 和歌山3 広島8 香川4 福岡4 部署:(23年)電気99 情報通信10 空調衛生26 内装6 電力15

●給与、ボーナス、週休、有休ほか●

【30歳総合職平均年収】NA【初任給】(修士)255,000円(大卒)240,000円【ボーナス(年)】NA、6.88カ月【25、30、35歳賃金】NA【週休】完全2日(土日祝)【夏期休暇】4日【年末年始休暇】連続7日【有休取得】10.5／20日

●従業員数、勤続年数、離職率ほか●

【男女別従業員数、平均年齢、平均勤続年数】計 ◇8,493(42.0歳 20.2年) 男 7,794(41.9歳 20.5年) 女 699(43.1歳 16.6年)【離職率と離職者数】◇2.6%、224名(早期退職男1名含む)【3年後新卒定着率】88.3%(男88.3%、女87.5%、3年前入社:男171名・女8名)【組合】あり

求める人材 意欲的で、明確な夢を持ち、何事にもプラス思考で取り組めるチャレンジ精神旺盛な人材

会社データ (金額は百万円)

【本社】531-8550 大阪府大阪市北区本庄東2-3-41
☎06-6375-6000 https://www.kinden.co.jp
【社長】上坂 隆勇【設立】1944.8【資本金】26,411【今後力を入れる事業】総合設備工事 再生可能エネルギー 海外

【業績(連結)】	売上高	営業利益	経常利益	純利益
22.3	566,794	37,087	39,977	26,36
23.3	609,132	37,430	40,243	28,72
24.3	654,516	42,677	45,982	33,55

開示 ★★★

▶『業界地図』p.24,241

㈱関電工（かんでんこう）

東京P 1942

【特色】東京電力系列の電気工事大手。再生エネ事業も

修士・大卒採用数	3年後離職率	有休取得年平均	平均年収(平均43歳)
102名	10.4→8.2%	16.8日	[総]834万円

●エントリー情報と採用プロセス●

【受付開始～終了】[総][技]11月～7月【採用プロセス】[総]説明会(必須、3月上旬～)→履歴書・ES提出→テストセンター(SPI3)→面接(3回)→内々定 [技]説明会(必須、3月上旬～)→履歴書・ES提出→テストセンター(SPI3)→面接(2回)→内々定【交通費支給】面接、飛行機・新幹線・特急等を使用する遠方者に全額【早期選考】⇒巻末

試験情報

重視科目 [総][技]面接

[総][ES]⇒巻末[筆]SPI3(会場) SPI3(自宅)[面]3回(Webあり)

[技][ES]⇒巻末[筆]SPI3(会場) SPI3(自宅)[面]2回(Webあり)

選考ポイント [総][技][ES]NA(提出あり)[面]NA

通過率 [総][ES]65%(受付:375→通過:244)[技][ES]93%(受付:234→通過:217) 倍率(応募/内定) [総]18倍 [技]3倍

●男女別採用数と配属先ほか●

【男女・文理別採用実績】

	大卒男	大卒女	修士男	修士女
23年	71(文 18理 53)	12(文 8理 4)	4(文 1理 3)	0(文 0理 0)
24年	68(文 25理 43)	12(文 9理 3)	5(文 1理 4)	0(文 0理 0)
25年	85(文 30理 55)	12(文 7理 5)	4(文 0理 4)	1(文 0理 1)

【25年4月入社者の採用実績校】[文](大)筑波大 都立大 早大 上智大 明大 法政大 学習院大 日大 同大 関西学大 他 [理](院)筑波大 山梨大 東理大 中大 千葉工大(大)北見工大 青学大 中大 明大 東京電機大 工学院大 東京都市大 日大 東洋大 駒澤大 東海大 日工大 東京工科大 埼玉工大 千葉工大 関東学院大 中央学大 神奈川大 金沢工大 札幌大 東北工大 関大 近大 摂南大 岡山理大 西日本工大 福岡工大(高専)サレジオ 群馬 茨城 久留米 他

【24年4月入社者の配属先】[総]勤務地:東京18 埼玉3 千葉3 神奈川4 大阪3 部署:工事関係事務12 営業事務5 労務5 経理4 調達3 システム管理1 システム企画1 [技]勤務地:東京39 埼玉6 千葉4 神奈川8 新潟1 大阪2 福島1 部署:施工管理57 設計3 研究1

残業(月) 27.9時間 [総]27.2時間

記者評価 ビルや工場などの屋内線工事が主力。配電線工事など東電向けは売上高の3割程度。情報通信工事や再生エネルギー発電事業も推進。業務のデジタル化に力を入れる。社長は東電出身が続いていたが、3代続けて生え抜きに。新卒・中途とも積極採用を継続。

●給与、ボーナス、週休、有休ほか●

【30歳総合職平均年収】642万円【初任給】(博士)270,000円(修士)255,000円(大卒)240,000円【ボーナス(年)】245万円、6.0カ月【25、30、35歳賃金】NA【週休】完全2日(土日祝)【夏期休暇】連続6日(有休3日 週休2日 祝日1日)【年末年始休暇】12月29日～1月4日【有休取得】16.8／23日

●従業員数、勤続年数、離職率ほか●

【男女別従業員数、平均年齢、平均勤続年数】計 ◇7,957(42.3歳 19.6年) 男 7,429(42.2歳 19.7年) 女 528(43.4歳 17.3年)【離職率と離職者数】◇3.8%、315名(早期退職男24名、女2名含む)【3年後新卒定着率】91.8%(男90.8%、女100%、3年前入社:男87名・女11名)【組合】あり

求める人材 各々の個性を活かし、様々な分野で活躍できる人物を幅広く求めます

会社データ (金額は百万円)

【本社】108-8533 東京都港区芝浦4-8-33
☎03-5476-2111 https://www.kandenko.co.jp/
【社長】仲摩 俊男【設立】1944.9【資本金】10,264【今後力を入れる事業】脱炭素 レジリエンス(防災+BCP)海外

【業績(連結)】	売上高	営業利益	経常利益	純利益
22.3	495,567	30,643	31,754	20,315
23.3	541,579	32,748	34,059	21,167
24.3	598,427	40,934	42,648	27,345

㈱九電工（きゅうでんこう）

東京P 1959

【特色】九州電力系の電気工事会社。太陽光発電に注力

修士・大卒採用数	3年後離職率	有休取得年平均	平均年収(平均38歳)
137名	23.6→24.2%	12.4日	[総]772万円

●エントリー情報と採用プロセス●

【受付開始～終了】[総]3月～6月 [技]3月～継続中【採用プロセス】[総]ES提出→SPI→面接→最終面接→内々定 [技]ES提出・SPI→面接→最終面接→内々定【交通費支給】面接、実費(宿泊費は10,000円を上限に支給)

試験情報

重視科目 [総][技]面接

[総][技][ES]⇒巻末[筆]SPI3(会場)[面]2回(Webあり)

選考ポイント [総][技][ES]NA(提出あり)[面]企業研究によるミスマッチがないこと コミュニケーション能力

通過率 [総][ES]NA(受付:498→通過:NA)[技][ES]NA(受付:274→通過:NA) 倍率(応募/内定) [総]14倍 [技]3倍

●男女別採用数と配属先ほか●

【男女・文理別採用実績】※25年:継続中

	大卒男	大卒女	修士男	修士女
23年	74(文 19理 55)	14(文 10理 4)	4(文 0理 4)	0(文 0理 0)
24年	97(文 41理 56)	19(文 13理 6)	3(文 0理 3)	0(文 0理 0)
25年	115(文 48理 67)	19(文 16理 3)	2(文 0理 2)	1(文 0理 1)

【25年4月入社者の採用実績校】[文](大)西南学大23 福岡大7 九産大5 久留米大3 宮崎産業経営大 北九州市大 専大各2 九大 大分大 鹿児島大 広島大 岡山大 下関市大 関西学大 同大 立命館大 國學院大 城西国際大 甲南大 東洋大 大妻女大 大和大 近大 福岡工大 福岡女大 筑紫女学大 日本文理大各1 [理](院)九大 佐賀大 宮崎大各1(大)福岡工大 福岡大各13 久留米工大11 佐賀大 九産大 広島工大 西日本工大各3 大分大 崇城大 鹿児島大 近大各2 九大 長崎大 琉球大 北九州市大 山口大 岡山理大 愛知産大 室蘭工大 第一工科大 東海大 日本文理大 福岡女大 職能大学校各1(高専)都城1(専)麻生建築&デザイン2 中央情報大1

【24年4月入社者の配属先】[総]勤務地:本社8 福岡6 北九州6 大分1 宮崎1 鹿児島1 熊本1 長崎1 佐賀1 東京2 沖縄1 部署:総務部20 営業部9 [技]勤務地:本社4 福岡19 北九州10 大分5 宮崎4 鹿児島8 熊本10 長崎5 佐賀6 東京17 関西5 沖縄3 部署:配電技術部6 電気技術部52 空調管技術部38

残業(月) 29.0時間 [総]29.9時間

記者評価 電気設備工事大手3社の一角。九州電力向けは売上高の1割と低く、民間向け屋内電気工事が主力。首都圏や東南アジアにも積極展開。太陽光発電は、顧客施設に発電設備を無償設置し発電された電力を当該顧客に販売するPPAモデルや、メガソーラーに重点。

●給与、ボーナス、週休、有休ほか●

【30歳総合職平均年収】629万円【初任給】(博士)255,000円(修士)255,000円(大卒)240,000円【ボーナス(年)】229万円、6.8カ月【25、30、35歳賃金】245,022円→273,528円→322,546円【週休】完全2日(土日祝)【夏期休暇】8月12～16日【年末年始休暇】12月29日～1月3日【有休取得】12.4／20日

●従業員数、勤続年数、離職率ほか●

【男女別従業員数、平均年齢、平均勤続年数】計 4,590(41.3歳 17.3年) 男 4,014(41.0歳 17.5年) 女 576(43.4歳 16.2年)【離職率と離職者数】4.6%、223名【3年後新卒定着率】75.8%(男73.9%、女100%、3年前入社:男142名・女11名)【組合】あり

求める人材 バイタリティに溢れ、何事にも挑戦しプロフェッショナル志向で、最後まで諦めない人

会社データ (金額は百万円)

【本社】815-0081 福岡県福岡市南区那の川1-23-35
☎092-523-1691 https://www.kyudenko.co.jp/
【社長】石橋 和幸【設立】1944.12【資本金】12,561【今後力を入れる事業】再生可能エネルギー事業 他

【業績(連結)】	売上高	営業利益	経常利益	純利益
22.3	376,563	33,137	36,828	26,216
23.3	395,783	32,083	35,462	26,349
24.3	469,057	38,016	42,362	28,017

建設

㈱トーエネック

東京P 1946

【特色】中部電力子会社で電気工事大手。東海地区で最大

修士・大卒採用数	3年後離職率	有休取得年平均	平均年収(平均42歳)
130名	15.0 → 20.6%	14.4日	[総]708万円

残業(月) 20.9時間 [総]27.8時間

記者評価 配電線工事など中部電力向けは売上高の約3割。屋内線や空調管、情報通信工事の総合力で訴求し、オフィスビルや商業施設、工場など一般向けを強化。首都圏・近畿圏の開拓も推進。海外はアジアに注力、23年9月には台湾の電気・空調管工事会社に出資。

●エントリー情報と採用プロセス●

【受付開始〜終了】[総][技]3月〜継続中【採用プロセス】[総][技]説明会・筆記(3月)→ES提出・面談・面接(各1回、3〜6月)→内々定(6月〜)【交通費支給】最終選考、実費【早期選考】⇒巻末

試験情報

重視科目 [総][技]面接 筆記

[総][技][ES]⇒巻末[筆]TAP[面]2回(Webあり)

選考ポイント [総][技][面]求める人材にマッチしているか

通過率 [総][ES]選考なし(受付:194) [技][ES]選考なし(受付:211)

倍率(応募/内定) [総]22倍 [技]6倍

●男女別採用数と配属先ほか●

【男女・文理別採用実績】※25年:130名採用計画

	大卒男	大卒女	修士男	修士女
23年	63(文 12 理 51)	12(文 10 理 2)	1(文 0 理 1)	0(文 0 理 0)
24年	65(文 21 理 44)	21(文 18 理 3)	4(文 0 理 4)	0(文 0 理 0)
25年	-(文 - 理 -)	-(文 - 理 -)	-(文 - 理 -)	-(文 - 理 -)

【25年4月入社者の採用実績校】[文](大)愛知大12 南山大 名古屋学院大各6 愛知県大 愛知学大 名城大 中京大各3 立命館大 大和大 椙山女学大各2 愛知淑徳大 金城学大 九産大 甲南大 国士舘大 三重大 神戸女学大 青学大 創価大 大東文化大 中部大 同大 日大 日本福祉大 名古屋市大 名古屋商大 明学大各1(高専)愛知総合工科高・専攻科2 [理](院)関西学大 室蘭工大 中京大 豊橋技科大各1(大)中部大20 愛知工業大18 大同大13 名城大10 南山大5 金沢工大4 静岡大3 愛知工科大 日大 富山大 福岡工大 立命館大各2 愛知淑徳大 岐阜県看護大 近大 金沢大 諏訪東理大 工学院大 三重大 秋田大 信州大 大阪電通大 東京農業大 東理大 東北学大 東北工大 東洋大 福井大 明大各1(短)静岡工科2(高専)岐阜1(専)ホンダテクニカルカレッジ 名古屋工学院各1

【24年4月入社者の配属先】[総]**勤務地**:愛知(名古屋17 岡崎2)静岡2 三重2 岐阜1 長野1 東京3 大阪1 **部署**:総務13 営業8 システム4 人事2 経理2 [技]**勤務地**:研修中のため未定67 **部署**:内線34 情報通信9 空調管9 配電3 市場開発5 地中線4 技術研究開発2 国際1

●給与、ボーナス、週休、有休ほか●

【30歳総合職平均年収】649万円【初任給】(修士)251,700円(大卒)240,000円【ボーナス(年)】170万円、NA【25、30、35歳賃金】253,000円→284,000円→321,000円【週休】完全2日(土日祝)【夏期休暇】年間5日(レインボー休暇:特別休暇)【年末年始休暇】12月29日〜1月3日【有休取得】14.4/20日

●従業員数、勤続年数、離職率ほか●

【男女別従業員数、平均年齢、平均勤続年数】計4,844(41.6歳 19.4年) 男4,321(41.2歳 19.3年) 女523(44.9歳 20.2年)【離職率と離職者数】2.8%、141名(早期退職男2名含む)【3年後新卒定着率】79.4%(男77.2%、女100%、3年前入社:男145名・女15名)【組合】あり

求める人材 コミュニケーション力がある人 仕事に誠実に取り組める人 主体性をもって取り組める人 チャレンジ精神のある人

会社データ (金額は百万円)

【本社】460-8408 愛知県名古屋市中区栄1-20-31
☎052-221-1111 https://www.toenec.co.jp/
【社長】滝本 嗣久【設立】1944.10【資本金】7,680【今後力を入れる事業】成長分野における事業の拡大

【業績(連結)】	売上高	営業利益	経常利益	純利益
22.3	219,617	14,072	13,394	8,283
23.3	232,053	10,287	8,983	▲5,548
24.3	252,863	15,910	12,679	9,345

㈱ユアテック

東京P 1934

【特色】東北電力系の電気工事会社。首都圏工事に展開へ

修士・大卒採用数	3年後離職率	有休取得年平均	平均年収(平均42歳)
64名	10.3 → 12.8%	12.6日	[総]711万円

残業(月) 28.2時間 [総]28.2時間

記者評価 配電線工事や屋内配線工事が主力で、東北電力向けが売上の4割超占める。震災復興工事はほぼ一巡。再エネ事業本部新設し、太陽光や風力発電の拡大狙う。首都圏の商業施設にも営業活動強化。経年劣化の更新工事を次の柱に育成。ベトナムなど東南アジアに拠点。

●エントリー情報と採用プロセス●

【受付開始〜終了】[総][技]3月〜6月【採用プロセス】[総][技]ES提出(3〜6月)→面接(2〜3回)・最終試験→内々定【交通費支給】2次面接以降、実費

試験情報

重視科目 [総][技]面接

[総][ES]NA[筆]i9 JRAC[面]2〜3回(Webあり)[GD作]NA [技][ES]NA[筆]JRAC[面]2〜3回(Webあり)[GD作]NA

選考ポイント [総][技][ES]NA(提出あり)[面]志望度の高さ 業務への適性

通過率 [総][技][ES]NA **倍率**(応募/内定) [総][技]NA

●男女別採用数と配属先ほか●

【男女・文理別採用実績】

	大卒男	大卒女	修士男	修士女
23年	61(文 11 理 50)	3(文 1 理 2)	1(文 0 理 1)	0(文 0 理 0)
24年	58(文 12 理 46)	7(文 4 理 3)	0(文 0 理 0)	0(文 0 理 0)
25年	57(文 14 理 43)	7(文 3 理 4)	0(文 0 理 0)	0(文 0 理 0)

【25年4月入社者の採用実績校】
[文](大)東北学大6 東北大 新潟大各2 北海道教育大 弘前大 青森公大 仙台大 福島大 日本国際学園大 法政大各1 [理](大)東北学大18 東北工大10 日大6 石巻専大 東北文化学園大各2 岩手大 秋田大 秋田県大 八戸工大 宮城大 東北職能大学校 福島大 新潟大 千葉工大各1(短)岩手産技 山形産技各1(高専)秋田1(専)新潟工科4 東北電子3 青森高等技術 テクノアカデミー会津 日本工学院八王子各1

【24年4月入社者の配属先】
[総]**勤務地**:宮城4 青森1 岩手3 山形2 福島1 新潟3 東京1 **部署**:人事労務1 経理1 総務5 資材調達2 営業6 [技]**勤務地**:宮城57 青森2 岩手3 秋田1 福島1 新潟3 **部署**:電気設備32 空調管14 情報通信3 配電3 送電3 発変電3 土木建築5 再エネ2 海外2

●給与、ボーナス、週休、有休ほか●

【30歳総合職平均年収】571万円【初任給】(博士)257,000円(修士)240,000円(大卒)225,000円【ボーナス(年)】160万円、5.3カ月【25、30、35歳賃金】NA【週休】完全2日(土日祝)【夏期休暇】4日【年末年始休暇】12月29日〜1月3日【有休取得】12.6/20日

●従業員数、勤続年数、離職率ほか●

【男女別従業員数、平均年齢、平均勤続年数】計3,796(41.9歳 19.3年) 男3,493(42.0歳 19.3年) 女303(41.0歳 18.6年)【離職率と離職者数】2.2%、85名(早期退職男1名、女1名含む 他に男12名転籍)【3年後新卒定着率】87.2%(男86.2%、女100%、3年前入社:男116名・女9名)【組合】あり

求める人材 バイタリティに溢れ、積極的に、誠実に仕事に取り組むことができる人材

会社データ (金額は百万円)

【本社】983-8622 宮城県仙台市宮城野区榴岡4-1-1
☎022-296-2111 https://www.yurtec.co.jp/
【社長】太田 良治【設立】1944.10【資本金】7,803【今後力を入れる事業】地域需要を掘り起こす営業活動を強化 成長市場への取り組み強化

【業績(連結)】	売上高	営業利益	経常利益	純利益
22.3	225,317	9,492	10,040	6,700
23.3	227,366	9,538	10,501	6,561
24.3	243,171	10,523	11,885	7,510

㈱中電工（ちゅうでんこう）

東京P 1941

【特色】中国電力系の電気工事会社。親会社依存度は低い

修士・大卒採用数	3年後離職率	有休取得年平均	平均年収(平均40歳)
95名	17.0→25.5%	12.4日	740万円

残業(月) 30.4時間 総30.4時間

記者評価 中国電力向けの売上高比率は25%程度、ビル・工場の屋内電気工事が約半分。太陽光発電設備を顧客先に無償設置し、電力を購入してもらうPPAや、ZEB(ネット・ゼロ・エネルギー・ビル)などの環境関連工事にも注力。シンガポール企業買収など海外も積極展開。

●エントリー情報と採用プロセス●

【受付開始～終了】総3月～3月 技3月～8月【採用プロセス】総説明会(必須、3月)→ES提出(3月)→Webテスト・面接(3回、4月)→内々定(4月) 技説明会(必須、3～8月)→ES提出(3～8月)→Webテスト・面接(2回、3～9月)→内々定(3～9月)【交通費支給】最終面接(技術系以外)、全面接(技術系)、実費

試験情報

重視科目 総技面接

総 ES NA 筆SPI3(自宅) 面3回(Webあり) 技 ES NA 筆SPI3(自宅) 面2回(Webあり)

選考ポイント 総技 面コミュニケーション能力 チャレンジ性 仕事(当社業務)に対する理解度 考え方

通過率 総技 ES選考なし(受付:NA)

倍率(応募/内定) 総技NA

●給与、ボーナス、週休、有休ほか●

【30歳総合職平均年収】515万円【初任給】(修士)245,000円(大卒)235,000円【ボーナス(年)】169万円、5.7カ月【25、30、35歳賃金】223,963円→260,380円→303,862円【週休】2日(土日祝)【夏期休暇】計画休日(上期2日、下期2日)で取得【年末年始休暇】12月29日～1月3日【有休取得】12.4／20日

●従業員数、勤続年数、離職率ほか●

【男女別従業員数、平均年齢、平均勤続年数】計 3,454(40.1歳 18.8年) 男 3,149(39.7歳 18.4年) 女 305(44.1歳 22.9年)【離職率と離職者数】3.1%、110名(早期退職男8名含む)【3年後新卒定着率】74.5%(男73.8%、女80.0%、3年前入社:男84名・女10名)【組合】あり

●男女別採用数と配属先ほか●

【男女・文理別採用実績】※25年:修士・大卒95名採用予定

	大卒男	大卒女	修士男	修士女
23年	68(文 24 理 44)	6(文 5 理 1)	1(文 0 理 1)	0(文 0 理 0)
24年	58(文 29 理 29)	6(文 5 理 1)	0(文 0 理 0)	0(文 0 理 0)
25年	-(文 - 理 -)	-(文 - 理 -)	-(文 - 理 -)	-(文 - 理 -)

【25年4月入社者の採用実績校】文(24年)(大)島経大 広島修道大各6 安田女大 福山大 広島国際大各2 岡山商大 関西学大 関大 吉備国際大 九州共立大 広島大 広島文教大 山口大 山梨学大 周南公大 順天堂大 青学大 静岡大 福岡大 北九州市大 県立広島大各1 理(24年)(大)広島工大12 岡山理大3 近大2 福岡工大 同大 拓大 中国職能大学校 東海大 日本文理大 愛知工業大 岡山大 九産大 山口大 山口東理大 崇城大 西日本工大各1(短)中国職能2(高専)米子1(専)岡山科学技術4 広島工学院大学校 広島工業大 広島情報 山口東部産業技術学校各1

【24年4月入社者の配属先】総勤務地:広島7 岡山2 山口2 島根1 部署:事務職(総務・労務・経理)8 営業職4 技勤務地:広島30 岡山10 山口5 島根1 鳥取1 東京6 大阪7 愛知3 部署:屋内電気25 情報通信6 空調管22 配電線6 送変電地中線4

求める人材 社会の変化を柔軟に受け止め、自ら率先して変革にチャレンジする人

会社データ (金額は百万円)

【本社】730-0855 広島県広島市中区小網町6-12
☎082-291-8945 https://www.chudenko.co.jp/
【社長】重藤 隆文【設立】1944.10【資本金】3,481【今後力を入れる事業】リフォーム・リニューアル事業 環境事業

【業績(連結)】	売上高	営業利益	経常利益	純利益
22.3	190,690	9,762	11,959	6,682
23.3	189,032	8,361	▲1,905	▲6,913
24.3	201,025	11,947	12,742	7,937

大和リース㈱（だいわ）

株式公開 計画なし

【特色】大和ハウスグループ。システム建築など展開

修士・大卒採用数	3年後離職率	有休取得年平均	平均年収(平均41歳)
54名	20.0→19.1%	15.3日	総854万円

残業(月) 総23.4時間

記者評価 システム建築、プレハブの施工・販売が柱。庁舎や校舎など公共向けに豊富な実績を持つ。郊外型「フレスポ」、都市型「BiVi」、コミュニティ型「ブランチ」の各ブランドで商業施設の企画・建築・運営も手がける。自動車や公共設備などのリースも展開。

●エントリー情報と採用プロセス●

【受付開始～終了】総技3月～6月【採用プロセス】総技説明会(必須、3月～)→自己PR動画提出→面接(4月上旬～)→Web試験(5月～)→面接(5月～)→内々定(6月～)【交通費支給】最終面接以降、実費

試験情報

重視科目 総技面接

総技 筆自社オリジナル(Web) 面2回

選考ポイント 総技 面企業理念を理解したうえで、働くことで成長する姿勢がみてとれるか

通過率 総 ES—(応募:694) 技 ES—(応募:438)

倍率(応募/内定) 総30倍 技14倍

●給与、ボーナス、週休、有休ほか●

【30歳総合職平均年収】665万円【初任給】(修士)252,000円(大卒)246,000円【ボーナス(年)】284万円、8.0カ月【25、30、35歳賃金】259,000円→287,000円→310,000円【週休】完全2日(土日祝)【夏期休暇】8月10～18日(13・14・16日は計画年休)【年末年始休暇】12月27日～1月5日(12月27日は計画年休)【有休取得】15.3／20日

●従業員数、勤続年数、離職率ほか●

【男女別従業員数、平均年齢、平均勤続年数】計 2,323(42.4歳 16.8年) 男 1,741(44.1歳 18.3年) 女 582(37.2歳 12.2年)【離職率と離職者数】3.8%、91名【3年後新卒定着率】80.9%(男86.5%、女74.2%、3年前入社:男37名・女31名)【組合】なし

●男女別採用数と配属先ほか●

【男女・文理別採用実績】※25年:24年7月22日時点

	大卒男	大卒女	修士男	修士女
23年	37(文 20 理 17)	28(文 15 理 13)	4(文 0 理 4)	2(文 0 理 2)
24年	34(文 17 理 17)	28(文 13 理 15)	1(文 0 理 1)	1(文 0 理 1)
25年	30(文 12 理 18)	22(文 8 理 14)	2(文 0 理 2)	0(文 0 理 0)

【25年4月入社者の採用実績校】文(大)龍谷大3 東北工大 武庫川女大各2 札幌国際大 駒澤大 法政大 立教大 桐蔭横浜大 東洋英和女学大 獨協大 常葉大 名城大 同大 大和大 大阪経大 関西学大各1 理(院)兵庫県大 鹿児島大各1(大)東北工大4 香川大3 金沢工大 愛知工業大 大阪産大 安田女大各2 共立女大 昭和女大 創価大 都立大 武蔵野大 愛知産大 愛知淑徳大 金城学大 椙山女学大 中部大 京都女大 近大 島根大 広島工大 高知工科大 西日本工大 福岡大各1(専)京都建築大学校1

【24年4月入社者の配属先】総勤務地:札幌1 仙台4 東京・飯田橋5 横浜3 さいたま1 名古屋4 大阪市7 広島市4 福岡市3 部署:営業24 管理8 技勤務地:札幌1 仙台4 千葉市1 東京・飯田橋6 さいたま4 名古屋5 大阪市5 岡山市1 広島市3 香川・高松1 福岡市3 沖縄・那覇1 部署:施工管理14 意匠設計10 構造設計2 設備設計6 コスト設計2 生産1

求める人材 事業を企画できる人財 事業を実践できる人財 事業を分析できる人財

会社データ (金額は百万円)

【本社】540-0011 大阪府大阪市中央区農人橋2-1-36
☎06-6942-8011 https://www.daiwalease.co.jp/
【社長】北 哲弥【設立】1959.6【資本金】21,768【今後力を入れる事業】PFI・PPP 環境緑化事業 パーキング事業 リーシングソリューション事業(ロボット)

【業績(連結)】	売上高	営業利益	経常利益	純利益
22.3	243,373	26,268	26,492	17,517
23.3	241,311	28,962	28,912	19,778
24.3	248,890	26,098	25,708	17,278

建設

開示 ★★★★ ▶『業界地図』p.236,240… 47

大和ハウス工業(株)（だいわハウスこうぎょう）

東京P 1925

【特色】大手戸建て住宅メーカー。経営多角化を標榜

修士・大卒採用数	3年後離職率	有休取得年平均	平均年収(平均40歳)
686名	22.5→23.1%	12.3日	[総]965万円

残業(月) 15.7時間 [総]16.2時間

記者評価 関西地盤で軽量プレハブ住宅の草分け。戸建てや賃貸住宅のほか、マンション、商業施設、物流施設など全方位に展開。ビジネスホテル運営に加え、データセンターなどインフラ開発や都市再開発にも注力。子会社にゼネコンのフジタ。海外は米国が中心。

●エントリー情報と採用プロセス●

【受付開始～終了】[総]3月～継続中 [技]1月～継続中【採用プロセス】[総]アンケート→適性検査(Web)→1次面接→社員質問会→最終面接・作文→内々定 [技]アンケート→適性検査(Web)→1次面接→社員質問会→最終面接・作文・製図試験→内々定※製図試験は意匠設計職希望者のみ【交通費支給】最終面接、全額

試験情報

重視科目 [総][技]面接

[総][技][筆]SPI3(自宅)[面]複数回(Webあり)[GD作]⇒巻末

選考ポイント [総][技][ES]提出なし[面]可能性(個性を尊重)

通過率 [総][技][ES]—(応募:NA)

倍率(応募/内定) [総][技]NA

●男女別採用数と配属先ほか●

【男女・文理別採用実績】※25年 686名採用予定

	大卒男	大卒女	修士男	修士女
23年	423(文249 理174)	152(文 77 理 75)	61(文 6 理 55)	15(文 2 理 13)
24年	362(文214 理148)	143(文 63 理 80)	45(文 5 理 40)	16(文 1 理 15)
25年	-(文 - 理 -)	-(文 - 理 -)	-(文 - 理 -)	-(文 - 理 -)

【25年4月入社者の採用実績校】
[文](院)早大 北大各1(大)関西学大 関大各14 日大13 近大12 中大 同大各10 明大9 他 [理](院)日大5 早大 北大各3(大)日大32 近大22 東洋大12 明大 中大 立命館大各10 早大8 他

【24年4月入社者の配属先】[総]勤務地:北海道3 東北12 北陸5 甲信越16 関東101 東海44 近畿61 中国17 四国5 九州19 部署:営業系245 人事・総務・経理・購買等38 [技]勤務地:北海道2 東北14 北陸8 甲信越2 関東150 東海32 近畿84 中国15 四国4 九州21 部署:設計132 施工108 設備・構造・開発等92

●給与、ボーナス、週休、有休ほか●

【30歳総合職平均年収】768万円【初任給】(博士)262,000円(修士)262,000円(大卒)250,000円【ボーナス(年)】270万円、9.2カ月【25、30、35歳賃金】261,000円→326,000円→487,500円【週休】完全2日(職種により異なる)【夏期休暇】(本社)連続6日(計画年休2日含む)【年末年始休暇】(本社)連続9日(計画年休1日含む)【有休取得】12.3／20日

●従業員数、勤続年数、離職率ほか●

【男女別従業員数、平均年齢、平均勤続年数】計 16,135(40.4歳 15.5年) 男 12,703(41.4歳 16.5年) 女 3,432(36.7歳 12.2年)【離職率と離職者数】4.1%、684名【3年後新卒定着率】76.9%(男78.7%、女71.2%、3年前入社:男385名・女118名)【組合】なし

求める人材 当社のパーパスに共感し、夢や熱意を持って、主体的に行動し、成長できる人

会社データ (金額は百万円)

【本社】530-8241 大阪府大阪市北区梅田3-3-5
☎06-6342-1383 https://www.daiwahouse.co.jp/
【社長】芳井 敬一【設立】1947.3【資本金】161,957【今後力を入れる事業】賃貸住宅 商業施設 事業施設 不動産開発

【業績(連結)】	売上高	営業利益	経常利益	純利益
22.3	4,439,536	383,256	376,246	225,272
23.3	4,908,199	465,370	456,012	308,399
24.3	5,202,919	440,210	427,548	298,752

積水ハウス(株)（せきすいハウス）

東京P 1928

【特色】戸建て住宅の大手。賃貸住宅、都市再開発も

修士・大卒採用数	3年後離職率	有休取得年平均	平均年収(平均42歳)
565名	13.7→12.8%	15.8日	[総]1,023万円

残業(月) 20.7時間 [総]25.7時間

記者評価 1960年に積水化学工業から分離して発足。戸建て住宅は鉄骨プレハブが中心。営業力、ブランド力に定評があり、高価格帯住宅でシェア拡大。賃貸住宅の建設・借り上げで有力。マンションやホテル開発も展開。24年米国の大手住宅会社を買収、海外事業が成長柱。

●エントリー情報と採用プロセス●

【受付開始～終了】[総][技]3月～7月【採用プロセス】[総]自己紹介動画提出・適性検査→GD→面接(2～3回)→Webテスト→内々定 [技]ES提出・適性検査→GD→面接(2～3回)→Webテスト→内々定【交通費支給】2次面接以降(一部職種は1次面接以降)、遠方者のみ、新幹線・特急列車・飛行機利用者に全額【早期選考】⇒巻末

試験情報

重視科目 [総][技]面接

[総][技][ES]⇒巻末[筆]自社オリジナル[面]2～3回[GD作]⇒巻末

選考ポイント [総][技][ES]適性検査との総合評価[面]コミュニケーション能力 成長意欲 積極・主体性 論理的思考力 他

通過率 [総][技][ES]NA 倍率(応募/内定) [総][技]NA

●男女別採用数と配属先ほか●

【男女・文理別採用実績】※25年:565名採用予定

	大卒男	大卒女	修士男	修士女
23年	292(文218 理 74)	182(文120 理 62)	20(文 2 理 18)	9(文 1 理 8)
24年	282(文207 理 75)	188(文114 理 74)	31(文 2 理 29)	19(文 3 理 16)
25年	-(文 - 理 -)	-(文 - 理 -)	-(文 - 理 -)	-(文 - 理 -)

【25年4月入社者の採用実績校】[文](24年)(院)筑波大 大阪公大 神戸大 岡山理大各1(大)関西学大22 関大 近大各15 立命館大12 同大10 龍谷大8 日大 甲南大各7 早大 明大 青学大各6 専大 法政大各5 駒澤大 横浜市大 愛知大 京産大 大阪経大 福岡大 環太平洋大各4 他 [理](24年)(院)近大5 神戸大4 日大3 奈良女大 大阪公大各2(大)日大13 近大11 大阪市大7 工学院大6 東洋大 金沢工大各5 日本福祉大 中部大 関大 神戸大各4 他

【24年4月入社者の配属先】[総]勤務地:北海道2 東北8 関東125 中部58 近畿68 中国15 四国6 九州18 部署:全国の支店・営業所275 国際事業部2 マンション事業本部10 開発事業部2 ITデザイン部3 経理部2 財務部2 R&D本部1 生産調達本部3 [技]勤務地:東北4 関東72 中部29 近畿61 中国10 四国2 九州16 部署:全国の支店・営業所156 マンション事業本部2 プラットフォームハウス推進部1 R&D本部14 技術管理本部6 施工本部3 生産調達本部12

●給与、ボーナス、週休、有休ほか●

【30歳総合職平均年収】738万円【初任給】(修士)251,900円(大卒)240,400円【ボーナス(年)】317万円、9.05カ月【25、30、35歳モデル賃金】290,700円→374,400円→423,100円【週休】〈本社・工場〉完全2日〈営業〉2日(火水)【夏期休暇】連続5日【年末年始休暇】連続7日【有休取得】15.8／20日

●従業員数、勤続年数、離職率ほか●

【男女別従業員数、平均年齢、平均勤続年数】計 15,327(43.8歳 16.5年) 男 11,573(45.8歳 17.6年) 女 3,754(37.7歳 13.0年)【離職率と離職者数】3.0%、482名(早期退職87名含む)【3年後新卒定着率】87.2%(男87.8%、女86.2%、3年前入社:男278名・女159名)【組合】なし

求める人材 「世界一幸せな場所」のために自律的に考え、失敗を恐れず行動できる人財

会社データ (金額は百万円)

【本社】531-0076 大阪府大阪市北区大淀中1-1-88
☎06-6440-3111 https://www.sekisuihouse.co.jp/
【社長】仲井 嘉浩【設立】1960.8【資本金】203,094【今後力を入れる事業】国内・海外における住関連事業、開発事業

【業績(連結)】	売上高	営業利益	経常利益	純利益
22.1	2,589,579	230,160	230,094	153,905
23.1	2,928,835	261,489	257,272	184,520
24.1	3,107,242	270,956	268,248	202,325

開示 ★★★ ▶『業界地図』p.22,234… 48

すみともりんぎょう 住友林業(株)

東京P 1911

【特色】大手注文住宅メーカー。米国事業が収益柱

修士・大卒採用数	3年後離職率	有休取得年平均	平均年収(平均45歳)
248名	16.1 → 18.0%	13.2日	(総)901万円

残業(月) 39.5時間 (総)42.7時間

記者評価 別子銅山の植林事業が源流。国内で木造注文住宅事業を展開。中高価格帯が中心。海外事業を成長柱に据え、米国の戸建てや不動産開発で稼ぐ。国内有数規模の山林を所有するほか、木材建材卸は国内最大手。保有・管理林の拡大、住宅の脱炭素標準化などに注力。

●エントリー情報と採用プロセス●

【受付開始～終了】(総)3月～6月 (技)3月～3月【採用プロセス】(総)ES提出・Webテスト(3～6月)→面接(3回、3～6月)→内々定(6～7月) (技)ES提出・Webテスト(3月)→面接(3回、3～6月)→内々定(6～7月)【交通費支給】最終面接時、遠方者のみ定額【早期選考】⇒巻末

試験情報

重視科目 (総)(技)面接

(総)(技)(ES)⇒巻末(筆)OPQ 言語・計数 オリジナルWebテスト(玉手箱ベース)(面)3回(Webあり)

選考ポイント (総)(技)(ES)他プロセスとの総合判断(面)自主性を持って課題に取り組み、成果を出せる人物か

通過率 (総)(技)(ES)NA **倍率(応募/内定)** (総)(技)NA

●給与、ボーナス、週休、有休ほか●

【30歳総合職平均年収】586万円【初任給】(博士)284,000円(修士)274,000円 (大卒)264,000円【ボーナス(年)】290万円、6.16カ月【25、30、35歳賃金】282,206円→351,795円→459,764円【週休】完全2日(事業所により異なる)【夏期休暇】有休で取得(所定休日を含め、連続5日以上を推奨)【年末年始休暇】12月29日～1月3日【有休取得】13.2／20日

●男女別採用数と配属先ほか●

【男女・文理別採用実績】

	大卒男	大卒女	修士男	修士女
23年	92(文 65理 27)	52(文 34理 18)	18(文 1理 17)	6(文 2理 4)
24年	94(文 63理 31)	50(文 38理 12)	21(文 2理 19)	4(文 2理 2)
25年	140(文 77理 63)	82(文 50理 32)	17(文 2理 15)	9(文 0理 9)

【25年4月入社者の採用実績校】(文)(院)富山大1(大)立命館大8 同大 関西学大各7 中大6 成蹊大5 青学大4 法政大 慶大 関大 明学大各3 東北福祉大 大阪市大 京産大 順天堂大 東京経大 駒澤大 日大 関西外大 大阪経大 立教大 早大 専大各2 熊本大 東京学芸大 龍谷大 國學院大各1他 (理)(院)東理大3 九大 北大各2 長崎大 工学院大 東大 東北大 大分大 芝工大 筑波大 信州大 東京海洋大 新潟大各1(大)近大9 東洋大5 金沢工大4 芝工大 京都美工大 大阪工大 日女大 京都橘大 工学院大 新潟大各3 大分大 立命館大 武庫川女大 九大 大阪市大 京都工繊大 日大 信州大 福岡大 神戸大 摂南大各2 中部大 京都建築大学校 東京電機大 山口大各1 他

【24年4月入社者の配属先】(総)勤務地:東京43 愛知8 大阪6 神奈川5 千葉5 埼玉4 福岡3 兵庫3 長野2 京都2 宮城2 北海道2 静岡2 茨城1 栃木1 滋賀1 富山1 岐阜1 広島1 新潟1 群馬1 奈良1 部署:住宅事業本部65 木材建材事業本部17 建築・不動産事業本部6 本社5 資源環境事業本3 (技)勤務地:東京13 大阪6 茨城6 神奈川6 愛知5 兵庫4 福岡3 埼玉3 奈良2 山梨2 静岡2 千葉2 福島1 鹿児島1 和歌山1 宮城1 山口1 大分1 山形1 長野1 広島1 京都1 部署:住宅事業本部61 本社3

●従業員数、勤続年数、離職率ほか●

【男女別従業員数、平均年齢、平均勤続年数】計 5,392(44.0歳 17.0年) 男 4,107(44.9歳 17.6年) 女 1,285(41.2歳 12.0年)【離職率と離職者数】2.8%、157名(他に9名転籍)【3年後新卒定着率】82.0%(男82.4%、女80.8%、3年前入社:男74名・女26名)【組合】あり

求める人材 本気で考え、本気で行動できる人

会社データ (金額は百万円)

【本社】100-8270 東京都千代田区大手町1-3-2 経団連会館
☎03-3214-2220 https://sfc.jp/
【社長】光吉 敏郎【設立】1948.2【資本金】55,100【今後力を入れる事業】海外住宅建築不動産 中大規模木造建築 循環型森林ビジネス

【業績(連結)】	売上高	営業利益	経常利益	純利益
21.12	1,385,930	113,651	137,751	87,175
22.12	1,669,707	158,253	194,994	108,672
23.12	1,733,169	146,755	159,418	102,479

だいとうけんたく 大東建託グループ(大東建託(株)、大東建託リーシング(株)、大東建託パートナーズ(株))

東京P 1878

【特色】賃貸アパート建設、一括借り上げの国内最大手

修士・大卒採用数	3年後離職率	有休取得年平均	平均年収(平均44歳)
269名	(!)40.1 → (!)30.7%	13.9日	(総)838万円

残業(月) 32.4時間 (総)32.4時間

記者評価 地主が建設する賃貸アパートを長期一括で借り上げ、入居者に転貸するサブリース方式で急成長。収益柱は建設事業。飛び込み営業が主体の実力主義。支店に建て替えやリフォームの専門要員を置く。技術系の陣容厚い。賃貸住宅の管理戸数は国内首位級。

●エントリー情報と採用プロセス●

【受付開始～終了】(総)(技)1月～継続中【採用プロセス】(総)説明会(必須、1月)→WebES・適性検査→GD(総合営業職のみ)→面接(2回)→内々定 (技)説明会(必須、1月)→WebES・適性検査→GD(設計・施工管理職・積算職)→面接(2回)→内々定【交通費支給】最終面接(技術職)、全額【早期選考】⇒巻末

試験情報

重視科目 (総)(技)面接 GD 適性検査

(総)(技)(ES)⇒巻末(筆)3Eテスト(面)2回(Webあり)(GD作)⇒巻末

選考ポイント (総)(技)(ES)求める人材像との合致及び適性検査による総合判断(面)求める人材との合致

通過率 (総)(ES)74%(受付:2,006→通過:1,485) (技)(ES)86%(受付:353→通過:302) **倍率(応募/内定)** (総)13倍 (技)5倍

●給与、ボーナス、週休、有休ほか●

【30歳総合職平均年収】604万円【初任給】(修士)250,000円 (大卒)240,000円【ボーナス(年)】163万円、NA【25、30、35歳賃金】237,772円→268,386円→314,962円 ※大学院卒、短・専卒など大卒以外も含む【週休】完全2日(土日祝)【夏期休暇】連続7日【年末年始休暇】連続7日【有休取得】13.9／20日

●男女別採用数と配属先ほか●

【男女・文理別採用実績】

	大卒男	大卒女	修士男	修士女
23年	118(文 89理 29)	75(文 63理 12)	1(文 0理 1)	3(文 2理 1)
24年	159(文114理 45)	103(文 82理 21)	3(文 0理 3)	1(文 0理 1)
25年	167(文123理 44)	96(文 78理 18)	5(文 0理 5)	1(文 1理 0)

※25年:24年8月7日時点、グループ3社計423名採用予定

【25年4月入社者の採用実績校】(文)(大)帝京大 神奈川大各6 近大5 日大 追手門学大 中京大各4 法政大 立命館大 専大 城西大 摂南大 阪南大各3 早大 関西学大 北九州市大 桜美林大 創価大 千葉商大 立正大 駒澤大 武蔵野大 神戸学大 京都橘大 大阪体大 東京女大 共立女大 東北学大 広島修道大 北海学園大各2 東京科学大 横国大 横浜市大 京都府大 奈良県大 立教大 青学大 中大 明大 北海道教育大 琉球大 高知大 名桜大 香川大 愛媛大 中央学大 ものつくり大 東京国際大 玉川大 拓大 成蹊大 白鴎大 東京経大各1 他 (理)(院)新潟工大 大阪工大 関大 室蘭工大 和歌山大各1(大)武蔵野大 近大各6 日大4 東京電機大 東海大 大手前大各3 国士舘大 神奈川大 大妻女大 実践女大 武庫川女大 大同大 愛知産大 西日本工大各2 滋賀大 滋賀県大 明大 早大 大分大 東洋大 東京工芸大 明星大 千葉工大各1 他

【24年4月入社者の配属先】(総)勤務地:〈大東建託〉全国支店82〈リーシング〉全国店舗68〈パートナーズ〉本社・全国営業所35 部署:〈大東建託〉営業62 事務20〈リーシング〉営業68〈パートナーズ〉管理30 マーケティング5 (技)勤務地:〈大東建託〉本社・全国支店93 部署:〈大東建託〉施工管理30 設計60 構造設備1 情報システム2

●従業員数、勤続年数、離職率ほか●

【男女別従業員数、平均年齢、平均勤続年数】計 8,233(44.2歳 11.6年) 男 6,961(45.0歳 12.1年) 女 1,272(39.5歳 9.0年)【離職率と離職者数】10.1%、925名【3年後新卒定着率】69.3%(男66.4%、女74.2%、3年前入社:男262名・女155名) ※3社計【組合】なし

求める人材 NA

会社データ (金額は百万円)

【本社】108-8211 東京都港区港南2-16-1 品川イーストワンタワー
☎03-6718-9004 https://www.kentaku.co.jp/
【社長】竹内 啓【設立】1974.6【資本金】29,060【今後力を入れる事業】建設事業 不動産開発業 総合賃貸業 生活支援サービス業

【業績(連結)】	売上高	営業利益	経常利益	純利益
22.3	1,583,003	99,594	103,671	69,580
23.3	1,657,626	100,000	103,898	70,361
24.3	1,731,467	104,819	108,720	74,685

※採用関連はグループの、その他は大東建託(株)の情報

建設

旭化成ホームズ(株)

株式公開 計画なし

【特色】旭化成の住宅部門担う。ロングライフ住宅を訴求

修士・大卒採用数	3年後離職率	有休取得年平均	平均年収(平均42歳)
103名	12.8 → 20.8%	12.1日	(総)957万円

●エントリー情報と採用プロセス●

【受付開始～終了】(総)(技)2月～6月【採用プロセス】(総)説明会(任意)→ES提出・Web適性テスト→面接(3回、3月～)→面談・内々定(3月下旬～) (技)説明会(任意)→ES提出・Web適性テスト→面接(3回、3月～)→面談・内々定(4月上旬～)【交通費支給】面接・面談時、遠方者に実費(新幹線・特急券分)【早期選考】⇒巻末

試験情報

重視科目 (総)(技)面接

(総)(技)(ES)⇒巻末(筆)自社オリジナル適性テスト(面)3回(Webあり)

選考ポイント (総)(技)(ES)NA(提出あり)(面)コミュニケーション力 誠実さ 主体性 協調性 挑戦心

通過率 (総)(技)(ES)NA 倍率(応募/内定) (総)(技)NA

●男女別採用数と配属先ほか●

【男女・文理別採用実績】

	大卒男	大卒女	修士男	修士女
23年	61(文 42 理 19)	41(文 26 理 15)	11(文 1 理 10)	4(文 0 理 4)
24年	58(文 45 理 13)	36(文 24 理 12)	10(文 0 理 10)	5(文 0 理 5)
25年	59(文 40 理 19)	36(文 21 理 15)	2(文 0 理 2)	6(文 1 理 5)

【25年4月入社者の採用実績校】(文)(院)阪大1(大)関西学大 立命館大 法政大 東洋大 近大各4 関大 京産大各3 創価大 日大 神戸学大各2 筑波大 早大 ICU 中大 青学大 同大 学習院大 南山大 都立大 静岡大 香川大 國學院大 成城大 専大 工学院大 東海大 関西外大 立命館APU 関東学院大 小樽商大 日女大 東京国際大 文教大 北星学大 西南学大 中京大 天理大 桃山学大 京都橘大各1 (理)(院)大阪公大 神戸大 千葉大 信州大 法政大 工学院大 近大各1(大)近大4 東京電機大 芝工大 明大 東理大 立命館大 日女大各2 千葉大 埼玉大 東北大 昭和女大 国士舘大 法政大 福井大 武蔵野大 愛知工業大 大阪工大 三重大 京都女大 京都府大 大阪市大 日大 大阪電通大 関大 名城大各1

【24年4月入社者の配属先】(総)勤務地:東京9 千葉・茨城9 埼玉・北関東10 神奈川9 中部12 関西・西日本13 他7 部署:営業69 (技)勤務地:東京6 千葉・茨城5 埼玉・北関東5 神奈川7 中部7 関西・西日本6 他4 部署:設計23 工事17

残業(月) 34.2時間 (総)38.9時間

記者評価 旭化成Gの住宅部門。軽量気泡コンクリの戸建て「ヘーベルハウス」や賃貸住宅「ヘーベルメゾン」の新築請負が主。持分法適用会社に森組。リフォームや中高層建築を強化。都の健康長寿医療センター研究所と連携、高齢者向け住宅にも注力。豪・米でも事業展開。

●給与、ボーナス、週休、有休ほか●

【30歳総合職平均年収】NA【初任給】(修士)266,600円(大卒)260,000円【ボーナス(年)】NA、7.45カ月【25、30、35歳賃金】254,800円→313,500円→390,300円【週休】完全2日【夏期休暇】有休で取得【年末年始休暇】連続10日(有休含む)【有休取得】12.1/20日

●従業員数、勤続年数、離職率ほか●

【男女別従業員数、平均年齢、平均勤続年数】計 7,716(43.2歳 13.4年) 男 5,478(44.8歳 14.7年) 女 2,238(39.2歳 10.4年)【離職率と離職者数】2.4%、193名【3年後新卒定着率】79.2%(男80.0%、女76.9%、3年前入社:男70名・女26名)【組合】なし

求める人材 自ら学び、考え、広い視野で行動できる人 お客様や仲間に対して誠実な人

会社データ (金額は百万円)

【本社】101-8101 東京都千代田区神田神保町1-105 神保町三井ビルディング
☎03-6899-3000　https://www.asahi-kasei.co.jp/j-koho/index.html/
【社長】川畑 文俊【設立】1972.11【資本金】3,250【今後力を入れる事業】海外事業 シニア・中高層事業 リフォーム事業 都市開発事業

【業績(連結)】	売上高	営業利益	経常利益	純利益
22.3	786,500	70,600	NA	NA
23.3	859,200	74,600	NA	NA
24.3	912,900	79,500	NA	NA

(株)一条工務店

株式公開 計画なし

【特色】木造注文住宅大手。戸建免震住宅で独壇場

修士・大卒採用数	3年後離職率	有休取得年平均	平均年収(平均37歳)
476名	18.1 → 27.9%	7.8日	735万円

●エントリー情報と採用プロセス●

【受付開始～終了】(総)(技)11月～継続中【採用プロセス】(総)(技)説明会(必須11月～)→WebES・適性検査→ES提出→面接(3～4回)→内々定【交通費支給】3次選考以降、2,000円超の実費

試験情報

重視科目 (総)(技)面接 適性検査

(総)(技)(ES)⇒巻末(筆)SPI3(自宅)(面)3～4回(Webあり)

選考ポイント (総)(技)(ES)NA(提出あり)(面)ESとの総合判断 コミュニケーション能力に長け目標を持って主体的に粘り強く仕事に取り組める人

通過率 (総)(技)(ES)NA 倍率(応募/内定) (総)(技)NA

●男女別採用数と配属先ほか●

【男女・文理別採用実績】※25年:24年7月22日時点

	大卒男	大卒女	修士男	修士女
23年	365(文264 理101)	77(文 56 理 21)	1(文 0 理 1)	0(文 0 理 0)
24年	365(文274 理 91)	75(文 41 理 34)	2(文 0 理 2)	0(文 0 理 0)
25年	413(文327 理 86)	60(文 35 理 25)	2(文 0 理 2)	1(文 0 理 1)

【25年4月入社者の採用実績校】(文)日大 京産大各15 近大14 龍谷大13 関大12 関西学大 福岡大各10 同大 中京大各8 立命館大 国士舘大 桃山学大各7 名城大6 神戸学大 東洋大 帝京大 神奈川大 専大各5 甲南大 北星学大 駒澤大 東北福祉大 名古屋外大 西南学大 明学大 摂南大 日体大 東海大各4 立教大 早大 中大 法政大 下関市大 阪南大 大阪産大 東海学園大 明大 九産大 東北学大 愛知学大各3 他 (理)近大13 日大5 工学院大 大阪市大 北海学園大 滋賀県大各4 関西学大 大阪工大 名城大各3 関大 金沢工大 広島工大 椙山女学大 岡山県大 琉球大各2 他

【24年4月入社者の配属先】(総)勤務地:北海道・東北27 関東・甲信越111 東海・北陸68 関西53 中国・四国20 九州28 部署:営業302 内勤5 (技)勤務地:北海道・東北11 関東・甲信越24 東海・北陸85 関西12 中国・四国4 九州7 部署:設計72 工事71

残業(月) 12.3時間

記者評価 戸建て住宅業界2位。沖縄と高知を除く全国約500拠点を展開。19工場体制。高気密・高断熱の省エネ、太陽光による創エネを実現。震災・水害に強い「総合免災住宅」は競合を圧倒し、「家は、性能」を訴求。25年4月から大卒総合職初任給を26万円に引き上げ。

●給与、ボーナス、週休、有休ほか●

【30歳総合職平均年収】673万円【初任給】(博士)248,200円(修士)248,200円(大卒)240,000円【ボーナス(年)】205万円、6.7カ月【25、30、35歳賃金】283,200円→346,400円→410,500円【週休】完全2日(職種により曜日は異なる)【夏期休暇】(営業部門)任意選択制休暇8日(本社管理部門・技術部門)7日【年末年始休暇】(営業部門)5日(本社管理部門・技術部門)8日【有休取得】7.8/20日

●従業員数、勤続年数、離職率ほか●

【男女別従業員数、平均年齢、平均勤続年数】計 5,482(37.3歳 NA) 男 4,957(37.8歳 NA) 女 525(33.2歳 NA)【離職率と離職者数】7.3%、433名【3年後新卒定着率】72.1%(男71.7%、女76.2%、3年前入社:男445名・女42名)【組合】なし

求める人材 高い志をもち、目標達成のためにとことん努力できる人

会社データ (金額は百万円)

【本社】135-0042 東京都江東区木場5-10-10
☎03-5245-0111　https://www.ichijo.co.jp/
【社長】岩田 直樹【設立】1978.9【資本金】40【今後力を入れる事業】省エネ 創エネ住宅の普及 研究開発

【業績(単独)】	売上高	営業利益	経常利益	純利益
22.3	442,866	22,021	33,218	22,513
23.3	487,071	17,933	34,641	23,716
24.3	497,592	6,140	36,432	25,976

ミサワホーム(株)

株式公開 計画なし

【特色】プレハブ注文住宅大手。技術とデザイン性に定評

修士・大卒採用数	3年後離職率	有休取得年平均	平均年収(平均46歳)
73名	30.0 → 25.6%	8.2日	総 833万円

残業(月) 23.5時間 総22.4時間

記者評価 注文住宅大手で木質系プレハブ工法に強み。トヨタホーム子会社だったが、トヨタ自動車とパナソニックの住宅事業統合で20年1月プライムライフテクノロジーズの完全子会社に。戸建て住宅を軸に、賃貸アパート・マンション、医療・介護施設、再開発などに展開。

●エントリー情報と採用プロセス●

【受付開始～終了】総 技3月～7月【採用プロセス】総 技説明会(必須、3月上旬)→ES提出・適性検査(3月下旬)→SPI(4月中旬～7月上旬)→面接(3回、4月中旬～7月末)→内々定(5月～)【交通費支給】最終面接以降、特急・飛行機代(上限30,000円)【早期選考】⇒巻末

試験情報

重視科目 総面接 SPI 技面接 ポートフォリオ審査 SPI

総技 ES⇒巻末 筆SPI3(自宅) 面3回(Webあり)

選考ポイント 総 ES志望動機と適性検査の総合判断 面印象 コミュニケーション レジリエンス 他 技 ES総合職共通 面事務系の観点に加え、作品のクオリティ・構成・企画・説明 他

通過率 総 ES 71%(受付:(早期選考含む)799→通過:(早期選考含む)566) 技 ES 75%(受付:(早期選考含む)196→通過:(早期選考含む)147)

倍率(応募/内定) 総(早期選考含む)17倍 技(早期選考含む)7倍

●男女別採用数と配属先ほか●

【男女・文理別採用実績】

	大卒男	大卒女	修士男	修士女
23年	28(文 25 理 3)	15(文 13 理 2)	3(文 1 理 2)	4(文 1 理 3)
24年	42(文 27 理 15)	33(文 26 理 7)	3(文 0 理 3)	1(文 0 理 1)
25年	39(文 27 理 12)	31(文 22 理 9)	1(文 0 理 1)	2(文 0 理 2)

【25年4月入社者の採用実績校】文(大)近大4 専大 関西学大各3 日大 日本福祉大 武蔵大 法政大 目白大各2 ノートルダム清心女大 愛媛大 学習院大 関西外大 関東学院大 京産大 京大 共立女大 駒沢女大 駒澤大 城西大 昭和女大 千葉商大 青学大 筑波大 中京大 早大 大妻女大 大阪市大 大阪産大 東洋大 東海大 津田塾大 武庫川女大 日女大 立教大 立命館大 國學院大 獨協大各1(専)東京CPA会計学院1 理(院)茨城大 京都工繊大 明大各1(大)東京工芸大4 工学院大 近大各3 武蔵野大2 愛知工業大 滋賀県大 大阪産大 大同大 日大 名城大 立正大 立命館大 琉球大各1

【24年4月入社者の配属先】総勤務地:東京19 神奈川9 埼玉6 群馬1 千葉6 茨城1 岐阜1 三重2 愛知3 静岡2 長野1 部署:人事1 企画2 営業48 技勤務地:東京8 神奈川3 埼玉4 群馬1 千葉2 茨城1 岐阜1 三重2 新潟2 長野1 部署:設計13・建設8・商品開発4

●給与、ボーナス、週休、有休ほか●

【30歳総合職平均年収】626万円【初任給】(修士)250,500円 (大卒)230,000円【ボーナス(年)】242万円、6.17カ月【25、30、35歳賃金】238,000円→292,000円→330,000円【週休】完全2日【夏期休暇】LQ休暇制度(9連休推奨)【年末年始休暇】連続5日【有休取得】8.2／24日

●従業員数、勤続年数、離職率ほか●

【男女別従業員数、平均年齢、平均勤続年数】計 2,585(45.1歳 20.3年) 男 2,025(46.4歳 21.4年) 女 560(40.5歳 16.5年)【離職率と離職者数】2.8%、75名(他に男7名移籍)【3年後新卒定着率】74.4%(男84.6%、女58.8%、3年前入社:男26名・女17名)【組合】なし

求める人材 経営理念に共感でき、素直で 情熱を持ち、粘り強く、新しいことに挑戦する意欲のある人

会社データ (金額は百万円)

【本社】163-0833 東京都新宿区西新宿2-4-1 新宿NSビル
☎03-3345-1111　https://www.misawa.co.jp/

【社長】作尾 徹也【設立】2003.8【資本金】11,892【今後力を入れる事業】新築請負 ストック まちづくり 海外事業

【業績(連結)】	売上高	営業利益	経常利益	純利益
22.3	398,165	11,635	12,029	5,080
23.3	421,464	16,579	16,522	11,446
24.3	430,285	15,106	14,918	8,731

パナソニック ホームズ(株)

株式公開 していない

【特色】パナソニック系の知名度を活用。エコ住宅に強み

修士・大卒採用数	3年後離職率	有休取得年平均	平均年収(平均46歳)
78名	12.5 → 8.0%	13.2日	総 795万円

残業(月) 23.6時間 総23.9時間

記者評価 パナソニック、トヨタ自動車が住宅事業を統合し設立したプライム ライフ テクノロジーズ傘下の住宅メーカー。家電や住宅設備などグループの総合力を活かす。街づくり、リフォームの各事業も展開。光触媒の外壁や地震建替保証に定評。海外は台湾、東南アに展開。

●エントリー情報と採用プロセス●

【受付開始～終了】総 技3月～未定【採用プロセス】総説明会(任意、3月～随時)→WebES・適性検査(3月～)→面接(2～3回)→内々定(随時) 技説明会(任意、3月～随時)→WebES・適性検査(3月～)→面接(2～3回)・技術審査(即時設計)→内々定(随時)【交通費支給】最終面接、会社基準(遠方者のみ実費)【早期選考】⇒巻末

試験情報

重視科目 総面接 技面接・技術審査

総技 ES⇒巻末 筆WebGAB 面2～3回(Webあり)

選考ポイント 総 ES求める人材と合致しているか 文章に合理性があるか 面求める人材と合致しているか(誠実さ チームワーク チャレンジ精神 自立性 成長意欲など)コミュニケーション力 技 ES総合職共通 面事務系の観点に加え、技術審査の評価

通過率 総技 ES NA　倍率(応募/内定) 総技NA

●男女別採用数と配属先ほか●

【男女・文理別採用実績】※25年:24年8月7日時点

	大卒男	大卒女	修士男	修士女
23年	30(文 19 理 11)	13(文 9 理 4)	2(文 0 理 2)	2(文 0 理 2)
24年	35(文 17 理 18)	27(文 12 理 15)	3(文 0 理 3)	1(文 0 理 1)
25年	47(文 25 理 22)	27(文 12 理 15)	4(文 0 理 4)	0(文 0 理 0)

【25年4月入社者の採用実績校】文(大)立命館大 龍谷大各3 神奈川大 順天堂大 名城大 関西外大 京産大 近大各2 城西大 専大 玉川大 中大 日大 武蔵大 早大 中京大 名古屋学芸大 大阪産大 大阪府大 関西学大 甲南大 同大 同女大 和歌山大 山口大 中村学大 沖縄国際大各1 理(院)工学院大 信州大 長崎大 北九州市大各1(大)摂南大5 近大4 日大3 日本福祉大 関大 京都橘大各2 関東学院大 芝工大 玉川大 多摩美大 前橋工大 名大 名古屋市大 名工大 名古屋造形大 椙山女学大 大阪工大 関西学大 兵庫県大 武庫川女大 岡山大 岡山理大 鳥取大 広島工大 福岡女大各1

【24年4月入社者の配属先】総勤務地:(24年)大阪11 東京7 神奈川3 埼玉2 千葉2 愛知2 岐阜2 富山1 福岡1 部署:(24年)営業24 経理3 人事1 調達1 物流1 宣伝1 技勤務地:(23年)大阪6 東京5 宮城1 茨城1 千葉1 愛知1 奈良1 広島1 福岡1 部署:(23年)設計6 施工管理7 商品開発2 研究開発1 生産技術開発1 情報企画1

●給与、ボーナス、週休、有休ほか●

【30歳総合職平均年収】539万円【初任給】(修士)255,500円 (大卒)233,000円【ボーナス(年)】193万円、4.38カ月【25、30、35歳賃金】243,500円→278,800円→334,500円【週休】完全2日(一部職種を除く)【夏期休暇】連続10日(週休4日、一斉年休4日含む)【年末年始休暇】連続9日(週休2日)【有休取得】13.2／25日

●従業員数、勤続年数、離職率ほか●

【男女別従業員数、平均年齢、平均勤続年数】計 3,189(45.3歳 21.3年) 男 2,445(46.7歳 22.8年) 女 744(40.7歳 16.2年)【離職率と離職者数】2.9%、96名【3年後新卒定着率】92.0%(男93.3%、女90.0%、3年前入社:男30名・女20名)【組合】あり

求める人材 MVVのValueで掲げる「誠実・信頼」「チーム・連携」「挑戦・革新」「行動・自責」「成長・プロ意識」の5つの価値基準に共感し行動出来る人

会社データ (金額は百万円)

【本社】560-8543 大阪府豊中市新千里西町1-1-4
☎06-6834-4115　https://homes.panasonic.com/

【社長】藤井 孝【設立】1963.7【資本金】28,375【今後力を入れる事業】新築請負事業 街づくり事業 ストック事業 海外事業

【業績(連結)】	売上高	営業利益	税前利益	純利益
22.3	372,335	NA	NA	NA
23.3	376,116	NA	NA	NA
24.3	360,947	NA	NA	NA

建設

開示 ★★★☆☆　▶『業界地図』p.232,234　3

みつい 三井ホーム(株)

株式公開 計画なし

【特色】三井不動産系。デザイン重視の注文住宅が得意

修士・大卒採用数	3年後離職率	有休取得年平均	平均年収(平均42歳)
94名	NA	12.7日	[総]706万円

●エントリー情報と採用プロセス●

【受付開始～終了】[総][技]3月～6月【採用プロセス】[総][技]ES提出・Web適性検査(3月)→グループ面接→面接(複数回、4月～)→内々定(6月～)【交通費支給】3次面接 最終面接、新幹線・飛行機使用の場合全額

試験情報

重視科目 [総][技]面接

[総][技][ES]⇒巻末[筆]SPI3(自宅) SPI性格[面]複数回(Webあり)

選考ポイント [総][ES]学生時代に力を入れたこと 困難にぶつかった経験[面]対人能力 コミュニケーション能力 思考性 基本的マナー 本気度 [技][ES]総合職共通[面]対人能力 技術力 思考性 基本的マナー 本気度

通過率 [総][ES]94%(受付:781→通過:734) [技][ES]79%(受付:381→通過:300) **倍率(応募/内定)** [総]14倍 [技]10倍

●男女別採用数と配属先ほか●

【男女・文理別採用実績】

	大卒男	大卒女	修士男	修士女
23年	65(文 43 理 22)	27(文 17 理 10)	6(文 0 理 6)	0(文 0 理 0)
24年	52(文 34 理 18)	40(文 25 理 15)	2(文 0 理 2)	1(文 0 理 1)
25年	48(文 32 理 16)	45(文 34 理 11)	0(文 0 理 0)	1(文 0 理 1)

【25年4月入社者の採用実績校】[文](大)京産大 日大各3 京都女大 共立女大 金城学大 駒澤大 大阪経大 追手門学大 帝京大 武蔵野大 明海大 立命館大各2 杏林大 関西学大 関大 岐阜協大 畿央大 京都美工大 近大 駒沢女大 慶大 甲南大 高千穂大 國學院大 国士舘大 女子美大 新潟県大 椙山女学大 成城大 青学大 摂南大 専大 早大 大東文化大 大和大 中大 中京大 鳥取大 東海大 東京経大 東京都市大 東洋大 同女大 同大 日女大 法政大 名古屋学院大 名古屋市大 立正大 立命館APU 龍谷大 日本福祉大各1 [理](院)東理大1(大)日大4 工学院大3 東理大 近大 大阪電通大各2 愛知工業大 京都府大 山形大 芝工大 秋田県大 摂南大 大阪工大 大阪産大 東海大 東京都市大 東北学大 東洋大 北海学園大 明大各1

【24年4月入社者の配属先】[総]勤務地:宮城3 埼玉7 千葉7 東京11 神奈川10 愛知9 大阪8 京都2 広島2 福岡3 **部署**:営業62 [技]勤務地:東京10 宮城1 埼玉3 千葉4 神奈川5 愛知3 大阪4 広島2 福岡2 **部署**:設計16 工事18

残業(月) 23.9時間 [総]27.5時間

記者評価 18年10月三井不動産がTOBで完全子会社化。壁面で構造体を組み立てる2×4工法のリーディングカンパニー。デザイン性に加え耐震性能を訴求。ホテルなどの内装リフォームにも強み。首都圏に続き24年2月には大阪市内で関西初の木造マンション(47戸)が竣工。

●給与、ボーナス、週休、有休ほか●

【30歳総合職平均年収】628万円【初任給】(修士)243,000円(大卒)235,000円【ボーナス(年)】151万円、4.65カ月【25、30、35歳賃金】241,491円→267,696円→300,970円【週休】完全2日【夏期休暇】有休で取得【年末年始休暇】12月28日～1月3日【有休取得】12.7／22日

●従業員数、勤続年数、離職率ほか●

【男女別従業員数、平均年齢、平均勤続年数】計 2,704(42.3歳 16.2年) 男 1,792(43.8歳 18.0年) 女 912(39.4歳 12.7年)【離職率と離職者数】NA【3年後新卒定着率】NA【組合】なし

求める人材 自らが主役となり目標を成し遂げる オーダーメイドの暮らしづくりや木造建築の推進を楽しめる人材

会社データ (金額は百万円)

【本社】136-0082 東京都江東区新木場1-18-6 新木場センタービル
☎03-6757-8631　https://www.mitsuihome.co.jp/
【社長】池田 明【設立】1974.10【資本金】13,900【今後力を入れる事業】注文住宅事業 リフォーム事業 施設系建築事業 海外事業 木材建材事業

【業績(連結)】	売上高	営業利益	経常利益	純利益
22.3	238,161	NA	NA	NA
23.3	240,918	NA	NA	NA
24.3	236,689	NA	NA	NA

トヨタホーム(株)

株式公開 していない

【特色】トヨタ自動車の住宅部門が母体。戸建住宅等販売

修士・大卒採用数	3年後離職率	有休取得年平均	平均年収(平均41歳)
8名	9.1 → 21.1%	18.0日	[総]704万円

●エントリー情報と採用プロセス●

【受付開始～終了】[総][技]3月～7月【採用プロセス】[総][技]説明会(必須、3月～)→ES提出(3月～)→1次グループ面接・適性検査(3月～)→個人面接(2回、3月～)→内々定(6月～)【交通費支給】2次面接以降、会社基準【早期選考】⇒巻末

試験情報

重視科目 [総][技]面接

[総][技][ES]⇒巻末[筆]WebGAB[面]3回(Webあり)

選考ポイント [総][ES]志望動機 自己PR 資格・免許 総合的に評価[面]積極性 コミュニケーション能力 論理性 志望度 [技][ES]総合職共通[面]積極性 コミュニケーション能力 論理性 専門性 志望度

通過率 [総][ES]35%(受付:84→通過:29) [技][ES]64%(受付:22→通過:14)

倍率(応募/内定) [総]21倍 [技]7倍

●男女別採用数と配属先ほか●

【男女・文理別採用実績】

	大卒男	大卒女	修士男	修士女
23年	5(文 4 理 1)	3(文 2 理 1)	1(文 0 理 1)	0(文 0 理 0)
24年	3(文 2 理 1)	8(文 5 理 3)	2(文 0 理 2)	1(文 0 理 1)
25年	3(文 3 理 0)	3(文 2 理 1)	1(文 0 理 1)	1(文 0 理 1)

【25年4月入社者の採用実績校】[文](大)早大2 南山大 三重大 大阪公大各1 [理](院)滋賀県大 岡山大各1(大)信州大1

【24年4月入社者の配属先】
[総]勤務地:名古屋5 広島市2 **部署**:マンション事業1 管理部1 不動産ソリューション1 分譲開発事業部1 営業統括部1 中国カンパニー営業本部2 [技]勤務地:愛知(名古屋5 春日井2) **部署**:総合企画部1 くらし建築デザイン部1 マンション事業部1 分譲開発事業部1 設計建設推進部1 商品開発部2

残業(月) 19.8時間 [総]24.0時間

記者評価 トヨタ創業者豊田喜一郎の発案で発足した住宅部門が母体。20年にトヨタ自動車、パナソニックが住宅事業を統合し設立したプライム ライフ テクノロジーズ傘下。戸建て住宅や分譲マンションのほか、リフォームも手がける。販売は各地の販売会社が担当。

●給与、ボーナス、週休、有休ほか●

【30歳総合職平均年収】403万円【初任給】(修士)250,000円(大卒)231,000円【ボーナス(年)】233万円、5.21カ月【25、30、35歳賃金】252,710円→289,825円→337,550円【週休】2日(部署により異なる)【夏期休暇】本社・東京支社:なし 事業所(愛知・春日井市 栃木 山梨):連続9日【年末年始休暇】本社・東京支社:12月30日～1月3日 事業所(愛知・春日井市 栃木 山梨):12月30日～1月5日【有休取得】18.0／20日

●従業員数、勤続年数、離職率ほか●

【男女別従業員数、平均年齢、平均勤続年数】計 565(38.8歳 9.3年) 男 374(40.6歳 9.7年) 女 191(35.4歳 8.6年)【離職率と離職者数】6.1%、37名【3年後新卒定着率】78.9%(男69.2%、女100%、3年前入社:男13名・女6名)【組合】なし

求める人材 ゴールに向かって粘り強くやる・つきつめる・実行する人 協調性のある人 問題解決能力がある人

会社データ (金額は百万円)

【本社】461-0001 愛知県名古屋市東区泉1-23-22
☎052-952-3111　https://www.toyotahome.co.jp/
【社長】後藤 裕司【設立】2003.4【資本金】12,900【今後力を入れる事業】戸建請負 街づくり リフォーム マンション 賃貸・特建 海外

【業績(単独)】	売上高	営業利益	経常利益	純利益
24.3	84,240	2,490	2,755	1,468

開示 ★★★★☆　▶『業界地図』p.234,240　2210

はじめけんせつ 一建設(株)

株式公開 計画なし

【特色】飯田グループHD中核。戸建て分譲住宅が主力

修士・大卒採用数	3年後離職率	有休取得年平均	平均年収(平均38歳)
40名	NA → 17.3%	11.9日	総562万円

●エントリー情報と採用プロセス●

【受付開始～終了】総技3月～継続中【採用プロセス】総技説明会(必須、3月)→ES提出・筆記・適性検査→面接(2～3回、3月)→内々定(4月)【交通費支給】<技術系>最終面接、<技術系>遠方者(会社基準)【早期選考】⇒巻末

試験情報

重視科目 総技面接

総技ES⇒巻末筆タンジェント面2～3回(Webあり)

選考ポイント 総技面人物面 面接の受け答え

通過率 総ES選考なし(受付:(早期選考含む)309) 技ES選考なし(受付:(早期選考含む)194)

倍率(応募/内定) 総(早期選考含む)9倍 技(早期選考含む)1倍

●男女別採用数と配属先ほか●

【男女・文理別採用実績】

	大卒男	大卒女	修士男	修士女
23年	35(文 20理 15)	16(文 11理 5)	0(文 0理 0)	0(文 0理 0)
24年	17(文 11理 6)	12(文 6理 6)	0(文 0理 0)	0(文 0理 0)
25年	20(文 10理 10)	20(文 10理 10)	0(文 0理 0)	0(文 0理 0)

【25年4月入社者の採用実績校】文(大)東洋大3 愛知淑徳大2 東北学院大 名古屋学院大 愛知大 東海大 松蔭大 日大 目白大 松本大 武庫川女大 文教大 甲南大 大阪国際大各1(短)武庫川女1(専)東京法律公務員1 理(大)日大 愛知産大 摂南大 福井大 大同大 東京農業大 京都精華大 京都芸大 京都美工大 琉球大 実践女大 京都建築大学校各1(専)東京テクニカルカレッジ 中央工学校 東京日建工科 修成建設各1

【24年4月入社者の配属先】総勤務地:宮城1 福島1 茨城1 東京9 神奈川1 埼玉3 千葉1 愛知3 静岡2 岐阜1 大阪3 兵庫2 広島1 部署:企画営業29 技勤務地:宮城2 新潟1 東京7 神奈川3 埼玉6 千葉2 愛知3 大阪2 奈良1 山口1 福岡2 熊本1 部署:施工管理16 設計3 大工・技能工12

残業(月) 20.3時間

記者評価 飯田グループホールディングス(GHD)傘下の中核事業会社にしてその創業会社。戸建て分譲住宅を主力に年間約1万棟の販売実績。国内約140拠点。インドネシアに現法設立するなど海外展開強化中。13年11月飯田産業や東栄住宅などと経営統合し飯田GHD結成。

●給与、ボーナス、週休、有休ほか●

【30歳総合職平均年収】NA【初任給】(博士)250,000円(修士)250,000円(大卒)250,000円【ボーナス(年)】NA、3.5カ月【25、30、35歳賃金】NA【週休】完全2日(職種によって異なる)【夏期休暇】なし【年末年始休暇】12月30日～1月3日【有休取得】11.9／20日

●従業員数、勤続年数、離職率ほか●

【男女別従業員数、平均年齢、平均勤続年数】計 ◇1,925(38.3歳 8.4年) 男 1,515(38.3歳 8.5年) 女 410(38.2歳 7.7年)【離職率と離職者数】◇8.7%、184名【3年後新卒定着率】82.7%(男NA、女NA、3年前入社:男女計81名)【組合】なし

求める人材 コミュニケーション能力があり、明るく、活発で何ごとにも積極的に取り組む人

会社データ (金額は百万円)

【本社】171-0022 東京都豊島区南池袋2-25-5 藤久ビル東5号館
☎03-5928-1702 https://www.hajime-kensetsu.co.jp/
【社長】堀口 忠美【設立】1967.5【資本金】3,298【今後力を入れる事業】NA

【業績(連結)】	売上高	営業利益	経常利益	純利益
22.3	391,309	35,897	NA	NA
23.3	400,548	22,686	NA	NA
24.3	396,080	15,567	NA	NA

みついふどうさん 三井不動産レジデンシャル(株)

株式公開 計画なし

【特色】三井不動産系の住宅分譲事業会社。業界トップ級

修士・大卒採用数	3年後離職率	有休取得年平均	平均年収(平均NA)
25名	NA	13.5日	総1,219万円

●エントリー情報と採用プロセス●

【受付開始～終了】総3月～4月【採用プロセス】総ES提出(3～4月)→Webテスト(3～4月)→面接(3回)→内々定(6月)【交通費支給】2次面接以降、新幹線代 飛行機代(関東圏以外在住者のみ)

試験情報

重視科目 総面接

総ES⇒巻末筆SPI3(会場)面3回(Webあり)

選考ポイント 総ES力を入れて取り組んだ経験 他面コミュニケーション能力 他

通過率 総ESNA

倍率(応募/内定) 総NA

●男女別採用数と配属先ほか●

【男女・文理別採用実績】

	大卒男	大卒女	修士男	修士女
23年	11(文 10理 1)	16(文 14理 2)	1(文 0理 1)	0(文 0理 0)
24年	15(文 14理 1)	15(文 14理 1)	1(文 0理 1)	1(文 1理 0)
25年	12(文 12理 0)	10(文 9理 1)	1(文 0理 1)	2(文 0理 2)

【25年4月入社者の採用実績校】
文(大)早大5 立教大3 慶大2 一橋大 神戸大 阪大 都立大 ICU 青学大 法政大 明大各1 理(院)東大 千葉大 都立大各1

【24年4月入社者の配属先】
総勤務地:東京19 横浜3 千葉3 大阪2 部署:営業13 開発8 用地4 経理1 契約1

残業(月) 8.4時間 総11.6時間

記者評価 中高層マンション、戸建て中心に住宅開発・販売。マンション供給戸数は首位級。70年代に日本初の超高層マンションを手がけ、東京湾岸開発事業で先駆。23年度の住宅分譲戸数3700戸。リノベ、シニア向け、学生寮、海外等で業容拡大狙う。住居の脱炭素化に挑む。

●給与、ボーナス、週休、有休ほか●

【30歳総合職平均年収】NA【初任給】(修士)299,700円(大卒)292,000円【ボーナス(年)】NA【25、30、35歳賃金】NA【週休】完全2日【夏期休暇】連続2日【年末年始休暇】連続約6日【有休取得】13.5／20日

●従業員数、勤続年数、離職率ほか●

【男女別従業員数、平均年齢、平均勤続年数】計 2,050(NA) 男 NA 女 NA【離職率と離職者数】NA【3年後新卒定着率】NA【組合】なし

求める人材 多様な価値観を持ち、新たな価値を生み出せる人

会社データ (金額は百万円)

【本社】103-0022 東京都中央区日本橋室町3-2-1 日本橋室町三井タワー
☎03-3246-3600 https://www.mfr.co.jp/
【社長】嘉村 徹【設立】2005.12【資本金】40,000【今後力を入れる事業】海外事業 再開発事業

【業績(単独)】	売上高	営業利益	経常利益	純利益
22.3	355,326	41,328	42,114	30,605
23.3	345,077	58,116	59,667	42,617
24.3	368,368	60,654	62,539	44,783

建設

開示 ★★★★☆ ▶『業界地図』p.48,236 989

穴吹興産㈱（あなぶきこうさん）

東京S 8928

【特色】四国首位のマンション分譲会社。事業多角化

修士・大卒採用数	3年後離職率	有休取得年平均	平均年収(平均37歳)
39名	24.1 → 27.6%	9.6日	[総] 622万円

●エントリー情報と採用プロセス●

【受付開始～終了】[総]3月～継続中【採用プロセス】[総]説明会・ES提出(3月～)→1次面接・適性検査(3月～)→2次面接(3月～)→SPI・最終面接(4月～)→内々定【交通費支給】最終面接、会社基準【早期選考】⇒巻末

試験情報

重視科目 [総]面接

[総][ES]⇒巻末[筆]SPI3(会場) 独自適性検査[面]3回(Webあり)[GD作]NA

選考ポイント [総][ES]人生で1番のチャレンジ[面]物事に対して積極的で熱意があるか 成長意欲があるか 様々なことに興味があるか

通過率 [総][ES]選考なし(受付:(早期選考含む)589)

倍率(応募/内定) [総](早期選考含む)15倍

●男女別採用数と配属先ほか●

【男女・文理別採用実績】

	大卒男	大卒女	修士男	修士女
23年	13(文 13理 0)	9(文 8理 1)	0(文 0理 0)	0(文 0理 0)
24年	32(文 30理 2)	11(文 11理 0)	0(文 0理 0)	0(文 0理 0)
25年	19(文 18理 1)	20(文 20理 0)	0(文 0理 0)	0(文 0理 0)

【25年4月入社者の採用実績校】
[文](大)関西国際大3 広島修道大 久留米大各2 香川大 愛媛大 松山大 広島経大 比治山大 叡啓大 近大 大阪経大 大阪産大 大阪商大 大阪教大 大阪学大 追手門学大 流経大 天理大 福岡大 西南学大 立命館APU 熊本学大 宮崎公大 白鴎大 高崎経大 千葉商大 敬愛大 城西国際大 横浜市大 成城大 日体大 金沢大 東海大 義守大各1 [理](大)関大1

【24年4月入社者の配属先】[総]勤務地:香川4 愛媛2 高知2 岡山5 山口2 福岡4 長崎2 鹿児島2 兵庫2 大阪3 滋賀2 三重3 群馬2 埼玉2 東京5 仙台2 部署:営業職44

残業(月) 5.7時間 [総]6.7時間

記者評価 「アルファ」ブランドでマンションを開発・分譲。香川地盤で中四国や九州中心に展開。関西や関東にも進出加速。マンション管理や電力、ホテルやスーパーの運営、人材派遣も。高齢者向け住宅など育成中。非上場の穴吹工務店とは同根だが資本関係はない。

●給与、ボーナス、週休、有休ほか●

【30歳総合職平均年収】517万円【初任給】(博士)273,600円 (修士)273,600円 (大卒)273,600円【ボーナス(年)】134万円、5.0カ月【25、30、35歳賃金】229,088円→248,076円→274,706円【週休】完全2日【夏期休暇】(営業系)連続4日【年末年始休暇】(営業系)連続11日【有休取得】9.6／20日

●従業員数、勤続年数、離職率ほか●

【男女別従業員数、平均年齢、平均勤続年数】計 463(37.9歳 8.1年) 男 349(39.5歳 8.8年) 女 114(32.9歳 5.5年)【離職率と離職者数】6.7%、33名【3年後新卒定着率】72.4%(男66.7%、女87.5%、3年前入社:男21名・女8名)【組合】なし

求める人材 自身の存在価値を発揮できる 成長することを楽しめる 目標に向かって走ることができる

会社データ (金額は百万円)

【本社】760-0028 香川県高松市鍛冶屋町7-12 穴吹五番町ビル
☎087-822-3567 https://www.anabuki.ne.jp/
【社長】穴吹 忠嗣【設立】1964.5【資本金】755【今後力を入れる事業】地域密着型ビジネスモデルの海外展開

【業績(連結)】	売上高	営業利益	経常利益	純利益
22.6	111,339	6,970	7,068	4,187
23.6	113,835	6,962	6,478	4,051
24.6	134,499	5,718	7,154	4,843

㈱大京（だいきょう）

株式公開 計画なし

【特色】「THE LIONS」ブランドのマンション分譲会社

修士・大卒採用数	3年後離職率	有休取得年平均	平均年収(平均47歳)
20名	NA	10.3日	[総] 852万円

●エントリー情報と採用プロセス●

【受付開始～終了】[総]3月～未定【採用プロセス】[総]説明会(必須、3月)→ES提出・Web試験A・B・自己PRシート(4月上旬)→面接(3回、4月中旬～)→面談(1回、4月下旬～)→内々定(6月上旬)※面談は選考無し【交通費支給】最終面接・インターンシップ、関東圏以外在住者のみ、新幹線および航空運賃の実費【早期選考】⇒巻末

試験情報

重視科目 [総]面接 Web試験

[総][ES]⇒巻末[筆]WebGAB TAL[面]3回(Webあり)

選考ポイント [総][面]求める人財像との合致

通過率 [総][ES]選考なし(受付:NA)

倍率(応募/内定) [総](早期選考含む)20倍

●男女別採用数と配属先ほか●

【男女・文理別採用実績】

	大卒男	大卒女	修士男	修士女
23年	5(文 4理 1)	3(文 3理 0)	0(文 0理 0)	0(文 0理 0)
24年	12(文 8理 4)	1(文 1理 0)	1(文 0理 1)	1(文 0理 1)
25年	9(文 9理 0)	10(文 7理 3)	1(文 0理 1)	0(文 0理 0)

※25年:24年7月時点

【25年4月入社者の採用実績校】
[文](大)大阪市大 中大 明大各2 追手門学大 関大 関東学院大 実践女大 創価大 帝京平成大 同大 明海大 立教大 立命館大各1 [理](院)東理大1(大)日大2 新潟大1

【24年4月入社者の配属先】
[総]勤務地:札幌4 東京5 埼玉・川口2 千葉・市川2 大阪・茨木2 部署:事業・営業他15

残業(月) NA

記者評価 オリックスの完全子会社。マンション分譲は「THE LIONS」に加え、傘下の穴吹工務店「サーパス」を展開。グループ内で仲介、賃貸、工事も行う総合力が強みで、マンション管理は首位級。企業が保有・利用・賃貸する不動産の活用提案や再開発案件への参画も。

●給与、ボーナス、週休、有休ほか●

【30歳総合職平均年収】NA【初任給】(修士)244,000円 (大卒)228,000円【ボーナス(年)】NA【25、30、35歳賃金】NA【週休】完全2日【夏期休暇】連続5日【年末年始休暇】12月28日～1月3日【有休取得】10.3／20日

●従業員数、勤続年数、離職率ほか●

【男女別従業員数、平均年齢、平均勤続年数】計 1,180(47.6歳 21.1年) 男 859(48.1歳 23.3年) 女 321(43.1歳 18.2年) ※契約社員含む【離職率と離職者数】NA【3年後新卒定着率】NA【組合】なし

求める人材 1 挑戦しつづける人 2 推進していく人 3 トレンドをつかめる人 4 共感できる人 5 前向きに捉える人

会社データ (金額は百万円)

【本社】151-8506 東京都渋谷区千駄ヶ谷4-24-13
☎03-3475-1111 https://www.daikyo.co.jp/
【社長】深谷 敏成【設立】1964.12【資本金】100【今後力を入れる事業】NA
【業績(単独)】NA

建設

開示 ★★☆☆☆ ▶『業界地図』p.236,242 972

323 ▶『業界地図』p.232, 242　開示 ★★★

(株)東急コミュニティー

とうきゅう

株式公開 計画なし

【特色】マンション、ビル管理大手。東急不動産グループ

修士・大卒採用数	3年後離職率	有休取得年平均	平均年収(平均41歳)
110名	[!]20.0 → [!]24.5%	12.6日	[総]628万円

●エントリー情報と採用プロセス●

【受付開始〜終了】[総][技]3月〜継続中【採用プロセス】[総]説明会(必須、3月〜)→SPI・ES提出→GD→社員インタビュー会(合否なし)→面接(2〜3回)→内々定(6月上旬〜)※地域によって異なる [技]説明会(必須、3月〜)→ES提出→面接(2〜3回)→内々定(6月上旬〜)※職種・地域によって異なる【交通費支給】最終面接、遠方者のみ実費【早期選考】⇒巻末

試験情報

重視科目 [総]面接 GD SPI [技]面接

[総][ES]⇒巻末[筆]SPI3(会場) SPI3(自宅)[面]2〜3回(Webあり)[GD作]⇒巻末[技][ES]⇒巻末[筆]なし[面]2〜3回(Webあり)

選考ポイント [総][面]学生時代に何を学び取りどう行動に活かせたか 困難な経験をどのように乗り越えたか プレゼンテーション・コミュニケーション能力・完遂力 [技][面]事務系の観点に加え、技術面での当社親和性

通過率 [総][技][ES]選考なし(受付:NA)　倍率(応募/内定) [総][技]NA

●男女別採用数と配属先ほか●

【男女・文理別採用実績】

	大卒男	大卒女	修士男	修士女
23年	58(文 31 理 27)	48(文 41 理 7)	1(文 0 理 1)	2(文 0 理 2)
24年	61(文 40 理 21)	32(文 29 理 3)	1(文 0 理 1)	0(文 0 理 0)
25年	-(文 - 理 -)	-(文 - 理 -)	-(文 - 理 -)	-(文 - 理 -)

【25年4月入社者の採用実績校】[文](24年)(大)日大5 同大 法政大 東京都市大各4 駒澤大 明大 立教大各3 専大 青学大 成蹊大 成城大 神奈川大 甲南大 立命館大 武蔵野大 福岡大 明学大各2 亜大 関西学大 関大 熊本県大 國學院大 札幌大谷大 西南学大 静岡県大 跡見学園女大 千葉商大 早大 大阪経大 大阪成蹊大 中大 追手門学大 帝京大 帝京平成大 東海大 東洋大 日女大 武庫川女大 北星学大 千葉工大各1 [理](24年)(院)都立大1(大)日大 東海大 工学院大各3 東京農業大 千葉工大 明大各2 玉川大 芝工大 神奈川工大 神奈川大 摂南大 東京情報大 東京電機大 宮城大 京都工繊大各1

【24年4月入社者の配属先】[総]勤務地:東京37 神奈川6 埼玉6 千葉4 大阪8 兵庫3 京都1 福岡3 北海道2 部署:マンション管理52 ビル管理11 管理受託営業7 [技]勤務地:東京17 神奈川4 大阪2 宮城1 部署:リフォーム9 設備管理15

残業(月) 17.0時間 [総]17.0時間

記者評価 マンション受託管理戸数約50万戸で業界首位級。オフィスビルや商業施設の管理も行う。教育施設や文化・スポーツ施設などPFIでも実績。ドローン、AIなど省人化投資活発。環境経営とDX推進に重点。技術研修センターの機能強化。国交省認定のPPP協定パートナー。

●給与、ボーナス、週休、有休ほか●

【30歳総合職平均年収】570万円【初任給】(修士)220,250円 (大卒)220,250円【ボーナス(年)】156万円、4.0カ月【25、30、35歳賃金】273,895円→342,811円→363,624円【週休】完全2日(土日祝)【夏期休暇】有休で取得【年末年始休暇】12月30日〜1月3日【有休取得】12.6／20日

●従業員数、勤続年数、離職率ほか●

【男女別従業員数、平均年齢、平均勤続年数】計 3,793(41.1歳 11.8年) 男 3,083(42.1歳 12.1年) 女 710(36.9歳 9.7年)【離職率と離職者数】NA【3年後新卒定着率】75.5%(男86.4%、女57.5%、3年前入社:男66名・女40名)※合併前の入社者は除く【組合】なし

求める人材 Human SkillとHospitality

会社データ　(金額は百万円)

【本社】158-8509 東京都世田谷区用賀4-10-1 世田谷ビジネススクエアタワー ☎03-5717-1022 https://www.tokyu-com.co.jp/

【社長】木村 昌平【設立】1970.4【資本金】1,653【今後力を入れる事業】総合不動産管理業

【業績(単独)】	売上高	営業利益	経常利益	純利益
22.3	151,368	8,807	8,977	▲1,463
23.3	168,693	9,384	9,519	5,603
24.3	173,529	9,537	9,632	523

日本総合住生活(株)

にほんそうごうじゅうせいかつ

株式公開 計画なし

【特色】都市再生機構の関連会社。同社の供給住宅を管理

修士・大卒採用数	3年後離職率	有休取得年平均	平均年収(平均41歳)
18名	5.9 → 2.1%	14.1日	NA

●エントリー情報と採用プロセス●

【受付開始〜終了】[総]2月〜6月 [技]2月〜継続中(職種による)【採用プロセス】[総][技]説明会(必須)→ES提出(2月〜)→SPI→面接(3回、2月〜)→内々定(3月〜)【交通費支給】2次面接以降、実費【早期選考】⇒巻末

試験情報

重視科目 [総][技]ES SPI 面接

[総][技][ES]⇒巻末[筆]SPI3(自宅)[面]3回(Webあり)

選考ポイント [総][技][ES]文章が論理的に書けているか 誤字・脱字[面]マナー 態度 理解力 表現力 積極性 協調性 責任感

通過率 [総][技][ES]NA

倍率(応募/内定) [総][技]NA

●男女別採用数と配属先ほか●

【男女・文理別採用実績】

	大卒男	大卒女	修士男	修士女
23年	17(文 4 理 13)	15(文 9 理 6)	2(文 0 理 2)	1(文 0 理 1)
24年	19(文 4 理 15)	11(文 7 理 4)	0(文 0 理 0)	5(文 0 理 5)
25年	12(文 2 理 10)	4(文 2 理 2)	1(文 0 理 1)	1(文 0 理 1)

※25年:予定数

【25年4月入社者の採用実績校】[文](大)北九州市大 法政大 明大 横国大各1 [理](院)東北工大 ものつくり大各1(大)日大6 摂南大 近大 工学院大 芝工大 東京工芸大 東京農業大各1

【24年4月入社者の配属先】[総]勤務地:東京3 神奈川2 千葉1 大阪3 兵庫1 福岡1 部署:賃貸業務4 分譲業務5 施設管理・運営1 システム1 [技]勤務地:東京6 神奈川4 千葉5 埼玉2 大阪5 京都1 兵庫1 名古屋1 部署:工事(施工管理)25

残業(月) 17.5時間 [総]17.5時間

記者評価 都市再生機構(UR)の関連会社。URの賃貸住宅や分譲マンション約90万戸の管理を担う。365日・24時間緊急対応窓口を配備。空室補修工事なども。セブン-イレブンと提携し団地内にコンビニを展開。スーパーマーケット事業やコインランドリー・カフェ運営も。

●給与、ボーナス、週休、有休ほか●

【30歳総合職平均年収】NA【初任給】(修士)245,030円 (大卒)224,100円【ボーナス(年)】NA【25、30、35歳賃金】NA【週休】完全2日【夏期休暇】7日【年末年始休暇】12月29日〜1月3日【有休取得】14.1／20日

●従業員数、勤続年数、離職率ほか●

【男女別従業員数、平均年齢、平均勤続年数】計 1,369(41.3歳 12.1年) 男 1,129(42.0歳 11.9年) 女 240(37.8歳 13.3年)【離職率と離職者数】2.4%、33名(早期退職2名含む)【3年後新卒定着率】97.9%(男100%、女96.0%、3年前入社:男23名・女25名)【組合】あり

求める人材 お客様の喜びを自分の喜びとすることができる人 自ら率先して行動をすることができる人

会社データ　(金額は百万円)

【本社】101-0054 東京都千代田区神田錦町1-9 ☎03-3294-3381 https://www.js-net.co.jp/

【社長】伊藤 治【設立】1961.6【資本金】30,000【今後力を入れる事業】集合住宅管理と請負工事を中心とした住生活のトータルサポート

【業績(単独)】	売上高	営業利益	経常利益	純利益
22.3	146,636	3,682	3,858	1,985
23.3	147,603	4,035	4,256	2,778
24.3	153,851	5,816	6,081	2,929

2481 ▶『業界地図』p.242　開示 ★★★

建設

日本ハウズイング(株)

株式公開 していない

【特色】マンション管理大手。大規模修繕工事なども展開

修士・大卒採用数	3年後離職率	有休取得年平均	平均年収(平均38歳)
41名	NA	12.2日	577万円

●エントリー情報と採用プロセス●

【受付開始～終了】㊙㊚3月～8月【採用プロセス】総技説明会・筆記・履歴書選考(3月～)→面接(2回、3月～)→内々定(4月～)【交通費支給】なし【早期選考】⇒巻末

試験情報

重視科目 総技面接

総技筆CUBIC面2回(Webあり)

選考ポイント 総技面質問の理解力 論理的思考力 コミュニケーション能力 入社への意欲 自分の言葉で語っているか

通過率 総技ES—(応募:NA)

倍率(応募/内定) 総技NA

●男女別採用数と配属先ほか●

【男女・文理別採用実績】

	大卒男	大卒女	修士男	修士女
23年	19(文 11 理 8)	22(文 16 理 6)	0(文 0 理 0)	0(文 0 理 0)
24年	30(文 25 理 5)	14(文 13 理 1)	0(文 0 理 0)	0(文 0 理 0)
25年	23(文 19 理 4)	18(文 18 理 0)	0(文 0 理 0)	0(文 0 理 0)

【25年4月入社者の採用実績校】
文(大)日大 帝京大 神奈川大各2 國學院大 龍谷大 立命館大 目白大 明星大 法政大 福岡大 日経大 東洋大 東海大 大阪商大 大阪産大 創価大 千葉大 摂南大 成蹊大 駿河台大 玉川大 京産大 亜大各1(専)大原簿記情報ビジネス1 理(大)日大 東洋大 東京電機大 工学院大各1

【24年4月入社者の配属先】
総勤務地:東京・神奈川・千葉・埼玉30 大阪2 部署:マンション管理32 技勤務地:東京・神奈川・千葉・埼玉5 大阪2 部署:営繕7

残業(月) 16.2時間

記者評価 マンション管理で東急コミュニティーと並ぶ首位級。既存物件の管理会社の変更や、大手デベロッパー以外の分譲マンションなどを請け負う。グループで台湾、ベトナム、シンガポールに進出。ゴールドマン・サックス系ファンドと組みMBO実施、24年9月に上場廃止。

●給与、ボーナス、週休、有休ほか●

【30歳総合職平均年収】NA【初任給】(大卒)250,900円【ボーナス(年)】NA【25、30、35歳賃金】NA【週休】完全2日(土日祝)【夏期休暇】4日(7～9月で取得)【年末年始休暇】12月29日～1月4日【有休取得】12.2/20日

●従業員数、勤続年数、離職率ほか●

【男女別従業員数、平均年齢、平均勤続年数】計 2,136(38.0歳 9.9年) 男 1,392(40.8歳 10.5年) 女 744(34.2歳 9.3年)【離職率と離職者数】NA【3年後新卒定着率】NA【組合】なし

求める人材 言われたことを素直にやるだけでなく、そこに考えるという行為をプラスできる人

会社データ (金額は百万円)

【本社】160-8410 東京都新宿区新宿1-31-12
☎03-3341-7211 https://www.housing.co.jp/
【社長】小佐野 台【設立】1966.9【資本金】2,492【今後力を入れる事業】快適な職場作りによる、快適なサービスの提供

【業績(連結)】	売上高	営業利益	経常利益	純利益
22.3	124,686	7,077	7,175	4,771
23.3	140,424	6,799	6,924	4,761
24.3	145,350	3,746	3,992	995

積水ハウス不動産東京(株)

株式公開 計画なし

【特色】積水ハウス系。一括借上住宅の賃貸管理が主力

修士・大卒採用数	3年後離職率	有休取得年平均	平均年収(平均NA)
25名	14.7→20.0%	16.1日	NA

●エントリー情報と採用プロセス●

【受付開始～終了】総3月～7月【採用プロセス】総ES提出(3月～)→企業研究セミナー(3月～)→筆記→Webテスト→面接(3回)→内々定※事務系技術系一括採用【交通費支給】なし

試験情報

重視科目 総面接

総ES NA 筆Webテスト面3回(Webあり)

選考ポイント 総ES NA(提出あり)面志望動機が明確であり、全体を通じて熱意と説得力が感じられるか

通過率 総ES NA

倍率(応募/内定) 総NA

●男女別採用数と配属先ほか●

【男女・文理別採用実績】

	大卒男	大卒女	修士男	修士女
23年	18(文 18 理 0)	7(文 7 理 0)	0(文 0 理 0)	0(文 0 理 0)
24年	12(文 12 理 0)	10(文 10 理 0)	0(文 0 理 0)	0(文 0 理 0)
25年	-(文 - 理 -)	-(文 - 理 -)	-(文 - 理 -)	-(文 - 理 -)

※25年:25名採用予定

【25年4月入社者の採用実績校】
文(24年)(大)専大 東海大 日大各2 明学大 法政大 千葉大 神奈川大 成蹊大 大妻女大 國學院大 実践女大 大東文化大 帝京大 東京電機大 東洋大 フェリス女学大各1 理(24年)なし

【24年4月入社者の配属先】
総勤務地:東京7 神奈川5 埼玉4 千葉3 部署:営業19

残業(月) 20.2時間

記者評価 積水ハウスの完全子会社。20年に積和不動産関東と合併し現体制。不動産仲介・販売、賃貸経営・サブリース、物件管理、リフォームが核。賃貸住宅「シャーメゾン」一括借上システムを軸に、管理戸数は26.8万戸超。コインパーキング事業も手がける。

●給与、ボーナス、週休、有休ほか●

【30歳総合職平均年収】NA【初任給】(修士)241,500円(大卒)230,000円【ボーナス(年)】NA、9.15カ月【25、30、35歳賃金】NA【週休】完全2日(土日祝または火水祝)【夏期休暇】連続8日(週休、祝日含む)【年末年始休暇】連続8日(元日含む)【有休取得】16.1/20日

●従業員数、勤続年数、離職率ほか●

【男女別従業員数、平均年齢、平均勤続年数】計 1,086(NA) 男 676(NA) 女 410(NA)【離職率と離職者数】3.9%、44名(早期退職男6名含む)【3年後新卒定着率】80.0%(男62.5%、女100%、3年前入社:男8名・女7名)【組合】なし

求める人材 人が好きであること 相手の気持ちや社会の変化に気付く人

会社データ (金額は百万円)

【本社】151-0053 東京都渋谷区代々木2-1-1 新宿マインズタワー
☎03-5350-7037 https://www.sekisuihouse-f-tokyo.co.jp/
【社長】西村 裕【設立】1976.3【資本金】2,238【今後力を入れる事業】不動産売買仲介

【業績(連結)】	売上高	営業利益	経常利益	純利益
22.1	294,369	NA	31,562	21,959
23.1	342,273	NA	35,079	27,666
24.1	376,015	NA	39,647	27,580

スターツグループ

東京P 8850

【特色】不動産管理や建設、仲介を軸に多方面に展開

修士・大卒採用数	3年後離職率	有休取得年平均	平均年収(平均38歳)
230名	24.7 → 29.7%	9.9日	725万円

●エントリー情報と採用プロセス●

【受付開始～終了】[総] [技]3月～6月【採用プロセス】[総]セミナー(必須)→GD→SPI→面接(ES提出)→事業勉強会→面接→最終面接→内々定 [技]〈施工〉セミナー(必須)→ES提出・面接→SPI→面接→最終面接→内々定〈設計〉セミナー(必須)→ES提出・面接→SPI→即日設計・面接→最終面接→内々定【交通費支給】最終面接、当社基準

試験情報

[重視科目] [総]面接 [技]面接(施工・設計)即日設計(設計)

[総] [ES]⇒巻末 [筆]SPI3(自宅) [面]3回(Webあり) [GD作]⇒巻末 [技] [ES]⇒巻末 [筆]SPI3(自宅) 即日設計試験(設計志望のみ) [面]3回(Webあり)

[選考ポイント] [総] [面]今までの人生経験や価値観 今後の人生観やビジネスの視点 [技] [面]今までの人生経験や価値観 今後の人生観やビジネスの視点 建築に対する意識 取り組み

[通過率] [総] [技] [ES]選考なし(受付:NA)

[倍率(応募/内定)] [総] [技]NA

●男女別採用数と配属先ほか●

【男女・文理別採用実績】

	大卒男	大卒女	修士男	修士女
23年	77(文 65 理 12)	81(文 74 理 7)	2(文 0 理 2)	2(文 0 理 2)
24年	108(文 86 理 22)	111(文103 理 8)	5(文 0 理 5)	1(文 1 理 0)
25年	105(文 83 理 22)	114(文107 理 7)	8(文 0 理 8)	3(文 0 理 3)

【25年4月入社者の採用実績校】[文](大)武蔵野大12 日大 東洋大各11 明学大 駒澤大 帝京大各6 産能大 明海大各5 関東学院大 立正大 城西国際大 千葉商大 目白大 専大各4 青学大 中大 法政大 神奈川大 成蹊大 神田外語大 東京経大 愛知学大各3 他 [理](院)東京電機大 茨城大各2(大)日大8 東京工芸大3 他

【24年4月入社者の配属先】[総]勤務地:東京109 千葉52 神奈川10 埼玉8 愛知7 北海道3 大阪3 沖縄2 静岡1 長野1 京都1 部署:営業136 事務25 不動産開発コンサル3 経理3 総務1 介護17 ホテル6 陸上部2 保育士2 旅館1 ホテル調理1 [技]勤務地:東京34 千葉2 部署:施工17 設計12 情報システム5 常駐設備管理2

[残業(月)] 20.8時間 [総]20.8時間

[記者評価] 不動産の管理、建設、仲介が柱。地主向けの土地活用提案や「ピタットハウス」ブランドでの仲介を手がける。国内外に約90のグループ会社を抱え、金融、ホテル、出版、保育など展開。欧米やアジアにも拠点があり、日系企業向け不動産仲介や海外赴任を支援する。

●給与、ボーナス、週休、有休ほか●

【30歳総合職平均年収】NA【初任給】(修士)237,000円(大卒)232,000円【ボーナス(年)】173万円、4.2カ月【25、30、35歳賃金】244,750円→272,854円→327,000円【週休】会社暦2日(年120日※閏年は年121日)【夏期休暇】連続8日(祝日1日、週休3日含む)※会社により異なる【年末年始休暇】連続9日(祝日1日、週休4日含む)※会社により異なる【有休取得】9.9／20日

●従業員数、勤続年数、離職率ほか●

【男女別従業員数、平均年齢、平均勤続年数】計 9,070(37.5歳 10.8年) 男 4,050(38.9歳 12.3年) 女 5,020(35.8歳 8.9年)【離職率と離職者数】NA【3年後新卒定着率】70.3%(男70.2%、女70.3%、3年前入社:男114名・女118名)【組合】なし

[求める人材] 〈総合職〉主体性を持ち、人と人とのつながりを大切にできる人〈技術職〉自分の考えを持ち発信出来る人 顧客の視点に立ち、モノづくりに取り組める人

[会社データ] (金額は百万円)

【本社】103-0027 東京都中央区日本橋3-4-10 スターツ八重洲中央ビル ☎03-6202-0111 https://www.starts.co.jp/

【会長】村石 久二【設立】1972.9【資本金】11,039【今後力を入れる事業】グループ総合力を活かした各事業

【業績(連結)】	売上高	営業利益	経常利益	純利益
22.3	196,578	24,182	25,789	16,772
23.3	233,871	28,095	30,002	20,218
24.3	233,408	30,498	33,396	22,095

※会社データはスターツコーポレーション(株)のもの

三井不動産(株)

みついふどうさん

東京P 8801

【特色】総合不動産首位。大規模再開発に多数実績

修士・大卒採用数	3年後離職率	有休取得年平均	平均年収(平均40歳)
69名	1.6 → 1.6%	16.2日	1,289万円

●エントリー情報と採用プロセス●

【受付開始～終了】[総]2月～4月【採用プロセス】[総]ES提出(2～4月)→能力(適性)試験(2～4月)→面談(3回、4月上旬または6月上旬)→内々定(4月上旬または6月上旬)【交通費支給】あり

試験情報

[重視科目] [総]面談

[総] [ES]⇒巻末 [筆]あり(内容NA) [面]3回(Webあり)

[選考ポイント] [総] [ES]学生時代に取り組んだ(取り組んでいる)こと 他 [面]過去の行動事実にもとづく資質 価値観

[通過率] [総] [ES]NA

[倍率(応募/内定)] [総]NA

●男女別採用数と配属先ほか●

【男女・文理別採用実績】

	大卒男	大卒女	修士男	修士女
23年	16(文 16 理 0)	22(文 20 理 2)	13(文 0 理 13)	6(文 1 理 5)
24年	19(文 17 理 2)	22(文 22 理 0)	14(文 2 理 12)	7(文 1 理 6)
25年	21(文 19 理 2)	31(文 30 理 1)	13(文 0 理 13)	4(文 0 理 4)

【25年4月入社者の採用実績校】

[文](大)慶大14 早大6 東北大4 一橋大3 東大 上智大各2 京大 神戸大 カリフォルニア大 CA州立大 UBC各1 [理](院)東大5 東京科学大 京大 阪大各2 早大 慶大 筑波大 東北大 名大 東京電機大各1(大)東大2 早大1(高専)佐世保 北九州 東京各1

【24年4月入社者の配属先】

[総]勤務地:東京48 千葉1 大阪3 部署:商品本部(事業・営業・運営他)46 経理3 DX1 総務1 人事1

[残業(月)] NA

[記者評価] 三井グループ中核。総合不動産で国内首位。柱はオフィスビルの開発や賃貸。「三井ビルディング」「ミッドタウン」など超高層ビル開発の実績豊富。商業施設は「三井アウトレットパーク」「ららぽーと」軸。複合開発を米国など海外でも推進。築地再開発に参画。

●給与、ボーナス、週休、有休ほか●

【30歳総合職平均年収】NA【初任給】(修士)360,000円(大卒)310,000円【ボーナス(年)】NA【25、30、35歳賃金】NA【週休】完全2日(土日祝)【夏期休暇】なし【年末年始休暇】連続5日【有休取得】16.2／24日

●従業員数、勤続年数、離職率ほか●

【男女別従業員数、平均年齢、平均勤続年数】計 2,049(40.3歳 10.6年) 男 NA 女 NA【離職率と離職者数】0.8%、16名【3年後新卒定着率】98.4%(男97.3%、女100%、3年前入社:男37名・女25名)【組合】あり

[求める人材] 何事にも本気で向き合える人 人との関わりを大事にする人

[会社データ] (金額は百万円)

【本社】103-0022 東京都中央区日本橋室町2-1-1 ☎03-3246-3131 https://www.mitsuifudosan.co.jp/

【社長】植田 俊【設立】1941.7【資本金】341,000【今後力を入れる事業】海外事業 大規模複合開発

【業績(連結)】	売上高	営業利益	経常利益	純利益
22.3	2,100,870	244,978	224,940	176,986
23.3	2,269,103	305,405	265,358	196,998
24.3	2,383,289	339,690	267,890	224,647

建設

開示 ★★★ ▶『業界地図』p.232,266

三菱地所(株)（みつびしじしょ）

東京P 8802

【特色】総合不動産首位級。東京・丸の内が地盤

修士・大卒採用数	3年後離職率	有休取得年平均	平均年収(平均42歳)
43名	0 → 4.3%	12.8日	1,273万円

●エントリー情報と採用プロセス●

【受付開始～終了】㊔2月～3月【採用プロセス】㊔ES提出(2～3月)→選考(面接2～3回、4月～)→内々定(4月下旬～)【交通費支給】2次面接以降、海外・地方から会場(主に首都圏)までの交通費(飛行機代・新幹線代)

試験情報

重視科目 総 面接

総 ES⇒巻末 筆 TG-WEB 面 2～3回(Webあり) GD作⇒巻末

選考ポイント 総 ES 求める人材と合致しているか 面 志望理由 志望度 学生時代の経験 能力や特性(本人のパーソナリティ)他

通過率 総 ES 約90%(受付:約2,500→通過:約2,250)

倍率(応募/内定) 総 約58倍

●男女別採用数と配属先ほか●

【男女・文理別採用実績】

	大卒男	大卒女	修士男	修士女
23年	20(文 19 理 1)	15(文 14 理 1)	17(文 1 理 16)	4(文 0 理 4)
24年	14(文 12 理 2)	18(文 16 理 2)	13(文 0 理 13)	3(文 2 理 1)
25年	15(文 12 理 3)	12(文 12 理 0)	7(文 0 理 7)	9(文 1 理 8)

【25年4月入社者の採用実績校】

㊫NA ㊮NA

【24年4月入社者の配属先】

総 勤務地:東京41 札幌1 仙台1 横浜1 名古屋1 大阪1 広島1 福岡1 部署:開発・営業・管理他44 コーポレートスタッフ4

残業(月) 23.2時間 総 22.5時間

記者評価 三菱グループの中核企業の1社。総合不動産最大手級。オフィスビルの開発・賃貸が主軸。日本最大のビジネス街である丸の内や大手町で多数のビルを保有。商業施設やマンション、物流施設、ホテル開発なども。海外は米・欧州に加え東南アジア・豪州と多角化。

●給与、ボーナス、週休、有休ほか●

【30歳総合職平均年収】NA【初任給】(修士)300,000円(大卒)260,000円【ボーナス(年)】NA【25、30、35歳賃金】NA【週休】完全2日(土日祝)【夏期休暇】連続2日(6～10月)【年末年始休暇】12月29日～1月3日【有休取得】12.8/20日

●従業員数、勤続年数、離職率ほか●

【男女別従業員数、平均年齢、平均勤続年数】計 1,602(42.1歳 16.3年) 男 1,162(43.4歳 17.9年) 女 440(38.5歳 12.3年)【離職率と離職者数】1.4%、23名(早期退職男2名含む 他に男6名転籍)【3年後新卒定着率】95.7%(男93.1%、女100%、3年前入社:男29名・女18名)【組合】あり

求める人材 多様な関係者と信頼関係を構築し、プロジェクトリーダーとして事業を推進できる人物

会社データ (金額は百万円)

【本社】100-8133 東京都千代田区大手町1-1-1 大手町パークビル ☎03-3287-5100 https://www.mec.co.jp/

【社長】中島 篤【設立】1937.5【資本金】142,414【今後力を入れる事業】ビル事業 海外事業 ノンアセット事業

【業績(連結)】	売上高	営業利益	経常利益	純利益
22.3	1,349,489	278,977	253,710	155,171
23.3	1,377,827	296,702	271,819	165,343
24.3	1,504,687	278,627	241,158	168,432

東急不動産(株)（とうきゅうふどうさん）

持株会社傘下

【特色】総合不動産大手。渋谷の再開発中心に多角展開

修士・大卒採用数	3年後離職率	有休取得年平均	平均年収(平均NA)
30名	3.2 → 2.7%	12.8日	NA

●エントリー情報と採用プロセス●

【受付開始～終了】㊔3月～5月【採用プロセス】㊔ES提出・Web適性検査(3～4月)→面接(3回、6月上旬)→内々定【交通費支給】最終面接、会社規準

試験情報

重視科目 総 面接

総 ES NA 筆 あり(内容NA) 面 3回(Webあり) GD作 NA

選考ポイント 総 ES NA(提出あり) 面 コミュニケーション能力 他

通過率 総 ES NA

倍率(応募/内定) 総 NA

●男女別採用数と配属先ほか●

【男女・文理別採用実績】

	大卒男	大卒女	修士男	修士女
23年	16(文 16 理 0)	14(文 12 理 2)	8(文 0 理 8)	6(文 1 理 5)
24年	12(文 12 理 0)	11(文 9 理 2)	8(文 0 理 8)	2(文 0 理 2)
25年	12(文 10 理 2)	9(文 6 理 3)	6(文 0 理 6)	3(文 0 理 3)

【25年4月入社者の採用実績校】

㊫(大)慶大6 早大4 一橋大 学習院大 信州大 神戸大 阪大 立教大各1 ㊮(院)名大2 京大 早大 神戸大 工学院大 東京科学大 都立大 北大各1(大)東大 慶大 早大 東京科学大 北大各1

【24年4月入社者の配属先】

総 勤務地:東京・渋谷30 大阪・心斎橋3 部署:都市事業12 住宅事業8 一般管理5 ウェルネス事業4 インフラ・インダストリー事業3 海外事業1

残業(月) 25.5時間 総 38.7時間

記者評価 東急不動産HD中核の総合デベロッパー。ビルや商業施設の賃貸のほか、マンション、リゾートなど多角的に事業展開。東急とともに広域渋谷圏(渋谷駅を中心とした半径2.5km圏内)を再開発、スタートアップ支援にも注力。再生エネルギー関連の発電事業を拡大中。

●給与、ボーナス、週休、有休ほか●

【30歳総合職平均年収】NA【初任給】(修士)316,880円(大卒)300,600円【ボーナス(年)】NA【25、30、35歳賃金】NA【週休】完全2日(土日祝)【夏期休暇】なし【年末年始休暇】12月29日～1月3日【有休取得】12.8/20日

●従業員数、勤続年数、離職率ほか●

【男女別従業員数、平均年齢、平均勤続年数】計 1,233(NA) 男 868(NA) 女 365(NA)【離職率と離職者数】NA【3年後新卒定着率】97.3%(男100%、女94.4%、3年前入社:男19名・女18名)【組合】あり

求める人材 変革・チャレンジマインドを持ったバリュープロデューサー

会社データ (金額は百万円)

【本社】150-0043 東京都渋谷区道玄坂1-21-1 渋谷ソラスタ ☎03-6455-2679 https://www.tokyu-land.co.jp/

【社長】星野 浩明【設立】1953.12【資本金】57,551【今後力を入れる事業】不動産開発事業・施設運営事業

【業績(連結)】	売上高	営業利益	経常利益	純利益
22.3	989,049	83,817	72,834	35,133
23.3	1,005,836	110,410	99,558	48,227
24.3	1,103,047	120,238	110,391	68,545

※業績は東急不動産ホールディングス(株)のもの

建設

開示 ★★ ▶『業界地図』p.236

すみともふどうさん
住友不動産(株)

東京P 8830

【特色】総合不動産大手。東京都心のビル事業が主力

修士・大卒採用数	3年後離職率	有休取得年平均	平均年収(平均45歳)
26名	NA	13.0日	[総]1,412万円

●エントリー情報と採用プロセス●

【受付開始～終了】[総]3月～3月【採用プロセス】[総]ES提出・能力(適性)試験(3月)→面接(2～3回、6月)→内々定(6月～)
【交通費支給】2次面接以降、実費

試験情報

重視科目 [総]面接
[総][ES]⇒巻末[筆]WebGAB[面]2～3回(Webあり)
選考ポイント [総][ES]志望動機の具体性 文章の論理性 他 [面]自らの考えを的確に伝える力 どのような志向を持ち、どのように実践してきたか
通過率 [総][ES]NA
倍率(応募/内定) [総]NA

●男女別採用数と配属先ほか●

【男女・文理別採用実績】

	大卒男	大卒女	修士男	修士女
23年	8(文 7理 1)	0(文 0理 0)	4(文 0理 4)	1(文 0理 1)
24年	16(文 11理 5)	3(文 3理 0)	3(文 0理 3)	0(文 0理 0)
25年	16(文 12理 4)	7(文 5理 2)	3(文 0理 3)	0(文 0理 0)

※総合職のみ
【25年4月入社者の採用実績校】
[文](大)早大6 慶大4 九大 横国大 中大 同大 津田塾大 一橋大 北大各1 [理](院)東大 九大 名工大各1(大)東大 京大 九大 筑波大 明大 法政大各1
【24年4月入社者の配属先】
[総]勤務地:東京・新宿22 部署:企画本部(経営企画・人事等)9 ビル事業本部4 都市開発事業本部4 住宅分譲事業本部3 用地開発事業本部2

残業(月) 25.2時間 [総]37.5時間

記者評価 収益柱のオフィスビルは都内230棟超を展開し業界首位級。分譲マンション「シティタワー」や住宅リフォーム「新築そっくりさん」も競争力高い。西新宿や六本木などの東京都心再開発、インド・ムンバイ都心のオフィス開発に大規模投資。少数精鋭・実力主義。

●給与、ボーナス、週休、有休ほか●

【30歳総合職平均年収】1,025万円【初任給】(修士)334,000円(大卒)305,000円【ボーナス(年)】346万円、NA【25、30、35歳賃金】292,000円→560,000円→700,000円【週休】NA【夏期休暇】連続5日(有休で取得)【年末年始休暇】12月29日～1月3日【有休取得】13.0／20日

●従業員数、勤続年数、離職率ほか●

【男女別従業員数、平均年齢、平均勤続年数】計 4,412(41.7歳 8.7年) 男 3,423(42.1歳 9.1年) 女 989(40.1歳 7.5年)【離職率と離職者数】NA【3年後新卒定着率】NA(3年前入社:男21名・女0名)【組合】なし

求める人材 将来の経営幹部たるべき人材

会社データ　(金額は百万円)
【本社】163-0820 東京都新宿区西新宿2-4-1 新宿NSビル
☎03-3346-1054　https://www.sumitomo-rd.co.jp/
【社長】仁島 浩順【設立】1949.12【資本金】122,805【今後力を入れる事業】都市開発事業 ビル賃貸 分譲マンション

【業績(連結)】	売上高	営業利益	経常利益	純利益
22.3	939,430	233,882	225,115	150,452
23.3	939,904	241,274	236,651	161,925
24.3	967,692	254,666	253,111	177,171

としさいせいきこう
(独法)都市再生機構(UR都市機構)

株式公開していない

【特色】国土交通省所管の独法。UR賃貸住宅管理が主軸

修士・大卒採用数	3年後離職率	有休取得年平均	平均年収(平均44歳)
97名	2.2→6.6%	13.7日	[総]835万円

●エントリー情報と採用プロセス●

【受付開始～終了】[総][技]3月～6月【採用プロセス】[総][技]ES提出・Webテスト(3月～)→面接(3回)→内々定【交通費支給】最終面接、実費(会社基準)

試験情報

重視科目 [総][技]ES 面接
[総][技][ES]⇒巻末[筆]SPI3(自宅)[面]3回(Webあり)
選考ポイント [総][技][ES]企業研究をし、志望動機などを具体的に記述できているか[面]志望度 能力 人物像 専門性 他
通過率 [総][技][ES]NA　倍率(応募/内定) [総][技]NA

●男女別採用数と配属先ほか●

【男女・文理別採用実績】

	大卒男	大卒女	修士男	修士女
23年	25(文 16理 9)	23(文 13理 10)	25(文 1理 24)	9(文 0理 9)
24年	31(文 22理 9)	32(文 21理 11)	30(文 1理 29)	3(文 0理 3)
25年	32(文 17理 15)	28(文 19理 9)	26(文 1理 25)	11(文 1理 10)

【25年4月入社者の採用実績校】[文](院)一橋大 北大各1(大)立教大4 立命館大3 法政大 横浜市大 関西学大 同大 明大各2 早大 名大 神戸大 九大 青学大 都立大 中大 学習院大 明学大 長野大 名城大 近大 関大 下関市大 西南学大 日女大 東京女大 昭和女大 京都女大各1 [理](院)立命館大6 東京科学大 東理大 九大各3 東大 金沢大 東京農工大各2 早大 明大 法政大 工学院大 室蘭工大 山形大 筑波大 千葉工大 阪大 近大 香川大 愛媛大 大分大 熊本大各1(大)明大4 芝工大3 都立大 立命館大各2 東大 早大 東理大 法政大 東京農業大 東京電機大 横国大 神奈川大 東海大 阪大 大阪工大 神戸大 熊本大各1
【24年4月入社者の配属先】[総]勤務地:東京20 神奈川1 埼玉2 千葉1 愛知5 京都1 大阪8 兵庫1 福岡4 北海道1 部署:プロジェクト企画 用地取得 物件管理 賃貸住宅募集・管理 他 [技]勤務地:東京33 神奈川1 埼玉1 千葉1 愛知4 大阪6 福岡3 福島3 部署:プロジェクト企画 計画・設計・工事監理 調査研究 他

残業(月) 22.1時間 [総]22.1時間

記者評価 日本住宅公団母体の旧都市基盤整備公団に、旧地域振興整備公団の地方都市開発整備部門が合流し発足。全国約70万戸の賃貸住宅管理、都市再生、賃貸住宅の供給支援に取り組む。シドニー、バンコク、ジャカルタに事務所を置き、海外での都市開発支援も。

●給与、ボーナス、週休、有休ほか●

【30歳総合職平均年収】NA【初任給】(修士)233,400円(大卒)221,400円【ボーナス(年)】246万円、4.5カ月【25、30、35歳賃金】NA【週休】完全2日(土日祝)【夏期休暇】7日(7～9月)【年末年始休暇】12月29日～1月3日【有休取得】13.7／20日

●従業員数、勤続年数、離職率ほか●

【男女別従業員数、平均年齢、平均勤続年数】計 3,111(42.5歳 16.8年) 男 2,416(43.7歳 17.6年) 女 695(38.1歳 14.1年)【離職率と離職者数】1.4%、43名【3年後新卒定着率】93.4%(男92.5%、女94.4%、3年前入社:男40名・女36名)【組合】あり

求める人材 フットワーク良く周囲を巻き込みながら一丸となって取り組める人

会社データ　(金額は百万円)
【本社】231-8315 神奈川県横浜市中区本町6-50-1 横浜アイランドタワー
☎045-650-0111　https://www.ur-net.go.jp/
【理事長】石田 優【設立】2004.7【資本金】1,075,700【今後力を入れる事業】都市再生事業 賃貸住宅事業 他

【業績(単独)】	経常収益	経常利益	純利益
22.3	858,662	118,670	23,947
23.3	817,248	141,203	8,251
24.3	846,775	135,652	2,435

建設

開示 ★★ ▶『業界地図』p.236 1322

野村不動産(株)

持株会社 傘下

【特色】総合不動産大手。分譲マンションに強み

修士・大卒採用数	3年後離職率	有休取得年平均	平均年収(平均41歳)
81名	3.1→1.8%	15.1日	総 1,185万円

●エントリー情報と採用プロセス●

【受付開始～終了】総3月～4月【採用プロセス】総ES提出・Web適性検査・自己PR動画→GD→面接(3回)→内々定【交通費支給】面接、遠方居住者へ会社基準額

試験情報

重視科目 総面接

総 ES⇒巻末 筆SPI3(会場) 面3回(Webあり) GD作NA

選考ポイント 総 ES志望動機 自己PR 学生時代の取り組み 他 面コミュニケーション能力 他

通過率 総 ES NA

倍率(応募/内定) 総NA

●男女別採用数と配属先ほか●

【男女・文理別採用実績】

	大卒男	大卒女	修士男	修士女
23年	31(文 24 理 7)	21(文 20 理 1)	10(文 0 理 10)	7(文 0 理 7)
24年	24(文 23 理 1)	24(文 20 理 4)	14(文 0 理 14)	6(文 1 理 5)
25年	35(文 31 理 4)	23(文 20 理 3)	12(文 1 理 11)	11(文 0 理 11)

【25年4月入社者の採用実績校】

文(院)東北大1(大)早大10 慶大8 同大 明大 立教大各4 青学大 上智大 学習院大各3 東京外大 関大各2 千葉大 東北大 一橋大 阪大 立命館大 大阪公大 横国大 関西学大各1 理(院)京大 神戸大 早大各3 日女大 東北大 京都工繊大各2 金沢大 横国大 九大 慶大 鹿児島大 筑波大 北大各1(大)東理大2 東大 関西学大 同大 神戸大 北大各1

【24年4月入社者の配属先】

総勤務地:東京63 大阪4 名古屋1 部署:NA

残業(月) 総12.5時間

記者評価 野村グループの総合デベロッパー。柱のマンション「プラウド」はブランド力抜群。中規模オフィスビル「PMO」に加え、物流施設やホテルも開発する。東京・浜松町や日本橋などで大型再開発が進行中。25年竣工予定の「BLUE FRONT SHIBAURA」に本社移転予定。

●給与、ボーナス、週休、有休ほか●

【30歳総合職平均年収】NA【初任給】(修士)315,000円(大卒)300,000円【ボーナス(年)】NA【25、30、35歳賃金】NA【週休】完全2日(職種により曜日は異なる)【夏期休暇】連続5日(有休2日含む)【年末年始休暇】連続約6日【有休取得】15.1/20日

●従業員数、勤続年数、離職率ほか●

【男女別従業員数、平均年齢、平均勤続年数】計 2,100(40.5歳 12.0年) 男 1,285(41.8歳 13.3年) 女 815(38.5歳 9.9年)【離職率と離職者数】NA【3年後新卒定着率】98.2%(男97.1%、女100%、3年前入社:男35名・女21名)【組合】あり

求める人材 目標達成意欲を高く持ち、主体的に仕事に取り組む姿勢のある人

会社データ (金額は百万円)

【本社】163-0566 東京都新宿区西新宿1-26-2
☎03-3345-0395 https://www.nomura-re.co.jp/
【社長】松尾 大作【設立】1957.4【資本金】2,000【今後力を入れる事業】不動産開発事業等

【業績(連結)】	売上高	営業利益	経常利益	純利益
22.3	645,049	91,210	82,557	55,312
23.3	654,735	99,598	94,121	64,520
24.4	734,715	112,114	98,248	68,164

※業績は野村不動産ホールディングス(株)のもの

ヒューリック(株)

東京P 3003

【特色】芙蓉グループの不動産会社。銀座など都心に強み

修士・大卒採用数	3年後離職率	有休取得年平均	平均年収(平均39歳)
7名	12.5→0%	17.7日	総 1,907万円

●エントリー情報と採用プロセス●

【受付開始～終了】総3月～4月【採用プロセス】総ES・エントリー動画提出(3～4月)→Webテスト(3～5月)→面接(複数回)→内々定【交通費支給】面接、遠方者のみ当社基準

試験情報

重視科目 総面接

総 ES NA 筆あり(内容NA) 面複数回(Webあり)

選考ポイント 総 ES志望動機 他 面コミュニケーション能力 他

通過率 総 ES NA

倍率(応募/内定) 総NA

●男女別採用数と配属先ほか●

【男女・文理別採用実績】

	大卒男	大卒女	修士男	修士女
23年	5(文 5 理 0)	3(文 3 理 0)	2(文 0 理 2)	2(文 0 理 2)
24年	2(文 2 理 0)	1(文 1 理 0)	4(文 0 理 4)	2(文 0 理 2)
25年	2(文 2 理 0)	2(文 2 理 0)	1(文 0 理 1)	2(文 0 理 2)

【25年4月入社者の採用実績校】

文(大)慶大2 同大 関西学大各1 理(院)東大 慶大 東理大各1

【24年4月入社者の配属先】

総勤務地:東京本社9 部署:不動産投資系4 不動産開発系4 営業1

残業(月) 42.1時間 総42.1時間

記者評価 芙蓉グループの一角。銀座・有楽町、渋谷・青山、新宿東口、浅草を中心に中規模オフィスビルを開発する。不動産売買も活発で、「大手町プレイス」等大型取引にも参画。ホテル・旅館や高齢者施設、児童教育施設を開発強化。待遇は業界内でも高水準。少数精鋭。

●給与、ボーナス、週休、有休ほか●

【30歳総合職平均年収】NA【初任給】(修士)360,000円(大卒)310,000円【ボーナス(年)】NA【25、30、35歳賃金】NA【週休】完全2日(土日祝)【夏期休暇】連続3営業日と5営業日を、年度内に有休で取得奨励【年末年始休暇】12月29日～1月3日(祝日含む)【有休取得】17.7/20日

●従業員数、勤続年数、離職率ほか●

【男女別従業員数、平均年齢、平均勤続年数】計 222(38.7歳 6.4年) 男 159(39.9歳 6.0年) 女 63(35.6歳 7.4年)【離職率と離職者数】3.9%、9名【3年後新卒定着率】100%(男100%、女100%、3年前入社:男8名・女4名)【組合】なし

求める人材 ヒューリックのエンジンになれる人

会社データ (金額は百万円)

【本社】103-0011 東京都中央区日本橋大伝馬町7-3
☎03-5623-8100 https://www.hulic.co.jp/
【社長】前田 隆也【設立】1957.3【資本金】111,609【今後力を入れる事業】開発・建替事業 不動産関連新規事業

【業績(連結)】	売上高	営業利益	経常利益	純利益
21.12	447,077	114,507	109,581	69,564
22.12	523,424	126,147	123,222	79,150
23.12	446,383	146,178	137,437	94,625

建設

開示 ★★★ ▶『業界地図』p.232 2622

イオンモール(株)

東京P 8905

【特色】イオンのSC開発子会社。モール型で国内トップ

修士・大卒採用数	3年後離職率	有休取得年平均	平均年収(平均41歳)
106名	16.1→17.0%	9.6日	総655万円

●エントリー情報と採用プロセス●

【受付開始～終了】総3月～5月【採用プロセス】総ES提出(3～5月)→筆記・適性検査(3～5月)→面接(複数回、5～6月)→内々定(6月)【交通費支給】最終面接、遠方者のみ新幹線代・飛行機代実費

試験情報

重視科目 総面接

総 ES NA 筆あり(内容NA) 面複数回(Webあり)

選考ポイント 総 ES NA(提出あり) 面NA

通過率 総 ES NA

倍率(応募/内定) 総NA

●男女別採用数と配属先ほか●

【男女・文理別採用実績】

	大卒男	大卒女	修士男	修士女
23年	35(文 33 理 2)	35(文 30 理 5)	1(文 0 理 1)	3(文 3 理 0)
24年	34(文 27 理 7)	44(文 43 理 1)	5(文 1 理 4)	1(文 1 理 0)
25年	54(文 50 理 4)	48(文 48 理 0)	4(文 1 理 3)	0(文 0 理 0)

【25年4月入社者の採用実績校】

文早大6 同大5 明大 中大 法政大 日大 東洋大 近大各4 関大3 関西学大 慶大 青学大各2 他 理岡山大 九大 近大 千葉大 早大 中大 日大各1 他

【24年4月入社者の配属先】

総勤務地：全国各地のショッピングモール84 部署：営業42 オペレーション42

残業(月) 15.1時間 総15.1時間

記者評価 イオングループのショッピングセンター(SC)の出店・運営を担う。モール型SCの先駆的存在。国内外合わせて約200店舗を展開する。子会社で都市型SCも展開。国内事業は安定期に移り、海外が成長の柱。中国やベトナムなどアジア中心に新規出店を加速中。

●給与、ボーナス、週休、有休ほか●

【30歳総合職平均年収】NA【初任給】(修士)266,550円(大卒)260,550円【ボーナス(年)】NA【25、30、35歳賃金】NA【週休】年125日【夏期休暇】なし【年末年始休暇】なし【有休取得】9.6／20日

●従業員数、勤続年数、離職率ほか●

【男女別従業員数、平均年齢、平均勤続年数】計 1,869(42.2歳 9.0年) 男 1,178(NA) 女 691(NA)【離職率と離職者数】5.3%、104名【3年後新卒定着率】83.0%(男96.0%、女71.4%、3年前入社:男25名・女28名)【組合】あり

求める人材 あくなき「好奇心」を原動力とし、「共感と論理」をもって真摯に働きかけ、積極的な「実践」を通して成長できる人材

会社データ　(金額は百万円)

【本社】261-8539 千葉県千葉市美浜区中瀬1-5-1 イオンタワービル
☎043-212-6450　https://www.aeonmall.com/
【社長】大野 惠司【設立】1911.11【資本金】42,385【今後力を入れる事業】国内の増床・リニューアル 海外の新規出店

【業績(連結)】	売上高	営業利益	経常利益	純利益
22.2	316,813	38,228	32,540	19,278
23.2	398,244	43,979	36,409	12,994
24.2	423,168	46,411	37,086	20,399

東京建物(株)

とうきょうたてもの

東京P 8804

【特色】総合不動産。東京・八重洲エリアが拠点

修士・大卒採用数	3年後離職率	有休取得年平均	平均年収(平均40歳)
28名	ⓘ5.0→ⓘ3.8%	12.5日	総1,348万円

●エントリー情報と採用プロセス●

【受付開始～終了】総3月～4月【採用プロセス】総ES提出・Webテスト・動画提出(3月)→GD(4～5月)→面接(3回、4～6月)→内々定(4～6月)【交通費支給】2次面接以降、遠方者へは会社基準で宿泊・交通費(一部)

試験情報

重視科目 総面接

総 ES ⇒巻末 筆玉手箱 面3回(Webあり) GD作 ⇒巻末

選考ポイント 総 ES 人生で力を入れたこと 志望理由 他 面学生時代の経験に基づくパーソナリティ コミュニケーション能力 チャレンジ精神 他

通過率 総 ES NA

倍率(応募/内定) 総NA

●男女別採用数と配属先ほか●

【男女・文理別採用実績】

	大卒男	大卒女	修士男	修士女
23年	10(文 9 理 1)	12(文 11 理 1)	8(文 0 理 8)	2(文 0 理 2)
24年	8(文 7 理 1)	12(文 10 理 2)	7(文 0 理 7)	4(文 0 理 4)
25年	8(文 8 理 0)	9(文 9 理 0)	7(文 0 理 7)	4(文 0 理 4)

【25年4月入社者の採用実績校】

文(大)慶大7 早大5 京大 神戸大 富山大 中大 同大各1 理(院)東大 早大各3 東京科学大2 九大 筑波大 芝工大各1

【24年4月入社者の配属先】

総勤務地：東京25 大阪2 部署：ビル事業13 住宅事業10 アセットサービス事業2 コーポレート2

残業(月) 6.8時間

記者評価 旧安田財閥系の総合デベロッパー。柱はオフィスビルの開発・賃貸と「ブリリア」ブランドの分譲マンション。本社ビルを含む東京・八重洲や渋谷、京橋で再開発が進行中。ホテルや商業施設、物流施設などアセット拡大。海外は中国、東南アジアで展開。

●給与、ボーナス、週休、有休ほか●

【30歳総合職平均年収】NA【初任給】(修士)316,000円(大卒)300,000円【ボーナス(年)】NA【25、30、35歳賃金】NA【週休】完全2日(職種により曜日は異なる)【夏期休暇】3日(7～9月)【年末年始休暇】12月29日～1月3日【有休取得】12.5／NA

●従業員数、勤続年数、離職率ほか●

【男女別従業員数、平均年齢、平均勤続年数】計 807(41.9歳 11.3年) 男 578(42.6歳 12.5年) 女 229(40.3歳 8.9年)【離職率と離職者数】1.9%、16名【3年後新卒定着率】96.2%(男94.7%、女100%、3年前入社:男19名・女7名) ※総合職のみ【組合】あり

求める人材 信頼される人 未来を切り拓く人

会社データ　(金額は百万円)

【本社】103-8285 東京都中央区八重洲1-4-16
☎03-3274-0111　https://www.tatemono.com/
【社長】野村 均【設立】1896.10【資本金】92,451【今後力を入れる事業】ビル事業 住宅事業 アセットソリューション事業 海外事業

【業績(連結)】	売上高	営業利益	経常利益	純利益
21.12	340,477	58,784	46,270	34,965
22.12	349,940	64,478	63,531	43,062
23.12	375,946	70,508	69,471	45,084

建設

もり 森ビル(株)

株式公開 計画なし

【特色】総合不動産。東京・港区を中心に大型開発で実績

修士・大卒採用数	3年後離職率	有休取得年平均	平均年収(平均*43歳
52名	5.3 → 0%	13.5日	[総]1,161万円

残業(月) 28.3時間 [総]32.2時間

記者評価 東京・港区が拠点の総合不動産大手。高層ビルと自然を融合した「立体緑園都市」開発を志向。六本木ヒルズ、表参道ヒルズなど大型開発で実績。23年「虎ノ門ヒルズステーションタワー」、「麻布台ヒルズ」が開業。24年7月から大卒総合職初任給を31万円に増額。

●エントリー情報と採用プロセス●

【受付開始～終了】[総]3月～4月【採用プロセス】[総]ES提出・Webテスト→GD→面接(3回)→内々定【交通費支給】最終面接以降、首都圏以外から会場までの全額

試験情報

重視科目 [総]面接

[総][ES]⇒巻末[筆]あり(内容NA)[面]3回(Webあり)[GD作]NA

選考ポイント [総][ES]学生時代に取り組んだこと 志望動機 他[面]熱意をもって、それを行動に移してきたか 他

通過率 [総][ES]NA

倍率(応募/内定) [総]NA

●男女別採用数と配属先ほか●

【男女・文理別採用実績】

	大卒男	大卒女	修士男	修士女
23年	13(文 10理 3)	12(文 10理 2)	12(文 0理 12)	2(文 0理 2)
24年	11(文 8理 3)	8(文 7理 1)	12(文 0理 12)	2(文 0理 2)
25年	13(文 9理 4)	10(文 8理 2)	21(文 0理 21)	8(文 0理 8)

【25年4月入社者の採用実績校】

[文](大)東大4 早大 慶大各3 一橋大 明大各2 横国大 青学大 法政大各1 ※総合職のみ [理](院)東大8 東京科学大5 東北大3 京大 九大 早大 慶大各2 阪大 横国大 中大 法政大 芝工大各1 ※総合職のみ

【24年4月入社者の配属先】

[総]勤務地:東京・港29 部署:開発8 営業7 管理運営3 設計2 海外事業1 コーポレート(人事 総務 経理 財務 他)8

●給与、ボーナス、週休、有休ほか●

【30歳総合職平均年収】NA【初任給】(修士)275,000円(大卒)260,000円【ボーナス(年)】NA【25、30、35歳賃金】NA【週休】完全2日(土日祝)【夏期休暇】5日以上の有休取得を奨励【年末年始休暇】12月29日～1月3日【有休取得】13.5／20日

●従業員数、勤続年数、離職率ほか●

【男女別従業員数、平均年齢、平均勤続年数】計 1,636(43.1歳 16.0年) 男 1,058(43.1歳 18.2年) 女 578(43.1歳 11.9年)【離職率と離職者数】2.3%、39名【3年後新卒定着率】100%(男100%、女100%、3年前入社:男21名・女12名)【組合】なし

求める人材 熱意を持ち、それを行動に移すことができる人物

会社データ (金額は百万円)

【本社】106-6155 東京都港区六本木6-10-1 六本木ヒルズ森タワー
☎03-6406-6615　https://www.mori.co.jp
【社長】辻 慎吾【設立】1959.6【資本金】89,500【今後力を入れる事業】都市再開発事業

【業績(連結)】	売上高	営業利益	経常利益	純利益
22.3	245,306	52,759	53,755	42,241
23.3	285,582	63,407	60,531	44,179
24.3	360,485	78,191	71,762	58,970

にってつこうわふどうさん 日鉄興和不動産(株)

株式公開 計画なし

【特色】日本製鉄・みずほ系の総合不動産デベロッパー

修士・大卒採用数	3年後離職率	有休取得年平均	平均年収(平均43歳
17名	30.8 → 6.3%	12.9日	[総]1,333万円

残業(月) NA

記者評価 旧日本興業銀行系の興和不動産と新日鉄都市開発が経営統合して誕生。都心部でのオフィスビルと分譲マンション開発が主軸。外国人向け高級賃貸住宅で先駆。物流施設開発を加速。赤坂や虎ノ門などで大規模再開発を展開。タイで分譲集合住宅の開発に参画。

●エントリー情報と採用プロセス●

【受付開始～終了】[総]3月～6月【採用プロセス】[総]説明会動画(必須、3～6月)→ES・適性検査(会場)受検(3～6月)→面接(複数回、5～6月)→内々定(6月上旬)【交通費支給】1次面接以降、一部【早期選考】⇒巻末

試験情報

重視科目 [総]面接

[総][ES]⇒巻末[筆]SPI3(会場)[面]複数回

選考ポイント [総][ES]学生時代に力を入れて取り組んだ内容[面]学生時代に最も力を入れて取り組んだこと パーソナリティ

通過率 [総][ES]NA

倍率(応募/内定) [総]NA

●男女別採用数と配属先ほか●

【男女・文理別採用実績】

	大卒男	大卒女	修士男	修士女
23年	5(文 4理 1)	6(文 5理 1)	2(文 0理 2)	0(文 0理 0)
24年	4(文 4理 0)	5(文 3理 2)	3(文 0理 3)	0(文 0理 0)
25年	5(文 4理 1)	10(文 9理 1)	2(文 0理 2)	0(文 0理 0)

【25年4月入社者の採用実績校】

[文](大)慶大4 法政大2 明大 お茶女大 西南学大 千葉大 早大 中大 東京外大各1 [理](院)三重大 東理大各1(大)東大 阪大各1

【24年4月入社者の配属先】

[総]勤務地:東京・赤坂12 部署:住宅事業本部3 企業不動産開発2 賃貸事業本部2 開発企画本部2 事業開発本部2 営業推進本部1

●給与、ボーナス、週休、有休ほか●

【30歳総合職平均年収】NA【初任給】(修士)321,000円(大卒)300,000円【ボーナス(年)】NA【25、30、35歳賃金】NA【週休】完全2日(土日祝)【夏期休暇】有休で取得【年末年始休暇】12月29日～1月3日【有休取得】12.9／20日

●従業員数、勤続年数、離職率ほか●

【男女別従業員数、平均年齢、平均勤続年数】計 58(45.4歳 14.3年) 男 439(46.2歳 14.0年) 女 144(42.9歳 15.5年)【離職率と離職者数】1.5%、9名【3年後新卒定着率】93.8%(男91.7%、女100%、3年前入社:男12名・女4名)【組合】あり

求める人材 自ら主体的に行動し、マーケットインの発想で顧客・社会のニーズを捉え価値創造ができる人

会社データ (金額は百万円)

【本社】107-0052 東京都港区赤坂1-8-1 赤坂インターシティAIR
☎03-6774-8000　https://www.nskre.co.jp
【社長】三輪 正浩【設立】1997.3【資本金】19,800【今後力を入れる事業】再開発 建替などの都市再生事業 地方再生事業

【業績(連結)】	売上高	営業利益	経常利益	純利益
22.3	226,020	35,200	30,239	19,76
23.3	228,050	41,450	38,042	25,98
24.3	274,029	48,837	43,422	28,34

建設

もり
森トラスト(株)

株式公開 未定

【特色】総合不動産。大型複合施設に実績。ホテル開発も

修士・大卒採用数	3年後離職率	有休取得年平均	平均年収(平均37歳)
21名	5.6 → 6.7%	14.7日	[総]1,270万円

残業(月) 23.5時間

記者評価 不動産、ホテル＆リゾート、投資の3事業が核。不動産は「丸の内トラストタワー」など大型複合施設に実績。NTT都市開発と共同開発の「東京ワールドゲート赤坂」は25年完成予定。ホテルは「東京エディション」など高級路線。ホテル客室の分譲事業を推進。

●エントリー情報と採用プロセス●

【受付開始～終了】[総]3月～7月【採用プロセス】[総]ES提出(3月～)→書類選考→Webテスト→面接(複数回)→内々定【交通費支給】最終選考、遠方の場合一部

試験情報

重視科目 [総]面接

[総][ES]⇒巻末[筆]WebGAB デザイン思考テスト[面]複数回(Webあり)

選考ポイント [総][ES]NA(提出あり)[面]コミュニケーション能力 課題解決力 リサーチ・分析力 柔軟性 主体性 行動力 実行力 他

通過率 [総][ES]NA

倍率(応募/内定) [総]NA

●男女別採用数と配属先ほか●

【男女・文理別採用実績】

	大卒男	大卒女	修士男	修士女
23年	5(文 5理 0)	7(文 6理 1)	9(文 0理 9)	3(文 0理 3)
24年	5(文 4理 1)	6(文 5理 1)	10(文 0理 10)	4(文 0理 4)
25年	6(文 5理 1)	5(文 5理 0)	8(文 1理 7)	2(文 0理 2)

※25年:夏選考含まず

【25年4月入社者の採用実績校】
[文](院)一橋大1(大)早大3 慶大 東大各2 一橋大 上智大 立命館大各1 [理](院)京大2 東京科学大 北大 九大 神戸大 慶大 明大 大阪公大各1(大)筑波大1

【24年4月入社者の配属先】
[総]勤務地:東京25 部署:NA

●給与、ボーナス、週休、有休ほか●

【30歳総合職平均年収】NA【初任給】(修士)320,000円(大卒)300,000円【ボーナス(年)】NA【25、30、35歳賃金】NA【週休】完全2日(土日祝)【夏期休暇】連続5日(有休で取得)【年末年始休暇】12月30日～1月3日【有休取得】14.7／20日

●従業員数、勤続年数、離職率ほか●

【男女別従業員数、平均年齢、平均勤続年数】計 485(38.6歳 12.3年) 男 351(39.6歳 12.7年) 女 134(36.0歳 11.0年)【離職率と離職者数】1.2%、6名【3年後新卒定着率】93.3%(男100%、女87.5%、3年前入社:男7名・女8名)【組合】なし

求める人材 自ら考え、企画し、実行できる人財

会社データ (金額は百万円)

【本社】105-6903 東京都港区虎ノ門4-1-1
☎03-6435-6697 https://www.mori-trust.co.jp/
【社長】伊達 美和子【設立】1970.6【資本金】30,000【今後力を入れる事業】NA

【業績(連結)】	売上高	営業利益	経常利益	純利益
22.3	258,832	62,827	69,347	40,334
23.3	266,629	65,555	69,340	53,012
24.3	262,903	53,853	58,966	41,387

エヌティティと しかいはつ
NTT都市開発(株)

株式公開 していない

【特色】オフィスビルの開発・賃貸が主力。NTTグループ

修士・大卒採用数	3年後離職率	有休取得年平均	平均年収(平均40歳)
40名	0 → 0%	16.3日	[総]1,003万円

残業(月) 30.6時間

記者評価 NTTグループの総合不動産デベロッパー。電話局跡地など遊休不動産の活用で出発。全国に保有する「アーバンネット」などのオフィスビル賃貸が主力。首都圏中心に分譲マンション「ウェリス」も展開。帝国ホテルなどと東京・日比谷エリアでの大規模再開発を推進。

●エントリー情報と採用プロセス●

【受付開始～終了】[総]3月～6月【採用プロセス】[総]説明会・ES提出・Webテスト(3～4月)→WebGD(4月)→面接(3回、5～6月)→内々定(6月)【交通費支給】2次面接以降、航空機・特急利用者(交通費・宿泊費の実費)

試験情報

重視科目 [総]面接

[総][ES]⇒巻末[筆]C-GAB OPQ C-GAB(テストセンター)[面]3回(Webあり)[GD作]NA

選考ポイント [総][ES]総合的に判断[面]行動・実績に裏付けされた各自の持つポテンシャル

通過率 [総][ES]91%(受付:2,300→通過:2,100)

倍率(応募/内定) [総]58倍

●男女別採用数と配属先ほか●

【男女・文理別採用実績】

	大卒男	大卒女	修士男	修士女
23年	13(文 12理 1)	12(文 10理 2)	9(文 0理 9)	6(文 0理 6)
24年	14(文 11理 3)	17(文 11理 6)	11(文 0理 11)	1(文 0理 1)
25年	13(文 12理 1)	16(文 16理 0)	8(文 0理 8)	3(文 0理 3)

【25年4月入社者の採用実績校】[文](大)早大7 慶大 一橋大各3 阪大 明大各2 青学大 大阪公大 小樽商大 関大 ICU 専大 津田塾大 東大 日大 法政大 横浜市大各1 [理](院)九大3 東北大 東理大各2 神戸大 筑波大 新潟大 阪大各1(大)明大1

【24年4月入社者の配属先】[総]勤務地:東京(千代田23 港7)大阪市6 札幌1 仙台1 名古屋2 広島1 福岡2 部署:ビル・商業事業本部4 住宅事業本部4 ホテル＆ホスピタリティ事業本部2 グローバル事業本部2 開発本部9 北海道支店1 東北支店1 東海支店1 関西支店5 中国支店1 九州支店2 都市建築デザイン部2 NTTアーバンバリューサポート8 品川シーズンテラス1

●給与、ボーナス、週休、有休ほか●

【30歳総合職平均年収】NA【初任給】(修士)292,910円(大卒)267,790円【ボーナス(年)】NA【25、30、35歳賃金】NA【週休】完全2日(土日祝)【夏期休暇】5日【年末年始休暇】連続6日【有休取得】16.3／20日

●従業員数、勤続年数、離職率ほか●

【男女別従業員数、平均年齢、平均勤続年数】計 555(39.5歳 13.2年) 男 411(41.6歳 15.0年) 女 144(33.5歳 8.2年)【離職率と離職者数】4.1%、24名【3年後新卒定着率】100%(男100%、女100%、3年前入社:男10名・女20名)【組合】あり

求める人材 その街ならではの未来づくりを担う、自ら考えて行動できる人

会社データ (金額は百万円)

【本社】101-0021 東京都千代田区外神田4-14-1 秋葉原UDX
☎03-6811-6300 https://www.nttud.co.jp/
【社長】池田 康【設立】1986.1【資本金】48,760【今後力を入れる事業】グループCREを活用した再開発事業

【業績(IFRS)】	売上高	営業利益	税前利益	純利益
22.3	141,535	31,224	26,317	18,512
23.3	176,121	35,563	27,798	19,008
24.3	193,337	49,275	37,637	24,003

建設

㈱サンケイビル

株式公開 計画なし

【特色】フジサンケイGの不動産会社。ホテル等の開発も

修士・大卒採用数	3年後離職率	有休取得年平均	平均年収(平均44歳)
10名	0→0%	11.6日	1,144万円

●エントリー情報と採用プロセス●

【受付開始～終了】[総]3月～3月【採用プロセス】[総]ES提出(3月末)→Webテスト・履修履歴提出(4月中旬)→面接(3回、4月下旬～)→内々定(5月下旬)【交通費支給】最終面接、往復実費(上限5万円まで)

試験情報

重視科目 [総]面接

[総][ES]⇒巻末[筆]知的能力検査(i9)適性検査(IMAGES) ※Web(自宅)[面]3回(Webあり)

選考ポイント [総][ES]自身の体験や経験、動機を自身の言葉で表現しているか[面]コミュニケーション能力 社会性 自身の経験を自身の言葉で表現できているか

通過率 [総][ES]69%(受付:352→通過:243)

倍率(応募/内定) [総]35倍

●男女別採用数と配属先ほか●

【男女・文理別採用実績】

	大卒男	大卒女	修士男	修士女
23年	3(文 3理 0)	3(文 2理 1)	2(文 0理 2)	1(文 0理 1)
24年	3(文 3理 0)	2(文 1理 1)	3(文 0理 3)	0(文 0理 0)
25年	3(文 2理 1)	3(文 3理 0)	4(文 1理 3)	0(文 0理 0)

【25年4月入社者の採用実績校】[文](院)東北大1(大)阪大 早大 明大 法政大 立命館大各1 [理](院)東北大 神戸大 九大各1(大)日大1

【24年4月入社者の配属先】[総]勤務地:東京7 大阪1 部署:事業企画・営業5 技術1 人事1 法務1

残業(月) 28.8時間

記者評価 フジ・メディアHD傘下。オフィスビル賃貸から分譲・賃貸住宅まで不動産事業を広く展開。東京・池袋に「Hareza池袋」、大阪に非接触・換気配慮の「本町サンケイビル」など手がける。24年6月神戸・須磨シーワールド、同ホテル開業。米国、東南アにも住宅展開。

●給与、ボーナス、週休、有休ほか●

【30歳総合職平均年収】NA【初任給】(修士)300,000円(大卒)285,000円【ボーナス(年)】NA【25、30、35歳賃金】NA【週休】完全2日(土日祝)【夏期休暇】有休利用【年末年始休暇】12月26日～1月5日【有休取得】11.6/25日

●従業員数、勤続年数、離職率ほか●

【男女別従業員数、平均年齢、平均勤続年数】計 234(43.5歳 10.9年) 男 178(44.4歳 11.1年) 女 56(40.1歳 10.7年)【離職率と離職者数】2.1%、5名【3年後新卒定着率】100%(男100%、女100%、3年前入社:男5名・女2名)【組合】なし

求める人材 自律・チャレンジ・創造・信頼・責任・専門

会社データ (金額は百万円)

【本社】100-0004 東京都千代田区大手町1-7-2 東京サンケイビル
☎03-5542-1300 https://www.sankeibldg.co.jp/
【社長】飯島 一暢【設立】1951.6【資本金】38,120【今後力を入れる事業】オフィス、住宅、ホテル、物流施設等の開発

【業績(連結)】	売上高	営業利益	経常利益	純利益
22.3	106,041	10,692	10,917	6,293
23.3	109,813	14,526	13,146	9,107
24.3	134,289	19,433	17,469	11,021

大成有楽不動産㈱（たいせいゆうらくふどうさん）

株式公開 計画なし

【特色】大成建設の完全子会社。不動産と施設管理が柱

修士・大卒採用数	3年後離職率	有休取得年平均	平均年収(平均41歳)
24名	16.0→11.8%	13.7日	[総]738万円

●エントリー情報と採用プロセス●

【受付開始～終了】[総]3月～7月 [技]3月～未定【採用プロセス】[総]<デベロッパー>ES提出→1次面接→性格適性検査→2次面接→最終面接→内々定(4～6月)<その他>ES提出→性格適性検査→1次面接→最終面接→内々定(4～6月)[技]ES提出→性格適性検査→1次面接→最終面接→内々定(4～6月)【交通費支給】最終面接、実費(新幹線等利用時領収証必要)【早期選考】⇒巻末

試験情報

重視科目 [総][技]面接

[総][ES]⇒巻末[筆]OPQ[面]2～3回※コースで異なる(Webあり)[技][ES]⇒巻末[筆]OPQ[面]2回(Webあり)

選考ポイント [総][技][ES]設問に沿った明確な文章であること 自身の考えが記載されていること[面]主体性 コミュニケーション能力

通過率 [総][ES]71%(受付:349→通過:249)[技][ES]79%(受付:24→通過:19)

倍率(応募/内定) [総]19倍 [技]4倍

●男女別採用数と配属先ほか●

【男女・文理別採用実績】※25年:24年7月25日時点

	大卒男	大卒女	修士男	修士女
23年	15(文 6理 9)	8(文 4理 4)	1(文 0理 1)	1(文 0理 1)
24年	20(文 8理 12)	10(文 7理 3)	0(文 0理 0)	1(文 0理 1)
25年	9(文 6理 3)	14(文 9理 5)	1(文 0理 1)	0(文 0理 0)

【25年4月入社者の採用実績校】[文](大)明大 成蹊大 早大各2 学習院大 近大 日大 神戸学大 神田外語大 大東文化大 中京大 立命館大 獨協大各1 [理](院)日大1(大)東京工芸大 日工大 芝工大 共立女大 東洋大 日大 近大 立命館大各1

【24年4月入社者の配属先】[総]勤務地:東京(京橋10 晴海4)さいたま1 横浜1 名古屋1 部署:総務1 人事2 経理1 マンション管理2 不動産5 管理6 [技]勤務地:東京(京橋4 晴海4)横浜2 大阪市2 千葉市1 福岡市1 部署:ビル管理10 リニューアル3 建設1

残業(月) 18.7時間 [総]20.6時間

記者評価 大成サービスと有楽土地の合併で誕生。オフィスビルや分譲マンション開発・管理、不動産仲介等を展開。全国主要都市に拠点。分譲マンションは「オーベル」が軸。高級賃貸「ウヌス」も始動。物流施設やホテルの開発も。総合職は不動産・施設管理の事業別採用。

●給与、ボーナス、週休、有休ほか●

【30歳総合職平均年収】NA【初任給】(修士)<不動産>275,000円<施設管理(全国型)>220,000円<施設管理(地域限定型)>210,000円 (大卒)<不動産>260,000円<施設管理(全国型)>218,000円<施設管理(地域限定型)>207,000円【ボーナス(年)】190万円、5.9カ月【25、30、35歳賃金】NA【週休】<不動産>2日(土日祝)<施設管理>内勤:2日(土日祝)外勤:変形労働時間制【夏期休暇】連続9日(会社休日3日、有休1日、土日祝含む)【年末年始休暇】12月28日～1月5日【有休取得】13.7/20日

●従業員数、勤続年数、離職率ほか●

【男女別従業員数、平均年齢、平均勤続年数】計 1,305(43.1歳 14.6年) 男 1,108(43.6歳 14.7年) 女 197(40.7歳 14.3年)【離職率と離職者数】4.1%、56名【3年後新卒定着率】88.2%(男85.7%、女100%、3年前入社:男14名・女3名)【組合】NA

求める人材 メンバーが持つ価値を最大限に引き出して、チームを推進させるサーバントリーダー

会社データ (金額は百万円)

【本社】104-8330 東京都中央区京橋3-13-1 有楽ビル
☎03-3567-9411 https://www.taisei-yuraku.co.jp/
【社長】浜中 裕之【設立】2012.4【資本金】10,000【今後力を入れる事業】不動産事業 施設管理事業 リニューアル事業

【業績(単独)】	売上高	営業利益	経常利益	純利益
22.3	90,311	9,014	8,921	5,943
23.3	94,409	9,157	9,059	6,142
24.3	95,219	10,432	10,331	7,638

建設

㈱アトレ

[株式公開 計画なし]

【特色】JR東日本の連結子会社。駅ビルを開発・運営

修士・大卒採用数	3年後離職率	有休取得年平均	平均年収(平均*40歳)
11名	16.7→18.2%	18.7日	[総]612万円

●エントリー情報と採用プロセス●

【受付開始～終了】[総]3月～3月【採用プロセス】[総]ES提出(3月)→適性検査(4月)→面接(3回、5月)→内々定(6月上旬)【交通費支給】最終面接以降、関東圏以外の場合、一律20,000円

試験情報

重視科目 [総]ES 面接

[総][ES]⇒巻末[筆]WebGAB[面]3回

選考ポイント [総][ES]学生時代に力を入れて取り組んだこと 就職する上で大切にしたい価値観[面]求める人物像に合致するか(自ら考え自ら行動出来るか、変化を楽しめるか)

通過率 [総][ES]NA

倍率(応募/内定) [総]NA

●男女別採用数と配属先ほか●

【男女・文理別採用実績】

	大卒男	大卒女	修士男	修士女
23年	2(文 2理 0)	6(文 6理 0)	0(文 0理 0)	1(文 0理 1)
24年	3(文 3理 0)	6(文 6理 0)	1(文 0理 1)	1(文 0理 1)
25年	2(文 2理 0)	8(文 8理 0)	1(文 0理 1)	0(文 0理 0)

【25年4月入社者の採用実績校】

[文](大)東京都市大3 東洋大2 法政大 明学大 東京女大 東京国際大 杏林大各1 [理](院)芝工大1

【24年4月入社者の配属先】

[総]勤務地:東京(恵比寿2 目黒1 大井町1 大森1 上野1 亀戸1 吉祥寺1)神奈川・川崎1 千葉(松戸1 新浦安1) 部署:各店:営業・管理10 本社:経理1

残業(月) 10.5時間 [総]10.5時間

記者評価 恵比寿・目黒・吉祥寺などJR東日本の首都圏駅で「アトレ」ブランドの駅ビルの開発・運営・管理を手がける。小規模施設「アトレヴィ」や、茨城・土浦でサイクリング特化施設も展開する。駅や街の特性に合わせた総合演出型の店舗開発・運営に特色。

●給与、ボーナス、週休、有休ほか●

【30歳総合職平均年収】522万円【初任給】(修士)236,200円(大卒)233,200円【ボーナス(年)】NA、5.35カ月【25、30、35歳賃金】236,200円→262,700円→306,878円【週休】年123日【夏期休暇】なし【年末年始休暇】なし【有休取得】18.7/20日

●従業員数、勤続年数、離職率ほか●

【男女別従業員数、平均年齢、平均勤続年数】計 361(39.9歳 11.0年) 男 140(39.9歳 11.0年) 女 221(40.0歳 11.0年)【離職率と離職者数】1.9%、7名【3年後新卒定着率】81.8%(男60.0%、女100%、3年前入社:男5名・女6名)【組合】なし

求める人材 企業理念に共感し、自ら考え、自ら行動し、変化を楽しんで働ける人

会社データ (金額は百万円)

【本社】150-0013 東京都渋谷区恵比寿4-1-18 恵比寿ネオナート6F
☎03-5475-8300 https://www.atre.co.jp/

【社長】髙橋 弘行【設立】1990.4【資本金】1,630【今後力を入れる事業】既存施設の磨き上げ(改装等)、新規開業 他

【業績(単独)】	営業収益	営業利益	経常利益	純利益
22.3	38,858	1,873	3,377	1,873
23.3	41,866	2,332	2,530	1,377
24.3	43,949	3,846	4,606	183

東京都住宅供給公社(JKK東京)

(とうきょうとじゅうたくきょうきゅうこうしゃ)

[株式公開 していない]

【特色】東京都出資の地方住宅供給公社。通称JKK東京

修士・大卒採用数	3年後離職率	有休取得年平均	平均年収(平均43歳)
29名	16.7→13.3%	17.1日	[総]746万円

●エントリー情報と採用プロセス●

【受付開始～終了】[総]3月～5月 [技]3月～6月【採用プロセス】[総]ES提出・Webテスト(3～5月)→面接(3回、5～6月)→内々定(6月) [技]ES提出・Webテスト(3～4月)→面接(2回、4～5月)→内々定(5月)【交通費支給】なし

試験情報

重視科目 [総][技]面接

[総][ES]⇒巻末[筆]C-GAB[面]3回(Webあり) [技][ES]⇒巻末[筆]C-GAB[面]2回(Webあり)

選考ポイント [総][技][面]志望動機・就業意欲 知識・経験・技能 責任意識 協調性・コミュニケーション能力 人柄

通過率 [総][ES]選考なし(受付:85) [技][ES]選考なし(受付:57)

倍率(応募/内定) [総]7倍 [技]2倍

●男女別採用数と配属先ほか●

【男女・文理別採用実績】

	大卒男	大卒女	修士男	修士女
23年	12(文 3理 9)	3(文 3理 0)	3(文 0理 3)	1(文 0理 1)
24年	9(文 3理 6)	5(文 2理 3)	2(文 0理 2)	3(文 0理 3)
25年	12(文 5理 7)	14(文 5理 9)	1(文 0理 1)	2(文 0理 2)

【25年4月入社者の採用実績校】[文](大)大分大 神奈川大 東海大 東洋大 日大 日女大 目白大 明大 明学大 早大各1 [理](院)芝工大 東京電機大 都立大各1(大)関東学院大 東京都市大 東洋大各2 青学大 大妻女大 京都美工大 工学院大 日大 法政大 武蔵野大 明大 明星大 東京電機大各1

【24年4月入社者の配属先】

[総]勤務地:東京(表参道1 渋谷1 亀戸1 大井町1 目白1) 部署:住宅管理4 営業1 [技]勤務地:東京(表参道9 渋谷1 新宿1 新小岩1 大井町1 目白1 小平1) 部署:住宅計画1 住宅管理14

残業(月) 17.9時間 [総]23.5時間

記者評価 東京都が全額出資する地方住宅供給公社。1920年設立の東京府住宅協会が前身。自社物件の賃貸や建設、管理に加え、都内公営住宅の管理を受託する。管理戸数は33.8万戸(24年3月末)。月極駐車場の運営や店舗の賃貸も。住戸内のテレワーク環境の整備を推進。

●給与、ボーナス、週休、有休ほか●

【30歳総合職平均年収】NA【初任給】(修士)243,454円(大卒)225,254円【ボーナス(年)】191万円、4.65カ月【25、30、35歳賃金】NA【週休】完全2日(土日祝)【夏期休暇】5日(7～9月で取得)【年末年始休暇】12月29日～1月3日【有休取得】17.1/20日

●従業員数、勤続年数、離職率ほか●

【男女別従業員数、平均年齢、平均勤続年数】計 690(42.9歳 13.3年) 男 487(43.5歳 14.0年) 女 203(41.7歳 11.6年) ※総合職のみ【離職率と離職者数】2.0%、14名【3年後新卒定着率】86.7%(男81.8%、女100%、3年前入社:男22名・女8名)【組合】あり

求める人材 高い倫理観と公的事業に携わる者としての使命感を持つ人材

会社データ (金額は百万円)

【本社】150-8322 東京都渋谷区神宮前5-53-67 コスモス青山
☎03-3409-2244 http://www.to-kousya.or.jp/

【理事長】中井 敬三【設立】1966.4【資本金】105【今後力を入れる事業】団地再生事業 住宅管理事業

【業績(単独)】	売上高	営業利益	経常利益	純利益
22.3	120,688	9,649	9,320	8,460
23.3	126,637	10,817	10,469	7,280
24.3	129,849	9,804	8,651	7,847

とうきゅう
東急リバブル㈱

株式公開 計画なし

【特色】不動産仲介で国内大手。東急不動産グループ

修士・大卒採用数	3年後離職率	有休取得年平均	平均年収(平均NA)
221名	NA	12.2日	NA

●エントリー情報と採用プロセス●

【受付開始～終了】[総]3月～7月【採用プロセス】[総]説明会(必須、3月～)→ES提出→Webテスト→面接(4回)→内々定(3～6月)【交通費支給】最終面接、遠方者に実費【早期選考】⇒巻末

試験情報

重視科目 [総]なし

[総][ES]⇒巻末[筆]SPI3(自宅)[面]4回(Webあり)

選考ポイント [総][ES]コピペ等が無く、自分で考えることができるか 最低限の基礎学力があるか(SPI言語非言語ともに40以上)[面]1次面接:コミュニケーション能力 2次面接:自律的な行動、責任感、完遂力 3次面接:好奇心、挑戦心 役員面接:総合評価

通過率 [総][ES]80%(受付:1,704→通過:1,364)

倍率(応募/内定) [総]4倍

●男女別採用数と配属先ほか●

【男女・文理別採用実績】

	大卒男	大卒女	修士男	修士女
23年	115(文111 理 4)	95(文 91 理 4)	0(文 0 理 0)	0(文 0 理 0)
24年	132(文127 理 5)	80(文 77 理 3)	0(文 0 理 0)	0(文 0 理 0)
25年	137(文122 理 15)	84(文 84 理 0)	0(文 0 理 0)	0(文 0 理 0)

【25年4月入社者の採用実績校】[文](大)駒澤大11 日大9 立命館大8 立教大 産能大各7 関大 専大 国士舘大各6 中京大 東北学大 中大各5 東洋大 成蹊大 青学大 法政大各4 北海学園大 日女大 大阪商大 明大 関東学院大 明学大 獨協大 立正大 同大 亜大 北星学大 日体大各3 追手門学大 近大 中村学大 帝京大 武蔵野大 関西学大 武蔵大 嘉悦大 龍谷大 拓大 武庫川女大 成城大 摂南大 創価大各2 帝京平成大 城西大 関西福祉大 愛媛大 流経大 大妻女大 東洋英和女学大 千葉大 びわこ成蹊スポーツ大 長崎県大 佛教大 東北福祉大 甲南大 中部大 神戸学大 京都女大 東京都市大 文教大 大阪市大 愛知学大 大阪学大 静岡産大 和歌山大 岡山商大 中央学大 南山大 金沢星稜大 福岡大 城西国際大 東京国際大各1 他 [理](大)日大 東京電機大各2 青学大 中大 東北工大 福岡大 東京都市大 東理大 岩手大 東海大 東京農業大 帝京大 千葉工大各1

【24年4月入社者の配属先】[総]勤務地:首都圏151 関西35 札幌4 東北4 中部6 福岡3 部署:営業203

残業(月) 26.3時間 [総]26.0時間

記者評価 東急不動産グループの不動産売買仲介事業を担う。東急不動産の首都圏営業店を譲り受け業容拡大。売買仲介件数は年間約3万件で業界3位級。仲介営業職の約9割が宅建を保有する。賃貸仲介やマンション販売受託も手がける。台湾、シンガポールに海外拠点。

●給与、ボーナス、週休、有休ほか●

【30歳総合職平均年収】NA【初任給】(博士)230,000円(修士)230,000円(大卒)230,000円【ボーナス(年)】NA【25、30、35歳賃金】NA【週休】2日【夏期休暇】連続7～10日【年末年始休暇】連続7～10日【有休取得】12.2／20日

●従業員数、勤続年数、離職率ほか●

【男女別従業員数、平均年齢、平均勤続年数】計 3,835(NA) 男 2,649(NA) 女 1,186(NA)【離職率と離職者数】NA【3年後新卒定着率】NA【組合】なし

求める人材 能動的に考えて行動できる人 好奇心旺盛でいろいろなビジネスにチャレンジしたい人

会社データ (金額は百万円)

【本社】150-0043 東京都渋谷区道玄坂1-9-5 渋谷スクエアA
☎03-3463-3711 https://www.livable.co.jp/
【社長】太田 陽一【設立】1972.3【資本金】1,396【今後力を入れる事業】不動産販売業

【業績(単独)】	売上高	営業利益	経常利益	純利益
22.3	146,246	20,281	19,293	13,542
23.3	163,521	27,113	27,305	19,120
24.3	188,498	33,008	32,766	22,270

みつい ふどうさん
三井不動産リアルティ㈱

株式公開 計画なし

【特色】不動産流通首位。駐車場管理、カーシェアリングも

修士・大卒採用数	3年後離職率	有休取得年平均	平均年収(平均37歳)
240名	20.6→22.3%	10.1日	[総]717万円

●エントリー情報と採用プロセス●

【受付開始～終了】[総]3月～継続中【採用プロセス】[総]説明会(必須)→ES提出→筆記・テストセンター→面接(複数回)・適性検査→内々定【交通費支給】最終面接、新幹線・飛行機代支給(在来線含まず)【早期選考】⇒巻末

試験情報

重視科目 [総]SPI 面接

[総][ES]⇒巻末[筆]SPI3(会場) SPI3-U[面]複数回(Webあり)

選考ポイント [総][ES]時期を問わず一生懸命に取り組んだことに対して、なぜその行動を起こしたのかやそこから学んだことを把握し言語化できているか[面]自己開示がしっかりとできるか 目標(種別問わず)に対しての努力内容と結果に対する向き合い方 他者視点で物事を考えた経験

通過率 [総][ES]80%(受付:4,500→通過:3,600)

倍率(応募/内定) [総]9倍

●男女別採用数と配属先ほか●

【男女・文理別採用実績】

	大卒男	大卒女	修士男	修士女
23年	98(文 95 理 3)	140(文136 理 4)	0(文 0 理 0)	0(文 0 理 0)
24年	100(文 96 理 4)	137(文131 理 6)	0(文 0 理 0)	0(文 0 理 0)
25年	100(文 95 理 5)	140(文135 理 5)	0(文 0 理 0)	0(文 0 理 0)

【25年4月入社者の採用実績校】[文]法政大10 日大9 青学大8 明大 駒澤大 東洋大各7 明学大6 成蹊大 専大各5 亜大 同大 中大 愛知大 國學院大各4 慶大 上智大 関東学院大 立命館大 日女大 東京女大各3 成城大 神奈川大 武蔵大 学習院大 聖心女大 東海大 東理大 国士舘大 昭和女大 帝京大 京産大 桜美林大 立教大各2 創価大 愛知淑徳大 産能大 日体大 東京経大 早大 愛知学大 大東文化大 大阪府大 広島大 名古屋市大 南山大 大妻女大 大阪経大 拓大 玉川大 香川大 大阪学大 富山大 学習院女大 長野県大 獨協大 近大 三重大 中京大 長崎大 跡見学園女大 名城大 龍谷大 甲南大 共立女大 関西学大 和光大 開智国際大 阪大 叡啓大各1 他 [理]法政大 立命館大 玉川大 大阪市大 順天堂大 山形大 城西大 東邦大各1 他

【24年4月入社者の配属先】[総]勤務地:首都圏(霞が関 他)137 関西圏24 中部圏12 部署:営業173

残業(月) 30.1時間 [総]34.3時間

記者評価 「三井のリハウス」(住宅仲介)、「三井のリパーク」(駐車場)が2本柱。「リハウス」店舗は全国に約290店。23年度住宅仲介3.8万件で38年連続業界首位。時間貸し駐車場は全都道府県に展開。カーシェアリング台数拡大続く。デジタル活用サービスを積極推進。

●給与、ボーナス、週休、有休ほか●

【30歳総合職平均年収】NA【初任給】(大卒)250,000円【ボーナス(年)】NA【25、30、35歳賃金】NA【週休】完全2日(原則水定休、部門により異なる)【夏期休暇】4～6日(2024年度、部門により異なる)【年末年始休暇】12月28日～1月3日(2024年度、部門により異なる)【有休取得】10.1／20日

●従業員数、勤続年数、離職率ほか●

【男女別従業員数、平均年齢、平均勤続年数】計 4,689(36.2歳 11.4年) 男 2,987(38.8歳 13.4年) 女 1,702(30.8歳 6.3年) ※平均年齢・平均勤続年数は総合職のみ【離職率と離職者数】5.2%、258名【3年後新卒定着率】77.7%(男83.6%、女72.8%、3年前入社:男140名・女169名)【組合】なし

求める人材 さまざまな経験への興味を持ち、自発的に動いて顧客や周囲のために信頼を得る努力のできる人

会社データ (金額は百万円)

【本社】100-6019 東京都千代田区霞が関3-2-5 霞が関ビルディング
☎03-6758-4060 https://www.mf-realty.jp/
【社長】遠藤 靖【設立】1969.7【資本金】20,000【今後力を入れる事業】不動産仲介事業 駐車場事業

【業績(単独)】	売上高	営業利益	経常利益	純利益
22.3	155,550	22,754	23,158	15,581
23.3	161,328	24,945	26,152	18,526
24.3	164,455	25,090	27,747	24,409

エネルギー

SHUSHOKU SHIKIHO

電力・ガス　石油

電力・ガス

値上げと燃料価格下落で2023年度に業績V字回復。24年度は黒字定着だが円安が重荷。25年度は原発再稼働効果も

石油（国内）

製油所の計画外停止減り稼動率は向上するが、石油製品需要は漸減基調。原油価格の先行きも不透明感を増す

（天気図は24年度後半⇒25年度、続きは東洋経済『会社四季報業界地図 2025年版』で）

北海道電力(株)(北海道電力ネットワーク(株))

ほっかいどうでんりょく

東京P 9509

【特色】北海道が地盤。原発と石炭火力発電が主力

修士・大卒採用数	3年後離職率	有休取得年平均	平均年収(平均42歳)
135名	5.4 → 20.7%	17.4日	◇754万円

残業(月) 25.9時間 総25.9時間

記者評価 原発と石炭火力が主力。原発は北海道・泊村に3基を保有。19年に初のLNG火力発電所が稼働。直下型地震で主力の石炭火力が被災し日本初のブラックアウト(全域停電)に直面。原発は安全審査に時間。再エネ導入や送電線強じん化に注力。首都圏でも電力販売。

●エントリー情報と採用プロセス●

【受付開始～終了】総技3月～継続中【採用プロセス】総技ES提出・適性検査(3月～)→面接(複数回)→内々定(6月)【交通費支給】最終面接、会社基準

試験情報

重視科目 総技すべて

総技 ES⇒巻末 筆WebGAB 面複数回(Webあり)

選考ポイント 総技 ES NA(提出あり) 面コミュニケーション能力 協調性 実直さ 志望意欲 他

通過率 総技 ES NA

倍率(応募/内定) 総技NA

●男女別採用数と配属先ほか●

【男女・文理別採用実績】

	大卒男	大卒女	修士男	修士女
23年	38(文 17 理 21)	11(文 10 理 1)	33(文 1 理 32)	0(文 0 理 0)
24年	51(文 25 理 26)	16(文 15 理 1)	33(文 0 理 33)	4(文 0 理 4)
25年	71(文 44 理 27)	33(文 32 理 1)	28(文 0 理 28)	3(文 0 理 3)

※北海道電力・北海道電力ネットワーク合同採用 25年:予定数

【25年4月入社者の採用実績校】
文北大 小樽商大 北海学園大 北海道教育大 弘前大 慶大 青学大 中大 学習院大 立教大 立命館大 一橋大 信州大 筑波大 阪大 岡山大 鹿児島大 藤女大 北星学大 他 理北大 室蘭工大 弘前大 北海道科学大 北海学園大 岩手大 立命館大 東理大 新潟大 長岡技科大 工学院大 静岡大 豊橋技科大 他

【24年4月入社者の配属先】総勤務地:北海道内各地 部署:<北海道電力>販売推進 燃料 総務 人事労務 資材<北海道電力ネットワーク>業務 用地 流通総務 技勤務地:北海道内各地 部署:<北海道電力>火力 水力 原子力 土木 建築 総合研究所 情報<北海道電力ネットワーク>配電 変電 送電 系統運用 通信

●給与、ボーナス、週休、有休ほか●

【30歳総合職平均年収】NA【初任給】(博士)NA (修士)249,000円 (大卒)225,000円【ボーナス(年)】NA、3.9カ月【25、30、35歳賃金】NA【週休】2日(土日祝)【夏期休暇】季節休暇3日【年末年始休暇】12月29日～1月3日【有休取得】17.4/20日

●従業員数、勤続年数、離職率ほか●

【男女別従業員数、平均年齢、平均勤続年数】計 4,902(41.8歳 20.9年) 男 4,489(41.9歳 21.0年) 女 413(40.7歳 19.9年)【離職率と離職者数】2.2%、NA【3年後新卒定着率】79.3%(男78.2%、女88.9%、3年前入社:男78名・女9名)【組合】あり

求める人材 自ら考え自ら行動する 新たな時代を勝ち抜く専門能力の具備 信頼と共感を得る

会社データ (金額は百万円)

【本社】060-8677 北海道札幌市中央区大通東1-2
☎011-251-1111 https://www.hepco.co.jp/
【社長】齋藤 晋【設立】1951.5【資本金】114,291【今後力を入れる事業】総合エネルギー事業 他

【業績(連結)】	売上高	営業利益	経常利益	純利益
22.3	663,414	24,970	13,830	6,864
23.3	888,874	▲22,530	▲29,251	▲22,193
24.3	953,784	101,155	87,315	66,201

東北電力(株)(東北電力ネットワーク(株))

とうほくでんりょく

東京P 9506

【特色】販売電力量で業界5位。東北経済界の中心

修士・大卒採用数	3年後離職率	有休取得年平均	平均年収(平均43歳)
141名	5.5 → 9.3%	16.7日	総780万円

残業(月) 24.2時間 総24.2時間

記者評価 東北6県と新潟県に供給。宮城・女川、青森・東通に原発3基保有。東日本大震災で被災したが、火力発電所は13年4月に復旧。女川原発2号機は24年内にも再稼働へ。首都圏での大口電力販売は撤退し、地元回帰。洋上風力など再エネ開発に本腰。送電網にも積極投資。

●エントリー情報と採用プロセス●

【受付開始～終了】総 技3月～3月【採用プロセス】総ES提出(3月～)→適性検査・GD他(4月～)→面接(複数回、6月～)→内々定(6月～) 技ES提出(3月～)→適性検査他(4月～)→面接(複数回、6月～)→内々定(6月～)【交通費支給】最終面接、会社基準

試験情報

重視科目 総技全て

総 ES NA 筆あり(内容NA) 面複数回(Webあり) GD作NA
技 ES NA 筆あり(内容NA) 面複数回(Webあり)

選考ポイント 総技 ES NA(提出あり) 面志望動機 主体性 行動力 課題発見力 コミュニケーション能力 向上心 ストレス耐性

通過率 総技 ES NA **倍率(応募/内定)** 総技NA

●男女別採用数と配属先ほか●

【男女・文理別採用実績】

	大卒男	大卒女	修士男	修士女
23年	65(文 30 理 35)	19(文 15 理 4)	40(文 0 理 40)	0(文 0 理 0)
24年	41(文 14 理 27)	6(文 3 理 3)	44(文 0 理 44)	2(文 0 理 2)
25年	70(文 16 理 54)	19(文 11 理 8)	49(文 1 理 48)	3(文 2 理 1)

※23年・24年:東北電力(株)、東北電力ネットワーク(株)合同採用

【25年4月入社者の採用実績校】文東北大 早大 慶大 一橋大 青学大 中大 法政大 明大 新潟大 金沢大 高崎経大 国際教養大 國學院大 同大 立命館大 他 理東北大 東北学大 新潟大 山形大 岩手大 弘前大 秋田大 東北工大 北大 日大 福島大 長岡技科大 宮城大 千葉工大 東北職能大学校 慶大 筑波大 東理大 東京電機大 明大 茨城大 信州大 神戸大 千葉大 宇都宮大 芝工大 室蘭工大 北見工大 石巻専大 岩手県大 八戸工大 金沢工大 他

【24年4月入社者の配属先】総勤務地:青森 岩手 秋田 宮城 福島 山形 新潟 部署:総務広報 販売 用地 事業創出 ネットワークサービス 他 技勤務地:青森 岩手 秋田 宮城 福島 山形 新潟 部署:DX 通信 配電 送電 変電 原子力 火力 水力 土木 建築

●給与、ボーナス、週休、有休ほか●

【30歳総合職平均年収】NA【初任給】(博士)264,000円 (修士)244,000円 (大卒)224,000円【ボーナス(年)】130万円、NA【25、30、35歳賃金】NA【週休】完全2日(土日祝)【夏期休暇】2日【年末年始休暇】12月29日～1月3日【有休取得】16.7/20日

●従業員数、勤続年数、離職率ほか●

【男女別従業員数、平均年齢、平均勤続年数】計 11,399(43.3歳 19.9年) 男 10,452(43.7歳 20.4年) 女 947(38.9歳 14.1年)【離職率と離職者数】1.4%、157名【3年後新卒定着率】90.7%(男91.5%、女87.5%、3年前入社:男234名・女56名)【組合】あり

求める人材 公益事業に使命感と誇りを持ち、変化や失敗を恐れず何事にもチャレンジできる人物

会社データ (金額は百万円)

【本社】980-8550 宮城県仙台市青葉区本町1-7-1
☎022-225-2111 https://www.tohoku-epco.co.jp/
【社長】樋口 康二郎【設立】1951.5【資本金】251,441【今後力を入れる事業】東北発の新たな時代のスマート社会実現事業

【業績(連結)】	売上高	営業利益	経常利益	純利益
22.3	2,104,448	▲28,737	▲49,205	▲108,362
23.3	3,007,204	▲180,054	▲199,277	▲127,562
24.3	2,817,813	322,263	291,940	226,102

エネルギー

東京電力ホールディングス(株)（とうきょうでんりょく）

東京P 9501

【特色】電力最大手。持株会社下で発電・送電を分離

修士・大卒採用数	3年後離職率	有休取得年平均	平均年収(平均46歳)
447名	5.2 → 4.9%	16.9日	㊓817万円

●エントリー情報と採用プロセス●

【受付開始～終了】㊓3月～5月 技3月～7月【採用プロセス】㊓ 技ES提出(3月～)→説明会(3月中旬～)→面接(1～2回、6月～)→内々定(6月上旬～)【交通費支給】1次面接以降、学校所在都道府県毎に一律

試験情報

重視科目 ㊓技 面接

㊓技 ES⇒巻末 筆WebGAB OPQ 面1～2回(Webあり)

選考ポイント ㊓ ES 志望理由 能力 活かせる力 他 面 発信力 主体性 実行力 状況判断力 創造力 関係構築力 技 ES 当社の使命(福島復興・安定供給)や課題が書かれているか 他 面 総合職共通

通過率 ㊓ ES 50%(受付:1,870→通過:927) 技 ES 87%(受付:930→通過:806) 倍率(応募/内定) ㊓15倍 技2倍

●男女別採用数と配属先ほか●

【男女・文理別採用実績】※25年:24年7月22日時点

	大卒男	大卒女	修士男	修士女
23年	157(文 54 理103)	37(文 27 理 10)	142(文 6 理136)	17(文 2 理 15)
24年	184(文 64 理120)	60(文 40 理 20)	161(文 0 理161)	16(文 1 理 15)
25年	212(文 84 理128)	58(文 34 理 24)	155(文 1 理154)	22(文 1 理 21)

【25年4月入社者の採用実績校】文(院)早大 同大各1(大)慶大16 明大12 早大11 同大10 上智大 青学大 中大 立命館大各4 阪大 日大 法政大 立教大各3 一橋大 横国大 関西学大 神戸大 東京女大 名大 明学大各2 他 理(院)東京科学大11 日大10 長岡技科大9 京大8 新潟大 東北大 北大 名大各7 横国大 九大 早大 阪大各5 群馬大 広島大 芝工大 東京工科大 東京都市大各4 茨城大 東海大 東大 東京農工大 東理大 北見工大 立命館大各3 宇都宮大 岡山大 慶大 埼玉大 山梨大 神戸大 青学大 筑波大 東京電機大 都立大各2(大)日大24 工学院大9 神奈川大8 東理大7 芝工大 中大 東海大 近大 埼玉大 早大 東京都市大 法政大各3 茨城大 諏訪東理大 埼玉工大 上智大 青学大 千葉工大 阪大 東京電機大 都立大 日工大 北大 明大各2 他

【24年4月入社者の配属先】㊓勤務地:東京50 神奈川16 埼玉14 千葉11 茨城9 群馬6 栃木5 静岡5 山梨4 部署:送配電66 営業40 海外4 新規事業3 法務3 経理2 再エネ(水力・風力)2 技勤務地:東京97 福島54 新潟43 神奈川35 千葉23 群馬22 埼玉21 栃木16 茨城15 山梨8 長野7 静岡7 青森1 部署:送配電166 原子力78 技術営業34 土木31 建築17 再エネ(水力・風力)14 システム9

残業(月) 24.3時間 ㊓24.3時間

記者評価 首都圏が地盤の電力最大手。国内供給の3割担う。福島原発事故を起こし、原子力損害賠償・廃炉等支援機構が過半を出資し国有化。16年に持株会社を設立し、火力発電、送配電、販売を分社化。家庭向けガス販売にも参入。脱炭素化を踏まえ、再エネ事業を育成。

●給与、ボーナス、週休、有休ほか●

【30歳総合職平均年収】NA【初任給】(修士)262,000円(大卒)237,100円【ボーナス(年)】NA【25、30、35歳賃金】NA【週休】完全2日(土日祝)【夏期休暇】3日【年末年始休暇】12月29日～1月3日【有休取得】16.9/20日

●従業員数、勤続年数、離職率ほか●

【男女別従業員数、平均年齢、平均勤続年数】計 27,369(45.8歳 24.0年) 男 23,686(46.0歳 24.3年) 女 3,683(44.1歳 22.1年)【離職率と離職者数】1.5%、409名【3年後新卒定着率】95.1%(男94.2%、女98.7%、3年前入社:男308名・女76名)【組合】あり

求める人材 自分がどのように貢献できるかを「自律的」に考え「多様」な価値観を持つ人と議論をしながら お互いに高め合い、「情熱」をもって挑戦する人財

会社データ (金額は百万円)

【本社】100-8560 東京都千代田区内幸町1-1-3
☎03-6373-1111 https://www.tepco.co.jp/
【社長】小早川 智明【設立】1951.5【資本金】1,400,975【今後力を入れる事業】再生可能エネルギー モビリティ等電化 他

【業績(連結)】	売上高	営業利益	経常利益	純利益
22.3	5,309,924	46,230	44,969	5,640
23.3	7,798,696	▲228,969	▲285,393	▲123,631
24.3	6,918,389	278,856	425,525	267,850

(株)JERA（ジェラ）

株式公開 計画なし

【特色】火力発電で国内最大。東電Gと中部電力の合弁

修士・大卒採用数	3年後離職率	有休取得年平均	平均年収(平均44歳)
118名	—	17.0日	㊓878万円

●エントリー情報と採用プロセス●

【受付開始～終了】㊓ 技3月～3月【採用プロセス】㊓ 技説明会・ES提出・Webテスト(3月)→面接(複数回、6月)→内々定(6月)【交通費支給】最終面接、会社基準

試験情報

重視科目 ㊓技 面接

㊓技 ES⇒巻末 筆SPI3(会場) 面3回(Webあり)

選考ポイント ㊓技 ES 求める人財に合致しているか 他 面 求める人財に合致しているか等

通過率 ㊓ ES 46%(受付:909→通過:420) 技 ES 88%(受付:236→通過:208) 倍率(応募/内定) ㊓13倍 技3倍

●男女別採用数と配属先ほか●

【男女・文理別採用実績】

	大卒男	大卒女	修士男	修士女
23年	34(文 18 理 16)	33(文 15 理 18)	49(文 2 理 47)	16(文 4 理 12)
24年	24(文 16 理 8)	17(文 13 理 4)	46(文 3 理 43)	24(文 3 理 21)
25年	22(文 13 理 9)	26(文 17 理 9)	51(文 3 理 48)	19(文 7 理 12)

【25年4月入社者の採用実績校】文(院)早大3 慶大2 同大 一橋大 外交学院 ESMT_Berlin ケルン応用科学大各1(大)立教大4 早大 上智大各3 南山大 慶大各2 横浜市大 韓国外大 九大 ICU 神戸大 阪大 中大 東京外大 東北大 日大 北大 名古屋市大 明大 アーカンソー大 マルタ大 セントラルアーカンソー大各1 理(院)東理大5 早大 東京科学大各4 横国大 京大 慶大 東大各3 山梨大 茨城大 東京海洋大 東京農業大 奈良女大 北大 名大各2 横浜市大 学習院大 岐阜大 広島大 弘前大 高知大 埼玉大 神戸大 青学大 大阪公大 阪大 筑波大 中大 東北大 日女大 日大 福岡工大 名工大 明大 西オーストラリア大 ミシガンラッカムグラデュエイトスクール各1(大)芝工大2 愛知工業大 愛媛大 慶大 山梨大 神戸大 早大 筑波大 津田塾大 東京海洋大 日大 北大 名大 名城大 明大 立教大 カンザス大各1(高専)岐阜 都立産技各3 サレジオ 福島 鈴鹿各2 宇部 近大 沼津 大島商船 大分 鳥羽商船 奈良 舞鶴 豊田各1

【24年4月入社者の配属先】㊓勤務地:東京(日本橋50 日比谷3)名古屋2 部署:事業開発部門28 最適化部門12 O&M・E部門1 経営企画部門4 財務経理部門3 ICT部門3 HR部門2 BSS部門2 技勤務地:愛知(碧南13名古屋7)茨城・那珂7 三重市8 千葉(富津8 千葉4 市原3)神奈川(横浜4 川崎4)福島・双葉3 新潟・上越3 東京(日比谷3 日本橋2) 部署:O&M・E部門69

残業(月) 24.0時間 ㊓24.0時間

記者評価 東京電力グループと中部電力から火力・燃料事業を切り出す形で15年4月両者折半出資により設立。19年4月までかけて段階的に事業統合。国内に26カ所の火力発電所を置き、国内全体の発電量の約3割を担う。脱炭素の流れを受け、洋上風力など再エネ開発に舵。

●給与、ボーナス、週休、有休ほか●

【30歳総合職平均年収】NA【初任給】(修士)300,000円(大卒)280,000円【ボーナス(年)】NA【25、30、35歳賃金】NA【週休】完全2日(土日祝、交替勤務者は除く)【夏期休暇】3日(6月～10月で取得)【年末年始休暇】12月29日～1月3日(交替勤務者は除く)【有休取得】17.0/20日

●従業員数、勤続年数、離職率ほか●

【男女別従業員数、平均年齢、平均勤続年数】計 ◇4,167(44.4歳 19.1年) 男 3,712(45.0歳 20.1年) 女 455(38.9歳 10.8年) ※受入出向者含み、外部出向者除く【離職率と離職者数】1.8%、75名(早期退職男20名、女2名含む)【3年後新卒定着率】3年前採用なし【組合】あり

求める人材 多様性・卓越・起業家精神・公正という4つの要素を備えた集団を目指す

会社データ (金額は百万円)

【本社】103-6125 東京都中央区日本橋2-5-1 日本橋髙島屋三井ビルディング25F
☎03-3272-4631 https://www.jera.co.jp/
【社長】奥田 久栄【設立】2015.4【資本金】100,000【今後力を入れる事業】LNG 再生可能エネルギー 水素アンモニア

【業績(IFRS)】	売上高	営業利益	税前利益	純利益
22.3	2,769,127	39,718	38,612	5,676
23.3	4,737,870	138,301	102,264	17,847
24.3	3,710,727	563,412	577,450	399,628

エネルギー

開示 ★★　▶『業界地図』p.28, 124

ジェイ　パ　ワー
J-POWER(電源開発㈱)

東京P 9513

【特色】全国の電力10社へ卸売り。2004年民営化し上場

修士・大卒採用数	3年後離職率	有休取得年平均	平均年収(平均*42歳)
81名	2.0 → 8.7%	16.8日	㊖1,046万円

●エントリー情報と採用プロセス●

【受付開始～終了】㊖㊔3月～8月【採用プロセス】㊖ES提出(3～8月)→面接(複数回)→内々定 ㊔ES提出(3～8月)→筆記・面接(複数回)→内々定【交通費支給】NA

試験情報

重視科目 ㊖㊔全て ㊖ ES NA ㊕OPQ ㊙複数回(Webあり) GD作 NA ㊔ ES NA ㊕OPQ 職種に応じた専門試験 英語㊙複数回(Webあり) GD作 NA

選考ポイント ㊖㊔ ES 志望動機 学生時代の活動 他㊙電力の安定供給に対する使命感や全国及び海外で活躍したいという意気込み

通過率 ㊖㊔ ES NA 倍率(応募/内定) ㊖㊔NA

●男女別採用数と配属先ほか●

【男女・文理別採用実績】

	大卒男	大卒女	修士男	修士女
23年	24(文 11理 13)	14(文 14理 0)	34(文 1理 33)	6(文 2理 4)
24年	24(文 9理 15)	15(文 14理 1)	45(文 1理 44)	7(文 1理 6)
25年	25(文 11理 14)	13(文 9理 4)	36(文 0理 36)	7(文 0理 7)

【25年4月入社者の採用実績校】㊛(大)北大 秋田大 お茶女大 慶大 上智大 早大 中大 明大 立教大 法政大 東京学芸大 関西学大 同大 阪大 九大 ㊗(院)北見工大 室蘭工大 弘前大 秋田大 東北大 新潟大 富山大 長岡技科大 岐阜大 筑波大 宇都宮大 茨城大 埼玉大 日大 東大 早大 都立大 東理大 東京科学大 東京海洋大 電通大 横国大 信州大 豊橋技科大 東海大 中部大 神戸大 阪大 関西学大 徳島大 香川大 宮崎大(大)室蘭工大 筑波大 群馬大 千葉工大 お茶女大 青学大 東理大 工学院大 神奈川大 中部大 名大 関大 山口大 福岡大(高専)釧路 苫小牧 八戸 福島 福井 茨城 木更津 東京 大阪公大 神戸 明石 呉 宇部 香川 北九州

【24年4月入社者の配属先】㊖勤務地:北海道 青森 埼玉 東京 神奈川 静岡 愛知 大阪 兵庫 広島 香川 徳島 長崎 福岡 沖縄 **部署**:本店で研修後 全国各地の事業所の経理・資材・立地用地・燃料・渉外等 ㊔勤務地:北海道 青森 岩手 宮城 福島 埼玉 東京 神奈川 新潟 静岡 愛知 福井 岐阜 大阪 兵庫 和歌山 奈良 岡山 広島 香川 愛媛 高知 徳島 長崎 熊本 沖縄 **部署**:水力・火力・原子力発電 送電 情報通信 土木 建築に係る各部門

残業(月) 21.2時間

記者評価 戦後の電力不足解消のため、1952年の電源開発促進法に基づき設立。04年に民営化。石炭火力と水力が主力。原発を青森で建設中。米国、タイなど海外発電事業でも先駆。地熱発電所も所有。国内外で風力発電拡大。火力発電の脱炭素化へ水素活用など技術開発推進。

●給与、ボーナス、週休、有休ほか●

【30歳総合職平均年収】NA【初任給】(修士)300,800円(大卒)277,800円【ボーナス(年)】NA【25、30、35歳賃金】NA【週休】完全2日(土日祝)【夏期休暇】3日【年末年始休暇】12月29日～1月3日【有休取得】16.8／20日

●従業員数、勤続年数、離職率ほか●

【男女別従業員数、平均年齢、平均勤続年数】計 1,862(41.7歳 19.1年) 男 1,724(42.2歳 19.8年) 女 138(34.7歳 9.8年)【離職率と離職者数】NA【3年後新卒定着率】91.3%(男93.3%、女80.0%、3年前入社:男89名・女15名)【組合】あり

求める人材 困難に知恵と勇気を持って挑戦し、粘り抜き勝ち抜く人財

会社データ (金額は百万円)

【本社】104-8165 東京都中央区銀座6-15-1
☎03-3546-2211　https://www.jpower.co.jp/
【社長】菅野 等【設立】1952.9【資本金】180,502【今後力を入れる事業】国内・海外における電気事業

【業績(連結)】	売上高	営業利益	経常利益	純利益
22.3	1,084,621	86,979	72,846	69,687
23.3	1,841,922	183,867	170,792	113,689
24.3	1,257,998	105,704	118,535	77,774

ほくりくでんりょく
北陸電力㈱

東京P 9505

【特色】北陸3県に供給。石炭火力、水力発電の比率が高い

修士・大卒採用数	3年後離職率	有休取得年平均	平均年収(平均43歳)
約90名	❗10.9 → ❗4.5%	16.4日	㊖727万円

●エントリー情報と採用プロセス●

【受付開始～終了】㊖㊔3月～未定【採用プロセス】㊖㊔NA【交通費支給】2次面接以降、会社基準

試験情報

重視科目 ㊖㊔NA
㊖㊔ ES ⇒巻末㊕WebGAB㊙複数回(Webあり) GD作 NA

選考ポイント ㊖㊔ ES NA(提出あり)㊙情熱・熱意 行動力・チャレンジ精神 創造的思考力 協調性

通過率 ㊖㊔ ES NA 倍率(応募/内定) ㊖㊔NA

●男女別採用数と配属先ほか●

【男女・文理別採用実績】

	大卒男	大卒女	修士男	修士女
23年	35(文 13理 22)	7(文 6理 1)	27(文 1理 26)	0(文 0理 0)
24年	42(文 16理 26)	9(文 9理 0)	23(文 2理 21)	0(文 0理 0)
25年	-(文 -理 -)	-(文 -理 -)	-(文 -理 -)	-(文 -理 -)

※25年:修士・大卒・高専卒97名採用予定

【25年4月入社者の採用実績校】
㊛(院)金沢大(大)北大 東大 青学大 東京学芸大 早大 津田塾大 立教大 新潟大 金沢大 金沢工大 阪大 同大 立命館大 関大 神戸大 岡山大 ㊗(院)筑波大 東京海洋大 新潟大 長岡技科大 富山大 富山県大 金沢大 金沢工大 信州大 名大 神戸大 工学院大 豊橋技科大(大)明大 新潟大 長岡技科大 富山大 富山県大 金沢大 金沢工大 福井大 立命館大 同大 神戸大(高専)富山 石川

【24年4月入社者の配属先】
㊖勤務地:富山 石川 福井 **部署**:営業 エネルギー取引 立地 用地 託送事務 情報システム 広報 経理 事業開発 ㊔勤務地:富山 石川 福井 **部署**:再生可能エネルギー 火力 原子力 土木 技術営業 配電 電力流通 通信 建築

残業(月) 18.3時間

記者評価 富山、石川、福井の北陸3県と岐阜県の一部に供給。石炭火力が主体。志賀原発1・2号機は審査長期化し再稼働時期見通せず。能登半島地震では火力、原発とも被害。週休3日制試行導入、女性活躍など働き方改革推進。UAEのガス火力、台湾の洋上風力など海外強化。

●給与、ボーナス、週休、有休ほか●

【30歳総合職平均年収】NA【初任給】(修士)245,000円(大卒)225,000円【ボーナス(年)】NA【25、30、35歳賃金】NA【週休】完全2日(土日祝)【夏期休暇】ゆとり休暇年5日の中で取得【年末年始休暇】12月29日～1月3日【有休取得】16.4／20日

●従業員数、勤続年数、離職率ほか●

【男女別従業員数、平均年齢、平均勤続年数】計 5,315(40.6歳 20.0年) 男 4,445(40.6歳 20.0年) 女 870(39.8歳 19.3年)【離職率と離職者数】1.4%、75名(早期退職男4名含む)【3年後新卒定着率】95.5%(男94.7%、女100%、3年前入社:男114名・女18名) ※高卒含む【組合】あり

求める人材 情熱を持って取り組める人 主体的にチャレンジできる人 創造的思考力がある人

会社データ (金額は百万円)

【本社】930-8686 富山県富山市牛島町15-1
☎076-441-2511　https://www.rikuden.co.jp/
【社長】松田 光司【設立】1951.5【資本金】117,641【今後力を入れる事業】エネルギー 他

【業績(連結)】	売上高	営業利益	経常利益	純利益
22.3	613,756	▲16,390	▲17,616	▲6,805
23.3	817,601	▲73,791	▲93,737	▲88,446
24.3	808,238	114,911	107,931	56,811

開示 ★★★　▶『業界地図』p.44, 124

046 ▶『業界地図』p.28,44,124　開示 ★★★

中部電力(株)（ちゅうぶでんりょく）（中部電力ミライズ(株)、中部電力パワーグリッド(株)）

東京P 9502

【特色】東電、関電に次ぐ電力3位。中部財界の雄

修士・大卒採用数	3年後離職率	有休取得年平均	平均年収(平均43歳)
264名	6.8 → 4.4%	17.6日	総 854万円

●エントリー情報と採用プロセス●

【受付開始～終了】総 技3月～3月【採用プロセス】総 技ES提出・筆記(3月)→面接(6月)→内々定【交通費支給】全て、会社基準

試験情報

重視科目　総技全て

総技 ES ⇒巻末 筆SPI3(会場) 面1回(Webあり)

選考ポイント　総技 ES 志望動機 自己PR 他 面前に踏み出す力 考え抜く力 チームで働く力

通過率　総 ES 100%(受付:1,180→通過:1,180) 技 ES 100%(受付:704→通過:704)

倍率(応募/内定)　総12倍 技4倍

●男女別採用数と配属先ほか●

【男女・文理別採用実績】※25年:302名採用予定

	大卒男	大卒女	修士男	修士女
23年	39(文 32 理 7)	28(文 19 理 9)	119(文 0 理119)	16(文 0 理 16)
24年	50(文 36 理 14)	30(文 21 理 9)	123(文 2 理121)	19(文 0 理 19)
25年	-(文 - 理 -)	-(文 - 理 -)	-(文 - 理 -)	-(文 - 理 -)

【25年4月入社者の採用実績校】文(24年)早大 名大 同大 名古屋市大 京大 慶大 南山大 明大 東大 広島大 筑波大 法政大 愛知淑徳大 一橋大 横国大 関西学大 岐阜大 九大 三重大 神戸大 都立大 日体大 理(24年)名大 名工大 岐阜大 三重大 京大 同大 大阪公大 金沢大 北大 早大 信州大 立命館大 中部大 静岡大 名城大 福井大 富山大 東京農工大 東大 阪大 神戸大 新潟大 山梨大 広島大 九大 豊橋技科大 奈良女大 東北大 東理大 都立大 東京都市大 東工大 千葉大 青学大 秋田大 埼玉大 高知大 九州工大 京都工繊大 関大 岡山大 横国大 茨城大 愛知工業大

【24年4月入社者の配属先】総勤務地:愛知 静岡 三重 岐阜 長野 部署:新規事業 海外事業 人事 経理 営業 用地 法務 調達 広報 総務 技勤務地:愛知 静岡 三重 岐阜 長野 部署:再生可能エネルギー 原子力 IT 研究 土木 建築 送変電 配電 電子通信 ミライズエンジニア

残業(月)　24.0時間 総24.0時間

記者評価　中京地区や長野、静岡西部が地盤。トヨタなど製造業向け販売多い。東電と合弁会社JERAを設立し、燃料・火力発電を統合。20年4月に販売や送配電を分社化。浜岡原発3基は停止。大阪ガスと提携し首都圏で電力・ガス販売。オランダ大手電力買収で海外事業本格化。

●給与、ボーナス、週休、有休ほか●

【30歳総合職平均年収】NA【初任給】(博士)261,000円(修士)261,000円(大卒)237,000円【ボーナス(年)】NA【25、30、35歳賃金】NA【週休】月8日 通年27日(原則土日祝)【夏期休暇】3日【年末年始休暇】原則12月29日～1月3日【有休取得】17.6／20日

●従業員数、勤続年数、離職率ほか●

【男女別従業員数、平均年齢、平均勤続年数】計 14,735(42.3歳 20.8年) 男 12,728(42.6歳 21.2年) 女 2,007(40.5歳 18.5年)【離職率と離職者数】2.6%、386名(他に男242名、女11名転籍)【3年後新卒定着率】95.6%(男96.1%、女93.9%、3年前入社:男154名・女49名)【組合】あり

求める人材　企業理念に共感し、実践できる人

会社データ　(金額は百万円)

【本社】461-8680 愛知県名古屋市東区東新町1
☎052-951-8211　https://www.chuden.co.jp/
【社長】林 欣吾【設立】1951.5【資本金】430,777【今後力を入れる事業】再エネ等エネルギー 海外 資源循環事業

【業績(連結)】	売上高	営業利益	経常利益	純利益
22.3	2,705,162	▲53,830	▲59,319	▲43,022
23.3	3,986,681	107,089	65,148	38,231
24.3	3,610,414	343,339	509,295	403,140

関西電力(株)（かんさいでんりょく）（関西電力送配電(株)）

東京P 9503

【特色】電力2位。原発依存度高い。情報通信等も展開

修士・大卒採用数	3年後離職率	有休取得年平均	平均年収(平均43歳)
325名	4.0 → 6.5%	19.4日	831万円

●エントリー情報と採用プロセス●

【受付開始～終了】総 技3月～未定【採用プロセス】総 技プロフィールシート提出→Webテスト受験→面接(3回)→内々定【交通費支給】全ての対面面接、遠方者のみ規定額(大学所在地別)

試験情報

重視科目　総技面接

総技 筆WebGAB GPS 面3回

選考ポイント　総 ES 提出なし 面創造力 チャレンジ精神 コミュニケーション能力 使命感 リーダーシップ 他 技 ES 提出なし 面創造力 チャレンジ精神 コミュニケーション能力 使命感 リーダーシップ 専門性 他

通過率　総 ES —(応募:2,089) 技 ES —(応募:618)

倍率(応募/内定)　総28倍 技6倍

●男女別採用数と配属先ほか●

【男女・文理別採用実績】※関西電力送配電(株)と一括採用

	大卒男	大卒女	修士男	修士女
23年	90(文 45 理 45)	55(文 47 理 8)	106(文 8 理 98)	18(文 1 理 17)
24年	97(文 45 理 52)	52(文 42 理 10)	106(文 3 理103)	13(文 3 理 10)
25年	132(文 57 理 75)	55(文 44 理 11)	121(文 5 理116)	17(文 3 理 14)

【25年4月入社者の採用実績校】文(24年)お茶女大 関西学大 関大 京大 慶大 神戸大 静岡大 早大 阪大 大阪公大 東大 同大 奈良女大 奈良先端科技院大 名大 立命館大 和歌山大 理(24年)(院)関西学大 関大 京都工繊大 京大 九大 広島大 三重大 神戸大 静岡大 早大 大阪公大 阪大 東大 東理大 同大 徳島大 奈良先端科技院大 福井大 兵庫県大 北大 名工大 名大 立命館大(大)横浜市大 関西学大 関大 京大 大阪公大 同大 奈良女大 名大

【24年4月入社者の配属先】総勤務地:近畿2府4県 部署:ソリューション20 エネルギー需給5 国際4 経理室3 エネルギー・環境企画2 経営企画2 原子燃料サイクル2 広報2 再生可能エネルギー2 人財・安全推進2 総務2 法務2 調達2 ガス事業1 立地1 送配電7 イノベーション推進1 技勤務地:近畿2府4県 福井 富山 岐阜 部署:原子力18 情報通信16 配電13 工務10 火力8 土木8 系統運用5 建築5 水力3 再生可能エネルギー2

残業(月)　21.4時間 総21.4時間

記者評価　関西および福井県西部が地盤。7基の原発を保有し原発依存度高い。福島第一原発事故後、一時全原発が停止し、赤字に。その後、原発再稼働による黒字化踏まえて値下げを断行し、顧客取り戻しに全力。金品授受、カルテルなど不祥事多発し、ガバナンス再構築へ。

●給与、ボーナス、週休、有休ほか●

【30歳総合職平均年収】NA【初任給】(修士)263,800円(大卒)236,000円【ボーナス(年)】NA【25、30、35歳賃金】NA【週休】完全2日(土日祝)【夏期休暇】3日(7～9月で取得)【年末年始休暇】12月29日～1月3日【有休取得】19.4／20日

●従業員数、勤続年数、離職率ほか●

【男女別従業員数、平均年齢、平均勤続年数】計 10,153(42.8歳 20.3年) 男 8,450(44.0歳 21.8年) 女 1,703(36.9歳 13.0年)【離職率と離職者数】1.9%、194名(他に男137名、女1名転籍)【3年後新卒定着率】93.5%(男93.6%、女93.1%、3年前入社:男361名・女87名)【組合】あり

求める人材　「創造力」や「チャレンジ精神」を兼ね備え、自らが率先して行動を起こせる人

会社データ　(金額は百万円)

【本社】530-8270 大阪府大阪市北区中之島3-6-16
☎06-6441-8821　https://www.kepco.co.jp/
【社長】森 望【設立】1951.5【資本金】489,320【今後力を入れる事業】エネルギー 送配電 情報通信 不動産事業

【業績(連結)】	売上高	営業利益	経常利益	純利益
22.3	2,851,894	99,325	135,955	85,835
23.3	3,951,884	▲52,056	▲6,666	17,679
24.3	4,059,378	728,935	765,970	441,870

047 ▶『業界地図』p.28,46,124　開示 ★★★

ちゅうごくでんりょく 中国電力(株)

東京P 9504

【特色】販売電力量で6位。石炭火力発電の比率が高い

修士・大卒採用数	3年後離職率	有休取得年平均	平均年収(平均42歳)
103名	5.9 → 6.0%	17.7日	総 791万円

残業(月) 24.7時間 総24.7時間

●エントリー情報と採用プロセス●

【受付開始～終了】総技3月～5月【採用プロセス】総技ES提出(3月初旬～5月上旬)→テストセンター(3月中旬～5月中旬)→面接(複数回、6月上旬)→内々定(6月上旬～中旬)【交通費支給】面接、会社基準

試験情報

重視科目 総技全て

総技 ES NA 筆SPI3(会場) 面複数回(Webあり) GD作 NA

選考ポイント 総技 面理解力 表現力 意欲 他

通過率 総技 ES選考なし(受付:NA)

倍率(応募/内定) 総技NA

●男女別採用数と配属先ほか●

【男女・文理別採用実績】

	大卒男	大卒女	修士男	修士女
23年	33(文 25理 8)	21(文 18理 3)	14(文 0理 14)	3(文 2理 1)
24年	36(文 25理 11)	16(文 13理 3)	15(文 3理 12)	1(文 0理 1)
25年	45(文 29理 16)	30(文 25理 5)	26(文 1理 25)	2(文 0理 2)

【25年4月入社者の採用実績校】

文(院)阪大(大)阪大 神戸大 広島大 岡山大 山口大 早大 他 理(院)京大 阪大 九大 東京科学大 広島大 岡山大(大)九大 広島大 他

【24年4月入社者の配属先】

総勤務地:鳥取 島根 岡山 広島 山口 東京 部署:営業 用地 国際 調達 広報 経営企画 他 技勤務地:鳥取 島根 岡山 広島 山口 部署:火力 原子力 水力電気 土木 建築 情報 技術営業

記者評価 中国地方5県と周辺地域に電力供給。島根原発2号機の再稼働と完成間近の3号機稼働を目指す。石炭火力比率が高くCO2削減が課題。J-POWERと石炭火力の新技術開発推進。ベトナムなど海外展開も。カルテル発覚で会長・社長が辞任。ガバナンス再構築が急務に。

●給与、ボーナス、週休、有休ほか●

【30歳総合職平均年収】NA【初任給】(修士)250,000円(大卒)226,000円【ボーナス(年)】131万円、3.3カ月【25、30、35歳賃金】NA【週休】完全2日(土日祝)【夏期休暇】リフレッシュ休暇(5日)の中で取得【年末年始休暇】12月29日～1月3日【有休取得】17.7/20日

●従業員数、勤続年数、離職率ほか●

【男女別従業員数、平均年齢、平均勤続年数】計 3,598(42.3歳 20.6年) 男 2,887(42.9歳 21.6年) 女 711(39.7歳 16.2年)【離職率と離職者数】2.5%、94名(他に男7名転籍)【3年後新卒定着率】94.0%(男94.7%、女91.7%、3年前入社:男76名・女24名)【組合】あり

求める人材 安定供給の責任の重さを自覚し、責任と使命感を持って働く人材 自ら考え行動する人材

会社データ (金額は百万円)

【本社】730-8701 広島県広島市中区小町4-33
☎082-241-0211 https://www.energia.co.jp/
【社長】中川 賢剛【設立】1951.5【資本金】197,024【今後力を入れる事業】総合エネルギー供給 他

【業績(連結)】	売上高	営業利益	経常利益	純利益
22.3	1,136,646	▲60,744	▲61,879	▲39,705
23.3	1,694,602	▲68,892	▲106,780	▲155,378
24.3	1,628,785	206,777	194,076	133,501

ちゅうごくでんりょく 中国電力ネットワーク(株)

株式公開していない

【特色】中国電力グループの一般送配電事業者

修士・大卒採用数	3年後離職率	有休取得年平均	平均年収(平均43歳)
36名	3.1 → 6.1%	19.3日	総 764万円

残業(月) 27.2時間 総27.2時間

●エントリー情報と採用プロセス●

【受付開始～終了】技3月～5月【採用プロセス】技ES提出(3月上旬～5月中旬)→テストセンター(4月上旬～5月下旬)→面接(複数回、6月上旬)→内々定(6月上旬～中旬)【交通費支給】面接、会社基準

試験情報

重視科目 技全て

技 ES NA 筆SPI3(会場) 面複数回(Webあり) GD作 NA

選考ポイント 技 面理解力 表現力 意欲 他

通過率 技 ES選考なし(受付:NA)

倍率(応募/内定) 技NA

●男女別採用数と配属先ほか●

【男女・文理別採用実績】

	大卒男	大卒女	修士男	修士女
23年	24(文 0理 24)	2(文 0理 2)	18(文 0理 18)	0(文 0理 0)
24年	19(文 0理 19)	2(文 0理 2)	13(文 0理 13)	0(文 0理 0)
25年	20(文 0理 20)	3(文 0理 3)	13(文 0理 13)	0(文 0理 0)

【25年4月入社者の採用実績校】

文なし 理(院)広島大 山口大 鳥取大 愛媛大 東京農工大 長岡技科大(大)広島大 山口大 鳥取大 島根大 愛媛大 福井大 他

【24年4月入社者の配属先】

技勤務地:鳥取 島根 岡山 広島 山口 部署:配電 変電 制御 通信 送電

記者評価 20年4月中国電力の送配電部門が分社化。中国電力の完全子会社。中国地方5県に加え、兵庫、香川、愛媛の一部離島が供給区域。区域内の送電線8,150km、変電所458、配電線81,341kmの維持管理を担う。島根・隠岐諸島と山口・見島に発電所を有し、同島向けに発電も。

●給与、ボーナス、週休、有休ほか●

【30歳総合職平均年収】NA【初任給】(修士)250,000円(大卒)226,000円【ボーナス(年)】131万円、3.3カ月【25、30、35歳賃金】NA【週休】完全2日(土日祝)【夏期休暇】リフレッシュ休暇(5日)の中で取得【年末年始休暇】12月29日～1月3日【有休取得】19.3/20日

●従業員数、勤続年数、離職率ほか●

【男女別従業員数、平均年齢、平均勤続年数】計 3,792(43.3歳 23.6年) 男 3,592(43.5歳 23.9年) 女 200(38.8歳 18.1年)【離職率と離職者数】0.8%、29名(他に8名転籍)【3年後新卒定着率】93.9%(男95.7%、女50.0%、3年前入社:男94名・女4名)【組合】あり

求める人材 電力の安定供給という当社の社会的使命に共感し、チームワークを大切にしながら、その実現に向けて真摯に取り組むことのできる人

会社データ (金額は百万円)

【本社】730-0041 広島県広島市中区小町4-33
☎050-8202-2098 https://www.energia.co.jp/nw/
【社長】長谷川 宏之【設立】2019.4【資本金】20,000【今後力を入れる事業】送配電事業 他

【業績(単独)】	売上高	営業利益	経常利益	純利益
22.3	435,252	21,619	17,192	11,222
23.3	559,494	5,458	1,832	1,332
24.3	478,200	49,806	45,450	32,778

エネルギー

しこくでんりょく
四国電力(株)(四国電力送配電(株))

東京P 9507

【特色】瀬戸内側に発電所集中。石炭と原子力比率が高い

修士・大卒採用数	3年後離職率	有休取得年平均	平均年収(平均42歳)
83名	3.7 → 5.4%	17.8日	◇766万円

残業(月) 19.1時間

記者評価 四国4県へ供給。石炭火力の割合が高い。震災後に伊方原発1、2号機を廃炉に。3号機は差し止め仮処分で停止の後、21年末再稼働。中東やアジア、米州などの海外展開や工場へのガス販売など多角化推進。情報通信など非電力育成。脱炭素化へアンモニア導入に本腰。

●エントリー情報と採用プロセス●

【受付開始～終了】[総][技]3月～4月【採用プロセス】[総][技]ES提出(3～4月)→Webテスト(3～5月)→面接(2～4回)→内々定(6月)【交通費支給】本店面接、実費

試験情報

重視科目 [総][技]全て

[総][技][ES]⇒巻末[筆]あり(内容NA)[面]2～4回(Webあり)[GD作]⇒巻末

選考ポイント [総][技][ES]志望動機 自己PR 他[面]行動力 積極性 協調性 思考力 当社で働く意欲 他

通過率 [総][技][ES]NA

倍率(応募/内定) [総][技]NA

●男女別採用数と配属先ほか●

【男女・文理別採用実績】

	大卒男	大卒女	修士男	修士女
23年	32(文 20 理 12)	14(文 13 理 1)	26(文 1 理 25)	2(文 0 理 2)
24年	39(文 23 理 16)	14(文 11 理 3)	24(文 0 理 24)	0(文 0 理 0)
25年	39(文 23 理 16)	17(文 16 理 1)	26(文 0 理 26)	1(文 0 理 1)

※四国電力(株)、四国電力送配電(株)合同採用

【25年4月入社者の採用実績校】
[文](大)北大 東京外大 早大 阪大 神戸大 神戸市外大 同大 立命館大 [理](院)香川大 愛媛大 徳島大 北大 東京科学大 長岡技科大 名大 豊橋技科大 京大 阪大 関大 三重大 岡山大 九州工大(大)香川大 愛媛大 徳島大 立命館大 近大 摂南大 岡山大 広島大 佐賀大

【24年4月入社者の配属先】[総]勤務地:徳島 高知 愛媛 香川 部署:燃料 需給運用 総務 経理 人事労務 営業 広報 新規事業 国際事業 [技]勤務地:徳島 高知 愛媛 香川 部署:火力 原子力 再エネ 変給電 送電 配電 情報 通信 土木 建築

●給与、ボーナス、週休、有休ほか●

【30歳総合職平均年収】NA【初任給】(修士)246,000円(大卒)224,000円【ボーナス(年)】NA【25、30、35歳賃金】NA【週休】完全2日(土日祝)【夏期休暇】3日【年末年始休暇】12月29日～1月3日【有休取得】17.8／20日

●従業員数、勤続年数、離職率ほか●

【男女別従業員数、平均年齢、平均勤続年数】計 2,170(42.3歳 19.1年) 男 1,887(42.5歳 19.4年) 女 283(40.6歳 17.2年)【離職率と離職者数】1.9%、43名(早期退職男8名含む)【3年後新卒定着率】94.6%(男94.6%、女95.0%、3年前入社:男92名・女20名)【組合】あり

求める人材 意欲・積極性に富み、仲間と協働しながら高い成果を生み出せる人材

会社データ (金額は百万円)

【本社】760-8573 香川県高松市丸の内2-5
☎087-821-5061　https://www.yonden.co.jp/
【社長】宮本 喜弘【設立】1951.5【資本金】145,551【今後力を入れる事業】エネルギー事業 海外事業 新規事業 他

【業績(連結)】	売上高	営業利益	経常利益	純利益
22.3	641,948	▲13,517	▲12,114	▲6,262
23.3	833,203	▲12,285	▲22,515	▲22,871
24.3	787,403	78,526	80,096	60,515

おきなわでんりょく
沖縄電力(株)

東京P 9511

【特色】原発を保有せず火力中心。家庭向けの比率が高い

修士・大卒採用数	3年後離職率	有休取得年平均	平均年収(平均43歳)
27名	5.9 → 0%	19.0日	[総]774万円

残業(月) 16.1時間 [総]16.1時間

記者評価 沖縄県の最大手企業で沖縄本島と周辺諸島へ電力を供給。1988年に民営化。石炭および石油火力への依存度が高かったが、12年にLNG火力が稼働。LNG基地を活用し企業向けガス販売推進。大幅値上げで23年度に黒字に復帰。再エネ導入や火力発電での水素利用推進。

●エントリー情報と採用プロセス●

【受付開始～終了】[総][技]3月～3月【採用プロセス】[総][技]ES提出→Web試験→面接→内々定【交通費支給】面接以降

試験情報

重視科目 [総][技]総合判断

[総][技][ES]⇒巻末[筆]SPI3(会場) SPI3(自宅)[面]2回[GD作]NA

選考ポイント [総][技][ES]志望動機 自己PR 他[面]職種により異なる

通過率 [総][技][ES]NA

倍率(応募/内定) [総][技]NA

●男女別採用数と配属先ほか●

【男女・文理別採用実績】

	大卒男	大卒女	修士男	修士女
23年	9(文 5 理 4)	2(文 1 理 1)	8(文 0 理 8)	0(文 0 理 0)
24年	9(文 3 理 6)	4(文 3 理 1)	6(文 0 理 6)	0(文 0 理 0)
25年	12(文 3 理 9)	9(文 5 理 4)	5(文 0 理 5)	1(文 0 理 1)

【25年4月入社者の採用実績校】
[文](大)琉球大4 神戸大 専大 福岡大 早大各1 [理](院)琉球大3 九大 九州工大 熊本大各1(大)琉球大11 福岡大 三重大各1

【24年4月入社者の配属先】
[総]勤務地:沖縄本島6 部署:販売2 企画1 経理1 他2 [技]勤務地:沖縄本島13 部署:発電8 送電1 配電3 他1

●給与、ボーナス、週休、有休ほか●

【30歳総合職平均年収】NA【初任給】(博士)215,500円(修士)215,500円(大卒)210,500円【ボーナス(年)】NA【25、30、35歳賃金】NA【週休】完全2日(土日祝)【夏期休暇】3日【年末年始休暇】12月29日～1月3日【有休取得】19.0／20日

●従業員数、勤続年数、離職率ほか●

【男女別従業員数、平均年齢、平均勤続年数】計 1,593(43.0歳 21.7年) 男 1,387(43.2歳 21.9年) 女 206(41.9歳 20.4年)【離職率と離職者数】1.6%、26名(早期退職男8名、女3名含む)【3年後新卒定着率】100%(男100%、女100%、3年前入社:男13名・女3名)【組合】あり

求める人材 地域貢献の精神で、諸問題に取り組める総合力のある人財

会社データ (金額は百万円)

【本社】901-2602 沖縄県浦添市牧港5-2-1
☎098-877-2341　https://www.okiden.co.jp/
【社長】本永 浩之【設立】1972.5【資本金】7,586【今後力を入れる事業】総合エネルギー事業

【業績(連結)】	売上高	営業利益	経常利益	純利益
22.3	176,232	2,810	2,717	1,959
23.3	223,517	▲48,406	▲48,799	▲45,457
24.3	236,394	3,481	2,568	2,391

エネルギー

開示 ★★★ ▶『業界地図』p.124

京葉瓦斯(株)

けいようがす

東京S 9539

【特色】千葉県西部が地盤、東京ガスなどから原料調達

修士・大卒採用数	3年後離職率	有休取得年平均	平均年収(平均44歳)
25名	0→0%	17.3日	㊓638万円

●エントリー情報と採用プロセス●

【受付開始〜終了】㊓㊕3月〜3月【採用プロセス】㊓㊕ES提出・説明会(3月)→テストセンター(3〜4月)→面接(3回、4〜5月)→内々定【交通費支給】最終面接、実費

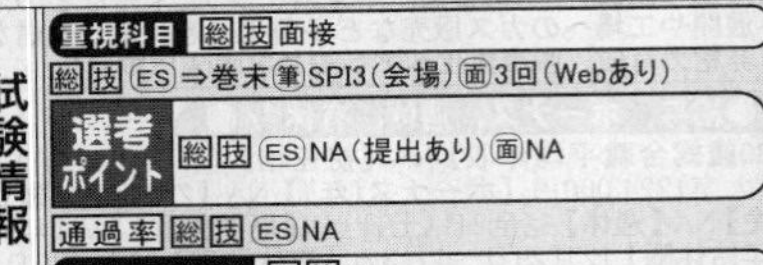

試験情報

重視科目 ㊓㊕面接

㊓㊕ES⇒巻末㊔SPI3(会場)面3回(Webあり)

選考ポイント ㊓㊕ES NA(提出あり)面NA

通過率 ㊓㊕ES NA

倍率(応募/内定) ㊓㊕NA

●男女別採用数と配属先ほか●

【男女・文理別採用実績】

	大卒男	大卒女	修士男	修士女
23年	5(文 5理 0)	5(文 5理 0)	3(文 0理 3)	1(文 0理 1)
24年	12(文 7理 5)	7(文 7理 0)	2(文 0理 2)	1(文 0理 1)
25年	13(文 8理 5)	9(文 6理 3)	3(文 0理 3)	0(文 0理 0)

【25年4月入社者の採用実績校】
㊫(大)学習院大 獨協大 法政大 明大各2 慶大 國學院大 国士舘大 駒澤大 静岡県大 目白大各1 ㊒(院)東理大 東邦大 日大各1(大)埼玉大 千葉工大 東京都市大 東京農業大 東邦大 名大 日女大 明大各1

【24年4月入社者の配属先】
㊓勤務地:千葉(市川5 本八幡2 船橋2 松戸2 天王台1) 部署:経理1 人事1 情報システム1 営業9 ㊕勤務地:千葉(市川8 船橋1 柏1) 部署:メンテナンス3 導管工事2 緊急保安5

残業(月) 11.0時間 ㊓11.0時間

記者評価 市川、浦安、船橋、松戸など千葉県西部が地盤の都市ガス会社。人口増加のつくばエクスプレス沿線で顧客開拓。ガスコージェネ軸に企業向け開拓。家庭向け電力販売も拡大。再エネ開発も。本社横のガス工場跡地で再開発推進。子会社で介護や住宅リフォーム展開。

●給与、ボーナス、週休、有休ほか●

【30歳総合職平均年収】535万円【初任給】(修士)241,110円 (大卒)226,110円【ボーナス(年)】NA【25、30、35歳賃金】NA【週休】完全2日(土日祝)【夏期休暇】有休取得促進期間(7〜9月)に取得【年末年始休暇】12月30日〜1月3日【有休取得】17.3/20日

●従業員数、勤続年数、離職率ほか●

【男女別従業員数、平均年齢、平均勤続年数】計 724(44.4歳 20.7年) 男 567(45.5歳 22.0年) 女 157(40.4歳 16.3年)【離職率と離職者数】3.5%、26名【3年後新卒定着率】100%(男100%、女100%、3年前入社:男14名・女5名)【組合】あり

求める人材 時勢の変化に柔軟に対応し、その時々で能力を最大限発揮できる人財

会社データ (金額は百万円)

【本社】272-8580 千葉県市川市市川南2-8-8
☎047-361-0211 https://www.keiyogas.co.jp
【社長】江口 孝【設立】1927.1【資本金】2,754【今後力を入れる事業】付加価値サービス提供事業

【業績(連結)】	売上高	営業利益	経常利益	純利益
21.12	89,711	1,870	2,610	1,73
22.12	118,757	39	726	21
23.12	122,853	1,704	2,431	1,46

東京ガス(株)

とうきょう

東京P 9531

【特色】都市ガス最大手。関東一円が主な営業地盤

修士・大卒採用数	3年後離職率	有休取得年平均	平均年収(平均42歳)
104名	2.3→1.5%	18.2日	735万円

●エントリー情報と採用プロセス●

【受付開始〜終了】㊓ ㊕3月〜4月【採用プロセス】㊓ES提出・適性検査・Webテスト(3〜4月)→GD→ジョブマッチング面談(2回程度)→最終面接(1回程度、6月)→内々定(6月) ㊕ES提出・適性検査・Webテスト(3〜4月)→ジョブマッチング面談(2回程度)→最終面接(1回程度、6月)→内々定(6月)【交通費支給】ジョブマッチング面談 最終面接、会社基準【早期選考】⇒巻末

試験情報

重視科目 ㊓面接 GD Webテスト ES ㊕面接 Webテスト ES

㊓ES⇒巻末㊔C-GAB テストセンター面3回程度(Webあり)GD作⇒巻末 ㊕ES⇒巻末㊔C-GAB テストセンター面3回程度(Webあり)

選考ポイント ㊓㊕ES求める人材と一致するか 他面求める人材と一致するか

通過率 ㊓㊕ES NA 倍率(応募/内定) ㊓㊕NA

●男女別採用数と配属先ほか●

【男女・文理別採用実績】

	大卒男	大卒女	修士男	修士女
23年	22(文 21理 1)	19(文 17理 2)	69(文 0理 69)	11(文 0理 11)
24年	18(文 17理 1)	18(文 17理 1)	54(文 0理 54)	10(文 0理 10)
25年	14(文 12理 2)	14(文 13理 1)	66(文 0理 66)	10(文 0理 10)

【25年4月入社者の採用実績校】㊫(大)慶大 早大 明大 阪大 一橋大 神戸大 お茶女大 上智大 中大 他 ㊒(院)早大 東大 京大 筑波大 北大 名大 慶大 東理大 阪大 東京科学大 東北大 他

【24年4月入社者の配属先】㊓勤務地:主に東京都および神奈川 埼玉 千葉 栃木 群馬 茨城各県 部署:営業 マーケティング 事業開発・管理 調達 コーポレートスタッフ ㊕勤務地:主に東京都および神奈川 埼玉 千葉 栃木 群馬 茨城各県 部署:営業 マーケティング インフラエンジニアリング O&M 技術企画・開発 デジタル戦略 データサイエンス ITシステム

残業(月) 14.4時間 ㊓14.4時間

記者評価 都市ガス最大手。発電用や工業用需要大きいが、家庭用ガスが収益柱。東南アジアや豪州、米国、ロシアなどからLNG輸入。米国でM&A通じシェールガス開発拡大。16年4月の小売り全面自由化で家庭向け電力販売参入。燃焼時にCO2排出しないe-メタン開発に注力。

●給与、ボーナス、週休、有休ほか●

【30歳総合職平均年収】NA【初任給】(修士)285,000円 (大卒)260,000円【ボーナス(年)】NA【25、30、35歳賃金】NA【週休】完全2日(土日祝)【夏期休暇】有休利用【年末年始休暇】12月29日〜1月4日【有休取得】18.2/20日

●従業員数、勤続年数、離職率ほか●

【男女別従業員数、平均年齢、平均勤続年数】計 7,25(42.3歳 20.1年) 男 6,007(42.5歳 20.4年) 女 1,249(41.歳 19.0年)【離職率と離職者数】1.2%、86名【3年後新卒定着率】98.5%(男98.0%、女100%、3年前入社:男102名・女35名)【組合】あり

求める人材 当社企業理念における価値観を体現できる人材 挑み続ける やり抜く 誠意を持つ 尊重する

会社データ (金額は百万円)

【本社】105-8527 東京都港区海岸1-5-20
☎03-3437-1366 https://www.tokyo-gas.co.jp
【社長】笹山 晋一【設立】1885.10【資本金】141,844【今後力を入れる事業】脱炭素技術 電力事業 海外事業 新規サービス開発

【業績(連結)】	売上高	営業利益	経常利益	純利益
22.3	2,145,197	117,777	126,732	88,7
23.3	3,289,634	421,477	408,846	280,9
24.3	2,664,518	220,308	228,179	169,9

開示 ★★★ ▶『業界地図』p.28, 124

2626 開示 ★★★★

アストモスエネルギー(株)

株式公開 していない

【特色】出光興産と三菱商事がLPG事業を統合。業界大手

修士・大卒採用数	3年後離職率	有休取得年平均	平均年収(平均41歳)
10名	0→40.0%	13.0日	[総]1,107万円

残業(月) 20.3時間

記者評価 出光興産、三菱商事のLPガス事業子会社が合併し06年発足。LPG取扱量は年間約600万トンでLPG専業では世界最大級。全国約350の特約店、全国21社の物流網を擁し、国内販売シェアは2割強。安定供給に向け調達多様化。カーボンニュートラルLPガスの供給・受け入れも。

●エントリー情報と採用プロセス●

【受付開始～終了】[総]3月～6月【採用プロセス】[総]説明会・Webテスト(3月上旬～)→1次面接・ES提出(3月下旬～)→学力テストGAB(4月上旬～)→2次面接(4月上旬～)→最終面接(4月下旬～)→内々定(5月上旬～)【交通費支給】2次面接以降、居住地からの距離に応じて(会社基準)【早期選考】⇒巻末

試験情報

重視科目 [総]面接

[総][ES]⇒巻末[筆]GAB[面]3回(Webあり)

選考ポイント [総][ES]内容から総合的に分かる人物・人柄[面]挑戦意欲 課題設定・解決力 徹底心 コミュニケーション力 セルフマネジメント力 自己開発意欲 人物・人柄が当社にマッチするか

通過率 [総][ES]96%(受付:(早期選考含む)228→通過:(早期選考含む)218)

倍率(応募/内定) [総](早期選考含む)67倍

●男女別採用数と配属先ほか●

【男女・文理別採用実績】

	大卒男	大卒女	修士男	修士女
23年	5(文 4理 1)	1(文 1理 0)	0(文 0理 0)	0(文 0理 0)
24年	5(文 5理 0)	2(文 2理 0)	1(文 0理 1)	0(文 0理 0)
25年	6(文 6理 0)	3(文 3理 0)	1(文 0理 1)	0(文 0理 0)

【25年4月入社者の採用実績校】
[文](大)東京外大2 東北大 島根大 高崎経大 明学大 明大 法政大 西南学大各1 [理](院)新潟大1

【24年4月入社者の配属先】
[総]勤務地:東京・千代田5 札幌1 名古屋1 広島1 部署:本社国際部門2 本社国内部門1 本社コーポレート部門1 営業(支店)4

●給与、ボーナス、週休、有休ほか●

【30歳総合職平均年収】715万円【初任給】(修士)262,290円 (大卒)248,580円【ボーナス(年)】316万円、6.0カ月【25、30、35歳賃金】257,660円→380,070円→512,000円【週休】完全2日(土日祝)【夏期休暇】有休消化7日以上を推奨(7～9月で取得)【年末年始休暇】12月29日～1月3日【有休取得】13.0／20日

●従業員数、勤続年数、離職率ほか●

【男女別従業員数、平均年齢、平均勤続年数】計 298(42.0歳 15.8年) 男 217(42.1歳 17.2年) 女 81(41.7歳 12.2年)【離職率と離職者数】1.7%、5名【3年後新卒定着率】60.0%(男66.7%、女50.0%、3年前入社:男3名・女2名)【組合】なし

求める人材 挑戦意欲 徹底心 コミュニケーション力 自己開発力があり課題設定・解決が出来る

会社データ (金額は百万円)

【本社】100-0005 東京都千代田区丸の内1-7-12 サピアタワー24F
☎050-38160700 https://www.astomos.jp/
【社長】山中 光【設立】2006.4【資本金】10,000【今後力を入れる事業】海外販路拡大 脱炭素・低炭素化 産業用需要開発 新規事業

【業績(連結)】	売上高	営業利益	経常利益	純利益
21.12	466,144	NA	NA	NA
22.12	673,600	NA	NA	NA
23.12	562,878	NA	NA	NA

2730 開示 ★★★

ENEOSグローブ(株)

(エネオス)

株式公開 していない

【特色】LPガス元売り大手。仙台などに輸入基地

修士・大卒採用数	3年後離職率	有休取得年平均	平均年収(平均40歳)
8名	0→6.7%	14.4日	NA

残業(月) 14.2時間

記者評価 ENEOSグループのLPG元売り大手。JX日鉱日石エネルギー(現ENEOS)のLPG事業と三井丸紅液化ガスが合併して11年発足。国内最多の輸入基地を保有し、海外産ガスを輸入販売。東京ガスGなどとLPG充填・配送で共同事業。メガソーラーや都市ガス販売も手がける。

●エントリー情報と採用プロセス●

【受付開始～終了】[総]2月～7月【採用プロセス】[総]ES提出→Webテスト→面接(3回)→内々定【交通費支給】2次面接以降、航空券・新幹線【早期選考】⇒巻末

試験情報

重視科目 [総]面接

[総][ES]⇒巻末[筆]ミキワメ[面]3回(Webあり)

選考ポイント [総][ES]求める人材像との適合性[面]チャレンジ性、徹底性、チーム精神を兼備えているか

通過率 [総][ES]44%(受付:386→通過:171)

倍率(応募/内定) [総]48倍

●男女別採用数と配属先ほか●

【男女・文理別採用実績】

	大卒男	大卒女	修士男	修士女
23年	6(文 6理 0)	3(文 3理 0)	0(文 0理 0)	0(文 0理 0)
24年	6(文 6理 0)	3(文 3理 0)	0(文 0理 0)	0(文 0理 0)
25年	5(文 5理 0)	3(文 2理 1)	0(文 0理 0)	0(文 0理 0)

【25年4月入社者の採用実績校】
[文](大)名大 横浜市大 中大 明大 立命館大 東洋大 関西外大各1 [理](大)秋田大1

【24年4月入社者の配属先】
[総]勤務地:東京・千代田6 札幌1 金沢1 名古屋1 部署:営業3 経理1 財務1 デジタル推進1 人事1 リテールサポート1 基地管理1

●給与、ボーナス、週休、有休ほか●

【30歳総合職平均年収】NA【初任給】(修士)259,200円 (大卒)247,000円【ボーナス(年)】NA【25、30、35歳賃金】NA【週休】完全2日(土日祝)【夏期休暇】連続5日(有休利用)【年末年始休暇】12月29日～1月3日【有休取得】14.4／20日

●従業員数、勤続年数、離職率ほか●

【男女別従業員数、平均年齢、平均勤続年数】計 201(40.3歳 14.9年) 男 144(41.3歳 15.9年) 女 57(37.8歳 10.9年)【離職率と離職者数】3.4%、7名【3年後新卒定着率】93.3%(男91.7%、女100%、3年前入社:男12名・女3名)【組合】あり

求める人材 エネルギーの未来を創造できる人材 3つの力(チャレンジ性、徹底性、チーム精神)を備えた人材

会社データ (金額は百万円)

【本社】100-6115 東京都千代田区永田町2-11-1 山王パークタワー
☎03-5253-9090 https://www.eneos-globe.co.jp/
【社長】江澤 和彦【設立】1960.6【資本金】100【今後力を入れる事業】カーボンニュートラル 新規事業

【業績(単独)】	売上高	営業利益	経常利益	純利益
22.3	302,140	19,433	19,747	12,302
23.3	400,730	15,313	15,895	10,400
24.3	360,624	10,094	9,928	18,054

ジクシス(株)

株式公開 計画なし

【特色】LPガス元売り大手。川崎などに6輸入基地展開

修士・大卒採用数	3年後離職率	有休取得年平均	平均年収(平均39歳)
6名	0 → 25.0%	15.0日	総 830万円

残業(月) 14.8時間 総 14.8時間

記者評価 コスモ石油、昭和シェル、東燃ゼネラル、住友商事のLPガス事業を統合して15年に発足。17年東燃ゼネラルが撤退し、3社合弁に。鹿島、川崎などにLPG一次基地6拠点。中東のガス産出国、米国LPG輸出会社との長期購入契約が強み。海外29カ国と取引。

●エントリー情報と採用プロセス●

【受付開始～終了】総1月～6月【採用プロセス】総説明会・筆記(10～5月)→GD(12～5月)→プレゼンテーション面接(1～5月)→面接(1～5月)→内々定(4～6月)【交通費支給】2次選考 最終選考、新幹線等の有料特急および航空券使用の場合は全額

試験情報

重視科目 総面接

総 筆CUBIC 面2回(Webあり) GD作⇒巻末

選考ポイント 総 ES提出なし 面成長意欲、高い志、他者への感謝の念があるか 自己を客観的に分析し、話すことができているか

通過率 総 ES —(応募:235)

倍率(応募/内定) 総39倍

●男女別採用数と配属先ほか●

【男女・文理別採用実績】

	大卒男	大卒女	修士男	修士女
23年	2(文 2理 0)	2(文 2理 0)	0(文 0理 0)	0(文 0理 0)
24年	3(文 2理 1)	0(文 0理 0)	0(文 0理 0)	0(文 0理 0)
25年	4(文 4理 0)	2(文 2理 0)	0(文 0理 0)	0(文 0理 0)

【25年4月入社者の採用実績校】
文(大)東北大 東京外大 都立大 上智大 中大 明大各1 理なし

【24年4月入社者の配属先】
総勤務地:東京・田町3 部署:海外1 物流管理1 営業1

●給与、ボーナス、週休、有休ほか●

【30歳総合職平均年収】713万円【初任給】(博士)NA (修士)264,000円 (大卒)248,000円【ボーナス(年)】210万円、6.2カ月【25、30、35歳賃金】281,000円→333,000円→368,000円【週休】完全2日(土日祝)【夏期休暇】連続5日推奨(有休で取得)【年末年始休暇】12月30日～1月4日(会社休日2日含む)【有休取得】15.0／21日

●従業員数、勤続年数、離職率ほか●

【男女別従業員数、平均年齢、平均勤続年数】計 164(44.0歳 NA) 男 127(45.0歳 NA) 女 37(40.0歳 NA)【離職率と離職者数】4.1%、7名【3年後新卒定着率】75.0%(男100%、女50.0%、3年前入社:男2名・女2名)【組合】なし

求める人材 強い当事者意識を持ち、幅広い視点で、自己の成長・組織力の向上に邁進できる人

会社データ (金額は百万円)
【本社】108-0014 東京都港区芝5-36-7 三田ベルジュビル12F
☎03-5484-5301 https://www.gyxis.jp
【社長】田中 惠次【設立】1986年【資本金】11,000【今後力を入れる事業】LPガスの国内需要拡大 LPガスの海外新規取引

【業績(単独)】	売上高	営業利益	経常利益	純利益
21.12	280,839	18,374	17,651	11,162
22.12	373,749	11,001	10,121	7,193
23.12	350,617	5,594	5,679	3,913

静岡ガス(株)

しずおか

東京P 9543

【特色】静岡県中東部地盤。都市ガス販売量で国内4位

修士・大卒採用数	3年後離職率	有休取得年平均	平均年収(平均44歳)
33名	0 → 8.3%	16.4日	総 729万円

残業(月) 14.7時間 総 14.7時間

記者評価 静岡県中東部地盤。LPガスや電力販売も。清水港にLNG受入基地を持つ。サーラエナジーと共同のパイプライン開通し同社に卸供給拡大。工場向けにコージェネ普及も。再エネ開発も。タイなど東南アジアでも事業展開。高齢者見守りなどガス以外の新サービス拡充。

●エントリー情報と採用プロセス●

【受付開始～終了】総 技3月～6月【採用プロセス】総 技ES提出・適性テスト(3～6月)→面接(3回、6月)→内々定(6月)【交通費支給】なし

試験情報

重視科目 総 技面接

総 技 ES⇒巻末 筆C-GAB WebGAB 面3回(Webあり)

選考ポイント 総 技 ES NA(提出あり) 面論理的思考力 批判的思考力 ヴァイタリティ チームワーク 他

通過率 総 技 ES NA

倍率(応募/内定) 総 技NA

●男女別採用数と配属先ほか●

【男女・文理別採用実績】

	大卒男	大卒女	修士男	修士女
23年	14(文 9理 5)	4(文 3理 1)	3(文 0理 3)	0(文 0理 0)
24年	15(文 12理 3)	5(文 3理 2)	3(文 1理 2)	2(文 0理 2)
25年	17(文 12理 5)	12(文 8理 4)	4(文 1理 3)	0(文 0理 0)

【25年4月入社者の採用実績校】
文(院)明大1(大)青学大3 立命館大 静岡大 長野大 駒澤大 明大各2 立教大 関西外大 静岡県大 横浜市大 日大 中大 千葉大各1 理(院)金沢大 静岡大 山梨大各1(大)神奈川大 静岡大各2 広島大 学習院大 芝工大 宇都宮大 神奈川工大各1

【24年4月入社者の配属先】
総勤務地:静岡(静岡8 富士2 沼津4 掛川1) 部署:営業11 調達1 経理1 企画2 技勤務地:静岡(静岡4 富士4 沼津2) 部署:施工管理2 都市ガス製造1 都市ガス供給6 電力受給管理1

●給与、ボーナス、週休、有休ほか●

【30歳総合職平均年収】612万円【初任給】(修士)247,000円 (大卒)235,000円【ボーナス(年)】269万円、8.3カ月【25、30、35歳賃金】227,571円→265,000円→311,667円【週休】完全2日(部署により異なる)【夏期休暇】有休で取得【年末年始休暇】12月29日～1月4日【有休取得】16.4／20日

●従業員数、勤続年数、離職率ほか●

【男女別従業員数、平均年齢、平均勤続年数】計 840(44.1歳 21.9年) 男 681(44.9歳 22.8年) 女 159(40.2歳 17.7年)【離職率と離職者数】2.2%、19名【3年後新卒定着率】91.7%(男83.3%、女100%、3年前入社:男6名・女6名)【組合】あり

求める人材 自ら考え、判断し、行動できる人材

会社データ (金額は百万円)
【本社】422-8688 静岡県静岡市駿河区八幡1-5-38
☎054-284-4141 https://www.shizuokagas.co.jp
【社長】松本 尚武【設立】1910.4【資本金】6,279【今後力を入れる事業】海外事業 再生可能エネルギー デジタル分野 他

【業績(連結)】	売上高	営業利益	経常利益	純利益
21.12	132,988	4,989	6,474	4,11
22.12	207,325	8,629	9,491	5,97
23.12	214,004	18,340	20,064	14,10

エネルギー

▶『業界地図』p.124

057 ▶『業界地図』p.28,124 開示 ★★★

おおさか
大阪ガス㈱

東京P 9532

【特色】京阪神地盤の都市ガス2位。電力、LPGも展開

修士・大卒採用数	3年後離職率	有休取得年平均	平均年収(平均44歳)
71名	6.8 → 14.0%	16.8日	[総]713万円

残業(月) 22.4時間 [総]22.4時間

記者評価 京阪神で都市ガスを供給、他地域でLNG供給。小売販売の全面自由化を機に関西電力などと激烈な販売競争に。中部電力と合弁設立し、首都圏で電力・ガス販売参入。川上では米国でシェールガス企業買収、川下では東南アジアなどでガス事業も。再エネ開発にも本腰。

●エントリー情報と採用プロセス●

【受付開始～終了】[総][技]3月～4月 6月～継続中【採用プロセス】[総][技]ES提出・Webテスト(3～5月)→GD(6月)→面接(複数回、6月)→内々定【交通費支給】最終面接、会社基準

試験情報

重視科目 [総][技]GD 面接

[総][技][ES]⇒巻末[筆]Webテスト(適性検査)[面]複数回(Webあり)[GD作]⇒巻末

選考ポイント [総][技][ES]NA(提出あり)[面]論理性 コミュニケーション力 バイタリティ 成長意欲

通過率 [総][ES]31%(受付:1,308→通過:405)[技][ES]56%(受付:484→通過:271)

倍率(応募/内定) [総]55倍 [技]10倍

●給与、ボーナス、週休、有休ほか●

【30歳総合職平均年収】NA【初任給】(修士)253,000円(大卒)227,000円【ボーナス(年)】NA【25、30、35歳賃金】NA【週休】年122日【夏期休暇】1日【年末年始休暇】12月30日～1月3日【有休取得】16.8／20日

●従業員数、勤続年数、離職率ほか●

【男女別従業員数、平均年齢、平均勤続年数】計 1,137(44.0歳 16.5年)男 869(44.0歳 16.0年)女 268(44.0歳 18.1年)※分社化に伴う出向者除く【離職率と離職者数】1.0%、12名【3年後新卒定着率】86.0%(男85.5%、女88.5%、3年前入社:男110名・女26名)【組合】あり

●男女別採用数と配属先ほか●

【男女・文理別採用実績】

	大卒男	大卒女	修士男	修士女
23年	39(文 28 理 11)	15(文 11 理 4)	26(文 1 理 25)	10(文 2 理 8)
24年	13(文 13 理 0)	21(文 17 理 4)	30(文 0 理 30)	8(文 1 理 7)
25年	14(文 13 理 1)	11(文 10 理 1)	36(文 0 理 36)	10(文 1 理 9)

※分社化に伴い24年卒より採用の一部を子会社へ移行

【25年4月入社者の採用実績校】
[文](院)京大1(大)阪大7 京大5 神戸大4 早大3 九大 慶大 大阪公大 同大各1 [理](院)阪大26 京大10 神戸大4 北大2 名大 大阪公大 東京科学大各1

【24年4月入社者の配属先】
[総]**勤務地**:大阪 兵庫 奈良 京都 他 **部署**:販売・サービス14 人事総務10 資源海外5 供給1 [技]**勤務地**:大阪 兵庫 奈良 京都 他 **部署**:販売サービス9 電力7 供給6 製造・エンジ5 商品開発4 DX企画4 研究開発4 資源海外2

求める人材 創造的かつ論理的に考え、周囲を巻き込み行動する人 向上心を持ち、素直に学び続ける人

会社データ (金額は百万円)

【本社】541-0046 大阪府大阪市中央区平野町4-1-2
☎06-6202-3928 https://www.osakagas.co.jp/
【社長】藤原 正隆【設立】1897.4【資本金】132,166【今後力を入れる事業】総合エネルギー事業

【業績(連結)】	売上高	営業利益	経常利益	純利益
22.3	1,586,879	94,905	110,464	128,256
23.3	2,275,113	60,001	75,649	57,110
24.3	2,083,050	172,553	226,563	132,679

さいぶ
西部ガス㈱

持株会社 傘下

【特色】都市ガス大手。福岡、熊本、長崎に供給

修士・大卒採用数	3年後離職率	有休取得年平均	平均年収(平均*43歳)
22名	5.1 → 5.0%	本文参照	[総][!]570万円

残業(月) (組合員)10.3時間 [総]10.3時間

記者評価 1913年地元ガス会社の合併で誕生した西部合同瓦斯がルーツ。福岡と長崎にLNG基地保有。電力小売販売に参入する一方、都市ガスでは九州電力の販売攻勢に直面。LNG発電事業の投資決定。日本に加え、タイや米国で不動産事業を展開。21年4月持株会社体制に移行。

●エントリー情報と採用プロセス●

【受付開始～終了】[総]3月～3月【採用プロセス】[総]ES提出・Web適性検査(3月)→面接(複数回)→内々定【交通費支給】最終面接、実費

試験情報

重視科目 [総]面接

[総][ES]NA[筆]あり(内容NA)[面]複数回(Webあり)

選考ポイント [総][ES]NA(提出あり)[面]責任感 協調性 チャレンジ精神 主体性

通過率 [総][ES]NA

倍率(応募/内定) [総]NA

●給与、ボーナス、週休、有休ほか●

【30歳総合職平均年収】580万円【初任給】(修士)245,000円(大卒)230,000円【ボーナス(年)】NA【25、30、35歳賃金】NA【週休】完全2日(土日祝)【夏期休暇】最大9日(指定休3日及び年休の併用、土日を含む)【年末年始休暇】12月30日～1月3日【有休取得】(組合員)15.6／20日【平均年収(総合職)】(西部ガスHD)570万円

●従業員数、勤続年数、離職率ほか●

【男女別従業員数、平均年齢、平均勤続年数】計 1,091(42.5歳 16.8年)男 892(43.3歳 16.9年)女 199(38.9歳 16.7年)※西部ガス、西部ガスHDの合計【離職率と離職者数】2.0%、22名【3年後新卒定着率】95.0%(男93.5%、女100%、3年前入社:男31名・女9名)【組合】あり

●男女別採用数と配属先ほか●

【男女・文理別採用実績】

	大卒男	大卒女	修士男	修士女
23年	4(文 4 理 0)	6(文 6 理 0)	7(文 0 理 7)	2(文 0 理 2)
24年	6(文 5 理 1)	6(文 3 理 3)	4(文 0 理 4)	1(文 0 理 1)
25年	8(文 6 理 2)	7(文 4 理 3)	5(文 0 理 5)	2(文 0 理 2)

【25年4月入社者の採用実績校】
[文](大)立教大2 九大 京大 熊本大 福岡女大 北九州市大 同大 立命館大 西南学大各1 [理](院)長崎大 熊本大各2 九大 宮崎大 福岡大各1(大)九大2 東京農業大 福岡女大 福岡大各1

【24年4月入社者の配属先】
[総]**勤務地**:福岡12 北九州3 熊本1 長崎1 **部署**:管理部門6 営業部門6 供給部門4 製造部門1

求める人材 新たなお客さま価値を創造し続ける人財

会社データ (金額は百万円)

【本社】812-0044 福岡県福岡市博多区千代1-17-1
☎092-633-2243 https://hd.saibugas.co.jp/
【社長】加藤 卓二【設立】1930.12【資本金】20,629【今後力を入れる事業】エネルギー事業(再生可能エネルギー事業等)くらし関連事業 エネルギー くらしの総合サービス事業

【業績(連結)】	売上高	営業利益	経常利益	純利益
22.3	215,273	451	571	495
23.3	266,319	10,811	11,759	13,215
24.3	256,328	9,672	10,377	6,155

※資本金・業績は西部ガスホールディングス㈱のもの

2788 ▶『業界地図』p.124 開示 ★★★

エネルギー

開示 ★★☆☆☆ ▶『業界地図』p.130, 132…

ENEOS(株)
エネオス

持株会社傘下

【特色】ENEOSホールディングス中核。石油元売り最大手

修士・大卒採用数	3年後離職率	有休取得年平均	平均年収(平均42歳)
163名	8.0→7.9%	21.2日	NA

●エントリー情報と採用プロセス●
【受付開始～終了】[総]1月～3月 [技]12月～1月【採用プロセス】[総][技]ES提出・Webテスト→面談・面接(2～3回)→内々定【交通費支給】面接、実費相当【早期選考】⇒巻末

試験情報
重視科目 [総][技]面接
[総][技][ES]⇒巻末[筆]WebGAB[面]2～3回(Webあり)
選考ポイント [総][技][ES]NA(提出あり)[面]創造と革新の精神をもって挑戦し続ける人材
通過率 [総][技][ES]NA 倍率(応募/内定) [総][技]NA

●男女別採用数と配属先ほか●
【男女・文理別採用実績】※野球部、運転員を除く

	大卒男	大卒女	修士男	修士女
23年	23(文 21理 2)	22(文 22理 0)	58(文 1理 57)	13(文 2理 11)
24年	19(文 15理 4)	21(文 20理 1)	48(文 1理 47)	13(文 2理 11)
25年	49(文 40理 9)	26(文 25理 1)	65(文 1理 64)	23(文 1理 22)

【25年4月入社者の採用実績校】[文](院)東大 早大各1(大)慶大11 関西学大 同大各5 明大 早大各4 上智大 中大 法政大各3 京大 神戸大 一橋大 明学大 立教大各2 青学大 大阪市大 東京外大 学習院大 国際教養大 駒澤大 成城大 高崎経大 筑波大 テンプル大 東大 名大 日大 北大 横国大 立命館大 立命館APU各1 [理](院)東京科学大8 東理大 東大各7 東京農工大5 岡山大 早大 立命館大各4 東北大 横国大 埼玉大 新潟大 九大 千葉大各3 北大 神戸大 京大 大阪公大 都立大 明大 日大各2 阪大 名大 お茶女大 茨城大 関西学大 関大 近大 慶大 広島大 芝工大 成蹊大 大分大 筑波大 長岡技科大 電通大 東海大 東京海洋大 東京電機大 東京農業大 同大 奈良先端科技院大 豊橋技科大 京都工繊大各1(大)埼玉大 九州工大 都立大 東京海洋大 法政大 立命館大 明大 京大 中大 東大各1

【24年4月入社者の配属先】[総]勤務地:東京および全国事業所所在地 部署:NA [技]勤務地:東京および全国事業所所在地 部署:NA

残業(月) 27.7時間

記者評価 国内販売シェア5割の石油元売り最大手。親会社のENEOS・HDは17年JX・HDと東燃ゼネラル石油が経営統合し20年現社名に。国内ガソリンスタンドの約半分がエネオスで業界内での存在感は強い。石油精製・販売から水素ステーションの展開まで事業は幅広い。

●給与、ボーナス、週休、有休ほか●
【30歳総合職平均年収】NA【初任給】(博士)340,000円(修士)304,100円(大卒)287,000円【ボーナス(年)】NA【25、30、35歳賃金】NA【週休】完全2日(土日祝)【夏期休暇】有休で取得【年末年始休暇】12月29日～1月3日【有休取得】21.2／25日

●従業員数、勤続年数、離職率ほか●
【男女別従業員数、平均年齢、平均勤続年数】計 ◇8,780(41.5歳 18.8年) 男 7,551(41.7歳 19.1年) 女 1,229(40.4歳 17.1年) ※受入出向者含み、外部出向者除く【離職率と離職者数】4.4%、403名【3年後新卒定着率】92.1%(男91.8%、女92.6%、3年前入社:男85名・女54名)【組合】あり

求める人材 創造と革新の精神をもって挑戦し続ける人材

会社データ (金額は百万円)
【本社】100-8162 東京都千代田区大手町1-1-2 大手門タワー・ENEOSビル
☎0120-56-8704 https://www.eneos.co.jp/
【社長】山口 敦治【設立】1888.5【資本金】30,000【今後力を入れる事業】エネルギートランジション カーボンニュートラル

【業績(単独)】	売上高	営業利益	経常利益	純利益
22.3	7,741,106	381,480	470,881	362,105
23.3	10,578,065	▲82,489	▲28,451	15,868
24.3	9,499,301	143,133	178,947	109,645

出光興産(株)
いでみつこうさん

東京P 5019

【特色】石油元売り2位、19年に昭和シェル石油と統合

修士・大卒採用数	3年後離職率	有休取得年平均	平均年収(平均42歳)
73名	11.6→11.3%	17.5日	[総]980万円

●エントリー情報と採用プロセス●
【受付開始～終了】[総]3月～通年 [技]学卒:3月～通年【採用プロセス】[総]ES提出・適性検査(3月～)→面接(3回)→内々定(5月～) [技]ES提出・適性検査(3月～)→面接(3回)→内々定(4月～)【交通費支給】全ての面接、実費

試験情報
重視科目 [総][技]面接 [総][ES]⇒巻末[筆]GROW360[面]3回 [技][ES]⇒巻末[筆]GROW360[面]3回(Webあり)
選考ポイント [総][ES]学生時代に取り組んだことから、求める人財と合致しているか 入社後10年間に実現したいキャリアパスを描けているか[面]求める人財像の素養があるか [技][ES]総合職共通[面]求める人財像の素養があるか 専門的な知識の素地があるか
通過率 [総][技][ES]NA 倍率(応募/内定) [総][技]NA

●男女別採用数と配属先ほか●
【男女・文理別採用実績】

	大卒男	大卒女	修士男	修士女
23年	5(文 5理 0)	9(文 9理 0)	23(文 1理 22)	5(文 0理 5)
24年	5(文 4理 1)	13(文 11理 2)	32(文 1理 31)	12(文 0理 12)
25年	7(文 7理 0)	16(文 15理 1)	31(文 0理 31)	19(文 0理 19)

【25年4月入社者の採用実績校】[文](大)明大3 津田塾大 同大 上智大各2 学習院大 金沢大 慶大 岡山大 神戸市外大 京大 成蹊大 ICU 奈良女大 立教大 立命館大 一橋大 中大各1 [理](院)横国大6 東北大 名大各5 千葉大4 東京農工大 東京科学大各3 富山大 阪大 北大 東大各2 北陸先端科技院大 大阪公大 奈良女大 東理大 筑波大 九大 埼玉大 立命館大 京大 熊本大 岡山大 宇都宮大 名工大 鳥取大 広島大 東京海洋大各1(大)日女大1(高専)沖縄4 木更津3 福井 大阪公大 都立産技各2 豊田 岐阜 愛知総合工科高・専攻科 苫小牧 小山 富山 久留米 徳山 一関 東京 石川 阿南各1(専)名古屋工学院3

【24年4月入社者の配属先】[総]勤務地:事業部 全国支店 事業所 グループ会社 部署:事業部 支店 事業所 グループ会社 [技]勤務地:東京及び全国事業所・研究所 部署:製造技術 研究 潤滑油 デジタル・ICT 電力・再生可能エネルギー 知的財産 石炭・環境 資源

残業(月) 20.1時間 [総]20.1時間

記者評価 石油元売り2位。ガソリンなど石油事業に加え、石油化学が強みで、有機ELなど電子材料にも注力。19年4月昭和シェル石油と経営統合。ガソリンスタンドは新ブランド「アポロステーション」を展開。トヨタ自動車とは全固体電池材料で協業。ベトナムで製油所を経営。

●給与、ボーナス、週休、有休ほか●
【30歳総合職モデル年収】732万円【初任給】(博士)291,000円(修士)272,000円(大卒)254,000円【ボーナス(年)】332万円、NA【25、30、35歳賃金】NA→337,083円→NA【週休】完全2日(土日祝)【夏期休暇】有休で取得【年末年始休暇】12月29日～1月3日【有休取得】17.5／21日

●従業員数、勤続年数、離職率ほか●
【男女別従業員数、平均年齢、平均勤続年数】計 4,841(42.3歳 18.8年) 男 4,200(42.6歳 19.2年) 女 641(40.7歳 16.6年)【離職率と離職者数】2.2%、111名【3年後新卒定着率】88.7%(男86.6%、女100%、3年前入社:男127名・女24名)【組合】あり

求める人材 自立・自律:自ら考え行動する、共創:多彩な力を募り、化学反応を起こす 変革:未来志向で挑戦し続ける

会社データ (金額は百万円)
【本社】100-8321 東京都千代田区大手町1-2-1
☎0120-132-015 https://www.idemitsu.com/jp/
【社長】木藤 俊一【設立】1940.3【資本金】168,351【今後力を入れる事業】一歩先のエネルギー 先進マテリアル

【業績(連結)】	売上高	営業利益	経常利益	純利益
22.3	6,686,761	434,453	459,275	279,498
23.3	9,456,281	282,442	321,525	253,646
24.3	8,719,201	346,316	385,246	228,518

開示 ★★★☆☆ ▶『業界地図』p.130, 132

コスモ石油(株)

持株会社 傘下

【特色】石油元売り業界3位。コスモエネルギーHD中核

修士・大卒採用数	3年後離職率	有休取得年平均	平均年収(平均43歳)
31名	12.5→6.3%	17.6日	総1,000万円

●エントリー情報と採用プロセス●

【受付開始～終了】総 技1月～通年【採用プロセス】総 技Webテスト・ES提出(1月)→面接(2～3回、3月以降)→内々定(順次)【交通費支給】最終面接、本社までの経路をシステムで自動算出

試験情報

重視科目 総技面接

総技 ES⇒巻末筆SPI3(会場) 適性試験面2～3回(Webあり) GD作NA

選考ポイント 総 ES NA(提出あり)面コミュニケーション力 倫理感 チーム志向 ストレス耐性 応募職種への素養 挑む(課題発見し挑戦する)・伸ばす(能力を伸長させる)・極める(最後までやり抜く)に関する経験 技 ES NA(提出あり)面コミュニケーション力・倫理感・チーム志向・ストレス耐性・応募職種への素養 挑む(課題発見し挑戦する)伸ばす(能力を伸長させる)極める(最後までやり抜く)に関する経験

通過率 総 ES 63%(受付:833→通過:527) 技 ES 54%(受付:272→通過:146) 倍率(応募/内定) 総46倍 技18倍

●男女別採用数と配属先ほか●

【男女・文理別採用実績】

	大卒男	大卒女	修士男	修士女
23年	6(文 5理 1)	9(文 9理 0)	10(文 1理 9)	15(文 2理 13)
24年	5(文 4理 1)	8(文 8理 0)	9(文 0理 9)	8(文 0理 8)
25年	6(文 5理 1)	12(文 11理 1)	9(文 0理 9)	4(文 2理 2)

【25年4月入社者の採用実績校】文(院)東大 筑波大各1(大)慶大3 宇都宮大 四日市大 上智大 青学大 早大 阪大 大阪府大 日女大 名古屋市大 明大 立教大 立命館大 銘伝大各1 理(院)東理大3 秋田大 神戸大各2 岩手大 九大 新潟大 静岡大 東北大各1(大)秋田大2

【24年4月入社者の配属先】総勤務地:東京・浜松町10 三重・四日市1 千葉・市原1 部署:経理1 財務1 供給1 原油外航2 人事2 営業5 技勤務地:東京・浜松町1 千葉・市原8 三重・四日市4 堺2 埼玉・幸手3 部署:石油開発1 研究開発3 製造9 生産管理1 保全4

残業(月) 22.2時間 総22.2時間

記者評価 1986年に大協石油と丸善石油、旧コスモ石油が合併し誕生。産油国・アブダビで原油開発を行うなど上流開発に強み。子会社で石油化学も展開。コスモエコパワーの国内風力事業は成長事業として積極的に推進。岩谷産業と水素事業で協業重ねる。

●給与、ボーナス、週休、有休ほか●

【30歳総合職平均年収】768万円【初任給】(修士)〈技術・開発〉322,550円 (大卒)306,050円【ボーナス(年)】382万円、7.36カ月【25、30、35歳賃金】309,307円→364,571円→407,120円【週休】完全2日(土日祝)【夏期休暇】有休で取得【年末年始休暇】12月29日～1月3日【有休取得】17.6／21日

●従業員数、勤続年数、離職率ほか●

【男女別従業員数、平均年齢、平均勤続年数】計 1,600(42.8歳 18.4年) 男 1,252(43.6歳 19.3年) 女 348(40.0歳 15.1年)【離職率と離職者数】2.3%、38名【3年後新卒定着率】93.8%(男90.9%、女100%、3年前入社:男22名・女10名)【組合】あり

求める人材 挑む(課題発見し挑戦する)伸ばす(能力を伸長させる)極める(最後までやり抜く)

会社データ (金額は百万円)

【本社】105-8302 東京都港区芝浦1-1-1 浜松町ビル
☎03-3798-7545 https://www.cosmo-energy.co.jp/
【社長】鈴木 康公【設立】1986.4【資本金】46,435【今後力を入れる事業】開発・精製・販売の総合石油事業 風力発電等総合エネルギー事業

【業績(連結)】	売上高	営業利益	経常利益	純利益
22.3	2,440,452	235,303	233,097	138,890
23.3	2,791,872	163,780	164,505	67,935
24.3	2,729,570	149,200	161,615	82,060

※資本金・業績はコスモエネルギーホールディングス(株)のもの

富士石油(株)

東京P 5017

【特色】千葉・袖ケ浦製油所が収益柱。出光興産持分会社

修士・大卒採用数	3年後離職率	有休取得年平均	平均年収(平均42歳)
5名	0→―	17.2日	◇749万円

●エントリー情報と採用プロセス●

【受付開始～終了】総 技3月～5月【採用プロセス】総 技ES提出・Webテスト(3～5月)→面接(3回)→内々定【交通費支給】最終面接、実費

試験情報

重視科目 総技面接

総技 ES⇒巻末筆SPI3(自宅)面3回(Webあり)

選考ポイント 総技 ES主体性 協調性 責任感面コミュニケーション能力 業務適性

通過率 総技 ES NA

倍率(応募/内定) 総技NA

●男女別採用数と配属先ほか●

【男女・文理別採用実績】

	大卒男	大卒女	修士男	修士女
23年	3(文 2理 1)	1(文 1理 0)	0(文 0理 0)	0(文 0理 0)
24年	2(文 1理 1)	2(文 2理 0)	1(文 0理 1)	0(文 0理 0)
25年	3(文 3理 0)	1(文 0理 1)	1(文 0理 1)	0(文 0理 0)

【25年4月入社者の採用実績校】
文(大)明大2 北大1 理(院)中大1(大)秋田大1

【24年4月入社者の配属先】
総勤務地:東京・天王洲3 部署:総務1 業務1 人事1 技勤務地:千葉・袖ケ浦2 部署:技術管理1 工務技術1

残業(月) 20.0時間

記者評価 旧アラビア石油との統合会社。千葉・袖ケ浦製油所で輸入原油を精製、重質油処理も得意。製油所近隣のJERA(東電と中部電の合弁)火力発電所や住友化学千葉工場などに製品を供給する。出光と原油調達や配船業務共同化、脱炭素燃料供給拠点の整備で連携。

●給与、ボーナス、週休、有休ほか●

【30歳総合職平均年収】NA【初任給】(修士)268,000円(大卒)254,000円【ボーナス(年)】NA【25、30、35歳賃金】NA→302,000円→NA【週休】完全2日(土日祝)【夏期休暇】なし【年末年始休暇】12月29日～1月3日【有休取得】17.2／20日

●従業員数、勤続年数、離職率ほか●

【男女別従業員数、平均年齢、平均勤続年数】計 ◇493(42.3歳 19.4年) 男 438(42.5歳 20.1年) 女 55(40.6歳 14.2年)【離職率と離職者数】◇3.0%、15名【3年後新卒定着率】3年前採用なし【組合】なし

求める人材 協調性・向上意欲のある人

会社データ (金額は百万円)

【本社】140-0002 東京都品川区東品川2-5-8 天王洲パークサイドビル
☎03-5462-7761 https://www.foc.co.jp/
【社長】山本 重人【設立】2003.1【資本金】24,467【今後力を入れる事業】輸出対応強化 脱炭素社会に向けた取り組み

【業績(連結)】	売上高	営業利益	経常利益	純利益
22.3	485,302	15,539	16,076	15,203
23.3	850,863	5,028	4,704	3,575
24.3	723,730	16,199	18,735	15,516

エネルギー

開示 ★★★★★ ▶『業界地図』p.28, 132

(株)INPEX

インペックス

東京P 1605

【特色】国内外で石油・天然ガスを開発。脱炭素案件も

修士・大卒採用数	3年後離職率	有休取得年平均	平均年収(平均40歳)
51名	8.7→6.5%	14.0日	◇1,117万円

●エントリー情報と採用プロセス●

【受付開始〜終了】[総][技]2月〜6月【採用プロセス】[総][技]ES提出・筆記(2〜6月)→面接(複数回)→内々定【交通費支給】2次面接以降、遠方者(会社基準)

試験情報

[重視科目] [総][技]面接

[総][技][ES]NA[筆]あり(内容NA)[面]複数回(Webあり)[GD]作NA

[選考ポイント] [総][ES]学生生活で注力したことが、わかりやすく表現されているか 他[面]チームワークを大切にしながら、目標を達成していく力を持っているか 他[技][ES]専攻・研究内容の適合性 他[面]研究面と人物面の総合評価(技術への探究心、チームワークへの意識等重視)他

[通過率] [総][技][ES]NA [倍率(応募/内定)] [総][技]NA

●男女別採用数と配属先ほか●

【男女・文理別採用実績】

	大卒男	大卒女	修士男	修士女
23年	8(文 8理 0)	5(文 4理 1)	14(文 0理 14)	2(文 0理 2)
24年	6(文 6理 0)	8(文 7理 1)	20(文 1理 19)	4(文 2理 2)
25年	10(文 9理 1)	15(文 14理 1)	17(文 0理 17)	9(文 2理 7)

※25年:24年7月時点

【25年4月入社者の採用実績校】

[文](院)東大 一橋大 慶大 秋田大(大)早大 一橋大 東京外大 慶大 上智大 阪大 京大 秋田大 青学大 中大 立教大 [理](院)東大 九大 早大 東京科学大 東北大 横国大 京大 慶大 秋田大 神戸大 阪大 東京海洋大

【24年4月入社者の配属先】

NA

[残業(月)] 21.2時間

[記者評価] 原油・天然ガスの開発生産専業で国内最大手。政府が普通株の19.9%を保有する筆頭株主。トップは代々、経産省出身者。総事業費4兆円超の豪州「イクシスLNGプロジェクト」が収益柱。24年10月国内石油・天然ガス事業を会社分割により子会社に承継。

●給与、ボーナス、週休、有休ほか●

【30歳総合職平均年収】NA【初任給】(博士)425,200円(修士)336,000円(大卒)321,000円【ボーナス(年)】NA【25、30、35歳賃金】NA【週休】完全2日(土日祝)【夏期休暇】有休で取得【年末年始休暇】12月29日〜1月3日【有休取得】14.0/20日

●従業員数、勤続年数、離職率ほか●

【男女別従業員数、平均年齢、平均勤続年数】計 1,384(39.7歳 13.1年)男 1,075(39.9歳 13.9年)女 309(38.7歳 10.4年)【離職率と離職者数】1.6%、23名【3年後新卒定着率】93.5%(男90.9%、女100%、3年前入社:男22名・女9名)【組合】あり

[求める人材] チームワークを発揮して、困難な目標を達成できる人材

[会社データ] (金額は百万円)

【本社】107-6332 東京都港区赤坂5-3-1 赤坂Bizタワー
☎03-5572-0200 https://www.inpex.co.jp/
【社長】上田 隆之【設立】2006.4【資本金】290,809【今後力を入れる事業】石油天然ガス開発・再生可能エネルギー事業

【業績(IFRS)】	売上高	営業利益	税前利益	純利益
23.12	2,164,516	1,114,189	1,253,384	321,708

石油資源開発(株)

せきゆしげんかいはつ

東京P 1662

【特色】国内外で原油・天然ガスの探鉱・開発を展開

修士・大卒採用数	3年後離職率	有休取得年平均	平均年収(平均40歳)
25名	11.8→8.3%	15.8日	[総]958万円

●エントリー情報と採用プロセス●

【受付開始〜終了】[総]3月〜7月 [技]3月〜継続中【採用プロセス】[総][技]ES提出(3月〜)→説明会・Webテスト(3月〜)→面接(複数回)→内々定【交通費支給】最終面接、実費【早期選考】⇒巻末

試験情報

[重視科目] [総][技]面接 [総][技][ES]⇒巻末[筆]適性テスト(WEB・自宅受験)[面]複数回(Webあり)

[選考ポイント] [総][ES]積極性 協調性 論理性[面]しっかりとした経験をつんだか 当社事業の重要性、組織におけるチームワークの大切さ等を理解し、当社の将来を担ってもらえる人材か 人物重視 変化に対して積極的に挑む姿勢[技][ES]大学での研究内容 活動内容[面]総合職共通

[通過率] [総][ES]50%(受付:(早期選考含む)382→通過:(早期選考含む)191)[技][ES]86%(受付:(早期選考含む)110→通過:(早期選考含む)95)

[倍率(応募/内定)] [総](早期選考含む)48倍 [技](早期選考含む)8倍

●男女別採用数と配属先ほか●

【男女・文理別採用実績】

	大卒男	大卒女	修士男	修士女
23年	5(文 4理 1)	5(文 4理 1)	8(文 1理 7)	2(文 1理 1)
24年	8(文 6理 2)	6(文 6理 0)	9(文 0理 9)	3(文 3理 0)
25年	6(文 4理 2)	5(文 5理 0)	9(文 0理 9)	5(文 0理 5)

【25年4月入社者の採用実績校】[文](大)東京外大 早大各2 青学大 上智大 慶大 一橋大 金沢大各1 [理](院)九大3 東京農工大 東北大各2 宇都宮大 信州大 神戸大 早大 東京科学大 日大 富山大各1(大)東大 日大各1

【24年4月入社者の配属先】[総]勤務地:東京・千代田12 新潟・長岡2 福島・相馬1 部署:資材3 海外事業3 営業3 再エネ1 国内カーボンニュートラル1 LNG調達1 経理1 法務1 総務1 [技]勤務地:東京・千代田5 福島・相馬2 秋田2 北海道2 新潟・長岡1 部署:開発7 探鉱4 営業1

[残業(月)] 15.3時間 [総]15.3時間

[記者評価] 1955年に準国策会社から出発。筆頭株主は経済産業大臣。北海道、秋田などでガス田を操業し、都市ガス会社に販売。イラク・ガラフ油田やインドネシア・カンゲアン鉱区、ノルウェー領海でも石油・天然ガスの権益を持つ。24年7月にベースアップを実施。

●給与、ボーナス、週休、有休ほか●

【30歳総合職平均年収】NA【初任給】(博士)288,622円(修士)271,288円(大卒)261,872円【ボーナス(年)】NA【25、30、35歳賃金】NA→335,326円→NA【週休】完全2日(土日祝)【夏期休暇】有休で取得【年末年始休暇】12月29日〜1月3日【有休取得】15.8/20日

●従業員数、勤続年数、離職率ほか●

【男女別従業員数、平均年齢、平均勤続年数】計 ◇979(40.4歳 15.0年)男 806(40.7歳 15.1年)女 173(39.1歳 14.7年)【離職率と離職者数】◇5.0%、52名(早期退職5名含む)【3年後新卒定着率】91.7%(男94.4%、女83.3%、3年前入社:男18名・女6名)【組合】あり

[求める人材] 使命感を持ち、主体的に新しい分野に挑戦・自己研鑽できる、チームワークに富む人材

[会社データ] (金額は百万円)

【本社】100-0005 東京都千代田区丸の内1-7-12 サピアタワー
☎03-6268-7070 https://www.japex.co.jp/
【社長】山下 通郎【設立】1955.12【資本金】14,288【今後力を入れる事業】探鉱開発 天然ガス拡販 環境新技術 発電事業

【業績(連結)】	売上高	営業利益	経常利益	純利益
22.3	249,140	19,809	43,674	▲30,988
23.3	336,492	62,085	83,130	67,394
24.3	325,863	55,247	68,808	53,661

エネルギー

開示 ★★★★★ ▶『業界地図』p.132

小売

デパート　コンビニ　スーパー　外食・中食
家電・薬販売、HC　その他小売業

百貨店・ショッピングセンター

大都市部の百貨店、ＳＣは訪日客や国内消費者の高額品消費が引き続き好調。ただ地方百貨店は人口減少が続き厳しい

コンビニエンスストア

オフィス回帰、観光客復調による人流増加が追い風。値上げ効果も継続で好調続く。飽和市場の中、新収益開拓が急務

スーパー

値上げ効果が寄与するが、客数では明暗。中長期では人件費、建築費など投資コスト重く、再編圧力は継続

ドラッグストア

客数が伸び悩む郊外では、食品の安売りでスーパーなどから客を奪いカバー。都市部は訪日客増が追い風に

家具・インテリア

巣ごもり特需が一巡し市場は伸び悩む。新規出店は飽和状態。既存店への集客のため、値下げや商品開発に注力

アパレル

外出需要の回復は緩やかに続くが、インフレで消費者の生活防衛意識は依然高い。原材料コストの高騰も続く

（天気図は24年度後半⇒25年度、続きは東洋経済『会社四季報業界地図 2025年版』で）

㈱大丸松坂屋百貨店

だいまるまつざかや ひゃっかてん

持株会社傘下

【特色】J.フロント リテイリング傘下の大手百貨店

修士・大卒採用数	3年後離職率	有休取得年平均	平均年収(平均50歳)
45名	12.2→26.7%	10.9日	[総]642万円

●エントリー情報と採用プロセス●

【受付開始～終了】[総]3月～4月【採用プロセス】[総]説明会(必須)→Webテスト・ES提出(3月～)→GD・面接(4回、4月～)→内々定(6月)【交通費支給】最終面接、新幹線・飛行機など長距離の実費

試験情報

重視科目 [総]面接

[総][ES]⇒巻末[筆]WebRAB(言語理解 計数理解 パーソナリティ)[面]4回(Webあり)[GD作]⇒巻末

選考ポイント [総][ES]NA(提出あり)[面]エネルギー 気づき 内省 戦略への理解・共感 目標達成志向

通過率 [総][ES]NA

倍率(応募/内定) [総]NA

●男女別採用数と配属先ほか●

【男女・文理別採用実績】

	大卒男	大卒女	修士男	修士女
23年	9(文 9理 0)	35(文 33理 2)	1(文 1理 0)	0(文 0理 0)
24年	4(文 4理 0)	31(文 30理 1)	1(文 0理 1)	1(文 1理 0)
25年	5(文 4理 1)	35(文 35理 0)	1(文 0理 1)	4(文 4理 0)

【25年4月入社者の採用実績校】

[文](院)筑波大 関大 京都市芸大 武蔵野大各1(大)関西学大 立命館大各6 同大5 関大3 お茶女大 阪大 名大 早大 東京学芸大 獨協大 実践女大 文化学園大 神戸大 神戸女学大 甲南大 同女大 京都外大 三重大 愛知大 北海道教育大 島根県大 国際教養大 立命館APU各1 [理](院)千葉大1(大)関大1

【24年4月入社者の配属先】

[総]勤務地:東京11 大阪7 神戸4 京都5 名古屋4 札幌4 静岡2 部署:2年間本社人事部付社員として各部門へ初期配属

残業(月) 5.3時間 [総]5.3時間

記者評価 07年に老舗百貨店の大丸と松坂屋が経営統合して発足した百貨店大手。大丸は関西、松坂屋は名古屋が地盤。百貨店店舗内へのテナント誘致を進める「脱百貨店モデル」を標榜。入社5年目をメドに異動・担当変更を実施。根拠のある配置と評価を繰り返して人材を育成。

●給与、ボーナス、週休、有休ほか●

【30歳総合職平均年収】464万円【初任給】(博士)247,000円(修士)247,000円(大卒)247,000円【ボーナス(年)】156万円、約3.9カ月【25、30、35歳賃金】255,550円→310,397円→348,035円 ※中途入社、短縮勤務を除く【週休】完全2日【夏期休暇】連続8日(有休・週休と合わせて連続最大10日、年2回)【年末年始休暇】あり【有休取得】10.9/20日

●従業員数、勤続年数、離職率ほか●

【男女別従業員数、平均年齢、平均勤続年数】計 3,938(49.7歳 20.6年)男 1,459(51.5歳 24.2年)女 2,479(48.7歳 18.4年)【離職率と離職者数】4.4%、183名【3年後新卒定着率】73.3%(男75.0%、女72.7%、3年前入社:男4名・女11名)【組合】あり

求める人材 自ら高い目標に挑戦し、好きをエネルギーに最後までやり抜く人 新しい価値を生み出す人

会社データ (金額は百万円)

【本社】135-0042 東京都江東区木場2-18-11
☎03-6895-0816 https://www.daimaru-matsuzakaya.com/
【社長】宗森 耕二【設立】2010.3【資本金】10,000【今後力を入れる事業】百貨店事業 新規事業

【業績(単独)】	売上高	営業利益	経常利益	純利益
22.2	505,987	▲1,824	NA	▲2,995
23.2	602,490	8,076	NA	6,114
24.2	685,422	24,332	NA	16,675

㈱高島屋

たかしまや

東京P 8233

【特色】百貨店大手。SC、金融などバランスの良さが特徴

修士・大卒採用数	3年後離職率	有休取得年平均	平均年収(平均49歳)
63名	14.9→25.9%	17.3日	[総]739万円

●エントリー情報と採用プロセス●

【受付開始～終了】[総]3月～4月【採用プロセス】[総]説明会・ES提出(3～4月)→Webテスト→面接(3回)・GD→内々定(～6月)【交通費支給】なし

試験情報

重視科目 [総]面接

[総][ES]⇒巻末[筆]SPI3(会場) SPI3(自宅)[面]3回(Webあり)[GD作]⇒巻末

選考ポイント [総][ES]学生時代に力を入れて取り組んだこと [面]NA

通過率 [総][ES]NA

倍率(応募/内定) [総]NA

●男女別採用数と配属先ほか●

【男女・文理別採用実績】

	大卒男	大卒女	修士男	修士女
23年	12(文 12理 0)	16(文 16理 0)	0(文 0理 0)	0(文 0理 0)
24年	13(文 13理 0)	18(文 17理 1)	1(文 0理 1)	2(文 1理 1)
25年	26(文 23理 3)	33(文 33理 0)	0(文 0理 0)	4(文 3理 1)

【25年4月入社者の採用実績校】

[文](院)神戸大 早大 関西学大各1(大)中大6 明大 関西学大各5 慶大 同大各4 早大3 関大 ICU 多摩美大 阪大 東京芸大 法政大 立命館大各2 愛知学大 愛知大 甲南大 青学大 大阪市大 大阪府大 筑波大 東京外大 奈良県大 日女大 武蔵野大 武蔵野美大 福岡大 文化学園大 立教大各1 [理](院)千葉大1(大)日大2 関大1

【24年4月入社者の配属先】

[総]勤務地:東京(日本橋7 新宿6)横浜8 大阪8 京都6 部署:販売部35

残業(月) 5.2時間 [総]5.2時間

記者評価 1831年創業。東京・日本橋、横浜、大阪が3大旗艦店。百貨店業のほか、日本橋や二子玉川などの不動産開発・SC運営を担う子会社の東神開発が収益のカギ。海外はシンガポール店など東南アジア中心。クレジットカード、保険など店舗を起点とした金融事業にも注力。

●給与、ボーナス、週休、有休ほか●

【30歳総合職平均年収】541万円【初任給】(修士)240,000円(大卒)240,000円【ボーナス(年)】191万円、4.3カ月【25、30、35歳賃金】241,682円→325,483円→402,429円【週休】週休計52日、交替休日69日、年頭休日1日【夏期休暇】年2回の10日連休で取得(夏期を含む)【年末年始休暇】年頭休日【有休取得】17.3/20日

●従業員数、勤続年数、離職率ほか●

【男女別従業員数、平均年齢、平均勤続年数】計 3,826(49.1歳 25.4年)男 1,675(49.1歳 23.9年)女 2,151(49.1歳 26.7年)【離職率と離職者数】2.1%、81名【3年後新卒定着率】74.1%(男71.4%、女76.9%、3年前入社:男14名・女13名)【組合】あり

求める人材 主体的意志で現状の変化に柔軟かつ革新的に対応できる多様な人材

会社データ (金額は百万円)

【本社】542-8510 大阪府大阪市中央区難波5-1-5
☎06-6631-1101 https://www.takashimaya.co.jp/
【社長】村田 善郎【設立】1919.8【資本金】66,025【今後力を入れる事業】百貨店業 グループ事業 他

【業績(連結)】	売上高	営業利益	経常利益	純利益
22.2	761,124	4,110	6,903	5,360
23.2	443,443	32,519	34,520	27,838
24.2	466,134	45,937	49,199	31,620

㈱三越伊勢丹（みつこしいせたん）

持株会社 傘下

【特色】百貨店首位。伊勢丹新宿、三越日本橋が主力

修士・大卒採用数	3年後離職率	有休取得年平均	平均年収(平均45歳)
49名	12.9→10.3%	18.5日	総744万円

●エントリー情報と採用プロセス●

【受付開始～終了】総3月～6月【採用プロセス】総Web適性・ES提出(3月～)→GD→面接(3回、5月～)→内々定(6～7月中旬)【交通費支給】なし【早期選考】⇒巻末

試験情報

重視科目 総面接

総 ES ⇒巻末 筆WebGAB 玉手箱 OPQ 面3回(Webあり) GD作⇒巻末

選考ポイント 総 ES 求める人材像とのマッチ度 面 求める人材像とのマッチ度

通過率 総 ES 51%(受付:(早期選考含む)1,564→通過:(早期選考含む)790)

倍率(応募/内定) 総(早期選考含む)36倍

●男女別採用数と配属先ほか●

【男女・文理別採用実績】

	大卒男	大卒女	修士男	修士女
23年	10(文 10理 0)	13(文 12理 1)	0(文 0理 0)	0(文 0理 0)
24年	8(文 7理 1)	24(文 24理 0)	2(文 1理 1)	1(文 1理 0)
25年	10(文 9理 1)	38(文 38理 0)	0(文 0理 0)	1(文 1理 0)

【25年4月入社者の採用実績校】
文(院)上智大1(大)明大6 早大 同大各5 慶大4 上智大 青学大各3 阪大 立教大 法政大各2 お茶女大 一橋大 立命館大 東京外大 広島大 成城大 文化学園大 東洋大 京都女大 中大各1 理(大)東京農業大1

【24年4月入社者の配属先】
総勤務地:東京(新宿・日本橋)24 部署:店頭販売24

残業(月) 5.0時間 総6.0時間

記者評価 伊勢丹と三越が08年4月に経営統合して発足した国内最大の百貨店。ファッションに強い伊勢丹新宿本店と、富裕層の顧客を抱える三越日本橋本店が旗艦店舗。カード会員、外商会員など個別の顧客との関係を強化。ECなどデジタル事業、不動産事業にも注力。

●給与、ボーナス、週休、有休ほか●

【30歳総合職平均年収】615万円【初任給】(大卒)250,000円【ボーナス(年)】171万円、4.5カ月【25、30、35歳賃金】276,904円→319,529円→340,716円【週休】原則2日(曜日交替制)【夏期休暇】なし【年末年始休暇】なし【有休取得】18.5／22日

●従業員数、勤続年数、離職率ほか●

【男女別従業員数、平均年齢、平均勤続年数】計 5,661(43.9歳19.8年) 男 1,800(45.9歳 22.5年) 女 3,861(43.0歳 18.6年) ※地域限定社員含む【離職率と離職者数】3.1%、179名(ネクストキャリア制度退職男31名、女52名含む)【3年後新卒定着率】89.7%(男92.9%、女88.0%、3年前入社:男14名・女25名)【組合】あり

求める人材 ＜総合職＞自らが持つ好奇心と想像力を活かして個人を見つめて、社会を見通す視点を持ち時代の豊かさを創造する人財

会社データ (金額は百万円)

【本社】160-0023 東京都新宿区西新宿3-2-5 三越伊勢丹西新宿ビル
☎03-3352-1111 https://www.imhds.co.jp/
【社長】細谷 敏幸【設立】2011.4【資本金】NA【今後力を入れる事業】百貨店 不動産 カード EC 海外

【業績(単独)】	売上高	営業利益	経常利益	純利益
22.3	208,451	2,863	7,602	10,158
23.3	244,176	21,926	24,416	26,491
24.3	270,821	39,864	43,226	44,510

㈱丸井グループ（まるい）

東京P 8252

【特色】ファッションビル運営。自社カードが収益柱

修士・大卒採用数	3年後離職率	有休取得年平均	平均年収(平均40歳)
41名	8.6→20.8%	14.1日	総651万円

●エントリー情報と採用プロセス●

【受付開始～終了】総2月～5月【採用プロセス】総ES提出・SPIテスト(2～5月中旬)→面接・GD(4回、～6月)→内々定(～7月中旬)【交通費支給】なし

試験情報

重視科目 総面接・GD

総 ES ⇒巻末 筆SPI3(会場) 面4回(Webあり) GD作⇒巻末

選考ポイント 総 ES テーマに対して論理的にアウトプットしているか 他 SPIとの総合判断 面 共感する力をベースに革新する力があるか、丸井グループとの重なりの有無、論理的思考力

通過率 総 ES 54%(受付:739→通過:402)

倍率(応募/内定) 総12倍

●男女別採用数と配属先ほか●

【男女・文理別採用実績】

	大卒男	大卒女	修士男	修士女
23年	11(文 9理 2)	29(文 28理 1)	1(文 1理 0)	0(文 0理 0)
24年	7(文 5理 2)	24(文 24理 0)	1(文 1理 0)	1(文 1理 0)
25年	11(文 9理 2)	26(文 23理 3)	2(文 1理 1)	2(文 2理 0)

※25年:24年7月末時点

【25年4月入社者の採用実績校】
文(院)成城大2 創価大1(大)早大6 上智大 ICU 明大 立教大 青学大 関西学大各2 北大 お茶女大 横浜市大 埼玉大 広島大 近大 慶大 法政大 東洋大 明学大 國學院大 大妻女大 清泉女大 東京女大各1 理(院)東京科学大1(大)東大 東北大 早大 慶大 立命館大各1

【24年4月入社者の配属先】
総勤務地:研修後首都圏店舗へ配属35 部署:グループスタッフ職 35

残業(月) 5.3時間 総5.3時間

記者評価 ファッションビルの「マルイ」「モディ」を運営。テナント賃料収入が柱となっている。グループの収益源は、自社「エポスカード」などのフィンテック事業。日本で初めてクレジットカードを発行したことでも知られる。分割払い等にともなう手数料収入が中心。

●給与、ボーナス、週休、有休ほか●

【30歳総合職平均年収】423万円【初任給】(修士)279,500円(大卒)272,000円【ボーナス(年)】128万円、3.7カ月【25、30、35歳賃金】287,989円→351,386円→366,986円【週休】月8～10日(交替制)【夏期休暇】連続7日(4～9月)【年末年始休暇】連続7日(10～3月)【有休取得】14.1／20日

●従業員数、勤続年数、離職率ほか●

【男女別従業員数、平均年齢、平均勤続年数】計 4,290(47.1歳 23.0年) 男 2,297(49.8歳 24.9年) 女 1,993(44.8歳 20.8年)【離職率と離職者数】3.8%、171名【3年後新卒定着率】79.2%(男72.2%、女82.9%、3年前入社:男18名・女35名)【組合】あり

求める人材 「共感する力」をベースに「革新する力」を合わせ持つ人

会社データ (金額は百万円)

【本社】164-8701 東京都中野区中野4-3-2
☎03-3384-0101 https://www.0101maruigroup.co.jp/
【社長】青井 浩【設立】1937.3【資本金】35,920【今後力を入れる事業】フィンテック事業 小売事業 新規事業 他

【業績(連結)】	売上高	営業利益	経常利益	純利益
22.3	209,323	36,784	35,547	17,791
23.3	217,854	38,771	36,364	21,473
24.3	235,227	41,025	38,776	24,667

㈱阪急阪神百貨店（はんきゅうはんしんひゃっかてん）

持株会社傘下

【特色】エイチ・ツー・オー リテイリングの中核企業

修士・大卒採用数	3年後離職率	有休取得年平均	平均年収(平均47歳)
39名	17.3 → 4.9%	13.2日	総 755万円

●エントリー情報と採用プロセス●

【受付開始～終了】総NA【採用プロセス】総ES提出(3月)→Webテスト・面接(複数回、6月)→内々定(6月)【交通費支給】最終面接、遠方者(会社基準)

試験情報

重視科目 総 面接

総 ES⇒巻末 筆SPI3(会場) 面複数回(Webあり)

選考ポイント 総 ES今までチャレンジした事柄 面課題発見解決力 論理的思考力 コミュニケーション能力

通過率 総 ES NA

倍率(応募/内定) 総 NA

●男女別採用数と配属先ほか●

【男女・文理別採用実績】

	大卒男	大卒女	修士男	修士女
23年	9(文 8 理 1)	33(文 33 理 0)	0(文 0 理 0)	0(文 0 理 0)
24年	12(文 12 理 0)	26(文 24 理 2)	0(文 0 理 0)	1(文 0 理 1)
25年	11(文 9 理 2)	28(文 28 理 0)	0(文 0 理 0)	0(文 0 理 0)

※第二新卒含む

【25年4月入社者の採用実績校】

文(大)関西学大11 同大7 立命館大6 大阪公大 甲南大各2 金沢大 兵庫県大 慶大 中大 近大 龍谷大 同女大 甲南女大 九産大各1 理(大)神戸大 大阪工大各1

【24年4月入社者の配属先】

総勤務地：関西本支店39 部署：営業39

残業(月) 12.8時間 総 12.8時間

記者評価 関西を代表する百貨店。07年に阪急、阪神が経営統合して誕生した。それぞれ高級路線の阪急、庶民派路線の阪神と棲み分け。大阪府や兵庫県などで郊外型店舗も展開する。阪急うめだ本店は伊勢丹新宿に次ぐ国内2位、西日本では最大の売上高を誇る。

●給与、ボーナス、週休、有休ほか●

【30歳総合職平均年収】588万円【初任給】(修士)245,000円(大卒)240,000円【ボーナス(年)】228万円、5.45カ月【25、30、35歳賃金】253,517円→292,244円→407,769円【週休】2日(交替制)【夏期休暇】年2回のリフレッシュ連休(8日)で取得【年末年始休暇】1日【有休取得】13.2／20日

●従業員数、勤続年数、離職率ほか●

【男女別従業員数、平均年齢、平均勤続年数】計 3,101(46.8歳 22.3年) 男 1,108(48.0歳 22.0年) 女 1,993(46.1歳 22.4年)【離職率と離職者数】1.8%、58名(進路設計支援男9名、女1名含む)【3年後新卒定着率】95.1%(男100%、女93.8%、3年前入社:男9名・女32名)【組合】あり

求める人材 お客様や社会のお役にたつことに喜びを感じ、顧客基点で自ら察し、行動できる人材

会社データ (金額は百万円)

【本社】530-8350 大阪府大阪市北区角田町8-7
☎06-6361-1381 https://www.hankyu-hanshin-dept.co.jp/
【社長】山口 俊比古【設立】2007.10【資本金】200【今後力を入れる事業】百貨店事業 新規事業

【業績(単独)】	売上高	営業利益	経常利益	純利益
22.3	128,849	1,074	650	93
23.3	154,500	10,386	9,306	7,930
24.3	175,115	21,743	19,970	23,652

㈱近鉄百貨店（きんてつひゃっかてん）

東京S 8244

【特色】近鉄グループの流通部門中核。南大阪、奈良地盤

修士・大卒採用数	3年後離職率	有休取得年平均	平均年収(平均47歳)
29名	11.1 → 42.1%	13.3日	総 475万円

●エントリー情報と採用プロセス●

【受付開始～終了】総3月～4月 技1月～1月【採用プロセス】総ES提出(Web、3～4月)→Webテスト(4～5月)→面接(複数回、4～5月)→内々定(6月) 技説明会(必須、12月)→ES提出(Web、1月)→Webテスト(1～2月)→面接(複数回、2月)→内々定(2月)【交通費支給】なし

試験情報

重視科目 総技 面接

総 ES⇒巻末 筆D-BIT 面複数回(Webあり) GD作NA 技 ES⇒巻末 筆D-BIT 面複数回

選考ポイント 総 ES目標の達成に向けて主体的に行動することができるか 面当社の事業展開に対する理解及び適性があり、将来の基幹社員としてマネジメント職で活躍できるか 技 ES有無NA 面当社の事業展開に対する理解及び適性があり、システム企画職で活躍できるか

通過率 総 ES74%(受付:677→通過:503) 技 ES NA

倍率(応募/内定) 総24倍 技3倍

●男女別採用数と配属先ほか●

【男女・文理別採用実績】

	大卒男	大卒女	修士男	修士女
23年	0(文 0 理 0)	9(文 8 理 1)	0(文 0 理 0)	2(文 1 理 1)
24年	4(文 4 理 0)	12(文 12 理 0)	0(文 0 理 0)	0(文 0 理 0)
25年	7(文 7 理 0)	21(文 19 理 2)	0(文 0 理 0)	1(文 1 理 0)

【25年4月入社者の採用実績校】

文(院)阪大1(大)関西学大4 関大 同大 京産大各3 甲南大 同女大 龍谷大各2 近大 関西外大 京都外大 滋賀県大 大阪商大 大阪経大 神戸松蔭女学大各1 理(大)大阪工大2

【24年4月入社者の配属先】

総勤務地：大阪11 奈良4 東京1 部署：関西本・支店15 東京営業事務所1 技勤務地：なし 部署：なし

残業(月) 13.4時間 総 13.4時間

記者評価 あべのハルカス近鉄本店が中核。「気軽に立ち寄れる百貨店」として地元客から親しまれる。奈良、東大阪などの郊外店舗はタウンセンター化推進。フランチャイズで新規業態を手がけるなど、事業ポートフォリオを変革。25年4月から大卒初任給を22.7万円に増額。

●給与、ボーナス、週休、有休ほか●

【30歳総合職平均年収】322万円【初任給】(大卒)222,000円【ボーナス(年)】NA【25、30、35歳賃金】NA【週休】2日(交替制)【夏期休暇】半期に4日間2回、もしくは8日間1回(連続休日制度)※有休2日、週休2日含む【年末年始休暇】年始1日【有休取得】13.3／20日

●従業員数、勤続年数、離職率ほか●

【男女別従業員数、平均年齢、平均勤続年数】計 1,511(46.9歳 22.8年) 男 741(50.2歳 25.4年) 女 770(43.6歳 20.3年)【離職率と離職者数】2.3%、35名【3年後新卒定着率】57.9%(男75.0%、女53.3%、3年前入社:男4名・女15名)【組合】あり

求める人材 10年後のDX(デパートトランスフォーメーション)人財

会社データ (金額は百万円)

【本社】545-8545 大阪府大阪市阿倍野区阿倍野筋1-1-43
☎06-6624-1111 https://abenoharukas.d-kintetsu.co.jp/
【社長】梶間 隆弘【設立】1934.9【資本金】15,000【今後力を入れる事業】フランチャイズ事業

【業績(連結)】	売上高	営業利益	経常利益	純利益
22.2	98,146	▲1,399	▲572	▲775
23.2	107,848	1,566	1,945	1,893
24.2	113,506	3,902	3,864	2,777

㈱東急百貨店（とうきゅうひゃっかてん）

株式公開 計画なし

【特色】東急の完全子会社。グループ流通事業の中核

修士・大卒採用数	3年後離職率	有休取得年平均	平均年収(平均46歳)
7名	35.3→46.2%	13.2日	㊣530万円

●エントリー情報と採用プロセス●

【受付開始～終了】㊣3月～6月【採用プロセス】㊣ES提出・適性検査(3月)→説明会(3月)→面接(3回、4～6月)→内々定(6月)【交通費支給】なし

試験情報

重視科目 ㊣面接

㊣ESNA筆WebGAB面3回

選考ポイント ㊣ES求める人材像と合致しているか面求める人材像に合致しているか

通過率 ㊣ESNA

倍率(応募/内定) ㊣NA

●男女別採用数と配属先ほか●

【男女・文理別採用実績】

	大卒男	大卒女	修士男	修士女
23年	0(文 0理 0)	0(文 0理 0)	0(文 0理 0)	0(文 0理 0)
24年	0(文 0理 0)	6(文 6理 0)	0(文 0理 0)	0(文 0理 0)
25年	0(文 0理 0)	6(文 6理 0)	0(文 0理 0)	1(文 1理 0)

【25年4月入社者の採用実績校】
文(院)北大1(大)中大 青学大 二松学舎大 國學院大 実践女大 藤女大各1 理なし

【24年4月入社者の配属先】
㊣勤務地:なし 部署:なし

残業(月) 7.3時間 ㊣8.7時間

記者評価 東急グループの流通事業中核。渋谷を拠点として東急線沿線を中心に百貨店、ショッピングセンター、専門店を展開。小型店「東急フードショースライス」新店開発加速。セミセルフ形式の小型コスメストアにも注力。23年1月、55年の歴史を持つ東京・渋谷本店が閉店。

●給与、ボーナス、週休、有休ほか●

【30歳総合職平均年収】410万円【初任給】(修士)220,000円(大卒)220,000円【ボーナス(年)】NA【25、30、35歳賃金】226,200円→289,615円→351,000円【週休】2日(シフト制)【夏期休暇】半期ごとに8日または11日の連続休暇(有休含む)【年末年始休暇】半期ごとに8日または11日の連続休暇(有休含む)【有休取得】13.2／20日

●従業員数、勤続年数、離職率ほか●

【男女別従業員数、平均年齢、平均勤続年数】計 835(45.9歳 23.2年) 男 387(48.3歳 24.6年) 女 448(43.8歳 22.0年)【離職率と離職者数】29.1%、343名(早期退職男136名、女148名含む)【3年後新卒定着率】53.8%(男62.5%、女40.0%、3年前入社:男8名・女5名)【組合】あり

求める人材 変革思考と柔軟な発想で主体的に行動し、結果を出せる人

会社データ (金額は百万円)

【本社】150-8019 東京都渋谷区道玄坂2-24-1
☎03-3477-3111 https://www.tokyu-dept.co.jp/
【社長】大石 次則【設立】1919.3【資本金】100【今後力を入れる事業】フード事業 ビューティー事業

【業績(単独)】	売上高	営業利益	経常利益	純利益
22.1	121,899	▲2,716	▲2,921	▲7,225
23.1	128,554	353	134	▲3,653
24.1	99,026	▲84	▲286	196

※売上高は百貨店店舗計

㈱そごう・西武（せいぶ）

株式公開 計画なし

【特色】西武、そごうの両ブランドを基軸に百貨店を展開

修士・大卒採用数	3年後離職率	有休取得年平均	平均年収(平均48歳)
40名	45.6→29.7%	10.9日	㊣642万円

●エントリー情報と採用プロセス●

【受付開始～終了】㊣3月～5月【採用プロセス】㊣プロフィールシート提出・Web適性テスト(3～4月)→履修履歴登録・Web適性テスト(4月中旬)→オンラインGD(4月下旬)→Web適性テスト・個人面接(5月上旬)→集団面接(5月中旬)→内々定(5月下旬)【交通費支給】最終面接、会場まで片道150km以上の場合のみ新幹線・飛行機代実費(上限3万円)

試験情報

重視科目 ㊣面接

㊣筆Web適性テスト面2回GD作⇒巻末

選考ポイント ㊣面見たことのない百貨店への大改革に向けて、イノベーションを起こせる人材か「自ら考え、自ら行動」できる、状況が変化しても継続的に成果を生み出すことができる人材か

通過率 ㊣ES―(応募:293)

倍率(応募/内定) ㊣7倍

●男女別採用数と配属先ほか●

【男女・文理別採用実績】

	大卒男	大卒女	修士男	修士女
23年	10(文 10理 0)	29(文 27理 2)	0(文 0理 0)	0(文 0理 0)
24年	8(文 8理 0)	27(文 27理 0)	0(文 0理 0)	1(文 1理 0)
25年	11(文 11理 0)	29(文 28理 1)	0(文 0理 0)	0(文 0理 0)

【25年4月入社者の採用実績校】
文(大)早大 慶大 成蹊大各3 立教大 学習院大 東京外大 駒澤大 昭和女大 日女大 日大 立命館大各2 阪大 青学大 拓大 東京都市大 同大 白百合女大 中大 明大 中央学大 群馬県女大 大妻女大 関大 京産大 成城大各1 理(大)横国大1

【24年4月入社者の配属先】
㊣勤務地:東京・池袋19 横浜6 千葉7 大宮4 部署:店舗お得意様セールス(個人営業)24 商事セールス(法人営業)12

残業(月) 14.3時間 ㊣14.3時間

記者評価 ミレニアムリテイリング傘下の西武百貨店とそごうを核にスタート。「西武」「そごう」の両百貨店を運営。東京・池袋などの都市型店と地域密着型店を計10店舗展開。23年9月セブン&アイが米投資ファンドのフォートレス・インベストメントに株式を売却。

●給与、ボーナス、週休、有休ほか●

【30歳総合職平均年収】445万円【初任給】(博士)252,000円(修士)252,000円(大卒)238,000円【ボーナス(年)】131万円、3.2カ月【25、30、35歳賃金】253,000円→294,000円→341,000円【週休】2日【夏期休暇】連続8日推奨(4～9月で1回、連続3日+有休、週休)【年末年始休暇】連続8日推奨(10～3月で1回、連続3日+有休、週休)【有休取得】10.9／20日

●従業員数、勤続年数、離職率ほか●

【男女別従業員数、平均年齢、平均勤続年数】計 2,152(47.9歳 24.4年) 男 1,255(51.1歳 27.3年) 女 897(43.3歳 20.3年)【離職率と離職者数】6.6%、153名【3年後新卒定着率】70.3%(男87.5%、女65.5%、3年前入社:男8名・女29名)【組合】あり

求める人材 「わたしは、私。」自らの頭で考えアクションし続ける人

会社データ (金額は百万円)

【本社】171-0022 東京都豊島区南池袋1-18-21 西武池袋本店 書籍館
☎NA https://www.sogo-seibu.co.jp/
【社長】田口 広人【設立】(創業)1830年【資本金】100【今後力を入れる事業】店舗事業 商事事業 海外事業

【業績(単独)】	売上高	営業利益	経常利益	純利益
22.2	446,973	▲3,527	▲5,530	▲8,826
23.2	496,342	2,463	111	▲13,059
23.9変	55,449	▲1,102	▲249	40,534

小売

㈱松屋（まつや）

東京P 8237

【特色】老舗の独立系百貨店。銀座と浅草の2店体制

修士・大卒採用数	3年後離職率	有休取得年平均	平均年収(平均47歳)
21名	45.5 → 36.4%	12.6日	[総]669万円

●エントリー情報と採用プロセス●

【受付開始～終了】[総]3月～6月【採用プロセス】[総]説明会(必須、3月～)→ES提出→適性検査・Webテスト・面接(3回)→内々定【交通費支給】なし

試験情報

重視科目 [総]面接

[総][ES]⇒巻末[筆]数的・言語能力検査[面]3回

選考ポイント [総][ES]NA(提出あり)[面]充実した学生時代を送っていたか 自分で考え行動しているか コミュニケーション能力

通過率 [総][ES]NA

倍率(応募/内定) [総]NA

●男女別採用数と配属先ほか●

【男女・文理別採用実績】

	大卒男	大卒女	修士男	修士女
23年	4(文 4理 0)	3(文 3理 0)	0(文 0理 0)	0(文 0理 0)
24年	5(文 5理 0)	8(文 8理 0)	0(文 0理 0)	0(文 0理 0)
25年	6(文 6理 0)	14(文 14理 0)	1(文 1理 0)	0(文 0理 0)

【25年4月入社者の採用実績校】
[文](院)東大1(大)明大3 法政大 青学大 立教大 学習院大各2 滋賀大 中大 武蔵大 明学大 成城大 國學院大 専大 駒澤大 フェリス女学大各1(短)帝京大 実践女大各1(専)東京ファッション1 [理]なし

【24年4月入社者の配属先】
[総]勤務地：東京・銀座18 部署：食品4 化粧品・アクセサリー2 婦人衣料・雑貨2 紳士衣料・雑貨3 リビング5 催事運営2

残業(月) 11.4時間 [総]11.4時間

記者評価 呉服店発祥の名門百貨店。銀座と浅草の2店体制だが、収益の大半を銀座本店で稼ぐ。婦人服や服飾雑貨などに強い。海外ブランドを強化し、ルイ・ヴィトンを筆頭に高級イメージを確立。銀座、浅草の名店とコラボレーションした冷凍食品を開発。自社ECに注力。

●給与、ボーナス、週休、有休ほか●

【30歳総合職平均年収】542万円【初任給】(修士)235,000円 (大卒)235,000円【ボーナス(年)】NA【25、30、35歳賃金】253,782円→315,188円→375,986円【週休】完全2日【夏期休暇】1日、別途連続10日【年末年始休暇】3日【有休取得】12.6／20日

●従業員数、勤続年数、離職率ほか●

【男女別従業員数、平均年齢、平均勤続年数】計 537(46.9歳 22.4年) 男 276(48.1歳 22.2年) 女 261(45.7歳 22.6年)【離職率と離職者数】2.7%、15名【3年後新卒定着率】63.6%(男50.0%、女80.0%、3年前入社:男6名・女5名)【組合】あり

求める人材 自らの考えで行動し、変化に的確に対応できる自立型人材

会社データ (金額は百万円)
【本社】104-8130 東京都中央区銀座3-6-1
☎03-3567-1211　https://www.matsuya.com/corp/
【社長】古屋 毅彦【設立】1919.3【資本金】7,132【今後力を入れる事業】百貨店事業

【業績(連結)】	売上高	営業利益	経常利益	純利益
22.2	65,039	▲2,280	▲2,107	1,000
23.2	34,400	347	261	4,383
24.2	41,251	2,974	2,938	2,631

㈱小田急百貨店（おだきゅうひゃっかてん）

株式公開 計画なし

【特色】小田急電鉄の百貨店子会社。新宿など3店舗

修士・大卒採用数	3年後離職率	有休取得年平均	平均年収(平均46歳)
6名	23.5 → —	19.7日	[総]525万円

●エントリー情報と採用プロセス●

【受付開始～終了】[総]3月～5月【採用プロセス】[総]ES提出(3～4月)→会社説明会・1次GD(5月上旬)→2次面接(5月中旬)→Webテスト(5月下旬)→最終面接(6月上旬)→内々定(6月中旬)【交通費支給】なし

試験情報

重視科目 [総]面接

[総][ES]⇒巻末[筆]Webテスト(試験名称は非公開)[面]2回 [GD作]NA

選考ポイント [総][ES]NA(提出あり)[面]人柄 コミュニケーション能力

通過率 [総][ES]NA

倍率(応募/内定) [総]NA

●男女別採用数と配属先ほか●

【男女・文理別採用実績】

	大卒男	大卒女	修士男	修士女
23年	0(文 0理 0)	0(文 0理 0)	0(文 0理 0)	0(文 0理 0)
24年	2(文 2理 0)	7(文 7理 0)	0(文 0理 0)	0(文 0理 0)
25年	3(文 2理 1)	3(文 3理 0)	0(文 0理 0)	0(文 0理 0)

【25年4月入社者の採用実績校】
[文](大)関西学大 明大 明学大 駒澤大 東海大各1 [理](大)東理大1

【24年4月入社者の配属先】
[総]NA

残業(月) 3.5時間 [総]9.6時間

記者評価 小田急電鉄の全額出資。1961年設立され、翌年11月新宿店開業。76年町田店、85年藤沢店(神奈川県)オープンし、3店舗体制。親会社と東京メトロによる新宿駅西口再開発計画に基づき新宿店本館は2022年10月で営業終了、「ハルク」へ移転。跡地は超高層ビルに。

●給与、ボーナス、週休、有休ほか●

【30歳総合職平均年収】436万円【初任給】(博士)NA (修士)NA (大卒)225,100円【ボーナス(年)】85万円、2.0カ月【25、30、35歳賃金】230,000円→320,000円→360,000円【週休】2日【夏期休暇】なし【年末年始休暇】なし【有休取得】19.7／20日

●従業員数、勤続年数、離職率ほか●

【男女別従業員数、平均年齢、平均勤続年数】計 706(48.6歳 15.5年) 男 216(47.4歳 21.8年) 女 490(49.1歳 12.7年)【離職率と離職者数】10.7%、85名(選択定年8名を含む)【3年後新卒定着率】3年前採用なし【組合】あり

求める人材 自律型人材 自ら考え、行動し、成果を出せる人

会社データ (金額は百万円)
【本社】160-8001 東京都新宿区西新宿1-5-1
☎0570-025-888　https://www.odakyu-dept.co.jp/
【社長】中島 良和【設立】1984.7【資本金】100【今後力を入れる事業】NA
【業績(単独)】NA

小売

㈱ローソン

株式公開していない

【特色】三菱商事傘下。コンビニ以外に成城石井など運営

修士・大卒採用数	3年後離職率	有休取得年平均	平均年収(平均42歳)
119名	31.2→33.1%	10.9日	総 637万円

残業(月) 11.3時間 総 11.3時間

記者評価 コンビニ業界で国内店舗数3位。ナチュラルローソンや100円均一店のほか、チケットや音楽ソフト販売も展開。子会社に高級スーパー「成城石井」やシネコン、銀行も。KDDIによるTOB成立し24年7月上場廃止、同社と三菱商事が各50%株式を保有し共同経営に。

●エントリー情報と採用プロセス●

【受付開始～終了】総10月～7月 技5月～5月【採用プロセス】総 技説明会(必須)→適性検査・履歴書→面談→内々定【交通費支給】なし【早期選考】⇒巻末

試験情報

重視科目 総技 適性検査 面接

総 ES⇒巻末 筆GAB 面3回(Webあり) 技 ES⇒巻末 筆NA 面2回(Webあり)

選考ポイント 総 面コミュニケーション力 協調性 説得力 向上心 技 面コミュニケーション力 協調性 説得力 向上心＋情報系技術活用への意欲

通過率 総 ES選考なし(受付:824) 技 ES選考なし(受付:31)

倍率(応募/内定) 総7倍 技10倍

●給与、ボーナス、週休、有休ほか●

【30歳総合職平均年収】NA【初任給】(修士)240,620円 (大卒)233,000円【ボーナス(年)】164万円、NA【25、30、35歳モデル賃金】298,700円→368,700円→436,100円 ※東京地区【週休】2日【夏期休暇】連続8日(有休1日、週休1日、公休土日含む)【年末年始休暇】連続8日(有休1日、週休1日、公休土日含む)【有休取得】10.9／20日

●男女別採用数と配属先ほか●

【男女・文理別採用実績】※25年:24年7月時点

	大卒男	大卒女	修士男	修士女
23年	55(文 49 理 6)	30(文 29 理 1)	5(文 2 理 3)	1(文 1 理 0)
24年	53(文 51 理 2)	36(文 31 理 5)	4(文 3 理 1)	5(文 3 理 2)
25年	61(文 56 理 5)	55(文 50 理 5)	2(文 2 理 0)	1(文 1 理 0)

【25年4月入社者の採用実績校】文(院)法政大 宮城大 日大 漢陽大各1(大)立命館大6 法政大 立教大 東洋大各5 関大 國學院大 明星大各3 早大 明学大 横国大 関西学大 専大 帝京大 東京家政学大 龍谷大各2 ICU 学習院大 北大 新潟県大 近大 阪大 成蹊大 上智大 駒澤大 亜大 札幌国際大 岩手大 岩手県大 宮城大 神奈川大 富山大 金沢学大 神戸大 福岡大 群馬県女大 武蔵大 武蔵野大 江戸川大 東海大 日大 昭和女大 東京女大 日女大 大東文化大 立正大 東京通信大 文化学園大 流経大 麗澤大 聖徳大 駿河台大 愛知学大 愛知大 南山大 星城大 日本福祉大 長野県大 滋賀大 京都橘大 京産大 京都女大 甲南女大 佛教大 甲南大 神戸学大 神戸国際大 神戸女大 武庫川女大 大阪経大 摂南大 大阪市大 大阪成蹊大 追手門学大 広島女学大各1 理(大)日大3 明大 法政大 立教大 神奈川大 新潟大 佐賀大 東京女大各1(専)日本工学院八王子 東京ITプログラミング＆会計 日本工学院各1

【24年4月入社者の配属先】総 勤務地:東京18 神奈川9 大阪8 福岡7 埼玉6 兵庫6 愛知5 北海道5 茨城4 広島4 岡山3 宮城3 京都3 新潟3 静岡3 石川3 福島3 愛媛2 岩手2 千葉2 徳島2 福井2 部署:営業103 技 勤務地:東京5 部署:IT5

●従業員数、勤続年数、離職率ほか●

【男女別従業員数、平均年齢、平均勤続年数】計 4,395(42.3歳 15.9年) 男 3,495(44.0歳 17.3年) 女 900(35.8歳 10.4年)【離職率と離職者数】6.5%、306名【3年後新卒定着率】66.9%(男70.0%、女63.8%、3年前入社:男60名・女58名)【組合】あり

求める人材 企業理念に共感でき、高い目標に向けて自ら考え行動し、成果につなげられる人

会社データ (金額は百万円)

【本社】141-8643 東京都品川区大崎1-11-2 ゲートシティ大崎イーストタワー
☎03-5435-1580 https://www.lawson.co.jp/
【社長】竹増 貞信【設立】1975.4【資本金】585【今後力を入れる事業】海外事業 エンタテイメント事業 国内コンビニエンスストア事業

【業績(IFRS)】	営業収入	営業利益	税前利益	純利益
22.2	943,206	52,442	33,109	22,625
23.2	1,000,385	54,459	47,134	29,708
24.2	1,087,964	94,090	77,292	52,148

㈱セブン-イレブン・ジャパン

持株会社傘下

【特色】セブン＆アイHDの収益柱。コンビニ業界で首位

修士・大卒採用数	3年後離職率	有休取得年平均	平均年収(平均38歳)
129名	21.2→30.4%	13.2日	739万円

残業(月) 23.5時間

記者評価 セブン＆アイHDの中核企業。コンビニ業界首位。全店平均日販も69万円(24年2月期)と2位以下を10万円以上突き放す。商品の配送効率を重視した集中出店方式や、外部のメーカーなどと組む「チームマーチャンダイジング」体制による商品開発方式に特徴。

●エントリー情報と採用プロセス●

【受付開始～終了】総4月～未定【採用プロセス】総説明会・ES提出・Webテスト→面接(複数回)→内々定【交通費支給】なし

試験情報

重視科目 総 面接

総 ES⇒巻末 筆自社オリジナル 面複数回(Webあり) GD作NA

選考ポイント 総 ES高い目標にチャレンジしているか 課題発見・解決能力、課題解決においては周りを巻き込むようなコミュニケーション力を発揮しているか 面5つのバリュー(挑戦・変革 自律・自立 共創・共感 信頼・誠実 感謝・貢献) コミュニケーション力 対人折衝力

通過率 総 ES 59%(受付:2,458→通過:1,439)

倍率(応募/内定) 総19倍

●給与、ボーナス、週休、有休ほか●

【30歳総合職平均年収】630万円【初任給】(修士)270,000円 (大卒)250,000円【ボーナス(年)】197万円、4.8カ月【25、30、35歳賃金】295,847円→371,447円→389,471円【週休】完全2日(土日)【夏期休暇】繁閑に合わせ、任意のタイミングで最大連続9日取得可【年末年始休暇】繁閑に合わせ、任意のタイミングで最大連続9日取得可【有休取得】13.2／20日

●男女別採用数と配属先ほか●

【男女・文理別採用実績】

	大卒男	大卒女	修士男	修士女
23年	77(文NA 理NA)	50(文NA 理NA)	0(文 0 理 0)	0(文 0 理 0)
24年	72(文NA 理NA)	42(文NA 理NA)	0(文 0 理 0)	0(文 0 理 0)
25年	75(文NA 理NA)	54(文NA 理NA)	0(文 0 理 0)	0(文 0 理 0)

【25年4月入社者の採用実績校】文(大)千葉大 横国大 早大 慶大 上智大 明大 立教大 中大 法政大 学習院大 日大 東洋大 駒澤大 國學院大 青学大 明学大 津田塾大 都立大 帝京大 杏林大 工学院大 長野大 愛知大 香川大 関大 関西学大 同大 立命館大 滋賀大 甲南大 関西外大 京都府大 京都女大 芦屋大 和歌山大 広島大 岡山大 大分大(短)宮崎学園 他(理系含む) 理文系に含む

【24年4月入社者の配属先】

総 勤務地:北海道2 東北6 関東57 中部4 東海7 関西23 中国四国7 九州8 部署:OFC研修(店舗経営相談員研修)114

●従業員数、勤続年数、離職率ほか●

【男女別従業員数、平均年齢、平均勤続年数】計 8,291(38.1歳 13.0年) 男 6,065(39.4歳 13.6年) 女 2,226(34.4歳 11.3年)【離職率と離職者数】3.4%、288名【3年後新卒定着率】69.6%(男77.5%、女58.6%、3年前入社:男138名・女99名)【組合】なし

求める人材 5つのバリューへの共感(挑戦・変革、自律・自立、共創・共感、信頼・誠実、感謝・貢献)

会社データ (金額は百万円)

【本社】102-8455 東京都千代田区二番町8-8
☎03-6238-3711 https://www.sej.co.jp/
【社長】永松 文彦【設立】1973.11【資本金】17,200【今後力を入れる事業】本業

【業績(単独)】	営業収入	営業利益	経常利益	純利益
22.2	863,025	223,091	273,672	189,652
23.2	872,719	232,873	282,630	203,009
24.2	894,659	251,029	297,714	211,102

小売

㈱ファミリーマート

株式公開 計画なし

【特色】コンビニ大手、国内店舗数2位。伊藤忠グループ

修士・大卒採用数	3年後離職率	有休取得年平均	平均年収(平均42歳)
94名	16.3→23.3%	12.2日	[総]677万円

残業(月) 18.7時間 [総]19.7時間

[記者評価] 西友の事業部として発足。合併したam／pmや経営統合したサークルK・サンクスをファミマに転換、国内コンビニ店舗数はセブンに次ぐ2位。親会社の伊藤忠によるTOBで20年11月上場廃止。店舗でのデジタルサイネージや人型AIアシスタントの本格運用を推進。

●エントリー情報と採用プロセス●

【受付開始～終了】[総]12月～4月【採用プロセス】[総]ES提出(12月～)→Webテスト(12～4月)→面接(3回、12～6月)→内々定(2～6月)【交通費支給】2次面接以降の対面面接、5,000円超の実費【早期選考】⇒巻末

試験情報

重視科目 [総]Webテスト 面接

[総][ES]⇒巻末[筆]SPI3(自宅)[面]3回(Webあり)

選考ポイント [総][ES]当社で実現したいビジョンが明確に書かれているか なぜそのビジョンを実現したいのかが明瞭であるか 自らの意思を持ち、主体的に行動しているか[面]達成意欲 行動力 コミュニケーション 価値観

通過率 [総][ES]90%(受付:677→通過:608)

倍率(応募/内定) [総]8倍

●男女別採用数と配属先ほか●

【男女・文理別採用実績】※25年:24年7月23日時点

	大卒男	大卒女	修士男	修士女
23年	49(文 45理 4)	56(文 51理 5)	1(文 1理 0)	1(文 1理 0)
24年	63(文 55理 8)	40(文 38理 2)	2(文 1理 1)	1(文 1理 0)
25年	41(文 39理 2)	50(文 44理 6)	1(文 1理 0)	2(文 1理 1)

【25年4月入社者の採用実績校】[文](院)青学大 兵庫教大各1(大)東洋大5 明大 同大 中大 大妻女大各4 明学大 近大 京産大各3 関西学大 東京農業大 玉川大 駒澤大各2 亜大 杏林大 横浜商大 関大 京都外大 京都女大 国士舘大 実践女大 松本大 新潟県大 神戸女学大 椙山女学大 成城大 跡見学園女大 千葉大 専大 早大 相模女大 多摩大 拓大 筑紫女学大 帝京大 東海大 東京家政大 東京経大 東京工科大 東京国際大 桃山学大 日大 梅花女大 東北学大 福岡大 法政大 北星学大 名古屋文理大 名城大 立教大 立正大 立命館大 龍谷大 佛教大 國學院大 獨協大 南山大 武蔵野大各1(専)東京文化美容1 [理](院)神戸大1(大)滋賀大 女子栄養大 新潟大 中大 東海大 東京農業大 奈良女大 日大各1

【24年4月入社者の配属先】[総]勤務地:東京58 大阪12 埼玉9 神奈川9 兵庫8 愛知6 千葉4 岐阜2 部署:人財開発部付け108(店舗配属)

●給与、ボーナス、週休、有休ほか●

【30歳総合職平均年収】597万円【初任給】(修士)261,500円(大卒)245,000円【ボーナス(年)】197万円、NA【25、30、35歳賃金】271,576円→335,339円→380,600円※東京地区【週休】完全2日【夏期休暇】半期毎に連続7日以上の休暇取得を奨励【年末年始休暇】半期毎に連続7日以上の休暇取得を奨励【有休取得】12.2／20日

●従業員数、勤続年数、離職率ほか●

【男女別従業員数、平均年齢、平均勤続年数】計 6,195(42.0歳 13.1年) 男 4,666(42.9歳 14.5年) 女 1,529(39.0歳 8.2年)【離職率と離職者数】4.7%、308名【3年後新卒定着率】76.7%(男82.5%、女70.2%、3年前入社:男63名・女57名)【組合】あり

[求める人材] 誰か(お客さま)のために考え続け、行動できる 物事の全体を広く把握し本質を捉えながら、自ら考えて創意工夫が行なえる どんな状況でも前向きに最後まで、成果を追い求める

[会社データ] (金額は百万円)

【本社】108-0023 東京都港区芝浦3-1-21 田町ステーションタワーS
☎03-6436-7600 https://www.family.co.jp/
【社長】細見 研介【設立】1981.9【資本金】16,659【今後力を入れる事業】国内・海外コンビニエンスストア事業 新規事業

【業績(IFRS)】	営業収入	営業利益	税前利益	純利益
22.2	451,461	NA	137,534	90,259
23.2	461,495	NA	49,158	34,361
24.2	507,812	NA	70,510	51,855

ミニストップ㈱

東京P 9946

【特色】コンビニ業界4位。厨房併設店に特徴。イオン系

修士・大卒採用数	3年後離職率	有休取得年平均	平均年収(平均45歳)
29名	39.4→50.0%	7.3日	[総]605万円

残業(月) 13.1時間 [総]13.1時間

[記者評価] イオン系コンビニ。関東、東海を軸に全国に展開。ソフトクリームやポテトなど、店内加工のファストフードに強く、他社との差別化を図る。オフィス街でカフェ風業態も展開。イオンのPB「トップバリュ」も販売。22年に韓国事業を売却し撤退、海外はベトナムに集中。

●エントリー情報と採用プロセス●

【受付開始～終了】[総]3月～継続中【採用プロセス】[総]説明会(必須)→ES提出・適性検査→面接(2回)→内々定【交通費支給】最終面接、会社基準【早期選考】⇒巻末

試験情報

重視科目 [総]面接

[総][ES]⇒巻末[筆]SPI3(自宅)[面]2回(Webあり)

選考ポイント [総][面]自身の将来実現したいことが、ミニストップの企業理念と合致しているか

通過率 [総][ES]選考なし(受付:135)

倍率(応募/内定) [総]5倍

●男女別採用数と配属先ほか●

【男女・文理別採用実績】

	大卒男	大卒女	修士男	修士女
23年	8(文 7理 1)	10(文 7理 3)	0(文 0理 0)	0(文 0理 0)
24年	4(文 4理 0)	10(文 7理 3)	1(文 1理 0)	0(文 0理 0)
25年	19(文 18理 1)	9(文 7理 2)	1(文 1理 0)	0(文 0理 0)

※25年:継続中

【25年4月入社者の採用実績校】[文](24年)(院)神戸大1(大)江戸川大 同大 立正大 明海大 武蔵野大 京都光華女大 拓大 大阪経大 中村学大 佛教大 神奈川大各1 [理](24年)(大)人間総合科学大 龍谷大 至学館大各1

【24年4月入社者の配属先】
[総]勤務地:仙台2 東京・国分寺2 千葉4 名古屋3 神戸4 部署:営業15

●給与、ボーナス、週休、有休ほか●

【30歳総合職平均年収】449万円【初任給】(修士)255,000円(大卒)<Gコース(全国転勤)>250,000円<Lコース(地域限定)>210,000円【ボーナス(年)】109万円、2.7カ月【25、30、35歳賃金】260,000円→320,000円→380,000円【週休】月8～9日(勤務計画表による)【夏期休暇】連続7～10日(連続休日制度、計休、指定日有休含む)【年末年始休暇】連続7～10日(連続休日制度、計休、指定日有休含む)【有休取得】7.3／20日

●従業員数、勤続年数、離職率ほか●

【男女別従業員数、平均年齢、平均勤続年数】計 690(45.3歳 17.1年) 男 548(46.3歳 17.9年) 女 142(37.6歳 11.4年)【離職率と離職者数】9.3%、71名【3年後新卒定着率】50.0%(男57.1%、女44.4%、3年前入社:男7名・女9名)【組合】あり

[求める人材] 企業理念と、自身の将来実現したいことが合致している人

[会社データ] (金額は百万円)

【本社】261-8540 千葉県千葉市美浜区中瀬1-5-1 イオンタワー
☎043-212-6472 https://www.ministop.co.jp/
【社長】藤本 明裕【設立】1980.5【資本金】7,491【今後力を入れる事業】国内コンビニエンスストア事業 海外(ベトナム)事業

【業績(連結)】	営業収入	営業利益	経常利益	純利益
22.2	183,680	▲3,137	▲2,768	▲3,865
23.2	81,286	▲1,036	▲142	12,834
24.2	79,056	▲609	10	▲468

小売

2428 ▶『業界地図』p.264　開示 ★★

ユニー(株)

持株会社傘下

【特色】総合スーパーで東海地盤。PPIHの子会社

修士・大卒採用数	3年後離職率	有休取得年平均	平均年収(平均45歳)
40名	NA	NA	[総]554万円

残業(月) 19.9時間 [総]19.9時間

記者評価 総合スーパー「アピタ」や「ピアゴ」を展開。16年ユニー・ファミリーマートHDの子会社となるが、19年1月ドン・キホーテを運営するPPIH傘下に。本部主導からドンキ流の個店主義経営へと転換進む。一部店舗はドンキとのダブルネーム店へ業態転換進める。

●エントリー情報と採用プロセス●

【受付開始～終了】[総]3月～継続中【採用プロセス】[総]説明会・ES提出・適性検査CUBIC(必須、3月～)→面接(2回、6月～)→内々定(6月～)【交通費支給】なし

試験情報

重視科目 [総]面接

[総][ES]⇒巻末[筆]CUBIC(性格検査のみ)[面]2回(Webあり)

選考ポイント [総][面]人間性(素直さ、プラス志向、実行力、感性、リーダー性)当社への志望度 当社事業内容 社風への共感

通過率 [総][ES]選考なし(受付:NA)

倍率(応募/内定) [総]NA

●給与、ボーナス、週休、有休ほか●

【30歳総合職平均年収】442万円【初任給】(博士)224,000円 (修士)224,000円 (大卒)220,000円【ボーナス(年)】NA【25、30、35歳賃金】265,261円→319,080円→NA【週休】月8～9日(ローテーション制)【夏期休暇】有休・連続休暇用休日で取得【年末年始休暇】なし【有休取得】NA／20日

●男女別採用数と配属先ほか●

【男女・文理別採用実績】

	大卒男	大卒女	修士男	修士女
23年	74(文 67理 7)	62(文 58理 4)	1(文 1理 0)	0(文 0理 0)
24年	41(文 37理 4)	48(文 45理 3)	0(文 0理 0)	0(文 0理 0)
25年	23(文 19理 4)	16(文 15理 1)	0(文 0理 0)	1(文 1理 0)

【25年4月入社者の採用実績校】

[文](院)愛知県大1(大)愛知学大7 中部大 日本福祉大 北海道情報大 名古屋文理大各2 愛知県大 愛知産大 愛知東邦大 京都精華大 金城学大 金沢星稜大 皇學館大 桜花学大 産能大 椙山女学大 静岡産大 静岡文芸大 中京学大 中京大 長岡造形大 東海学園大 名古屋学院大 名古屋経大 明大各1(短)岐阜市女 修文大 創価女各1(専)バンタンデザイン研究所1 [理](大)京都先端科学大 県立広島大 大阪産大 東海大 名城大各1

【24年4月入社者の配属先】

[総]勤務地:愛知53 岐阜6 三重5 新潟1 神奈川9 静岡12 石川1 栃木3 富山2 福井1 部署:店舗93

●従業員数、勤続年数、離職率ほか●

【男女別従業員数、平均年齢、平均勤続年数】計 3,477(44.6歳 21.1年) 男 2,737(45.9歳 22.2年) 女 740(39.9歳 17.2年)【離職率と離職者数】NA【3年後新卒定着率】NA【組合】あり

求める人材 自ら考え行動する中で、新しい事へ積極的に挑戦し、失敗しても再チャレンジできる人財

会社データ (金額は百万円)

【本社】492-8680 愛知県稲沢市天池五反田町1
☎0587-24-8111　https://www.uny.co.jp/

【社長】榊原 健【設立】2012.2【資本金】23,351【今後力を入れる事業】PB／OEM インバウンド 新規出店 海外事業 マーケティング

【業績(連結)】	売上高	営業利益	経常利益	純利益
22.6	1,831,280	88,688	100,442	61,928
23.6	1,936,783	105,259	110,994	66,167
24.6	2,095,077	140,193	148,709	88,701

※資本金・業績は㈱パン・パシフィック・インターナショナルホールディングスのもの

1576 ▶『業界地図』p.264　開示 ★★★★★

(株)イトーヨーカ堂

持株会社傘下

【特色】セブン＆アイHDの祖業。総合スーパーなどを運営

修士・大卒採用数	3年後離職率	有休取得年平均	平均年収(平均45歳)
36名	32.8→29.5%	8.1日	[総]576万円

残業(月) 14.8時間 [総]16.9時間

記者評価 総合スーパーは24年5月末時点で119店、25年2月までに93店へ縮小。非食品が振るわず自社企画の衣料品から撤退の一方、23年に兄弟会社の食品スーパー、ヨーク(約100店)と合併、食材工場新設など食品への注力で再起図る。25年度財務目標達成条件に上場を検討。

●エントリー情報と採用プロセス●

【受付開始～終了】[総]3月～7月【採用プロセス】[総]説明会(必須、3～7月)→ES提出(3月～)→GD(3月)→Webテスト(3月～)→面接(Web1回・対面1回、4月～)→内々定(6月上旬)【交通費支給】なし

試験情報

重視科目 [総]面接

[総][ES]⇒巻末[筆]SPI3(自宅)[面]2回(Webあり)[GD作]⇒巻末

選考ポイント [総][ES]学生時代に頑張ったことの記載があるか[面]自ら判断し、成果につなげた経験が再現性のあるものか

通過率 [総][ES]選考なし(受付:190)

倍率(応募/内定) [総]5倍

●給与、ボーナス、週休、有休ほか●

【30歳総合職平均年収】476万円【初任給】(修士)247,900円 (大卒)230,000円【ボーナス(年)】127万円、NA【25、30、35歳賃金】267,000円→317,000円→392,000円【週休】完全2日【夏期休暇】7日(連続休暇制度)【年末年始休暇】7日(連続休暇制度)【有休取得】8.1／20日

●男女別採用数と配属先ほか●

【男女・文理別採用実績】

	大卒男	大卒女	修士男	修士女
23年	26(文 22理 4)	16(文 13理 3)	0(文 0理 0)	2(文 1理 1)
24年	28(文 26理 2)	28(文 25理 3)	0(文 0理 0)	0(文 0理 0)
25年	21(文 15理 6)	15(文 14理 1)	0(文 0理 0)	0(文 0理 0)

【25年4月入社者の採用実績校】

[文](大)東洋大3 駒澤大 聖徳大 明星大各2 フェリス女学大 亜大 学習院大 國學院大 産能大 実践女大 聖心女大 中大 東海大 東京工芸大 東京情報大 東洋学大 日大 武蔵野大 立教大 立正大 流経大 和光大 和洋女大 獨協大各1 [理](大)日大3 東京農業大2 東京工芸大 日本獣医生命科学大各1

【24年4月入社者の配属先】

[総]勤務地:首都圏店舗58 部署:総合職58

●従業員数、勤続年数、離職率ほか●

【男女別従業員数、平均年齢、平均勤続年数】計 5,852(44.8歳 21.2年) 男 4,087(45.2歳 22.6年) 女 1,765(38.3歳 18.1年) ※平均年齢、平均勤続年数は再雇用含む【離職率と離職者数】7.8%、496名(他に9名転籍)【3年後新卒定着率】70.5%(男76.3%、女63.9%、3年前入社:男93名・女83名)【組合】あり

求める人材 お客様起点で考動(自ら考え行動)できる人

会社データ (金額は百万円)

【本社】140-8450 東京都品川区南大井6-27-18 日立大森第二ビル
☎03-5493-6722　https://www.itoyokado.co.jp/

【社長】山本 哲也【設立】(創業)1920年【資本金】40,000【今後力を入れる事業】フード&ドラッグ事業 他

【業績(単独)】	売上高	営業利益	経常利益	純利益
22.2	1,038,664	1,620	2,371	▲11,201
23.2	654,251	408	1,087	▲15,203
24.2	1,232,657	▲1,205	▲268	▲25,963

小売

㈱フジ

東京P 8278

【特色】中四国地方と関西のスーパー。イオングループ

修士・大卒採用数	3年後離職率	有休取得年平均	平均年収(平均44歳)
44名	ND → 19.3%	11.0日	[総] 469万円

●エントリー情報と採用プロセス●

【受付開始〜終了】[総]3月〜継続中【採用プロセス】[総]説明会(必須、3月〜)→GD DPI・ES提出(3月〜)→適性検査(4月〜)→面接(4月中旬〜)→役員面接(4月下旬〜)→内々定(4月下旬〜)【交通費支給】なし【早期選考】⇒巻末

試験情報

重視科目 [総]面接 適性検査 GD

[総][ES]⇒巻末[筆]SPI3(自宅)[面]2回(Webあり)[GD作]⇒巻末

選考ポイント [総][ES]志望動機の確認[面]意欲 積極性 自己表現力 表情 態度 自律

通過率 [総][ES]選考なし(受付:178)

倍率(応募/内定) [総]5倍

●男女別採用数と配属先ほか●

【男女・文理別採用実績】

	大卒男	大卒女	修士男	修士女
23年	40(文 32 理 8)	38(文 37 理 1)	0(文 0 理 0)	0(文 0 理 0)
24年	37(文 31 理 6)	30(文 29 理 1)	0(文 0 理 0)	0(文 0 理 0)
25年	29(文 27 理 2)	15(文 15 理 0)	0(文 0 理 0)	0(文 0 理 0)

【25年4月入社者の採用実績校】

[文](24年)(大)松山大10 広島修道大5 近大 広島経大 広島大 広島文教大各2 岡山県大 安田女大 関大 尾道市大 京産大 阪音大 岡山大 山口大 福山平成大 広島国際大 福山大 流通科学大 島根大 同大 梅光学大各1(専)河原電子ビジネス1 他 [理](24年)(大)近大 岡山理大 愛媛大各1 他

【24年4月入社者の配属先】

[総]勤務地:広島25 兵庫19 山口9 愛媛7 高知6 徳島3 岡山3 香川2 部署:販売職74(営業部署)

残業(月) [総]12.0時間

記者評価 中四国と関西で食品スーパー「マックスバリュ」「フジ」中心に487店舗(24年5月末)展開。24年3月に子会社のフジ・リテイリングとマックスバリュ西日本を吸収合併。システムや物流の統合など効率化を推進する。グループでフィットネスクラブや外食事業も。

●給与、ボーナス、週休、有休ほか●

【30歳総合職平均年収】368万円【初任給】(大卒)255,000円【ボーナス(年)】NA、3.9カ月【25、30、35歳賃金】269,000円→295,000円→342,000円【週休】月9〜10日【夏期休暇】連続5日(有休含む)【年末年始休暇】1日(1月1〜3日のうちいずれか)【有休取得】11.0／20日

●従業員数、勤続年数、離職率ほか●

【男女別従業員数、平均年齢、平均勤続年数】計 7,057(44.0歳 18.9年) 男 4,829(45.4歳 20.4年) 女 2,228(40.9歳 15.7年)【離職率と離職者数】2.8%、205名【3年後新卒定着率】80.7%(男80.4%、女81.1%、3年前入社:男56名・女53名)【組合】あり

求める人材 「誠実 しなやか 挑戦」「人が好き」な人

会社データ (金額は百万円)

【本社】732-0814 広島県広島市南区段原南1-3-52 広島段原ショッピングセンター5階

☎082-535-8500　https://www.the-fuji.com/company/

【社長】山口 普【設立】1967.9【資本金】22,000【今後力を入れる事業】スーパーマーケット事業

【業績(連結)】	売上高	営業利益	経常利益	純利益
22.2	320,866	7,375	9,945	3,937
23.2	784,967	11,320	13,359	9,033
24.2	801,021	15,110	17,374	7,436

㈱イズミ

東京P 8273

【特色】中国・四国・九州等で展開する総合スーパー大手

修士・大卒採用数	3年後離職率	有休取得年平均	平均年収(平均46歳)
130名	24.8 → 26.1%	9.8日	[総] 608万円

●エントリー情報と採用プロセス●

【受付開始〜終了】[総]3月〜未定【採用プロセス】[総]Webセミナー(必須、3月)→ES・作文提出(3月〜)→書類選考→Web試験→1次面接→2次面接(→3次面接)→最終面接→内々定(5月〜)【交通費支給】最終選考、対象エリアのみ実費【早期選考】⇒巻末

試験情報

重視科目 [総]面接

[総][ES]⇒巻末[筆]スカウター[面]3〜4回(Webあり)[GD作]⇒巻末

選考ポイント [総][ES]志望動機が明確か 企業研究ができているか[面]積極性 リーダー性 論理的思考力 コミュニケーション能力 やる気 熱意

通過率 [総][ES]99%(受付:332→通過:328)

倍率(応募/内定) [総]3倍

●男女別採用数と配属先ほか●

【男女・文理別採用実績】

	大卒男	大卒女	修士男	修士女
23年	59(文 56 理 3)	39(文 37 理 2)	1(文 1 理 0)	0(文 0 理 0)
24年	72(文 65 理 7)	27(文 27 理 0)	0(文 0 理 0)	0(文 0 理 0)
25年	65(文NA 理NA)	65(文NA 理NA)	0(文 0 理 0)	0(文 0 理 0)

【25年4月入社者の採用実績校】[文](24年)(大)広島修道大15 広島経大10 福岡大 安田女大各6 比治山大4 近大 県立広島大各3 西南学大 九産大 龍谷大 九州共立大各2 福山大 奈良大 久留米大 中大 下関市大 徳山大 立命館大 お茶女大 神戸学大 広島女学大 名古屋学大 日本文理大 周南公大 くらしき作陽大 松山大 熊本県大 関西外大 広島国際大 千葉商大 山口大 尚絅大 広島市大 広島大 島根大 筑紫女学大 福岡工大 福山市大 広島文教大 西南女学大 広島都市学大 就実大 北九州市大 鹿児島大 広島工大 環太平洋大 武庫川女大各1(短)比治山大 鹿児島県立各1(専)広島情報ITクリエイター1 [理](24年)(大)近大 広島工大 九産大 長崎大各1(短)比治山大1

【24年4月入社者の配属先】[総]勤務地:福岡25 広島22 熊本12 山口10 佐賀8 香川6 長崎6 兵庫6 岡山2 島根1 徳島1 部署:食品部63 ライフスタイル部32 他4

残業(月) 13.8時間 [総]15.8時間

記者評価 専門店テナントを持つショッピングセンター型の「ゆめタウン」が主力。食品スーパー「ゆめマート」も含め約200店展開。セブン&アイHDとは商品調達などで提携関係。20年に脱退のニチリウグループに24年再加盟。同年8月に西友九州事業(69店)買収。

●給与、ボーナス、週休、有休ほか●

【30歳総合職平均年収】532万円【初任給】(修士)257,000円 (大卒)245,000円【ボーナス(年)】155万円、4.9カ月【25、30、35歳賃金】254,250円→270,566円→316,821円 ※勤務地限定制度利用者除く【週休】2日(月9〜10日程度)【夏期休暇】特別休暇(年間6日)に含む【年末年始休暇】特別休暇(年間6日)に含む【有休取得】9.8／20日

●従業員数、勤続年数、離職率ほか●

【男女別従業員数、平均年齢、平均勤続年数】計 2,893(40.1歳 16.1年) 男 1,767(41.1歳 17.0年) 女 1,126(39.1歳 15.1年)【離職率と離職者数】4.9%、150名【3年後新卒定着率】73.9%(男71.4%、女76.5%、3年前入社:男35名・女34名)【組合】あり

求める人材 「変化」に対応できる人 自立・好奇心・挑戦

会社データ (金額は百万円)

【本社】732-8555 広島県広島市東区二葉の里3-3-1

☎082-264-3211　https://www.izumi.co.jp/

【社長】山西 泰明【設立】1961.11【資本金】19,613【今後力を入れる事業】中四国・九州での店舗ドミナント

【業績(連結)】	売上高	営業利益	経常利益	純利益
22.2	676,799	34,717	34,696	23,204
23.2	460,140	33,644	34,396	23,188
24.2	471,166	31,425	32,322	20,485

㈱平和堂（へいわどう）

東京P 8276

【特色】滋賀県地盤。東海・北陸にも展開の総合スーパー

修士・大卒採用数	3年後離職率	有休取得年平均	平均年収(平均43歳)
130名	29.8 → 33.5%	9.4日	総 569万円

残業(月) 15.5時間 総 15.5時間

記者評価 ショッピングセンター型の総合スーパーが主力だが、食品スーパーに軸足シフト。店舗の約半数がある滋賀県内で高シェア。店舗では独自の電子マネーも利用可能。ネットスーパー事業に参入。中国・湖南省で百貨店事業も展開。ニチリウグループ。

●エントリー情報と採用プロセス●

【受付開始～終了】総3月～継続中【採用プロセス】総説明会(随時・必須)→ES提出(3月～)→Webテスト→Web面接(3月～)→役員面接(4月～)→内々定【交通費支給】なし【早期選考】⇒巻末

試験情報

重視科目 総面接

総 ES ⇒巻末 筆 Webテスト(自宅受検)CUBIC 面 2回(Webあり)

選考ポイント 総 ES 志望動機の具体性や自己PRの内容 面 自分の言葉で語っているか 論理性はあるか 対人能力 問題解決能力 志望度

通過率 総 ES NA(受付:(早期選考含む)550→通過:NA)

倍率(応募/内定) 総(早期選考含む)4倍

●給与、ボーナス、週休、有休ほか●

【30歳総合職平均年収】520万円【初任給】(大卒)230,000円【ボーナス(年)】133万円、4.3カ月【25、30、35歳賃金】237,833円→279,413円→334,308円【週休】2日(シフト制)【夏期休暇】年2回の6連休で取得(部門により異なる)【年末年始休暇】年2回の6連休で取得(部門により異なる)【有休取得】9.4／20日

●男女別採用数と配属先ほか●

【男女・文理別採用実績】※25年:130名採用予定

	大卒男	大卒女	修士男	修士女
23年	64(文 54理 10)	43(文 37理 6)	2(文 1理 1)	0(文 0理 0)
24年	64(文 57理 7)	41(文 37理 4)	1(文 1理 0)	0(文 0理 0)
25年	-(文 -理 -)	-(文 -理 -)	-(文 -理 -)	-(文 -理 -)

【25年4月入社者の採用実績校】文(24年)(院)同朋大1(大)龍谷大11 立命館大 佛教大各8 京都橘大7 大阪産大 追手門学大各6 京産大5 摂南大 大谷大各4 京都ノートルダム女大 京都女大各3 関西学大 京都文教大 近大 金沢星稜大 金沢大 大阪学大各2 中部学大 びわこ学院大 福井大 関大 京都光華女大 甲南女大 順天堂大 創価大 大阪教大 大阪工大 拓大 中京大 富山大 平安女学大 名古屋女大 名古屋商大 名城大各1(短)京都経済1(専)大原簿記ビジネス公務員 ELICビジネス&公務員各1 理(24年)(大)龍谷大5 滋賀県大2 滋賀大 大阪産大 大阪電通大 中部大各1

【24年4月入社者の配属先】総勤務地:滋賀60 京都21 大阪12 兵庫4 福井3 石川2 愛知5 岐阜2 部署:店舗(食料品・衣料品・住居関連品の各部門)109

●従業員数、勤続年数、離職率ほか●

【男女別従業員数、平均年齢、平均勤続年数】計 3,483(42.6歳 18.5年) 男 2,421(43.8歳 19.5年) 女 1,062(39.8歳 16.2年)【離職率と離職者数】4.3%、155名【3年後新卒定着率】66.5%(男74.2%、女57.7%、3年前入社:男89名・女78名)【組合】あり

求める人材 自分らしく創意・工夫を凝らし、人の笑顔をつくることに喜びを感じられる人

会社データ (金額は百万円)

【本社】522-8511 滋賀県彦根市西今町1
☎0749-23-3111 https://www.heiwado.jp/
【社長】平松 正嗣【設立】1957.6【資本金】11,614【今後力を入れる事業】地域密着型の総合小売業

【業績(連結)】	売上高	営業利益	経常利益	純利益
22.2	439,740	15,362	16,952	10,647
23.2	415,675	11,279	13,069	7,516
24.2	425,424	13,257	14,482	6,784

㈱Olympicグループ（オリンピック）

東京S 8289

【特色】首都圏地盤に食品スーパーやHC、専門店など展開

修士・大卒採用数	3年後離職率	有休取得年平均	平均年収(平均41歳)
25名	29.2 → 53.5%	9.7日	総 532万円

残業(月) 22.0時間 総 22.0時間

記者評価 食品スーパー、ディスカウントストア、ハイパーストア(食品とディスカウントの複合店)、ホームセンターの4業態を展開。M&Aを含めて首都圏に出店を集中するドミナント戦略をとる。業態ごとに子会社があり、独自の品ぞろえやサービスを提供する専門店化を追求。

●エントリー情報と採用プロセス●

【受付開始～終了】総3月～未定【採用プロセス】総説明会(必須)→ES提出→1次選考(Webテスト)→2次面接→最終面接→内々定【交通費支給】なし【早期選考】⇒巻末

試験情報

重視科目 総面接

総 ES ⇒巻末 筆 一般常識 ヒューマネージテスト 面 2回(Webあり)

選考ポイント 総 面 人物像 入社後のビジョン

通過率 総 ES 選考なし(受付:NA)

倍率(応募/内定) 総NA

●給与、ボーナス、週休、有休ほか●

【30歳総合職平均年収】NA【初任給】(大卒)230,000円【ボーナス(年)】NA、1.0カ月【25、30、35歳賃金】NA【週休】1～3日(シフト制)【夏期休暇】なし【年末年始休暇】なし【有休取得】9.7／20日

●男女別採用数と配属先ほか●

【男女・文理別採用実績】

	大卒男	大卒女	修士男	修士女
23年	20(文 17理 3)	5(文 5理 0)	0(文 0理 0)	0(文 0理 0)
24年	23(文 20理 3)	13(文 11理 2)	0(文 0理 0)	0(文 0理 0)
25年	-(文 -理 -)	-(文 -理 -)	0(文 0理 0)	0(文 0理 0)

※25年:25名採用予定

【25年4月入社者の採用実績校】文(24年)(大)帝京大4 日大 明星大各2 相模女大 和洋女大 フェリス女学大 國學院大 獨協大 文教大 国士舘大 流経大 駿河台大 駒澤大 跡見学園女大 専大 大正大 江戸川大 千葉商大 敬愛大 杏林大 和光大 日本福祉大 関東学院大 尚美学大 実践女大 上智大各1(短)城西1(専)大原学園立川校1 理(24年)(大)東京工科大 東海大 島根大 帝京科学大 東京農業大各1(専)東京バイオテクノロジー1

【24年4月入社者の配属先】
総勤務地:東京25 埼玉6 神奈川5 千葉3 部署:販売38 製造1

●従業員数、勤続年数、離職率ほか●

【男女別従業員数、平均年齢、平均勤続年数】計 3,329(41.3歳 15.8年) 男 1,163(NA) 女 2,166(NA)【離職率と離職者数】NA【3年後新卒定着率】46.5%(男NA、女NA、3年前入社:男女計43名)【組合】あり

求める人材 チャレンジ精神 創造力豊か 誠意のある 規則の守れる 損益がわかる 人

会社データ (金額は百万円)

【本社】185-0012 東京都国分寺市本町4-12-1
☎042-300-7200 https://www.olympic-corp.co.jp/
【社長】大下内 徹【設立】1973.2【資本金】9,946【今後力を入れる事業】NA

【業績(連結)】	売上高	営業利益	経常利益	純利益
22.2	98,849	1,928	1,814	905
23.2	91,983	315	156	108
24.2	90,937	190	51	▲477

㈱ユニバース

[株式公開] [計画なし]

【特色】青森県トップの食品スーパー。アークスグループ

修士・大卒採用数	3年後離職率	有休取得年平均	平均年収(平均40歳)
20名	23.8→44.4%	10.8日	[総]491万円

●エントリー情報と採用プロセス●

【受付開始～終了】[総]3月～未定【採用プロセス】[総]面談(3月)→ES提出・面接・筆記(4～5月)→役員面接(5月下旬)→内々定(6月)【交通費支給】役員面接以降、実費【早期選考】⇒巻末

試験情報

[重視科目] [総]面接

[総][ES]⇒巻末[筆]SPI3(自宅)[面]2回(Webあり)

[選考ポイント] [総][ES]文章に論理性があるか 求める人材と合致しているか[面]マネジメントセンス 日常のパフォーマンス

[通過率] [総][ES]選考なし(受付:74)

[倍率(応募/内定)] [総]2倍

●男女別採用数と配属先ほか●

【男女・文理別採用実績】

	大卒男	大卒女	修士男	修士女
23年	9(文 7理 2)	4(文 4理 0)	1(文 0理 1)	1(文 0理 1)
24年	7(文 4理 3)	6(文 5理 1)	0(文 0理 0)	0(文 0理 0)
25年	10(文 5理 5)	10(文 5理 5)	0(文 0理 0)	0(文 0理 0)

【25年4月入社者の採用実績校】
[文](24年)(大)中大 青森中央学大 桜美林大 新潟大 弘前学大 岩手大 東北大 東北学大 北星学大各1(短)岩手県大盛岡2 [理](24年)(大)岩手大 八戸学大 弘前大 秋田県大各1(専)盛岡情報ビジネス&デザイン 青森県営農大学校各1

【24年4月入社者の配属先】
[総]勤務地:青森(青森3 八戸6 弘前1 三沢1 五所川原2 十和田1)岩手(盛岡2 二戸1) 部署:販売17名

[残業(月)] 20.0時間

[記者評価] 青森県が地盤の食品スーパー。青森でトップ、岩手でも高シェア。1967年に八戸市に1号店を開店。現在は青森、岩手、秋田に約60店をドミナント展開。売場面積2000㎡超の大型店舗の比率が約5割を占める。八戸の食肉プロセスセンターで商品の差別化を図る。

●給与、ボーナス、週休、有休ほか●

【30歳総合職平均年収】417万円【初任給】(大卒)215,000円【ボーナス(年)】130万円、4.83カ月【25、30、35歳賃金】228,416円→258,373円→276,895円【週休】4週8休【夏期休暇】なし【年末年始休暇】なし【有休取得】10.8／20日

●従業員数、勤続年数、離職率ほか●

【男女別従業員数、平均年齢、平均勤続年数】計 1,077(39.6歳 16.3年) 男 753(41.8歳 17.5年) 女 324(34.5歳 12.6年)【離職率と離職者数】4.6%、52名【3年後新卒定着率】55.6%(男70.0%、女47.1%、3年前入社:男20名・女34名)【組合】あり

[求める人材] チャレンジマインドの旺盛な人

[会社データ] (金額は百万円)

【本社】039-1185 青森県八戸市大字長苗代字前田83-1
☎0178-21-1888　https://www.universe.co.jp/
【社長】三浦 建彦【設立】1967.10【資本金】1,522【今後力を入れる事業】スーパーマーケット事業

【業績(単独)】	売上高	営業利益	経常利益	純利益
22.2	131,304	5,382	5,511	3,805
23.2	130,917	4,946	5,173	3,597
24.2	140,673	NA	NA	NA

㈱ヨークベニマル

[株式公開] [計画なし]

【特色】セブン＆アイ系の食品スーパー。総菜の強化図る

修士・大卒採用数	3年後離職率	有休取得年平均	平均年収(平均38歳)
90名	20.9→17.1%	7.5日	[総]614万円

●エントリー情報と採用プロセス●

【受付開始～終了】[総]3月～継続中【採用プロセス】[総]エントリー(3月)→説明会(必須)→GD(Web)→1次面接(Web)→最終面接(対面)→内々定※1次から内々定まで1カ月程【交通費支給】なし【早期選考】⇒巻末

試験情報

[重視科目] [総]NA

[総][筆]リスクチェッカー[面]2回(Webあり)[GD作]⇒巻末

[選考ポイント] [総][ES]提出なし[面]コミュニケーション力 積極性 挑戦性 問題解決力 柔軟性

[通過率] [総][ES]―(応募:275)

[倍率(応募/内定)] [総]4倍

●男女別採用数と配属先ほか●

【男女・文理別採用実績】※25年:計画数

	大卒男	大卒女	修士男	修士女
23年	55(文 46理 9)	38(文 33理 5)	0(文 0理 0)	0(文 0理 0)
24年	60(文 48理 12)	25(文 23理 2)	1(文 0理 1)	1(文 1理 0)
25年	60(文 45理 15)	30(文 25理 5)	0(文 0理 0)	0(文 0理 0)

【25年4月入社者の採用実績校】[文](大)東北学大10 東北福祉大5 宮城大 尚絅学大 常磐大 仙台大各3 宇都宮共和大 宮城学院女大 宮城教大 石巻専大 東京農業大 東北大 東北文化学園大 白鴎大各2 愛媛大 岩手県大 岩手大 郡山女大 埼玉大 作新学大 実践女大 十文字学女大 仙台白百合女大 帝京大 東洋大 富士大 文星芸大 流経大各1(短)佐野日本大 会津大各1(専)東京リゾート&スポーツ1 [理](大)玉川大 山形大 秋田県大 大阪産大 帝京大 東北工大 日大 福島大各1

【24年4月入社者の配属先】[総]勤務地:福島39 宮城32 山形3 栃木13 茨城15 部署:鮮魚16 精肉23 青果23 デイリー18 グロサリー6 デリカ8 衣料2 CS2 生産部4

[残業(月)] 14.5時間 [総]30.2時間

[記者評価] 1947年に「紅丸商店」として発足。73年イトーヨーカ堂と業務提携し現社名に。多店舗展開と中小スーパーの買収で成長。06年セブン＆アイHDと経営統合し傘下に。福島中心に宮城、山形、栃木、茨城の5県に248店舗(24年2月末)をドミナント展開。

●給与、ボーナス、週休、有休ほか●

【30歳総合職平均年収】512万円【初任給】(修士)233,200円(大卒)226,400円【ボーナス(年)】180万円、5.0カ月【25、30、35歳賃金】221,613円→266,700円→293,555円【週休】2日(シフト制)【夏期休暇】年2回の7連休制度で取得【年末年始休暇】年2回の7連休制度で取得【有休取得】7.5／10日

●従業員数、勤続年数、離職率ほか●

【男女別従業員数、平均年齢、平均勤続年数】計 ◇2,984(39.1歳 16.8年) 男 2,556(40.6歳 18.1年) 女 428(30.1歳 9.0年)【離職率と離職者数】◇2.0%、62名【3年後新卒定着率】82.9%(男85.2%、女78.6%、3年前入社:男54名・女28名)【組合】あり

[求める人材] 明るく元気で前向きな人 人と接するのが好きな人 責任感を持ち チャレンジ精神がある人 地域に貢献したいと考えている人

[会社データ] (金額は百万円)

【本社】963-8802 福島県郡山市谷島町5-42
☎024-924-3221　https://yorkbenimaru.com/
【社長】大高 耕一路【設立】1947.6【資本金】9,927【今後力を入れる事業】開発 製造

【業績(単独)】	売上高	営業利益	経常利益	純利益
22.2	469,415	14,704	15,953	9,055
23.2	458,991	18,013	18,421	45,278
24.2	479,913	18,701	19,183	11,616

㈱カスミ

持株会社傘下

【特色】茨城県地盤の食品スーパー。イオン系列

修士・大卒採用数	3年後離職率	有休取得年平均	平均年収(平均41歳)
70名	27.3 → 35.9%	8.5日	[総]545万円

●エントリー情報と採用プロセス●

【受付開始～終了】[総]3月～継続中【採用プロセス】[総]説明会(Web)→1次面接(Web)→SPI3→最終面接(対面)・クレペリン適性検査→内々定【交通費支給】なし【早期選考】⇒巻末

試験情報

重視科目 [総]面接

[総][筆]SPI3(自宅) クレペリン適性検査[面]2回(Webあり)

選考ポイント [総][ES]提出なし[面]積極性 コミュニケーション能力 統率力

通過率 [総][ES]—(応募:255)

倍率(応募/内定) [総]3倍

●男女別採用数と配属先ほか●

【男女・文理別採用実績】

	大卒男	大卒女	修士男	修士女
23年	37(文 35理 2)	28(文 18理 10)	1(文 0理 1)	0(文 0理 0)
24年	32(文 28理 4)	24(文 23理 1)	0(文 0理 0)	0(文 0理 0)
25年	35(文 －理 －)	－(文 －理 －)	－(文 －理 －)	－(文 －理 －)

【25年4月入社者の採用実績校】[文](24年)(大)常磐大10 大東文化大4 筑波大 流経大各3 玉川大 茨城キリスト大 駒澤大 十文字学女大 淑徳大 聖徳大 千葉商大各2 愛媛大 高崎経大 産能大 秀明大 駿河台大 女子栄養大 尚美学大 大妻女大 東京工科大 東京国際大 東洋学大 東洋大 帝京科学大 日大 武蔵野大 明海大 獨協大各1(短)常磐2 桐朋学園芸術1(専)華学園栄養 千葉デザイナー学院 筑波研究学園 つくばビジネスカレッジ各1 [理](24年)(大)日大2 茨城大 十文字学女大 千葉工大各1(専)中央工学校1

【24年4月入社者の配属先】

[総]勤務地:茨城44 千葉12 埼玉6 栃木1 東京1 部署:レジ9 鮮魚18 青果12 デリカ11 精肉加工センター4 ベーカリー8 本社2

残業(月) 14.0時間 [総]14.0時間

記者評価 茨城を地盤に千葉、埼玉などで195店舗(24年4月末)を展開。イオングループのユナイテッド・スーパーマーケットHD傘下、マルエツなども同グループ。食品スーパーの中でもデジタル技術の導入に積極的。23年の販促方法転換による常連客の離反顕著。集客改善が課題。

●給与、ボーナス、週休、有休ほか●

【30歳総合職平均年収】450万円【初任給】(修士)247,400円(大卒)241,100円【ボーナス(年)】124万円、3.85カ月【25、30、35歳賃金】239,436円→270,930円→291,023円【週休】会社暦2日【夏期休暇】なし【年末年始休暇】なし【有休取得】8.5／20日

●従業員数、勤続年数、離職率ほか●

【男女別従業員数、平均年齢、平均勤続年数】計 2,915(39.8歳 13.9年) 男 2,097(41.9歳 15.4年) 女 818(34.4歳 10.2年)【離職率と離職者数】4.5%、138名【3年後新卒定着率】64.1%(男NA、女NA、3年前入社:男女計128名)【組合】あり

求める人材 食・人・地域が好きな人 明るく元気で素直な人 相手を思いやり、自ら考え行動できる人

会社データ (金額は百万円)

【本社】305-8510 茨城県つくば市西大橋599-1
☎029-850-1850 https://www.kasumi.co.jp/
【社長】塚田 英明【設立】1961.6【資本金】100【今後力を入れる事業】食品SMの充実 新ビジネスの展開

【業績(連結)】	営業収益	営業利益	経常利益	純利益
22.2	716,407	12,155	12,474	5,374
23.2	708,690	6,384	6,536	1,336
24.2	706,657	6,907	6,929	1,008

※業績はユナイテッド・スーパーマーケット・ホールディングス㈱のもの

㈱ベイシア

株式公開計画なし

【特色】群馬地盤のショッピングセンターチェーン

修士・大卒採用数	3年後離職率	有休取得年平均	平均年収(平均37歳)
120名	37.5 → 31.6%	8.5日	[総]567万円

●エントリー情報と採用プロセス●

【受付開始～終了】[総]3月～継続中【採用プロセス】[総]説明会(必須)→ES1枚目提出・Web適性検査→個人面談→ES2枚目提出→面接(2回)→内々定※時期は都度【交通費支給】最終面接、実費(50,000円まで)【早期選考】⇒巻末

試験情報

重視科目 [総]面接

[総][ES]⇒巻末[筆]WebGAB[面]2回(Webあり)

選考ポイント [総][ES]誤字脱字がないか 伝えたいことが簡潔にまとめられているか[面]基本的なマナーや身だしなみ コミュニケーション力 挑戦・学び・協調性

通過率 [総][ES]選考なし(受付:161) **倍率(応募/内定)** [総]4倍

●男女別採用数と配属先ほか●

【男女・文理別採用実績】※25年:120名採用予定

	大卒男	大卒女	修士男	修士女
23年	55(文 50理 5)	35(文 29理 6)	0(文 0理 0)	0(文 0理 0)
24年	64(文 50理 14)	37(文 35理 2)	0(文 0理 0)	0(文 0理 0)
25年	－(文 －理 －)	－(文 －理 －)	－(文 －理 －)	－(文 －理 －)

【25年4月入社者の採用実績校】[文](24年)(大)大東文化大6 共愛学園前橋国際大5 白鴎大4 東洋大 高崎経大 帝京大 城西大 高崎商大各3 中大 成城大 日大 東海大 目白大 桜美林大 東京国際大 国際武道大 関東学園大各2 埼玉工大 東京農業大 高崎健康福祉大 群馬大 金沢大 都留文科大 立命館大 津田塾大 駒澤大 立正大 明星大 名城大 文教大 大妻女大 神奈川大 京産大 京都橘大 愛知淑徳大 中部大 東京富士大 東京工科大 千葉商大 千葉経大 跡見学園女大 人間環境大 新潟医療福祉大 城西国際大 駿河台大 関東学院大 人間総合科学大 新潟経営大 十文字学女大 埼玉学大 敬愛大 愛知産大 弘前学大 ノースアジア大各1(短)新島学園2 秋草学園1(専)大原簿記情報ビジネス医療福祉保育2 大原ビジネス公務員池袋校 日本工学院 HAL東京 宇都宮アートアンドスポーツ各1 [理](24年)(大)群馬大 高崎健康福祉大各3 東京電機大2 東洋大 東京農業大 長崎総合科学大 千葉工大 静岡理工科大 埼玉工大 工学院大 玉川大各1

【24年4月入社者の配属先】[総]勤務地:福島・二本松1 群馬(安中9 太田20 渋川2 みどり5 伊勢崎12 高崎8 富岡8 前橋31)埼玉(日高2 本庄7 鶴ヶ島2)千葉(佐倉1 千葉1)愛知・みよし1 部署:オペレーション(販売)110

残業(月) 20.4時間 [総]20.4時間

記者評価 前橋市に本拠を置く大型量販店チェーン。前身はいせや。衣食住フルラインを扱い、ワンフロア・前面駐車場の「スーパーセンター」業態が中心。食品スーパーも含め、1都14県に133店を展開(24年2月時点)。カインズ、ワークマンなどとグループ形成。

●給与、ボーナス、週休、有休ほか●

【30歳総合職平均年収】501万円【初任給】(博士)227,000円(修士)227,000円(大卒)213,000円【ボーナス(年)】132万円、5.2カ月【25、30、35歳賃金】225,283円→256,233円→269,353円【週休】2日(シフト制)【夏期休暇】なし【年末年始休暇】なし【有休取得】8.5／20日

●従業員数、勤続年数、離職率ほか●

【男女別従業員数、平均年齢、平均勤続年数】計 1,707(37.4歳 11.6年) 男 1,348(38.8歳 12.4年) 女 359(32.0歳 9.2年)【離職率と離職者数】5.6%、101名【3年後新卒定着率】68.4%(男71.4%、女64.7%、3年前入社:男42名・女34名)【組合】なし

求める人材 前向きでチャレンジ精神がある人 コミュニケーションを楽しめる人 気配りができる人

会社データ (金額は百万円)

【本社】379-2187 群馬県前橋市亀里町900
☎027-210-0001 https://www.beisia.co.jp/
【社長】相木 孝仁【設立】1996.11【資本金】3,099【今後力を入れる事業】新規出店 生活密着の小型店の展開 eコマース

【業績(単独)】	売上高	営業利益	経常利益	純利益
22.2	302,000	NA	NA	NA
23.2	301,800	NA	NA	NA
24.2	321,800	NA	NA	NA

1864 ▶『業界地図』p.42 開示 ★★★★

㈱ヤオコー

東京P 8279

【特色】埼玉県を地盤に食品スーパーを展開。高利益率

修士・大卒採用数	3年後離職率	有休取得年平均	平均年収(平均40歳)
120名	42.4→35.4%	8.2日	㊗724万円

●エントリー情報と採用プロセス●

【受付開始～終了】㊗3月～継続中【採用プロセス】㊗説明会(必須、3月～)→グループ面接・GD・ES提出(3月～)→2次面接・Web適性(3月～)→最終面接(3月～)→内々定(3月～)
【交通費支給】なし【早期選考】⇒巻末

試験情報

重視科目 ㊗面接

㊗ES⇒巻末 筆 適性検査(PAT) 面 3回(Webあり) GD作⇒巻末

選考ポイント ㊗ES 今まで何に興味を持ち、何に熱中してきたか 自分の経験を自信を持って語れるか 面 人柄 コミュニケーション能力

通過率 ㊗ES 選考なし(受付:(早期選考含む)450)

倍率(応募/内定) ㊗(早期選考含む)4倍

●男女別採用数と配属先ほか●

【男女・文理別採用実績】

	大卒男	大卒女	修士男	修士女
23年	122(文105 理 17)	44(文 42 理 2)	0(文 0 理 0)	0(文 0 理 0)
24年	85(文 77 理 8)	55(文 52 理 3)	0(文 0 理 0)	0(文 0 理 0)
25年	76(文 65 理 11)	44(文 40 理 4)	0(文 0 理 0)	0(文 0 理 0)

【25年4月入社者の採用実績校】文 (大)淑徳大 大東文化大各6 駿河台大5 十文字学女大 城西大 専大 帝京大 東京国際大 東洋大 日大各4 駒澤大 桜美林大 拓大 東京農業大 日女大 立正大各3 横浜美大 神奈川大 中央学大 東京家政大 東京経大 東洋学大 北里大 明星大 目白大各2 横浜商大 学習院大 関東学院大 共栄大 駒沢女大 高崎経大 国士舘大 埼玉学大 女子栄養大 昭和女大 跡見学園女大 大妻女大 中大 津田塾大 東京工芸大 東京電機大 二松学舎大 日本獣医生命科学大 文京学大 文教大 明学大 立教大 流経大 獨協大各1 理 (大)北里大 東京農業大 東洋大各2 群馬パース大 国士舘大 駿河台大 東京電機大 日本獣医生命科学大 日女大 明星大各1

【24年4月入社者の配属先】㊗勤務地:埼玉65 千葉24 東京19 群馬18 神奈川12 茨城4 栃木2 部署:販売142 工務2

残業(月) 23.2時間 ㊗23.2時間

記者評価 埼玉地盤に首都圏全域で食品スーパー「ヤオコー」など展開。増収増益更新中で、営業利益率は業界首位級。各店の裁量権が大きく、総菜や夕食メニュー等の提案型売り場に特徴がある。独自PBのほかライフと共同開発のPBも展開。ベトナムの食品スーパー2社に出資。

●給与、ボーナス、週休、有休ほか●

【30歳総合職平均年収】NA【初任給】(修士)234,000円(大卒)234,000円【ボーナス(年)】250万円、6.3カ月【25、30、35歳賃金】308,485円→367,722円→416,925円 ※ライフプラン選択金55,000円を含む【週休】完全2日(シフト制)【夏期休暇】5～7日程度(公休2日含む)【年末年始休暇】年始3日(公休2日含む※一部店舗はずらして取得)【有休取得】8.2/25日

●従業員数、勤続年数、離職率ほか●

【男女別従業員数、平均年齢、平均勤続年数】計 4,114(37.9歳 11.5年) 男 3,214(39.4歳 12.2年) 女 900(32.8歳 9.0年)【離職率と離職者数】4.7%、203名【3年後新卒定着率】64.6%(男62.9%、女66.7%、3年前入社:男151名・女117名)【組合】あり

求める人材 自ら考え行動できるバイタリティーのある人 食品への興味・関心のある人

会社データ (金額は百万円)

【本社】350-1124 埼玉県川越市新宿町1-10-1
☎049-246-7004 https://www.yaoko-net.com/
【社長】川野 澄人【設立】1974.3【資本金】9,846【今後力を入れる事業】生鮮部門 デリカ部門

【業績(連結)】	売上高	営業利益	経常利益	純利益
22.3	536,025	24,081	23,290	15,382
23.3	564,486	26,235	25,597	15,849
24.3	619,587	29,328	28,877	18,243

㈱ベルク

東京P 9974

【特色】埼玉地盤の食品スーパー。効率経営に強み

修士・大卒採用数	3年後離職率	有休取得年平均	平均年収(平均33歳)
144名	14.7→23.9%	8.8日	㊗585万円

●エントリー情報と採用プロセス●

【受付開始～終了】㊗3月～継続中 技3月～6月【採用プロセス】㊗技 説明会(必須)→Web適性検査・面接(Web、3月)→能力検査・面接(3月)→内々定(4月)【交通費支給】最終試験、関東圏外者に実費【早期選考】⇒巻末

試験情報

重視科目 ㊗技 面接 適性検査

㊗技 筆 一般常識 適性検査(性格検査 計算問題 他) 面 2回(Webあり)

選考ポイント ㊗ES 提出なし 面 積極的であるか 指導力・協調性はあるか 技 ES 提出なし 面 積極的であるか 協調性はあるか 今まで学んできたスキル・経験

通過率 ㊗ES —(応募:1,200) 技 ES —(応募:20)

倍率(応募/内定) ㊗5倍 技3倍

●男女別採用数と配属先ほか●

【男女・文理別採用実績】

	大卒男	大卒女	修士男	修士女
23年	67(文 64 理 3)	36(文 34 理 2)	0(文 0 理 0)	0(文 0 理 0)
24年	82(文 73 理 9)	43(文 39 理 4)	1(文 0 理 1)	0(文 0 理 0)
25年	90(文 - 理 -)	50(文 - 理 -)	4(文 - 理 -)	0(文 0 理 0)

【25年4月入社者の採用実績校】文 (24年)(大)大東文化大12 駿河台大8 城西大7 流経大5 日大4 埼玉大 帝京大 東京国際大各3 亜大 跡見学園女大 江戸川大 関東学園大 共栄大 駒澤大 聖学大 高崎経大 千葉商大 東京経大 東洋大 文京学大各2 洗足音大 大妻女大 嘉悦大 川村学女大 共立女大 國學院大 国士舘大 埼玉工大 相模女大 産能大 十文字学女大 西武文理大 中央学大 帝京平成大 東京家政大 東京工科大 東京聖栄大 東京福祉大 東洋学大 白鴎大 文教大 武蔵野大 武蔵野美大 明海大 明学大 明星大 和洋女大各1 他 理 (24年)(大)女子栄養大3 神奈川大 日大各2 他

【24年4月入社者の配属先】㊗勤務地:埼玉85 千葉20 群馬13 東京9 神奈川4 栃木2 茨城1 部署:販売134 技 勤務地:埼玉4 部署:エンジニア4

残業(月) 11.4時間 ㊗11.4時間

記者評価 埼玉県内を中心に140店(24年5月末)を展開。店舗レイアウトを標準化しており、本部の政策をすぐに全店で実行できることが強み。業績拡大が続く。イオンが15%の株を持ち、同社の「トップバリュ」も取り扱うが、独自色強い。同じ埼玉地盤のヤオコーが好敵手。

●給与、ボーナス、週休、有休ほか●

【30歳総合職平均年収】515万円【初任給】(修士)236,000円(大卒)236,000円【ボーナス(年)】146万円、5.12カ月【25、30、35歳賃金】269,234円→308,024円→341,193円【週休】月9日+年間8日【夏期休暇】最大7日(有休含む)【年末年始休暇】なし【有休取得】8.8/20日

●従業員数、勤続年数、離職率ほか●

【男女別従業員数、平均年齢、平均勤続年数】計 2,536(33.4歳 9.3年) 男 1,874(35.3歳 10.4年) 女 662(27.7歳 6.3年)【離職率と離職者数】5.2%、139名【3年後新卒定着率】76.1%(男79.8%、女70.4%、3年前入社:男84名・女54名)【組合】あり

求める人材 明るく前向きな人 変化を楽しみ力に変えていける人 常に学びチャレンジしていく人

会社データ (金額は百万円)

【本社】350-2282 埼玉県鶴ヶ島市脚折1646
☎049-287-0111 https://www.belc.jp/
【社長】原島 一誠【設立】1959.5【資本金】3,912【今後力を入れる事業】ネットスーパー事業や移動販売事業

【業績(連結)】	売上高	営業利益	経常利益	純利益
22.2	300,267	13,072	13,885	9,187
23.2	310,825	14,018	14,297	9,614
24.2	351,856	14,495	14,972	10,677

㈱マミーマート

東京S 9823

【特色】埼玉地盤に食品スーパー展開。高利益率

修士・大卒採用数	3年後離職率	有休取得年平均	平均年収(平均41歳)
38名	NA	10.3日	㊗596万円

●エントリー情報と採用プロセス●

【受付開始～終了】㊗2月～25年2月【採用プロセス】㊗Web説明会(必須)→Web人事面接→最終選考・役員面接→内々定【交通費支給】なし【早期選考】⇒巻末

試験情報

重視科目 ㊗NA

㊗㊕DBIT・DIST・DPI㊞2回(Webあり)(GD作)NA

選考ポイント ㊗ES提出なし㊞コミュニケーション能力 自己評価

通過率 ㊗ES—(応募:NA)

倍率(応募/内定) ㊗NA

●男女別採用数と配属先ほか●

【男女・文理別採用実績】

	大卒男	大卒女	修士男	修士女
23年	32(文 31理 1)	10(文 10理 0)	0(文 0理 0)	0(文 0理 0)
24年	20(文 19理 1)	9(文 7理 2)	0(文 0理 0)	0(文 0理 0)
25年	25(文 23理 2)	13(文 13理 0)	0(文 0理 0)	0(文 0理 0)

※25年:24年9月18日時点

【25年4月入社者の採用実績校】

(文)(大)城西大4 十文字学女大 聖学大 国士舘大 開智国際大各3 江戸川大 白鴎大各2 駒澤大 上武大 亜大 弘前大 大分大 桜美林大 淑徳大 女子栄養大 大東文化大 清和大 跡見学園女大 中央学大 和洋女大 流経大 帝京平成大 平成国際大各1 (短)大分県芸術文化1 (理)(大)埼玉工大 明星大各1

【24年4月入社者の配属先】

㊗勤務地:埼玉 千葉 群馬 栃木 東京 部署:販売31

残業(月) 19.6時間 ㊗19.6時間

記者評価 「マミーマート」中心に78店(24年6月時点)展開。品ぞろえに強みの「生鮮市場TOP」、低価格売りの「マミープラス」など、近年は既存店の業態転換を推進。24年9月期以降は「TOP」の新規出店も再開。ヤオコー、ベルクなど強豪ひしめく首都圏郊外で高成長続く。

●給与、ボーナス、週休、有休ほか●

【30歳総合職平均年収】486万円【初任給】(大卒)250,000円【ボーナス(年)】133万円、4.1カ月【25、30、35歳賃金】247,135円→273,912円→315,422円【週休】会社暦2日【夏期休暇】3日(7～9月)【年末年始休暇】なし【有休取得】10.3/20日

●従業員数、勤続年数、離職率ほか●

【男女別従業員数、平均年齢、平均勤続年数】計 927(41.2歳 12.0年) 男 777(42.2歳 12.5年) 女 150(33.1歳 9.1年)【離職率と離職者数】5.4%、53名【3年後新卒定着率】NA【組合】あり

求める人材 仕事として「食の商売」をしてみたい人

会社データ (金額は百万円)

【本社】331-0812 埼玉県さいたま市北区宮原町2-44-1
☎048-654-2511 https://mammymart.co.jp/
【社長】岩崎 裕文【設立】1965.10【資本金】2,660【今後力を入れる事業】NA

【業績(連結)】	売上高	営業利益	経常利益	純利益
21.9	136,675	5,952	6,376	3,931
22.9	133,002	4,962	5,427	3,422
23.9	145,040	5,898	6,387	4,313

サミット㈱

株式公開 計画なし

【特色】住友商事系の食品スーパー。首都圏に展開

修士・大卒採用数	3年後離職率	有休取得年平均	平均年収(平均38歳)
120名	42.4→39.3%	13.4日	㊗596万円

●エントリー情報と採用プロセス●

【受付開始～終了】㊗3月～継続中【採用プロセス】㊗説明会(必須、3月～)→筆記(3月下旬)→Web面接(3月下旬)→最終面接(4月上旬)→内々定(4月中旬)【交通費支給】なし【早期選考】⇒巻末

試験情報

重視科目 ㊗面接

㊗ES⇒巻末㊕SPI3(自宅) 適性検査㊞2回(Webあり)

選考ポイント ㊗㊞志望動機 コミュニケーション能力 当社に入社してやりたいこと 他

通過率 ㊗ES選考なし(受付:409)

倍率(応募/内定) ㊗5倍

●男女別採用数と配属先ほか●

【男女・文理別採用実績】

	大卒男	大卒女	修士男	修士女
23年	59(文 51理 8)	48(文 41理 7)	0(文 0理 0)	0(文 0理 0)
24年	62(文 55理 7)	31(文 25理 6)	0(文 0理 0)	0(文 0理 0)
25年	60(文 50理 10)	60(文 50理 10)	0(文 0理 0)	0(文 0理 0)

【25年4月入社者の採用実績校】

(文)(大)東京経大7 高千穂大6 日大4 十文字学女大 大東文化大 二松学舎大 和光大各3 神奈川大 関東学院大 駒澤大 西武文理大 千葉商大 獨協大 文化学園大各2 亜大 桜美林大 大妻女大 岡山商大 国士舘大 相模女大 産能大 実践女大 成城大 聖徳大 専大 拓大 中央学大 鶴見大 帝京大 帝京平成大 東洋学大 東京家政大 東京成徳大 東京農業大 東洋大 文教大 明学大 宮城大各1(専)大原簿記情報ビジネス 大原簿記情報ビジネス医療 日本鉄道&スポーツビジネスカレッジ各1 他 (理)(大)国士舘大 芝工大 駿河台大 帝京大 日大 立正大各1 他

【24年4月入社者の配属先】

㊗勤務地:東京70 神奈川17 千葉8 埼玉3 部署:販売スタッフ98

残業(月) 25.1時間 ㊗25.1時間

記者評価 住友商事が米セーフウェイからライセンス導入し1963年に設立した京浜商会が前身。首都圏1都3県に食品スーパー「サミットストア」を約120店舗展開。生鮮や総菜に強み。顧客の近隣店から商品を届けるネットスーパーも。衣料品専門店「コルモピア」は約40店体制。

●給与、ボーナス、週休、有休ほか●

【30歳総合職平均年収】513万円【初任給】(修士)260,000円(大卒)250,000円【ボーナス(年)】142万円、4.33カ月【25、30、35歳賃金】263,303円→296,264円→323,037円 ※大卒以外・中途入社・短時間勤務者を含む【週休】月10日(シフト制)【夏期休暇】7日(有休4日、週休3日)【年末年始休暇】原則1月1～3日【有休取得】13.4/20日

●従業員数、勤続年数、離職率ほか●

【男女別従業員数、平均年齢、平均勤続年数】計 2,642(37.0歳 12.8年) 男 2,006(38.2歳 13.7年) 女 636(33.5歳 9.8年)【離職率と離職者数】7.2%、204名【3年後新卒定着率】60.7%(男65.6%、女51.0%、3年前入社:男96名・女49名)【組合】あり

求める人材 当社の使命「生きる糧を分かち合うお店」に共感し、取り組める人

会社データ (金額は百万円)

【本社】168-0064 東京都杉並区永福3-57-14
☎03-3318-5000 https://www.summitstore.co.jp/
【社長】服部 哲也【設立】1963.7【資本金】3,920【今後力を入れる事業】スーパーマーケット事業の拡大

【業績(単独)】	売上高	営業利益	経常利益	純利益
22.3	310,853	9,143	9,477	6,059
23.3	309,415	5,059	5,076	3,921
24.3	333,987	6,002	6,098	4,075

㈱いなげや

東京P 8182

【特色】首都圏食品スーパー大手。ドラッグストアも展開

修士・大卒採用数	3年後離職率	有休取得年平均	平均年収(平均43歳)
20名	9.7→41.3%	8.0日	[総]573万円

●エントリー情報と採用プロセス●

【受付開始～終了】[総]3月～継続中【採用プロセス】[総]説明会(必須、3月～)→筆記(3月中旬～)→面接・GD(2回、3月下旬～)→内々定(4月下旬～)※説明会、筆記、面接はWebでも実施【交通費支給】なし【早期選考】⇒巻末

試験情報

重視科目 [総]面接

[総][筆]SPI3(自宅)[面]2回(Webあり)[GD作]NA

選考ポイント [総][ES]提出なし[面]学生時代に何に力を入れてきたか 販売の仕事への興味 目的意識を持っているか 自分の言葉で語れるか

通過率 [総][ES]—(応募:392)

倍率(応募/内定) [総]16倍

●男女別採用数と配属先ほか●

【男女・文理別採用実績】

	大卒男	大卒女	修士男	修士女
23年	25(文 20理 5)	27(文 20理 7)	0(文 0理 0)	0(文 0理 0)
24年	8(文 8理 0)	10(文 9理 1)	0(文 0理 0)	0(文 0理 0)
25年	12(文 9理 3)	8(文 7理 1)	0(文 0理 0)	0(文 0理 0)

【25年4月入社者の採用実績校】

[文](大)帝京大3 駿河台大2 日大 城西大 東京農業大 白百合女大 東京経大 玉川大 日女大 専大 女子栄養大 東海大 中央学大各1 [理](大)東京農業大2 明星大 神奈川工大各1

【24年4月入社者の配属先】

[総]勤務地:東京9 埼玉6 神奈川3 部署:販売18

残業(月) 16.8時間 [総]16.8時間

記者評価 スーパー「いなげや」を中心に130店体制(24年3月末)。立川など東京・多摩地区を中心に埼玉、神奈川、千葉でも展開。筆頭株主のイオンとは長らく距離を置いていたが、業績停滞を受け23年11月に同社傘下に。24年11月末にイオン子会社のUSMHと経営統合。

●給与、ボーナス、週休、有休ほか●

【30歳総合職平均年収】500万円【初任給】(修士)251,500円～(大卒)242,500円～【ボーナス(年)】121万円、3.52カ月【25、30、35歳賃金】240,606円→307,325円→342,726円【週休】月9～11日(シフト制)【夏期休暇】連続6日【年末年始休暇】なし【有休取得】8.0/20日

●従業員数、勤続年数、離職率ほか●

【男女別従業員数、平均年齢、平均勤続年数】計 1,704(43.3歳 19.5年) 男 1,396(45.4歳 21.5年) 女 308(33.6歳 10.5年)【離職率と離職者数】5.5%、100名【3年後新卒定着率】58.7%(男76.9%、女45.9%、3年前入社:男26名・女37名)【組合】あり

求める人材 食に興味があり、改善・達成意欲の旺盛な人

会社データ (金額は百万円)

【本社】190-8517 東京都立川市栄町6-1-1
☎042-537-5104 https://www.inageya.co.jp/
【社長】本杉 吉員【設立】1948.5【資本金】8,981【今後力を入れる事業】食品小売(スーパーマーケット)

【業績(連結)】	売上高	営業利益	経常利益	純利益
22.3	251,417	3,525	3,880	2,399
23.3	248,546	1,899	2,184	▲2,105
24.3	261,486	2,931	2,892	497

㈱東急ストア

株式公開 計画なし

【特色】東急グループ流通事業の中核。東急沿線が主地盤

修士・大卒採用数	3年後離職率	有休取得年平均	平均年収(平均41歳)
20名	23.6→31.1%	17.7日	[総]562万円

●エントリー情報と採用プロセス●

【受付開始～終了】[総]3月～継続中【採用プロセス】[総]説明会(必須、3月)→ES提出・筆記→GD(インターンシップ参加者は免除)→面接(2回)→内々定 ※内々定まで1カ月半程度【交通費支給】なし【早期選考】⇒巻末

試験情報

重視科目 [総]面接

[総][ES]⇒巻末[筆]YGPI Talent Analytics[面]2回(Webあり)[GD作]⇒巻末

選考ポイント [総][ES]志望動機 自己PR 学生時代の取り組み等を面接時に評価[面]当社志望度 主体・積極性 チームワーク コミュニケーション 創造性 挑戦意欲 思考の深さ 興味・関心の幅 身だしなみ マナー

通過率 [総][ES]選考なし(受付:216)

倍率(応募/内定) [総]13倍

●男女別採用数と配属先ほか●

【男女・文理別採用実績】

	大卒男	大卒女	修士男	修士女
23年	14(文 14理 0)	26(文 23理 3)	0(文 0理 0)	0(文 0理 0)
24年	18(文 16理 2)	13(文 12理 1)	1(文 0理 1)	0(文 0理 0)
25年	11(文 11理 0)	9(文 9理 0)	0(文 0理 0)	0(文 0理 0)

※25年:継続中

【25年4月入社者の採用実績校】

[文](大)関東学院大 駒澤大 明学大各2 慶大 國學院大 相模女大 高千穂大 多摩大 日本国際学園大 東京女大 日大 日女大 文京学大 明海大各1 [理]なし

【24年4月入社者の配属先】

[総]勤務地:東京(港5 世田谷4 目黒4 大田3 品川1 葛飾1 調布1)神奈川(横浜6 川崎3 鎌倉1 大和2)千葉・柏1 部署:店舗32

残業(月) 19.5時間 [総]19.5時間

記者評価 東京、神奈川、埼玉、千葉、静岡に食品スーパー「東急ストア」、高級スーパー「プレッセ」など店舗展開。出店は東急沿線が軸。店長裁量の店舗づくりに特徴。無人決済店舗の運営にも着手。ミニスーパー、駅売店、コンビニ、ドラッグストア含め約160店舗体制。

●給与、ボーナス、週休、有休ほか●

【30歳総合職平均年収】442万円【初任給】(大卒)228,100円【ボーナス(年)】125万円、4.2カ月【25、30、35歳賃金】240,666円→261,514円→288,779円【週休】完全2日【夏期休暇】連続9日+マイプラン休日年3日より取得【年末年始休暇】連続9日+マイプラン休日年3日より取得【有休取得】17.7/20日

●従業員数、勤続年数、離職率ほか●

【男女別従業員数、平均年齢、平均勤続年数】計 1,866(43.6歳 20.1年) 男 1,372(45.2歳 21.8年) 女 494(39.1歳 15.5年)【離職率と離職者数】3.4%、66名【3年後新卒定着率】68.9%(男67.7%、女70.0%、3年前入社:男31名・女30名)【組合】あり

求める人材 お客様の立場に立ち、自ら考え行動できる人 明るくコミュニケーションを図れる人

会社データ (金額は百万円)

【本社】153-8577 東京都目黒区上目黒1-21-12 東光ビル4階
☎03-3714-2462 https://www.tokyu-store.co.jp/
【社長】大堀 左千夫【設立】1956.10【資本金】100【今後力を入れる事業】個店ごとの地域に合わせた商品・サービス提供 小型店の出店

【業績(単独)】	売上高	営業利益	経常利益	純利益
22.2	184,945	3,840	3,566	2,013
23.2	193,159	3,333	2,963	1,356
24.2	200,438	4,553	4,124	2,113

小売

㈱スーパーアルプス

株式公開 未定

【特色】八王子中心に三多摩地区で食品スーパーを展開

修士・大卒採用数	3年後離職率	有休取得年平均	平均年収(平均39歳)
15名	31.3 → 28.6%	13.4日	[総]580万円

●エントリー情報と採用プロセス●

【受付開始～終了】[総]3月～継続中【採用プロセス】[総]説明会(必須、3月～)→適性検査(3月～)→店舗見学会(4月～)→1次面接(4月～)→職場体験(5月～)→役員面接(5月～)→内々定(5月中旬～)【交通費支給】職場体験、実費

試験情報

重視科目 [総]面接

[総][筆]GATB YG性格検査[面]2回

選考ポイント [総][ES]提出なし[面]人柄 誠実さ 表現力 観察力 意欲

通過率 [総][ES]―(応募:31)

倍率(応募/内定) [総]2倍

●男女別採用数と配属先ほか●

【男女・文理別採用実績】

	大卒男	大卒女	修士男	修士女
23年	6(文 6理 0)	1(文 0理 1)	0(文 0理 0)	0(文 0理 0)
24年	4(文 4理 0)	0(文 0理 0)	0(文 0理 0)	0(文 0理 0)
25年	8(文 －理 －)	7(文 －理 －)	0(文 0理 0)	0(文 0理 0)

※25年:予定数、総枠で20名採用目標

【25年4月入社者の採用実績校】

[文](24年)(大)亜大 専大 帝京大 武蔵野大各1 [理](24年)なし

【24年4月入社者の配属先】

[総]勤務地:東京・八王子4 部署:販売4

残業(月) 23.5時間 [総]23.5時間

記者評価 東京・昭島で青果商として創業。八王子市を中心とした東京西部の多摩地区、神奈川、埼玉に食品スーパー約30店舗を展開する。ドミナント戦略が出店の基軸。インストアベーカリーに注力。ショッピングセンター「コピオ」も運営。ネットスーパーを育成。

●給与、ボーナス、週休、有休ほか●

【30歳総合職平均年収】478万円【初任給】(大卒)238,900円【ボーナス(年)】130万円、4.15カ月【25、30、35歳賃金】247,750円→271,300円→281,000円【週休】月9～10日【夏期休暇】5連休以上1回または3連休以上2回取得(有休で取得)【年末年始休暇】1月1～3日全店舗休業、有休使用を推奨【有休取得】13.4／20日

●従業員数、勤続年数、離職率ほか●

【男女別従業員数、平均年齢、平均勤続年数】計 ◇701(38.4歳 17.1年) 男 494(40.8歳 18.4年) 女 207(32.8歳 13.9年)【離職率と離職者数】◇3.3%、24名【3年後新卒定着率】71.4%(男66.7%、女80.0%、3年前入社:男9名・女5名)【組合】あり

求める人材 商売が好きで、当社の企業理念に共感できる人

会社データ (金額は百万円)

【本社】192-0011 東京都八王子市滝山町2-351

☎042-692-2111 http://superalps.info/

【社長】松本 英男【設立】1962.4【資本金】50【今後力を入れる事業】食品スーパーマーケット

【業績(単独)】	売上高	営業利益	経常利益	純利益
22.3	58,891	956	1,096	609
23.3	58,465	357	463	▲57
24.3	60,301	1,135	958	887

アクシアル リテイリンググループ

(㈱原信、㈱ナルス)

東京P 8255

【特色】新潟と群馬を地盤に食品スーパーを運営

修士・大卒採用数	3年後離職率	有休取得年平均	平均年収(平均39歳)
22名	25.0 → 32.2%	15.5日	[総]562万円

●エントリー情報と採用プロセス●

【受付開始～終了】[総]3月～継続中【採用プロセス】[総]説明会(必須、3月)→ES提出・SPI(3月～)→1次面接(3月～)→役員面接(4月～)→内々定(4月～)【交通費支給】役員面接、地域別規定額【早期選考】⇒巻末

試験情報

重視科目 [総]面接

[総][ES]⇒巻末[筆]SPI3(会場) SPI3(自宅)[面]2回(Webあり)[GD作]NA

選考ポイント [総][面]職業観と会社における具体的目標 対人関係能力

通過率 [総][ES]選考なし(受付:83)

倍率(応募/内定) [総]1倍

●男女別採用数と配属先ほか●

【男女・文理別採用実績】

	大卒男	大卒女	修士男	修士女
23年	28(文 21理 7)	19(文 16理 3)	1(文 0理 1)	0(文 0理 0)
24年	23(文 22理 1)	7(文 5理 2)	1(文 1理 0)	0(文 0理 0)
25年	14(文 10理 4)	7(文 5理 2)	0(文 0理 0)	1(文 0理 1)

※25年:24年7月時点

【25年4月入社者の採用実績校】

[文](大)新潟国際情報大 新潟県大 開志専大各2 新潟大 新潟経営大 新潟産大 富山大 帝京大 上武大 聖徳大 大東文化大 文教大各1(短)新潟青陵 共愛学園前橋国際大各1(専)新潟ビジネス2 [理](院)新潟大1(大)新潟薬大6

【24年4月入社者の配属先】

[総]勤務地:新潟(新潟14 長岡10 三条2 魚沼2 上越1 燕1 柏崎1 十日町1 五泉1)長野・中野1 部署:販売総合34

残業(月) 21.4時間 [総]21.4時間

記者評価 新潟県の長岡地盤の原信と上越地盤のナルスが2006年に経営統合して誕生。13年に群馬県地盤のフレッセイも統合し、現体制に。原信とナルスで合計約80店舗体制。健康や環境低負荷などがコンセプトのPB「ハナウェル」に注力。太陽光パネル設置店舗を拡大。

●給与、ボーナス、週休、有休ほか●

【30歳総合職平均年収】490万円【初任給】(修士)241,710円(大卒)223,650円【ボーナス(年)】142万円、5.025カ月【25、30、35歳賃金】244,016円→278,207円→322,951円【週休】1カ月単位の変形制【夏期休暇】連続6日(年2回)連続5日(年1回)連続4日(年1回、有休2日含む)【年末年始休暇】なし【有休取得】15.5／20日

●従業員数、勤続年数、離職率ほか●

【男女別従業員数、平均年齢、平均勤続年数】計 1,567(37.8歳 13.7年) 男 1,100(39.5歳 14.5年) 女 467(34.1歳 11.8年)【離職率と離職者数】4.1%、67名【3年後新卒定着率】67.8%(男73.5%、女60.0%、3年前入社:男34名・女25名)【組合】あり

求める人材 グループの理念を共有できる人 自己育成を継続できる人

会社データ (金額は百万円)

【本社】954-0193 新潟県長岡市中興野18-2

☎0258-66-6714 https://www.axial-r.com/

【社長】原 和彦【設立】1967.8【資本金】3,159【今後力を入れる事業】SSM業態の深耕

【業績(連結)】	売上高	営業利益	経常利益	純利益
22.3	246,450	10,310	10,615	7,074
23.3	254,966	10,443	10,940	6,356
24.3	270,224	11,779	12,332	7,442

※会社データはアクシアル リテイリング㈱のもの

小売

マックスバリュ東海(株)（とうかい） 東京S 8198

【特色】東海地区地盤の食品スーパー。イオン系

修士・大卒採用数	3年後離職率	有休取得年平均	平均年収(平均43歳)
44名	37.7→34.9%	8.7日	[総]558万円

●エントリー情報と採用プロセス●

【受付開始～終了】[総]3月～継続中【採用プロセス】[総]説明会(任意、3月上旬)→1次面接(3月中旬)→性格適性検査SPI3・最終面接(3月下旬)→内々定(4月上旬)【交通費支給】なし
【早期選考】⇒巻末

試験情報

重視科目 [総]面接
[総][筆]SPI性格[面]2回(Webあり)
選考ポイント [総][面]自己分析ができており、誰かのために何かをした経験があるか 食が好きで関心があるか 情熱をもって取り組んだことはなにか
通過率 [総][ES]―(応募:184)
倍率(応募/内定) [総]3倍

●男女別採用数と配属先ほか●

【男女・文理別採用実績】

	大卒男	大卒女	修士男	修士女
23年	24(文 21理 3)	7(文 5理 2)	0(文 0理 0)	0(文 0理 0)
24年	22(文 16理 6)	11(文 11理 0)	1(文 1理 0)	0(文 0理 0)
25年	28(文 24理 4)	15(文 13理 2)	1(文 1理 0)	0(文 0理 0)

【25年4月入社者の採用実績校】[文](院)名古屋市大1(大)椙山女学大3 愛知学大 皇學館大 常葉大 静岡英和学大 神奈川大各2 佛教大 愛知県芸大 日本福祉大 三重大 名古屋女大 東海大 名城大 静岡産大 大谷大 京都橘大 愛知大 福知山公大 中京大 中大 新潟大 人間環境大 釧路公大 都留文科大 北九州市大 静岡大 東海学院大 岐阜女大 四日市大 星城大各1(短)愛知大 静岡英和学院各1(専)名古屋デザイナーアカデミー2 日本マンガ芸術学院 大原簿記情報医療名古屋校各1 [理](大)中部大2 静岡理工科大 高知工科大 愛媛大 大同大各1
【24年4月入社者の配属先】[総]勤務地:愛知14 静岡8 三重6 岐阜1 滋賀2 山梨3 神奈川3 部署:総合職37

残業(月) 13.8時間 [総]13.8時間

記者評価 1997年に経営破綻した旧ヤオハンが母体でイオン子会社となり再建。マックスバリュ(MV)中部を19年に吸収併。都市部小型店の「MVエクスプレス」を含めて240店(24年5月末)。店舗の約半数は静岡で、愛知、三重が続く。25年4月入社者から初任給を25万円に増額予定。

●給与、ボーナス、週休、有休ほか●

【30歳総合職平均年収】444万円【初任給】(博士)240,500円 (修士)240,500円 (大卒)232,500円【ボーナス(年)】56万円、3.5カ月【25、30、35歳賃金】238,755円→260,312円→296,517円【週休】勤務シフト制【夏期休暇】なし【年末年始休暇】なし【有休取得】8.7／20日

●従業員数、勤続年数、離職率ほか●

【男女別従業員数、平均年齢、平均勤続年数】計 2,260(43.3歳 8.6年) 男 1,780(45.1歳 9.2年) 女 480(36.7歳 6.4年)【離職率と離職者数】4.2%、99名【3年後新卒定着率】65.1%(男63.8%、女67.9%、3年前入社:男58名・女28名)【組合】あり

求める人材 変化を前向きに捉え、柔軟に対応できる人 自ら考え行動できる人

会社データ (金額は百万円)
【本社】435-0042 静岡県浜松市中央区篠ケ瀬町1295-1
☎053-421-7000 https://www.mv-tokai.co.jp/
【社長】作道 政昭【設立】1962.6【資本金】2,267【今後力を入れる事業】ノンストア事業

【業績(連結)】	売上高	営業利益	経常利益	純利益
22.2	354,907	11,296	11,227	7,595
23.2	351,107	10,302	10,285	6,169
24.2	366,742	13,482	13,516	8,313

(株)ハートフレンド 株式公開計画なし

【特色】京都中心に食品スーパー「フレスコ」など展開

修士・大卒採用数	3年後離職率	有休取得年平均	平均年収(平均40歳)
未定	42.1→41.0%	9.0日	[総]480万円

●エントリー情報と採用プロセス●

【受付開始～終了】[総]3月～2月【採用プロセス】[総]説明会(必須)→筆記・1次面接→2次面接→最終面接→内々定【交通費支給】なし

試験情報

重視科目 [総]面接
[総][筆]基礎能力診断[面]3回
選考ポイント [総][ES]提出なし[面]人物 考え方
通過率 [総][ES]―(応募:NA)
倍率(応募/内定) [総]NA

●男女別採用数と配属先ほか●

【男女・文理別採用実績】

	大卒男	大卒女	修士男	修士女
23年	6(文 6理 0)	7(文 7理 0)	0(文 0理 0)	0(文 0理 0)
24年	9(文 9理 0)	1(文 1理 0)	0(文 0理 0)	0(文 0理 0)
25年	-(文 -理 -)	-(文 -理 -)	-(文 -理 -)	-(文 -理 -)

【25年4月入社者の採用実績校】
[文](24年)(大)大谷大3 桃山学大 大阪経法大 龍谷大 帝塚山大 花園大 文教大 京都府大各1(短)四條畷学園1 [理](24年)なし
【24年4月入社者の配属先】
[総]勤務地:京都9 大阪2 部署:販売職11

残業(月) 23.0時間 [総]23.0時間

記者評価 食品スーパー「フレスコ」「フレスコプチ」「フレスコミニ」、ディスカウント業態「コレモ」などを展開。京都の小売市場が前身。滋賀、大阪、兵庫にも店舗網。新店開発・リニューアルに積極的。PB「エフグリーン」「エフプライス」にも注力。

●給与、ボーナス、週休、有休ほか●

【30歳総合職モデル年収】480万円【初任給】(大卒)230,000円【ボーナス(年)】98万円、4.0カ月【25、30、35歳賃金】231,355円→264,376円→305,731円【週休】2日【夏期休暇】なし【年末年始休暇】なし【有休取得】9.0／20日

●従業員数、勤続年数、離職率ほか●

【男女別従業員数、平均年齢、平均勤続年数】計 618(40.2歳 10.3年) 男 477(42.1歳 10.8年) 女 141(33.9歳 8.5年)【離職率と離職者数】6.8%、45名【3年後新卒定着率】59.0%(男76.9%、女50.0%、3年前入社:男13名・女26名)【組合】あり

求める人材 価値観や企業理念を共有いただける人

会社データ (金額は百万円)
【本社】600-8311 京都府京都市下京区若宮通五条下ル毘沙門町33-1
☎075-468-9171 https://www.super-fresco.co.jp/
【社長】井上 壮一【設立】1992.7【資本金】50【今後力を入れる事業】本業(小売・食品スーパーマーケット)

【業績(単独)】	売上高	営業利益	経常利益	純利益
22.2	54,800	NA	NA	NA
23.2	54,000	NA	NA	NA
24.2	56,800	NA	NA	NA

303 ▶『業界地図』p.264　開示 ★★★★

(株)ライフコーポレーション

東京P 8194

【特色】首都圏と近畿圏で集中展開する食品スーパー大手

修士・大卒採用数	3年後離職率	有休取得年平均	平均年収(平均41歳)
290名	26.0→22.1%	10.5日	[総]610万円

●エントリー情報と採用プロセス●

【受付開始～終了】[総]3月～継続中【採用プロセス】[総]説明会(必須、3月～)→ES提出→適性検査→面接(2回)→内々定【交通費支給】なし

試験情報

[重視科目] [総]面接

[総][ES]⇒巻末[筆]G9 TAP[面]2回(Webあり)

[選考ポイント] [総][面]意欲 協調性 明朗性 チャレンジ精神 他

[通過率] [総][ES]選考なし(受付:1,039)

[倍率(応募/内定)] [総]4倍

●男女別採用数と配属先ほか●

【男女・文理別採用実績】※25年:予定数

	大卒男	大卒女	修士男	修士女
23年	173(文158 理 15)	99(文 94 理 5)	1(文 0 理 1)	1(文 0 理 1)
24年	108(文 98 理 10)	93(文 80 理 13)	2(文 0 理 2)	1(文 0 理 1)
25年	145(文 － 理 －)	145(文 － 理 －)	0(文 0 理 0)	0(文 0 理 0)

【25年4月入社者の採用実績校】[文](大)近大8 大阪商大6 追手門学大 佛教大 立正大 産能大各4 京産大 梅花女大 大東文化大 東洋大 東京経大各3 関西学大 畿央大 京都文教大 大阪学大 大阪経大 大阪国際大 桃山学大 龍谷大 学習院大 日大 拓大 帝京平成大 高千穂大各2 関大 関西福祉大 京都先端科学大 京大 甲南大 摂南大 太成学大 大阪教大 大阪経法大 大阪工大 大阪産大 大阪成蹊大 大阪大谷大 大和大 帝塚山学大 奈良県大 流通科学大 早大 駒澤大 専大 国士舘大 帝京大 神奈川大 日女大 横浜商大 嘉悦大 関東学院大 共立女大 駒沢女大 恵泉女学大 敬愛大 江戸川大 女子美大 昭和女大 神戸学大 成城大 成蹊大 聖徳大 千葉経大 創価大 多摩大 中央学大 明学大 目白大 流経大 ルーテル学大各1 [理](大)大阪電通大 龍谷大 十文字学女大各2 近大 摂南大 大阪工大 武庫川女大 日大 東京工科大 相模女大 創価大 埼玉工大 弘前大 玉川大各1

【24年4月入社者の配属先】[総]勤務地:大阪84 兵庫16 京都10 奈良1 東京74 神奈川24 埼玉3 千葉1 部署:販売職213

[残業(月)] 13.2時間 [総]13.2時間

[記者評価] 大阪と東京の2本社体制で、近畿・首都圏で311店舗(24年8月末)を展開。三菱商事が2割超の株保有、現社長は同社出身。オーガニック食品のPB「ビオラル」など、独自商品の品質に定評。アマゾンと宅配サービスで協業。近年は店長の裁量権を広げている。

●給与、ボーナス、週休、有休ほか●

【30歳総合職平均年収】500万円【初任給】(博士)<近畿>245,000円<首都圏>253,000円 (修士)<近畿>245,000円<首都圏>253,000円 (大卒)<近畿>235,000円<首都圏>243,000円【ボーナス(年)】141万円、4.1カ月【25、30、35歳賃金】258,000円→318,800円→366,000円【週休】月9～10日(シフト制)【夏期休暇】なし【年末年始休暇】なし【有休取得】10.5／20日

●従業員数、勤続年数、離職率ほか●

【男女別従業員数、平均年齢、平均勤続年数】計 6,492(39.3歳 15.3年) 男 5,007(40.6歳 15.8年) 女 1,485(35.0歳 10.2年)【離職率と離職者数】3.8%、259名【3年後新卒定着率】77.9%(男82.3%、女72.5%、3年前入社:男124名・女102名)【組合】あり

[求める人材] 素直な心で、相手の気持ちを慮り、自分の考えを伝えられる人

[会社データ] (金額は百万円)

【本社】532-0004 大阪府大阪市淀川区西宮原2-2-22
☎06-6150-6111　http://www.lifecorp.jp/
【社長】岩崎 高治【設立】1956.10【資本金】10,004【今後力を入れる事業】商品開発 ネットスーパー事業 他

【業績(連結)】	売上高	営業利益	経常利益	純利益
22.2	768,334	22,932	23,695	15,208
23.2	765,425	19,148	20,015	13,327
24.2	809,709	24,118	24,948	16,938

(株)神戸物産(こうべぶっさん)

東京P 3038

【特色】食材販売の「業務スーパー」をFC展開

修士・大卒採用数	3年後離職率	有休取得年平均	平均年収(平均38歳)
未定	11.1→53.8%	17.3日	◇494万円

●エントリー情報と採用プロセス●

【受付開始～終了】[総]3月～継続中【採用プロセス】[総]<総合職>説明会(必須)→書類選考→面接・適性検査→内々定<焼肉事業部>(当日選考型)説明会(必須)→ES提出・適性検査・面談→面接→内々定(後日応募型)説明会(必須)→ES提出・書類選考→適性検査・面談→面接→内々定【交通費支給】なし【早期選考】⇒巻末

試験情報

[重視科目] [総]面接

[総][ES]⇒巻末[筆]あり(内容NA)[面]1回

[選考ポイント] [総][ES]NA(提出あり)[面]人間性 人柄

[通過率] [総][ES]40%(受付:142→通過:57)

[倍率(応募/内定)] [総]5倍

●男女別採用数と配属先ほか●

【男女・文理別採用実績】※25年:継続中

	大卒男	大卒女	修士男	修士女
23年	3(文 2 理 1)	3(文 3 理 0)	0(文 0 理 0)	0(文 0 理 0)
24年	7(文 6 理 1)	1(文 1 理 0)	0(文 0 理 0)	0(文 0 理 0)
25年	－(文 － 理 －)	－(文 － 理 －)	－(文 － 理 －)	－(文 － 理 －)

【25年4月入社者の採用実績校】

[文](24年)(大)神戸学大2 兵庫大 大阪国際大 神戸親和大 多摩大 二松学舎大各1(短)新渡戸文化 静岡農林環境専門職大各1(専)大阪市立デザイン教育研究所 国際製菓調理 東京山手調理師 京グローバルビジネス各1 [理](24年)(大)近大1

【24年4月入社者の配属先】[総]勤務地:兵庫・加古川6 神奈川(横浜1 川崎1)東京・江戸川2 さいたま2 静岡・富士1 部署:国内バイヤー2 海外バイヤー1 貿易1 神戸クック事業1 スーパーバイザー2 焼肉事業部6 [技]勤務地:兵庫・加古川1 部署:デザイン1

[残業(月)] 21.1時間

[記者評価] 業務用食材を販売する「業務スーパー」を全国でFC展開。独自管理システムの導入などによりローコストでの店舗運営を徹底している。利益の柱は自社グループ工場で製造するPB商品。海外からの食材輸入も特徴。店舗内併設型総菜店で中食も強化。

●給与、ボーナス、週休、有休ほか●

【30歳総合職平均年収】NA【初任給】(大卒)<本社>200,000円<焼肉事業部>241,000円【ボーナス(年)】NA、3.0カ月【25、30、35歳賃金】NA【週休】2日【夏期休暇】なし【年末年始休暇】年始3日間【有休取得】17.3／20日

●従業員数、勤続年数、離職率ほか●

【男女別従業員数、平均年齢、平均勤続年数】計 581(37.5歳 7.1年) 男 372(39.2歳 7.1年) 女 209(35.5歳 7.5年)【離職率と離職者数】NA【3年後新卒定着率】46.2%(男36.4%、女53.3%、3年前入社:男11名・女15名)【組合】なし

[求める人材] 前向きなひと 素直なひと まじめなひと 謙虚なひと

[会社データ] (金額は百万円)

【本社】675-0063 兵庫県加古川市加古川町平野125-1
☎079-457-5001　https://www.kobebussan.co.jp/
【社長】沼田 博和【設立】1991.4【資本金】500【今後力を入れる事業】業務スーパー プレミアムカルビ 馳走菜 他

【業績(連結)】	売上高	営業利益	経常利益	純利益
21.10	362,064	27,311	29,087	19,592
22.10	406,813	27,820	32,125	20,832
23.10	461,546	30,717	29,970	20,560

2797 ▶『業界地図』p.46,264…　開示 ★★

(株)関西スーパーマーケット（かんさい）

[株式公開していない]

【特色】関西地盤の中堅スーパー。百貨店大手H2O傘下

修士・大卒採用数	3年後離職率	有休取得年平均	平均年収(平均42歳)
70名	42.0→57.4%	10.0日	[総]568万円

残業(月) 19.6時間 [総]19.6時間

[記者評価] 大阪、兵庫を中心に約60店舗を展開する中堅スーパーで、業界のパイオニア的存在。百貨店大手エイチ・ツー・オー リテイリングのグループ会社。入社半年間の研修で実店舗の全部門を体験する。グループに同業のイズミヤ・阪急オアシス。

●エントリー情報と採用プロセス●

【受付開始～終了】[総]3月～継続中【採用プロセス】[総]Web説明会(必須、3月～)→Web試験→Web個人面接→GW→役員面接→内々定【交通費支給】なし【早期選考】⇒巻末

試験情報

重視科目 [総]面接

[総][ES]⇒巻末[筆]eF-1G 適性検査[面]2回(Webあり)[GD作]NA

選考ポイント [総][ES]自己PR 学生時代の取り組みを中心に評価[面]志望動機 学生時代の取組み(アルバイト含む)

通過率 [総][ES]選考なし(受付:58)

倍率(応募/内定) [総]1倍

●男女別採用数と配属先ほか●

【男女・文理別採用実績】

	大卒男	大卒女	修士男	修士女
23年	26(文 25 理 1)	11(文 10 理 1)	0(文 0 理 0)	0(文 0 理 0)
24年	13(文 10 理 3)	6(文 5 理 1)	0(文 0 理 0)	0(文 0 理 0)
25年	61(文 60 理 1)	9(文 6 理 3)	0(文 0 理 0)	0(文 0 理 0)

※25年:予定数

【25年4月入社者の採用実績校】

[文](24年)(大)神戸学大 帝塚山大各3 大阪経大2 大阪学大 大阪経法大 大阪商大 京産大 甲南大 神戸女大 帝塚山学大 武庫川女大各1 [理](24年)(大)大阪電通大 甲子園大 摂南大各1

【24年4月入社者の配属先】

[総]勤務地:(23年)兵庫19 大阪19 部署:(23年)本社1 営業37

●給与、ボーナス、週休、有休ほか●

【30歳総合職平均年収】462万円【初任給】(大卒)222,000円【ボーナス(年)】134万円、4.2カ月【25、30、35歳賃金】236,170円→253,000円→275,799円【週休】2日以上【夏期休暇】連続7日※2分割可【年末年始休暇】冬期連続5日 通期連続3日【有休取得】10.0／20日

●従業員数、勤続年数、離職率ほか●

【男女別従業員数、平均年齢、平均勤続年数】計 1,118(42.3歳 19.7年) 男 896(42.9歳 20.4年) 女 222(39.7歳 17.1年)【離職率と離職者数】4.9%、57名【3年後新卒定着率】42.6%(男47.2%、女33.3%、3年前入社:男36名・女18名)【組合】あり

[求める人材] 積極的でコミュニケーション能力が高く、明るく元気で、何事も前向きに捉える人

[会社データ] (金額は百万円)

【本社】664-0851 兵庫県伊丹市中央5-3-38
☎072-744-5701 https://www.kansaisuper.co.jp/
【社長】中西 淳【設立】1959.7【資本金】100【今後力を入れる事業】本業及びネットスーパーのビジネスモデルの構築 移動スーパー「とくし丸」事業

【業績(連結)】	売上高	営業利益	経常利益	純利益
22.3	130,864	2,623	2,792	1,941
23.3	127,545	2,885	2,737	1,469
24.3	132,495	3,858	3,718	2,231

(株)ハローズ

[東京P 2742]

【特色】広島・岡山地盤の食品スーパー。全店24時間営業

修士・大卒採用数	3年後離職率	有休取得年平均	平均年収(平均36歳)
110名	17.9→21.7%	8.4日	[総]505万円

残業(月) 24.1時間 [総]24.7時間

[記者評価] 店舗形態や作業の標準化、物流センターや自動発注システムによる効率化に強み。四国や兵庫含む瀬戸内海地域にドミナント展開、23年度には山口にも初出店。香川に続き広島、兵庫にも物流拠点新設。180店、年商3000億円目指す(24年2月期各110店、1954億円)。

●エントリー情報と採用プロセス●

【受付開始～終了】[総]3月～継続中【採用プロセス】[総]Web適性検査→ES・筆記・GD→面接→内々定【交通費支給】なし【早期選考】⇒巻末

試験情報

重視科目 [総]適性検査 面接

[総][ES]⇒巻末[筆]一般常識 適性検査[面]1回(Webあり)[GD作]⇒巻末

選考ポイント [総][ES]コミュニケーション能力 リーダーシップ能力 積極性 経験 向上心 人柄(笑顔 話し方 元気)[面]コミュニケーション能力 リーダーシップ能力 積極性 向上心 人柄(笑顔・話し方・元気さなど)考え方 清潔感

通過率 [総][ES]66%(受付:417→通過:277)

倍率(応募/内定) [総]4倍

●男女別採用数と配属先ほか●

【男女・文理別採用実績】※25年:計画数

	大卒男	大卒女	修士男	修士女
23年	44(文 35 理 9)	36(文 34 理 2)	0(文 0 理 0)	0(文 0 理 0)
24年	49(文 41 理 8)	17(文 14 理 3)	0(文 0 理 0)	0(文 0 理 0)
25年	55(文 35 理 20)	55(文 35 理 20)	0(文 0 理 0)	0(文 0 理 0)

【25年4月入社者の採用実績校】

[文](24年)(大)広島経大4 岡山学大 広島国際大 広島修道大 松山大 徳島文理大各3 岡山理大 関西国際大 吉備国際大 近大 四国学大 就実大 神戸学大 福山大各2 福山平成大 福山市大 尾道市大 比治山大 日大 奈良大 大谷大 神戸親和大 四国大 高知大 高知県大 香川大 京産大 下関市大 岡山商大 くらしき作陽大各1 他 [理](24年)(大)岡山理大3 福山大2 愛媛大 近大 広島工大 高知大 川崎医療福祉大 北海道情報大各1

【24年4月入社者の配属先】[総]勤務地:広島28 岡山15 兵庫13 徳島5 香川7 愛媛3 部署:販売職71

●給与、ボーナス、週休、有休ほか●

【30歳総合職平均年収】440万円【初任給】(大卒)250,000円【ボーナス(年)】108万円、4.3カ月【25、30、35歳賃金】255,893円→264,882円→273,917円【週休】2日(月単位のシフト制)【夏期休暇】なし【年末年始休暇】なし【有休取得】8.4／20日

●従業員数、勤続年数、離職率ほか●

【男女別従業員数、平均年齢、平均勤続年数】計 1,297(34.3歳 11.0年) 男 927(35.7歳 12.3年) 女 370(30.6歳 7.8年)【離職率と離職者数】5.7%、79名【3年後新卒定着率】78.3%(男71.8%、女86.7%、3年前入社:男39名・女30名)【組合】なし

[求める人材] 企業理念に共感してくれる人 会社と共に自分自身も成長しようと思っている人

[会社データ] (金額は百万円)

【本社】701-0393 岡山県都窪郡早島町早島3270-1
☎086-483-1011 https://www.halows.com/
【社長】佐藤 利行【設立】1958.10【資本金】5,483【今後力を入れる事業】新規出店 物流 商品開発

【業績(単独)】	売上高	営業利益	経常利益	純利益
22.2	163,373	8,688	8,713	5,932
23.2	174,106	9,052	9,141	6,201
24.2	195,444	10,870	10,896	8,589

小売

日本マクドナルド(株)

にほん

持株会社 傘下

【特色】ファストフード国内最大手。米本部の影響大きい

修士・大卒採用数	3年後離職率	有休取得年平均	平均年収(平均38歳)
184名	19.6 → 38.1%	9.5日	[総] 644万円

残業(月) 18.4時間 [総] 18.4時間

記者評価 世界最大のハンバーガーチェーン「マクドナルド」の日本法人。1971年に国内1号店を銀座三越に出店。現在は国内に約3000店を展開、ファストフード業界トップを走る。FC比率は約7割。接客専門の店員配置や事前注文・決済できるスマホアプリ導入でサービスを強化。

●エントリー情報と採用プロセス●

【受付開始～終了】[総]8月～9月【採用プロセス】[総]説明会オンライン／動画(12月～)→Web適性検査(12月～)→ES提出→グループセッション(1月～)→個人面談(2～3回、1月～)→最終面談(2月～)→内々定(2月下旬～)【交通費支給】なし【早期選考】⇒巻末

試験情報

重視科目 [総][面談] [総][ES]⇒巻末[筆]WebGAB OPQ[面]3～4回(Webあり)[GD作]⇒巻末

選考ポイント [総][面]リーダーシッププロフィシェンシー リーダーシップの基盤

通過率 [総][ES]選考なし(受付:NA) **倍率(応募/内定)** [総]7倍

●男女別採用数と配属先ほか●

【男女・文理別採用実績】

	大卒男	大卒女	修士男	修士女
23年	81(文 75 理 6)	77(文 70 理 7)	1(文 0 理 1)	4(文 3 理 1)
24年	85(文NA 理NA)	55(文 52 理 3)	1(文 1 理 0)	4(文 2 理 2)
25年	96(文 82 理 14)	78(文 63 理 15)	4(文 4 理 0)	6(文 4 理 2)

【25年4月入社者の採用実績校】[文](院)明大2 上智大 立命館大 立教大 拓大 阪大 宇都宮大各1(大)関西学大8 日大 立命館大各6 京産大 近大 東洋大 獨協大各4 神奈川大 東海大 同大 法政大 龍谷大各3 立教大 明大 愛知大 杏林大 京都文教大 国士舘大 聖心女大 大分大 中央学大 都留文科大 日体大 武蔵野大 福岡女学大 福山大 名古屋外大 名古屋商大各2 東大 お茶女大 京大 早大 駒澤大 青学大 中大 亜大 愛知学大 愛知工業大 愛知淑徳大 横国大 沖縄国際大 関西外大 久留米大 京都女大 京都精華大 金城学大 甲南大 桜美林大 滋賀大 十文字学女大 女子美大 情報経営イノベーション専門職大 新潟大 神戸学大 神戸大 神田外語大 椙山女学大 聖隷大 摂南大 大阪学大 大阪教大 大阪経大 大阪経法大 大阪産大 大阪商大 拓大 長崎県大 長崎国際大 追手門学大 帝京大 東京経大 東京工科大 東京女大 東邦大 二松学舎大 梅花女大 白百合女大 武蔵大 名古屋学院大 名城大各1 他 [理](院)東京女大 北大各1(大)東京農業大 梅花女大 つくば国際大各2 筑波大 東京海洋大 上智大 立命館大 神戸大 明大 関西学大 玉川大 高千穂大 高知工科大各1 他

【24年4月入社者の配属先】[総]勤務地:全国直営店舗193 部署:営業193

●給与、ボーナス、週休、有休ほか●

【30歳総合職平均年収】474万円【初任給】(博士)270,000円(修士)270,000円(大卒)270,000円【ボーナス(年)】108万円、NA【25、30、35歳賃金】NA【週休】月10日(交替制)【夏期休暇】有休で取得【年末年始休暇】有休で取得【有休取得】9.5／20日

●従業員数、勤続年数、離職率ほか●

【男女別従業員数、平均年齢、平均勤続年数】計 2,643(38.2歳 11.6年) 男 1,640(39.9歳 14.0年) 女 1,003(35.4歳 7.7年)【離職率と離職者数】7.5%、213名【3年後新卒定着率】61.9%(男67.0%、女56.1%、3年前入社:男94名・女82名)【組合】あり

求める人材 Our Purpose, Our Mission, Our Valuesに共感できる人

会社データ (金額は百万円)

【本社】163-1339 東京都新宿区西新宿6-5-1 新宿アイランドタワー
☎03-6911-6130 https://www.mcdonalds.co.jp/
【社長】トーマス・コウ【設立】1971.5【資本金】100【今後力を入れる事業】ハンバーガービジネス

【業績(連結)】	売上高	営業利益	経常利益	純利益
21.12	317,695	34,518	33,618	23,945
22.12	352,300	33,807	32,813	19,937
23.12	381,989	40,877	40,734	25,163

※業績は日本マクドナルドホールディングス(株)のもの

(株)モスフードサービス

東京P 8153

【特色】「モスバーガー」を全国で展開。業界第2位

修士・大卒採用数	3年後離職率	有休取得年平均	平均年収(平均42歳)
20名	9.5 → 20.0%	11.1日	[総] 635万円

残業(月) 15.3時間 [総] 15.3時間

記者評価 日本発祥のハンバーガーチェーン「モスバーガー」が主力。国内店舗数は1315(24年7月末)。レタスやトマト等野菜は国産にこだわり。台湾などアジアにも展開。カフェ併設の「モスバーガー＆カフェ」や持ち帰り専門店など、出店の多様化を推進。

●エントリー情報と採用プロセス●

【受付開始～終了】[総]3月～継続中【採用プロセス】[総]説明会(必須)・適性検査(3月)→面接(3月中旬)→Webテスト(3月中旬)→面接(3月下旬)→面接(4月上旬)→内々定(4月)【交通費支給】なし

試験情報

重視科目 [総]面接

[総][筆]SPI3(自宅) PAT診断[面]3回(Webあり)

選考ポイント [総][面]人材要件に合致しているか 業界研究・自己分析がしっかりできているか

通過率 [総][ES]―(応募:227)

倍率(応募/内定) [総]11倍

●男女別採用数と配属先ほか●

【男女・文理別採用実績】

	大卒男	大卒女	修士男	修士女
23年	4(文 3 理 1)	12(文 11 理 1)	1(文 0 理 1)	1(文 0 理 1)
24年	11(文 9 理 2)	10(文 8 理 2)	1(文 1 理 0)	0(文 0 理 0)
25年	10(文 5 理 5)	10(文 5 理 5)	0(文 0 理 0)	0(文 0 理 0)

【25年4月入社者の採用実績校】
[文](24年)(院)桜美林大1(大)東洋大 日大各2 筑波大 早大 駒澤大 近大 京産大 中京大 日女大 女子美大 國學院大 東京経大 女子栄養大 静岡産大 名古屋商大各1(短)上智大1 [理](24年)(大)茨城大 武蔵野大 千葉工大 城西大各1

【24年4月入社者の配属先】
[総]勤務地:東京(渋谷5 大田3 新宿3 江東2 板橋1 品川1)神奈川3 大阪2 千葉1 京都1 部署:ストア事業開発部21 新規飲食事業部1

●給与、ボーナス、週休、有休ほか●

【30歳総合職平均年収】445万円【初任給】(大卒)240,140円【ボーナス(年)】148万円、4.0カ月【25、30、35歳賃金】212,690円→235,400円→270,022円 ※基本給のみ【週休】2日【夏期休暇】なし【年末年始休暇】5日【有休取得】11.1／20日

●従業員数、勤続年数、離職率ほか●

【男女別従業員数、平均年齢、平均勤続年数】計 519(41.1歳 14.9年) 男 311(44.2歳 17.2年) 女 208(38.4歳 11.6年)【離職率と離職者数】7.7%、43名(他に男1名、女1名転籍)【3年後新卒定着率】80.0%(男75.0%、女83.3%、3年前入社:男8名・女12名)【組合】なし

求める人材 理念・考え方に共感できる人「食」に興味を持ち、また価値を感じる人 向上心を持って自ら学び、成長意欲のある人 失敗を恐れず、新しいことに積極的にチャレンジする人

会社データ (金額は百万円)

【本社】141-6004 東京都品川区大崎2-1-1 ThinkPark Tower
☎03-5487-7371 https://www.mos.co.jp/company/
【社長】中村 栄輔【設立】1972.7【資本金】11,412【今後力を入れる事業】国内および海外モス事業の展開 新規事業

【業績(連結)】	売上高	営業利益	経常利益	純利益
22.3	78,447	3,473	3,634	3,419
23.3	85,059	41	356	▲317
24.3	93,058	4,185	4,392	2,573

(株)松屋フーズ（まつや）

[持株会社傘下]

【特色】牛めし「松屋」や、とんかつ「松のや」等を展開

修士・大卒採用数	3年後離職率	有休取得年平均	平均年収(平均38歳)
未定	52.8→44.2%	7.5日	[総]485万円

●エントリー情報と採用プロセス●

【受付開始～終了】[総]3月～継続中【採用プロセス】[総]説明会(必須、3月～随時)→適性(性格)検査→最終面接前面談(Web、個別)→最終面接(対面、個別)→内々定【交通費支給】最終面接、特急代は支給【早期選考】⇒巻末

試験情報

重視科目 [総]面接

[総][ES]⇒巻末[筆]WebGAB 性格検査のみ[面]1回(Webあり)

選考ポイント [総][面]リーダーシップ 明るさ 行動力 コミュニケーション能力 学生の志向と当社の業務の志向のマッチ

通過率 [総][ES]—(応募:403)

倍率(応募/内定) [総]4倍

●男女別採用数と配属先ほか●

【男女・文理別採用実績】

	大卒男	大卒女	修士男	修士女
23年	47(文 41理 6)	14(文 13理 1)	3(文 3理 0)	0(文 0理 0)
24年	35(文 32理 3)	19(文 16理 3)	1(文 0理 1)	1(文 0理 1)
25年	–(文–理–)	–(文–理–)	–(文–理–)	–(文–理–)

【25年4月入社者の採用実績校】
[文]明大 学習院大 同大 立命館大 日大 北里大 近大 東京音大 他(理系含む) [理]文系に含む

【24年4月入社者の配属先】
[総]勤務地:関東51 関西24 北海道・東北2 甲信越北陸1 東海3 中四国九州7 部署:営業88

残業(月) 23.6時間 [総]23.6時間

記者評価 牛丼業界3位。多様な定食メニューに定評。店舗の過半が首都圏に立地するが、近年は地方都市にも出店。ロードサイドの店舗も拡大。新業態「マイカリー食堂」を「松屋」「松のや」との複合店舗で育成中。アプリでの事前注文や駐車場受け取りなどにも対応。

●給与、ボーナス、週休、有休ほか●

【30歳総合職平均年収】332万円【初任給】(博士)250,000円(修士)250,000円(大卒)250,000円【ボーナス(年)】120万円、4.9カ月【25、30、35歳賃金】244,957円→260,635円→293,536円【週休】月9～10日【夏期休暇】有休、ローテーションで取得【年末年始休暇】冬期休暇あり 有休等、ローテーションで取得【有休取得】7.5/20日

●従業員数、勤続年数、離職率ほか●

【男女別従業員数、平均年齢、平均勤続年数】計 1,878(38.0歳 9.7年) 男 1,632(38.7歳 10.2年) 女 246(33.0歳 6.1年)【離職率と離職者数】10.8%、227名【3年後新卒定着率】55.8%(男57.3%、女51.6%、3年前入社:男89名・女31名)【組合】あり

求める人材 課題を発見する洞察力とその課題を解決する発想力・行動力を持った人財

会社データ (金額は百万円)

【本社】180-0006 東京都武蔵野市中町1-14-5
☎0422-38-1205 https://www.matsuyafoods.co.jp/
【社長】瓦葺 一利【設立】1980.1【資本金】6,655【今後力を入れる事業】とんかつ事業(松のや)カレー事業(マイカリー食堂)鮨事業(すし松)ステーキ事業(ステーキ屋松)

【業績(連結)】	売上高	営業利益	経常利益	純利益
22.3	94,472	▲4,200	6,398	1,105
23.3	106,500	1,468	3,914	1,255
24.3	127,611	5,322	5,979	2,915

※会社データは(株)松屋フーズホールディングスのもの

(株)ドトールコーヒー

[持株会社傘下]

【特色】カフェチェーン大手。フランチャイズを軸に展開

修士・大卒採用数	3年後離職率	有休取得年平均	平均年収(平均39歳)
42名	50.0→63.6%	10.4日	[総]523万円

●エントリー情報と採用プロセス●

【受付開始～終了】[総]3月～継続中【採用プロセス】[総]説明会(必須、3月～)→面接(2回、3月～)→面談(3月～)→最終面接(4月～)→内々定(4月～随時)【交通費支給】なし【早期選考】⇒巻末

試験情報

重視科目 [総]面接

[総][筆]なし[面]3回(Webあり)

選考ポイント [総][ES]提出なし[面]人物像を重視

通過率 [総][ES]—(応募:NA)

倍率(応募/内定) [総]NA

●男女別採用数と配属先ほか●

【男女・文理別採用実績】※25年:継続中

	大卒男	大卒女	修士男	修士女
23年	13(文 10理 3)	24(文 19理 5)	0(文 0理 0)	0(文 0理 0)
24年	19(文 19理 0)	22(文 21理 1)	0(文 0理 0)	0(文 0理 0)
25年	10(文 9理 1)	32(文 27理 5)	0(文 0理 0)	0(文 0理 0)

【25年4月入社者の採用実績校】[文](大)実践女大 亜大各2 日大 関東学院大 京都橘大 京都女大 京都府大 京都文教大 近大 広島市大 甲南女大 高千穂大 国士舘大 松山大 城西大 西南学大 青学大 仙台大 創価大 大妻女大 大正大 拓大 島根県大 東京女体大 東京成徳大 東北学大 東洋大 梅花女大 武蔵野大 文教大 明大 龍谷大 都留文科大 文京学大各1(専)大原ビジネス公務員高崎校1 [理](大)日大 津田塾大 弘前大 東京都市大 北里大 北海道文教大各1(短)相模女1

【24年4月入社者の配属先】
[総]勤務地:東京(渋谷10 千代田8 目黒1 品川2 新宿1 世田谷1 港1 台東1 豊島1 武蔵野市2)北海道1 神奈川2 埼玉2 大阪5 京都2 兵庫1 愛知2 部署:店舗運営職42 営業職1

残業(月) 13.5時間 [総]13.9時間

記者評価 ドトール・日レスホールディングス傘下。コーヒー豆の焙煎・卸売で創業。低価格帯「ドトールコーヒーショップ」をフランチャイズ中心に全国展開。中価格帯「エクセルシオールカフェ」も。業界トップクラスの店舗数だが近年は漸減傾向。卸売を育成中。

●給与、ボーナス、週休、有休ほか●

【30歳総合職平均年収】449万円【初任給】(博士)220,000円(修士)220,000円(大卒)220,000円【ボーナス(年)】137万円、4.995カ月【25、30、35歳賃金】250,141円→274,814円→293,170円【週休】本社:年間休日119日【夏期休暇】リフレッシュ休暇最大9日の連続休暇【年末年始休暇】12月30日～1月3日(配属によっては出勤)【有休取得】10.4/20日

●従業員数、勤続年数、離職率ほか●

【男女別従業員数、平均年齢、平均勤続年数】計 888(37.2歳 9.8年) 男 531(39.2歳 11.7年) 女 357(34.2歳 6.9年)【離職率と離職者数】14.5%、150名【3年後新卒定着率】36.4%(男36.4%、女36.4%、3年前入社:男11名・女33名)【組合】なし

求める人材 誰かのために頑張れる人 挑戦出来る人

会社データ (金額は百万円)

【本社】150-8412 東京都渋谷区神南1-10-1
☎03-5459-9008 https://www.doutor.co.jp/
【社長】星野 正則【設立】1962.4【資本金】11,141【今後力を入れる事業】FC含むセルフ・フルサービス 卸事業拡大

【業績(単独)】	売上高	営業利益	経常利益	純利益
22.2	59,817	▲890	▲758	814
23.2	68,562	615	762	1,297
24.2	77,296	2,984	3,139	2,794

小売

テンアライド(株)

東京S 8207

【特色】居酒屋チェーン。首都圏中心に「天狗」等展開

修士・大卒採用数	3年後離職率	有休取得年平均	平均年収(平均42歳)
10名	73.7→53.8%	NA	総518万円

残業(月) 17.9時間 総18.1時間

記者評価 「テング酒場」等の居酒屋や和食店を展開。コロナ禍で不振だった居酒屋業態は「神田屋」や「てんぐ大ホール」などに業態転換。昼はランチ、夜は居酒屋というように時間帯によって看板を架け替える「二毛作」に注力。安定的な収益基盤づくりを急ぐ。

●エントリー情報と採用プロセス●

【受付開始～終了】総3月～継続中【採用プロセス】総面談(3月～随時)→適性検査(随時)→面接(随時)→役員面接・筆記(随時)→内々定(随時)【交通費支給】役員面接、遠方者は全額【早期選考】⇒巻末

試験情報

重視科目 総全て

総 筆一般常識 CUBIC 面2回(Webあり)

選考ポイント 総 面前向きさ 明るさ 継続性 協調性 コミュニケーション能力

通過率 総 ES—(応募:28)

倍率(応募/内定) 総4倍

●男女別採用数と配属先ほか●

【男女・文理別採用実績】

	大卒男	大卒女	修士男	修士女
23年	2(文 2理 0)	2(文 2理 0)	0(文 0理 0)	0(文 0理 0)
24年	2(文 2理 0)	4(文 2理 2)	0(文 0理 0)	0(文 0理 0)
25年	5(文 4理 1)	5(文 3理 2)	0(文 0理 0)	0(文 0理 0)

【25年4月入社者の採用実績校】
文(24年)(大)京都精華大 駿河台大 福岡大 北京語言大各1(短)中村学園大1(専)東京国際ビジネスカレッジ2 総合学園ヒューマンアカデミー 早稲田文理 HESED外国語学校 東京桜丘学院各1 理(24年)(大)東京聖栄大 人間総合科学大各1(短)戸板1

【24年4月入社者の配属先】
総勤務地:東京13 愛知1 部署:店舗営業14

●給与、ボーナス、週休、有休ほか●

【30歳総合職平均年収】452万円【初任給】(大卒)217,200円【ボーナス(年)】0万円、0カ月【25、30、35歳賃金】222,718円→304,307円→329,408円【週休】月10日(交替制)【夏期休暇】有休で3日取得【年末年始休暇】12月31日+有休【有休取得】NA／20日

●従業員数、勤続年数、離職率ほか●

【男女別従業員数、平均年齢、平均勤続年数】計 249(42.3歳 15.3年) 男 211(43.8歳 16.4年) 女 38(32.8歳 8.3年)【離職率と離職者数】8.8%、24名【3年後新卒定着率】46.2%(男42.9%、女50.0%、3年前入社:男7名・女6名)【組合】あり

求める人材 チャレンジ精神旺盛でサービスマインドのある人 周りを巻き込む力のある人

会社データ (金額は百万円)

【本社】152-0004 東京都目黒区鷹番2-16-18 Kビル
☎03-5768-7470 https://www.teng.co.jp/
【社長】飯田 永太【設立】1969.12【資本金】170【今後力を入れる事業】新規業態開発 若手育成 ダイバーシティ推進

【業績(連結)】	売上高	営業利益	経常利益	純利益
22.3	4,823	▲3,132	▲290	▲339
23.3	9,489	▲1,328	▲864	▲1,147
24.3	11,146	168	170	27

(株)Genki Global Dining Concepts

(ゲンキ グローバル ダイニング コンセプツ)

東京S 9828

【特色】「魚べい」が主力の回転ずし大手。海外店舗多数

修士・大卒採用数	3年後離職率	有休取得年平均	平均年収(平均40歳)
9名	53.3→56.5%	9.1日	総582万円

残業(月) 18.5時間 総18.5時間

記者評価 高速レーンを設置したすしチェーン「魚べい」が主力。中国や東南アジアをはじめ海外でのフランチャイズ展開に強み。ハワイは直営で運営。海外担当者は出張が多い。英会話や栄養学など自己啓発支援制度あり。コメ卸大手の神明ホールディングスの子会社。

●エントリー情報と採用プロセス●

【受付開始～終了】総3月～未定【採用プロセス】総説明会(必須、Web)→1次面接(Web)→2次面接(Web)→最終面接(適性検査・対面面接)→内々定【交通費支給】最終面接、実費【早期選考】⇒巻末

試験情報

重視科目 総面接

総 筆FARTUNA(適性検査) 面3回(Webあり)

選考ポイント 総 ES提出なし 面表情や態度 他者とコミュニケーションをとれるか 店舗で働くイメージができるか

通過率 総 ES—(応募:(早期選考含む)108)

倍率(応募/内定) 総(早期選考含む)4倍

●男女別採用数と配属先ほか●

【男女・文理別採用実績】

	大卒男	大卒女	修士男	修士女
23年	0(文 0理 0)	3(文 3理 0)	0(文 0理 0)	0(文 0理 0)
24年	9(文 9理 0)	4(文 3理 1)	0(文 0理 0)	0(文 0理 0)
25年	6(文 4理 2)	3(文 3理 0)	0(文 0理 0)	0(文 0理 0)

【25年4月入社者の採用実績校】
文(大)高崎経大 東京経大 川村学女大 学習院大 江戸川大 城西大 大阪芸大各1(専)宇都宮ビジネス電子 ECC国際外国専門 エール学園各1 理(大)水産大 明星大各1(専)NCC新潟コンピュータ1

【24年4月入社者の配属先】
総勤務地:新潟1 栃木1 茨城3 群馬2 東京5 岐阜3 大阪3 兵庫1 部署:国内事業部(店舗)18 本社1

●給与、ボーナス、週休、有休ほか●

【30歳総合職平均年収】470万円【初任給】(修士)<グローバル>238,000円<ナショナル>228,000円<エリア限定>205,000円 (大卒)<グローバル>238,000円<ナショナル>228,000円<エリア限定>205,000円【ボーナス(年)】139万円、5.3カ月【25、30、35歳賃金】239,666円→254,000円→261,000円【週休】2日(シフト制)【夏期休暇】なし【年末年始休暇】なし【有休取得】9.1／20日

●従業員数、勤続年数、離職率ほか●

【男女別従業員数、平均年齢、平均勤続年数】計 593(39.4歳 10.7年) 男 452(40.5歳 12.4年) 女 141(35.8歳 5.4年)【離職率と離職者数】9.3%、61名【3年後新卒定着率】43.5%(男20.0%、女87.5%、3年前入社:男15名・女8名)【組合】あり

求める人材 コミュニケーション力 おもてなしの心

会社データ (金額は百万円)

【本社】320-0811 栃木県宇都宮市上大曽町320-2 大曽研修センター
☎03-6824-9200 https://www.genkisushi.co.jp/corporate/
【社長】東 光法【設立】1979.7【資本金】100【今後力を入れる事業】寿司レストランチェーンの運営

【業績(連結)】	売上高	営業利益	経常利益	純利益
22.3	44,607	265	245	1,301
23.3	54,614	1,736	1,759	1,013
24.3	61,838	4,917	5,081	3,262

小売

▶『業界地図』p.288

開示 ★★★★

▶『業界地図』p.288, 291

㈱プレナス

株式公開 計画なし

【特色】持ち帰り弁当「ほっともっと」展開。業界最大手

修士・大卒採用数	3年後離職率	有休取得年平均	平均年収(平均44歳)
34名	28.6→37.9%	12.7日	[総]649万円

残業(月) 28.8時間 [総]29.9時間

記者評価 事務機の販売で創業、1980年から弁当事業に進出。持ち帰り弁当「ほっともっと」、定食屋「やよい軒」を展開する。19年度に不振店を大量閉店。直営・FC合計で約2800店舗体制。直営店からFCへ大幅転換を進める。精米、調味料、食品加工の自前工場に強み。

●エントリー情報と採用プロセス●

【受付開始～終了】[総][技]11月～継続中【採用プロセス】[総][技]説明会(必須、11月)→個別面談(11月)→SPI(11月)→面接(2回、11月)→内々定(12月)【交通費支給】説明会(対面のみ)、最終面接(専門職・対面)、実費【早期選考】⇒巻末

試験情報

重視科目 [総][技]面接

[総][技][筆]SPI3(自宅)[面]2回(Webあり)

選考ポイント [総][面]仕事理解 向上心 積極性 リーダーシップ コミュニケーション能力 [技][面]仕事理解 コミュニケーション能力 専門性

通過率 [総][ES]―(応募:(説明会参加者)905) [技][ES]―(応募:(説明会参加者)103)

倍率(応募/内定) [総](説明会参加)7倍 [技](説明会参加)17倍

●男女別採用数と配属先ほか●

【男女・文理別採用実績】※25年:継続中

	大卒男	大卒女	修士男	修士女
23年	11(文 8理 3)	5(文 5理 0)	0(文 0理 0)	0(文 0理 0)
24年	23(文 21理 2)	14(文 12理 2)	0(文 0理 0)	0(文 0理 0)
25年	15(文 14理 1)	16(文 12理 4)	1(文 0理 1)	2(文 2理 0)

【25年4月入社者の採用実績校】[文](院)新潟大 日大各1(大)東洋大4 明大2 桃山学院教大 静岡県大 鹿児島大 女子栄養大 日大 神戸女大 相模女大 大阪学大 國學院大 大阪市大 滋賀大 沖縄国際大 岐阜協大 長崎大 富士大 桃山学大 京産大 拓大 国士舘大 立命館大各1 [理](院)電通大1(大)国士舘大2 東京医療保健大 専大 立命館大各1

【24年4月入社者の配属先】

[総]勤務地:(23年)東京5 神奈川4 千葉2 埼玉4 部署:(23年)営業14 経理1 [技]勤務地:(23年)東京2 部署:(23年)DX2

●給与、ボーナス、週休、有休ほか●

【30歳総合職平均年収】499万円【初任給】(大卒)255,000円【ボーナス(年)】114万円、4.0カ月【25、30、35歳賃金】253,466円→261,910円→336,025円【週休】2日(土日祝)※第1土曜日のみ出勤【夏期休暇】1日【年末年始休暇】12月31日～1月3日【有休取得】12.7／20日

●従業員数、勤続年数、離職率ほか●

【男女別従業員数、平均年齢、平均勤続年数】計 1,242(43.2歳 15.2年) 男 1,063(44.0歳 15.7年) 女 179(38.2歳 12.0年)【離職率と離職者数】5.3%、69名【3年後新卒定着率】62.1%(男50.0%、女76.9%、3年前入社:男16名・女13名)【組合】なし

求める人材 お客様のありがとうに喜びを感じる人 チームで成果を出すことに喜びを感じる人 自ら考えて行動できる人 自己成長できる人 挑戦意欲の高い人

会社データ (金額は百万円)

【本社】104-0061 東京都中央区銀座6-10-1 GINZA SIX
☎03-3289-8311 https://www.plenus.co.jp/
【社長】金子 史朗【設立】1976.11【資本金】3,461【今後力を入れる事業】日本国内および海外における「ほっともっと」「やよい軒」の事業拡大

【業績(連結)】	売上高	営業利益	経常利益	純利益
22.2	143,036	4,053	7,578	2,227
23.2	150,356	5,829	7,651	3,499
24.2	160,180	6,276	7,239	3,912

㈱ロック・フィールド

東京P 2910

【特色】野菜など素材重視の高級総菜「RF1」が主力

修士・大卒採用数	3年後離職率	有休取得年平均	平均年収(平均38歳)
89名	NA	12.2日	[総]494万円

残業(月) 23.6時間 [総]23.6時間

記者評価 岩田弘三名誉会長が1972年に設立。サラダなどの高級総菜「RF1」を始め、「神戸コロッケ」「いとはん」など複数業態を都心のデパ地下や駅ビル内での店舗が中心。市場拡大狙い、郊外など生活圏立地への出店も加速方針。女性客のリピーターが多い。

●エントリー情報と採用プロセス●

【受付開始～終了】[総]12月～継続中【採用プロセス】[総]会社セミナー(必須、12月～)→Web適性検査・アンケート提出(12月～)→面接(2回、1月～)→個別面談(選考外、2月～)→面接(3月～)→内々定(3月～)【交通費支給】なし

試験情報

重視科目 [総]面接

[総][筆]OPQ YGPI[面]3回(Webあり)

選考ポイント [総][面]コミュニケーション能力 協調性 当社の理念価値観への理解・共感 積極性

通過率 [総][ES]―(応募:1,298) 倍率(応募/内定) [総]14倍

●男女別採用数と配属先ほか●

【男女・文理別採用実績】※25年:24年7月時点

	大卒男	大卒女	修士男	修士女
23年	30(文 15理 15)	55(文 25理 30)	0(文 0理 0)	0(文 0理 0)
24年	37(文 24理 13)	107(文 43理 64)	0(文 0理 0)	0(文 0理 0)
25年	28(文 15理 13)	61(文 18理 43)	0(文 0理 0)	0(文 0理 0)

【25年4月入社者の採用実績校】[文](大)武庫川女大4 甲南大 神戸学大各3 関大 流通科学大各2 久留米大 城西国際大 常葉大 神戸国際大 神戸松蔭女学大 千葉商大 大阪経大 大手前大 中大 中京大 帝京大 東京情報大 東京都市大 梅光学大 福山市大 文京学大 文教大 立命館APU 龍谷大各1 [理](大)東京農業大5 近大 同女大各4 宮城大 神戸女大 摂南大各3 京都女大 九州女大 新潟食農大 大阪樟蔭女大 中村学大各2 岡山県大 鎌倉女大 関東学院大 岐阜大 吉備国際大 玉川大 甲南女大 実践女大 十文字学女大 神奈川工大 静岡理工科大 大妻女大 大阪工大 中部大 島根県大 東京家政学大 東京家政大 日大 梅花女大 北里大 名古屋学芸大 名古屋女大 立教大 和洋女大各1(専)東京栄養食糧 名古屋文理栄養士各1

【24年4月入社者の配属先】[総]勤務地:〈営業〉東日本55 西日本63〈生産〉神戸12 静岡13 神奈川・玉川3 部署:営業118 生産28

●給与、ボーナス、週休、有休ほか●

【30歳総合職平均年収】NA【初任給】(修士)(関東)224,500円(関西)222,000円 (大卒)(関東)215,500円(関西)213,000円【ボーナス(年)】NA、3.5カ月【25、30、35歳賃金】NA【週休】完全2日(交替制)【夏期休暇】5日を推奨(有休で取得)【年末年始休暇】有休で取得【有休取得】12.2／20日

●従業員数、勤続年数、離職率ほか●

【男女別従業員数、平均年齢、平均勤続年数】計 1,565(38.2歳 14.0年) 男 816(42.6歳 17.9年) 女 749(33.5歳 9.8年)【離職率と離職者数】NA【3年後新卒定着率】NA【組合】なし

求める人材 食に強い関心があり、当社の理念・価値観に共感できる人

会社データ (金額は百万円)

【本社】658-0024 兵庫県神戸市東灘区魚崎浜町15-2
☎078-435-2800 https://www.rockfield.co.jp/
【社長】古塚 孝志【設立】1972.6【資本金】5,544【今後力を入れる事業】商品力の進化 顧客接点の拡充 経営基盤の強化

【業績(連結)】	売上高	営業利益	経常利益	純利益
22.4	47,119	2,155	2,185	1,380
23.4	49,970	1,500	1,564	1,078
24.4	51,357	1,738	1,785	1,252

開示 ★★

▶『業界地図』p.291

(株)ノジマ

[東京P] 7419

修士・大卒採用数	3年後離職率	有休取得年平均	平均年収(平均34歳)
280名	53.7→49.2%	8.5日	[総]501万円

【特色】中堅の家電量販店。携帯販売代理店にも注力

●エントリー情報と採用プロセス●

【受付開始～終了】[総] [技]11月～継続中【採用プロセス】[総] [技]説明会・ES提出(11月～)→面接(1～2回、11月～)→SPI(11月～)→面接(1～2回、11月～)→内々定(12月～)【交通費支給】なし【早期選考】⇒巻末

試験情報

[重視科目] [総][技]面接

[総][技][ES]⇒巻末[筆]SPI3(自宅)[面]2～4回(Webあり)

[選考ポイント] [総][技][ES]志望動機:当社の接客スタンスにどう共感し、どのように接客・販売をしていきたいか 自分史:量・ユニークさ・イベントごとで何を学んだか[面]人物重視 コミュニケーション能力 チャレンジ精神 バイタリティ 明朗さ

[通過率] [総][ES]90%(受付:2,100→通過:1,890)[技][ES]90%(受付:40→通過:36)[倍率(応募/内定)] [総]7倍 [技]4倍

●男女別採用数と配属先ほか●

【男女・文理別採用実績】

	大卒男	大卒女	修士男	修士女
23年	92(文 87理 5)	56(文 51理 5)	1(文 0理 1)	0(文 0理 0)
24年	201(文188理 13)	89(文 81理 8)	3(文 1理 2)	3(文 3理 0)
25年	160(文140理 20)	110(文100理 10)	5(文 3理 2)	5(文 3理 2)

【25年4月入社者の採用実績校】[文](院)東大 明大 大東文化大 関西学大 阪大 早大各1(大)関東学院大13 東海大 日大各11 神奈川大 専大各9 法政大 桜美林大 東京経大 国士舘大 帝京大各5 中大 鶴見大 亜大 東京国際大 立正大 駒澤大 東洋大各4 横浜商大 明学大 千葉商大 東京富士大 明星大 多摩大 相模女大 大東文化大 拓大 文教大 桐蔭横浜大 青学大 武蔵大 獨協大各3 埼玉大 東京都市大 早大 東京未来大 同大 武蔵野大 目白大 和光大 共立女大 尚美学大 神田外語大 帝京科学大 明海大 立教大 和洋女大 明大 埼玉学大 駿河台大 城西国際大 慶大 國學院大 鎌倉女大各2 他 [理](院)東理大 奈良先端科技院大 工学院大 筑波大各1(大)東海大 神奈川大各3 関東学院大 日大 法政大 東京工芸大 東京電機大各2 桜美林大 横浜商大 明学大 埼玉大 東京都市大 早大 順天堂大 玉川大 新潟大 摂南大 東理大各1 他

【24年4月入社者の配属先】[総]勤務地:神奈川145 東京56 千葉31 埼玉45 静岡17 山梨2 長野1 茨城8 新潟4 部署:企画販売職309 [技]勤務地:神奈川9 部署:物流3 システム5 財務経理1

[残業(月)] 13.2時間 [総]13.2時間

[記者評価] 関東と静岡を最大地盤とする中堅家電量販。ショッピングセンター内などの売り場面積が小さめの店舗の運営を得意とする。メーカーのヘルパー(販売員)を置かない、顧客側に立った接客が大きな特徴。23年に買収したドコモショップ大手、コネクシオ再建に注力。

●給与、ボーナス、週休、有休ほか●

【30歳総合職平均年収】496万円【初任給】(修士)278,000円 (大卒)265,000円【ボーナス(年)】66万円、2.1カ月【25、30、35歳賃金】330,000円→358,000円→384,000円【週休】平均週2日(変形労働時間制)【夏期休暇】有休で取得【年末年始休暇】なし【有休取得】8.5／20日

●従業員数、勤続年数、離職率ほか●

【男女別従業員数、平均年齢、平均勤続年数】計 2,676(34.0歳 8.1年) 男 1,857(35.3歳 9.0年) 女 819(30.4歳 6.3年)【離職率と離職者数】15.5%、490名【3年後新卒定着率】50.8%(男53.3%、女48.4%、3年前入社:男150名・女155名)【組合】なし

[求める人材] 人の役に立ちたい人 自分を成長させたい人 若いうちから活躍したい人

[会社データ] (金額は百万円)

【本社】220-0005 神奈川県横浜市西区南幸1-1-1 JR横浜タワー 26階
☎045-228-3546　https://www.nojima.co.jp/
【社長】野島 廣司【設立】1982.6【資本金】6,330【今後力を入れる事業】デジタル家電事業 通信事業 海外事業

【業績(連結)】	売上高	営業利益	経常利益	純利益
22.3	564,989	33,166	35,890	25,862
23.3	626,181	33,572	36,246	23,315
24.3	761,301	30,560	32,937	19,979

(株)エディオン

[東京P] 2730

修士・大卒採用数	3年後離職率	有休取得年平均	平均年収(平均43歳)
140名	28.3→34.2%	12.9日	[総]514万円

【特色】家電量販上位。関西、西日本中心に直営400店超

●エントリー情報と採用プロセス●

【受付開始～終了】[総] [技]3月～継続中【採用プロセス】[総] [技]説明会・ES提出(3月～)→面接(人事)→Web適性検査→面接(役員)→内々定【交通費支給】最終選考、遠方者のみ実費【早期選考】⇒巻末

試験情報

[重視科目] [総][技]面接

[総][技][ES]⇒巻末[筆]ミキワメ[面]2回(Webあり)

[選考ポイント] [総][技][ES]NA(提出あり)[面]求める人材と合致しているか(お客様視点で考え行動できる人 おもてなしの心を持つ人 向上心を持ち自助自立のできる人)

[通過率] [総][技][ES]NA [倍率(応募/内定)] [総][技]NA

●男女別採用数と配属先ほか●

【男女・文理別採用実績】※25年:計画数

	大卒男	大卒女	修士男	修士女
23年	91(文 86理 5)	37(文 36理 1)	0(文 0理 0)	0(文 0理 0)
24年	81(文 79理 2)	23(文 23理 0)	0(文 0理 0)	0(文 0理 0)
25年	100(文 95理 5)	40(文 35理 5)	0(文 0理 0)	0(文 0理 0)

【25年4月入社者の採用実績校】[文](大)広島修道大14 神戸学大 広島文化学大 追手門学大 比治山大 広島経大各3 中京大 関西外大 大阪電通大 大阪人間科学大 近大 高知工科大 岡山理大 大手前大 龍谷大 佛教大各2 安田女大 愛知学大 愛知東邦大 叡啓大 岡山商大 環太平洋大 関大 関西福祉科学大 岐阜聖徳学大 吉備国際大 京産大 九州国際大 九産大 県立広島大 公立鳥取環境大 広島女学大 広島大 広島文教大 皇學館大 高千穂大 産能大 松蔭大 摂南大 大阪学大 大阪経法大 大阪公大 大阪産大 大阪市大 大阪商大 大阪体大 島根県大 桃山学大 奈良大 姫路獨協大 福山大 豊橋技科大 名古屋経大 名城大 立教大 流通科学大各1(理系含む)他 [理]文系に含む

【24年4月入社者の配属先】[総]勤務地:関東～九州119 部署:直営店119 [技]勤務地:関東～九州1 部署:サービスセンター1

[残業(月)] 8.0時間 [総]8.0時間

[記者評価] 中国地方地盤のデオデオと中部地盤のエイデンが02年に経営統合して発足。その後、関西のミドリ電化なども傘下に収め、12年に店舗ブランドを「エディオン」に統一。傘下に「100満ボルト」運営のサンキュー。台所、浴室など水回りのリフォームにも強い。

●給与、ボーナス、週休、有休ほか●

【30歳総合職平均年収】420万円【初任給】(大卒)240,000円【ボーナス(年)】117万円、3.92カ月【25、30、35歳賃金】NA→275,000円→NA【週休】2日【夏期休暇】なし【年末年始休暇】なし【有休取得】12.9／20日

●従業員数、勤続年数、離職率ほか●

【男女別従業員数、平均年齢、平均勤続年数】計 7,843(42.9歳 18.2年) 男 6,696(44.3歳 19.4年) 女 1,147(35.2歳 10.9年)【離職率と離職者数】5.4%、446名(他に男68名、女16名転籍)【3年後新卒定着率】65.8%(男63.9%、女68.9%、3年前入社:男119名・女74名)【組合】あり

[求める人材] お客様視点で考え行動できる人 おもてなしの心を持つ人 向上心を持ち自助自立のできる人

[会社データ] (金額は百万円)

【本社】530-0005 大阪府大阪市北区中之島2-3-33 大阪三井物産ビル
☎06-6202-6011　https://www.edion.com/
【会長】久保 允誉【設立】2002.3【資本金】11,940【今後力を入れる事業】家電販売事業 リフォーム事業 他

【業績(連結)】	売上高	営業利益	経常利益	純利益
22.3	713,768	18,796	21,589	13,109
23.3	720,584	19,186	19,248	11,393
24.3	721,085	16,929	17,339	9,021

小売

開示 ★★ ▶『業界地図』p.274 2850

㈱マツキヨココカラ&カンパニー

[東京P 3088]

【特色】ドラッグストア大手。首都圏の繁華街立地に強み

修士・大卒採用数	3年後離職率	有休取得年平均	平均年収(平均*38歳)
400名	NA → 64.8%	8.5日	[総]564万円

残業(月) 8.9時間

記者評価 21年10月マツモトキヨシHDとココカラファインが経営統合し、現体制に。グループ店舗数は3484(24年6月)と業界最大級。繁華街立地に強い。空港やホテル内へも出店。PB商品の企画・開発に力を入れる。仕入、販促でグループのシナジーを追求。

●エントリー情報と採用プロセス●

【受付開始～終了】[総][技]3月～継続中【採用プロセス】[総]説明会(必須、1月)→書類提出(ES含む)・Webテスト(1月)→GD(2月)→面接(3月)→最終面接(3月)→内々定(6月) [技]説明会(必須、2月～)→ES提出・適性検査・個人面接(3月～)→内々定(6月)【交通費支給】NA【早期選考】⇒巻末

試験情報

重視科目 [総][技]面接

[総][ES]⇒巻末[筆]SPI3(自宅) SPI性格[面]2回(Webあり) [GD作]⇒巻末 [技][ES]⇒巻末[筆]SPI性格[面]1回(Webあり)

選考ポイント [総][技][ES]志望動機 将来のビジョン 他[面]礼儀正しくコミュニケーション能力があるか 明るく元気か 主体性をもっているか

通過率 [総][技][ES]選考なし(受付:NA)

倍率(応募/内定) [総][技]NA

●男女別採用数と配属先ほか●

【男女・文理別採用実績】※25年:24年7月時点

	大卒男	大卒女	修士男	修士女
23年	104(文 23 理 81)	165(文 29 理136)	0(文 0 理 0)	2(文 0 理 2)
24年	139(文 52 理 87)	288(文 67 理221)	0(文 0 理 0)	1(文 1 理 0)
25年	116(文 31 理 85)	284(文 62 理222)	0(文 0 理 0)	0(文 0 理 0)

【25年4月入社者の採用実績校】[文]近大 関西学大 法政大 神奈川大 東京農業大 東洋大 桜美林大 相模女大 和洋女大 東京家政大 東京家政学大 十文字学女大 同女大 摂南大 龍谷大 千里金蘭大 京都女大 甲南女大 神戸女大 武庫川女大 安田女大 名古屋女大 愛知淑徳大 中村学大 他 [理]東京薬大 兵庫医大 京都薬大 大阪医薬大 神戸薬大 昭和薬大 日本薬大 日大 星薬大 帝京大 昭和大 武蔵野大 鈴鹿医療科学大 愛知学大 聖徳大 摂南大 他

【24年4月入社者の配属先】
[総]勤務地:NA 部署:店舗201 [技]NA

●給与、ボーナス、週休、有休ほか●

【30歳総合職平均年収】NA【初任給】(博士)230,000円(修士)230,000円(大卒)230,000円【ボーナス(年)】NA【25、30、35歳賃金】NA【週休】2日【夏期休暇】なし【年末年始休暇】なし【有休取得】8.5/20日

●従業員数、勤続年数、離職率ほか●

【男女別従業員数、平均年齢、平均勤続年数】計 12,801(37.6歳 14.9年) 男 NA 女 NA【離職率と離職者数】NA【3年後新卒定着率】35.2%(男31.4%、女36.5%、3年前入社:男156名・女441名)【組合】あり

求める人材 創造:新たな価値を創造できる人材 貢献:美と健康において地域社会に貢献 挑戦:自ら進んで挑戦する

会社データ (金額は百万円)

【本社】113-0034 東京都文京区湯島1-8-2 MK御茶ノ水ビル
☎03-6845-0005 https://www.matsukiyococokara.com/
【社長】松本 清雄【設立】2007.10【資本金】22,051【今後力を入れる事業】調剤事業 海外事業

【業績(連結)】	売上高	営業利益	経常利益	純利益
22.3	729,969	41,407	44,881	34,588
23.3	951,247	62,276	66,721	40,545
24.3	1,022,531	75,705	80,499	52,347

※採用、従業員数・平均年齢・勤続年数はグループのもの

㈱スギ薬局(やっきょく)

[持株会社傘下]

【特色】東海地盤に調剤併設のドラッグストアを展開

修士・大卒採用数	3年後離職率	有休取得年平均	平均年収(平均38歳)
785名	23.5 → 20.5%	11.3日	[総]563万円

残業(月) NA

記者評価 スギHD中核のドラッグストア大手。東海が地盤だが徐々に展開エリアを拡大し、関東や関西でも存在感。調剤併設率約8割。医薬品や化粧品の販売に強く、現在は食品の取り扱いを強化中。海外同業との業務提携に積極姿勢。25年入社者から初任給を23.8万円に増額予定。

●エントリー情報と採用プロセス●

【受付開始～終了】[総][技]3月～継続中【採用プロセス】[総]説明会(必須、3月～)→ES提出・Webテスト(4月～)→面接(4月～)→最終面接(5月～)→内々定 [技]説明会(必須、3月)→ES提出・Webテスト(4月～)→面接(4月～)→内々定【交通費支給】採用イベント参加、職種により支給有無違いあり

試験情報

重視科目 [総]最終面接 [技]面接

[総][ES]⇒巻末[筆]DPI(自宅受験)[面]2回(Webあり) [技][ES]⇒巻末[筆]DPI・DIST(自宅受験)[面]1回(Webあり)

選考ポイント [総][技][ES]当社志望理由の具体性と個人の経験や特性 当社理念への適性[面]志望動機 コミュニケーション力 接客の適性 当社理念への共感

通過率 [総][技][ES]選考なし(受付:NA) **倍率(応募/内定)** [総][技]NA

●男女別採用数と配属先ほか●

【男女・文理別採用実績】※25年:予定数

	大卒男	大卒女	修士男	修士女
23年	153(文 25 理128)	200(文 46 理154)	2(文 1 理 1)	1(文 0 理 1)
24年	210(文 77 理133)	304(文157 理147)	1(文 1 理 0)	3(文 2 理 1)
25年	280(文 90 理190)	504(文230 理274)	0(文 0 理 0)	1(文 0 理 1)

【25年4月入社者の採用実績校】[文](大)愛知学大 追手門学大各6 神戸女大5 愛知淑徳大 甲南女大 椙山女学大 大手前大各4 京産大 共立女大 金城学大 女子栄養大 神戸学大 千里金蘭大 中京大 文教大 龍谷大各3 鎌倉女大 関西学大 京都華頂大 近大 至学館大 神戸女学大 星城大 千葉県保健医療大 相模女大 大阪国際大 大阪樟蔭女大 大東文化大 帝京平成大 帝塚山学大 東京家政学大 東京農業大 同女大 南山大 名古屋学芸大 名古屋経大 立命館大 流通科学大各2 他 [理](院)近大1(大)大阪医薬大32 摂南大27 明治薬大24 大阪大谷大 兵庫医大各23 日本薬大22 帝京平成大21 横浜薬大 東京薬大各20 神戸学大18 京都薬大17 昭和薬大 城西大各14 武庫川女大 鈴鹿医療科学大各12 近大11 神戸薬大 星薬大 帝京大 同女大各10 愛知学大 姫路獨協大各9 慶大8 金城学大 北里大各7 昭和大 日大 北陸大各6 岐阜薬大 城西国際大 東邦大 武蔵野大各5 富山大4 名古屋市大 新潟薬大各3 岩手医大 金沢大 就実大 長崎国際大 名城大 立命館大各2 他

【24年4月入社者の配属先】[総]勤務地:関東86 中部90 関西90 北陸7 部署:NA [技]勤務地:関東67 中部134 関西73 北陸7 部署:NA

●給与、ボーナス、週休、有休ほか●

【30歳総合職平均年収】539万円【初任給】(大卒)228,000円【ボーナス(年)】122万円、4.29カ月【25、30、35歳賃金】NA【週休】月9～10日(年116日)【夏期休暇】なし【年末年始休暇】なし【有休取得】11.3/20日

●従業員数、勤続年数、離職率ほか●

【男女別従業員数、平均年齢、平均勤続年数】計 8,962(36.2歳 9.6年) 男 4,526(38.9歳 11.2年) 女 4,436(33.5歳 7.8年)【離職率と離職者数】4.3%、406名【3年後新卒定着率】79.5%(男82.9%、女77.8%、3年前入社:男245名・女482名)【組合】あり

求める人材 まごころを込めて親切に応対し、地域社会に貢献できる人材

会社データ (金額は百万円)

【本社】474-0011 愛知県大府市横根町新江62-1
☎0562-45-2700 https://www.sugi-net.jp/
【社長】杉浦 克典【設立】2008.9【資本金】50【今後力を入れる事業】リアルとデジタルを融合させたトータルヘルスケア戦略

【業績(連結)】	売上高	営業利益	経常利益	純利益
22.2	625,477	32,137	33,082	19,389
23.2	667,647	31,658	32,391	19,007
24.2	744,477	36,622	38,039	21,979

※業績はスギホールディングス㈱のもの

小売

開示 ★★★ ▶『業界地図』p.44,274 1740

㈱ツルハ

[持株会社 傘下]

【特色】北海道地盤のドラッグ大手。売上高業界2位

修士・大卒採用数	3年後離職率	有休取得年平均	平均年収(平均*37歳)
未定	NA	NA	[総]696万円

残業(月) NA

記者評価 北海道から各地の同業を買収して南下し、全国でドラッグストアを展開。傘下に「くすりの福太郎」など。カウンセリング化粧品の販売に強み。27年までの合意に向けて、イオン子会社で業界首位のウエルシアHDと経営統合を協議中。成立なら当社はイオン子会社に。

●エントリー情報と採用プロセス●

【受付開始～終了】[総][技]3月～5月【採用プロセス】[総][技]説明会(必須、3月)→Webテスト(5月)→1次面接(6月)→最終面接(8月)→内々定(8月)【交通費支給】なし

試験情報

重視科目 [総][技]面接

[総][筆]ミキワメ[面]2回(Webあり)[GD作]NA [技][筆]ミキワメ[面]2回(Webあり)

選考ポイント [総][技][ES]提出なし[面]人柄 コミュニケーション能力

通過率 [総][技][ES]—(応募:NA)

倍率(応募/内定) [総][技]NA

●男女別採用数と配属先ほか●

【男女・文理別採用実績】

	大卒男	大卒女	修士男	修士女
3年	118(文 71 理 47)	104(文 59 理 45)	0(文 0 理 0)	0(文 0 理 0)
4年	NA(文NA 理NA)	NA(文NA 理NA)	NA(文NA 理NA)	NA(文NA 理NA)
5年	-(文 - 理 -)	-(文 - 理 -)	-(文 - 理 -)	-(文 - 理 -)

【25年4月入社者の採用実績校】
[文]未定 [理]未定

【24年4月入社者の配属先】
[総]勤務地:北海道 青森 秋田 山形 岩手 宮城 福島 茨城 栃木 埼玉 千葉 東京 神奈川 新潟 山梨 長野 愛知 滋賀 京都 大阪 兵庫 和歌山 高知 部署:NA [技]勤務地:北海道 青森 秋田 山形 岩手 宮城 福島 茨城 栃木 埼玉 千葉 東京 神奈川 新潟 山梨 長野 愛知 滋賀 京都 大阪 兵庫 和歌山 高知 部署:NA

●給与、ボーナス、週休、有休ほか●

【30歳総合職平均年収】NA【初任給】(博士)230,000円(修士)230,000円(大卒)220,000円【ボーナス(年)】NA、4.0カ月【25、30、35歳賃金】NA【週休】年113日【夏期休暇】なし【年末年始休暇】なし【有休取得】NA／20日

●従業員数、勤続年数、離職率ほか●

【男女別従業員数、平均年齢、平均勤続年数】計 5,101(36.6歳 10.6年) 男 2,693(38.2歳 11.6年) 女 2,408(34.9歳 9.4年)【離職率と離職者数】NA【3年後新卒定着率】NA【組合】あり

求める人材 チャレンジ精神が旺盛で、コミュニケーション能力向上のために努力する人

会社データ (金額は百万円)

【本社】065-0024 北海道札幌市東区北二十四条東20-1-21
☎011-783-2754　https://www.tsuruha.co.jp/
【社長】八幡 政浩【設立】1975.5【資本金】4,252【今後力を入れる事業】自社アプリ会員増加推進

【業績(単独)】	売上高	営業利益	経常利益	純利益
22.5	441,280	40,568	20,587	13,795
23.5	466,409	22,303	22,899	14,997
24.5	495,923	24,578	25,144	16,685

㈱クリエイトエス・ディー

[持株会社 傘下]

【特色】神奈川地盤のドラッグ大手。千葉や静岡にも展開

修士・大卒採用数	3年後離職率	有休取得年平均	平均年収(平均34歳)
380名	21.5 → 23.4%	11.4日	NA

残業(月) 8.5時間 [総]8.5時間

記者評価 神奈川県を軸に関東、東海にドラッグストア約750店舗を展開、約半数に調剤薬局を併設。食品、日用雑貨の比率が高い。業界再編が進むドラッグストア業界で独立路線を堅持。グループでデイケアなど介護事業も手がけ、総合的な地域医療を提供する。

●エントリー情報と採用プロセス●

【受付開始～終了】[総]3月～継続中【採用プロセス】[総]説明会(必須、3月～)→面接(2回)→筆記→内々定【交通費支給】最終面接、首都圏外の遠方者(実費)【早期選考】⇒巻末

試験情報

重視科目 [総]面接

[総][筆]SPI3(会場)[面]2回(Webあり)

選考ポイント [総][ES]提出なし[面]意欲 協調性 志向性 コミュニケーション能力

通過率 [総][ES]—(応募:NA)　**倍率(応募/内定)** [総]NA

●男女別採用数と配属先ほか●

【男女・文理別採用実績】

	大卒男	大卒女	修士男	修士女
23年	149(文NA 理NA)	239(文NA 理NA)	0(文 0 理 0)	0(文 0 理 0)
24年	97(文NA 理NA)	170(文NA 理NA)	1(文 0 理 0)	2(文 0 理 0)
25年	160(文NA 理NA)	220(文NA 理NA)	0(文 0 理 0)	0(文 0 理 0)

【25年4月入社者の採用実績校】[文](大)フェリス女学大 亜大 愛知学泉大 愛知淑徳大 茨城キリスト大 茨城大 横国大 嘉悦大 学習院女大 学習院大 鎌倉女大 関東学院大 岩手県大 京都橘大 京産大 京都女大 共立女大 玉川大 桐蔭横浜大 駒沢女大 駒澤大 郡山女大 恵泉女学大 工学院大 江戸川大 高千穂大 国士舘大 埼玉学大 桜美林大 産能大 実践女大 駿河台大 昭和音大 昭和女大 松蔭大 湘南工大 常磐大 常葉大 神奈川県保健福祉大 神奈川工大 神奈川大 成城大 成蹊大 星薬大 聖心女大 聖徳大 青学大 静岡英和学大 静岡県大 静岡産大 静岡福祉大 静岡文芸大 静岡理工科大 跡見学園女大 千葉経大 千葉商大 専大 創価大 早大 相模女大 多摩大 大妻女大 大阪工大 大正大 大東文化大 拓大 筑波大 中央学大 中大 鶴見大 帝京大 帝京平成大 田園調布学大 都留文科大 東海大 東京医大 東京医療保健大 東京家政大 他 [理](大)東大 青森大 いわき明星大 岩手医大 奥羽大 大阪大谷大 大阪薬大 岡山大 金沢大 北里大 九州保健福祉大 京都薬大 近大 金城学大 熊本大 慶大 岐阜薬大 神戸学大 神戸薬大 国際医療福祉大 静岡県大 就実大 昭和大 昭和薬大 城西大 城西国際大 摂南大 崇城大 高崎健康福祉大 第一薬大 千葉大 千葉科学大 帝京大 帝京平成大 愛知学大 東京薬大 東理大 東邦大 東北大 東北医薬大 徳島大 徳島文理大 他

【24年4月入社者の配属先】[総]勤務地:NA 部署:店舗運営本部273

●給与、ボーナス、週休、有休ほか●

【30歳総合職平均年収】NA【初任給】(大卒)230,000円【ボーナス(年)】122万円、NA【25、30、35歳賃金】NA【週休】2日【夏期休暇】最低年1回の5連休制度から取得【年末年始休暇】連続3日【有休取得】11.4／20日

●従業員数、勤続年数、離職率ほか●

【男女別従業員数、平均年齢、平均勤続年数】計 4,619(33.6歳 7.8年) 男 2,418(35.5歳 9.8年) 女 2,201(31.5歳 5.5年)【離職率と離職者数】6.0%、297名【3年後新卒定着率】76.6%(男NA、女NA、3年前入社:男女計397名)【組合】あり

求める人材 お客様の喜びを自分の喜びと感じることができる人

会社データ (金額は百万円)

【本社】225-0014 神奈川県横浜市青葉区荏田西2-3-2
☎045-914-8161　https://www.create-sd.co.jp/
【社長】瀧屋 幸彦【設立】1983.5【資本金】1,305【今後力を入れる事業】OTC 調剤 訪問服薬 在宅医療 介護事業

【業績(連結)】	売上高	営業利益	経常利益	純利益
22.5	350,744	18,176	18,665	12,595
23.5	380,963	18,912	19,428	12,925
24.5	422,330	20,227	20,882	13,691

※業績は㈱クリエイトSDホールディングスのもの

小売

㈱カワチ薬品（やくひん）

東京P 2664

【特色】北関東の中堅ドラッグ。食品比率高く調剤も注力

修士・大卒採用数	3年後離職率	有休取得年平均	平均年収(平均36歳)
115名	NA	9.6日	総 608万円

残業(月) NA

記者評価 栃木県や茨城県など北関東中心に約370店舗を展開。売り場面積400坪以上の超大型店「メガ・ドラッグストア」業態が特徴。売上の5割弱を食品が占めている。調剤薬局併設型メガ店舗で先駆、併設率は約4割。子会社に青森地盤の横浜ファーマシー。

●エントリー情報と採用プロセス●

【受付開始～終了】総3月～継続中【採用プロセス】総説明会(必須、3月～)→ES提出→一般常識・面接→面接→内々定【交通費支給】最終面接、実費額に応じて一部【早期選考】⇒巻末

試験情報

重視科目 総面接

総 ES⇒巻末 筆WebGAB 一般常識 面2回(Webあり) GD作NA

選考ポイント 総 ES志望動機 自己PR 面社会性 人間性 礼儀正しさ コミュニケーション能力の高さ 当社・業界への理解度

通過率 総 ES NA

倍率(応募/内定) 総NA

●男女別採用数と配属先ほか●

【男女・文理別採用実績】

	大卒男	大卒女	修士男	修士女
23年	55(文NA 理NA)	46(文NA 理NA)	1(文NA 理NA)	0(文 0 理 0)
24年	44(文NA 理NA)	44(文NA 理NA)	0(文 0 理 0)	0(文 0 理 0)
25年	58(文NA 理NA)	57(文NA 理NA)	0(文 0 理 0)	0(文 0 理 0)

【25年4月入社者の採用実績校】
文宇都宮大 茨城大 群馬大 秋田県大 法政大 獨協大 國學院大 日大 東北学大 帝京大 白鴎大 松本大 千葉経大 拓大 杏林大 関東学院大 東北公益文科大 常磐大 他 理富山大 国際医療福祉大 横浜薬大 東北医薬大 高崎健康福祉大 城西大 日本薬大 千葉科学大 医療創生大 城西国際大 新潟薬大 長野県大 山形県米沢栄養大 大妻女大 仙台白百合女大 常磐大

【24年4月入社者の配属先】
総勤務地:出店地域56 部署:店舗56

●給与、ボーナス、週休、有休ほか●

【30歳総合職平均年収】545万円【初任給】(博士)251,110円(修士)233,020円(大卒)216,440円【ボーナス(年)】NA、4.0カ月【25、30、35歳賃金】308,258円→316,444円→367,514円【週休】月9～10日(シフト制)【夏期休暇】なし【年末年始休暇】なし【有休取得】9.6／20日

●従業員数、勤続年数、離職率ほか●

【男女別従業員数、平均年齢、平均勤続年数】計 2,506(36.2歳 13.1年) 男 1,397(38.7歳 15.0年) 女 1,109(33.0歳 10.6年)【離職率と離職者数】NA【3年後新卒定着率】NA【組合】あり

求める人材 お客様の立場に立ち、自ら考えて行動できる人 問題解決能力が高い人 コミュニケーション能力が高い人

会社データ (金額は百万円)

【本社】323-0061 栃木県小山市卒島1293
☎0285-37-1111 https://www.cawachi.co.jp/
【社長】河内 伸二【設立】1980.7【資本金】13,001【今後力を入れる事業】調剤 在宅 他

【業績(連結)】	売上高	営業利益	経常利益	純利益
22.3	279,462	7,709	8,698	4,830
23.3	281,871	6,611	7,672	4,177
24.3	285,960	7,601	8,609	4,713

総合（そうごう）メディカル㈱

株式公開 いずれしたい

【特色】九州発祥の医業コンサル。調剤薬局でも上位

修士・大卒採用数	3年後離職率	有休取得年平均	平均年収(平均36歳)
300名	25.6→24.9%	11.2日	総 577万円

残業(月) 14.0時間 総16.4時間

記者評価 福岡市に本社を置く医療機関の総合コンサル。病室用テレビなど病院機材レンタルが発祥。医師の開業から事業継承まで総合的に支援。調剤薬局は全国730店舗以上を展開。医療モールの開発にも注力。人材派遣会社の買収で、医療・介護の人材紹介に参入。

●エントリー情報と採用プロセス●

【受付開始～終了】総9月～6月 技3月～継続中【採用プロセス】総説明会(必須)→Webテスト・ES提出→面接(3回)→内々定 技説明会・Webテスト→ES提出・面接→内々定【交通費支給】〈技術系以外〉最終面接〈技術系〉面接、遠方者のみ(新幹線・飛行機代)【早期選考】⇒巻末

試験情報

重視科目 総技面接

総 ES⇒巻末 筆SPI3(自宅) 面3回(Webあり) 技 ES⇒巻末 筆JRAC 面1回(Webあり)

選考ポイント 総 ES NA(提出あり) 面志望理由 素直さ 誠実さ チャレンジ意欲 技 面総合職共通

通過率 総 ES 48%(受付:213→通過:103) 技 ES選考なし(受付:554)

倍率(応募/内定) 総19倍 技2倍

●男女別採用数と配属先ほか●

【男女・文理別採用実績】※25年:300名採用予定

	大卒男	大卒女	修士男	修士女
23年	76(文 5 理 71)	153(文 24 理129)	0(文 0 理 0)	0(文 0 理 0)
24年	70(文 6 理 64)	238(文 38 理200)	0(文 0 理 0)	0(文 0 理 0)
25年	−(文 − 理 −)	−(文 − 理 −)	−(文 − 理 −)	−(文 − 理 −)

【25年4月入社者の採用実績校】文(24年)(大)同大 福岡大各2 中大 清泉女大 獨協大 國學院大 筑紫女学大 近大 武蔵大 甲南大 大正大 順天堂大 関大 武庫川女大 福岡女大 立正大 流経大 西南学大 摂南大各1 他 理(24年)(大)福岡大26 名城大15 昭和薬大11 日大 星薬大各10 神戸学大 大阪医薬大 東北医薬大各9 帝京大 京都薬大 熊本大 高崎健康福祉大各8 同女大7 九州保健福祉大 明治薬大 金城学大 北里大各6 北海道医療大 長崎大 大阪大谷大 広島大 東京薬大 神戸薬大各5 他

【24年4月入社者の配属先】総勤務地:東京8 愛知1 大阪2 部署:医業支援事業部門8 ヘルスケア事業部門3 技勤務地:東京36 大阪24 福岡21 愛知18 神奈川17 長崎15 埼玉12 兵庫11 千葉8 山口8 京都8 宮崎7 北海道7 和歌山6 広島6 福島5 島根5 群馬4 愛媛4 富山4 茨城4 他 部署:薬局店舗263 グループ会社3

●給与、ボーナス、週休、有休ほか●

【30歳総合職平均年収】469万円【初任給】(大卒)230,000円【ボーナス(年)】107万円、4.59カ月【25、30、35歳賃金】240,000円→270,000円→300,000円【週休】〈本社〉完全2日〈薬局店舗〉4週8休以上【夏期休暇】3日【年末年始休暇】6日【有休取得】11.2／20日

●従業員数、勤続年数、離職率ほか●

【男女別従業員数、平均年齢、平均勤続年数】計 2,707(36.2歳 9.0年) 男 1,240(38.4歳 10.8年) 女 1,467(34.3歳 7.5年)【離職率と離職者数】7.7%、227名【3年後新卒定着率】75.1%(男71.6%、女76.9%、3年前入社:男74名・女147名)【組合】なし

求める人材 企業理念に共鳴し実行できる人財・果敢にチャレンジできる人財

会社データ (金額は百万円)

【本社】100-0004 東京都千代田区大手町1-7-2 東京サンケイビル28階
☎03-5255-6711 https://www.sogo-medical.co.jp/
【社長】坂本 賢治【設立】1978.6【資本金】1,000【今後力を入れる事業】医療モール開発運営 医療機関経営支援 薬局

【業績(連結)】	売上高	営業利益	経常利益	純利益
22.3	161,638	NA	NA	NA
23.3	169,550	NA	NA	NA
24.3	185,250	NA	NA	NA

※採用関連はグループ連結の情報

小売

(株)キリン堂(どう)

[株式公開していない]

特色】関西地盤のドラッグストア。PBや調剤を強化中

修士・大卒採用数	3年後離職率	有休取得年平均	平均年収(平均39歳)
30名	31.5 → NA	NA	NA

●エントリー情報と採用プロセス●

【受付開始～終了】[総]2月～8月【採用プロセス】[総]説明会(2月～)→1次選考(集団面接)→2次選考(個人面接)→適性検査・3次選考(プレゼン面接・個人面接)→内々定【交通費支給】3次選考以降、実費【早期選考】⇒巻末

試験情報

重視科目 [総]面接 適性検査

[総][筆]スカウター[面]3回(Webあり)[GD作]NA

選考ポイント [総][ES]提出なし[面]明るく元気か 飾ることなく、自分の言葉でアピールできるか コミュニケーション能力はあるか

通過率 [総][ES]—(応募:117)

倍率(応募/内定) [総]6倍

●男女別採用数と配属先ほか●

【男女・文理別採用実績】

	大卒男	大卒女	修士男	修士女
23年	46(文 13 理 33)	76(文 23 理 53)	1(文 0 理 1)	0(文 0 理 0)
24年	18(文 6 理 12)	27(文 4 理 23)	0(文 0 理 0)	0(文 0 理 0)
25年	12(文 10 理 2)	18(文 6 理 12)	0(文 0 理 0)	0(文 0 理 0)

【25年4月入社者の採用実績校】
[文](大)関大 龍谷大 近大 追手門学大各2 同大 立命館大 関西学大 京産大 大手前大 奈良大 大阪成蹊大 流通科学大各1(専)姫路ハーベスト医療福祉2 [理](大)近大5 大阪医薬大3 神戸薬大 同女大各2 武庫川女大 京都薬大各1

【24年4月入社者の配属先】
[総]勤務地:大阪 兵庫 京都 奈良 石川 部署:ドラッグ営業本部23 調剤28

残業(月) NA

記者評価 大阪など関西地盤のドラッグストア。郊外型大型店やM&Aで成長。国内に412店(24年2月末)を展開、関西地区でのドミナント戦略が軸。医薬・化粧品や健康食品のPBに強み。調剤併設店の拡大、生鮮食品や他社PBの販売など構造改革を進める。

●給与、ボーナス、週休、有休ほか●

【30歳総合職平均年収】NA【初任給】(修士)230,000円(大卒)220,000円【ボーナス(年)】NA、4.11カ月【25、30、35歳賃金】NA【週休】2日(月9～10日のシフト出勤)【夏期休暇】なし【年末年始休暇】なし【有休取得】NA／20日

●従業員数、勤続年数、離職率ほか●

【男女別従業員数、平均年齢、平均勤続年数】計 1,840(39.2歳 12.0年)男 NA 女 NA【離職率と離職者数】NA【3年後新卒定着率】NA【組合】あり

求める人材 企業理念に共感し、何事にもチャレンジ精神をもって、やり抜いていく事ができる人

会社データ (金額は百万円)

【本社】532-0003 大阪府大阪市淀川区宮原4-5-36 ONEST新大阪スクエアビル

☎06-6394-0039　https://www.kirindo.co.jp/

【社長】寺西 豊彦【設立】1958.3【資本金】8【今後力を入れる事業】調剤 介護事業

【業績(単独)】	売上高	営業利益	経常利益	純利益
22.2	134,003	4,136	4,290	1,990
23.2	135,853	4,536	4,612	2,184
24.2	138,314	4,579	4,510	2,271

(株)サッポロドラッグストアー

[持株会社傘下]

【特色】北海道2位のドラッグストア。新規事業に意欲

修士・大卒採用数	3年後離職率	有休取得年平均	平均年収(平均36歳)
30名	25.0 → 30.3%	11.2日	[総]508万円

●エントリー情報と採用プロセス●

【受付開始～終了】[総]3月～未定【採用プロセス】[総]説明会・筆記(3月～)→ES提出・リクルーター面接(3月～)→役員・社長面接(4月～)→内々定(4月～)【交通費支給】なし【早期選考】⇒巻末

試験情報

重視科目 [総]面接

[総][ES]⇒巻末[筆]CUBIC[面]2回(Webあり)

選考ポイント [総][ES]コンピテンシー評価[面]コンピテンシーの高さ 明るくはっきりと自分の言葉で語れるか 表情や態度 他人への気配り

通過率 [総][ES]選考なし(受付:(早期選考含む)101)

倍率(応募/内定) [総](早期選考含む)7倍

●男女別採用数と配属先ほか●

【男女・文理別採用実績】

	大卒男	大卒女	修士男	修士女
23年	10(文 5 理 5)	20(文 10 理 10)	0(文 0 理 0)	0(文 0 理 0)
24年	14(文 10 理 4)	21(文 10 理 11)	0(文 0 理 0)	0(文 0 理 0)
25年	15(文 10 理 5)	15(文 10 理 5)	0(文 0 理 0)	0(文 0 理 0)

※25年:予定数

【25年4月入社者の採用実績校】
[文](大)北海学園大6 札幌大3 藤女大2 札幌学大 北海道教育大 北星学大 北翔大 名城大各1(専)北海道医薬3 [理](大)北海道科学大 北海道医療大 札幌保健医療大 天使大 北海道文教大各2(専)経専医療事務薬業2

【24年4月入社者の配属先】
[総]勤務地:札幌14 他30 部署:ドラッグストア店舗44

残業(月) 4.3時間 [総]4.3時間

記者評価 サツドラHD中核。北海道が地盤で、主力のロードサイド型ドラッグストアに加え、インバウンド向け店舗も展開。食品や日用品に強み。近年はPB開発や生鮮食品導入に注力。コープさっぽろと共同仕入れなどで連携。グループ会社にPOSシステム開発や教育関連も。

●給与、ボーナス、週休、有休ほか●

【30歳総合職平均年収】464万円【初任給】(博士)228,600円(修士)228,600円(大卒)223,000円【ボーナス(年)】114万円、3.76カ月【25、30、35歳賃金】228,400円→259,100円→293,300円 ※基本給【週休】月9～11日【夏期休暇】なし【年末年始休暇】なし【有休取得】11.2／20日

●従業員数、勤続年数、離職率ほか●

【男女別従業員数、平均年齢、平均勤続年数】計 1,085(37.4歳 10.5年)男 561(38.1歳 11.5年)女 524(35.6歳 9.3年)【離職率と離職者数】5.3%、61名【3年後新卒定着率】69.7%(男71.4%、女68.4%、3年前入社:男14名・女19名)【組合】あり

求める人材 様々な仕事に挑戦する意欲があり、将来のリーダー候補を目指すべく上昇志向を持っている人

会社データ (金額は百万円)

【本社】060-0908 北海道札幌市東区北八条東4-1-20

☎011-788-6188　https://satudora.jp/

【社長】富山 浩樹【設立】1983.4【資本金】100【今後力を入れる事業】地域コネクティッドビジネス

【業績(連結)】	売上高	営業利益	経常利益	純利益
22.5	82,950	747	793	316
23.5	87,481	299	327	87
24.5	95,520	1,384	1,336	470

※業績はサツドラホールディングス(株)のもの

小売

(株)カインズ

株式公開 計画なし

【特色】ベイシアグループ中核。ホームセンター業界首位

修士・大卒採用数	3年後離職率	有休取得年平均	平均年収(平均37歳)
222名	26.8 → 27.1%	12.1日	NA

●エントリー情報と採用プロセス●

【受付開始～終了】(総)3月～継続中【採用プロセス】(総)適性試験→グループ面接→個人面接→最終面接→内々定【交通費支給】選考時、会社基準【早期選考】⇒巻末

試験情報

重視科目 (総)面接

(総)(筆)SPI3(自宅) SPI性格(面)3回(Webあり)(GD作)NA

選考ポイント (総)(面)カルチャーフィット ポテンシャル 企業理解度 熱量 他

通過率 (総)(ES)―(応募:2,369)

倍率(応募/内定) (総)4倍

●男女別採用数と配属先ほか●

【男女・文理別採用実績】

	大卒男	大卒女	修士男	修士女
23年	71(文 63理 8)	97(文 94理 3)	1(文 0理 1)	1(文 1理 0)
24年	116(文101理 15)	124(文114理 10)	1(文 1理 0)	0(文 0理 0)
25年	119(文103理 16)	98(文 92理 6)	3(文 1理 2)	2(文 2理 0)

【25年4月入社者の採用実績校】(文)(院)東京工科大 京都芸大 東北大各1(大)専大8 日大 東海大 明星大 大東文化大各5 神奈川大 東京工科大 創価大 城西大 帝京大 高崎商大 共立女大 流通科学大各4 関大 近大 駒澤大 阪南大 武蔵野大 桜美林大 目白大 立教大 東洋大 愛知大 愛知淑徳大 京都芸大 京都橘大各3 早大 中大 明大 同大 関西学大 神田外語大 神戸大 神戸学大 関西外大 亜大 京産大 産能大 上武大 大阪経法大 東京農業大 名古屋芸大 佛教大各2 他 (理)(院)名工大 山口大各1(大)日大5 千葉工大3 芝工大2 慶大 明大 関大 信州大 東海大 東洋大 福山大 サイバー大各1 他

【24年4月入社者の配属先】

(総)勤務地:全国の各店舗243 部署:販売243

残業(月) 17.5時間 (総)17.5時間

記者評価 ホームセンター「カインズ」を運営。ベイシアグループの中核企業。1978年に1号店となる栃木店をオープン。現在は関東中心に全国234店舗を展開(23年6月時点)。特定地域に集中して出店するドミナント戦略が軸。DIYをテーマにした独自の人事戦略を掲げる。

●給与、ボーナス、週休、有休ほか●

【30歳総合職平均年収】NA【初任給】(博士)NA(修士)227,000円(大卒)213,000円【ボーナス(年)】NA、4.78カ月【25、30、35歳賃金】NA【週休】年117日【夏期休暇】有休で取得【年末年始休暇】有休で取得【有休取得】12.1／20日

●従業員数、勤続年数、離職率ほか●

【男女別従業員数、平均年齢、平均勤続年数】計 3,323(36.6歳 12.2年)男 2,512(38.5歳 13.7年)女 811(30.8歳 7.5年)【離職率と離職者数】5.0%、175名【3年後新卒定着率】72.9%(男78.1%、女67.9%、3年前入社:男155名・女162名)【組合】なし

求める人材 Kindnessでつながる 創るをつくる 枠をこえる の3つのコアバリューに共感した人財

会社データ (金額は百万円)

【本社】367-0030 埼玉県本庄市早稲田の杜1-2-1
☎0495-25-1000 https://www.cainz.co.jp/
【社長】高家 正行【設立】1989.3【資本金】3,260【今後力を入れる事業】NA

【業績(連結)】	売上高	営業利益	経常利益	純利益
22.2	482,678	NA	NA	NA
23.2	515,801	NA	NA	NA
24.2	542,317	NA	NA	NA

ディーシーエム

ＤＣＭ(株)

持株会社 傘下

【特色】全国展開するホームセンター(HC)大手

修士・大卒採用数	3年後離職率	有休取得年平均	平均年収(平均44歳)
100名	25.8 → 28.6%	8.9日	(総)511万円

●エントリー情報と採用プロセス●

【受付開始～終了】(総)3月～継続中【採用プロセス】(総)説明会(必須、3月～)→Webテスト・ES提出→1次面接(4～5月)→最終面接(5～6月)→内々定(5～7月)【交通費支給】最終選考、実費【早期選考】⇒巻末

試験情報

重視科目 (総)面接

(総)(ES)⇒巻末(筆)CUBIC(面)2回(Webあり)

選考ポイント (総)(ES)大学で何を学んでいるのか 個性 創造力(面)協調性 対人能力 当社で活かせる強みがあるか

通過率 (総)(ES)選考なし(受付:(早期選考含む)420)

倍率(応募/内定) (総)(早期選考含む)4倍

●男女別採用数と配属先ほか●

【男女・文理別採用実績】

	大卒男	大卒女	修士男	修士女
23年	44(文 40理 4)	43(文 39理 4)	3(文 1理 2)	0(文 0理 0)
24年	42(文 37理 5)	31(文 30理 1)	0(文 0理 0)	0(文 0理 0)
25年	50(文 40理 10)	50(文 40理 10)	0(文 0理 0)	0(文 0理 0)

【25年4月入社者の採用実績校】(文)(24年)(大)日大 北星学大各4 南山大 松山大各3 愛知学大 桜美林大 東北学大 北海道教育大 宮城学院女大 尚絅学大 仙台白百合女大 法政大 名古屋商大 和光大各2 跡見学園女大 茨城大 岩手県大 愛媛大 大阪経大 小樽商大 金沢学大 宝塚大 名古屋芸大 明大 亜大 愛知県大 愛知淑徳大 宮城大 熊本県大 札幌学大 札幌大 札幌大谷大 神戸学大 神奈川大 成城大 盛岡大 専大 大阪経法大 拓大 長岡造形大 追手門学大 帝塚山学大 東京国際大 日本福祉大 福岡教大 酪農学大 立命館大各1(短)北海道武蔵女 大阪夕陽丘学園各1 他 (理)(24年)(大)東京農業大2 立命館大 京都先端科学大 広島工大 高知大各1

【24年4月入社者の配属先】(総)勤務地:北海道(札幌10 江別2 恵庭2)青森(青森1 弘前1)岩手(一関1 滝沢1)宮城(名取3 仙台2 利府2 石巻1)茨城(牛久2 鹿嶋1 神栖1 境1 坂東1)千葉(白井2 野田1)東京(八王子3 稲城3 品川2)横浜1 山梨(笛吹1 南アルプス1)石川・小松1 愛知(名古屋6 瀬戸2 豊田1 豊橋1 刈谷1 日進1)岐阜・岐南1 三重・四日市1 奈良(天理2 生駒1)大阪(高槻1 大阪1)兵庫(神戸2 宝塚2 明石1 稲美1)広島・坂1 愛媛(伊予1 東温1 西条1 松前1 松山1 大洲1)熊本市2 部署:店舗81

残業(月) 8.5時間 (総)8.5時間

記者評価 経営統合を経て、21年3月にグループのホームセンター5社が統合し発足。調達や在庫管理統合の一方、PB開発や地域性に応じた店舗ごとの品種拡大推進。小商圏でコンビニ型小型店も。収益性を重視する堅実な社風で、店舗運営の効率化に定評。M&Aに積極的。

●給与、ボーナス、週休、有休ほか●

【30歳総合職平均年収】447万円【初任給】(修士)225,000円(大卒)217,000円【ボーナス(年)】126万円、4.55カ月【25、30、35歳賃金】232,795円→256,384円→286,332円【週休】2日【夏期休暇】最大連続9日(有休含む)【年末年始休暇】1月1日【有休取得】8.9／20日

●従業員数、勤続年数、離職率ほか●

【男女別従業員数、平均年齢、平均勤続年数】計 3,460(44.1歳 20.3年)男 2,923(45.6歳 21.6年)女 537(35.9歳 13.3年)【離職率と離職者数】4.4%、158名【3年後新卒定着率】71.4%(男79.0%、女62.0%、3年前入社:男62名・女50名)【組合】あり

求める人材 現状に満足せず、夢の実現に向けてみずから挑戦し、変革創造できる人

会社データ (金額は百万円)

【本社】140-0013 東京都品川区南大井6-22-7 大森ベルポートE館
☎03-5764-5211 https://www.dcm-hc.co.jp/
【社長】石黒 靖規【設立】2020.4【資本金】19,973【今後力を入れる事業】DIYリフォームとDXの推進

【業績(連結)】	売上高	営業利益	経常利益	純利益
22.2	437,722	30,649	30,317	18,809
23.2	469,782	30,068	29,555	18,135
24.2	481,310	28,685	27,412	21,446

※資本金・業績はDCMホールディングス(株)のもの

コーナン商事(株)

東京P 7516

【特色】オーナー系HCで業界3位。関西拠点に全国進出

修士・大卒採用数	3年後離職率	有休取得年平均	平均年収(平均*41歳)
135名	20.0 → 21.2%	11.6日	㊕553万円

残業(月) 13.2時間 ㊕14.0時間

記者評価 大阪・堺を発祥とするホームセンター。店舗数は国内外で約600店。近畿圏でのドミナント戦略が軸。関東での出店や建築職人向け業態にも注力。傘下に九州地盤の「HIヒロセ」。開発部署や店舗、物流部門など多方面で採用を積極化しており、規模拡大に意欲的。

●エントリー情報と採用プロセス●

【受付開始～終了】㊕3月～継続中【採用プロセス】㊕説明会(必須、3月～)→適性検査(Web)・1次面接(3月～)→2次面接(3月～)→最終面接(3月～)→内々定(3月～)【交通費支給】なし【早期選考】⇒巻末

試験情報

重視科目 ㊕面接

㊕㊕なし㊕3回(Webあり)

選考ポイント ㊕㊕人柄 主体性 協調性 柔軟性 コミュニケーション能力

通過率 ㊕ESー(応募:NA)

倍率(応募/内定) ㊕NA

●男女別採用数と配属先ほか●

【男女・文理別採用実績】

	大卒男	大卒女	修士男	修士女
23年	75(文 74 理 1)	41(文 40 理 1)	0(文 0 理 0)	0(文 0 理 0)
24年	59(文 49 理 10)	34(文 32 理 2)	0(文 0 理 0)	0(文 0 理 0)
25年	87(文 80 理 7)	48(文 45 理 3)	0(文 0 理 0)	0(文 0 理 0)

【25年4月入社者の採用実績校】㊙(大)大阪成蹊大 桃山学大各4 立命館大 日大 大阪経大 阪南大 桜美林大各2 関大 近大 奈良大 明学大 流通科学大 甲南大 京産大 京都橘大 京都精華大 摂南大 神戸学大 四天王寺大 明星大 関東学院大 帝塚山大 大阪産大 大阪経法大 大阪学大 大阪大谷大 相愛大 國學院大 多摩大 広島経大各1(専)京都芸術デザイン1 他 ㊣(大)摂南大2 福岡工大 東京農業大 京都橘大 駒沢女大各1 他

【24年4月入社者の配属先】㊕勤務地:大阪42 神奈川15 東京11 兵庫10 京都6 奈良5 福岡4 千葉3 広島2 高知2 愛知1 三重1 香川1 徳島1 岡山1 部署:販売105

●給与、ボーナス、週休、有休ほか●

【30歳総合職平均年収】453万円【初任給】(修士)〈総合職〉(関東)239,500円(その他)236,500円〈地域限定職〉(関東)225,500円(その他)222,500円 (大卒)〈総合職〉(関東)233,500円(その他)230,500円〈地域限定職〉(関東)223,500円(その他)220,500円【ボーナス(年)】109万円、3.47カ月【25、30、35歳賃金】277,000円→327,000円→352,000円【週休】月9～11日(シフト制)【夏期休暇】有休で取得【年末年始休暇】なし【有休取得】11.6／20日

●従業員数、勤続年数、離職率ほか●

【男女別従業員数、平均年齢、平均勤続年数】計 3,259(40.5歳 14.8年) 男 2,817(41.7歳 15.8年) 女 442(32.9歳 8.4年)【離職率と離職者数】4.0%、136名【3年後新卒定着率】78.8%(男83.0%、女73.4%、3年前入社:男100名・女79名)【組合】あり

求める人材 向上心を持って、主体的に物事に取り組める人

会社データ (金額は百万円)

【本社】532-0004 大阪府大阪市淀川区西宮原2-2-17
☎06-6397-1621　https://www.hc-kohnan.com/
【社長】疋田 直太郎【設立】1978.9【資本金】17,658【今後力を入れる事業】ホームセンター事業 PRO事業

【業績(連結)】	売上高	営業利益	経常利益	純利益
22.2	441,221	25,788	24,206	15,590
23.2	439,024	22,019	20,732	13,235
24.2	472,654	24,097	22,598	14,054

アークランズ(株)

東京P 9842

【特色】新潟地盤のホームセンター大手。業界5位

修士・大卒採用数	3年後離職率	有休取得年平均	平均年収(平均36歳)
26名	40.5 → 34.9%	9.9日	㊕579万円

残業(月) 9.2時間 ㊕9.8時間

記者評価 ホームセンター「ビバホーム」「ムサシ」など展開。新潟地盤だったが、20年に「LIXILビバ」買収で全国区に。食品スーパーやアート・クラフト専門店も手がける。子会社で「かつや」など外食事業も。会長・社長ともに創業家出身、オーナー色が強い。

●エントリー情報と採用プロセス●

【受付開始～終了】㊕3月～継続中【採用プロセス】㊕説明会(必須、3月)→ES提出・1次面接(3月～)→Web適性検査・最終面接(3月～)→内々定(3月下旬～)【交通費支給】最終選考、新幹線代実費(上限30,000円)【早期選考】⇒巻末

試験情報

重視科目 ㊕面接

㊕ES⇒巻末㊕Compass(基礎能力・性格適性)㊕2回(Webあり)

選考ポイント ㊕ES志望度 企業理解度 対人関係スタイル 他㊕コミュニケーション能力 行動力

通過率 ㊕ES選考なし(受付:192)

倍率(応募/内定) ㊕1倍

●男女別採用数と配属先ほか●

【男女・文理別採用実績】※25年:200名採用予定

	大卒男	大卒女	修士男	修士女
23年	78(文 73 理 5)	15(文 13 理 2)	0(文 0 理 0)	0(文 0 理 0)
24年	77(文 67 理 10)	18(文 17 理 1)	0(文 0 理 0)	0(文 0 理 0)
25年	17(文 15 理 2)	9(文 8 理 1)	0(文 0 理 0)	0(文 0 理 0)

【25年4月入社者の採用実績校】㊙(24年)(大)城西大5 江戸川大 駿河台大 新潟国際情報大各4 上武大 大阪商大 北陸大 帝京大 東洋大 跡見学園女大各3 神戸学大 大東文化大 武蔵大各2 関大 関東学園大 久留米大 京都橘大 近大 皇學館大 高千穂大 国士舘大 埼玉学大 埼玉工大 札幌学大 札幌国際大 山梨英和大 四天王寺大 周南公大 淑徳大 城西国際大 新潟経営大 新潟県大 新潟大 聖学大 西南学大 千葉商大 専大 大阪学大 大阪経大 大阪樟蔭女大 中村学大 帝京平成大 帝塚山大 東京経大 東北芸工大 東北福祉大 桃山学大 奈良教大 梅花女大 文教大 名古屋学院大 目白大 龍谷大 和光大 佛教大 福山市大各1(短)新潟青陵大 新島学園各2 国際 ヤマザキ動物看護各1(専)大原簿記3 他 ㊣(24年)(大)新潟薬大2 新潟大 新潟青陵大 山口大 石巻専大 千葉工大 大阪国際大 大阪産大 大阪電通大 東京情報大各1(専)新潟工科3 東北電子2 大阪ITプログラミング&会計 東京テクニカルカレッジ 農林大学校各1

【24年4月入社者の配属先】㊕勤務地:埼玉26 新潟15 大阪13 千葉9 東京8 石川7 兵庫6 福岡5 長野5 茨城4 宮城4 群馬4 神奈川4 富山4 愛知2 京都1 三重1 山梨1 福井1 北海道1 部署:店舗運営119 マーケティング1 営業1

●給与、ボーナス、週休、有休ほか●

【30歳総合職平均年収】449万円【初任給】(修士)221,600円(大卒)221,600円【ボーナス(年)】114万円、3.5カ月【25、30、35歳賃金】238,818円→258,386円→293,019円【週休】2日(変形労働時間制)【夏期休暇】リフレッシュ休暇(公休3日+有休2日=計連続5日)で取得【年末年始休暇】なし【有休取得】9.9／20日

●従業員数、勤続年数、離職率ほか●

【男女別従業員数、平均年齢、平均勤続年数】計 2,638(40.2歳 12.8年) 男 2,149(41.0歳 13.4年) 女 489(36.6歳 10.1年)【離職率と離職者数】5.5%、154名【3年後新卒定着率】65.1%(男66.4%、女63.2%、3年前入社:男110名・女76名)【組合】あり

求める人材 「変化」を楽しみながら「進化」し、成長できる人 人との繋がりを大切にできる人 新しいものを生み出していける柔軟性のある人

会社データ (金額は百万円)

【本社】955-8501 新潟県三条市上須頃445
☎0256-33-6000　https://www.arclands.co.jp/
【社長】坂本 晴彦【設立】1970.7【資本金】6,462【今後力を入れる事業】ホームセンター事業 ペット事業

【業績(連結)】	売上高	営業利益	経常利益	純利益
22.2変	371,120	20,919	23,281	16,393
23.2	327,200	18,911	19,176	9,663
24.2	324,921	16,113	16,594	9,125

小売

㈱ハンズ

株式公開 計画なし

【特色】住生活の総合小売業。東急Gからカインズ傘下へ

修士・大卒採用数	3年後離職率	有休取得年平均	平均年収(平均48歳)
24名	33.3 → 0%	15.0日	[総]510万円

●エントリー情報と採用プロセス●

【受付開始～終了】[総]3月～4月【採用プロセス】[総]ES提出(3月)→説明会(3月)→Webテスト(3～4月)→面接(2回)・GD(4～5月)→最終面接(5月中旬)→内々定(5月下旬)【交通費支給】最終面接、遠方者(関東以外)は一部

試験情報

重視科目 [総]全て

[総][ES]⇒巻末[筆]SPI3(会場)[面]3回(Webあり)[GD作]⇒巻末

選考ポイント [総][ES]会社への理解度・志望度 応募資格を満たしているか[面]小売業としての適性(あいさつ 言葉づかい)積極性 協調性 チャレンジ意欲 他

通過率 [総][ES]NA

倍率(応募/内定) [総]NA

●男女別採用数と配属先ほか●

【男女・文理別採用実績】

	大卒男	大卒女	修士男	修士女
23年	3(文 3理 0)	3(文 3理 0)	0(文 0理 0)	0(文 0理 0)
24年	6(文 5理 1)	17(文 17理 0)	0(文 0理 0)	0(文 0理 0)
25年	4(文 4理 0)	20(文 20理 0)	0(文 0理 0)	0(文 0理 0)

【25年4月入社者の採用実績校】
[文](大)関大2 亜大 大阪産大 お茶女大 嘉悦大 学習院女大 神奈川大 京都芸大 高知県大 大東文化大 中大 東京家政大 同女大 東洋大 富山大 名古屋学院大 南山大 武庫川女大 武蔵野美大 山口大 立教大 和光大 早大各1 [理]なし

【24年4月入社者の配属先】
[総]勤務地：東京(新宿6 銀座1 渋谷2 北千住2 町田2)川崎1 埼玉・大宮1 大阪(梅田2 心斎橋1 江坂1 あべの2)京都2 **部署**：販売23

残業(月) 12.6時間 [総]12.6時間

記者評価 22年東急不動産からカインズ傘下に移行し現社名に。住生活・手づくり関連商品を扱う。渋谷、新宿が核店舗の「ハンズ」ほか、「ハンズ ビー」「プラグマーケット」を合わせ92店を展開(24年8月、FC含む)。プロ用工具類も揃え、幅広い顧客層とらえる。

●給与、ボーナス、週休、有休ほか●

【30歳総合職平均年収】373万円【初任給】(大卒)213,000円【ボーナス(年)】74万円、2.0カ月【25、30、35歳賃金】NA【週休】月8～11日、2月のみ8日(閏年は9日)【夏期休暇】年2回 連続7日以上を1回 5日以上を1回推奨(任意で有休含む)【年末年始休暇】なし【有休取得】15.0／20日

●従業員数、勤続年数、離職率ほか●

【男女別従業員数、平均年齢、平均勤続年数】計 795(47.0歳 23.2年) 男 480(49.9歳 26.0年) 女 315(42.7歳 18.9年)【離職率と離職者数】4.7%、39名【3年後新卒定着率】100%(男100%、女100%、3年前入社：男2名・女10名)【組合】なし

求める人材 「好奇心旺盛」そして「変化をチャンスと捉え、自ら考え挑戦できる」人

会社データ (金額は百万円)

【本社】160-0022 東京都新宿区新宿6-27-30 新宿イーストサイドスクエア3階
☎050-1744-7151 https://info.hands.net/
【社長】桜井 悟【設立】1976.8【資本金】100【今後力を入れる事業】NA

【業績(単独)】	売上高	営業利益	経常利益	純利益
23.2変	51,400	NA	NA	NA
24.2	60,500	NA	NA	NA

㈱ドン・キホーテ

持株会社 傘下

【特色】総合ディスカウント大手。深夜営業の先駆け

修士・大卒採用数	3年後離職率	有休取得年平均	平均年収(平均37歳)
116名	NA	11.1日	[総]533万円

●エントリー情報と採用プロセス●

【受付開始～終了】[総]3月～継続中【採用プロセス】[総]説明会・ES提出・適性検査CUBIC(3月～)→面接(2回、6月～)→内々定(6月～)【交通費支給】なし

試験情報

重視科目 [総]面接

[総][ES]⇒巻末[筆]CUBIC(性格検査のみ)[面]2回(Webあり)

選考ポイント [総][面]人間性(素直さ プラス志向 実行力 感性 リーダー性)当社への志望度 当社事業内容・社風への共感

通過率 [総][ES]選考なし(受付：NA) **倍率(応募/内定)** [総]NA

●男女別採用数と配属先ほか●

【男女・文理別採用実績】

	大卒男	大卒女	修士男	修士女
23年	136(文122理 14)	75(文 74理 1)	4(文 2理 2)	4(文 3理 1)
24年	69(文 62理 7)	70(文 66理 4)	0(文 0理 0)	2(文 2理 0)
25年	63(文 59理 4)	51(文 44理 7)	0(文 0理 0)	2(文 2理 0)

【25年4月入社者の採用実績校】[文](院)神戸芸工大 大東文化大各1(大)星城大 法政大各4 駿河台大 帝京大 東洋大各3 嘉悦大 近大 城西国際大 常磐大 西南学大 中大 帝京平成大 東海大 桃山学大 日大 立正大 國學院大各2 ドリュー大 ニューヨーク州立大ストーニーブルック校 亜大 愛知学大 愛知産大 愛媛大 沖縄大 岐阜協大 共愛学園前橋国際大 熊本県大 公立鳥取環境大 広島修道大 江戸川大 甲南女大 高知大 埼玉学大 桜美林大 札幌大谷大 山口県大 山梨学大 至誠館大 鹿児島国際大 秀明大 松蔭大 上智大 神田外語大 神奈川大 清和大 青学大 静岡産大 摂南大 大阪観光大 大阪経大 大阪経法大 大阪国際大 大正大 大東文化大 拓大 中京大 長崎大 帝塚山大 東京家政大 東京経大 東京国際大 東京福祉大 東北工大 東北文化学園大 東洋学大 同大 南山大 富山大 武蔵野美大 北海学園大 名古屋経大 明海大 明大 明星大 目白大 立命館APU 立命館大 流経大 龍谷大各1 他 [理](大)桜美林大 十文字学女大 大阪国際工科専門職大 大阪電通大 大同大 中京大 東海大 東京工科大 東京情報大 東京農業大 東京農工大各1 他

【24年4月入社者の配属先】[総]勤務地：愛知19 茨城7 岡山3 沖縄2 岐阜2 宮城3 京都5 群馬1 広島2 香川1 埼玉17 三重1 滋賀1 鹿児島1 神奈川12 青森2 静岡2 石川1 千葉5 大阪13 長崎1 長野1 東京49 奈良1 福岡9 福島1 兵庫2 北海道3 **部署**：店舗161 海外事業5 IT1

残業(月) 14.7時間 [総]14.7時間

記者評価 「ドン・キホーテ」を全国展開。商品を積み上げる圧縮陳列や手書きPOPなど独自性の高い売り場が特徴。現場に仕入れや値付け権限を委ねる個店主義が強み。PB「情熱価格」を強化。訪日客対応も積極化している。グループで東南アジアや米国での出店加速。

●給与、ボーナス、週休、有休ほか●

【30歳総合職平均年収】474万円【初任給】(博士)260,000円 (修士)260,000円 (大卒)260,000円【ボーナス(年)】NA【25、30、35歳賃金】280,232円→309,585円→344,037円 ※みなし時間外手当含む【週休】月9日【夏期休暇】有休で取得【年末年始休暇】有休で取得【有休取得】11.1／20日

●従業員数、勤続年数、離職率ほか●

【男女別従業員数、平均年齢、平均勤続年数】計 6,128(36.5歳 10.2年) 男 4,820(37.4歳 10.8年) 女 1,308(33.2歳 7.9年)【離職率と離職者数】NA【3年後新卒定着率】NA【組合】なし

求める人材 自ら考え行動する中で、新しい事へ積極的に挑戦し、失敗しても再チャレンジできる人財

会社データ (金額は百万円)

【本社】153-0043 東京都目黒区青葉台2-19-10
☎03-5725-7532 https://ppih.co.jp/
【社長】吉田 直樹【設立】2013.8【資本金】23,538【今後力を入れる事業】PB／OEM インバウンド 新規出店 海外事業 マーケティング

【業績(連結)】	売上高	営業利益	経常利益	純利益
22.6	1,831,280	88,688	100,442	61,928
23.6	1,936,783	105,259	110,994	66,167
24.6	2,095,077	140,193	148,709	88,701

※資本金・業績は㈱パン・パシフィック・インターナショナルホールディングスのもの

小売

(株)ミスターマックス・ホールディングス

東京P 8203

【特色】九州地盤のディスカウントストア。PB商品に強み

修士・大卒採用数	3年後離職率	有休取得年平均	平均年収(平均41歳)
9名	NA	13.8日	[総]572万円

●エントリー情報と採用プロセス●

【受付開始～終了】[総]3月～継続中【採用プロセス】[総]説明会(必須、3月～随時)→Web適性検査(3月～随時)→ES提出・Web個人面接(4月～随時)→最終面接(Webまたは対面、5月～随時)→内々定(5月～随時)【交通費支給】なし【早期選考】⇒巻末

試験情報

重視科目 [総]面接

[総][ES]⇒巻末[筆]TAP[面]2回(Webあり)

選考ポイント [総][面]課題解決への積極性 向上心 主体性 責任感 コミュニケーション能力 小売への適性

通過率 [総][ES]選考なし(受付:NA)

倍率(応募/内定) [総]NA

●男女別採用数と配属先ほか●

【男女・文理別採用実績】

	大卒男	大卒女	修士男	修士女
23年	11(文 8理 3)	6(文 6理 0)	0(文 0理 0)	0(文 0理 0)
24年	14(文 13理 1)	5(文 5理 0)	1(文 0理 1)	0(文 0理 0)
25年	9(文 8理 1)	0(文 0理 0)	0(文 0理 0)	0(文 0理 0)

※25年:継続中

【25年4月入社者の採用実績校】
[文](24年)(大)日経大6 久留米大 別府大各2 福岡大 福岡工大 西南学大 九州共立大 鎮西学院大 獨協大 開智国際大 桜美林大各1 [理](24年)(院)九州工大1(大)九州栄養福祉大1

【24年4月入社者の配属先】
[総]勤務地:福岡(粕屋1 宗像1)佐賀(佐賀2 北茂安2 唐津2)長崎・時津2 熊本・山鹿1 宮崎・日向2 千葉・おゆみ野2 神奈川・湘南藤沢2 茨城・取手1 山口1 広島・八本松1 部署:店舗20

残業(月) 23.9時間 [総]23.9時間

記者評価 ディスカウントストアの先駆。NHKラジオ放送開始と同時にラジオ販売で創業。食品、小型家電などのPB商品に強み。北部九州と首都圏中心にドミナント出店。ECサイト、アプリなどオムニチャネル化推進。25年4月入社者から大卒初任給を22.1万円に増額予定。

●給与、ボーナス、週休、有休ほか●

【30歳総合職平均年収】438万円【初任給】(大卒)210,000円【ボーナス(年)】132万円、3.8カ月【25、30、35歳賃金】252,687円→279,960円→332,450円【週休】完全2日【夏期休暇】特別休日として付与(年間3日)【年末年始休暇】特別休日として付与(年間3日)【有休取得】13.8／20日

●従業員数、勤続年数、離職率ほか●

【男女別従業員数、平均年齢、平均勤続年数】計712(42.2歳 17.6年) 男 604(43.4歳 18.5年) 女 108(35.6歳 12.7年)【離職率と離職者数】NA【3年後新卒定着率】NA(3年前入社:男40名・女14名)【組合】あり

求める人材 素直な人 チャレンジ精神旺盛な人 変化に対して素早く行動できる人

会社データ (金額は百万円)

【本社】812-0064 福岡県福岡市東区松田1-5-7
☎092-623-1111 https://www.mrmaxhd.co.jp/
【社長】平野 能章【設立】1950.12【資本金】10,229【今後力を入れる事業】ディスカウントストアの積極出店・ドミナント化とオムニチャネル構築

【業績(連結)】	売上高	営業利益	経常利益	純利益
22.2	124,830	4,487	4,346	2,853
23.2	126,903	4,632	4,523	3,427
24.2	129,569	3,021	2,908	2,444

ファーストリテイリンググループ
(ユニクロ、ジーユー、プラステ、セオリー)

東京P 9983

【特色】「ユニクロ」「ジーユー」等。アパレル国内首位

修士・大卒採用数	3年後離職率	有休取得年平均	平均年収(平均38歳)
未定	NA	18.7日	◇1,147万円

●エントリー情報と採用プロセス●

【受付開始～終了】[総][技]通年【採用プロセス】[総]〈グローバルリーダー〉説明会(必須)→適性検査→個人面接(複数回)→内々定〈地域正社員〉説明会(必須)→個人面接→適性検査→個人面接(複数回)→内々定 [技]説明会(必須)→適性検査→個人面接(複数回)→内々定※途中で一部技術力テストあり【交通費支給】会社基準に則り一部支給【早期選考】⇒巻末

試験情報

重視科目 [総]面接 [技]面接 技術力テスト

[総][筆]SPI3(自宅) 適性検査[面]〈グローバルリーダー〉3～4回〈地域正社員〉2～3回(Webあり)[GD][作]NA [技][筆]SPI3(自宅) 適性検査 技術力テスト[面]複数回(Webあり)

選考ポイント [総][面]〈グローバルリーダー〉高い志を持っているか 本質を見極め、変える力、やりきる力を持っているか 人に対して熱く、良いチームをつくりあげることができるか〈地域正社員〉当事者として自ら考え行動できるか 物事を良くしようと努力し続けられる力を持っているか 他 [技][面]NA

通過率 [総][技][ES]―(応募:NA) 倍率(応募/内定) [総][技]NA

●男女別採用数と配属先ほか●

【男女・文理別採用実績】

	大卒男	大卒女	修士男	修士女
23年	136(文110理 26)	195(文189理 6)	7(文 1理 6)	8(文 8理 0)
24年	173(文149理 24)	213(文201理 12)	16(文 7理 9)	2(文 1理 1)
25年	-(文 -理 -)	-(文 -理 -)	-(文 -理 -)	-(文 -理 -)

【25年4月入社者の採用実績校】[文](院)東大 インド工科大各2 京大 上智大 筑波大 東京外大 東京科学大 名大 同大 はこだて未来大 大阪公大 東京都市大 東洋大 海外大各1(大)早大25 慶大 法政大各17 立教大15 立命館大11 同大10 近大9 関西学大 中大 日大各8 上智大 西南学大 青学大 明大 國學院大 関西外大 駒澤大各6 成蹊大 専大 東理大各5 東洋大 関大 京産大 熊本大 立命館APU各4 他(理系含む) [理]文系に含む

【24年4月入社者の配属先】[総]勤務地:国内店舗 部署:営業部(国内店舗)他 [技]勤務地:東京本部(六本木 有明) 部署:IT部門 デザイン・パターン部門 他

残業(月) 12.6時間

記者評価 アパレルSPA(製造小売業)としてベーシック衣料「ユニクロ」を世界で約2400店展開。姉妹ブランドに「ジーユー」。入社後は、店長候補として店舗に配属。個々人の能力に応じて評価する「完全実力主義」を標榜。社内教育部署で多様なプログラムを実施。

●給与、ボーナス、週休、有休ほか●

【30歳総合職平均年収】NA【初任給】(大卒)〈グローバルリーダー職〉300,000円〈地域正社員〉239,000円【ボーナス(年)】NA【25、30、35歳賃金】NA【週休】2日【夏期休暇】年間16日の特別休暇として付与【年末年始休暇】年間16日の特別休暇として付与【有休取得】18.7／20日

●従業員数、勤続年数、離職率ほか●

【男女別従業員数、平均年齢、平均勤続年数】計 14,952(38.3歳 8.3年) 男 4,379(36.6歳 9.3年) 女 10,573(39.0歳 7.9年) ※FRグループ【離職率と離職者数】NA【3年後新卒定着率】NA【組合】なし

求める人材 「服を変え、常識を変え、世界を変えていく」という当社の志に共鳴し、一緒に実現を目指してくれる人

会社データ (金額は百万円)

【本社】754-0894 山口県山口市佐山10717-1
☎03-6865-0254 https://www.fastretailing.com/jp/
【会長兼社長】柳井 正【設立】1963.5【資本金】10,273【今後力を入れる事業】海外事業の店舗拡大

【業績(IFRS)】	売上高	営業利益	税前利益	純利益
22.8	2,301,122	297,325	413,584	273,335
23.8	2,766,557	381,090	437,918	296,229
24.8	3,103,836	500,904	557,201	371,999

※会社データは(株)ファーストリテイリングのもの

小売

㈱しまむら

東京P 8227

【特色】低価格の実用・ファッション衣料専門店チェーン

修士・大卒採用数	3年後離職率	有休取得年平均	平均年収(平均43歳)
90名	33.9 → 30.3%	10.5日	(総)689万円

●エントリー情報と採用プロセス●

【受付開始～終了】(総)2月～6月【採用プロセス】(総)適性検査(2～6月)→GD(3～6月)→個人面接(2回、3～7月)→内々定(4～7月)【交通費支給】なし【早期選考】⇒巻末

試験情報

重視科目 (総)個人面接

(総)(筆)適性検査(面)2回(GD作)⇒巻末

選考ポイント (総)(ES)提出なし(面)人物重視

通過率 (総)(ES)—(応募:1,000)

倍率(応募/内定) (総)10倍

●男女別採用数と配属先ほか●

【男女・文理別採用実績】

	大卒男	大卒女	修士男	修士女
23年	31(文 28 理 3)	42(文 40 理 2)	0(文 0 理 0)	0(文 0 理 0)
24年	39(文 38 理 1)	53(文 50 理 3)	0(文 0 理 0)	0(文 0 理 0)
25年	-(文 - 理 -)	-(文 - 理 -)	-(文 - 理 -)	-(文 - 理 -)

※25年:90名採用予定

【25年4月入社者の採用実績校】

(文)日大6 國學院大5 東京経大 専大各4 東洋大 明大 法政大 玉川大 帝京大 駒澤大各3 東京農業大 日女大 大東文化大 東京国際大 産能大 大阪産大 昭和女大 文教大 明学大各2 早大 立教大 獨協大 武蔵大 神奈川大 埼玉大 新潟大各1 他(理系含む)(理)文系に含む

【24年4月入社者の配属先】

(総)勤務地:関東68 関西8 他19 部署:店舗運営部95

残業(月) 0.7時間

記者評価 「ファッションセンターしまむら」を軸に国内と台湾で約2200店を展開。ベビー服「バースデイ」、ヤングカジュアル「アベイル」も。低価格帯が強み。国内アパレル2位の売上高を誇る。仕入れ品が中心だが、近年はPBやサプライヤーとの共同開発ブランドにも注力。

●給与、ボーナス、週休、有休ほか●

【30歳総合職平均年収】604万円【初任給】(大卒)290,400円【ボーナス(年)】202万円、4.24カ月【25、30、35歳賃金】328,323円→410,235円→472,070円【週休】2日【夏期休暇】夏期・冬期合わせて年間10日【年末年始休暇】夏期・冬期合わせて年間10日【有休取得】10.5／20日

●従業員数、勤続年数、離職率ほか●

【男女別従業員数、平均年齢、平均勤続年数】計 2,737(42.1歳 16.2年) 男 1,019(39.8歳 17.4年) 女 1,718(43.5歳 15.5年)【離職率と離職者数】2.5%、70名【3年後新卒定着率】69.7%(男72.2%、女67.5%、3年前入社:男36名・女40名)【組合】なし

求める人材 広い視野で考え、理論と事実を元に改善と開発ができる人(思考・発想)理屈で考え、やり遂げることができる人(行動)常に向上心を持ち、自己育成に励む人(意欲・態度)誠実さと謙虚さを持ち、互いを尊重できる人(人間関係)

会社データ (金額は百万円)

【本社】330-9520 埼玉県さいたま市大宮区北袋町1-602-1
☎048-652-2112 https://www.shimamura.gr.jp/
【社長】鈴木 誠【設立】1953.5【資本金】17,086【今後力を入れる事業】アベイル、バースデイ、シャンブル、ディバロ等事業部 EC事業部

【業績(連結)】	売上高	営業利益	経常利益	純利益
22.2	584,771	49,420	50,567	35,428
23.2	617,519	53,302	54,383	38,021
24.2	636,499	55,308	56,716	40,084

㈱ハニーズ

持株会社傘下

【特色】福島発、低価格の婦人カジュアル衣料チェーン

修士・大卒採用数	3年後離職率	有休取得年平均	平均年収(平均41歳)
13名	NA	10.2日	(総)631万円

●エントリー情報と採用プロセス●

【受付開始～終了】(総)3月～7月【採用プロセス】(総)Web説明会・動画視聴(3月)→ES・履修履歴データ提出(3月)→1次面接(4月)→適性検査(4月)→2次面接(4～5月)→内々定【交通費支給】最終選考(早期選考者のみ)、会社基準【早期選考】⇒巻末

試験情報

重視科目 (総)面接

(総)(ES)⇒巻末(筆)TAL(面)2回(Webあり)

選考ポイント (総)(ES)NA(提出あり)(面)仕事に対する前向きな姿勢 今まで取り組んできた事柄に対する達成度

通過率 (総)(ES)83%(受付:29→通過:24)

倍率(応募/内定) (総)7倍

●男女別採用数と配属先ほか●

【男女・文理別採用実績】

	大卒男	大卒女	修士男	修士女
23年	0(文 0 理 0)	15(文 15 理 0)	0(文 0 理 0)	0(文 0 理 0)
24年	0(文 0 理 0)	10(文 9 理 1)	0(文 0 理 0)	0(文 0 理 0)
25年	1(文 0 理 1)	11(文 11 理 0)	0(文 0 理 0)	1(文 1 理 0)

【25年4月入社者の採用実績校】

(文)(大)専大 西南学大各1 (理)(大)愛媛大1

【24年4月入社者の配属先】

(総)勤務地:なし 部署:なし

残業(月) 6.3時間 (総)13.5時間

記者評価 低価格カジュアル衣料のSPA(製造小売業)。年代・コンセプト別に3ブランドを展開し、10代～60代と幅広い年齢層の女性を顧客にもつ。商業施設を中心に店舗数は約870店。入社後は店舗で経験を積みながら、マネジャーや商品企画担当者などにキャリアアップ。

●給与、ボーナス、週休、有休ほか●

【30歳総合職平均年収】NA【初任給】(修士)NA (大卒)(東京・神奈川)241,000円【ボーナス(年)】NA、3.05カ月【25、30、35歳賃金】NA【週休】<店舗>月9～10日<本社>月8～11日【夏期休暇】なし【年末年始休暇】なし【有休取得】10.2／20日

●従業員数、勤続年数、離職率ほか●

【男女別従業員数、平均年齢、平均勤続年数】計 1,234(32.3歳 7.6年) 男 18(43.6歳 17.3年) 女 1,216(32.1歳 7.4年)【離職率と離職者数】NA【3年後新卒定着率】NA【組合】なし

求める人材 前向きで積極的に物事に取り組める人

会社データ (金額は百万円)

【本社】971-8141 福島県いわき市鹿島町走熊字七本松27-1
☎0246-29-1113 https://www.honeys.co.jp/
【社長】江尻 英介【設立】2016.7【資本金】100【今後力を入れる事業】店舗運営事業 インターネット通信販売事業

【業績(連結)】	売上高	営業利益	経常利益	純利益
22.5	47,695	4,993	5,057	3,255
23.5	54,888	7,670	8,021	5,336
24.5	56,571	6,970	7,281	4,876

※業績は㈱ハニーズホールディングスのもの

小売

(株)エービーシー・マート

東京P 2670

修士・大卒採用数	3年後離職率	有休取得年平均	平均年収(平均32歳)
120名	NA	11.2日	411万円

【特色】靴小売りで国内独り勝ち、韓国など海外にも進出

●エントリー情報と採用プロセス●

【受付開始～終了】[総]3月～継続中【採用プロセス】[総]Web履歴書提出(3月)→説明会(3月)→GD(3月)→マッチング面談(4月)→最終面談(5月)→内々定【交通費支給】なし【早期選考】⇒巻末

試験情報

[重視科目] [総]マッチング面談

[総][筆]なし[面]2回(Webあり)

[選考ポイント] [総][ES]提出なし[面]当社で働くイメージを持っているか(仕事内容の理解)接客業を行うための基本的な資質(マナー モラル コミュニケーション能力)当社で実現したいこと(キャリアイメージ)

[通過率] [総][ES]ー(応募:1,000)

[倍率(応募/内定)] [総]10倍

●男女別採用数と配属先ほか●

【男女・文理別採用実績】※25年:修士・大卒120名採用予定

	大卒男	大卒女	修士男	修士女
23年	56(文NA理NA)	26(文NA理NA)	0(文 0理 0)	0(文 0理 0)
24年	52(文NA理NA)	29(文NA理NA)	0(文 0理 0)	0(文 0理 0)
25年	-(文 -理 -)	-(文 -理 -)	-(文 -理 -)	-(文 -理 -)

【25年4月入社者の採用実績校】
[文](24年)(大)びわこ成蹊スポーツ大4 日大 北海商大 日体大 千葉商大 大阪産大 桜美林大 拓大 帝京大 東海大 大阪商大 久留米大各2(短)高崎商科大 福岡女 岩手産技 京都経済 城西 至学館大各1(専)大原スポーツ公務員3 大原簿記法律 横浜リゾート&スポーツ 沖縄リゾート&スポーツ 小井手ファッションビューティ各2 他(理系含む) [理]文系に含む

【24年4月入社者の配属先】[総]勤務地:東京26 大阪18 埼玉12 神奈川12 千葉7 福岡7 愛知5 兵庫5 広島5 宮城4 北海道3 京都3 栃木2 長野2 静岡2 大分2 熊本2 沖縄2 岩手1 山形1 茨城1 群馬1 石川1 滋賀1 愛媛1 佐賀1 鹿児島1 部署:店舗128

[残業(月)] NA

[記者評価] 靴専門店「ABCマート」を展開。靴小売りで国内最大手。「HAWKINS」「Danner」など自社ブランドも。デジタル化にも積極的で店舗とアプリの連携を強化。社長も週末は店舗に出るなど現場第1主義を徹底。新卒採用は販売職のみで入社2～3年で店長になる例も。

●給与、ボーナス、週休、有休ほか●

【30歳総合職平均年収】NA【初任給】(博士)NA (修士)NA (大卒)230,533円【ボーナス(年)】NA【25、30、35歳賃金】NA【週休】月9日(週1～2日)【夏期休暇】最大9日取得可(有休含む)【年末年始休暇】最大9日取得可(有休含む、冬季休暇として1月以降)【有休取得】11.2／20日

●従業員数、勤続年数、離職率ほか●

【男女別従業員数、平均年齢、平均勤続年数】計 3,859(32.2歳 8.7年) 男 2,410(NA) 女 1,449(NA)【離職率と離職者数】NA【3年後新卒定着率】NA【組合】なし

[求める人材] お客様が何を求めているかを常に考え、努力することを惜しまない人

[会社データ] (金額は百万円)

【本社】150-0043 東京都渋谷区道玄坂1-12-1
☎03-3476-5650　https://www.abc-mart.net/
【社長】野口 実【設立】1985.6【資本金】19,972【今後力を入れる事業】NA

【業績(連結)】	売上高	営業利益	経常利益	純利益
22.2	243,946	27,446	28,260	17,382
23.2	290,077	42,301	43,360	30,256
24.2	344,197	55,671	57,834	40,009

(株)レリアン

株式公開 計画なし

修士・大卒採用数	3年後離職率	有休取得年平均	平均年収(平均48歳)
11名	53.8 → 50.0%	9.0日	NA

【特色】婦人既製服の販売大手。伊藤忠商事の完全子会社

●エントリー情報と採用プロセス●

【受付開始～終了】[総]3月～4月【採用プロセス】[総]説明会(必須、3月)→ES提出(3月)→1次面接(4～7月)→適性検査(4～6月)→店舗見学レポート→最終面接→内々定(5～8月)【交通費支給】面接、面談時、会社基準【早期選考】⇒巻末

試験情報

[重視科目] [総]面接

[総][ES]NA[筆]CUBIC[面]2回(Webあり)

[選考ポイント] [総][面]NA

[通過率] [総][ES]選考なし(受付:(早期選考含む)106)

[倍率(応募/内定)] [総](早期選考含む)8倍

●男女別採用数と配属先ほか●

【男女・文理別採用実績】

	大卒男	大卒女	修士男	修士女
23年	0(文 0理 0)	7(文 7理 0)	0(文 0理 0)	0(文 0理 0)
24年	1(文 0理 1)	8(文 8理 0)	0(文 0理 0)	0(文 0理 0)
25年	2(文 2理 0)	9(文 8理 1)	0(文 0理 0)	0(文 0理 0)

※25年:24年8月31日時点

【25年4月入社者の採用実績校】
[文]國學院大 杉野服飾大 昭和女大 東京家政大 駒澤大 文化ファッション院大 東京農業大 武庫川女大 大阪樟蔭女大 桃山学大 広島女学大 北星学大 他 [理]なし

【24年4月入社者の配属先】
[総]勤務地:首都圏7 名古屋1 大阪1 部署:東日本営業部(営業)1(店舗)6 西日本営業部(店舗)2

[残業(月)] 5.0時間 [総]10.0時間

[記者評価] 伊藤忠傘下。「レリアン」「キャラ・オ・クルス」「アン レクレ」などが主力ブランド。デザイン、着心地、素材感、機能性を重点に商品開発。百貨店・SCを中心に国内317の婦人服専門店を展開。海外は台湾(台北)5店舗、中国(上海)5店舗。健康経営推進。

●給与、ボーナス、週休、有休ほか●

【30歳総合職平均年収】NA【初任給】(大卒)(販売職)204,000円【ボーナス(年)】NA、3.5カ月【25、30、35歳賃金】NA【週休】2日(原則土日祝)【夏期休暇】なし【年末年始休暇】6日【有休取得】9.0／20日

●従業員数、勤続年数、離職率ほか●

【男女別従業員数、平均年齢、平均勤続年数】計 963(47.5歳 15.8年) 男 51(49.7歳 15.9年) 女 912(47.3歳 15.8年)【離職率と離職者数】NA【3年後新卒定着率】50.0%(男ー、女50.0%、3年前入社:男0名・女4名)【組合】あり

[求める人材] ファッションが好きで、人に興味を持ち、自ら考え、働きかけることができる人

[会社データ] (金額は百万円)

【本社】153-0042 東京都目黒区青葉台3-6-28 住友不動産青葉台タワー
☎03-6834-7201　https://www.leilian.co.jp/
【社長】石田 俊哉【設立】1968.4【資本金】100【今後力を入れる事業】サステナブルへの取り組み デジタルを活用した販路開拓

【業績(単独)】	売上高	営業利益	経常利益	純利益
22.3	23,060	▲168	1,271	1,913
23.3	26,272	774	852	842
24.3	26,890	775	865	989

※採用情報は販売職のデータ

(株)西松屋チェーン

にしまつや

東京P 7545

【特色】ベビー・子ども用品専門店「西松屋」を全国展開

修士・大卒採用数	3年後離職率	有休取得年平均	平均年収(平均39歳)
50名	44.8→44.2%	13.2日	(総)680万円

●エントリー情報と採用プロセス●

【受付開始～終了】(総)10月～継続中【採用プロセス】(総)会社説明動画(必須、随時)→ES(随時)→Web検査・面接(随時)→最終対面面接(随時)→内々定(随時)※Web検査と面接の実施回数や実施順序は個人により異なる。面接はWebと対面を併用【交通費支給】面接、最終面接、実費(基準あり)【早期選考】⇒巻末

試験情報

重視科目 (総)面接

(総)(ES)NA(筆)CUBIC(面)3回(Webあり)

選考ポイント (総)(ES)NA(提出あり)(面)情意 性格 意志 倫理観を総合的に評価

通過率 (総)(ES)NA

倍率(応募/内定) (総)NA

●男女別採用数と配属先ほか●

【男女・文理別採用実績】

	大卒男	大卒女	修士男	修士女
23年	22(文 21理 1)	7(文 6理 1)	2(文 1理 1)	1(文 1理 0)
24年	21(文 17理 4)	11(文 8理 3)	3(文 2理 1)	4(文 4理 0)
25年	20(文 10理 10)	20(文 10理 10)	5(文 3理 2)	5(文 3理 2)

【25年4月入社者の採用実績校】
(文)(24年)(院)早大 神戸大各2 北大 同大各1(大)立命館大5 弘前大 東理大 立教大 中大 法政大 日大 駒澤大 東海大 東京成徳大 フェリス女学大 長野大 阪大 関大 関西学大 近大 甲南大 関西外大 福岡女大 大分大 別府大各1 (理)(24年)(院)関大1(大)明大 日大 愛知産大 関大 大阪工大 摂南大 宮崎大各1

【24年4月入社者の配属先】
(総)勤務地:全国38店舗39 部署:店舗運営本部39

残業(月) 19.5時間 (総)19.5時間

記者評価 郊外ロードサイドを軸に、全国で約1100店を展開。店舗の標準化、店内作業の効率化でローコストオペレーションを徹底し、低価格販売を実現。メーカー技術者や理系人材を採用しベビーカーなどのPBを開発。店舗の大型化、EC展開、海外での卸売販売にも注力。

●給与、ボーナス、週休、有休ほか●

【30歳総合職平均年収】528万円【初任給】(修士)244,520円(大卒)235,220円【ボーナス(年)】177万円、5.6カ月【25、30、35歳賃金】264,826円→281,105円→342,667円【週休】2日【夏期休暇】なし【年末年始休暇】なし【有休取得】13.2/20日

●従業員数、勤続年数、離職率ほか●

【男女別従業員数、平均年齢、平均勤続年数】計 711(40.6歳 14.6年) 男 616(40.6歳 15.4年) 女 95(32.9歳 9.5年) ※契約制社員含む【離職率と離職者数】5.8%、44名【3年後新卒定着率】55.8%(男56.7%、女53.8%、3年前入社:男30名・女13名)【組合】なし

求める人材 失敗を恐れず、何事にも進んで挑戦できる人 簡単に諦めず、粘り強く取り組める人 明るく前向きで、コミュニケーションを取ることが好きな人

会社データ (金額は百万円)

【本社】671-0218 兵庫県姫路市飾東町庄266-1
☎079-252-3300 https://www.24028.jp/
【社長】大村 浩一【設立】1956.10【資本金】2,523【今後力を入れる事業】ベビー・子どものくらし用品の製造小売業

【業績(単独)】	売上高	営業利益	経常利益	純利益
22.2	163,016	12,259	12,852	8,498
23.2	169,524	10,933	11,588	7,640
24.2	177,188	11,926	12,588	8,202

青山商事(株)

あおやましょうじ

東京P 8219

【特色】紳士服チェーン最大手。主力は「洋服の青山」

修士・大卒採用数	3年後離職率	有休取得年平均	平均年収(平均38歳)
257名	48.0→36.0%	12.7日	(総)496万円

●エントリー情報と採用プロセス●

【受付開始～終了】(総)9月～6月【採用プロセス】(総)説明会(必須、9～6月)→ES提出・面接(3回、10～7月)→内々定(1～8月)【交通費支給】なし【早期選考】⇒巻末

試験情報

重視科目 (総)面接

(総)(ES)⇒巻末(筆)SPI3(会場)(面)3回(Webあり)

選考ポイント (総)(面)身だしなみ 社交性 コミュニケーション能力 協調性 おもてなし精神 主体性 課題解決力 成長意欲 組織適性

通過率 (総)(ES)選考なし(受付:(早期選考含む)1,423)

倍率(応募/内定) (総)(早期選考含む)7倍

●男女別採用数と配属先ほか●

【男女・文理別採用実績】

	大卒男	大卒女	修士男	修士女
23年	31(文 30理 1)	69(文 69理 0)	1(文 1理 0)	0(文 0理 0)
24年	79(文 78理 1)	136(文134理 2)	0(文 0理 0)	0(文 0理 0)
25年	83(文 80理 3)	174(文173理 1)	0(文 0理 0)	0(文 0理 0)

【25年4月入社者の採用実績校】(文)(大)広島修道大 椙山女学大各8 松山大7 東北学大 近大 常葉大 千葉商大 和洋女大各5 神戸学大 国士舘大 追手門学大 立命館大 金沢学大 金沢星稜大 駒澤大 中村学大 宮城学院女大 共立女大各4 大阪経法大 法政大 関大 鹿児島国際大 都留文科大 比治山大 福岡大 広島文教大 専大 明星大 龍谷大各3 京産大 桃山学大 福山大 愛知大 杏林大 静岡大 大東文化大 東京経大 ノートルダム清心女大 関西外大 関西学大 京都橘大 志學館大 実践女大 就実大 新潟県大 西南学大 大妻女大 東京家政大 東北福祉大 東洋大 日女大 日大 武庫川女大各2 他 (理)(大)岡山理大 東北工大 新潟工大 島根大各1

【24年4月入社者の配属先】(総)勤務地:北海道7 東北9 関東94 北陸4 甲信越3 東海20 関西44 中四国32 九州15 部署:営業221 ITシステム部2 センター5

残業(月) 19.6時間 (総)19.6時間

記者評価 郊外型紳士服チェーンの草分け。「洋服の青山」を中心に、都市型「スーツスクエア」など約740店展開。「洋服の青山」は中国にも店舗。オーダースーツを今後の成長軸と定め、オーダー対応店舗を拡大中。グループで飲食店やリユース店のFC運営も手がける。

●給与、ボーナス、週休、有休ほか●

【30歳総合職平均年収】422万円【初任給】(大卒)222,680円【ボーナス(年)】87万円、3.9カ月+α【25、30、35歳賃金】223,627円→241,188円→244,334円【週休】会社暦2日【夏期休暇】なし【年末年始休暇】なし【有休取得】12.7/20日

●従業員数、勤続年数、離職率ほか●

【男女別従業員数、平均年齢、平均勤続年数】計 2,703(37.7歳 14.1年) 男 1,832(40.4歳 17.0年) 女 871(31.8歳 8.0年)【離職率と離職者数】7.2%、210名【3年後新卒定着率】64.0%(男61.0%、女65.8%、3年前入社:男41名・女73名)【組合】なし

求める人材 想いを形にできる人(共感力、挑戦心、共創力がある人)

会社データ (金額は百万円)

【本社】721-8556 広島県福山市王子町1-3-5
☎084-920-0050 https://www.aoyama-syouji.co.jp/
【社長】青山 理【設立】1964.5【資本金】62,504【今後力を入れる事業】オーダー事業 レディス ネット通販の強化

【業績(連結)】	売上高	営業利益	経常利益	純利益
22.3	165,961	2,181	5,150	1,350
23.3	183,506	7,110	8,734	4,278
24.3	193,687	11,918	12,503	10,089

小売

㈱AOKIホールディングス（アオキ）

東京P 8214

【特色】紳士服専門店2位。結婚式場、複合カフェも展開

修士・大卒採用数	3年後離職率	有休取得年平均	平均年収(平均40歳)
67名	59.6 → —	10.5日	[総]601万円

残業(月) 17.5時間 [総]18.4時間

記者評価 祖業のスーツは郊外型「AOKI」とSC中心の「ORIHICA」で約600店展開。コロナ禍で「パジャマスーツ」を開発。スーツ以外の事業多角化に積極的で、結婚式場「アニヴェルセル」や、カラオケ「コート・ダジュール」、複合カフェ「快活CLUB」の運営も手がける。

●エントリー情報と採用プロセス●

【受付開始～終了】[総]NA【採用プロセス】[総]企業セミナー(必須)→1次選考(GD)→ES提出→2次選考(集団面接・ワーク)→適性検査→面談→最終選考(集団面接)→内々定【交通費支給】最終選考のみ、実費(飛行機・新幹線・高速バス利用者)

試験情報

重視科目 [総]面接

[総][ES]⇒巻末[筆]NA[面]2回(Webあり)[GD作]⇒巻末

選考ポイント [総][ES]有無NA[面]コミュニケーション能力 協同力 傾聴力 積極性 論理性

通過率 [総][ES]NA **倍率(応募/内定)** [総]NA

●男女別採用数と配属先ほか●

【男女・文理別採用実績】

	大卒男	大卒女	修士男	修士女
23年	11(文 11理 0)	18(文 18理 0)	0(文 0理 0)	0(文 0理 0)
24年	13(文 13理 0)	30(文 30理 0)	0(文 0理 0)	0(文 0理 0)
25年	19(文 18理 1)	48(文 48理 0)	0(文 0理 0)	0(文 0理 0)

【25年4月入社者の採用実績校】
[文](大)京都女大5 日女大 共立女大各3 学習院大 東京家政大 追手門学大 東北学大 武蔵野大 中大 西南学大各2 城西大 愛知淑徳大 関西学大 京産大 桐蔭横浜大 近大 金城学大 金沢星稜大 敬和学大 甲南女大 国士舘大 桜美林大 東京女大 昭和女大 神戸学大 神戸松蔭女学大 神奈川大 成城大 青学大 静岡福祉大 専大 創価大 大妻女大 大阪芸大 拓大 帝京科学大 東海大 東京成徳大 日大 白百合女大 武蔵大 文化学園大 文教大 兵庫大 法政大 北九州市大 名城大 立正大 和光大 都留文科大 富山大各1(専)大原法律公務員 日本工学院 大阪アミューズメントメディア各1 [理](大)東理大1

【24年4月入社者の配属先】
[総]勤務地：NA 部署：営業47

●給与、ボーナス、週休、有休ほか●

【30歳総合職平均年収】526万円【初任給】(博士)260,000円(修士)260,000円(大卒)260,000円【ボーナス(年)】124万円、3.45カ月【25、30、35歳賃金】280,566円→351,291円→367,550円【週休】2日【夏期休暇】なし【年末年始休暇】なし【有休取得】10.5／20日

●従業員数、勤続年数、離職率ほか●

【男女別従業員数、平均年齢、平均勤続年数】計 1,994(41.3歳 15.3年) 男 1,309(43.7歳 17.3年) 女 685(36.8歳 11.4年)【離職率と離職者数】4.2%、88名【3年後新卒定着率】3年前採用なし【組合】あり

求める人材 経営理念に共感できる人 自分自身を認め大切にし、誰かの為に本気で行動できる人 やりきるプライドで周りを巻き込み、一緒に前進できる人

会社データ　(金額は百万円)

【本社】224-8588 神奈川県横浜市都筑区葛が谷6-56
☎045-941-1888　https://www.aoki-hd.co.jp/
【社長】田村 春生【設立】1976.8【資本金】23,282【今後力を入れる事業】NA

【業績(連結)】	売上高	営業利益	経常利益	純利益
22.3	154,916	5,443	4,360	2,563
23.3	176,170	10,235	8,430	5,632
24.3	187,716	13,860	13,235	7,574

※採用は㈱AOKIの数値

㈱コナカ

東京S 7494

【特色】郊外型紳士服チェーン3位。神奈川県が地盤

修士・大卒採用数	3年後離職率	有休取得年平均	平均年収(平均40歳)
8名	36.8 → 40.0%	11.0日	[総]446万円

残業(月) 13.7時間 [総]13.7時間

記者評価 首都圏と東北を軸に紳士服チェーン約400店を展開。九州地盤のフタタを20年に吸収合併した。都市型で若い世代向けの「スーツセレクト」、オーダースーツの「ディファレンス」が現在の成長軸。子会社に女性向けバッグを展開するサマンサタバサを持つ。

●エントリー情報と採用プロセス●

【受付開始～終了】[総]3月～7月【採用プロセス】[総]説明会(必須、3月～)→グループ面談(質問会)→1次面接→筆記・小論文→2次面接→適性検査→最終面接→内々定【交通費支給】なし【早期選考】⇒巻末

試験情報

重視科目 [総]面接

[総][ES]⇒巻末[筆]一般常識[面]3回(Webあり)[GD作]NA

選考ポイント [総][ES]提出なし[面]自己PRが具体的か 入社意志があるか 第一印象が良いか 成長意欲が高いか

通過率 [総][ES]―(応募：NA)

倍率(応募/内定) [総]NA

●男女別採用数と配属先ほか●

【男女・文理別採用実績】

	大卒男	大卒女	修士男	修士女
23年	5(文 4理 1)	9(文 7理 2)	0(文 0理 0)	0(文 0理 0)
24年	1(文 1理 0)	7(文 7理 0)	0(文 0理 0)	0(文 0理 0)
25年	6(文 6理 0)	2(文 1理 1)	0(文 0理 0)	0(文 0理 0)

【25年4月入社者の採用実績校】
[文](大)愛知東邦大 高千穂大 奈良教大 日女大 北九州市大 県立広島大 武蔵野大各1 [理](大)神奈川大1

【24年4月入社者の配属先】
[総]勤務地：東京4 神奈川1 大阪2 福岡1 長崎1 部署：SUIT SELECT店舗6 DIFFERENCE店舗3

●給与、ボーナス、週休、有休ほか●

【30歳総合職平均年収】NA【初任給】(大卒)220,000円【ボーナス(年)】NA【25、30、35歳賃金】NA【週休】年107日【夏期休暇】連続5～7日【年末年始休暇】なし【有休取得】11.0／20日

●従業員数、勤続年数、離職率ほか●

【男女別従業員数、平均年齢、平均勤続年数】計 1,035(40.9歳 18.0年) 男 842(42.8歳 20.0年) 女 193(32.5歳 9.1年)【離職率と離職者数】NA【3年後新卒定着率】60.0%(男100%、女33.3%、3年前入社：男4名・女6名)【組合】あり

求める人材 ファッションが好きで、目標を持ち、意欲を継続できる人

会社データ　(金額は百万円)

【本社】244-0801 神奈川県横浜市戸塚区品濃町517-2
☎045-825-7766　https://www.konaka.co.jp/
【社長】湖中 謙介【設立】1973.11【資本金】5,305【今後力を入れる事業】SUIT_SELECT DIFFERENCE

【業績(連結)】	売上高	営業利益	経常利益	純利益
21.9	58,584	▲7,825	▲6,516	▲1,938
22.9	63,174	▲3,255	▲2,193	▲3,231
23.9	65,797	▲912	▲684	▲161

小売

開示 ★☆☆☆☆　▶『業界地図』p.276

はるやま商事(株)

(しょうじ)

持株会社 / 傘下

【特色】中国地方が地盤。紳士服チェーン業界4位

修士・大卒採用数	3年後離職率	有休取得年平均	平均年収(平均NA)
75名	NA	14.2日	NA

●エントリー情報と採用プロセス●

【受付開始～終了】[総]NA【採用プロセス】[総]NA【交通費支給】NA【早期選考】⇒巻末

試験情報

重視科目 [総]NA

[総][ES]NA[筆]WebGAB[面]2回(Webあり)[GD作]NA

選考ポイント [総][面]NA

通過率 [総][ES]選考なし(受付:NA)

倍率(応募/内定) [総]NA

●男女別採用数と配属先ほか●

【男女・文理別採用実績】

	大卒男	大卒女	修士男	修士女
23年	0(文 0理 0)	0(文 0理 0)	0(文 0理 0)	0(文 0理 0)
24年	17(文 17理 0)	12(文 12理 0)	0(文 0理 0)	0(文 0理 0)
25年	-(文 -理 -)	-(文 -理 -)	-(文 -理 -)	-(文 -理 -)

※25年:75名採用目標

【25年4月入社者の採用実績校】

[文](24年)(大)岡山商大2 石巻専大 聖カタリナ大 東海大 鹿児島大 別府大 仁愛大 熊本学大 岐阜協大 広島経大 帝京平成大 東京国際工科専門職大 京都芸大 川崎医療福祉大 奈良大 椙山女学大 比治山大 桜美林大 杉野服飾大 山陽学大 活水女大 徳島文理大 新潟医療福祉大各1(短)倉敷市立2 広島文化1(専)東京モード学園 米山ファッション・ビジネス 坪内総合ビジネスカレッジ 龍馬デザイン・ビューティ各1 [理](24年)なし

【24年4月入社者の配属先】

[総]勤務地:埼玉4 大阪4 熊本2 福岡1 福井1 三重1 岡山2 東京5 兵庫1 千葉1 愛知4 広島1 滋賀1 高知1 山口1 香川1 **部署**:販売店他31

残業(月) 7.4時間 [総]7.4時間

記者評価 はるやまHDの中核会社。健康を意識した機能性スーツ・ワイシャツなどユニークな商品や独自性の高いサービスに定評。郊外型の紳士服店「はるやま」に加え、若い世代向けの都市型店「P.S.FA」をSCなどに出店。大きいサイズの専門店「フォーエル」でも独自色。

●給与、ボーナス、週休、有休ほか●

【30歳総合職平均年収】NA【初任給】(大卒)221,000円【ボーナス(年)】NA【25、30、35歳賃金】NA【週休】2日(年105日、土日祝を除く)【夏期休暇】NA【年末年始休暇】NA【有休取得】14.2／20日

●従業員数、勤続年数、離職率ほか●

【男女別従業員数、平均年齢、平均勤続年数】NA【離職率と離職者数】NA【3年後新卒定着率】NA【組合】なし

求める人材 明るい対応ができ、誠実で実行力がある人 ファッションに興味がある人

会社データ　(金額は百万円)

【本社】700-0822 岡山県岡山市北区表町1-2-3

☎086-226-7111　http://www.haruyama.co.jp/

【社長】中村 宏明【設立】2017.1【資本金】100【今後力を入れる事業】紳士服販売 レディススーツ カジュアル他

【業績(連結)】	売上高	営業利益	経常利益	純利益
22.3	36,685	▲2,787	▲2,312	▲7,896
23.3	36,892	739	1,117	247
24.3	35,915	927	1,256	405

※業績は(株)はるやまホールディングスのもの

(株)ヤナセ

株式公開 / 未定

【特色】輸入車ディーラー最大手。全国にサービス販売網

修士・大卒採用数	3年後離職率	有休取得年平均	平均年収(平均44歳)
78名	32.7 → 35.0%	11.2日	[総]790万円

●エントリー情報と採用プロセス●

【受付開始～終了】[総]2月～7月 [技]NA【採用プロセス】[総]説明会(必須、2～3月)→ES提出・筆記(3月下旬)→面接(2～3回、4～5月)→内々定(5月下旬～6月上旬)※地域により異なる [技]説明会・職場見学会(必須、12～1月)→ES提出・筆記(2月)→面接(1～2回、2月下旬～3月上旬)→内々定(3月中旬～下旬)※地域により異なる【交通費支給】なし【早期選考】⇒巻末

試験情報

重視科目 [総][技]面接

[総][ES]⇒巻末[筆]あり(内容NA)[面]2～3回(Webあり) [技][ES]⇒巻末[筆]あり(内容NA)[面]1～2回

選考ポイント [総][ES]求める人材と合致しているか 他[面]バイタリティ 競争性 企業研究 熱意 他 [技][面]活力 理解力 対人感受性 競争性 計画性 積極性 堅実性 他

通過率 [総][ES]NA [技][ES]選考なし(受付:NA)　**倍率(応募/内定)** [総][技]NA

●男女別採用数と配属先ほか●

【男女・文理別採用実績】※25年:180名採用予定(大卒78名・専門卒102名)

	大卒男	大卒女	修士男	修士女
23年	32(文 32理 0)	6(文 6理 0)	0(文 0理 0)	0(文 0理 0)
24年	58(文 53理 5)	7(文 7理 0)	0(文 0理 0)	0(文 0理 0)
25年	-(文 -理 -)	-(文 -理 -)	-(文 -理 -)	-(文 -理 -)

【25年4月入社者の採用実績校】[文](24年)(大)日大4 國學院大 国士舘大 椙山女学大 大阪経大 東京経大 獨協大 嘉悦大 福岡大各2 城西大 東京成徳大 東京国際大 国際武道大 白鴎大 杏林大 青学大 専大 大正大 大東文化大 拓大 中央学大 帝京平成大 東海大 日体大 明海大 立命館APU 横浜商大 共栄大 玉川大 敬愛大 高千穂大 産能大 朝日大 東海学園大 同朋大 南山大 名古屋商大 名城大 関西外大 関西学大 関大 西南学大 摂南大 立命館大 流経大 大阪工大 広島女学大 下関市大 筑紫女学大各1(専)東京自動車大7 久留米自動車工科大6 関東工業自動車大 中央自動車大各5 静岡工科自動車大 大阪自動車整備 日本自動車大各4 大原自動車工科大 中日本自動車短期大 北九州自動車大各3 他 [理](24年)(大)国士舘大 東京工科大 大阪電通大 中京大 愛知みずほ大各1

【24年4月入社者の配属先】[総]**勤務地**:東京17 名古屋10 大阪8 神奈川7 千葉7 福岡5 埼玉4 兵庫2 広島2 宮城1 群馬1 香川1 **部署**:営業65 [技]**勤務地**:名古屋11 福岡11 東京10 大阪8 神奈川7 埼玉7 千葉6 北海道2 群馬2 長野2 岩手1 宮城1 栃木1 静岡1 兵庫1 広島1 高知1 佐賀1 長崎1 沖縄1 **部署**:メカニック62 パーツ6 塗装5 板金2 車両回送1

残業(月) 26.4時間 [総]26.4時間

記者評価 伊藤忠の連結子会社。1915年創業、日本の輸入車販売で草分け的存在。メルセデス・ベンツを軸にBMW、アウディ、VW、ポルシェなどを扱う。グループ新車販売は累計200万台を超す。EV普及に向け九州電力と業務提携。24年4月にフェラーリの販売を開始。

●給与、ボーナス、週休、有休ほか●

【30歳総合職モデル年収】610万円【初任給】(修士)NA(大卒)(東京)230,000円【ボーナス(年)】NA【25、30、35歳モデル賃金】235,800円→297,600円→379,400円 ※東京勤務【週休】2日(原則月火祝、月8～11日間)【夏期休暇】連続7日(うち4日有休、3日週休)【年末年始休暇】連続8日【有休取得】11.2／20日

●従業員数、勤続年数、離職率ほか●

【男女別従業員数、平均年齢、平均勤続年数】計 4,329(44.4歳 20.5年) 男 3,985(44.6歳 20.6年) 女 344(42.7歳 18.6年)【離職率と離職者数】5.7%、262名【3年後新卒定着率】65.0%(男67.4%、女50.0%、3年前入社:男138名・女22名)【組合】あり

求める人材 競争性と協調性を兼ね備え、気配りができる対人感受性が豊かな人

会社データ　(金額は百万円)

【本社】105-8575 東京都港区芝浦1-6-38

☎なし　https://www.yanase.co.jp/

【社長】森田 考則【設立】1920.1【資本金】6,975【今後力を入れる事業】輸入車の新車・中古車販売 アフターセールス

【業績(連結)】	売上高	営業利益	経常利益	純利益
22.3	441,085	20,628	20,962	14,180
23.3	461,801	22,278	23,773	16,689
24.3	495,663	21,361	21,562	14,617

開示 ★★★☆☆

㈱ＡＴグループ（愛知トヨタ）

（エイティ）

株式公開 していない

【特色】トヨタ系ディーラー。傘下に愛知トヨタなど

修士・大卒採用数	3年後離職率	有休取得年平均	平均年収（平均39歳）
99名	23.6 → 20.5%	10.6日	[総]659万円

残業（月） 14.8時間 [総]17.1時間

記者評価 1935年設立でトヨタ第1号車を販売した日の出モータースが前身。23年4月にグループのトヨタ4販社が経営統合し、現体制に。中核の愛知トヨタはトヨタ店185拠点（中古車、サービス拠点など含む）、レクサス店11拠点、フォルクスワーゲン（VW）店5拠点を展開。

●エントリー情報と採用プロセス●

【受付開始～終了】[総]3月～6月 [技]12月～3月【採用プロセス】[総]説明会（必須、3月）→ES提出・適性（4月）→面接（4月上旬～6月）→最終面接（4月下旬～6月）→内々定（6～7月）[技]説明会（必須、12月）→筆記（1月）→面接（2月）→最終面接（2～3月）→内々定（3月）【交通費支給】なし

試験情報

重視科目 [総][技]面接

[総][ES]⇒巻末[筆]SPI3（自宅） SPI性格[面]2回（Webあり）
[技][筆]一般常識 SPI3[面]2回

選考ポイント [総][ES]求める人材と合致しているか[面]コミュニケーション能力 熱意 前向きさ ストレス耐性 [技][面]総合職共通

通過率 [総][ES]84%（受付:317→通過:267）[技][ES]—（応募:NA）

倍率（応募/内定） [総]3倍 [技]NA

●男女別採用数と配属先ほか●

【男女・文理別採用実績】

	大卒男	大卒女	修士男	修士女
23年	79（文 74理 5）	14（文 14理 0）	0（文 0理 0）	0（文 0理 0）
24年	67（文 67理 0）	31（文 31理 0）	0（文 0理 0）	0（文 0理 0）
25年	73（文NA理NA）	26（文 26理 0）	0（文 0理 0）	0（文 0理 0）

【25年4月入社者の採用実績校】
[文]（大）愛知学大9 名城大 中京大 名古屋学院大各7 椙山女学大 日本福祉大各6 愛知大5 他 [理]（短）中日本自動車6 愛知工科大自動車4 高山自1（専）トヨタ名古屋自動車大学校56 名鉄自動車7 他

【24年4月入社者の配属先】
[総]勤務地：愛知94 静岡1 部署：営業82 事務13 [技]勤務地：愛知95 静岡1 部署：整備96

●給与、ボーナス、週休、有休ほか●

【30歳総合職平均年収】567万円【初任給】（大卒）204,500円【ボーナス（年）】159万円、4.8カ月【25、30、35歳賃金】NA【週休】2日程度（変形労働時間制）【夏期休暇】7日程度【年末年始休暇】7日程度【有休取得】10.6／20日

●従業員数、勤続年数、離職率ほか●

【男女別従業員数、平均年齢、平均勤続年数】計 4,450（38.8歳 16.9年） 男 NA（NA 17.4年） 女 NA（NA 13.9年）【離職率と離職者数】2.6%、121名（早期退職男1名、女2名含む）【3年後新卒定着率】79.5%（男78.8%、女83.3%、3年前入社：男179名・女36名）【組合】あり

求める人材 目標 夢達成に向けて挑戦し続けられる人 明るく前向きな人

会社データ （金額は百万円）

【本社】466-0057 愛知県名古屋市昭和区高辻町6-8
☎052-871-4511 https://www.aichi-toyota.jp/
【社長】山口 真史【設立】1942.11【資本金】100【今後力を入れる事業】自動車小売

【業績（連結）】	売上高	営業利益	経常利益	純利益
22.3	370,758	9,099	12,047	7,410
23.3	379,952	NA	NA	NA
24.3	411,534	NA	NA	NA

※採用情報は愛知トヨタEAST㈱と愛知トヨタWEST㈱の合算、会社データは㈱ATグループのもの

㈱エフ・ディ・シィ・プロダクツ

持株会社 傘下

【特色】4℃HD中核。ジュエリーブランド「4℃」など展開

修士・大卒採用数	3年後離職率	有休取得年平均	平均年収（平均39歳）
12名	37.5 → 42.9%	12.8日	[総]485万円

残業（月） 10.2時間 [総]10.2時間

記者評価 ヨンドシーホールディングスの中核事業会社。「4℃」ブランドのジュエリー事業を担う。百貨店、路面店、ショッピングセンター内で店舗展開。ブライダル専門店「4℃ BRIDAL」も。顧客年齢層の拡大、ブランドイメージ高級化を推進。EC販売に注力。

●エントリー情報と採用プロセス●

【受付開始～終了】[総][技]3月～6月【採用プロセス】[総]会社研究会（必須）→WebES提出→面接→適性検査・面接→面接→内々定 [技]会社研究会（必須）→WebES提出→面接・実技試験→適性検査・面接→面接→内々定【交通費支給】3次面接以降、関東圏以外の往復全額【早期選考】⇒巻末

試験情報

重視科目 [総][技]NA

[総][ES]⇒巻末[筆]能力試験＋性格検査[面]3回（Webあり）
[技][ES]NA[筆]NA[面]3回

選考ポイント [総][技][面]人間関係能力

通過率 [総][技][ES]選考なし（受付:NA）

倍率（応募/内定） [総]（早期選考含む）31倍 [技]（早期選考含む）2倍

●男女別採用数と配属先ほか●

【男女・文理別採用実績】

	大卒男	大卒女	修士男	修士女
23年	0（文 0理 0）	2（文 2理 0）	0（文 0理 0）	0（文 0理 0）
24年	1（文 1理 0）	2（文 2理 0）	0（文 0理 0）	1（文 0理 1）
25年	1（文 1理 0）	11（文 11理 0）	0（文 0理 0）	0（文 0理 0）

【25年4月入社者の採用実績校】
[文]（大）武蔵野美大 日大各2 法政大 金城学大 青学大 学習院大 立命館大 神田外語大 大正大 多摩美大各1 [理]なし

【24年4月入社者の配属先】
[総]勤務地：目黒4 部署：EC1 営業1 営業企画1 デザイナー1 [技]勤務地：なし 部署：なし

●給与、ボーナス、週休、有休ほか●

【30歳総合職平均年収】NA【初任給】（博士）NA（修士）NA（大卒）230,000円【ボーナス（年）】NA【25、30、35歳賃金】NA【週休】2日（日祝、土は月2～4日）【夏期休暇】連続5日【年末年始休暇】あり【有休取得】12.8／20日

●従業員数、勤続年数、離職率ほか●

【男女別従業員数、平均年齢、平均勤続年数】計 147（38.8歳 11.8年） 男 56（40.7歳 13.7年） 女 91（37.6歳 10.7年）【離職率と離職者数】NA【3年後新卒定着率】57.1%（男100%、女25.0%、3年前入社：男3名・女4名）【組合】あり

求める人材 互いの個性を尊重しあう環境づくりを積極的におこない、失敗を恐れずにチャレンジできる人

会社データ （金額は百万円）

【本社】141-8544 東京都品川区上大崎2-19-10
☎03-5719-3288 https://www.fdcp.co.jp/
【社長】岡藤 一朗【設立】1986.4【資本金】400【今後力を入れる事業】EC事業（オンライン専門ブランドの強化）ジュエリー事業

【業績（単独）】	売上高	営業利益	経常利益	純利益
22.2	18,424	1,131	1,415	897
23.2	18,587	1,356	1,404	648
24.2	16,995	1,426	1,466	778

小売

㈱ヴァンドームヤマダ

株式公開 計画なし

【特色】婦人アクセサリーの大手。販売チャネル多様化

修士・大卒採用数	3年後離職率	有休取得年平均	平均年収(平均38歳)
22名	38.3 → 40.9%	13.7日	NA

●エントリー情報と採用プロセス●

【受付開始～終了】(総)4月～6月 (技)3月～3月【採用プロセス】(総)説明会(必須、4月中旬)→ES提出(4月下旬)→面接(5月中旬)→Web試験(5月下旬)→GW(6月中旬)→面接(6月下旬)→内々定(6月下旬) (技)説明会(必須、3月中旬)→ES提出(3月下旬)→課題提出(4月上旬～5月中旬)→面接(6月中旬)→Web試験(6月下旬)→面接(7月上旬)→内々定(7月中旬)【交通費支給】〈販売職〉最終面接、遠方者に新幹線・飛行機代・特急料金

試験情報

重視科目 (総)面接 (技)〈企画職〉課題 面接

(総)(ES)⇒巻末(筆)Webテスト eF-1G(面)2回(Webあり)(GD作)⇒巻末 (技)(ES)⇒巻末(筆)Webテスト eF-1G(面)2回

選考ポイント (総)(ES)熱意 自分の言葉で表現(面)コミュニケーション力 自分の言葉で自己主張 総合職志向や志望度 (技)(ES)総合職共通(面)プレゼン能力 作品センス

通過率 (総)(ES)96%(受付:26→通過:25) (技)(ES)選考なし(受付:32)

倍率(応募/内定) (総)13倍 (技)16倍

●男女別採用数と配属先ほか●

【男女・文理別採用実績】※25年:継続中

	大卒男	大卒女	修士男	修士女
23年	0(文 0理 0)	13(文 13理 0)	0(文 0理 0)	0(文 0理 0)
24年	1(文 1理 0)	30(文 28理 2)	0(文 0理 0)	0(文 0理 0)
25年	0(文 0理 0)	22(文 22理 0)	0(文 0理 0)	0(文 0理 0)

【25年4月入社者の採用実績校】(文)(24年)(大)女子美大 武蔵野美大各2 大妻女大 成蹊大 清泉女大各1 (理)(24年)なし

【24年4月入社者の配属先】(総)勤務地:首都圏4 部署:営業部4 (技)勤務地:首都圏3 部署:営業部3

残業(月) 3.3時間 (総)4.9時間

記者評価 アクセサリーの企画・販売・輸出入を手がける。「VENDOME AOYAMA」など自社ブランドと「ANNA SUI」などライセンスブランドの両面戦略。百貨店中心に店舗展開。東京・青山に旗艦店。企画・開発から販売まで一貫。ブランド認知向上と販売チャネル多様化を推進。

●給与、ボーナス、週休、有休ほか●

【30歳総合職平均年収】NA【初任給】(大卒)225,000円【ボーナス(年)】NA【25、30、35歳賃金】NA【週休】会社暦原則2日【夏期休暇】6～10月を中心に、夏季有休取得月間【年末年始休暇】12月29日～1月4日【有休取得】13.7／20日

●従業員数、勤続年数、離職率ほか●

【男女別従業員数、平均年齢、平均勤続年数】計 658(37.7歳 11.0年) 男 31(48.0歳 13.5年) 女 627(37.2歳 10.9年)【離職率と離職者数】NA【3年後新卒定着率】59.1%(男―、女59.1%、3年前入社:男0名・女44名)【組合】なし

求める人材 ジュエリーに興味があり、お客様に満足を提供できるよう前向きに努力できる人

会社データ (金額は百万円)

【本社】107-0062 東京都港区南青山6-12-1 TTS南青山ビル2階 ☎03-3470-0384 https://vendome.jp/

【社長】山田 潤【設立】1973.4【資本金】50【今後力を入れる事業】高品質で魅力ある商品企画と展開

【業績(単独)】	売上高	営業利益	経常利益	純利益
21.8	9,426	173	167	57
22.8	9,564	208	254	79
23.8	10,296	175	136	▲335

㈱アルペン

東京P 3028

【特色】スポーツ小売り大手。ゴルフ、アウトドアも展開

修士・大卒採用数	3年後離職率	有休取得年平均	平均年収(平均42歳)
182名	14.3 → 20.8%	10.0日	(総)604万円

●エントリー情報と採用プロセス●

【受付開始～終了】(総)3月～継続中【採用プロセス】(総)ES提出(3月～)→筆記(4月上旬)→面接(4月下旬)→GD(5月上旬)→最終面接(5月下旬)→内々定(6月上旬)【交通費支給】最終選考、全額【早期選考】⇒巻末

試験情報

重視科目 (総)面接

(総)(ES)⇒巻末(筆)SPI3(自宅)(面)2回(Webあり)(GD作)⇒巻末

選考ポイント (総)(ES)志望動機 自己PR(面)コミュニケーション能力・主体性・リーダーシップ力があるか

通過率 (総)(ES)NA

倍率(応募/内定) (総)NA

●男女別採用数と配属先ほか●

【男女・文理別採用実績】

	大卒男	大卒女	修士男	修士女
23年	54(文 50理 4)	30(文 30理 0)	1(文 1理 0)	1(文 1理 0)
24年	122(文111理 11)	49(文 48理 1)	2(文 0理 2)	0(文 0理 0)
25年	128(文124理 4)	54(文 54理 0)	0(文 0理 0)	0(文 0理 0)

【25年4月入社者の採用実績校】(文)(大)関大 立命館大 東海学園大各5 中京大 法政大 國學院大 龍谷大 京産大各4 早大 日大 順天堂大 亜大各3 日体大 東洋大 近大 名城大 京都女大各2 他 (理)(大)日体大 神戸学大 東京電機大 健康科学大各1

【24年4月入社者の配属先】(総)勤務地:全国各事業所所在地141カ所(1店舗に1～2名配属) 部署:販売173

残業(月) 9.8時間 (総)10.0時間

記者評価 ゼビオと並ぶスポーツ用品小売りの大手。「スポーツデポ」や「ゴルフ5」「アルペン」など約400店を展開。近年はアウトドア専門店を急速に増やした。22年に多層フロアの超大型総合旗艦店の「アルペントーキョー」を新宿で開業、その後、福岡、名古屋にも出店。

●給与、ボーナス、週休、有休ほか●

【30歳総合職平均年収】508万円【初任給】(修士)249,900円 (大卒)240,000円【ボーナス(年)】142万円、4.4カ月【25、30、35歳賃金】256,857円→288,084円→330,157円【週休】〈本社〉2日(年9回土曜出勤)〈店舗〉2日(シフト制)【夏期休暇】連続3日(本社)【年末年始休暇】連続4日(本社)【有休取得】10.0／20日

●従業員数、勤続年数、離職率ほか●

【男女別従業員数、平均年齢、平均勤続年数】計 ◇2,775(41.8歳 16.5年) 男 2,288(43.2歳 18.0年) 女 487(35.2歳 9.5年)【離職率と離職者数】◇4.7%、136名(早期退職男6名、女1名含む)【3年後新卒定着率】79.2%(男80.0%、女77.8%、3年前入社:男30名・女18名)【組合】あり

求める人材 目標に向け先頭に立ち推進できる人、仲間と協力体制を築ける人、謙虚で前向きな人

会社データ (金額は百万円)

【本社】460-8637 愛知県名古屋市中区丸の内2-9-40 アルペン丸の内タワー ☎052-559-0131 https://www.alpen-group.jp/

【社長】水野 敦之【設立】1972.7【資本金】15,163【今後力を入れる事業】NA

【業績(連結)】	売上高	営業利益	経常利益	純利益
22.6	232,332	7,153	8,988	5,310
23.6	244,540	5,062	6,930	5,469
24.6	252,936	3,330	5,307	1,733

▶『業界地図』p.226,281

ゼビオ(株)

持株会社 傘下

【特色】スポーツ小売り大手。ゼビオグループの中核企業

修士・大卒採用数	3年後離職率	有休取得年平均	平均年収(平均42歳)
13名	36.1→48.4%	8.8日	NA

●エントリー情報と採用プロセス●

【受付開始～終了】[総]3月～継続中【採用プロセス】[総]説明会(必須)→ES提出(3月)→面接(3回・3月より順次・1次選考後にWebSPI試験)→内々定(4月より順次)【交通費支給】なし【早期選考】⇒巻末

試験情報

重視科目 [総]SPI 面接

[総][ES]⇒巻末[筆]SPI3(自宅)[面]3回(Webあり)

選考ポイント [総][面]表情や志望度合 自己分析ならびに自己周辺の環境の掌握 コミュニケーション能力

通過率 [総][ES]選考なし(受付:(早期選考含む)777)

倍率(応募/内定) [総](早期選考含む)8倍

●男女別採用数と配属先ほか●

【男女・文理別採用実績】

	大卒男	大卒女	修士男	修士女
23年	18(文 18理 0)	5(文 5理 0)	0(文 0理 0)	0(文 0理 0)
24年	18(文 18理 0)	3(文 3理 0)	0(文 0理 0)	0(文 0理 0)
25年	10(文 10理 0)	3(文 3理 0)	0(文 0理 0)	0(文 0理 0)

【25年4月入社者の採用実績校】

[文](大)東海大2 大東文化大 新潟経営大 専大 立命館大 昭和女大 帝京平成大 岡山商大 武庫川女大 順天堂大 駒澤大 国士舘大各1 [理]なし

【24年4月入社者の配属先】

[総]勤務地:福島 21 部署:店舗(営業)21

残業(月) 16.5時間 [総]16.5時間

記者評価 ゼビオグループの中核企業で、アルペンと並ぶスポーツ用品小売りの業界大手。総合大型店の「スーパースポーツゼビオ」を全国で展開。グループ企業が展開する「ヴィクトリア」、「エルブレス」、「ゴルフパートナー」なども含めた店舗数は約900店に及ぶ。

●給与、ボーナス、週休、有休ほか●

【30歳総合職平均年収】NA【初任給】(博士)NA(修士)213,000円(大卒)206,600円【ボーナス(年)】NA【25、30、35歳賃金】229,742円→250,433円→272,033円【週休】2日以上【夏期休暇】有休で5日取得【年末年始休暇】なし【有休取得】8.8/NA

●従業員数、勤続年数、離職率ほか●

【男女別従業員数、平均年齢、平均勤続年数】計 466(42.0歳 19.0年)男 395(43.3歳 20.1年)女 71(35.0歳 12.9年)【離職率と離職者数】7.2%、36名【3年後新卒定着率】51.6%(男52.2%、女50.0%、3年前入社:男23名・女8名)【組合】NA

求める人材 自ら考え、行動に移せる人 常識にとらわれず、新しい発想ができる人 スポーツ産業の発展に寄与していきたいと考えている人

会社データ (金額は百万円)

【本社】963-8024 福島県郡山市朝日3-7-35
☎024-938-1111 https://www.xebio.co.jp/ja/
【社長】諸橋 友良【設立】1973.7【資本金】15,935【今後力を入れる事業】スポーツ関連事業(業態開発・商品開発)

【業績(連結)】	売上高	営業利益	経常利益	純利益
22.3	223,282	4,999	7,851	3,836
23.3	239,293	8,327	9,242	5,397
24.3	242,433	4,204	5,405	2,592

※資本金・業績はゼビオホールディングス(株)のもの

つるや(株)

株式公開 いずれしたい

【特色】ゴルフ用品の専門店。ゴルフトーナメント主催も

修士・大卒採用数	3年後離職率	有休取得年平均	平均年収(平均29歳)
35名	51.6→36.8%	8.0日	500万円

●エントリー情報と採用プロセス●

【受付開始～終了】[総]3月～継続中【採用プロセス】[総]説明会(必須、3月～)→ESまたは履歴書提出・筆記(含作文)・面接(3月～)→面接(2回)→内々定(4月上旬～)【交通費支給】最終面接、関西地区以外から参加の場合全額(在来線含む)【早期選考】⇒巻末

試験情報

重視科目 [総]面接

[総][筆]一般常識[面]3回(Webあり)[GD作]⇒巻末

選考ポイント [総][ES]提出なし[面]コミュニケーション能力 活発さ

通過率 [総][ES]—(応募:NA)

倍率(応募/内定) [総]NA

●男女別採用数と配属先ほか●

【男女・文理別採用実績】

	大卒男	大卒女	修士男	修士女
23年	26(文 26理 0)	4(文 4理 0)	1(文 1理 0)	1(文 1理 0)
24年	24(文 24理 0)	2(文 2理 0)	1(文 1理 0)	1(文 1理 0)
25年	28(文 28理 0)	5(文 5理 0)	1(文 1理 0)	1(文 1理 0)

【25年4月入社者の採用実績校】

[文](24年)(院)早大 大阪経大各1(大)大阪産大4 京都先端科学大 日大各3 産能大 大和大 立正大 大阪成蹊大 島根県大 甲南大 高知工科大 帝塚山大 神戸学大 東海大 目白大 大阪経法大 近大 追手門学大 同大各1(短)福岡女学院1(専)福岡リゾート&スポーツ 大阪社体スポーツ各1 [理]なし

【24年4月入社者の配属先】

[総]勤務地:大阪13 兵庫1 京都1 東京2 愛知1 和歌山1 滋賀1 茨城1 岡山1 香川1 静岡1 千葉1 富山1 広島1 福岡2 三重1 部署:販売25 インストラクター3 総務人事1 情報システム1

残業(月) 8.0時間 [総]8.0時間

記者評価 ゴルフ用品の卸・小売。国内93店舗を展開(24年3月時点)。独自ブランド「アクセル」等の商品開発力に定評。彦根に工場、神戸に商品センター。オンラインショップ、ゴルフ場、ゴルフ練習場・スクールも運営。若手ゴルファー育成に注力。上海に販売現法。

●給与、ボーナス、週休、有休ほか●

【30歳総合職平均年収】550万円【初任給】(大卒)230,000円【ボーナス(年)】NA、3.6カ月【25、30、35歳モデル賃金】260,000円→310,000円→370,000円【週休】月8～10日(交替制)【夏期休暇】連続3日【年末年始休暇】連続5日【有休取得】8.0/20日

●従業員数、勤続年数、離職率ほか●

【男女別従業員数、平均年齢、平均勤続年数】計 539(28.9歳 7.8年)男 328(32.6歳 10.2年)女 211(22.6歳 4.1年)【離職率と離職者数】15.0%、95名【3年後新卒定着率】63.2%(男71.9%、女16.7%、3年前入社:男32名・女6名)【組合】なし

求める人材 コミュニケーション力のある人 創造力、実行力のある人

会社データ (金額は百万円)

【本社】541-0053 大阪府大阪市中央区本町3-3-5
☎06-6281-0111 https://www.tsuruyagolf.co.jp/
【社長】西村 理作【設立】1966.2【資本金】50【今後力を入れる事業】練習場 スクール事業 インターネット事業

【業績(単独)】	売上高	営業利益	経常利益	純利益
21.7	23,018	1,065	1,087	419
22.7	21,772	1,094	1,134	708
23.7	23,943	694	704	399

小売

開示 ★★★★☆　▶『業界地図』p.218

㈱三洋堂ホールディングス

さんようどう

東京S 3058

【特色】東海地区中心の郊外型書店。複合店化を推進中

修士・大卒採用数	3年後離職率	有休取得年平均	平均年収(平均42歳)
10名	70.0 → 50.0%	12.1日	[総]437万円

●エントリー情報と採用プロセス●

【受付開始～終了】[総]3月～5月【採用プロセス】[総]セミナー・筆記(3～4月)→1次面接・適性検査(3～5月)→2次面接(3～5月)→最終面接(3～5月)→内々定(3～5月)【交通費支給】なし【早期選考】⇒巻末

試験情報

重視科目 [総]面接

[総][筆]一般常識 DPI[面]3回

選考ポイント [総][ES]提出なし[面]コミュニケーション能力 積極性 協調性 他

通過率 [総][ES]―(応募:119)

倍率(応募/内定) [総]12倍

●男女別採用数と配属先ほか●

【男女・文理別採用実績】

	大卒男	大卒女	修士男	修士女
23年	2(文 2理 0)	5(文 5理 0)	0(文 0理 0)	0(文 0理 0)
24年	0(文 0理 0)	4(文 4理 0)	0(文 0理 0)	0(文 0理 0)
25年	3(文 3理 0)	7(文 7理 0)	0(文 0理 0)	0(文 0理 0)

【25年4月入社者の採用実績校】

[文](大)京都女大 滋賀大各2 愛知学大 大阪国際大 金城学大 皇學館大 南山大 日本福祉大各1 [理]なし

【24年4月入社者の配属先】

[総]勤務地:愛知(名古屋1 豊田1 東海1 半田1) 部署:店舗4

残業(月)　8.5時間 [総]8.6時間

記者評価 トーハンが筆頭株主。新書・古書の併売を軸に、文具雑貨、ソフト販売・レンタルも扱う複合店化に特色。フィットネスクラブなど入居で店舗の有効活用も。中古ホビー店やトレカ、プラモ専門売り場を強化。24年6月から大卒初任給を219,500円に増額。

●給与、ボーナス、週休、有休ほか●

【30歳総合職平均年収】379万円【初任給】(修士)217,300円 (大卒)214,000円【ボーナス(年)】51万円、1.7カ月【25、30、35歳賃金】210,300円→229,450円→244,800円【週休】4週8～9休【夏期休暇】有休で取得【年末年始休暇】有休で取得【有休取得】12.1/20日

●従業員数、勤続年数、離職率ほか●

【男女別従業員数、平均年齢、平均勤続年数】計 164(42.6歳 17.7年) 男 114(44.1歳 19.0年) 女 50(39.2歳 14.6年)【離職率と離職者数】7.9%、14名(早期退職男1名含む)【3年後新卒定着率】50.0%(男50.0%、女50.0%、3年前入社:男2名・女2名)【組合】なし

求める人材 チャレンジ精神旺盛で思いやりを持ち協力し合える人

会社データ　(金額は百万円)

【本社】467-0856 愛知県名古屋市瑞穂区新開町18-22

☎052-871-3434　https://ir.sanyodo.co.jp/

【社長】加藤 和裕【設立】1978.12【資本金】100【今後力を入れる事業】文具雑貨 古本 中古トレカ 新規事業

【業績(連結)】	売上高	営業利益	経常利益	純利益
22.3	18,853	5	39	▲275
23.3	17,798	▲259	▲217	▲496
24.3	17,297	84	136	▲46

ブックオフコーポレーション㈱

持株会社傘下

【特色】リユース業界大手、中古本で首位。総合化を志向

修士・大卒採用数	3年後離職率	有休取得年平均	平均年収(平均38歳)
55名	36.4 → 50.0%	10.2日	[総]467万円

●エントリー情報と採用プロセス●

【受付開始～終了】[総]3月～9月【採用プロセス】[総]説明会・グループ面接(3～8月)→個人面接→最終面接→内々定【交通費支給】最終面接、実費【早期選考】⇒巻末

試験情報

重視科目 [総]面接

[総][筆]なし[面]3回(Webあり)

選考ポイント [総][面]コミュニケーション能力・チャレンジ精神をもっているか 一緒に働きたいと思えるか

通過率 [総][ES]―(応募:(早期選考含む)1,057)

倍率(応募/内定) [総](早期選考含む)18倍

●男女別採用数と配属先ほか●

【男女・文理別採用実績】

	大卒男	大卒女	修士男	修士女
23年	20(文 20理 0)	11(文 11理 0)	0(文 0理 0)	0(文 0理 0)
24年	28(文 28理 0)	21(文 21理 0)	0(文 0理 0)	0(文 0理 0)
25年	33(文 30理 3)	20(文 20理 0)	1(文 1理 0)	1(文 1理 0)

【25年4月入社者の採用実績校】

[文](院)筑波大 群馬県女大各1(大)帝京大4 大東文化大 城西国際大 国士舘大各3 獨協大 和光大 立教大 明大 学習院大 神戸学大 中京大 中部大 東北芸工大 東洋大各2 麗澤大 龍谷大 目白大 法政大 日大 日体大 南山大 同大 同女大 東海大 都留文科大 筑波大 大阪大谷大 相模女大 専大 青学大 関西学大各1(専)福岡デザイン&テクノロジー 阿佐ヶ谷美術 KADOKAWAドワンゴ情報工科各1 [理](大)東京農業大 福岡大 関西学大各1

【24年4月入社者の配属先】

[総]勤務地:関東23 名古屋7 西日本10 仙台10 部署:営業50

残業(月)　14.8時間

記者評価 ブックオフグループHD傘下。中古本買取・販売店「ブックオフ」が主軸。トレカ・ホビー品専門店や大型複合店も展開し、店舗立地に応じた業態で差別化。アプリ連携やネット活用を強化。百貨店立地の「ハグオール」や宝飾品の「aidect」など富裕層向け店舗も。

●給与、ボーナス、週休、有休ほか●

【30歳総合職平均年収】396万円【初任給】(修士)230,000円 (大卒)230,000円【ボーナス(年)】83万円、NA【25、30、35歳賃金】235,128円→279,773円→292,510円【週休】2日【夏期休暇】リフレッシュ休日として連続最大5日(有休、週休含む)【年末年始休暇】リフレッシュ休日として連続最大5日(有休、週休含む)【有休取得】10.2/20日

●従業員数、勤続年数、離職率ほか●

【男女別従業員数、平均年齢、平均勤続年数】計 1,382(37.8歳 9.1年) 男 1,033(37.9歳 9.4年) 女 349(37.6歳 8.3年)【離職率と離職者数】3.4%、48名【3年後新卒定着率】50.0%(男60.0%、女40.0%、3年前入社:男5名・女5名)【組合】なし

求める人材 チームをまとめること、チームで結果を出すことに喜びと達成感を持てる人 経験と失敗を重ねながら判断力を身につけ、リーダーを目指せる人 チャレンジ精神を失わずに、常に挑戦し続ける人

会社データ　(金額は百万円)

【本社】252-0344 神奈川県相模原市南区古淵2-14-20

☎042-769-1511　http://www.bookoff.co.jp/

【社長】堀内 康隆【設立】1991.8【資本金】3,652【今後力を入れる事業】総合リユース事業 海外展開

【業績(連結)】	売上高	営業利益	経常利益	純利益
22.5	91,538	1,766	2,307	1,449
23.5	101,843	2,578	3,040	2,769
24.5	111,657	3,051	3,448	1,705

※業績はブックオフグループホールディングス㈱のもの

開示 ★★★　▶『業界地図』p.218,287

ニトリグループ

東京P 9843

【特色】国内首位の家具・インテリア製造小売りチェーン

修士・大卒採用数	3年後離職率	有休取得年平均	平均年収(平均32歳)
1,135名	NA	12.2日	総 707万円

残業(月) 17.6時間 総 16.4時間

記者評価 商品企画、製造、物流、販売まで自社で一貫して行う独自のビジネスモデルに強み。グループ店舗数は国内外で約1000。21年にホームセンターの島忠を子会社化した。入社後は店舗配属を経たのち、さまざまな部署を経験する「配転教育」でキャリアを形成する。

●エントリー情報と採用プロセス●

【受付開始～終了】総 技3月～6月【採用プロセス】総 技説明会(必須)→ES提出・Webテスト・適性検査→面接(複数回)→内々定【交通費支給】最終面接、会社基準により遠方者のみ実費

試験情報

重視科目 総技面接 総ES⇒巻末筆玉手箱 OPQ面複数回(Webあり) 技ES⇒巻末筆玉手箱面複数回(Webあり)

選考ポイント 総ESNA(提出あり)面4C主義(Change(変化)、Challenge(挑戦)、Competition(競争)、Communication(対話))を実践出来る人材か 技ES有無NA面事務系の観点に加えCuriosity(好奇心)

通過率 総技ESNA **倍率(応募/内定)** 総35倍 技71倍

●男女別採用数と配属先ほか●

【男女・文理別採用実績】

	大卒男	大卒女	修士男	修士女
23年	309(文276 理 33)	264(文249 理 15)	37(文 8 理 29)	15(文 4 理 11)
24年	563(文499 理 64)	389(文365 理 24)	38(文 10 理 28)	23(文 15 理 8)
25年	570(文514 理 56)	499(文463 理 36)	48(文 16 理 32)	18(文 15 理 3)

【25年4月入社者の採用実績校】文(院)阪大4 京大 名古屋市大 立命館大各2 兵庫教大 立教大 熊本大 広島大 名大 九大 横浜市大 同大 多摩美大 明大 東京学芸大 関大 関西学大 一橋大 都留文科大 九産大 復旦大 慶大 龍谷大 韓国外大各1(大)立命館大41 同大34 早大 日大各27 中大26 明大24 法政大 東洋大各23 関大21 関西学大19 近大18 立教大17 専大 明学大各16 阪大 神奈川大各15 駒澤大 南山大各14 北海学園大 京産大各13 青学大 龍谷大各12 上智大11 中京大10 東北学大 北大各9 甲南大 北海道教育大各8 成蹊大 東京女大 同女大 明星大 國學院大 獨協大各7 愛知学大 新潟大 西南学大 追手門学大 東海大 福岡大 立正大各6 他 理(院)北大9 室蘭工大5 会津大 九大 静岡大各2(大)日大8 九大5 近大4 千歳科技大 芝工大 神戸大 大阪工大 東京農業大 法政大 明大各3 千葉工大 室蘭工大 山形大 京都府大 早大 東京電機大 東北大 同大各2 他

【24年4月入社者の配属先】総勤務地:東京139 大阪105 神奈川97 埼玉78 愛知72 千葉59 兵庫50 北海道45 静岡24 他 部署:ニトリ(店舗運営部)877 ホームロジスティクス(物流・配送センター)37 島忠(販売)41 ニトリパブリック(営業)8 技勤務地:東京23 埼玉17 神奈川10 部署:ニトリ(店舗運営部)50

●給与、ボーナス、週休、有休ほか●

【30歳総合職平均年収】667万円【初任給】(修士)(東京)290,000円(大卒)(東京)270,000円【ボーナス(年)】200万円、7.25カ月【25、30、35歳賃金】323,348円→428,259円→471,549円【週休】年120日【夏期休暇】連続最大11日(有休4日含む)【年末年始休暇】連続最大9日(有休3日含む)【有休取得】12.2／20日

●従業員数、勤続年数、離職率ほか●

【男女別従業員数、平均年齢、平均勤続年数】計 5,724(34.0歳 8.9年)男 3,882(35.5歳 10.3年)女 1,842(30.8歳 6.2年)※契約・嘱託社員含む【離職率と離職者数】NA【3年後新卒定着率】NA【組合】あり

求める人材 高い志を持ち、日々挑戦し続ける人 現状否定し、改善・改革へ取り組める人

会社データ (金額は百万円)

【本社】001-0907 北海道札幌市北区新琴似7条1-2-39
☎011-330-6200　https://www.nitorihd.co.jp/
【会長】似鳥 昭雄【設立】1972.3【資本金】13,370【今後力を入れる事業】グローバル展開と新規事業の拡充

【業績(連結)】	売上高	営業利益	経常利益	純利益
22.2	811,581	138,270	141,847	96,724
23.3変	948,094	140,076	144,085	95,129
24.3	895,799	127,725	132,377	86,523

※会社データは㈱ニトリホールディングスのもの

㈱良品計画(りょうひんけいかく)

東京P 7453

【特色】生活雑貨チェーン大手。「無印良品」を世界展開

修士・大卒採用数	3年後離職率	有休取得年平均	平均年収(平均38歳)
505名	40.5→32.1%	8.7日	総 637万円

残業(月) 17.2時間 総 17.2時間

記者評価 西友のPB事業部として発足し、1989年に分離・独立。「無印良品」の企画開発・製造・販売を行う。シンプルな作りが特徴の生活雑貨、衣服、食品を展開。独自の社内マニュアルでの仕組みづくりに定評がある。日本国内と中国・東南アジアで出店を拡大。

●エントリー情報と採用プロセス●

【受付開始～終了】総通年採用【採用プロセス】総ES提出→Webテスト・適性検査(毎月月末)→面接(3回、翌月中)→内々定(翌月中)【交通費支給】なし【早期選考】⇒巻末

試験情報

重視科目 総面接 総ES⇒巻末筆玉手箱 OPQ面3回(Webあり)

選考ポイント 総ES自己分析と良品計画への企業理解 Webテストと総合的に判断面リーダーシップを発揮して組織をマネジメントできる資質があるか 将来良品計画で活躍できるか

通過率 総ESNA(受付:4,174→通過:NA) **倍率(応募/内定)** 総8倍

●男女別採用数と配属先ほか●

【男女・文理別採用実績】※25年:継続中

	大卒男	大卒女	修士男	修士女
23年	52(文 45 理 7)	85(文 77 理 8)	0(文 0 理 0)	0(文 0 理 0)
24年	69(文 64 理 5)	148(文134 理 14)	0(文 0 理 0)	0(文 0 理 0)
25年	172(文158 理 14)	310(文283 理 27)	4(文 2 理 2)	19(文 14 理 5)

【25年4月入社者の採用実績校】文(24年)(大)明大6 同女大 早大 近大 関大各5 獨協大 立命館大 法政大 同大 青学大各4 関西学大 明学大 北海道教育大 中大 国士舘大 駒澤大 京産大各3 龍谷大 立教大 名古屋外大 北九州市大 武庫川女大 梅光学大 東洋大 東京女体大 都留文科大 帝京大 津田塾大 大正大 創価大 専大 静岡大 成城大 神戸市外大 神戸国際大 信州大 上智大 昭和女大 女子栄養大 桜美林大 慶大 関東学院大 関西外大 愛知淑徳大 亜大各2 琉球大 流通科学大 目白大 明海大 名城大 名古屋学院大 北大 北海学園大 兵庫教大 福岡大 福岡女大 武蔵野美大 富山大 白百合女大 日女大 南山大 同朋大 桃山学大 東洋学大 東北芸工大 東京都市大 東京学芸大 東海大 島根県大 帝京平成大 中央学大 拓大 阪大 大阪経大 台湾高雄大 川村学女大 摂南大 静岡県大 西南学大 聖学大 椙山女学大 神奈川大 神戸大各1 他 理(24年)(大)名城大 東京農業大各2 宇都宮大 武蔵野大 宮城大 東海大 女子栄養大 聖徳大 神戸大 千歳科技大 中村学大各1 他

【24年4月入社者の配属先】総勤務地:東京42 大阪26 神奈川20 埼玉18 千葉13 兵庫12 愛知9 福岡8 京都8 北海道8 群馬6 茨城5 岡山5 静岡4 宮城3 岐阜3 滋賀3 奈良3 広島3 山梨3 石川3 大分2 鹿児島2 富山2 長野2 山形2 愛知1 栃木1 新潟1 部署:販売218

●給与、ボーナス、週休、有休ほか●

【30歳総合職平均年収】568万円【初任給】(大卒)270,000円【ボーナス(年)】137万円、3.8カ月【25、30、35歳賃金】NA【週休】2日【夏期休暇】夏季・年末年始合わせて13日【年末年始休暇】夏季・年末年始合わせて13日【有休取得】8.7／20日

●従業員数、勤続年数、離職率ほか●

【男女別従業員数、平均年齢、平均勤続年数】計 2,874(38.4歳 8.3年)男 1,298(39.9歳 8.8年)女 1,576(37.2歳 7.9年)【離職率と離職者数】6.2%、189名【3年後新卒定着率】67.9%(男66.7%、女68.0%、3年前入社:男3名・女25名)【組合】あり

求める人材 社会や人の役に立つために、本気で仕事に向き合い成長を追い求める人

会社データ (金額は百万円)

【本社】112-0004 東京都文京区後楽2-5-1 住友不動産飯田橋ファーストビル
☎03-6694-6404　https://www.ryohin-keikaku.jp/
【社長】堂前 宣夫【設立】1989.6【資本金】6,766【今後力を入れる事業】無印良品事業(個店経営と土着化の推進)

【業績(連結)】	売上高	営業利益	経常利益	純利益
21.8	453,689	42,447	45,369	33,903
22.8	496,171	32,773	37,214	24,558
23.8	581,412	33,137	36,156	22,052

小売

アスクル(株)

東京P 2678

【特色】業務用通販最大手。個人向けEC「ロハコ」育成中

修士・大卒採用数	3年後離職率	有休取得年平均	平均年収(平均41歳)
17名	NA	15.9日	789万円

●エントリー情報と採用プロセス●

【受付開始～終了】[総][技]NA【採用プロセス】[総][技]NA【交通費支給】NA

試験情報

重視科目 [総][技]NA

[総][技][ES]NA[筆]NA[面]NA[GD作]NA

選考ポイント [総][技][ES]NA(提出あり)[面]NA

通過率 [総][技][ES]NA

倍率(応募/内定) [総][技]NA

●男女別採用数と配属先ほか●

【男女・文理別採用実績】

	大卒男	大卒女	修士男	修士女
23年	12(文 8理 4)	12(文 11理 1)	4(文 0理 4)	1(文 0理 1)
24年	7(文 3理 4)	15(文 15理 0)	4(文 0理 4)	0(文 0理 0)
25年	3(文 2理 1)	10(文 9理 1)	3(文 1理 2)	1(文 0理 1)

【25年4月入社者の採用実績校】
[文](院)都立大1(大)立正大2 駒澤大 明大 上智大 武蔵大 東洋大 明学大 昭和女大 和歌山大 横浜市大各1(専)HAL東京1 [理](院)九大 岡山大 近大各1(大)芝工大 はこだて未来大各1(高専)長野2 熊本1

【24年4月入社者の配属先】
[総]勤務地:東京・豊洲20 部署:データマーケティング3 広告2 カスタマーサービス2 営業3 MD2 物流企画3 配送1 DX推進1 人事1 経理1 法務1 [技]勤務地:東京・豊洲9 部署:アプリケーションエンジニア5 ロジスティクスエンジニア3 クラウドエンジニア1

残業(月) NA

記者評価 LINEヤフー傘下。オフィス用品配達の草分け。中間流通を排除し迅速配送、低価格で成長。製造業や医療関連品の取扱を拡充。LINEヤフーと提携して個人向けEC「ロハコ」も展開。在庫の共用化や混載配送など「アスクル」と「ロハコ」の物流融合を進める。

●給与、ボーナス、週休、有休ほか●

【30歳総合職平均年収】NA【初任給】(修士)278,334円(大卒)266,667円【ボーナス(年)】NA【25、30、35歳賃金】NA【週休】完全2日(土日祝)【夏期休暇】有休で取得【年末年始休暇】あり【有休取得】15.9/20日

●従業員数、勤続年数、離職率ほか●

【男女別従業員数、平均年齢、平均勤続年数】計 917(41.3歳 9.6年) 男 543(43.6歳 10.1年) 女 374(38.1歳 8.8年)【離職率と離職者数】4.5%、43名【3年後新卒定着率】NA【組合】なし

求める人材 どんな時代になっても「うれしい」を創れる人

会社データ (金額は百万円)

【本社】135-0061 東京都江東区豊洲3-2-3 豊洲キュービックガーデン
☎03-4330-5001 https://www.askul.co.jp/corp/
【社長】吉岡 晃【設立】1963.11【資本金】21,233【今後力を入れる事業】NA

【業績(連結)】	売上高	営業利益	経常利益	純利益
22.5	428,517	14,309	14,270	9,206
23.5	446,713	14,620	14,448	9,787
24.5	471,682	16,953	16,677	19,139

(株)ベルーナ

東京P 9997

【特色】カタログ通販大手。婦人服のほか専門通販が強み

修士・大卒採用数	3年後離職率	有休取得年平均	平均年収(平均35歳)
44名	31.3→26.8%	12.4日	526万円

●エントリー情報と採用プロセス●

【受付開始～終了】[総]3月～8月【採用プロセス】[総]セミナー・説明会(必須)→選考ES→適性検査→面接ES→面談・面接(2～3回)→GD選考→最終面接→内々定※選考ESはなしの場合あり【交通費支給】最終面接、遠方者のみ【早期選考】⇒巻末

試験情報

重視科目 [総]面接

[総][ES]⇒巻末[筆]SPI3(会場) SPI3(自宅) SPI性格[面]2～3回(Webあり)[GD作]NA

選考ポイント [総][ES]NA(提出あり)[面]人物重視(素直さ 成長意欲 積極性 熱意)

通過率 [総][ES]約40%(受付:約250→通過:約100)

倍率(応募/内定) [総]66倍

●男女別採用数と配属先ほか●

【男女・文理別採用実績】

	大卒男	大卒女	修士男	修士女
23年	26(文NA理NA)	16(文NA理NA)	0(文 0理 0)	0(文 0理 0)
24年	26(文NA理NA)	18(文NA理NA)	0(文 0理 0)	0(文 0理 0)
25年	27(文NA理NA)	17(文NA理NA)	0(文 0理 0)	0(文 0理 0)

【25年4月入社者の採用実績校】[文](大)東洋大5 東京経大3 日大2 中大 兵庫県大 愛知大 埼玉大 関西外大 名古屋外大 同女大 亜大 高崎経大 国士舘大 武蔵野大 名古屋商大 実践女大 順天堂大 大正大 東京家政大 椙山女学大 大妻女大 甲南大各1 他(理系含む) [理]文系に含む

【24年4月入社者の配属先】
[総]勤務地:(23年)埼玉35 東京4 部署:(23年)人事 商品企画事業(アパレル 雑貨 食品 健康食品 化粧品 ナース)EC事業 マーケティング事業 グローバル事業 営業 店舗事業 旅行関連事業 コールセンター他

残業(月) 24.1時間

記者評価 カタログ通販大手。婦人服や家庭用品の総合カタログ「ベルーナ」が柱。ナースウェアなど看護師向け通販で高シェア。日本酒やワインの通販も強い。アパレル店舗の運営やホテル事業も。通販事業のノウハウと物流インフラを活用した通販代行サービスを展開。

●給与、ボーナス、週休、有休ほか●

【30歳総合職平均年収】540万円【初任給】(大卒)225,330円【ボーナス(年)】116万円、NA【25、30、35歳賃金】NA【週休】2日【夏期休暇】5日【年末年始休暇】12月28日～1月3日【有休取得】12.4/20日

●従業員数、勤続年数、離職率ほか●

【男女別従業員数、平均年齢、平均勤続年数】計 847(34.9歳 11.0年) 男 449(37.9歳 13.0年) 女 398(31.8歳 8.8年)【離職率と離職者数】10.7%、101名【3年後新卒定着率】73.2%(男65.2%、女80.4%、3年前入社:男46名・女51名)【組合】なし

求める人材 「競争心」「協調性」「ポジティブ思考」を持って前向きに仕事に臨める人材

会社データ (金額は百万円)

【本社】362-8688 埼玉県上尾市宮本町4-2
☎048-771-7753 https://www.belluna.co.jp/
【社長】安野 清【設立】1977.6【資本金】10,612【今後力を入れる事業】プロパティ事業(不動産 ホテル)専門通販事業 他

【業績(連結)】	売上高	営業利益	経常利益	純利益
22.3	220,128	13,827	14,537	10,204
23.3	212,376	11,217	12,459	7,417
24.3	208,298	9,787	11,831	5,839

ジュピターショップチャンネル(株)

株式公開 計画なし

【特色】TVショッピング国内首位。業界のパイオニア的存在

修士・大卒採用数	3年後離職率	有休取得年平均	平均年収(平均44歳)
8名	0 → 0%	17.7日	NA

●エントリー情報と採用プロセス●

【受付開始～終了】(総)3月～継続中【採用プロセス】(総)説明会動画・ES提出(3月上旬)→筆記(3月中旬)→適性検査(3月下旬)→面接(2回、3月下旬～4月中旬)→最終面接(4月下旬～5月中旬)→内々定(6月上旬)【交通費支給】最終面接以降、100km圏外実費

試験情報

重視科目 (総)面接

(総)(ES)⇒巻末(筆)SPI3(会場) SPI3(自宅)(面)3回(Webあり)

選考ポイント (総)(ES)NA(提出あり)(面)当社が求めるビジネスマインドの有無・潜在性に加え、当社や業界への興味、課題解決に向けた思考力・分析力・論理的思考力を重視

通過率 (総)(ES)NA(受付:106→通過:NA)

倍率(応募/内定) (総)13倍

●男女別採用数と配属先ほか●

【男女・文理別採用実績】

	大卒男	大卒女	修士男	修士女
23年	4(文 4理 0)	3(文 3理 0)	0(文 0理 0)	0(文 0理 0)
24年	2(文 2理 0)	3(文 3理 0)	0(文 0理 0)	0(文 0理 0)
25年	3(文 3理 0)	5(文 5理 0)	0(文 0理 0)	0(文 0理 0)

【25年4月入社者の採用実績校】
(文)(大)駒澤大 愛知大 東洋大 学習院女大 武蔵大 明大 京都芸大 武蔵野大各1 (理)なし

【24年4月入社者の配属先】
(総)勤務地:東京5 部署:番組制作1 IT1 販売企画1 EC1 配信戦略1

残業(月) NA

記者評価 JCOMと住友商事の合弁会社。KDDIも出資。テレビ通販で国内最大規模。ケーブルテレビやBS・CS放送などで24時間365日生放送の「ショップチャンネル」を柱にダイレクトマーケティング事業を展開。Webやカタログ、実店舗などオムニチャネルを推進。

●給与、ボーナス、週休、有休ほか●

【30歳総合職平均年収】NA【初任給】(大卒)215,000円【ボーナス(年)】NA【25、30、35歳賃金】NA【週休】完全2日(土日祝)(シフト勤務者は連続する2日)【夏期休暇】なし【年末年始休暇】12月30日～1月3日【有休取得】17.7／20日

●従業員数、勤続年数、離職率ほか●

【男女別従業員数、平均年齢、平均勤続年数】計 978(44.2歳 NA) 男 NA 女 NA【離職率と離職者数】NA【3年後新卒定着率】100%(男100%、女100%、3年前入社:男5名・女9名)【組合】なし

求める人材 自ら考え行動し、成果を出せる人材

会社データ (金額は百万円)

【本社】135-0016 東京都江東区東陽7-2-18
☎03-6756-8390　https://www.shopch.jp/
【社長】小川 吉宏【設立】1996.11【資本金】4,400【今後力を入れる事業】EC強化 顧客基盤の維持・拡大

【業績(単独)】	売上高	営業利益	経常利益	純利益
22.3	157,383	17,812	18,214	13,680
23.3	155,538	19,054	19,436	13,561
24.3	158,354	20,476	20,852	14,489

(株)あさひ

東京P 3333

【特色】国内最大の自転車専門店網。PB比率高い

修士・大卒採用数	3年後離職率	有休取得年平均	平均年収(平均33歳)
100名	23.5 → 23.0%	15.2日	(総)487万円

●エントリー情報と採用プロセス●

【受付開始～終了】(総)2月～継続中【採用プロセス】(総)説明会(必須、2月)→WebES提出・Webテスト(2月)→面接(対面またはWeb、3月)→Web面接(3月)→内々定(3月下旬)※同フローを12月まで【交通費支給】なし【早期選考】⇒巻末

試験情報

重視科目 (総)面接

(総)(ES)⇒巻末(筆)SCOA(Web自宅)(面)2回(Webあり)

選考ポイント (総)(ES)企業理解度 学生時代打ち込んだもの (面)入社意欲 企業研究「誠実・親しみやすい・気が利く・頼れる」の素地があるかどうか

通過率 (総)(ES)選考なし(受付:264)

倍率(応募/内定) (総)(早期選考含む)3倍

●男女別採用数と配属先ほか●

【男女・文理別採用実績】※25年:計画数

	大卒男	大卒女	修士男	修士女
23年	51(文 45理 6)	19(文 19理 0)	1(文 0理 1)	0(文 0理 0)
24年	68(文 60理 8)	16(文 15理 1)	1(文 0理 1)	0(文 0理 0)
25年	69(文 -理 -)	30(文 -理 -)	1(文 -理 -)	0(文 0理 0)

【25年4月入社者の採用実績校】(文)(院)愛知文教大 筑波大各1(大)近大 関西外大 関大 京産大 東洋大各3 関西学大 武蔵野大 明星大 立正大 日経大各2 神奈川大 日大 亜大 愛知学大 愛知淑徳大 京都外大 京都橘大 京都精華大 九産大 広島修道大 高千穂大 桜美林大 山口大 山梨学大 至学館大 淑徳大 成城大 跡見学園女大 専大 早大 大阪音大 大阪学大 大阪産大 大阪体大 大手前大 拓大 中央学大 中大 中村学大 長崎大 東京工科大 東京工芸大 東京国際大 桃山学大 同大 二松学舎大 富士大 文教大 別府大 立教大 龍谷大 和歌山大 和光大 獨協大各1 (理)(大)神奈川大 東京電機大各2 近大 日大 茨城大 熊本大 公立鳥取環境大 崇城大 摂南大 大阪工大各1

【24年4月入社者の配属先】(総)勤務地:大阪(大阪3 枚方1 池田1 堺1 摂津1 茨木1 箕面1 泉佐野1 高槻1)兵庫(尼崎3 西宮1)神奈川(横浜3 藤沢2 平塚1 厚木1 茅ヶ崎1 川崎1)埼玉(さいたま2 川越1 戸田1 三郷1)東京(世田谷2 練馬1 東久留米1 北区1 八王子1 三鷹1 府中1 葛飾1 足立1)高知2 福岡(福岡1 春日1)愛知(名古屋1 日進1 小牧1 岡崎1)京都1 熊本1 千葉(浦安1 習志野1 柏1)香川・高松1 岡山1 広島・福山1 大分1 群馬・高崎1 栃木・小山1 奈良1 和歌山・岩出1 部署:販売部60

残業(月) 16.1時間 (総)16.5時間

記者評価 自転車専門店「サイクルベースあさひ」を全国展開。ほとんどが直営で店舗数は500を超える。NB(ナショナルブランド)も取り扱うが、中国の工場に委託生産して値段を抑えたPBが人気。修理・点検にも力を入れる。ネットで注文、店舗で受け取るOMO戦略を推進。

●給与、ボーナス、週休、有休ほか●

【30歳総合職平均年収】447万円【初任給】(博士)225,000円 (修士)225,000円 (大卒)220,000円【ボーナス(年)】104万円、4.06カ月【25、30、35歳賃金】229,000円→260,000円→302,000円【週休】完全2日【夏期休暇】なし【年末年始休暇】連続3日(一部例外あり)【有休取得】15.2／20日

●従業員数、勤続年数、離職率ほか●

【男女別従業員数、平均年齢、平均勤続年数】計 1,766(34.5歳 9.1年) 男 1,574(34.9歳 9.7年) 女 192(30.5歳 6.1年)【離職率と離職者数】5.3%、99名【3年後新卒定着率】77.0%(男77.2%、女76.2%、3年前入社:男79名・女21名)【組合】なし

求める人材 「誠実・親しみやすい・気が利く・頼れる」を体現できる人 変化を起こせる人

会社データ (金額は百万円)

【本社】534-0011 大阪府大阪市都島区高倉町3-11-4
☎06-6923-2630　https://www.cb-asahi.co.jp/
【社長】下田 佳史【設立】1975.5【資本金】2,061【今後力を入れる事業】EC事業

【業績(単独)】	売上高	営業利益	経常利益	純利益
22.2	71,398	5,221	5,512	3,541
23.2	74,712	5,127	5,316	3,366
24.2	78,076	4,912	5,192	3,113

開示 ★★★★

㈱はせがわ

東京S 8230

【特色】仏壇仏具首位。墓石販売も。サービス事業を強化

修士・大卒採用数	3年後離職率	有休取得年平均	平均年収(平均42歳)
14名	33.3 → 19.0%	8.9日	[総]582万円

●エントリー情報と採用プロセス●

【受付開始～終了】[総]1月～6月【採用プロセス】[総]説明会(必須、1月～)→GD(1月～)→適性検査(1月～)→面接(2回、1月～)→内々定(2月～)【交通費支給】最終面接、遠方者のみ支給【早期選考】⇒巻末

試験情報

重視科目 [総]面接

[総][筆]ダイヤモンド適性[面]2回(Webあり)[GD作]⇒巻末

選考ポイント [総][面]コミュニケーション力 ビジネスマナー 表現力 傾聴力 論理性 協調性

通過率 [総][ES]―(応募:448)

倍率(応募/内定) [総]24倍

●男女別採用数と配属先ほか●

【男女・文理別採用実績】

	大卒男	大卒女	修士男	修士女
23年	8(文 8理 0)	7(文 7理 0)	0(文 0理 0)	0(文 0理 0)
24年	9(文 9理 0)	8(文 7理 1)	0(文 0理 0)	1(文 1理 0)
25年	4(文 4理 0)	9(文 9理 0)	0(文 0理 0)	1(文 1理 0)

【25年4月入社者の採用実績校】
[文](院)女子美大1(大)学習院大 専大 杏林大 東洋大 新潟大 亜大 二松学舎大 日女大 京都芸大 中京大 立命館APU 九州女大 西南学大各1 [理]なし

【24年4月入社者の配属先】
[総]勤務地:東京6 埼玉4 神奈川3 千葉2 福岡2 大分1 部署:販売・営業職18

残業(月) 16.2時間 [総]16.2時間

記者評価 1929年創業。仏壇仏具の小売首位。墓石販売も。カリモク家具とのコラボ仏壇など消費者ニーズの変化に合わせた商品開発を推進。遺品整理や相続支援など周辺サービス育成。入社後はまず店舗に配属され販売・営業を経験。文化財保護担う工芸技術者の育成に熱心。

●給与、ボーナス、週休、有休ほか●

【30歳総合職平均年収】468万円【初任給】(大卒)237,600円【ボーナス(年)】105万円、3.8カ月【25、30、35歳賃金】210,090円→229,758円→259,068円【週休】年115日(シフト制)【夏期休暇】連続3～5日【年末年始休暇】連続3～5日【有休取得】8.9／20日

●従業員数、勤続年数、離職率ほか●

【男女別従業員数、平均年齢、平均勤続年数】計591(41.3歳 17.0年) 男436(43.9歳 20.0年) 女155(34.1歳 10.0年)【離職率と離職者数】4.1%、25名【3年後新卒定着率】81.0%(男85.7%、女78.6%、3年前入社:男7名・女14名)【組合】あり

求める人材 元気で情熱があり、目標に向かって自ら考え積極的に行動する人

会社データ (金額は百万円)

【本社】112-0004 東京都文京区後楽1-5-3 後楽国際ビル7階
☎03-6801-1077 https://www.hasegawa.jp/
【社長】新貝 三四郎【設立】1966.12【資本金】4,037【今後力を入れる事業】飲食・食品・雑貨事業 PLS事業

【業績(単独)】	売上高	営業利益	経常利益	純利益
23.3	21,608	1,769	1,773	1,154
24.3	21,300	1,612	1,638	1,059

サービス

ゲーム　人材・教育　ホテル　レジャー
海運　空運　運輸・倉庫　鉄道
その他サービス

ゲーム

市場は成長基調だが、ヒットタイトル創出の難易度は上がり、開発コストは高騰。有力ＩＰの有無が勝敗を分ける

人材サービス

米国の景気など懸念材料はあるが、国内は慢性的な人材不足。ＤＸ人材を中心に企業の採用意欲は高い

教育・学習塾

大学入試、高校入試分野は「塾離れ」の流れが続く。期待の中学受験分野も競争激化で伸び鈍化の兆候

旅行

円安や物価高影響で海外旅行は低迷が続く。自治体からの受託事業も不正が相次ぐなど、本格回復はまだ遠い

陸運

消費低迷の影響から、荷物が少ない状況で24年問題の時期を迎えた。運賃値上げが焦点だが、順調には進まない

鉄道（私鉄）

鉄道旅客数はコロナ前に届かず頭打ちだが、訪日客需要でホテルなど好調。不動産をはじめ非鉄道事業で収益拡大

（天気図は24年度後半⇒25年度、続きは東洋経済『会社四季報業界地図 2025年版』で）

にんてんどう
任天堂(株)

東京P 7974

【特色】家庭用ゲームのハード・ソフトで業界最大手

修士・大卒採用数	3年後離職率	有休取得年平均	平均年収(平均40歳)
99名	0 → 5.7%	15.9日	962万円

●エントリー情報と採用プロセス●

【受付開始～終了】㊕1月～3月 ㊍12月～9月【採用プロセス】㊕ES提出(1月～)→筆記・面接(3回)→内々定 ㊍ES提出(12月～)→筆記・面接(2～3回)→内々定【交通費支給】1次面接以降、一定額以上に対して実費【早期選考】⇒巻末

試験情報

重視科目 ㊕㊍NA

㊕ ESNA 筆あり(内容NA) 面3回(Webあり) GD作NA ㊍ ESNA 筆あり(内容NA) 面2～3回(Webあり) GD作NA

選考ポイント ㊕㊍ ES NA(提出あり) 面NA

通過率 ㊕㊍ ES NA

倍率(応募/内定) ㊕㊍NA

●男女別採用数と配属先ほか●

【男女・文理別採用実績】

	大卒男	大卒女	修士男	修士女
23年	38(文 10 理 28)	24(文 14 理 10)	46(文 0 理 46)	11(文 3 理 8)
24年	25(文 8 理 17)	27(文 14 理 13)	44(文 2 理 42)	6(文 1 理 5)
25年	23(文 9 理 14)	21(文 10 理 11)	49(文 3 理 46)	6(文 3 理 3)

※25年:24年7月30日時点

【25年4月入社者の採用実績校】
文NA 理NA

【24年4月入社者の配属先】
㊕勤務地:京都市22 部署:人事2 財務1 経理4 法務2 知的財産1 営業6 プロモーション2 購買2 その他2 ㊍勤務地:京都(京都81 宇治2) 部署:開発77 製造6

残業(月) NA

記者評価 創業のトランプ・花札から家庭用ゲーム機に展開。「マリオ」「ゼルダ」「どうぶつの森」など人気シリーズを保有。17年に投入した「Nintendo Switch」の世界出荷台数は1億台以上。USJの「スーパー・ニンテンドー・ワールド」などIP展開も推進。

●給与、ボーナス、週休、有休ほか●

【30歳総合職平均年収】NA【初任給】(博士)284,000円 (修士)267,000円 (大卒)256,000円【ボーナス(年)】NA【25、30、35歳賃金】NA【週休】完全2日(土日祝)【夏期休暇】会社設定休日3日(希望する夏季営業日)【年末年始休暇】12月30日～1月3日(有休1日含む)【有休取得】15.9／20日

●従業員数、勤続年数、離職率ほか●

【男女別従業員数、平均年齢、平均勤続年数】計 2,814 (40.2歳 13.9年) 男 2,181(40.8歳 14.6年) 女 633(37.9歳 11.4年)【離職率と離職者数】1.3%、37名【3年後新卒定着率】94.3%(男94.4%、女93.9%、3年前入社:男72名・女33名)【組合】なし

求める人材 かつてない楽しさを実現し続けるために、主体的に行動し、挑戦を続け、協働できる人材

会社データ　(金額は百万円)

【本社】601-8501 京都府京都市南区上鳥羽鉾立町11-1
☎075-662-9600　https://www.nintendo.com/
【社長】古川 俊太郎【設立】1947.11【資本金】10,065【今後力を入れる事業】新しいエンターテインメント

【業績(連結)】	売上高	営業利益	経常利益	純利益
22.3	1,695,344	592,760	670,813	477,691
23.3	1,601,677	504,375	601,070	432,768
24.3	1,671,865	528,941	680,497	490,602

コナミグループ

東京P 9766

【特色】家庭・携帯用ゲームが主力。スポーツ施設運営も

修士・大卒採用数	3年後離職率	有休取得年平均	平均年収(平均36歳)
188名	NA	16.1日	◇710万円

●エントリー情報と採用プロセス●

【受付開始～終了】㊕ ㊍3月～継続中【採用プロセス】㊕ES提出→Webテスト→面接(2～3回)→内々定 ㊍ES提出→作品審査・筆記→面接(2～3回)→内々定【交通費支給】なし【早期選考】⇒巻末

試験情報

重視科目 ㊕面接 ㊍面接 作品審査 筆記

㊕ ESNA 筆WebGAB 面2～3回(Webあり) ㊍ ESNA 筆職種により異なる 面2～3回(Webあり)

選考ポイント ㊕㊍ES 主体的な姿勢 周囲との協働 深く考える力 自己理解・自己表現 業界・仕事に対する理解と熱意 面挑戦意欲 論理的思考力 入社意欲 主体性 状況適応力

通過率 ㊕㊍ ES NA　倍率(応募/内定) ㊕㊍NA

●男女別採用数と配属先ほか●

【男女・文理別採用実績】※25年:継続中

	大卒男	大卒女	修士男	修士女
23年	66(文 40 理 26)	43(文 39 理 4)	25(文 4 理 21)	3(文 2 理 1)
24年	89(文 62 理 27)	52(文 46 理 6)	37(文 5 理 32)	2(文 0 理 2)
25年	90(文 63 理 27)	70(文 56 理 14)	25(文 3 理 22)	3(文 1 理 2)

【25年4月入社者の採用実績校】文(院)慶大 明大 同大 日体大各1(大)上智大 同大 法政大各6 明大 青学大各5 早大 中大 関大 日大各4 ICU 立教大 学習院大 東海大各3 東京外大 立命館大 成蹊大 多摩美大 東洋大 駒澤大 沖縄国際大 尚美学大各2 京大 慶大 阪大 筑波大 関西学大 東理大 岡山大 日女大 明学大 関西外大 神戸市外大 横国大各1 他 理(院)大阪公大3 東大 神戸大各2 早大 京大 九大 名大各1(大)早大4 明大 中大 法政大 立命館大 順天堂大 京都芸大各2 東大 慶大 東京科学大 上智大 立教大 大阪市大 北大 広島大 関西学大 立命館APU 横国大 成蹊大各1 他

【24年4月入社者の配属先】㊕勤務地:東京(中央 品川)神奈川・座間 愛知・一宮 大阪市 栃木・那須塩原 部署:ビジネス職(経営企画 財務・経理 法務・知的財産 人事 総務 営業 情報システム(社内SE)マーケティングプロモーション データアナリスト ローカライズ・リエゾン ビジネス推進)インストラクター職 レセプション職 施設管理職 ㊍勤務地:東京・中央 神奈川・座間 愛知・一宮 大阪市 部署:プログラマー インフラエンジニア セキュリティエンジニア メカニカルエンジニア ハードウェアエンジニア サウンドクリエイター プランナー デザイナー プロデュース職

残業(月) NA

記者評価 家庭用・携帯用ゲームソフトが主力。「eFootball」「プロ野球スピリッツ」などスポーツ系に強く、eスポーツにも注力。「遊戯王」はトレーディングカード、ゲームともに好調。スポーツクラブ運営で国内首位級。25年度から新卒初任給を30万円に引き上げ予定。

●給与、ボーナス、週休、有休ほか●

【30歳総合職平均年収】NA【初任給】(博士)316,000円 (修士)308,000円 (大卒)295,000円【ボーナス(年)】NA【25、30、35歳賃金】NA【週休】完全2日(土日祝)【夏期休暇】5日【年末年始休暇】12月30日～1月3日【有休取得】16.1／20日

●従業員数、勤続年数、離職率ほか●

【男女別従業員数、平均年齢、平均勤続年数】計 228 (36.3歳 10.2年) 男 134(37.9歳 11.1年) 女 94(34.0歳 8.9年)【離職率と離職者数】NA【3年後新卒定着率】NA【組合】なし

求める人材 時代のニーズに応えていくために、変化に柔軟に対応し、挑戦し続けることができる人材

会社データ　(金額は百万円)

【本社】104-0061 東京都中央区銀座1-11-1
☎03-6636-0573　https://www.konami.com/
【社長】東尾 公彦【設立】1973.3【資本金】47,399【今後力を入れる事業】NA

【業績(IFRS)】	売上高	営業利益	税前利益	純利益
22.3	299,522	74,435	75,163	54,806
23.3	314,321	46,185	47,120	34,895
24.3	360,314	80,262	82,685	59,171

※採用関連はグループ(海外除く)の、その他はコナミグループ(株)の情報

1579 ▶『業界地図』p.192,204… 開示 ★★★

㈱バンダイナムコエンターテインメント

持株会社傘下

【特色】バンナムHDの中核子会社で旧ナムコが母体

修士・大卒採用数	3年後離職率	有休取得年平均	平均年収(平均35歳)
26名	10.6 → 4.4%	13.0日	NA

残業(月) 25.0時間 [総]25.0時間

記者評価 05年のナムコとバンダイ経営統合に伴い、06年旧バンダイナムコゲームズ設立、15年から現社名。21年ネットワークコンテンツや家庭用ゲームなどデジタル事業の事業統括会社に。「機動戦士ガンダム」「ドラゴンボール」など人気シリーズ活用したIP戦略に強み。

●エントリー情報と採用プロセス●

【受付開始～終了】[総]2月～3月【採用プロセス】[総]ES提出・適性検査(2～3月上旬)→個人面談(3月中旬)→GD(4月中旬)→面接(2回、5月中旬)→内々定(6月中旬)【交通費支給】最終面接、実費

試験情報

重視科目 [総]面接

[総][ES]⇒巻末[筆]SPI3(自宅)[面]2回[GD作]⇒巻末

選考ポイント [総][ES]エンターテインメントにかける熱量の高さ、および志望動機が当社事業の理解度・方向性と重なっているか[面]周囲と協調できるか 必要なことを端的、適切に応えることができるか ポジティブな受け答え・ふるまいができるか 多角的にアイデアを広げ、最適な結論にまとめられるか ゲームを仕事にする覚悟があるか

通過率 [総][ES]43%(受付:3,712→通過:1,602)

倍率(応募/内定) [総]124倍

●男女別採用数と配属先ほか●

【男女・文理別採用実績】

	大卒男	大卒女	修士男	修士女
23年	21(文 18理 3)	24(文 23理 1)	7(文 1理 6)	2(文 2理 0)
24年	22(文 19理 3)	15(文 15理 0)	2(文 0理 2)	1(文 1理 0)
25年	13(文 11理 2)	9(文 8理 1)	4(文 1理 3)	0(文 0理 0)

【25年4月入社者の採用実績校】
[文](院)早大1(大)早大 法政大各3 横国大 慶大 同大各2 京大 ICU 女子美大 青学大 阪大 東京外大 東京工科大各1 [理](院)神戸大 関大 日大各1(大)慶大 北大 昭和女大各1

【24年4月入社者の配属先】
[総]勤務地:東京・芝40 部署:事業部門40

●給与、ボーナス、週休、有休ほか●

【30歳総合職平均年収】NA【初任給】(博士)290,000円(修士)290,000円(大卒)280,000円【ボーナス(年)】NA【25、30、35歳賃金】NA【週休】完全2日(土日祝)【夏期休暇】連続7日(週休、計画年休含む)【年末年始休暇】連続7日(週休含む)【有休取得】13.0／20日

●従業員数、勤続年数、離職率ほか●

【男女別従業員数、平均年齢、平均勤続年数】計 762(35.0歳 10.6年) 男 467(36.0歳 11.5年) 女 295(34.0歳 9.3年)【離職率と離職者数】4.6%、37名(早期退職男8名、女4名含む 他に男3名、女3名転籍)【3年後新卒定着率】95.6%(男92.9%、女100%、3年前入社:男28名・女17名)【組合】なし

求める人材 エンターテインメントに強い情熱を持ち、周囲を巻き込みながら自律的に行動・成長できる人材

会社データ (金額は百万円)

【本社】108-0014 東京都港区芝5-37-8 バンダイナムコ未来研究所
☎03-6744-5500 https://bandainamcoent.co.jp/
【社長】宇田川 南欧【設立】1955.6【資本金】10,000【今後力を入れる事業】海外事業

【業績(単独)】	売上高	営業利益	経常利益	純利益
22.3	256,215	35,648	38,177	21,710
23.3	289,657	44,236	48,951	35,256
24.3	254,241	13,398	11,059	5,981

㈱メイテック

持株会社傘下

【特色】技術者派遣業で大手。機械系の開発・設計が中心

修士・大卒採用数	3年後離職率	有休取得年平均	平均年収(平均40歳)
520名	19.5 → NA	14.3日	[総]638万円

残業(月) 19.9時間 [総]19.9時間

記者評価 正規雇用の技術者をメーカーに派遣。在籍エンジニアは機械系、電気系が多く、派遣先は自動車、機械、半導体などの開発・設計部門が中心。技術者の質や料金単価は業界トップ級。先端技術に関する研修充実。技術者同士の交流も活発。23年10月持株会社制に移行。

●エントリー情報と採用プロセス●

【受付開始～終了】[総][技]3月～7月【採用プロセス】[総]説明会(必須)→SPI→面接(3回)→内々定 [技]説明会(必須)→面接・筆記→面接→内々定【交通費支給】最終面接、実費

試験情報

重視科目 [総][技]面接

[総][筆]SPI3(自宅)[面]3回(Webあり) [技][筆]専門試験(自社オリジナル)[面]2回(Webあり)

選考ポイント [総][技][ES]提出なし[面]誠実さ 適応力 コミュニケーション力 積極性

通過率 [総][技][ES]—(応募:NA)

倍率(応募/内定) [総][技]NA

●男女別採用数と配属先ほか●

【男女・文理別採用実績】

	大卒男	大卒女	修士男	修士女
23年	381(文 12理369)	34(文 10理 24)	64(文 0理 64)	3(文 0理 3)
24年	278(文 6理272)	28(文 10理 18)	38(文 0理 38)	2(文 0理 2)
25年	-(文 -理 -)	-(文 -理 -)	-(文 -理 -)	-(文 -理 -)

※25年:技術職500名採用予定

【25年4月入社者の採用実績校】
[文]神奈川大 東京工科大 立命館大 東洋大 関大 龍谷大 中大 学習院大 福島大各1 他 [理]日大25 大阪工大19 愛知工業大 近大 東京電機大各13 東海大 東京工科大各12 中京大 中部大各11 東洋大10 他

【24年4月入社者の配属先】
[総]勤務地:全国の事業所(全42拠点)及び東京本社・厚木テクノセンター・名古屋テクノセンター18 部署:営業18 [技]勤務地:全国の事業所(全42拠点)329 部署:技術職329

●給与、ボーナス、週休、有休ほか●

【30歳総合職平均年収】NA【初任給】(修士)239,500円(大卒)227,200円【ボーナス(年)】164万円、NA【25、30、35歳賃金】NA【週休】完全2日【夏期休暇】3日【年末年始休暇】12月30日～1月3日(1月2日、3日は一斉年次有休)【有休取得】14.3／20日

●従業員数、勤続年数、離職率ほか●

【男女別従業員数、平均年齢、平均勤続年数】計 8,483(39.6歳 13.2年) 男 8,008(40.0歳 13.5年) 女 475(34.0歳 8.0年)【離職率と離職者数】6.4%、577名【3年後新卒定着率】NA【組合】あり

求める人材 誠実さ 適応力 コミュニケーション力 積極性

会社データ (金額は百万円)

【本社】110-0005 東京都台東区上野1-1-10 オリックス上野1丁目ビル
☎050-30005820 https://www.meitec.co.jp/
【社長】國分 秀世【設立】2023.4【資本金】800【今後力を入れる事業】エンジニアリングソリューション事業

【業績(単独)】	売上高	営業利益	経常利益	純利益
22.3	77,010	10,546	11,125	8,051
23.3	83,765	13,212	14,113	10,719
24.3	88,653	13,848	15,066	10,668

1106 ▶『業界地図』p.166 開示 ★★

㈱アルプス技研（ぎけん）

東京P 4641

【特色】技術者派遣・技術プロジェクト受託大手

修士・大卒採用数	3年後離職率	有休取得年平均	平均年収(平均36歳)
350名	27.7→25.9%	14.2日	[総]525万円

●エントリー情報と採用プロセス●

【受付開始～終了】[総][技]3月～継続中【採用プロセス】[総]説明会(必須)→筆記→1次面接→2次面接→最終面接→内々定 [技]説明会(必須)→筆記→1次面接→2次面接→最終面接→内々定【交通費支給】なし【早期選考】⇒巻末

試験情報

重視科目 [総][技]面接

[総][筆]Visioning Survey[面]3回(Webあり) [技][筆]Visioning Survey[面]2回(Webあり)

選考ポイント [総][ES]提出なし[面]学生時代に一生懸命取り組んだ経験 コミュニケーション能力 チャレンジ精神 主体性 成長意欲 行動力 幅広い視野 [技][ES]提出なし[面]学生時代に一生懸命取り組んだ経験 コミュニケーション能力 チャレンジ精神 主体性 成長意欲 適応力 技術者思考

通過率 [総][技][ES]―(応募:NA) **倍率**(応募/内定) [総][技]NA

●男女別採用数と配属先ほか●

【男女・文理別採用実績】※25年:350名採用予定

	大卒男	大卒女	修士男	修士女
23年	194(文 1理193)	12(文 2理 10)	30(文 0理 30)	2(文 0理 2)
24年	125(文 2理123)	14(文 4理 10)	18(文 0理 18)	1(文 0理 1)
25年	-(文 -理 -)	-(文 -理 -)	-(文 -理 -)	-(文 -理 -)

【25年4月入社者の採用実績校】[文](大)東京農業大 埼玉大 摂南大 明大 名古屋商大 北九州市大 大東文化大 [理](大)東海大 近大 日大 大阪工大 大阪学大 東洋大 龍谷大 千葉工大 京都情報院大 立命館大 大阪電通大 中京大 岡山理大 琉球大 鹿児島大 金沢工大 大阪産大 九産大 室蘭工大 愛知工業大 岡山県大 崇城大 城西大 東京電機大(専)金沢科技大 他

【24年4月入社者の配属先】[総]勤務地:相模原 3 横浜 3 部署:営推3 人事3 [技]勤務地:全国 周辺地域 212 部署:営業所 212

残業(月) 17.9時間

記者評価 正社員として雇用し育成した技術者をメーカー等に派遣する技術者派遣大手。メカトロで事業基盤築き、現在は自動車関連が売上の3割強。開発、設計に強み。関東以北が主地盤。農業や介護・福祉分野にも進出。24年には相模湖近隣に未来型ケアハウスを開設。

●給与、ボーナス、週休、有休ほか●

【30歳総合職平均年収】NA【初任給】(修士)250,000～263,750円 (大卒)230,000～243,750円【ボーナス(年)】NA【25、30、35歳賃金】NA【週休】完全2日【夏期休暇】連続7日(有休含む)【年末年始休暇】連続7日【有休取得】14.2／20日

●従業員数、勤続年数、離職率ほか●

【男女別従業員数、平均年齢、平均勤続年数】計 4,674(35.9歳 9.4年) 男 4,262(35.9歳 9.4年) 女 412(35.5歳 8.5年)【離職率と離職者数】NA【3年後新卒定着率】74.1%(男74.7%、女66.7%、3年前入社:男289名・女27名)【組合】あり

求める人材 事業内容(開発設計・ものづくり)に興味を持ち、主体性・適応力・成長意欲がある人

会社データ　(金額は百万円)

【本社】220-6218 神奈川県横浜市西区みなとみらい2-3-5
☎045-640-3700　https://www.alpsgiken.co.jp/
【社長】今村 篤【設立】1971.1【資本金】2,347【今後力を入れる事業】製造業への高度技術の提供と新規事業の開拓

【業績(連結)】	売上高	営業利益	経常利益	純利益
21.12	39,261	3,875	4,574	3,095
22.12	43,647	4,649	4,560	3,416
23.12	46,216	4,982	5,053	3,696

(学校法人)慶應義塾（けいおう ぎじゅく）

株式公開 していない

【特色】福沢諭吉が創立の名門私学。経済人輩出に強み

修士・大卒採用数	3年後離職率	有休取得年平均	平均年収(平均43歳)
18名	22.2→0%	14.7日	NA

●エントリー情報と採用プロセス●

【受付開始～終了】[総]3月～5月【採用プロセス】[総]ES提出(3～5月)→面接(6月上旬)→Webテスト(6月中旬)→面接(2回、6月中旬～7月上旬)→内々定(7月中旬)【交通費支給】なし

試験情報

重視科目 [総]面接

[総][ES]⇒巻末[筆]SPI3(自宅)[面]3回(Webあり)

選考ポイント [総][ES]志望動機 学業及び学業以外の活動状況 自己PR等の内容 他[面]コミュニケーション能力 質問の理解力・回答能力 組織に適応できるか 全体的な人柄 他

通過率 [総][ES]69%(受付:209→通過:145)

倍率(応募/内定) [総]12倍

●男女別採用数と配属先ほか●

【男女・文理別採用実績】

	大卒男	大卒女	修士男	修士女
23年	7(文 7理 0)	7(文 7理 0)	1(文 0理 1)	2(文 2理 0)
24年	3(文 3理 0)	11(文 11理 0)	1(文 0理 1)	0(文 0理 0)
25年	4(文 4理 0)	11(文 10理 1)	2(文 1理 1)	1(文 0理 1)

【25年4月入社者の採用実績校】
[文](院)東大1(大)慶大10 青学大 上智大 立教大 早大各1 [理](院)東京科学大 都立大各1(大)慶大1

【24年4月入社者の配属先】
[総]勤務地:東京(三田7 信濃町3)神奈川(日吉1 湘南藤沢2 矢上2) 部署:学事7 研究支援1 広報1 総務1 管財1 調達会計1 通信教育部2 病院1

残業(月) 16.6時間 [総]16.6時間

記者評価 1858年に福澤諭吉が開校した蘭学塾が起源。1920年の大学令で大学に。経済人の輩出で他校を圧する。幼稚舎から大学院まで充実した教育・研究を展開。職員業務は多岐にわたり、病院や一貫教育校への配属も。東京歯科大学との学校法人合併計画は無期延期に。

●給与、ボーナス、週休、有休ほか●

【30歳総合職平均年収】NA【初任給】(博士)NA (修士)223,200円 (大卒)215,000円【ボーナス(年)】NA、6.4カ月【25、30、35歳賃金】NA【週休】完全2日(土日祝)【夏期休暇】年末年始休暇と合わせて9日【年末年始休暇】夏期休暇と合わせて9日【有休取得】14.7／21日

●従業員数、勤続年数、離職率ほか●

【男女別従業員数、平均年齢、平均勤続年数】計 1,351(43.0歳 17.0年) 男 592(43.9歳 17.3年) 女 759(42.2歳 16.8年) ※教員・看護師・技能員・用務員を除く専任職員のみ【離職率と離職者数】0.8%、11名【3年後新卒定着率】100%(男100%、女100%、3年前入社:男2名・女7名)【組合】あり

求める人材 熱意や向上心、柔軟性、粘り強さを持った人 リーダーシップと協調性を兼ね備えた人

会社データ　(金額は百万円)

【本社】108-8345 東京都港区三田2-15-45
☎03-5427-1522　https://www.keio.ac.jp/ja/
【塾長】伊藤 公平【設立】1858.10【基本金】NA【今後力を入れる事業】教育 研究 医療

【業績】	事業活動収入	基本金組入前収支差額	収支差額
22.3	176,529	9,275	▲2,811
23.3	177,495	4,586	▲634
24.3	188,797	8,674	1,023

(学校法人)早稲田大学

わせだだいがく

株式公開していない

【特色】日本の名門私学の一角。留学生受け入れも活発

修士・大卒採用数	3年後離職率	有休取得年平均	平均年収(平均43歳)
12名	9.1→10.0%	15.4日	NA

残業(月) 10.7時間 総 10.7時間

記者評価 1882年大隈重信が東京専門学校として創設。大学は13学部を擁し、文科省のスーパーグローバル大学(タイプA)に採択。附属校、系属校多数。職員にも教育・研究の発展への熱意が求められる。32年の創立150年に向け、西早稲田キャンパス再整備などを推進。

●エントリー情報と採用プロセス●

【受付開始〜終了】総技3月〜4月【採用プロセス】総技ES提出(3〜4月)→Webテスト(4〜5月)→GD(6月)→面接(3回、6月)→内々定(7月)【交通費支給】なし

試験情報

重視科目 総技NA

総技ES⇒巻末筆あり(内容NA)面3回(Webあり)GD作NA

選考ポイント 総ES志望理由の具体性 自己PRの内容面コミュニケーション能力 意欲 論理性 主体性 行動力 技ES総合職共通面コミュニケーション能力 意欲 専門性 論理性 主体性 行動力

通過率 総技ES NA

倍率(応募/内定) 総技NA

●男女別採用数と配属先ほか●

【男女・文理別採用実績】

	大卒男	大卒女	修士男	修士女
23年	5(文 5理 0)	4(文 4理 0)	4(文 2理 2)	0(文 0理 0)
24年	4(文 4理 0)	6(文 6理 0)	1(文 0理 1)	4(文 4理 0)
25年	2(文 2理 0)	6(文 6理 0)	2(文 2理 0)	2(文 1理 1)

【25年4月入社者の採用実績校】
文(院)東大 筑波大 早大各1(大)早大6 立命館APU ICU各1
理(院)立教大1

【24年4月入社者の配属先】
総勤務地:東京12 埼玉2 部署:学術院9 本部3 附属機関2 技勤務地:東京1 部署:学術院1

●給与、ボーナス、週休、有休ほか●

【30歳総合職平均年収】NA【初任給】(修士)248,140円(大卒)223,420円【ボーナス(年)】NA【25、30、35歳賃金】NA【週休】完全2日(土日)【夏期休暇】連続9日(週休4日含む)【年末年始休暇】12月29日〜1月5日【有休取得】15.4/20日

●従業員数、勤続年数、離職率ほか●

【男女別従業員数、平均年齢、平均勤続年数】計 801(43.0歳 16.9年) 男 586(44.6歳 18.2年) 女 215(38.6歳 13.3年)【離職率と離職者数】2.2%、18名(選択定年男11名含む)【3年後新卒定着率】90.0%(男85.7%、女100%、3年前入社:男7名・女3名)【組合】あり

求める人材 教育・研究の発展に向け、周囲を巻き込みながら、主体的に課題に取組み目標を達成できる人

会社データ (金額は百万円)

【本社】169-8050 東京都新宿区戸塚町1-104
☎03-3204-1633 https://www.waseda.jp/
【総長】田中 愛治【設立】1882.10【基本金】430,517【今後力を入れる事業】教育・研究の向上 国際化 経営改革

【業績】	事業活動収入	基本金組入前収支差額	収支差額
22.3	102,496	7,034	2,768
23.3	105,212	5,612	3,336
24.3	110,006	8,503	▲444

(学校法人)北里研究所(北里大学)

きたさとけんきゅうしょ

株式公開していない

【特色】北里大を運営。新千円札の顔・北里柴三郎が学祖

修士・大卒採用数	3年後離職率	有休取得年平均	平均年収(平均42歳)
17名	30.8→0%	14.2日	NA

残業(月) 総 18.8時間

記者評価 北里柴三郎が設立した社団法人・北里研究所と北里大学を運営する学校法人・北里学園の統合で08年発足。北里大は生命科学・医科系の総合大で医学部・薬学部など9学部。24年度に健康科学部を新設。ノーベル生理学・医学賞受賞の大村智氏は特別栄誉教授。

●エントリー情報と採用プロセス●

【受付開始〜終了】総3月〜4月【採用プロセス】総ES提出(3〜4月中旬)→適性検査・面接(2回、5月下旬〜6月下旬)→内々定(6月下旬)【交通費支給】なし

試験情報

重視科目 総面接

総ES⇒巻末筆DPI・DBIT面2回

選考ポイント 総ES質問に正確に答えているか 文章の分かりやすさ 柔軟性・発想力があるか 自分の言葉で表現しているか面自分と異なる他人の意見も受け入れられるか 自ら進んで意見や考えを述べているか 失敗しても最後までやり抜く気持ちがあるか

通過率 総ES87%(受付:150→通過:131)

倍率(応募/内定) 総5倍

●男女別採用数と配属先ほか●

【男女・文理別採用実績】

	大卒男	大卒女	修士男	修士女
23年	5(文 5理 0)	17(文 17理 0)	0(文 0理 0)	0(文 0理 0)
24年	5(文 4理 1)	10(文 9理 1)	1(文 1理 0)	1(文 1理 0)
25年	5(文 3理 2)	12(文 11理 1)	0(文 0理 0)	0(文 0理 0)

【25年4月入社者の採用実績校】
文(大)国際医療福祉大 聖心女大 中大各2 成蹊大 高崎健康福祉大 新潟大 日大 文教大 文京学大 明学大 龍谷大各1(専)大原簿記情報ビジネス医療 横浜医療秘書各1 理(大)北里大2 日大1

【24年4月入社者の配属先】
総勤務地:相模原17 東京・港3 埼玉・北本1 青森・十和田1 部署:病院(医療事務8 総務1)大学部門(教務5 学生2 学事1 研究支援1)法人部門(人事1 管財1 ICT1 知財1)

●給与、ボーナス、週休、有休ほか●

【30歳総合職平均年収】NA【初任給】(修士)241,300円(大卒)227,600円【ボーナス(年)】NA、4.7カ月【25、30、35歳賃金】NA【週休】2日(土日祝、一部土曜出勤あり)【夏期休暇】5日【年末年始休暇】12月29日〜1月3日【有休取得】14.2/20日

●従業員数、勤続年数、離職率ほか●

【男女別従業員数、平均年齢、平均勤続年数】計 667(41.9歳 16.4年) 男 262(46.9歳 20.6年) 女 405(38.7歳 13.7年)【離職率と離職者数】2.9%、20名(早期退職男3名、女2名含む)【3年後新卒定着率】100%(男100%、女100%、3年前入社:男1名・女10名)【組合】なし

求める人材 周囲と協働して目標達成に努め、誠実で課題解決能力・チャレンジ精神に富んだ人材

会社データ (金額は百万円)

【本社】108-8641 東京都港区白金5-9-1
☎03-3444-6161 https://www.kitasato.ac.jp/
【理事長】浅利 靖【設立】1962.1【基本金】264,415【今後力を入れる事業】NA

【業績】	事業活動収入	基本金組入前収支差額	収支差額
22.3	111,254	6,371	6,371
23.3	109,420	1,052	▲462
24.3	106,556	▲3,896	▲13,960

(学校法人)立命館

りつめいかん

[株式公開していない]

【特色】建学の精神「自由と清新」を貫く京都の有名私学

修士・大卒採用数	3年後離職率	有休取得年平均	平均年収(平均43歳)
5名	0→0%	11.9日	NA

●エントリー情報と採用プロセス●

【受付開始～終了】[総]3月～4月【採用プロセス】[総]ES提出(3～4月)→Web面談・Webテスト・筆記(5月中旬)→面接(3回、6月上旬～7月上旬)→内々定(7月上旬)【交通費支給】3次面接以降、実費

試験情報

重視科目 [総]すべて

[総][ES]⇒巻末[筆]C-GAB WebGAB 適性検査[面]3回(Webあり)

選考ポイント [総][ES]志望への熱意 求める人材像に相応しい行動特性[面]志望理由 求める人材像に相応しい行動特性

通過率 [総][ES]24%(受付:333→通過:79)

倍率(応募/内定) [総]67倍

●男女別採用数と配属先ほか●

【男女・文理別採用実績】

	大卒男	大卒女	修士男	修士女
23年	0(文 0理 0)	2(文 2理 0)	0(文 0理 0)	1(文 1理 0)
24年	3(文 3理 0)	1(文 1理 0)	0(文 0理 0)	0(文 0理 0)
25年	3(文 3理 0)	0(文 0理 0)	1(文 0理 1)	1(文 1理 0)

【25年4月入社者の採用実績校】

[文](院)京大1(大)立命館大2 立教大1 [理](院)京大1

【24年4月入社者の配属先】

[総]勤務地:京都1 大阪2 滋賀・草津1 部署:入学課1 教学部3

残業(月) 11.7時間 [総]11.7時間

記者評価 1869年、西園寺公望が私塾として創設。2大学、4附属高等学校・中学校、1附属小学校から成る総合学園。2大学とも文科省「スーパーグローバル大学」に採択。世界各国の大学等とのネットワーク緻密。26年4月にデザイン・アート学部・研究科(仮称)開設を構想。

●給与、ボーナス、週休、有休ほか●

【30歳総合職平均年収】599万円【初任給】(修士)261,000円(大卒)238,000円【ボーナス(年)】NA、5.1カ月＋16万円【25、30、35歳賃金】258,000円→334,000円→409,000円【週休】完全2日(土日祝)【夏期休暇】10日(週休除く)【年末年始休暇】5日(週休除く)【有休取得】11.9／10日

●従業員数、勤続年数、離職率ほか●

【男女別従業員数、平均年齢、平均勤続年数】計 679(43.3歳 16.6年)男 423(44.8歳 17.3年)女 256(40.8歳 15.6年)【離職率と離職者数】1.9%、13名(早期退職含む)【3年後新卒定着率】100%(男100%、女100%、3年前入社:男2名・女4名)【組合】あり

求める人材 何より学生の成長を育む学園作りに教職協働により参画する意欲・力量のある人

会社データ (金額は百万円)

【本社】604-8520 京都府京都市中京区西ノ京朱雀町1
☎075-813-8449 http://www.ritsumei.ac.jp/
【理事長】森島 朋三【設立】1900.5【基本金】NA【今後力を入れる事業】教育 研究の質の向上 国際化

【業績】	事業活動収入	基本金組入前収支差額	収支差額
22.3	83,058	2,013	▲6,879
23.3	85,693	1,110	▲11,255
24.3	92,667	5,754	▲4,540

(学校法人)明治大学

めいじだいがく

[株式公開していない]

【特色】旧制大で東京六大学の一角。各界に「校友」組織

修士・大卒採用数	3年後離職率	有休取得年平均	平均年収(平均44歳)
12名	0→0%	15.1日	NA

●エントリー情報と採用プロセス●

【受付開始～終了】[総]3月～3月【採用プロセス】[総]ES提出(3月)→面談・適性検査(4～5月)→面接(6月)→内々定【交通費支給】全ての面接、一都三県以外の遠方者のみ実費

試験情報

重視科目 [総]面接

[総][ES]⇒巻末[筆]C-GAB[面]2回

選考ポイント [総][ES]求める人材像にふさわしい行動特性[面]求める人材像に相応しい行動特性 人柄 コミュニケーション能力

通過率 [総][ES]NA(受付:564→通過:NA)

倍率(応募/内定) [総]47倍

●男女別採用数と配属先ほか●

【男女・文理別採用実績】

	大卒男	大卒女	修士男	修士女
23年	4(文 4理 0)	4(文 4理 0)	0(文 0理 0)	0(文 0理 0)
24年	7(文 7理 0)	5(文 5理 0)	0(文 0理 0)	0(文 0理 0)
25年	5(文 5理 0)	7(文 7理 0)	0(文 0理 0)	0(文 0理 0)

【25年4月入社者の採用実績校】

[文](大)明大8 早大 中大 津田塾大 法政大各1 [理]なし

【24年4月入社者の配属先】

[総]勤務地:東京(駿河台10 中野1)神奈川・生田1 部署:教学部門5 支援部門4 法人部門3

残業(月) 11.6時間 [総]11.6時間

記者評価 1881年創設の明治法律学校が前身。伝統の法学部や文理融合型の総合数理学部など10学部16研究科。駿河台キャンパスを核に「都心型大学」を標榜。文科省「スーパーグローバル大学(タイプB)」に採択。入職後10年目までに法人・教学両部門で異なる3職務を経験。

●給与、ボーナス、週休、有休ほか●

【30歳総合職平均年収】NA【初任給】(博士)236,000円(修士)236,000円(大卒)200,200円【ボーナス(年)】NA【25、30、35歳賃金】NA【週休】1日(別途年間18日の土曜休)【夏期休暇】22日(8～9月)【年末年始休暇】12月26日～1月7日【有休取得】15.1／20日

●従業員数、勤続年数、離職率ほか●

【男女別従業員数、平均年齢、平均勤続年数】計 585(43.5歳 19.0年)男 374(44.7歳 18.9年)女 211(43.2歳 19.0年)【離職率と離職者数】1.0%、6名(早期退職男2名、女1名含む)【3年後新卒定着率】100%(男100%、女100%、3年前入社:男4名・女5名)【組合】あり

求める人材 主体的に挑戦できる人 他者と共創できる人 自律的に変化に対応できる人

会社データ (金額は百万円)

【本社】101-8301 東京都千代田区神田駿河台1-1
☎03-3296-4545 https://www.meiji.ac.jp/
【理事長】柳谷 孝【設立】1881.1【基本金】256,670【今後力を入れる事業】NA

【業績】	事業活動収入	基本金組入前収支差額	収支差額
22.3	53,758	3,505	▲1,447
23.3	55,615	3,368	▲3,063
24.3	58,650	6,685	2,812

(学校法人)法政大学(ほうせいだいがく)

株式公開していない

【特色】東京六大学の一角。多彩な学部編成。附属中高も

修士・大卒採用数	3年後離職率	有休取得年平均	平均年収(平均43歳)
4名	0→0%	13.3日	NA

●エントリー情報と採用プロセス●

【受付開始〜終了】㊓3月〜4月【採用プロセス】㊓ES提出(3〜4月下旬)→適性検査(5月中旬〜下旬)→GD(6月上旬)→面接(3回、6月上旬〜下旬)→内々定(7月)【交通費支給】なし

試験情報

重視科目 ㊓面接 ES

㊓ ES⇒巻末㊕SPI3(会場)㊀3回(Webあり)GD作⇒巻末

選考ポイント ㊓ES NA(提出あり)㊀一緒に働きたいか 主体的に仕事に取り組めるか

通過率 ㊓ES NA(受付:616→通過:NA)

倍率(応募/内定) ㊓154倍

●男女別採用数と配属先ほか●

【男女・文理別採用実績】

	大卒男	大卒女	修士男	修士女
23年	4(文 4理 0)	3(文 3理 0)	0(文 0理 0)	0(文 0理 0)
24年	2(文 2理 0)	7(文 7理 0)	1(文 1理 0)	1(文 1理 0)
25年	0(文 0理 0)	4(文 4理 0)	0(文 0理 0)	0(文 0理 0)

【25年4月入社者の採用実績校】

㊫(大)法政大 早大 青学大 清泉女大各1 ㊮なし

【24年4月入社者の配属先】

㊓勤務地:東京(市ヶ谷9 多摩1 小金井1) 部署:教育支援本部7 学生支援本部2 法人本部1 財務本部1

残業(月) ㊓8.6時間

記者評価 1880年東京・神田で創設された東京法学社が前身。1920年大学令により旧制大学に。伝統の法学部、経済学部のほかGIS(グローバル教養学部)など計15学部。専門組織を設けるなど、リカレント教育や生涯学習にも注力。21年4月に就任した廣瀬克哉総長の主導でDX推進。

●給与、ボーナス、週休、有休ほか●

【30歳総合職平均年収】NA【初任給】(修士)248,400円(大卒)228,200円【ボーナス(年)】NA【25、30、35歳賃金】NA【週休】1日(別途土曜日等に独自休暇制度あり)【夏期休暇】8月13〜19日【年末年始休暇】12月27日〜1月6日【有休取得】13.3/20日

●従業員数、勤続年数、離職率ほか●

【男女別従業員数、平均年齢、平均勤続年数】計 447(42.6歳 18.5年) 男 262(43.8歳 19.2年) 女 185(41.0歳 17.6年)【離職率と離職者数】2.0%、9名(早期退職男6名、女2名含む)【3年後新卒定着率】100%(男100%、女100%、3年前入社:男5名・女5名)【組合】あり

求める人材 主体的かつ自立的に物事を考え、広い視野、多様な視点で、新しいことに積極的にチャレンジできる人

会社データ (金額は百万円)

【本社】102-8160 東京都千代田区富士見2-17-1
☎03-3264-9240 https://www.hosei.ac.jp/
【総長】廣瀬 克哉【設立】1880【基本金】NA【今後力を入れる事業】SDGs カーボンニュートラル推進 ダイバーシティ実現

【業績】	事業活動収入	基本金組入前収支差額	収支差額
22.3	50,433	5,482	5,306
23.3	50,474	5,615	4,672
24.3	51,690	6,569	6,559

(学校法人)中央大学(ちゅうおうだいがく)

株式公開していない

【特色】日本の法曹界担う名門私大。法学部は都心移転

修士・大卒採用数	3年後離職率	有休取得年平均	平均年収(平均43歳)
6名	0→0%	NA	NA

●エントリー情報と採用プロセス●

【受付開始〜終了】㊓4月〜5月【採用プロセス】㊓ES提出(4〜5月)→適性検査(5月)→面接(3回、6月上旬〜中旬)→内々定【交通費支給】なし

試験情報

重視科目 ㊓全て

㊓ ES NA㊕Web-DPI DIST DBIT㊀3回

選考ポイント ㊓ES 求める人材像に相応しい行動特性㊀求める人材像に相応しい行動特性 コミュニケーション能力 一緒に働きたいか

通過率 ㊓ES 25%(受付:452→通過:112)

倍率(応募/内定) ㊓75倍

●男女別採用数と配属先ほか●

【男女・文理別採用実績】

	大卒男	大卒女	修士男	修士女
23年	5(文 5理 0)	2(文 2理 0)	0(文 0理 0)	2(文 2理 0)
24年	5(文 5理 0)	5(文 5理 0)	0(文 0理 0)	0(文 0理 0)
25年	1(文 1理 0)	5(文 5理 0)	0(文 0理 0)	0(文 0理 0)

【25年4月入社者の採用実績校】

㊫(大)中大3 早大 横国大 都立大各1 ㊮なし

【24年4月入社者の配属先】

㊓勤務地:東京(多摩6 後楽園1 茗荷谷1 駿河台1 杉並1) 部署:教学部門10

残業(月) NA

記者評価 1885年英吉利法律学校として東京・神田に創設。「實地應用ノ素ヲ養フ」が建学の精神。看板学部の法学部を軸に8学部、大学院8研究科、専門職大学院2研究科で構成。23年4月法学部と法学研究科の茗荷谷キャンパス移転を皮切りに、都心と多摩の2拠点化が進む。

●給与、ボーナス、週休、有休ほか●

【30歳総合職平均年収】NA【初任給】(博士)255,300円(修士)255,300円(大卒)222,900円【ボーナス(年)】NA【25、30、35歳賃金】NA【週休】1日【夏期休暇】20日(7〜10月で取得)【年末年始休暇】12月25日〜1月4日【有休取得】NA/20日

●従業員数、勤続年数、離職率ほか●

【男女別従業員数、平均年齢、平均勤続年数】計 443(43.1歳 18.7年) 男 256(44.1歳 19.5年) 女 187(41.6歳 17.5年)【離職率と離職者数】1.6%、7名【3年後新卒定着率】100%(男100%、女100%、3年前入社:男7名・女4名)【組合】あり

求める人材 学生視点で、社会の動向に目を配り主体的に課題と向きあい、情熱をもってチームで取りくめる人

会社データ (金額は百万円)

【本社】192-0393 東京都八王子市東中野742-1
☎042-674-2210 http://www.chuo-u.ac.jp/
【理事長】大村 雅彦【設立】1885【基本金】NA【今後力を入れる事業】教育・研究の質向上 国際化 DX化

【業績】	事業活動収入	基本金組入前収支差額	収支差額
22.3	47,482	4,862	1,424
23.3	48,436	911	▲19,170
24.3	50,655	3,248	1,233

(学校法人)立教学院

りっきょうがくいん

株式公開 していない

【特色】小学校から大学・大学院まで一貫。国際化推進

修士・大卒採用数	3年後離職率	有休取得年平均	平均年収(平均45歳)
7名	0→0%	13.0日	NA

●エントリー情報と採用プロセス●

【受付開始〜終了】㊗3月〜3月【採用プロセス】㊗説明会(3月)→ES提出(4月)→Webテスト(5月)→1次面接(6月上旬)→2次面接・適性検査(6月中旬)→最終面接(6月下旬)→内々定(6月下旬)【交通費支給】なし

試験情報

重視科目 ㊗NA

㊗ ES NA 筆 あり(内容NA) 面 3回(Webあり)

選考ポイント ㊗ ES 自己PRおよび志望理由における具体性などの内容 面 コミュニケーション能力 人柄 意欲 他

通過率 ㊗ ES 35%(受付:410→通過:144)

倍率(応募/内定) ㊗59倍

●男女別採用数と配属先ほか●

【男女・文理別採用実績】

	大卒男	大卒女	修士男	修士女
23年	2(文 1理 1)	4(文 4理 0)	0(文 0理 0)	0(文 0理 0)
24年	2(文 2理 0)	5(文 5理 0)	0(文 0理 0)	0(文 0理 0)
25年	4(文 4理 0)	2(文 2理 0)	1(文 1理 0)	0(文 0理 0)

※専任職員の数字

【25年4月入社者の採用実績校】

文(院)東京外大1(大)立教大5 埼玉大1 理 なし

【24年4月入社者の配属先】

㊗勤務地:東京・池袋6 埼玉・新座1 部署:教育研究支援部門(教務部5 図書館1)学生支援部門(学生部1)

残業(月) 19.0時間 ㊗19.0時間

記者評価 1874年にアメリカ聖公会のウィリアムズ主教が開いた私塾が起源。小・中・高・大の一貫連携教育を推進。大学は東京・池袋と埼玉・新座にキャンパスを置く。海外大と連携し、学生の留学機会確保に注力。26年4月、池袋キャンパスに環境学部の新規開設を計画中。

●給与、ボーナス、週休、有休ほか●

【30歳総合職平均年収】NA【初任給】(博士)NA(修士)257,000円(大卒)231,000円【ボーナス(年)】NA【25、30、35歳賃金】NA【週休】1日【夏期休暇】春夏秋冬の各休業期間にて季節休暇合計32日(土曜一斉休暇8日を含む)【年末年始休暇】春夏秋冬の各休業期間にて季節休暇合計32日(別に6日大学の定める休日)【有休取得】13.0/20日

●従業員数、勤続年数、離職率ほか●

【男女別従業員数、平均年齢、平均勤続年数】計318(44.7歳 18.4年)男174(45.3歳 18.4年)女144(44.0歳 18.5年)【離職率と離職者数】1.5%、5名(選択定年女1名含む)【3年後新卒定着率】100%(男100%、女100%、3年前入社:男1名・女4名)【組合】あり

求める人材 建学の精神のもと、チームワークを大切に、自ら考え、動ける人

会社データ (金額は百万円)

【本社】171-8501 東京都豊島区西池袋3-34-1
☎03-3985-2245 https://www.rikkyo.ac.jp/
【理事長】福田 裕昭【設立】1874.2【基本金】115,004【今後力を入れる事業】国際化 情報戦略 教育システム改革等

【業績】	事業活動収入	基本金組入前収支差額	収支差額
22.3	34,684	4,450	2,981
23.3	34,630	2,786	1,503
24.3	36,974	3,411	362

(学校法人)東洋大学

とうようだいがく

株式公開 していない

【特色】東洋大学が基幹。中学・高校・幼稚園も運営

修士・大卒採用数	3年後離職率	有休取得年平均	平均年収(平均42歳)
6名	9.1→7.7%	15.1日	NA

●エントリー情報と採用プロセス●

【受付開始〜終了】㊗3月〜5月【採用プロセス】㊗ES提出・適性検査(3〜5月)→面接(3回、6月)→内々定(6月〜)【交通費支給】なし

試験情報

重視科目 ㊗面接 ES

㊗ ES ⇒巻末 筆 SPI3(自宅) 面 3回

選考ポイント ㊗ ES 志望動機が明確か 相手にわかりやすい表現を心掛けているか 面 東洋大学職員として働くことに対する思いの強さ 誠実さ タフさ 行動力

通過率 ㊗ ES NA

倍率(応募/内定) ㊗NA

●男女別採用数と配属先ほか●

【男女・文理別採用実績】

	大卒男	大卒女	修士男	修士女
23年	5(文 3理 2)	3(文 3理 0)	0(文 0理 0)	1(文 1理 0)
24年	5(文 5理 0)	6(文 5理 1)	0(文 0理 0)	1(文 1理 0)
25年	2(文 2理 0)	4(文 4理 0)	0(文 0理 0)	0(文 0理 0)

【25年4月入社者の採用実績校】

文(大)東洋大4 立教大 明学大各1 理 なし

【24年4月入社者の配属先】

㊗勤務地:東京(白山9 赤羽1)埼玉・川越2 部署:教学4 研究推進2 総務1 入試1 管財1 キャリア支援1 国際1 学生支援1

残業(月) NA

記者評価 1887年井上円了が創設した哲学館が起源。1906年から現校名。大学は4キャンパス14学部。建学の精神である「諸学の基礎は哲学にあり」を貫く。重点研究プログラム制度を設け、研究の高度化を推進。職員には大学運営や学生支援に加え、国際化への取り組みも求められる。

●給与、ボーナス、週休、有休ほか●

【30歳総合職モデル年収】600万円【初任給】(修士)215,500円(大卒)192,600円【ボーナス(年)】NA、6.34カ月+28万円【25、30、35歳賃金】NA【週休】4週6休(5・6・7・10・11・12月は月2回、4月は月1回土曜休日)【夏期休暇】23日【年末年始休暇】9日【有休取得】15.1/20日

●従業員数、勤続年数、離職率ほか●

【男女別従業員数、平均年齢、平均勤続年数】計415(42.0歳 17.8年)男236(43.9歳 19.3年)女179(39.6歳 15.7年)※教員・嘱託職員除く【離職率と離職者数】2.6%、11名【3年後新卒定着率】92.3%(男100%、女83.3%、3年前入社:男7名・女6名)【組合】あり

求める人材 誠実な人 心身ともにタフな人 行動できる人

会社データ (金額は百万円)

【本社】112-8606 東京都文京区白山5-28-20
☎03-3945-7224 https://www.toyo.ac.jp/
【理事長】安齋 隆【設立】1887.9【基本金】NA【今後力を入れる事業】キャンパス整備や学部学科の再編

【業績】	事業活動収入	基本金組入前収支差額	収支差額
22.3	46,206	4,143	▲3,191
23.3	46,075	4,217	▲1,770
24.3	47,545	2,567	▲7,097

(学校法人)龍谷大学（りゅうこくだいがく）

株式公開していない

【特色】仏教系の文理総合大。西本願寺の学寮が起源

修士・大卒採用数	3年後離職率	有休取得年平均	平均年収(平均44歳)
8名	0→0%	11.2日	NA

残業(月) 7.4時間 ㊙11.8時間

記者評価 1639年西本願寺境内に設けられた学寮が起源。1922年大学設置。学園施設の5カ所が国の重要文化財指定。大学は23年度新設の心理学部を加え、10学部体制。25年度には社会学部の改組を計画。学生起業家によるインキュベーション事業や産官学連携など活発。

●エントリー情報と採用プロセス●

【受付開始～終了】㊙3月～4月【採用プロセス】㊙NA【交通費支給】NA

試験情報

重視科目 ㊙NA

㊙ 筆NA 面NA GD作NA

選考ポイント ㊙ ES有無NA 面NA

通過率 ㊙ ESNA

倍率(応募/内定) ㊙NA

●男女別採用数と配属先ほか●

【男女・文理別採用実績】

	大卒男	大卒女	修士男	修士女
23年	4(文 4理 0)	4(文 4理 0)	0(文 0理 0)	0(文 0理 0)
24年	3(文 3理 0)	4(文 4理 0)	0(文 0理 0)	0(文 0理 0)
25年	4(文 4理 0)	2(文 2理 0)	1(文 1理 0)	1(文 1理 0)

【25年4月入社者の採用実績校】
文NA 理NA

【24年4月入社者の配属先】
㊙勤務地:京都・滋賀7 部署:管財系1 教務系4 他2

●給与、ボーナス、週休、有休ほか●

【30歳総合職平均年収】NA【初任給】(博士)NA (修士)NA (大卒)NA【ボーナス(年)】NA【25、30、35歳賃金】NA【週休】完全2日(土日祝)【夏期休暇】8月11～18日【年末年始休暇】12月28日～1月5日【有休取得】11.2／20日

●従業員数、勤続年数、離職率ほか●

【男女別従業員数、平均年齢、平均勤続年数】計 270 (43.5歳 18.4年) 男 185(45.8歳 20.3年) 女 85(37.8歳 14.0年)【離職率と離職者数】1.8%、5名(早期退職男4名含む)【3年後新卒定着率】100%(男100%、女100%、3年前入社:男3名・女5名)【組合】あり

求める人材 NA

会社データ (金額は百万円)

【本社】612-8577 京都府京都市伏見区深草塚本町67
☎075-642-1111　https://www.ryukoku.ac.jp/
【専務理事】入澤 崇【設立】1639【基本金】162,675【今後力を入れる事業】NA

【業績】	事業活動収入	基本金組入前収支差額	収支差額
22.3	30,407	3,354	2,155
23.3	30,712	2,568	2,471
24.3	32,656	1,491	▲633

(学校法人)神奈川大学（かながわだいがく）

株式公開していない

【特色】横浜地盤の私立大学。附属中学・高校も

修士・大卒採用数	3年後離職率	有休取得年平均	平均年収(平均42歳)
7名	0→0%	10.8日	NA

残業(月) 10.0時間 ㊙10.0時間

記者評価 1928年設立の横浜学院が前身。大学は22年に建築学部、23年に化学生命学部、情報学部を新設し、11学部体制に。建学の精神として「質実剛健・積極進取・中正堅実」を掲げる。21年4月、みなとみらいに都市型キャンパスを開設、国際系学部を集約。附属中高も運営。

●エントリー情報と採用プロセス●

【受付開始～終了】㊙3月～5月【採用プロセス】㊙説明会・ES提出(3～5月)→1次Web面接(6月)→2次面接・適性検査(6月上旬)→3次面接・学力検査(6月中旬)→最終面接(6月末・7月上旬)→内々定(7月中旬)【交通費支給】なし

試験情報

重視科目 ㊙面接

㊙ ES⇒巻末 筆適性検査 学力検査 面4回(Webあり)

選考ポイント ㊙ ES志望理由が明確で、求める人物像にふさわしいか 論理性があり法人に貢献できる人物か 面意欲、将来性、質問に対し正確な回答ができているか 本学についてどの程度学んできたか 人間性 他

通過率 ㊙ ESNA

倍率(応募/内定) ㊙NA

●男女別採用数と配属先ほか●

【男女・文理別採用実績】

	大卒男	大卒女	修士男	修士女
3年	3(文 3理 0)	4(文 4理 0)	0(文 0理 0)	0(文 0理 0)
4年	4(文 4理 0)	2(文 2理 0)	0(文 0理 0)	0(文 0理 0)
5年	3(文 3理 0)	4(文 4理 0)	0(文 0理 0)	0(文 0理 0)

【25年4月入社者の採用実績校】
文(大)神奈川大2 獨協大 専大 明学大 立教大 駒澤大各1 理なし

【24年4月入社者の配属先】
㊙勤務地:横浜6 部署:総務課1 入試課1 学生課1 教務課1 財務課1 人事課1

●給与、ボーナス、週休、有休ほか●

【30歳総合職平均年収】NA【初任給】(博士)278,400円 (修士)240,500円 (大卒)218,800円【ボーナス(年)】NA【25、30、35歳賃金】NA【週休】2日【夏期休暇】14日【年末年始休暇】12月28日～1月5日【有休取得】10.8／20日

●従業員数、勤続年数、離職率ほか●

【男女別従業員数、平均年齢、平均勤続年数】計 353 (42.3歳 14.6年) 男 218(42.7歳 14.0年) 女 135(41.6歳 15.4年)【離職率と離職者数】1.7%、6名【3年後新卒定着率】100%(男100%、女100%、3年前入社:男3名・女6名)【組合】あり

求める人材 未来を担う学生・生徒の成長を支援できる人 学生の成長支援に前向きに努力できる人

会社データ (金額は百万円)

【本社】221-8686 神奈川県横浜市神奈川区六角橋3-27-1
☎045-481-5661　https://www.kanagawa-u.ac.jp/
【理事長】石渡 卓【設立】1928.4【基本金】NA【今後力を入れる事業】創立100周年に向けた事業
【業績】NA

（学校法人）昭和大学

しょう わ だいがく

株式公開 していない

【特色】医・歯・薬・保健医療の4学部からなる医系私大

修士・大卒採用数	3年後離職率	有休取得年平均	平均年収(平均36歳)
14名	42.9→41.2%	12.0日	総613万円

●エントリー情報と採用プロセス●

【受付開始～終了】総3月～7月【採用プロセス】総〈春〉説明会(任意、3月)→ES提出(4月)→面接(2回、5月)→内々定(6月上旬)〈夏〉説明会(オンデマンド視聴)→ES提出(7月)→面接(2回、8月)→内々定(9月上旬)【交通費支給】なし

試験情報

重視科目 総面接

総ES⇒巻末筆なし面2回

選考ポイント 総ES意欲、本学への理解度・志望度面意欲 本学への理解度

通過率 総ES96%(受付:283→通過:273)

倍率(応募/内定) 総10倍

●男女別採用数と配属先ほか●

【男女・文理別採用実績】

	大卒男	大卒女	修士男	修士女
23年	4(文 4理 0)	18(文 18理 0)	1(文 1理 0)	0(文 0理 0)
24年	11(文 11理 0)	20(文 20理 0)	2(文 2理 0)	1(文 1理 0)
25年	5(文 5理 0)	8(文 8理 0)	0(文 0理 0)	1(文 1理 0)

※25年:夏採用実施中

【25年4月入社者の採用実績校】

文(院)立教大1(大)明大 日体大各2 立教大 中大 法政大 明学大 日大 専大 神奈川大 昭和女大 津田塾大各1(短)戸板1(専)大原学園3 横浜スポーツ&医療ウェルネス 横浜医療各2 理なし

【24年4月入社者の配属先】

総勤務地:東京13 神奈川16 部署:病院管理部門25 病院医事部門4

残業(月) 総19.4時間

記者評価 1928年に上條秀介らにより設立された昭和医学専門学校が前身。昭和医科大学として46年大学化、64年から現校名。医学部、歯学部、薬学部、保健医療学部を擁し医系総合大へ発展。クリニック含め9の附属病院。25年4月、昭和医科大学に校名を変更予定。

●給与、ボーナス、週休、有休ほか●

【30歳総合職平均年収】473万円【初任給】(博士)210,400円(修士)210,400円(大卒)210,400円【ボーナス(年)】130万円、5.0カ月【25、30、35歳賃金】211,300円→249,600円→278,400円【週休】4週8休【夏期休暇】6日【年末年始休暇】12月29日～1月3日【有休取得】12.0／20日

●従業員数、勤続年数、離職率ほか●

【男女別従業員数、平均年齢、平均勤続年数】計540(36.2歳 13.2年) 男201(38.4歳 14.7年) 女339(34.9歳 12.3年)【離職率と離職者数】6.3%、36名【3年後新卒定着率】58.8%(男66.7%、女54.5%、3年前入社:男6名・女11名)【組合】あり

求める人材 組織の未来を担い、アグレッシブに提案・創造・リードできる人

会社データ (金額は百万円)

【本社】142-0064 東京都品川区旗の台1-5-8
☎03-3784-8000 https://www.showa-u.ac.jp/
【理事長】小口 勝司【設立】1928.3【基本金】NA【今後力を入れる事業】研究・教育・医療の充実と発展
【業績】NA

㈱ベネッセコーポレーション

株式公開 計画なし

【特色】「進研ゼミ」を運営、通信教育の最大手

修士・大卒採用数	3年後離職率	有休取得年平均	平均年収(平均40歳)
106名	16.0→18.2%	12.0日	NA

●エントリー情報と採用プロセス●

【受付開始～終了】総3月～6月【採用プロセス】総ES提出・Web適性(3～4月)→GD(4月・5月)→個人面接(4月・5月)→最終面接(5月・6月)→内々定(6月)【交通費支給】なし

試験情報

重視科目 総面接

総ES⇒巻末筆あり(内容NA)面2回(Webあり)GD作NA

選考ポイント 総ESロジカルシンキングを始めとするベーススキル 他面論理的思考力 他

通過率 総ESNA

倍率(応募/内定) 総NA

●男女別採用数と配属先ほか●

【男女・文理別採用実績】

	大卒男	大卒女	修士男	修士女
23年	41(文 27理 14)	36(文 33理 3)	12(文 2理 10)	5(文 2理 3)
24年	40(文 31理 9)	30(文 28理 2)	20(文 4理 16)	9(文 1理 8)
25年	55(文 43理 12)	31(文 30理 1)	15(文 4理 11)	5(文 3理 2)

【25年4月入社者の採用実績校】

文NA 理NA

【24年4月入社者の配属先】

総勤務地:東京本部68 札幌・仙台・高崎・名古屋・金沢・大阪・岡山・福岡 各拠点1～5程度 部署:学校コンサルティング営業 マーケティング 商品企画 エンジニア他

残業(月) 38.1時間 総39.8時間

記者評価 小中高生向けの通信教育「進研ゼミ」、幼児向けの「こどもチャレンジ」が主力。通信教育業界最大手。大学入試模試「進研模試」や学習塾の運営、介護事業も手がける。動画学習プラットフォーム大手の米Udemyと資本提携。親会社のベネッセHDは24年MBOで非公開化。

●給与、ボーナス、週休、有休ほか●

【30歳総合職平均年収】NA【初任給】(博士)215,000円(修士)215,000円(大卒)215,000円【ボーナス(年)】214万円、NA【25、30、35歳モデル賃金】240,000円→300,000円→340,000円【週休】2日【夏期休暇】連続3日【年末年始休暇】12月30日～1月4日【有休取得】12.0／24日

●従業員数、勤続年数、離職率ほか●

【男女別従業員数、平均年齢、平均勤続年数】計2,799(40.2歳 12.0年) 男1,469(40.4歳 10.8年) 女1,330(39.9歳 13.3年)【離職率と離職者数】5.6%、167名【3年後新卒定着率】81.8%(男79.3%、女83.8%、3年前入社:男29名・女37名)【組合】なし

求める人材 バイタリティ、本気さ、挑戦マインドのある人

会社データ (金額は百万円)

【本社】700-8686 岡山県岡山市北区南方3-7-17
☎086-225-1100 https://www.benesse.co.jp/
【社長】小林 仁【設立】1955.1【資本金】3,000【今後力を入れる事業】教育全般 大学社会人向け 海外事業

【業績(単独)】	売上高	営業利益	経常利益	純利益
22.3	189,421	NA	10,724	7,473
23.3	182,945	NA	10,203	13,148
24.3	176,594	NA	9,275	5,167

サービス

▶『業界地図』p.294,297…

(株)公文教育研究会

くもんきょういくけんきゅうかい

株式公開していない

【特色】「公文式」で知られるKUMONグループの持株会社

修士・大卒採用数	3年後離職率	有休取得年平均	平均年収(平均44歳)
30名	21.4→15.0%	9.9日	NA

●エントリー情報と採用プロセス●

【受付開始～終了】[総]2月～6月【採用プロセス】[総]説明会(必須、2月～)→ES提出(第1ターム2月～、第2ターム3月～)→適性検査→GD→面接(2回)→内々定(3～5月、4～6月)【交通費支給】なし【早期選考】⇒巻末

試験情報

重視科目 [総]面接

[総] (ES)⇒巻末 (筆)SPI3(会場) (面)2回(Webあり) (GD作)⇒巻末

選考ポイント [総] (ES)記載の質・量 (面)双方向のコミュニケーションカ 経験から学び成長していく力 目標に向かって取り組む力 多様な人々と協働して成果を創出していく力 他

通過率 [総] (ES)96%(受付:743→通過:713)

倍率(応募/内定) [総]15倍

●男女別採用数と配属先ほか●

【男女・文理別採用実績】

	大卒男	大卒女	修士男	修士女
23年	6(文 6理 0)	13(文 12理 1)	0(文 0理 0)	0(文 0理 0)
24年	7(文 6理 1)	13(文 13理 0)	0(文 0理 0)	2(文 1理 1)
25年	5(文 4理 1)	21(文 20理 1)	1(文 0理 1)	3(文 2理 1)

【25年4月入社者の採用実績校】(文)(院)慶大 上智大各1(大)早大 同大 日大各2 愛知教大 横国大 岡山大 関西学大 関大 関西福祉大 宮城教大 近大 九産大 山口大 神奈川大 青学大 東京学芸大 奈良女大 日女大 梅花女大 法政大 立命館大各1 (理)(院)東大 神戸大各1(大)立教大 芝工大各1

【24年4月入社者の配属先】

[総]**勤務地**:札幌1 仙台1 栃木・宇都宮1 さいたま1 千葉・船橋1 東京・千代田3 横浜2 名古屋2 大阪市6 神戸1 岡山市1 福岡2 **部署**:教室コンサルティング18 マーケティング推進部1 教室ネットワーク推進部1 数学教材部1 教材サポート部1

残業(月) 15.2時間 (総)18.6時間

記者評価 創業者の公文公氏が息子のために考案した学習教材が原点。1955年守口市で算数教室に乗り出す。その後、飛躍的発展を遂げ、国内48、海外67拠点。学習者数は国内132万人、海外223万人。公文式教室向けの教材開発や運営サポート、指導者の採用・教育にあたる。

●給与、ボーナス、週休、有休ほか●

【30歳総合職平均年収】NA【初任給】(修士)263,000円(大卒)259,000円【ボーナス(年)】NA【25、30、35歳賃金】NA【週休】完全2日(土日祝)【夏期休暇】連続5日【年末年始休暇】12月29日～1月4日【有休取得】9.9／20日

●従業員数、勤続年数、離職率ほか●

【男女別従業員数、平均年齢、平均勤続年数】計 1,524(44.2歳 18.4年) 男 686(45.0歳 19.7年) 女 838(43.5歳 16.8年)【離職率と離職者数】5.0%、81名【3年後新卒定着率】85.0%(男72.7%、女100%、3年前入社:男11名・女9名)【組合】なし

求める人材 公文式で 関わる人の成長を引き出し、成果につなげられる人

会社データ　(金額は百万円)

【本社】532-0011 大阪府大阪市淀川区西中島5-6-6
☎06-6838-2611　https://www.kumon.ne.jp/
【社長】田中 三教【設立】1958.7【資本金】4,418【今後力を入れる事業】教室事業 ライセンス事業

【業績(連結)】	売上高	営業利益	経常利益	純利益
22.3	76,343	9,659	11,875	8,349
23.3	82,059	12,085	13,634	10,227
24.3	87,588	13,840	18,329	13,302

(株)ナガセ

東京S 9733

【特色】東進ハイスクール、四谷大塚等運営。水泳教室も

修士・大卒採用数	3年後離職率	有休取得年平均	平均年収(平均38歳)
39名	NA	NA	(総)818万円

●エントリー情報と採用プロセス●

【受付開始～終了】[総]3月～継続中【採用プロセス】[総]説明会(必須)→ES提出→GW選考→面接・適性テスト→内々定【交通費支給】なし【早期選考】⇒巻末

試験情報

重視科目 [総]面接

[総] (ES)⇒巻末 (筆)適性テスト (面)3回 (GD作)⇒巻末

選考ポイント [総] (ES)教育理念への共感 情熱を持って教育の仕事に取り組むことができるか (面)コミュニケーションカ 論理的思考力 主体性 行動力 向上意欲 リーダーシップ 他

通過率 [総] (ES)NA

倍率(応募/内定) [総]NA

●男女別採用数と配属先ほか●

【男女・文理別採用実績】

	大卒男	大卒女	修士男	修士女
23年	27(文 22理 5)	13(文 11理 2)	3(文 1理 2)	0(文 0理 0)
24年	29(文 25理 4)	11(文 11理 0)	2(文 0理 2)	1(文 0理 1)
25年	19(文 15理 4)	16(文 15理 1)	3(文 1理 2)	1(文 1理 0)

【25年4月入社者の採用実績校】
(文)(院)阪大 神戸大(大)東大 阪大 横国大 東京学芸大 千葉大 宇都宮大 愛知教大 福岡教大 早大 明大 青学大 中大 同大 関西学大 立命館大 日大 津田塾大 東洋大 明星大 他 (理)(院)早大 滋賀大(大)名大 岡山大 九州工大 中大 日大 他

【24年4月入社者の配属先】

[総]**勤務地**:東京 神奈川 千葉 埼玉 **部署**:東進ハイスクール各校43

残業(月) NA

記者評価 直営の「東進ハイスクール」とFC「東進衛星予備校」に講義映像を配信。林修氏等多数のカリスマ講師を擁する。70歳代の社長も業界のカリスマ。傘下に中学受験の四谷大塚、大学受験の早稲田塾、水泳教室のイトマンスイミングスクール。企業向け研修も強化。

●給与、ボーナス、週休、有休ほか●

【30歳総合職平均年収】704万円【初任給】(博士)312,415円(修士)297,200円(大卒)279,050円【ボーナス(年)】NA、3.51カ月【25、30、35歳賃金】280,531円→368,021円→508,094円【週休】2日【夏期休暇】夏季・年末年始合わせて13日【年末年始休暇】夏季・年末年始合わせて13日【有休取得】NA／20日

●従業員数、勤続年数、離職率ほか●

【男女別従業員数、平均年齢、平均勤続年数】計 481(38.3歳 11.4年) 男 359(39.7歳 11.6年) 女 122(34.1歳 10.6年)【離職率と離職者数】NA【3年後新卒定着率】NA【組合】なし

求める人材 教育理念に共感し、情熱を持ってチャレンジできる人財

会社データ　(金額は百万円)

【本社】180-8715 東京都武蔵野市吉祥寺南町1-29-2
☎0422-45-7011　https://www.toshin.com/
【社長】永瀬 昭幸【設立】1976.5【資本金】2,138【今後力を入れる事業】幼児から社会人までの一貫教育 海外展開

【業績(連結)】	売上高	営業利益	経常利益	純利益
22.3	49,406	5,590	5,153	3,440
23.3	52,354	5,369	5,071	4,000
24.3	52,986	4,538	4,323	2,602

(株)ステップ

東京P 9795

【特色】中学生主体の集団指導塾。神奈川県内に特化

修士・大卒採用数	3年後離職率	有休取得年平均	平均年収(平均38歳)
29名	16.7→17.2%	7.5日	(総)679万円

残業(月) 8.3時間 (総)8.3時間

記者評価 神奈川県内の難関高校受験での高い合格実績を強みに成長続く。近年は手薄だった横浜・川崎地区でも校舎展開が進む。講師は原則正社員で、営業はさせず授業に集中するのが特徴。給与引き上げに意欲的。春期講習の授業デビューに向け、内定者に秋から研修実施。

●エントリー情報と採用プロセス●

【受付開始～終了】(総)2月～継続中【採用プロセス】(総)〈教師職〉会社研究セミナー・ES提出(2～8月)→Web面接(3～8月)→面接・筆記(3～8月)→模擬授業・面接(3～8月)→最終面接(3～8月)→内々定(4～9月)〈チューター職・キャスト職・本部事務職・学童スタッフ〉会社研究セミナー・ES提出(2～8月)→Web面接(3～8月)→面接・筆記(3～8月)→プレゼン・面接(3～8月)→最終面接(3～8月)→内々定(4～9月)【交通費支給】2次選考以降、地域により一律

試験情報

重視科目 (総)面接 筆記

(総)(ES)⇒巻末(筆)一般常識 〈教師職〉指導希望科目(面)3～4回(Webあり)

選考ポイント (総)(ES)今までに力を入れてきたこと(面)コミュニケーション能力 表現力 芯の強さ 他

通過率 (総)(ES)選考なし(受付:NA)

倍率(応募/内定) (総)NA

●男女別採用数と配属先ほか●

【男女・文理別採用実績】

	大卒男	大卒女	修士男	修士女
23年	28(文 22理 6)	15(文 14理 1)	4(文 1理 3)	1(文 0理 1)
24年	22(文 19理 3)	15(文 14理 1)	0(文 0理 0)	0(文 0理 0)
25年	17(文 13理 4)	12(文 11理 1)	0(文 0理 0)	0(文 0理 0)

【25年4月入社者の採用実績校】
(文)(大)神奈川大3 専大 東洋大各2 青学大 学習院大 群馬大 慶大 静岡大 成城大 中大 帝京大 東京外大 南山大 新潟大 法政大 明大 横浜市大 横国大 立教大 立命館大各1 (理)(大)東京農業大2 茨城大 筑波大 横国大各1

【24年4月入社者の配属先】(総)勤務地:神奈川37 部署:教師27 チューター5 スクールキャスト4 学童スタッフ1

●給与、ボーナス、週休、有休ほか●

【30歳総合職平均年収】573万円【初任給】(修士)〈教師職〉300,000円〈チューター職・キャスト職・学童スタッフ〉262,800円 (大卒)〈教師職〉290,000円〈チューター職・キャスト職・学童スタッフ〉248,000円【ボーナス(年)】167万円、NA【25、30、35歳賃金】296,420円→347,241円→395,137円【週休】2日【夏期休暇】連続7日以上(土日、計画有休含む)【年末年始休暇】約4日【有休取得】7.5／24日

●従業員数、勤続年数、離職率ほか●

【男女別従業員数、平均年齢、平均勤続年数】計 929(39.0歳 11.6年) 男 728(39.9歳 12.2年) 女 201(35.4歳 9.6年)【離職率と離職者数】3.5%、34名【3年後新卒定着率】82.8%(男100%、女68.8%、3年前入社:男13名・女16名)【組合】なし

求める人材 教える仕事が好きな人 生徒にとって魅力的なキャラクターの人 チャレンジ精神旺盛な人

会社データ (金額は百万円)

【本社】251-0052 神奈川県藤沢市藤沢602
☎0466-20-8000　https://www.stepnet.co.jp/
【社長】遠藤 陽介【設立】1979.9【資本金】1,778【今後力を入れる事業】教務力のアップ 人材育成 処遇のさらなる改善

【業績(単独)】	売上高	営業利益	経常利益	純利益
21.9	13,036	3,509	3,593	2,471
22.9	13,653	3,656	3,728	2,563
23.9	14,442	3,192	3,225	2,405

(株)秀英予備校

しゅうえいよびこう

東京S 4678

【特色】静岡地盤。中学生向けの集団指導塾が主力

修士・大卒採用数	3年後離職率	有休取得年平均	平均年収(平均36歳)
49名	32.1→43.1%	9.7日	(総)465万円

残業(月) 15.9時間 (総)18.2時間

記者評価 対象は中学生を主体に小学生から高校生まで集団指導主体だったが、近年は個別指導のメニューや映像授業を拡充。東海地域を軸に北海道、福岡など全国的に校舎展開。傘下に福島地盤の学習塾である東日本学院。25年4月から大卒初任給を1万円増額予定。

●エントリー情報と採用プロセス●

【受付開始～終了】(総)3月～継続中【採用プロセス】(総)説明会(必須)・筆記(3月～)→ES提出(3月～)→面接(2回、3月～)→内々定(4月～)【交通費支給】最終面接、1,000円超の実費【早期選考】⇒巻末

試験情報

重視科目 (総)面接

(総)(ES)⇒巻末(筆)数・英・国・物・化より1科目(面)2回(Webあり)

選考ポイント (総)(面)一般常識 専門知識 理解力 協調性 判断力

通過率 (総)(ES)選考なし(受付:120)

倍率(応募/内定) (総)11倍

●男女別採用数と配属先ほか●

【男女・文理別採用実績】

	大卒男	大卒女	修士男	修士女
23年	17(文 15理 2)	14(文 13理 1)	2(文 0理 2)	0(文 0理 0)
24年	18(文 14理 4)	11(文 8理 3)	0(文 0理 0)	0(文 0理 0)
25年	16(文 14理 2)	30(文 29理 1)	3(文 2理 1)	0(文 0理 0)

【25年4月入社者の採用実績校】
(文)(院)中大 西南学大各1(大)静岡大8 常葉大5 三重大3 明大 静岡県大 西南学大 福岡大 愛知学大 名城大 小樽商大各2 静岡文芸大 名大 愛知教大 北海道教育大 名古屋外大 岐阜大 都留文科大 南山大 福岡県大 日大 新潟大 桜美林大各1 (理)(院)立正大1(大)静岡大 東洋大 名城大各1

【24年4月入社者の配属先】
(総)勤務地:北海道(札幌4 旭川1)静岡(沼津2 静岡5 藤枝2 浜松3)愛知・春日井1 三重(四日市4 津1)福岡市4 部署:小中教師15 個別指導校舎運営9 高校教師2 高校部運営スタッフ1

●給与、ボーナス、週休、有休ほか●

【30歳総合職平均年収】414万円【初任給】(修士)240,500円 (大卒)230,000円【ボーナス(年)】73万円、2.3カ月【25、30、35歳賃金】266,063円→293,058円→319,215円【週休】2日(水・日)【夏期休暇】9月または10月に5連休(週休含む)【年末年始休暇】12月31日～1月3日【有休取得】9.7／20日

●従業員数、勤続年数、離職率ほか●

【男女別従業員数、平均年齢、平均勤続年数】計 625(35.6歳 11.9年) 男 425(36.6歳 12.4年) 女 200(33.6歳 10.9年)【離職率と離職者数】8.9%、61名【3年後新卒定着率】56.9%(男55.3%、女60.0%、3年前入社:男38名・女20名)【組合】なし

求める人材 教育に興味のある人 教えることにこだわりと情熱を感じられる人

会社データ (金額は百万円)

【本社】420-0839 静岡県静岡市葵区鷹匠2-7-1
☎054-252-1792　https://www.shuei-yobiko.co.jp/
【社長】渡辺 武【設立】1984.11【資本金】2,089【今後力を入れる事業】幼児教育 オンライン教育

【業績(連結)】	売上高	営業利益	経常利益	純利益
22.3	10,906	439	435	41
23.3	10,724	403	406	169
24.3	10,344	217	232	▲425

サービス

㈱昴（すばる） 東京S 9778

【特色】鹿児島、宮崎地盤。中学生向け集団指導塾が主体

修士・大卒採用数	3年後離職率	有休取得年平均	平均年収(平均43歳)
13名	40.0→42.9%	11.4日	442万円

●エントリー情報と採用プロセス●

【受付開始～終了】総3月～継続中【採用プロセス】総ES提出(3月～)→説明会(3～5月)→1次筆記・適性(4～9月)→2次筆記・面接(5～10月)→最終適性・模擬授業・作文・面接(5～11月)→内々定(7～11月)【交通費支給】なし

試験情報

重視科目 総面接 教科 模擬授業

総 ES⇒巻末 筆WebGAB 共通筆記3科目 専門筆記2科目 面2回 GD作⇒巻末

選考ポイント 総面積極性 コミュニケーション能力 コンピテンシー能力 プレゼンテーション能力

通過率 総 ES選考なし(受付:NA)

倍率(応募/内定) 総NA

●男女別採用数と配属先ほか●

【男女・文理別採用実績】

	大卒男	大卒女	修士男	修士女
23年	6(文 4理 2)	0(文 0理 0)	2(文 1理 1)	1(文 1理 0)
24年	5(文 4理 1)	2(文 2理 0)	0(文 0理 0)	0(文 0理 0)
25年	8(文 5理 3)	5(文 4理 1)	0(文 0理 0)	0(文 0理 0)

【25年4月入社者の採用実績校】

文(24年)(大)熊本大 宮崎大 大妻女大 福岡大 日本文理大 熊本学大各1 理(24年)(大)宮崎大1

【24年4月入社者の配属先】

総勤務地:宮崎3 鹿児島2 熊本2 部署:小中学部7

残業(月) 8.6時間 総11.4時間

記者評価 1965年に鶴丸予備校で創業。小中高生向けの集団指導進学塾「昴」、個別指導校などを展開。ラ・サールなど九州難関校で高い合格実績を誇るが、地盤は少子化で上乗せ余地少ないため、熊本や福岡を今後の重点出店地域に。新卒社員は教室長候補として育成。

●給与、ボーナス、週休、有休ほか●

【30歳総合職平均年収】NA【初任給】(大卒)240,000円【ボーナス(年)】70万円、3.61カ月【25、30、35歳賃金】NA【週休】2日(日月または土月)【夏期休暇】連続8日【年末年始休暇】連続5日【有休取得】11.4／20日

●従業員数、勤続年数、離職率ほか●

【男女別従業員数、平均年齢、平均勤続年数】計 308(43.0歳 13.4年) 男 250(43.8歳 13.6年) 女 58(39.7歳 13.0年)【離職率と離職者数】4.6%、15名【3年後新卒定着率】57.1%(男50.0%、女60.0%、3年前入社:男2名・女5名)【組合】なし

求める人材 積極志向、チャレンジ精神のある人 育てることの素晴らしさを味わいながら自分自身もステップアップしたい人 子どもと接するのが好きな人

会社データ (金額は百万円)

【本社】892-0846 鹿児島県鹿児島市加治屋町9-1
☎099-227-9504 https://www.subaru-net.com/
【社長】西村 秋【設立】1972.7【資本金】990【今後力を入れる事業】大学受験 個別指導 中学受験 全九州模試

【業績(単独)】	売上高	営業利益	経常利益	純利益
23.2	3,511	281	300	217
24.2	3,530	144	160	36

㈱クリップコーポレーション 東京S 4705

【特色】個別指導塾と子供向けサッカー教室の2本柱

修士・大卒採用数	3年後離職率	有休取得年平均	平均年収(平均36歳)
3名	NA	NA	総374万円

●エントリー情報と採用プロセス●

【受付開始～終了】総3月～継続中【採用プロセス】総説明会(3～6月)→履歴書提出、面接(2回、3～7月)→内々定(3～8月)【交通費支給】最終(2次)面接、実費相当

試験情報

重視科目 総面接

総 筆一般常識 面2回

選考ポイント 総 ES提出なし 面人間関係能力 話の内容と話し方 対応力 積極性 明るさ

通過率 総 ES―(応募:NA)

倍率(応募/内定) 総NA

●男女別採用数と配属先ほか●

【男女・文理別採用実績】

	大卒男	大卒女	修士男	修士女
23年	3(文 2理 1)	7(文 7理 0)	0(文 0理 0)	0(文 0理 0)
24年	4(文 3理 1)	1(文 1理 0)	0(文 0理 0)	0(文 0理 0)
25年	3(文 2理 1)	0(文 0理 0)	0(文 0理 0)	0(文 0理 0)

【25年4月入社者の採用実績校】

文(大)関西学大 愛知工業大各1 理(大)中部大1

【24年4月入社者の配属先】

総勤務地:東京1 名古屋3 大阪1 部署:学習塾2 サッカー2 バスケ1

残業(月) NA

記者評価 小中学生対象の個別指導塾(中部を地盤に関西、関東、九州等で展開)と子ども向けサッカー教室が柱。子会社に岐阜の「螢雪ゼミナール」。財務体質は強固で、資金力を生かし、3本目の柱となる新規事業を模索。ボイトレ教室、eスポーツ、韓国語教室などに意欲。

●給与、ボーナス、週休、有休ほか●

【30歳総合職平均年収】401万円【初任給】(大卒)202,000円【ボーナス(年)】50万円、NA【25、30、35歳賃金】230,000円→245,000円→267,000円【週休】完全2日(土日祝)【夏期休暇】連続5日【年末年始休暇】なし【有休取得】NA／20日

●従業員数、勤続年数、離職率ほか●

【男女別従業員数、平均年齢、平均勤続年数】計 101(36.9歳 9.5年) 男 80(37.3歳 9.6年) 女 21(35.4歳 9.0年)【離職率と離職者数】NA【3年後新卒定着率】NA【組合】なし

求める人材 子どもの成長に関心があり、自分で企画、運営をしたい人

会社データ (金額は百万円)

【本社】464-0075 愛知県名古屋市千種区内山3-18-10 千種ステーションビル7F
☎052-732-5200 https://www.clip-cor.co.jp/
【会長】井上 憲氏【設立】1981.5【資本金】212【今後力を入れる事業】学習塾 サッカー教室 バスケ教室

【業績(連結)】	売上高	営業利益	経常利益	純利益
22.3	3,205	305	319	217
23.3	2,932	175	183	106
24.3	3,036	46	59	87

㈱ミリアルリゾートホテルズ

株式公開 していない

【特色】東京ディズニーリゾート内でホテルを運営

修士・大卒採用数	3年後離職率	有休取得年平均	平均年収(平均32歳)
NA	NA	15.8日	NA

残業(月) NA

記者評価 オリエンタルランドの完全子会社。社名はファミリアル(家族の)とメモリアル(記念品)に由来。米ディズニー本社のライセンス受け、TDR周辺で「アンバサダーホテル」などを運営。24年6月、「東京ディズニーシー・ファンタジースプリングホテル」が開業。

●エントリー情報と採用プロセス●

【受付開始～終了】㊗〈総合職〉2月～3月〈調理職〉5月～6月【採用プロセス】㊗〈総合職〉エントリー動画・Webテスト(2～3月)→説明会・GD(3～4月)→面接(4～5月)→内々定(5～6月)〈調理職〉ES提出(5～6月)→説明会・集団面接(6月)→面接(7月)→内々定(7月)【交通費支給】あり

試験情報

重視科目 総NA

総 ES NA 筆 あり(内容NA) 面 NA GD作 NA

選考ポイント 総 ES NA(提出あり) 面 NA

通過率 総 ES NA

倍率(応募/内定) 総NA

●男女別採用数と配属先ほか●

【男女・文理別採用実績】

	大卒男	大卒女	修士男	修士女
23年	19(文 19 理 0)	45(文 44 理 1)	0(文 0 理 0)	0(文 0 理 0)
24年	16(文 16 理 0)	63(文 62 理 1)	0(文 0 理 0)	0(文 0 理 0)
25年	NA(文NA 理NA)	NA(文NA 理NA)	NA(文NA 理NA)	NA(文NA 理NA)

【25年4月入社者の採用実績校】
文NA 理NA

【24年4月入社者の配属先】
総NA

●給与、ボーナス、週休、有休ほか●

【30歳総合職平均年収】NA【初任給】(大卒)235,000円【ボーナス(年)】NA【25、30、35歳賃金】NA【週休】2日程度(シフト制)【夏期休暇】なし【年末年始休暇】なし【有休取得】15.8／20日

●従業員数、勤続年数、離職率ほか●

【男女別従業員数、平均年齢、平均勤続年数】計 1,979(32.4歳 8.9年) 男 956(36.3歳 11.7年) 女 1,023(28.7歳 6.4年)【離職率と離職者数】NA【3年後新卒定着率】NA【組合】あり

求める人材 〈総合職〉「ホスピタリティ」に加えて「リーダーシップ」「イニシアティブ」「改善の意識」を持ち、それらを主体的な行動に移せる人〈オペレーションエキスパート社員〉ホスピタリティ チームワーク 向上心〈調理職〉料理好き チームワーク 向上心

会社データ (金額は百万円)

【本社】279-8522 千葉県浦安市舞浜2-18
☎047-305-2800 http://www.milialresorthotels.co.jp/
【社長】チャールズ・D・ベスフォード【設立】1996.6【資本金】450【今後力を入れる事業】ホテル事業

【業績(連結)】	売上高	営業利益	経常利益	純利益
22.3	47,437	6,202	NA	NA
23.3	73,861	17,272	NA	NA
24.3	88,383	24,788	NA	NA

※業績は㈱オリエンタルランドの連結事業のうちホテル事業のもの

㈱西武(せいぶ)・プリンスホテルズワールドワイド

株式公開 していない

【特色】西武HD傘下。ホテル・レジャー事業の中核

修士・大卒採用数	3年後離職率	有休取得年平均	平均年収(平均42歳)
124名	NA	12.1日	NA

残業(月) 25.4時間

記者評価 西武HDの中核事業会社。国内ホテル・レジャー業界で首位級。「プリンスホテル」や「苗場スキー場」などスキー場やゴルフ場を運営。運営ホテルは国内外で80超。35年目処に250ホテルへ拡大を目指す。水族館や映画館などアミューズメント施設も運営。

●エントリー情報と採用プロセス●

【受付開始～終了】㊗3月～4月【採用プロセス】㊗説明会(必須、3～4月)→ES提出・Web適性検査(3～4月)→面接(複数回、4～5月)→内々定(5月)【交通費支給】なし【早期選考】⇒巻末

試験情報

重視科目 総面接

総 ES ⇒巻末 筆 WebGAB 適性検査(Web) 面 複数回(Webあり) GD作 ⇒巻末

選考ポイント 総 ES 求める人財像を基に評価 面 企業理解 論理的思考 計画性 協調性 実行力 等

通過率 総 ES 40%(受付:100→通過:40)

倍率(応募/内定) 総10倍

●男女別採用数と配属先ほか●

【男女・文理別採用実績】

	大卒男	大卒女	修士男	修士女
23年	19(文 19 理 0)	50(文 49 理 1)	0(文 0 理 0)	0(文 0 理 0)
24年	24(文 23 理 1)	78(文 76 理 2)	0(文 0 理 0)	0(文 0 理 0)
25年	39(文 － 理 －)	85(文 － 理 －)	0(文 0 理 0)	0(文 0 理 0)

【25年4月入社者の採用実績校】
文(大)立教大2 ICU 上智大 中大 横国大 早大 RMIT大ベトナム各1 他 理なし

【24年4月入社者の配属先】
総勤務地:研修中4 部署:研修中4

●給与、ボーナス、週休、有休ほか●

【30歳総合職平均年収】NA【初任給】(大卒)251,500円【ボーナス(年)】NA【25、30、35歳賃金】NA【週休】完全2日(土日祝)【夏期休暇】連続5日以上推奨(土日含む、有休で取得)【年末年始休暇】12月30日～1月3日【有休取得】12.1／20日

●従業員数、勤続年数、離職率ほか●

【男女別従業員数、平均年齢、平均勤続年数】計 5,613(41.7歳 17.3年) 男 3,427(45.8歳 21.4年) 女 2,186(34.8歳 10.6年)【離職率と離職者数】NA【3年後新卒定着率】NA(3年前入社:男111名・女194名)【組合】なし

求める人材 変化を恐れずにみずからの意志で一歩踏み出し、歩み続けられる人財

会社データ (金額は百万円)

【本社】171-0022 東京都豊島区南池袋1-16-15 ダイヤゲート池袋
☎03-5928-1111 https://www.princehotels.co.jp/
【社長】金田 佳季【設立】2021.12【資本金】100【今後力を入れる事業】多店舗展開 グローバル展開

【業績(単独)】	売上高	営業利益	経常利益	純利益
22.3	NA	NA	NA	NA
23.3	61,267	3,743	3,694	3,427
24.3	71,376	6,504	6,832	2,347

サービス

(株)ニュー・オータニ

[株式公開 計画なし]

【特色】日系御三家ホテルの一角。内外著名人の利用多い

修士・大卒採用数	3年後離職率	有休取得年平均	平均年収(平均39歳)
48名	33.9 → 21.2%	NA	◇579万円

●エントリー情報と採用プロセス●

【受付開始～終了】[総]3月～4月【採用プロセス】[総]ES提出(3～4月)→説明会(4月)→Webテスト(5月)→面接・面談(4回)→内々定(6月)【交通費支給】なし

試験情報

[重視科目] [総]面接

[総][ES]⇒巻末[筆]Web適性検査[面]4回

[選考ポイント] [総][ES]NA(提出あり)[面]コミュニケーション力(日本語 英語)課題解決力 理解力 論理性 リーダーシップ 協調性 志望度 チャレンジ精神

[通過率] [総][ES]NA

[倍率(応募/内定)] [総]NA

●男女別採用数と配属先ほか●

【男女・文理別採用実績】

	大卒男	大卒女	修士男	修士女
23年	6(文 5理 1)	6(文 5理 1)	0(文 0理 0)	0(文 0理 0)
24年	22(文 20理 2)	28(文 27理 1)	0(文 0理 0)	0(文 0理 0)
25年	13(文 13理 0)	34(文 34理 0)	1(文 0理 1)	0(文 0理 0)

※25年:継続中

【25年4月入社者の採用実績校】
[文](大)文教大4 青学大 学習院大 獨協大 早大各3 大妻女大 駒澤大 玉川大 東京女大 立命館大各2 亜大 関西外大 学習院女大 京都ノートルダム女大 近大 専大 成蹊大 成城大 拓大 中大 津田塾大 東洋大 名古屋外大 日大 日体大 法政大 武庫川女大 龍谷大 和洋女大 和歌山大 延世大各1 [理](院)ICU1

【24年4月入社者の配属先】
[総]勤務地:東京36 大阪8 千葉6 部署:宿泊部20 料飲部23 マネージメントサービス部(デザイン室)3 ゴールデンスパ4

[残業(月)] NA

[記者評価] 実業家の大谷米太郎が1964年の東京五輪を機に東京・紀尾井町に開業。御三家ホテルの一角。東京、大阪、幕張の直営ほか国内13、海外1のグループ形成。東京の旗艦ホテルは都心最大級の規模。日本庭園は内外の顧客評価高い。会員組織テコに宴会・会議需要深耕。

●給与、ボーナス、週休、有休ほか●

【30歳総合職平均年収】NA【初任給】(修士)219,600円(大卒)219,600円【ボーナス(年)】NA【25、30、35歳賃金】NA【週休】月9日【夏期休暇】有休を使用【年末年始休暇】有休を使用【有休取得】NA／20日

●従業員数、勤続年数、離職率ほか●

【男女別従業員数、平均年齢、平均勤続年数】計 1,546(38.6歳 16.2年) 男 980(41.4歳 19.2年) 女 566(33.5歳 10.9年)【離職率と離職者数】9.4%、160名【3年後新卒定着率】78.8%(男87.0%、女72.4%、3年前入社:男23名・女29名)【組合】なし

[求める人材] ホテルを「企業」として捉えて、経営的側面・サービス的側面の両方から、広い視野でホテルを見ることができる人

[会社データ] (金額は百万円)

【本社】102-8578 東京都千代田区紀尾井町4-1
☎03-3265-1111 https://www.newotani.co.jp/
【社長】大谷 和彦【設立】1963.6【資本金】3,462【今後力を入れる事業】国家に貢献できるホテル運営

【業績(連結)】	売上高	営業利益	経常利益	純利益
22.3	32,475	▲11,012	▲3,704	▲4,133
23.3	52,843	258	3,452	2,924
24.3	67,901	8,297	10,667	10,647

藤田観光(株)

ふじたかんこう

[東京P 9722]

【特色】ホテル椿山荘東京やワシントンホテルを運営

修士・大卒採用数	3年後離職率	有休取得年平均	平均年収(平均41歳)
67名	18.2 → 41.0%	11.0日	[総]526万円

●エントリー情報と採用プロセス●

【受付開始～終了】[総]2月～継続中【採用プロセス】[総]説明会(任意)→ES提出・適性検査→面接(2回)→内々定【交通費支給】なし【早期選考】⇒巻末

試験情報

[重視科目] [総]面接

[総][ES]⇒巻末[筆]玉手箱[面]2回(Webあり)[GD作]NA

[選考ポイント] [総][ES]学生時代にどのような事に力を入れて取り組んできたのか[面]業界志望動機 将来のビジョン 就職後にやりたいこと 自主性 表現力 他

[通過率] [総][ES]96%(受付:166→通過:159)

[倍率(応募/内定)] [総]3倍

●男女別採用数と配属先ほか●

【男女・文理別採用実績】

	大卒男	大卒女	修士男	修士女
23年	4(文 4理 0)	13(文 12理 1)	0(文 0理 0)	0(文 0理 0)
24年	18(文 18理 0)	80(文 79理 1)	2(文 2理 0)	2(文 2理 0)
25年	14(文 13理 1)	53(文 51理 2)	0(文 0理 0)	0(文 0理 0)

※25年:予定数

【25年4月入社者の採用実績校】
[文](大)東洋大 立教大各4 産能大3 学習院大 秀明大 上智大 神田外語大 成城大 跡見学園女大 東海大 都立大 日大 文化学園大各2 愛知淑徳大 愛知大 園田学園女大 横国大 学習院女大 国士舘大 昭和女大 神奈川大 大妻女大 東京家政大 東京女大 日女体大 福岡女大 明大 流経大 獨協大各1(理系含む) [理]文系に含む

【24年4月入社者の配属先】[総]勤務地:東京22 神奈川・箱根小田原エリア35 部署:リゾート事業24 WHG事業9 ラグジュアリー&バンケット事業10 本社4 調理部門10

[残業(月)] 12.0時間 [総]14.0時間

[記者評価] 高級ホテル・式場の「ホテル椿山荘東京」、宿泊特化型ホテル「ワシントンホテル」「ホテルグレイスリー」、リゾート「箱根小涌園天悠」などを運営する。23年には箱根ホテル小涌園が新装開業。椿山荘ではチャペルをスイート宿泊者向けラウンジに切り替えた。

●給与、ボーナス、週休、有休ほか●

【30歳総合職平均年収】458万円【初任給】(修士)240,000円(大卒)230,000円【ボーナス(年)】521万円、1.9カ月【25、30、35歳賃金】NA【週休】月平均9日【夏期休暇】なし【年末年始休暇】なし【有休取得】11.0／20日

●従業員数、勤続年数、離職率ほか●

【男女別従業員数、平均年齢、平均勤続年数】計 1,343(38.9歳 14.7年) 男 NA 女 NA ※グループ全体の数値【離職率と離職者数】8.7%、128名【3年後新卒定着率】59.0%(男85.7%、女53.1%、3年前入社:男7名・女32名)【組合】あり

[求める人材] 当社の社是に共感し、グローバルに多様化するお客様に対し「いつも、ありがとうのいちばん近くに」を実現する人

[会社データ] (金額は百万円)

【本社】112-8664 東京都文京区関口2-10-8
☎03-5981-7700 https://www.fujita-kanko.co.jp/
【社長】山下 信典【設立】1955.11【資本金】100【今後力を入れる事業】箱根小涌園再開発 既存事業の構造改革

【業績(連結)】	売上高	営業利益	経常利益	純利益
21.12	28,433	▲15,822	▲16,542	12,675
22.12	43,749	▲4,048	▲4,461	▲5,789
23.12	64,547	6,636	7,081	8,114

(株)帝国ホテル

東京S 9708

【特色】高級シティホテルの老舗。賃貸ビルの収益が安定

修士・大卒採用数	3年後離職率	有休取得年平均	平均年収(平均40歳)
100名	18.8 → 32.3%	9.1日	(総)781万円

●エントリー情報と採用プロセス●

【受付開始～終了】(総)3月～3月【採用プロセス】(総)1次選考(ES・GD)→2次選考(面談)→3次選考(面談・Web試験)→最終選考(面接)→内々定(6月)【交通費支給】3次選考以降、実費

試験情報

重視科目 (総)ES GD 筆記 面接

(総)(ES)⇒巻末(筆)I-Dats Web-DBIT・DPI・DIST(面)3回(Webあり)(GD作)NA

選考ポイント (総)(ES)NA(提出あり)(面)将来的な経営者としての潜在的資質

通過率 (総)(ES)NA

倍率(応募/内定) (総)NA

●男女別採用数と配属先ほか●

【男女・文理別採用実績】

	大卒男	大卒女	修士男	修士女
23年	12(文 12理 0)	25(文 24理 1)	1(文 1理 0)	1(文 1理 0)
24年	7(文 6理 1)	28(文 27理 1)	1(文 0理 1)	0(文 0理 0)
25年	11(文 11理 0)	88(文 87理 1)	0(文 0理 0)	1(文 1理 0)

【25年4月入社者の採用実績校】

(文)(院)学習院大1(大)立教大 日大各3 早大 青学大 学習院大各2 一橋大 お茶女大 明大 中大 法政大 順天堂大 明学大 東洋大 昭和女大 聖心女大 桐朋学大 関東学院大 富山大 立命館大 関大 京都外大 熊本大 北京外大各1 (理)(大)東京女大1

【24年4月入社者の配属先】

(総)勤務地:長野・上高地(研修中)19 部署:宿泊1 レストラン16 売店2

残業(月) 10.0時間 (総)17.1時間

記者評価 日本を代表する高級シティホテル。明治政府の迎賓館として開業。宿泊以外の宴会やレストランも強い。東京、大阪、長野・上高地に直営ホテルがある。東京は24年度から建て替えに着手し、36年度に完了予定。26年には京都にも出店が決定している。

●給与、ボーナス、週休、有休ほか●

【30歳総合職平均年収】539万円【初任給】(修士)233,720円 (大卒)233,720円【ボーナス(年)】NA【25、30、35歳賃金】NA【週休】完全2日(会社暦による)【夏期休暇】連続5日(年次有休の計画取得)【年末年始休暇】連続4日【有休取得】9.1／20日

●従業員数、勤続年数、離職率ほか●

【男女別従業員数、平均年齢、平均勤続年数】計 1,682(39.9歳 15.4年) 男 1,074(42.2歳 18.4年) 女 608(35.6歳 10.0年)【離職率と離職者数】NA【3年後新卒定着率】67.7%(男68.8%、女66.7%、3年前入社:男16名・女15名)【組合】あり

求める人材 <総合コース>これからの帝国ホテルを、積極的に切り拓く人材<専門コース>最高の歓びを、お客様にお届けできる人材

会社データ (金額は百万円)

【本社】100-8558 東京都千代田区内幸町1-1-1
☎03-3504-1111 https://www.imperialhotel.co.jp/

【社長】定保 英弥【設立】1887.12【資本金】1,485【今後力を入れる事業】ホテル事業 外販事業 関連事業

【業績(連結)】	売上高	営業利益	経常利益	純利益
22.3	28,617	▲11,121	▲7,827	▲7,886
23.3	43,772	348	1,652	1,951
24.3	53,335	2,839	3,296	3,377

(株)ホテルオークラ東京

株式公開 計画なし

【特色】世界有数の高級ホテル。世界各国のVIPが利用

修士・大卒採用数	3年後離職率	有休取得年平均	平均年収(平均40歳)
20名	NA	8.7日	(総)525万円

●エントリー情報と採用プロセス●

【受付開始～終了】(総)3月～5月【採用プロセス】(総)説明会(任意、3月)→ES提出(3～5月)→面接・小論文(5月)→適性検査(5～6月)→役員面接(6月)→内々定(6月)【交通費支給】なし

試験情報

重視科目 (総)面接

(総)(ES)⇒巻末(筆)OPQ(面)2回(GD作)⇒巻末

選考ポイント (総)(ES)NA(提出あり)(面)コミュニケーション能力 ホスピタリティマインド 論理的思考力

通過率 (総)(ES)NA

倍率(応募/内定) (総)NA

●男女別採用数と配属先ほか●

【男女・文理別採用実績】

	大卒男	大卒女	修士男	修士女
23年	3(文 3理 0)	6(文 6理 0)	0(文 0理 0)	0(文 0理 0)
24年	2(文 2理 0)	13(文 13理 0)	0(文 0理 0)	0(文 0理 0)
25年	6(文 6理 0)	12(文 12理 0)	0(文 0理 0)	2(文 1理 1)

【25年4月入社者の採用実績校】

(文)(院)日大1(大)玉川大 鶴見大各2 桜美林大 環太平洋大 関大 共立女大 國學院大 白百合女大 城西国際大 東洋大 東洋学大 獨協大 日大 文教大 文京学大 立教大各1 (理)(院)京大1

【24年4月入社者の配属先】

(総)勤務地:東京15 部署:宿泊部13 料飲部2

残業(月) 27.3時間 (総)27.3時間

記者評価 旧大倉財閥2代目・大倉喜七郎が創業。都市型高級ホテルの代表格で、英国王室や各国大統領も宿泊利用する。グループ旗艦「The Okura Tokyo」を運営。館内随所で気品と日本美を訴求。敷地内で美術館「大倉集古館」運営。外国人宿泊客が多く、従業員は英語力が必須。

●給与、ボーナス、週休、有休ほか●

【30歳総合職平均年収】443万円【初任給】(修士)233,650円 (大卒)220,250円【ボーナス(年)】88万円、3.2カ月【25、30、35歳賃金】NA【週休】月8日(交替制)【夏期休暇】8日【年末年始休暇】6日【有休取得】8.7／20日

●従業員数、勤続年数、離職率ほか●

【男女別従業員数、平均年齢、平均勤続年数】計 617(40.3歳 15.9年) 男 403(42.5歳 17.9年) 女 214(36.1歳 12.1年)【離職率と離職者数】NA【3年後新卒定着率】NA【組合】なし

求める人材 人との繋がりを大切に、気概を持って挑戦できる人

会社データ (金額は百万円)

【本社】105-0001 東京都港区虎ノ門2-10-4
☎03-3582-0111 https://theokuratokyo.jp/

【社長】梅原 真次【設立】1962.5【資本金】100【今後力を入れる事業】独自性を追求した国際一流ホテル事業

【業績(単独)】	売上高	営業利益	経常利益	純利益
22.3	11,679	NA	NA	NA
23.3	18,719	NA	NA	NA
24.3	24,519	NA	NA	NA

(株)エイチ・アイ・エス

東京P 9603

【特色】海外旅行が中心の旅行会社。ホテル運営も

修士・大卒採用数	3年後離職率	有休取得年平均	平均年収(平均38歳)
540名	NA	13.4日	◇443万円

●エントリー情報と採用プロセス●

【受付開始〜終了】[総][技]3月〜継続中【採用プロセス】[総][技]説明会(必須)→ES提出・Webテスト・適性検査→面接(複数回)→内々定【交通費支給】なし

試験情報

重視科目 [総][技]面接

[総][技](ES)NA(筆)Webテスト(面)複数回(Webあり)

選考ポイント [総][技](ES)NA(提出あり)(面)NA

通過率 [総][技](ES)NA　倍率(応募/内定) [総][技]NA

●男女別採用数と配属先ほか●

【男女・文理別採用実績】

	大卒男	大卒女	修士男	修士女
23年	0(文 0理 0)	0(文 0理 0)	0(文 0理 0)	0(文 0理 0)
24年	70(文 69理 1)	238(文236理 2)	0(文 0理 0)	2(文 2理 0)
25年	109(文105理 4)	430(文426理 4)	0(文 0理 0)	1(文 1理 0)

【25年4月入社者の採用実績校】(文)(院)ランカスター大1(大)東洋大23 関西外大17 立教大15 東海大14 明大 愛知大 中大各12 西南学大10 立命館大 日大 中京大 近大 名古屋外大 神奈川大各9 青学大 法政大 明学大 駒澤大 関西学大 関大 安田女大 専大各8 上智大 京産大各7 成蹊大 愛知淑徳大 東北学大 神田外語大 昭和女大各6 帝京大 福岡女学大 武庫川女大 同大 福岡大 南山大 金城学大 成城大 同女大 学習院女大各5 北星学大 甲南女大 国士舘大 東京外大 北海学園大 武蔵野大 獨協大 東京女大 桜美林大 玉川大 大妻女大 筑紫女学大 早大各4 静岡県大 明海大 駒沢女大 愛知学大 尚絅学大 宮城学院女大 慶大 大東文化大 共立女大 拓大 実践女大 神戸女学大 亜大 愛知県大 龍谷大 甲南大 國學院大 千葉商大各3 北海道教育大 日女大 流経大 広島大 城西国際大 多摩大 学習院大 大阪国際大 順天堂大 長崎県大 宇都宮大 追手門学大 神戸学大 札幌国際大 フェリス女学大 東京国際大 立命館APU 清泉女大 東洋英和女学大各2 他 (理)(大)日大3 武蔵野大 東京農業大 香川大 近大 第一工科大各1

【24年4月入社者の配属先】[総]勤務地：東京131 神奈川24 千葉6 埼玉11 大阪43 兵庫6 京都4 奈良1 和歌山1 滋賀1 愛知32 岐阜2 石川1 北海道8 宮城6 岩手2 新潟1 福島2 茨城4 群馬3 長野2 山梨2 静岡3 広島4 岡山2 福岡15 熊本2 鹿児島1 長崎1 佐賀1 部署：なし [技]勤務地：なし 部署：なし

残業(月) 19.4時間 [総]19.4時間

記者評価 格安海外航空券の販売で創業。オンライン旅行会社の台頭で、海外の旅行手配会社などの買収を積極化。「変なホテル」などホテル事業、飲食など新事業も育成する。ハウステンボスなどは売却。円安や航空券高騰で割安なアジアや豪州方面から需要は回復。

●給与、ボーナス、週休、有休ほか●

【30歳総合職平均年収】NA【初任給】(修士)(地域による)220,000円 (大卒)(地域による)220,000円【ボーナス(年)】NA【25、30、35歳賃金】NA【週休】完全2日【夏期休暇】連続5日(有休3日、週休2日)【年末年始休暇】連続6日(週休2日含む)【有休取得】13.4／20日

●従業員数、勤続年数、離職率ほか●

【男女別従業員数、平均年齢、平均勤続年数】計 3,980(37.8歳 13.8年) 男 1,358(41.8歳 17.0年) 女 2,622(35.7歳 11.9年)【離職率と離職者数】NA【3年後新卒定着率】NA【組合】なし

求める人材 大きな夢・目標を持ち、失敗を恐れず、挑戦しつづける人

会社データ　(金額は百万円)

【本社】105-6905 東京都港区虎ノ門4-1-1 神谷町トラストタワー
☎050-1743-0080　https://www.his.co.jp/
【社長】矢田 素史【設立】1980.12【資本金】100【今後力を入れる事業】旅行事業 新規事業 非旅行事業

【業績(連結)】	売上高	営業利益	経常利益	純利益
21.10	118,563	▲64,058	▲63,299	▲50,050
22.10	142,794	▲47,934	▲49,001	▲9,547
23.10	251,866	1,397	1,446	▲2,618

(株)阪急交通社

はんきゅうこうつうしゃ

株式公開 計画なし

【特色】旅行会社大手。メディア販売主体。阪急阪神HD傘下

修士・大卒採用数	3年後離職率	有休取得年平均	平均年収(平均43歳)
76名	26.3→15.8%	11.3日	NA

●エントリー情報と採用プロセス●

【受付開始〜終了】[総]3月〜4月【採用プロセス】[総]説明会・プロフィールシート提出(3〜4月)→適性検査・個人面接・最終面接(2〜3回、4〜6月)→内々定(6月)【交通費支給】最終面接、実費

試験情報

重視科目 [総]面接 適性検査

[総](ES)⇒巻末(筆)SPI3(自宅)(面)2〜3回(Webあり)

選考ポイント [総](ES)テーマに沿った回答をしているか 誰が読んでも理解できる文章か 当社ならではの内容になっているか(面)自らの言葉で適確に自己表現ができるか 素直(正直)に答えているか TPOをわきまえた対応ができているか 入社意欲があるか

通過率 [総](ES)NA　倍率(応募/内定) [総]NA

●男女別採用数と配属先ほか●

【男女・文理別採用実績】

	大卒男	大卒女	修士男	修士女
23年	7(文 6理 1)	20(文 20理 0)	0(文 0理 0)	0(文 0理 0)
24年	21(文 19理 2)	52(文 51理 1)	0(文 0理 0)	0(文 0理 0)
25年	26(文 25理 1)	49(文 48理 1)	1(文 0理 1)	0(文 0理 0)

【25年4月入社者の採用実績校】(文)(大)東洋大 関西学大各5 関西外大 京産大 関大 立命館大各4 甲南大 九産大 近大 同大各3 帝京平成大 愛知大各2 広島市大 大分大 北大 札幌国際大 帝京大 山口大 日大 昭和女大 安田女大 新潟大 中村学大 駒澤大 佐賀大 東京学芸大 都立大 奈良大 日女大 西南女学大 南山大 青学大 日体大 明星大 武庫川女大 龍谷大 名古屋外大 名桜大 阪大 和歌山大 大妻女大 愛知淑徳大 大阪経大各1(専)福岡ホスピタリティアカデミー1 (理)(院)新潟大1(大)立正大 東京工科大各1

【24年4月入社者の配属先】[総]勤務地：東京32 大阪24 名古屋4 福岡6 札幌2 仙台1 岡山1 広島1 香川・高松1 愛媛・松山1 部署：営業(企画)58 法人6 経理1 訪日4 仕入3 人事1

残業(月) [総]6.4時間

記者評価 阪急阪神HD傘下で旅行事業を担う。店頭販売は少なく、新聞広告やWeb、自社発行の旅行情報誌等のメディア販売が主。「トラピックス」「クリスタルハート」「フレンドツアー」「ロイヤルコレクション」など5ブランドが中核。企業・学校の団体旅行や語学研修旅行も。

●給与、ボーナス、週休、有休ほか●

【30歳総合職平均年収】NA【初任給】(大卒)(勤務地による)207,000〜217,000円【ボーナス(年)】NA、3.9カ月【25、30、35歳賃金】NA【週休】〈総合職〉完全2日(基本土日祝)【夏期休暇】有休で取得【年末年始休暇】12月30日〜1月3日【有休取得】11.3／20日

●従業員数、勤続年数、離職率ほか●

【男女別従業員数、平均年齢、平均勤続年数】計 1,131(42.8歳 18.7年) 男 664(46.2歳 21.8年) 女 467(37.9歳 14.1年) ※総合職のみ【離職率と離職者数】3.9%、46名【3年後新卒定着率】84.2%(男83.3%、女84.6%、3年前入社：男12名・女26名)【組合】あり

求める人材 「自分が主人公」という意識で仕事を面白く変えていこうと思える人「聴く力」のある人

会社データ　(金額は百万円)

【本社】530-0001 大阪府大阪市北区梅田2-5-25 ハービスOSAKA
☎06-4795-5712　https://www.hankyu-travel.com/
【社長】酒井 淳【設立】2007.10【資本金】100【今後力を入れる事業】ダイナミックパッケージの強化 国内旅行のさらなる拡大(地方自治体との連携強化、地域資源を勝ち要した新たな事業領域の開拓)

【業績(単独)】	売上高	営業利益	経常利益	純利益
22.3	58,409	NA	NA	NA
23.3	188,063	NA	NA	NA
24.3	212,953	NA	NA	NA

サービス

㈱日本旅行

にほんりょこう

株式公開 上場目指す

【特色】旅行業界の老舗。JR西日本系。国内鉄道旅行に強い

修士・大卒採用数	3年後離職率	有休取得年平均	平均年収(平均44歳)
92名	32.0→21.1%	10.5日	NA

●エントリー情報と採用プロセス●

【受付開始～終了】[総]3月～5月【採用プロセス】[総]Webアンケート・エントリー動画提出(3～5月)→Web個人面接(2回、6月初旬)→対面面接(1回、6月中旬)→内々定(6月下旬～7月)【交通費支給】最終選考、会社基準

試験情報

重視科目 [総]面接

[総][ES]NA[筆]なし[面]3回(Webあり)

選考ポイント [総][面]「入社してこんなことをやりたい」という熱い思いが感じられるか 旅行にとらわれず新しい取組みに共感できるか

通過率 [総][ES]選考なし(受付:NA)

倍率(応募/内定) [総]11倍

●男女別採用数と配属先ほか●

【男女・文理別採用実績】

	大卒男	大卒女	修士男	修士女
23年	14(文 13理 1)	12(文 12理 0)	0(文 0理 0)	0(文 0理 0)
24年	31(文 30理 1)	89(文 89理 0)	0(文 0理 0)	0(文 0理 0)
25年	26(文 25理 1)	66(文 66理 0)	0(文 0理 0)	0(文 0理 0)

【25年4月入社者の採用実績校】[文](大)関西学大6 福岡大5 立教大4 創価大 東洋大 立命館大各3 杏林大 岡山大 関西外大 関大 淑徳大 大阪経大 阪大 中大 東京農業大 名古屋外大 明学大各2 グリフィス大 亜大 愛知大 安田女大 茨城大 宇都宮大 浦和大 京都外大 九大 駒澤大 熊本県大 甲南大 国士舘大 桜美林大 三重大 鹿児島国際大 信州大 新潟県大 神戸市外大 成城大 西南学大 静岡県大 静岡文芸大 専大 大正大 大東文化大 拓大 中部大 長崎外大 長崎県大 長崎大 東京経大 東大 東北学大 奈良大 南山大 日大 武庫川女大 文教大 兵庫県大 法政大 北九州市大 名古屋学院大 明星大 立正大 獨協大各1(理系含む) [理]文系に含む

【24年4月入社者の配属先】[総]勤務地:東京23 神奈川2 埼玉2 千葉2 新潟3 山梨1 長野2 群馬1 栃木2 茨城1 愛知6 静岡2 岐阜1 三重1 石川・金沢4 富山2 福井1 滋賀1 大阪17 京都6 奈良1 和歌山1 兵庫7 香川・高松1 高知1 愛媛2 徳島1 広島4 山口2 岡山2 島根1 鳥取1 福岡10 佐賀1 大分1 長崎2 熊本2 部署:営業(個人・団体含)120

残業(月) 9.7時間 [総]10.5時間

記者評価 1905年創業。日本最古の旅行会社。国内「赤い風船」、海外「マッハ」の各ブランドでのパック旅行が主力。JR西日本と連携した鉄道旅行に強み。修学旅行や社員旅行の提案も。地域プロモーションやイベント事務局などソリューション事業に注力。

●給与、ボーナス、週休、有休ほか●

【30歳総合職平均年収】NA【初任給】(大卒)(全国社員・東京)240,000円(エリア社員・東京)229,800円【ボーナス(年)】NA【25、30、35歳賃金】NA【週休】完全2日(土日祝)【夏期休暇】なし【年末年始休暇】12月30日～1月3日【有休取得】10.5/20日

●従業員数、勤続年数、離職率ほか●

【男女別従業員数、平均年齢、平均勤続年数】計 2,028(44.2歳 16.1年) 男 1,073(47.2歳 20.9年) 女 955(40.8歳 10.8年)【離職率と離職者数】3.6%、76名【3年後新卒定着率】78.9%(男88.9%、女70.0%、3年前入社:男9名・女10名)【組合】あり

求める人材 ホスピタリティを持った改革意欲のある人 柔軟性に富み、行動力がある人

会社データ (金額は百万円)

【本社】103-8266 東京都中央区日本橋1-19-1 日本橋ダイヤビルディング12階

☎03-6895-7800 https://www.nta.co.jp/

【社長】小谷野 悦光【設立】1949.1【資本金】100【今後力を入れる事業】ソリューション営業・DX・SDGs

【業績(連結)】	売上高	営業利益	経常利益	純利益
21.12	97,314	2,435	2,280	1,096
22.12	164,893	6,080	6,573	6,957
23.12	209,235	7,846	8,217	7,109

名鉄観光サービス㈱

めいてつかんこう

株式公開 計画なし

【特色】名鉄グループの旅行会社。団体旅行に強み

修士・大卒採用数	3年後離職率	有休取得年平均	平均年収(平均43歳)
80名	50.0→50.0%	9.4日	NA

●エントリー情報と採用プロセス●

【受付開始～終了】[総]3月～3月【採用プロセス】[総]ES提出→Webテスト受検→面接(3回)→内々定【交通費支給】なし【早期選考】⇒巻末

試験情報

重視科目 [総]NA

[総][ES]NA[筆]WebGAB[面]3回(Webあり)[GD作]NA

選考ポイント [総][ES]NA(提出あり)[面]NA

通過率 [総][ES]69%(受付:1,402→通過:974)

倍率(応募/内定) [総]20倍

●男女別採用数と配属先ほか●

【男女・文理別採用実績】

	大卒男	大卒女	修士男	修士女
23年	11(文 11理 0)	11(文 11理 0)	0(文 0理 0)	0(文 0理 0)
24年	31(文 31理 0)	37(文 37理 0)	0(文 0理 0)	0(文 0理 0)
25年	28(文 -理 -)	40(文 -理 -)	0(文 0理 0)	0(文 0理 0)

【25年4月入社者の採用実績校】

[文]未定 [理]未定

【24年4月入社者の配属先】

[総]勤務地:北海道7 東北4 関東16 中部23 関西11 中四国5 九州4 部署:本社5 支店・営業所65

残業(月) 6.6時間 [総]6.6時間

記者評価 国内・海外・インバウンドを軸に旅行事業を展開。売上の柱は国内旅行。名鉄グループの強みを生かし、鉄道・バスや観光施設をパッケージにした旅行企画に特徴。小・中・高校向けの修学旅行など団体旅行が得意。国内86支店、海外はロサンゼルスに事務所。

●給与、ボーナス、週休、有休ほか●

【30歳総合職平均年収】NA【初任給】(博士)NA (修士)NA (大卒)210,000～223,000円【ボーナス(年)】NA、3.0カ月【25、30、35歳賃金】NA【週休】2日(原則土日)【夏期休暇】なし【年末年始休暇】あり【有休取得】9.4/20日

●従業員数、勤続年数、離職率ほか●

【男女別従業員数、平均年齢、平均勤続年数】計 1,013(43.1歳 16.4年) 男 643(46.7歳 19.8年) 女 370(36.9歳 10.5年)【離職率と離職者数】4.7%、50名【3年後新卒定着率】50.0%(男42.9%、女58.3%、3年前入社:男14名・女12名)【組合】あり

求める人材 フレキシビリティ 持続力 豊かな発想 突破力 伸びしろ

会社データ (金額は百万円)

【本社】450-8577 愛知県名古屋市中村区名駅南2-14-19 住友生命名古屋ビル

☎052-582-2110 https://www.mwt.co.jp/

【社長】岩切 道郎【設立】1961.4【資本金】100【今後力を入れる事業】NA

【業績(単独)】	取扱高	営業利益	経常利益	純利益
22.3	61,796	NA	NA	NA
23.3	63,745	NA	NA	NA
24.3	75,788	NA	NA	NA

㈱ジェイアール東海ツアーズ

株式公開 計画なし

【特色】JR東海系の旅行代理店。京都旅行企画などに強み

修士・大卒採用数	3年後離職率	有休取得年平均	平均年収(平均38歳)
8名	NA	17.6日	NA

●エントリー情報と採用プロセス●

【受付開始～終了】[総]3月～4月【採用プロセス】[総]ES提出→面接(複数回)→内々定【交通費支給】NA

試験情報

重視科目 [総]なし

[総][ES]⇒巻末[筆]なし[面]2～3回[GD作]NA

選考ポイント [総][ES]NA(提出あり)[面]主体性 チャレンジ精神 熱意 他

通過率 [総][ES]NA

倍率(応募/内定) [総]NA

●男女別採用数と配属先ほか●

【男女・文理別採用実績】

	大卒男	大卒女	修士男	修士女
23年	0(文 0理 0)	0(文 0理 0)	0(文 0理 0)	0(文 0理 0)
24年	0(文 0理 0)	3(文 3理 0)	0(文 0理 0)	0(文 0理 0)
25年	2(文 2理 0)	6(文 6理 0)	0(文 0理 0)	0(文 0理 0)

※25年:予定数

【25年4月入社者の採用実績校】[文](大)亜大 静岡大 東海大 南山大 佛教大 法政大 名城大 龍谷大 [理]なし

【24年4月入社者の配属先】[総]勤務地:なし 部署:なし

残業(月) 15.0時間

[記者評価] JR東海グループの旅行代理店。JTBも出資。京都、奈良など人気観光地とタイアップした旅行企画に強み。東海道新幹線を利用した「EX旅パック」ブランドの旅行商品を企画販売。「新幹線貸切車両パッケージ」の活用による新規旅行需要の創出に注力。

●給与、ボーナス、週休、有休ほか●

【30歳総合職平均年収】NA【初任給】(大卒)(首都圏)218800円【ボーナス(年)】NA、4.5カ月【25、30、35歳賃金】NA【週休】2日【夏期休暇】なし【年末年始休暇】なし【有休取得】17.6／20日

●従業員数、勤続年数、離職率ほか●

【男女別従業員数、平均年齢、平均勤続年数】計 536(38.0歳 NA) 男 140(40.0歳 NA) 女 396(37.0歳 NA)【離職率と離職者数】NA【3年後新卒定着率】NA【組合】あり

[求める人材] チャレンジ精神にあふれ、失敗をおそれず、自ら判断し行動できる人

[会社データ] (金額は百万円)

【本社】104-0031 東京都中央区京橋1-5-8 三栄ビル2～4階

☎03-3274-9774 https://www.jrtours.co.jp/

【社長】杉浦 雅也【設立】1989.12【資本金】100【今後力を入れる事業】法人事業 EX旅パック・コンテンツの販売

【業績(単独)】	売上高	営業利益	経常利益	純利益
22.3	37,116	▲1,914	▲937	▲948
23.3	71,283	2,369	2,652	3,741
24.3	73,330	2,262	2,259	3,031

日本中央競馬会(にっぽんちゅうおうけいばかい)

株式公開 していない

【特色】政府全額出資の特殊法人。中央競馬を主催

修士・大卒採用数	3年後離職率	有休取得年平均	平均年収(平均42歳)
65名	2.5→0%	12.8日	NA

●エントリー情報と採用プロセス●

【受付開始～終了】[総](地域によって異なる)3月～6月 [技](職種によって異なる)3月～5月【採用プロセス】[総]ES提出(3月～)→筆記(4月)→面接(複数回、5月～)→内々定(6月) [技]ES提出(3月～)→筆記(4月上旬)→面接(複数回、4月)→内々定(4月下旬)【交通費支給】職種によって異なる、遠方者(会社基準)

試験情報

重視科目 [総]<事務職>面接 [技]<技術職・獣医職>面接

[総][ES]NA[筆]一般常識 SCOA[面]複数回(Webあり)[技][ES]NA[筆]SCOA[面]複数回

選考ポイント [総][技][ES]志望動機 自己PR[面]志望動機と志望度の強さ コミュニケーション能力 人間性

通過率 [総][技][ES]NA 倍率(応募/内定) [総][技]NA

●男女別採用数と配属先ほか●

【男女・文理別採用実績】

	大卒男	大卒女	修士男	修士女
23年	26(文 20理 6)	23(文 19理 4)	4(文 0理 4)	2(文 1理 1)
24年	26(文 22理 4)	20(文 18理 2)	5(文 1理 4)	2(文 1理 1)
25年	31(文 23理 8)	26(文 20理 6)	6(文 2理 4)	2(文 0理 2)

【25年4月入社者の採用実績校】[文](院)筑波大 國學院大各1(大)中大5 早大4 慶大3 筑波大 同大 明大 法政大 立教大 関大各2 北大 立命館大 日大 東理大 宮城大 福山市大 横国大 青学大 京都女大 東北大 南山大 東京学芸大 東京外大 専大 東京女大 藤女大 兵庫県大 大阪市大 椙山女学大各1 [理](院)明大 電通大 東京農工大 東理大 法政大 東大各1(大)帯畜大3 日本獣医生命科学大2 法政大 名大 早大 成蹊大 鳥取大 麻布大 酪農学大 新潟大 東大各1

【24年4月入社者の配属先】[総]勤務地:東京(西新橋22 府中4 世田谷3)茨城・美浦3 千葉・船橋5 京都・伏見3 兵庫・宝塚1 滋賀・栗東4 札幌1 新潟市1 愛知・豊明1 福岡・小倉1 部署:総務関係11 お客様事業関係14 業務関係5 システム関係4 馬事関係3 経理関係3 人事関係1 施設関係1 広報関係1 国際関係1 管理関係1 審判関係3 プロモーション関係1 [技]勤務地:東京・西新橋1 茨城・美浦1 滋賀・栗東2 部署:施設関係1 獣医関係4

残業(月) 12.1時間 [総]12.1時間

[記者評価] 通称JRA。日本中央競馬会法に基づく特殊法人で、農林水産大臣の監督下にある。全国10カ所の競馬場で開く中央競馬の出走馬編成、運営管理、騎手育成までの全業務を行う。23年度開催は36回・288日を継続、入場者数もコロナ禍脱し、462万人強へと急回復した。

●給与、ボーナス、週休、有休ほか●

【30歳総合職平均年収】NA【初任給】(修士)218,000円(大卒)218,000円【ボーナス(年)】NA【25、30、35歳賃金】NA【週休】会社暦2日(原則月火)【夏期休暇】8日【年末年始休暇】連続6日【有休取得】12.8／20日

●従業員数、勤続年数、離職率ほか●

【男女別従業員数、平均年齢、平均勤続年数】計 1,682(41.6歳 19.2年) 男 1,219(42.7歳 19.9年) 女 463(38.9歳 17.1年)【離職率と離職者数】0.5%、9名【3年後新卒定着率】100%(男100%、女100%、3年前入社:男26名・女23名)【組合】あり

[求める人材] 高いコミュニケーション能力と柔軟な対応力を備え、自ら考え行動出来る人

[会社データ] (金額は百万円)

【本社】105-0003 東京都港区西新橋1-1-1

☎03-3591-5251 https://jra.jp/

【理事長】吉田 正義【設立】1954.9【資本金】4,924【今後力を入れる事業】競馬の魅力及びお客様の満足度向上

【業績(単独)】	売上高	営業利益	経常利益	純利益
21.12	3,091,112	NA	NA	NA
22.12	3,253,907	NA	NA	NA
23.12	3,286,975	NA	NA	NA

サービス

開示 ★★★☆☆ ▶『業界地図』p.42, 202

㈱オリエンタルランド

東京P 4661

【特色】東京ディズニーリゾート運営。宿泊・商業施設も

修士・大卒採用数	3年後離職率	有休取得年平均	平均年収(平均42歳)
68名	10.7 → 10.6%	17.2日	(総)744万円

●エントリー情報と採用プロセス●

【受付開始～終了】(総)3月～4月 (技)3月～3月【採用プロセス】(総)ES・総合能力検査(3～4月)→グループ選考・ミニ面接(4～5月)→1次面接(5～6月)→最終面接(6月)→内々定 (技)ES・総合能力検査(3月)→グループ選考(4月)→1次面接(4～5月)→最終面接(5月)→内々定【交通費支給】最終面接、実費

試験情報

重視科目 (総)(技)全て

(総)(ES)⇒巻末(筆)SPI3(会場)(面)3回(Webあり)(GD作)⇒巻末 (技)(ES)⇒巻末(筆)SPI3(会場)(面)2回(GD作)⇒巻末

選考ポイント (総)(技)(ES)求める人材像に合致しているか(面)求める人材像に合致しているか

通過率 (総)(技)(ES)NA 倍率(応募/内定) (総)(技)NA

●男女別採用数と配属先ほか●

【男女・文理別採用実績】

	大卒男	大卒女	修士男	修士女
23年	16(文 12理 4)	44(文 38理 6)	3(文 1理 2)	1(文 0理 1)
24年	21(文 19理 2)	38(文 34理 4)	9(文 2理 7)	0(文 0理 0)
25年	21(文 16理 5)	38(文 32理 6)	5(文 0理 5)	4(文 0理 4)

※25年:他にテーマパークマネジメント職約35名採用予定

【25年4月入社者の採用実績校】(文)(大)早大6 青学大 同大 明大 立教大各3 慶大 多摩美大 中大 武蔵野美大各2 お茶女大 デジハリ大 横国大 岡山大 関西学大 関大 芸術文化観光専門職大 昭和女大 上智大 成城大 静岡県大 阪大 長岡造形大 東京外大 東京女大 東京造形大 東大 東理大 東洋大 兵庫県大 法政大 獨協大各1(専)東京山手調理師 服部栄養 平岡調理製菓各1 (理)(院)九大2 京都工繊大 佐賀大 早大 東京工科大 都立大 東理大 東北大各1(大)千葉工大2 愛知工業大 芝工大 新潟大 大和大 東京科学大 東大 東京電機大 東京農工大 明大各1(高専)岐阜 仙台各1

【24年4月入社者の配属先】(総)勤務地:千葉・浦安39 部署:運営本部13 エンターテイメント本部6 フード本部12 商品本部8 (技)勤務地:千葉・浦安11 部署:技術本部11

残業(月) 15.1時間 (総)15.1時間

記者評価 東京ディズニーランド、東京ディズニーシーの運営会社。24年に「アナと雪の女王」や「ピーター・パン」をテーマとしたエリアがシーで開業。新規事業としてクルーズ事業への参入を計画。入園者数を引き下げ、混雑緩和などで満足度を向上させる戦略を打ち出す。

●給与、ボーナス、週休、有休ほか●

【30歳総合職平均年収】NA【初任給】(博士)255,000円(修士)255,000円(大卒)255,000円【ボーナス(年)】NA【25、30、35歳賃金】NA【週休】年123日【夏期休暇】有休で取得【年末年始休暇】有休で取得【有休取得】17.2／20日

●従業員数、勤続年数、離職率ほか●

【男女別従業員数、平均年齢、平均勤続年数】計 3,246(41.5歳 15.6年) 男 1,686(43.8歳 17.5年) 女 1,560(39.1歳 13.6年)【離職率と離職者数】NA【3年後新卒定着率】89.4%(男88.5%、女90.0%、3年前入社:男26名・女40名)【組合】あり

求める人材 オリエンタルランドの企業理念を理解し、それをビジネスと捉え実現することができる人材

会社データ (金額は百万円)

【本社】279-8511 千葉県浦安市舞浜1-1

☎047-305-2155 https://www.olc.co.jp/

【社長】吉田 謙次【設立】1960.7【資本金】63,201【今後力を入れる事業】テーマパーク事業 新規事業

【業績(連結)】	売上高	営業利益	経常利益	純利益
22.3	275,728	7,733	11,278	8,067
23.3	483,123	111,199	111,789	80,734
24.3	618,493	165,437	166,005	120,225

㈱ラウンドワンジャパン

持株会社 傘下

【特色】ボウリング、カラオケなど複合レジャー施設大手

修士・大卒採用数	3年後離職率	有休取得年平均	平均年収(平均*37歳)
65名	NA	14.8日	(総)606万円

●エントリー情報と採用プロセス●

【受付開始～終了】(総)3月～7月【採用プロセス】(総)説明会・適性試験(3月～)→グループ面接・筆記(3～4月)→面接(2回、4～5月)→内々定(5月)【交通費支給】3次選考以降、特急区間利用者のみ(特急区間分往復)【早期選考】⇒巻末

試験情報

重視科目 (総)面接

(総)(筆)CUBIC(適性検査)(面)3回(Webあり)(GD作)NA

選考ポイント (総)(ES)提出なし(面)求める人物像に合致しているか

通過率 (総)(ES)—(応募:NA) 倍率(応募/内定) (総)NA

●男女別採用数と配属先ほか●

【男女・文理別採用実績】※25年:予定・計画数

	大卒男	大卒女	修士男	修士女
23年	30(文 24理 6)	46(文 45理 1)	0(文 0理 0)	0(文 0理 0)
24年	37(文 33理 4)	23(文 23理 0)	2(文 1理 1)	0(文 0理 0)
25年	35(文 32理 3)	30(文 30理 0)	0(文 0理 0)	0(文 0理 0)

【25年4月入社者の採用実績校】(文)(24年)(院)大阪芸大1(大)南山大 福岡大 高知大各2 サルベ・レジーナ大 愛媛大 横浜商大 岡山理大 嘉悦大 学習院女大 環太平洋大 関東学院大 京産大 京都文教大 共立女大 九州女大 小松大 香川大 札幌大 鹿児島大 実践女大 尚絅学大 昭和女大 城西大 常葉大 盛岡大 静岡産大 静岡文芸大 大阪学大 大阪教大 大阪産大 長崎国際大 東海学園大 東北芸工大 東洋大 桃山学大 奈良大 福島大 法政大 北海学園大 北海商大 北海道教育大 名古屋商大各1 (理)(24年)(院)芝工大1(大)吉備国際大 埼玉工大 秋田県大 東京工科大各1

【24年4月入社者の配属先】(総)勤務地:静岡5 愛知4 福岡4 北海道4 東京4 大阪3 千葉3 福島3 香川3 京都2 群馬1 岡山2 埼玉2 兵庫1 愛媛1 沖縄1 岩手1 宮城1 高知1 秋田1 神奈川1 石川1 奈良1 和歌山1 部署:店舗運営50 経理1

残業(月) 13.4時間

記者評価 大阪で開業したローラースケート場が発祥。ボウリング、ゲーム、カラオケ、時間制スポーツなどの複合遊戯施設を全国に展開する。国内に100店舗。近年、人気が高まるクレーンゲームに力を入れている。24年4月から持ち株会社制に移行、当社は国内事業を担う。

●給与、ボーナス、週休、有休ほか●

【30歳総合職平均年収】NA【初任給】(修士)323,000円(大卒)323,000円【ボーナス(年)】NA【25、30、35歳賃金】NA【週休】完全2日(シフト制)【夏期休暇】有休で取得【年末年始休暇】有休で取得【有休取得】14.8／20日

●従業員数、勤続年数、離職率ほか●

【男女別従業員数、平均年齢、平均勤続年数】計 1,282(36.7歳 12.7年) 男 979(38.8歳 14.3年) 女 303(29.9歳 7.7年)【離職率と離職者数】6.4%、88名【3年後新卒定着率】NA【組合】なし

求める人材 「主体性」×「協働」×「しなやか」

会社データ (金額は百万円)

【本社】542-0076 大阪府大阪市中央区難波5-1-60 なんばスカイオ

☎06-6647-6600 https://www.round1.co.jp/

【社長】川口 英嗣【設立】2023.4【資本金】10【今後力を入れる事業】クレーンゲーム事業 コラボイベント 商品開発

【業績(連結)】	売上高	営業利益	経常利益	純利益
22.3	96,421	▲1,726	5,360	3,937
23.3	142,051	16,921	16,690	9,737
24.3	159,181	24,195	24,316	15,666

※業績は㈱ラウンドワンのもの

※注記のないデータは㈱ラウンドワンとの合算数値

 開示 ★★☆☆☆ ▶『業界地図』p.204

㈱バンダイナムコアミューズメント

持株会社傘下

【特色】バンダイナムコHD傘下。アミューズ施設等運営

修士・大卒採用数	3年後離職率	有休取得年平均	平均年収(平均44歳)
27名	8.6 → —	12.9日	NA

残業(月) 14.9時間 総 14.3時間

記者評価 旧名ナムコ。18年の組織再編で現社名に。ゲームセンターを軸に事業展開。「ナンジャタウン」などテーマパークも運営する。全国に約230店舗、海外展開も。インバウンド需要も追い風のカプセルトイ「ガシャポン」は、専門店を積極的に出店。

●エントリー情報と採用プロセス●

【受付開始〜終了】総2月〜3月【採用プロセス】総ES提出(2月下旬〜3月下旬)→SPI・適性検査(3月下旬〜4月中旬)→GD(4月中旬〜4月下旬)→面接(2回、5月下旬〜6月上旬)→内々定(6月中旬)※予定【交通費支給】3次選考・最終選考、会社基準【早期選考】⇒巻末

試験情報

重視科目 総GD 面接

総 ES⇒巻末 筆SPI3(会場) TG-WEB(性格検査) 面2回 GD作NA

選考ポイント 総 ES志望度 事業内容理解 面志望度／企業理解 相手視点 主体性 成長意欲 乗り越える力 他

通過率 総 ES NA

倍率(応募/内定) 総(早期選考含む)43倍

●男女別採用数と配属先ほか●

【男女・文理別採用実績】

	大卒男	大卒女	修士男	修士女
23年	4(文 4理 0)	7(文 6理 1)	0(文 0理 0)	0(文 0理 0)
24年	13(文 10理 3)	14(文 14理 0)	0(文 0理 0)	1(文 1理 0)
25年	18(文 16理 2)	9(文 9理 0)	0(文 0理 0)	0(文 0理 0)

【25年4月入社者の採用実績校】
(文)(大)学習院大 同大 日大 明大各2 宮城教大 京産大 青学大 専大 阪大 東洋大 日本福祉大 法政大 立教大 立命館APU 立命館大 久留米大 駒澤大 同女大 関西学大 文化学園大 文教大各1 (理)(大)千葉工大 専大各1

【24年4月入社者の配属先】
総勤務地:東京14 愛知4 神奈川2 大阪2 京都2 徳島2 福岡2 部署:施設運営20 企画4 プロモーション1 セールス1 海外1 DX1

●給与、ボーナス、週休、有休ほか●

【30歳総合職平均年収】NA【初任給】(博士)260,000円(修士)240,000円(大卒)230,000円【ボーナス(年)】NA【25、30、35歳賃金】NA【週休】完全2日(土日祝)※店舗勤務はシフト制【夏期休暇】7日(週休・有休含む)【年末年始休暇】連続7日【有休取得】12.9／20日

●従業員数、勤続年数、離職率ほか●

【男女別従業員数、平均年齢、平均勤続年数】計 783(43.7歳 10.1年) 男 614(45.8歳 11.1年) 女 169(36.0歳 6.9年)【離職率と離職者数】1.9%、15名(早期退職男3名、女2名含む 他に男3名転籍)【3年後新卒定着率】3年前採用なし【組合】なし

求める人材 お客様の心を豊かすることを最優先に考え、自ら意思をもって革新的な行動ができる人

会社データ (金額は百万円)

【本社】108-0023 東京都港区芝浦3-1-35
☎03-6891-8765 https://bandainamco-am.co.jp/
【社長】川﨑 寛【設立】2006.3【資本金】100【今後力を入れる事業】リアルエンターテインメント事業

【業績(単独)】	売上高	営業利益	経常利益	純利益
22.3	65,297	2,052	2,138	▲904
23.3	79,579	2,934	3,134	1,834
24.3	89,620	3,233	3,484	2,910

㈱東京ドーム(とうきょう)

株式公開していない

【特色】東京ドームなど運営。三井不動産の子会社

修士・大卒採用数	3年後離職率	有休取得年平均	平均年収(平均43歳)
27名	0 → 0%	13.0日	総844万円

残業(月) 8.0時間 総 10.0時間

記者評価 読売ジャイアンツの本拠地・東京ドームや遊園地、スパ・飲食施設、ホテルなどの東京ドームシティを運営。ドーム賃貸、飲食・物販で稼ぐ。21年1月三井不動産がTOBで完全子会社化後、読売新聞グループ本社に保有株20%譲渡。23〜24年に大規模リニューアル実施。

●エントリー情報と採用プロセス●

【受付開始〜終了】総3月〜3月【採用プロセス】総ES提出(3月)→動画選考(4月)→面接(5月)→面接・適性検査(5月)→面接(2回、5月〜)→内々定(6月初旬)【交通費支給】なし【早期選考】⇒巻末

試験情報

重視科目 総面接

総 ES⇒巻末 筆あり(内容NA) 面4回(Webあり)

選考ポイント 総 ES当社とのマッチング 面当社とのマッチング

通過率 総 ES26%(受付:3,600→通過:950)

倍率(応募/内定) 総200倍

●男女別採用数と配属先ほか●

【男女・文理別採用実績】

	大卒男	大卒女	修士男	修士女
23年	10(文 8理 2)	6(文 4理 2)	0(文 0理 0)	0(文 0理 0)
24年	8(文 8理 0)	5(文 4理 1)	2(文 0理 2)	0(文 0理 0)
25年	11(文 10理 1)	13(文 13理 0)	2(文 0理 2)	1(文 0理 1)

【25年4月入社者の採用実績校】
(文)(大)明大4 立教大 青学大各3 成城大 法政大各2 東大 ICU 立命館大 関西学大 東京外大 明学大 慶大 上智大 早大各1 (理)(院)筑波大2 千葉大 早大各1(大)東理大1

【24年4月入社者の配属先】
総勤務地:東京・水道橋15 部署:アミューズメント4 飲食&物販4 東京ドーム2 興行企画2 リテールマネジメント1 ラクーア1 業務1

●給与、ボーナス、週休、有休ほか●

【30歳総合職平均年収】640万円【初任給】(大卒)251,290円【ボーナス(年)】NA【25、30、35歳賃金】NA【週休】2日以上【夏期休暇】なし【年末年始休暇】12月30日〜1月3日【有休取得】13.0／25日

●従業員数、勤続年数、離職率ほか●

【男女別従業員数、平均年齢、平均勤続年数】計 519(41.3歳 16.8年) 男 306(40.5歳 16.1年) 女 213(42.5歳 17.9年)【離職率と離職者数】2.1%、11名【3年後新卒定着率】100%(男100%、女100%、3年前入社:男6名・女3名)【組合】あり

求める人材 エンターテインメントの価値を革新し続けられる人材

会社データ (金額は百万円)

【本社】112-8575 東京都文京区後楽1-3-61
☎03-3811-2111 https://www.tokyo-dome.jp/
【社長】長岡 勤【設立】1936.12【資本金】2,038【今後力を入れる事業】東京ドームシティの価値向上と外部への展開
【業績(単独)】NA

開示 ★★ ▶『業界地図』p.208 1062

東宝(株)
とうほう

東京P 9602

【特色】映画国内首位で演劇も展開。不動産が安定収益源

修士・大卒採用数	3年後離職率	有休取得年平均	平均年収(平均39歳)
21名	0→0%	11.0日	[総]1,030万円

●エントリー情報と採用プロセス●

【受付開始～終了】[総]3月～3月【採用プロセス】[総]ES・Webテスト(3月)→GD(5月)→面接(3回、5～6月)→内々定(6月上旬)【交通費支給】対面面接、会社基準【早期選考】⇒巻末

試験情報

重視科目 [総]面接

[総][ES]⇒巻末[筆]あり(内容NA)[面]3回(Webあり)[GD作]⇒巻末

選考ポイント [総][ES]当社を志望する理由[面]当社を志望する理由

通過率 [総][ES]NA

倍率(応募/内定) [総]NA

●男女別採用数と配属先ほか●

【男女・文理別採用実績】

	大卒男	大卒女	修士男	修士女
23年	8(文 8理 0)	3(文 3理 0)	2(文 0理 2)	0(文 0理 0)
24年	4(文 4理 0)	9(文 8理 1)	1(文 0理 1)	0(文 0理 0)
25年	8(文 8理 0)	11(文 11理 0)	1(文 1理 0)	1(文 1理 0)

【25年4月入社者の採用実績校】
[文](院)阪大 明大各1(大)早大6 慶大4 上智大3 青学大2 東大 立教大 立命館大 日大各1 [理]なし

【24年4月入社者の配属先】
[総]勤務地：東京14 部署：営業系8 管理系6

残業(月) 24.9時間 [総]24.9時間

記者評価 映画製作・配給で「名探偵コナン」「ドラえもん」など定番アニメ中心に国内で独り勝ち状態。子会社に洋画配給の東宝東和。映画館運営も国内最大手。映画館跡地中心の不動産も高収益。海外で人気が高まるアニメを第4の柱にして人気作品の版権事業を積極化。

●給与、ボーナス、週休、有休ほか●

【30歳総合職平均年収】NA【初任給】(大卒)250,000円【ボーナス(年)】NA【25、30、35歳賃金】NA【週休】完全2日(土日祝)【夏期休暇】5日【年末年始休暇】4日【有休取得】11.0／20日

●従業員数、勤続年数、離職率ほか●

【男女別従業員数、平均年齢、平均勤続年数】計401(39.1歳 12.8年)男 NA 女 NA【離職率と離職者数】NA【3年後新卒定着率】100%(男100%、女100%、3年前入社：男6名・女4名)【組合】あり

求める人材 プロフェッショナル志向 引出しとアンテナ プロデュース能力 自分を磨く力

会社データ (金額は百万円)

【本社】100-8415 東京都千代田区有楽町1-2-2 東宝日比谷ビル
☎03-3591-1225 https://www.toho.co.jp/
【社長】松岡 宏泰【設立】1932.8【資本金】10,355【今後力を入れる事業】映画 演劇 アニメ 不動産

【業績(連結)】	売上高	営業利益	経常利益	純利益
22.2	228,367	39,948	42,790	29,568
23.2	244,295	44,880	47,815	33,430
24.2	283,347	59,251	63,024	45,283

東映(株)
とうえい

東京P 9605

【特色】テレビ映画首位級でアニメや戦隊ものに強い

修士・大卒採用数	3年後離職率	有休取得年平均	平均年収(平均43歳)
19名	0→0%	12.3日	[総]857万円

●エントリー情報と採用プロセス●

【受付開始～終了】[総]12月～3月【採用プロセス】[総]ES・作文提出・オンラインテストツール(12月上旬～3月上旬)→デザイン思考テスト・動画選考(4月上旬)→GD(4月下旬)→面接(5月下旬)→最終面接・内々定(6月上旬)【交通費支給】最終面接、東京近郊一律1,000円 上記以外の地域については会社基準【早期選考】⇒巻末

試験情報

重視科目 [総]面接

[総][ES]⇒巻末[筆]WebGAB[面]2回(Webあり)[GD作]⇒巻末

選考ポイント [総][ES]学生時代に最も力を入れたこと、その成果 他[面]コミュニケーション能力 仕事に対する意欲

通過率 [総][ES]23%(受付：2,214→通過：509)

倍率(応募/内定) [総]158倍

●男女別採用数と配属先ほか●

【男女・文理別採用実績】

	大卒男	大卒女	修士男	修士女
23年	3(文 2理 1)	7(文 5理 2)	0(文 0理 0)	1(文 1理 0)
24年	6(文 5理 1)	5(文 4理 1)	0(文 0理 0)	2(文 2理 0)
25年	9(文 8理 1)	10(文 8理 2)	0(文 0理 0)	0(文 0理 0)

【25年4月入社者の採用実績校】
[文](大)早大3 明大2 青学大 関西学大 近大 慶大 上智大 同大 東京女大 長岡造形大 名大 横国大 立教大各1 [理](大)早大2 熊本大1

【24年4月入社者の配属先】
[総]勤務地：東京(銀座9 大泉1)大阪1 京都2 部署：経営戦略1 経理1 営業5 宣伝1 イベント1 製作1 撮影所3

残業(月) NA

記者評価 テレビ朝日HDが筆頭株主。不動産への収益依存比率が東宝、松竹より低い。東西の撮影所や太秦映画村など、映画会社の彩りを最も残す。「仮面ライダー」など戦隊・特撮モノに強み。「ワンピース」などヒット作を多数持つ子会社の東映アニメーションが稼ぎ頭。

●給与、ボーナス、週休、有休ほか●

【30歳総合職平均年収】NA【初任給】(修士)NA (大卒)257,300円【ボーナス(年)】NA【25、30、35歳賃金】NA【週休】完全2日(土日祝)【夏期休暇】連続5日【年末年始休暇】連続6日【有休取得】12.3／22日

●従業員数、勤続年数、離職率ほか●

【男女別従業員数、平均年齢、平均勤続年数】計381(42.7歳 15.4年)男 269(44.4歳 16.2年)女 112(38.9歳 13.5年)【離職率と離職者数】3.3%、13名【3年後新卒定着率】100%(男100%、女100%、3年前入社：男5名・女6名)【組合】あり

求める人材 情熱を持って、"ものがたり"をともに世界へ届けたい人

会社データ (金額は百万円)

【本社】104-8108 東京都中央区銀座3-2-17
☎03-3535-7137 https://www.toei.co.jp/
【社長】吉村 文雄【設立】1949.10【資本金】11,707【今後力を入れる事業】あらゆる映像関連分野

【業績(連結)】	売上高	営業利益	経常利益	純利益
22.3	117,539	17,810	23,303	8,977
23.3	174,358	36,339	40,172	15,025
24.3	171,345	29,342	35,317	13,971

開示 ★★★ ▶『業界地図』p.208 1064

松竹(株)（しょうちく）

東京P 9601

【特色】歌舞伎、映画の老舗。不動産賃貸も安定収益源

修士・大卒採用数	3年後離職率	有休取得年平均	平均年収(平均43歳)
15名	10.5→10.0%	NA	[総]817万円

残業(月) 6.5時間 [総]6.5時間

記者評価 大谷、白井兄弟が歌舞伎興行で創業。映画、歌舞伎、不動産賃貸が3本柱。映画は山田洋二作品が著名。製作・配給のほか、映画館の運営も。歌舞伎の有料動画配信サービスを手がける。劇場アニメ「がんばっていきまっしょい」などアニメ製作も本格化。

●エントリー情報と採用プロセス●

【受付開始～終了】[総]3月～3月【採用プロセス】[総]ES・動画提出・Webテスト(3月)→面接(4月中旬)→GD(4月下旬)→面接(5月上旬)→人事面談(5月下旬)→面接(6月上旬)→内々定(6月上旬)【交通費支給】最終面接、関西などの遠方者のみ

試験情報

重視科目 [総]全て

[総][ES]⇒巻末[筆]SPI3(自宅)[面]3回(Webあり)[GD作]⇒巻末

選考ポイント [総][ES]論理的思考力 コミュニケーション能力 主体性[面]自己の能力を発揮し、会社の業績にいかに貢献できるか コミュニケーション能力

通過率 [総][ES]33%(受付:1,809→通過:600)

倍率(応募/内定) [総]121倍

●給与、ボーナス、週休、有休ほか●

【30歳総合職平均年収】NA【初任給】(修士)255,640円(大卒)255,640円【ボーナス(年)】NA【25、30、35歳賃金】NA【週休】完全2日(土日祝)【夏期休暇】5日【年末年始休暇】12月29日～1月3日【有休取得】NA／25日

●従業員数、勤続年数、離職率ほか●

【男女別従業員数、平均年齢、平均勤続年数】計601(42.8歳 16.2年) 男313(44.0歳 16.2年) 女288(41.6歳 15.0年)【離職率と離職者数】2.3%、14名【3年後新卒定着率】90.0%(男85.7%、女100%、3年前入社:男7名・女3名)【組合】あり

●男女別採用数と配属先ほか●

【男女・文理別採用実績】

	大卒男	大卒女	修士男	修士女
23年	3(文 3理 0)	8(文 8理 0)	1(文 1理 0)	0(文 0理 0)
24年	5(文 5理 0)	3(文 3理 0)	1(文 0理 1)	2(文 2理 0)
25年	6(文 5理 1)	7(文 7理 0)	2(文 2理 0)	0(文 0理 0)

【25年4月入社者の採用実績校】
[文](院)慶大 京大各1(大)早大 法政大各2 一橋大 関西学大 明大 青学大 愛知学大 城西大 聖心女大 成均館大各1 [理](大)慶大1

【24年4月入社者の配属先】
[総]勤務地:東京7 大阪2 京都1 部署:映画営業1 映画企画1 経理1 不動産1 歌舞伎座1 新橋演舞場2 大阪松竹座2 南座1

求める人材 映画、演劇を始めとするエンタメビジネスの世界で新たな事業を創造し、実現できる人

会社データ (金額は百万円)

【本社】104-8422 東京都中央区築地4-1-1 東劇ビル
☎03-5550-1544 https://www.shochiku.co.jp/
【社長】髙橋 敏弘【設立】1920.11【資本金】33,018【今後力を入れる事業】映像 演劇 不動産 新規事業

【業績(連結)】	売上高	営業利益	経常利益	純利益
22.2	71,835	▲4,005	▲2,801	▲1,762
23.2	78,212	▲776	1,359	5,484
24.2	85,428	3,584	2,866	3,016

セントラルスポーツ(株)

東京P 4801

【特色】総合スポーツクラブの草分け。水泳等スクールも

修士・大卒採用数	3年後離職率	有休取得年平均	平均年収(平均40歳)
27名	49.5→23.8%	9.9日	[総]687万円

残業(月) 12.1時間 [総]14.1時間

記者評価 1969年創業のフィットネス業界の老舗。ジム、スタジオ、プール備えた総合スポーツクラブを展開。水泳や体操などのスクールにも力を注ぎ、数多くの五輪選手を輩出。小型24時間ジムも出店。コロナで大幅に減ったフィットネスの在籍会員数は緩やかに回復基調。

●エントリー情報と採用プロセス●

【受付開始～終了】[総]4月～継続中【採用プロセス】[総]Webセミナー・Webテスト・履歴書提出(4月～)→面接(2～3回、4月～)→内々定(5月～)【交通費支給】最終選考、遠方者の新幹線・飛行機代実費【早期選考】⇒巻末

試験情報

重視科目 [総]面接

[総][ES]⇒巻末[筆]CAM I9[面]2～3回(Webあり)

選考ポイント [総][面]コミュニケーション能力 バイタリティ 状況適応能力 マネジメント能力(思考)

通過率 [総][ES]―(応募:(一般職含む)239)

倍率(応募/内定) [総](一般職含む)10倍

●給与、ボーナス、週休、有休ほか●

【30歳総合職平均年収】441万円【初任給】(修士)222,000円(大卒)218,500円【ボーナス(年)】85万円、2.8カ月【25、30、35歳賃金】231,250円→254,067円→352,876円【週休】隔週2日【夏期休暇】有休で取得【年末年始休暇】有休で取得【有休取得】9.9／20日

●従業員数、勤続年数、離職率ほか●

【男女別従業員数、平均年齢、平均勤続年数】計1,055(41.4歳 16.4年) 男647(42.9歳 17.3年) 女408(39.1歳 15.0年)【離職率と離職者数】8.2%、94名【3年後新卒定着率】76.2%(男66.7%、女88.9%、3年前入社:男12名・女9名)【組合】なし

●男女別採用数と配属先ほか●

【男女・文理別採用実績】※25年:24年8月1日時点

	大卒男	大卒女	修士男	修士女
23年	24(文 24理 0)	18(文 18理 0)	0(文 0理 0)	0(文 0理 0)
24年	21(文 20理 1)	17(文 17理 0)	1(文 1理 0)	0(文 0理 0)
25年	15(文 15理 0)	10(文 10理 0)	2(文 2理 0)	0(文 0理 0)

【25年4月入社者の採用実績校】[文](院)京都府大 文教大各1(大)金沢学大 帝京大各2 東京国際大 神奈川大 日体大 畿央大 桜美林大 流経大 順天堂大 釧路公大 桐蔭横浜大 昭和女大 新潟医療福祉大 大阪体大 札幌大 愛知淑徳大 関東学院大 環太平洋大 東洋学大 神戸国際大 新潟青陵大各1(短)長野女1(専)大原ビジネス公務員2 大原簿記情報ビジネス 大原ビジネス公務員保育 札幌スポーツ&メディカル 北海道スポーツ 大原スポーツ公務員 横浜YMCAスポーツ各1 [理]なし

【24年4月入社者の配属先】[総]勤務地:東京11 神奈川6 千葉4 兵庫3 埼玉3 北海道2 大阪2 宮城2 愛知2 福島1 長野1 群馬1 岩手1 部署:インストラクター39

求める人材 豊かな人間性と創造力・発想力 スポーツをビジネスにできるビジネスアスリート

会社データ (金額は百万円)

【本社】104-8255 東京都中央区新川1-21-2 茅場町タワー
☎03-5543-1800 https://www.central.co.jp/
【社長】後藤 聖治【設立】1970.5【資本金】2,261【今後力を入れる事業】ウェルネス事業 特定保健指導 介護予防事業

【業績(連結)】	売上高	営業利益	経常利益	純利益
22.3	40,338	1,517	2,595	1,540
23.3	43,602	1,850	1,346	793
24.3	45,379	2,653	2,181	1,160

㈱ルネサンス

東京P 2378

【特色】総合スポーツクラブの業界大手。各種スクールも

修士・大卒採用数	3年後離職率	有休取得年平均	平均年収(平均38歳)
61名	8.3 → 37.5%	9.6日	[総] 536万円

●エントリー情報と採用プロセス●

【受付開始～終了】[総]3月～未定【採用プロセス】[総]Web説明会(必須)→ES提出・適性検査・録画面接→2次選考(Web個人面接)→人事面談→最終面接(Web)→内々定【交通費支給】なし

試験情報

重視科目 [総]面接

[総][ES]⇒巻末[筆]TAL[面]3回(Webあり)

選考ポイント [総][ES]学生時代に力を入れて取り組んだこと 他 [面]適性 コミュニケーション能力 リーダーシップ 他

通過率 [総][ES]97%(受付:336→通過:325)

倍率(応募/内定) [総]4倍

●男女別採用数と配属先ほか●

【男女・文理別採用実績】

	大卒男	大卒女	修士男	修士女
23年	32(文 29 理 3)	26(文 25 理 1)	1(文 1 理 0)	1(文 0 理 1)
24年	25(文 22 理 3)	29(文 28 理 1)	2(文 1 理 1)	1(文 1 理 0)
25年	31(文 29 理 2)	25(文 22 理 3)	1(文 0 理 1)	4(文 4 理 0)

【25年4月入社者の採用実績校】[文](院)鹿屋体大 立命館大 岐阜協大 上越教大各1(大)十文字学女大 國學院大各3 広島国際大 大東文化大 東海大 東洋大 立教大各2 愛知学大 杏林大 沖縄国際大 関東学院大 京都光華女大 桐蔭横浜大 金沢星稜大 熊本学大 甲南大 国士舘大 札幌大 山形大 松蔭大 新潟医療福祉大 神戸女学大 神戸親和大 仙台大 大阪経大 大阪産大 大手前大 筑波大 追手門学大 帝京平成大 東京未来大 徳島大 南九州大 日女体大 日大 富山大 福岡大 法政大 名桜大 名城大 明海大 明大各1(短)仙台青葉学院 大阪成蹊各1(専)札幌スポーツ&メディカル3 大原ビジネス公務員盛岡校2 大原スポーツ公務員山形校 仙台リゾート&スポーツ リリーこども&スポーツ 広島リゾート&スポーツ 大阪社体スポーツ 東京リゾート&スポーツ 名古屋リゾート&スポーツ各1 [理](院)千葉工大1(大)帝京大2 帝京科学大 帝京平成大 神戸大各1

【24年4月入社者の配属先】[総]勤務地:東京17 神奈川13 埼玉9 千葉9 愛知4 大阪3 福岡3 静岡2 山口・徳山2 長野2 兵庫2 山形2 茨城1 沖縄1 熊本1 奈良1 宮城1 新潟1 広島1 宮崎1 部署:健康価値共創部1 スポーツクラブ68 介護リハビリ事業7

残業(月) 16.1時間 [総]16.1時間

記者評価 ジムやスタジオ、プールを備えた総合スポーツクラブを展開。児童対象の水泳などの各種スクールも手がける。コロナ影響で落ち込んだフィットネス会員数は回復基調に。介護リハビリ事業の育成にも力を注ぐ。東急系のスポーツオアシスを買収して業界最大手に。

●給与、ボーナス、週休、有休ほか●

【30歳総合職平均年収】464万円【初任給】(大卒)211,000～246,000円【ボーナス(年)】96万円、3.027カ月【25、30、35歳賃金】277,272円→316,825円→346,634円【週休】2日(本社:土日 他:シフト制)【夏期休暇】有休で取得【年末年始休暇】12月30日～1月2日+有休で取得【有休取得】9.6／20日

●従業員数、勤続年数、離職率ほか●

【男女別従業員数、平均年齢、平均勤続年数】計1,500(37.7歳 11.4年) 男895(39.4歳 13.3年) 女605(35.3歳 8.6年)【離職率と離職者数】7.5%、122名【3年後新卒定着率】62.5%(男80.0%、女47.1%、3年前入社:男15名・女17名)【組合】なし

求める人材 「健康」「ホスピタリティ」「チャレンジ」「チームワーク」「成果の追求」の価値観を体現できる人

会社データ (金額は百万円)

【本社】130-0026 東京都墨田区両国2-10-14 両国シティコア
☎03-5600-5411　https://www.s-renaissance.co.jp/
【社長】岡本 利治【設立】1982.8【資本金】3,210【今後力を入れる事業】スポーツクラブ事業 ヘルスケア事業 新規事業

【業績(連結)】	売上高	営業利益	経常利益	純利益
22.3	37,120	912	632	513
23.3	40,760	680	311	▲1,141
24.3	43,627	1,261	524	632

日本郵船㈱

にっぽんゆうせん

東京P 9101

【特色】海運売上で国内首位。陸運など総合物流強化

修士・大卒採用数	3年後離職率	有休取得年平均	平均年収(平均38歳)
74名	1.9 → 7.4%	16.9日	[総] 1,443万円

●エントリー情報と採用プロセス●

【受付開始～終了】[総]2月～3月【採用プロセス】[総]ES提出(2～3月)・試験・適性検査→面接(複数回)→内々定【交通費支給】対面面接全て、新幹線・飛行機代(会社基準)

試験情報

重視科目 [総]面接

[総][ES]⇒巻末[筆]SPI3(自宅) 自社オリジナル[面]複数回(Webあり)

選考ポイント [総][ES]NA(提出あり)[面]バイタリティ、やり抜く力、柔軟性等を総合的に評価

通過率 [総][ES]NA

倍率(応募/内定) [総]NA

●男女別採用数と配属先ほか●

【男女・文理別採用実績】

	大卒男	大卒女	修士男	修士女
23年	34(文 22 理 12)	17(文 15 理 2)	7(文 1 理 6)	1(文 0 理 1)
24年	35(文 20 理 15)	21(文 18 理 3)	9(文 0 理 9)	1(文 1 理 0)
25年	34(文 19 理 15)	26(文 20 理 6)	10(文 2 理 8)	4(文 0 理 4)

【25年4月入社者の採用実績校】
[文](院)東北大2(大)慶大11 早大5 一橋大 京大 上智大各3 東大 滋賀大 東京外大 同大各2 阪大 筑波大 明大 法政大 中大 津田塾大各1 [理](院)東大 東京科学大各2 京大 北大 東北大 阪大 名大 慶大 早大 同大各1(大)東京海洋大9 神戸大4 東大 京大 東北大 信州大 早大 鹿児島大 長崎大 水産大各1(高専)鳥羽商船 広島商船各1

【24年4月入社者の配属先】
[総]勤務地:東京本店および国内外 部署:研修後 各部署に配属

残業(月) 19.4時間 [総]19.4時間

記者評価 源流は坂本龍馬の海援隊の業務を岩崎弥太郎が引き継いだ九十九商会。NYKブランドは世界的で自動車船、LNG船は世界2位。コンテナ船は18年に商船三井、川崎汽船と統合。傘下に郵船ロジスティクスを持ち総合物流企業として展開。省エネ化など技術開発に積極的。

●給与、ボーナス、週休、有休ほか●

【30歳総合職モデル年収】1,187万円【初任給】(大卒)323,300円【ボーナス(年)】NA【25、30、35歳モデル賃金】417,300円→494,300円→613,050円【週休】完全2日(土日祝)【夏期休暇】7日(4月～翌3月で取得)【年末年始休暇】12月31日～1月3日【有休取得】16.9／20日

●従業員数、勤続年数、離職率ほか●

【男女別従業員数、平均年齢、平均勤続年数】計1,656(39.7歳 16.3年) 男1,385(39.6歳 16.1年) 女271(40.2歳 17.4年)【離職率と離職者数】1.8%、30名(早期退職男3名、女3名含む 他に男4名転籍)【3年後新卒定着率】92.6%(男90.2%、女100%、3年前入社:男41名・女13名)【組合】あり

求める人材 変革に対応できるバイタリティーを備えた国際人たりうる人材

会社データ (金額は百万円)

【本社】100-0005 東京都千代田区丸の内2-3-2 郵船ビル
☎03-3284-5151　https://www.nyk.com/
【社長】曽我 貴也【設立】1885.9【資本金】144,319【今後力を入れる事業】LNG輸送 自動車物流 エネルギー分野

【業績(連結)】	売上高	営業利益	経常利益	純利益
22.3	2,280,775	268,939	1,003,154	1,009,105
23.3	2,616,066	296,350	1,109,790	1,012,523
24.3	2,387,240	174,679	261,341	228,603

㈱商船三井（しょうせんみつい）

東京P 9104

【特色】海運大手。LNG船、自動車船等不定期船に強み

修士・大卒採用数	3年後離職率	有休取得年平均	平均年収（平均37歳）
84名	7.5→1.7％	10.1日	[総]1,741万円

●エントリー情報と採用プロセス●

【受付開始～終了】[総]2月～4月 [技]2月～2月【採用プロセス】[総]ES提出（2～4月）→Webテスト→GD（1回）→面接（3回）→内々定 [技]ES提出（2月）→Webテスト→面接（3回）→内々定

【交通費支給】2次面接以降、首都圏外（実費）

試験情報

重視科目 [総][技]全て

[総][技][ES]NA[筆]あり（内容NA）[面]3回（Webあり）[GD作]NA

選考ポイント [総][技][ES]NA（提出あり）[面]求める人物要件へのマッチ度合い

通過率 [総][技][ES]NA

倍率（応募/内定） [総][技]NA

●男女別採用数と配属先ほか●

【男女・文理別採用実績】

	大卒男	大卒女	修士男	修士女
23年	40（文 26理 14）	13（文 11理 2）	12（文 1理 11）	3（文 0理 3）
24年	41（文 21理 20）	17（文 14理 3）	15（文 3理 12）	4（文 1理 3）
25年	47（文 29理 18）	15（文 11理 4）	15（文 1理 14）	7（文 2理 5）

【25年4月入社者の採用実績校】

[文]（院）慶大 阪大 マレーシア科学大各1（大）早大10 慶大7 東大4 東京外大3 同大 明大 一橋大 神戸大各2 立命館大 お茶女大 横国大 法政大 中大 青学大 阪大 名大各1 [理]（院）阪大4 京大 九大各3 東京科学大 早大各2 東大 北大 千葉大 慶大 神戸大各1（大）東京海洋大11 神戸大6 上智大 東大 京大 阪大 水産大各1（高専）鳥羽商船 富山各2 大島商船1

【24年4月入社者の配属先】

[総]勤務地：〈陸上職〉東京38 部署：研修後 各部署に配属 [技]勤務地：〈陸上職〉東京5 部署：研修後 各部署に配属

残業（月） 34.7時間 [総]36.9時間

[記者評価] 大阪商船と三井船舶が合併して発足。海運大手3社の一角。LNG船、自動車船では世界最大規模。コンテナ船は日本郵船、川崎汽船と事業統合。不動産事業に加えLNGなどエネルギー輸送事業を強化。洋上風力発電も展開。アンモニアなど次世代燃料実用化にも注力。

●給与、ボーナス、週休、有休ほか●

【30歳総合職平均年収】1,349万円【初任給】（修士）347,700円（大卒）315,000円【ボーナス（年）】NA【25、30、35歳賃金】360,221円→588,447円→697,511円【週休】完全2日（土日祝）【夏期休暇】7労働日【年末年始休暇】12月31日～1月3日【有休取得】10.1／20日

●従業員数、勤続年数、離職率ほか●

【男女別従業員数、平均年齢、平均勤続年数】計 903（38.5歳 13.0年）男 625（38.7歳 13.1年）女 278（38.0歳 12.6年）※他社への出向者を除く【離職率と離職者数】1.3%、12名（選択定年男1名、女2名含む 他に男19名移籍）【3年後新卒定着率】98.3%（男97.7%、女100%、3年前入社：男44名・女14名）【組合】あり

[求める人材] 〈陸上職（事務系・技術系）〉リーダーシップ バイタリティ コミュニケーション能力 問題解決力〈海上職〉リーダーシップ バイタリティ オーガナイズ能力 問題解決力

[会社データ] （金額は百万円）

【本社】105-8688 東京都港区虎ノ門2-1-1
☎03-3587-7238 https://www.mol.co.jp/

【社長】橋本 剛【設立】1884.5【資本金】66,016【今後力を入れる事業】海を起点とした社会インフラ事業

【業績（連結）】	売上高	営業利益	経常利益	純利益
22.3	1,269,310	55,005	721,779	708,819
23.3	1,611,984	108,709	811,589	796,060
24.3	1,627,912	103,132	258,986	261,651

川崎汽船㈱（かわさききせん）

東京P 9107

【特色】海運国内3位。電力炭船、自動車船に強み

修士・大卒採用数	3年後離職率	有休取得年平均	平均年収（平均39歳）
66名	0→4.0％	15.0日	[総]1,429万円

●エントリー情報と採用プロセス●

【受付開始～終了】[総] [技]2月～3月【採用プロセス】[総] [技]適性検査（知的能力・性格）（2～3月）→ES提出（3～4月）→面接（3回、5～6月）→内々定（6月）※面接途中にGD・適性検査あり【交通費支給】〈陸上職〉最終面接〈海上職〉最終面接、会社基準

試験情報

重視科目 [総][技]面接

[総][技][ES]NA[筆]自社オリジナル[面]3回（Webあり）[GD作]⇒巻末

選考ポイント [総][技][ES]NA（提出あり）[面]コミュニケーション能力 学生時代の取り組み 熱意 将来性 他

通過率 [総][技][ES]NA

倍率（応募/内定） [総][技]NA

●男女別採用数と配属先ほか●

【男女・文理別採用実績】

	大卒男	大卒女	修士男	修士女
23年	33（文 22理 11）	15（文 14理 1）	7（文 0理 7）	1（文 1理 0）
24年	33（文 15理 18）	11（文 11理 0）	19（文 1理 18）	2（文 0理 2）
25年	39（文 20理 19）	18（文 17理 1）	9（文 0理 9）	0（文 0理 0）

【25年4月入社者の採用実績校】[文]（院）関西学大1（大）慶大5 早大4 立教大3 国際教養大2 北大 東大 一橋大 東京外大 津田塾大 上智大 中大 千葉大 横国大 滋賀大 阪大 同大 九大各1 ※陸上総合職のみ [理]（院）北大 東大 東京科学大 慶大 横国大 東京海洋大 京大 神戸大 広島大 九大 九州工大各1（大）早大 慶大 神戸大 九大各1 ※陸上総合職のみ

【24年4月入社者の配属先】

[総]勤務地：東京・千代田33 部署：営業24 経理4 財務1 人事2 法務1 デジタル1 [技]勤務地：東京・千代田9 部署：先進技術 2 造船技術 5 GHG削減戦略 2

残業（月） 29.4時間 [総]33.8時間

[記者評価] 第一次大戦後、旧川崎造船所（現川崎重工業）のストック・ボート11隻の現物出資で設立。自動車船に強い。鉄鉱石などばら積み船は中長期契約主体。海運大手3社の一角。コンテナ船は日本郵船、商船三井と18年に統合。LNG船や洋上風力などエネルギー関連を強化。

●給与、ボーナス、週休、有休ほか●

【30歳総合職平均年収】NA【初任給】（修士）296,400円（大卒）296,400円【ボーナス（年）】NA【25、30、35歳賃金】NA【週休】完全2日（土日祝）【夏期休暇】有休で取得【年末年始休暇】12月31日～1月3日【有休取得】15.0／27日

●従業員数、勤続年数、離職率ほか●

【男女別従業員数、平均年齢、平均勤続年数】計 847（38.8歳 14.4年）男 601（38.8歳 14.6年）女 246（38.5歳 13.5年）【離職率と離職者数】2.0%、17名【3年後新卒定着率】96.0%（男100%、女87.5%、3年前入社：男17名・女8名）【組合】あり

[求める人材] コミュニケーション力に優れ、当事者意識の高い人

[会社データ] （金額は百万円）

【本社】100-8540 東京都千代田区内幸町2-1-1 飯野ビルディング
☎03-3595-5000 https://www.kline.co.jp/

【社長】明珍 幸一【設立】1919.4【資本金】75,457【今後力を入れる事業】鉄鋼原料 自動車船 LNG輸送船

【業績（連結）】	売上高	営業利益	経常利益	純利益
22.3	756,983	17,663	657,504	642,424
23.3	942,606	78,857	690,839	694,904
24.3	962,300	84,763	135,796	104,776

サービス

開示 ★★

▶『業界地図』p.258 2649

N Sユナイテッド海運(株)

東京P 9110

【特色】海運準大手で日本郵船系。鉄鋼原料輸送に強い

修士・大卒採用数	3年後離職率	有休取得年平均	平均年収(平均40歳)
5名	0 → 33.3%	本文参照	1,143万円

●エントリー情報と採用プロセス●

【受付開始～終了】総3月～4月【採用プロセス】総ES提出(3～4月)→筆記(3～4月)→面接(複数回、5～6月)→内々定(6月)【交通費支給】3次面接以降、本州の大学在籍者(関東圏を除く)一律20,000円、その他の地域一律30,000円

試験情報

重視科目 総面接 適性検査

総 ES⇒巻末 筆C-GAB 面複数回(Webあり) GD作NA

選考ポイント 総 ES NA(提出あり) 面コミュニケーション能力 職業・組織への適性・適応力 学業成績 他

通過率 総 ES NA(受付:977→通過:NA)

倍率(応募/内定) 総195倍

●男女別採用数と配属先ほか●

【男女・文理別採用実績】

	大卒男	大卒女	修士男	修士女
23年	4(文 3理 1)	1(文 1理 0)	1(文 0理 1)	0(文 0理 0)
24年	3(文 3理 0)	3(文 3理 0)	0(文 0理 0)	0(文 0理 0)
25年	3(文 3理 0)	2(文 2理 0)	0(文 0理 0)	0(文 0理 0)

【25年4月入社者の採用実績校】
文(24年)(大)早大 同大各2 阪大 関西学大各1 理(24年)なし

【24年4月入社者の配属先】
総勤務地:東京・大手町6 部署:営業6

残業(月) 8.8時間 総8.8時間

記者評価 日鐵汽船が母体で新和海運に改称後、外航海運の日鉄海運と合併し現体制へ。日本郵船系だが筆頭株主は日本製鉄。子会社で内航海運も。主力は長期契約主体のバラ積み船。超大型船導入し、海外資源メジャーとの契約増強。メタノール二元燃料船など脱炭素化注力。

●給与、ボーナス、週休、有休ほか●

【30歳総合職平均年収】NA【初任給】(大卒)298,700円【ボーナス(年)】NA【25、30、35歳賃金】NA【週休】完全2日(土日祝)【夏期休暇】本人が指定する7日(6月～3月)【年末年始休暇】連続5日【有休取得】(夏期休暇含む)15.8／20日

●従業員数、勤続年数、離職率ほか●

【男女別従業員数、平均年齢、平均勤続年数】計 234(40.2歳 13.8年) 男 NA 女 NA【離職率と離職者数】NA【3年後新卒定着率】66.7%(男50.0%、女100%、3年前入社:男4名・女2名)【組合】あり

求める人材 仕事に共感し、ニーズや市況を見極める洞察力、柔軟性、成長への強い意志を持った人材

会社データ (金額は百万円)

【本社】100-8108 東京都千代田区大手町1-5-1
☎03-6895-6400 https://www.nsuship.co.jp/
【社長】山中 一馬【設立】2010.10【資本金】10,300【今後力を入れる事業】大型船型による資源輸送の一層の強化

【業績(連結)】	売上高	営業利益	経常利益	純利益
22.3	195,941	26,711	26,606	23,582
23.3	250,825	32,487	33,444	27,603
24.3	233,100	21,601	22,185	17,986

飯野海運(株)

東京P 9119

【特色】海運準大手。主力はケミカル船。不動産賃貸も

修士・大卒採用数	3年後離職率	有休取得年平均	平均年収(平均38歳)
7名	10.0 → 11.1%	10.8日	総1,524万円

●エントリー情報と採用プロセス●

【受付開始～終了】総3月～5月【採用プロセス】総ES提出・Webテスト(3～5月)→筆記(4～6月)・面接(3回、3～6月)→内々定(6月)【交通費支給】1次面接以降、首都圏以外は一律

試験情報

重視科目 総面接

総 ES⇒巻末 筆ミキワメ 面3回

選考ポイント 総 ES人材要件とのマッチング 文章力 思考力 一般常識 熱意 面人材要件・社風や価値観とのマッチング コミュニケーション力

通過率 総 ES 17%(受付:558→通過:94)

倍率(応募/内定) 総80倍

●男女別採用数と配属先ほか●

【男女・文理別採用実績】

	大卒男	大卒女	修士男	修士女
23年	1(文 1理 0)	4(文 3理 1)	1(文 0理 1)	0(文 0理 0)
24年	5(文 5理 0)	5(文 5理 0)	0(文 0理 0)	1(文 0理 1)
25年	3(文 2理 1)	3(文 3理 0)	1(文 0理 1)	0(文 0理 0)

【25年4月入社者の採用実績校】
文(大)東京外大2 早大 北大 上智大各1 理(院)東京農工大1 (大)法政大1

【24年4月入社者の配属先】
総勤務地:東京・霞が関11 部署:営業4 業務管理1 経営企画1 事業戦略1 サステナビリティ推進1 DX推進1 人事1 経理1

残業(月) 26.1時間 総30.3時間

記者評価 海運と不動産の二輪経営。海運事業の売上比率は9割弱だが、収益の柱は東京・千代田区の飯野ビル等の不動産賃貸。準大手のケミカルタンカーは中東・アジアに強い。LPG二元燃料船導入など脱炭素化に向けた取り組みに注力。陸上職を対象にした乗船実習がある。

●給与、ボーナス、週休、有休ほか●

【30歳総合職平均年収】710万円【初任給】(修士)308,800円 (大卒)295,710円【ボーナス(年)】NA【25、30、35歳モデル賃金】321,370円→393,810円→534,090円【週休】完全2日(土日祝)【夏期休暇】7日(通年で取得可)【年末年始休暇】6日(有休1日含む)【有休取得】10.8／20日

●従業員数、勤続年数、離職率ほか●

【男女別従業員数、平均年齢、平均勤続年数】計 196(37.9歳 12.8年) 男 151(NA) 女 45(NA)【離職率と離職者数】0.5%、1名(他に男2名転籍)【3年後新卒定着率】88.9%(男100%、女80.0%、3年前入社:男4名・女5名)【組合】あり

求める人材 改革 自律 不屈 外向性 建設的

会社データ (金額は百万円)

【本社】100-0011 東京都千代田区内幸町2-1-1 飯野ビルディング
☎03-6273-3085 https://www.iino.co.jp/kaiun/
【社長】大谷 祐介【設立】1918.12【資本金】13,092【今後力を入れる事業】ガス船事業 グローバル事業

【業績(連結)】	売上高	営業利益	経常利益	純利益
22.3	104,100	7,524	9,431	12,526
23.3	141,324	19,835	20,677	22,681
24.3	137,950	19,063	21,800	19,745

サービス

開示 ★★★★

▶『業界地図』p.258 2424

2429 ▶『業界地図』p.84,256　開示 ★☆☆☆☆

ぜんにっぽんくうゆ
全日本空輸㈱

[持株会社傘下]

【特色】航空業界首位。自社路線豊富で貨物も上規模大

修士・大卒採用数	3年後離職率	有休取得年平均	平均年収(平均39歳)
683名	NA	NA	NA

●エントリー情報と採用プロセス●

【受付開始～終了】[総][技]3月～4月【採用プロセス】[総][技]ES提出(3～4月)→面接(3回、6月上旬)→内々定(6月中旬)【交通費支給】最終面接、会社基準

試験情報

[重視科目] [総][技]NA

[総][技][ES]NA[筆]あり(内容NA)[面]3回(Webあり)[GD作]NA

[選考ポイント] [総][技][ES]NA(提出あり)[面]NA

[通過率] [総][技][ES]NA

[倍率(応募/内定)] [総][技]NA

●男女別採用数と配属先ほか●

【男女・文理別採用実績】

	大卒男	大卒女	修士男	修士女
23年	25(文 9理 16)	20(文 15理 5)	17(文 0理 17)	5(文 1理 4)
24年	65(文 26理 39)	25(文 16理 9)	43(文 4理 39)	12(文 3理 9)
25年	106(文 63理 43)	478(文446理 32)	76(文 5理 71)	23(文 11理 12)

【25年4月入社者の採用実績校】
[文]NA [理]NA

【24年4月入社者の配属先】
NA

[残業(月)] NA

[記者評価] 国内線・国際線首位。13年に持株会社体制に移行。新興の航空会社を次々に実質的傘下に収め、国内線を拡大。グループのLCC2社を統合。24年から中距離国際線の「エアージャパン」就航。訪日外国人客の集客に注力。貨物も買収で規模拡大中。

●給与、ボーナス、週休、有休ほか●

【30歳総合職平均年収】NA【初任給】(博士)278,576円(修士)262,077円(大卒)249,557円【ボーナス(年)】NA【25、30、35歳賃金】NA【週休】2日(変則勤務部門は別調整)【夏期休暇】4日【年末年始休暇】事業所により異なる【有休取得】NA／20日

●従業員数、勤続年数、離職率ほか●

【男女別従業員数、平均年齢、平均勤続年数】計 14,566(39.2歳 14.2年) 男 4,313(NA 20.4年) 女 10,253(NA 11.0年)【離職率と離職者数】NA【3年後新卒定着率】NA【組合】あり

[求める人材] 厳しい環境の中でも挑戦心をもって最後までやり抜く強さがあり、しなやかで逞しい人財

[会社データ]　(金額は百万円)

【本社】105-7133 東京都港区東新橋1-5-2 汐留シティセンター
☎03-6735-1000　https://www.anahd.co.jp/
【社長】井上 慎一【設立】1952.12【資本金】25,000【今後力を入れる事業】航空運送事業

【業績(連結)】	売上高	営業利益	経常利益	純利益
22.3	1,020,324	▲173,127	▲184,935	▲143,628
23.3	1,707,484	120,030	111,810	89,477
24.3	2,055,900	207,900	207,600	157,000

※業績はANAホールディングス㈱のもの

にほんこうくう
日本航空㈱

[東京P 9201]

【特色】国内空運業界2位。10年の経営破綻から再建

修士・大卒採用数	3年後離職率	有休取得年平均	平均年収(平均46歳)
119名	6.3→7.9%	16.9日	[総]832万円

●エントリー情報と採用プロセス●

【受付開始～終了】[総]3月～3月 3月～6月 [技]3月～3月 3月～5月【採用プロセス】[総]<1>ES提出・SPI(3月)→書類選考・面接選考他(3～4回、4～6月)→内々定(6月)<2>ES提出・SPI(3～6月)→面接選考他(3～4回、6月下旬～7月中旬)→内々定(7月中旬) [技]<1>ES提出・SPI(3月)→書類選考・面接選考他(3～4回、4～6月)→内々定(6月)<2>ES提出・SPI(3～5月)→面接選考他(3～4回、6～7月)→内々定(7月)【交通費支給】選考後半、遠方は実費(航空便や特急列車)近隣は一部支給

試験情報

[重視科目] [総][技]全て

[総][技][ES]⇒巻末[筆]SPI3(会場)[面]3～4回(Webあり)

[選考ポイント] [総][技][ES]どのような経験をして来たのか どのような考え方をしているのか どのような思いを持ってエントリーしたのか[面]どのような経験をして来たのか どのような考え方をしているのか どのような思いを持ってエントリーしたのか

[通過率] [総][ES]NA(受付:4,900→通過:NA)[技][ES]NA(受付:450→通過:NA)

[倍率(応募/内定)] [総]64倍 [技]10倍

●男女別採用数と配属先ほか●

【男女・文理別採用実績】

	大卒男	大卒女	修士男	修士女
23年	34(文 21理 13)	29(文 19理 10)	22(文 1理 21)	11(文 1理 10)
24年	72(文 35理 37)	56(文 47理 9)	47(文 16理 31)	18(文 9理 9)
25年	46(文 33理 13)	31(文 27理 4)	37(文 5理 32)	5(文 1理 4)

【25年4月入社者の採用実績校】[文](院)東大 神戸大各1(大)早大 明大各7 慶大6 青学大5 法政大 立教大各3 阪大 学習院大各2 他 [理](院)東大 阪大 早大各3 北大 京大各2 神戸大1(大)早大2 慶大 明大 九大 阪大 上智大各1 他

【24年4月入社者の配属先】[総]勤務地:北海道16 仙台2 東京78 千葉8 大阪10 沖縄8 福岡15 部署:現業配属74 間接配属63(人事 財務 経理 営業 現業サポート マイレージ デジタル推進 データ分析他) [技]勤務地:東京56 部署:現業配属 56

[残業(月)] 9.7時間 [総]9.7時間

[記者評価] 国際線、国内線ともに2位。無理な拡大戦略などで10年に経営破綻。その後再建し、12年再上場。近年は国際線拡大のために機材購入や新規就航、経営破綻で撤退していた貨物専用便の運航再開など積極姿勢。24年には同社で初となるCA出身の女性社長が誕生。

●給与、ボーナス、週休、有休ほか●

【30歳総合職平均年収】581万円【初任給】(修士)266,286円(大卒)251,000円【ボーナス(年)】242万円、5.3カ月【25、30、35歳賃金】NA【週休】完全2日(土日祝)【夏期休暇】なし【年末年始休暇】4日【有休取得】16.9／20日

●従業員数、勤続年数、離職率ほか●

【男女別従業員数、平均年齢、平均勤続年数】計 4,668(46.6歳 20.3年) 男 3,578(48.5歳 23.2年) 女 1,090(40.2歳 10.6年)【離職率と離職者数】1.6%、78名【3年後新卒定着率】92.1%(男92.6%、女90.9%、3年前入社:男27名・女11名)【組合】あり

[求める人材] 新しい価値を創造できる人財 人を育てることのできるリーダーシップを持った人財 他

[会社データ]　(金額は百万円)

【本社】140-8637 東京都品川区東品川2-4-11 野村不動産天王洲ビル
☎03-5460-3068　https://www.jal.com/
【社長】鳥取 三津子【設立】1953.10【資本金】273,200【今後力を入れる事業】航空運送事業 マイル・ライフ・インフラ事業

【業績(IFRS)】	売上高	営業利益	税前利益	純利益
22.3	682,713	▲234,767	▲246,617	▲177,551
23.3	1,375,589	65,059	52,429	34,423
24.3	1,651,890	140,932	139,306	95,534

※データは業務企画職(総合職)のもの

1019 ▶『業界地図』p.84,256　開示 ★★★☆☆

朝日航洋(株)（あさひこうよう）

株式公開 未定

【特色】トヨタの連結子会社。空輸や空からの調査に定評

修士・大卒採用数	3年後離職率	有休取得年平均	平均年収(平均42歳)
24名	12.0→5.4%	10.4日	総622万円

●エントリー情報と採用プロセス●

【受付開始～終了】総技2月～3月【採用プロセス】総技ES提出(2～3月)・Webテスト→1次GD(Web)・2次面接(4月)→最終面接(4～5月)→内々定【交通費支給】2次面接以降、会社規定額【早期選考】⇒巻末

試験情報

重視科目 総技面接 ES Webテスト

総 ES⇒巻末 筆WebGAB 面2回(Webあり) GD作⇒巻末
技 ES⇒巻末 筆WebGAB 操縦職／整備職 内田クレペリン検査 面2回(Webあり) GD作⇒巻末

選考ポイント 総技 ES業務内容を理解しているか 組織との関わり方 面自律性と協調性があるか 質問に対して自分の言葉で語っているか 入社後のビジョンがあるか

通過率 総 ES73%(受付:216→通過:157) 技 ES88%(受付:157→通過:138) 倍率(応募/内定) 総14倍 技4倍

●男女別採用数と配属先ほか●

【男女・文理別採用実績】

	大卒男	大卒女	修士男	修士女
23年	10(文 4理 6)	4(文 3理 1)	3(文 0理 3)	1(文 0理 1)
24年	12(文 6理 6)	5(文 4理 1)	7(文 2理 5)	2(文 0理 2)
25年	11(文 6理 5)	9(文 9理 0)	3(文 0理 3)	1(文 0理 1)

【25年4月入社者の採用実績校】文(大)明学大3 福島大2 早大 日大 中大 大東文化大 お茶女大 高崎経大 国士舘大 立命館大 関大 鹿児島大各1 理(院)富山大 金沢工大 筑波大 茨城大各1(大)金沢工大2 立正大 日大 室蘭工大各1(短)千葉職能1(専)国際航空2 中日本航空 成田国際 日本航空大学校 日本航空北海道各1

【24年4月入社者の配属先】総勤務地:東京(新木場5 池袋2) 埼玉・川越2 大阪・吹田1 仙台1 部署:営業5 運航管理2 資材1 経理1 情報システム1 人事1 技勤務地:東京・新木場3 埼玉・川越14 大阪(八尾2 吹田4) 名古屋1 部署:操縦士1 整備9 技術14

残業(月) 14.1時間 総16.3時間

記者評価 航空、空間情報の両事業が柱。航空は業界首位のヘリコプターとビジネスジェットの旅客輸送、調査・視察・報道向けが主力。ドクターヘリも手がける。空間情報は地理情報システムや測量技術に強み。航空事業は東京・江東区、空間事業は埼玉・川越に本部を置く。

●給与、ボーナス、週休、有休ほか●

【30歳総合職平均年収】NA【初任給】(修士)251,000円(大卒)242,000円【ボーナス(年)】NA、5.0カ月【25、30、35歳賃金】NA【週休】完全2日(土日祝)※一部シフト制【夏期休暇】2日【年末年始休暇】12月29日～1月3日【有休取得】10.4／20日

●従業員数、勤続年数、離職率ほか●

【男女別従業員数、平均年齢、平均勤続年数】計 1,163(42.1歳 14.4年) 男 940(43.2歳 15.5年) 女 223(37.4歳 9.8年)【離職率と離職者数】2.8%、34名【3年後新卒定着率】94.6%(男91.3%、女100%、3年前入社:男23名・女14名)【組合】あり

求める人材 チーム力 考える力 行動する力 やり遂げる力

会社データ (金額は百万円)

【本社】136-0082 東京都江東区新木場4-7-41
☎049-238-6288 https://www.aeroasahi.co.jp/
【社長】加藤 浩士【設立】1955.7【資本金】3,192【今後力を入れる事業】自治体インフラ支援 エアモビリティ 機体整備事業
【業績(連結)】NA

日本通運(株)（にっぽんつううん）

持株会社 傘下

【特色】陸海空の総合物流で世界最大級。日米亜に強み

修士・大卒採用数	3年後離職率	有休取得年平均	平均年収(平均47歳)
300名	19.6→23.0%	16.6日	総721万円

●エントリー情報と採用プロセス●

【受付開始～終了】総3月～通年【採用プロセス】総ES提出・適性検査(3月)→面談(複数回、4月～)→内々定(4月下旬～)【交通費支給】最終面接、会社基準

試験情報

重視科目 総面接

総 ES⇒巻末 筆OPQ 自社オリジナル(Web) 面複数回(Webあり)

選考ポイント 総 ES自己PR 志望動機 面コミュニケーション能力 行動的能力 組織適性 志望の意欲 他

通過率 総 ES NA 倍率(応募/内定) 総NA

●男女別採用数と配属先ほか●

【男女・文理別採用実績】※25年:約300名採用予定

	大卒男	大卒女	修士男	修士女
23年	140(文128理 12)	142(文141理 1)	3(文 3理 0)	5(文 4理 1)
24年	131(文117理 14)	147(文139理 8)	6(文 2理 4)	6(文 4理 2)
25年	-(文 -理 -)	-(文 -理 -)	-(文 -理 -)	-(文 -理 -)

【25年4月入社者の採用実績校】文(院)立命館大 横国大 國學院大 京大 立教大(大)明大 早大 上智大 中大 法政大 立教大 南山大 学習院大 関西学大 同大 日大 慶大 成蹊大 東京外大 流経大 立命館大 中京大 津田塾大 東京女大 横浜市大 國學院大 拓大 関大 明学大 獨協大 名古屋外大 神戸市外大 青学大 近大 神田外語大 駒澤大 甲南大 関西外大 昭和女大 都立大 横国大 香川大 同女大 聖心女大 亜大 北海学園大 京都外大 神奈川大 愛知大 清泉女大 武蔵大 滋賀大 福岡大 東北大 専大 静岡大 千葉大 神戸大 龍谷大 愛知学大 創価大 日本文理大 広島市大 成城大 大妻女大 立命館APU 大阪公大 阪大 理(院)一橋大 東洋大 岡山大(大)日大 慶大 明大 神戸大 早大

【24年4月入社者の配属先】総勤務地:関東甲信越123 北海道・東北14 中部28 関西33 中国・四国13 九州20 部署:航空85 海運52 倉庫36 複合33 鉄道コンテナ6 重機建設11 美術品1 その他7

残業(月) 20.3時間 総23.3時間

記者評価 1872年設立の国策企業「陸運元会社」が前身。国内もさまざまな輸送事業を展開するが、主力は国際物流。陸海空の総合物流を手がける。海外で1年間トレーニングする研修に加え駐在(約4～5年)も多く、グローバル企業として総合商社と共に志望する学生も多い。

●給与、ボーナス、週休、有休ほか●

【30歳総合職平均年収】501万円【初任給】(修士)246,100円(大卒)243,300円【ボーナス(年)】115万円、3.5カ月【25、30、35歳モデル賃金】252,200円→321,200円→400,500円【週休】2日【夏期休暇】有休で取得【年末年始休暇】12月30日～1月4日(祝日含む)【有休取得】16.6／30日

●従業員数、勤続年数、離職率ほか●

【男女別従業員数、平均年齢、平均勤続年数】計 17,723(45.7歳 19.7年) 男 11,909(48.6歳 24.6年) 女 5,814(39.7歳 9.6年)【離職率と離職者数】6.6%、1,253名(選択定年192名含む)【3年後新卒定着率】77.0%(男74.0%、女79.1%、3年前入社:男173名・女249名)【組合】あり

求める人材 自ら課題を見つけ、解決することができ、自ら成長し続ける人財 変化をチャンスと捉え、自ら挑戦と変革を繰り返す人財 常に相手の立場になって考え、真摯に、誠実に向き合って行動できる人財

会社データ (金額は百万円)

【本社】101-8647 東京都千代田区神田和泉町2 NXグループビル
☎03-5801-1111 https://www.nittsu.co.jp/
【社長】竹添 進二郎【設立】1937.10【資本金】70,175【今後力を入れる事業】グローバル・ロジスティクス事業

【業績(IFRS)】	売上高	営業利益	経常利益	純利益
23.12	2,239,017	60,098	61,208	37,050

※資本金・業績はNIPPON EXPRESSホールディングス(株)のもの

サービス

▶『業界地図』p.252,298

せいのううんゆ
西濃運輸(株)
持株会社 傘下

【特色】路線トラック最大手。愛称は「カンガルー便」

修士・大卒採用数	3年後離職率	有休取得年平均	平均年収(平均37歳)
50名	8.5 → NA	NA	㊎641万円

●エントリー情報と採用プロセス●
【受付開始～終了】㊎3月～継続中【採用プロセス】㊎説明会(必須、3月～)→ES提出・Web試験→Web面接→最終面接→内々定【交通費支給】最終選考、実費【早期選考】⇒巻末

試験情報

重視科目 ㊎面接

㊎ES⇒巻末 筆 玉手箱 面 2回(Webあり) GD作 ⇒巻末

選考ポイント ㊎ESプラス思考でチャレンジ精神があるか 周囲と柔軟なコミュニケーションがとれるか 面 人となりが面接においてアピールできているか 学生時代に何を目的に行動し、何を学んだか

通過率 ㊎ES95%(受付:279→通過:265)

倍率(応募/内定) ㊎23倍

●男女別採用数と配属先ほか●
【男女・文理別採用実績】

	大卒男	大卒女	修士男	修士女
23年	46(文 46理 0)	11(文 11理 0)	0(文 0理 0)	0(文 0理 0)
24年	35(文 35理 0)	25(文 25理 0)	0(文 0理 0)	0(文 0理 0)
25年	30(文 30理 0)	20(文 20理 0)	0(文 0理 0)	0(文 0理 0)

【25年4月入社者の採用実績校】文(大)青学大 愛知淑徳大 愛知大 関大 京都外大 京都橘大 近大 金城学大 駒澤大 熊本学大 埼玉工大 山形大 上智大 静岡大 川村学女大 大阪市大 大東文化大 中大 中京大 中部大 朝日大 東海学園大 同大 南山大 二松学舎大 日女大 日大 福岡大 法政大 北里大 名古屋外大 名古屋学院大 名古屋市大 名古屋女大 名古屋商大 名城大 明学大 明大 明星大 立命館大 龍谷大各1 理NA

【24年4月入社者の配属先】㊎勤務地:群馬・前橋2 埼玉(岩槻2 和光2)千葉(柏2 船橋2 佐倉2)東京(港2 墨田1 渋谷2)神奈川(横浜2 鶴見2 茅ヶ崎2)愛知(知多2 豊橋2 大府2 小牧2)静岡2 岐阜(関2 各務原1)新潟・長岡2 大阪(東大阪2 堺2)神戸1 部署:陸運支店43

残業(月) NA

記者評価 セイノーHDの中核会社で路線トラックの草分け。営業拠点を全国展開。収益性の高い商業小口貨物が主力。福山通運と共同配送で提携、SGHDとも連携進める。成田支店軸に国内・国際一貫輸送体制構築。傘下にマッチングプラットフォーム「ハコベル」。

●給与、ボーナス、週休、有休ほか●
【30歳総合職平均年収】NA【初任給】(修士)288,893円(大卒)235,893円【ボーナス(年)】NA【25、30、35歳賃金】NA【週休】2日(日祝・月3回程度主に土曜休)【夏期休暇】連続2日【年末年始休暇】連続4日【有休取得】NA／20日

●従業員数、勤続年数、離職率ほか●
【男女別従業員数、平均年齢、平均勤続年数】計 1,279(38.0歳 13.7年) 男 1,106(38.9歳 14.4年) 女 173(31.6歳 8.6年)【離職率と離職者数】NA【3年後新卒定着率】NA【組合】あり

求める人材 何事もプラス思考で臨み、コアを持った元気のある人

会社データ (金額は百万円)

【本社】503-8501 岐阜県大垣市田口町1
☎0584-82-5000　https://www.seino.co.jp/
【社長】髙橋 智【設立】1946.11【資本金】100【今後力を入れる事業】商業小口輸送 ロジスティクス 国際 新規事業

【業績(単独)】	売上高	営業利益	経常利益	純利益
22.3	264,055	11,142	11,632	6,945
23.3	267,366	10,553	11,336	6,504
24.3	306,238	10,383	10,976	5,240

ふくやまつううん
福山通運(株)
東京P 9075

【特色】路線トラック大手。小口の企業間配送が得意

修士・大卒採用数	3年後離職率	有休取得年平均	平均年収(平均34歳)
64名	NA	6.0日	㊎560万円

●エントリー情報と採用プロセス●
【受付開始～終了】㊎4月～継続中【採用プロセス】㊎説明会・ES提出(4月～)→面接・筆記(4月上旬)→内々定(4月下旬)【交通費支給】なし【早期選考】⇒巻末

試験情報

重視科目 ㊎面接

㊎ES⇒巻末 筆 一般常識 面 1回

選考ポイント ㊎ES自己PR 志望理由 他 面 当社志望理由 当社への理解度 就職に対する考え方 自己表現力 他

通過率 ㊎ES選考なし(受付:NA)

倍率(応募/内定) ㊎NA

●男女別採用数と配属先ほか●
【男女・文理別採用実績】

	大卒男	大卒女	修士男	修士女
23年	60(文 55理 5)	55(文 54理 1)	0(文 0理 0)	0(文 0理 0)
24年	43(文 35理 8)	38(文 37理 1)	0(文 0理 0)	0(文 0理 0)
25年	26(文 24理 2)	38(文 37理 1)	0(文 0理 0)	0(文 0理 0)

※25年:24年7月時点、150名採用予定

【25年4月入社者の採用実績校】
文(24年)(大)福山大10 広島市大 福山市大 関西外大各2 慶大 東北大 明大 九大 目白大 日大 福岡大各1 他 理(24年)(大)島根大 福山大各2 名大 法政大 広島経大各1 他

【24年4月入社者の配属先】
㊎勤務地:東京・江東28 愛知・北名古屋6 大阪・福島12 広島・福山20 他20 部署:運輸貨物事務86

残業(月) 30.0時間 ㊎20.0時間

記者評価 1948年設立の路線トラック(特別積み合わせ便、複数の荷主の荷物を全国ネットワークで運ぶ)大手。同業のセイノーHDとは共同運行をするなど以前から提携関係にある。積載量2倍のダブル連結トラックの導入に注力。外注よりも自社戦力を重視する方針。

●給与、ボーナス、週休、有休ほか●
【30歳総合職平均年収】460万円【初任給】(博士)NA(修士)NA(大卒)(東京)225,200円【ボーナス(年)】81万円、NA【25、30、35歳賃金】350,000円→400,000円→450,000円【週休】年110日【夏期休暇】約5日(年間休日110日に含む)【年末年始休暇】約6日(年間休日110日に含む)【有休取得】6.0／20日

●従業員数、勤続年数、離職率ほか●
【男女別従業員数、平均年齢、平均勤続年数】計 1,552(35.8歳 11.3年) 男 800(37.5歳 13.0年) 女 752(34.0歳 9.5年)【離職率と離職者数】NA【3年後新卒定着率】NA【組合】あり

求める人材 向上心と不撓不屈の信念をもっている人

会社データ (金額は百万円)

【本社】721-8555 広島県福山市東深津町4-20-1
☎084-924-2000　https://corp.fukutsu.co.jp/
【社長】小丸 成洋【設立】1948.9【資本金】30,310【今後力を入れる事業】商業小口貨物 流通加工事業拡大

【業績(連結)】	売上高	営業利益	経常利益	純利益
22.3	291,266	22,091	23,196	16,763
23.3	293,358	21,375	22,985	20,791
24.3	287,563	10,448	12,973	7,834

トナミ運輸㈱

持株会社 傘下

【特色】富山地盤の路線トラック大手。3PLを強化中

修士・大卒採用数	3年後離職率	有休取得年平均	平均年収（平均44歳）
未定	31.8 → 34.8%	NA	NA

●エントリー情報と採用プロセス●

【受付開始～終了】㊗3月～継続中【採用プロセス】㊗説明会（必須）→書類提出（3月～）→適性検査→面接（1～2回）→役員面接→内々定（随時）【交通費支給】最終役員面接以降、実費【早期選考】⇒巻末

試験情報

重視科目 ㊗面接

㊗ ES⇒巻末 筆 適性検査（Web、自宅受検）面 2～3回（Webあり）

選考ポイント ㊗面 周囲の人との接し方や関わり方、学生時代に取り組んだこと、仕事への意気込み他

通過率 ㊗ ES 選考なし（受付:NA）

倍率（応募/内定） ㊗3倍

●男女別採用数と配属先ほか●

【男女・文理別採用実績】

	大卒男	大卒女	修士男	修士女
23年	14（文 14 理 0）	9（文 9 理 0）	0（文 0 理 0）	0（文 0 理 0）
24年	18（文 18 理 0）	3（文 3 理 0）	0（文 0 理 0）	0（文 0 理 0）
25年	－（文 －理 －）	－（文 －理 －）	－（文 －理 －）	－（文 －理 －）

※25年：継続中

【25年4月入社者の採用実績校】

文（24年）流経大3 日大 明学大 帝京大 高千穂大 城西大 中京大 名古屋商大 北陸大 高岡法科大 新潟産大 大阪産大 佛教大 京産大 奈良大 帝塚山大 大手前大各1 他 理（24年）なし

【24年4月入社者の配属先】

㊗勤務地：東京8 埼玉7 富山1 石川1 愛知3 大阪7 部署：営業4 業務19 経理1 管理部門3

残業（月） NA

記者評価 複数の荷主の荷物を全国網で運ぶ路線トラックの大手。持株会社トナミHDの傘下。航空・海上含めた国際複合輸送も展開。3PL（物流業務の一括受託）も強化中。先輩ドライバーが若手をケアするメンター制度で人材育成、定着図る。小・中規模のM＆Aにも積極的。

●給与、ボーナス、週休、有休ほか●

【30歳総合職平均年収】NA【初任給】（大卒）210,000円【ボーナス（年）】72万円、4.1カ月【25、30、35歳賃金】NA【週休】2日（日祝、他に月3～4回休日を取得）【夏期休暇】連続3日【年末年始休暇】12月30日～1月4日【有休取得】NA／20日

●従業員数、勤続年数、離職率ほか●

【男女別従業員数、平均年齢、平均勤続年数】計 1,051（43.7歳 17.3年）男 742（45.7歳 20.5年）女 309（39.0歳 9.8年）【離職率と離職者数】5.7%、63名【3年後新卒定着率】65.2%（男58.8%、女83.3%、3年前入社：男34名・女12名）【組合】あり

求める人材 コミュニケーション能力があり、様々な立場の人を理解して接することができる人

会社データ　（金額は百万円）

【本社】933-8566 富山県高岡市昭和町3-2-12
☎0766-21-1073　http://www.tonami.co.jp
【社長】髙田 和夫【設立】1943.6【資本金】10,000【今後力を入れる事業】特積み事業を軸に、3PL事業の推進に力を入れていく

【業績（連結）】	売上高	営業利益	経常利益	純利益
22.3	135,361	7,369	7,906	5,110
23.3	141,920	7,381	8,189	5,391
24.3	142,072	5,774	6,795	4,061

※業績はトナミホールディングス㈱のもの

ロジスティード㈱

株式公開 していない

【特色】3PL（企業物流の一括請負）首位。海外展開加速

修士・大卒採用数	3年後離職率	有休取得年平均	平均年収（平均43歳）
49名	24.0 → 9.4%	16.7日	㊗826万円

●エントリー情報と採用プロセス●

【受付開始～終了】㊗3月～未定【採用プロセス】㊗説明会（任意、3月～）→ES提出（3月～）→Webテスト（3月～）→面接（2回、3月～）→内々定（6月～）【交通費支給】NA

試験情報

重視科目 ㊗面接

㊗ ES⇒巻末 筆 WebGAB 面 2回（Webあり）

選考ポイント ㊗ ES 具体性 論理性 他 面 事業に対する理解度 志望動機 チームワーク チャレンジ精神 人柄など

通過率 ㊗ ES NA

倍率（応募/内定） ㊗NA

●男女別採用数と配属先ほか●

【男女・文理別採用実績】

	大卒男	大卒女	修士男	修士女
23年	26（文 19 理 7）	8（文 7 理 1）	2（文 0 理 2）	1（文 1 理 0）
24年	25（文 20 理 5）	7（文 6 理 1）	3（文 2 理 1）	0（文 0 理 0）
25年	32（文 27 理 5）	14（文 12 理 2）	2（文 0 理 2）	1（文 0 理 1）

※25年：継続中

【25年4月入社者の採用実績校】

文（24年）（院）九大 同大各1（大）明大3 早大 上智大 関大 法政大 明学大各2 慶大 神戸大 東京外大 埼玉大 中大 同大 昭和女大 獨協大 関西外大 神奈川大 立命館APU 龍谷大 和洋女大各1 理（24年）（院）滋賀大1（大）神戸大2 明大 法政大 東京海洋大 弘前大各1

【24年4月入社者の配属先】

㊗勤務地：（23年）東京（中央25 台東4）大阪市4 福岡市1 他3 部署：（23年）営業11 技術（ロジスティクスエンジニアリング）6 IT6 人事総務6 経理5 営業所3

残業（月） 27.5時間 ㊗27.5時間

記者評価 旧日立物流。日立製作所の工場構内物流会社として創業。現在は3PL、重量機工輸送・移転、フォワーディングが主柱。自動車物流にも強い。国内334、海外471カ所に拠点（24年3月）。22年12月HTSK（現ロジスティードグループ）によるTOB成立、23年4月から現社名。

●給与、ボーナス、週休、有休ほか●

【30歳総合職平均年収】NA【初任給】（博士）254,497円（修士）254,497円（大卒）244,299円【ボーナス（年）】NA【25、30、35歳賃金】NA【週休】完全2日（土日祝）【夏期休暇】有休で取得（別時期に会社休日設定あり）【年末年始休暇】事業所により異なる【有休取得】16.7／24日

●従業員数、勤続年数、離職率ほか●

【男女別従業員数、平均年齢、平均勤続年数】計 1,600（42.6歳 19.4年）男 1,308（43.3歳 20.4年）女 292（39.4歳 15.0年）【離職率と離職者数】4.0%、67名（他にグループ会社への転属者）【3年後新卒定着率】90.6%（男100%、女81.3%、3年前入社：男16名・女16名）【組合】あり

求める人材 継続的に学習する人財 チームワークを大切にする人財 チャレンジ精神旺盛な人財

会社データ　（金額は百万円）

【本社】104-8350 東京都中央区京橋2-9-2
☎03-6263-2800　https://www.logisteed.com/jp/
【会長】中谷 康夫【設立】2022.4【資本金】100【今後力を入れる事業】3PL グローバル物流事業

【業績（IFRS）】	売上高	営業利益	税前利益	純利益
22.3	743,612	30,738	24,631	13,513
23.3	814,310	44,136	39,968	25,516
24.3	800,243	20,838	8,797	58,251

センコー(株)

持株会社傘下

【特色】3PL(物流一括受託)大手。M&Aで多角化

修士・大卒採用数	3年後離職率	有休取得年平均	平均年収(平均*39歳)
未定	20.7→27.1%	11.8日	総 610万円

残業(月) 26.6時間 総 26.6時間

記者評価 前身は1916年発足の富田商会。3PL(物流一括受託)大手で物流中心だが、グループでは商事・貿易事業や会員制卸販売、保育園運営、フィットネスクラブ、警備会社、人材派遣、ホテル事業など多角化している。22年に中央化学を買収し、さらに事業領域を拡大。

●エントリー情報と採用プロセス●

【受付開始~終了】総3月~継続中【採用プロセス】総説明会・Webテスト→ES・GAB提出→面接(2回)→内々定【交通費支給】なし【早期選考】⇒巻末

試験情報

重視科目 総面接

総ES⇒巻末 筆WebGAB NOMA(Webテスト) 面2回

選考ポイント 総面コミュニケーション能力 協調性 リーダーシップ力 他

通過率 総ES選考なし(受付:NA)

倍率(応募/内定) 総NA

●男女別採用数と配属先ほか●

【男女・文理別採用実績】※25年:継続中

	大卒男	大卒女	修士男	修士女
23年	76(文 72 理 4)	39(文 39 理 0)	1(文 0 理 1)	0(文 0 理 0)
24年	77(文 74 理 3)	31(文 30 理 1)	0(文 0 理 0)	0(文 0 理 0)
25年	-(文 - 理 -)	-(文 - 理 -)	-(文 - 理 -)	-(文 - 理 -)

【25年4月入社者の採用実績校】文(24年)(大)関大 帝京大各5 東洋大 明大 立命館大 獨協大各4 桜美林大 青森大 拓大 日大 明星大 流通科学大 國學院大各3 京都外大 京産大 駒澤大 阪南大 多摩大 帝京科学大 東京経大 日女大 福岡大 法政大 流経大 東海大各2 愛知淑徳大 愛知大 学習院大 釜山外大 京都女大 釧路公大 恵泉女学大 広島経大 国士舘大 四日市大 神戸学大 神戸国際大 成蹊大 摂南大 早大 大阪学大 大阪産大 大東文化大 中央学大 中部大 追手門学大 東海学園大 東北学大 東洋学大 桃山学大 同女大 映画大 武蔵野大 文京学大 兵庫県大 平成国際大 龍谷大 デジハリ大各1(短)大分県芸術文化1(専)ECC外語 名古屋SOB各1 理(24年)(大)埼玉工大 帝京大 帝京平成大 芝工大各1(短)福岡工大1

【24年4月入社者の配属先】総勤務地:埼玉22 千葉15 大阪12 愛知9 茨城9 東京7 神奈川6 兵庫6 滋賀5 福岡5 静岡4 三重2 宮城2 岐阜2 佐賀2 石川1 富山1 大分1 部署:本社管理1 営業2 物流センター運営108 技勤務地:三重1 部署:物流センター運営1

●給与、ボーナス、週休、有休ほか●

【30歳総合職平均年収】582万円【初任給】(修士)〈全国型〉242,800円〈エリア型〉(東京基準)222,800円 (大卒)〈全国型〉242,800円〈エリア型〉(東京基準)222,800円【ボーナス(年)】(東京基準)82万円、NA【25、30、35歳賃金】252,000円→295,000円→303,000円【週休】2日【夏期休暇】2日【年末年始休暇】事業所により異なる【有休取得】11.8/23日

●従業員数、勤続年数、離職率ほか●

【男女別従業員数、平均年齢、平均勤続年数】計 2,019(39.3歳 13.0年) 男 1,309(40.8歳 15.1年) 女 710(36.5歳 9.0年)【離職率と離職者数】5.0%、107名【3年後新卒定着率】72.9%(男71.9%、女74.5%、3年前入社:男89名・女55名)【組合】あり

求める人材 エネルギッシュで周りを巻き込む力があり、何事に対しても誠実且つ探求心を持ち続けられる人

会社データ (金額は百万円)

【本社】531-6115 大阪府大阪市北区大淀中1-1-30
☎06-6440-5155 https://www.senko.co.jp/
【社長】杉本 健司【設立】2016.4【資本金】10,000【今後力を入れる事業】ドラッグストア、EC、三温度帯物流の拡大

【業績(連結)】	売上高	営業利益	経常利益	純利益
22.3	623,139	24,771	26,103	15,233
23.3	696,288	25,535	26,151	15,341
24.3	778,370	29,906	30,503	15,944

※業績はセンコーグループホールディングス(株)のもの

山九(株)(さんきゅう)

東京P 9065

【特色】物流事業と機工事業の二本柱。海外展開強化中

修士・大卒採用数	3年後離職率	有休取得年平均	平均年収(平均40歳)
117名	18.7→25.0%	15.0日	総 822万円

残業(月) 23.9時間 総 29.0時間

記者評価 山陽、北九州の港湾運送が原点。港湾での荷役や3PL(物流の一括受託)、工場構内の物流などを含む物流事業、高炉の改修や設備の据え付け、プラント建設などの設備工事、化学プラントのメンテナンスなど機工事業を両軸で展開。24年4月から奨学金支援制度を開始。

●エントリー情報と採用プロセス●

【受付開始~終了】総 技3月~継続中【採用プロセス】総説明会(必須、3月~)→Web検査・ES(3月~)→面接(2回、6月~)→内々定(6月~) 技説明会(必須、3月~)・Web検査(3月~)→面接(2回、6月~)→内々定(6月~)【交通費支給】最終面接、実費【早期選考】⇒巻末

試験情報

重視科目 総技面接 総ES⇒巻末 筆SPI3(自宅) 面2回(Webあり) 技筆SPI3(自宅) 面2回(Webあり)

選考ポイント 総ES文章の論理性があるか 質問の意図を理解した回答であるか 求める人財と合致しているか 面志望動機 当社への理解度 主体性 行動意欲 協調性 技ES提出なし 面総合職共通

通過率 総ES66%(受付:361→通過:238) 技ES―(応募:207)

倍率(応募/内定) 総6倍 技3倍

●男女別採用数と配属先ほか●

【男女・文理別採用実績】

	大卒男	大卒女	修士男	修士女
23年	81(文 31 理 50)	16(文 15 理 1)	15(文 1 理 14)	2(文 2 理 0)
24年	64(文 39 理 25)	28(文 27 理 1)	1(文 0 理 1)	2(文 1 理 1)
25年	88(文 40 理 48)	18(文 17 理 1)	9(文 1 理 8)	2(文 1 理 1)

【25年4月入社者の採用実績校】文(24年)(院)京大1(大)関大6 拓大4 法政大 明大各3 愛知大 近大 甲南大 神戸市外大 東海大 日大 福岡大各2 亜大 大阪産大 神奈川大 関西外大 関西学大 関東学院大 学習院大 北九州市大 京産大 久留米大 群馬県女大 西南学大 創価大 高崎経大 千葉工大 中大 帝京大 東亜大 東京家政大 東京国際大 東京農業大 東洋大 徳島大 同大 獨協大 奈良女大 日体大 広島工大 福岡女大 武蔵野大 明学大 山口大 立命館APU 龍谷大各1(高専)富山1 他 理(24年)(院)九州工大 日大各1(大)九産大5 関東学院大 近大 日大各2 茨城大 愛媛大 大分大 岡山理大 京都工繊大 九州工大 高知工科大 静岡大 水産大 東理大 長岡技科大 明星大 立命館大各1(高専)徳山1 他

【24年4月入社者の配属先】総勤務地:茨城2 千葉10 埼玉2 東京6 神奈川7 愛知3 三重1 大阪7 兵庫5 岡山4 広島1 山口9 福岡10 大分1 部署:物流管理スタッフ(一般物流32・生産物流25)コーポレートスタッフ11 技勤務地:福岡30 部署:プラントエンジニアリング(技術研修)30

●給与、ボーナス、週休、有休ほか●

【30歳総合職平均年収】596万円【初任給】(修士)258,340円 (大卒)253,890円【ボーナス(年)】90万円、2.4カ月【25、30、35歳賃金】237,933円→283,600円→365,736円 ※地域手当含む【週休】2日【夏期休暇】有休で取得【年末年始休暇】連続5日(計画年休と併用し連続休暇とすることも可)【有休取得】15.0/20日

●従業員数、勤続年数、離職率ほか●

【男女別従業員数、平均年齢、平均勤続年数】計 4,735(41.1歳 14.6年) 男 3,923(41.4歳 14.8年) 女 812(40.0歳 13.3年)【離職率と離職者数】2.2%、105名【3年後新卒定着率】75.0%(男79.3%、女54.2%、3年前入社:男116名・女24名)【組合】あり

求める人材 何事にもプラス思考で取り組み、目標に向かって努力と成長を続けられる人

会社データ (金額は百万円)

【本社】104-0054 東京都中央区勝どき6-5-23
☎03-3536-3912 https://www.sankyu.co.jp/
【社長】中村 公大【設立】1918.10【資本金】28,619【今後力を入れる事業】グローバルな3PL・3PM事業

【業績(連結)】	売上高	営業利益	経常利益	純利益
22.3	553,831	34,465	35,432	22,636
23.3	579,226	38,169	39,631	24,959
24.3	563,547	35,216	36,631	24,379

鴻池運輸(株)

こうのいけうんゆ

東京P 9025

【特色】鉄鋼、食品、空港等の業務請負、物流事業が中心

修士・大卒採用数	3年後離職率	有休取得年平均	平均年収(平均43歳)
49名	NA	9.5日	[総]839万円

●エントリー情報と採用プロセス●

【受付開始～終了】[総]2月～未定【採用プロセス】[総]ES提出→Webテスト→面接(3回)→内々定【交通費支給】最終面接、実費【早期選考】⇒巻末

試験情報

重視科目 [総]面接

[総][ES]NA[筆]Webテスティングサービス[面]3回(Webあり)

選考ポイント [総][ES]NA(提出あり)[面]主体性 チャレンジ精神 コミュニケーション能力

通過率 [総][ES]NA

倍率(応募/内定) [総]NA

●男女別採用数と配属先ほか●

【男女・文理別採用実績】

	大卒男	大卒女	修士男	修士女
23年	25(文 20理 5)	5(文 5理 0)	1(文 0理 1)	0(文 0理 0)
24年	30(文 25理 5)	16(文 15理 1)	1(文 1理 0)	0(文 0理 0)
25年	34(文 33理 1)	14(文 14理 0)	0(文 0理 0)	1(文 1理 0)

※25年:予定数

【25年4月入社者の採用実績校】

[文](院)関西学大1(大)関西学大 桃山学大各4 日大 関大各3 龍谷大 大阪経大 京都女大 関西外大各2 國學院大 麗澤大 流通科学大 同大 立命館大 明大 明星大 名古屋商大 北九州市大 法政大 天理大 津田塾大 阪大 早大 神奈川大 滋賀県大 国士舘大 高崎経大 香川大 駒澤大 近大 京産大 学習院大 愛知大各1 他 [理](大)同大1

【24年4月入社者の配属先】

[総]勤務地:関東23 近畿19 中部4 九州1 部署:全国の支店・営業所47

残業(月) [総]25.8時間

記者評価 社名に「運輸」と付くが、鉄鋼、食品、医療、空港など幅広い顧客向けの業務請負が主力。空港では飛行機の誘導、ゲートの案内、カウンターなど、さまざまな業務をこなす。鉄鋼では保管・出荷管理、設備点検、重機作業、清掃まで幅広い工程でサービスを提供。

●給与、ボーナス、週休、有休ほか●

【30歳総合職平均年収】625万円【初任給】(大卒)226,000円【ボーナス(年)】NA【25、30、35歳モデル賃金】250,000円→351,000円→380,000円【週休】完全2日(土日祝)【夏期休暇】連続3日【年末年始休暇】連続5日【有休取得】9.5／20日

●従業員数、勤続年数、離職率ほか●

【男女別従業員数、平均年齢、平均勤続年数】計 1,013(41.9歳 15.9年) 男 849(42.2歳 15.8年) 女 164(40.3歳 16.2年)【離職率と離職者数】5.4%、58名(早期退職男6名含む)【3年後新卒定着率】NA【組合】あり

求める人材 クリエイティブな発想ができ、人の意見を傾聴でき、能動的に臨機応変な行動ができる人

会社データ (金額は百万円)

【本社】541-0044 大阪府大阪市中央区伏見町4-3-9 HK淀屋橋ガーデンアベニュー

☎0120-19-4583 https://www.konoike.net/

【会長兼社長】鴻池 忠彦【設立】1945.5【資本金】1,723【今後力を入れる事業】空港 エンジニアリング メディカル

【業績(連結)】	売上高	営業利益	経常利益	純利益
22.3	301,373	10,288	11,845	7,988
23.3	311,840	13,243	14,281	8,301
24.3	315,029	16,634	17,034	11,349

阪神高速道路(株)

はんしんこうそくどうろ

株式公開していない

【特色】関西都市圏での高速道路の新設・維持管理を担う

修士・大卒採用数	3年後離職率	有休取得年平均	平均年収(平均42歳)
26名	NA	17.0日	[総]780万円

●エントリー情報と採用プロセス●

【受付開始～終了】[総][技]3月～4月【採用プロセス】[総][技]ES提出(3月)→適性検査→面接(複数回)→内々定(6月)【交通費支給】最終面接、実費相当額

試験情報

重視科目 [総][技]面接

[総][技][ES]⇒巻末[筆]SPI3(会場)[面]複数回(Webあり)

選考ポイント [総][技][ES]記載内容を総合的に判断[面]自律性 コミュニケーション能力 協調性 行動力 忍耐力等を総合的に判断

通過率 [総][技][ES]NA

倍率(応募/内定) [総][技]NA

●男女別採用数と配属先ほか●

【男女・文理別採用実績】

	大卒男	大卒女	修士男	修士女
23年	5(文 5理 0)	9(文 5理 4)	14(文 0理 14)	2(文 0理 2)
24年	9(文 6理 3)	7(文 5理 2)	8(文 1理 7)	2(文 0理 2)
25年	8(文 5理 3)	7(文 7理 0)	9(文 0理 9)	2(文 0理 2)

【25年4月入社者の採用実績校】

[文]NA [理]NA

【24年4月入社者の配属先】

[総]勤務地:大阪市 神戸市 部署:総務・経理 料金企画 道路・交通管理 用地取得 [技]勤務地:大阪市 神戸市 部署:道路建設 道路保全・管理 交通

残業(月) 24.5時間 [総]24.5時間

記者評価 2005年に阪神高速道路公団の民営化により設立。関西都市圏で高速道路の新設、改築、維持、修繕などを手がける。営業路線258.1km、建設中路線28.9km。財務大臣が50%株主で、大阪府、大阪市など近隣自治体も出資。子会社でパーキングエリアを運営。

●給与、ボーナス、週休、有休ほか●

【30歳総合職平均年収】NA【初任給】(博士)NA(修士)250,120円(大卒)232,440円【ボーナス(年)】NA【25、30、35歳賃金】NA【週休】完全2日(土日祝)【夏期休暇】7日【年末年始休暇】12月29日～1月3日【有休取得】17.0／20日

●従業員数、勤続年数、離職率ほか●

【男女別従業員数、平均年齢、平均勤続年数】計 739(42.4歳 15.6年) 男 NA 女 NA【離職率と離職者数】NA【3年後新卒定着率】NA【組合】あり

求める人材 自ら考え行動し、協調性を持ち、変革に積極的に取り組む人材

会社データ (金額は百万円)

【本社】530-0005 大阪府大阪市北区中之島3-2-4 中之島フェスティバルタワー・ウエスト

☎06-6203-8888 https://www.hanshin-exp.co.jp/company/

【社長】吉田 光市【設立】2005.10【資本金】10,000【今後力を入れる事業】高速道路事業 関連事業

【業績(連結)】	売上高	営業利益	経常利益	純利益
22.3	217,908	3,441	3,603	2,612
23.3	250,190	2,386	2,516	1,772
24.3	252,812	4,071	4,216	2,541

日本梱包運輸倉庫(株)

にほんこんぽううんゆそうこ

持株会社 傘下

【特色】完成車輸送トップの物流企業。主要顧客はホンダ

修士・大卒採用数	3年後離職率	有休取得年平均	平均年収(平均41歳)
20名	40.0 → 54.8%	11.5日	㊍649万円

●エントリー情報と採用プロセス●

【受付開始～終了】㊍3月～継続中【採用プロセス】㊍説明会(3月～)→ES提出(随時)→面接(2～3回、随時)→Web適性試験(随時)→内々定(随時)【交通費支給】最終面接、遠方者(会社基準)【早期選考】⇒巻末

試験情報

重視科目 ㊍面接

㊍ES⇒巻末 筆TAL DBIT 面2～3回(Webあり)

選考ポイント ㊍ES面接との総合判断 面コミュニケーション能力 主体性 入社意欲 仕事・企業理解 他

通過率 ㊍ES選考なし(受付:180)

倍率(応募/内定) ㊍10倍

●男女別採用数と配属先ほか

【男女・文理別採用実績】

	大卒男	大卒女	修士男	修士女
23年	5(文 5理 0)	11(文 11理 0)	0(文 0理 0)	0(文 0理 0)
24年	4(文 4理 0)	3(文 3理 0)	0(文 0理 0)	0(文 0理 0)
25年	10(文 10理 0)	10(文 10理 0)	0(文 0理 0)	0(文 0理 0)

【25年4月入社者の採用実績校】
文(大)日大 亜大 中大 法政大 国士舘大 白百合女大 津田塾大 獨協大 城西大 立教大 中部大 京産大 近大 名古屋学院大 南山大 龍谷大 流通科学大 富山大 長崎県大 北九州市大各1(専)大原学園2 理なし

【24年4月入社者の配属先】
㊍勤務地:埼玉1 千葉1 神奈川1 愛知1 三重1 兵庫1 大阪1 部署:各営業所7

残業(月) 26.0時間

記者評価 ニッコンHD傘下。ホンダの完成車や部品の倉庫保管、梱包、内外輸送が主力。自動車のテスト事業では耐久テストや部品の設計、シミュレーターのテストなども行う。女性管理職の拡大、フォークリフト免許の保有など、女性の採用、登用にも積極的。

●給与、ボーナス、週休、有休ほか●

【30歳総合職モデル年収】400万円【初任給】(博士)222,000円(修士)222,000円(大卒)222,000円【ボーナス(年)】NA、4.5カ月【25、30、35歳賃金】NA【週休】2日【夏期休暇】約5日【年末年始休暇】約6日【有休取得】11.5/20日

●従業員数、勤続年数、離職率ほか●

【男女別従業員数、平均年齢、平均勤続年数】計 3,646(42.3歳 15.9年)男 2,821(43.5歳 16.9年)女 825(34.4歳 9.3年)【離職率と離職者数】4.8%、185名【3年後新卒定着率】45.2%(男42.9%、女50.0%、3年前入社:男21名・女10名)【組合】あり

求める人材 チャレンジ精神にあふれる人

会社データ (金額は百万円)

【本社】104-0044 東京都中央区明石町6-17
☎03-3541-5331 https://www.nikkon.co.jp/
【社長】大岡 誠司【設立】2015.10【資本金】500【今後力を入れる事業】コア事業(運輸 梱包 倉庫 国際)の深化(進化)

【業績(連結)】	売上高	営業利益	経常利益	純利益
22.3	198,159	19,512	21,584	14,741
23.3	212,071	19,580	22,108	15,913
24.3	222,324	21,235	23,875	16,608

※業績はニッコンホールディングス(株)のもの

(株)キユーソー流通システム

りゅうつう

東京S 9369

【特色】キユーピーの物流部門が独立。食品物流最大手

修士・大卒採用数	3年後離職率	有休取得年平均	平均年収(平均44歳)
18名	36.8 → 26.3%	11.3日	㊍705万円

●エントリー情報と採用プロセス●

【受付開始～終了】㊍3月～5月【採用プロセス】㊍説明会(必須、3月～)→ES提出→Web適性試験→面接(3回)→内々定(5月上旬～)【交通費支給】最終面接時、実費(総合職:全員、地域職:遠方者)【早期選考】⇒巻末

試験情報

重視科目 ㊍面接

㊍ES⇒巻末 筆WebTAP 面3回(Webあり)

選考ポイント ㊍ES志望動機・自己PR・自身の経験 面笑顔 積極性 実行力 責任感 明るさ 入社への熱意 謙虚さ 個性が発揮できるか

通過率 ㊍ES NA

倍率(応募/内定) ㊍9倍

●男女別採用数と配属先ほか

【男女・文理別採用実績】

	大卒男	大卒女	修士男	修士女
23年	5(文 3理 2)	11(文 11理 0)	0(文 0理 0)	0(文 0理 0)
24年	3(文 3理 0)	12(文 12理 0)	0(文 0理 0)	0(文 0理 0)
25年	2(文 2理 0)	16(文 16理 0)	0(文 0理 0)	0(文 0理 0)

【25年4月入社者の採用実績校】
文なし 理なし

【24年4月入社者の配属先】
㊍勤務地:東京・府中1 仙台1 神戸1 部署:営業業務3

残業(月) 18.9時間 ㊍26.1時間

記者評価 冷凍、チルド食品の配送に強み。キユーピー系だが同社への依存度は1割未満。4温度帯対応を武器に、共同物流とスーパー・コンビニ、外食向け専用物流を展開。医薬品・食品輸送で三菱倉庫と業務提携。三菱食品との合弁会社での首都圏低温物流が24年4月始動。

●給与、ボーナス、週休、有休ほか●

【30歳総合職平均年収】516万円【初任給】(大卒)225,000円【ボーナス(年)】99万円、3.5カ月【25、30、35歳賃金】269,900円→338,200円→380,000円 ※諸手当残業代含む【週休】2日【夏期休暇】有休で取得【年末年始休暇】有休で取得【有休取得】11.3/20日

●従業員数、勤続年数、離職率ほか●

【男女別従業員数、平均年齢、平均勤続年数】計 687(39.9歳 15.6年)男 395(43.9歳 19.6年)女 292(34.4歳 10.2年)【離職率と離職者数】5.1%、37名【3年後新卒定着率】73.7%(男66.7%、女75.9%、3年前入社:男9名・女29名)【組合】なし

求める人材 明るく、責任感があり、謙虚さを備え、挑戦心のある人

会社データ (金額は百万円)

【本社】182-0021 東京都調布市調布ケ丘3-50-1
☎042-441-0711 https://www.krs.co.jp/
【社長】富田 仁一【設立】1966.2【資本金】4,063【今後力を入れる事業】海外物流事業 医薬品物流事業

【業績(連結)】	売上高	営業利益	経常利益	純利益
21.11	175,967	3,638	3,306	1,561
22.11	179,649	3,695	3,259	1,458
23.11	184,617	4,030	3,470	▲1,334

㈱日新（にっしん）

東京P 9066

【特色】国際物流大手。世界5極経営。旅行業も併営

修士・大卒採用数	3年後離職率	有休取得年平均	平均年収(平均40歳)
64名	13.0→11.3%	11.6日	総705万円

残業(月) 23.6時間 総24.3時間

記者評価 独立系の大手総合物流会社。日・米・中・亜・欧の5極経営、24カ国・地域に拠点網。自動車や電機が主顧客。自動車、化学品・危険品や食品分野を強化。栃木の自動車倉庫は24年11月稼働、北海道と神戸に化学品・危険品倉庫を整備へ。DXを加速・強化。

●エントリー情報と採用プロセス●

【受付開始～終了】総3月～継続中【採用プロセス】総説明会(必須)→ES提出・Webテスト→集団面接(2回)→個人面接→内々定【交通費支給】なし【早期選考】⇒巻末

試験情報

- 重視科目 総面接
- 総 ES⇒巻末 筆一般常識 英語 適性検査(TAP) 面3回(Webあり)
- 選考ポイント 総面人物重視
- 通過率 総 ES選考なし(受付:462)
- 倍率(応募/内定) 総12倍

●給与、ボーナス、週休、有休ほか●

【30歳総合職平均年収】546万円【初任給】(修士)247,500円(大卒)242,000円【ボーナス(年)】193万円、NA【25、30、35歳賃金】248,000円→285,200円→317,800円【週休】完全2日(土日祝)【夏期休暇】4日【年末年始休暇】12月30日～1月4日(冬期休暇1日別途付与)【有休取得】11.6／20日

●従業員数、勤続年数、離職率ほか●

【男女別従業員数、平均年齢、平均勤続年数】計 1,446(40.5歳 14.2年) 男 945(42.0歳 16.2年) 女 501(37.6歳 10.4年)【離職率と離職者数】3.1%、46名【3年後新卒定着率】88.7%(男94.7%、女81.8%、3年前入社:男38名・女33名)【組合】あり

●男女別採用数と配属先ほか●

【男女・文理別採用実績】

	大卒男	大卒女	修士男	修士女
23年	29(文 29理 0)	30(文 30理 0)	0(文 0理 0)	0(文 0理 0)
24年	29(文 29理 0)	22(文 22理 0)	2(文 2理 0)	1(文 1理 0)
25年	34(文 34理 0)	28(文 28理 0)	2(文 2理 0)	0(文 0理 0)

【25年4月入社者の採用実績校】

文(24年)(院)関西学大 一橋大 嘉悦大各1(大)明大6 国士舘大 東洋大 日大各3 関西外大 神田外語大 拓大 東京外大 桃山学大 同大 立命館大各2 愛知県大 横浜商大 関大 共立女大 玉川大 近大 金沢大 広島修道大 埼玉大 昭和女大 神奈川大 青学大 摂南大 千葉大 早大 東海大 東京女大 日女大 流経大 琉球大 國學院大 獨協大各1(短)港湾職能1(専)情報科学1 理(24年)なし

【24年4月入社者の配属先】

総勤務地:東京31 大阪8 神奈川8 兵庫4 千葉3 栃木1 埼玉1 部署:営業32 事業13 管理6 通関5

求める人材 既成概念にとらわれず、異なる視線から物事を考え、新しいことに挑戦できる人 相手の考えを尊重し、協調しながら目標達成に向けて意欲をもって能動的に取り組むことができる人

会社データ (金額は百万円)

【本社】102-8350 東京都千代田区麹町1-6-4
☎03-3238-6624 https://www.nissin-tw.com/
【社長】筒井 雅洋【設立】1938.12【資本金】6,097【今後力を入れる事業】(海外)自動車関連 化学品・危険品関連 食品関連

【業績(連結)】	売上高	営業利益	経常利益	純利益
22.3	192,699	9,098	9,859	6,365
23.3	194,165	12,643	13,634	10,528
24.3	169,934	8,073	9,463	8,649

丸全昭和運輸㈱（まるぜんしょうわうんゆ）

東京P 9068

【特色】京浜発祥の物流企業。企業物流一括請負が得意

修士・大卒採用数	3年後離職率	有休取得年平均	平均年収(平均39歳)
41名	17.1→22.9%	9.8日	総695万円

残業(月) 30.7時間 総30.7時間

記者評価 1931年京浜工業地帯で発祥した独立系総合物流企業。各種倉庫を活用した3PL(物流の一括受託)から陸、海、空の複合一貫輸送サービスも行う。ニデックは2015年に物流子会社を譲受した関係で大口顧客の一社。独自の物流デジタルプラットフォーム構築を推進中。

●エントリー情報と採用プロセス●

【受付開始～終了】総3月～継続中【採用プロセス】総説明会(必須、3月中旬)→ES提出(3月中旬)→書類選考(3月中旬)→SPI3(3月下旬)→面接(2回、3月下旬～4月上旬)→内々定(4月中旬)【交通費支給】最終面接、実費【早期選考】⇒巻末

試験情報

- 重視科目 総面接
- 総 ES⇒巻末 筆SPI3(自宅) 面2回(Webあり)
- 選考ポイント 総 ES NA(提出あり) 面コミュニケーション能力 発想力 主体性
- 通過率 総 ES 77%(受付:630→通過:486)
- 倍率(応募/内定) 総5倍

●給与、ボーナス、週休、有休ほか●

【30歳総合職平均年収】552万円【初任給】(修士)241,000円(大卒)240,000円【ボーナス(年)】212万円、8.875カ月【25、30、35歳賃金】244,500円→287,500円→327,500円【週休】2日(土日)【夏期休暇】5日(有休利用、6～9月で取得)【年末年始休暇】5日(12月30日～1月3日)+1日(有休利用、12～1月で取得)【有休取得】9.8／21日

●従業員数、勤続年数、離職率ほか●

【男女別従業員数、平均年齢、平均勤続年数】計 707(38.9歳 14.7年) 男 630(39.5歳 15.2年) 女 77(34.2歳 10.7年)【離職率と離職者数】6.7%、51名【3年後新卒定着率】77.1%(男75.9%、女83.3%、3年前入社:男29名・女6名)【組合】あり

●男女別採用数と配属先ほか●

【男女・文理別採用実績】

	大卒男	大卒女	修士男	修士女
23年	43(文 39理 4)	10(文 9理 1)	0(文 0理 0)	0(文 0理 0)
24年	42(文 39理 3)	8(文 8理 0)	1(文 1理 0)	0(文 0理 0)
25年	26(文 24理 2)	15(文 15理 0)	0(文 0理 0)	0(文 0理 0)

【25年4月入社者の採用実績校】

文(大)神奈川大 京産大各3 愛知大 関西学大 専大 中大 中京大 南山大 法政大 立命館大各2 愛知学大 桜美林大 岡山大 関東学院大 近大 松蔭大 高崎経大 都立大 東洋大 奈良女大 日大 日女大 明学大 山梨学大 横浜商大 横浜市大 龍谷大各1 理(大)神奈川大 神戸大各1

【24年4月入社者の配属先】総勤務地:神奈川(横浜12 川崎3 相模原1 平塚1 藤沢1)東京(港4 大田2 江東1 足立1)宮城・岩沼1 茨城(神栖5 那珂1)埼玉(熊谷1 北葛飾1)千葉・山武1 長野・上水内1 愛知(小牧2 東海2)大阪(堺5 大阪1 豊中1)兵庫(神戸2 たつの1 加古1) 部署:陸運31 海運21

求める人材 自分自身の資質を磨き続ける向上心のある、そして大志のある人

会社データ (金額は百万円)

【本社】231-8419 神奈川県横浜市中区南仲通2-15
☎045-671-5834 https://www.maruzenshowa.co.jp/
【社長】岡田 廣次【設立】1931.8【資本金】10,127【今後力を入れる事業】3PL事業

【業績(連結)】	売上高	営業利益	経常利益	純利益
22.3	136,850	11,820	12,567	8,579
23.3	140,861	12,692	13,781	8,931
24.3	140,194	13,204	14,271	9,741

(株)近鉄エクスプレス
(きんてつ)

株式公開 計画なし

【特色】国際航空貨物混載で国内大手。近鉄グループ

修士・大卒採用数	3年後離職率	有休取得年平均	平均年収(平均*39歳)
54名	8.4 → 12.2%	16.1日	[総]745万円

●エントリー情報と採用プロセス●

【受付開始～終了】[総]2月～5月【採用プロセス】[総]説明会(任意)→ES提出・Webテスト→面接(3回)→内々定【交通費支給】2次面接以降、通勤圏外からの交通費の一部(10,000円程度～)

試験情報

重視科目 [総]面接

[総][ES]⇒巻末[筆]Web(自宅)TG-WEB[面]3回(Webあり)

選考ポイント [総][ES]コースを選んだ理由 学生時代に力を入れてきたこと[面]主体性 柔軟性 論理性 コミュニケーション 他

通過率 [総][ES]NA

倍率(応募/内定) [総]NA

●男女別採用数と配属先ほか●

【男女・文理別採用実績】

	大卒男	大卒女	修士男	修士女
23年	13(文 13 理 0)	41(文 41 理 0)	0(文 0 理 0)	0(文 0 理 0)
24年	36(文 35 理 1)	50(文 50 理 0)	0(文 0 理 0)	0(文 0 理 0)
25年	20(文 20 理 0)	34(文 34 理 0)	0(文 0 理 0)	0(文 0 理 0)

【25年4月入社者の採用実績校】
[文]同大 神戸市外大 立命館大 関西学大 京大 早大 中大 明大 法政大 阪大 大阪市大 広島大 津田塾大 横浜市大 獨協大 南山大 近大 龍谷大 日大 武蔵大 専大 日体大 神田外語大 中京大 愛知県大 名古屋外大 同女大 関西外大 [理]なし

【24年4月入社者の配属先】
[総]勤務地:全国(東京 千葉 名古屋 大阪 京都 兵庫 福岡) 部署:営業部 経理 情報システム

残業(月) 15.7時間

記者評価 1970年に近畿日本ツーリストの国際航空貨物部門が分離、国内初の航空貨物専業会社として発足。国際航空・海上貨物輸送に加え、倉庫・物流施設も展開。電子部品や半導体など大手外資との取引が多い。傘下にシンガポール物流大手のAPLロジスティクス。

●給与、ボーナス、週休、有休ほか●

【30歳総合職モデル年収】650万円【初任給】(大卒)248,000円【ボーナス(年)】NA、3.6カ月＋α【25、30、35歳賃金】NA【週休】2日【夏期休暇】プレミアム休暇で取得(最低9日間連続)【年末年始休暇】12月30日～1月3日【有休取得】16.1／27日

●従業員数、勤続年数、離職率ほか●

【男女別従業員数、平均年齢、平均勤続年数】計 1,238(38.7歳 13.4年) 男 717(42.5歳 17.0年) 女 521(33.6歳 8.5年)【離職率と離職者数】NA【3年後新卒定着率】87.8%(男88.9%、女86.4%、3年前入社:男27名・女22名)【組合】あり

求める人材 意欲高く挑戦し続ける人材 リーダーシップの強い人材 粘り強くやり抜く人材

会社データ (金額は百万円)

【本社】108-6024 東京都港区港南2-15-1 品川インターシティA棟
☎03-6863-6440 https://www.kwe.co.jp/
【社長】鳥居 伸年【設立】1970.1【資本金】7,216【今後力を入れる事業】フォワーディング事業 ロジスティクス事業

【業績(連結)】	売上高	営業利益	経常利益	純利益
22.3	980,441	62,475	64,733	43,417
23.3	1,080,949	44,185	57,078	42,211
24.3	733,823	18,068	21,497	9,443

郵船ロジスティクス(株)
(ゆうせん)

株式公開 計画なし

【特色】日本郵船子会社。航空・海上貨物から総合物流化

修士・大卒採用数	3年後離職率	有休取得年平均	平均年収(平均42歳)
62名	6.0 → 6.7%	10.6日	[総]951万円

●エントリー情報と採用プロセス●

【受付開始～終了】[総]3月～7月【採用プロセス】[総]Web説明会→WebES提出→Webテスト→Web適性検査→GD→面接(2回)→内々定【交通費支給】最終面接、全額【早期選考】⇒巻末

試験情報

重視科目 [総]面接・GD

[総][ES]⇒巻末[筆]あり(内容NA)[面]2回(Webあり)[GD作]⇒巻末

選考ポイント [総][ES]NA(提出あり)[面]問題解決力 ヴァイタリティ 柔軟性 状況判断力 論理性 リーダーシップ コミュニケーション能力 他

通過率 [総][ES]NA

倍率(応募/内定) [総]NA

●男女別採用数と配属先ほか●

【男女・文理別採用実績】

	大卒男	大卒女	修士男	修士女
23年	35(文 30 理 5)	26(文 26 理 0)	1(文 1 理 0)	1(文 1 理 0)
24年	19(文 18 理 1)	35(文 32 理 3)	0(文 0 理 0)	0(文 0 理 0)
25年	24(文 22 理 2)	38(文 38 理 0)	0(文 0 理 0)	0(文 0 理 0)

【25年4月入社者の採用実績校】
[文](大)獨協大5 中大 法政大 東洋大各4 立教大 神戸市外大各3 東京外大 上智大 明大 早大 同大 関大 関西学大各2 筑波大 金沢大 静岡大 阪大 広島大 横浜市大 神田外語大 麗澤大 慶大 國學院大 成城大 専大 日大 明学大 愛知大 中京大 名古屋外大 南山大 近大 西南学大 聖心女大 清泉女大 武蔵野大各1 [理](大)帝京大 東京海洋大各1

【24年4月入社者の配属先】
[総]勤務地:東京35 成田2 浜松3 名古屋9 大阪4 神戸1 部署:航空・海上貨物部門(輸出入・通関・混載)46 情報システム4 倉庫2 経理2

残業(月) 19.9時間 [総]21.7時間

記者評価 航空貨物混載大手の旧郵船航空サービスと日本郵船グループの物流事業が統合して現体制に。航空・海上貨物輸送、倉庫・配送事業をグローバルに展開。46の国と地域に650の拠点を置く。24年7月ベルギーで大規模医薬品倉庫が稼働開始、ヘルスケア物流を強化。

●給与、ボーナス、週休、有休ほか●

【30歳総合職平均年収】NA【初任給】(大卒)243,100円【ボーナス(年)】NA、4カ月＋α【25、30、35歳賃金】NA【週休】2日【夏期休暇】5日(6～10月で取得)【年末年始休暇】12月29日～1月3日【有休取得】10.6／20日

●従業員数、勤続年数、離職率ほか●

【男女別従業員数、平均年齢、平均勤続年数】計 1,706(40.1歳 13.1年) 男 1,090(42.0歳 16.0年) 女 616(37.1歳 10.0年)【離職率と離職者数】2.3%、41名(早期退職1名含む)【3年後新卒定着率】93.3%(男94.4%、女91.7%、3年前入社:男18名・女12名)【組合】あり

求める人材 筋道の通った考え方で自身の意見を明確に主張し、周りに対して影響力を発揮する人材

会社データ (金額は百万円)

【本社】140-0002 東京都品川区東品川4-12-4 品川シーサイドパークタワー
☎03-6703-8111 https://www.yusen-logistics.com/
【社長】岡本 宏行【設立】1955.2【資本金】4,301【今後力を入れる事業】サプライチェーンマネジメント

【業績】	営業収益	営業利益	経常利益	純利益
22.3	NA	NA	NA	NA
23.3	846,000	NA	NA	NA
24.3	671,000	NA	NA	NA

サービス

関西エアポート㈱
かんさい

株式公開 していない

【特色】関西3空港を一体運営。オリックスなどが出資

修士・大卒採用数	3年後離職率	有休取得年平均	平均年収(平均42歳)
19名	NA	14.9日	NA

●エントリー情報と採用プロセス●

【受付開始～終了】[総][技]3月～4月【採用プロセス】[総]ES→Webテスト→面接(3回)→内々定 [技]ES・Webテスト→面接(2回)→内々定【交通費支給】最終面接、会社規定による実費

試験情報

重視科目 [総][技]面接

[総][ES]⇒巻末[筆]Webテスト[面]3回(Webあり) [技][ES]⇒巻末[筆]Webテスト[面]2回(Webあり)

選考ポイント [総][技][ES]NA(提出あり)[面]NA

通過率 [総][技][ES]NA

倍率(応募/内定) [総][技]NA

●男女別採用数と配属先ほか●

【男女・文理別採用実績】

	大卒男	大卒女	修士男	修士女
23年	1(文 1理 0)	2(文 1理 1)	4(文 0理 4)	1(文 0理 1)
24年	5(文 4理 1)	5(文 4理 1)	2(文 0理 2)	0(文 0理 0)
25年	6(文 6理 0)	9(文 6理 3)	4(文 0理 4)	0(文 0理 0)

【25年4月入社者の採用実績校】
[文](大)同大4 京大 阪大各2 神戸市外大 立命館大 関大 名古屋外大各1 [理](院)阪大 名大 東理大 大阪工大各1(大)神戸大 横国大 岡山大各1

【24年4月入社者の配属先】
[総]勤務地:大阪・泉佐野8 部署:営業系部門3・運用系部門3・管理系部門2 [技]勤務地:大阪・泉佐野4 部署:技術系部門4

残業(月) 16.2時間 [総]16.2時間

記者評価 新関西国際空港からコンセッション方式で関西国際空港と大阪国際空港の44年間の空港運営権を獲得し、16年4月に事業開始。オリックスと仏ヴァンシ社を核に、関西有力企業など30社も出資。神戸空港も神戸市から運営権継承し、子会社で運営。

●給与、ボーナス、週休、有休ほか●

【30歳総合職平均年収】NA【初任給】(修士)250,000円(大卒)230,000円【ボーナス(年)】NA【25、30、35歳賃金】NA【週休】完全2日(土日祝)【夏期休暇】なし【年末年始休暇】12月29日～1月3日【有休取得】14.9／23日

●従業員数、勤続年数、離職率ほか●

【男女別従業員数、平均年齢、平均勤続年数】計 561(42.4歳 NA) 男 392(43.7歳 NA) 女 169(39.1歳 NA)【離職率と離職者数】NA【3年後新卒定着率】NA【組合】なし

求める人材 好奇心とチャレンジ精神にあふれる人 グローバルマインド・広い視野を持つ人

会社データ (金額は百万円)

【本社】549-0001 大阪府泉佐野市泉州空港北1
☎072-455-2103 http://www.kansai-airports.co.jp/
【社長】山谷 佳之【設立】2015.12【資本金】25,000【今後力を入れる事業】空港運営事業

【業績(連結)】	営業収益	営業利益	経常利益	純利益
22.3	66,368	▲33,242	▲42,632	▲30,235
23.3	99,875	▲14,777	▲25,635	▲18,996
24.3	186,832	33,978	23,238	15,466

㈱阪急阪神エクスプレス
はんきゅうはんしん

株式公開 していない

【特色】阪急阪神HD傘下。国際輸送が主力。世界5極体制

修士・大卒採用数	3年後離職率	有休取得年平均	平均年収(平均43歳)
27名	5.4 → 31.0%	11.0日	[総]642万円

●エントリー情報と採用プロセス●

【受付開始～終了】[総]3月～未定【採用プロセス】[総]説明会(任意)・WebES提出→適性検査・面接(2～3回)・GD→内々定(随時社員座談会等開催)【交通費支給】最終面接、実費【早期選考】⇒巻末

試験情報

重視科目 [総]面接

[総][ES]⇒巻末[筆]C-GAB WebGAB[面]2～3回(Webあり) [GD作]⇒巻末

選考ポイント [総][ES]求める人材と合致しているか 自身の考えを明瞭に記載しているか[面]自分の言葉で面接官に内容を伝えられるか

通過率 [総][ES]79%(受付:545→通過:430)

倍率(応募/内定) [総](早期選考含む)20倍

●男女別採用数と配属先ほか●

【男女・文理別採用実績】

	大卒男	大卒女	修士男	修士女
23年	15(文 15理 0)	10(文 10理 0)	0(文 0理 0)	0(文 0理 0)
24年	11(文 11理 0)	20(文 20理 0)	0(文 0理 0)	2(文 2理 0)
25年	12(文 12理 0)	14(文 14理 0)	0(文 0理 0)	1(文 1理 0)

※25年:24年8月2日時点

【25年4月入社者の採用実績校】
[文](院)マレーシア工科大1(大)近大4 関大2 愛知大 亜大 関西外大 関西学大 北九州市大 京産大 神戸学大 神戸市外大 ICU 駒澤大 下関市大 高崎経大 獨協大 名古屋外大 新潟産大 新潟県大 日女大 桃山学大 立命館大 早大各1 [理]なし

【24年4月入社者の配属先】
[総]勤務地:東京12 千葉7 大阪13 兵庫2 部署:カスタマーサービス19 通関5 海運3 営業2 ロジ2 情報1 航空1 経営企画1

残業(月) [総]31.0時間

記者評価 阪急阪神HD傘下の中核5社の一角。グループの国際輸送事業を担う。日、米、欧、東アジア、ASEANの世界5極体制で空運・海運・ロジスティクス三位一体の物流サービスを展開。セイノーHDと資本業務提携。南ア、マレーシアで倉庫増設を推進。社員の1割が海外勤務。

●給与、ボーナス、週休、有休ほか●

【30歳総合職平均年収】NA【初任給】(大卒)223,000円【ボーナス(年)】85万円、3.7カ月+α【25、30、35歳賃金】NA【週休】完全2日(土日祝)【夏期休暇】有休で取得【年末年始休暇】12月30日～1月3日【有休取得】11.0／20日

●従業員数、勤続年数、離職率ほか●

【男女別従業員数、平均年齢、平均勤続年数】計 878(43.0歳 19.2年) 男 589(46.2歳 24.4年) 女 289(37.2歳 10.7年)【離職率と離職者数】7.0%、66名(早期退職男3名含む)【3年後新卒定着率】69.0%(男60.0%、女73.7%、3年前入社:男10名・女19名)【組合】あり

求める人材 グローバルに活躍したい人 国際物流のフィールドでチャレンジしたい人

会社データ (金額は百万円)

【本社】530-0001 大阪府大阪市北区梅田2-5-25 ハービスOSAKA内
☎06-4795-5716 https://www.hh-express.com/jp/
【社長】谷村 和宏【設立】2009.10【資本金】100【今後力を入れる事業】インド・アフリカ展開 海運・ロジの成長

【業績(連結)】	営業収益	営業利益	経常利益	純利益
22.3	143,296	8,000	NA	NA
23.3	163,269	8,381	NA	NA
24.3	100,300	223	NA	NA

サービス

▶『業界地図』p.252

(株)上組
かみぐみ

東京P 9364

【特色】港運首位級。輸出入から通関・荷役まで展開

修士・大卒採用数	3年後離職率	有休取得年平均	平均年収(平均41歳)
80名	16.9→27.3%	11.7日	[総]792万円

●エントリー情報と採用プロセス●

【受付開始～終了】[総]3月～継続中【採用プロセス】[総]Web説明会(必須)→ES提出→個人面接(2回)・Webテスト・適性検査→役員面接→内々定【交通費支給】最終面接、会社基準

試験情報

重視科目 [総]面接

[総][ES]⇒巻末[筆]Webテスト 適性検査[面]3回(Webあり)

選考ポイント [総][ES]文章の質や論理性 主体的な行動の有無 他[面]コミュニケーション能力 行動力 論理性 柔軟性 他

通過率 [総][ES]NA(受付:430→通過:NA)

倍率(応募/内定) [総]11倍

●男女別採用数と配属先ほか●

【男女・文理別採用実績】

	大卒男	大卒女	修士男	修士女
23年	45(文 42理 3)	16(文 16理 0)	0(文 0理 0)	0(文 0理 0)
24年	35(文 34理 1)	31(文 31理 0)	0(文 0理 0)	0(文 0理 0)
25年	40(文 35理 5)	40(文 35理 5)	0(文 0理 0)	0(文 0理 0)

※大卒男に修士男 大卒女に修士女含む

【25年4月入社者の採用実績校】
[文](24年)(大)甲南大3 早大 法政大 下関市大 京産大 神戸学大 流通科学大各2 愛知学大 愛知工業大 愛知淑徳大 愛知大 関西学大 関大 近大 金沢星稜大 九産大 駒澤大 高崎経大 札幌大 神戸市外大 神戸大 拓大 長崎県大 東京国際大 同大 梅光学大 福岡大 福山大 名古屋外大 名古屋商大 明大 佛教大 獨協大各1(理系含む) [理](24年)文系に含む

【24年4月入社者の配属先】
[総]勤務地:兵庫16 東京6 福岡6 愛知5 大阪2 横浜2 他 部署:(23年)ロジスティクスオペレーション(倉庫・ターミナル運営)18 営業16 管理6 通関3

残業(月) 24.1時間 [総]32.6時間

記者評価 1867年に神戸港の開港とともに創業。神戸・東京両港に単独運営のターミナルを有し、国内6大港で港湾輸送シェア首位級。世界各地に物流拠点を置き、国際物流も展開。新エネルギー関連物流を強化。23年度から年功重視を見直した新人事制度を導入。

●給与、ボーナス、週休、有休ほか●

【30歳総合職平均年収】584万円【初任給】(博士)235,000円(修士)235,000円(大卒)235,000円【ボーナス(年)】160万円、5.03カ月【25、30、35歳賃金】250,000円→279,000円→319,000円【週休】2日【夏期休暇】3日【年末年始休暇】連続4日【有休取得】11.7／20日

●従業員数、勤続年数、離職率ほか●

【男女別従業員数、平均年齢、平均勤続年数】計 1,660(38.3歳 14.3年) 男 1,137(40.2歳 16.3年) 女 523(34.1歳 10.1年)【離職率と離職者数】4.2%、72名【3年後新卒定着率】72.7%(男76.9%、女69.0%、3年前入社:男26名・女29名)【組合】あり

求める人材 コミュニケーション能力に優れ、チームプレーを重視できる人材

会社データ (金額は百万円)

【本社】651-0083 兵庫県神戸市中央区浜辺通4-1-11
☎078-271-5114 https://www.kamigumi.co.jp/
【社長】深井 義博【設立】1947.2【資本金】31,642【今後力を入れる事業】基幹事業の強化 海外事業 新規事業 他

【業績(連結)】	売上高	営業利益	経常利益	純利益
22.3	261,681	28,524	30,875	20,861
23.3	274,139	31,580	35,064	24,620
24.3	266,785	30,592	34,185	25,035

名港海運(株)
めいこうかいうん

名古屋M 9357

【特色】名古屋港が地盤の港湾運送大手。海外にも倉庫群

修士・大卒採用数	3年後離職率	有休取得年平均	平均年収(平均40歳)
26名	23.5→0%	11.6日	[総]858万円

●エントリー情報と採用プロセス●

【受付開始～終了】[総]3月～4月【採用プロセス】[総]説明会(必須、3月)→ES提出(3月)→GD(3月)→筆記(4月)→面接(3回、4～6月)→内々定(6月上旬)【交通費支給】2次面接以降、2次面接:会社基準、最終選考:実費

試験情報

重視科目 [総]面接

[総][ES]⇒巻末[筆]C-GAB WebGAB クレペリン[面]3回[GD作]⇒巻末

選考ポイント [総][ES]志望動機 自己PR[面]コミュニケーション能力 バイタリティ 志望理由の具体性

通過率 [総][ES]63%(受付:680→通過:428)

倍率(応募/内定) [総]26倍

●男女別採用数と配属先ほか●

【男女・文理別採用実績】

	大卒男	大卒女	修士男	修士女
23年	15(文 12理 3)	14(文 13理 1)	0(文 0理 0)	0(文 0理 0)
24年	13(文 12理 1)	13(文 13理 0)	0(文 0理 0)	0(文 0理 0)
25年	15(文 14理 1)	11(文 11理 0)	0(文 0理 0)	0(文 0理 0)

【25年4月入社者の採用実績校】
[文](大)愛知大4 南山大 名城大各3 愛知県大 愛知淑徳大 金城学大 中京大 名古屋外大各2 京産大 京都府大 上智大 福山市大 立命館大各1 [理](大)三重大1

【24年4月入社者の配属先】
[総]勤務地:愛知16 部署:港湾物流部4 物流センター統括部12

残業(月) 18.6時間 [総]24.0時間

記者評価 陸海空複合の一貫輸送体制を整備。名古屋港を中心に国内71万㎡の倉庫群を保有。自動車、同部品、鋼材などの取り扱いが多い。国際拠点網も充実、海外倉庫群は9万㎡。23年6月に高速道路至近の愛知・弥富市に輸送センターを新設、輸送車両を集約し輸送効率化。

●給与、ボーナス、週休、有休ほか●

【30歳総合職平均年収】606万円【初任給】(博士)243,000円(修士)243,000円(大卒)243,000円【ボーナス(年)】282万円、NA【25、30、35歳賃金】256,000円→279,000円→364,000円【週休】完全2日(土日祝)【夏期休暇】7～9月で4日間【年末年始休暇】12月31日～1月3日【有休取得】11.6／20日

●従業員数、勤続年数、離職率ほか●

【男女別従業員数、平均年齢、平均勤続年数】計 843(38.8歳 16.1年) 男 547(40.1歳 16.9年) 女 296(36.6歳 14.7年)【離職率と離職者数】2.0%、17名【3年後新卒定着率】100%(男100%、女100%、3年前入社:男15名・女4名)【組合】あり

求める人材 明るく前向きであり、コミュニケーション能力がある人

会社データ (金額は百万円)

【本社】455-8650 愛知県名古屋市港区入船2-4-6
☎052-661-8140 https://www.meiko-trans.co.jp/
【社長】髙橋 広【設立】1949.1【資本金】2,350【今後力を入れる事業】国際複合一貫輸送体制の強化

【業績(連結)】	売上高	営業利益	経常利益	純利益
22.3	81,273	6,458	7,095	4,624
23.3	84,101	6,247	6,959	4,641
24.3	77,698	5,265	6,536	4,541

伊勢湾海運(株)（いせわんかいうん）

名古屋M 9359

【特色】名古屋港軸の港湾運送大手。海外拠点増強を加速

修士・大卒採用数	3年後離職率	有休取得年平均	平均年収(平均40歳)
12名	24.0→14.3%	12.6日	総757万円

●エントリー情報と採用プロセス●

【受付開始～終了】総2月～4月【採用プロセス】総説明会(必須、2～4月)→ES提出(3～4月)→Webテスト・個人面接(5月上旬)→適性検査・集団面接(5月下旬)→役員面接(6月中旬)→内々定(6月中旬)【交通費支給】2次選考以降、2次選考:上限10,000円までの実費 最終選考:実費

試験情報

重視科目 総面接

総 ES⇒巻末 筆マネジメントベース 面3回(Webあり)

総 ES NA(提出あり) 面コミュニケーション能力が高く、協調性があり明朗快活か 志望理由や将来の夢など明確に自分らしく表現出来るか 希望職種の業務内容を概ね理解しているか

通過率 総 ES 91%(受付:263→通過:239)

倍率(応募/内定) 総26倍

●男女別採用数と配属先ほか●

【男女・文理別採用実績】

	大卒男	大卒女	修士男	修士女
23年	22(文 21 理 1)	10(文 10 理 0)	0(文 0 理 0)	0(文 0 理 0)
24年	23(文 23 理 0)	10(文 10 理 0)	0(文 0 理 0)	0(文 0 理 0)
25年	8(文 8 理 0)	4(文 4 理 0)	0(文 0 理 0)	0(文 0 理 0)

【25年4月入社者の採用実績校】

文(大)中部大2 愛知大 愛知学大 横浜市大 名古屋学院大 関西外大 名城大 愛知淑徳大 南山大各1 理なし

【24年4月入社者の配属先】

総勤務地:名古屋23 大阪1 部署:現業部門20 管理部門2 営業部門2

残業(月) 18.0時間 総23.9時間

記者評価 主力の名古屋港が軸の港湾運送に加え、中部空港も活用し陸海空の国際総合物流を展開。貨物は工作機械、鉄鋼など重量物中心に自動車関連も扱う。廃棄物リサイクルも。欧米、中国、アジアに拠点。海外駐在希望の総合職を対象に最長6カ月間の実地研修を実施。

●給与、ボーナス、週休、有休ほか●

【30歳総合職平均年収】636万円【初任給】(修士)242,000円(大卒)242,000円【ボーナス(年)】188万円、NA【25、30、35歳賃金】250,000円→286,864円→314,200円【週休】完全2日(土日祝)【夏期休暇】なし【年末年始休暇】連続4日+α【有休取得】12.6／25日

●従業員数、勤続年数、離職率ほか●

【男女別従業員数、平均年齢、平均勤続年数】計 ◇755(41.9歳 18.0年) 男 621(NA) 女 134(NA)【離職率と離職者数】◇2.6%、20名【3年後新卒定着率】85.7%(男75.0%、女100%、3年前入社:男8名・女6名)【組合】あり

求める人材 コミュニケーション能力が高く、チームワークで活躍できる人

会社データ (金額は百万円)

【本社】455-0032 愛知県名古屋市港区入船1-7-40

☎052-661-5181 https://www.isewan.co.jp/

【社長】高見 昌伸【設立】1949.1【資本金】2,046【今後力を入れる事業】DX推進 国内新規設備強化

【業績(連結)】	売上高	営業利益	経常利益	純利益
22.3	52,074	3,040	3,614	2,232
23.3	69,994	5,855	6,596	4,241
24.3	56,699	3,170	3,981	2,499

三井倉庫ホールディングス(株)（みついそうこ）

東京P 9302

【特色】倉庫大手。ビル賃貸が利益柱。アジア物流を強化

修士・大卒採用数	3年後離職率	有休取得年平均	平均年収(平均40歳)
38名	6.1→8.0%	13.9日	791万円

●エントリー情報と採用プロセス●

【受付開始～終了】総3月～4月【採用プロセス】総Webテスト・ES提出(3～4月)→面接(3回、4～5月)→内々定(6月)【交通費支給】NA【早期選考】⇒巻末

試験情報

重視科目 総面接

総 ES⇒巻末 筆WebGAB 面3回(Webあり)

選考ポイント 総 ES NA(提出あり) 面NA

通過率 総 ES NA(受付:(早期選考含む)442→通過:NA)

倍率(応募/内定) 総(早期選考含む)16倍

●男女別採用数と配属先ほか●

【男女・文理別採用実績】

	大卒男	大卒女	修士男	修士女
23年	17(文 16 理 1)	23(文 22 理 1)	0(文 0 理 0)	1(文 1 理 0)
24年	31(文 27 理 4)	25(文 25 理 0)	3(文 0 理 3)	0(文 0 理 0)
25年	15(文 12 理 3)	21(文 20 理 1)	1(文 0 理 1)	1(文 1 理 0)

【25年4月入社者の採用実績校】

文(院)神戸大1(大)同大 法政大 明大各2 崇実大 学習院大 関西学大 近大 昭和女大 神戸市外大 聖心女大 千葉大 早大 中大 東北大 名古屋外大 名城大 明学大 立教大 立命館大各1 理(院)東京海洋大1(大)関西学大 東京海洋大 名城大 立命館大各1

【24年4月入社者の配属先】

総勤務地:関東26 中部8 関西11 部署:倉庫事業29 港湾運送10 営業1 情報システム5

残業(月) 30.4時間

記者評価 14年に持株会社制へ移行。倉庫・港湾運送、航空貨物・複合一貫輸送、3PLなど事業会社ごとに機能集約。再生医療などヘルスケア、EV含むモビリティ、B2B2C(企業・消費者間取引の仲介)の3分野に注力。HDと5子会社を創業の地・箱崎ビルに25年5月移転・集約へ。

●給与、ボーナス、週休、有休ほか●

【30歳総合職平均年収】NA【初任給】(修士)262,000円(大卒)260,000円【ボーナス(年)】NA【25、30、35歳賃金】NA【週休】2日(祝日週は土曜出勤)【夏期休暇】5日【年末年始休暇】連続6日【有休取得】13.9／20日

●従業員数、勤続年数、離職率ほか●

【男女別従業員数、平均年齢、平均勤続年数】計 973(40.2歳 13.7年) 男 619(NA) 女 354(NA)【離職率と離職者数】2.6%、26名【3年後新卒定着率】92.0%(男92.9%、女90.9%、3年前入社:男14名・女11名)【組合】あり

求める人材 未来を描き、動き動かし続ける人 Design the new story and lead everyone

会社データ (金額は百万円)

【本社】105-0003 東京都港区西新橋3-20-1

☎03-6400-8000 https://www.mitsui-soko.com/

【社長】古賀 博文【設立】1909.10【資本金】11,219【今後力を入れる事業】ヘルスケア事業 サステナビリティビジネス

【業績(連結)】	売上高	営業利益	経常利益	純利益
22.3	301,022	25,939	25,553	14,503
23.3	300,836	25,961	26,533	15,617
24.3	260,593	20,754	21,010	12,107

021 ▶『業界地図』p.251 開示 ★★★

みつびしそうこ
三菱倉庫㈱

東京P 9301

【特色】倉庫大手。収益性高いビル等賃貸と物流の2本柱

修士・大卒採用数	3年後離職率	有休取得年平均	平均年収(平均40歳)
40名	7.8→7.7%	12.0日	951万円

●エントリー情報と採用プロセス●

【受付開始～終了】[総]1月～5月【採用プロセス】[総]Web説明会(必須、1～3月)→ES提出・筆記(1～5月)→Web面接(4～5月)→対面面接(2～3回、4～6月)→内々定(5～6月)【交通費支給】最終面接、遠方者のみ実費【早期選考】⇒巻末

試験情報

重視科目 [総]面接 筆記

[総][ES]⇒巻末[筆]C-GAB[面]3～4回(Webあり)

選考ポイント [総][ES]学生時代に力を入れて取り組んだこと 他[面]企業研究度 志望度 コミュニケーション能力 バイタリティ 論理性 研究内容 資格 他

通過率 [総][ES]NA

倍率(応募/内定) [総]NA

●男女別採用数と配属先ほか●

【男女・文理別採用実績】

	大卒男	大卒女	修士男	修士女
23年	22(文 17理 5)	8(文 7理 1)	0(文 0理 0)	0(文 0理 0)
24年	19(文 15理 4)	14(文 12理 2)	1(文 1理 0)	1(文 1理 0)
25年	22(文 15理 7)	17(文 15理 2)	1(文 0理 1)	0(文 0理 0)

【25年4月入社者の採用実績校】
[文](大)早大4 慶大 立命館大各3 法政大2 一橋大 滋賀大 京大 九大 兵庫県大 上智大 ICU 青学大 立教大 中大 昭和女大 中部大 同大 関大 甲南大 日女大 東京女大 大妻女大各1 [理](院)東大1(大)東京海洋大4 神戸大 名大 明大 成蹊大 津田塾大各1

【24年4月入社者の配属先】
[総]**勤務地**:東京8 横浜8 名古屋6 大阪5 神戸6 福岡2 **部署**:倉庫事業部門28 港運事業部門7

残業(月) 18.2時間

記者評価 倉庫跡地を再開発したオフィスビルや商業施設の賃貸・運営など不動産事業の利益比率が高い。倉庫が核の物流は医薬品など高付加価値品に注力。食品物流など拡充に向け、キユーソー流通システムと業務提携。米英での医薬品物流会社の買収が23年10月に完了。

●給与、ボーナス、週休、有休ほか●

【30歳総合職平均年収】NA【初任給】(修士)271,000円(大卒)260,000円【ボーナス(年)】NA【25、30、35歳賃金】NA【週休】2日(祝日週日数分土曜出勤日の設定あり)【夏期休暇】5日【年末年始休暇】12月31日～1月3日【有休取得】12.0/20日

●従業員数、勤続年数、離職率ほか●

【男女別従業員数、平均年齢、平均勤続年数】計 976(40.3歳 15.9年) 男 634(40.0歳 15.2年) 女 342(40.8歳 17.3年)【離職率と離職者数】2.2%、22名【3年後新卒定着率】92.3%(男88.0%、女100%、3年前入社:男25名・女14名)【組合】あり

求める人材 明確な目標を定め、誠実に自律的に行動できる人

会社データ (金額は百万円)

【本社】103-8630 東京都中央区日本橋1-19-1
☎03-3278-6611 https://www.mitsubishi-logistics.co.jp/
【社長】斉藤 秀親【設立】1887.4【資本金】22,393【今後力を入れる事業】ロジスティクス事業 不動産事業

【業績(連結)】	売上高	営業利益	経常利益	純利益
22.3	257,230	18,144	23,151	17,892
23.3	300,594	23,027	30,046	27,226
24.3	254,507	18,941	24,358	27,787

すみともそうこ
㈱住友倉庫

東京P 9303

【特色】倉庫大手。海陸一貫物流に強み。土地所有が多い

修士・大卒採用数	3年後離職率	有休取得年平均	平均年収(平均38歳)
48名	7.3→14.9%	13.9日	[総]928万円

●エントリー情報と採用プロセス●

【受付開始～終了】[総]3月～5月【採用プロセス】[総]説明会・ES提出(3～5月)→筆記(6月)→面接(約3回、6月)→内々定(6月中旬)【交通費支給】2次面接以降、新幹線、航空券等 相当額

試験情報

重視科目 [総]面接 筆記

[総][ES]NA[筆]一般常識[面]約3回(Webあり)

選考ポイント [総][ES]NA(提出あり)[面]人物本位 熱意のある人

通過率 [総][ES]NA

倍率(応募/内定) [総]NA

●男女別採用数と配属先ほか●

【男女・文理別採用実績】

	大卒男	大卒女	修士男	修士女
23年	22(文 20理 2)	17(文 17理 0)	0(文 0理 0)	0(文 0理 0)
24年	32(文 29理 3)	17(文 16理 1)	1(文 1理 0)	0(文 0理 0)
25年	31(文 28理 3)	17(文 17理 0)	0(文 0理 0)	0(文 0理 0)

【25年4月入社者の採用実績校】
[文](大)立教大 関大 立命館大 近大各3 筑波大 明大各2 横国大 早大 慶大 ICU 青学大 中大 法政大 同大 関西学大 成蹊大 成城大 明学大 日女大 東京農業大 神奈川大 滋賀大 大分大 名古屋外大 京産大 国立中山大各1 [理](大)東理大 北大 神戸大各1

【24年4月入社者の配属先】
[総]**勤務地**:大阪11 神戸3 東京12 横浜7 名古屋3 **部署**:倉庫部門28 海上部門6 国際輸送部門1 営業部門1

残業(月) 31.5時間 [総]45.5時間

記者評価 大阪発祥。傘下に遠州トラックを擁し総合物流を展開。不動産賃貸が利益の柱。文書など情報管理施設や、収益性の高い京浜・阪神地区の不動産開発・取得に注力。AIやロボティクスなどの導入に積極的。国際物流は欧州、北米、アジアに加えサウジアラビアにも拠点。

●給与、ボーナス、週休、有休ほか●

【30歳総合職平均年収】NA【初任給】(大卒)260,000円【ボーナス(年)】NA、6.0カ月【25、30、35歳賃金】280,766円→382,029円→515,745円【週休】2日(祝日週土曜出勤)【夏期休暇】5日【年末年始休暇】連続4日【有休取得】13.9/20日

●従業員数、勤続年数、離職率ほか●

【男女別従業員数、平均年齢、平均勤続年数】計 824(37.7歳 13.5年) 男 500(39.0歳 14.2年) 女 324(35.9歳 12.3年)【離職率と離職者数】3.7%、32名【3年後新卒定着率】85.1%(男86.4%、女84.0%、3年前入社:男22名・女25名)【組合】あり

求める人材 失敗を恐れず、自ら考え、行動し使命感を持って業務に取り組める人

会社データ (金額は百万円)

【本社】530-0005 大阪府大阪市北区中之島3-2-18 住友中之島ビル
☎06-6444-1182 https://www.sumitomo-soko.co.jp/
【社長】永田 昭仁【設立】1923.8【資本金】14,922【今後力を入れる事業】時代が求める物流ネットワークの構築

【業績(連結)】	売上高	営業利益	経常利益	純利益
22.3	231,461	27,748	30,421	19,703
23.3	223,948	26,090	29,115	22,455
24.3	184,661	13,187	16,880	12,490

023 ▶『業界地図』p.251 開示 ★★★

日本トランスシティ(株)（にほん）

東京P 9310

【特色】中部地域最大の総合物流企業で、倉庫業界大手

修士・大卒採用数	3年後離職率	有休取得年平均	平均年収(平均40歳)
25名	7.1→33.3%	15.7日	773万円

●エントリー情報と採用プロセス●

【受付開始～終了】[総]3月～継続中【採用プロセス】[総]ES提出・適性検査→面接(約3回)→内々定【交通費支給】最終選考、会社基準(大学から会社まで)【早期選考】⇒巻末

試験情報

重視科目 [総]面接

[総][ES]NA[筆]あり(内容NA)[面]約3回[GD作]NA

選考ポイント [総][ES]NA(提出あり)[面]自主性 協調性 人柄 社風への適応度

通過率 [総][ES]NA

倍率(応募/内定) [総]NA

●男女別採用数と配属先ほか●

【男女・文理別採用実績】

	大卒男	大卒女	修士男	修士女
23年	9(文 9理 0)	12(文 12理 0)	0(文 0理 0)	0(文 0理 0)
24年	8(文 8理 0)	10(文 10理 0)	0(文 0理 0)	0(文 0理 0)
25年	14(文 14理 0)	11(文 11理 0)	0(文 0理 0)	0(文 0理 0)

【25年4月入社者の採用実績校】

[文](24年)(大)南山大 関西外大 関西学大各2 関大 信州大 国士舘大 愛知工業大各1 [理](24年)なし

【24年4月入社者の配属先】

[総]勤務地：三重・四日市6 愛知・飛島1 神奈川・大和1 埼玉・東松山1 茨城・神栖1 部署：倉庫部門6 陸上運送部門1 港湾輸送部門1 国際複合輸送部門2

残業(月) 22.2時間

[記者評価] 輸送、港湾運送、倉庫サービスなどを手がける。中部地区最大で、四日市港を地盤に全国を網羅。石油化学品や自動車部品の扱いが多い。海外は10以上の国・地域に拠点。24年3月、JR貨物と連携し、鉄道と組み合わせた半導体材料の長距離輸送が本格運行開始。

●給与、ボーナス、週休、有休ほか●

【30歳総合職平均年収】790万円【初任給】(修士)230,000円 (大卒)230,000円【ボーナス(年)】NA【25、30、35歳賃金】NA【週休】2日(月1回土曜出勤)【夏期休暇】7日(リフレッシュ休暇、通年で取得)【年末年始休暇】12月30日～1月4日【有休取得】15.7／22日

●従業員数、勤続年数、離職率ほか●

【男女別従業員数、平均年齢、平均勤続年数】計 629(39.8歳 17.4年) 男 377(41.7歳 19.0年) 女 252(37.0歳 15.0年)【離職率と離職者数】2.8%、18名【3年後新卒定着率】66.7%(男87.5%、女42.9%、3年前入社：男8名・女7名)【組合】あり

[求める人材] チャレンジ精神旺盛かつチームワークを大切にできる人

[会社データ] (金額は百万円)

【本社】510-8651 三重県四日市市霞2-1-1 四日市港ポートビル ☎059-363-5211 https://www.trancy.co.jp/

【社長】安藤 仁【設立】1942.12【資本金】8,428【今後力を入れる事業】国内ロジスティクス事業 グローバルロジスティクス事業

【業績(連結)】	売上高	営業利益	経常利益	純利益
22.3	116,750	6,669	8,368	5,597
23.3	134,063	7,250	8,996	6,157
24.3	122,555	6,241	7,352	4,633

澁澤倉庫(株)（しぶさわそうこ）

東京P 9304

【特色】澁澤榮一創業の倉庫準大手。陸運、不動産事業も

修士・大卒採用数	3年後離職率	有休取得年平均	平均年収(平均40歳)
26名	12.5→22.7%	11.4日	[総]791万円

●エントリー情報と採用プロセス●

【受付開始～終了】[総]3月～6月【採用プロセス】[総]説明会(3月初旬～)→筆記・ES提出(3月～)→面接(複数回、4月～)→内々定(6月～)【交通費支給】最終面接、新幹線・航空券代全額

試験情報

重視科目 [総]面接

[総][ES]⇒巻末[筆]SCOA 英語(自社オリジナル)[面]複数回(Webあり)

選考ポイント [総][ES]NA(提出あり)[面]人物本位

通過率 [総][ES]NA

倍率(応募/内定) [総]NA

●男女別採用数と配属先ほか●

【男女・文理別採用実績】

	大卒男	大卒女	修士男	修士女
23年	10(文 10理 0)	5(文 4理 1)	0(文 0理 0)	0(文 0理 0)
24年	13(文 13理 0)	4(文 4理 0)	0(文 0理 0)	0(文 0理 0)
25年	16(文 16理 0)	10(文 10理 0)	0(文 0理 0)	0(文 0理 0)

【25年4月入社者の採用実績校】

[文](大)立教大3 成蹊大 関大 近大 関西外大各2 一橋大 静岡大 神戸大 広島大 都立大 慶大 明大 法政大 日大 駒澤大 東京女大 大正大 南山大 関西学大 京産大各1 [理]なし

【24年4月入社者の配属先】

[総]勤務地：東京2 千葉3 横浜4 愛知2 大阪3 神戸3 部署：営業所17

残業(月) 32.3時間

[記者評価] 澁澤榮一の名を冠した総合倉庫の老舗。首都圏・中京圏・近畿圏を中心に消費財の一括物流に強みを持つ。倉庫跡地を活用した不動産事業も展開。22年7月静岡市の物流サービス会社買収。海外は中国やベトナムなどアジア重点。本牧埠頭の新倉庫が24年秋稼働。

●給与、ボーナス、週休、有休ほか●

【30歳総合職平均年収】NA【初任給】(大卒)260,000円【ボーナス(年)】NA【25、30、35歳賃金】NA【週休】完全2日(土日祝)【夏期休暇】有休5日以上取得【年末年始休暇】12月30日～1月4日【有休取得】11.4／25日

●従業員数、勤続年数、離職率ほか●

【男女別従業員数、平均年齢、平均勤続年数】計 524(43.2歳 18.3年) 男 356(43.9歳 18.2年) 女 168(41.8歳 18.6年)【離職率と離職者数】2.4%、13名【3年後新卒定着率】77.3%(男84.6%、女66.7%、3年前入社：男13名・女9名)【組合】あり

[求める人材] チャレンジする意欲に溢れた人

[会社データ] (金額は百万円)

【本社】135-8513 東京都江東区永代2-37-28 澁澤シティプレイス永代 ☎03-5646-7220 https://www.shibusawa.co.jp/

【社長】大隅 毅【設立】1909.7【資本金】7,847【今後力を入れる事業】大型物流センター運営 海外現地物流

【業績(連結)】	売上高	営業利益	経常利益	純利益
22.3	71,746	4,516	6,924	5,257
23.3	78,504	4,894	5,847	3,759
24.3	73,417	4,271	5,091	3,728

安田倉庫(株)（やすだそうこ）

東京P 9324

【特色】旧財閥系の倉庫準大手。首都圏を軸に展開

修士・大卒採用数	3年後離職率	有休取得年平均	平均年収(平均40歳)
21名	8.7→10.5%	12.0日	733万円

●エントリー情報と採用プロセス●

【受付開始～終了】(総)3月～6月【採用プロセス】(総)説明会(3～6月)→面接(3回、3～6月)→内々定※2次面接時に筆記・作文実施【交通費支給】なし【早期選考】⇒巻末

試験情報

重視科目 (総)面接

(総)(筆)あり(内容NA)(面)3回(Webあり)(GD作)NA

選考ポイント (総)(ES)提出なし(面)コミュニケーション力 判断力 理解力 論理構成力

通過率 (総)(ES)―(応募:336)

倍率(応募/内定) (総)8倍

●男女別採用数と配属先ほか●

【男女・文理別採用実績】

	大卒男	大卒女	修士男	修士女
23年	18(文 15理 3)	8(文 8理 0)	0(文 0理 0)	1(文 1理 0)
24年	13(文 13理 0)	6(文 5理 1)	0(文 0理 0)	0(文 0理 0)
25年	13(文 12理 1)	8(文 8理 0)	0(文 0理 0)	0(文 0理 0)

【25年4月入社者の採用実績校】

(文)(大)神戸市外大 静岡県大 成蹊大 青学大 学習院大 神奈川大 関西外大 國學院大 駒澤大 上智大 東海大 同大 日大 法政大 明大 立教大 立命館大 (理)(大)東京海洋大

【24年4月入社者の配属先】

(総)勤務地:東京8 神奈川6 埼玉3 大阪1 福岡1 部署:営業所19

残業(月) 13.7時間

記者評価 創立100周年超の旧安田財閥系の倉庫準大手。首都圏を核に物流事業を展開し、関西に強い中央倉庫と提携。エーザイの物流子会社買収や物流拠点開設などメディカル領域強化中。AIやロボット活用による省人化推進。23年子会社2社を新設するなどアジア物流網拡充。

●給与、ボーナス、週休、有休ほか●

【30歳総合職平均年収】NA【初任給】(博士)249,000円(修士)249,000円(大卒)245,000円【ボーナス(年)】NA【25、30、35歳賃金】NA【週休】完全2日(土日祝)【夏期休暇】連続5日【年末年始休暇】12月30日～1月4日【有休取得】12.0／20日

●従業員数、勤続年数、離職率ほか●

【男女別従業員数、平均年齢、平均勤続年数】計 482(39.5歳 12.7年) 男 296(40.4歳 13.3年) 女 186(38.0歳 11.8年)【離職率と離職者数】4.7%、24名【3年後新卒定着率】89.5%(男89.5%、女89.5%、3年前入社:男19名・女19名)【組合】あり

求める人材 目的意識を持って何事にもチャレンジできる人 コミュニケーションを大切にする人

会社データ (金額は百万円)

【本社】108-8435 東京都港区芝浦3-1-1 田町ステーションタワーN

☎03-3452-7311　https://www.yasuda-soko.co.jp/

【社長】小川 一成【設立】1919.12【資本金】3,602【今後力を入れる事業】メディカルサービス ITサービス DX

【業績(連結)】	売上高	営業利益	経常利益	純利益
22.3	53,040	2,910	4,037	2,873
23.3	59,756	2,534	3,776	2,245
24.3	67,384	2,642	3,951	2,302

両備ホールディングス(株)（りょうび）

株式公開計画なし

【特色】岡山・両備G中核。交通・運輸に生活関連事業も

修士・大卒採用数	3年後離職率	有休取得年平均	平均年収(平均43歳)
26名	29.0→NA	10.1日	NA

●エントリー情報と採用プロセス●

【受付開始～終了】(総)3月～継続中【採用プロセス】(総)説明会(必須)→Webテスト・ES提出→面接(3回)→内々定【交通費支給】役員面接以降、学校所在地・居住地による(会社規定)

試験情報

重視科目 (総)面接

(総)(ES)⇒巻末(筆)一般常識 性格検査(面)3回(Webあり)

選考ポイント (総)(ES)NA(提出あり)(面)NA

通過率 (総)(ES)NA

倍率(応募/内定) (総)NA

●男女別採用数と配属先ほか●

【男女・文理別採用実績】

	大卒男	大卒女	修士男	修士女
23年	17(文 10理 7)	9(文 9理 0)	0(文 0理 0)	0(文 0理 0)
24年	9(文 8理 1)	12(文 12理 0)	0(文 0理 0)	0(文 0理 0)
25年	13(文 10理 3)	11(文 11理 0)	2(文 0理 2)	0(文 0理 0)

【25年4月入社者の採用実績校】

(文)(大)岡山大 環太平洋大各2 香川大 北九州市大 京産大 高知工科大 摂南大 都立大 ノートルダム清心女大 山口大 大和大 川崎医療福祉大各1(専)大原ビジネス公務員専門学校岡山校1 ※総合職のみ (理)(院)岡山大 山口大各1(大)岡山大 岡山理大 福井工大各1 ※総合職のみ

【24年4月入社者の配属先】

(総)勤務地:岡山(岡山10 吉備中央2)神戸1 部署:経営戦略1 経営サポート2 バスユニット統括2 バス1 トランスポート1 ストア2 テクノモビリティー4

残業(月) 15.1時間 (総)17.8時間

記者評価 西大寺軌道として1910年創業。岡山県南地盤の両備グループ中核。社名は「ホールディングス」だが持株会社ではなく、バス、陸運、商業施設運営など9つの社内カンパニーを展開。岡山市中心部の再開発「杜の街」も手がける。ダイバーシティの取り組みを強化。

●給与、ボーナス、週休、有休ほか●

【30歳総合職平均年収】NA【初任給】(博士)245,000円(修士)245,000円(大卒)245,000円【ボーナス(年)】NA【25、30、35歳賃金】NA【週休】2日【夏期休暇】なし【年末年始休暇】なし【有休取得】10.1／20日

●従業員数、勤続年数、離職率ほか●

【男女別従業員数、平均年齢、平均勤続年数】計 ◇2,000(42.7歳 12.0年) 男 1,100(NA) 女 900(NA)【離職率と離職者数】NA【3年後新卒定着率】NA【組合】あり

求める人材 (1)忠恕(真心からの思いやり)をもって働ける人(2)自身の仕事にプロ意識をもって取り組める人(3)主体的に行動を起こせる人

会社データ (金額は百万円)

【本社】700-8518 岡山県岡山市北区下石井2-10-12 杜の街グレースオフィススクエア

☎086-201-1012　https://www.ryobi-holdings.jp/

【社長】松田 敏之【設立】1910.7【資本金】400【今後力を入れる事業】製造・開発事業

【業績(連結)】	売上高	営業利益	経常利益	純利益
22.3	155,979	4,289	9,255	5,714
23.3	160,639	6,965	10,552	5,875
24.3	159,856	8,413	10,713	4,964

ほっかいどうりょかくてつどう
北海道旅客鉄道(株)

株式公開 いずれしたい

【特色】JR北海道。北海道新幹線を軸に観光客を取り込む

修士・大卒採用数	3年後離職率	有休取得年平均	平均年収(平均36歳)
未定	NA	18.3日	NA

●エントリー情報と採用プロセス●

【受付開始～終了】(総)(技)3月～未定【採用プロセス】(総)(技)ES提出(3～5月)→適性検査(6月)→面接(約3回、6月)→内々定(6月)【交通費支給】最終選考、会社基準

試験情報

重視科目 [総][技]面接

[総][技](ES)⇒巻末(筆)一般常識 適性検査(面)約3回(Webあり)

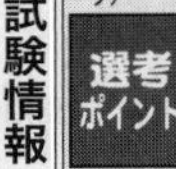

選考ポイント (総)(ES)学生時代の取り組み 他(面)<総合職>身だしなみ 熱意 企業研究度合 他 (技)(ES)総合職共通(面)<鉄道フィールド職>身だしなみ 熱意 企業研究度合 他

通過率 [総][技](ES)NA

倍率(応募/内定) [総][技]NA

●男女別採用数と配属先ほか●

【男女・文理別採用実績】

	大卒男	大卒女	修士男	修士女
23年	75(文NA 理NA)	13(文NA 理NA)	7(文NA 理NA)	0(文NA 理NA)
24年	74(文NA 理NA)	9(文NA 理NA)	3(文NA 理NA)	0(文NA 理NA)
25年	-(文 - 理 -)	-(文 - 理 -)	-(文 - 理 -)	-(文 - 理 -)

※25年:270名採用予定(高卒含む)

【25年4月入社者の採用実績校】
(文)(24年)(院)広島大(大)北大 小樽商大 北海学園大 早大 慶大 立教大 法政大 立命館大 阪大 他 (理)(24年)(院)北大 岩手大(大)室蘭工大 千歳科技大 芝工大 長岡技科大 関大 他

【24年4月入社者の配属先】
(総)勤務地:北海道(札幌5 小樽1 千歳1 室蘭1 帯広1 釧路2 旭川3 網走1 函館2) 部署:駅9 運輸7 開発事業1 (技)勤務地:北海道(札幌4 室蘭1 旭川2 函館2) 部署:運輸3 線路2 建築2 電気2

残業(月) 8.7時間

記者評価 北海道の鉄道旅客会社。営業キロは2254.9km。1日1212本運行。寒冷地ゆえの除雪・車両維持負担重く、JR他社に比べ財務基盤弱い。訪日客戻る。30年度運行メドに北海道新幹線・札幌延伸計画着々。ボールパークへの運行にも取り組む。賃貸マンション開発も推進。

●給与、ボーナス、週休、有休ほか●

【30歳総合職平均年収】NA【初任給】(修士)208,397円(大卒)199,230円【ボーナス(年)】NA【25、30、35歳賃金】NA【週休】年112日【夏期休暇】なし【年末年始休暇】なし【有休取得】18.3／20日

●従業員数、勤続年数、離職率ほか●

【男女別従業員数、平均年齢、平均勤続年数】計 ◇5,945(36.0歳 15.0年) 男 NA 女 NA【離職率と離職者数】NA【3年後新卒定着率】NA【組合】あり

求める人材 当社の経営理念に共感し、問題・課題に対し自ら進んで取り組むことができる人材

会社データ (金額は百万円)

【本社】060-8644 北海道札幌市中央区北11条西15-1-1
☎011-737-2820 https://www.jrhokkaido.co.jp/
【社長】綿貫 泰之【設立】1987.4【資本金】9,000【今後力を入れる事業】旅客鉄道事業 他の関連事業

【業績(単独)】	売上高	営業利益	経常利益	純利益
22.3	55,277	▲76,309	▲10,598	▲976
23.3	72,925	▲63,971	▲24,382	▲18,069
24.3	84,988	▲57,493	▲16,257	1,896

せいぶてつどう
西武鉄道(株)

持株会社 傘下

【特色】民鉄大手の一角。西武HD傘下でグループ中核

修士・大卒採用数	3年後離職率	有休取得年平均	平均年収(平均41歳)
31名	11.1→15.1%	18.1日	NA

●エントリー情報と採用プロセス●

【受付開始～終了】(総)(技)3月～3月【採用プロセス】(総)(技)ES提出・適性検査→GD→面接他→内々定【交通費支給】面接以降、遠方者(会社基準)

試験情報

重視科目 [総][技]面接

[総][技](ES)NA(筆)あり(内容NA)(面)NA(GD作)NA

選考ポイント [総][技](ES)求める人財像を基準に評価(面)求める人財像を基準に総合的に判断

通過率 [総][技](ES)NA

倍率(応募/内定) [総][技]NA

●男女別採用数と配属先ほか●

【男女・文理別採用実績】

	大卒男	大卒女	修士男	修士女
23年	12(文 10 理 2)	5(文 4 理 1)	3(文 0 理 3)	1(文 0 理 1)
24年	12(文 10 理 2)	4(文 4 理 0)	1(文 0 理 1)	1(文 0 理 1)
25年	21(文 15 理 6)	2(文 2 理 0)	6(文 0 理 6)	2(文 0 理 2)

【25年4月入社者の採用実績校】
(文)(大)早大3 横国大 名古屋市大 都立大 法政大 立命館大各1 (理)(院)芝工大 茨城大各2 東大 富山大 横国大 青学大各1(大)早大 東理大 青学大 立教大 東京電機大各1

【24年4月入社者の配属先】
[総]勤務地:東京・埼玉 7 部署:現業部門 7 [技]勤務地:東京・埼玉 3 部署:現業部門 3

残業(月) 18.9時間

記者評価 1912年設立の武蔵野鉄道が前身、その後旧西武鉄道が合流。西武グループの鉄道事業を担う中核会社。東京と埼玉で12路線、計176.6kmを運営。池袋線と新宿線が収益の柱。秩父や川越など、沿線の観光需要掘り起こしに注力。新宿線の連続立体交差化を推進。

●給与、ボーナス、週休、有休ほか●

【30歳総合職平均年収】NA【初任給】(博士)257,000円(修士)257,000円(大卒)247,000円【ボーナス(年)】NA、5.5カ月【25、30、35歳賃金】NA【週休】完全2日(土日祝)【夏期休暇】有休で取得【年末年始休暇】12月30日～1月3日【有休取得】18.1／20日

●従業員数、勤続年数、離職率ほか●

【男女別従業員数、平均年齢、平均勤続年数】計 ◇3,556(41.4歳 21.1年) 男 3,282(41.8歳 21.9年) 女 274(36.6歳 11.3年) ※有期雇用者含む【離職率と離職者数】2.8%、101名(嘱託社員含む 早期退職男13名含む)【3年後新卒定着率】84.9%(男83.0%、女100%、3年前入社:男47名・女6名)【組合】あり

求める人材 <総合職>環境変化を先取りしてビジョンを描き、変革にチャレンジし続ける人材

会社データ (金額は百万円)

【本社】359-8520 埼玉県所沢市くすのき台1-11-1
☎04-2926-2035 https://www.seiburailway.jp/
【社長】小川 周一郎【設立】1912.5【資本金】21,665【今後力を入れる事業】シームレスな移動・暮らしやスマートな事業運営

【業績(単独)】	売上高	経常利益	純利益
22.3	117,623	1,673	35,010
23.3	127,081	5,633	7,597
24.3	122,744	18,669	24,071

サービス

けいせいでんてつ
京成電鉄(株)

東京P 9009

【特色】民鉄大手の一角。千葉、東京東部、茨城が地盤

修士・大卒採用数	3年後離職率	有休取得年平均	平均年収(平均41歳)
9名	6.3 → 0%	17.0日	◇734万円

●エントリー情報と採用プロセス●

【受付開始～終了】(総)3月～4月【採用プロセス】(総)Web履歴書・ES提出・テストセンター(3～4月)→面接(4回、4～5月、オンライン含む)→適性検査(5月)→内々定(5～6月)【交通費支給】なし

試験情報

重視科目 (総)NA

(総)(ES)NA(筆)C-GAB 適性検査(面)4回(Webあり)(GD作)NA

選考ポイント (総)(ES)NA(提出あり)(面)NA

通過率 (総)(ES)NA

倍率(応募/内定) (総)NA

●男女別採用数と配属先ほか

【男女・文理別採用実績】

	大卒男	大卒女	修士男	修士女
23年	2(文 1理 1)	3(文 2理 1)	0(文 0理 0)	0(文 0理 0)
24年	3(文 1理 2)	3(文 1理 2)	0(文 0理 0)	0(文 0理 0)
25年	5(文 2理 3)	4(文 3理 1)	0(文 0理 0)	0(文 0理 0)

【25年4月入社者の採用実績校】

(文)(大)明海大 成蹊大 法政大 東海大 千葉大各1 (理)(大)日大2 千葉大 早大各1

【24年4月入社者の配属先】

(総)勤務地:千葉4 部署:鉄道本部(運輸部3)開発本部(賃貸事業部1) (技)勤務地:千葉2 部署:鉄道本部(施設部1 建設部1)

残業(月) NA

記者評価 京成上野・成田空港間の鉄道、バス・タクシーといった運輸、流通、不動産を展開。営業キロ152.3km。成田空港へのアクセス路線が収益柱。リッチモンドホテルと組んで宿泊特化型ホテルも運営。東京ディズニーリゾートを運営するオリエンタルランドの筆頭株主。

●給与、ボーナス、週休、有休ほか●

【30歳総合職平均年収】NA【初任給】(博士)245,300円(修士)245,300円 (大卒)245,300円【ボーナス(年)】NA【25、30、35歳賃金】NA【週休】2日【夏期休暇】あり【年末年始休暇】あり【有休取得】17.0/20日

●従業員数、勤続年数、離職率ほか●

【男女別従業員数、平均年齢、平均勤続年数】計 1,851(41.4歳 17.6年) 男 NA 女 NA【離職率と離職者数】NA【3年後新卒定着率】100%(男100%、女100%、3年前入社:男7名・女3名)【組合】あり

求める人材 向上心と高い倫理観を持ち、新たな価値の創造に挑戦し、グループの発展に貢献できる人

会社データ (金額は百万円)

【本社】272-8510 千葉県市川市八幡3-3-1
☎047-712-7000 https://www.keisei.co.jp/
【社長】小林 敏也【設立】1909.6【資本金】36,803【今後力を入れる事業】開発事業

【業績(連結)】	売上高	営業利益	経常利益	純利益
22.3	214,157	▲5,201	▲3,191	▲4,438
23.3	252,338	10,228	26,764	26,929
24.3	296,509	25,241	51,591	87,657

ひがしにほんりょかくてつどう
東日本旅客鉄道(株)

東京P 9020

【特色】日本最大の鉄道会社。東日本1都16県が地盤

修士・大卒採用数	3年後離職率	有休取得年平均	平均年収(平均39歳)
未定	7.8 → 8.7%	18.1日	◇725万円

●エントリー情報と採用プロセス●

【受付開始～終了】(総)(技)3月～継続中【採用プロセス】(総)(技)ES提出・適性検査→面接(約3～4回)→内々定〈エリア職〉ES提出・適性検査→面接(約2回)→内々定【交通費支給】最終面接等、会社基準

試験情報

重視科目 (総)(技)面接

(総)(技)(ES)⇒巻末(筆)SPI3(会場) SPI3(自宅) SPI3(面)約3～4回〈エリア職〉約2回(Webあり)

選考ポイント (総)(技)(ES)NA(提出あり)(面)論理的思考力・発想力・傾聴力・学生時代の多様な経験・専門的知識・行動力・熱意・能力・人柄などを総合的に判断

通過率 (総)(技)(ES)NA

倍率(応募/内定) (総)(技)NA

●男女別採用数と配属先ほか

【男女・文理別採用実績】

	大卒男	大卒女	修士男	修士女
23年	133(文NA 理NA)	71(文NA 理NA)	50(文NA 理NA)	16(文NA 理NA)
24年	169(文NA 理NA)	93(文NA 理NA)	66(文NA 理NA)	16(文NA 理NA)
25年	-(文 - 理 -)	-(文 - 理 -)	-(文 - 理 -)	-(文 - 理 -)

※25年:高卒採用と合わせて560名採用計画

【25年4月入社者の採用実績校】

(文)日大 早大 東大 東北大 東理大 東北学大 東洋大 明大 中大 慶大 筑波大 立教大 芝工大 東京電機大 学習院大 京大 青学大 東北工大 法政大 茨城大 他(理系含む) (理)文系に含む

【24年4月入社者の配属先】

(総)勤務地:東日本エリア(1都16県)他 部署:現業機関(駅等)企画部門(本部・支社・本社)他 (技)勤務地:東日本エリア(1都16県)他 部署:現業機関(駅等)企画部門(本部・支社・本社)他

残業(月) 15.1時間

記者評価 首都圏通勤電車と東北・上越・北陸の各新幹線が双柱で収益基盤は厚い。「駅ナカ」物販などの小売り、オフィスなどの不動産、そして金融といった生活関連事業を強化中。グループの会員IDを27年度までに統合し、28年度の「Suicaアプリ」投入を目指す。

●給与、ボーナス、週休、有休ほか●

【30歳総合職平均年収】NA【初任給】(博士)(東京23区)312,565円〈エリア職〉(東京23区)290,830円 (修士)(東京23区)270,315円〈エリア職〉(東京23区)248,580円 (大卒)(東京23区)250,075円〈エリア職〉(東京23区)240,530円【ボーナス(年)】NA、5.45カ月【25、30、35歳賃金】NA【週休】〈企画部門〉完全2日(土日祝)〈現業機関〉年114日【夏期休暇】有休で取得【年末年始休暇】有休で取得【有休取得】18.1/20日

●従業員数、勤続年数、離職率ほか●

【男女別従業員数、平均年齢、平均勤続年数】計 ◇43,855(38.9歳 16.3年) 男 35,500(39.7歳 17.2年) 女 8,355(35.2歳 12.6年)【離職率と離職者数】◇1.8%、799名(早期退職74名含む)【3年後新卒定着率】91.3%(男92.6%、女88.9%、3年前入社:男621名・女314名)【組合】あり

求める人材 使命感、責任感、誠実さ、柔軟な発想と実行力を持ち、挑戦意欲にあふれた多様な人材

会社データ (金額は百万円)

【本社】151-8578 東京都渋谷区代々木2-2-2
☎03-5334-1329 https://www.jreast.co.jp/
【社長】喜㔟 陽一【設立】1987.4【資本金】200,000【今後力を入れる事業】輸送サービス 生活サービス IT・Suica事業 他

【業績(連結)】	売上高	営業利益	経常利益	純利益
22.3	1,978,967	▲153,938	▲179,501	▲94,948
23.3	2,405,538	140,628	110,910	99,232
24.3	2,730,118	345,161	296,631	196,449

開示 ★ ▶『業界地図』p.246, 20, 44

とうかいりょかくてつどう
東海旅客鉄道(株)

東京P 9022

【特色】東海道新幹線が収益柱。リニア線を建設中

修士・大卒採用数	3年後離職率	有休取得年平均	平均年収(平均37歳)
600名	約5.5 → 約6.7%	17.8日	◇760万円

●エントリー情報と採用プロセス●

【受付開始～終了】[総][技]3月～7月【採用プロセス】[総][技]ES提出→面接(複数回)→内々定【交通費支給】面接、遠方者(会社基準)

試験情報

重視科目 [総][技]面接 書類

[総][技][ES]⇒巻末[筆]NA[面]複数回(Webあり)[GD作]NA

選考ポイント [総][技][ES]学生時代に何に打ち込み、そこから何を得たか[面]人柄・能力など総合的に判断

通過率 [総][技][ES]NA

倍率(応募/内定) [総][技]NA

●男女別採用数と配属先ほか●

【男女・文理別採用実績】

	大卒男	大卒女	修士男	修士女
23年	NA(文NA 理NA)	NA(文NA 理NA)	NA(文NA 理NA)	NA(文NA 理NA)
24年	NA(文NA 理NA)	NA(文NA 理NA)	NA(文NA 理NA)	NA(文NA 理NA)
25年	NA(文NA 理NA)	NA(文NA 理NA)	NA(文NA 理NA)	NA(文NA 理NA)

※25年:600名採用予定

【25年4月入社者の採用実績校】

[文]NA [理]NA

【24年4月入社者の配属先】

[総]勤務地:(22年)東京7 静岡4 名古屋7 大阪3 部署:NA [技]勤務地:(22年)東京7 静岡12 名古屋7 大阪10 長野2 三重1 部署:NA

残業(月) NA

記者評価 1987年の国鉄民営化で発足。名古屋、東京・品川の2本社制。東海道新幹線と在来12路線保有。新幹線がドル箱。米国にも高速鉄道を売り込む。リニア中央新幹線は27年に品川-名古屋(45年に名古屋-新大阪)開業を目指していたが断念、34年以降の開業となる見込み。

●給与、ボーナス、週休、有休ほか●

【30歳総合職平均年収】NA【初任給】(博士)NA(修士)NA(大卒)NA【ボーナス(年)】NA、5.65カ月【25、30、35歳賃金】NA【週休】完全2日(土日祝)【夏期休暇】有休で取得【年末年始休暇】有休で取得【有休取得】17.8/20日

●従業員数、勤続年数、離職率ほか●

【男女別従業員数、平均年齢、平均勤続年数】計 18,514(36.6歳 16.1年) 男 16,161(37.1歳 16.8年) 女 2,353(32.9歳 11.1年)【離職率と離職者数】1.7%、324名【3年後新卒定着率】約93.3%(男NA、女NA、3年前入社:男女計約890名)【組合】あり

求める人材 日本を支える「使命感」を持ち、主体的かつ協調的に行動出来る人

会社データ (金額は百万円)

【本社】108-8204 東京都港区港南2-1-85 JR東海品川ビルA棟
☎080-7224-2530 https://jr-central.co.jp/
【社長】丹羽 俊介【設立】1987.4【資本金】112,000【今後力を入れる事業】鉄道事業 関連事業

【業績(連結)】	売上高	営業利益	経常利益	純利益
22.3	935,139	1,708	▲67,299	▲51,928
23.3	1,400,285	374,503	307,485	219,417
24.3	1,710,407	607,381	546,946	384,411

とうきゅう
東急(株)

東京P 9005

【特色】東急グループ中核、民鉄最大手。東京渋谷が拠点

修士・大卒採用数	3年後離職率	有休取得年平均	平均年収(平均41歳)
46名	2.5 → 5.1%	15.0日	[総]1,024万円

●エントリー情報と採用プロセス●

【受付開始～終了】[総]3月～3月【採用プロセス】[総]ES提出・Webテスト→GD→面接(2回)→内々定【交通費支給】全ての対面面接、遠方のみ規定額支給

試験情報

重視科目 [総]面接

[総][ES]NA[筆]WebGAB[面]2回(Webあり)[GD作]NA

選考ポイント [総][ES]求める人材像を基準に評価[面]求める人材像を基準に評価

通過率 [総][ES]NA

倍率(応募/内定) [総]NA

●男女別採用数と配属先ほか●

【男女・文理別採用実績】

	大卒男	大卒女	修士男	修士女
23年	9(文 7 理 2)	11(文 10 理 1)	7(文 0 理 7)	4(文 0 理 4)
24年	13(文 11 理 2)	7(文 7 理 0)	20(文 0 理 20)	3(文 0 理 3)
25年	18(文 14 理 4)	7(文 7 理 0)	13(文 0 理 13)	8(文 0 理 8)

【25年4月入社者の採用実績校】

[文](大)早大9 慶大4 青学大2 立教大 神戸大 東京外大 同大 筑波大 明大各1 [理](院)横国大4 早大3 阪大 神戸大 東京科学大各2 京大 千葉大 都立大 東理大 東北大 日女大 法政大 北大各1(大)早大2 同大 立命館大各1

【24年4月入社者の配属先】

[総]勤務地:(23年)東京・神奈川31 部署:(23年)不動産13 鉄道5 生活サービス4 社会インフラ1 国際1 コーポレート5 他2

残業(月) 15.0時間

記者評価 19年鉄道事業の分社化に伴い現社名に変更。輸送人員は民鉄随一。不動産、生活関連、ホテル・リゾートなど多角化を推進している。渋谷駅直上に商業施設「スクランブルスクエア」を開業。利用者多い東横線、田園都市線で沿線開発を活発化。

●給与、ボーナス、週休、有休ほか●

【30歳総合職平均年収】NA【初任給】(修士)266,500円(大卒)246,500円【ボーナス(年)】NA【25、30、35歳賃金】NA【週休】〈総合職〉完全2日(土日祝)【夏期休暇】有休で取得【年末年始休暇】約5日【有休取得】15.0/21日

●従業員数、勤続年数、離職率ほか●

【男女別従業員数、平均年齢、平均勤続年数】計 1,525(43.4歳 14.6年) 男 905(44.8歳 16.5年) 女 620(41.4歳 11.8年)【離職率と離職者数】NA【3年後新卒定着率】94.9%(男92.3%、女100%、3年前入社:男26名・女13名)【組合】あり

求める人材 先見性を持ち、情熱を持って挑戦し、粘り強くやり抜く人材 誠実さを持ち、信頼される人材

会社データ (金額は百万円)

【本社】150-8511 東京都渋谷区南平台町5-6
☎03-3477-6125 https://www.tokyu.co.jp/
【社長】堀江 正博【設立】1922.9【資本金】121,724【今後力を入れる事業】渋谷を中心とした沿線の活性化

【業績(連結)】	売上高	営業利益	経常利益	純利益
22.3	879,112	31,544	34,998	8,782
23.3	931,293	44,603	47,369	25,995
24.3	1,037,819	94,905	99,292	63,763

開示 ★★ ▶『業界地図』p.248

東武鉄道(株)

とうぶてつどう

東京P 9001

【特色】北関東が地盤。関東民鉄では路線距離が最長

修士・大卒採用数	3年後離職率	有休取得年平均	平均年収(平均48歳)
17名	10.0→11.8%	25.1日	◇677万円

残業(月) 15.9時間

記者評価 浅草、池袋を起点に北関東に路線網を広げる私鉄大手。営業キロ463.3km。東武百貨店など流通、不動産、ホテル・レジャーなど幅広く展開。東京スカイツリーや日光の高級ホテル「ザ・リッツ・カールトン」も運営。23年7月に新型特急スペーシアXの運行開始。

●エントリー情報と採用プロセス●

【受付開始～終了】[総]3月～4月【採用プロセス】[総]ES・動画・適性検査提出→Web面接(1回)→面接(2回)→内々定【交通費支給】なし

試験情報

重視科目 [総]面接

[総][ES]⇒巻末[筆]適性検査 基礎能力試験[面]3回(Webあり)

選考ポイント [総][ES]求める人材像を基準に評価[面]当社の求める人材像と合っているか

通過率 [総][ES]NA

倍率(応募/内定) [総]NA

●男女別採用数と配属先ほか●

【男女・文理別採用実績】

	大卒男	大卒女	修士男	修士女
23年	3(文 1理 2)	6(文 3理 3)	4(文 0理 4)	1(文 0理 1)
24年	6(文 3理 3)	2(文 2理 0)	5(文 0理 5)	0(文 0理 0)
25年	4(文 2理 2)	5(文 4理 1)	6(文 0理 6)	2(文 0理 2)

【25年4月入社者の採用実績校】
[文](大)立教大3 青学大 慶大 明大各1 [理](院)埼玉大 千葉大各2 宇都宮大 神戸大 東北大 名大各1(大)関大 芝工大 早大各1

【24年4月入社者の配属先】
[総]勤務地:(23年)東京8 埼玉6 部署:(23年)鉄道8 開発4 一般管理2

●給与、ボーナス、週休、有休ほか●

【30歳総合職平均年収】NA【初任給】(修士)245,200円(大卒)243,000円【ボーナス(年)】NA【25、30、35歳賃金】NA【週休】完全2日(土日祝)【夏期休暇】有休利用【年末年始休暇】12月30日～1月3日【有休取得】25.1/29日

●従業員数、勤続年数、離職率ほか●

【男女別従業員数、平均年齢、平均勤続年数】計 ◇3,280(48.1歳 27.1年) 男 3,155(48.5歳 27.7年) 女 125(34.6歳 11.6年)【離職率と離職者数】◇1.5%、51名【3年後新卒定着率】88.2%(男90.0%、女85.7%、3年前入社:男10名・女7名)【組合】あり

求める人材 幅広い好奇心を持ち、自ら行動を起こす人 新たな価値を創造する向上心のある人

会社データ (金額は百万円)

【本社】131-8522 東京都墨田区押上2-18-12
☎03-3621-5122 https://www.tobu.co.jp/
【社長】都筑 豊【設立】1897.11【資本金】102,135【今後力を入れる事業】デジタルマーケティング・環境配慮型の施策

【業績(連結)】	売上高	営業利益	経常利益	純利益
22.3	506,023	24,732	27,406	13,453
23.3	614,751	56,688	54,815	29,179
24.3	635,964	73,883	72,033	48,164

(株)西武ホールディングス

せいぶ

東京P 9024

【特色】埼玉地盤の西武鉄道と「プリンスホテル」が中核

修士・大卒採用数	3年後離職率	有休取得年平均	平均年収(平均42歳)
11名	0→0%	13.6日	[総]1,088万円

残業(月) 26.4時間

記者評価 東京北西部、埼玉西部地盤の西武鉄道と、国内最大級のホテルチェーンであるプリンスホテルが中核。不動産やレジャーも展開。不動産は都心部の高輪・品川エリア開発を推進。入社後は現場業務に従事後、ホールディングスや事業会社の経営・管理などを担う。

●エントリー情報と採用プロセス●

【受付開始～終了】[総]3月～4月【採用プロセス】[総]NA【交通費支給】課長面接 最終面接、一部補助(遠方者)

試験情報

重視科目 [総]面接

[総][ES]NA[筆]あり(内容NA)[面]NA[GD作]NA

選考ポイント [総][ES]求める人財像を基準に評価[面]NA

通過率 [総][ES]NA

倍率(応募/内定) [総]NA

●男女別採用数と配属先ほか●

【男女・文理別採用実績】

	大卒男	大卒女	修士男	修士女
23年	4(文 4理 0)	2(文 2理 0)	0(文 0理 0)	0(文 0理 0)
24年	3(文 3理 0)	1(文 1理 0)	0(文 0理 0)	0(文 0理 0)
25年	5(文 5理 0)	3(文 3理 0)	1(文 1理 0)	2(文 2理 0)

【25年4月入社者の採用実績校】
[文](院)東大 早大 立教大各1(大)慶大2 東大 早大 立教大 明大 法政大 日大各1 [理]なし

【24年4月入社者の配属先】
[総]勤務地:東京(池袋1 新宿2)埼玉・所沢1 部署:西武グループ内 各現業部門4

●給与、ボーナス、週休、有休ほか●

【30歳総合職平均年収】749万円【初任給】(博士)267,000円(修士)267,000円(大卒)252,000円【ボーナス(年)】NA【25、30、35歳賃金】NA【週休】完全2日(土日祝)【夏期休暇】2日【年末年始休暇】12月30日～1月3日【有休取得】13.6/20日

●従業員数、勤続年数、離職率ほか●

【男女別従業員数、平均年齢、平均勤続年数】計 322(40.7歳 15.4年) 男 207(42.6歳 16.5年) 女 115(37.4歳 13.3年)【離職率と離職者数】1.5%、5名【3年後新卒定着率】100%(男100%、女100%、3年前入社:男2名・女3名)【組合】なし

求める人材 西武グループの未来に向けて、あらゆる人の想いを胸に走り続けられる人財

会社データ (金額は百万円)

【本社】171-0022 東京都豊島区南池袋1-16-15 ダイヤゲート池袋
☎03-6709-3100 https://www.seibuholdings.co.jp/
【社長】西山 隆一郎【設立】2006.2【資本金】50,000【今後力を入れる事業】不動産 ホテル・レジャー 都市交通・沿線

【業績(連結)】	売上高	営業利益	経常利益	純利益
22.3	396,856	▲13,216	▲17,440	10,623
23.3	428,487	22,155	20,133	56,753
24.3	477,598	47,711	43,000	26,990

サービス

小田急電鉄(株)（おだきゅうでんてつ）

東京P 9007

【特色】東京・新宿が拠点の民鉄大手。箱根エリアも地盤

修士・大卒採用数	3年後離職率	有休取得年平均	平均年収(平均43歳)
36名	9.0→6.1%	15.5日	◇753万円

●エントリー情報と採用プロセス●

【受付開始～終了】総技3月～3月【採用プロセス】総技ES提出→筆記・適性検査・面接→内々定【交通費支給】職種により異なる

試験情報

重視科目 総技面接

総技 ES NA 筆 SPI3(会場) SPI3(自宅) 面 NA(Webあり)

GD作 NA

選考ポイント 総技 ES 求める人材像を基準に評価 面 求める人材像を基準に評価

通過率 総技 ES NA

倍率(応募/内定) 総技NA

●男女別採用数と配属先ほか●

【男女・文理別採用実績】

	大卒男	大卒女	修士男	修士女
23年	3(文 2理 1)	5(文 5理 0)	2(文 0理 2)	0(文 0理 0)
24年	14(文 13理 1)	6(文 5理 1)	4(文 0理 4)	0(文 0理 0)
25年	22(文 16理 6)	8(文 7理 1)	5(文 1理 4)	1(文 0理 1)

【25年4月入社者の採用実績校】

文 慶大 明大 立教大各3 早大2 青学大 同大各1 理(院)慶大 東京科学大 北大 明大 横国大各1(大)早大1

【24年4月入社者の配属先】

総 勤務地:東京8 神奈川4 部署:まちづくり部門2 交通サービス部門1 グループ会社出向1 スタッフ部門8 技 勤務地:東京1 神奈川2 部署:交通サービス部門3

残業(月) NA

記者評価 東京・新宿と首都圏有数の観光地の箱根や湘南を結ぶ路線を持つ。3路線で営業キロは計120.5km。鉄道を核に流通、不動産、ホテル等に多角展開。箱根エリアの観光開発に注力。海老名エリアも開発。小田急百貨店新宿店本館跡地の再開発工事も進行中。

●給与、ボーナス、週休、有休ほか●

【30歳総合職平均年収】NA【初任給】(修士)256,500円(大卒)245,500円【ボーナス(年)】NA、5.6カ月【25、30、35歳賃金】NA【週休】完全2日(土日祝)【夏期休暇】有休で取得【年末年始休暇】12月30日～1月3日【有休取得】15.5／22日

●従業員数、勤続年数、離職率ほか●

【男女別従業員数、平均年齢、平均勤続年数】計 ◇3,682(42.9歳 21.7年) 男 3,336(43.6歳 22.6年) 女 346(35.3歳 12.9年)【離職率と離職者数】◇2.1%、78名(早期退職男22名、女1名含む)【3年後新卒定着率】93.9%(男94.3%、女92.3%、3年前入社:男53名・女13名)【組合】あり

求める人材 自ら学び続ける人材 積極的な情報発信で共鳴・共感を得られる人材 共創による価値創造をできる人材

会社データ (金額は百万円)

【本社】163-0706 東京都新宿区西新宿2-7-1 新宿第一生命ビルディング ☎03-3349-2075 https://www.odakyu.jp/

【社長】鈴木 滋【設立】1948.6【資本金】60,359【今後力を入れる事業】沿線を中心とした地域価値創造

【業績(連結)】	売上高	営業利益	経常利益	純利益
22.3	358,753	6,152	4,699	12,116
23.3	395,159	26,601	25,119	40,736
24.3	409,837	50,766	50,670	81,524

京王電鉄(株)（けいおうでんてつ）

東京P 9008

【特色】東京中西部が地盤の鉄道・バス網大手。堅実経営

修士・大卒採用数	3年後離職率	有休取得年平均	平均年収(平均42歳)
49名	4.2→17.4%	17.0日	◇730万円

●エントリー情報と採用プロセス●

【受付開始～終了】総技3月～4月【採用プロセス】総技ES提出(3～4月)→筆記・面接(複数回)→内々定(6月)【交通費支給】最終選考、実費

試験情報

重視科目 総技面接

総技 ES ⇒巻末 筆 あり(内容NA) 面 複数回(Webあり)

GD作 ⇒巻末

選考ポイント 総技 ES 求める人材像を基準に評価 面 求める人材像を基準に評価

通過率 総技 ES NA

倍率(応募/内定) 総技NA

●男女別採用数と配属先ほか●

【男女・文理別採用実績】

	大卒男	大卒女	修士男	修士女
23年	5(文 4理 1)	6(文 6理 0)	7(文 0理 7)	1(文 1理 0)
24年	12(文 7理 5)	12(文 10理 2)	7(文 0理 7)	3(文 0理 3)
25年	33(文 23理 10)	11(文 10理 1)	3(文 0理 3)	2(文 0理 2)

【25年4月入社者の採用実績校】

文(大)早大3 立教大2 横国大 青学大 中大 帝京大 日女大 明大 法政大各1 理(院)芝工大 関大 筑波大 東京科学大 明大各1(大)東京電機大 芝工大 東京都市大 法政大 都立大各1

【24年4月入社者の配属先】

総 勤務地:(23年)東京・神奈川14 部署:(23年)開発企画部4 鉄道営業部3 デジタル戦力推進部1 沿線価値創造部1 物流企画チーム1 SC営業部2 リビタ1 京王アカウンティング1 技 勤務地:(23年)東京・神奈川5 部署:(23年)車両電気部2 工務部3

残業(月) NA

記者評価 新宿を起点に多摩方面に延びる京王線、渋谷が起点の井の頭線を運営。営業キロは84.7km。グループで百貨店、ショッピングセンターや不動産事業を多角的に展開。ホテルは旗艦「京王プラザホテル新宿」が軸、訪日客需要旺盛。新宿駅南街区の再開発に着手。

●給与、ボーナス、週休、有休ほか●

【30歳総合職平均年収】NA【初任給】(修士)268,500円(大卒)260,000円【ボーナス(年)】NA【25、30、35歳賃金】NA【週休】完全2日(土日祝)【夏期休暇】なし【年末年始休暇】12月30日～1月3日【有休取得】17.0／20日

●従業員数、勤続年数、離職率ほか●

【男女別従業員数、平均年齢、平均勤続年数】計 ◇2,434(41.5歳 17.8年) 男 2,206(42.1歳 18.3年) 女 228(36.3歳 12.0年)【離職率と離職者数】◇3.2%、80名【3年後新卒定着率】82.6%(男83.3%、女80.0%、3年前入社:男36名・女10名)【組合】あり

求める人材 <総合職>時代の変化に対応するため、これまでの常識にとらわれずに発想し、何事にも果敢に取り組み最後までやり遂げようとする、挑戦する気概を持った人財

会社データ (金額は百万円)

【本社】206-8502 東京都多摩市関戸1-9-1 ☎042-337-3198 https://www.keio.co.jp/

【社長】都村 智史【設立】1948.6【資本金】59,023【今後力を入れる事業】鉄道立体化 沿線活性化へ繋がる開発

【業績(連結)】	売上高	営業利益	経常利益	純利益
22.3	299,872	740	5,366	5,585
23.3	347,133	21,479	21,772	13,114
24.3	408,694	43,840	43,485	29,243

サービス

東京地下鉄(株)

とうきょう ちかてつ

東京P 9023

【特色】東京メトロ。24年10月東証プライムに上場

修士・大卒採用数	3年後離職率	有休取得年平均	平均年収(平均*39歳)
21名	7.1 → 4.2%	20.1日	[総]910万円

●エントリー情報と採用プロセス●

【受付開始～終了】[総][技]3月～6月【採用プロセス】[総][技]適性検査・ES・動画提出→面接(複数回)→内々定【交通費支給】なし

試験情報

重視科目 [総][技]全て

[総][技][ES]⇒巻末[筆]適性検査[面]複数回(Webあり)[GD作]NA

選考ポイント [総][技][ES]求める人財と合致しているか[面]求める人財像を基準に評価

通過率 [総][技][ES]NA

倍率(応募/内定) [総][技]NA

●男女別採用数と配属先ほか●

【男女・文理別採用実績】

	大卒男	大卒女	修士男	修士女
23年	4(文 4理 0)	9(文 7理 2)	8(文 0理 8)	2(文 0理 2)
24年	3(文 2理 1)	6(文 6理 0)	13(文 1理 12)	1(文 0理 1)
25年	6(文 5理 1)	7(文 5理 2)	6(文 0理 6)	2(文 0理 2)

※総合職のみ

【25年4月入社者の採用実績校】
[文](大)早大2 東大 一橋大 慶大 明大 中大 お茶女大 立教大 青学大各1 [理](院)東北大 早大各2 東理大 都立大 東京科学大 千葉大各1(大)信州大 芝工大 静岡大各1

【24年4月入社者の配属先】
[総]勤務地:(23年)東京13 部署:(23年)鉄道本部1 都市・生活創造本部3 経営企画本部3 一般管理6 [技]勤務地:(23年)東京10 部署:(23年)鉄道本部9 都市・生活創造本部1

残業(月) NA

記者評価 1941年設立の帝都高速度交通営団の事業を継承し04年発足。国と都が出資。都心部で地下鉄9路線運営。23年度の営業キロ数は195km、1日あたりの輸送人員は652万人。長期環境目標「メトロCO2ゼロチャレンジ2050」推進。24年10月東証プライム市場に上場。

●給与、ボーナス、週休、有休ほか●

【30歳総合職平均年収】NA【初任給】(修士)248,000円(大卒)244,800円【ボーナス(年)】NA【25、30、35歳賃金】NA【週休】完全2日(土日祝)【夏期休暇】有休で取得【年末年始休暇】12月30日～1月3日【有休取得】20.1/20日

●従業員数、勤続年数、離職率ほか●

【男女別従業員数、平均年齢、平均勤続年数】計 ◇9,551(39.1歳 17.7年) 男 8,917(39.5歳 18.3年) 女 634(33.0歳 10.3年)【離職率と離職者数】◇2.3%、229名(早期退職94名含む)【3年後新卒定着率】95.8%(男90.9%、女100%、3年前入社:男11名・女13名)【組合】あり

求める人材 「自律」できる人財「挑戦」できる人財「協働」できる人財

会社データ (金額は百万円)

【本社】110-0015 東京都台東区東上野3-19-6
☎03-3837-7059 https://www.tokyometro.jp/
【社長】山村 明義【設立】2004.4【資本金】58,100【今後力を入れる事業】新線建設、都市・生活創造事業の強化

【業績(連結)】	売上高	営業利益	経常利益	純利益
22.3	306,904	▲12,117	▲20,497	▲13,397
23.3	345,370	27,777	19,694	27,771
24.3	389,267	76,359	65,866	46,262

日本貨物鉄道(株)

にっぽん か もつてつどう

株式公開していない

【特色】JR貨物。全国ネットワークの貨物鉄道輸送を展開

修士・大卒採用数	3年後離職率	有休取得年平均	平均年収(平均38歳)
21名	[!]2.9 → [!]16.7%	14.3日	◇593万円

●エントリー情報と採用プロセス●

【受付開始～終了】[総][技]3月～6月【採用プロセス】[総][技]Web説明会(必須、3～4月)→Webテスト・ES提出(3～5月)→GW(4～5月)→面談(3回、4～6月)→内々定(6月)【交通費支給】最終面接、住所エリアごとに設定した額

試験情報

重視科目 [総][技]NA

[総][技][ES]⇒巻末[筆]SPI3(自宅)[面]3回(Webあり)[GD作]NA

選考ポイント [総][技][ES]NA(提出あり)[面]NA

通過率 [総][技][ES]NA

倍率(応募/内定) [総][技]NA

●男女別採用数と配属先ほか●

【男女・文理別採用実績】

	大卒男	大卒女	修士男	修士女
23年	16(文 11理 5)	6(文 5理 1)	8(文 0理 8)	1(文 0理 1)
24年	7(文 6理 1)	6(文 4理 2)	5(文 0理 5)	0(文 0理 0)
25年	9(文 8理 1)	9(文 8理 1)	3(文 0理 3)	0(文 0理 0)

※プランナー職のみ

【25年4月入社者の採用実績校】
[文](大)中大 立命館大 早大 上智大各2 東京女大 都立大 西南学大 立教大 長崎大 青学大 東京学芸大 山口大各1 [理](院)神戸大 信州大 阪大各1(大)東京農工大 富山県大各1

【24年4月入社者の配属先】
[総]勤務地:札幌2 郡山1 東京1 浜松1 静岡1 金沢1 吹田1 福岡1 部署:貨物駅・総合鉄道部営業輸送9 [技]勤務地:札幌1 仙台2 東京1 神奈川1 愛知1 大阪1 広島1 福岡1 部署:機関区・車両所・総合鉄道部検修3 保全技術センター6

残業(月) 11.3時間

記者評価 通称JR貨物。旧国鉄の流れを汲み、全国ネットワークを有する国内唯一の鉄道貨物輸送会社。物流2024年問題やモーダルコンビネーション促進での輸送量拡大を見込む。トヨタ自動車向けに部品輸送専用列車を運行。完全民営化と上場を目指す。

●給与、ボーナス、週休、有休ほか●

【30歳総合職平均年収】NA【初任給】(修士)237,300円(大卒)224,100円【ボーナス(年)】NA【25、30、35歳賃金】NA【週休】年109日(4週4日 他に57日)+特別休日【夏期休暇】有休で取得【年末年始休暇】有休で取得【有休取得】14.3/20日

●従業員数、勤続年数、離職率ほか●

【男女別従業員数、平均年齢、平均勤続年数】計 ◇5,637(37.6歳 16.6年) 男 5,376(37.8歳 17.0年) 女 261(34.2歳 8.2年)【離職率と離職者数】◇3.1%、181名【3年後新卒定着率】83.3%(男90.9%、女62.5%、3年前入社:男22名・女8名) ※プランナー職のみ【組合】あり

求める人材 守るべきことを守り、そして柔軟に考えること あらゆる物事に対し、着実に推進すること 高い目標を立て、挑戦し続けること 協働に向けて、関係を構築すること

会社データ (金額は百万円)

【本社】151-0051 東京都渋谷区千駄ヶ谷5-33-8
☎050-2017-4075 https://www.jrfreight.co.jp/
【社長】犬飼 新【設立】1987.4【資本金】19,000【今後力を入れる事業】総合物流企業への進化 新規事業への挑戦

【業績(連結)】	売上高	営業利益	経常利益	純利益
22.3	186,655	1,484	277	▲1,428
23.3	187,685	▲3,664	▲4,364	▲4,098
24.3	188,539	▲4,782	▲4,291	▲3,505

開示 ★★★★★ ▶『業界地図』p.248, 254 1783

けいひんきゅうこうでんてつ
京浜急行電鉄(株)

東京P 9006

【特色】民鉄大手の一角。京浜・三浦半島が地盤

修士・大卒採用数	3年後離職率	有休取得年平均	平均年収(平均40歳)
23名	7.7→4.2%	17.6日	◇685万円

●エントリー情報と採用プロセス●

【受付開始～終了】[総][技]3月～4月【採用プロセス】[総]ES提出(3～4月)→適性検査→面接またはGD(複数回)→内々定 [技]ES提出(3～4月)→適性検査→面接(複数回)→内々定【交通費支給】最終選考、新幹線・飛行機利用分のみ

試験情報

重視科目 [総][技]面接

[総][ES]NA[筆]SPI3(自宅)[面]複数回(Webあり)[GD作]NA
[技][ES]NA[筆]SPI3(自宅)[面]複数回(Webあり)

選考ポイント [総][技][ES]全ての項目を総合的に判断[面]求める人物像を基準に評価

通過率 [総][技][ES]NA

倍率(応募/内定) [総][技]NA

●男女別採用数と配属先ほか●

【男女・文理別採用実績】

	大卒男	大卒女	修士男	修士女
23年	0(文 0理 0)	0(文 0理 0)	9(文 0理 9)	0(文 0理 0)
24年	6(文 5理 1)	2(文 2理 0)	5(文 0理 5)	1(文 0理 1)
25年	7(文 5理 2)	11(文 10理 1)	5(文 0理 5)	0(文 0理 0)

【25年4月入社者の採用実績校】
[文](大)横浜市大3 早大 立教大 青学大各2 一橋大 お茶女大 横国大 都立大 金沢大 慶大各1 [理](院)横国大 芝工大各2 中大1(大)都立大 法政大 成蹊大各1

【24年4月入社者の配属先】
[総]勤務地:(23年)東京3 神奈川2 部署:(23年)不動産開発部門5 [技]勤務地:(23年)神奈川4 部署:(23年)鉄道部門4

残業(月) NA

記者評価 都心と横浜、三浦半島結ぶ本線のほか空港線、大師線など4路線運行。羽田空港アクセスに強み。流通、不動産、ホテルなど多角化。不動産事業は拡大続く。レジャーは平和島など。24年6月みなとみらい21の高層ビルに新ホテル開業。品川駅周辺の再開発を推進。

●給与、ボーナス、週休、有休ほか●

【30歳総合職平均年収】NA【初任給】(修士)252,000円(大卒)251,000円【ボーナス(年)】NA【25、30、35歳賃金】NA【週休】完全2日(土日祝)【夏期休暇】5日を推奨(有休で取得)【年末年始休暇】12月29日～1月3日【有休取得】17.6/20日

●従業員数、勤続年数、離職率ほか●

【男女別従業員数、平均年齢、平均勤続年数】計 ◇2,906(40.3歳 17.6年) 男 2,659(40.7歳 18.3年) 女 247(35.9歳 10.4年)【離職率と離職者数】NA【3年後新卒定着率】95.8%(男100%、女75.0%、3年前入社:男20名・女4名)【組合】あり

求める人材 新しいことに前向きに取り組める人 周囲の意見を汲み取り、課題にアプローチし、計画的に行動できる人

会社データ (金額は百万円)

【本社】220-8625 神奈川県横浜市西区高島1-2-8
☎045-225-9696 https://www.keikyu.co.jp/
【社長】川俣 幸宏【設立】1948.6【資本金】43,738【今後力を入れる事業】品川・羽田・横浜を中心とした沿線活性化

【業績(連結)】	売上高	営業利益	経常利益	純利益
22.3	265,237	3,510	5,065	12,529
23.3	253,005	10,819	12,233	15,817
24.3	280,624	28,040	28,402	83,750

ふじきゅうこう
富士急行(株)

東京P 9010

【特色】富士山麓周辺で遊園地などのリゾート施設を運営

修士・大卒採用数	3年後離職率	有休取得年平均	平均年収(平均39歳)
15名	NA	NA	[総]699万円

●エントリー情報と採用プロセス●

【受付開始～終了】[総]3月～6月【採用プロセス】[総]説明会(必須、3～4月)→GD・ES提出(3～5月)→面接(3回)・適性テスト(3～6月)→内々定(6月)【交通費支給】なし

試験情報

重視科目 [総]面接

[総][ES]⇒巻末[筆]SPI3(会場)[面]3回(Webあり)[GD作]⇒巻末

選考ポイント [総][ES]GDとの総合判断[面]身だしなみ 積極性 主体性 リーダー志向 コミュニケーション力 誠実さ バイタリティ ホスピタリティ 責任感 志望度 オリジナリティ マネジメント志向

通過率 [総][ES]NA(受付:431→通過:NA)

倍率(応募/内定) [総]29倍

●男女別採用数と配属先ほか●

【男女・文理別採用実績】

	大卒男	大卒女	修士男	修士女
23年	6(文 6理 0)	5(文 4理 1)	0(文 0理 0)	0(文 0理 0)
24年	6(文 5理 1)	9(文 8理 1)	0(文 0理 0)	1(文 1理 0)
25年	8(文 6理 2)	7(文 7理 0)	0(文 0理 0)	0(文 0理 0)

【25年4月入社者の採用実績校】
[文](大)学習院大 金沢大 甲南大 山梨大 鹿児島大 上智大 青学大 都立大 日大 富山大 明学大 明大 立教大各1 [理](大)山梨大 専大各1

【24年4月入社者の配属先】
[総]勤務地:山梨(富士吉田7 河口湖5 山中湖3 忍野1) 部署:運輸事業4 レジャー・サービス事業12

残業(月) NA

記者評価 山梨、静岡など富士山麓が地盤。運輸業はバスが主で、各地から河口湖・富士山麓まで高速バス運行。都内でコミュニティバス運行も。鉄道は大月-河口湖間26.6kmの富士急行線が中心。「富士急ハイランド」やホテルなどレジャー・サービス事業が収益柱。

●給与、ボーナス、週休、有休ほか●

【30歳総合職平均年収】532万円【初任給】(博士)266,000円(修士)266,000円(大卒)266,000円【ボーナス(年)】NA【25、30、35歳賃金】NA【週休】完全2日(土日祝)【夏期休暇】有休で取得【年末年始休暇】会社指定休日+有休【有休取得】NA/20日

●従業員数、勤続年数、離職率ほか●

【男女別従業員数、平均年齢、平均勤続年数】計 223(40.9歳 15.9年) 男 163(43.2歳 17.6年) 女 60(34.7歳 10.5年)【離職率と離職者数】NA【3年後新卒定着率】NA【組合】あり

求める人材 リーダーシップ、顧客志向、好奇心、ポジティブ思考、イノベーション、オリジナリティを発揮する能力のある人材

会社データ (金額は百万円)

【本社】403-0017 山梨県富士吉田市新西原5-2-1
☎0555-22-7117 https://www.fujikyu.co.jp/
【社長】堀内 光一郎【設立】1926.9【資本金】9,126【今後力を入れる事業】NA

【業績(連結)】	売上高	営業利益	経常利益	純利益
22.3	35,083	761	489	376
23.3	42,924	4,243	4,007	2,318
24.3	50,701	8,151	7,936	4,571

開示 ★★★★★ ▶『業界地図』p.202, 254 1747

名古屋鉄道(株)

なごやてつどう

東京P 9048

【特色】中部地盤の私鉄大手。運輸と不動産業を両輪展開

修士・大卒採用数	3年後離職率	有休取得年平均	平均年収(平均37歳)
34名	[総]15.4 → [総]24.0%	17.7日	[総]859万円

●エントリー情報と採用プロセス●

【受付開始～終了】[総][技]3月～4月【採用プロセス】[総][技]ES提出・説明会(3～4月)→筆記・面接他(複数回)→内々定【交通費支給】最終面接、全額

試験情報

[重視科目] [総][技]総合判断

[総][ES]⇒巻末[筆]SPI3(会場)[面]複数回[GD作]⇒巻末 [技][ES]⇒巻末[筆]SPI3(会場)[面]複数回[GD作]NA

[選考ポイント] [総][技][ES]総合判断[面]求める人材像を基準に評価

[通過率] [総][技][ES]NA

[倍率(応募/内定)] [総][技]NA

●男女別採用数と配属先ほか●

【男女・文理別採用実績】

	大卒男	大卒女	修士男	修士女
23年	8(文 7理 1)	8(文 7理 1)	3(文 0理 3)	0(文 0理 0)
24年	20(文 18理 2)	11(文 11理 0)	3(文 1理 2)	0(文 0理 0)
25年	13(文 12理 1)	9(文 8理 1)	11(文 3理 8)	1(文 0理 1)

【25年4月入社者の採用実績校】

[文](院)阪大 神戸大 名大各1(大)名古屋市大 南山大各3 同大 北大 慶大 京大各2 名大 中大 岐阜大 立命館大 広島大 九大各1 [理](院)名工大3 関大2 富山大 佐賀大 名大 岐阜大各1(大)岐阜大 名大各1

【24年4月入社者の配属先】

[総]勤務地:愛知・岐阜29 部署:鉄道現業部門23(研修中)不動産部門5(研修中)レジャー部門1(研修中) [技]勤務地:愛知・岐阜4 部署:鉄道現業部門4(研修中)

[残業(月)] (本社)12.2時間

[記者評価] 1894年に愛知馬車鉄道として創業。名古屋の名門企業。中京圏の鉄道輸送が収益柱。中部国際空港アクセス線も運営。グループでタクシー、バスのほか、百貨店・流通、不動産、レジャー施設などコングロマリット形成。名鉄名古屋駅周辺の再開発計画を進める。

●給与、ボーナス、週休、有休ほか●

【30歳総合職平均年収】NA【初任給】(修士)316,700円(大卒)300,000円【ボーナス(年)】年俸制のためND(総合職のみ)、年俸制のためND(総合職のみ)【25、30、35歳賃金】NA【週休】完全2日(土日祝)【夏期休暇】なし【年末年始休暇】1月1～3日【有休取得】17.7／20日

●従業員数、勤続年数、離職率ほか●

【男女別従業員数、平均年齢、平均勤続年数】計◇4,232(45.7歳 25.9年) 男 4,004(46.1歳 26.4年) 女 228(37.4歳 15.8年) ※病院等従業員を除く【離職率と離職者数】—、14名(総合職のみ)【3年後新卒定着率】76.0%(男75.0%、女80.0%、3年前入社:男20名・女5名)※総合職のみ【組合】あり

[求める人材] 自分らしく主体的に物事に取り組み、変化を恐れず挑戦し続けられる人

[会社データ] (金額は百万円)

【本社】450-8501 愛知県名古屋市中村区名駅1-2-4

☎052-588-0816 https://top.meitetsu.co.jp/

【社長】髙﨑 裕樹【設立】1921.6【資本金】101,158【今後力を入れる事業】名古屋駅地区再開発プロジェクト

【業績(連結)】	売上高	営業利益	経常利益	純利益
22.3	490,919	2,932	13,135	9,370
23.3	551,504	22,731	26,362	18,850
24.3	601,121	34,750	37,544	24,400

西日本旅客鉄道(株)

にしにほんりょかくてつどう

東京P 9021

【特色】JR西日本。山陽・北陸の両新幹線を保有する

修士・大卒採用数	3年後離職率	有休取得年平均	平均年収(平均38歳)
810名	11.2 → 12.7%	18.2日	◇665万円

●エントリー情報と採用プロセス●

【受付開始～終了】[総]3月～4月<プロフェッショナル職>3月～6月 [技]3月～4月<高専卒>3月～6月<プロフェッショナル職>3月～6月【採用プロセス】[総]<総合職>ES提出(3～4月)→Webテスト・書類選考→面接(6月～)→内々定<プロフェッショナル職>ES提出(3～6月)→書類選考・Webテスト→筆記・面接(6月～)→内々定 [技]<総合職>ES提出(3～4月)→Webテスト・書類選考→面接(6月～)→内々定<高専卒>ES提出(3～6月)→Webテスト・書類選考→面接(6月～)→内々定<プロフェッショナル職>ES提出(3～6月)→書類選考・Webテスト→筆記・面接(6月～)→内々定【交通費支給】職種により異なる、遠方者(会社基準)

試験情報

[重視科目] [総][技]全て

[総][技][ES]⇒巻末[筆]あり(内容NA)[面]複数回(Webあり)[GD作]NA

[選考ポイント] [総][技][ES]志望動機 入社して取り組みたいこと 他 [面]志望理由 学生時代に力を入れた事 熱意 理解力 コミュニケーション能力などを総合的に評価

[通過率] [総][技][ES]NA [倍率(応募/内定)] [総][技]NA

●男女別採用数と配属先ほか●

【男女・文理別採用実績】

	大卒男	大卒女	修士男	修士女
23年	NA(文NA理NA)	NA(文NA理NA)	NA(文NA理NA)	NA(文NA理NA)
24年	NA(文NA理NA)	NA(文NA理NA)	NA(文NA理NA)	NA(文NA理NA)
25年	-(文 -理 -)	-(文 -理 -)	-(文 -理 -)	-(文 -理 -)

※25年:約810名採用予定(高卒含む)

【25年4月入社者の採用実績校】[文]NA [理]NA

【24年4月入社者の配属先】[総]勤務地:石川 福井 滋賀 京都 大阪 奈良 兵庫 岡山 広島 山口 部署:西日本エリアの現業機関(駅) [技]勤務地:石川 福井 滋賀 京都 大阪 奈良 兵庫 和歌山 広島 鳥取 山口 部署:西日本エリアの現業機関(車両所・保線区・電気区 他)または西日本エリアの各地方機関(支社・統括本部)

[残業(月)] 11.3時間

[記者評価] 営業路線は新大阪・博多間の山陽新幹線、上越妙高・金沢間の北陸新幹線、京阪神都市圏の旅客輸送など。営業キロ4897.5km。範囲は北陸、近畿、中国、九州北部の2府16県に及ぶ。流通、不動産、ホテルなど非運輸事業を強化。大阪駅近辺で大型ビルを続々開業。

●給与、ボーナス、週休、有休ほか●

【30歳総合職平均年収】NA【初任給】(博士)303,007円(修士)269,138円<プロフェッショナル職>224,312円(大卒)239,646円<プロフェッショナル職>217,272円【ボーナス(年)】NA、5.2カ月【25、30、35歳賃金】NA【週休】<本社>完全2日(土日祝)【夏期休暇】有休で取得【年末年始休暇】12月31日～1月3日【有休取得】18.2／20日

●従業員数、勤続年数、離職率ほか●

【男女別従業員数、平均年齢、平均勤続年数】計◇20,912(37.7歳 14.5年) 男 17,625(38.2歳 15.2年) 女 3,287(35.3歳 10.5年)【離職率と離職者数】◇1.8%、381名【3年後新卒定着率】87.3%(男88.7%、女84.2%、3年前入社:男397名・女171名)【組合】あり

[求める人材] JR西日本グループの社会インフラ企業としての使命への理解・共感に加え、変化に対応して力強く変革を推進し、将来にわたり社会に大きな価値を提供していく気概を持った人

[会社データ] (金額は百万円)

【本社】530-8341 大阪府大阪市北区芝田2-4-24

☎0570-002-486 https://www.westjr.co.jp/

【社長】長谷川 一明【設立】1987.4【資本金】226,136【今後力を入れる事業】モビリティサービス分野 ライフデザイン分野

【業績(連結)】	売上高	営業利益	経常利益	純利益
22.3	1,031,103	▲119,091	▲121,047	▲113,198
23.3	1,395,531	83,970	73,619	88,528
24.3	1,635,023	179,748	167,382	98,761

開示 ★★★★★　▶『業界地図』p.248, 254　1002

近鉄グループホールディングス(株)
きんてつ

東京P 9041

【特色】近畿日本鉄道を中心にグループ形成。多角展開

修士・大卒採用数	3年後離職率	有休取得年平均	平均年収(平均45歳)
33名	10.8 → 13.0%	13.0日	780万円

●エントリー情報と採用プロセス●

【受付開始～終了】[総][技]3月～NA【採用プロセス】[総][技]ES提出→GD→適性検査・面接(複数回)→内々定【交通費支給】最終面接、実費(会社基準)

試験情報

重視科目 [総][技]GD 面接

[総][技][ES]NA[筆]あり(内容NA)[面]複数回[GD作]NA

選考ポイント [総][技][ES]NA(提出あり)[面]「求める人物像」を基準に総合評価

通過率 [総][技][ES]NA

倍率(応募/内定) [総][技]NA

●男女別採用数と配属先ほか●

【男女・文理別採用実績】

	大卒男	大卒女	修士男	修士女
23年	17(文 15理 2)	9(文 8理 1)	4(文 0理 4)	0(文 0理 0)
24年	18(文 15理 3)	9(文 9理 0)	6(文 0理 6)	0(文 0理 0)
25年	15(文 12理 3)	13(文 13理 0)	4(文 1理 3)	1(文 0理 1)

【25年4月入社者の採用実績校】
[文](院)阪大1(大)神戸大4 阪大 同大各3 京大 立命館大各2 九大 長崎大 大阪公大 名古屋市大 横国大 早大 和歌山大 青学大 上智大 慶大 関大各1 [理](院)阪大 京大 神戸大 筑波大各1(大)神戸大 早大 滋賀大各1

【24年4月入社者の配属先】
[総]勤務地:大阪15 京都2 奈良3 東京3 三重1 愛知1 静岡1 神奈川1 部署:運輸事業7 不動産事業2 国際物流事業1 流通事業9 ホテル・レジャー事業7 その他事業1 [技]勤務地:大阪2 奈良2 京都2 部署:運輸事業2 流通事業1 ホテル・レジャー事業1 その他事業2

残業(月) 13.5時間

記者評価 1910年創業の関西系有力私鉄。大阪、奈良を地盤に営業キロは約500kmと私鉄最長。「あべのハルカス」が軸の不動産、百貨店などの流通、ホテルといった事業を多角展開。子会社によるワクチン接種業務の過大請求で毀損したイメージからの脱却に全力。

●給与、ボーナス、週休、有休ほか●

【30歳総合職平均年収】NA【初任給】(修士)280,500円(大卒)250,500円【ボーナス(年)】NA、5.0カ月【25、30、35歳賃金】NA【週休】完全2日(土日祝)【夏期休暇】なし【年末年始休暇】12月31日～1月3日【有休取得】13.0／21日

●従業員数、勤続年数、離職率ほか●

【男女別従業員数、平均年齢、平均勤続年数】計 272(45.0歳 15.4年) 男 211(45.8歳 16.4年) 女 61(42.5歳 9.7年) ※受入出向者含み、外部出向者除く【離職率と離職者数】1.8%、5名【3年後新卒定着率】87.0%(男94.4%、女60.0%、3年前入社:男18名・女5名)【組合】あり

求める人材 好奇心旺盛で変化を楽しめる 簡単には諦めず最後までやり遂げる

会社データ　(金額は百万円)

【本社】543-8585 大阪府大阪市天王寺区上本町6-1-55
☎06-6775-3531　https://www.kintetsu-g-hd.co.jp/
【社長】若井 敬【設立】1944.6【資本金】126,476【今後力を入れる事業】鉄道 不動産 流通・ホテル レジャー 国際物流など

【業績(連結)】	売上高	営業利益	経常利益	純利益
22.3	691,512	3,864	30,658	42,755
23.3	1,561,002	67,144	74,612	88,779
24.3	1,629,529	87,430	84,638	48,073

阪急阪神ホールディングス(株)
はんきゅうはんしん

東京P 9042

【特色】阪急電鉄と阪神電鉄を中核とする持株会社

修士・大卒採用数	3年後離職率	有休取得年平均	平均年収(平均43歳)
47名	0 → 0%	11.3日	[総]955万円

●エントリー情報と採用プロセス●

【受付開始～終了】[総]3月～4月【採用プロセス】[総]ES提出(3月～)→適性検査・面接(複数回)→内々定※事務系技術系一括採用【交通費支給】2次面接以降、遠方者(会社基準)

試験情報

重視科目 [総]ES 面接

[総][ES]⇒巻末[筆]SPI3(会場)[面]複数回(Webあり)

選考ポイント [総][ES]NA(提出あり)[面]「求める人材」を基準に総合判断

通過率 [総][ES]NA

倍率(応募/内定) [総]NA

●男女別採用数と配属先ほか●

【男女・文理別採用実績】

	大卒男	大卒女	修士男	修士女
23年	16(文 15理 1)	16(文 16理 0)	13(文 0理 13)	2(文 0理 2)
24年	12(文 10理 2)	12(文 11理 1)	22(文 1理 21)	3(文 0理 3)
25年	13(文 13理 0)	12(文 12理 0)	19(文 1理 18)	3(文 0理 3)

【25年4月入社者の採用実績校】
[文](院)慶大1(大)神戸大 大阪公大各5 同大3 京大 関大 関西学大 横国大各2 北大 東大 早大 慶大各1 [理](院)神戸大5 阪大 大阪公大各3 京大 九大各2 北大 同大 東大 慶大 京都工繊大 関大各1

【24年4月入社者の配属先】
[総]勤務地:大阪・兵庫49 部署:都市交通20 不動産16 エンタテインメント6 情報通信1 管理部門6

残業(月) 20.0時間 [総]20.0時間

記者評価 阪急HDと阪神電鉄が06年に経営統合して発足。鉄道を軸とした都市交通事業に加え不動産、ホテル、物流、旅行など幅広く展開。阪神タイガースや宝塚歌劇などエンタテインメント・コミュニケーション事業に強み。大阪・梅田エリアの再開発に注力。

●給与、ボーナス、週休、有休ほか●

【30歳総合職平均年収】756万円【初任給】(修士)353,334円(大卒)328,334円【ボーナス(年)】年俸制のためND、年俸制のためND【25、30、35歳モデル賃金】NA→630,000円→NA【週休】完全2日(土日祝)【夏期休暇】なし【年末年始休暇】12月31日～1月3日【有休取得】11.3／20日

●従業員数、勤続年数、離職率ほか●

【男女別従業員数、平均年齢、平均勤続年数】計 1,337(43.4歳 20.1年) 男 1,124(45.2歳 21.9年) 女 213(33.7歳 10.6年)【離職率と離職者数】1.8%、25名【3年後新卒定着率】100%(男100%、女100%、3年前入社:男28名・女15名)【組合】なし

求める人材 <総合職>「誠実に向かい合う」「360度、働きかける」「志をもち、挑み続ける」ことができる人材

会社データ　(金額は百万円)

【本社】530-0012 大阪府大阪市北区芝田1-16-1
☎06-6373-5100　https://www.hankyu-hanshin.co.jp/
【社長】嶋田 泰夫【設立】1907.10【資本金】99,474【今後力を入れる事業】都市交通 不動産 エンタテインメント 情報通信

【業績(連結)】	売上高	営業利益	経常利益	純利益
22.3	746,217	39,212	38,450	21,418
23.3	968,300	89,350	88,432	46,952
24.3	997,611	105,689	109,413	67,801

開示 ★★★★★　▶『業界地図』p.248, 254　2726

京阪ホールディングス(株)（けいはん）

東京P 9045

【特色】京阪電気鉄道などを傘下に擁する持株会社

修士・大卒採用数	3年後離職率	有休取得年平均	平均年収(平均39歳)
17名	13.3 → 0%	13.6日	◇803万円

●エントリー情報と採用プロセス●

【受付開始～終了】総 技 3月～NA【採用プロセス】総 技 ES提出→Webテスト→面接(複数回)→内々定【交通費支給】2次面接～最終面接、遠方者(会社基準)

試験情報

重視科目 総 技 面接

総 技 ES NA 筆 あり(内容NA) 面 複数回(Webあり)

選考ポイント 総 技 ES 自己PR 面 求める人材像を基準に総合的に判断

通過率 総 技 ES NA

倍率(応募/内定) 総 技 NA

●男女別採用数と配属先ほか●

【男女・文理別採用実績】

	大卒男	大卒女	修士男	修士女
23年	5(文 5 理 0)	4(文 4 理 0)	2(文 0 理 2)	2(文 0 理 2)
24年	6(文 5 理 1)	4(文 4 理 0)	4(文 0 理 4)	0(文 0 理 0)
25年	5(文 4 理 1)	6(文 5 理 1)	5(文 1 理 4)	1(文 1 理 0)

【25年4月入社者の採用実績校】
文 (院)京大 阪大各1(大)同大3 関西学大2 阪大 神戸大 広島大 立命館大各1 理 (院)京大2 大阪公大 名大各1(大)京大 神戸大各1

【24年4月入社者の配属先】
総 **勤務地**:大阪10 京都2 **部署**:経営企画1 人事1 経理3 IT推進1 鉄道1 不動産3 流通1 ホテル1 技 **勤務地**:大阪2 **部署**:車両1 土木1

残業(月) 22.4時間 総 22.4時間

記者評価 京阪電気鉄道や叡山電鉄、京阪百貨店などが傘下。鉄道でQRコード乗車サービス着手。沿線開発重点だが、ホテルや不動産、流通など沿線外の非鉄道事業も展開。札幌で戸建て住宅販売に進出。HD採用はグループ全体の経営戦略や事業会社の運営・企画・管理等担う。

●給与、ボーナス、週休、有休ほか●

【30歳総合職平均年収】NA【初任給】(修士)255,000円(大卒)237,000円【ボーナス(年)】NA、4.0カ月+α【25、30、35歳賃金】NA【週休】完全2日(土日祝)【夏期休暇】なし【年末年始休暇】12月30日～1月3日【有休取得】13.6／20日

●従業員数、勤続年数、離職率ほか●

【男女別従業員数、平均年齢、平均勤続年数】計 290(39.4歳 14.6年) 男 238(41.1歳 16.0年) 女 52(31.8歳 8.2年)【離職率と離職者数】NA【3年後新卒定着率】100%(男100%、女100%、3年前入社:男8名・女5名)【組合】なし

求める人材 進取の精神と幅広い視野を持って、新たなことに果敢に挑戦し続け、京阪グループ発展の原動力となる人物

会社データ (金額は百万円)

【本社】540-6591 大阪府大阪市中央区大手前1-7-31
☎06-6944-2570 https://www.keihan-holdings.co.jp/
【社長】石丸 昌宏【設立】1949.12【資本金】51,466【今後力を入れる事業】鉄道 不動産 流通 レジャー ホテル BIOSTYLE

【業績(連結)】	売上高	営業利益	経常利益	純利益
22.3	258,118	13,408	16,485	9,589
23.3	260,070	20,491	20,458	17,621
24.3	302,147	33,904	33,111	24,890

南海電気鉄道(株)（なんかいでんききてつどう）

東京P 9044

【特色】大阪南部・和歌山が地盤の私鉄大手。流通等も

修士・大卒採用数	3年後離職率	有休取得年平均	平均年収(平均45歳)
30名	10.0 → 4.8%	18.5日	◇614万円

●エントリー情報と採用プロセス●

【受付開始～終了】総 3月～6月 技 3月～4月【採用プロセス】総 ES提出(3～6月)→試験(GD・論文・面接他、6月～)→内々定 技 ES提出(3～4月)→試験(GD・論文・面接他、6月～)→内々定【交通費支給】最終面接、遠方者(会社基準)

試験情報

重視科目 総 技 面接

総 技 ES ⇒巻末 筆 適性検査 面 複数回(Webあり) GD作 NA

選考ポイント 総 技 ES NA(提出あり) 面 NA

通過率 総 技 ES NA

倍率(応募/内定) 総 技 NA

●男女別採用数と配属先ほか●

【男女・文理別採用実績】

	大卒男	大卒女	修士男	修士女
23年	10(文 9 理 1)	10(文 8 理 2)	6(文 1 理 5)	3(文 2 理 1)
24年	12(文 9 理 3)	11(文 11 理 0)	8(文 0 理 8)	0(文 0 理 0)
25年	14(文 7 理 7)	10(文 9 理 1)	6(文 2 理 4)	0(文 0 理 0)

【25年4月入社者の採用実績校】
文 (院)同大1(大)大阪市大 立命館大 関大各3 神戸大 和歌山大 長崎大 関西学大 明大各1 理 (院)神戸大 大阪公大 関大各1(大)大阪工大1

【24年4月入社者の配属先】
総 **勤務地**:大阪17 **部署**:運輸(バス含む)3 不動産2 流通3 まちづくり1 ツーリズム戦略1 事業戦略部1 ブランド1 人事1 経理2 物流1 データマーケティング1 技 **勤務地**:大阪5 **部署**:土木系1 建築系1 機械系2 情報系1

残業(月) 24.3時間

記者評価 1885年創業、現存する純民鉄で最古参。大阪・難波を起点に和歌山、関西国際空港、高野山など結び、「南海電車」の呼称で親しまれる。営業154.8km。泉北高速鉄道も運営。ターミナルのなんば駅周辺には広域開発の「グレーターなんば」構想。「なにわ筋線」建設中。

●給与、ボーナス、週休、有休ほか●

【30歳総合職平均年収】NA【初任給】(修士)251,000円(大卒)234,500円【ボーナス(年)】NA、5.0カ月【25、30、35歳賃金】NA【週休】完全2日(土日祝)【夏期休暇】なし【年末年始休暇】連続5日【有休取得】18.5／20日

●従業員数、勤続年数、離職率ほか●

【男女別従業員数、平均年齢、平均勤続年数】計 ◇2,643(44.7歳 22.6年) 男 2,271(45.4歳 23.7年) 女 372(34.5歳 7.5年)【離職率と離職者数】NA【3年後新卒定着率】95.2%(男90.9%、女100%、3年前入社:男11名・女10名)【組合】あり

求める人材 固定概念や従来の枠組みにとらわれず、自ら思考し、積極的かつスピード感をもって課題に向かって挑戦する人

会社データ (金額は百万円)

【本社】556-8503 大阪府大阪市浪速区敷津東2-1-41
☎06-6644-7121 https://www.nankai.co.jp/
【社長】岡嶋 信行【設立】1925.3【資本金】72,983【今後力を入れる事業】鉄道 不動産 流通 レジャー・サービス

【業績(連結)】	売上高	営業利益	経常利益	純利益
22.3	201,793	12,190	9,931	4,021
23.3	221,280	21,023	18,965	14,623
24.3	241,594	30,820	29,312	23,926

サービス

開示 ★★★

おおさかしこうそくでんききどう
大阪市高速電気軌道(株)

株式公開していない

【特色】大阪市交通局の民営化で誕生。地下鉄運営が主体

修士・大卒採用数	3年後離職率	有休取得年平均	平均年収(平均44歳)
57名	①0→①12.5%	19.6日	㊓796万円

●エントリー情報と採用プロセス●

【受付開始～終了】㊓3月～3月 ㊇3月～随時受付【採用プロセス】㊓㊇適性検査・ES提出(3月)→面接(複数回、4月)→内々定(4月下旬)【交通費支給】なし【早期選考】⇒巻末

試験情報

重視科目 ㊓㊇面接

㊓㊇ ES ⇒巻末 ㊕SPI3(会場) ㊐複数回

選考ポイント ㊓㊇ ES 総合的に判断 ㊐(1)総合的に判断 ※中期経営計画を確認のうえ選考に参加 (2)女性活躍におけるポジティブアクションの方針も含め判断

通過率 ㊓㊇ ES NA

倍率(応募/内定) ㊓㊇NA

●男女別採用数と配属先ほか●

【男女・文理別採用実績】

	大卒男	大卒女	修士男	修士女
23年	24(文 19理 5)	5(文 5理 0)	11(文 0理 11)	0(文 0理 0)
24年	5(文 5理 0)	10(文 9理 1)	10(文 0理 10)	0(文 0理 0)
25年	36(文 24理 12)	6(文 5理 1)	11(文 1理 10)	4(文 3理 1)

※25年：継続中

【25年4月入社者の採用実績校】

㊖(院)京大 阪大 大阪公大 関西学大各1(大)同大2 阪大 神戸大 大阪市大 兵庫県大 明大 立命館APU各1 ㊗(院)大阪公大5 滋賀県大 関大 立命館大 大阪工大各1(大)神戸大2 広島大 関大 関西学大 近大各1

【24年4月入社者の配属先】

㊓勤務地：大阪6 部署：交通2 経理2 都市開発1 人事1 ㊇勤務地：大阪9 部署：工務2 電気3 車両1 建築3

残業(月) 19.3時間 ㊓16.2時間

記者評価 大阪市交通局の地下鉄事業を継承するため大阪市全額出資で17年設立、18年事業開始。愛称・大阪メトロ。大阪市内中心に、地下鉄など9路線、総営業距離137.8kmを運営。非鉄道収入拡大に向け商業施設や賃貸マンション建設など多角化推進。都市型MaaS構想掲げる。

●給与、ボーナス、週休、有休ほか●

【30歳総合職平均年収】601万円【初任給】(修士)266,000円(大卒)247,900円【ボーナス(年)】NA、5.1カ月【25、30、35歳賃金】NA【週休】完全2日(土日祝)【夏期休暇】なし【年末年始休暇】12月29日～1月3日(12月29日・30日は特別休暇)【有休取得】19.6／20日

●従業員数、勤続年数、離職率ほか●

【男女別従業員数、平均年齢、平均勤続年数】計◇5,126(50.1歳 29.1年) 男 4,898(50.8歳 29.9年) 女 228(35.1歳 10.9年) ※再雇用者含む【離職率と離職者数】—、29名(総合職のみ)【3年後新卒定着率】87.5%(男87.5%、女87.5%、3年前入社：男16名・女8名) ※総合職のみ【組合】あり

求める人材 あらゆるポジションで経営視点をもった行動が発揮できる人材 遠心力があり、自ら学び、地道に努力できる人材

会社データ (金額は百万円)

【本社】550-0025 大阪府大阪市西区九条南1-12-62
☎06-6585-6798 https://www.osakametro.co.jp/
【社長】河井 英明【設立】2017.6【資本金】250,000【今後力を入れる事業】都市型MaaS構想(e METRO)

【業績(連結)】	売上高	営業利益	経常利益	純利益
22.3	140,100	390	460	490
23.3	161,400	19,100	19,700	15,100
24.3	184,200	37,100	37,600	27,400

けいはんでんきてつどう
京阪電気鉄道(株)

持株会社傘下

【特色】京阪HD中核。関西民鉄大手の一角。遊園地事業も

修士・大卒採用数	3年後離職率	有休取得年平均	平均年収(平均49歳)
6名	NA	21.0日	NA

●エントリー情報と採用プロセス●

【受付開始～終了】㊇3月～未定【採用プロセス】㊇ES提出→Webテスト・面接(複数回)→内々定【交通費支給】最終面接、遠方者(会社基準)

試験情報

重視科目 ㊇面接

㊇ ES NA ㊕あり(内容NA) ㊐複数回(Webあり)

選考ポイント ㊇ ES 自己PR ㊐求める人材像を基準に総合的に判断

通過率 ㊇ ES NA

倍率(応募/内定) ㊇NA

●男女別採用数と配属先ほか●

【男女・文理別採用実績】

	大卒男	大卒女	修士男	修士女
23年	1(文 0理 1)	0(文 0理 0)	1(文 0理 1)	0(文 0理 0)
24年	3(文 0理 3)	0(文 0理 0)	0(文 0理 0)	0(文 0理 0)
25年	6(文 1理 5)	0(文 0理 0)	0(文 0理 0)	0(文 0理 0)

【25年4月入社者の採用実績校】

㊖(大)追手門学大1 ㊗(大)大阪工大2 中部大 兵庫県大 立命館大各1

【24年4月入社者の配属先】

㊇勤務地：大阪3 部署：土木1 建築1 車両1

残業(月) NA

記者評価 16年持株会社に移行し旧京阪電気鉄道の鉄道事業と遊園地「ひらかたパーク」などレジャー事業を継承。本線(大阪・淀屋橋～京都・出町柳)を軸に運営し、営業キロ91.1km、1日あたりの利用者は約80万人。座席指定車両「プレミアムカー」のサービス拡大。

●給与、ボーナス、週休、有休ほか●

【30歳総合職平均年収】NA【初任給】(大卒)214,000円【ボーナス(年)】NA、5.3カ月【25、30、35歳賃金】NA【週休】完全2日(土日祝)【夏期休暇】なし【年末年始休暇】12月30日～1月3日(部署による)【有休取得】21.0／21日

●従業員数、勤続年数、離職率ほか●

【男女別従業員数、平均年齢、平均勤続年数】計◇1,739(49.3歳 28.8年) 男 1,663(49.3歳 28.9年) 女 76(48.0歳 26.1年)【離職率と離職者数】NA【3年後新卒定着率】NA【組合】あり

求める人材 社会を支える鉄道のプロフェッショナルとして、自ら考え行動し自己を高め、次世代につなげていく人物

会社データ (金額は百万円)

【本社】573-0032 大阪府枚方市岡東町19-1 ステーションヒル枚方オフィスA
☎06-6944-2570 https://www.keihan.co.jp/
【社長】平川 良浩【設立】2015.4【資本金】100【今後力を入れる事業】鉄道事業 レジャー事業

【業績(単独)】	売上高	営業収益	経常利益	純利益
22.3	42,882	1,118	862	699
23.3	48,877	5,090	4,744	3,474
24.3	54,448	6,398	6,023	3,870

サービス

開示 ★★

▶『業界地図』p.248

しこくりょかくてつどう 四国旅客鉄道(株)

株式公開 計画なし

【特色】JR四国。四国の基幹輸送機関。事業多角化展開

修士・大卒採用数	3年後離職率	有休取得年平均	平均年収(平均34歳)
105名	22.4→20.2%	14.9日	NA

●エントリー情報と採用プロセス●

【受付開始～終了】[総][技]3月～4月【採用プロセス】[総][技]ES提出(3～4月)→Webテスト(4～5月)→適性検査・面接(2回、5～6月)→内々定(5～6月)【交通費支給】最終面接、会社基準

試験情報

重視科目 [総][技]面接

[総][技][ES]⇒巻末[筆]適性検査等[面]2回

選考ポイント [総][技][ES]NA(提出あり)[面]志望動機 熱意 協調性 コミュニケーション能力

通過率 [総][技][ES]NA

倍率(応募/内定) [総][技]NA

●男女別採用数と配属先ほか●

【男女・文理別採用実績】

	大卒男	大卒女	修士男	修士女
23年	38(文 28理 10)	9(文 8理 1)	3(文 0理 3)	0(文 0理 0)
24年	52(文 44理 8)	7(文 7理 0)	5(文 0理 5)	0(文 0理 0)
25年	-(文 -理 -)	-(文 -理 -)	-(文 -理 -)	-(文 -理 -)

※25年:105名採用予定

【25年4月入社者の採用実績校】[文](院)京大1(大)関大3 早大 立命館大各2 同大 近大 久留米大 専大 武庫川女大 岡山大 和歌山大 大阪市大各1 [理](院)神戸大 香川大 愛媛大 徳島大 山口大 室蘭工大各1(大)京産大1(高専)香川2 新居浜1

【24年4月入社者の配属先】[総]勤務地:愛媛1 部署:営業1 [技]勤務地:香川8 愛媛5 徳島5 高知4 部署:運輸15 工務7

残業(月) 15.6時間

記者評価 鉄道を核に都市開発、バス、ホテル、物販、IT関連などの事業に取り組む。JR旅客6社中、規模最小。営業キロ853.7km、1日の旅客列車941本。「伊予灘ものがたり」など観光列車で集客拡大。23年3月に警備保障会社を買収。24年3月に再開発の高松駅ビルが開業。

●給与、ボーナス、週休、有休ほか●

【30歳総合職平均年収】NA【初任給】(修士)221,100円(大卒)211,900円【ボーナス(年)】NA、4.04カ月【25、30、35歳賃金】NA【週休】〈本社等間接部門〉完全2日(土日祝)〈現業機関等〉年109日【夏期休暇】有休で取得【年末年始休暇】12月30日～1月3日【有休取得】14.9／20日

●従業員数、勤続年数、離職率ほか●

【男女別従業員数、平均年齢、平均勤続年数】計 ◇1,947(34.1歳 13.3年) 男 1,764(34.6歳 14.0年) 女 183(29.1歳 6.3年)【離職率と離職者数】◇5.6%、115名【3年後新卒定着率】79.8%(男75.0%、女95.0%、3年前入社:男64名・女20名)【組合】あり

求める人材 四国を愛し、四国の未来を切り拓こうという情熱のある人

会社データ　(金額は百万円)

【本社】760-8580 香川県高松市浜ノ町8-33
☎087-825-1627　https://www.jr-shikoku.co.jp/
【社長】四之宮 和幸【設立】1987.4【資本金】3,500【今後力を入れる事業】鉄道事業 非鉄道事業

【業績(単独)】	営業収益	営業利益	経常利益	純利益
22.3	18,324	▲20,235	▲3,361	▲4,735
23.3	24,004	▲18,435	▲1,594	▲638
24.3	29,252	▲14,045	3,647	3,825

きゅうしゅうりょかくてつどう 九州旅客鉄道(株)

東京P 9142

【特色】JR九州。鉄道を軸に流通や不動産など多角化

修士・大卒採用数	3年後離職率	有休取得年平均	平均年収(平均41歳)
60名	15.2→7.9%	16.0日	[総]830万円

●エントリー情報と採用プロセス●

【受付開始～終了】[総][技]3月～4月【採用プロセス】[総][技]ES提出(3～4月)→筆記・面接(複数回)→内々定(6月)【交通費支給】最終面接のみ、遠方者のみ実費

試験情報

重視科目 [総][技]全て

[総][技][ES]⇒巻末[筆]WebGAB[面]複数回(Webあり)

選考ポイント [総][技][ES]全項目について総合的に判断[面]行動力 積極性 成長意欲 論理的思考力

通過率 [総][ES]84%(受付:878→通過:735) [技][ES]92%(受付:197→通過:182)

倍率(応募/内定) [総]7倍 [技]3倍

●男女別採用数と配属先ほか●

【男女・文理別採用実績】

	大卒男	大卒女	修士男	修士女
23年	24(文 7理 17)	9(文 6理 3)	8(文 1理 7)	3(文 1理 2)
24年	46(文 31理 15)	11(文 6理 5)	15(文 0理 15)	2(文 0理 2)
25年	-(文 -理 -)	-(文 -理 -)	-(文 -理 -)	-(文 -理 -)

【25年4月入社者の採用実績校】[文](院)同大 佐賀大 他(大)東大 早大 筑波大 明大 青学大 中大 大阪市大 同大 関西学大 立命館大 広島大 九大 西南学大 福岡大 久留米大 佐賀大 長崎大 熊本大 他 [理](院)早大 名工大 広島大 山口大 九大 九州工大 福岡工大 他(大)群馬大 早大 広島大 山口東理大 九大 佐賀大 長崎大 大分大 鹿児島大 宮崎大 他(高専)北九州 有明 大分

【24年4月入社者の配属先】[総]勤務地:福岡45 部署:鉄道事業本部29(営業部 新幹線部 クルーズトレイン本部 事業統括部 サービス部 安全創造部 香椎駅)事業開発本部5(企画部)管理部門11(経営企画部 総務部 広報部 財務部 デジタル変革推進部 人事部 社員研修センター) [技]勤務地:福岡33 部署:鉄道事業本部27(運輸部 工務部 建設工事部)事業開発本部6(開発工事部 住宅開発部)

残業(月) 12.1時間

記者評価 鉄道旅客は九州と一部山口県がエリア。「ななつ星in九州」などの観光列車に強み。九州新幹線と西九州新幹線を運行。多角化を推進し、不動産や流通、外食など旅客以外の比率が高い。不動産は駅ビル運営やマンション分譲・賃貸、ホテル運営など手がける。

●給与、ボーナス、週休、有休ほか●

【30歳総合職平均年収】554万円【初任給】(修士)226,800円(大卒)212,200円【ボーナス(年)】NA、4.65カ月【25、30、35歳賃金】NA【週休】年110日【夏期休暇】なし【年末年始休暇】なし【有休取得】16.0／20日

●従業員数、勤続年数、離職率ほか●

【男女別従業員数、平均年齢、平均勤続年数】計 ◇7,576(42.0歳 13.2年) 男 6,370(NA) 女 1,206(NA)【離職率と離職者数】◇4.1%、327名【3年後新卒定着率】92.1%(男NA、女NA、3年前入社:男女計89名)【組合】あり

求める人材 何事にも誠実に取組み、成長と進化を追い求め、地域の元気をつくる志を持った人材

会社データ　(金額は百万円)

【本社】812-8566 福岡県福岡市博多区博多駅前3-25-21
☎070-3329-2427(採用)　https://www.jrkyushu.co.jp/
【社長】古宮 洋二【設立】1987.4【資本金】16,000【今後力を入れる事業】博多駅空中都市プロジェクト その他新規事業

【業績(連結)】	売上高	営業利益	経常利益	純利益
22.3	329,527	3,944	9,237	13,250
23.3	383,242	34,323	35,700	31,166
24.3	420,402	47,094	48,936	38,445

サービス

にしにっぽんてつどう
西日本鉄道(株)

東京P 9031

【特色】九州北部地盤の私鉄大手。ホテルや国際物流も

修士・大卒採用数	3年後離職率	有休取得年平均	平均年収(平均43歳)
128名	9.3→12.5%	16.8日	658万円

残業(月) 19.2時間 総19.2時間

記者評価 鉄道は福岡市天神～大牟田が主軸の天神大牟田線系統と貝塚線を運行。営業キロ106.1km。主力はバス事業で、車両数は全国トップクラス。鉄道・バスのほか戸建て・マンションなど不動産やホテルなど多角展開。世界約30カ国・地域に拠点を置き、国際物流も手がける。

●エントリー情報と採用プロセス●

【受付開始～終了】総技3月～NA【採用プロセス】総技ES提出・SPI3→面接(3～4回)→内々定【交通費支給】基本的には最終面接、会社基準(登録住所や大学所在地に基づく)

試験情報

重視科目 総技面接

総技 ES⇒巻末 筆SPI3(会場) 面3～4回(Webあり)

選考ポイント 総技 ES総合的に判断 面コミュニケーション能力 協調性 熱意 自律性 他

通過率 総技 ES NA 倍率(応募/内定) 総技NA

●給与、ボーナス、週休、有休ほか●

【30歳総合職平均年収】NA【初任給】(修士)237,000円(大卒)220,000円【ボーナス(年)】NA、3.75カ月+業績連動分【25、30、35歳賃金】NA【週休】完全2日【夏期休暇】なし【年末年始休暇】12月31日～1月3日【有休取得】16.8／20日

●男女別採用数と配属先ほか●

【男女・文理別採用実績】

	大卒男	大卒女	修士男	修士女
23年	29(文 25理 4)	40(文 40理 0)	6(文 1理 5)	2(文 1理 1)
24年	40(文 38理 2)	52(文 50理 2)	9(文 3理 6)	3(文 1理 2)
25年	43(文 41理 2)	72(文 68理 4)	7(文 0理 7)	6(文 2理 4)

【25年4月入社者の採用実績校】文(院)立命館大 武庫川女大各1(大)西南学大12 九大10 同大5 立命館大 熊本大 同女大 北九州市大各4 早大 上智大 名古屋外大 南山大 関西外大 神戸市外大各3 東京外大 津田塾大 関西学大 立命館APU 法政大 立教大 愛知大 下関市大 山口大 専大 長崎大 福岡女大 福岡大各2 お茶女大 青学大 関大 阪大 近大 京産大 神田外語大 甲南大 桜美林大 山口県大 滋賀県大 鹿児島大 松山大 成蹊大 駒澤大 東京女大 東京農業大 奈良女大 琉球大 龍谷大 獨協大 全南大各1 理(院)九大6 九州工大3 佐賀大 長崎大各1(大)九大 明大 上智大 東京海洋大 東京電機大 福岡大各1

【24年4月入社者の配属先】総勤務地:福岡34 千葉16 東京14 大阪14 神奈川8 愛知4 京都1 群馬1 福島1 部署:<地域マーケット部門>鉄道3 自動車6 都市開発6 住宅8 企画・管理9<国際物流部門>営業53 企画・管理4 他 技勤務地:福岡10 東京1 部署:<地域マーケット部門>鉄道3 都市開発2 住宅2 企画・管理4

●従業員数、勤続年数、離職率ほか●

【男女別従業員数、平均年齢、平均勤続年数】計 2,486(43.0歳 19.8年) 男 1,912(45.3歳 22.4年) 女 574(35.4歳 11.1年)【離職率と離職者数】2.8%、71名【3年後新卒定着率】87.5%(男90.6%、女84.4%、3年前入社:男32名・女32名)【組合】あり

求める人材 西鉄グループの未来を自ら創る人材(自ら気づき、考え、行動する 気概と情熱をもって挑戦する 多様な価値観と協働する)

会社データ (金額は百万円)

【本社】812-0011 福岡県福岡市博多区博多駅前3-5-7 博多センタービル ☎092-734-1572 https://www.nishitetsu.jp/

【社長】林田 浩一【設立】1908.12【資本金】26,157【今後力を入れる事業】「居心地の良い幸福感あふれる社会」への貢献

【業績(連結)】	売上高	営業利益	経常利益	純利益
22.3	427,159	10,451	13,953	9,873
23.3	494,643	26,150	27,901	18,368
24.3	411,649	25,877	24,538	24,723

ひがしにほんこうそくどうろ
東日本高速道路(株)

株式公開していない

【特色】日本道路公団民営化で誕生。高速道を管理・運営

修士・大卒採用数	3年後離職率	有休取得年平均	平均年収(平均41歳)
105名	9.2→12.3%	26.0日	総775万円

残業(月) 27.3時間 総27.3時間

記者評価 日本道路公団の民営化により05年に誕生。略称はNEXCO東日本。新潟・長野の一部を含む関東以北から北海道までの高速道路を管理。営業総延長3943km(24年4月時点)、1日あたりの利用台数は296万台(23年度)。AIを用いた渋滞予測の精度向上に取り組む。

●エントリー情報と採用プロセス●

【受付開始～終了】総 技3月～3月【採用プロセス】総 技ES提出(3月)→適性検査→面接(複数回)→内々定(6月)【交通費支給】対面面接、実費相当額

試験情報

重視科目 総技面接

総技 ES⇒巻末 筆WebGAB 面複数回(Webあり)

選考ポイント 総技 ES内容を総合的に判断 面自ら考え行動することができるか(自律性)仲間を大切にするか(協調性)既存の枠組みにとらわれず挑戦できるか(チャレンジ精神)

通過率 総技 ES NA 倍率(応募/内定) 総技NA

●給与、ボーナス、週休、有休ほか●

【30歳総合職平均年収】NA【初任給】(修士)253,000円(大卒)235,500円【ボーナス(年)】NA【25、30、35歳賃金】NA【週休】完全2日(土日祝)【夏期休暇】有休から夏季特別休暇として7日取得(6～9月)【年末年始休暇】連続6日【有休取得】26.0／31日

●男女別採用数と配属先ほか●

【男女・文理別採用実績】

	大卒男	大卒女	修士男	修士女
23年	51(文 26理 25)	13(文 8理 5)	32(文 2理 30)	3(文 2理 1)
24年	59(文 27理 32)	18(文 12理 6)	32(文 2理 30)	2(文 1理 1)
25年	49(文 21理 28)	18(文 15理 3)	36(文 0理 36)	2(文 0理 2)

【25年4月入社者の採用実績校】文(大)早大 慶大 一橋大 東北大 新潟大 金沢大 同大 岩手大 東京外大 千葉大 福島大 弘前大 明大 立教大 上智大 中大 法政大 学習院大 東北学大(専)大原簿記公務員 大原簿記情報公務員 新潟会計ビジネス 上野法律ビジネス 横浜公務員&IT 理(院)東理大 宇都宮大 長岡技科大 日大 北見工大 茨城大 横国大 山梨大 室蘭工大 新潟大 早大 東京科学大 東北大 北大 九大 慶大 埼玉大 信州大 前橋工大 中大 東京都市大 法政大 豊橋技科大(大)岩手大 金沢工大 九大 群馬大 工学院大 弘前大 埼玉大 山梨大 芝工大 秋田大 新潟大 長岡技科大 東京電機大 東京都市大 東理大 東北学大 同大 日大 福島大 法政大(高専)八戸 都立産技 福島 仙台 長岡

【24年4月入社者の配属先】総勤務地:北海道 宮城 青森 岩手 福島 埼玉 神奈川 栃木 千葉 茨城 長野 新潟 部署:道路・交通管理 用地取得 総務・経理 料金企画 技勤務地:北海道 宮城 青森 岩手 福島 秋田 山形 埼玉 神奈川 栃木 千葉 茨城 群馬 長野 東京 新潟 部署:道路管理(大規模更新・修繕ほか)道路建設

●従業員数、勤続年数、離職率ほか●

【男女別従業員数、平均年齢、平均勤続年数】計 2,573(40.5歳 16.5年) 男 2,111(40.6歳 16.9年) 女 462(39.1歳 14.5年)【離職率と離職者数】2.0%、52名【3年後新卒定着率】87.7%(男89.0%、女83.3%、3年前入社:男100名・女30名)【組合】あり

求める人材 自ら考えて行動できる人 新しいものを生みだすチャレンジ精神のある人 仲間を大切にする人

会社データ (金額は百万円)

【本社】100-8979 東京都千代田区霞が関3-3-2 新霞が関ビルディング ☎03-3506-0111 https://www.e-nexco.co.jp/

【社長】由木 文彦【設立】2005.10【資本金】52,500【今後力を入れる事業】道路管理事業 建設事業 エリア事業 関連事業 海外事業

【業績(連結)】	売上高	営業利益	経常利益	純利益
22.3	1,030,388	▲4,717	▲1,223	▲1,480
23.3	1,108,624	▲5,112	▲1,738	7,384
24.3	1,111,528	5,580	9,058	8,742

しゅ と こうそくどう ろ
首都高速道路(株)

[株式公開 計画なし]

【特色】「首都高」の運営会社。道路公団民営化で誕生

修士・大卒採用数	3年後離職率	有休取得年平均	平均年収(平均44歳)
43名	2.7→2.7%	17.4日	827万円

残業(月) 28.2時間

[記者評価] 旧首都高速道路公団。道路公団民営化で05年誕生。政府のほか南関東1都3県や政令市も出資。都市高速「首都高」を運営。最大の課題である「日本橋区間の地下化」(1.8km)は開通2040年度メド。同地下化に伴う「新京橋連結路」(1.1km)も事業着手。

●エントリー情報と採用プロセス●

【受付開始～終了】[総][技]3月～未定【採用プロセス】[総][技]ES提出→面接(複数回)→内々定【交通費支給】なし

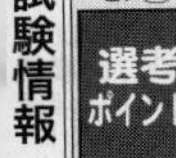

試験情報

[重視科目] [総][技]面接

[総][ES]⇒巻末[筆]SPI3(会場) SPI3(自宅)[面]複数回(Webあり)[GD作]NA [技][ES]⇒巻末[筆]SPI3(会場) SPI3(自宅)[面]複数回(Webあり)

[選考ポイント] [総][ES]記載内容を総合的に判断[面]チャレンジ精神・向上心・責任感・協調性等を総合的に判断 [技][ES]総合職共通[面]コミュニケーション能力・熱意・責任感等を総合的に判断

[通過率] [総][技][ES]NA

[倍率(応募/内定)] [総][技]NA

●男女別採用数と配属先ほか●

【男女・文理別採用実績】

	大卒男	大卒女	修士男	修士女
23年	13(文 7理 6)	4(文 2理 2)	18(文 0理 18)	2(文 0理 2)
24年	15(文 8理 7)	6(文 3理 3)	10(文 0理 10)	5(文 0理 5)
25年	15(文 9理 6)	7(文 5理 2)	17(文 0理 17)	4(文 0理 4)

【25年4月入社者の採用実績校】[文](大)東京学芸大 青学大 学習院大 慶大 中大 法政大 明大 立教大 早大 [理](院)岩手大 東北大 茨城大 筑波大 宇都宮大 埼玉大 千葉大 東大 東京海洋大 中大 日大 東京都市大 横国大 山梨大 名大 名工大 豊橋技科大 立命館大 九州工大 琉球大(大)茨城大 千葉工大 都立大 工学院大 東理大 東洋大 日大 東京工科大

【24年4月入社者の配属先】
[総]勤務地:東京(千代田 中央)8 横浜3 部署:道路事業6 関連事業1 間接部門4 [技]勤務地:東京(千代田 中央 神田)20 横浜5 部署:道路事業25

●給与、ボーナス、週休、有休ほか●

【30歳総合職平均年収】650万円【初任給】(修士)269,256円(大卒)248,904円【ボーナス(年)】NA、4.7カ月【25、30、35歳賃金】NA【週休】完全2日(土日祝)【夏期休暇】7日【年末年始休暇】12月29日～1月3日【有休取得】17.4/20日

●従業員数、勤続年数、離職率ほか●

【男女別従業員数、平均年齢、平均勤続年数】計 1,131(43.9歳 18.1年) 男 919(43.8歳 17.2年) 女 212(44.3歳 21.7年)【離職率と離職者数】3.3%、39名【3年後新卒定着率】97.3%(男96.4%、女100%、3年前入社:男28名・女9名)【組合】あり

[求める人材] 相互に協力・理解し合い、責任感を持って何事にも挑戦できる人材

[会社データ] (金額は百万円)

【本社】100-8930 東京都千代田区霞が関1-4-1 日土地ビル
☎03-3502-7311 https://www.shutoko.co.jp/
【社長】寺山 徹【設立】2005.10【資本金】13,500【今後力を入れる事業】高速道路事業 関連事業

【業績(連結)】	売上高	営業利益	経常利益	純利益
22.3	385,265	5,649	6,010	4,523
23.3	350,672	▲556	▲260	▲547
24.3	340,266	4,379	4,657	2,961

なか に ほんこうそくどう ろ
中日本高速道路(株)

[株式公開 していない]

【特色】東名高速、中央道などを運営。NEXCO中日本

修士・大卒採用数	3年後離職率	有休取得年平均	平均年収(平均41歳)
約110名	11.3→7.3%	13.7日	775万円

残業(月) 34.5時間

[記者評価] 道路公団民営化で発足。高速道路の建設・保全やサービスエリアの運営を行う。東京以西から福井・滋賀・三重の一部まで1都11県が事業エリア。営業総距離は2183km、1日当たり利用台数は202万台(23年度)。観光振興や複合商業施設運営、不動産開発なども展開。

●エントリー情報と採用プロセス●

【受付開始～終了】[総][技]3月～4月【採用プロセス】[総][技]ES提出・Webテスト(3～4月)→面接→内々定(6月)【交通費支給】最終面接、実費相当額

試験情報

[重視科目] [総][技]面接

[総][技][ES]NA[筆]玉手箱 Webテスト[面]NA(Webあり)

[選考ポイント] [総][技][ES]総合的に判断[面]自律性 論理性 協調性 成長意欲 他

[通過率] [総][技][ES]NA

[倍率(応募/内定)] [総][技]NA

●男女別採用数と配属先ほか●

【男女・文理別採用実績】

	大卒男	大卒女	修士男	修士女
23年	43(文 19理 24)	16(文 12理 4)	42(文 0理 42)	2(文 1理 1)
24年	53(文 19理 34)	19(文 13理 6)	33(文 0理 33)	1(文 0理 1)
25年	-(文 -理 -)	-(文 -理 -)	-(文 -理 -)	-(文 -理 -)

※25年:約110名採用予定
【25年4月入社者の採用実績校】
[文]NA [理]NA
【24年4月入社者の配属先】
[総]勤務地:東京 神奈川 静岡 山梨 長野 愛知 岐阜 三重 石川 富山 福井 部署:建設事業 保全・サービス事業を中心に各部署
[技]勤務地:東京 神奈川 静岡 山梨 長野 愛知 岐阜 三重 石川 富山 福井 部署:建設事業 保全・サービス事業を中心に各部署

●給与、ボーナス、週休、有休ほか●

【30歳総合職平均年収】NA【初任給】(修士)251,000円(大卒)232,500円【ボーナス(年)】NA【25、30、35歳賃金】NA【週休】完全2日(土日祝)【夏期休暇】8日(7～10月の間で取得)【年末年始休暇】12月29日～1月3日【有休取得】13.7/20日

●従業員数、勤続年数、離職率ほか●

【男女別従業員数、平均年齢、平均勤続年数】計 2,278(40.7歳 17.1年) 男 1,877(42.0歳 18.1年) 女 401(34.7歳 12.2年)【離職率と離職者数】2.3%、53名【3年後新卒定着率】92.7%(男93.2%、女90.9%、3年前入社:男74名・女22名)【組合】あり

[求める人材] 自律的に行動し、変革意欲と熱意をもって挑戦し続ける人

[会社データ] (金額は百万円)

【本社】460-0003 愛知県名古屋市中区錦2-18-19 三井住友銀行名古屋ビル
☎052-222-1620 https://www.c-nexco.co.jp/
【社長】縄田 正【設立】2005.10【資本金】65,000【今後力を入れる事業】高速道路の安全性向上と機能強化

【業績(連結)】	売上高	営業利益	経常利益	純利益
22.3	1,099,614	1,600	3,834	1,775
23.3	1,154,952	3,726	5,315	3,148
24.3	983,955	10,935	12,377	9,575

西日本高速道路(株)
にしにほんこうそくどうろ

[株式公開していない]

【特色】高速道路の運営・建設やSA運営。NEXCO西日本

修士・大卒採用数	3年後離職率	有休取得年平均	平均年収(平均*39歳)
92名	7.6→8.8%	11.3日	[総]765万円

●エントリー情報と採用プロセス●

【受付開始～終了】[総][技]3月～3月【採用プロセス】[総]ES提出(3月)→Webテスト(4月)→GD(4月)→面接(複数回、5～6月)→内々定(6月) [技]ES提出(3月)→Webテスト(4月)→面接(複数回、4～6月)→内々定(6月)【交通費支給】最終面接、実費相当額

試験情報

重視科目 [総][技]面接

[総] [ES]⇒巻末[筆]WebGAB[面]複数回(Webあり)[GD作]⇒巻末 [技] [ES]⇒巻末[筆]WebGAB[面]複数回(Webあり)

選考ポイント [総][技][ES]記載内容を総合的に判断[面]自律性 協調性 積極性 向上心・チャレンジ精神 論理的思考力 事業理解

通過率 [総][技][ES]NA

倍率(応募/内定) [総][技]NA

●男女別採用数と配属先ほか●

【男女・文理別採用実績】

	大卒男	大卒女	修士男	修士女
23年	39(文 14理 25)	21(文 17理 4)	34(文 1理 33)	4(文 0理 4)
24年	35(文 18理 17)	13(文 11理 2)	25(文 1理 24)	3(文 0理 3)
25年	41(文 18理 23)	22(文 21理 1)	27(文 1理 26)	2(文 1理 1)

【25年4月入社者の採用実績校】
[文]NA [理]NA

【24年4月入社者の配属先】[総]勤務地:滋賀 京都 大阪 兵庫 奈良 和歌山 鳥取 島根 岡山 広島 山口 徳島 香川 高知 福岡 長崎 熊本 大分 鹿児島 部署:保全サービス事業 建設事業を中心に各部署に配属 [技]勤務地:滋賀 京都 大阪 兵庫 奈良 和歌山 鳥取 島根 岡山 広島 山口 徳島 香川 愛媛 高知 福岡 佐賀 長崎 熊本 大分 宮崎 鹿児島 沖縄 部署:保全サービス事業 建設事業を中心に各部署に配属

残業(月) 34.1時間 [総]35.3時間

記者評価 日本道路公団民営化で発足。滋賀・奈良以西の高速道路、自動車専用道路を管理・運営・建設。総延長3603km。23年度の1日当たり利用台数は301万台。高速道路の運営ノウハウや非破壊検査技術を生かして米国での道路点検請負など海外事業も展開。

●給与、ボーナス、週休、有休ほか●

【30歳総合職平均年収】NA【初任給】(修士)248,500円(大卒)232,500円【ボーナス(年)】NA【25、30、35歳賃金】NA【週休】完全2日(土日祝)【夏期休暇】8日【年末年始休暇】12月29日～1月3日【有休取得】11.3/20日

●従業員数、勤続年数、離職率ほか●

【男女別従業員数、平均年齢、平均勤続年数】計 2,714(39.4歳 15.2年)男 2,250(40.1歳 15.9年)女 464(35.9歳 11.9年)【離職率と離職者数】1.6%、44名【3年後新卒定着率】91.2%(男89.8%、女96.4%、3年前入社:男108名・女28名)【組合】あり

求める人材 自ら考え行動し、自己変革し続ける人材

会社データ (金額は百万円)

【本社】530-0003 大阪府大阪市北区堂島1-6-20 堂島アバンザ19階
☎06-6344-4000 https://corp.w-nexco.co.jp/
【社長】芝村 善治【設立】2005.10【資本金】47,500【今後力を入れる事業】高速道路事業(更なる安全性の向上と新たな価値の創造)

【業績(連結)】	売上高	営業利益	経常利益	純利益
22.3	1,329,669	5,244	7,999	6,632
23.3	977,080	▲453	1,600	392
24.3	1,077,088	9,999	13,212	10,611

日本郵政(株)
にっぽんゆうせい

[東京P 6178]

【特色】ゆうちょ銀、かんぽ生命、日本郵便の持株会社

修士・大卒採用数	3年後離職率	有休取得年平均	平均年収(平均45歳)
NA	27.6→7.1%	17.6日	◇867万円

●エントリー情報と採用プロセス●

【受付開始～終了】[総][技]3月～5月【採用プロセス】[総]ES提出(3月上旬～5月上旬)→適性検査(3月上旬～5月中旬)→面接(6月)→内々定(6月～) [技]〈IT系〉ES提出(3月上旬～5月上旬)→適性検査(3月上旬～5月中旬)→面接(6月)→内々定(6月～)〈建築技術系〉ES提出(3月上旬～4月下旬)→適性検査(3月上旬～5月上旬)→面接(6月)→内々定(6月～)【交通費支給】面接、会社基準

試験情報

重視科目 [総][技]面接

[総][技] [ES]⇒巻末[筆]あり(内容NA)[面]NA(Webあり)

選考ポイント [総] [ES]NA(提出あり)[面]変化を恐れず柔軟な発想を持ち、社会に対し、新たな価値を主体的に想像できるか [技] [ES]NA(提出あり)[面]誠実さ 情熱と高い志を持っているか 失敗を恐れずチャレンジできるか

通過率 [総][技][ES]NA

倍率(応募/内定) [総][技]NA

●男女別採用数と配属先ほか●

【男女・文理別採用実績】

	大卒男	大卒女	修士男	修士女
23年	8(文 7理 1)	5(文 4理 1)	3(文 0理 3)	5(文 0理 5)
24年	39(文 36理 3)	32(文 30理 2)	9(文 2理 7)	2(文 0理 2)
25年	NA(文NA理NA)	NA(文NA理NA)	NA(文NA理NA)	NA(文NA理NA)

【25年4月入社者の採用実績校】
[文]NA [理]NA

【24年4月入社者の配属先】
[総]勤務地:東京・千代田65 部署:人事部65 [技]勤務地:東京・千代田17 部署:施設部8 グループIT統括部9

残業(月) 17.6時間

記者評価 日本郵政グループの持ち株会社。利益の大半はゆうちょ銀行。かんぽ生命の復調や物流事業の成長に課題。楽天グループと資本業務提携。23年10月からヤマトグループと協業。ゆうちょ銀やかんぽ生命の完全売却を見据えた日本郵便中心のビジネスモデル構築が難題。

●給与、ボーナス、週休、有休ほか●

【30歳総合職平均年収】NA【初任給】(博士)242,200～271,260円(修士)242,200～271,260円(大卒)234,200～262,300円【ボーナス(年)】NA【25、30、35歳賃金】NA【週休】4週8休【夏期休暇】1日【年末年始休暇】12月31日～1月3日(別途冬期休暇1日)【有休取得】17.6/20日

●従業員数、勤続年数、離職率ほか●

【男女別従業員数、平均年齢、平均勤続年数】計 1,533(45.3歳 18.3年)男 844(48.7歳 22.3年)女 689(41.8歳 14.3年)【離職率と離職者数】1.9%、29名(早期退職男3名、女4名含む)【3年後新卒定着率】92.9%(男100%、女85.7%、3年前入社:男7名・女7名)【組合】あり

求める人材 「誠実」で、「情熱」と「高い志」を持ち、失敗を恐れず「チャレンジ」する人材

会社データ (金額は百万円)

【本社】100-8791 東京都千代田区大手町2-3-1 大手町プレイス ウエストタワー
☎03-3477-0111 https://www.japanpost.jp/
【社長】増田 寛也【設立】2006.1【資本金】3,500,000【今後力を入れる事業】コアビジネス(郵便業 物流業 銀行業 生命保険業 他)新規ビジネス

【業績(連結)】	経常収益	業務純益	経常利益	純利益
22.3	11,264,774	ND	991,464	501,685
23.3	11,138,580	ND	657,499	431,066
24.3	11,982,152	ND	668,316	268,685

※日本郵政・日本郵便の総合職は、日本郵政の総合職として採用

ぜんこくのうぎょうきょうどうくみあいれんごうかい　ジェイエーぜんのう

全国農業協同組合連合会（ＪＡ全農）

株式公開していない

【特色】JAグループ中核組織の一つ。「経済事業」を担う

修士・大卒採用数	3年後離職率	有休取得年平均	平均年収(平均42歳)
257名	8.1→!11.2%	14.0日	NA

●エントリー情報と採用プロセス●

【受付開始～終了】㊗3月～継続中 技12月～4月【採用プロセス】㊗ES提出・筆記・適性検査→面接(複数回)→内々定(5月～) 技研究所見学・ES提出・筆記・適性検査→面接(複数回)→内々定(5月～)【交通費支給】会の規定に準ずる

試験情報

重視科目 総技 身上調書 筆記 面接

総技 ES⇒巻末 筆あり(内容NA) 面複数回(Webあり)

選考ポイント 総技 ES記載内容を総合的に判断 面NA

通過率 総技 ES NA　倍率(応募/内定) 総技 NA

●男女別採用数と配属先ほか●

【男女・文理別採用実績】

	大卒男	大卒女	修士男	修士女
23年	134(文 87 理 47)	107(文 68 理 39)	14(文 1 理 13)	8(文 2 理 6)
24年	129(文 81 理 48)	116(文 67 理 49)	27(文 0 理 27)	13(文 1 理 12)
25年	123(文 66 理 57)	104(文 66 理 38)	21(文 0 理 21)	9(文 0 理 9)

【25年4月入社者の採用実績校】㊮(大)立教大8 東京農業大7 中大 明大各5 宮城大 青学大 同女大 日大各4 広島修道大 山形大 神奈川大 立命館大各3 茨城大 金沢星稜大 高崎経大 新潟大 神戸大 仙台大 専大 帝京大 東北学大 日本文理大 富山大 富士大 龍谷大各2 愛知学大 茨城キリスト大 関西国際大 岐阜大 京産大 京都女大 京大 共愛学園前橋国際大 桐蔭横浜大 近大 慶大 広島経大 江戸川大 甲南大 国際教養大 国士舘大 作新学大 山梨学大 四国大 実践女大 順天堂大 昭和女大 新潟県大 新潟食農大 西南学大 青森大 摂南大 早大 大妻女大 大阪市大 長崎県大 長崎大 津田塾大 島根県大 東海学園大 東京経大 東北福祉大 東洋大 南山大 日女大 白鴎大 富山国際大 武蔵野大 福岡女学大 福岡大各1 他 ㊫(院)東京農業大3 宇都宮大 九大 東京海洋大 東京農工大 北大各2 茨城大 岩手大 宮崎大 近大 諏訪東理大 香川大 埼玉大 山形大 秋田県大 新潟大 千葉大 帯畜大 大阪公大 東大 都立大 東北大 明大各1(大)東京農業大14 日大8 山形大7 龍谷大6 酪農学大5 佐賀大 新潟大 明大各4 岡山大 共立女大 玉川大 近大 石川県大 帯畜大 鳥取大 徳島大 福島大 麻布大 名城大各2 他

【24年4月入社者の配属先】総勤務地:本所・各事業所72 各都府県本部194 部署:米穀 麦類農産 園芸 畜産 酪農 営農・生産資材 生活関連 燃料 他 技勤務地:各研究所19 部署:営農・技術センター ET研究所 他

残業(月) 14.0時間

記者評価 農林中金、共済連と並ぶJAの全国組織。略称はJA全農。農畜産物販売や農業用資材供給といった「経済事業」を束ねる。輸出市場開拓や農業へのIT活用、食品スーパー・飲食店運営なども推進。資本・業務提携するファミリーマートとは複合型店舗や商品開発を実施。

●給与、ボーナス、週休、有休ほか●

【30歳総合職平均年収】NA【初任給】(修士)〈全国コース〉251,900円 (大卒)〈全国コース〉233,900円【ボーナス(年)】NA、4.0カ月【25、30、35歳賃金】NA【週休】完全2日(土日祝)【夏期休暇】5日【年末年始休暇】12月29日～1月3日【有休取得】14.0／20日

●従業員数、勤続年数、離職率ほか●

【男女別従業員数、平均年齢、平均勤続年数】計 7,645(42.0歳 18.3年) 男 5,434(42.9歳 18.9年) 女 2,211(39.4歳 16.6年)【離職率と離職者数】4.7%、381名【3年後新卒定着率】88.8%(男88.1%、女89.6%、3年前入社:男143名・女106名)※長野除く【組合】あり

求める人材 農業に興味があり、チャレンジ精神を持って、物事を成し遂げることができる人

会社データ　(金額は百万円)

【本社】100-6832 東京都千代田区大手町1-3-1 JAビル
☎03-6271-8123　https://www.zennoh.or.jp/
【理事長】桑田 義文【設立】1972.3【出資金】115,230【今後力を入れる事業】国産農畜産物の販売力強化

【業績(単独)】	取扱高	事業利益	経常利益	当期剰余金
22.3	4,472,424	▲1,411	8,168	9,930
23.3	4,960,600	5,789	18,612	15,685
24.3	4,934,822	4,148	17,444	18,902

にほんせいかつきょうどうくみあいれんごうかい

日本生活協同組合連合会

株式公開していない

【特色】地域生協の全国連合会。日本最大の消費者組織

修士・大卒採用数	3年後離職率	有休取得年平均	平均年収(平均41歳)
21名	3.8→4.3%	15.2日	総723万円

●エントリー情報と採用プロセス●

【受付開始～終了】総1月～3月【採用プロセス】総ES提出→書類選考→GD→Webテスト→個人面接・ストレスチェック→最終面接→内々定※事務系・技術系一括採用 時期は1～6月、4クール【交通費支給】最終面接、実費

試験情報

重視科目 総 面接

総 ES⇒巻末 筆SPI3(自宅) SPI性格 Web試験 オリジナル性格検査 面2回(Webあり) GD作⇒巻末

選考ポイント 総 ES自身の経験を自分の言葉で表現しているか 簡潔に伝えられているか 面行動動機 学生時代の経験 自分の言葉で話しているか

通過率 総 ES94%(受付:211→通過:198)

倍率(応募/内定) 総4倍

●男女別採用数と配属先ほか●

【男女・文理別採用実績】※25年:24年7月29日時点

	大卒男	大卒女	修士男	修士女
23年	10(文 7 理 3)	17(文 14 理 3)	1(文 0 理 1)	3(文 0 理 3)
24年	6(文 6 理 0)	14(文 11 理 3)	4(文 1 理 3)	0(文 0 理 0)
25年	10(文 9 理 1)	9(文 8 理 1)	2(文 0 理 2)	0(文 0 理 0)

【25年4月入社者の採用実績校】
㊮(大)立命館大3 東京学芸大 信州大 慶大 立教大 中大 成蹊大 明学大 日大 近大 甲南大 日女大 女子栄養大 共立女大 武蔵野大各1 ㊫(院)北大 北里大各1(大)東京農業大2

【24年4月入社者の配属先】総勤務地:東京(渋谷2 新大久保10)埼玉(桶川2 戸田2)北海道1 宮城2 愛知1 大阪1 広島1 部署:営業7 受発注業務2 計数管理2 商品管理2 物流管理2 輸入事業管理1 編集・制作2 システム2 マーケティング2 技勤務地:埼玉・戸田2 部署:品質保証1 研究1

残業(月) 18.1時間 総18.1時間

記者評価 各地の生協や生協連合会が加入する全国連合会。略称は日本生協連。開発したコープ商品を会員生協へ供給するほか、各生協の事業を支援。23年度末の加入生協302、傘下組合員3000万人、年間供給高4411億円の日本最大の消費者組織。「2030年ビジョン」を展開。

●給与、ボーナス、週休、有休ほか●

【30歳総合職平均年収】532万円【初任給】(修士)215,000円 (大卒)205,000円【ボーナス(年)】173万円、4.0カ月【25、30、35歳賃金】NA【週休】2日(隔週土曜出勤)【夏期休暇】なし【年末年始休暇】12月31日～1月3日【有休取得】15.2／20日

●従業員数、勤続年数、離職率ほか●

【男女別従業員数、平均年齢、平均勤続年数】計 970(41.1歳 14.9年) 男 573(43.7歳 19.0年) 女 397(37.1歳 11.3年)【離職率と離職者数】1.7%、17名【3年後新卒定着率】95.7%(男100%、女94.1%、3年前入社:男6名・女17名)【組合】あり

求める人材 生協の理念に共感できる人

会社データ　(金額は百万円)

【本社】150-8913 東京都渋谷区渋谷3-29-8 コーププラザ
☎03-5778-8111　https://jccu.coop/
【会長】土屋 敏夫【設立】1951.3【出資金】9,223【今後力を入れる事業】商品事業 通販事業

【業績】	供給高	供給剰余金	経常剰余金	当期剰余金
22.3	432,946	51,245	8,049	6,454
23.3	435,663	49,835	5,086	6,405
24.3	441,197	49,802	4,518	3,524

(国研)産業技術総合研究所

さんぎょうぎじゅつそうごうけんきゅうしょ

株式公開 していない

【特色】先端技術の開発を担う特定国立研究開発法人

修士・大卒採用数	3年後離職率	有休取得年平均	平均年収(平均46歳)
62名	3.2→16.1%	13.6日	921万円

●エントリー情報と採用プロセス●

【受付開始～終了】[総] [技]2月～3月【採用プロセス】[総]ES提出→Webテスト→面接(3回)→内々定 [技]ES提出→Webテスト→面接(複数回)→内々定【交通費支給】〈事務系〉2次面接、最終面接〈研究系〉選考の研究分野により異なる、〈事務系〉実費(2次面接は遠方者のみ実費)

試験情報

重視科目 [総][技]面接

[総] [ES]⇒巻末[筆]SPI3(自宅)[面]3回(Webあり) [技] [ES]⇒巻末[筆]SPI3(自宅)[面]複数回(Webあり) [GD作]⇒巻末

選考ポイント [総] [ES]論理性や活動意欲、企業研究度合など、記載内容を総合的に判断[面]求める能力(リーダーシップ・好奇心・積極性)の有無 [技] [ES]研究テーマや実績など、記載内容を総合的に判断[面]研究遂行能力の有無 他

通過率 [総][技] [ES]NA **倍率**(応募/内定) [総][技]NA

●男女別採用数と配属先ほか●

【男女・文理別採用実績】※25年:24年8月時点

	大卒男	大卒女	修士男	修士女
23年	6(文 4 理 2)	10(文 10 理 0)	7(文 1 理 6)	4(文 0 理 4)
24年	2(文 1 理 1)	4(文 3 理 1)	11(文 1 理 10)	17(文 3 理 14)
25年	7(文 6 理 1)	15(文 13 理 2)	17(文 0 理 17)	23(文 4 理 19)

【25年4月入社者の採用実績校】[文](院)京大2 筑波大1(大)東北大 立命館大各3 法政大2 北大 国際教養大 高崎経大 獨協大 青学大 中大 明大 立教大 お茶女大 大阪市大 関西学大各1 [理](院)筑波大2 東北大 新潟大 東大 法政大 広島大 鳥取大 熊本大各1(大)筑波大 茨城大 東理大各1 他
【24年4月入社者の配属先】[総]勤務地:茨城・つくば15 東京・霞が関1 部署:本部組織(経営企画・産学官・総務他)16 [技]勤務地:茨城・つくば14 北海道2 千葉・柏1 東北1 部署:研究組織(エネルギー・環境2 エレクトロニクス・製造1 計量標準総合センター4 材料・化学3 生命工学5 情報・人間工学1 地質調査総合センター2)

残業(月) [総]20.2時間

記者評価 日本最大級の公的研究機関。略称は産総研。つくばを中核に国内12の研究拠点。エネ・環境、材料・化学、エレクトロ・製造、計量標準、地質調査、生命工学、情報・人間工学の7領域で研究開発展開。約2200人の研究職員が在籍。世界各国の主要研究機関と連携も。

●給与、ボーナス、週休、有休ほか●

【30歳総合職平均年収】NA【初任給】(修士)234,000円(大卒)226,300円【ボーナス(年)】NA、4.5カ月【25、30、35歳賃金】NA【週休】完全2日(土日祝)【夏期休暇】連続3日(7～9月の任意の期間で取得)【年末年始休暇】12月29日～1月3日【有休取得】13.6/20日

●従業員数、勤続年数、離職率ほか●

【男女別従業員数、平均年齢、平均勤続年数】計 2,849(45.9歳 15.8年) 男 2,256(47.0歳 16.8年) 女 593(41.7歳 12.4年)【離職率と離職者数】2.8%、83名【3年後新卒定着率】83.9%(男92.9%、女76.5%、3年前入社:男14名・女17名)【組合】あり

求める人材 〈総合職〉リーダーシップ 好奇心 積極性〈研究職〉自ら考え、新しいものをつくりだす創造力

会社データ (金額は百万円)

【本社】100-8921 東京都千代田区霞が関1-3-1
☎029-861-2000 https://www.aist.go.jp/
【理事長】石村 和彦【設立】2001.4【資本金】277,991【今後力を入れる事業】エネルギー制約、国土強靭化等の社会課題解決

【業績】	予算
22.3	111,403
23.3	181,275
24.3	139,951

(一社)日本自動車連盟(JAF)

にほんじどうしゃれんめい ジャフ

株式公開 していない

【特色】一般社団法人。略称JAF。ロードサービス展開

修士・大卒採用数	3年後離職率	有休取得年平均	平均年収(平均44歳)
52名	10.0→10.1%	15.0日	NA

●エントリー情報と採用プロセス●

【受付開始～終了】[総]3月～未定【採用プロセス】[総]説明会・ES提出(3月)→Webテスト(3～4月)→面接(2回)→内々定(4～6月)【交通費支給】対面1次面接のみ、実費【早期選考】⇒巻末

試験情報

重視科目 [総]面接 Webテスト

[総] [ES]⇒巻末[筆]WebGAB TAL[面]2回(Webあり)

選考ポイント [総] [ES]文章力や求める人材に基づき評価[面]1次面接:アンテナ感度 発想・創造力 巻き込み力 問題解決力 論理的思考力 最終面接:柔軟性 論理的思考力 主体性・積極性

通過率 [総] [ES]66%(受付:297→通過:196)

倍率(応募/内定) [総]6倍

●男女別採用数と配属先ほか●

【男女・文理別採用実績】※25年:24年7月末時点

	大卒男	大卒女	修士男	修士女
23年	31(文 29 理 2)	26(文 26 理 0)	0(文 0 理 0)	0(文 0 理 0)
24年	19(文 19 理 0)	30(文 28 理 2)	0(文 0 理 0)	0(文 0 理 0)
25年	32(文 30 理 2)	20(文 20 理 0)	0(文 0 理 0)	0(文 0 理 0)

【25年4月入社者の採用実績校】[文](大)広島経大5 拓大3 中大 立正大 名古屋学院大 北海学園大 関大各2 愛知学大 安田女大 宮城大 桐蔭横浜大 近大 九産大 広島修道大 十文字学女大 昭和女大 城西国際大 神戸学大 神戸女学大 神奈川大 仁愛大 成城大 成蹊大 千葉大 早大 津田塾大 追手門学大 徳島大 両山大 武蔵大 法政大 名城大 龍谷大 大分大 京都女大 九大 青学大 追手門学大 明大各1 [理](大)東洋大 関大各1(短)中日本自動車 徳島工業各2(専)西鉄自動車整備 日本自動車大学校各2 横浜テクノオート 国際たくみアカデミー 長野県飯田技術 京都自動車 愛媛県立新居浜産業技術 岡山自動車大学校 広島県立福山高等技術 龍馬デザイン・ビューティ 専修学校パシフィックテクノカレッジ各1 他
【24年4月入社者の配属先】[総]勤務地:札幌2 仙台1 茨城・水戸1 栃木・宇都宮1 さいたま2 千葉2 東京(港5 多摩1)横浜3 新潟1 長野1 福井1 岐阜1 愛知5 大阪(福島2 茨木2 港3)滋賀・大津1 京都1 兵庫・神戸1 広島2 山口1 香川・高松1 福岡2 熊本1 大分1 沖縄・浦添1 部署:推進25 会員事業10 ロードサービス(隊員以外コールセンターを含む)4 事業5 総合案内サービス1 総務1 [技]勤務地:京都1 奈良1 広島1 部署:ロードサービス(隊員)3

残業(月) 11.0時間

記者評価 自動車に関する様々な業務などを目的に社団法人として1963年発足。略称JAF。2011年の一般社団法人移行とともに交通知識向上や交通安全啓蒙などに目的が移り、故障車・事故車の救援業務などが主力に。23年度の年間救援件数226万件超。8地方本部の下に52支部。

●給与、ボーナス、週休、有休ほか●

【30歳総合職平均年収】NA【初任給】(博士)185,400円(修士)185,400円(大卒)185,400円【ボーナス(年)】NA、4.8カ月【25、30、35歳賃金】NA【週休】完全2日(土日祝)※職種により交替制(月6日以上)【夏期休暇】3日(年間所定労働時間に基づき年度ごとに付与)【年末年始休暇】12月30日～1月3日※職種によりシフト勤務【有休取得】15.0/20日

●従業員数、勤続年数、離職率ほか●

【男女別従業員数、平均年齢、平均勤続年数】計 3,416(43.7歳 20.8年) 男 2,986(44.7歳 21.8年) 女 430(37.2歳 14.0年)【離職率と離職者数】2.9%、103名【3年後新卒定着率】89.9%(男88.1%、女95.5%、3年前入社:男67名・女22名)【組合】なし

求める人材 問題解決のための、顧客のニーズをキャッチできるアンテナ感度や、想像力、巻き込み力、柔軟性を持っている人材

会社データ (金額は百万円)

【本社】105-0012 東京都港区芝大門1-1-30 日本自動車会館
☎03-3438-0044 https://jaf.or.jp/
【会長】坂口 正芳【設立】1963.4【今後力を入れる事業】人々の暮らしを支え、彩る多様なサービスを提供する事業

【業績(単独)】	売上高	営業利益	経常利益	純利益
22.3	71,659	NA	NA	NA
23.3	72,336	NA	NA	NA
24.3	75,387	NA	NA	NA

サービス

(一財)日本品質保証機構

にほんひんしつほしょうきこう

株式公開 していない

【特色】品質・安全審査などの第三者機関。略称JQA

修士・大卒採用数	3年後離職率	有休取得年平均	平均年収(平均43歳)
25名	0→11.8%	12.4日	総809万円

残業(月) 20.0時間 総20.0時間

記者評価 1957年設立の日本機械金属検査協会が前身。経産・総務省登録の一般財団法人。中立な第三者機関として国際規格のISO認証や製品試験、JIS認証、製品安全評価などの認証事業を手がける。マネジメントシステム認証で豊富な実績。タイ、ベトナム、ドイツに拠点。

●エントリー情報と採用プロセス●

【受付開始～終了】総技2月～3月【採用プロセス】総技説明会→ES提出・Webテスト(3月)→面接(3回、4～6月)→内々定(6月中旬)【交通費支給】最終選考、遠方者のみ新幹線代【早期選考】⇒巻末

試験情報

重視科目 総技面接

総 技 ES⇒巻末 筆WebGAB 面3回(Webあり) GD作⇒巻末

選考ポイント 総 ES事業への理解度と志望動機の具体性 面主体性 協調性 実行力 技 ES総合職共通 面主体性 協調性 実行力 専門性

通過率 総 ES91%(受付:32→通過:29) 技 ES92%(受付:24→通過:22)

倍率(応募/内定) 総32倍 技12倍

●給与、ボーナス、週休、有休ほか●

【30歳総合職平均年収】588万円【初任給】(博士)284,700円(修士)254,900円(大卒)230,000円【ボーナス(年)】236万円、5.7カ月【25、30、35歳賃金】255,618円→300,682円→340,049円【週休】完全2日(土日祝)【夏期休暇】5日(6～9月)【年末年始休暇】12月29日～1月3日【有休取得】12.4／20日

●従業員数、勤続年数、離職率ほか●

【男女別従業員数、平均年齢、平均勤続年数】計645(42.0歳 15.2年) 男491(42.7歳 15.3年) 女154(40.0歳 14.9年)【離職率と離職者数】3.2%、21名【3年後新卒定着率】88.2%(男88.9%、女87.5%、3年前入社:男9名・女8名)【組合】あり

●男女別採用数と配属先ほか●

【男女・文理別採用実績】

	大卒男	大卒女	修士男	修士女
23年	4(文 3理 1)	4(文 3理 1)	3(文 0理 3)	2(文 0理 2)
24年	7(文 5理 2)	9(文 8理 1)	3(文 0理 3)	3(文 0理 3)
25年	9(文 6理 3)	10(文 6理 4)	4(文 0理 4)	2(文 0理 2)

【25年4月入社者の採用実績校】
文(大)中大2 フェリス女学大 東京農業大 南山大 津田塾大 宮崎公大 龍谷大 駒澤大 同大 帝京大 跡見学園女大各1 理(院)日大2 電通大 滋賀県大 三重大 明星大各1(大)筑波大 芝工大 近大 東京工科大 福井大 長岡技科大 京都工繊大各1(高専)東京2 有明 小山 鈴鹿 石川 米子各1

【24年4月入社者の配属先】総勤務地:東京(神田7 八王子4)大阪(大阪1 箕面1) 部署:人事1 カスタマーサービス5 営業4 企画1 業務2 技勤務地:東京・八王子9 愛知・北名古屋2 大阪(茨木1 東大阪2) 部署:電気製品安全4 計量計測10

求める人材 強い使命感と責任感を持ち、これからの時代をリードできるチャレンジングな人材

会社データ (金額は百万円)

【本社】101-8555 東京都千代田区神田須田町1-25 JR神田万世橋ビル
☎03-4560-5400 https://www.jqa.jp/

【理事長】石井 裕晶【設立】1957.10【今後力を入れる事業】グローバル社会における第三者認証

【業績(単独)】	売上高	営業利益	経常利益	純利益
22.3	16,838	NA	NA	NA
23.3	17,787	NA	NA	NA
24.3	19,042	NA	NA	NA

(一財)関東電気保安協会

かんとうでんきほあんきょうかい

株式公開 していない

【特色】東電供給区域で電気設備の安全点検などを行う

修士・大卒採用数	3年後離職率	有休取得年平均	平均年収(平均48歳)
25名	7.9→11.5%	22.2日	総771万円

残業(月) 23.7時間 総25.2時間

記者評価 1966年創設の一般財団法人。全国10電気保安協会で最大。公共施設や工場など自家用電気工作物の保安管理や技術コンサルの保安業務が主。ほかに調査、建設、広報の業務も。富士川以東の静岡県を含む東京電力HDの供給区域に40超の拠点。時間単位休暇制度もある。

●エントリー情報と採用プロセス●

【受付開始～終了】総技NA【採用プロセス】総ES提出・Web適性検査→面接(3回)→内々定 技ES提出・筆記・Web適性検査→面接(2回)→内々定【交通費支給】最終面接、実費【早期選考】⇒巻末

試験情報

重視科目 総技面接

総 ES⇒巻末 筆SPI3(自宅) 面3回(Webあり) 技 ES⇒巻末 筆SPI3(自宅) 電気理論 面2回(Webあり)

選考ポイント 総技 ES NA(提出あり) 面コミュニケーション能力重視

通過率 総技 ES NA

倍率(応募/内定) 総技NA

●給与、ボーナス、週休、有休ほか●

【30歳総合職平均年収】635万円【初任給】(修士)253,700円(大卒)237,250円【ボーナス(年)】184万円、5.0カ月【25、30、35歳賃金】234,731円→269,825円→299,400円【週休】完全2日(土日祝)【夏期休暇】3日(5～9月に本人が指定)【年末年始休暇】12月29日～1月3日【有休取得】22.2／20日

●従業員数、勤続年数、離職率ほか●

【男女別従業員数、平均年齢、平均勤続年数】計2,611(48.1歳 20.3年) 男2,463(48.4歳 20.4年) 女148(43.2歳 17.5年)【離職率と離職者数】7.0%、196名【3年後新卒定着率】88.5%(男87.0%、女100%、3年前入社:男46名・女6名)【組合】あり

●男女別採用数と配属先ほか●

【男女・文理別採用実績】

	大卒男	大卒女	修士男	修士女
23年	26(文 6理 20)	6(文 6理 0)	0(文 0理 0)	0(文 0理 0)
24年	43(文 2理 41)	3(文 3理 0)	0(文 0理 0)	0(文 0理 0)
25年	20(文 3理 17)	3(文 3理 0)	2(文 0理 2)	0(文 0理 0)

【25年4月入社者の採用実績校】
文(大)東洋大 日体大 順天堂大 実践女大 大妻女大 神奈川工大各1 理(院)秋田大 鹿児島大各1(大)日工大4 湘南工大 神奈川工大 千葉工大各2 諏訪東理大 芝工大 足利大 大同大 中部大 東海大 明星大各1(専)日本電子17 日本工学院 中央情報大学校 名古屋工学院各1

【24年4月入社者の配属先】
総勤務地:東京3 埼玉1 神奈川1 部署:業務部5 技勤務地:東京22 神奈川16 千葉6 埼玉1 群馬3 茨城4 栃木4 山梨1 沼津2 部署:調査59

求める人材 自ら考えて行動できる人

会社データ (金額は百万円)

【本社】108-0023 東京都港区芝浦4-13-23 MS芝浦ビル
☎03-6453-8888 https://www.kdh.or.jp/

【理事長】武部 俊郎【設立】1966.2【資本金相当額】32,945【今後力を入れる事業】電気保安

【業績】NA

サービス

にっぽんかいじきょうかい
(一財)日本海事協会

株式公開 していない

【特色】船舶への検査・認証を行う。世界一の船級協会

修士・大卒採用数	3年後離職率	有休取得年平均	平均年収(平均44歳)
31名	24.1 → 6.9%	15.6日	NA

●エントリー情報と採用プロセス●

【受付開始〜終了】[総][技]3月〜5月【採用プロセス】[総]説明会(必須)→書類応募・Web選考(3〜5月)→1次面接(6月)→2次面接(6月)→内々定(6月) [技]説明会またはリクルーターによる学校訪問(3月)→書類応募・Web選考(3〜5月)→1次面接(6月)→2次面接(6月)→内々定(6月)【交通費支給】2次面接、合理的かつ経済的な経路の実費

試験情報

重視科目 [総][技]面接

[総][技] [ES]⇒巻末[筆]SPI3(会場)[面]2回(Webあり)

選考ポイント [総][技] [ES]NA(提出あり)[面]地頭力 協調性 人間性 汎用性

通過率 [総][技] [ES]NA

倍率(応募/内定) [総][技]NA

●男女別採用数と配属先ほか●

【男女・文理別採用実績】

	大卒男	大卒女	修士男	修士女
23年	10(文 4 理 6)	3(文 3 理 0)	11(文 0 理 11)	2(文 0 理 2)
24年	8(文 2 理 6)	2(文 2 理 0)	14(文 0 理 14)	0(文 0 理 0)
25年	7(文 4 理 3)	4(文 4 理 0)	19(文 0 理 19)	1(文 0 理 1)

【25年4月入社者の採用実績校】
[文](大)明大 上智大各2 青学大 東京外大 早大 京大各1 [理](院)広島大3 東北大 東大 東京都市大 横国大 阪大 大阪公大 九大各2 東京海洋大 東京科学大 東海大 熊本大 長崎大各1(大)神戸大2 東京海洋大1(高専)富山1

【24年4月入社者の配属先】
[総]勤務地:東京4 部署:人事部2 人材開発センター1 広報室1
[技]勤務地:東京21 部署:船体部5 機関部6 材料艤装部2 開発部6 技術研究所1 環境部1

残業(月) 18.3時間 [総]20.6時間

記者評価 1899年創設の帝国海事協会が母体。NKまたはClassNKとも称される。船舶安全のための検査や品質・環境に関する認証サービス等が主業務。国内外約130の事業拠点で検査を実施。船級登録9322隻、約2.7億総トンは世界商船総船腹量の約2割を占める(24年8月末)。

●給与、ボーナス、週休、有休ほか●

【30歳総合職平均年収】NA【初任給】(博士)329,600円(修士)295,700円(大卒)271,500円【ボーナス(年)】NA【25、30、35歳賃金】NA【週休】完全2日(土日祝)【夏期休暇】3日【年末年始休暇】6日【有休取得】15.6/20日

●従業員数、勤続年数、離職率ほか●

【男女別従業員数、平均年齢、平均勤続年数】計 1,705(44.1歳 15.6年)男 1,334(44.5歳 15.2年)女 371(42.4歳 17.0年)【離職率と離職者数】NA【3年後新卒定着率】93.1%(男92.3%、女100%、3年前入社:男26名・女3名)【組合】あり

求める人材 どんな状況にも左右されず、柔軟な姿勢で実力を発揮できる行動的な人材

会社データ (金額は百万円)
【本社】102-0094 東京都千代田区紀尾井町4-7
☎03-3230-1201
https://www.classnk.or.jp/
【会長】坂下 広朗【設立】1899.11【今後力を入れる事業】海事産業におけるゼロエミッション支援
【業績】NA

にほんしょうこうかいぎしょ
日本商工会議所

株式公開 していない

【特色】全国の商工会議所を束ねる。経済三団体の1つ

修士・大卒採用数	3年後離職率	有休取得年平均	平均年収(平均41歳)
4名	20.0 → 0%	11.3日	NA

●エントリー情報と採用プロセス●

【受付開始〜終了】[総]3月〜5月【採用プロセス】[総]説明会(3〜4月)→ES提出(3〜5月)→面接(3回、6月)・Web試験・論文試験(6月)→内々定(6月下旬)【交通費支給】なし

試験情報

重視科目 [総]面接

[総] [ES]⇒巻末[筆]C-GAB[面]3回(Webあり)[GD作]⇒巻末

選考ポイント [総] [ES]事業内容の理解度 論理性 自立性 協調性[面]志望度 事業内容の理解度 人当たり・協調性・自立性などを総合的に評価

通過率 [総] [ES]NA

倍率(応募/内定) [総]NA

●男女別採用数と配属先ほか●

【男女・文理別採用実績】

	大卒男	大卒女	修士男	修士女
23年	0(文 0 理 0)	2(文 2 理 0)	0(文 0 理 0)	0(文 0 理 0)
24年	3(文 3 理 0)	3(文 3 理 0)	0(文 0 理 0)	0(文 0 理 0)
25年	2(文 2 理 0)	2(文 2 理 0)	0(文 0 理 0)	0(文 0 理 0)

【25年4月入社者の採用実績校】
[文](大)早大 上智大 明大 法政大各1 [理]なし

【24年4月入社者の配属先】
[総]勤務地:東京・丸の内6 部署:管理部門2 政策部門3 国際部門1

残業(月) [総]23.7時間

記者評価 商工会議所法に基づく特別民間法人。1892年に15の商業会議所により結成された商業会議所連合会が前身。全国515の商工会議所を会員として組織。政策提言・要望や各商工会議所の運営支援などを手がける。簿記、プログラミングなど検定試験を実施。

●給与、ボーナス、週休、有休ほか●

【30歳総合職平均年収】NA【初任給】(博士)235,640円(修士)230,910円(大卒)226,180円【ボーナス(年)】NA【25、30、35歳賃金】NA【週休】完全2日(土日祝)【夏期休暇】5日【年末年始休暇】12月29日〜1月3日【有休取得】11.3/20日

●従業員数、勤続年数、離職率ほか●

【男女別従業員数、平均年齢、平均勤続年数】計 105(40.6歳 17.5年)男 72(41.3歳 17.9年)女 33(39.3歳 16.3年)【離職率と離職者数】2.8%、3名【3年後新卒定着率】100%(男100%、女100%、3年前入社:男2名・女1名)【組合】あり

求める人材 関係者の理解・協力を得て自立的に行動できる人

会社データ (金額は百万円)
【本社】100-0005 東京都千代田区丸の内3-2-2 丸の内二重橋ビル
☎03-3283-7823
https://www.jcci.or.jp/
【会頭】小林 健【設立】1922.6【今後力を入れる事業】中小企業の人手不足への対応と自己変革・成長への支援
【業績】NA

とうきょうしょうこうかいぎしょ
東京商工会議所

[株式公開していない]

【特色】初代会頭は渋沢栄一。全国商工会議所の草分け

修士・大卒採用数	3年後離職率	有休取得年平均	平均年収(平均43歳)
6名	0 → 0%	14.9日	NA

●エントリー情報と採用プロセス●

【受付開始～終了】[総]4月～5月【採用プロセス】[総]ES提出(4～5月)→適性検査(5月)→GW選考(6月上旬)→1次面接(6月中旬)→2次面接(6月中旬～下旬)→最終面接(6月下旬)→内々定(6月下旬)【交通費支給】最終面接以降、遠方者のみ実費

試験情報

重視科目 [総]GW選考 面接

[総][ES]⇒巻末[筆]あり(内容NA)[面]3回(Webあり)[GD作]⇒巻末

選考ポイント [総][ES]自身の成長のため、主体的・積極的に活動した経験 経験に基づく具体的な志望動機[面]自分の言葉で論理的に語っているか 物事に対して前向きな思考を持っているか 周囲を巻き込む行動力があるか

通過率 [総][ES]NA(受付:NA→通過:103)

倍率(応募/内定) [総]NA

●男女別採用数と配属先ほか●

【男女・文理別採用実績】

	大卒男	大卒女	修士男	修士女
23年	2(文 2理 0)	2(文 2理 0)	0(文 0理 0)	0(文 0理 0)
24年	3(文 3理 0)	2(文 2理 0)	0(文 0理 0)	0(文 0理 0)
25年	2(文 2理 0)	4(文 4理 0)	0(文 0理 0)	0(文 0理 0)

【25年4月入社者の採用実績校】
[文](大)早大2 上智大 日大 文教大 東京外大各1 [理]なし

【24年4月入社者の配属先】
[総]勤務地:東京・千代田5 部署:相談部門2 政策部門1 事業部門1 管理部門1

残業(月) 12.2時間 [総]15.0時間

記者評価 1878年設立の東京商法会議所が起源。都内23区の商工業者や団体で原則構成され、24年3月末の会員数は約8.4万。東商会頭は日商会頭を兼務。中小企業会員を対象に経営支援や政策要望、地域振興などを展開。入所後10年程度はジョブローテーションが基本。

●給与、ボーナス、週休、有休ほか●

【30歳総合職平均年収】NA【初任給】(大卒)230,020円【ボーナス(年)】NA【25、30、35歳賃金】NA【週休】完全2日(土日祝)【夏期休暇】5日【年末年始休暇】12月29日～1月3日【有休取得】14.9/20日

●従業員数、勤続年数、離職率ほか●

【男女別従業員数、平均年齢、平均勤続年数】計 313(42.6歳 15.4年) 男 166(42.3歳 17.0年) 女 147(42.9歳 13.7年)【離職率と離職者数】2.8%、9名【3年後新卒定着率】100%(男100%、女100%、3年前入社:男3名・女2名)【組合】あり

求める人材 企業のため、社会のために役立ちたいという熱い思いを持つ人 未知な課題を楽しむ挑戦意欲を持ち、自ら行動できる人

会社データ (金額は百万円)
【本社】100-0005 東京都千代田区丸の内3-2-2 丸の内二重橋ビル
☎03-3283-7541　https://www.tokyo-cci.or.jp/
【会頭】小林 健【設立】1878.3【今後力を入れる事業】経営相談 政策提言 地域振興
【業績】NA

うちゅうこうくうけんきゅうかいはつきこう ジャクサ
(国研)宇宙航空研究開発機構(JAXA)

[株式公開していない]

【特色】国の宇宙航空開発政策を担う。「はやぶさ」で脚光

修士・大卒採用数	3年後離職率	有休取得年平均	平均年収(平均46歳)
46名	3.4 → 5.6%	13.1日	[総]888万円

●エントリー情報と採用プロセス●

【受付開始～終了】[総]3月～3月 [技]12月～3月【採用プロセス】[総]説明会(任意、2～3月)→ES提出(3月)→Webテスト→面接(3回)→内々定(5月末～6月初)[技]説明会(任意、12～3月)→ES提出(12～3月)→Webテスト→面接(3回)→内々定(3～6月初)【交通費支給】なし

試験情報

重視科目 [総][技]面接

[総][技][ES]⇒巻末[筆]性格検査(Web・自宅)[面]3回(Webあり)

選考ポイント [総][技][ES]記載内容を総合的に判断[面]求める人材像に基づき総合的に判断

通過率 [総][技][ES]NA

倍率(応募/内定) [総][技]NA

●男女別採用数と配属先ほか●

【男女・文理別採用実績】

	大卒男	大卒女	修士男	修士女
23年	4(文 4理 0)	5(文 5理 0)	13(文 0理 13)	4(文 0理 4)
24年	5(文 4理 1)	6(文 6理 0)	16(文 0理 16)	10(文 1理 9)
25年	3(文 3理 0)	8(文 6理 2)	22(文 1理 21)	13(文 2理 11)

【25年4月入社者の採用実績校】
[文]NA [理]NA

【24年4月入社者の配属先】
[総]勤務地:東京3 つくば6 相模原1 種子島1 部署:NA [技]勤務地:東京8 つくば17 相模原5 種子島3 部署:NA

残業(月) 20.7時間

記者評価 総務・文科両省所管の独法。宇宙科学研究所、航空宇宙技術研究所、宇宙開発事業団を統合して誕生。宇宙開発の基礎研究から開発・利用まで手がける。アメリカ、フランスなどに駐在員事務所。24年7月地球観測衛星「だいち4号」搭載のH3ロケット打ち上げに成功。

●給与、ボーナス、週休、有休ほか●

【30歳総合職平均年収】561万円【初任給】(博士)282,800円(修士)236,000円(大卒)215,100円【ボーナス(年)】257万円、4.5カ月【25、30、35歳賃金】NA【週休】完全2日(土日祝)【夏期休暇】ワークライフバランス(WLB)休暇年7日【年末年始休暇】12月29日～1月3日【有休取得】13.1/20日

●従業員数、勤続年数、離職率ほか●

【男女別従業員数、平均年齢、平均勤続年数】計 1,599(44.6歳 NA) 男 1,271(45.8歳 NA) 女 328(39.9歳 NA)【離職率と離職者数】1.7%、28名【3年後新卒定着率】94.4%(男94.1%、女94.7%、3年前入社:男17名・女19名)【組合】あり

求める人材 専門能力を基盤に、宇宙航空を通じて社会に対して新たな価値を提案・創造し、実行する意欲と能力を備え、挑戦し続ける人材

会社データ (金額は百万円)
【本社】182-8522 東京都調布市深大寺東町7-44-1
☎0422-40-3000　https://www.jaxa.jp/
【理事長】山川 宏【設立】2003.10【資本金】544,265【今後力を入れる事業】NA
【業績】NA

(国研)科学技術振興機構

かがくぎじゅつしんこうきこう

[株式公開していない]

【特色】文科省所管の研究開発法人。科学技術振興を担う

修士・大卒採用数	3年後離職率	有休取得年平均	平均年収(平均43歳)
15名	0 → 22.2%	11.6日	NA

●エントリー情報と採用プロセス●

【受付開始～終了】[総]3月～4月【採用プロセス】[総]企業研究セミナー(7～2月)→説明会(任意、3月)～履歴書・ES提出(3月)→筆記(4月)→面接(2回、5～6月)→内々定(6月上旬)【交通費支給】2次面接参加者、全額

試験情報

重視科目 [総]面接

[総][ES]⇒巻末[筆]Web(会場受検)基礎学力 適性検査[面]2回(Webあり)

選考ポイント [総][ES]NA(提出あり)[面]NA

通過率 [総][ES]NA

倍率(応募/内定) [総]NA

●男女別採用数と配属先ほか●

【男女・文理別採用実績】

	大卒男	大卒女	修士男	修士女
23年	3(文 2理 1)	2(文 2理 0)	4(文 2理 2)	6(文 0理 6)
24年	2(文 2理 0)	3(文 2理 1)	4(文 1理 3)	9(文 3理 6)
25年	1(文 1理 0)	2(文 1理 1)	4(文 0理 4)	8(文 3理 5)

【25年4月入社者の採用実績校】
[文](院)一橋大 京大 東京芸大各1(大)立教大 三重大各1 [理](院)東京科学大 東京海洋大 東京農工大各2 京大 東大 東北大 筑波大各1(大)千葉大1

【24年4月入社者の配属先】
[総]勤務地:東京16 埼玉3 部署:事業系業務15 管理系業務4

残業(月) 17.0時間 [総]21.5時間

記者評価 科学技術の振興を目的に設立された文部科学省所管の国立研究開発法人。「CREST」「さきがけ」など研究開発支援プログラムの設計・運営や大学発ベンチャーの創出・支援などを手がける。22年から約10兆円規模の「大学ファンド」を運用。略称はJST。

●給与、ボーナス、週休、有休ほか●

【30歳総合職平均年収】NA【初任給】(博士)267,700円(修士)229,900円(大卒)218,100円【ボーナス(年)】NA【25、30、35歳賃金】NA【週休】完全2日(土日祝)【夏期休暇】7日(7～9月)【年末年始休暇】12月29日～1月3日【有休取得】11.6/20日

●従業員数、勤続年数、離職率ほか●

【男女別従業員数、平均年齢、平均勤続年数】計 595(43.4歳 15.2年) 男 394(46.0歳 16.9年) 女 201(38.6歳 11.7年) ※定年制総合職のみ【離職率と離職者数】1.8%、11名【3年後新卒定着率】77.8%(男50.0%、女100%、3年前入社:男4名・女5名)【組合】あり

求める人材 「こういう未来社会を創りたい」という想いを持つ人 多様な関係者と協働できる人 目標に向かって自律的かつ主体的に行動できる人

会社データ (金額は百万円)

【本社】332-0012 埼玉県川口市本町4-1-8 川口センタービル15階
☎048-226-5601 https://www.jst.go.jp/
【理事長】橋本 和仁【設立】2003.10【資本金】1,314,314【今後力を入れる事業】国際共同研究の推進 GX技術の推進
【業績】NA

(独法)国際協力機構(JICA)

こくさいきょうりょくきこう ジャイカ

[株式公開していない]

【特色】外務省所管の独法。幅広い国際協力やODAを担う

修士・大卒採用数	3年後離職率	有休取得年平均	平均年収(平均46歳)
47名	8.3 → 7.3%	13.6日	! 836万円

●エントリー情報と採用プロセス●

【受付開始～終了】[総]3月～4月【採用プロセス】[総]ES提出・Web試験(3～4月)→Web小論文(4～5月)→面接(3回、4～6月)→内々定(6月)【交通費支給】最終選考、遠方のみ(海外滞在者は除く)当機構基準

試験情報

重視科目 [総]面接

[総][ES]⇒巻末[筆]あり(内容NA)[面]3回(Webあり)[GD作]⇒巻末

選考ポイント [総][ES]総合評価[面]NA

通過率 [総][ES]NA

倍率(応募/内定) [総]NA

●男女別採用数と配属先ほか●

【男女・文理別採用実績】

	大卒男	大卒女	修士男	修士女
23年	15(文 14理 1)	13(文 11理 2)	12(文 5理 7)	11(文 5理 6)
24年	11(文 9理 2)	9(文 9理 0)	17(文 7理 10)	17(文 13理 4)
25年	11(文 11理 0)	16(文 16理 0)	10(文 5理 5)	10(文 5理 5)

【25年4月入社者の採用実績校】
[文]東大 早大 慶大 東京外大 京大 一橋大 東北大 筑波大 神戸大 青学大 ICU 国際教養大 同大 関西学大 滋賀大 長崎大 名古屋外大 神戸市外大 津田塾大 獨協大 宇都宮大 サセックス大 他 [理]東大 京大 東京科学大 東北大 筑波大 同大 東京農業大 鳴門教大

【24年4月入社者の配属先】
[総]勤務地:東京54 部署:地域部 課題部 民間連携事業部 青年海外協力隊事務局 サポート部門(審査 評価等)組織運営部門(総務 広報 人事 企画等)

残業(月) 18.3時間

記者評価 略称JICA、前身は国際協力事業団。ODA(政府開発援助)を担う。途上国への技術協力、有償・無償資金協力のほか、民間企業との連携事業や海外協力隊の派遣も。プロジェクト形成は要請主義が基本だが、ニーズ発掘による提案型も。新入職員全員に海外OJT実施。

●給与、ボーナス、週休、有休ほか●

【30歳総合職平均年収】NA【初任給】(博士)247,860円(修士)247,860円(大卒)235,087円【ボーナス(年)】230万円、4.5カ月【25、30、35歳賃金】NA【週休】完全2日(土日祝)【夏期休暇】7日【年末年始休暇】12月29日～1月3日【有休取得】13.6/20日【平均年収】(在外職員、任期付職員、再任用職員を除く)836万円

●従業員数、勤続年数、離職率ほか●

【男女別従業員数、平均年齢、平均勤続年数】計 1,979(45.5歳 NA) 男 1,187(NA) 女 792(NA)【離職率と離職者数】2.7%、55名【3年後新卒定着率】92.7%(男NA、女NA、3年前入社:男女計41名)【組合】あり

求める人材 期待される行動規範として「使命感」「現場」「大局観」「共創」「革新」

会社データ (金額は百万円)

【本社】102-8012 東京都千代田区二番町5-25 二番町センタービル
☎03-5226-6660 http://www.jica.go.jp/
【理事長】田中 明彦【設立】2003.10【資本金】8,426,400【今後力を入れる事業】全世界

【業績】	事業規模	営業利益	経常利益	純利益
22.3	1,536,000	NA	NA	NA
23.3	2,745,000	NA	NA	NA
24.3	NA	NA	NA	NA

639

(独法)国際交流基金

株式公開 していない

【特色】国際文化交流に関する日本で唯一の公的専門機関

修士・大卒採用数	3年後離職率	有休取得年平均	平均年収(平均41歳)
7名	11.1→20.0%	13.2日	総 779万円

●エントリー情報と採用プロセス●

【受付開始～終了】総3月～4月【採用プロセス】総ES提出(3～4月)→Webテスト(5月)→小論文(5月)→面接(2回、5月下旬～6月上旬)→内々定(6月中旬)【交通費支給】最終面接、首都圏外:当基金基準

試験情報

重視科目 総全て

総 ES⇒巻末 筆あり(内容NA) 面2回(Webあり) GD作⇒巻末

選考ポイント 総 ES志望動機等が明確に分かりやすく書けているか等、記載内容を総合的に判断 面志望理由が基金の業務内容とマッチしているか 協調性 自らの頭で考え、行動する力があるか コミュニケーション能力 人柄 心身のタフネス 幅広い視野 関心 基礎的教養 文化的素養 海外勤務への心構え

通過率 総 ES64%(受付:410→通過:263)

倍率(応募/内定) 総51倍

●男女別採用数と配属先ほか●

【男女・文理別採用実績】

	大卒男	大卒女	修士男	修士女
23年	0(文 0理 0)	4(文 4理 0)	1(文 0理 1)	2(文 2理 0)
24年	2(文 1理 1)	7(文 7理 0)	0(文 0理 0)	2(文 2理 0)
25年	3(文 3理 0)	2(文 2理 0)	0(文 0理 0)	2(文 2理 0)

【25年4月入社者の採用実績校】

文(院)東京外大 昭和音大各1(大)上智大2 北大 早大 明大各1 理なし

【24年4月入社者の配属先】総勤務地:東京・四ツ谷9 埼玉・北浦和2 部署:事業部門8 管理部門3

残業(月) 9.0時間 総14.5時間

記者評価 1972年外務省所管の特殊法人として設立。03年独法化。略称・JF。海外25カ国・26拠点を通じ、文化芸術交流、日本語教育、日本研究・国際対話の3分野で事業を展開。職員は分野・地域に囚われず幅広い国際交流への関心が求められる。全職員が海外勤務を経験。

●給与、ボーナス、週休、有休ほか●

【30歳総合職平均年収】533.7万円【初任給】(博士)251,300円(修士)223,500円(大卒)210,100円【ボーナス(年)】211万円、4.5カ月【25、30、35歳賃金】229,500円→281,200円→331,100円【週休】完全2日(土日祝)【夏期休暇】3日【年末年始休暇】12月29日～1月3日【有休取得】13.2／20日

●従業員数、勤続年数、離職率ほか●

【男女別従業員数、平均年齢、平均勤続年数】計272(41.3歳15.1年)男142(43.4歳16.7年)女130(38.9歳13.5年)【離職率と離職者数】2.2%、6名【3年後新卒定着率】80.0%(男100%、女66.7%、3年前入社:男4名・女6名)【組合】あり

求める人材 国際文化交流への幅広い関心と熱意をもち、相手の立場に寄り添いつつ、自分の頭で考えて柔軟に行動できる人

会社データ　(金額は百万円)

【本社】160-0004 東京都新宿区四谷1-6-4 四谷クルーセ
☎03-5369-6075　https://www.jpf.go.jp/j/
【理事長】黒澤 信也【設立】1972.10【資本金】77,729【今後力を入れる事業】多様な日本文化の魅力発信 海外の日本理解発展を担う人材育成 共同、協働作業型事業の推進
【業績】NA

(独法)鉄道建設・運輸施設整備支援機構(JRTT 鉄道・運輸機構)

株式公開 していない

【特色】国交省所管の独法。整備新幹線の建設を担う

修士・大卒採用数	3年後離職率	有休取得年平均	平均年収(平均41歳)
35名	6.5→7.7%	13.9日	総 745万円

●エントリー情報と採用プロセス●

【受付開始～終了】総 技3月～5月【採用プロセス】総ES提出(3月)→適性検査(3～4月)→面接(3回、4～5月)→内々定(6月) 技ES提出(3月)→適性検査(3～4月)→面接(2～3回、4～5月)→内々定(6月)【交通費支給】本社で実施する面接、実費相当額

試験情報

重視科目 総 技面接

総 ES⇒巻末 筆SPI3(会場) SPI3(自宅) 面3回(Webあり) 技 ES⇒巻末 筆SPI3(会場) SPI3(自宅) 面2～3回(Webあり)

選考ポイント 総 技 ES志望動機 グループ活動における主体性 求める人材像に合致するか 面志望動機 グループ活動における主体性 求める人材像に合致するか

通過率 総 技 ESNA　倍率(応募/内定) 総 技NA

●男女別採用数と配属先ほか●

【男女・文理別採用実績】

	大卒男	大卒女	修士男	修士女
23年	20(文 5理 15)	8(文 6理 2)	12(文 0理 12)	4(文 0理 4)
24年	11(文 3理 8)	3(文 2理 1)	11(文 1理 10)	1(文 0理 1)
25年	15(文 6理 9)	5(文 5理 0)	13(文 1理 12)	2(文 0理 2)

【25年4月入社者の採用実績校】

文(院)京大1(大)名大2 関大 関西学大 京都女大 駒澤大 日女大 法政大 北大 立教大 龍谷大各1 理(院)日大 北大 立命館大各2 茨城大 金沢工大 神戸大 中大 筑波大 東大 東京科学大 都立大 東北学大 名大各1(大)日大2 神奈川大 工学院大 千葉工大 東洋大 富山大 横国大 早大各1(高専)秋田 石川各1

【24年4月入社者の配属先】総勤務地:札幌1 東京・港1 大阪市2 福岡市2 部署:総務1 契約2 用地3 技勤務地:東京・港4 横浜1 名古屋2 北海道(札幌4 長万部2 小樽4 北斗2 八雲1) 部署:工事14 機械2 建築2 電気2

残業(月) 25.6時間 総25.6時間

記者評価 日本鉄道建設公団、運輸施設整備事業団の2特殊法人の業務を継承する形で03年設立。略称・JRTT。国の政策に基づき整備新幹線や都市鉄道を建設・整備し鉄道事業者に貸与・譲渡。船舶の建造や地域公共交通への出資・貸付、海外高速鉄道プロジェクトへの参画も。

●給与、ボーナス、週休、有休ほか●

【30歳総合職平均年収】NA【初任給】(博士)255,530円(修士)255,530円(大卒)235,620円【ボーナス(年)】NA、4.5カ月【25、30、35歳モデル賃金】NA→NA→339,680円 ※東京・横浜・大阪等勤務【週休】完全2日(土日祝)【夏期休暇】7日(7～9月で取得)【年末年始休暇】12月29日～1月3日【有休取得】13.9／20日

●従業員数、勤続年数、離職率ほか●

【男女別従業員数、平均年齢、平均勤続年数】計◇1,324(41.0歳12.8年)男1,213(41.5歳13.3年)女111(31.6歳6.7年)【離職率と離職者数】◇1.9%、26名【3年後新卒定着率】92.3%(男90.3%、女100%、3年前入社:男31名・女8名)【組合】あり

求める人材 「共感性」のある人 物事を筋道立てて考えられる人 意思を持ってやり抜く力のある人

会社データ　(金額は百万円)

【本社】231-8315 神奈川県横浜市中区本町6-50-1 横浜アイランドタワー
☎045-222-9100　https://www.jrtt.go.jp/
【理事長】藤田 耕三【設立】2003.10【資本金】115,337【今後力を入れる事業】新幹線鉄道等の鉄道施設の建設 貸付け 他

【業績】	決算額
22.3	980,238
23.3	1,038,379
24.3	NA

サービス

2680

（独法）エネルギー・金属鉱物資源機構

株式公開 していない

【特色】経産省所管の独法。資源開発・獲得支援など担う

修士・大卒採用数	3年後離職率	有休取得年平均	平均年収（平均42歳）
17名	20.0→12.5%	15.4日	786万円

●エントリー情報と採用プロセス●

【受付開始～終了】㊕技3月～5月【採用プロセス】㊕技ES提出（3～5月）→Webテスト→面接（複数回）→内々定【交通費支給】最終面接、機構規定に準拠し定額

試験情報

重視科目 総技NA

総技ES⇒巻末筆WebGAB面NA（Webあり）

選考ポイント 総ES NA（提出あり）面志望度 積極性 個性と組織の風土の適合性 技ES NA（提出あり）面志望度 専攻内容と業務 個性と組織の風土の適合性

通過率 総技ES NA

倍率（応募/内定） 総技NA

●男女別採用数と配属先ほか●

【男女・文理別採用実績】

	大卒男	大卒女	修士男	修士女
23年	3（文 3理 0）	2（文 2理 0）	7（文 0理 7）	5（文 0理 5）
24年	2（文 2理 0）	4（文 4理 0）	10（文 1理 9）	4（文 0理 4）
25年	3（文 3理 0）	1（文 1理 0）	10（文 1理 9）	3（文 0理 3）

【25年4月入社者の採用実績校】

文（院）京大1（大）青学大2 東京外大 長野県大各1 理（院）東大3 秋田大 金沢大各2 九大 東北大 筑波大 早大 北大 千葉工大 東理大各1

【24年4月入社者の配属先】

総勤務地：東京・虎ノ門7 部署：NA 技勤務地：東京・虎ノ門10 千葉・幕張3 部署：NA

残業（月） 11.0時間

記者評価 石油公団と金属鉱業事業団を再編統合する形で04年発足。経済産業省所管の独立行政法人。略称JOG-MEC。石油や天然ガス、鉱物資源の開発促進や備蓄業務など担う。22年5月の法改正で現名称に変更。水素・アンモニア製造・貯蔵やCO2貯蔵への出資・債務保証なども。

●給与、ボーナス、週休、有休ほか●

【30歳総合職平均年収】NA【初任給】（博士）274,104円（修士）250,884円（大卒）231,012円【ボーナス（年）】NA【25、30、35歳賃金】NA→NA→693円【週休】完全2日（土日祝）【夏期休暇】3日（原則として連続）【年末年始休暇】12月29日～1月3日【有休取得】15.4／20日

●従業員数、勤続年数、離職率ほか●

【男女別従業員数、平均年齢、平均勤続年数】計 484（41.7歳 NA）男 345（41.6歳 NA）女 139（41.7歳 NA）【離職率と離職者数】NA【3年後新卒定着率】87.5%（男81.8%、女100%、3年前入社：男11名・女5名）【組合】あり

求める人材 コミュニケーション能力やチャレンジ精神をもち、変化にも柔軟に対応できる人

会社データ （金額は百万円）

【本社】105-0001 東京都港区虎ノ門2-10-1 虎ノ門ツインビルディング ☎03-6758-8000 https://www.jogmec.go.jp/

【理事長】髙原 一郎【設立】2004.2【資本金】1,471,900【今後力を入れる事業】資源外交 技術開発 低炭素社会実現への取組み

【業績】NA

（独法）日本貿易振興機構（JETRO）

株式公開 していない

【特色】経産省所管の独立行政法人。貿易、海外展開支援

修士・大卒採用数	3年後離職率	有休取得年平均	平均年収（平均44歳）
47名	4.3→7.5%	13.8日	総821万円

●エントリー情報と採用プロセス●

【受付開始～終了】総3月～4月【採用プロセス】総ES提出（3～4月）→Web小論文（4～5月）→面接（3回、6月上中旬）→内々定（6月中旬）【交通費支給】なし

試験情報

重視科目 総面接

総ES⇒巻末筆なし面3回（Webあり）GD作⇒巻末

選考ポイント 総ES内容を総合的に判断面総合的に判断

通過率 総ES NA

倍率（応募/内定） 総NA

●男女別採用数と配属先ほか●

【男女・文理別採用実績】

	大卒男	大卒女	修士男	修士女
23年	18（文 18理 0）	17（文 17理 0）	2（文 2理 0）	6（文 5理 1）
24年	13（文 12理 1）	20（文 20理 0）	6（文 4理 2）	4（文 3理 1）
25年	20（文 18理 2）	21（文 21理 0）	4（文 1理 3）	2（文 2理 0）

【25年4月入社者の採用実績校】

文（院）一橋大 明大 海外大各1（大）早大 慶大 東京外大各4 一橋大 立教大各3 京大 学習院大各2 北大 東北大 富山大 広島大 滋賀大 神戸大 阪大 北九州市大 ICU 青学大 上智大 明大 関西学大 小樽商大 お茶女大 高知工科大 奈良女大各1 理（院）北大 山形大 筑波大各1（大）早大 明大各1

【24年4月入社者の配属先】

総勤務地：東京・赤坂43 部署：管理部門8 事業部門30 調査部門5

残業（月） 17.2時間

記者評価 通称ジェトロ。対日直接投資の促進、農水産物・食品の輸出、中堅・中小企業の海外展開支援などに取り組む。国内は東京・大阪本部と49事務所、海外55カ国に75事務所（24年4月）。海外での経済セミナーも定期開催。入職3年目以降の職員対象に海外実務研修も。

●給与、ボーナス、週休、有休ほか●

【30歳総合職平均年収】NA【初任給】（修士）220,500円（大卒）205,100円【ボーナス（年）】227万円、4.5カ月【25、30、35歳賃金】NA【週休】完全2日（土日祝）【夏期休暇】3日【年末年始休暇】12月29日～1月3日【有休取得】13.8／20日

●従業員数、勤続年数、離職率ほか●

【男女別従業員数、平均年齢、平均勤続年数】計 1,921（40.6歳 16.2年）男 989（43.0歳 18.4年）女 932（37.4歳 13.1年）※従業員数は嘱託員、派遣職員等含む【離職率と離職者数】NA【3年後新卒定着率】92.5%（男90.0%、女95.0%、3年前入社：男20名・女20名）【組合】あり

求める人材 日本政府関係機関で働く者として、志を高く持ち、お客様に最善最適のサービス・情報を提供できる人材 外部志向を持ち、組織内外と連携し、展開力のある人材 自身の強みを創り上げ、その分野におけるプロを目指す人材

会社データ （金額は百万円）

【本社】107-6006 東京都港区赤坂1-12-32 アーク森ビル ☎03-3582-5511 https://www.jetro.go.jp/

【理事長】石黒 憲彦【設立】2003.10【資本金】44,713【今後力を入れる事業】イノベーション促進 海外ビジネス支援

【業績】NA

(独法)中小企業基盤整備機構
ちゅうしょうきぎょうきばんせいびきこう

株式公開していない

【特色】経産省所管の独法。中小企業政策の中核実施機関

修士・大卒採用数	3年後離職率	有休取得年平均	平均年収(平均44歳)
24名	5.6→0%	11.2日	総838万円

●エントリー情報と採用プロセス●
【受付開始～終了】総3月～5月【採用プロセス】総ES提出(3～5月)→Webテスト(5月)→面接(3回、6月)→内々定(6～7月)【交通費支給】最終面接、50km以上の実費(当機構の規程に基づく)

試験情報
- 重視科目 総面接
- 総ES⇒巻末筆Webテスト面3回(Webあり)
- 選考ポイント 総ES中小企業支援への熱意はあるか 志望動機は具体的か 他面人柄 志望度 他
- 通過率 総ES NA
- 倍率(応募/内定) 総NA

●男女別採用数と配属先ほか●
【男女・文理別採用実績】

	大卒男	大卒女	修士男	修士女
23年	8(文 8理 0)	12(文 12理 0)	0(文 0理 0)	1(文 0理 1)
24年	15(文 15理 0)	13(文 13理 0)	0(文 0理 0)	0(文 0理 0)
25年	8(文 8理 0)	15(文 15理 0)	1(文 0理 1)	0(文 0理 0)

【25年4月入社者の採用実績校】
文(大)中大3 横浜市大 早大 東洋大 立教大各2 茨城大 学習院大 駒澤大 香川大 神戸市外大 青学大 中京大 南山大 武蔵野大 福島大 明大 立命館大各1 理(院)秋田県大1

【24年4月入社者の配属先】
総勤務地:東京・虎ノ門28 部署:組織運営部門8 事業部門20

残業(月) NA

記者評価 中小企業総合事業団、地域振興整備公団、産業基盤整備基金の3特殊法人が統合。中小企業の経営・起業相談、事業承継支援、海外進出支援、オンライン研修、ビジネスマッチングなど進める。約62万社が加入する経営セーフティ共済は1.9兆円の貸付実績(23年度)。

●給与、ボーナス、週休、有休ほか●
【30歳総合職平均年収】NA【初任給】(博士)257,800円(修士)233,100円(大卒)214,500円【ボーナス(年)】235万円、4.5カ月【25、30、35歳賃金】NA【週休】完全2日(土日祝)【夏期休暇】5日【年末年始休暇】12月29日～1月3日【有休取得】11.2／20日

●従業員数、勤続年数、離職率ほか●
【男女別従業員数、平均年齢、平均勤続年数】計 813(42.0歳 15.6年) 男 571(43.7歳 16.8年) 女 242(37.2歳 12.3年)【離職率と離職者数】1.2%、10名【3年後新卒定着率】100%(男100%、女100%、3年前入社:男20名・女11名)【組合】あり

求める人材 新しい地域を知ることや、新しいお客様に出会えることに心がワクワク躍る人 考えるより、まず動く人 中小企業とともに「変化」していくことを好む人

会社データ (金額は百万円)
【本社】105-8453 東京都港区虎ノ門3-5-1 虎ノ門37森ビル
☎03-3433-8811 https://www.smrj.go.jp/
【理事長】宮川 正【設立】2004.7【資本金】1,209,844【今後力を入れる事業】AIやICTを活用した支援 販路開拓支援
【業績】NA

日本年金機構
にっぽんねんきんきこう

株式公開していない

【特色】厚労省所管の特殊法人。公的年金運営業務担う

修士・大卒採用数	3年後離職率	有休取得年平均	平均年収(平均44歳)
400名	NA	15.2日	総667万円

●エントリー情報と採用プロセス●
【受付開始～終了】総NA【採用プロセス】総ES提出→適性検査→面接(2回)→内々定【交通費支給】なし

試験情報
- 重視科目 総面接
- 総ES NA筆適性検査面2回(Webあり)
- 選考ポイント 総ES NA(提出あり)面求める人物像と合致しているか
- 通過率 総ES NA
- 倍率(応募/内定) 総NA

●男女別採用数と配属先ほか●
【男女・文理別採用実績】

	大卒男	大卒女	修士男	修士女
23年	154(文NA理NA)	176(文NA理NA)	2(文NA理NA)	3(文NA理NA)
24年	186(文NA理NA)	215(文NA理NA)	3(文NA理NA)	1(文NA理NA)
25年	-(文 -理 -)	-(文 -理 -)	-(文 -理 -)	-(文 -理 -)

※25年:400名程度採用予定

【25年4月入社者の採用実績校】
文NA 理NA

【24年4月入社者の配属先】
総NA

残業(月) 総10.7時間

記者評価 日本年金機構法に基づき設置された特殊法人。社会保険庁を廃止する形で10年1月発足。公的年金保険料の徴収や年金給付など公的年金にかかる一連の運営業務を担う。資金運用は年金積立管理運用独立行政法人(GPIF)が担当。役職員の身分は「みなし公務員」。

●給与、ボーナス、週休、有休ほか●
【30歳総合職平均年収】NA【初任給】(修士)204,800円(大卒)196,200円【ボーナス(年)】174万円、NA【25、30、35歳賃金】NA【週休】完全2日制(土日祝)【夏期休暇】なし【年末年始休暇】12月29日～1月3日【有休取得】15.2／20日

●従業員数、勤続年数、離職率ほか●
【男女別従業員数、平均年齢、平均勤続年数】計 11,000(44.0歳 NA) 男 NA 女 NA【離職率と離職者数】NA【3年後新卒定着率】NA【組合】あり

求める人材 公的年金制度に携わる者として強い責任感と誠実さを持つ人 柔軟な思考で自ら考え主体的に行動できる人

会社データ (金額は百万円)
【本社】168-8505 東京都杉並区高井戸西3-5-24
☎03-5344-1100 https://www.nenkin.go.jp/
【理事長】大竹 和彦【設立】2010.1【資本金】100,012【今後力を入れる事業】NA
【業績】NA

セコム(株)

東京P 9735

【特色】警備業のトップ企業。保険、医療等へ多角化

修士・大卒採用数	3年後離職率	有休取得年平均	平均年収(平均45歳)
290名	26.5→28.7%	14.3日	(総)684万円

●エントリー情報と採用プロセス●

【受付開始～終了】(総)(技)3月～一部コースは継続中【採用プロセス】(総)説明会(必須)→筆記またはWeb試験→ES提出→面接(複数回)→内々定 (技)ES提出→説明会→筆記またはWeb試験→面接(複数回)→内々定【交通費支給】最終面接時、会社基準【早期選考】⇒巻末

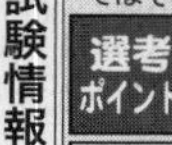

試験情報

重視科目 (総)(技)面接

(総)(技)(ES)⇒巻末(筆)SPI3(会場) SPI3(自宅) 職種によってはその他検査あり(面)複数回(Webあり)

選考ポイント (総)(面)コミュニケーション能力・向上心・行動力・適応力・誠実さなどから総合的に判断 (技)(ES)求める人材と合致しているか 研究内容の成果 他(面)総合職共通

通過率 (総)(ES)選考なし(受付:NA) (技)(ES)NA

倍率(応募/内定) (総)(技)NA

●男女別採用数と配属先ほか●

【男女・文理別採用実績】※25年:修士大卒290名採用予定

	大卒男	大卒女	修士男	修士女
23年	96(文 70理 26)	70(文 63理 7)	20(文 0理 20)	4(文 2理 2)
24年	116(文100理 16)	73(文 67理 6)	20(文 0理 20)	4(文 0理 4)
25年	-(文 -理 -)	-(文 -理 -)	-(文 -理 -)	-(文 -理 -)

【25年4月入社者の採用実績校】(文)(24年)(院)大阪公大1(大)日大14 関大7 中大 成蹊大各6 関西学大 日女大各5 東洋大 帝京大各4 神奈川大 立教大各3 関東学院大 東京外大 京産大 青学大 同大 摂南大 平成国際大 早大 東海大 明大 産能大 流経大 神戸大 拓大 武蔵大 近大 法政大 追手門学大 国士舘大 大阪経法大 龍谷大 大東文化大 獨協大各2 他 (理)(24年)(院)電通大3 東工大 芝工大 東海大各2 宇都宮大 岐阜大 香川大 北九州市大 山口大 関大 会津大 東京工科大 東京都市大 東北大 東理大 新潟大 法政大 千葉工大 名大 大阪工大 中部大各1(大)埼玉工大4 九産大2 他

【24年4月入社者の配属先】(総)勤務地:北海道2 関東108 中部16 近畿21 中国3 九州1 部署:営業35 警備86 事務18 医療総合12 (技)勤務地:北海道1 東北1 関東61 中部2 近畿8 中国2 九州2 部署:研究9 開発18 設備管理33 IT16 看護師1

残業(月) 21.1時間 (総)21.1時間

記者評価 センサーやカメラを用いた機械警備で業界をリードする。1990年代、長嶋茂雄氏が登場する「セコムしてますか?」のテレビCMは社名だけでなく警備業の認知度を高めた。損害保険や医療、データセンター、防災など多角的に事業を展開している。

●給与、ボーナス、週休、有休ほか●

【30歳総合職平均年収】501万円【初任給】(博士)348,980円 (修士)339,180円 (大卒)275,530円【ボーナス(年)】164万円、4.9カ月【25、30、35歳賃金】286,100円→356,000円→403,000円 ※諸手当を含む 東京地区【週休】〈事務職〉完全2日【夏期休暇】年間2回(最大10日、最大6日)の連続休暇の制度あり【年末年始休暇】(警備職以外)12月31日～1月3日【有休取得】14.3/23日

●従業員数、勤続年数、離職率ほか●

【男女別従業員数、平均年齢、平均勤続年数】計 13,767(42.1歳 17.3年) 男 11,157(42.8歳 18.1年) 女 2,610(39.0歳 14.2年) ※外部出向者除く【離職率と離職者数】4.5%、656名【3年後新卒定着率】71.3%(男66.9%、女77.5%、3年前入社:男181名・女129名)【組合】あり

求める人材 当社の理念に共感し、チャレンジ精神旺盛で社会貢献意欲の高い人材

会社データ (金額は百万円)

【本社】150-0001 東京都渋谷区神宮前1-5-1
☎03-5775-8100　https://www.secom.co.jp/
【社長】吉田 保幸【設立】1962.7【資本金】66,427【今後力を入れる事業】暮らしや社会に安心を提供するインフラ構築

【業績(連結)】	売上高	営業利益	経常利益	純利益
22.3	1,049,859	143,499	153,186	94,273
23.3	1,101,307	136,700	156,124	96,085
24.3	1,154,740	140,658	166,859	101,951

ALSOK(綜合警備保障(株))

アルソック　そうごうけいびほしょう

東京P 2331

【特色】警備業界2位。金融機関との取引に強み

修士・大卒採用数	3年後離職率	有休取得年平均	平均年収(平均41歳)
600名	36.8→39.6%	12.2日	(総)601万円

●エントリー情報と採用プロセス●

【受付開始～終了】(総)(技)3月～継続中【採用プロセス】(総)(技)説明会(必須、3月～)→適性試験・面接(2～3回、3月上旬～)→内々定(6月上旬～)【交通費支給】3次面接以降、全額【早期選考】⇒巻末

試験情報

重視科目 (総)(技)面接

(総)(技)(筆)Web試験(面)2～3回(Webあり)

選考ポイント (総)(ES)提出なし(面)業務への適性 コミュニケーション能力 (技)(ES)提出なし(面)業務への適性 コミュニケーション能力及び専門知識

通過率 (総)(技)(ES)―(応募:NA) 倍率(応募/内定) (総)(技)NA

●男女別採用数と配属先ほか●

【男女・文理別採用実績】※25年:約600名採用予定

	大卒男	大卒女	修士男	修士女
23年	317(文280理 37)	105(文103理 2)	18(文 0理 18)	1(文 1理 0)
24年	307(文254理 53)	124(文119理 5)	13(文 0理 13)	4(文 1理 3)
25年	-(文 -理 -)	-(文 -理 -)	-(文 -理 -)	-(文 -理 -)

【25年4月入社者の採用実績校】(文)(24年)日大 近大 国士舘大 帝京大 東海大 京産大 明大 中大 学習院大 立命館大 産能大 拓大 大正大 関大 中京大 大東文化大 中部大 同大 明学大 龍谷大 愛知大 愛知学大 名古屋学院大 早大 立教大 成蹊大 京都女大 甲南大 専大 駒澤大 椙山女学大 神戸女学大 一橋大 慶大 青学大 法政大 関西学大 東理大 日女大 成城大 愛知淑徳大 名城大 亜大 日本福祉大 阪大 名大 千葉大 他 (理)(24年)東京工科大 埼玉工大 岡山理大 神奈川工大 千葉工大 日大 玉川大 近大 九州工大 九産大 広島工大 香川大 芝工大 湘南工大 森ノ宮医療 大阪電通大 帝京大 電通大 東海大 東京情報大 東京農業大 東北学大 東北工大 日工大 日体大 明星大 鈴鹿医療科学大 大和大(高専)茨城 久留米 他

【24年4月入社者の配属先】(総)勤務地:全国の事業所418 部署:営業154 経理9 警備255 (技)勤務地:全国の事業所50 部署:技術50

残業(月) 16.5時間 (総)39.0時間

記者評価 サービス名はALSOK(アルソック)。機械警備は法人向けに加え、家庭向けにも力を入れている。ライバルはセコム。三菱商事と資本業務提携し、ファシリティマネジメントや介護関連で協力関係にある。柔道やレスリングなどの五輪選手が多数在籍する。

●給与、ボーナス、週休、有休ほか●

【30歳総合職平均年収】555万円【初任給】(修士)239,600円 (大卒)239,000円【ボーナス(年)】136万円、NA【25、30、35歳賃金】246,122円→254,778円→274,990円【週休】月9～11日(交代制勤務の場合)【夏期休暇】(現業部門)3日 (管理部門)1日【年末年始休暇】(管理部門)12月30日～1月3日の勤務日は年休を利用【有休取得】12.2/20日

●従業員数、勤続年数、離職率ほか●

【男女別従業員数、平均年齢、平均勤続年数】計 ◇11,818(41.3歳 18.3年) 男 10,439(41.8歳 18.8年) 女 1,379(37.8歳 15.5年)【離職率と離職者数】◇5.4%、676名【3年後新卒定着率】60.4%(男60.8%、女59.2%、3年前入社:男421名・女142名)【組合】なし

求める人材 感謝の気持ちを忘れない 人のために役立つ仕事がしたい人 強く正しく温かい 規律を重んじる誠実な人

会社データ (金額は百万円)

【本社】107-8511 東京都港区元赤坂1-6-6
☎03-3404-1491　https://www.alsok.co.jp/
【社長】栢木 伊久二【設立】1965.7【資本金】18,675【今後力を入れる事業】警備 介護 ファシリティマネジメント

【業績(連結)】	売上高	営業利益	経常利益	純利益
22.3	489,092	42,865	44,796	28,964
23.3	492,226	36,993	39,230	23,950
24.3	521,400	39,082	42,173	27,327

㈱アクティオ

株式公開 未定

【特色】建設機械レンタルの草分け的存在で業界最大手

●エントリー情報と採用プロセス●

【受付開始～終了】[総][技]12月～継続中【採用プロセス】[総][技]説明会(必須、12月～)→Web適性検査・ES提出→面接(2回)→内々定【交通費支給】なし【早期選考】⇒巻末

試験情報

[重視科目] [総][技]面接[総][技][ES]⇒巻末[筆]Web適性検査3種類 DPI DIST DBIT[面]2回(Webあり)

[選考ポイント] [総][技][面]協調性があり、明るく、論理性のある発言ができるか

[通過率] [総][ES]選考なし(受付:479)[技][ES]選考なし(受付:38)

[倍率(応募/内定)] [総][技]5倍

●男女別採用数と配属先ほか●

【男女・文理別採用実績】

	大卒男	大卒女	修士男	修士女
23年	78(文 74 理 4)	20(文 20 理 0)	4(文 0 理 4)	0(文 0 理 0)
24年	78(文 70 理 8)	33(文 33 理 0)	2(文 1 理 1)	0(文 0 理 0)
25年	135(文115 理 20)	45(文 45 理 0)	0(文 0 理 0)	0(文 0 理 0)

【25年4月入社者の採用実績校】[文](24年)(院)県立広島大1(大)国際武道大4 九産大 金沢学大 国士舘大 志學館大 神奈川大 静岡産大 仙台大 日大 駿河台大 福島大 法政大各2 亜大 愛知学大 関西学大 関東学院大 京産大 京都先端科学大 共愛学園前橋国際大 桐蔭横浜大 金城学大 九州ルーテル学大 九州共立大 慶大 高崎経大 高松大 高千穂大 阪南大 作新学大 山形県保健医療大 山梨学大 至学館大 実践女大 昭和女大 松蔭大 松本大 新潟医療福祉大 新潟国際情報大 新潟産大 西南学大 摂南大 千葉経大 千葉商大 創価大 大阪学大 大阪経大 大阪経法大 大阪芸大 大阪産大 帝京大 帝塚山大 島根県大 東海学園大 東海大 東京経大各1 他 [理](24年)(院)千葉工大1(大)岡山理大 熊本大 埼玉工大 大阪産大 東京都市大 東京農業大 東北工大 日工大各1 他

【24年4月入社者の配属先】[総]勤務地:東京34 大阪11 愛知9 福岡9 宮城5 新潟4 北海道3 岡山1 神奈川1 富山1 長崎1 長野1 部署:首都圏支社19 西日本支社11 九州支社10 中日本支社9 北信越支社6 東北支社5 解体事業部4 プラザ事業部3 北海道支社2 EG事業部2 クレーン事業部2 産業機械事業部2 千歳テクノパーク統括工場1 営業企画部1 小型機械事業部1 人事部1 総務部1 [技]勤務地:東京17 部署:RS本部17

修士・大卒採用数	3年後離職率	有休取得年平均	平均年収(平均41歳)
180名	27.4→30.4%	10.1日	548万円

[残業(月)] 28.2時間

[記者評価] 水中ポンプや発電機のレンタルでスタート。建設機械など建設関連の全領域でレンタル事業を展開。現場や工程に合わせた最適提案を行うコンサル力に定評。全国に444の営業拠点、155の工場・センターを配置(24年1月末)。海外はタイ、台湾などアジアで展開。

●給与、ボーナス、週休、有休ほか●

【30歳総合職平均年収】NA【初任給】(修士)248,420円(大卒)237,220円【ボーナス(年)】NA、4.1カ月【25、30、35歳賃金】NA【週休】完全2日(日祝、祝日のない週は他1日)【夏期休暇】連続5日【年末年始休暇】連続6日【有休取得】10.1/20日

●従業員数、勤続年数、離職率ほか●

【男女別従業員数、平均年齢、平均勤続年数】計 4,646(41.2歳 12.0年)男 3,725(42.5歳 12.9年)女 921(36.3歳 8.5年)【離職率と離職者数】6.0%、299名【3年後新卒定着率】69.6%(男70.4%、女67.3%、3年前入社:男159名・女55名)【組合】なし

[求める人材] <営業職>情熱とスピード感を持って、何にでもポジティブに挑める人<業務職>何事も素直に学び、自分自身を磨くことを怠らない人<技術営業職>あらゆることに好奇心を持って、新しいことも粘り強く実現する人<事務職>チームワークを重んじ、細かな気配りで周囲に良い影響を与えられる人

[会社データ] (金額は百万円)

【本社】103-0027 東京都中央区日本橋3-12-2 朝日ビルヂング7階
☎03-6854-1411 https://www.aktio.co.jp/
【社長】小沼 直人【設立】1967.1【資本金】500【今後力を入れる事業】建設領域以外への進出 海外部門 ICT関連事業

【業績(連結)】	売上高	営業利益	経常利益	純利益
21.12	305,358	NA	20,882	NA
22.12	323,888	NA	22,648	NA
23.12	340,859	NA	24,690	NA

㈱カナモト

東京P 9678

【特色】札幌本拠に全国展開する建機レンタル大手

●エントリー情報と採用プロセス●

【受付開始～終了】[総]3月～継続中 [技]12月～継続中【採用プロセス】[総]Web説明会(必須)→Webテスト→個人面接(3回、3月～)→内々定(5月～) [技]会社見学・説明→Webテスト→個人面接(2回)→内々定※時期はエリアにより異なる【交通費支給】2次面接時以降、2次面接時:片道2,001円以上の実費、最終面接時:実費

試験情報

[重視科目] [総][技]面接

[総][筆]Webテスト(HR-Base)[面]3回(Webあり)[技][筆]Webテスト(HR-Base)[面]2回(Webあり)

[選考ポイント] [総][技][ES]提出なし[面]コミュニケーション(理解力 説明力)目標達成意欲 自主性

[通過率] [総][ES]—(応募:139)[技][ES]—(応募:6)

[倍率(応募/内定)] [総][技]2倍

●男女別採用数と配属先ほか●

【男女・文理別採用実績】

	大卒男	大卒女	修士男	修士女
23年	25(文 23 理 2)	1(文 1 理 0)	0(文 0 理 0)	0(文 0 理 0)
24年	30(文 29 理 1)	4(文 4 理 0)	0(文 0 理 0)	0(文 0 理 0)
25年	27(文 25 理 2)	4(文 4 理 0)	0(文 0 理 0)	0(文 0 理 0)

【25年4月入社者の採用実績校】[文](大)星槎道都大 仙台大 北海道科学大 北星学大各2 札幌学大 札幌国際大 札幌大 北翔大 ノースアジア大 東北学大 東北工大 尚絅学大 東京経大 茨城大 桐蔭横浜大 名城大 大阪学大 大阪経大 大阪商大 中京大 天理大各1(専)大原ビジネス公務員広島校1 [理](大)名城大 埼玉工大各1(専)秋田県立鷹巣技術 国際情報工科自動車大学校 新潟県立上越テクノスクール 広島工業大学各1

【24年4月入社者の配属先】[総]勤務地:北海道13 東京4 宮城3 香川2 千葉2 群馬1 埼玉1 三重1 神奈川1 静岡1 大阪1 富山1 福井1 部署:営業32 [技]勤務地:愛知1 部署:技術1

修士・大卒採用数	3年後離職率	有休取得年平均	平均年収(平均42歳)
31名	38.0→38.8%	9.6日	[総]542万円

[残業(月)] 22.5時間 [総]22.5時間

[記者評価] 建設機械レンタルで最大級。本社所在の北海道から全国展開し、国内の営業基盤を拡充中。ICT工法を取り入れたレンタル資産の購入も進めている。国内外でM&Aを推進。北海道の半導体工場や鹿児島県・馬毛島の防衛案件など、国策プロジェクトの受注が増えている。

●給与、ボーナス、週休、有休ほか●

【30歳総合職平均年収】423万円【初任給】(修士)224,000円(大卒)220,000円【ボーナス(年)】116万円、4.6カ月【25、30、35歳賃金】205,827円→278,300円→319,351円【週休】1～2日(土日祝※4週8休)【夏期休暇】4日【年末年始休暇】9日【有休取得】9.6/20日

●従業員数、勤続年数、離職率ほか●

【男女別従業員数、平均年齢、平均勤続年数】計 1,999(40.1歳 12.9年)男 1,573(40.5歳 13.5年)女 426(38.3歳 10.9年)【離職率と離職者数】4.9%、104名【3年後新卒定着率】61.2%(男61.8%、女55.6%、3年前入社:男76名・女9名)【組合】なし

[求める人材] 達成意欲を持って自主的に行動し、チームワークを発揮出来る人

[会社データ] (金額は百万円)

【本社】060-0041 北海道札幌市中央区大通東3-1-19
☎011-209-1600 https://www.kanamoto.co.jp/
【社長】金本 哲男【設立】1964.10【資本金】17,829【今後力を入れる事業】国内営業基盤の拡充 海外展開 内部OP最適化

【業績(連結)】	売上高	営業利益	経常利益	純利益
21.10	189,416	14,624	15,391	8,907
22.10	188,028	13,229	13,780	8,345
23.10	197,481	11,958	12,488	6,721

西尾レントオール(株)

にしお

[持株会社傘下]

【特色】総合レンタル業の草分け。建機ではシェア上位

修士・大卒採用数	3年後離職率	有休取得年平均	平均年収(平均36歳)
31名	33.0→31.2%	8.2日	[総]524万円

残業(月) 29.5時間 [総]29.5時間

記者評価 関西発祥、全国で展開する総合レンタル会社。積極的なM&Aで営業地域を拡大し、柱の建機レンタルでは業界上位。イベント向け仮設材なども。海外はアジア・オセアニアに展開。25年開催の大阪・関西万博向けの需要取り込み狙う。23年4月に持株会社体制に移行。

●エントリー情報と採用プロセス●

【受付開始～終了】[総][技]3月～継続中【採用プロセス】[総]説明会(必須、3月～)→ES提出・筆記・性格診断→面接(2～3回)→内々定 [技]〈大学〉説明会(必須、3月～)→ES提出・筆記・性格診断→面接(2～3回)→内々定〈短・専等〉説明会(必須、3月～)→ES提出・面接(2～3回)・性格診断→内々定【交通費支給】最終選考、遠方者のみ全額【早期選考】⇒巻末

試験情報

重視科目 [総][技]面接）[総][技][ES]⇒巻末[筆]一般常識 計算・漢字・性格診断[面]2～3回(Webあり)

選考ポイント [総][技][ES]挑戦意欲があるか 何か一つ自信のあるものを持っているか 将来像を描けているか 前向きな取り組み姿勢か[面]志望動機 当社への興味度 やる気 本音で語ることができているか 素直か 前向きか

通過率 [総][ES]50%(受付:300→通過:150)[技][ES]50%(受付:20→通過:10) **倍率(応募/内定)** [総]9倍 [技]2倍

●男女別採用数と配属先ほか●

【男女・文理別採用実績】

	大卒男	大卒女	修士男	修士女
23年	63(文 59 理 4)	10(文 9 理 1)	0(文 0 理 0)	0(文 0 理 0)
24年	61(文 60 理 1)	15(文 15 理 0)	0(文 0 理 0)	0(文 0 理 0)
25年	25(文 25 理 0)	6(文 6 理 0)	0(文 0 理 0)	0(文 0 理 0)

【25年4月入社者の採用実績校】[文](大)東京国際大 東洋学大 大阪学大 追手門学大 広島経大 千葉商大各2 東北工大 東京農業大 東洋大 駿河台大 国士舘大 国際武道大 敬愛大 上武大 明海大 愛知学大 名古屋産大 摂南大 大阪産大 四天王寺大 桃山学大 関西国際大 安田女大 広島修道大 高知工科大各1(専)大原学園3 日本工学院1 [理](短)高山自1(専)仙台高等技術 広島国際学院自動車整備大学校各2 中央自動車大学校 阪和鳳自動車工業各1

【24年4月入社者の配属先】[総]勤務地:北海道1 宮城3 福島1 栃木2 茨城1 埼玉3 東京17 千葉8 神奈川3 群馬1 愛知2 大阪12 奈良1 和歌山1 京都1 兵庫3 香川7 岡山5 広島2 山口1 部署:営業58 事務15 本社2 [技]勤務地:宮城2 茨城1 埼玉1 東京5 神奈川1 愛知3 大阪4 香川3 岡山1 部署:各地21

●給与、ボーナス、週休、有休ほか●

【30歳総合職平均年収】450万円【初任給】(大卒)228,400円【ボーナス(年)】132万円、4.7カ月【25、30、35歳賃金】207,134円→262,923円→285,610円【週休】完全2日(土日祝)【夏期休暇】連続5日【年末年始休暇】連続7日【有休取得】8.2／20日

●従業員数、勤続年数、離職率ほか●

【男女別従業員数、平均年齢、平均勤続年数】計 2,706(38.8歳 11.6年) 男 2,176(39.5歳 12.6年) 女 530(35.6歳 7.7年)【離職率と離職者数】7.7%、226名【3年後新卒定着率】68.8%(男68.2%、女72.2%、3年前入社:男107名・女18名)【組合】なし

求める人材 何事に対しても前向きに挑戦し確実に目標に到達しようとする人 何か1つ、誰にも負けないものを持っている人

会社データ　(金額は百万円)

【本社】542-0083 大阪府大阪市中央区東心斎橋1-11-17
☎06-6251-0070　https://www.nishio-rent.co.jp/
【社長】西尾 公志【設立】1959.10【資本金】300【今後力を入れる事業】ロジスティックス・イノベーション 仮設のチカラ 他

【業績(連結)】	売上高	営業利益	経常利益	純利益
21.9	161,756	13,714	13,450	8,829
22.9	170,634	14,884	14,301	9,339
23.9	185,660	16,337	15,679	10,286

※業積はニシオホールディングス(株)のもの

ジェコス(株)

[東京P 9991]

【特色】JFE系。仮設鋼材リース最大手。工事も実績

修士・大卒採用数	3年後離職率	有休取得年平均	平均年収(平均42歳)
17名	NA	13.2日	740万円

残業(月) 29.2時間

記者評価 母体は1968年設立の山本建材リース。90年に旧川崎製鉄(現JFE)系の川商建材リースとの合併を経て現社名に。仮設鋼材リース最大手で、山留工事(仮設工事)に必要な全資材を提供。建機レンタルも強い。25年入社者から大卒総合職初任給を24万円に引き上げ。

●エントリー情報と採用プロセス●

【受付開始～終了】[総][技]10月～継続中【採用プロセス】[総][技]説明会(必須)→ES提出→Webテスト・面接(2～3回)→最終面接→内々定【交通費支給】最終面接、一律2,000円(茨城、栃木、群馬、山梨は一律5,000円)その他遠方者は全額【早期選考】⇒巻末

試験情報

重視科目 [総][技]面接
[総][技][ES]⇒巻末[筆]Web(自宅受験)・CUBIC[面]3～4回(Webあり)[GD作]NA

選考ポイント [総][技][面]コミュニケーション 人間性

通過率 [総][技][ES]選考なし(受付:NA)

倍率(応募/内定) [総][技]NA

●男女別採用数と配属先ほか●

【男女・文理別採用実績】

	大卒男	大卒女	修士男	修士女
23年	22(文 6 理 16)	13(文 9 理 4)	1(文 0 理 1)	0(文 0 理 0)
24年	7(文 4 理 3)	6(文 5 理 1)	0(文 0 理 0)	0(文 0 理 0)
25年	14(文 6 理 8)	3(文 3 理 0)	0(文 0 理 0)	0(文 0 理 0)

【25年4月入社者の採用実績校】
[文](大)大阪経大 関大 京産大 共立女大 専大 二松学舎大 日大各1 [理](大)東洋大4 広島工大3 関大1(高専)石川1

【24年4月入社者の配属先】
[総]勤務地:東京・飯田橋8 大阪2 部署:工事7 営業3 [技]勤務地:東京・飯田橋2 部署:技術2

●給与、ボーナス、週休、有休ほか●

【30歳総合職平均年収】NA【初任給】(修士)255,000円(大卒)235,000円【ボーナス(年)】NA【25、30、35歳賃金】NA【週休】完全2日(土日祝)【夏期休暇】会社指定休日2日+会社指定年休消化【年末年始休暇】会社指定休日【有休取得】13.2／20日

●従業員数、勤続年数、離職率ほか●

【男女別従業員数、平均年齢、平均勤続年数】計 766(42.1歳 16.7年) 男 545(43.3歳 17.4年) 女 221(39.3歳 15.0年)【離職率と離職者数】NA【3年後新卒定着率】NA【組合】なし

求める人材 挑戦できる人 最後までやり遂げる人 自ら考え、自ら語り、自ら行動する人

会社データ　(金額は百万円)

【本社】112-0004 東京都文京区後楽2-5-1 住友不動産飯田橋ファーストビル
☎03-6699-7401　https://www.gecoss.co.jp/
【社長】野房 喜幸【設立】1968.6【資本金】4,398【今後力を入れる事業】加工・橋梁事業 インフラ事業 海外事業

【業績(連結)】	売上高	営業利益	経常利益	純利益
22.3	113,997	4,705	5,238	3,326
23.3	120,521	4,503	4,903	3,428
24.3	128,194	6,244	6,602	4,414

サコス(株)

株式公開 計画なし

【特色】建機レンタル中堅。西尾レントオール傘下

修士・大卒採用数	3年後離職率	有休取得年平均	平均年収(平均42歳)
29名	47.8 → 25.0%	11.0日	(総)539万円

●エントリー情報と採用プロセス●

【受付開始～終了】(総)(技)3月～継続中【採用プロセス】(総)(技)説明会・ES提出・適性検査(3月上旬)→1次面接(3月下旬)→2次面接・一般常識(4月上旬)→最終面接(4月下旬)→内々定(4月下旬)【交通費支給】2次面接以降、新幹線・特急利用分全額【早期選考】⇒巻末

試験情報

重視科目 (総)(技)面接

(総)(技)(ES)⇒巻末(筆)一般常識 CUBIC(面)3回(Webあり)

選考ポイント (総)(技)(ES)これまでの経験と学んだ事を今後どう活かすか 仕事への意欲や意志を論理的に伝えているか(面)人柄(前向きさ・粘り強さ・素直さ)傾聴力 仕事・企業理解

通過率 (総)(ES)選考なし(受付:322) (技)(ES)選考なし(受付:21)

倍率(応募/内定) (総)27倍 (技)11倍

●男女別採用数と配属先ほか●

【男女・文理別採用実績】

	大卒男	大卒女	修士男	修士女
23年	12(文 12理 0)	3(文 3理 0)	0(文 0理 0)	0(文 0理 0)
24年	18(文 16理 2)	5(文 5理 0)	0(文 0理 0)	0(文 0理 0)
25年	22(文 20理 2)	7(文 7理 0)	0(文 0理 0)	0(文 0理 0)

【25年4月入社者の採用実績校】(文)(24年)(大)関東学院大 桜美林大 明学大各2 麗澤大 千葉商大 亜大 目白大 国際武道大 帝京大 清泉女大 国士舘大 関大 大阪経法大 帝塚山大 大谷大 京都ノートルダム女大 高知大 産能大各1 (理)(24年)(大)東海大 新潟大各1

【24年4月入社者の配属先】
(総)勤務地:東京6 神奈川1 千葉4 愛知1 大阪5 部署:営業11 フロント業務6 (技)勤務地:東京2 千葉3 大阪1 部署:技術6

残業(月) 16.0時間 (総)16.0時間

記者評価 3大都市圏軸に建機レンタルを展開。鉄道関連や都市土木工事向けに強み。防音パネルや集塵機など独自開発品で差別化。入退場や資機材の管理システムや、中古建機の買取・ネットオークションも展開。親会社・西尾レントオールによるTOB成立し22年7月上場廃止。

●給与、ボーナス、週休、有休ほか●

【30歳総合職平均年収】521万円【初任給】(修士)230,700円(大卒)218,000円【ボーナス(年)】108万円、5.2カ月【25、30、35歳賃金】246,737円→282,752円→352,756円【週休】完全2日(土日祝)【夏期休暇】連続3日【年末年始休暇】連続5日【有休取得】11.0／20日

●従業員数、勤続年数、離職率ほか●

【男女別従業員数、平均年齢、平均勤続年数】計 ◇473(41.6歳 15.5年) 男 377(42.7歳 16.4年) 女 96(37.0歳 11.5年)【離職率と離職者数】◇9.0%、47名【3年後新卒定着率】75.0%(男84.2%、女61.5%、3年前入社:男19名・女13名)【組合】なし

求める人材 主体的に取り組み、課題に対し工夫して実行できる人 粘り強く着実に成長できる人

会社データ (金額は百万円)

【本社】141-0022 東京都品川区東五反田4-5-3
☎03-3443-3271 https://www.sacos.co.jp/
【社長】瀬尾 伸一【設立】1967.9【資本金】1,167【今後力を入れる事業】建機レンタル事業

【業績(連結)】	売上高	営業利益	経常利益	純利益
21.9	17,857	1,535	1,398	933
22.9	16,452	929	843	564
23.9	18,283	1,333	1,485	1,060

三菱電機エンジニアリング(株)

みつびしでんき

株式公開 計画なし

【特色】三菱電機子会社。同社製品の開発・設計が主業務

修士・大卒採用数	3年後離職率	有休取得年平均	平均年収(平均41歳)
173名	7.3 → 6.0%	18.5日	(総)765万円

●エントリー情報と採用プロセス●

【受付開始～終了】(総)(技)1月～継続中【採用プロセス】(総)(技)説明会(必須、Webも可、1月～)→ES提出(1月～)→適性検査(1月～)→面接(2回)→内々定(2月～)【交通費支給】面接、1次面接:片道1,000円以上の実費、最終面接:実費ベースの会社基準

試験情報

重視科目 (総)(技)面接

(総)(技)(ES)⇒巻末(筆)SPI3(自宅)(面)2回(Webあり)

選考ポイント (総)(技)(ES)NA(提出あり)(面)コミュニケーション能力 積極性 論理性

通過率 (総)(技)(ES)NA 倍率(応募/内定) (総)(技)NA

●男女別採用数と配属先ほか●

【男女・文理別採用実績】※25年:継続中

	大卒男	大卒女	修士男	修士女
23年	78(文 9理 69)	12(文 6理 6)	33(文 0理 33)	3(文 0理 3)
24年	96(文 6理 90)	27(文 14理 13)	38(文 0理 38)	3(文 0理 3)
25年	104(文 5理 99)	17(文 9理 8)	50(文 1理 49)	2(文 0理 2)

【25年4月入社者の採用実績校】(文)(24年)(大)駒澤大 専大各2 同大 近大 武蔵大 立命館大 中大 松山大 同女大 成城大 西南学大 北九州市大 青学大 関西学大 摂南大 大阪芸大 東京女大 福岡女大各1 (理)(24年)(院)岡山県大4 山形大 和歌山大 近大各3 大分大 大阪工大 日大 佐賀大 秋田県大各2 北見工大 徳島大 都立大 関大 兵庫県大 室蘭工大 岡山理大 宮崎大 東北大 愛知工業大 工学院大 岡山大 豊橋技科大 金沢工大 名古屋市大 中大 中部大 成蹊大各1(大)近大 大阪工大各11 中部大10 愛知工業大7 日大6 同大 関大 名城大各3 福井大 岩手県大 大和大 工学院大 富山県大 広島大 秋田県大 立命館大各2 関東職能大学校 富山大 滋賀県大 福岡大 鹿児島大 鳥取大 芝工大 宮崎大 金沢大 山梨大 秋田大 中京大 静岡理工科大 長崎大 東京工科大 名工大 九州工大 兵庫県大 佐賀大 豊橋技科大 福井工大 会津大 大分大 四国職能大学校 広島工大 北見工大 大阪電通大 大同大 龍谷大 岡山県大 和歌山大 愛知県大 大阪市大各1(高専)香川 有明各4 舞鶴 岐阜 和歌山 久留米各2 他

【24年4月入社者の配属先】(総)勤務地:東京5 兵庫3 愛知2 静岡2 長崎2 神奈川・鎌倉1 岐阜1 和歌山1 広島1 部署:人事・総務5 経理5 資材5 営業3 (技)勤務地:東京10 愛知44 兵庫37 神奈川24 和歌山15 静岡8 香川7 長崎6 京都6 広島5 岐阜5 大阪4 福島1 福岡1 部署:開発・設計173

残業(月) 22.4時間 (総)22.4時間

記者評価 三菱電機傘下で同社製品の開発・設計を担う。電子機器設計などの外部受託も手がける。自社ブランドでFAシステムやタッチパネルモニター、電子冷蔵庫なども展開。ワイヤレス電力伝送装置向け高周波電源技術に高評価。国内各地に30拠点を展開。

●給与、ボーナス、週休、有休ほか●

【30歳総合職平均年収】NA【初任給】(修士)280,000円(大卒)255,000円【ボーナス(年)】NA、6.3カ月【25、30、35歳賃金】NA【週休】完全2日(土日)【夏期休暇】5日(有休3日含む)【年末年始休暇】4日(有休1日含む)【有休取得】18.5／25日

●従業員数、勤続年数、離職率ほか●

【男女別従業員数、平均年齢、平均勤続年数】計 5,496(41.3歳 17.3年) 男 4,880(41.4歳 17.4年) 女 616(40.0歳 16.7年)【離職率と離職者数】2.2%、124名【3年後新卒定着率】94.0%(男94.2%、女93.5%、3年前入社:男103名・女31名)【組合】あり

求める人材 自ら考え、周囲とコミュニケーションを取って行動する人 技術力の向上を目指し、常に学ぶ姿勢がある人

会社データ (金額は百万円)

【本社】102-0073 東京都千代田区九段北1-13-5 ヒューリック九段ビル
☎03-3288-1550 https://www.mee.co.jp/
【社長】齊藤 譲【設立】1962.2【資本金】1,000【今後力を入れる事業】電子機器の開発・設計受託事業

【業績(単独)】	売上高	営業利益	経常利益	純利益
22.3	107,682	6,950	7,068	4,809
23.3	113,461	8,716	8,830	6,000
24.3	115,918	9,592	9,785	6,648

日本空調サービス(株)
にっぽんくうちょう

東京P 4658

【特色】空調設備などのメンテが主力で、医療系に強い

修士・大卒採用数	3年後離職率	有休取得年平均	平均年収(平均40歳)
45名	26.5→28.0%	11.5日	総626万円

●エントリー情報と採用プロセス●

【受付開始～終了】総技3月～継続中【採用プロセス】総技説明会(必須、3月～)→書類選考(ES)・適性検査(SPI)→支店面接→役員面接→内々定【交通費支給】対面面接、一律2,000円+新幹線・飛行機実費(遠方者のみ)【早期選考】⇒巻末

試験情報

重視科目 総技面接

総技 ES⇒巻末 筆SPI3(自宅) 面2回(Webあり)

選考ポイント 総技 ES志望意欲 面求める人物像とのマッチング

通過率 総 ES73%(受付:52→通過:38) 技 ES NA(受付:96→通過:NA)

倍率(応募/内定) 総10倍 技2倍

●男女別採用数と配属先ほか

【男女・文理別採用実績】

	大卒男	大卒女	修士男	修士女
23年	34(文 16理 18)	6(文 3理 3)	2(文 0理 2)	0(文 0理 0)
24年	36(文 24理 12)	3(文 2理 1)	1(文 0理 1)	1(文 0理 1)
25年	35(文 21理 14)	9(文 6理 3)	1(文 0理 1)	0(文 0理 0)

【25年4月入社者の採用実績校】文(大)東洋大 創価大 大阪商大 長崎県大各2 北海道教育大 札幌大 東北工大 関東学院大 新潟産大 駒澤大 中部大 愛知淑徳大 愛知学大 椙山女学大 立命館大 京都橘大 近大 大阪大谷大 大阪芸大 大阪経法大 神戸学大 広島修道大 香川大各1 理(院)静岡大1(大)九産大4 近大3 岐阜大 長浜バイオ大各2 足利大 東京工科大 名城大 福山大 公立鳥取環境大 帝京科学大各1(専)川口高等技術専門校1

【24年4月入社者の配属先】総**勤務地**:名古屋3 **部署**:環境管理部1 経営企画部2 技**勤務地**:札幌1 茨城・つくば2 東京(江東5 板橋1)埼玉(上尾1 さいたま1)群馬・太田1 横浜2 浜松1 愛知(岡崎1 春日井1 刈谷1 名古屋2)岐阜・高山1 三重(津1 四日市1)滋賀・守山1 奈良・大淀1 大阪(箕面2 東大阪1 吹田2 堺1)神戸1 山口(岩国1 宇部1)香川・高松1 福岡(福岡2 北九州1)佐賀・鳥栖2 **部署**:北海道支店1 筑波支店2 東京支店7 FM管理部2 横浜支店2 静岡支店1 名古屋支店5 岐阜支店1 三重支店2 大阪支店9 中四国支店3 九州支店5

残業(月) 15.9時間 総15.9時間

記者評価 空調設備メンテでスタート。電気、給排水、衛生関連など建物の設備システム全般に事業領域を拡大。病院、研究施設、工場などに強く、大規模病院の国内シェアは10%超。海外は中国・アジアに展開。技術者育成強化へ技術研修センターを建設中、25年度稼働予定。

●給与、ボーナス、週休、有休ほか●

【30歳総合職平均年収】NA【初任給】(修士)233,500～258,500円(大卒)228,500～253,500円【ボーナス(年)】NA、5.0カ月【25、30、35歳賃金】NA【週休】完全2日(土日祝)【夏期休暇】8月13～15日(有休計画付与)【年末年始休暇】12月30日～1月3日【有休取得】11.5／20日

●従業員数、勤続年数、離職率ほか●

【男女別従業員数、平均年齢、平均勤続年数】計◇1,446(40.2歳 14.5年) 男 1,291(40.0歳 14.7年) 女 155(41.8歳 12.7年)【離職率と離職者数】◇4.9%、74名【3年後新卒定着率】72.0%(男74.6%、女25.0%、3年前入社:男71名・女4名)【組合】なし

求める人材 諦めることなく前向きに取り組む人 チャレンジ精神旺盛で向上心がある人

会社データ (金額は百万円)

【本社】465-0042 愛知県名古屋市名東区照が丘239-2
☎052-773-2511 https://www.nikku.co.jp/
【社長】依藤 敏明【設立】1964.4【資本金】1,139【今後力を入れる事業】本業

【業績(連結)】	売上高	営業利益	経常利益	純利益
22.3	49,886	2,617	2,801	2,821
23.3	52,886	2,847	3,051	1,940
24.3	58,232	3,630	3,863	2,725

(株)マイスターエンジニアリング

株式公開していない

【特色】技術者派遣とビル、ホテルなどの施設メンテが柱

修士・大卒採用数	3年後離職率	有休取得年平均	平均年収(平均34歳)
60名	NA	10.8日	NA

●エントリー情報と採用プロセス●

【受付開始～終了】総技3月～継続中【採用プロセス】総技説明会(必須、3月)→Web適性・面接(2回、6月)→内々定(6月)【交通費支給】面接以降、実費【早期選考】⇒巻末

試験情報

重視科目 総技面接

総 ES⇒巻末 筆SPI3(自宅) 面2回(Webあり) 技 ES⇒巻末 筆SPI3(自宅) eF-1G 面2回(Webあり)

選考ポイント 総技 ES提出なし 面好感の持てる印象や話し方か 傾聴力や論理的思考があるか 実行力や主体性はあるか

通過率 総 ES—(応募:285) 技 ES—(応募:776)

倍率(応募/内定) 総技NA

●男女別採用数と配属先ほか●

【男女・文理別採用実績】※25年:110名採用予定

	大卒男	大卒女	修士男	修士女
23年	59(文 19理 40)	15(文 9理 6)	1(文 0理 1)	0(文 0理 0)
24年	69(文 18理 51)	13(文 9理 4)	4(文 0理 4)	0(文 0理 0)
25年	54(文 10理 44)	5(文 3理 2)	1(文 0理 1)	0(文 0理 0)

【25年4月入社者の採用実績校】文(24年)(大)大阪商大 常磐大 中大各2 愛知学大 亜大 桜美林大 大阪市大 追手門学大 学習院女大 国士舘大 高千穂大 帝京大 帝塚山大 東京国際大 東北学大 東北福祉大 長崎大 福知山公大 法政大 北海道科学大 宮崎大 山口大 立命館大 和歌山大各1(短)京都経済1 理(24年)(院)埼玉大 東北大 北陸先端科技院大 龍谷大各1(大)大阪工大 大阪電通大各4 神奈川工大 東北職能大学校 北海道職能大学校各3 国士舘大 摂南大 千葉工大 東京国際工科専門職大 日工大 広島工大各2 鹿児島大 金沢工大 関大 京産大 群馬大 工学院大 高知工科大 埼玉工大 滋賀県大 常磐大 玉川大 中大 中部大 東京電機大 東北工大 東洋大 富山県大 日大 広島国際大 福岡工大 北海学園大 前橋工大 宮崎大 明星大 琉球大 和歌山大各1(短)神奈川産技3 福岡工大2 浜松職能1(高専)釧路 宇部 阿南 八戸各1(専)大阪情報コンピュータ KCS北九州情報 東北電子各2 他

【24年4月入社者の配属先】総**勤務地**:東京・丸の内5 **部署**:人事1 採用1 総務1 経理2 技**勤務地**:東京25 大阪15 滋賀14 愛知14 兵庫10 京都6 大分4 千葉3 広島3 神奈川2 他12 **部署**:メカトロ97 ファシリティ11

残業(月) 13.5時間 総13.5時間

記者評価 半導体製造装置や自動車向けが主力の技術者派遣と、ビル・ホテルなどの設備管理・運営が軸。子会社でコンテンツ関連も。技術力が高い企業をM&Aで取り込む「技術サービス連邦」を標榜。技術習得の研修や支援制度が充実。23年12月東京駅直結のビルに本社移転。

●給与、ボーナス、週休、有休ほか●

【30歳総合職平均年収】NA【初任給】(修士)220,000円(大卒)205,000円【ボーナス(年)】NA【25、30、35歳賃金】NA【週休】完全2日(事業所により異なる)(土日祝)【夏期休暇】4日【年末年始休暇】3日【有休取得】10.8／20日

●従業員数、勤続年数、離職率ほか●

【男女別従業員数、平均年齢、平均勤続年数】計 1,375(34.0歳 8.2年) 男 1,264(35.0歳 8.4年) 女 111(32.0歳 5.5年)【離職率と離職者数】NA【3年後新卒定着率】NA【組合】なし

求める人材 自ら考え行動する人 コミュニケーションを大切にする人 つねに向上心を持っている人

会社データ (金額は百万円)

【本社】100-0005 東京都千代田区丸の内1-7-12 サピアタワー 15階
☎03-6756-0311 https://www.mystar.co.jp/
【社長】平野 大介【設立】1974.6【資本金】1,630【今後力を入れる事業】産業・社会インフラ技術(重電分野等)

【業績(連結)】	売上高	営業利益	経常利益	純利益
22.3	20,965	NA	NA	NA
23.3	28,904	NA	NA	NA
24.3	31,151	NA	NA	NA

▶『業界地図』p.292,298 開示 ★★★

(株)ダスキン

東京P 4665

【特色】清掃用具レンタル大手。ミスタードーナツを展開

修士・大卒採用数	3年後離職率	有休取得年平均	平均年収(平均46歳)
42名	4.4 → 19.6%	12.0日	[総]733万円

●エントリー情報と採用プロセス●

【受付開始〜終了】[総]3月〜継続中【採用プロセス】[総]説明会・ES提出(3月)→SPI3→面接(2回、4月中旬)→最終面接(5月)→内々定(6月)【交通費支給】最終選考、実費【早期選考】⇒巻末

試験情報

重視科目 [総]NA

[総][ES]NA [筆]SPI3 [面]3回(Webあり) [GD作]NA

選考ポイント [総][ES]NA(提出あり) [面]本人の意欲 求めるコンピテンシー

通過率 [総][ES]98%(受付:(早期選考含む)117→通過:(早期選考含む)115)

倍率(応募/内定) [総](早期選考含む)3倍

●男女別採用数と配属先ほか●

【男女・文理別採用実績】

	大卒男	大卒女	修士男	修士女
23年	22(文 22 理 0)	11(文 11 理 0)	0(文 0 理 0)	1(文 0 理 1)
24年	26(文 21 理 5)	8(文 7 理 1)	1(文 0 理 1)	1(文 0 理 1)
25年	24(文 21 理 3)	18(文 17 理 1)	0(文 0 理 0)	0(文 0 理 0)

【25年4月入社者の採用実績校】

[文]NA [理]NA

【24年4月入社者の配属先】

[総]勤務地:東京16 大阪10 神戸6 部署:営業24 食品8 [技]勤務地:大阪3 神奈川1 部署:化学3 生産1

残業(月) 6.5時間

記者評価 モップ・清掃用具のレンタル(訪販事業)と「ミスタードーナツ」や「ナポリの食卓」など飲食店(フード事業)をFC展開。衛生・ワークライフマネジメント・高齢者サポートの3領域に注力。23年に保育大手のJPホールディングスを持分法適用会社に。

●給与、ボーナス、週休、有休ほか●

【30歳総合職平均年収】557万円【初任給】(博士)245,600円 (修士)245,600円 (大卒)233,600円【ボーナス(年)】227万円、7.4カ月【25、30、35歳賃金】247,630円→269,248円→304,877円【週休】完全2日(土日祝)※事業によりシフト制あり【夏期休暇】連続3日【年末年始休暇】12月30日〜1月4日【有休取得】12.0/20日

●従業員数、勤続年数、離職率ほか●

【男女別従業員数、平均年齢、平均勤続年数】計 1,988(46.2歳 15.6年) 男 1,207(47.9歳 18.3年) 女 781(43.4歳 11.4年) ※受入出向者含む【離職率と離職者数】5.2%、109名(早期退職男7名、女5名含む)【3年後新卒定着率】80.4%(男86.4%、女75.0%、3年前入社:男22名・女24名)【組合】あり

求める人材 自ら考え、自ら行動できる人

会社データ (金額は百万円)

【本社】564-0051 大阪府吹田市豊津町1-33
☎06-6387-3411 https://www.duskin.co.jp/
【社長】大久保 裕行【設立】1963.2【資本金】11,352【今後力を入れる事業】NA

【業績(連結)】	売上高	営業利益	経常利益	純利益
22.3	163,210	9,899	12,215	8,132
23.3	170,494	8,637	11,375	7,196
24.3	178,782	5,084	7,863	4,574

(株)白洋舎（はくようしゃ）

東京S 9731

【特色】個人向けクリーニングの最大手。ホテル向けも

修士・大卒採用数	3年後離職率	有休取得年平均	平均年収(平均47歳)
28名	36.0 → 31.3%	11.4日	[総]614万円

●エントリー情報と採用プロセス●

【受付開始〜終了】[総][技]3月〜継続中【採用プロセス】[総][技]説明会(必須)→適性試験・1次面接→2次面接→最終面接→内々定【交通費支給】〈総合職〉最終面接、本社から遠方(主に一都三県以外)の場合全額【早期選考】⇒巻末

試験情報

重視科目 [総][技]面接

[総][技][筆]適性検査 [面]3回(Webあり)

選考ポイント [総][技][ES]提出なし [面]主体性 コミュニケーションスキル チャレンジ精神 協調性 責任感 一般常識(マナー、身だしなみ)

通過率 [総][ES]—(応募:28) [技][ES]—(応募:0)

倍率(応募/内定) [総]3倍 [技]—

●男女別採用数と配属先ほか●

【男女・文理別採用実績】

	大卒男	大卒女	修士男	修士女
23年	0(文 0 理 0)	0(文 0 理 0)	0(文 0 理 0)	0(文 0 理 0)
24年	3(文 3 理 0)	12(文 12 理 0)	0(文 0 理 0)	0(文 0 理 0)
25年	14(文 14 理 0)	14(文 14 理 0)	0(文 0 理 0)	0(文 0 理 0)

【25年4月入社者の採用実績校】

[文](24年)(大)立正大 川村学女大 文化学園大各1 [理](24年)なし

【24年4月入社者の配属先】

[総]勤務地:東京1 神奈川2 部署:営業3 [技]勤務地:なし 部署:なし

残業(月) 23.1時間 [総]24.4時間

記者評価 日本で初めてドライクリーニングを実用化。戸別訪問集配に特色。全国に直営・FC店舗網。ホテル向けリネンサプライや食品工場向けなどユニフォームのレンタルも。事業環境変化を受け、不採算店舗閉鎖やネット宅配開始など構造改革。古着買取サービスも開始。

●給与、ボーナス、週休、有休ほか●

【30歳総合職平均年収】453万円【初任給】(大卒)231,000円【ボーナス(年)】NA【25、30、35歳賃金】214,642円→236,825円→249,877円【週休】年120日【夏期休暇】有休で取得【年末年始休暇】有休で取得【有休取得】11.4/20日

●従業員数、勤続年数、離職率ほか●

【男女別従業員数、平均年齢、平均勤続年数】計 ◇1,329(42.4歳 14.8年) 男 970(44.5歳 17.1年) 女 359(35.9歳 9.9年)【離職率と離職者数】◇7.6%、109名【3年後新卒定着率】68.8%(男100%、女61.5%、3年前入社:男3名・女13名)【組合】なし

求める人材 白洋舎の企業理念に共感し、経営ビジョンの実践に努めることが出来る人材

会社データ (金額は百万円)

【本社】146-0092 東京都大田区下丸子2-11-8
☎03-5732-5111 https://www.hakuyosha.co.jp/
【社長】五十嵐 瑛一【設立】1920.5【資本金】2,410【今後力を入れる事業】クリーニング事業 リネンサプライ事業 ユニフォームレンタル事業

【業績(連結)】	売上高	営業利益	経常利益	純利益
21.12	35,131	▲2,907	▲2,179	▲1,249
22.12	39,180	665	1,357	1,688
23.12	43,272	1,815	2,149	1,945

▶『業界地図』p.298 開示 ★★★★

㈱トーカイ

東京P 9729

【特色】病院や介護関連の用品レンタルが主力。岐阜本社

修士・大卒採用数	3年後離職率	有休取得年平均	平均年収(平均40歳)
42名	24.3→24.0%	10.9日	[総]540万円

●エントリー情報と採用プロセス●

【受付開始～終了】[総][技]3月～継続中【採用プロセス】[総]説明会(必須)→ES提出・Webテスト→GD→1次面接→最終面接→人事面談→内々定 [技]説明会(必須)→ES提出・Webテスト→最終面接→人事面談→内々定【交通費支給】最終面接以降、会社規定【早期選考】⇒巻末

試験情報

重視科目 [総][技]面接

[総] [ES]⇒巻末 [筆]玉手箱 [面]2回(Webあり) [GD作]⇒巻末

[技] [ES]⇒巻末 [筆]玉手箱 [面]1回(Webあり)

選考ポイント [総][技] [ES]設問に対し、要点をまとめて書かれているか [面]協調性 積極性 傾聴力 発想力 マナー 入社意欲

通過率 [総] [ES]96%(受付:(早期選考含む)220→通過:(早期選考含む)211) [技] [ES]100%(受付:3→通過:3)

倍率(応募/内定) [総](早期選考含む)5倍 [技]3倍

●男女別採用数と配属先ほか●

【男女・文理別採用実績】

	大卒男	大卒女	修士男	修士女
23年	26(文 25 理 1)	19(文 19 理 0)	0(文 0 理 0)	0(文 0 理 0)
24年	19(文 19 理 0)	23(文 23 理 0)	0(文 0 理 0)	0(文 0 理 0)
25年	25(文 23 理 2)	17(文 17 理 0)	0(文 0 理 0)	0(文 0 理 0)

【25年4月入社者の採用実績校】[文](大)中京大4 中部大 松山大 日本福祉大 名古屋学院大各3 愛知学大 愛知大 名城大各2 淑徳大 愛知淑徳大 岐阜協大 近大 秀明大 順天堂大 椙山女学大 成蹊大 川崎医療福祉大 創価大 大阪成蹊大 大阪府大 追手門学大 東海学園大 東洋大 富山大 名古屋経大 佛教大各1 [理](大)中部大 金沢工大各1

【24年4月入社者の配属先】[総]勤務地:岐阜12 東京6 大阪6 愛知3 埼玉3 三重2 愛媛2 福岡2 千葉1 神奈川1 静岡1 兵庫1 香川1 高知1 部署:営業29 営業事務5 事務7 駐在1 [技]勤務地:なし 部署:なし

残業(月) 11.2時間 [総]11.2時間

[記者評価] 医療・介護の両分野に展開。医療関連は病院の寝具、ユニホームなどリネンサプライ、介護関連では特殊寝台や車椅子などの器具・用品のレンタル。「たんぽぽ薬局」を展開する調剤薬局が第2の柱。病院業務受託や給食等も。23年10月埼玉工場が稼働し関東を強化。

●給与、ボーナス、週休、有休ほか●

【30歳総合職平均年収】430万円【初任給】(修士)227,400～268,300円 (大卒)211,800～252,000円【ボーナス(年)】110万円、3.4カ月【25、30、35歳賃金】NA【週休】会社カレンダーによる【夏期休暇】計画有休により取得【年末年始休暇】12月31日～1月3日【有休取得】10.9／20日

●従業員数、勤続年数、離職率ほか●

【男女別従業員数、平均年齢、平均勤続年数】計 1,655(39.9歳 10.8年) 男 1,211(NA) 女 444(NA)【離職率と離職者数】3.9%、68名【3年後新卒定着率】76.0%(男82.5%、女50.0%、3年前入社:男40名・女10名)【組合】あり

[求める人材] 常識と責任感を持ち行動できる 相手の立場で物事を考え行動できる 仕事に対して主体的に考え行動できる

[会社データ] (金額は百万円)

【本社】500-8828 岐阜県岐阜市若宮町9-16
☎058-263-5111 https://www.tokai-corp.com/
【社長】浅井 利明【設立】1955.7【資本金】8,108【今後力を入れる事業】地域における医療と介護の連携を強化

【業績(連結)】	売上高	営業利益	経常利益	純利益
22.3	123,484	8,252	8,878	5,806
23.3	130,184	7,855	8,080	6,106
24.3	138,222	8,082	8,505	5,810

シミックグループ

株式公開していない

【特色】医薬品開発業務受託で国内先駆、業界首位級

修士・大卒採用数	3年後離職率	有休取得年平均	平均年収(平均39歳)
255名	NA	13.0日	[総]610万円

●エントリー情報と採用プロセス●

【受付開始～終了】[技]3月～継続中【採用プロセス】[技]ES提出・適性テスト(3月～)→面談(2回、3月～)→内々定(3月～)【交通費支給】最終面談、実費

試験情報

重視科目 [技]面談

[技] [ES]NA [筆]あり(内容NA) [面]2回(Webあり) [GD作]NA

選考ポイント [技] [ES]NA(提出あり) [面]NA

通過率 [技] [ES]NA　倍率(応募/内定) [技]NA

●男女別採用数と配属先ほか●

【男女・文理別採用実績】

	大卒男	大卒女	修士男	修士女
23年	16(文 3 理 13)	43(文 6 理 37)	33(文 1 理 32)	38(文 1 理 37)
24年	24(文 4 理 20)	104(文 27 理 77)	29(文 3 理 26)	45(文 4 理 41)
25年	25(文 2 理 23)	104(文 12 理 92)	35(文 1 理 34)	91(文 4 理 87)

【25年4月入社者の採用実績校】[文](院)筑波大 奈良女大各2 埼玉県大1(大)お茶女大 盛岡大各2 立教大 埼玉県大 文京学大 日大 福岡大 大妻女大 南山大 北海道教育大 東京農業大 関西学大各1 他 [理](院)東理大8 明治薬大 熊本大各6 東京薬大 広島大各5 九大 阪大 東北大 北大 大阪公大 北里大各4 名大 東京農工大 立命館大各3 東大 京大 東京科学大 千葉大 名古屋市大 横浜市大 筑波大 静岡大 山梨大 岩手大 中大 同大 関西学大 近大 東京農業大各2 弘前大 神戸大 徳島大 静岡理工科大 星薬大 茨城大 早大 富山大各1(大)明治薬大10 星薬大9 京都薬大 東京薬大 東邦大 近大各7 慶大 日大各5 名古屋市大 昭和大 東京農業大各3 北里大 神戸薬大 大阪医薬大 福岡大 名城大 武庫川女大各2 弘前大 群馬大 同大 岡山大 武蔵野大 昭和薬大 滋賀県大 新潟薬大 日本獣医生命科学大 神戸学大 姫路獨協大 神戸大 諏訪東理大 学習院大 国際医療福祉大 岩手県大 芝工大 静岡理工科大 徳島大 愛知学大 日女大 大阪市大 日本薬大各1 他

【24年4月入社者の配属先】[技]勤務地:北海道3 岩手3 栃木4 東京147 山梨2 静岡7 愛知2 富山1 大阪34 兵庫2 福岡3 部署:臨床開発モニター(CRA)110 データマネジメント(DM)15 統計解析(ST)8 ファーマコヴィジランス(PV)6 治験コーディネーター(CRC)／治験事務局担当者(SMA)40 DX事業本部1 非臨床事業部2 バイオアナリシス事業部2 CMC事業部3 製剤開発センター2 品質管理部10 設備管理部1 製造部2 人材開発部6

残業(月) 18.1時間

[記者評価] 新薬開発の治験支援で国内首位級。医薬品受託製造や長期収載品の承継事業を展開。顧客ニーズを顕在化し、ビジネスにつなげるソリューション営業を加速。日本進出狙う海外バイオベンチャーのコンサルにも注力。創業者中村会長によるMBO成立、24年3月上場廃止。

●給与、ボーナス、週休、有休ほか●

【30歳総合職平均年収】NA【初任給】(博士)270,000円 (修士)270,000円 (大卒)250,000円【ボーナス(年)】NA【25、30、35歳賃金】NA【週休】完全2日(土日祝)【夏期休暇】連続3日(リフレッシュ休暇)【年末年始休暇】12月29日～1月3日【有休取得】13.0／20日

●従業員数、勤続年数、離職率ほか●

【男女別従業員数、平均年齢、平均勤続年数】計 5,450(38.7歳 6.6年) 男 2,331(40.3歳 6.6年) 女 3,119(37.4歳 7.0年)【離職率と離職者数】NA【3年後新卒定着率】NA【組合】なし

[求める人材] 成長意欲、達成意欲、倫理観が高く、柔軟な発想ができる人材

[会社データ] (金額は百万円)

【本社】105-0023 東京都港区芝浦1-1-1
☎03-6779-8000 https://www.cmicgroup.com/
【代表取締役】中村 和男【設立】1985.3【資本金】3,087【今後力を入れる事業】国内外の総合的な医薬品支援業務

【業績(連結)】	売上高	営業利益	経常利益	純利益
21.9	85,788	4,920	5,091	2,023
22.9	108,461	11,845	13,450	8,387
23.9	104,701	10,267	10,022	7,152

※会社データはシミックホールディングス㈱のもの
※注記のないデータはシミックグループのもの

(株)コベルコ科研（かけん）

株式公開 していない

【特色】神戸製鋼所の完全子会社。試験研究業務を担う

修士・大卒採用数	3年後離職率	有休取得年平均	平均年収(平均43歳)
11名	0→16.7%	17.6日	(総)786万円

残業(月) 16.7時間 (総)16.7時間

記者評価 神戸製鋼所の分析・試験部門が分離独立して発足。材料や構造物などの試験から製品試作・製造まで広範な業務を担う。薄膜ターゲット材や、半導体ウエハ検査装置の製造も手がける。EV・電池プロジェクト推進。外販比率約7割。専門技術研修には90超の講座開設。

●エントリー情報と採用プロセス●

【受付開始～終了】(総)(技)3月～継続中【採用プロセス】(総)(技)ES提出(3月～)→適性検査→面接(2回)・作文→内々定(6月上旬～)【交通費支給】1次面接以降、実費【早期選考】⇒巻末

試験情報

重視科目 [総][技]面接

[総][技](ES)⇒巻末(筆)OPQ(面)2回(Webあり)(GD作)⇒巻末

選考ポイント [総](ES)当社への関心度 熱意 志望動機に矛盾がないか 他(面)論理性 思考の柔軟性 コミュニケーション能力 積極性 他 [技](ES)専門性が当社に合致しているか 志望動機に矛盾がないか 他(面)技術に対する造詣力 論理性 思考の柔軟性 コミュニケーション能力 積極性 他

通過率 [総][技](ES)NA

倍率(応募/内定) [総][技]NA

●男女別採用数と配属先ほか●

【男女・文理別採用実績】

	大卒男	大卒女	修士男	修士女
23年	3(文 1理 2)	2(文 1理 1)	6(文 0理 6)	1(文 0理 1)
24年	1(文 0理 1)	2(文 2理 0)	6(文 0理 6)	1(文 0理 1)
25年	5(文 1理 4)	1(文 1理 0)	5(文 0理 5)	0(文 0理 0)

【25年4月入社者の採用実績校】
(文)(大)大阪商大 甲南大各1 (理)(院)岡山大 九大 神戸大 崇城大 明大各1(大)大阪電通大 岡山理大 近大 東理大各1

【24年4月入社者の配属先】
[総]勤務地：東京・品川2 神戸1 部署：営業2 経理1 [技]勤務地：兵庫(神戸5 高砂3) 部署：技術8

●給与、ボーナス、週休、有休ほか●

【30歳総合職平均年収】541万円【初任給】(博士)293,000円 (修士)273,000円 (大卒)253,000円【ボーナス(年)】260万円、NA【25、30、35歳賃金】273,969円→317,886円→350,767円【週休】完全2日(土日祝)【夏期休暇】連続4日(週休含む)【年末年始休暇】連続7日【有休取得】17.6／20日

●従業員数、勤続年数、離職率ほか●

【男女別従業員数、平均年齢、平均勤続年数】計 1,127(41.4歳 13.8年) 男 906(41.2歳 14.2年) 女 221(42.7歳 12.0年)【離職率と離職者数】2.5%、29名【3年後新卒定着率】83.3%(男88.9%、女66.7%、3年前入社：男9名・女3名)【組合】なし

求める人材 誠実で技術に興味があり、技術を生かしたい人や常に向上心のある人

会社データ (金額は百万円)

【本社】651-0073 兵庫県神戸市中央区脇浜海岸通1-5-1 IHDセンタービル
☎078-272-5915　https://www.kobelcokaken.co.jp/
【社長】松本 修【設立】1979.6【資本金】300【今後力を入れる事業】技術ソリューションビジネス

【業績(単独)】	売上高	営業利益	経常利益	純利益
22.3	19,290	NA	NA	NA
23.3	21,370	NA	NA	NA
24.3	22,268	NA	NA	NA

コンパスグループ・ジャパン(株)

株式公開 計画なし

【特色】世界最大手の給食事業者の日本法人。広域展開

修士・大卒採用数	3年後離職率	有休取得年平均	平均年収(平均42歳)
83名	60.0→51.7%	6.9日	NA

残業(月) NA

記者評価 社員食堂・学校給食などの運営を受託するコントラクトフードサービス事業で世界最大手の英コンパスグループの日本法人。オフィス、工場、病院、福祉施設向け中心に給食事業を展開。国内約1500ヵ所に拠点。従業員のキャリア目標達成のためのアカデミー運営。

●エントリー情報と採用プロセス●

【受付開始～終了】(総)2月～継続中【採用プロセス】(総)説明会(必須、2月～)→Web試験(2月～)→面接(2回、3月～)→内々定(4月～)【交通費支給】なし【早期選考】⇒巻末

試験情報

重視科目 [総]面接

[総](筆)適性検査(Compass)(面)2回(Webあり)

選考ポイント [総](面)入社後の目標 業務に対する意欲 コミュニケーション能力 行動力

通過率 [総](ES)—(応募：497)　**倍率(応募/内定)** [総]3倍

●男女別採用数と配属先ほか●

【男女・文理別採用実績】

	大卒男	大卒女	修士男	修士女
23年	6(文 0理 6)	64(文 2理 62)	0(文 0理 0)	0(文 0理 0)
24年	7(文 3理 4)	75(文 4理 71)	0(文 0理 0)	0(文 0理 0)
25年	7(文 3理 4)	75(文 4理 71)	0(文 0理 0)	1(文 1理 0)

【25年4月入社者の採用実績校】(文)(24年)(大)日大 東京農業大 帝京大 産能大 新潟医療福祉大 水産大 神奈川大各1(専)華学園栄養1 (理)(24年)(大)女子栄養大8 神戸女大7 昭和女大 東京家政大 武庫川女大 和洋女大各4 金城学大3 九州栄養福祉大 淑徳大 尚絅学大 人間総合科学大 千里金蘭大 相模女大 帝京平成大 東京聖栄大 別府大各2 愛知学大 畿央大 京都華頂大 桐生大 駒沢女大 広島文教大 高崎健康福祉大 実践女大 十文字学女大 松本大 常葉大 神戸松蔭女学大 神奈川工大 大阪樟蔭女大 大阪青山大 中村学大 東京家政学大 藤女大 同女大 日女大 文教大 兵庫大 龍谷大各1(短)純真11 尚絅 精華女 中村学園大各4 滋賀 神戸女 鈴鹿大各2 広島文化 鹿児島女 静岡英和学院 大阪成蹊 日大 福岡女 別府溝部学園各1(専)武蔵野栄養6 華学園栄養 大竹栄養 平岡栄養士各3 IFC栄養 京都栄養医療 埼玉福祉保育医療製菓調理 新宿調理師 東京栄養食糧各2 IFC調理師 愛媛調理製菓 中央調理製菓静岡校 東海調理製菓 東日本調理師 日本栄養 豊橋調理製菓 北九州調理製菓 佐伯栄養各1

【24年4月入社者の配属先】[総]勤務地：東京51 福岡21 神奈川12 埼玉8 大阪7 千葉7 京都5 愛知4 静岡4 兵庫3 広島3 愛媛3 佐賀3 長崎3 熊本3 栃木2 三重2 奈良2 大分2 鹿児島2 北海道1 福島1 宮城1 群馬1 山口1 鳥取1 部署：店舗153

●給与、ボーナス、週休、有休ほか●

【30歳総合職平均年収】NA【初任給】(博士)230,000円〈栄養士職〉220,000円 (修士)230,000円〈栄養士職〉220,000円 (大卒)230,000円〈栄養士職〉220,000円【ボーナス(年)】NA【25、30、35歳賃金】NA【週休】月9日【夏期休暇】なし【年末年始休暇】なし【有休取得】6.9／20日

●従業員数、勤続年数、離職率ほか●

【男女別従業員数、平均年齢、平均勤続年数】計 2,391(42.1歳 8.8年) 男 1,289(47.0歳 10.4年) 女 1,102(36.3歳 6.9年)【離職率と離職者数】NA【3年後新卒定着率】48.3%(男100%、女46.6%、3年前入社：男2名・女58名)【組合】あり

求める人材 「お客様をもっとも幸せにするフードサービスカンパニー」を目指す意欲と情熱溢れる人

会社データ (金額は百万円)

【本社】104-0045 東京都中央区築地5-5-12 浜離宮建設プラザ
☎03-3544-0351　https://www.compassgroup-japan.jp/
【社長】石田 隆嗣【設立】1947.9【資本金】100【今後力を入れる事業】NA

【業績(単独)】	売上高	営業利益	経常利益	純利益
21.9	47,613	▲975	▲671	▲2,554
22.9	58,243	▲178	6	6,033
23.9	68,763	NA	NA	NA

1540 ▶『業界地図』p.293　開示 ★★

(株)テイクアンドギヴ・ニーズ

東京P 4331

【特色】ハウスウエディングの草分け。ホテルも展開

修士・大卒採用数	3年後離職率	有休取得年平均	平均年収(平均33歳)
120名	NA	11.0日	◇469万円

●エントリー情報と採用プロセス●

【受付開始～終了】[総]2月～未定【採用プロセス】[総]説明会(必須)→ES提出→Webテスト→集団面接・GD→座談会・面談→個人面接(3～4回)→内々定【交通費支給】3次面接以降、特急料金が発生する区間のみ【早期選考】⇒巻末

試験情報

重視科目 [総]NA

[総][ES]⇒巻末[筆]玉手箱[面]4～5回(Webあり)[GD作]⇒巻末

選考ポイント [総][ES]求める人材と合致しているか[面]印象力 コミュニケーション能力 当社の価値観とのマッチング度合い 他

通過率 [総][ES]NA **倍率(応募/内定)** [総]NA

●男女別採用数と配属先ほか●

【男女・文理別採用実績】

	大卒男	大卒女	修士男	修士女
23年	5(文 5 理 0)	55(文 55 理 0)	0(文 0 理 0)	0(文 0 理 0)
24年	11(文 11 理 0)	102(文100 理 2)	0(文 0 理 0)	0(文 0 理 0)
25年	24(文 20 理 4)	96(文 91 理 5)	0(文 0 理 0)	0(文 0 理 0)

【25年4月入社者の採用実績校】[文](24年)(大)東洋大 亜大 桜美林大 立命館大 獨協大 専大 関西外大 産能大 帝京大 東海大 立正大 文教大 筑波大 上智大 横浜市大 宮城大 広島市大 青学大 立教大 中大 法政大 同大 関西学大 國學院大 高崎経大 群馬県女大 明学大 近大 駒澤大 甲南大 国士舘大 常葉大 神田外語大 成蹊大 西南学大 西武文理大 大阪国際大 大阪成蹊大 大正大 大東文化大 拓大 中部大 東京工科大 東京未来大 文京学大 東京女大 日女大 神戸女学大 京都ノートルダム女大 日女体大 武庫川女大 目白大(短)新潟青陵(専)東京ブライダル 大阪ブライダル 福岡ウェディング&ブライダル 中村国際ホテル 河原外語観光・製菓 大原トラベル・ホテル・ブライダル 盛岡外語観光&ブライダル 横浜ビューティー&ブライダル 京都ホテル観光ブライダル [理](24年)(大)弘前大

【24年4月入社者の配属先】[総]勤務地:札幌2 仙台2 新潟2 福島・郡山1 宇都宮1 大宮5 千葉(柏1 千葉みなと2)東京(代官山2 麻布2 白金1 表参道4 八王子2)神奈川(横浜8 茅ヶ崎1)富山1 松本1 群馬・高崎2 静岡(沼津1 静岡4)愛知(名古屋2 常滑1)岐阜2 大阪6 兵庫(神戸4 姫路1)京都2 大津1 和歌山2 岡山2 広島(広島2 福山1)高松1 松山1 徳島1 小倉1 熊本2 鹿児島2 長崎2 部署:ウェディングプランナー(営業)81

残業(月) NA

記者評価 直営式場でハウスウエディングを展開。東京會舘など他社の婚礼部門の運営受託も手がける。「TRUNK」ブランドでホテルに進出、第2の事業柱へ育成中。ホテルは海外で各種アワードを受賞。女性が多い職場のため働き方の多様化に取り組んでいる。

●給与、ボーナス、週休、有休ほか●

【30歳総合職平均年収】NA【初任給】(大卒)258,100円【ボーナス(年)】NA【25、30、35歳賃金】NA【週休】月9日【夏期休暇】4日【年末年始休暇】3日【有休取得】11.0/20日

●従業員数、勤続年数、離職率ほか●

【男女別従業員数、平均年齢、平均勤続年数】計 1,358(32.5歳 6.7年) 男 494(36.4歳 8.1年) 女 864(30.2歳 5.9年)【離職率と離職者数】NA【3年後新卒定着率】NA【組合】なし

求める人材 Creativity、Challenge、Kindnessの要素を持ち合わせた人

会社データ (金額は百万円)

【本社】140-0002 東京都品川区東品川2-3-12 シーフォートスクエアセンタービル

☎03-3471-6843 https://www.tgn.co.jp/

【社長】岩瀬 賢治【設立】1998.10【資本金】100【今後力を入れる事業】ホテル事業

【業績(連結)】	売上高	営業利益	経常利益	純利益
22.3	39,482	2,089	1,548	1,877
23.3	45,532	3,681	3,181	4,108
24.3	47,020	4,208	3,754	1,831

ワタベウェディング(株)

株式公開していない

【特色】海外挙式の先駆者。ホテル雅叙園東京など運営

修士・大卒採用数	3年後離職率	有休取得年平均	平均年収(平均35歳)
12名	NA	8.7日	NA

●エントリー情報と採用プロセス●

【受付開始～終了】[総]3月～5月【採用プロセス】[総]Web説明会(必須、3月中旬)→ES提出(3月下旬)→GD(4月)→Webテスト・面接(2～3回、5月上旬)→人事面談(5月上旬)→役員面接(5月中旬)→内々定(5月中旬)【交通費支給】最終面接、遠方者(首都圏、関西以外)のみ

試験情報

重視科目 [総]面接

[総][ES]⇒巻末[筆]SPI3(自宅)[面]3～4回(Webあり)[GD作]⇒巻末

選考ポイント [総][ES]学生時代の経験 就職活動の軸[面]コミュニケーション力 チャレンジ精神 価値観の一致

通過率 [総][ES]NA **倍率(応募/内定)** [総]NA

●男女別採用数と配属先ほか●

【男女・文理別採用実績】

	大卒男	大卒女	修士男	修士女
23年	3(文 3 理 0)	22(文 22 理 0)	0(文 0 理 0)	0(文 0 理 0)
24年	2(文 2 理 0)	26(文 26 理 0)	0(文 0 理 0)	0(文 0 理 0)
25年	1(文 1 理 0)	11(文 11 理 0)	0(文 0 理 0)	0(文 0 理 0)

【25年4月入社者の採用実績校】

[文](大)文京学大 駒澤大 東海大 昭和女大 桜美林大 共愛学園前橋国際大 日大 学習院大 東洋英和女学大 千葉商大 神戸国際大 名古屋外大各1(短)大手前1(専)名古屋ウェディングアンドブライダル2 千葉ビューティー&ブライダル 横浜ビューティー&ブライダル 仙台ウェディング&ブライダル 神戸ベルェベル美容 大阪文化服装学院各1 [理]なし

【24年4月入社者の配属先】[総]勤務地:札幌2 仙台2 東京13 神奈川3 名古屋5 大阪6 京都1 岡山1 広島1 福岡1 熊本1 部署:ウェディングプランナー13 ドレスコーディネーター10 フォトアドバイザー9フォトグラファー3 ドレスパタンナー1

残業(月) 8.3時間 [総]8.3時間

記者評価 興和の完全子会社。1953年に開業した京都の貸衣装店が発祥。海外リゾート婚の草分けで、ハワイ、グアム、豪州を中心に展開。国内は沖縄、北海道、京都などでリゾ婚実績多い。グループで国内62、海外22拠点(24年4月)。ホテル雅叙園東京やメルパルクの運営も。

●給与、ボーナス、週休、有休ほか●

【30歳総合職平均年収】NA【初任給】(修士)252,000円(大卒)248,000円【ボーナス(年)】NA【25、30、35歳賃金】NA【週休】会社暦2日【夏期休暇】有休で取得【年末年始休暇】12月29日～1月3日(部署により異なる)【有休取得】8.7/20日

●従業員数、勤続年数、離職率ほか●

【男女別従業員数、平均年齢、平均勤続年数】計 436(34.6歳 6.8年) 男 92(38.6歳 10.1年) 女 344(33.6歳 5.8年)【離職率と離職者数】NA【3年後新卒定着率】NA【組合】NA

求める人材 理念への共感、自律的に考えて行動する、チャレンジ精神溢れる、本気で物事に取り組める人材

会社データ (金額は百万円)

【本社】602-8602 京都府京都市上京区烏丸通丸太町上る春日町427-3

☎075-778-4111 https://www.watabe-wedding.co.jp/

【社長】宮瀬 昌行【設立】1971.4【資本金】100【今後力を入れる事業】フォト事業 アニバーサリー事業

【業績(連結)】	売上高	営業利益	経常利益	純利益
22.3変	24,090	NA	NA	NA
23.3	27,534	NA	NA	NA
24.3	31,478	NA	NA	NA

2859 ▶『業界地図』p.302　開示 ★★★★☆

(株)ノバレーゼ

東京S 9160

【特色】ハウスウェディングを展開。レストラン運営も

修士・大卒採用数	3年後離職率	有休取得年平均	平均年収(平均33歳)
20名	43.9 → 43.8%	12.9日	[総] 365万円

残業(月) 18.3時間 [総] 18.3時間

記者評価 直営式場でハウスウェディングを展開。人口25万～100万人の地方都市圏への出店推進。歴史的建造物を利用した官民連携での出店に実績。直営のドレスショップやレストランも。システム子会社で結婚準備支援システムを運営するなどIT化を推進。

●エントリー情報と採用プロセス●

【受付開始～終了】[総]10月～5月 [技]3月～8月(未定)【採用プロセス】[総]説明会(任意、10月)→ES提出(11月)→1次・2次・3次面接(11月)→面談(2～3回)→最終面接(12月)→内々定(12月) [技]説明会(任意、3月)→1次・2次面接(4～5月)→最終面接(5月)→内々定(5月)【交通費支給】なし【早期選考】⇒巻末

試験情報

重視科目 [総][技]面接) [総] [ES]⇒巻末[筆]なし[面]4回(Webあり) [技] [筆]なし[面]3回(Webあり)

選考ポイント [総] [ES]NA(提出あり) [面]第一印象 コミュニケーション力 発信力 傾聴力 働きかけ力 調整力 主体性 実行力 利他性 [技] [面]コミュニケーション力 発信力 傾聴力 働きかけ力 調整力 主体性 実行力 利他性

通過率 [総] [ES]NA [技] [ES]—(応募:45)

倍率(応募/内定) [総]54倍 [技]11倍

●男女別採用数と配属先ほか●

【男女・文理別採用実績】

	大卒男	大卒女	修士男	修士女
23年	5(文 4理 1)	46(文 44理 2)	0(文 0理 0)	0(文 0理 0)
24年	4(文 3理 1)	34(文 29理 5)	0(文 0理 0)	0(文 0理 0)
25年	5(文 5理 0)	15(文 14理 1)	0(文 0理 0)	0(文 0理 0)

【25年4月入社者の採用実績校】[文](大)関大3 甲南大 駒澤大 桜美林大各2 和歌山大 帝京平成大 安田女大 福岡大 帝京大 文教大 名古屋学院大 近大 神戸学大 関西学大各1(専)大原トラベル・ホテル・ブライダル 日本工学院八王子 広島ビューティー&ブライダル各1 [理](大)国士舘大1(専)東海調理製菓 横浜スイーツ&カフェ 名古屋スイーツ&カフェ各1

【24年4月入社者の配属先】[総]勤務地:仙台2 福島2 宇都宮1 高崎2 千葉1 神奈川(鎌倉3 横浜2 厚木1)さいたま3 新潟2 長野2 岐阜1 金沢3 浜松1 名古屋2 京都1 大阪3 和歌山2 兵庫(芦屋1 神戸1)岡山1 高松1 松山2 広島4 熊本1 福岡1 大分1 宮崎2 沖縄2 **部署**:営業本部(ウエディングプランナー35 ドレス10 レストランサービス6) [技]勤務地:福島1 宇都宮1 千葉2 厚木2 金沢1 名古屋1 滋賀1 広島1 宮崎1 **部署**:営業本部(調理7 パティシエ4)

●給与、ボーナス、週休、有休ほか●

【30歳総合職平均年収】340万円【初任給】(博士)NA(修士)NA(大卒)245,000円【ボーナス(年)】28万円、NA【25、30、35歳賃金】260,462円→303,085円→348,652円【週休】月9日(シフト制)【夏期休暇】5日【年末年始休暇】5日【有休取得】12.9／20日

●従業員数、勤続年数、離職率ほか●

【男女別従業員数、平均年齢、平均勤続年数】計 819(33.1歳 5.9年) 男 244(36.1歳 6.0年) 女 575(31.8歳 5.9年)【離職率と離職者数】12.8%、120名【3年後新卒定着率】56.3%(男66.7%、女55.2%、3年前入社:男3名・女29名)【組合】なし

求める人材 チームに影響を与えられる人 考える力がある人 自走できる人 当社のミッションに共感する人

会社データ　(金額は百万円)

【本社】104-0061 東京都中央区銀座1-8-14 銀座YOMIKOビル
☎03-5524-1122　https://www.novarese.co.jp/
【社長】荻野 洋基【設立】2016.8【資本金】100【今後力を入れる事業】ブライダル事業 レストラン特化型事業

【業績(IFRS)】	売上高	営業利益	税前利益	純利益
21.12	11,191	822	539	374
22.12	17,222	2,775	2,485	1,656
23.12	18,265	1,539	1,230	942

(株)共立メンテナンス(きょうりつ)

東京P 9616

【特色】寮運営とビジネス・リゾートホテル事業の3本柱

修士・大卒採用数	3年後離職率	有休取得年平均	平均年収(平均39歳)
110名	56.7 → 59.4%	10.4日	[総] 575万円

残業(月) 24.0時間 [総] 15.2時間

記者評価 寮事業が祖業。有力大学などの学生寮のほか社員寮の運営受託が安定収益源。1993年にホテル事業に参入し、宿泊特化型ホテル「ドーミーイン」やリゾートホテルを全国に展開。ドーミーは温泉など観光利用を取り込める点で差別化。和風業態「野乃」も展開。

●エントリー情報と採用プロセス●

【受付開始～終了】[総]3月～継続中【採用プロセス】[総]<総合職>説明会・面接・ES提出(必須・3月～)→SPI(3月～)→面接(2回、4月～)→内々定【交通費支給】最終面接、新幹線費用または航空費用

試験情報

重視科目 [総]<総合職>面接

[総] [ES]⇒巻末[筆]SPI3(自宅) [面]<総合職>3回(Webあり)

選考ポイント [総] [面]熱意 主体性 責任感 コミュニケーション能力 論理的思考

通過率 [総] [ES]選考なし(受付:297)

倍率(応募/内定) [総]10倍

●男女別採用数と配属先ほか●

【男女・文理別採用実績】

	大卒男	大卒女	修士男	修士女
23年	35(文 33理 2)	74(文 73理 1)	1(文 1理 0)	0(文 0理 0)
24年	28(文 26理 2)	92(文 92理 0)	2(文 2理 0)	2(文 2理 0)
25年	30(文 25理 5)	80(文 75理 5)	0(文 0理 0)	0(文 0理 0)

【25年4月入社者の採用実績校】
[文](院)早大(大)東海大 学習院大 釧路公大 大妻女大 神田外語大 立教大 法政大 東洋大 富山大 青学大 跡見学園女大 帝京大 立命館大 成城大 中大 小樽商大 大東文化大 北九州市大 青森公大(専)日本電子 東京みらいAI&IT 他 [理]なし

【24年4月入社者の配属先】
[総]勤務地:<ホテル職>全国各地118<介護職>東京5<総合職>東京・全国各地36 **部署**:<ホテル職>ホテルスタッフ118<介護職>ケアスタッフ5<総合職>東京・各事業所36

●給与、ボーナス、週休、有休ほか●

【30歳総合職平均年収】503万円【初任給】(大卒)<総合職>226,000円【ボーナス(年)】72万円、2.8カ月【25、30、35歳賃金】238,500円→366,021円→368,000円 ※中途社員除く【週休】<本社・支店>完全2日(土日祝)<ホテル>シフト制【夏期休暇】3日【年末年始休暇】(本社)5日前後(事業所)冬期休暇4日【有休取得】10.4／20日

●従業員数、勤続年数、離職率ほか●

【男女別従業員数、平均年齢、平均勤続年数】計 ◇2,344(34.4歳 6.5年) 男 1,205(37.4歳 7.7年) 女 1,139(31.2歳 5.4年)【離職率と離職者数】◇14.8%、408名【3年後新卒定着率】40.6%(男57.7%、女33.2%、3年前入社:男104名・女238名)【組合】なし

求める人材 人に興味を持つことができ、主体的に課題解決することや時流を捉えて変化していくことを楽しめる人物

会社データ　(金額は百万円)

【本社】101-8621 東京都千代田区外神田2-18-8
☎03-5295-7777　https://www.kyoritsugroup.co.jp/
【社長】中村 幸治【設立】1979.9【資本金】7,964【今後力を入れる事業】シニアライフ事業 ホテル事業 寮事業

【業績(連結)】	売上高	営業利益	経常利益	純利益
22.3	173,701	1,431	1,814	539
23.3	175,630	7,326	7,115	4,241
24.3	204,126	16,708	21,116	12,414

1067 ▶『業界地図』p.200　開示 ★★★★☆

㈱ベネフィット・ワン

株式公開していない

【特色】福利厚生代行サービス。24年第一生命HD傘下入り

修士・大卒採用数	3年後離職率	有休取得年平均	平均年収(平均37歳)
76名	NA	14.4日	[総]629万円

残業(月) 18.6時間 [総]24.3時間

記者評価 選択型福利厚生サービス(カフェテリアプラン)を提供。健康診断の運営代行や、給与天引きで電気代などを割り引くサービスも。パソナ子会社だったが、第一生命HDによるTOBが成立、24年5月上場廃止。25年4月から大卒総合職の初任給を28.5万円に引き上げ予定。

●エントリー情報と採用プロセス●

【受付開始～終了】[総]3月～継続中【採用プロセス】[総]説明会(必須)→ES提出・適性検査2種・面接(3回)→内々定【交通費支給】関東圏外の学生に新幹線代、飛行機代【早期選考】⇒巻末

試験情報

重視科目 [総]面接

[総][ES]⇒巻末[筆]一般常識 V-CAT Web-TAPOC[面]3回(Webあり)

選考ポイント [総][ES]総合的に判断[面]素直さ 前向きさ チャレンジ精神を持ち自立しているか 当社の社風に合うか

通過率 [総][ES]選考なし(受付:NA)

倍率(応募/内定) [総]NA

●男女別採用数と配属先ほか●

【男女・文理別採用実績】※25年:一般職は継続中

	大卒男	大卒女	修士男	修士女
23年	12(文 9理 3)	17(文 16理 1)	0(文 0理 0)	0(文 0理 0)
24年	13(文 12理 1)	27(文 26理 1)	0(文 0理 0)	0(文 0理 0)
25年	35(文 32理 3)	41(文 41理 0)	0(文 0理 0)	0(文 0理 0)

【25年4月入社者の採用実績校】
[文](大)青学大5 中大 法政大 日大 明大各3 近大 武庫川女大 学習院大 亜大 関西学大 専大 早大各2 新潟県大 上智大 日女大 成蹊大 立教大 清泉女大 桃山学大 聖心女大 白鴎大 甲南大 明学大 静岡文芸大 麗澤大 東洋大 高千穂大 同大 國學院大 駿河台大 獨協大 松蔭大 産能大 名古屋外大 筑波大 椙山女学大 実践女大 立正大 追手門学大 成城大 帝京大 大阪経大 大手前大各1 他 [理](大)近大 東京電機大 千葉工大各1

【24年4月入社者の配属先】[総]勤務地:東京31 大阪4 名古屋1 部署:営業本部32 サービス企画4

●給与、ボーナス、週休、有休ほか●

【30歳総合職平均年収】612万円【初任給】(修士)275,000円 (大卒)275,000円【ボーナス(年)】129万円、NA【25、30、35歳賃金】246,000円→337,000円→356,000円【週休】完全2日(土日祝)【夏期休暇】連続5日(有休2日含む)【年末年始休暇】連続6日【有休取得】14.4／20日

●従業員数、勤続年数、離職率ほか●

【男女別従業員数、平均年齢、平均勤続年数】計 1,049(37.3歳 5.8年) 男 312(38.5歳 6.2年) 女 737(36.8歳 5.6年)【離職率と離職者数】13.3%、161名【3年後新卒定着率】NA【組合】なし

求める人材 素直で前向き、熱意をもって主体的に行動ができる

会社データ (金額は百万円)

【本社】163-1037 東京都新宿区西新宿3-7-1 新宿パークタワー
☎03-6870-3803 https://www.benefit-one.co.jp/
【社長】白石 徳生【設立】1996.3【資本金】1,527【今後力を入れる事業】福利厚生事業 ヘルスケア事業 ペイメント事業

【業績(連結)】	売上高	営業利益	経常利益	純利益
22.3	38,362	12,770	12,826	8,949
23.3	42,376	10,484	10,565	7,655
24.3	38,962	7,618	7,783	5,357

ＪＰホールディングスグループ

ジェイピー

東京P 2749

【特色】保育園・学童などを運営する子育て支援最大手

修士・大卒採用数	3年後離職率	有休取得年平均	平均年収(平均38歳)
177名	NA	12.7日	[総][!]518万円

残業(月) 12.4時間 [総]12.4時間

記者評価 自治体の助成金で運営する認可保育園の最大手。学童クラブや児童館も運営し、合わせて320施設を展開。23年11月筆頭株主が学研グループからダスキンに変更、学研との業務提携は継続。24年1月、外国人就労支援会社を買収。東南アジアでの保育園展開にも本腰。

●エントリー情報と採用プロセス●

【受付開始～終了】[総]3月～10月予定【採用プロセス】[総]説明会・ES提出(3～7月)→書類審査→面接(3回)→内々定(4～10月)【交通費支給】最終面接(保育士のみ)、遠方者(関東以外)に全額【早期選考】⇒巻末

試験情報

重視科目 [総]面接

[総][ES]⇒巻末[筆]mitsucari[面]3回(Webあり)

選考ポイント [総][ES]理想の社会人像、当社の目指す方向性やビジョンと相違がないか、活躍イメージをもとに評価[面]業界や社会課題に対しての考え方、思い・意欲、価値観・将来のビジョン

通過率 [総][ES]89%(受付:37→通過:33)

倍率(応募/内定) [総]12倍

●男女別採用数と配属先ほか●

【男女・文理別採用実績】

	大卒男	大卒女	修士男	修士女
23年	15(文 15理 0)	144(文109理 35)	0(文 0理 0)	0(文 0理 0)
24年	10(文 9理 1)	176(文141理 35)	0(文 0理 0)	0(文 0理 0)
25年	17(文 16理 1)	160(文125理 35)	0(文 0理 0)	0(文 0理 0)

【25年4月入社者の採用実績校】
[文](大)東京女大1 他 [理]なし

【24年4月入社者の配属先】
[総]勤務地:東京・品川2 部署:採用1 運営1

●給与、ボーナス、週休、有休ほか●

【30歳総合職平均年収】437万円【初任給】(博士)213,000円 (修士)213,000円 (大卒)206,000円【ボーナス(年)】109万円、4.6カ月【25、30、35歳賃金】187,500円→213,000円→222,000円【週休】完全2日(土日祝)【夏期休暇】1日【年末年始休暇】12月29日～1月3日【有休取得】12.7／20日【平均年収(総合職)】(HD単体)518万円

●従業員数、勤続年数、離職率ほか●

【男女別従業員数、平均年齢、平均勤続年数】計 85(41.7歳 4.8年) 男 33(49.4歳 4.1年) 女 52(36.8歳 5.1年) ※HD単体【離職率と離職者数】NA【3年後新卒定着率】NA【組合】あり

求める人材 行動力、突破力、変化対応力のある人<総合職>保育業界だけでなく、社会課題解決に対して取り組んでいける人 意欲を持って取り組み、自ら考え行動に移していける人

会社データ (金額は百万円)

【本社】450-0002 愛知県名古屋市中村区名駅2-38-2 オーキッドビル
☎052-933-5419 https://www.jp-holdings.co.jp/
【社長】坂井 徹【設立】1993.3【資本金】1,603【今後力を入れる事業】子育て支援事業

【業績(連結)】	売上高	営業利益	経常利益	純利益
22.3	34,373	3,344	3,358	2,279
23.3	35,507	3,667	3,745	2,698
24.3	37,856	4,584	4,523	2,929

※資本金・業績・会社データは㈱JPホールディングスのもの

㈱リクルート

持株会社 傘下

【特色】リクルートHD傘下。販促・人材領域などを扱う

修士・大卒採用数	3年後離職率	有休取得年平均	平均年収(平均33歳)
NA	20.9 → 16.5%	NA	NA

●エントリー情報と採用プロセス●

【受付開始～終了】㊙技3月～NA【採用プロセス】㊙技ES提出(3月～)→Webテスト(3月～)→面接(複数回、6月～)→内々定(6月～)【交通費支給】面接、遠方の場合(実費)

試験情報

重視科目 総技ES Webテスト 面接

総技 ES NA 筆あり(内容NA) 面複数回(Webあり) GD作NA

選考ポイント 総技 ES NA(提出あり) 面NA

通過率 総技 ES NA

倍率(応募/内定) 総技NA

●男女別採用数と配属先ほか●

【男女・文理別採用実績】

	大卒男	大卒女	修士男	修士女
23年	NA(文NA 理NA)	NA(文NA 理NA)	NA(文NA 理NA)	NA(文NA 理NA)
24年	NA(文NA 理NA)	NA(文NA 理NA)	NA(文NA 理NA)	NA(文NA 理NA)
25年	NA(文NA 理NA)	NA(文NA 理NA)	NA(文NA 理NA)	NA(文NA 理NA)

【25年4月入社者の採用実績校】
文NA 理NA

【24年4月入社者の配属先】
総勤務地:全国(海外含む) 部署:顧客接点 事業企画 コーポレートスタッフ 他 技勤務地:東京 部署:<IT関連職種(PdM・UXディレクター マーケター他)デザイナー データスペシャリスト エンジニア>各事業領域の該当部署

残業(月) NA

記者評価 グループのメディア&ソリューション事業を手がける。「SUUMO」「HOT PEPPER」などのWebサービスを多数展開。決済、在庫管理などSaaS「Airビジネスツールズ」にも注力。「リクナビ」など人材領域はグループのHRテクノロジー領域に25年度から移管予定。

●給与、ボーナス、週休、有休ほか●

【30歳総合職平均年収】NA【初任給】(大卒)326,551円【ボーナス(年)】NA【25、30、35歳賃金】NA【週休】2日(土日祝等、会社カレンダーによる)【夏期休暇】あり【年末年始休暇】あり【有休取得】NA/25日

●従業員数、勤続年数、離職率ほか●

【男女別従業員数、平均年齢、平均勤続年数】計 20,365(33.0歳 NA) 男 NA(NA 5.0年) 女 NA(NA 6.0年)【離職率と離職者数】10.0%、NA【3年後新卒定着率】83.5%(男NA、女NA、3年前入社:男93名・女28名)【組合】なし

求める人材 圧倒的な当事者意識・チャレンジ意欲を持ち、社会の課題を解決したい・世の中に新しい価値を生み出したい人

会社データ (金額は百万円)

【本社】100-6640 東京都千代田区丸の内1-9-2 グラントウキョウサウスタワー
☎NA https://www.recruit.co.jp/company/
【社長】北村 吉弘【設立】1963.8【資本金】350【今後力を入れる事業】人材マッチング事業 事業者の業務経営支援事業

【業績(IFRS)】	売上高	営業利益	税前利益	純利益
22.3	2,871,705	378,929	382,749	296,833
23.3	3,429,519	344,303	367,767	269,799
24.3	3,416,492	402,526	426,241	353,654

※業績は㈱リクルートホールディングスのもの

ぴあ㈱

東京P 4337

【特色】チケット販売最大手。出版、イベント主催も

修士・大卒採用数	3年後離職率	有休取得年平均	平均年収(平均40歳)
15名	14.3 → 0%	NA	788万円

●エントリー情報と採用プロセス●

【受付開始～終了】総3月～3月【採用プロセス】総エントリー(3月中旬)→Webレポート提出(3月下旬)→動画セミナー視聴・ES提出(4月上旬)→ワーク選考(4月下旬～5月上旬)→1次面接(5月下旬)→筆記→2次面接(6月上旬)→最終面接(7月上旬)→内々定【交通費支給】2次面接以降、新幹線・航空機代(会社基準で地域ごとに一律)【早期選考】⇒巻末

試験情報

重視科目 総面接

総 ES ⇒巻末 筆あり(内容NA) 面3回(Webあり)

選考ポイント 総 ES 学生時代に真剣に取り組んだ目標と成果 他 面意欲 考え方

通過率 総 ES 56%(受付:696→通過:387)

倍率(応募/内定) 総103倍

●男女別採用数と配属先ほか●

【男女・文理別採用実績】

	大卒男	大卒女	修士男	修士女
23年	6(文 3 理 3)	5(文 5 理 0)	1(文 1 理 0)	0(文 0 理 0)
24年	5(文 3 理 2)	6(文 5 理 1)	0(文 0 理 0)	0(文 0 理 0)
25年	5(文 4 理 1)	8(文 8 理 0)	2(文 1 理 1)	0(文 0 理 0)

【25年4月入社者の採用実績校】
文(院)早大1(大)早大 学習院大 上智大各2 横国大 神戸大 明大 法政大 成城大 桐朋学大各1 理(院)関大1(大)東京都市大1

【24年4月入社者の配属先】
総勤務地:東京・渋谷11 大阪1 部署:営業4 サービス運営4 システム1 コーポレート3

残業(月) NA

記者評価 情報誌「ぴあ」(1972年創刊、2011年休刊)が祖業。80年代にチケット販売に乗り出し業容拡大。イベントの企画からグッズ販売まで、エンタメ&ライブ市場でトータルに展開。20年に横浜・みなとみらいに1万人規模のアリーナを開業。脱チケット依存に注力。

●給与、ボーナス、週休、有休ほか●

【30歳総合職平均年収】NA【初任給】(修士)234,000円(大卒)234,000円【ボーナス(年)】NA【25、30、35歳賃金】NA【週休】完全2日(土日祝)【夏期休暇】3日【年末年始休暇】6日【有休取得】NA/20日

●従業員数、勤続年数、離職率ほか●

【男女別従業員数、平均年齢、平均勤続年数】計 344(40.1歳 10.7年) 男 192(42.1歳 12.4年) 女 152(37.5歳 8.4年)【離職率と離職者数】5.5%、20名【3年後新卒定着率】100%(男100%、女100%、3年前入社:男4名・女5名)【組合】なし

求める人材 強い意志を持って何かをやりとげられる人 誰かが喜ぶことが自分の喜びにつながる人

会社データ (金額は百万円)

【本社】150-0011 東京都渋谷区東1-2-20 渋谷ファーストタワー
☎03-5774-5277 https://corporate.pia.jp/
【社長】矢内 廣【設立】1974.12【資本金】6,444【今後力を入れる事業】ライブ・エンタテインメント領域での幅広い事業展開

【業績(連結)】	売上高	営業利益	経常利益	純利益
22.3	25,829	▲833	▲845	▲1,122
23.3	32,763	820	600	1,415
24.3	39,587	1,209	922	1,118

㈱乃村工藝社（のむらこうげいしゃ）

東京P 9716

【特色】ディスプレー企画・施工首位。開発案件を強化中

修士・大卒採用数	3年後離職率	有休取得年平均	平均年収(平均42歳)
73名	14.0 → 0%	10.6日	[総]794万円

残業(月) 31.6時間 [総]31.6時間

記者評価 1892年創業。都市再開発や全国展開する専門店案件が得意。オフィスやホテル、博物館・美術館も手がけ、東京五輪サポーター、ジブリパークパートナーも。XR技術活用し大阪万博やカジノIRにも照準。スタジアム・アリーナ案件の開拓などスポーツ関連を強化中。

●エントリー情報と採用プロセス●

【受付開始～終了】[総]2月～3月【採用プロセス】[総]ES提出(2～3月上旬)→技能試験・GD→面接(3回)→内々定(6月)※職種によって異なる【交通費支給】最終面接、長距離移動者の実費(飛行機・新幹線・バス代)【早期選考】⇒巻末

試験情報

重視科目 [総]面接 技能試験

[総][ES]⇒巻末[筆]WebGAB CUBIC[面]3回[GD作]⇒巻末

選考ポイント [総][ES]当社の仕事理解 志望動機や自己PRの具体性 自らの言葉で語ることができているか[面]人物重視 クリエイティブな感性や発想 ※職種によって異なる

通過率 [総][ES]NA **倍率(応募/内定)** [総]NA

●男女別採用数と配属先ほか●

【男女・文理別採用実績】

	大卒男	大卒女	修士男	修士女
23年	24(文 12理 12)	17(文 15理 2)	11(文 1理 10)	7(文 2理 5)
24年	21(文 14理 7)	15(文 9理 6)	9(文 0理 9)	9(文 3理 6)
25年	28(文 19理 9)	30(文 18理 12)	7(文 2理 5)	8(文 2理 6)

【25年4月入社者の採用実績校】[文]武蔵野美大4 立教大3 青学大 北大 法政大 東洋大 京産大各2 早大 九州職能大学校 長崎大 多摩美大 千葉商大 昭和女大 玉川大 東海大 駒澤大 阪大 日女大 東北芸工大 京都精華大 近大 関西学大 関大 京都芸大 三重大 成蹊大 金沢美工大 神戸芸工大 同女大 和歌山大 國學院大各1(専)山脇美術 日本工学院八王子各1[理]芝工大3 工学院大 日大 早大 摂南大 東京電機大各2 東海大 広島工大 金沢工大 関東学院大 中大 秋田県大 静岡理工科大 ものつくり大 東北工大 東京都市大 大阪工大 東北芸工大 近大 八戸工大 京都美工大 徳島大 香川大 千葉工大 東京農工大各1(高専)徳山2 釧路 小山各1

【24年4月入社者の配属先】[総]勤務地：東京43 大阪14 部署：営業20 プランニング5 デザイン14 ディレクター18

●給与、ボーナス、週休、有休ほか●

【30歳総合職平均年収】645万円【初任給】(修士)252,500円(大卒)250,500円【ボーナス(年)】NA【25、30、35歳賃金】NA【週休】完全2日(土日祝)【夏期休暇】5日(有休消化)【年末年始休暇】12月30日～1月4日【有休取得】10.6／20日

●従業員数、勤続年数、離職率ほか●

【男女別従業員数、平均年齢、平均勤続年数】計 1,397(41.6歳 11.7年) 男 978(43.1歳 13.5年) 女 419(37.9歳 7.5年)【離職率と離職者数】7.1%、106名(早期退職男13名、女2名含む)【3年後新卒定着率】100%(男100% 女100%、3年前入社：男20名・女16名)【組合】あり

求める人材 随所に主となる意欲を持って、何事にも取り組むことができる人

会社データ (金額は百万円)

【本社】135-8622 東京都港区台場2-3-4
☎03-5962-1171 https://www.nomurakougei.co.jp/
【社長】奥本 清孝【設立】1942.12【資本金】6,497【今後力を入れる事業】ディスプレイ事業を基軸として拡大

【業績(連結)】	売上高	営業利益	経常利益	純利益
22.2	111,081	5,431	5,594	3,984
23.2	110,928	3,113	3,246	2,229
24.2	134,138	5,213	5,373	3,862

㈱日本創発グループ（にほんそうはつ）

東京S 7814

【特色】印刷会社等の持株会社。販促、制作など総合展開

修士・大卒採用数	3年後離職率	有休取得年平均	平均年収(平均42歳)
75名	29.8 → 47.1%	10.6日	◇587万円

残業(月) 24.1時間 [総]24.1時間

記者評価 商業印刷などの東京リスマチックが持株会社に移行し15年に発足。商業・出版印刷のほか、3DCG、Webコンテンツ、各種グッズの企画・販売まで手がける。グループ内で連携し企画から制作、プロモーション等まで一貫提供可能な体制が強み。M&Aに積極的。

●エントリー情報と採用プロセス●

【受付開始～終了】[総]4月～未定【採用プロセス】[総]Web・対面説明会(必須、4月～)→ES提出→適性→筆記・面接(2～3回)→内々定(5月～)【交通費支給】なし【早期選考】⇒巻末

試験情報

重視科目 [総]面接

[総][ES]⇒巻末[筆]一般常識 SCOA[面]2～3回

選考ポイント [総][ES]当社の業務内容を理解しているか[面]志望の熱意 コミュニケーション能力 思考の柔軟性 明朗快活性

通過率 [総][ES]69%(受付：(早期選考含む)535→通過：(早期選考含む)369)

倍率(応募/内定) [総](早期選考含む)7倍

●男女別採用数と配属先ほか●

【男女・文理別採用実績】

	大卒男	大卒女	修士男	修士女
23年	9(文 6理 3)	36(文 35理 1)	0(文 0理 0)	0(文 0理 0)
24年	14(文 12理 2)	32(文 29理 3)	0(文 0理 0)	0(文 0理 0)
25年	23(文 17理 6)	51(文 46理 5)	0(文 0理 0)	1(文 1理 0)

【25年4月入社者の採用実績校】[文](院)女子美大1(大)日大7 大正大4 多摩美大 専大各3 國學院大 立教大 明大 名古屋学芸大 武蔵野大 東洋大 淑徳大 埼玉大 共立女大各2 獨協大 明星大 北海学園大 文京学大 武蔵野美大 武蔵大 東京造形大 東京工科大 東京家政大 中京大 拓大 大東文化大 大谷大 青学大 清泉女大 成蹊大 神奈川大 新潟大 秋田公美大 実践女大 産能大 慶大 近大 関大 関西国際大 学習院大 横浜商大 愛知大各1(専)トライデントデザイン2 桑沢デザイン研究所1[理](大)日大 東理大 東京電機大 筑波大 大同大 埼玉大 高千穂大 金城学大 玉川大 共立女大 亜大各1(高専)サレジオ1

【24年4月入社者の配属先】[総]勤務地：東京(台東2 千代田38 三鷹1)さいたま5 愛知・刈谷2 長野・中野2 大阪1 部署：店頭営業30 営業15 制作5 生産1

●給与、ボーナス、週休、有休ほか●

【30歳総合職平均年収】NA【初任給】(大卒)240,000円【ボーナス(年)】NA【25、30、35歳賃金】NA【週休】完全2日(土日祝)【夏期休暇】3日(7～9月)【年末年始休暇】12月29日～1月4日【有休取得】10.6／20日

●従業員数、勤続年数、離職率ほか●

【男女別従業員数、平均年齢、平均勤続年数】計 3,222(42.1歳 13.7年) 男 2,170(45.0歳 16.0年) 女 1,052(36.3歳 8.9年)【離職率と離職者数】6.1%、211名【3年後新卒定着率】52.9%(男66.7%、女48.0%、3年前入社：男9名・女25名)【組合】なし

求める人材 明るく素直であり柔軟にお客様に対応しようとする人

会社データ (金額は百万円)

【本社】110-0005 東京都台東区上野3-24-6 上野フロンティアタワー
☎03-5817-3061 https://www.jcpg.co.jp/
【社長】藤田 一郎【設立】2015.1【資本金】400【今後力を入れる事業】クリエイティブサービスの強化

【業績(連結)】	売上高	営業利益	経常利益	純利益
21.12	54,620	1,745	2,420	951
22.12	64,416	3,248	3,644	2,003
23.12	74,846	3,463	3,993	2,508

㈱パスコ

東京S 9232

【特色】航空測量最大手。セコム子会社。官公需比率が高い

修士・大卒採用数	3年後離職率	有休取得年平均	平均年収(平均42歳)
64名	11.3 → 11.3%	11.3日	(総)736万円

残業(月) 20.6時間 (総)22.9時間

記者評価 航空測量で国内最大手。固定資産税評価や道路、上下水道の維持管理に必要な地図データが主力。公共部門依存からの脱却めざし、物流効率化支援など民間部門を強化中。メタバースなど仮想空間、ドローン・自動運転、プラットフォームビジネスの新領域にも挑戦意欲。

●エントリー情報と採用プロセス●

【受付開始～終了】(総)1月～7月 (技)1月～6月【採用プロセス】(総)(技)ES提出(3月)→書類選考(3月)→面接(3回、4月)→内々定(5月)【交通費支給】会社基準、地域により異なる【早期選考】⇒巻末

試験情報

重視科目 [総][技]面接

[総][技](ES)⇒巻末(筆)ヒューマネージ(I9+G9neo)(面)3回(Webあり)

選考ポイント [総][技](ES)長所 最も打ち込んだこと 学んできたこと やりたいこと(面)コミュニケーション能力 前向きな姿勢 柔軟性 責任感 語学力 志望度 他

通過率 [総](ES)71%(受付:124→通過:88) [技](ES)46%(受付:272→通過:125)

倍率(応募/内定) [総](早期選考含む)9倍 [技](早期選考含む)5倍

●男女別採用数と配属先ほか●

【男女・文理別採用実績】

	大卒男	大卒女	修士男	修士女
23年	9(文 2理 7)	12(文 6理 6)	13(文 0理 13)	8(文 0理 8)
24年	25(文 14理 11)	12(文 8理 4)	17(文 0理 17)	3(文 0理 3)
25年	27(文 16理 11)	16(文 12理 4)	15(文 0理 15)	6(文 1理 5)

【25年4月入社者の採用実績校】(文)(院)奈良大1(大)日大7 法政大5 福山市大 駒澤大各3 立正大2 明大 明学大 福島大 関東学院大 神戸学大 東京都市大 東京農業大 大妻女大各1 (理)(院)日大4 筑波大3 北大 新潟大各2 宇都宮大 宮崎大 弘前大 埼玉大 摂南大 長岡技科大 東京電機大 東京農業大 明大各1(大)日大4 東京農業大2 広島工大 芝工大 東京都市大 都立大 東邦大 法政大 北海道情報大 酪農学大 立正大各1(高専)福井1(専)近畿測量2 福岡国土建設1

【24年4月入社者の配属先】[総]勤務地:山形1 茨城1 東京1 神奈川1 静岡1 岐阜1 兵庫1 広島1 部署:営業8 [技]勤務地:東京33 大阪8 宮城5 福岡4 広島3 愛知2 部署:測量 計測 衛星 システム開発 建設コンサルタント計55

●給与、ボーナス、週休、有休ほか●

【30歳総合職平均年収】521万円【初任給】(博士)285,000円(修士)255,500円(大卒)242,000円【ボーナス(年)】175万円、4.5カ月【25、30、35歳賃金】221,982円→245,122円→279,816円【週休】完全2日(土日祝)【夏期休暇】連続4日【年末年始休暇】連続7日【有休取得】11.3／20日

●従業員数、勤続年数、離職率ほか●

【男女別従業員数、平均年齢、平均勤続年数】計 2,340(43.8歳 12.9年)男 1,855(45.3歳 14.1年)女 485(37.8歳 8.1年)※契約社員含む【離職率と離職者数】2.5%、59名【3年後新卒定着率】88.7%(男87.8%、女90.9%、3年前入社:男49名・女22名)【組合】あり

求める人材 空間情報技術で社会の問題解決にチャレンジしたい人 好奇心旺盛で突き詰める姿勢を持ち、能動的に行動できる人

会社データ　(金額は百万円)

【本社】153-0064 東京都目黒区下目黒1-7-1 パスコ目黒さくらビル
☎03-5722-7600　https://www.pasco.co.jp/
【社長】高橋 識光【設立】1949.7【資本金】8,758【今後力を入れる事業】メタバース モビリティ プラットフォーム AI

【業績(連結)】	売上高	営業利益	経常利益	純利益
22.3	56,228	3,874	3,935	2,340
23.3	62,016	6,432	6,525	4,099
24.3	60,704	5,306	5,433	5,092

㈱エフアンドエム

東京S 4771

【特色】生保外交員など個人事業主の記帳代行が中核事業

修士・大卒採用数	3年後離職率	有休取得年平均	平均年収(平均33歳)
40名	4.0 → 7.1%	11.9日	(総)875万円

残業(月) 11.0時間 (総)22.0時間

記者評価 生保外交員など個人事業主や中小企業向けサービスを提供。主力は確定申告用記帳代行。総務・経理部門向けコンサル、ISOやPマークなどの認証取得支援も成長。シェア首位の人事労務管理クラウドシステムは単機能のみ導入も可能。税理士・会計士向けコンサルも。

●エントリー情報と採用プロセス●

【受付開始～終了】(総)3月～7月【採用プロセス】(総)説明会(必須、3月)→面接(5回、3～6月)→内々定(3～6月下旬)【交通費支給】最終面接、飛行機、新幹線を伴う移動の際のチケット代【早期選考】⇒巻末

試験情報

重視科目 [総]面接

[総](筆)CUBIC(ペーパーテスト版)(面)5回(Webあり)

選考ポイント [総](ES)提出なし(面)非言語コミュニケーション力 論理性 人柄 志望動機 就職活動の軸

通過率 [総](ES)—(応募:(早期選考含む)963)

倍率(応募/内定) [総](早期選考含む)24倍

●男女別採用数と配属先ほか●

【男女・文理別採用実績】

	大卒男	大卒女	修士男	修士女
23年	23(文 22理 1)	16(文 16理 0)	0(文 0理 0)	0(文 0理 0)
24年	28(文 28理 0)	15(文 15理 0)	0(文 0理 0)	0(文 0理 0)
25年	27(文 26理 1)	13(文 13理 0)	0(文 0理 0)	0(文 0理 0)

【25年4月入社者の採用実績校】
(文)(大)同大 近大 北九州市大各3 筑波大 中大 法政大 関西学大 関大各2 早大 立教大 明大 立命館大 明学大 和歌山大 埼玉大 岡山大 小樽商大 西南学大 南山大 中京大 福岡大 神奈川大 専大 高知工科大 亜大 沖縄国際大 大正大 東海大各1 (理)(大)青学大1

【24年4月入社者の配属先】
[総]勤務地:札幌1 仙台4 東京14 名古屋5 大阪14 福岡5 部署:営業43

●給与、ボーナス、週休、有休ほか●

【30歳総合職平均年収】886万円【初任給】(大卒)255,000円【ボーナス(年)】318万円、7.0カ月【25、30、35歳賃金】340,257円→409,127円→461,714円【週休】完全2日(土日祝)【夏期休暇】2日【年末年始休暇】7日【有休取得】11.9／20日

●従業員数、勤続年数、離職率ほか●

【男女別従業員数、平均年齢、平均勤続年数】計 535(34.3歳 7.5年)男 346(33.8歳 7.5年)女 189(35.3歳 7.0年)【離職率と離職者数】3.8%、21名【3年後新卒定着率】92.9%(男91.3%、女100%、3年前入社:男23名・女5名)【組合】なし

求める人材 素直で明るく前向きで、人生に欲張りな人

会社データ　(金額は百万円)

【本社】564-0063 大阪府吹田市江坂町1-23-38 F&Mビル
☎06-6339-7177　https://www.fmltd.co.jp/
【社長】森中 一郎【設立】1990.7【資本金】989【今後力を入れる事業】オフィスステーション事業

【業績(連結)】	売上高	営業利益	経常利益	純利益
22.3	10,875	2,243	2,256	1,548
23.3	12,699	2,602	2,621	1,881
24.3	14,861	2,128	2,143	1,609

地域別・採用データ3708社

このデータ集には①前半の会社研究のページに掲載されていない上場会社と②採用数が比較的多い未上場会社について、**採用データと基本的な会社情報を掲載**しました。(引用元は『会社四季報』2024年４集秋号ならびに『会社四季報・未上場会社版』2025年版の両データベース)

都道府県別で五十音順に業種名とともに掲載していますので、例えば「**北海道の銀行で採用意欲が強いのはここ**」というように、**ズバリ見つけ出すことができます**。

したがって、自分の学校のある地域で会社を見つけたいという人だけでなく、U･Iターン学生のニーズにしっかり応えられるつくりになっています。

※業種によっては、売上に相当するものとして、営業収入、営業収益、経常収益などが決算項目となりますが、誌面の都合上、全業種「売上」と統一表記しています。

＜上場会社編業種名略称＞

水農…… 水産・農林業
鉱……… 鉱業
建……… 建設業
食……… 食料品
繊……… 繊維製品
パ紙…… パルプ・紙
化……… 化学
医……… 医薬品
油炭…… 石油・石炭製品
ゴ……… ゴム製品
ガ土…… ガラス・土石製品
鉄……… 鉄鋼
非鉄…… 非鉄金属
金製…… 金属製品
機……… 機械
電機…… 電気機器
輸機…… 輸送用機器
精……… 精密機器
他製…… その他製品
卸……… 卸売業
小……… 小売業
銀……… 銀行業
他金…… その他金融業
証商…… 証券・商品先物取引業
保……… 保険業
不……… 不動産業
陸……… 陸運業
海……… 海運業
空……… 空運業
倉運…… 倉庫・運輸関連業
情通…… 情報・通信業
電ガ…… 電気・ガス業
サ……… サービス業

＜未上場会社編業種名略称＞

農水…… 農林水産業
鉱……… 鉱業
建……… 建設業
食……… 食品
繊衣…… 繊維・衣服
パ紙…… パルプ・紙
化……… 化学
医……… 医薬品
油炭…… 石油・石炭
ゴ皮…… ゴム・皮革
ガ土…… ガラス・土石
鉄……… 鉄鋼
非鉄…… 非鉄金属
金製…… 金属製品
機……… 機械
電機…… 電気機器
自……… 自動車
他輸…… その他輸送機
精……… 精密機械
建家…… 建材・家具
印……… 印刷
他製…… 他製造業
総卸…… 総合卸売
食卸…… 食品卸売
繊紙卸… 繊維・紙卸売
化医卸… 化学・医薬品卸売
石燃卸… 石油・燃料卸売
鉄金卸… 鉄鋼・金属卸売
機卸…… 機械卸売
電卸…… 電機卸売
他卸…… その他卸売
自販…… 自動車販売
小……… 小売業
外……… 外食業
銀……… 銀行
信……… 信託銀行
貸……… 貸金業
信カ…… 信販・カード
リ……… リース
他金…… 他金融
証……… 証券
投……… 投資信託
商……… 商品先物
ベ……… ベンチャーキャピタル
保……… 保険
不……… 不動産
鉄バ…… 鉄道・バス
陸……… 陸運
海……… 海運
航……… 航空
倉埠…… 倉庫・埠頭
通……… 通信
電ガ…… 電気・ガス
ホ……… ホテル
レ……… レジャー
放……… 放送
新……… 新聞
出……… 出版
広……… 広告
情……… 情報サービス
シソ…… システム・ソフト開発
他情…… 他情報
機保…… 機械設備保守
ア……… アウトソーシング
建管…… 建物管理
建計…… 建築設計
教……… 教育
他サ…… 他サービス

地域別・採用データ3708社の使い方

Step-1 各社の採用数をチェックしよう！

たくさん採用している会社の方が内定を獲得する可能性が高いといえます。闇雲にエントリーする人がいますが、入りやすさから見るとそれは賢い就活にはなりません。というのも、選考は会社ペースで進んでいきますし、多くの学生はそれに合わせざるを得ないからです。採用意欲の強い会社のプロセスに乗るのはいいのですが、それが弱い会社ならば、「絶対に受かってやる」という強い意志とそれに基づく行動をとることに加え、落ちたときの善後策も講じなくてはいけません。つまり「覚悟」が必要なのです。内定の取りやすい会社かどうか頭に入れて活動すること。そのためにも、採用数のチェックは必須です。

なお、ここに掲載した内定数は2024年４月入社予定数の数字です。25年４月入社予定数については25年３月発売予定の『会社四季報』2025年２集春号に掲載される予定ですので、こちらでの再チェックもお勧めします。

Step-2 ホームページにアクセスし、会社研究をスタートしよう！

採用数のチェックをし、入りやすさの目安をつかんだら、今度は本格的な会社研究をスタートしましょう。まずは、主要検索サイトから各社のホームページにアクセスすることです。

ホームページにアクセスして会社の概要をつかんだらそれで会社研究が終わるわけではありません。むしろその先、どこまで深堀りできるかで勝負は分かれます。新聞や書籍、雑誌といった紙媒体やネットを使って情報に厚みを持たせましょう。もちろん、『会社四季報 業界地図』やこのデータ集の引用元である『会社四季報』『会社四季報・未上場会社版』で詳しく調べるのもいいでしょう。さらに興味が出てきたら、実際に会社に足を運びOB、OGに会って話を聞くなどしましょう。とにかく様々な角度からどんな会社なのかしっかり見極めることが大切です。

そして、自分に合った会社なのか自己分析を行いつつ、自らとの擦りあわせをしていくことをお勧めします。

都道府県別索引

「地域別・採用データ」に収録されている売上高1000億円程度以下の企業の詳しい情報は、『**就職四季報　優良・中堅企業版**』に掲載されています。あわせてご覧下さい。

会社名	[業種名] [特色] 会社の特色 [売]売上高(百万円) [従]単独従業員数(名) [資]資本金(百万円) [住]本社の住所, 電話番号 [25]25年採用計画数(名) [24]24年入社内定者数(名)
(株)アークス	[小] [特色] 北海道、青森、岩手でトップの食品スーパーグループ。傘下にスーパー子会社11社。M&A推進 [売]連591,557 [従]1,034 [資]21,205 [住]札幌市中央区南13条西11-2-32 ☎011-530-1000 [25]30 [24]22(男13, 女9)
イオン北海道(株)	[小] [特色] 北海道スーパー大手。アークス、生協と道内三つどもえ。マックスバリュ北海道と20年3月統合 [売]単356,008 [従]3,003 [資]6,100 [住]札幌市白石区本通21-南1-10 ☎011-865-4120 [25]190 [24]85(男53, 女32)
ウェルネット(株)	[サ] [特色] コンビニ等での決済代行大手。プリペイド型電子マネーや電子チケットサービスも主力分野に [売]単10,132 [従]128 [資]667 [住]札幌市中央区大通東10-11-4 ☎011-350-7770 [25]増加 [24]4(男1, 女3)
(株)エコノス	[小] [特色] 北海道で、ブックオフ、ハードオフの加盟店展開。複合業態での出店主、買い取り多様化に注力 [売]単4,466 [従]167 [資]335 [住]札幌市白石区北郷四条13-3-25 ☎011-875-1996 [25]未定 [24]6(男4, 女2)
(株)エコミック	[情通] [特色] 給与計算受託。道外企業の受注が主。札幌と中国・青島現法で処理。キャリアバンクの持分会社 [売]連2,156 [従]78 [資]564 [住]札幌市中央区大通西8-1-1 ☎011-206-1945 [25]10 [24]7(男1, 女6)
エコモット(株)	[情通] [特色] IoTインテグレーション事業を展開。建設情報化施工支援システムが主軸。KDDIと緊密 [売]連2,715 [従]95 [資]617 [住]札幌市中央区北1条東1-2-5 ☎011-558-2211 [25]3 [24]5(男5, 女0)
(株)キットアライブ	[情通] [特色] セールスフォース導入・製品開発支援。中小向け、リモート開発強い。テラスカイの持分法会社 [売]単816 [従]62 [資]125 [住]札幌市北区北7条西1-1-5 ☎011-727-3351 [25]9 [24]8(男6, 女2)
(株)キムラ	[卸] [特色] 住宅用資材の卸売りとHCが2本柱。住宅用資材は道内から全国展開図る。HCは道内最大級 [売]連33,993 [従]161 [資]793 [住]札幌市東区北6条東4-1-7 ☎011-721-4311 [25]8 [24]8(男3, 女5)
クワザワホールディングス(株)	[卸] [特色] 北海道地盤の建材・土木資材商社。建設工事も行う。近年はリフォーム、住宅設備機器に進出 [売]連64,832 [従]59 [資]417 [住]札幌市白石区中央2条7-1-1 ☎011-864-1111 [25]10 [24]5(男3, 女2)
札幌臨床検査センター(株)	[サ] [特色] 臨床検査、調剤薬局を展開。H. U. グループで受託臨床検査首位のエスアールエルと提携 [売]連19,682 [従]650 [資]983 [住]札幌市中央区北3条西18-2-2 ☎011-641-6311 [25]52 [24]13(男6, 女7)
(株)CEホールディングス	[情通] [特色] 電子カルテシステムを自社開発。中小病院向けに強み。NECなど大手ITとの協業も強化 [売]連13,632 [従]200 [資]1,269 [住]札幌市白石区平和通15-北1-21 ☎011-861-1600 [25]微増 [24]16(男10, 女6)
総合商研(株)	[他製] [特色] 折り込み広告の企画制作が主力。年賀状印刷首位。第2四半期の比重大。BPO事業を育成中 [売]連15,796 [従]437 [資]411 [住]札幌市東区東苗穂二条3-4-48 ☎011-780-5677 [25]前年並 [24]8(男1, 女7)
(株)ダイイチ	[小] [特色] 北海道の食品スーパー。帯広地盤で旭川、札幌にも展開。ヨーカ堂が3割出資、セブンPB販売 [売]単48,595 [従]408 [資]1,639 [住]帯広市西20条南1-14-47 ☎0155-38-3456 [25]25 [24]6(男4, 女2)
(株)土屋ホールディングス	[建] [特色] 北海道地盤の注文住宅会社。在来工法首位。道内売上7割。気密、断熱に優れた住宅を開発 [売]連34,403 [従]22 [資]7,114 [住]札幌市北区北9条西3-7 ☎011-717-5556 [25]未定 [24]16(男12, 女4)
中道リース(株)	[他金] [特色] 北海道地盤のリース会社。土木建機、車両リースに強い。関東、東北を開拓。利益柱は不動産賃貸 [売]単43,176 [従]193 [資]2,297 [住]札幌市中央区北1条東3-3 ☎011-280-2266 [25]9 [24]6(男4, 女2)
日糧製パン(株)	[食] [特色] 製パン中堅。道内中心の展開で高シェア。道内産原料にこだわり。山崎製パンの持分法適用会社 [売]単17,986 [従]660 [資]1,051 [住]札幌市豊平区月寒東1条18-5-1 ☎011-851-8131 [25]前年並 [24]12(男7, 女5)
(株)ファイバーゲート	[情通] [特色] 賃貸物件オーナーや商業施設向けにWi-Fiサービス提供。法人に通信機器の製造・販売も [売]連12,613 [従]217 [資]494 [住]札幌市中央区南1条西8-10-3 ☎011-204-6121 [25]前年並 [24]6(男3, 女3)
(株)ほくやく・竹山ホールディングス	[卸] [特色] 北海道首位の医薬品卸、ほくやくと医療機器卸の竹山が経営統合。バイタルネットと親密 [売]連275,364 [従]62 [資]1,000 [住]札幌市中央区北6条西16-1-5 ☎011-633-1030 [25]前年並 [24]55(男33, 女22)
(株)北洋銀行	[銀] [特色] 資金量は第二地銀最大。08年札幌銀と合併。道内貸出シェアは約3割。13年度末公的資金を完済 [売]連133,114 [従]2,371 [資]121,101 [住]札幌市中央区大通西3-7 ☎011-261-1311 [25]未定 [24]71(男44, 女27)
北海道ガス(株)	[電ガ] [特色] 札幌、小樽、函館が地盤の地方都市ガス大手。石狩にLNG基地、発電所建設。電力事業を拡大 [売]連173,885 [従]832 [資]7,515 [住]札幌市東区北七条東2-1-1 ☎011-792-8110 [25]微減 [24]36(男22, 女14)
北海道コカ・コーラボトリング(株)	[食] [特色] 北海道地盤。大日本印刷の子会社で地元有力企業も出資。コカブランドの道内限定商品も展開 [売]連56,371 [従]234 [資]2,935 [住]札幌市清田区清田1条1-2-1 ☎011-888-2001 [25]前年並 [24]19(男13, 女6)
北海道中央バス(株)	[陸] [特色] 道央を基盤とする北海道最大のバス会社。不動産、建設、スキー場、ホテルなど兼営事業多数 [売]連33,838 [従]1,379 [資]2,100 [住]小樽市色内1-8-6 ☎0134-24-1111 [25]10 [24]4(男1, 女3)
(株)丸千代山岡家	[小] [特色] 北海道と北関東地盤のラーメンチェーン。幹線道路沿いに展開。手作りスープ等店舗作業多い [売]単26,494 [従]589 [資]325 [住]札幌市東区東雁来七条1-4-32 ☎011-781-7170 [25]10 [24]7(男6, 女1)
(株)メディカルシステムネットワーク	[小] [特色] 薬局向け医薬品情報仲介が祖業の調剤薬局持株会社。M&Aで店舗全国化。介護・医師開業支援 [売]連115,361 [従]375 [資]2,128 [住]札幌市中央区北十条西24-3 ☎011-612-1069 [25]180 [24]150(男35, 女115)
(株)ロジネットジャパン	[陸] [特色] 陸運持株会社。傘下に北海道の札幌通運、東日本と西日本に地盤子会社。主要取引先にアマゾン [売]連74,075 [従]111 [資]1,000 [住]札幌市中央区大通西8-2-6 ☎011-251-7755 [25]20 [24]18(男7, 女11)

会社名	[業種名] [特色] 会社の特色 [売]売上高(百万円) [従]単独従業員数(名) [資]資本金(百万円) [住]本社の住所, 電話番号 ㉕25年採用計画数(名) ㉔24年入社内定者数(名)
和弘食品(株)	[食] [特色] ラーメンスープと麺つゆで業界中堅。日清オイリオと関係緊密。米国でもラーメンスープ生産 [売]連15,416 [従]249 [資]1,413 [住]小樽市銭函3-504-1 ☎0134-62-0505 ㉕**2** ㉔**4(男2, 女2)**
(株)サンデー	[小] [特色] 青森地盤のホームセンター。イオン子会社。東北6県に店舗広げる。小商圏向け小型店舗に注力 [売]単47,377 [従]774 [資]3,241 [住]八戸市根城6-22-10 ☎0178-47-8511 ㉕**45** ㉔**55(男29, 女26)**
東北化学薬品(株)	[卸] [特色] 工業薬品、試薬、関連機器が主力の商社。食品添加物も扱う。バイオ事業にも進出。東北が地盤 [売]連35,094 [従]244 [資]820 [住]弘前市大字神田1-3-1 ☎0172-33-8131 ㉕**5** ㉔**3(男1, 女2)**
(株)北日本銀行	[銀] [特色] 岩手県中心に八戸から仙台までの東北太平洋岸で展開。地銀中位。県内、個人へのシフト強める [売]連29,017 [従]796 [資]7,761 [住]盛岡市中央通1-6-7 ☎019-653-1111 ㉕**45** ㉔**56(男26, 女30)**
(株)東北銀行	[銀] [特色] 地銀下位行。岩手県3行中3番手。フィデアHDとの経営統合合意は解除。公的資金100億円 [売]連14,727 [従]584 [資]13,233 [住]盛岡市内丸3-1 ☎019-651-6161 ㉕**前年並** ㉔**40(男24, 女16)**
カメイ(株)	[卸] [特色] 東北最大の石油・LPガス卸。傘下にトヨタ販社。異業種含めたM&A駆使し多角化を志向 [売]連573,505 [従]1,501 [資]8,132 [住]仙台市青葉区国分町3-1-18 ☎022-264-6111 ㉕**未定** ㉔**59(男45, 女14)**
(株)カルラ	[小] [特色] 宮城地盤。東北、北関東の小商圏中心に和食ファミレス「まるまつ」展開。カニ、そば等専門店も [売]連6,840 [従]257 [資]50 [住]富谷市成田9-2-9 ☎022-351-5888 ㉕**8** ㉔**8(男1, 女7)**
(株)サトー商会	[卸] [特色] 東北、北関東地盤。量販店、レストラン、各種給食向け業務用食材卸。中小小売店向け販売も展開 [売]連47,606 [従]615 [資]1,405 [住]仙台市宮城野区扇町5-6-22 ☎022-236-5600 ㉕**15** ㉔**9(男6, 女3)**
(株)七十七銀行	[銀] [特色] 仙台拠点で東北最大の地銀。預貸率向上が課題。仙台再開発に照準。横浜銀等とシステム共同化 [売]連150,552 [従]2,426 [資]24,658 [住]仙台市青葉区中央3-3-20 ☎022-267-1111 ㉕**前年並** ㉔**91(男49, 女42)**
センコン物流(株)	[陸] [特色] 東北地盤で名取、仙台2本社制。運送のほか米穀も。富士ロジテックと提携。ホンダ販社併営 [売]連17,543 [従]292 [資]1,262 [住]名取市下余田字中荷672-1 ☎022-382-6127 ㉕**微増** ㉔**6(男1, 女5)**
東邦アセチレン(株)	[化] [特色] 溶接切断用ガス製造で発祥。産業用、家庭用LPG、器具器材も併営。東ソー、日本酸素HD系 [売]連35,423 [従]123 [資]2,261 [住]多賀城市栄2-3-32 ☎022-366-6110 ㉕**若干名** ㉔**4(男1, 女3)**
東北特殊鋼(株)	[鉄] [特色] 電磁ステンレス鋼、エンジンバルブ鋼シェア5割。不動産賃貸事業も手がける。大同特殊鋼系 [売]連21,337 [従]375 [資]827 [住]柴田郡村田町大字村田字西ヶ丘23 ☎0224-82-1010 ㉕**前年並** ㉔**8(男7, 女1)**
(株)やまや	[小] [特色] イオン系。東北地盤の酒類専門店。関東、関西にも店舗多い。13年末に居酒屋チムニーを子会社化 [売]連160,335 [従]138 [資]3,247 [住]仙台市宮城野区榴岡3-4-1 ☎022-742-3111 ㉕**80** ㉔**38(男12, 女26)**
(株)かわでん	[電機] [特色] 再上場前は川崎電気。カスタム型配電制御設備の専業最大手。一貫生産体制で、中大型に強み [売]単21,334 [従]820 [資]2,124 [住]南陽市小岩沢225 ☎0238-49-2011 ㉕**前年並** ㉔**25(男22, 女3)**
日東ベスト(株)	[食] [特色] 缶詰で創業。現在は全国営業の業務用冷凍食品が主力。スーパー向け日配食品、介護食も製販 [売]連54,271 [従]1,404 [資]1,474 [住]寒河江市幸町4-27 ☎0237-86-2100 ㉕**増加** ㉔**28(男15, 女13)**
ミクロン精密(株)	[機] [特色] 心なし研削盤国内首位でシェア4割、内面研削盤成長。自動車向け多い。米国、タイ等に営業拠点 [売]連5,181 [従]222 [資]651 [住]山形市蔵王上野578-2 ☎023-688-8111 ㉕**若干名** ㉔**4(男4, 女0)**
(株)ヤマザワ	[小] [特色] 山形主地盤に宮城、秋田にも店舗展開する食品スーパー。子会社でドラッグ、調剤、食品製造も [売]連101,891 [従]986 [資]2,388 [住]山形市あこや町3-8-9 ☎023-631-2211 ㉕**10** ㉔**5(男4, 女1)**
(株)アサカ理研	[非鉄] [特色] 独自技術使った電子部品からの貴金属回収、精錬等が柱。エッチング液回収など環境事業も注力 [売]連8,285 [従]168 [資]504 [住]郡山市田村町金屋字マセロ47 ☎024-944-4744 ㉕**前年並** ㉔**3(男3, 女0)**
アレンザホールディングス(株)	[小] [特色] ホームセンター、ペットショップを東北・関東・東海・中四国に多店舗展開。バローHD傘下に [売]連149,715 [従]23 [資]2,011 [住]福島市太平寺字堰ノ上58 ☎024-563-6818 ㉕**160** ㉔**147(男71, 女76)**
こころネット(株)	[サ] [特色] 傘下に葬祭、婚礼、石材子会社擁する持株会社。13年郡山の互助会と統合、福島県外へ展開模索 [売]連10,035 [従]33 [資]500 [住]福島市鎌田字舟戸前15-1 ☎024-573-6556 ㉕**増加** ㉔**4(男1, 女3)**
常磐興産(株)	[サ] [特色] フラガールで著名な「スパリゾートハワイアンズ」を運営。敷地内のホテル、燃料商事事業も展開 [売]連14,881 [従]475 [資]2,141 [住]いわき市常磐藤原町蕨平50 ☎0246-43-0569 ㉕**30** ㉔**29(男8, 女21)**
(株)大東銀行	[銀] [特色] 福島県内資金量2位。郡山本拠、県全域展開。中小企業、個人に強み。復興支援強化で営業改革 [売]連13,579 [従]431 [資]14,743 [住]郡山市中町19-1 ☎024-925-1111 ㉕**前年並** ㉔**19(男8, 女11)**
(株)東邦銀行	[銀] [特色] 福島県地盤、茨城、東京にも店舗。財務基盤安定し、県内シェアは預金が4割半ば、貸出が約4割 [売]連58,984 [従]1,783 [資]23,519 [住]福島市大町3-25 ☎024-523-3131 ㉕**90** ㉔**75(男38, 女37)**
(株)福島銀行	[銀] [特色] 福島県内2位級。SBIと資本業務提携。金融商品仲介や基幹システムなどで融合強める [売]連13,303 [従]443 [資]18,682 [住]福島市万世町2-5 ☎024-525-2525 ㉕**前年並** ㉔**22(男14, 女8)**
AIメカテック(株)	[機] [特色] 半導体、次世代ディスプレー製造用インクジェット装置(IJP)、LCD製造装置を手がける [売]連15,421 [従]218 [資]1,510 [住]龍ケ崎市向陽台5-2 ☎0297-62-9111 ㉕**7** ㉔**4(男4, 女0)**

会社名	業種名 特色 会社の特色 売 売上高(百万円) 従 単独従業員数(名) 資 資本金(百万円) 住 本社の住所，電話番号 ㉕25年採用計画数(名) ㉔24年入社内定者数(名)
暁飯島工業㈱	建 特色 茨城県の設備工事首位。商業施設等の民需が主体。ビル診断、保守・管理のリニューアルも展開 売 単6,637 従 136 資 1,408 住 水戸市千波町2770-5 ☎029-244-5111 ㉕ 10 ㉔ 5(男4, 女1)
香陵住販㈱	不 特色 茨城県地盤。県内で不動産の売買、賃貸、仲介、管理を手がける。自社企画で投資用物件開発も 売 連9,324 従 227 資 385 住 水戸市南町2-4-33 ☎029-221-2110 ㉕ 10 ㉔ 4(男4, 女0)
三桜工業㈱	輸機 特色 自動車用の各種チューブや集合配管などを製造、国内シェア約4割。独立系。世界に工場多数 売 連156,814 従 1,131 資 3,481 住 古河市鴻巣758 ☎0280-48-1111 ㉕ 増加 ㉔ 43(男21, 女22)
㈱ジョイフル本田	小 特色 ホームセンター大手。関東1都5県で5万平方mの超大型店を展開。40万点以上の品ぞろえに強み 売 単133,325 従 1,858 資 12,000 住 土浦市富士崎1-16-2 ☎029-822-2215 ㉕ 増加 ㉔ 10(男3, 女7)
助川電気工業㈱	精 特色 熱と計測に関する研究開発型メーカー。熱制御技術に特化。MIケーブルや溶融金属機器に強み 売 単4,577 従 193 資 921 住 高萩市上手綱3333-23 ☎0293-23-6411 ㉕ 増加 ㉔ 6(男4, 女2)
㈱筑波銀行	銀 特色 地銀中位行。茨城県2番手。関東つくば銀行が茨城銀行と合併。震災後に公的資金350億円 売 連41,092 従 1,317 資 48,868 住 つくば市竹園1-7 ☎029-859-8111 ㉕ 未定 ㉔ 55(男34, 女21)
日本アイ・エス・ケイ㈱	他製 特色 耐火金庫、歯科機器中堅。家具はコクヨOEM主体。金属加工等の広沢グループ傘下。無借金 売 連5,681 従 272 資 1,090 住 つくば市寺具1395-1 ☎029-869-2001 ㉕ 20 ㉔ 19(男12, 女7)
㈱ライトオン	小 特色 ジーンズカジュアルチェーン大手。全国の郊外SCに出店。PB開発に注力。自社EC育成中 売 単46,926 従 653 資 6,195 住 つくば市小野崎260-1 ☎029-858-0321 ㉕ 8 ㉔ 8(男3, 女5)
㈱カンセキ	小 特色 栃木を地盤とする中堅HC。アウトドア専門店や業務スーパーなど、専門店事業も多面展開 売 単36,871 従 323 資 1,926 住 宇都宮市西川田本町3-1-1 ☎028-658-8123 ㉕ 6 ㉔ 10(男6, 女4)
グランディハウス㈱	不 特色 栃木県など北関東が地盤。土地開発からの戸建て販売が主力。22年東京進出で関東全都県カバー 売 連51,521 従 461 資 2,077 住 宇都宮市大通り4-3-18 ☎028-650-7777 ㉕ 増加 ㉔ 22(男18, 女4)
㈱コジマ	小 特色 郊外型家電量販。経営不振で12年ビックカメラ傘下入り。売り場改革や赤字店閉鎖で再生果たす 売 単267,893 従 2,906 資 25,975 住 宇都宮市星が丘2-1-8 ☎028-621-0001 ㉕ 前年並 ㉔ 100(男75, 女25)
仙波糖化工業㈱	食 特色 着色用などカラメル製品で国内シェア首位。粉末茶も強い食品原料メーカー。中国等に子会社 売 連19,137 従 333 資 1,500 住 真岡市並木町2-1-10 ☎0285-82-2171 ㉕ 5 ㉔ 5(男3, 女2)
㈱大日光・エンジニアリング	電機 特色 配線基板実装、一眼レフ用レンズ組み立てが柱、国内カメラ最大手向け中心。NCネットと提携 売 連39,202 従 249 資 1,174 住 日光市根室697-1 ☎0288-26-3930 ㉕ 11 ㉔ 11(男8, 女3)
滝沢ハム㈱	食 特色 高級ハム・ソーセージに定評、総菜も扱う。PB請負も多数。同じ伊藤忠系プリマハムと業務提携 売 連28,211 従 324 資 1,080 住 栃木市泉川町556 ☎0282-23-5640 ㉕ 15 ㉔ 11(男2, 女9)
㈱タツミ	輸機 特色 ウィンドー、ブレーキが主力の自動車用部品メーカー。ミツバの子会社で5割近くがミツバ向け 売 連7,415 従 273 資 715 住 足利市南大町443 ☎0284-71-3131 ㉕ 6 ㉔ 4(男1, 女3)
デクセリアルズ㈱	化 特色 旧ソニーケミカルが再上場。異方性導電膜、光学弾性樹脂などニッチな電子部材・材料に強い 売 連105,198 従 1,352 資 16,257 住 下野市下坪山1724 ☎0285-39-7950 ㉕ 30 ㉔ 18(男15, 女3)
藤井産業㈱	卸 特色 北関東地盤の電設資材・電気機器商社。施工兼営。太陽光発電も展開。1883年鍛冶業で創業 売 連91,059 従 724 資 1,883 住 宇都宮市平出工業団地41-3 ☎028-662-6060 ㉕ 前年並 ㉔ 41(男31, 女10)
㈱フライングガーデン	小 特色 北関東地盤。郊外型レストラン「フライングガーデン」を直営展開。「爆弾ハンバーグ」が売り物 売 単7,785 従 181 資 50 住 小山市本郷町3-4-18 ☎0285-30-4129 ㉕ 20 ㉔ 12(男6, 女6)
Mipox㈱	ガ土 特色 微細表面加工の液体研磨剤大手。光ファイバー向け研磨フィルムも。買収で一般研磨剤にも進出 売 連9,354 従 375 資 3,379 住 鹿沼市さつき町18 ☎0289-99-9946 ㉕ 未定 ㉔ 7(男4, 女3)
マニー㈱	精 特色 手術用縫合針、眼科ナイフ、歯科用治療器で高シェア。ベトナム、ミャンマーなどに生産拠点 売 連24,488 従 402 資 1,073 住 宇都宮市清原工業団地8-3 ☎028-667-1811 ㉕ 16 ㉔ 10(男7, 女3)
㈱ムロコーポレーション	輸機 特色 精密プレスメーカー。自動車用駆動部品が主。商用車、2輪向けも。金型から一貫生産が特徴 売 連23,655 従 647 資 1,095 住 宇都宮市清原工業団地7-1 ☎028-667-7121 ㉕ 14 ㉔ 9(男8, 女1)
レオン自動機㈱	機 特色 練り技術を基礎に食品成形機展開。包あん成形機や製パン機が主力。米国製パン事業が育つ 売 連37,703 従 671 資 7,351 住 宇都宮市野沢町2-3 ☎028-665-1111 ㉕ 26 ㉔ 21(男16, 女5)
㈱岡本工作機械製作所	機 特色 平面研削盤で国内首位。半導体製造装置を今後の核と位置づけ。三井物産と資本業務提携 売 連50,198 従 486 資 9,783 住 安中市郷原2993 ☎027-385-5800 ㉕ 前年並 ㉔ 10(男10, 女0)
小倉クラッチ㈱	機 特色 産業用クラッチ大手。カーエアコン用で世界トップ。レース車変速用、機械用クラッチも展開 売 連43,491 従 759 資 1,858 住 桐生市相生町2-678 ☎0277-54-7101 ㉕ 64 ㉔ 27(男24, 女3)
群栄化学工業㈱	化 特色 祖業の異性化糖は飲料用が主。フェノール樹脂用いた化学品多彩、レジスト等電子材料用途が柱 売 連30,310 従 358 資 5,000 住 高崎市宿大類町700 ☎027-353-1818 ㉕ 微増 ㉔ 11(男9, 女2)

会社名	業種名 特色 会社の特色 売 売上高(百万円) 従 単独従業員数(名) 資 資本金(百万円) 住 本社の住所,電話番号 ㉕25年採用計画数(名) ㉔24年入社内定者数(名)
佐田建設(株)	建 特色 群馬、埼玉が地盤の中堅建設会社。建築軸に土木工事、合材販売。創業者一族から国会議員輩出 売 連26,083 従 381 資 1,886 住 前橋市元総社町1-1-7 ☎027-251-1551 ㉕28 ㉔17(男14,女3)
サンデン(株)	機 特色 カーエアコン用コンプレッサー世界2位。欧州車軸。ハイセンス傘下。事業再生ADRで再建中 売 連179,279 従 1,322 資 21,741 住 伊勢崎市寿町20 ☎0270-24-1211 ㉕25 ㉔15(男13,女2)
(株)セキチュー	小 特色 群馬地盤の中堅ホームセンター(HC)、カー用品専門店「オートウェイ」や自転車店等も展開 売 単30,380 従 305 資 2,921 住 高崎市倉賀野町4531-1 ☎027-345-1111 ㉕20 ㉔12(男8,女4)
(株)ヤマト	建 特色 空調・衛生等の管工事主力。水質保全技術、配管の工場生産化に独自性。群馬など関東に営業基盤 売 連48,296 従 786 資 5,000 住 前橋市古市町118 ☎027-290-1800 ㉕25 ㉔17(男15,女2)
(株)両毛システムズ	情通 特色 自治体、民間企業向けシステム開発・情報処理の中堅。ERP導入コンサルも。親会社はミツバ 売 連18,170 従 736 資 1,966 住 桐生市広沢町3-4025 ☎0277-53-3131 ㉕40 ㉔31(男17,女14)
(株)ワークマン	小 特色 作業服、関連用品専門チェーン。FC主軸に「ワークマンプラス」「ワークマン女子」など展開 売 単132,651 従 411 資 1,622 住 伊勢崎市柴町1732 ☎0270-32-6111 ㉕25 ㉔28(男20,女8)
(株)アイチコーポレーション	機 特色 高所作業車メーカー国内トップ。電力会社向け多い。鉄道用の軌陸両用車育成。中国で現地生産 売 連53,129 従 996 資 10,425 住 上尾市大字領家山下1152-10 ☎048-781-1111 ㉕37 ㉔34(男30,女4)
曙ブレーキ工業(株)	輸機 特色 独立系のブレーキメーカー。主要客先はトヨタと日産、いすゞ。事業再生ADRで再建終了 売 連166,301 従 802 資 19,939 住 羽生市東5-4-71 ☎048-560-1500 ㉕10 ㉔12(男10,女2)
AZ-COM丸和ホールディングス(株)	陸 特色 小売業に特化した3PL(物流一括請負)。低温食品物流に強み。「桃太郎便」ブランドで宅配も 売 連198,554 従 61 資 9,117 住 吉川市旭7-1 ☎048-991-1000 ㉕600 ㉔325(男‥,女‥)
(株)エンプラス	電機 特色 プラスチック主軸の高機能デバイス・微細部品メーカー。半導体、光通信、遺伝子検査関連強化 売 連37,805 従 344 資 8,080 住 川口市並木2-30-1 ☎048-253-3131 ㉕30 ㉔23(男16,女7)
(株)オリジン	電機 特色 産業用電源機器製造で発祥。貼合装置・機能性塗料・精密機構部品に多角化。海外売上比率高い 売 連28,205 従 621 資 6,103 住 さいたま市桜区栄和3-3-27 ☎048-755-9011 ㉕10 ㉔10(男7,女3)
キヤノン電子(株)	電機 特色 キヤノンの製造子会社。カメラシャッター製造やLBPのレーザースキャナー・組み立てが柱 売 連96,321 従 1,800 資 4,969 住 秩父市下影森1248 ☎0494-23-3111 ㉕20 ㉔20(男14,女6)
(株)グラファイトデザイン	他製 特色 ゴルフクラブシャフト製造が柱。国内で大半を製造。カーボン積層技術生かした新事業積極展開 売 単2,652 従 128 資 589 住 秩父市太田2474-1 ☎0494-62-2800 ㉕前年並 ㉔2(男0,女2)
ケイアイスター不動産(株)	不 特色 主力は1次取得層向け分譲住宅。土地仕入れから販売まで一気通貫で供給。南関東軸に全国展開 売 連283,084 従 1,318 資 4,817 住 本庄市西富田762-1 ☎0495-27-2525 ㉕150 ㉔98(男65,女33)
(株)ゴルフ・ドゥ	小 特色 中古ゴルフクラブ等の専門店を運営。新品の取り扱いも。直営店は首都圏が中心。FCも展開 売 連5,773 従 117 資 515 住 さいたま市中央区上落合2-3-1 ☎048-851-3111 ㉕8 ㉔7(男4,女3)
(株)システムインテグレータ	情通 特色 ERP、DB開発・設計支援、プロジェクト管理等ソフト開発。ECサイト構築向け24年合弁移管 売 単4,835 従 231 資 367 住 さいたま市中央区新都心11-2 ☎048-600-3880 ㉕9 ㉔14(男12,女2)
(株)芝浦電子	電機 特色 温度センサー最大手。タイに主力工場。自動車、空調向けが柱。調理家電やガス給湯器向けも 売 連32,401 従 143 資 2,144 住 さいたま市中央区上落合2-1-24 ☎048-615-4000 ㉕17 ㉔9(男6,女3)
新報国マテリアル(株)	鉄 特色 鋳鋼品中堅メーカー。高炉依存から半導体やFPD製造装置向けに傾斜。低熱膨張合金が収益柱 売 単6,483 従 89 資 175 住 川越市新宿町5-13-1 ☎049-242-1950 ㉕微増 ㉔4(男3,女1)
(株)スーパーバリュー	小 特色 埼玉・東京地盤の食品スーパー。HCとの複合店も。22年、ロピア展開のOICグループ傘下に 売 単70,432 従 350 資 3,513 住 上尾市愛宕3-1-40 ☎048-778-3222 ㉕3 ㉔7(男3,女4)
(株)ツツミ	他製 特色 宝飾品、貴金属小売り大手。企画、生産、販売の一貫体制。首都圏中心に関東、関西、中部等へ展開 売 単19,907 従 943 資 13,098 住 蕨市中央4-24-26 ☎048-431-5111 ㉕50 ㉔47(男3,女44)
NITTOKU(株)	機 特色 コイル用自動巻線機最大手で全自動システム機に特色。モーター用巻線機も。FA企業志向 売 連30,803 従 481 資 6,884 住 さいたま市大宮区東町2-292-1 ☎048-615-2109 ㉕20 ㉔20(男‥,女‥)
(株)ハイデイ日高	小 特色 中華料理とつまみの「中華食堂日高屋」主力。首都圏の駅前・繁華街立地で展開。直営出店主義 売 単48,772 従 978 資 1,625 住 さいたま市大宮区大門町2-118 ☎048-644-8447 ㉕100 ㉔80(男49,女31)
(株)バッファロー	小 特色 カー用品のオートバックスFC店。埼玉が地盤。車体美観サービス強化中。焼き肉など飲食も 売 連11,216 従 239 資 653 住 川口市本町4-1-8 ☎048-227-8860 ㉕10 ㉔2(男2,女0)
ヒーハイスト(株)	機 特色 産業機械用直動ベアリングが軸。液晶製造装置用位置決め部品も。売上の過半はTHK向け 売 連2,310 従 92 資 732 住 川越市今福580-1 ☎049-273-7000 ㉕若干名 ㉔2(男1,女1)
(株)ピックルスホールディングス	食 特色 漬物業界1位。セブン&アイ向け3割弱。「ご飯がススム」ブランド展開。22年9月に持株会社化 売 連43,028 従 292 資 100 住 所沢市東住吉7-8 ☎04-2931-0777 ㉕前年並 ㉔11(男6,女5)

会社名	[業種名] (特色)会社の特色 (売)売上高(百万円) (従)単独従業員数(名) (資)資本金(百万円) (住)本社の住所, 電話番号 ㉕25年採用計画数(名) ㉔24年入社内定者数(名)
㈱フコク	[ゴ] (特色)ワイパーやブレーキなど自動車用ゴム製品大手。独立系。北米、アジアなど海外生産を増強中 (売)連88,847 (従)1,163 (資)1,395 (住)上尾市菅谷3-105 ☎048-615-4400 ㉕**25** ㉔**23(男17, 女6)**
前澤工業㈱	[機] (特色)上下水道用機械専業の大手。上水道と下水道が半々。官民連携を強め、官公需9割超の是正図る (売)連36,511 (従)747 (資)5,233 (住)川口市仲町5-11 ☎048-251-5511 ㉕**20** ㉔**16(男11, 女5)**
㈱武蔵野銀行	[銀] (特色)地銀中位。さいたま市中心に埼玉県全域に店舗。東京との県境地区を強化。千葉銀と包括的提携 (売)連81,068 (従)1,938 (資)45,743 (住)さいたま市大宮区桜木町1-10-8 ☎048-641-6111 ㉕**未定** ㉔**96(男62, 女34)**
ヤマト モビリティ & Mfg. ㈱	[化] (特色)プラスチック部品製造の中堅。OA機器や家電、自動車など用途多岐。かご台車など物流機器も (売)連15,364 (従)93 (資)1,037 (住)川越市大字古谷上4274 ☎049-235-1234 ㉕**前年並** ㉔**3(男0, 女3)**
ユー・エム・シー・エレクトロニクス㈱	[電機] (特色)電子機器を受託製造するEMSが主力。車載向け中心。22年末に事業再生ADRで再建終了 (売)連131,289 (従)230 (資)4,729 (住)上尾市瓦葺721 ☎048-724-0001 ㉕**前年並** ㉔**4(男2, 女2)**
㈱リード	[輸機] (特色)SUBARUグループ向け車両部品が柱。バンパー、スポイラー(樹脂塗装品)などに強い (売)単5,058 (従)177 (資)658 (住)熊谷市弥藤吾578 ☎048-588-1121 ㉕**9** ㉔**4(男4, 女0)**
理研コランダム㈱	[ガ土] (特色)金属・木材向け研磨布紙大手。OA機器紙送りローラーや不動産賃貸も。オカモトがTOB実施 (売)連4,184 (従)110 (資)500 (住)鴻巣市宮前547-1 ☎048-596-4411 ㉕**若干名** ㉔**2(男1, 女1)**
リズム㈱	[精] (特色)金型など精密品事業、時計などの生活品事業が柱。20年10月子会社を吸収合併し経営効率化図る (売)連32,602 (従)476 (資)12,372 (住)さいたま市大宮区北袋町1-299-12 ☎048-643-7211 ㉕**12** ㉔**6(男3, 女3)**
石井食品㈱	[食] (特色)ミートボール、ハンバーグ等の食肉加工品主力。スーパー向け中心。おせちなど年末商戦で稼ぐ (売)連10,492 (従)382 (資)919 (住)船橋市本町2-7-17 ☎047-435-0141 ㉕**15** ㉔**18(男7, 女11)**
㈱市進ホールディングス	[サ] (特色)学習塾「市進学院」を千葉県軸に展開。個別指導「個太郎塾」も併営。介護事業も。学研HD子会社 (売)連17,948 (従)189 (資)1,476 (住)市川市八幡2-3-11 ☎047-335-2888 ㉕**微増** ㉔**4(男1, 女3)**
イワブチ㈱	[金製] (特色)電力架線用金具で首位、交通信号用金具市場ほぼ独占。CATV・情報通信関連分野にも進出 (売)連11,768 (従)261 (資)1,496 (住)松戸市上本郷167 ☎047-368-2222 ㉕**若干名** ㉔**3(男1, 女2)**
㈱ウェザーニューズ	[情通] (特色)民間気象情報で世界最大手。気象予測に基づく海運向け最適航路提供が祖業。個人向けが主力に (売)連22,242 (従)1,006 (資)1,706 (住)千葉市美浜区中瀬1-3 ☎043-274-5536 ㉕**35** ㉔**33(男20, 女13)**
㈱エイジス	[サ] (特色)棚卸代行ほか店舗リテールサポートが主軸。製造業へマーケティング提案拡充。海外も強化 (売)連29,995 (従)293 (資)475 (住)千葉市花見川区幕張町4-544-4 ☎043-350-0888 ㉕**10** ㉔**11(男4, 女7)**
K&Oエナジーグループ㈱	[鉱] (特色)持株会社。天然ガス開発から都市ガス供給まで一貫。輸出柱のヨウ素の生産・販売で世界有数 (売)連96,298 (従)57 (資)8,000 (住)茂原市茂原661 ☎0475-27-1011 ㉕**未定** ㉔**17(男10, 女7)**
三協フロンテア㈱	[サ] (特色)仮設ユニットハウスのレンタル・販売大手。工事用途を含め、仮設より大規模な本建築を拡充 (売)連52,369 (従)1,077 (資)1,545 (住)柏市新十余二5 ☎04-7133-6666 ㉕**40** ㉔**29(男24, 女5)**
サンコーテクノ㈱	[金製] (特色)機器をコンクリート等に固定する特殊ネジ最大手。あと施工アンカーのトップ。独自技術定評 (売)連21,142 (従)356 (資)768 (住)流山市南流山3-10-16 ☎04-7157-3535 ㉕**10** ㉔**3(男2, 女1)**
㈱シー・ヴイ・エス・ベイエリア	[小] (特色)千葉、東京地盤でホテル、マンション管理事業を展開。コンビニ、クリーニングも手がける (売)連7,519 (従)57 (資)1,200 (住)千葉市美浜区中瀬1-7-1 ☎043-296-6621 ㉕**10** ㉔**2(男1, 女1)**
㈱シー・エス・ランバー	[他製] (特色)木材プレカット大手で在来、2×4工法用ともに製造。1都4県地盤。建築請負、不動産賃貸も (売)連21,132 (従)202 (資)536 (住)千葉市花見川区幕張本郷1-16-3 ☎043-213-8810 ㉕**増加** ㉔**8(男1, 女7)**
㈱ジィ・シィ企画	[情通] (特色)小売り軸にキャッシュレス決済システム開発から保守、運用まで提供。カスタマイズ力に強み (売)単1,740 (従)112 (資)433 (住)佐倉市王子台1-28-8 ☎043-464-3348 ㉕**6** ㉔**4(男3, 女1)**
新日本建設㈱	[建] (特色)建設と不動産開発(分譲マンション)が両輪。営業は首都圏中心、建設は非住宅工事の受注を深耕 (売)連133,517 (従)521 (資)3,665 (住)千葉市美浜区ひび野1-4-3 ☎043-213-1111 ㉕**70** ㉔**40(男35, 女5)**
㈱精工技研	[電機] (特色)光通信部品、自動車部品用金型が主柱。携帯電話用のレンズ、子会社で自動車用センサーも (売)連15,785 (従)171 (資)6,791 (住)松戸市松飛台296-1 ☎047-311-5111 ㉕**前年並** ㉔**4(男3, 女1)**
㈱地域新聞社	[サ] (特色)千葉県と茨城県で無料情報紙を発行。地域情報サイトや求人媒体拡充。ADワークスGと親密 (売)単2,926 (従)162 (資)287 (住)八千代市勝田台北1-11-16 ☎047-485-1100 ㉕**3** ㉔**4(男1, 女3)**
㈱フューチャーリンクネットワーク	[サ] (特色)地域情報サイト「まいぷれ」を直営とパートナー企業通じ展開。ふるさと納税など自治体支援も (売)連1,382 (従)107 (資)276 (住)船橋市西船4-19-3 ☎047-495-0525 ㉕**5** ㉔**7(男3, 女4)**
ユアサ・フナショク㈱	[卸] (特色)千葉中心に関東地盤の食品卸。地域スーパーが主販売先。ビジネスホテル「パールホテル」も運営 (売)連119,580 (従)219 (資)5,599 (住)船橋市宮本4-18-6 ☎047-433-1211 ㉕**前年並** ㉔**10(男4, 女6)**
アートグリーン㈱	[卸] (特色)胡蝶蘭売上が6割強占める。神奈川、千葉、山梨、岡山、豊橋に生産拠点、栽培規模の拡大狙う (売)連2,484 (従)84 (資)143 (住)江東区福住1-8-8 ☎03-6823-5874 ㉕**前年並** ㉔**6(男0, 女6)**

会社名	[業種名] [特色]会社の特色 [売]売上高(百万円) [従]単独従業員数(名) [資]資本金(百万円) [住]本社の住所, 電話番号 ㉕25年採用計画数(名) ㉔24年入社内定者数(名)
㈱アートネイチャー	[他製] [特色]かつらで双璧。男性向け首位で注文生産品を主体に増毛商品、既製品を展開。女性向けは2位 [売]連42,850 [従]2,376 [資]3,667 [住]渋谷区代々木3-40-7 ☎03-3379-3334 ㉕**45** ㉔**29(男9, 女20)**
RSC	[サ] [特色]警備事業中堅。警備、清掃、設備管理を結合した総合管理サービス志向。人材派遣事業を育成中 [売]連8,096 [従]280 [資]302 [住]豊島区東池袋3-1-3 ☎03-5952-7211 ㉕**4** ㉔**2(男1, 女1)**
㈱アールシーコア	[他製] [特色]BESSブランド住宅を販売。自然派のライフスタイル提案型に強み、販路は直販と地域代理店 [売]連12,142 [従]130 [資]671 [住]渋谷区猿楽町10-1 ☎03-5990-4070 ㉕**4** ㉔**4(男2, 女2)**
アールビバン㈱	[小] [特色]催事で版画作品を展示販売。新人作家発掘にも注力。イラスト系も。ホットヨガ「アミーダ」展開 [売]連11,006 [従]211 [資]1,843 [住]品川区東品川4-13-14 ☎03-5783-7171 ㉕**50** ㉔**43(男15, 女28)**
㈱アイ・アールジャパンホールディングス	[サ] [特色]独立系。株主判明調査やPA(議決権争奪戦略立案)、FA(敵対的買収対応)で独自モデル構築 [売]連5,664 [従]7 [資]865 [住]千代田区霞が関3-2-5 ☎03-3519-6750 ㉕**増加** ㉔**7(男6, 女1)**
AIAIグループ㈱	[サ] [特色]東京都、千葉県などで認可保育園を運営。発達障害児の支援施設に注力。介護施設から撤退 [売]連11,818 [従]1,052 [資]29 [住]墨田区錦糸1-2-1 ☎03-6284-1607 ㉕**増加** ㉔**109(男12, 女97)**
㈱アイ・エス・ビー	[情通] [特色]独立系SI中堅。金融や製造業、官公庁などが顧客。セキュリティ分野で入退室管理システムも [売]連32,388 [従]934 [資]2,392 [住]品川区大崎5-1-11 ☎03-3490-1761 ㉕**60** ㉔**64(男58, 女6)**
アイザワ証券グループ㈱	[証商] [特色]独立系中堅証券。米国ほかアジア12市場の株も取り扱う。21年10月に持株会社化、総合金融志向 [売]連18,980 [従]53 [資]8,000 [住]港区東新橋1-9-1 ☎03-6852-7744 ㉕**70** ㉔**29(男22, 女7)**
㈱IC	[情通] [特色]システム開発と運用が2本柱の独立系SI。客先常駐型の開発多い。日立グループ向けが約5割 [売]連8,562 [従]732 [資]407 [住]港区港南2-15-3 ☎03-4335-8188 ㉕**40** ㉔**41(男22, 女19)**
㈱アイズ	[情通] [特色]会員である広告主と掲載媒体結ぶマッチングサイト運営。SNS向け口コミ情報支援サイトも [売]単1,019 [従]76 [資]219 [住]渋谷区渋谷3-12-22 ☎03-6419-8505 ㉕**未定** ㉔**13(男5, 女8)**
㈱アイスタイル	[情通] [特色]化粧品・美容情報サイト「アットコスメ」運営。EC・実店舗の小売りと広告等マーケ支援が柱 [売]連56,085 [従]478 [資]5,719 [住]港区赤坂1-12-32 ☎03-6161-3660 ㉕**30** ㉔**22(男9, 女13)**
㈱アイティフォー	[情通] [特色]独立系SIベンダー。ネットワーク構築や延滞債権管理システム等のソフト開発に強み。無借金 [売]連20,652 [従]494 [資]1,124 [住]千代田区一番町21 ☎03-5275-7841 ㉕**39** ㉔**30(男23, 女7)**
㈱アイナボホールディングス	[卸] [特色]タイル、空調など住宅設備機器の販売、工事で業界首位。施工力の高さが強み。関東で高シェア [売]連86,085 [従]37 [資]896 [住]台東区元浅草2-6-6 ☎03-4570-1316 ㉕**若干名** ㉔**4(男2, 女2)**
㈱アイネス	[情通] [特色]独立系SI。自治体向け総合行政情報システム「ウェブリングス(WR)」に強み。三菱総研と提携 [売]連40,557 [従]937 [資]15,000 [住]中央区日本橋蛎殻町1-38-11 ☎03-6775-4401 ㉕**60** ㉔**33(男21, 女12)**
アイビーシー㈱	[情通] [特色]ICTインフラ性能監視のパイオニア。分析サービス、プロダクト販売・導入、コンサルの3本柱 [売]連1,900 [従]78 [資]443 [住]中央区新川1-8-8 ☎03-5117-2780 ㉕**7** ㉔**5(男5, 女0)**
㈱IBJ	[サ] [特色]婚活サービス提供。直営結婚相談所のほか相談所連盟事業、婚活アプリやパーティなど多角展開 [売]連17,649 [従]連942 [資]699 [住]新宿区西新宿1-23-7 ☎080-70270983 ㉕**20** ㉔**34(男9, 女25)**
㈱アイビス	[サ] [特色]モバイルペイントアプリ「ibisPaint」運営。アプリ広告が収益柱。企業向け開発支援も [売]単4,086 [従]327 [資]385 [住]中央区八丁堀1-5-1 ☎03-6222-5277 ㉕**未定** ㉔**6(男‥, 女‥)**
㈱アイフリークモバイル	[情通] [特色]携帯端末向け情報配信が祖業。LINEスタンプも。近年はコンテンツ制作受託に軸足シフト [売]連2,571 [従]260 [資]10 [住]新宿区新宿2-1-11 ☎03-6274-8901 ㉕**未定** ㉔**9(男6, 女3)**
㈱アイリックコーポレーション	[保] [特色]来店型保険ショップを展開。独自の保険分析・検索システムや自社開発スマートOCRが特徴 [売]連7,921 [従]356 [資]1,354 [住]文京区本郷2-27-20 ☎03-5840-9550 ㉕**微減** ㉔**13(男3, 女10)**
㈱青山財産ネットワークス	[不] [特色]富裕層への運用、相続コンサルが柱。顧客増へ不動産運用商品組成にも注力。配当性向5割メド [売]連36,098 [従]234 [資]1,235 [住]港区赤坂8-4-14 ☎03-6439-5800 ㉕**10** ㉔**6(男3, 女3)**
㈱赤阪鐵工所	[機] [特色]舶用ディーゼルエンジン専業の中堅。三菱重工と連携。小型・省エネ型を強化。非舶用分野を育成 [売]単7,934 [従]275 [資]1,510 [住]千代田区丸の内3-4-1 ☎03-6860-9081 ㉕**6** ㉔**4(男4, 女0)**
㈱あかつき本社	[証商] [特色]あかつき証券の証券業に加え、中古住宅・高齢者施設等の事業投資も展開するグループ [売]連46,681 [従]10 [資]5,665 [住]中央区日本橋小舟町8-1 ☎03-6821-0606 ㉕**15** ㉔**7(男7, 女0)**
アキレス㈱	[化] [特色]運動靴大手で車両内装材、プラスチックフィルム、新建材など多角展開。学童靴「瞬足」で有名 [売]連78,607 [従]1,277 [資]14,640 [住]新宿区北新宿2-21-1 ☎03-5338-9200 ㉕**40** ㉔**25(男17, 女8)**
㈱アクシージア	[化] [特色]スキンケア主体の化粧品メーカー、サプリも手がける。中国への売上が大半。ECに強み [売]連12,192 [従]157 [資]2,155 [住]新宿区西新宿2-6-1 ☎03-6304-5840 ㉕**未定** ㉔**11(男1, 女10)**
アクモス㈱	[情通] [特色]ITソリューション事業主軸に展開。医療系システム開発など重点分野強化。配当性向50%超 [売]連6,230 [従]285 [資]693 [住]港区虎ノ門1-21-19 ☎03-5539-8800 ㉕**30** ㉔**26(男23, 女3)**

会社名	[業種名] (特色) 会社の特色 (売)売上高(百万円) (従)単独従業員数(名) (資)資本金(百万円) (住)本社の住所，電話番号 ㉕25年採用計画数(名) ㉔24年入社内定者数(名)
アグレ都市デザイン㈱	[不] (特色) 東京地盤にデザイン性高めた戸建て分譲、投資用収益マンションを展開。買収で宿泊事業開始 (売)連27,605 (従)132 (資)390 (住)新宿区西新宿2-6-1 ☎03-6258-0035 ㉕**前年並** ㉔**4(男2, 女2)**
アグロ カネショウ㈱	[化] (特色) 果樹、野菜向け農薬専業。全農以外の商社系販路、農家の土壌分析による技術提案型営業に特徴 (売)連15,655 (従)300 (資)1,809 (住)千代田区丸の内1-8-3 ☎03-5224-8000 ㉕**13** ㉔**7(男3, 女4)**
㈱揚羽	[サ] (特色) 採用や企業ブランディング支援の専門企業。コンサルからサイト制作まで一気通貫で取り組む (売)単1,736 (従)146 (資)279 (住)中央区八丁堀2-12-7 ☎03-6280-3336 ㉕**5** ㉔**3(男2, 女1)**
㈱アサックス	[他金] (特色) 居住用不動産を担保に事業性ローン提供。独特のノウハウで貸倒率低い。不動産賃貸事業も (売)単6,754 (従)60 (資)2,307 (住)渋谷区広尾1-3-14 ☎03-3445-0404 ㉕**未定** ㉔**4(男2, 女2)**
旭コンクリート工業㈱	[ガ土] (特色) 太平洋セメント系。官需8割以上。ボックスカルバート(矩形コンクリ管)主力。耐震工法得意 (売)単7,071 (従)194 (資)1,204 (住)中央区築地1-8-2 ☎03-3542-1201 ㉕**11** ㉔**2(男2, 女0)**
旭情報サービス㈱	[情通] (特色) 独立系情報サービス会社。顧客企業のネットワークシステム構築・運用に技術者を派遣サービス (売)単14,786 (従)1,923 (資)733 (住)千代田区丸の内1-7-12 ☎03-5224-8281 ㉕**未定** ㉔**154(男109, 女45)**
旭ダイヤモンド工業㈱	[機] (特色) ダイヤモンド工具大手。自動車、機械、電子部品用が柱。SiC半導体向け成長。配当性向5割超 (売)連38,653 (従)1,001 (資)4,102 (住)千代田区紀尾井町4-1 ☎03-3222-6311 ㉕**15** ㉔**20(男14, 女6)**
㈱朝日ネット	[情通] (特色) 独立系ネット接続サービス(ISP)大手。ASAHIネット運営。大学向け教育支援「マナバ」も (売)単12,217 (従)210 (資)630 (住)中央区銀座4-12-15 ☎03-3541-1900 ㉕**10** ㉔**9(男5, 女4)**
アジアパイルホールディングス㈱	[ガ土] (特色) コンクリートパイル(基礎杭)製造・施工でトップ。設計から建設まで独自の一貫請負体制を構築 (売)連103,151 (従)794 (資)6,621 (住)中央区日本橋箱崎町36-2 ☎03-5843-4173 ㉕**10** ㉔**6(男4, 女2)**
㈱アシロ	[サ] (特色) 分野別に特化した法律事務所の紹介・相談サイトを複数運営、派生メディアやHR事業へ展開 (売)連IFS3,197 (従)94 (資)608 (住)新宿区西新宿6-3-1 ☎03-6279-4581 ㉕**15** ㉔**14(男7, 女7)**
あすか製薬ホールディングス㈱	[医] (特色) 武田と親密。婦人科領域に強い。先発品比率引き上げに注力。21年春にあすか製薬が持株会社化 (売)連62,843 (従)838 (資)1,197 (住)港区芝浦2-5-1 ☎03-5484-8845 ㉕**微増** ㉔**18(男9, 女9)**
㈱アズ企画設計	[不] (特色) 東京23区中心に収益物件を取得、リノベ等で収益性高め投資家に転売。賃貸・管理併営。埼玉発祥 (売)連11,506 (従)60 (資)372 (住)千代田区丸の内1-6-2 ☎03-6256-0840 ㉕**3** ㉔**3(男2, 女1)**
㈱アスモ	[小] (特色) 食肉卸シンワと居酒屋等オックスが06年合併。事業転換で給食、介護が柱に。香港で食品加工も (売)連20,533 (従)13 (資)2,323 (住)新宿区西新宿2-4-1 ☎03-6911-0550 ㉕**若干名** ㉔**46(男13, 女33)**
アセンテック㈱	[卸] (特色) 仮想デスクトップのソリューション、ソフト・端末販売、保守・コンサル軸。クラウドサービスも (売)連6,226 (従)82 (資)235 (住)千代田区神田練塀町3 ☎03-5296-9331 ㉕**7** ㉔**5(男4, 女1)**
㈱アソインターナショナル	[サ] (特色) 矯正に特化した歯科技工物を展開。デジタル採寸データ活用した加工や矯正用マウスピースも (売)連3,544 (従)66 (資)354 (住)中央区銀座2-11-8 ☎03-3547-0479 ㉕**10** ㉔**7(男3, 女4)**
㈱アダストリア	[小] (特色) SC軸に「グローバルワーク」等カジュアル衣料展開。フォーエバー21も。傘下に外食ゼットン (売)連275,596 (従)4,905 (資)2,660 (住)渋谷区渋谷2-21-1 ☎03-5466-2010 ㉕**微増** ㉔**230(男34, 女196)**
東海運㈱	[倉運] (特色) 太平洋セメント系。アジア船ターミナル業務が主柱。ロシアへの国際輸送が強み。トマト栽培も (売)連39,746 (従)585 (資)2,294 (住)中央区晴海1-8-12 ☎03-6221-2200 ㉕**10** ㉔**8(男4, 女4)**
アドソル日進㈱	[情通] (特色) 電力やガスなどのシステム開発に強み。DX関連案件の比率高まる。グローバル協業を強化 (売)連14,078 (従)600 (資)575 (住)港区港南4-1-8 ☎03-5796-3131 ㉕**50** ㉔**39(男32, 女7)**
㈱アドバネクス	[金製] (特色) 精密ばね大手。自動車やOA関連が主。国内・アジア・米州・欧州に生産拠点。医療機器向け成長 (売)連26,549 (従)364 (資)100 (住)北区田端6-1-1 ☎03-3822-5860 ㉕**18** ㉔**8(男5, 女3)**
㈱アドバンスト・メディア	[情通] (特色) 独自の音声認識技術「アミボイス」を核に各種の業務支援システム・サービスを開発提供する (売)連6,001 (従)244 (資)6,930 (住)豊島区東池袋3-1-1 ☎03-5958-1031 ㉕**20** ㉔**15(男11, 女4)**
㈱アドバンテッジリスクマネジメント	[サ] (特色) ストレスチェックと関連ビジネスで首位級。団体長期障害所得補償保険(GLTD)も販売 (売)連6,998 (従)425 (資)365 (住)目黒区上目黒2-1-1 ☎03-5794-3800 ㉕**前年並** ㉔**11(男5, 女6)**
アトミクス㈱	[化] (特色) 塗料中堅、道路標示用でトップ。家庭用も。標示用機械の製造、施工併営。ハードコート材に注力 (売)連12,122 (従)220 (資)1,040 (住)板橋区舟渡3-9-6 ☎03-3969-3111 ㉕**5** ㉔**3(男2, 女1)**
㈱アバールデータ	[電機] (特色) 半導体製造装置用制御機器の受託製品展開。画像処理、計測通信機器の自社製品との2本柱 (売)単12,580 (従)209 (資)2,354 (住)町田市旭町1-25-10 ☎042-732-1000 ㉕**未定** ㉔**4(男4, 女0)**
㈱アピリッツ	[情通] (特色) ECサイト、Webシステムの受託開発。オンラインゲームの運営等。IT人材派遣にも注力 (売)連8,427 (従)593 (資)639 (住)渋谷区桜丘町1-1 ☎03-6684-5111 ㉕**増加** ㉔**45(男25, 女20)**
㈱網屋	[情通] (特色) データセキュリティに強み、SaaS軸にストックビジネス育成、ネットワーク構築サービスも (売)連3,559 (従)162 (資)61 (住)中央区日本橋浜町3-3-2 ☎03-6822-9999 ㉕**16** ㉔**19(男15, 女4)**

会社名	業種名 (特色)会社の特色 (売)売上高(百万円) (従)単独従業員数(名) (資)資本金(百万円) (住)本社の住所, 電話番号 ㉕25年採用計画数(名) ㉔24年入社内定者数(名)
アライドテレシスホールディングス㈱	電機 (特色)ネットワーク機器を国際展開。日、米、欧で開発。製造業や医療機関、文教、自治体向けが柱 (売)連44,385 (従)連1,886 (資)10,019 (住)品川区西五反田7-21-11 ☎03-5437-6000 ㉕**30** ㉔**24(男16, 女8)**
アルー㈱	サ (特色)人材育成研修事業を国内外で展開。大手企業が主要顧客。英語研修は法人に加え個人向けも実施 (売)連3,028 (従)159 (資)365 (住)千代田区九段北1-13-5 ☎03-6268-9791 ㉕**5** ㉔**5(男2, 女3)**
アルコニックス㈱	卸 (特色)双日の非鉄販社が分離独立。商社機能と製造業を融合した非鉄金属の総合企業。M&Aに積極的 (売)連174,901 (従)215 (資)5,830 (住)千代田区永田町2-11-1 ☎03-3596-7400 ㉕**前年並** ㉔**6(男3, 女3)**
㈱アルチザネットワークス	電機 (特色)通信計測器の開発業者で通信キャリア、基地局メーカー向けが主。基地局テスト受託サービスも (売)連2,819 (従)142 (資)1,359 (住)立川市曙町2-36-2 ☎042-529-3494 ㉕**5** ㉔**2(男2, 女0)**
㈱アルバイトタイムス	サ (特色)無料求人情報誌「DOMO」発行。発祥の静岡県内では3版発行し、シェア高い。愛知、岐阜版も (売)連4,318 (従)167 (資)455 (住)中央区京橋2-6-13 ☎03-5524-8725 ㉕**10** ㉔**3(男1, 女2)**
㈱アルファパーチェス	卸 (特色)企業向けに間接材など提供のMRO事業、サービス役務のFM事業の2本柱。取引一元化に強み (売)連51,951 (従)231 (資)560 (住)港区三田1-4-28 ☎03-6635-5140 ㉕**前年並** ㉔**5(男3, 女2)**
and factory㈱	サ (特色)出版社と協業し漫画アプリ展開。占いサービスが成長中。IoT活用したホテルの運営も行う (売)単2,979 (従)129 (資)801 (住)目黒区青葉台3-6-28 ☎03-6712-7646 ㉕**未定** ㉔**3(男‥, 女‥)**
㈱アンビション DXホールディングス	不 (特色)都内中心に借り上げた居住用不動産を転貸するサブリース主力。不動産DXで業務効率化推進 (売)連42,065 (従)154 (資)427 (住)渋谷区恵比寿4-20-3 ☎03-6632-3700 ㉕**37** ㉔**35(男23, 女12)**
㈱イーエムネットジャパン	サ (特色)検索連動型広告、運用型広告、SNS広告を展開。中小企業、地方企業に強み。ソフトバンク傘下 (売)単1,369 (従)157 (資)328 (住)新宿区西新宿6-10-1 ☎03-6279-4111 ㉕**30** ㉔**17(男8, 女9)**
イー・ガーディアン㈱	サ (特色)動画や掲示板の投稿監視、サポートに強み。サイバーセキュリティ育成。チェンジHDの子会社 (売)連11,909 (従)156 (資)1,967 (住)港区虎ノ門1-2-8 ☎03-6205-8859 ㉕**30** ㉔**18(男5, 女13)**
㈱イーグランド	不 (特色)首都圏地盤にマンション・戸建て中古再生事業を展開。販売価格2000万円以下の物件が中心 (売)単27,321 (従)133 (資)836 (住)千代田区神田美土代町1 ☎03-3219-5050 ㉕**前年並** ㉔**9(男5, 女4)**
イーサポートリンク㈱	サ (特色)生鮮青果物業界向け物流システム開発。イオングループ向けを一手に受託。農業支援事業も展開 (売)連4,563 (従)147 (資)2,721 (住)豊島区高田2-17-22 ☎03-5979-0666 ㉕**3** ㉔**6(男1, 女5)**
㈱Eストアー	情通 (特色)企業の自社EC総合支援サービスを展開。ECシステムや決済、広告などのマーケティングが柱 (売)連12,566 (従)108 (資)1,023 (住)港区赤坂9-7-1 ☎03-6434-5196 ㉕**10** ㉔**8(男3, 女5)**
㈱いい生活	情通 (特色)賃貸物件を中心に、不動産業界に特化した業務支援システムをクラウド・SaaSなどで提供 (売)連2,808 (従)203 (資)628 (住)港区南麻布5-2-32 ☎03-5423-7820 ㉕**25** ㉔**23(男18, 女5)**
イーソル㈱	情通 (特色)組み込み機器に特化したOSの開発販売が主力。自動車やAV機器など顧客は多分野にわたる (売)連9,628 (従)508 (資)1,041 (住)中野区本町1-32-2 ☎03-5365-1560 ㉕**27** ㉔**16(男‥, 女‥)**
イーレックス㈱	電ガ (特色)代理店通じた電力小売り主力。再エネ電力の拡販に注力。国内で複数のバイオマス発電所運転 (売)連244,977 (従)161 (資)17,291 (住)中央区京橋2-2-1 ☎03-3243-1185 ㉕**前年並** ㉔**8(男4, 女4)**
イオンディライト㈱	サ (特色)商業・オフィスビル等の施設管理で売上首位。イオングループ依存6割。中国、ASEAN進出 (売)連324,820 (従)4,326 (資)3,238 (住)千代田区神田錦町1-1-1 ☎03-6895-3892 ㉕**160** ㉔**91(男72, 女19)**
池上通信機㈱	電機 (特色)放送機器・システムの中堅で業務用カメラ強い。監視カメラや医療用カメラも。アジア圏を強化 (売)連21,603 (従)669 (資)7,000 (住)大田区池上5-6-16 ☎03-5700-1111 ㉕**増加** ㉔**14(男7, 女7)**
㈱石井鐵工所	機 (特色)石油、LPGなどタンク専業。国内はメンテナンス主体。不動産賃貸が利益柱。MBO実施 (売)連9,972 (従)141 (資)1,892 (住)中央区月島3-26-11 ☎03-4455-2500 ㉕**10** ㉔**6(男6, 女0)**
イチカワ㈱	繊 (特色)紙・パルプ用フェルトで日本フエルトと国内市場を二分。ベルトも併営、欧米など海外比率高い (売)連13,603 (従)559 (資)3,594 (住)文京区本郷2-14-15 ☎03-3816-1111 ㉕**前年並** ㉔**10(男7, 女3)**
㈱イチケン	建 (特色)商業施設の新築・内改装が主力の建築中堅。首都圏、関西地盤に全国展開。筆頭株主はマルハン (売)単96,373 (従)666 (資)4,329 (住)港区芝浦1-1-1 ☎03-5931-5610 ㉕**38** ㉔**22(男17, 女5)**
いであ㈱	サ (特色)建設環境調査コンサルタント大手。国交省ほか官公庁向け8割超。健康・生命科学分野へも展開 (売)連22,698 (従)983 (資)3,173 (住)世田谷区駒沢3-15-1 ☎03-4544-7600 ㉕**64** ㉔**50(男37, 女13)**
㈱稲葉製作所	金製 (特色)鋼製物置で国内シェア4割強。オフィス家具は自社ブランドのほか内田洋行等へOEMを展開 (売)連42,414 (従)874 (資)1,132 (住)大田区矢口2-5-25 ☎03-3759-5201 ㉕**54** ㉔**19(男19, 女0)**
乾汽船㈱	海 (特色)外航海運は中小型ばら積み船主力、倉庫・運送や不動産賃貸も。配当性向は業績連動、下限6円 (売)連29,494 (従)82 (資)2,767 (住)中央区勝どき1-13-6 ☎03-5548-8211 ㉕**3** ㉔**5(男3, 女2)**
㈱イノベーション	情通 (特色)IT製品比較・資料請求サイト運営。掲載企業に成果報酬型課金。クラウド型マーケツールも (売)連4,813 (従)56 (資)1,231 (住)渋谷区渋谷3-10-13 ☎03-5766-3800 ㉕**8** ㉔**4(男‥, 女‥)**

会社名	[業種名] [特色] 会社の特色 [売]売上高（百万円） [従]単独従業員数（名） [資]資本金（百万円） [住]本社の住所，電話番号 ㉕25年採用計画数（名） ㉔24年入社内定者数（名）
㈱IMAGICA GROUP	[情通] [特色] 映像制作軸に企画、放送、機器開発・販売等を展開。動画配信事業者向け映像制作サービスに注力 [売]連99,684 [従]112 [資]3,306 [住]港区海岸1-14-2 ☎03-5777-6300 ㉕**3** ㉔**2（男1，女1）**
㈱イワキ	[機] [特色] 化学薬液の移送用ケミカルポンプ専業メーカー。多用途・多品種少量生産に強み。海外強化中 [売]連44,539 [従]807 [資]1,044 [住]千代田区神田須田町2-6-6 ☎03-3254-2931 ㉕**未定** ㉔**17（男15，女2）**
INCLUSIVE㈱	[サ] [特色] 出版社やテレビ局、事業会社のWebメディア支援が柱。ブランド支援や飲食事業も展開 [売]連5,359 [従]40 [資]1,352 [住]港区虎ノ門4-1-1 ☎03-6427-2020 ㉕**5** ㉔**4（男0，女4）**
㈱インソース	[サ] [特色] 企業等の人事部向けに講師派遣型研修、公開講座を運営。人事や営業サポートシステムも展開 [売]連10,783 [従]367 [資]800 [住]荒川区西日暮里4-19-12 ☎03-5577-2283 ㉕**30** ㉔**25（男12，女13）**
㈱インタートレード	[情通] [特色] 証券やFXの取引システム開発・保守が柱。ヘルスケア併営。持分に暗号資産交換業者DAMS [売]連2,011 [従]97 [資]1,478 [住]中央区新川1-17-21 ☎03-3537-7450 ㉕**8** ㉔**3（男1，女2）**
㈱インターネットインフィニティー	[サ] [特色] リハビリ型通所介護「レコードブック」を展開。企業向け市場調査、プロモーションも手がける [売]連4,959 [従]49 [資]252 [住]千代田区二番町11-19 ☎03-6897-4777 ㉕**15** ㉔**11（男2，女9）**
㈱インターファクトリー	[情通] [特色] 大規模EC事業者向けにクラウド型ECプラットフォームと保守運用サービスを提供 [売]単2,595 [従]157 [資]435 [住]千代田区富士見2-10-2 ☎03-5211-0086 ㉕**15** ㉔**6（男5，女1）**
インターライフホールディングス㈱	[建] [特色] 遊技場・店舗内装工事中心に音響システム・照明設備や学校・公共施設工事拡充。人材派遣撤退 [売]連12,626 [従]96 [資]2,979 [住]中央区銀座6-13-16 ☎03-3547-3227 ㉕**2** ㉔**4（男4，女0）**
㈱インティメート・マージャー	[サ] [特色] DMP国内最大手。インターネット人口の約9割をカバーするデータを活用し事業展開 [売]連2,982 [従]57 [資]476 [住]港区六本木3-5-27 ☎03-5797-7997 ㉕**未定** ㉔**6（男5，女1）**
㈱インテリジェントウェイブ	[情通] [特色] システム開発、製品販売。カード決済システム首位。内部情報漏洩対策等も。大日本印刷傘下 [売]単14,518 [従]492 [資]843 [住]中央区新川1-21-2 ☎03-6222-7111 ㉕**25** ㉔**21（男17，女4）**
㈱インテリックス	[不] [特色] 中古マンション再生販売専業の最大手。アフターサービス、高品質内装が強み。地方展開強化 [売]連42,702 [従]213 [資]2,253 [住]渋谷区渋谷2-12-19 ☎03-5766-7639 ㉕**前年並** ㉔**23（男18，女5）**
㈱イントラスト	[他金] [特色] 家賃債務保証が柱。医療・介護費保証を第2の柱に育成中。不動産管理の業務受託も手がける [売]連8,971 [従]156 [資]1,049 [住]千代田区麹町1-4 ☎03-5213-0250 ㉕**10** ㉔**8（男4，女4）**
㈱インフォネット	[情通] [特色] Webコンテンツ管理システム（CMS）主力。月額利用料多い。AI育成。21年アイアクト買収 [売]連1,767 [従]93 [資]290 [住]千代田区大手町1-5-1 ☎03-5221-7591 ㉕**10** ㉔**3（男2，女1）**
㈱インフォマート	[サ] [特色] クラウド活用し受発注、規格書、請求書システム運営、外食向け主力。配当は単体配当性向50% [売]連13,363 [従]663 [資]3,212 [住]港区海岸1-2-3 ☎03-5776-1147 ㉕**20** ㉔**5（男3，女2）**
㈱インプレスホールディングス	[情通] [特色] 出版、IT双方に立脚、ネット関連出版の草分け。デジタルコンテンツ強化。傘下に山と溪谷社 [売]連14,466 [従]43 [資]5,341 [住]千代田区神田神保町1-105 ☎03-6837-5000 ㉕**前年並** ㉔**4（男1，女3）**
㈱ウィルグループ	[サ] [特色] 人材派遣や業務請負等の人材サービス展開。販売現場へのセールス派遣や工場派遣などが主力 [売]連IFS138,227 [従]100 [資]2,201 [住]中野区本町1-32-2 ☎03-6859-8880 ㉕**80** ㉔**78（男32，女46）**
ウイン・パートナーズ㈱	[卸] [特色] 医療機器販売、心臓カテーテルに強み。ウイン・インターと東北地盤のテスコが統合して発足 [売]連77,064 [従]357 [資]550 [住]中央区京橋2-2-1 ☎03-3548-0790 ㉕**16** ㉔**8（男5，女3）**
UUUM㈱	[情通] [特色] ユーチューバー事務所大手。アドセンス（動画広告収入）、マーケティングが柱。グッズ販売も [売]連23,087 [従]連530 [資]835 [住]港区赤坂9-7-1 ☎03-5414-7258 ㉕**未定** ㉔**24（男11，女13）**
㈱UEX	[卸] [特色] ステンレス専門の鉄鋼商社、生産材が主体。大同、日本製鉄と親密。中国で加工品の製販も [売]連52,113 [従]292 [資]1,512 [住]品川区東品川2-2-24 ☎03-5460-6500 ㉕**未定** ㉔**2（男1，女1）**
㈱ウェッズ	[輸機] [特色] アルミホイール主体の自動車部品・用品卸でトップクラス。独自品に強み。小売り、福祉事業も [売]連34,781 [従]155 [資]852 [住]大田区大森北1-6-8 ☎03-5753-8201 ㉕**未定** ㉔**2（男2，女0）**
ウェルスナビ㈱	[証商] [特色] ロボアドバイザー活用した全自動の資産運用サービスを提供。手数料収入は預かり資産の1% [売]単8,167 [従]190 [資]12,023 [住]渋谷区渋谷2-22-3 ☎03-6632-4911 ㉕**未定** ㉔**11（男11，女0）**
ウェルス・マネジメント㈱	[不] [特色] 不動産ファンドによる高級ホテルへの投資や運営を展開。事業用不動産の開発・再生に強み [売]連28,625 [従]24 [資]2,356 [住]港区赤坂1-12-32 ☎03-6229-2140 ㉕**未定** ㉔**7（男4，女3）**
ウェルネオシュガー㈱	[食] [特色] 10月に日新製糖と伊藤忠製糖が完全統合、持株会社から1社体制に、製糖2番手。機能素材育成 [売]連IFS92,192 [従]0 [資]7,000 [住]中央区日本橋小網町14-1 ☎03-3668-1103 ㉕**前年並** ㉔**7（男4，女3）**
㈱魚力	[小] [特色] 鮮魚専門店を百貨店、駅ビル内に展開。居酒屋、すしの飲食店を併営。外食・スーパー向け卸も [売]連36,344 [従]551 [資]1,563 [住]立川市曙町2-8-3 ☎042-525-5600 ㉕**25** ㉔**14（男13，女1）**
㈱うかい	[小] [特色] 東京・神奈川で「うかい鳥山」など高級和洋食レストラン直営。洋菓子販売や箱根の美術館事業も [売]単13,326 [従]638 [資]100 [住]八王子市南浅川町3426 ☎042-666-3333 ㉕**40** ㉔**32（男7，女25）**

会社名	業種名 特色 会社の特色 売 売上高(百万円) 従 単独従業員数(名) 資 資本金(百万円) 住 本社の住所, 電話番号 ㉕25年採用計画数(名) ㉔24年入社内定者数(名)
㈱うるる	情通 特色 月額課金の入札情報サービスが柱。BPO、写真出張撮影・販売、電話代行などの事業も展開 売 連5,937 従 204 資 1,037 住 中央区晴海3-12-1 ☎03-6221-3069 ㉕4 ㉔5(男2, 女3)
㈱エアトリ	サ 特色 航空券予約サイト「エアトリ」運営。旅行に加えてメディアやオフショア開発、投資事業も展開 売 連IFS23,162 従 163 資 1,789 住 港区愛宕2-5-1 ☎03-3431-6191 ㉕前年並 ㉔15(男7, 女8)
AHCグループ㈱	サ 特色 障害児向け放課後デイサービス、共同生活援助等の福祉事業とデイケア介護事業、外食店を展開 売 連5,915 従 258 資 54 住 千代田区岩本町2-11-9 ☎03-6240-9550 ㉕30 ㉔15(男3, 女12)
栄研化学㈱	医 特色 臨床検査薬大手。便潜血検査試薬(FIT)はシェア7割。尿検査(ウロ)、遺伝子検査も育成 売 連40,052 従 713 資 6,897 住 台東区台東4-19-9 ☎03-5846-3305 ㉕22 ㉔23(男13, 女10)
㈱AViC	サ 特色 中堅企業・スタートアップが対象のネット広告・SEO代理店。広告媒体理解や仕組み化が強み 売 単1,488 従 74 資 195 住 港区赤坂1-12-32 ☎03-6272-6174 ㉕未定 ㉔10(男7, 女3)
㈱Aiming	情通 特色 スマホゲーム配信・制作。多人数同時型、アニメ表現に強み。「カゲマス」「DQタクト」等運営 売 連18,199 従 736 資 3,407 住 渋谷区千駄ヶ谷5-31-11 ☎03-6672-6159 ㉕18 ㉔24(男12, 女12)
㈱A&Dホロンホールディングス	精 特色 産業、医療用の計量・計測機器メーカー。半導体関連装置のホロンを22年4月に完全子会社化 売 連61,955 従 749 資 6,388 住 豊島区東池袋3-23-14 ☎03-5391-6124 ㉕25 ㉔20(男15, 女5)
㈱エージーピー	倉運 特色 駐機中の航空機に電力供給。幹線空港の固定式電源でほぼ独占。空港・物流施設の整備にも注力 売 連12,986 従 609 資 2,038 住 大田区羽田空港1-7-1 ☎03-3747-1631 ㉕30 ㉔25(男21, 女4)
㈱エージェント・インシュアランス・グループ	保 特色 独立系の保険代理店。米国にも拠点。収益の7割は損保。業界内でM&A・事業承継を積極展開 売 連3,547 従 144 資 336 住 新宿区市谷本村町3-29 ☎03-6280-7818 ㉕10 ㉔4(男1, 女3)
Abalance㈱	電機 特色 IT創業後、建機商社WWBと株式交換。主力は太陽光発電。傘下にベトナム太陽光パネル会社 売 連208,972 従 38 資 2,518 住 品川区東品川2-2-4 ☎03-6810-3028 ㉕10 ㉔5(男2, 女3)
㈱エクサウィザーズ	情通 特色 AI・DX導入支援でコンサルから実装、運営まで行う。領域特化のAIソフト開発にも注力 売 連8,384 従 276 資 2,409 住 港区芝浦4-2-8 ☎03-6626-3602 ㉕増加 ㉔15(男13, 女2)
㈱エクスモーション	情通 特色 組み込みソフトの品質改善に特化したコンサル会社。主力は自動車分野。ソルクシーズ子会社 売 連1,105 従 72 資 453 住 品川区大崎2-11-1 ☎03-6420-0019 ㉕前年並 ㉔2(男1, 女1)
㈱エコス	小 特色 東京・多摩地区から北関東へ「TAIRAYA」「エコス」等食品スーパーを展開。M&Aで成長 売 連130,038 従 829 資 3,318 住 昭島市中神町1160-1 ☎042-546-3711 ㉕160 ㉔51(男41, 女10)
㈱SIGグループ	情通 特色 スマートデバイス開発やクラウド、セキュリティサービス事業に強み。産学官のDX推進を支援 売 連6,906 従 40 資 507 住 千代田区九段北4-2-1 ☎03-5213-4580 ㉕45 ㉔37(男27, 女10)
SMN㈱	サ 特色 ソニーグループ系。ネット広告配信を最適化するアドテク事業や成果報酬型広告運営で稼ぐ 売 連9,336 従 152 資 1,268 住 品川区大崎2-11-1 ☎03-5435-7930 ㉕8 ㉔7(男5, 女2)
㈱エスエルディー	小 特色 関東軸に「kawara CAFE&DINING」など展開。19年DDグループの子会社に 売 単3,585 従 133 資 48 住 港区芝4-1-23 ☎03-6866-0245 ㉕10 ㉔10(男1, 女9)
エステー㈱	化 特色 家庭用消臭芳香剤トップ3、衣類防虫剤1位の日用品メーカー。「消臭力」や「ムシューダ」が主軸 売 連44,472 従 443 資 7,065 住 新宿区下落合1-4-10 ☎03-3367-6111 ㉕前年並 ㉔14(男7, 女7)
SBIアルヒ㈱	他金 特色 固定金利住宅ローン「フラット35」販売首位、債権回収も。変動金利商品に注力。SBI傘下 売 連IFS20,405 従 403 資 3,471 住 千代田区平河町1-4-3 ☎03-6910-0020 ㉕未定 ㉔3(男3, 女0)
SBSホールディングス㈱	陸 特色 3PL(物流一括受託)大手。メーカー物流会社買収で成長。倉庫を開発、流動化の不動産事業も 売 連431,911 従 283 資 3,920 住 新宿区西新宿8-17-1 ☎03-6772-8200 ㉕5 ㉔4(男2, 女2)
㈱エスプール	サ 特色 コールセンター等への派遣と障害者雇用支援の農園事業が柱。行政BPOと環境経営支援注力 売 連IFS25,784 従 184 資 372 住 千代田区外神田1-18-13 ☎03-6859-5599 ㉕100 ㉔81(男40, 女41)
ANYCOLOR㈱	情通 特色 ライブ配信などを行うVチューバーグループ「にじさんじ」を運営。グッズ販売が収益柱 売 単31,995 従 430 資 413 住 港区赤坂9-7-2 ☎03-4335-4850 ㉕前年並 ㉔10(男5, 女5)
㈱enish	情通 特色 スマホやソーシャルアプリ向けゲームを開発・運営。非ゲーム事業は譲渡しゲームに特化 売 単3,508 従 118 資 4,285 住 港区六本木6-1-20 ☎03-6447-4020 ㉕若干名 ㉔8(男5, 女3)
エヌアイシ・オートテック㈱	非鉄 特色 生産設備用構造材「アルファフレーム」、クリーンルーム・FA装置、商事が3本柱。富山が基盤 売 単4,852 従 220 資 156 住 江東区有明3-7-26 ☎03-5530-8066 ㉕5 ㉔2(男2, 女0)
㈱エヌ・シー・エヌ	サ 特色 耐震性の高い独自木造建築システムを工務店中心に提供。構造計算料や建築部材販売が収益柱 売 連7,998 従 100 資 390 住 千代田区永田町2-13-5 ☎03-6897-6311 ㉕未定 ㉔3(男1, 女2)
NCD㈱	情通 特色 システム開発、運用サービス、駐輪場管理システムが経営の3本柱。駐輪場の運営事業も展開 売 連25,481 従 771 資 438 住 品川区西五反田4-32-1 ☎03-5437-1021 ㉕前年並 ㉔48(男26, 女22)

会社名	業種名 特色 会社の特色 売 売上高(百万円) 従 単独従業員数(名) 資 資本金(百万円) 住 本社の住所, 電話番号 ㉕ 25年採用計画数(名) ㉔ 24年入社内定者数(名)
㈱エヌジェイホールディングス	情通 特色 ゲームの開発・運営受託が主力。au、UQモバイルや併売店中心の携帯ショップも手がける 売 連9,698 従 758 資 592 住 港区芝3-8-2 ☎03-5418-8121 ㉕ **未定** ㉔ **6(男5, 女1)**
㈱NTTデータイントラマート	情通 特色 NTTデータグループの社内ベンチャー発祥。Webシステム基盤構築ソフトを開発・販売 売 連9,257 従 314 資 738 住 港区赤坂4-15-1 ☎03-5549-2821 ㉕ **19** ㉔ **10(男4, 女6)**
㈱エヌ・ピー・シー	機 特色 太陽電池製造装置は米ファーストソーラー軸、同パネル解体装置も。FA装置、植物工場に進出 売 連9,320 従 156 資 2,812 住 台東区東上野1-7-15 ☎03-5817-8830 ㉕ **10** ㉔ **11(男7, 女4)**
荏原実業㈱	機 特色 ポンプ・空調など機器卸から水処理設計・施工へ展開。メーカー機能持つ環境関連事業を育成 売 連36,280 従 492 資 1,001 住 中央区銀座7-14-1 ☎03-5565-2881 ㉕ **20** ㉔ **14(男12, 女2)**
㈱FRS	情通 特色 フォーバル傘下。企業のオフィス移転支援が主。OA機器販売、ネットワーク構築や内装工事も 売 単3,066 従 86 資 100 住 千代田区神田神保町3-23-2 ☎03-6826-1500 ㉕ **3** ㉔ **6(男4, 女2)**
㈱FFRIセキュリティ	情通 特色 サイバーセキュリティ専業。標的型攻撃防ぐ「ヤライ」で著名。防衛省など安全保障関連を強化中 売 連2,446 従 141 資 286 住 千代田区丸の内3-3-1 ☎03-6277-1811 ㉕ **増加** ㉔ **6(男6, 女0)**
㈱エフオン	電ガ 特色 木質バイオマス発電軸に省エネ支援も展開。大分、福島等で自社発電所を運営。山林事業も 売 連17,473 従 28 資 2,292 住 千代田区丸の内1-9-2 ☎03-4500-6450 ㉕ **未定** ㉔ **3(男‥, 女‥)**
㈱エプコ	サ 特色 住宅メーカーから給排水設備の設計とコールセンターでメンテナンス受託。合弁で再エネ事業 売 連5,059 従 365 資 87 住 墨田区太平4-1-3 ☎03-6853-9165 ㉕ **6** ㉔ **3(男2, 女1)**
㈱FCE	サ 特色 業務改善用RPAソフトでDX支援。クラウドサービスでeラーニング展開。配当性向25%目安 売 連4,174 従 123 資 182 住 新宿区西新宿2-4-1 ☎03-5908-1400 ㉕ **前年並** ㉔ **10(男6, 女4)**
㈱FJネクストホールディングス	不 特色 首都圏で「ガーラ」ブランドの投資用ワンルームマンション販売が主力。ファミリー向けも展開 売 連100,405 従 43 資 2,774 住 新宿区西新宿6-5-1 ☎03-6733-1111 ㉕ **60** ㉔ **47(男30, 女17)**
FDK㈱	電機 特色 富士通傘下。産業用のリチウム電池やニッケル水素電池が主軸。電子事業は好採算品へシフト 売 連62,676 従 1,600 資 31,709 住 港区港南1-6-41 ☎03-5715-7400 ㉕ **前年並** ㉔ **13(男12, 女1)**
㈱エフティグループ	卸 特色 中小企業向け電話機やOA機器、LED照明販売が柱、電力小売りも行う。光通信子会社 売 連IFS36,480 従 113 資 1,344 住 中央区日本橋蛎殻町2-13-6 ☎03-5847-2777 ㉕ **微増** ㉔ **5(男3, 女2)**
㈱FPG	証商 特色 税繰り延べメリットのオペリース商品主軸。不動産小口化商品が第2の柱。海外不動産も展開 売 連71,149 従 275 資 3,095 住 千代田区丸の内2-7-2 ☎03-5288-5691 ㉕ **5** ㉔ **4(男3, 女1)**
㈱エムアップホールディングス	情通 特色 アーティストのファンサイト運営と電子チケット事業が柱。ECやデジタルコンテンツ配信も 売 連18,574 従 連326 資 317 住 渋谷区渋谷3-12-18 ☎03-5467-7125 ㉕ **15** ㉔ **9(男2, 女7)**
㈱MS&Consulting	サ 特色 外食・サービス・小売り向け顧客満足度覆面調査実施、モニター50万人。業界トップ。下期偏重型 売 連IFS2,391 従 137 資 78 住 中央区日本橋小伝馬町4-9 ☎03-5649-1185 ㉕ **8** ㉔ **7(男5, 女2)**
㈱MS-Japan	サ 特色 士業(公認会計士、弁護士等)と一般事業会社の管理部門に特化の人材紹介業。関連メディアも 売 連4,574 従 189 資 587 住 千代田区富士見2-10-2 ☎03-3239-7373 ㉕ **前年並** ㉔ **3(男2, 女1)**
㈱MCJ	電機 特色 パソコン製造・販売が起点。「マウス」ブランドが主力。欧州で液晶販売、インドで修理事業展開 売 連187,455 従 2,256 資 3,868 住 千代田区大手町2-3-2 ☎03-6739-3403 ㉕ **27** ㉔ **21(男19, 女2)**
㈱エムティーアイ	情通 特色 コンテンツからDX推進企業に軸足。医療機関・自治体向けのヘルスケアや学校関連が成長中 売 連26,798 従 740 資 5,261 住 新宿区西新宿3-20-2 ☎03-5333-6789 ㉕ **25** ㉔ **20(男10, 女10)**
エムティジェネックス㈱	不 特色 森トラスト傘下。オフィスビルなどのリニューアル工事が主力。駐車場の受託運営管理も柱 売 連3,790 従 33 資 1,072 住 港区虎ノ門5-13-1 ☎03-5405-4011 ㉕ **未定** ㉔ **2(男0, 女2)**
エリアリンク㈱	不 特色 柱のストレージ(収納トランクやコンテナ)運用でストック型ビジネス展開。配当性向30%目安 売 単22,463 従 84 資 6,111 住 千代田区外神田4-14-1 ☎03-3526-8555 ㉕ **3** ㉔ **5(男4, 女1)**
㈱エル・ティー・エス	サ 特色 ビジネスプロセス可視化・改善・実行支援など展開、ITビジネスマッチング「アサインナビ」も 売 連12,242 従 496 資 744 住 港区元赤坂1-3-13 ☎03-6897-6140 ㉕ **前年並** ㉔ **97(男58, 女39)**
エレマテック㈱	卸 特色 液晶など電子材料、部品の専門商社。豊田通商傘下でスマホや車載向けが強い。海外展開強化中 売 連IFS194,350 従 527 資 2,142 住 港区三田3-5-19 ☎03-3454-3526 ㉕ **18** ㉔ **19(男14, 女5)**
エンカレッジ・テクノロジ㈱	情通 特色 内部統制に役立つシステム証跡管理ソフトと保守サービスが両輪。顧客は金融など大手多い 売 単2,498 従 124 資 507 住 中央区日本橋浜町3-3-2 ☎03-5623-2622 ㉕ **8** ㉔ **2(男0, 女2)**
オイシックス・ラ・大地㈱	小 特色 安全配慮のミールキットなどを販売。M&Aで成長。シダックス子会社化、シナジー創出急ぐ 売 連148,408 従 794 資 3,995 住 品川区大崎1-11-2 ☎03-6867-1149 ㉕ **10** ㉔ **10(男2, 女8)**
応用地質㈱	サ 特色 地質調査首位、建設コンサルも。国内外で計測機器展開。洋上風力発電拡大にらみ海底探査強化 売 連65,602 従 1,270 資 16,174 住 千代田区神田美土代町7 ☎03-5577-4501 ㉕ **40** ㉔ **46(男29, 女17)**

会社名	業種名 (特色)会社の特色 (売)売上高(百万円) (従)単独従業員数(名) (資)資本金(百万円) (住)本社の住所, 電話番号 ㉕25年採用計画数(名) ㉔24年入社内定者数(名)
オエノンホールディングス㈱	食 (特色)旧合同酒精。焼酎に強み。流通大手のPB製造にも積極的。第2の柱確立に向け酵素医薬品育成 (売)連84,947 (従)29 (資)6,946 (住)墨田区東駒形1-17-6 ☎03-6757-4580 **㉕20 ㉔21(男15,女6)**
㈱オーエムツーネットワーク	小 (特色)中国地方発祥の食肉小売業。ステーキ店など外食事業へ展開。関東、関西開拓。エスフーズ傘下 (売)連32,109 (従)407 (資)466 (住)港区芝大門2-4-7 ☎03-5405-9541 **㉕6 ㉔2(男2,女0)**
大木ヘルスケアホールディングス㈱	卸 (特色)一般用医薬品3大卸の一角。1658年創業。メーカー機能持つ子会社、大木製薬がPB展開 (売)連334,661 (従)468 (資)2,486 (住)文京区音羽2-1-4 ☎03-6892-0710 **㉕30 ㉔26(男11,女15)**
㈱オークファン	情通 (特色)オークション等の情報分析サービスから出発。商品在庫管理や再流通ECのサービスが成長 (売)連5,145 (従)111 (資)973 (住)品川区北品川5-1-18 ☎03-6809-0951 **㉕12 ㉔13(男10,女3)**
大崎電気工業㈱	電機 (特色)スマートメーターで国内首位、売上の過半が電力会社向け。傘下のEDMI主導で海外展開加速 (売)連95,147 (従)555 (資)7,965 (住)品川区東五反田2-10-2 ☎03-3443-7171 **㉕前年並 ㉔15(男12,女3)**
㈱大田花き	卸 (特色)地方市場運営会社3社が統合。日本最大の花き卸売市場。在宅競りやロジスティクス等にも意欲 (売)連4,144 (従)179 (資)551 (住)大田区東海2-2-1 ☎03-3799-5571 **㉕未定 ㉔9(男2,女7)**
㈱オーテック	建 (特色)工場・ビル空調自動制御設備の建設、施工、メンテなどが柱。建築設備資材や機器販売も展開 (売)連29,374 (従)406 (資)599 (住)江東区東陽2-4-2 ☎03-3699-0411 **㉕31 ㉔16(男16,女0)**
㈱オオバ	サ (特色)調査測量、計画設計、区画整理、地理情報システム等が柱の建設コンサル。民需比率高い。好財務 (売)連16,485 (従)485 (資)2,131 (住)千代田区神田錦町3-7-1 ☎03-5931-5888 **㉕35 ㉔28(男23,女5)**
㈱オーハシテクニカ	卸 (特色)独立系自動車部品メーカー。携帯電話用部品も。子会社の鈴鹿工場をマザー工場とし生産は海外 (売)連39,212 (従)160 (資)1,825 (住)港区虎ノ門4-3-13 ☎03-5404-4411 **㉕5 ㉔5(男4,女1)**
㈱オーバル	精 (特色)流量計など流体計測機器の最大手。好採算の液体向けがセンサー部門の7割。海外へも展開 (売)連14,347 (従)406 (資)2,200 (住)新宿区上落合3-10-8 ☎03-3360-5061 **㉕12 ㉔5(男3,女2)**
㈱大本組	建 (特色)土木主体中堅から建築主体にシフト。岡山を地盤に全国展開。無人化施工技術など独自技術強み (売)単83,060 (従)813 (資)5,296 (住)港区南青山5-9-15 ☎03-6752-7007 **㉕40 ㉔28(男22,女6)**
㈱大盛工業	建 (特色)下水道・地中工事が主力の土木会社。東京都が地盤。不動産を兼業。路面開削のOLY工法拡充 (売)連5,981 (従)88 (資)3,101 (住)千代田区神田多町2-1 ☎03-6262-9877 **㉕7 ㉔6(男6,女0)**
岡部㈱	金製 (特色)建設向け仮設・型枠、構造機材が柱。米国でも建材販売。米国の自動車バッテリー部品事業は売却 (売)連78,152 (従)608 (資)6,911 (住)墨田区押上2-8-2 ☎03-3624-5111 **㉕15 ㉔14(男6,女8)**
オカモト㈱	ゴ (特色)プラスチックフィルムと建装、産業資材が主。コンドームや自動車内装材、壁紙等と多角展開 (売)連106,123 (従)1,143 (資)13,047 (住)文京区本郷3-27-12 ☎03-3817-4111 **㉕30 ㉔31(男19,女12)**
岡谷電機産業㈱	電機 (特色)電子機器のノイズやサージ対策用コンデンサーが主力。表示機器でも大手。海外比率5割程度 (売)連14,323 (従)176 (資)2,295 (住)世田谷区等々力6-16-9 ☎03-4544-7000 **㉕前年並 ㉔5(男5,女0)**
小津産業㈱	卸 (特色)江戸の紙問屋発祥。旭化成との共同開発で不織布展開。半導体向けで国内高シェア、医療用も (売)連10,125 (従)99 (資)1,322 (住)中央区日本橋本町3-6-2 ☎03-3661-9400 **㉕若干名 ㉔2(男1,女1)**
㈱オプティム	情通 (特色)スマホやPCなど法人向け端末の一括管理サービスを提供。遠隔サポートも。保有特許豊富 (売)連10,243 (従)399 (資)444 (住)港区海岸1-2-20 ☎03-6435-8570 **㉕50 ㉔23(男17,女6)**
オリエンタル白石㈱	建 (特色)コンクリ橋、鋼橋を手がける橋梁の総合建設。ケーソン工事でシェア7割。伊藤忠が筆頭株主 (売)連67,382 (従)775 (資)5,000 (住)江東区豊洲5-6-52 ☎03-6220-0630 **㉕50 ㉔36(男32,女4)**
オリコン㈱	情通 (特色)音楽データベースから出発。現在はニュースサイト運営、顧客満足度(CS)調査事業が2本柱 (売)連4,800 (従)45 (資)1,092 (住)港区六本木6-8-10 ☎03-3405-5252 **㉕前年並 ㉔3(男1,女2)**
オリジナル設計㈱	サ (特色)上下水道、水質保全等の建設コンサル。都市施設向けの情報処理や非破壊検査ビジネスも展開 (売)単6,633 (従)308 (資)1,093 (住)渋谷区元代々木町30-13 ☎03-6757-8801 **㉕15 ㉔18(男11,女7)**
㈱オロ	情通 (特色)自社開発ERPソフト提供。Web活用のマーケティング支援も。アジア各地に現法立ち上げ (売)連IFS7,033 (従)314 (資)1,193 (住)目黒区目黒3-9-1 ☎03-5724-7001 **㉕30 ㉔27(男19,女8)**
㈱カーメイト	輸機 (特色)自動車用品製造・卸売りの大手。チャイルドシート、車載カメラに強み。アウトドア関連も展開 (売)連15,955 (従)368 (資)1,637 (住)豊島区長崎5-33-11 ☎03-5926-1211 **㉕前年並 ㉔9(男7,女2)**
㈱カーリット	化 (特色)化学品、ボトリング、産業用部材、エンジニアリングが4本柱。自動車用緊急保安炎筒の最大手 (売)連36,577 (従)67 (資)2,099 (住)中央区京橋1-17-10 ☎03-6893-7070 **㉕増加 ㉔10(男7,女3)**
㈱ガイアックス	情通 (特色)Webマーケティング支援と運用代行が柱。シェアリングエコノミーの投資事業や起業支援も (売)連2,717 (従)110 (資)100 (住)千代田区平河町2-5-3 ☎03-5759-0300 **㉕未定 ㉔4(男4,女0)**
㈱CAICA DIGITAL	情通 (特色)金融向けSIが主力の持株会社。暗号資産関連事業を23年10月クシムに売却。フィスコと親密 (売)連5,408 (従)20 (資)50 (住)港区南青山5-11-9 ☎03-5657-3000 **㉕微増 ㉔17(男14,女3)**

会社名	業種名 特色 会社の特色 売 売上高(百万円) 従 単独従業員数(名) 資 資本金(百万円) 住 本社の住所, 電話番号 ㉕25年採用計画数(名) ㉔24年入社内定者数(名)
㈱カイノス	医 特色 臨床検査薬の中堅メーカー。生化学、免疫血清学的検査用試薬に重点。共同開発の促進に注力 売 単5,056 従 154 資 831 住 文京区本郷2-38-18 ☎03-3816-4123 ㉕6 ㉔5(男3, 女2)
㈱カオナビ	情通 特色 人材マネジメントシステムを提供、マルチプロダクト化を推進。リクルートの持分法会社 売 連7,625 従 325 資 1,153 住 渋谷区渋谷2-24-12 ☎03-6633-2781 ㉕増加 ㉔7(男3, 女4)
㈱カカクコム	サ 特色 グルメサイト「食べログ」と価格比較サイト「価格. com」を運営、掲載店からの手数料が柱 売 連IFS66,928 従 1,152 資 916 住 渋谷区恵比寿南3-5-7 ☎03-5725-4554 ㉕未定 ㉔19(男13, 女6)
㈱学情	サ 特色 若手向け人材サービス特化。20代転職向け「Re就活」新卒向け「あさがくナビ」。合同説明会も 売 単8,784 従 359 資 1,500 住 中央区銀座6-10-1 ☎03-6775-4510 ㉕30 ㉔23(男8, 女15)
科研製薬㈱	医 特色 旧理研グループの名門。導入の関節機能改善剤、自社創製の爪白癬症薬の2本柱。後発品も展開 売 連72,044 従 1,124 資 23,853 住 文京区本駒込2-28-8 ☎03-5977-5001 ㉕40 ㉔33(男25, 女8)
片倉工業㈱	繊 特色 1873年繊維で発祥。医薬品、機械も。賃貸・商業施設など不動産が柱。総還元性向30%目安 売 連39,972 従 102 資 1,817 住 中央区明石町6-4 ☎03-6832-1873 ㉕増加 ㉔3(男0, 女3)
片倉コープアグリ㈱	化 特色 片倉工業系の肥料企業が発祥。丸紅系。全農系コープケミカルと合併、肥料最大手、化学品育成 売 連41,233 従 629 資 4,214 住 千代田区九段北1-8-10 ☎03-5216-6611 ㉕15 ㉔9(男6, 女3)
㈱学究社	サ 特色 東京西部地盤に小中学生向け塾「ena」展開。都立中高一貫校受験に強み。私立受験も強化中 売 連13,198 従 431 資 1,216 住 渋谷区代々木1-12-8 ☎03-6300-5311 ㉕45 ㉔45(男20, 女25)
㈱加藤製作所	機 特色 国内建設用クレーン最大手級。油圧ショベルは中堅。海外は東南アジアの代理店向け販売に軸足 売 連57,498 従 793 資 2,935 住 品川区東大井1-9-37 ☎03-3458-1111 ㉕26 ㉔21(男19, 女2)
かどや製油㈱	食 特色 ごま油で国内首位。1858年に小豆島で創業。原料の仕入れ・販売で三井物産と長期密接 売 連35,680 従 416 資 2,160 住 品川区北品川5-1-18 ☎03-6721-6957 ㉕未定 ㉔4(男3, 女1)
川崎地質㈱	サ 特色 地質調査の専業大手。非破壊診断、環境調査、海洋部門に強み。収益は第2、第4四半期に集中 売 連9,227 従 351 資 819 住 港区三田2-11-15 ☎03-5445-2071 ㉕15 ㉔12(男10, 女2)
カワセコンピュータサプライ㈱	他製 特色 商業印刷のほか、請求書等の印字、発送まで手がける情報処理事業も。金融関連の取引に強み 売 単2,593 従 99 資 100 住 中央区銀座7-16-14 ☎03-3541-2281 ㉕3 ㉔4(男4, 女0)
㈱環境管理センター	サ 特色 環境総合コンサルタント。ダイオキシンなど超微量分析に強み。放射能測定も。民需が約7割 売 連5,594 従 270 資 870 住 八王子市散田町3-7-23 ☎042-673-0500 ㉕10 ㉔9(男4, 女5)
神田通信機㈱	建 特色 通信関連工事主体。設備一元管理システム「マルチゲートウェイ」で攻勢。照明制御事業強化 売 連7,152 従 214 資 1,310 住 千代田区神田富山町24 ☎03-3252-7731 ㉕15 ㉔6(男5, 女1)
カンダホールディングス㈱	陸 特色 東京・神田の運送全社統合で発祥、出版物共配に特色。医薬品等3PL、物流センター業務代行 売 連51,123 従 27 資 1,772 住 千代田区神田三崎町3-2-4 ☎03-6327-1811 ㉕18 ㉔11(男6, 女5)
関東電化工業㈱	化 特色 古河系。半導体・液晶用特殊ガスは微細化、多層化に強み。2次電池電解質も。中韓生産拠点整備 売 連64,768 従 808 資 2,877 住 千代田区丸の内2-3-2 ☎03-4236-8801 ㉕前年並 ㉔27(男22, 女5)
カンロ㈱	食 特色 のどアメ等キャンディ主力。三菱商事が販売総代理店。グミも第2の柱に成長。素材菓子も 売 単29,015 従 668 資 2,864 住 新宿区西新宿3-20-2 ☎03-3370-8811 ㉕未定 ㉔15(男5, 女10)
ギグワークス㈱	サ 特色 IT営業支援、PC導入等の受託・派遣が柱。コールセンターも注力。22年日本直販など通販買収 売 連26,432 従 66 資 1,073 住 港区西新橋2-11-6 ☎03-6832-3260 ㉕15 ㉔10(男5, 女5)
北沢産業㈱	卸 特色 フライヤーなど業務用厨房機器販売の大手。全国に販売網を構築。独自技術で製品開発も推進 売 連16,471 従 330 資 3,235 住 渋谷区東2-23-10 ☎03-5485-5111 ㉕10 ㉔7(男5, 女2)
㈱キャリアデザインセンター	サ 特色 転職情報をWeb「type」や適職フェア等で展開。エンジニア分野に強み。人材紹介も 売 単17,388 従 783 資 558 住 港区赤坂3-21-20 ☎03-3560-1601 ㉕82 ㉔94(男46, 女48)
キャリアリンク㈱	サ 特色 官公庁関連や大手企業向けビジネスプロセスの業務請負、人材派遣が柱。食品加工分野も拡大 売 連43,791 従 725 資 405 住 新宿区西新宿2-1-1 ☎03-6311-7321 ㉕10 ㉔15(男7, 女8)
㈱キャンディル	建 特色 住宅や商業施設等の補修・点検会社。サカイ引越センターと資本業務提携。全国に技術者配置 売 連12,309 従 48 資 561 住 新宿区北山伏町1-11 ☎03-6862-1701 ㉕20 ㉔13(男7, 女6)
㈱キューブシステム	情通 特色 金融、流通、通信向けのシステム構築が主力。プロジェクト管理能力に定評。研修制度充実 売 連18,021 従 728 資 1,400 住 品川区大崎2-11-1 ☎03-5487-6030 ㉕90 ㉔80(男59, 女21)
協栄産業㈱	卸 特色 三菱電機系の商社。半導体、電子デバイス・材料、FA主力。IT部門拡大、組み込み開発も 売 連61,679 従 716 資 3,161 住 品川区東品川4-12-6 ☎03-4241-5511 ㉕47 ㉔40(男33, 女7)
共栄セキュリティーサービス㈱	サ 特色 オフィスや商業施設など施設警備が柱。イベントなど臨時警備も。セコムと提携。M&A積極的 売 連9,354 従 624 資 100 住 千代田区九段南1-6-17 ☎03-3511-7780 ㉕未定 ㉔11(男7, 女4)

会社名	[業種名] (特色)会社の特色 (売)売上高(百万円) (従)単独従業員数(名) (資)資本金(百万円) (住)本社の住所, 電話番号 ㉕25年採用計画数(名) ㉔24年入社内定者数(名)
㈱共同紙販ホールディングス	[卸] (特色)河内屋紙・はが紙販が08年経営統合。日本製紙の持分会社で同社製印刷・情報用紙等扱う紙卸商 (売)連16,725 (従)135 (資)100 (住)台東区北上野1-9-12 ☎03-5826-5171 **㉕若干名 ㉔2(男1,女1)**
共同ピーアール㈱	[サ] (特色)企業パブリシティ活動の支援、コンサルティングが主力事業。独立系大手。海外に拠点展開 (売)連6,895 (従)212 (資)547 (住)中央区築地1-13-1 ☎03-6260-4850 **㉕前年並 ㉔7(男3,女4)**
㈱京都きもの友禅ホールディングス	[小] (特色)振り袖を軸に着物を直営店で小売り。現金仕入れで低価格実現。既存顧客の「友の会」も強み (売)連7,022 (従)394 (資)100 (住)中央区日本橋大伝馬町14-1 ☎03-3639-9191 **㉕10 ㉔3(男0,女3)**
㈱KYORITSU	[他製] (特色)印刷中堅、共立印刷が母体の持株会社、広告・出版など印刷を柱に電子書籍、環境事業を擁する (売)連40,022 (従)3 (資)3,393 (住)板橋区清水町36-1 ☎03-5248-5550 **㉕未定 ㉔19(男11,女8)**
協立情報通信㈱	[情通] (特色)通信交換機やサーバー、基幹業務ソフトの導入や運用提案する事業拡大中。ドコモ販売店経営 (売)単5,469 (従)194 (資)204 (住)港区浜松町1-9-10 ☎03-3434-3141 **㉕15 ㉔7(男4,女3)**
協和キリン㈱	[医] (特色)キリン傘下。医薬品、バイオが主力。独自の抗体高活性化技術に強み。富士フイルムと提携 (売)連IFS442,233 (従)連6,181 (資)26,745 (住)千代田区大手町1-9-2 ☎03-5205-7200 **㉕55 ㉔71(男37,女34)**
㈱協和コンサルタンツ	[サ] (特色)建設コンサルタントの中堅。地公体向け主体。調査、設計から施工管理、情報処理まで実施 (売)連7,679 (従)172 (資)1,000 (住)渋谷区笹塚1-62-11 ☎03-3376-3171 **㉕増加 ㉔3(男3,女0)**
㈱共和電業	[電機] (特色)ひずみゲージとその応用計測機器でシェア4割。衝突試験用など自動車向け強化。米国、中国も (売)連14,901 (従)470 (資)1,723 (住)調布市調布ケ丘3-5-1 ☎042-488-1111 **㉕17 ㉔19(男18,女1)**
㈱協和日成	[建] (特色)東京ガス系列のガス配管工事会社。東京電力電設工事や集合住宅の給排水工事も手がける (売)単35,889 (従)793 (資)590 (住)中央区入船3-8-5 ☎03-6328-5600 **㉕微増 ㉔15(男11,女4)**
極東証券㈱	[証商] (特色)富裕層向け対面コンサルティング営業に特化。新興国など外国債販売に強み。投信にも注力 (売)連7,730 (従)237 (資)5,251 (住)中央区日本橋茅場町1-4-7 ☎03-3667-9171 **㉕15 ㉔12(男10,女2)**
極東貿易㈱	[卸] (特色)産業向け機械、設備、高機能材料の専門商社。海外販路に強み。周辺事業のM&Aに積極的 (売)連43,660 (従)140 (資)5,496 (住)千代田区大手町2-2-1 ☎03-3244-3511 **㉕前年並 ㉔4(男3,女1)**
㈱キングジム	[他製] (特色)事務ファイル首位。厚型ファイルで圧倒的。ラベル作成機「テプラ」ほか、電子文具、雑貨も展開 (売)連39,553 (従)372 (資)1,978 (住)千代田区東神田2-10-18 ☎03-3864-5898 **㉕前年並 ㉔16(男8,女8)**
㈱銀座山形屋	[小] (特色)注文紳士服の老舗大手、1907年創業。小売りと催事販売が柱。婦人服、若者向けも展開 (売)連3,785 (従)18 (資)100 (住)中央区湊2-4-1 ☎03-6866-0276 **㉕10 ㉔3(男1,女2)**
㈱銀座ルノアール	[小] (特色)フルサービス型の「喫茶室ルノアール」が主力。ベーカリーを育成中。キーコーヒーと資本提携 (売)連7,351 (従)153 (資)100 (住)中野区中央4-60-3 ☎03-5342-0881 **㉕未定 ㉔5(男0,女5)**
勤次郎㈱	[情通] (特色)就業管理パッケージ「勤次郎」の機能強化版を展開。クラウド比率上昇。健康経営需要にも対応 (売)連3,923 (従)265 (資)4,099 (住)千代田区外神田4-14-1 ☎03-6260-8980 **㉕増加 ㉔11(男10,女1)**
空港施設㈱	[不] (特色)羽田、伊丹中心に全国12空港で施設を運営・賃貸、熱や給排水も一部提供。一般ビル賃貸も展開 (売)連25,950 (従)110 (資)6,826 (住)大田区羽田空港1-6-5 ☎03-3747-0251 **㉕前年並 ㉔6(男3,女3)**
㈱クエスト	[情通] (特色)ソフト開発とシステム運用が両輪。半導体、製造、通信に強い。キオクシアが有力顧客の1つ (売)連14,224 (従)980 (資)491 (住)港区芝浦3-1-1 ☎03-3453-1181 **㉕50 ㉔45(男25,女20)**
クオールホールディングス㈱	[小] (特色)調剤薬局上位。ローソン、ビックカメラなどと共同出店。第一三共エスファを24年子会社化 (売)連180,052 (従)93 (資)5,786 (住)港区虎ノ門4-3-1 ☎03-5405-9011 **㉕300 ㉔250(男70,女180)**
㈱久世	[卸] (特色)外食向け食材卸が主力。首都圏に基盤。子会社で業務用スープ製造や生鮮野菜配送も手がける (売)連64,474 (従)341 (資)100 (住)豊島区東池袋2-29-7 ☎03-3987-0018 **㉕前年並 ㉔15(男‥,女‥)**
㈱グッドコムアセット	[不] (特色)東京23区で投資用マンションを販売。不動産運用会社向け1棟売り中心に個人投資家にも販売 (売)連22,190 (従)137 (資)1,595 (住)新宿区西新宿7-20-1 ☎03-5338-0170 **㉕30 ㉔33(男23,女10)**
gooddaysホールディングス㈱	[情通] (特色)ITシステム開発。賃貸物件のリノベーションと不動産情報サイト「goodroom」運営 (売)連7,449 (従)26 (資)197 (住)品川区北品川1-23-19 ☎03-5781-9070 **㉕50 ㉔46(男17,女29)**
クニミネ工業㈱	[ガ土] (特色)ベントナイト(特殊粘土鉱物)の最大手。自動車、建機、建設が主な納入先。海外市場を開拓中 (売)連15,675 (従)238 (資)1,617 (住)千代田区岩本町1-10-5 ☎03-3866-7255 **㉕前年並 ㉔5(男3,女2)**
㈱クラウドワークス	[情通] (特色)国内最大級のクラウドソーシング会社。人材マッチング事業や関連の工程管理SaaSを展開 (売)連13,210 (従)335 (資)2,776 (住)渋谷区恵比寿4-20-3 ☎03-6450-2926 **㉕30 ㉔31(男22,女9)**
㈱クラシコム	[小] (特色)ECサイト「北欧、暮らしの道具店」で雑貨・服飾品を販売。多彩なコンテンツ配信で顧客を拡大 (売)連7,012 (従)87 (資)100 (住)国立市中1-1-52 ☎042-577-0486 **㉕前年並 ㉔3(男0,女3)**
㈱クラダシ	[小] (特色)食品メーカーや卸などから食品ロスを仕入れ、ECサイトで安価に販売。実店舗販売にも着手 (売)単2,862 (従)49 (資)311 (住)品川区上大崎3-2-1 ☎03-6456-2296 **㉕未定 ㉔2(男0,女2)**

会社名	業種名 (特色)会社の特色 (売)売上高(百万円) (従)単独従業員数(名) (資)資本金(百万円) (住)本社の住所, 電話番号 ㉕25年採用計画数(名) ㉔24年入社内定者数(名)
KLab(株)	情通 (特色)スマホゲーム開発・運営。「キャプテン翼」などアニメや漫画など有力IP得意で海外でも実績 (売)連10,717 (従)437 (資)5,965 (住)港区六本木6-10-1 ☎03-5771-1100 ㉕**5** ㉔**5(男5, 女0)**
(株)クリーク・アンド・リバー社	サ (特色)テレビ・ゲーム・Web・広告等の派遣、制作が主。医療ほか専門職分野拡大。配当性向30%メド (売)連49,799 (従)1,120 (資)1,177 (住)港区新橋4-1-1 ☎03-4550-0011 ㉕**40** ㉔**38(男13, 女25)**
(株)クリエイト・レストランツ・ホールディングス	小 (特色)SC内にレストランやカフェ展開。ベーカリーなど育成中。子会社に「磯丸水産」展開するSFP (売)連IFS145,759 (従)124 (資)50 (住)品川区東五反田5-10-18 ☎03-5488-8001 ㉕**70** ㉔**30(男13, 女17)**
(株)グリムス	電ガ (特色)中小製造業などへ電力料金削減を提案、電子式開閉器を販売。太陽光発電設備から電力小売りも (売)連29,908 (従)20 (資)708 (住)品川区東品川2-2-4 ☎03-5769-3500 ㉕**50** ㉔**34(男29, 女5)**
クルーズ(株)	情通 (特色)アパレルEC「SHOPLIST」軸にネットサービス展開。ブロックチェーンゲームにも注力 (売)連14,270 (従)76 (資)460 (住)渋谷区恵比寿4-3-14 ☎03-6387-3622 ㉕**微減** ㉔**4(男3, 女1)**
(株)クレオ	情通 (特色)アマノ、LINEヤフー系ソフト会社。受託開発と人事労務ソフト販売が両輪。クラウド化に力 (売)連14,351 (従)495 (資)3,149 (住)品川区東品川4-10-27 ☎03-5783-3530 ㉕**30** ㉔**28(男24, 女4)**
(株)クレスコ	情通 (特色)受託によるソフト開発主力、金融系に強い。情報家電などの組み込み開発も手がける。独立系 (売)連52,755 (従)1,433 (資)2,514 (住)港区港南2-15-1 ☎03-5769-8011 ㉕**120** ㉔**99(男53, 女46)**
(株)グローバルウェイ	情通 (特色)クラウド開発、運用保守が柱。就活・転職口コミサイト「キャリコネ」も。シェアリング育成中 (売)連2,456 (従)124 (資)50 (住)渋谷区神宮前2-34-17 ☎03-5441-7193 ㉕**未定** ㉔**8(男3, 女5)**
(株)グローバルダイニング	小 (特色)都内軸に「ラ・ボエム」など和・洋食のダイニングレストランを展開。米国にも展開。オーナー色 (売)連11,090 (従)170 (資)44 (住)港区南青山7-1-5 ☎03-3407-0561 ㉕**未定** ㉔**3(男1, 女2)**
(株)グローバル・リンク・マネジメント	不 (特色)「アルテシモ」ブランドの投資用コンパクトマンション販売が主力。東京23区内の駅近に立地 (売)連41,258 (従)129 (資)582 (住)渋谷区道玄坂1-12-1 ☎03-6415-6525 ㉕**微増** ㉔**2(男2, 女0)**
グローブライド(株)	他製 (特色)「ダイワ」ブランドの釣り具で世界トップ。ゴルフ、テニスなど総合志向。上期に利益偏重 (売)連126,008 (従)859 (資)4,184 (住)東久留米市前沢3-14-16 ☎042-475-2111 ㉕**前年並** ㉔**28(男24, 女4)**
グローム・ホールディングス(株)	不 (特色)医療法人の経営支援・運営指導を行う医療関連事業を展開。不適切取引発生で事業再構築へ (売)連1,238 (従)17 (資)3,049 (住)港区赤坂1-12-32 ☎03-5545-8101 ㉕**未定** ㉔**2(男1, 女1)**
(株)クロス・マーケティンググループ	情通 (特色)リサーチからDXやデジタルマーケティングへ事業の主軸が移行・拡大。世界市場へ事業展開 (売)連26,184 (従)113 (資)646 (住)新宿区西新宿3-20-2 ☎03-6859-2250 ㉕**140** ㉔**33(男15, 女18)**
KHネオケム(株)	化 (特色)旧協和発酵発祥。エアコン等で冷媒と共存する冷凍機油原料が世界的に高シェア。化粧品原料も (売)連115,217 (従)664 (資)8,855 (住)中央区日本橋室町2-3-1 ☎03-3510-3550 ㉕**前年並** ㉔**10(男9, 女1)**
(株)KSK	情通 (特色)独立系ソフトウェアの中堅。NECグループ依存度は2割。ネットワークサービスの比重拡大 (売)連21,778 (従)2,052 (資)1,448 (住)稲城市百村1625-2 ☎042-378-1100 ㉕**210** ㉔**213(男158, 女55)**
ケイヒン(株)	倉運 (特色)総合物流準大手。中古車輸出強い。通販流通センター受託も。米国大手BDPと連携し海外強化 (売)連46,520 (従)305 (資)5,376 (住)港区海岸3-4-20 ☎03-3456-7801 ㉕**15** ㉔**6(男2, 女4)**
(株)ゲームカード・ジョイコホールディングス	機 (特色)遊技機用プリペイドカードシステム大手。11年日本ゲームカードとジョイコシステムズが統合 (売)連36,289 (従)210 (資)5,956 (住)台東区上野5-18-10 ☎03-6803-0301 ㉕**未定** ㉔**6(男6, 女0)**
(株)ケーユーホールディングス	小 (特色)ベンツ、BMWなどの正規ディーラー。中古車販売も。関東に加え、東北や北陸に店舗網拡大 (売)連154,563 (従)76 (資)100 (住)町田市鶴間3-15-9 ☎042-799-2130 ㉕**150** ㉔**133(男111, 女22)**
ケル(株)	電機 (特色)工業・車載機器向けコネクターが主力。小型品中心。狭小タイプ大手。ラック、ICソケットも (売)連12,231 (従)294 (資)1,617 (住)多摩市永山6-17-7 ☎042-374-5810 ㉕**前年並** ㉔**10(男8, 女2)**
ゲンダイエージェンシー(株)	情通 (特色)パチンコ等遊技場の広告取扱高で専業首位。折り込み広告からネットへ移行、他業種向けも拡大 (売)連7,419 (従)146 (資)100 (住)新宿区西新宿3-20-2 ☎03-5308-9888 ㉕**5** ㉔**4(男2, 女2)**
(株)コア	情通 (特色)独立系SI。車載用などの組み込みソフトから製造業や公共分野のソリューションに軸足移行 (売)連23,998 (従)1,018 (資)440 (住)世田谷区三軒茶屋1-22-3 ☎03-3795-5111 ㉕**70** ㉔**56(男41, 女15)**
(株)コアコンセプト・テクノロジー	情通 (特色)DX支援とIT人材調達支援が2本柱。製造業、建設業向けが主力、機能拡張で他分野開拓へ (売)連15,921 (従)386 (資)565 (住)豊島区南池袋1-16-15 ☎03-6457-4344 ㉕**60** ㉔**40(男37, 女3)**
小池酸素工業(株)	機 (特色)鉄鋼、造船、建機向け厚板切断機などの機械装置と高圧ガスが2本柱。ガス事業で医療機器も (売)連51,387 (従)343 (資)4,028 (住)墨田区太平3-4-8 ☎03-3624-3111 ㉕**15** ㉔**16(男10, 女6)**
(株)湖池屋	食 (特色)日本初の量産化に成功したポテトチップスなど菓子中堅。粒菓子も。親会社は日清食品HD (売)連54,829 (従)734 (資)2,269 (住)板橋区成増5-9-7 ☎03-3979-2115 ㉕**30** ㉔**46(男20, 女26)**
(株)小糸製作所	電機 (特色)自動車照明で首位。車用はトヨタ系が約5割。海外進出に積極的。自動運転技術開発にも注力 (売)連950,295 (従)4,230 (資)14,270 (住)品川区北品川5-1-18 ☎03-3443-7111 ㉕**未定** ㉔**96(男67, 女29)**

会社名	[業種名] (特色)会社の特色 (売)売上高(百万円) (従)単独従業員数(名) (資)資本金(百万円) (住)本社の住所,電話番号 ㉕25年採用計画数(名) ㉔24年入社内定者数(名)
広栄化学㈱	[化] (特色)住友化学系の含窒素化合物メーカー。医農薬中間体、電子材料関連などファイン化合物が得意 (売)単19,427 (従)430 (資)2,343 (住)中央区日本橋小網町1-8 ☎03-6837-9300 ㉕**7** ㉔**6(男3,女3)**
㈱交換できるくん	[小] (特色)住宅設備機器の本体と工事をセット販売。Webで見積もり、注文できる手軽さと低価格に強み (売)連7,565 (従)76 (資)268 (住)渋谷区東1-26-20 ☎03-6427-5381 ㉕**10** ㉔**6(男0,女6)**
興研㈱	[他製] (特色)防塵・防毒マスク2大メーカーの1つ。防衛省向け独占供給。医療・精密機器分野へ多角化 (売)連10,587 (従)236 (資)674 (住)千代田区四番町7 ☎03-5276-1911 ㉕**15** ㉔**4(男2,女2)**
鉱研工業㈱	[機] (特色)地下資源工事用掘削機械で有数。温泉開発工事など施工も行う。日立建機、エンバイオと提携 (売)連9,529 (従)234 (資)1,165 (住)豊島区高田2-17-22 ☎03-6907-7888 ㉕**8** ㉔**4(男4,女0)**
㈱広済堂ホールディングス	[他製] (特色)印刷祖業。求人・人材併営。都内6火葬場・総合斎場保有の東京博善が稼ぎ頭。葬儀運営に進出 (売)連36,203 (従)77 (資)363 (住)港区芝浦1-2-3 ☎03-3453-0550 ㉕**13** ㉔**20(男11,女9)**
㈱弘電社	[建] (特色)三菱電機系の設備工事業者。三菱電機依存度は約3割。重電・電子機器の商品販売部門も併営 (売)連34,868 (従)618 (資)1,520 (住)中央区銀座5-11-10 ☎03-3542-5111 ㉕**25** ㉔**20(男16,女4)**
㈱コーチ・エィ	[サ] (特色)国内外でコーチング事業展開。組織開発支援に強み。米・中・タイに拠点。顧客の8割が上場企業 (売)連3,648 (従)142 (資)605 (住)千代田区九段南2-1-30 ☎03-3237-8050 ㉕**4** ㉔**5(男・・,女・・)**
コーユーレンティア㈱	[サ] (特色)建設現場事務所やイベント会場、オフィスへ備品・ICT商材をレンタル。配当性向15%超目標 (売)連30,960 (従)414 (資)935 (住)港区新橋6-17-15 ☎03-6758-3500 ㉕**未定** ㉔**26(男9,女17)**
㈱ゴールドウイン	[繊] (特色)衣料中心に海外のスポーツ・アウトドアブランドを国内展開。「ザ・ノース・フェイス」が大黒柱 (売)連126,907 (従)1,225 (資)7,079 (住)港区北青山3-5-6 ☎03-6777-9800 ㉕**40** ㉔**37(男27,女10)**
㈱ゴールドクレスト	[不] (特色)少人数効率経営のマンション開発・分譲会社。首都圏軸にファミリー向けを展開。好財務体質 (売)連24,845 (従)87 (資)12,499 (住)千代田区大手町2-1-1 ☎03-3516-7111 ㉕**前年並** ㉔**13(男9,女4)**
国際計測器㈱	[精] (特色)生産設備用タイヤ試験機と研究開発用電気サーボ式試験機中心の総合メーカー。海外比率高い (売)連10,239 (従)151 (資)1,023 (住)多摩市永山6-21-1 ☎042-371-4211 ㉕**微減** ㉔**2(男2,女0)**
㈱極楽湯ホールディングス	[サ] (特色)「極楽湯」「RAKU SPA」の銭湯展開。店舗数業界首位。23年度中に中国売却し国内一本化 (売)連14,082 (従)168 (資)5,207 (住)千代田区麹町2-4 ☎03-5275-4126 ㉕**10** ㉔**11(男9,女2)**
㈱ココペリ	[情通] (特色)中小企業支援プラットフォーム「Big Advance」運営。金融機関通じSaaSで提供 (売)連1,821 (従)89 (資)812 (住)千代田区紀尾井町3-12 ☎03-6261-4091 ㉕**前年並** ㉔**6(男5,女1)**
㈱コシダカホールディングス	[サ] (特色)「カラオケまねきねこ」直営展開。20年3月フィットネス子会社「カーブス」をスピンオフ (売)連54,629 (従)24 (資)2,070 (住)渋谷区道玄坂2-25-12 ☎0570-666-425 ㉕**15** ㉔**11(男7,女4)**
㈱コスモスイニシア	[不] (特色)マンション中堅。旧リクルートコスモス。大和ハウスの持分法会社。投資物件やホテル展開 (売)連124,588 (従)649 (資)5,000 (住)港区芝5-34-6 ☎03-3571-1111 ㉕**30** ㉔**35(男18,女17)**
コスモ・バイオ㈱	[卸] (特色)バイオ専門商社。研究用試薬、実験機器、臨床検査薬を販売。試薬、細胞等の開発製造にも注力 (売)連9,340 (従)124 (資)918 (住)江東区東陽2-2-20 ☎03-5632-9600 ㉕**前年並** ㉔**3(男0,女3)**
㈱コックス	[小] (特色)イオン系カジュアル衣料専門店。SC内への出店が中心。ブルーグラスと合併。キッズ強化中 (売)連14,885 (従)300 (資)4,503 (住)中央区日本橋浜町1-2-1 ☎03-5821-6070 ㉕**15** ㉔**50(男・・,女・・)**
㈱駒井ハルテック	[金製] (特色)鉄骨・橋梁の大手。超高層建築などに実績。風力発電に参入。10年に駒井鉄工とハルテックが合併 (売)連55,384 (従)505 (資)6,619 (住)台東区上野1-19-10 ☎03-3833-5101 ㉕**20** ㉔**22(男19,女3)**
コムチュア㈱	[情通] (特色)クラウドが主力の独立系SI。AI・RPAに強みを持つ。ネット運用も。コンサル強化中 (売)連34,185 (従)1,411 (資)1,022 (住)品川区大崎1-11-2 ☎03-5745-9700 ㉕**未定** ㉔**192(男137,女55)**
㈱coly	[情通] (特色)モバイルゲーム開発・運営が柱。女性向け作品に強み、グッズ展開も。自社キャラクター育成中 (売)単5,064 (従)281 (資)1,910 (住)港区赤坂4-2-6 ☎03-3505-0333 ㉕**減少** ㉔**4(男1,女3)**
㈱コレックホールディングス	[サ] (特色)NHKの営業代行から出発。不動産仲介「イエプラ」に加え、ゲーム攻略サイト「アルテマ」運営 (売)連3,938 (従)335 (資)326 (住)豊島区南池袋2-32-4 ☎03-6825-5022 ㉕**30** ㉔**24(男23,女1)**
㈱コンヴァノ	[サ] (特色)関東、関西、東海の商業施設などでネイルサロン展開。スピード感に強み。ネイリスト育成も (売)連IFS2,588 (従)424 (資)568 (住)渋谷区桜丘町22-14 ☎03-3770-1190 ㉕**未定** ㉔**10(男0,女10)**
㈱コンヴァノ	[サ] (特色)関東、関西、東海の商業施設などでネイルサロン展開。スピード感に強み。ネイリスト育成も (売)連IFS2,588 (従)424 (資)568 (住)渋谷区桜丘町22-14 ☎03-3770-1190 ㉕**未定** ㉔**10(男0,女10)**
㈱コンフィデンス・インターワークス	[サ] (特色)ゲーム等エンタメ業界に特化した人材派遣展開。23年8月、製造業向け求人サイトを吸収合併 (売)連7,488 (従)1,150 (資)521 (住)新宿区新宿2-19-1 ☎03-5312-7700 ㉕**10** ㉔**9(男6,女3)**
サークレイス㈱	[情通] (特色)米セールスフォースのコンサル柱。米サービスナウとの連携提案育成。パソナグループの持分社 (売)連2,900 (従)307 (資)401 (住)中央区京橋1-11-1 ☎050-1744-7546 ㉕**未定** ㉔**20(男13,女7)**

会社名	業種名 特色 会社の特色 売 売上高(百万円) 従 単独従業員数(名) 資 資本金(百万円) 住 本社の住所, 電話番号 ㉕ 25年採用計画数(名) ㉔ 24年入社内定者数(名)
㈱サーバーワークス	情通 特色 アマゾンのクラウド「AWS」の課金代行、導入・運用支援を展開。グーグルクラウド関連育成中 売 連27,510 従 294 資 3,255 住 新宿区揚場町1-21 ☎03-5579-8029 ㉕ **18** ㉔ **16(男10, 女6)**
SAAFホールディングス㈱	建 特色 地盤調査改良が柱。官公庁向けITコンサルやシステム開発、人材事業も。利益は期末集中 売 連29,270 従 23 資 1,909 住 江東区豊洲3-2-24 ☎03-6770-9970 ㉕ **微増** ㉔ **22(男18, 女4)**
㈱サイエンスアーツ	情通 特色 サブスク型ライブコミュニケーションアプリ「バディコム」を展開。アクセサリー販売も 売 単771 従 44 資 52 住 渋谷区渋谷1-2-5 ☎03-6825-0619 ㉕ **若干名** ㉔ **2(男1, 女1)**
サイオス㈱	情通 特色 オープンソースやクラウド製品を開発・販売。システム障害回避ソフトが柱。AI開発に意欲 売 連15,889 従 48 資 1,481 住 港区南麻布2-12-3 ☎03-6401-5111 ㉕ **16** ㉔ **18(男16, 女2)**
サイバーステップ㈱	情通 特色 PCオンラインゲーム大手。クレーンゲームなど自社サイト運営による課金収入が収益柱 売 連2,986 従 239 資 3,632 住 杉並区和泉1-22-19 ☎0570-032-085 ㉕ **未定** ㉔ **9(男7, 女2)**
㈱サイバー・バズ	サ 特色 インスタグラムで化粧品、トイレタリーのマーケティング支援展開。SNS運用、ネット広告も 売 連5,757 従 164 資 484 住 渋谷区桜丘町12-10 ☎03-5784-4113 ㉕ **20** ㉔ **11(男7, 女4)**
ザインエレクトロニクス㈱	電機 特色 自社ブランド品を独自開発するファブレス半導体メーカー先駆。信号伝送用等の技術力に強み 売 連5,018 従 84 資 1,175 住 千代田区神田美土代町9-1 ☎03-5217-6660 ㉕ **5** ㉔ **3(男・・, 女・・)**
サインポスト㈱	情通 特色 金融機関や公共向けシステム開発コンサル主力、AIレジ育成中でJR東日本子会社と合弁も 売 単2,929 従 181 資 60 住 中央区日本橋本町4-12-20 ☎03-5652-6031 ㉕ **10** ㉔ **10(男5, 女5)**
酒井重工業㈱	機 特色 ロードローラーなど道路機械の専業大手。大型機に強み。米国、インドネシア、中国で現地生産 売 連33,020 従 305 資 3,337 住 港区芝大門1-9-9 ☎03-3434-3401 ㉕ **15** ㉔ **11(男8, 女3)**
サクサ㈱	電機 特色 情報通信やセキュリティ機器、画像領域を融合させたシステムなどを企業や学校などで展開 売 連40,948 従 47 資 10,836 住 港区白金1-17-3 ☎03-5791-5511 ㉕ **微増** ㉔ **18(男12, 女6)**
㈱サクシード	サ 特色 教員やICT支援員、保育士など教育・福祉の人材サービス展開。家庭教師、個別指導塾も展開 売 単3,227 従 92 資 337 住 新宿区高田馬場1-4-15 ☎03-5287-7259 ㉕ **10** ㉔ **3(男0, 女3)**
㈱THEグローバル社	不 特色 首都圏軸に収益物件、マンション分譲展開。ホテル事業は縮小。22年9月、SBIHD傘下へ 売 連27,037 従 69 資 1,924 住 新宿区西新宿2-4-1 ☎03-3345-6111 ㉕ **未定** ㉔ **4(男2, 女2)**
㈱佐藤渡辺	建 特色 道路舗装工事の中堅。旧渡辺組と旧佐藤道路が合併して誕生。佐藤工業、東亜道路工業と提携 売 連38,400 従 497 資 1,751 住 港区南麻布1-18-4 ☎03-3453-7351 ㉕ **20** ㉔ **15(男12, 女3)**
佐鳥電機㈱	卸 特色 独立系半導体商社。車載、産業インフラ向けに強み。現地社買収で車載軸にインド事業注力 売 連148,113 従 386 資 2,611 住 港区芝1-14-10 ☎03-3452-7171 ㉕ **10** ㉔ **10(男7, 女3)**
㈱三栄コーポレーション	卸 特色 家具、調理用品、小型家電等の専門商社。良品計画などにOEM商材供給。ブランド品小売りも 売 連36,688 従 121 資 1,000 住 台東区寿4-1-2 ☎03-3847-3500 ㉕ **3** ㉔ **4(男1, 女3)**
㈱サンエー化研	化 特色 プラスチック複合加工製品メーカー。軽包装、産業資材、液晶関連の機能性材料が3本柱 売 連27,521 従 485 資 2,176 住 中央区日本橋本町1-7-4 ☎03-3241-5701 ㉕ **5** ㉔ **4(男2, 女2)**
㈱SANKYO	機 特色 パチンコ機製造大手。フィーバー台で成長。開発力に定評。円谷フィールズHDと親密。好財務 売 連199,099 従 765 資 14,840 住 渋谷区渋谷3-29-14 ☎03-5778-7777 ㉕ **前年並** ㉔ **19(男16, 女3)**
三晃金属工業㈱	建 特色 日本製鉄系の金属屋根大手。官公需強く長尺屋根首位。緑化屋根深耕。プレハブ向け住宅部材も 売 単42,914 従 523 資 1,980 住 港区芝浦4-13-23 ☎03-5446-5600 ㉕ **20** ㉔ **17(男15, 女2)**
Sansan㈱	情通 特色 クラウド型名刺管理法人向けサービス草分け。請求書データ事業「Bill One」も展開 売 連33,878 従 1,698 資 6,774 住 渋谷区桜丘町1-1 ☎03-6758-0033 ㉕ **130** ㉔ **68(男41, 女27)**
㈱サンセイランディック	不 特色 権利関係が複雑な不動産を買い取り、関係調整したうえで再販。戸建て建築、不動産仲介も併営 売 連23,269 従 191 資 860 住 千代田区丸の内2-6-1 ☎03-5252-7511 ㉕ **5** ㉔ **6(男6, 女0)**
㈱サンテック	建 特色 独立系電気工事の大手。電力、民間、公共の各分野に展開。東南アジア中心に海外工事にも意欲 売 連50,936 従 807 資 1,190 住 千代田区二番町3-13 ☎03-3265-6181 ㉕ **増加** ㉔ **19(男16, 女3)**
㈱サンドラッグ	小 特色 東京西部地盤のドラッグ大手。ローコスト経営。西日本中心にディスカウントストアを展開 売 連751,777 従 4,090 資 3,931 住 府中市若松町1-38-1 ☎042-369-6211 ㉕ **870** ㉔ **680(男・・, 女・・)**
サンフロンティア不動産㈱	不 特色 不動産の売買、賃貸仲介から出発。都心5区のビル改修・再生事業が主力。ホテル運営にも参画 売 連79,868 従 連837 資 11,965 住 千代田区有楽町1-2-2 ☎03-5521-1301 ㉕ **35** ㉔ **23(男13, 女10)**
三洋工業㈱	金製 特色 天井・床・壁下地材の大手。公共施設用、特に学校体育館で高シェア。全国に営業所を展開 売 連30,484 従 311 資 1,760 住 墨田区太平2-9-4 ☎03-5611-3451 ㉕ **20** ㉔ **13(男12, 女1)**
山洋電気㈱	電機 特色 NTT向け電源が発祥。工作機械など設備向けサーボモーターや、通信機器用冷却ファンが柱 売 連IFS112,904 従 1,194 資 9,926 住 豊島区南大塚3-33-1 ☎03-5927-1020 ㉕ **26** ㉔ **20(男18, 女2)**

会社名	業種名 特色 会社の特色 売 売上高(百万円) 従 単独従業員数(名) 資 資本金(百万円) 住 本社の住所，電話番号 ㉕25年採用計画数(名) ㉔24年入社内定者数(名)
三洋貿易㈱	卸 特色 ゴム・化学品商社。営業員の4割が技術系でメーカー機能も有す。自動車向け主軸。海外強化中 売 連122,596 従 273 資 1,006 住 千代田区神田錦町2-11 ☎03-3518-1111 ㉕12 ㉔15(男6,女9)
㈱サンリツ	倉運 特色 工作機械など輸出用梱包に強み。運輸、倉庫事業も。日本、中国、米国の3拠点軸に国際物流拡充 売 連19,398 従 401 資 2,523 住 港区港南2-12-32 ☎03-3471-0011 ㉕15 ㉔12(男5,女7)
㈱CRI・ミドルウェア	情通 特色 音声・映像関連の開発用ソフトウェアが主力。海外や動画配信・広告など新分野開拓に注力中 売 連2,990 従 148 資 784 住 渋谷区桜丘町20-1 ☎03-6823-6853 ㉕8 ㉔5(男4,女1)
㈱シーアールイー	不 特色 物流施設の開発・管理が柱。上場REITや私募ファンド運用も。首都圏軸に大阪、福岡に展開 売 連66,901 従 231 資 5,365 住 港区虎ノ門2-10-1 ☎03-5572-6600 ㉕3 ㉔4(男2,女2)
CRGホールディングス㈱	サ 特色 コールセンター向け人材派遣大手。イベント企画や業務一括請負も。AIでの業務自動化に注力 売 連20,815 従 36 資 448 住 新宿区西新宿2-1-1 ☎03-3345-2772 ㉕前年並 ㉔24(男8,女16)
㈱C&Gシステムズ	電機 特色 金型・CAD／CAMの2社が合併。金型は米国市場で展開。CAD／CAMはアジア開拓へ 売 連3,826 従 215 資 500 住 品川区東品川2-2-24 ☎03-6864-0777 ㉕6 ㉔7(男6,女1)
㈱GA technologies	不 特色 不動産投資プラットフォーム「RENOSY」を運営。不動産業向けSaaS製品を開発・販売 売 連IFS146,647 従 527 資 7,372 住 港区六本木3-2-1 ☎03-6230-9180 ㉕88 ㉔55(男40,女15)
㈱CSSホールディングス	サ 特色 スチュワード事業(ホテルの食器洗浄・衛生管理)が柱。食堂運営受託、音響機器等の販売施工も 売 連14,832 従 3 資 393 住 中央区日本橋小伝馬町10-1 ☎03-6661-7840 ㉕35 ㉔49(男26,女23)
㈱CS-C	サ 特色 美容室や飲食店のマーケティングをDX化。月額制のマーケ支援ツール「C-mo」等を展開 売 単2,428 従 174 資 761 住 港区芝浦4-13-23 ☎03-5730-1110 ㉕5 ㉔4(男1,女3)
CSP	サ 特色 警備業界3位。人手による常駐警備から画像・IT活用の機械警備にシフト。鉄道向けに強み 売 連68,010 従 3,687 資 2,924 住 新宿区西新宿2-4-1 ☎03-3344-1711 ㉕260 ㉔110(男93,女17)
㈱シイエヌエス	情通 特色 企業向けシステム受託開発が柱。ビッグデータ分析やクラウド基盤構築も。金融や公共向け強い 売 連6,657 従 214 資 478 住 渋谷区恵比寿南1-5-5 ☎03-5791-1001 ㉕微増 ㉔19(男12,女7)
GMOアドパートナーズ㈱	サ 特色 GMO傘下の総合ネット広告代理店。アドテク開発・運営も含めたワンストップサービスに強み 売 連14,903 従 51 資 1,301 住 渋谷区道玄坂1-2-3 ☎03-5728-7900 ㉕2 ㉔2(男2,女0)
GMOペイメントゲートウェイ㈱	情通 特色 EC(電子商取引)業者に決済処理サービス提供。GMO子会社。「後払い(BNPL)」を強化 売 連IFS63,119 従 580 資 13,323 住 渋谷区道玄坂1-2-3 ☎03-3464-2740 ㉕30 ㉔14(男10,女4)
GMOペパボ㈱	情通 特色 GMO傘下。レンタルサーバー主力。グッズ作成等EC支援、ハンドメイド品流通、金融支援も 売 連10,903 従 328 資 262 住 渋谷区桜丘町26-1 ☎03-5456-2622 ㉕前年並 ㉔5(男4,女1)
㈱ジーダット	情通 特色 LSIや液晶パネル設計用の電子系CADソフト(EDA)を開発・販売。海外提携に積極的 売 単2,060 従 125 資 762 住 中央区湊1-1-12 ☎03-6262-8400 ㉕5 ㉔5(男5,女0)
㈱シード	精 特色 国内系コンタクトレンズメーカーの大手。自社製1日使い捨てレンズ主力。遠近両用、海外育成 売 連32,396 従 766 資 3,532 住 文京区本郷2-40-2 ☎03-3813-1111 ㉕41 ㉔33(男14,女19)
CBグループマネジメント㈱	卸 特色 首都圏地盤。日用雑貨、化粧品卸大手。百貨店向けや輸入品など専売品の開拓に定評。持株会社化 売 連147,284 従 35 資 1,608 住 港区南青山2-2-3 ☎03-3796-5075 ㉕15 ㉔6(男2,女4)
G-FACTORY㈱	不 特色 外食向けの物件、内装設備リースなど提供。うなぎ専門店「宇奈とと」中心に外食店事業も展開 売 連5,598 従 114 資 51 住 新宿区西新宿1-25-1 ☎03-5325-6868 ㉕10 ㉔8(男3,女5)
㈱シーボン	化 特色 スキンケアなど高級化粧品を自社製造、直営店販売。購入額に応じ無料サロンケアなど実施 売 連8,498 従 689 資 483 住 港区北青山2-13-5 ☎03-3404-7501 ㉕70 ㉔52(男0,女52)
㈱JSP	化 特色 樹脂発泡素材の大手。自動車部材、食品容器など用途幅広い。三菱ガス化学が親会社から外れる 売 連135,051 従 777 資 10,128 住 千代田区丸の内3-4-2 ☎03-6212-6300 ㉕15 ㉔14(男11,女3)
㈱Jストリーム	情通 特色 ネットによる動画ライブ中継やオンデマンド放送の配信インフラ提供。映像制作等も手がける 売 連11,266 従 417 資 2,182 住 港区芝2-5-6 ☎03-5765-7000 ㉕13 ㉔16(男8,女8)
㈱ジェイック	サ 特色 フリーター主体の就職支援。研修後に集団面接会。新卒事業が柱に成長。配当性向25～35%目安 売 連3,675 従 241 資 262 住 千代田区神田神保町1-101 ☎03-5282-7600 ㉕12 ㉔13(男7,女6)
JBCCホールディングス㈱	情通 特色 ITサービス大手。設計、開発、運用に注力。超高速開発、セキュリティなど付加価値事業推進 売 連65,194 従 23 資 4,713 住 中央区八重洲2-2-1 ☎03-6262-5733 ㉕前年並 ㉔53(男30,女23)
ジェイフロンティア㈱	食 特色 医薬品や健康食品の通販が柱。オンライン診療・薬宅配システムを育成。宣伝費変動の影響大 売 連16,844 従 63 資 516 住 渋谷区桜丘町9-8 ☎03-6427-4662 ㉕10 ㉔7(男1,女6)
㈱JPMC	不 特色 賃貸住宅の一括借り上げ専業。物件の建築や管理は提携加盟会社が行う。地方中心に全国展開 売 連57,353 従 305 資 465 住 千代田区丸の内3-4-2 ☎050-1748-1145 ㉕30 ㉔19(男8,女11)

会社名	業種名 特色 会社の特色 売 売上高(百万円) 従 単独従業員数(名) 資 資本金(百万円) 住 本社の住所, 電話番号 ㉕ 25年採用計画数(名) ㉔ 24年入社内定者数(名)
JESCOホールディングス(株)	建 特色 電気・通信設備の独立系工事会社。設計・調達・施工管理(EPC)一貫受注。ベトナムでも実績 売 連11,104 従 25 資 1,045 住 港区赤坂4-8-18 ☎03-5315-0335 ㉕ **14** ㉔ **10(男6, 女4)**
(株)ジェネレーションパス	小 特色 インテリアや家具、衣料品などのネット通販主力。企業向けも。独自のデータ分析手法に特徴 売 連15,151 従 105 資 627 住 新宿区西新宿6-12-1 ☎03-3343-3544 ㉕ **前年並** ㉔ **11(男7, 女4)**
ジオスター(株)	ガ土 特色 建設用コンクリート製品の大手。スチール・合成セグメントなどに強み。日本製鉄の子会社 売 連26,910 従 284 資 3,352 住 文京区小石川1-4-1 ☎03-5844-1200 ㉕ **6** ㉔ **2(男1, 女1)**
ジオリーブグループ(株)	卸 特色 建材卸大手。M&Aで拡大。マンションリノベ事業は業界トップ級。東日本で強い。23年新社屋 売 連166,321 従 683 資 850 住 港区新橋6-3-4 ☎03-4582-3380 ㉕ **未定** ㉔ **19(男13, 女6)**
(株)識学	サ 特色 独自組織運営理論「識学」による経営層向けコンサルが柱。スポーツ分野も。クラウド事業育成 売 連4,829 従 228 資 10 住 品川区大崎2-9-3 ☎03-6821-7560 ㉕ **5** ㉔ **4(男4, 女0)**
(株)jig. jp	情通 特色 ライブ配信アプリ「ふわっち」運営。配信者はアマチュア主体、視聴者のアイテム課金が収益源 売 連12,247 従 連88 資 877 住 渋谷区千駄ヶ谷5-23-5 ☎03-5367-3891 ㉕ **増加** ㉔ **5(男5, 女0)**
JIG-SAW(株)	情通 特色 主力はサーバーなどの自動監視システム。IoTエンジンが国内外有力企業に採用され急成長 売 連3,240 従 179 資 351 住 千代田区大手町1-9-2 ☎03-6262-5160 ㉕ **20** ㉔ **26(男19, 女7)**
(株)シグマクシス・ホールディングス	サ 特色 コンサル中堅。経営戦略立案からシステム導入まで支援するプロジェクト管理(PM)に強み 売 連22,410 従 628 資 3,000 住 港区虎ノ門4-1-28 ☎03-6430-3400 ㉕ **未定** ㉔ **60(男・・, 女・・)**
シグマ光機(株)	精 特色 研究開発用や製造用レーザーが主体。光学部品、ユニット、システムの総合力に強み。OEMも 売 連11,213 従 371 資 2,623 住 墨田区緑1-19-9 ☎03-5638-8221 ㉕ **前年並** ㉔ **13(男4, 女9)**
システムズ・デザイン(株)	情通 特色 SIとデータ入力が柱。物流SIなどM&A展開中。会計ソフトのPCA創業者一族が筆頭株主 売 連9,458 従 391 資 333 住 杉並区和泉1-22-19 ☎03-5300-7800 ㉕ **22** ㉔ **19(男17, 女2)**
品川リフラクトリーズ(株)	ガ土 特色 鉄鋼業向け耐火物の総合大手。JFE、神戸鋼と親密。高機能材に注力。傘下にイソライト工業 売 連144,175 従 1,201 資 3,300 住 千代田区大手町2-2-1 ☎03-6265-1600 ㉕ **15** ㉔ **15(男12, 女3)**
シナネンホールディングス(株)	卸 特色 LPガス、灯油主体の燃料商社。リフォームや建物設備管理、自転車販売など事業を多様化 売 連348,282 従 112 資 15,630 住 品川区東品川1-39-20 ☎03-6478-7800 ㉕ **20** ㉔ **9(男6, 女3)**
地主(株)	不 特色 スーパーやホスピスなどテナントの底地を投資家向けに売却・賃貸。私募REIT運用に強み 売 連31,597 従 63 資 3,048 住 千代田区丸の内1-5-1 ☎03-6895-0070 ㉕ **前年並** ㉔ **2(男2, 女0)**
(株)シモジマ	卸 特色 包材、店舗用品等を自社ブランド主体に卸売り。FCのパッケージプラザを展開、通販強化 売 連57,794 従 648 資 1,405 住 台東区浅草橋5-29-8 ☎03-3864-0061 ㉕ **30** ㉔ **25(男13, 女12)**
(株)ジャノメ	機 特色 家庭用ミシン1位。日本、タイ、台湾で生産。卓上ロボット、ダイカスト等産業機器が第2の柱 売 連36,476 従 425 資 11,372 住 八王子市狭間町1463 ☎042-661-3071 ㉕ **19** ㉔ **15(男7, 女8)**
(株)シャノン	情通 特色 営業活動に必要な情報を管理・運用するクラウドサービスが柱。イベント等管理システムも 売 連2,934 従 256 資 550 住 港区三田3-13-16 ☎03-6743-1551 ㉕ **増加** ㉔ **11(男5, 女6)**
ジャパンエレベーターサービスホールディングス(株)	サ 特色 エレベーターの保守・保全、リニューアルで独立系首位。関東、北海道中心から全国に拡大 売 連42,216 従 250 資 2,493 住 中央区日本橋1-3-13 ☎03-6262-1638 ㉕ **増加** ㉔ **135(男129, 女6)**
(株)ジャパンディスプレイ	電機 特色 中小型液晶パネル大手。日立、東芝、ソニーの事業統合で誕生。用途拡大や顧客分散で経営再建中 売 連239,153 従 2,698 資 100 住 港区西新橋3-7-1 ☎03-6732-8100 ㉕ **前年並** ㉔ **14(男10, 女4)**
ジャフコ グループ(株)	証商 特色 専業VCで最大手。バイアウト投資にも注力。国内はもとより米国、アジアなど国際的に展開 売 連24,443 従 129 資 33,251 住 港区虎ノ門1-23-1 ☎050-3734-2025 ㉕ **前年並** ㉔ **4(男3, 女1)**
(株)ジャムコ	輸機 特色 ボーイング向けラバトリー(化粧室)独占供給。航空会社向けギャレー(厨房設備)でも世界大手 売 連63,999 従 1,059 資 5,359 住 立川市高松町1-100 ☎042-503-9900 ㉕ **増加** ㉔ **23(男17, 女6)**
シュッピン(株)	小 特色 カメラを軸に専門性高い商材の中古品や新品をECと店舗で販売。時計、筆記具、自転車も展開 売 単48,841 従 244 資 541 住 新宿区西新宿1-14-11 ☎03-3342-0088 ㉕ **20** ㉔ **10(男6, 女4)**
(株)SHOEI	他製 特色 高級ヘルメット製造世界首位、国内生産。サイズ調整等サポート体制に強み。配当性向50%メド 売 連33,616 従 581 資 1,421 住 台東区台東1-31-7 ☎03-5688-5160 ㉕ **1** ㉔ **25(男16, 女9)**
正栄食品工業(株)	卸 特色 製パン・製菓用材料などの食品商社。世界各地から原料、製品輸入。国内、米国、中国に加工工場 売 連109,594 従 350 資 3,379 住 台東区秋葉原5-7 ☎03-3253-1211 ㉕ **未定** ㉔ **4(男2, 女2)**
(株)情報企画	情通 特色 信金など金融機関対象の業務支援パッケージを開発、販売。事業会社向けにも進出意欲が強い 売 連3,528 従 129 資 326 住 千代田区麹町3-3-6 ☎03-3511-8371 ㉕ **15** ㉔ **8(男5, 女3)**
(株)昭和システムエンジニアリング	情通 特色 入力業務から受託計算、ソフト開発まで一貫サービス。証券、生損保向けシステム構築に強み 売 単7,960 従 482 資 630 住 中央区日本橋小伝馬町1-5 ☎03-3639-9051 ㉕ **30** ㉔ **24(男16, 女8)**

会社名	業種名 (特色)会社の特色 (売)売上高(百万円) (従)単独従業員数(名) (資)資本金(百万円) (住)本社の住所, 電話番号 ㉕25年採用計画数(名) ㉔24年入社内定者数(名)
㈱ショーケース	情通 (特色)Webサイト最適化技術で成約率高める「ナビキャスト」など提供。ReYuu社買収で急拡大 (売)連5,683 (従)94 (資)50 (住)港区六本木1-9-9 ☎03-5575-5117 ㉕2 ㉔4(男1,女3)
ショーボンドホールディングス㈱	建 (特色)橋梁、道路などインフラ補修工事の専業。補修材料の開発・販売から施工まで一貫体制。好財務 (売)連85,419 (従)743 (資)5,000 (住)中央区日本橋箱崎町7-8 ☎03-6892-7101 ㉕40 ㉔32(男26,女6)
シリコンスタジオ㈱	情通 (特色)3DCG技術基盤のゲーム用ミドルウェア主力。自社ゲーム開発撤退。開発受託、人材派遣特化 (売)連4,554 (従)209 (資)466 (住)渋谷区恵比寿1-21-3 ☎03-5488-7070 ㉕10 ㉔13(男13,女0)
㈱シルバーライフ	小 (特色)高齢者向け配食サービスのFC本部運営。高齢者施設への食材販売、冷凍弁当OEM・倉庫業も (売)単13,555 (従)232 (資)731 (住)新宿区西新宿4-32-4 ☎03-6300-5622 ㉕未定 ㉔14(男‥,女‥)
信越ポリマー㈱	化 (特色)信越化学系。半導体ウエハ容器が主力。車載用タッチスイッチ、OA機器用部品、塩ビ建材も (売)連104,379 (従)970 (資)11,635 (住)千代田区大手町1-1-3 ☎03-5288-8400 ㉕10 ㉔9(男7,女2)
㈱CINC	情通 (特色)SaaS型デジタルマーケティング支援ツールの開発・販売とDXコンサルを手がける (売)単1,945 (従)134 (資)10 (住)港区虎ノ門1-21-19 ☎03-6822-3601 ㉕3 ㉔5(男3,女2)
㈱シンクロ・フード	情通 (特色)飲食店向けに求人、不動産、食材仕入れ等の情報サイトを運営。求人掲載料課金や広告が収益源 (売)連3,602 (従)190 (資)562 (住)渋谷区恵比寿南1-7-8 ☎03-5768-9522 ㉕15 ㉔14(男10,女4)
㈱SHINKO	卸 (特色)IT機器の設計・構築から導入、運用保守、技術者人材派遣までを全国展開。医療に強み。独立系 (売)単16,145 (従)811 (資)183 (住)台東区浅草橋5-20-8 ☎03-5822-7600 ㉕80 ㉔76(男61,女15)
㈱ジンズホールディングス	小 (特色)均一料金のアイウェア(眼鏡)販売「ジンズ」ブランド展開。ロードサイドの店舗を拡大中 (売)連73,264 (従)2,016 (資)3,202 (住)千代田区神田錦町3-1 ☎03-6890-4800 ㉕微増 ㉔156(男54,女102)
新日本電工㈱	鉄 (特色)日本製鉄系、鉄鋼向け合金鉄最大手。南アにマンガン鉱山権益、機能材、環境、電力事業を育成 (売)連76,406 (従)629 (資)11,108 (住)中央区八重洲1-4-16 ☎03-6860-6800 ㉕9 ㉔9(男8,女1)
シンプレクス・ホールディングス㈱	情通 (特色)大手金融機関向けのシステム構築が主力。コンサルから開発・運用まで展開。非金融分野を拡大 (売)連IFS40,708 (従)1,183 (資)1,218 (住)港区虎ノ門1-23-1 ☎03-3539-7370 ㉕300 ㉔190(男161,女29)
スーパーバッグ㈱	パ紙 (特色)百貨店、専門店向けの紙袋大手。スーパー、コンビニ向けにポリエチレン製のレジ袋も手がける (売)連26,837 (従)344 (資)1,374 (住)豊島区西池袋5-18-11 ☎03-3987-9201 ㉕未定 ㉔7(男3,女4)
スカイマーク㈱	空 (特色)国内第3位の中堅航空会社。羽田発着の国内線に強み。民事再生手続きを経て、22年末再上場 (売)単104,075 (従)2,470 (資)100 (住)大田区羽田空港3-5-10 ☎03-5708-8280 ㉕増加 ㉔113(男‥,女‥)
㈱すかいらーくホールディングス	小 (特色)ファミレス最大手。主力は「ガスト」。中華「バーミヤン」や和食「夢庵」など多業態。14年に再上場 (売)連IFS354,831 (従)3,646 (資)25,134 (住)武蔵野市西久保1-25-8 ☎0422-51-8111 ㉕200 ㉔154(男80,女74)
㈱スカラ	情通 (特色)サイト内検索など、企業向けASPサービス展開。営業支援システムのソフトブレーンは売却 (売)連IFS10,714 (従)61 (資)1,792 (住)渋谷区渋谷2-21-1 ☎03-6418-3960 ㉕45 ㉔29(男14,女15)
杉田エース㈱	卸 (特色)建築用金物主体の建材商社で全国展開。開発は自社で、生産は外部委託。DIY関連等直需育成 (売)連73,746 (従)524 (資)697 (住)墨田区緑2-14-15 ☎03-3633-5150 ㉕15 ㉔7(男5,女2)
スズデン㈱	卸 (特色)FA用制御機器が主力の技術商社。オムロン代理店の首位格。電設資材の比重高い。電子機器も (売)連50,929 (従)329 (資)1,819 (住)千代田区外神田2-2-3 ☎03-6910-6801 ㉕20 ㉔15(男6,女9)
鈴茂器工㈱	機 (特色)米飯加工機を製造販売。すしロボットが収益源。どんぶり飯盛り付け機や和食人気の海外展開 (売)連14,514 (従)443 (資)1,154 (住)中野区中野4-10-1 ☎03-3993-1371 ㉕未定 ㉔2(男2,女0)
鈴与シンワート㈱	情通 (特色)鈴与グループ。SIと物流の2本柱。NTTデータ2次請け開発、パッケージソフト開発に強み (売)連17,160 (従)653 (資)802 (住)港区芝4-1-23 ☎03-5440-2800 ㉕40 ㉔37(男27,女10)
スターツ出版㈱	情通 (特色)雑誌「オズマガジン」「メトロミニッツ」発行、施設予約「オズモール」や小説投稿サイトも運営 (売)単8,341 (従)236 (資)540 (住)中央区京橋1-3-1 ☎03-6202-0311 ㉕未定 ㉔16(男2,女14)
㈱ステムセル研究所	サ (特色)臍帯血の処理・保管の細胞バンク事業で国内民間市場ほぼ独占。臍帯保管や新規事業に展開図る (売)単2,481 (従)106 (資)704 (住)港区虎ノ門1-21-19 ☎03-6811-3230 ㉕8 ㉔3(男1,女2)
㈱ストライク	サ (特色)中小企業の事業承継案件主体のM&A仲介会社。譲渡先、買収先双方からの仲介報酬が収益源 (売)単13,826 (従)345 (資)823 (住)千代田区大手町1-2-1 ☎03-6848-0101 ㉕25 ㉔17(男13,女4)
㈱ストリームメディアコーポレーション	情通 (特色)韓国エンタメ大手・SMエンタテインメント傘下。モバイル、イベント等でコンテンツ展開 (売)連8,910 (従)88 (資)6,042 (住)港区六本木3-2-1 ☎03-6809-6118 ㉕5 ㉔2(男0,女2)
スバル興業㈱	サ (特色)東宝系。道路メンテナンスが主力で公共事業依存度が高い。飲食店、マリーナ、不動産賃貸も併営 (売)連29,245 (従)233 (資)1,331 (住)千代田区有楽町1-5-2 ☎03-3528-8245 ㉕未定 ㉔6(男6,女0)
㈱スペース	サ (特色)商業施設等のディスプレー企画・設計・施工。名古屋地盤で全国展開。オフィス、ホテル案件育成 (売)連52,793 (従)878 (資)3,395 (住)中央区日本橋人形町3-9-4 ☎03-3669-4008 ㉕85 ㉔69(男21,女48)

会社名	業種名 (特色)会社の特色 (売)売上高(百万円) (従)単独従業員数(名) (資)資本金(百万円) (住)本社の住所, 電話番号 ㉕25年採用計画数(名) ㉔24年入社内定者数(名)
(株)スポーツフィールド	サ (特色)体育会学生向け就活サイト「スポナビ」運営。大小就活イベントや新卒・既卒向け人材紹介を展開 (売)連3,418 (従)295 (資)93 (住)新宿区市谷本村町3-29 ☎03-5225-1481 ㉕**42** ㉔**22(男10,女12)**
住信SBIネット銀行(株)	銀 (特色)ネット銀行大手。AI活用した住宅ローン融資に強み。BaaS事業を育成中。高効率経営 (売)連118,572 (従)628 (資)31,000 (住)港区六本木3-2-1 ☎03-6779-5496 ㉕**15** ㉔**15(男10,女5)**
生化学工業(株)	医 (特色)複合糖質で独自性。開発は関節疾患関連に特化。2種のヒアルロン酸製剤は科研と参天が販売 (売)連36,213 (従)565 (資)3,840 (住)千代田区丸の内1-6-1 ☎03-5220-8950 ㉕**前年並** ㉔**16(男6,女10)**
(株)セイファート	サ (特色)美容師向け求人情報サイト「リクエストQJナビ」展開、人材派遣も。美容室でのEC運営模索 (売)連2,166 (従)119 (資)266 (住)渋谷区渋谷3-27-11 ☎03-5464-3690 ㉕**5** ㉔**5(男1,女4)**
成友興業(株)	サ (特色)首都圏の汚染土壌処理や建設系産業廃棄物の収集運搬・中間処理行う環境事業と道路舗装が柱 (売)連12,262 (従)217 (資)327 (住)あきる野市草花1141-1 ☎042-558-4111 ㉕**15** ㉔**7(男6,女1)**
セーラー万年筆(株)	他製 (特色)万年筆の老舗。事務用品大手プラス傘下。文房具のほかロボット機器(射出成形機用取出機)も (売)連4,558 (従)206 (資)4,653 (住)港区虎ノ門4-1-28 ☎03-6670-6601 ㉕**未定** ㉔**7(男2,女5)**
(株)セキド	小 (特色)祖業の家電店からファッションに転換、店舗に加えEC、催事も展開。韓国美容品卸が収益柱に (売)連8,480 (従)61 (資)10 (住)新宿区西新宿3-7-1 ☎03-6300-6103 ㉕**前年並** ㉔**6(男0,女6)**
(株)セキュア	情通 (特色)入退室管理、監視カメラシステムが2本柱、AI活用した画像分析システムを第3の柱に育成 (売)連5,191 (従)140 (資)544 (住)新宿区西新宿2-6-1 ☎03-6911-0660 ㉕**12** ㉔**10(男5,女5)**
セグエグループ(株)	情通 (特色)セキュリティ品の輸入販売とソリューション関連が両輪。SE派遣に強み。自社開発品成長中 (売)連17,443 (従)21 (資)533 (住)中央区新川1-16-3 ☎03-6228-3822 ㉕**16** ㉔**16(男12,女4)**
(株)セック	情通 (特色)リアルタイムソフトウェア技術に強み。宇宙分野や車両自動走行含むロボットで開発受託 (売)単8,534 (従)374 (資)477 (住)世田谷区用賀4-10-1 ☎03-5491-4770 ㉕**30** ㉔**30(男22,女8)**
(株)ゼネテック	情通 (特色)デジタルソリューション柱。正規輸入代理店契約で3次元CAM等販売。災害位置システム提供 (売)連7,147 (従)382 (資)370 (住)新宿区西新宿6-5-1 ☎03-6258-5601 ㉕**45** ㉔**32(男23,女9)**
セフテック(株)	卸 (特色)標識、標示板など工事保安用品3強の一角。レンタル営業強化。システム機器の開発にも強い (売)連10,123 (従)381 (資)886 (住)文京区本郷5-25-14 ☎03-3811-3188 ㉕**10** ㉔**3(男3,女0)**
SEMITEC(株)	電機 (特色)センサー専業。OA・家電、産機、自動車、医療機器向けなど幅広い。中国のEV関連需要が牽引 (売)連22,675 (従)207 (資)773 (住)墨田区錦糸1-7-7 ☎03-3621-1155 ㉕**5** ㉔**7(男7,女0)**
(株)セルシス	情通 (特色)イラスト制作ソフトが柱。売り切りからサブスクに移行。Web3型コンテンツ流通基盤も育成 (売)連8,091 (従)211 (資)10 (住)新宿区西新宿4-15-7 ☎03-6258-2904 ㉕**9** ㉔**7(男4,女3)**
セルソース(株)	医 (特色)脂肪・血液由来の細胞加工受託など再生医療、変形性ひざ関節症向け軸に不妊治療関連も展開 (売)単4,510 (従)175 (資)1,426 (住)渋谷区渋谷1-23-21 ☎03-6455-5308 ㉕**前年並** ㉔**7(男4,女3)**
(株)セルム	サ (特色)大企業の経営幹部育成や組織づくりを支援。ミドル層や若手社員向け研修も。外部講師陣に強み (売)連7,504 (従)133 (資)1,026 (住)渋谷区恵比寿1-19-19 ☎03-3440-2003 ㉕**増加** ㉔**4(男1,女3)**
(株)セレス	情通 (特色)ポイントサイト「モッピー」やアフィリエイト運営、広告が収益源。暗号資産販売所も運営 (売)連24,070 (従)221 (資)2,125 (住)渋谷区桜丘町1-1 ☎03-6455-3756 ㉕**15** ㉔**11(男10,女1)**
(株)セレスポ	サ (特色)スポーツイベントなどの企画・設営が主力。企業の販促支援や地域振興イベントの展開も強化 (売)単8,959 (従)407 (資)1,370 (住)豊島区北大塚1-21-5 ☎03-5974-1111 ㉕**20** ㉔**17(男5,女12)**
セントケア・ホールディング(株)	サ (特色)訪問介護、入浴、通所介護主体。訪問看護、看護小規模多機能型施設など医療系サービス育成中 (売)連54,057 (従)183 (資)1,772 (住)中央区京橋2-8-7 ☎03-3538-2943 ㉕**60** ㉔**30(男11,女19)**
セントラル総合開発(株)	不 (特色)ファミリー向けの分譲マンション「クレア」シリーズ展開。全国的に拠点展開、九電工グループ (売)連31,925 (従)95 (資)1,352 (住)千代田区飯田橋3-3-7 ☎03-3239-3611 ㉕**3** ㉔**5(男5,女0)**
(株)船場	サ (特色)商業施設の企画、設計から監理、施工までを一貫して手がける。売上の約1割がイオン系案件 (売)連24,886 (従)379 (資)419 (住)港区芝浦1-2-3 ☎03-6865-1008 ㉕**25** ㉔**23(男7,女16)**
ソースネクスト(株)	情通 (特色)PC用ソフト・IoT機器中心。ウイルス対策シェア上位。自動通訳機「ポケトーク」に積極投資 (売)連11,334 (従)117 (資)3,703 (住)港区赤坂1-14-14 ☎03-5797-7165 ㉕**10** ㉔**4(男1,女3)**
ソーダニッカ(株)	卸 (特色)独立系化学品商社。苛性ソーダは首位級。複合フィルムは国内、ナイロンフィルムはアジア注力 (売)連64,134 (従)293 (資)3,762 (住)中央区日本橋3-6-2 ☎03-3245-1802 ㉕**10** ㉔**5(男3,女2)**
ソーバル(株)	サ (特色)組み込みソフト開発の技術者派遣中堅。請負(受託開発)強化。顧客・事業基盤拡大へM&A意識 (売)連8,169 (従)743 (資)214 (住)品川区北品川5-9-11 ☎03-6409-6131 ㉕**50** ㉔**52(男46,女6)**
(株)ソケッツ	情通 (特色)音楽や映像のデータベースを開発し配信業者などへ販売。感性データを基にした広告も育成 (売)単1,018 (従)67 (資)505 (住)渋谷区千駄ヶ谷4-23-5 ☎03-5785-5518 ㉕**未定** ㉔**3(男2,女1)**

会社名	[業種名] (特色)会社の特色 (売)売上高(百万円) (従)単独従業員数(名) (資)資本金(百万円) (住)本社の住所，電話番号 ㉕25年採用計画数(名) ㉔24年入社内定者数(名)
㈱ソノコム	[他製] (特色)電子部品用スクリーンマスク、フォトマスクを製造。スクリーン印刷資機材の仕入れ販売も (売)単2,134 (従)114 (資)925 (住)目黒区目黒本町2-15-10 ☎03-3716-4101 ㉕**10** ㉔**6(男5, 女1)**
㈱ソフトクリエイトホールディングス	[情通] (特色)ECサイト構築ソフト「ecbeing」の提供・カスタマイズ、ワークフローシステム等展開 (売)連27,912 (従)26 (資)854 (住)渋谷区渋谷2-15-1 ☎03-3486-0606 ㉕**120** ㉔**106(男86, 女20)**
ソフトマックス㈱	[情通] (特色)Web型電子カルテを主力とした総合医療情報システムを開発。九州地盤、東日本を重点開拓 (売)単5,260 (従)210 (資)442 (住)品川区北品川4-7-35 ☎03-5447-7772 ㉕**20** ㉔**3(男1, 女2)**
ソマール㈱	[卸] (特色)製紙、電子、自動車、情報関連業界向け機能性化学材料が主体。自社製品の強化も継続して展開 (売)連26,649 (従)331 (資)5,115 (住)中央区銀座4-11-2 ☎03-3542-2151 ㉕**未定** ㉔**6(男3, 女3)**
SOLIZE㈱	[サ] (特色)自動車業界向けの人材派遣や開発受託が主力。3Dプリンタ試作も強い。海外は米中印に拠点 (売)連20,081 (従)1,680 (資)10 (住)千代田区三番町6-3 ☎03-5214-1919 ㉕**117** ㉔**99(男・・, 女・・)**
㈱ソラスト	[サ] (特色)国公立病院からの業務請負(人材派遣)が主。民間病院向けも強化。M&Aで介護・保育事業拡大 (売)連135,139 (従)31,916 (資)686 (住)港区港南2-15-3 ☎03-3450-2610 ㉕**増加** ㉔**99(男40, 女59)**
㈱ソリトンシステムズ	[情通] (特色)セキュリティ対策ソフトとシステム構築が柱。映像伝送や人感センサーなど育成。技術力定評 (売)連19,058 (従)626 (資)1,326 (住)新宿区新宿2-4-3 ☎03-5360-3801 ㉕**未定** ㉔**9(男4, 女5)**
㈱ソルクシーズ	[情通] (特色)SBI社が筆頭株主のSI会社。信販、証券など金融業界が主顧客。クラウド事業を本格推進 (売)連15,883 (従)512 (資)1,494 (住)港区芝浦3-1-21 ☎03-6722-5011 ㉕**前年並** ㉔**37(男・・, 女・・)**
ソレキア㈱	[卸] (特色)部品等で発祥、システム関連へ展開の技術商社。富士通と取引大。フリージアMが持分法適用 (売)連25,178 (従)748 (資)2,293 (住)大田区西蒲田8-16-6 ☎03-3732-1131 ㉕**30** ㉔**22(男15, 女7)**
㈱第一興商	[卸] (特色)業務用通信カラオケ「DAM」で業界首位。直営で「ビッグエコー」や飲食店運営。音楽ソフトも (売)連146,746 (従)2,031 (資)12,350 (住)品川区北品川5-5-26 ☎03-3280-2151 ㉕**64** ㉔**38(男28, 女10)**
第一三共㈱	[医] (特色)国内製薬大手。循環器と感染症薬強い。英アストラゼネカ社と提携し、がん領域の開拓中 (売)連IFS1,601,688 (従)連18,907 (資)50,000 (住)中央区日本橋本町3-5-1 ☎03-6225-1111 ㉕**135** ㉔**109(男55, 女54**
第一屋製パン㈱	[食] (特色)菓子パン老舗中堅。看板商品は「ポケモンパン」、和菓子なども。10年に豊田通商の傘下入り (売)連26,442 (従)708 (資)3,305 (住)小平市小川東町3-6-1 ☎042-348-0211 ㉕**51** ㉔**36(男16, 女20)**
大興電子通信㈱	[情通] (特色)富士通が筆頭株主のSIベンダー。通信機器、情報システムが双柱。製造・流通業向けが強み (売)連43,378 (従)721 (資)1,969 (住)新宿区揚場町2-1 ☎03-3266-8111 ㉕**30** ㉔**29(男14, 女15)**
㈱ダイショー	[食] (特色)焼き肉のたれや塩こしょう、鍋スープの国内大手。コンビニ向けなど業務用の調理だれを育成中 (売)単25,351 (従)702 (資)870 (住)墨田区亀沢1-17-3 ☎03-3626-9321 ㉕**前年並** ㉔**26(男13, 女13)**
大伸化学㈱	[化] (特色)シンナー専業で国内首位。塗料・インキ業界が顧客。シェア約3割。1000代理店で即納体制 (売)連32,461 (従)196 (資)729 (住)港区芝大門1-9-9 ☎03-3432-4786 ㉕**1** ㉔**7(男5, 女2)**
大成温調㈱	[建] (特色)空調、給水など設備工事中堅。中国、米国ハワイ、ベトナム、シンガポールなど海外に展開 (売)連61,056 (従)580 (資)5,195 (住)品川区大井1-49-10 ☎03-5742-7301 ㉕**25** ㉔**16(男12, 女4)**
大東港運㈱	[倉運] (特色)畜産物や冷凍食品を軸に輸入貨物の取扱比率8割。国内の鋼材運送、荷役も。外注比率が高い (売)連16,051 (従)333 (資)856 (住)港区芝浦4-6-8 ☎03-5476-9701 ㉕**前年並** ㉔**7(男1, 女6)**
大同信号㈱	[電機] (特色)3大信号会社の一角でJRが主顧客。列車制御装置や設備監視向けなどシステム製品に強み (売)連20,768 (従)532 (資)1,500 (住)港区新橋6-17-19 ☎03-3438-4111 ㉕**微増** ㉔**11(男9, 女2)**
ダイトウボウ㈱	[繊] (特色)日本初の毛織会社として発祥。静岡県内のSC賃貸が収益源。ヘルスケア・アパレル事業を拡充 (売)連4,033 (従)53 (資)100 (住)中央区日本橋本町1-6-1 ☎03-6262-6565 ㉕**前年並** ㉔**3(男0, 女3)**
ダイニック㈱	[繊] (特色)書籍用クロスと染色から出発。基材・製膜技術を軸に情報関連、自動車内装材、不織布など展開 (売)連42,101 (従)622 (資)5,795 (住)港区新橋6-17-19 ☎03-5402-1811 ㉕**10** ㉔**6(男6, 女0)**
大豊建設㈱	[建] (特色)泥土加圧シールド、無人ケーソンの両工法で大型土木工事に強み。麻生グループの傘下入り (売)連163,222 (従)1,098 (資)10,000 (住)中央区新川1-24-4 ☎03-3297-7000 ㉕**60** ㉔**49(男41, 女8)**
太陽ホールディングス㈱	[化] (特色)プリント配線板の保護膜や半導体実装に用いる絶縁材インキで世界首位。医薬品事業も展開 (売)連104,775 (従)156 (資)9,903 (住)豊島区西池袋1-11-1 ☎03-5953-5200 ㉕**22** ㉔**22(男9, 女13)**
大和自動車交通㈱	[陸] (特色)都内ハイヤー・タクシー大手4社の一角。信和事業協同組合と提携。子会社を多数擁す持株会社 (売)連18,377 (従)121 (資)525 (住)江東区猿江2-16-31 ☎03-6757-7164 ㉕**増加** ㉔**25(男20, 女5)**
高島㈱	[卸] (特色)繊維、建材から太陽光発電機器の販売など多角化、東南アジアで日系向けに電子部品工場も展開 (売)連90,120 (従)237 (資)3,801 (住)千代田区神田駿河台2-2 ☎03-5217-7600 ㉕**10** ㉔**10(男7, 女3)**
高千穂交易㈱	[卸] (特色)独立系技術商社。クラウドサービス、商品監視、入退室管理などシステム機器とデバイスが柱 (売)連25,224 (従)244 (資)1,209 (住)新宿区四谷1-6-1 ☎03-3355-1111 ㉕**10** ㉔**6(男3, 女3)**

会社名	業種名 (特色) 会社の特色 (売)売上高(百万円) (従)単独従業員数(名) (資)資本金(百万円) (住)本社の住所, 電話番号 ㉕25年採用計画数(名) ㉔24年入社内定者数(名)
高橋カーテンウォール工業㈱	建 (特色) ビル外壁材のPCカーテンウォール首位。プール施工のアクア事業、収納家具・不動産子会社も (売)連7,332 (従)186 (資)100 (住)中央区日本橋本町1-5-4 ☎03-3271-1711 ㉕**前年並** ㉔**4(男3, 女1)**
㈱高見沢サイバネティックス	機 (特色) 駅の自動券売機を製造販売。ATM向け硬貨・紙幣処理装置等のメカトロ機器、ゲート等特機も (売)連13,050 (従)413 (資)700 (住)中野区中央2-48-5 ☎03-3227-3361 ㉕**前年並** ㉔**17(男15, 女2)**
㈱TAKARA & COMPANY	他製 (特色) 傘下に上場企業向けディスクロージャー事業大手の宝印刷や通訳・翻訳老舗のサイマルなど (売)連29,278 (従)37 (資)2,278 (住)豊島区高田3-28-8 ☎03-3971-3260 ㉕**30** ㉔**20(男9, 女11)**
竹本容器㈱	化 (特色) 化粧品・食品向け主力のプラスチック製包装容器専業。自社開発の金型多数保有し短納期に強み (売)連14,317 (従)383 (資)803 (住)台東区松が谷2-21-5 ☎03-3845-6107 ㉕**前年並** ㉔**12(男4, 女8)**
立川ブラインド工業㈱	金製 (特色) ブラインドやスクリーンのトップメーカー。家庭向けが約7割。減速機、駐車場装置事業も (売)連41,305 (従)865 (資)4,475 (住)港区三田3-1-12 ☎03-5484-6140 ㉕**前年並** ㉔**38(男29, 女9)**
TAC㈱	サ (特色) 会計、法律分野の「資格の学校」大手。法人研修、出版、人材紹介事業等も。公務員講座等に強み (売)連19,001 (従)500 (資)940 (住)千代田区神田三崎町3-2-18 ☎03-5276-8911 ㉕**10** ㉔**19(男6, 女13)**
㈱WDI	小 (特色) ダイニングレストランの老舗。パスタ「カプリチョーザ」など国内外ブランドを直営・FC展開 (売)連30,950 (従)1,335 (資)50 (住)港区六本木5-5-1 ☎03-3404-3704 ㉕**50** ㉔**35(男14, 女21)**
㈱ダブルスタンダード	情通 (特色) ビッグデータの企業向け分析受託と活用サービス開発が2本柱。SBIグループが第2位株主 (売)連7,147 (従)71 (資)263 (住)港区南青山2-2-3 ☎03-6384-5411 ㉕**前年並** ㉔**9(男5, 女4)**
タマホーム㈱	建 (特色) ローコスト系の注文住宅会社。首都圏郊外や地方を中心に展開。分譲住宅やオフィス区分販売も (売)連247,733 (従)3,236 (資)4,310 (住)港区高輪3-22-9 ☎03-6408-1200 ㉕**未定** ㉔**103(男64, 女39)**
㈱田谷	サ (特色) 直営美容室を全国にチェーン展開、首都圏・福岡地盤。フリーランス美容師運営の「ano」出店 (売)単5,839 (従)617 (資)50 (住)渋谷区千駄ヶ谷5-23-13 ☎03-6384-2221 ㉕**83** ㉔**70(男・・, 女・・)**
㈱丹青社	サ (特色) 空間ディスプレー企画、設計大手。再開発ビル、商業施設、文化施設が柱。ホテルやオフィス育成 (売)連81,200 (従)1,071 (資)4,026 (住)港区港南1-2-70 ☎03-6455-8100 ㉕**40** ㉔**21(男8, 女13)**
㈱チノー	電機 (特色) 温度制御主体の計測器専業メーカー。ユーザー密着のエンジニアリング活動に強み。海外強化 (売)連27,425 (従)703 (資)4,292 (住)板橋区熊野町32-8 ☎03-3956-2111 ㉕**20** ㉔**16(男10, 女6)**
チムニー㈱	小 (特色) 居酒屋「はなの舞」を展開。若者向け「魚星」、焼き肉「牛星」育成。施設内食堂運営も。やまや傘下 (売)連25,725 (従)591 (資)100 (住)墨田区両国3-22-6 ☎03-5839-2600 ㉕**20** ㉔**15(男8, 女7)**
中央魚類㈱	卸 (特色) 水産荷受け大手。市場内取引多く、豊洲の取扱金額トップクラス。ニッスイなどが大手荷主 (売)連137,588 (従)211 (資)2,995 (住)江東区豊洲6-6-2 ☎03-6633-3000 ㉕**6** ㉔**10(男7, 女3)**
中外鉱業㈱	非鉄 (特色) 金など貴金属をリサイクル販売。不動産、中古機械、アニメグッズ販売も。先物投資は当面休止 (売)連113,758 (従)141 (資)100 (住)千代田区丸の内2-4-1 ☎03-3201-1541 ㉕**前年並** ㉔**13(男5, 女8)**
中国塗料㈱	化 (特色) 塗料3位。船舶用は国内シェア6割、世界2位。世界20カ国、約60拠点で展開。修繕船向けが成長 (売)連116,174 (従)471 (資)11,626 (住)千代田区霞が関3-2-6 ☎03-3506-3951 ㉕**18** ㉔**7(男5, 女2)**
㈱TWOSTONE＆Sons	サ (特色) ITエンジニアと企業のマッチングが柱。Webメディアのコンサルやプログラミング教室も (売)連10,056 (従)211 (資)1,035 (住)渋谷区渋谷2-22-3 ☎03-6416-0678 ㉕**50** ㉔**20(男10, 女10)**
㈱ツガミ	機 (特色) 小型自動旋盤の首位。スマホや自動車向け強い。中国売上が過半で現地子会社は香港市場に上場 (売)連IFS83,928 (従)491 (資)12,345 (住)中央区日本橋富沢町12-20 ☎03-3808-1711 ㉕**20** ㉔**18(男18, 女0)**
㈱ツカモトコーポレーション	卸 (特色) 和洋装の総合繊維商社。ユニホーム強い。量販店向け家電も。都内に高収益不動産を保有 (売)連9,798 (従)130 (資)2,829 (住)中央区日本橋本町1-6-5 ☎03-3279-1330 ㉕**10** ㉔**4(男0, 女4)**
築地魚市場㈱	卸 (特色) 水産荷受け大手。独立系。加工品販売や不動産賃貸業も展開。非連結で上海にも子会社あり (売)連58,701 (従)162 (資)2,045 (住)江東区豊洲6-6-2 ☎03-6633-3500 ㉕**15** ㉔**8(男6, 女2)**
月島ホールディングス㈱	機 (特色) 上下水処理など水環境事業、化学向けなど産業プラント・機器が2本柱。23年、JFE水事業統合 (売)連124,205 (従)110 (資)6,646 (住)中央区晴海3-5-1 ☎03-5560-6511 ㉕**43** ㉔**18(男15, 女3)**
㈱ツナググループ・ホールディングス	サ (特色) 小売業・飲食業のアルバイト採用代行が主力。採用広告の最適化、倉庫などへの人材派遣も (売)連15,027 (従)474 (資)702 (住)中央区銀座7-3-5 ☎03-6897-6400 ㉕**15** ㉔**15(男10, 女5)**
㈱ディ・アイ・システム	情通 (特色) 通信や金融、官公庁向けシステム開発・運用のSI事業が主。新卒者のIT教育研修サービスも (売)連6,241 (従)684 (資)291 (住)中野区中野4-10-1 ☎03-6821-6122 ㉕**60** ㉔**51(男29, 女22)**
ティアック㈱	電機 (特色) 音楽制作機器が主力。オーディオは高級路線にシフト。医用機器、センサー計測機器にも注力 (売)連IFS15,672 (従)255 (資)3,500 (住)多摩市落合1-47 ☎042-356-9178 ㉕**未定** ㉔**5(男4, 女1)**
㈱ディア・ライフ	不 (特色) 都市型レジデンスや商業用ビルを開発・販売。都内中心。不動産や保険業界向け人材派遣も (売)連43,503 (従)37 (資)4,125 (住)千代田区九段北1-13-5 ☎03-5210-3721 ㉕**10** ㉔**10(男6, 女4)**

会社名	業種名 (特色)会社の特色 (売)売上高(百万円) (従)単独従業員数(名) (資)資本金(百万円) (住)本社の住所, 電話番号 ㉕25年採用計画数(名) ㉔24年入社内定者数(名)
DNホールディングス㈱	サ (特色)橋梁・道路に強み。大日本コンサルタントとダイヤコンサルタントが23年7月1日合併 (売)連34,131 (従)1,288 (資)2,000 (住)千代田区神田練塀町300 ☎03-6675-7002 ㉕**50** ㉔**52(男39, 女13)**
㈱ディーエムエス	サ (特色)ダイレクトメール首位、企業のCRM支援。セールスプロモーション(SP)、イベント事業進出 (売)単26,903 (従)305 (資)1,092 (住)千代田区神田小川町1-11 ☎03-3293-2961 ㉕**15** ㉔**15(男7, 女8)**
ディーエムソリューションズ㈱	サ (特色)DMや小型荷物の発送代行大手。企画、印刷含め一気通貫体制。送客メディア、自社ECも展開 (売)連18,207 (従)296 (資)365 (住)武蔵野市御殿山1-1-3 ☎0422-57-3921 ㉕**20** ㉔**16(男9, 女7)**
㈱ティーケーピー	不 (特色)貸会議室大手。遊休不動産の一括借り上げ、小分け活用で成長。貸オフィス、ホテルも展開 (売)連36,545 (従)1,052 (資)16,357 (住)新宿区市谷八幡町8 ☎03-5227-7321 ㉕**未定** ㉔**75(男‥, 女‥)**
㈱DDグループ	小 (特色)居酒屋など複数業態の飲食店運営。ビリヤード・ダーツバー、ホテル、不動産など事業幅広い (売)連37,079 (従)71 (資)100 (住)港区芝4-1-23 ☎03-6858-6080 ㉕**100** ㉔**77(男13, 女64)**
㈱TBK	輸機 (特色)トラック、バス用ブレーキで首位。ポンプ類、エンジン部品、建機向けも。タイ、中国などで製販 (売)連56,659 (従)737 (資)4,617 (住)町田市南成瀬4-21-1 ☎042-739-1471 ㉕**微増** ㉔**17(男15, 女2)**
ディーブイエックス㈱	卸 (特色)循環器分野の医療機器販売。アブレーション(心筋焼灼術用)カテーテル類の不整脈事業が主力 (売)単45,851 (従)328 (資)344 (住)豊島区高田2-17-22 ☎03-5985-6827 ㉕**15** ㉔**10(男7, 女3)**
帝国繊維㈱	繊 (特色)消防ホース最大手。1887年創業。亜麻から機能繊維、総合防災事業へ。特殊車両も。旧安田系 (売)連28,032 (従)179 (資)1,635 (住)中央区日本橋2-5-1 ☎03-3281-3022 ㉕**増加** ㉔**4(男4, 女0)**
㈱ディスラプターズ	サ (特色)求人情報と賃貸不動産紹介の集約サイト運営。送客成果報酬課金で稼ぐ。電子契約管理を育成 (売)連3,767 (従)45 (資)395 (住)港区南青山2-5-17 ☎03-6161-6390 ㉕**未定** ㉔**4(男2, 女2)**
ディップ㈱	サ (特色)アルバイトの「バイトル」等、ネット特化で求人情報提供。AI・RPAなどDX事業を育成中 (売)連53,782 (従)2,895 (資)1,085 (住)港区六本木3-2-1 ☎03-5114-1177 ㉕**340** ㉔**314(男132, 女182)**
㈱ティラド	輸機 (特色)自動車・バイク・建設機械メーカー向けにラジエーターなど熱交換器を製造。大排気量に強み (売)連158,659 (従)1,557 (資)8,570 (住)渋谷区代々木3-25-3 ☎03-3373-1101 ㉕**未定** ㉔**37(男26, 女11)**
㈱テーオーシー	不 (特色)ホテルニューオータニ系。TOCビルなど流通関連ビル賃貸首位。ランドリー、薬品などを兼営 (売)連13,715 (従)71 (資)11,768 (住)品川区西五反田7-22-17 ☎03-3494-2111 ㉕**2** ㉔**2(男1, 女1)**
㈱テー・オー・ダブリュー	サ (特色)イベント企画運営大手。電通や博報堂など広告大手が主顧客。異業種とのコラボを積極展開 (売)連17,503 (従)200 (資)948 (住)港区虎ノ門4-3-13 ☎03-5777-1888 ㉕**前年並** ㉔**21(男9, 女12)**
㈱データ・アプリケーション	情通 (特色)電子商取引などEDI(電子データ交換)ソフトが主力。データ連携分野を開拓。間接販売中心 (売)単2,919 (従)138 (資)430 (住)中央区八重洲2-2-1 ☎03-6370-0909 ㉕**4** ㉔**3(男2, 女1)**
㈱テクニスコ	金製 (特色)産業用レーザー向け放熱性に優れたヒートシンク製品。車載センサー・医療機器向けガラスも (売)連4,683 (従)208 (資)781 (住)品川区南品川2-2-15 ☎03-3458-4561 ㉕**前年並** ㉔**4(男2, 女2)**
㈱テクノスジャパン	情通 (特色)ERP、CRMの導入を支援。独自の企業間協調プラットフォームCBPを第3の柱に育成 (売)連12,639 (従)451 (資)562 (住)新宿区西新宿3-20-2 ☎03-3374-1212 ㉕**55** ㉔**44(男31, 女13)**
テクノプロ・ホールディングス㈱	サ (特色)国内最大級の技術系人材サービスグループの持株会社。IT技術者に強み。配当性向5割方針 (売)連IFS219,218 (従)195 (資)6,929 (住)港区六本木6-10-1 ☎03-6385-7998 ㉕**前年並** ㉔**1,097(男882, 女215**
㈱テクノ菱和	建 (特色)空調工事中堅。三菱重工の冷熱機器販売併営。医薬品工場向け注力。東南アジアへの展開加速 (売)連73,688 (従)776 (資)2,746 (住)豊島区南大塚2-26-20 ☎03-5978-2541 ㉕**25** ㉔**19(男12, 女7)**
テクマトリックス㈱	情通 (特色)ニチメン系情報処理会社が起源。インフラ構築と情報サービス開発が柱。医療クラウドに実績大 (売)連IFS53,303 (従)588 (資)1,298 (住)港区港南1-2-70 ☎03-4405-7802 ㉕**22** ㉔**20(男15, 女5)**
デジタルアーツ㈱	情通 (特色)安全なWebサイトやメールのみ接続できるフィルター技術に強み。セキュリティ製品拡充中 (売)連11,512 (従)275 (資)713 (住)千代田区大手町1-5-1 ☎03-5220-6045 ㉕**30** ㉔**30(男16, 女14)**
デジタル・インフォメーション・テクノロジー㈱	情通 (特色)独立系情報サービス会社。ソフトウェア開発の比重が9割超。金融、通信などに顧客企業多い (売)連19,888 (従)1,131 (資)453 (住)中央区八丁堀4-5-4 ☎03-6311-6532 ㉕**100** ㉔**91(男69, 女22)**
㈱デジタルガレージ	情通 (特色)決済、広告、ベンチャー投資などネットビジネス周辺で多角化。持分会社カカクコム(20%出資) (売)連IFS31,378 (従)528 (資)7,849 (住)渋谷区恵比寿南3-5-7 ☎03-6367-1111 ㉕**37** ㉔**17(男9, 女8)**
㈱デジタルプラス	情通 (特色)キャッシュレスで金券を贈れるデジタルギフトサービスが柱。デジタルマーケティングも (売)連IFS665 (従)9 (資)60 (住)渋谷区元代々木町30-13 ☎03-5465-0690 ㉕**5** ㉔**2(男2, 女0)**
㈱テセック	機 (特色)半導体用ハンドラ(選別装置)国内上位。個別半導体用テスター(測定装置)は世界トップクラス (売)連8,619 (従)182 (資)2,521 (住)東大和市上北台3-391-1 ☎042-566-1111 ㉕**10** ㉔**4(男4, 女0)**
テックファームホールディングス㈱	情通 (特色)アプリや各種システムの受託開発を展開。5GやAI関連の開発も。農水産物の輸出事業も育成 (売)連5,072 (従)28 (資)1,000 (住)新宿区西新宿3-20-2 ☎03-5365-7888 ㉕**前年並** ㉔**8(男‥, 女‥)**

会社名	業種名 (特色)会社の特色 (売)売上高(百万円) (従)単独従業員数(名) (資)資本金(百万円) (住)本社の住所, 電話番号 ㉕25年採用計画数(名) ㉔24年入社内定者数(名)
㈱鉄人化ホールディングス	サ (特色)首都圏で「カラオケの鉄人」運営。外食もラーメンなど進出。エクステなど美容事業が本格化 (売)連6,592 (従)97 (資)50 (住)目黒区碑文谷5-15-1 ☎03-3793-5111 ㉕**未定** ㉔**65(男1, 女64)**
㈱テノックス	建 (特色)建設基礎工事の大手。テノコラム工法等独自の3工法武器に、公共関連から民間建築関連を開拓 (売)連20,207 (従)211 (資)1,710 (住)港区芝5-25-11 ☎03-3455-7758 ㉕**8** ㉔**3(男2, 女1)**
㈱出前館	情通 (特色)出前仲介サイト「出前館」を運営。業界首位級。サイト内広告にも注力。LINEヤフー傘下 (売)連51,416 (従)332 (資)100 (住)渋谷区千駄ヶ谷5-27-5 ☎050-5445-5390 ㉕**10** ㉔**7(男5, 女2)**
㈱テラスカイ	情通 (特色)米セールスフォース(SF)やAWS等のクラウド導入・運用支援などを展開。大企業向け強い (売)連19,137 (従)685 (資)1,256 (住)中央区日本橋2-11-2 ☎03-5255-3410 ㉕**84** ㉔**83(男55, 女28)**
デリカフーズホールディングス㈱	卸 (特色)ファミレスなど外食業界向けカット野菜、生鮮ホール野菜が主力。ミールキット事業を強化中 (売)連52,823 (従)19 (資)1,772 (住)足立区六町4-12-12 ☎03-3858-1037 ㉕**55** ㉔**40(男15, 女25)**
㈱デリバリーコンサルティング	サ (特色)業種を問わず、データ分析や既存システムのDXなど開発を支援。顧客のデジタル人材育成も (売)連2,703 (従)143 (資)157 (住)港区赤坂9-7-1 ☎03-6779-4474 ㉕**25** ㉔**19(男12, 女7)**
㈱テリロジーホールディングス	情通 (特色)ITセキュリティなどネット製品販売と企業システム構築が柱。グループでDX事業に注力 (売)連6,881 (従)22 (資)450 (住)千代田区九段北1-13-5 ☎03-3237-3437 ㉕**16** ㉔**16(男10, 女6)**
㈱デルソーレ	食 (特色)冷凍・冷蔵ピザメーカー。生地に強み。「デルソーレ」ブランドを拡大。テイクアウトの外食も (売)単17,784 (従)267 (資)922 (住)江東区有明3-4-10 ☎03-6736-5678 ㉕**未定** ㉔**2(男1, 女1)**
電気興業㈱	電機 (特色)大型通信アンテナの製造、工事。防災関連の通信インフラ整備も。高周波焼き入れ技術にも特色 (売)連28,864 (従)623 (資)8,774 (住)千代田区丸の内3-3-1 ☎03-3216-1671 ㉕**25** ㉔**8(男5, 女3)**
㈱電業社機械製作所	機 (特色)ポンプ大手5社の一角で官公需に強み。送風機と2本柱。海外は中東深耕、インドに生産拠点 (売)連24,096 (従)490 (資)810 (住)大田区大森北1-5-1 ☎03-3298-5115 ㉕**20** ㉔**21(男18, 女3)**
Denkei	卸 (特色)電子計測器専門商社首位。国内、米、アジアで販売網拡大。自動運転、EV関連。中国で受託試験も (売)連108,539 (従)590 (資)1,159 (住)台東区上野5-14-12 ☎03-5816-3551 ㉕**増加** ㉔**6(男5, 女1)**
天昇電気工業㈱	化 (特色)プラスチック成形品の専業メーカー。内外装等の自動車部品が柱。家電筐体や各種機構部品も (売)連26,905 (従)384 (資)1,208 (住)世田谷区駒沢1-16-7 ☎03-6805-2577 ㉕**25** ㉔**7(男2, 女5)**
㈱テンポスホールディングス	卸 (特色)中古厨房機器の再生販売が主力。不動産紹介、内装工事も強化中。人材派遣や外食も展開 (売)連37,074 (従)18 (資)499 (住)大田区東蒲田2-30-17 ☎03-3736-0319 ㉕**102** ㉔**38(男20, 女18)**
天馬㈱	化 (特色)樹脂成形中堅。OA、家電・自動車部品の受託製造が過半。「Fits」ブランドの収納用品で有名 (売)連92,930 (従)623 (資)19,225 (住)北区赤羽1-63-6 ☎03-3598-5511 ㉕**25** ㉔**6(男3, 女3)**
デンヨー㈱	電機 (特色)可搬形エンジン発電機・溶接機でトップ。震災を機に非常用電源の用途拡大。米、アジアで生産 (売)連73,140 (従)620 (資)1,954 (住)中央区日本橋堀留町2-8-5 ☎03-6861-1111 ㉕**微増** ㉔**11(男9, 女2)**
東亜ディーケーケー㈱	電機 (特色)環境計測器・工業用計測器メーカー。水から大気へ展開。米ベラルト・グループのハックと提携 (売)連17,444 (従)381 (資)1,842 (住)新宿区高田馬場1-29-10 ☎03-3202-0211 ㉕**前年並** ㉔**19(男12, 女7)**
東映アニメーション㈱	情通 (特色)東映系のアニメ制作老舗。テレビ向けに強み。キャラクターの商品化権等の版権収入も大きい (売)連88,654 (従)674 (資)2,867 (住)中野区中野4-10-1 ☎03-5318-0678 ㉕**前年並** ㉔**30(男12, 女18)**
㈱東京エネシス	建 (特色)火力・原子力発電所主体のメンテ、建設工事。東電関連の受注がメイン。再生可能エネルギー展開 (売)連88,467 (従)1,308 (資)2,881 (住)中央区日本橋茅場町1-3-1 ☎03-6371-1947 ㉕**50** ㉔**37(男26, 女11)**
㈱東京會舘	サ (特色)宴会場、結婚式場、レストランの名門。婚礼と法人宴会に強み。丸の内の本館が19年に再開業 (売)単14,883 (従)489 (資)3,700 (住)千代田区丸の内3-2-1 ☎03-3215-2111 ㉕**増加** ㉔**30(男14, 女16)**
㈱東京個別指導学院	サ (特色)ベネッセHD傘下。小中高生向け個別指導塾を直営で首都圏軸に運営。文章、科学教室も展開 (売)連21,661 (従)584 (資)642 (住)新宿区西新宿1-26-2 ☎03-6911-3216 ㉕**30** ㉔**32(男18, 女14)**
東京産業㈱	卸 (特色)中部以東の三菱重工業製品の受託販売・工事が柱の中堅機械商社。再生可能エネルギーに力 (売)連65,029 (従)341 (資)3,443 (住)千代田区大手町2-2-1 ☎03-5203-7690 ㉕**未定** ㉔**19(男17, 女2)**
㈱東京自働機械製作所	機 (特色)たばこ自動包装機から出発し食品包装、古紙圧縮機等へ総合化。銘産・贈答品包装で高シェア (売)単13,458 (従)275 (資)954 (住)千代田区岩本町3-10-7 ☎03-3866-7171 ㉕**8** ㉔**7(男6, 女1)**
東京製綱㈱	金製 (特色)ワイヤロープ最大手。タイヤコードや道路安全施設も。炭素繊維ケーブル(CFCC)を拡大 (売)連64,231 (従)533 (資)1,000 (住)江東区永代2-37-28 ☎03-6366-7777 ㉕**10** ㉔**8(男5, 女3)**
㈱東京ソワール	繊 (特色)婦人フォーマルウェア専業トップ。百貨店、スーパー向け8割。ブランド品、アクセサリー強化 (売)単15,026 (従)220 (資)4,049 (住)中央区銀座7-16-12 ☎03-4531-9881 ㉕**5** ㉔**7(男1, 女6)**
東京テアトル㈱	サ (特色)主力は賃貸、中古マンションのリノベーション販売等の不動産事業。映画配給・興行、飲食店も (売)連17,087 (従)149 (資)4,552 (住)新宿区新宿1-1-8 ☎03-3355-1010 ㉕**前年並** ㉔**6(男3, 女3)**

会社名	[業種名] (特色) 会社の特色 (売)売上高(百万円) (従)単独従業員数(名) (資)資本金(百万円) (住)本社の住所，電話番号 ㉕25年採用計画数(名) ㉔24年入社内定者数(名)
東京鐵鋼㈱	[鉄] (特色) 電炉中堅。建築用棒鋼が主力。圧接不要のネジ節棒鋼と継ぎ手で国内シェア過半。販売提携推進 (売)連79,617 (従)606 (資)5,839 (住)千代田区富士見2-7-2 ☎03-5276-9700 ㉕**17** ㉔**7(男5, 女2)**
東京都競馬㈱	[サ] (特色) 大井競馬場の大家。ネット投票「SPAT4」の歩合収入が主力。倉庫や「東京サマーランド」も (売)連37,544 (従)98 (資)10,586 (住)大田区大森北1-6-8 ☎03-5767-9055 ㉕**5** ㉔**7(男4, 女3)**
東テク㈱	[卸] (特色) 空調・同関連機器商社の草分け。専業で首位。計装など工事部門拡大。保守工事子会社が強み (売)連140,732 (従)1,092 (資)1,857 (住)中央区日本橋本町3-11-11 ☎03-6632-7000 ㉕**60** ㉔**39(男31, 女8)**
東鉄工業㈱	[建] (特色) 線路の維持補修など鉄道工事に強いゼネコン。JR東関連が大半。DOE3%以上で累進配当 (売)連141,845 (従)1,722 (資)2,810 (住)新宿区信濃町34 ☎03-5369-7698 ㉕**増加** ㉔**81(男73, 女8)**
㈱東天紅	[小] (特色) 中華レストラン「東天紅」を全国の都市部に展開。宴会依存度高い。新・上野本店で婚礼に注力 (売)単4,679 (従)159 (資)50 (住)台東区池之端1-4-1 ☎03-3828-6272 ㉕**15** ㉔**6(男6, 女0)**
東都水産㈱	[卸] (特色) 水産荷受け大手。冷蔵倉庫や不動産賃貸も併営。カナダに子会社。麻生グループが20年にTOB (売)連104,802 (従)136 (資)2,376 (住)江東区豊洲6-6-2 ☎03-6633-1003 ㉕**20** ㉔**13(男10, 女3)**
東邦化学工業㈱	[化] (特色) 界面活性剤を幅広い用途に製販。樹脂、化成品などへも展開。電子・情報産業用分野を積極開拓 (売)連50,596 (従)686 (資)1,755 (住)中央区明石町6-4 ☎03-5550-3737 ㉕**微増** ㉔**15(男14, 女1)**
東洋電機製造㈱	[電機] (特色) 電車用駆動装置・パンタグラフの製造大手。永久磁石モーターに強み。自動車試験装置を強化 (売)連32,140 (従)791 (資)4,998 (住)中央区八重洲1-4-16 ☎03-5202-8121 ㉕**微増** ㉔**14(男10, 女4)**
東洋ドライルーブ㈱	[化] (特色) 米ドライルーブ社と技術提携で発足。固体被膜潤滑剤で先駆。受託加工主力。自動車向け多い (売)連4,699 (従)125 (資)375 (住)世田谷区代沢1-26-4 ☎03-3412-5711 ㉕**5** ㉔**4(男4, 女0)**
東洋埠頭㈱	[倉運] (特色) 埠頭会社最大手で特殊倉庫のパイオニア。精緻な保管仕様誇る。輸入青果物強い。国際物流注力 (売)連34,697 (従)320 (資)8,260 (住)中央区晴海1-8-8 ☎03-5560-2701 ㉕**15** ㉔**8(男6, 女2)**
㈱True Data	[情通] (特色) 消費者の購買傾向やPOSデータなど活用したビッグデータ分析や開発支援ツールを提供 (売)単1,593 (従)97 (資)1,360 (住)港区芝大門1-10-11 ☎03-6430-0721 ㉕**4** ㉔**4(男4, 女0)**
東和フードサービス㈱	[小] (特色) 高級喫茶「椿屋」を筆頭に、イタリアンなど外食を首都圏で直営展開。物販育成。利益は下期偏重 (売)単12,382 (従)205 (資)50 (住)港区新橋3-20-1 ☎03-5843-7666 ㉕**12** ㉔**6(男3, 女3)**
トーセイ㈱	[不] (特色) 首都圏のオフィスビルや賃貸住宅の不動産再生が柱。ファンド運用、不動産開発、ホテルも (売)連IFS79,446 (従)282 (資)6,624 (住)港区芝浦4-5-4 ☎03-5439-8801 ㉕**28** ㉔**22(男17, 女5)**
トーソー㈱	[金製] (特色) カーテンレール製造で国内首位。ブラインドも強い。インドネシアなど東南アジア展開を強化中 (売)連21,605 (従)634 (資)1,170 (住)中央区新川1-4-9 ☎03-3552-1211 ㉕**10** ㉔**13(男8, 女5)**
㈱トーメンデバイス	[卸] (特色) 韓国サムスン電子製品に特化した半導体商社。DRAM・フラッシュメモリーが主。豊田通商系 (売)連370,676 (従)111 (資)2,054 (住)中央区晴海1-8-12 ☎03-3536-9150 ㉕**3** ㉔**3(男1, 女2)**
㈱トーモク	[パ紙] (特色) 段ボール製品加工の専業首位。輸入住宅スウェーデンハウス主力の住宅と運輸倉庫の3本柱 (売)連211,526 (従)1,187 (資)13,669 (住)千代田区丸の内2-2-2 ☎03-3213-6811 ㉕**83** ㉔**40(男28, 女12)**
トーヨーカネツ㈱	[機] (特色) 空港・配送センターなど物流システムが主力、EC向けが拡大。石油、LNGタンク工事も (売)連53,787 (従)608 (資)18,580 (住)江東区南砂2-11-1 ☎03-5857-3333 ㉕**前年並** ㉔**14(男12, 女2)**
特種東海製紙㈱	[パ紙] (特色) 特種製紙と東海パルプが統合、独立系。特殊紙に強み。段ボールなど板紙製販で日本製紙と提携 (売)連86,517 (従)480 (資)11,485 (住)千代田区丸の内1-8-2 ☎03-5219-1810 ㉕**増加** ㉔**13(男11, 女2)**
TONE㈱	[金製] (特色) レンチ、ボルト締結機器等のメーカー。ベトナムに生産工場所有。工具の輸入販売で創業 (売)連7,578 (従)127 (資)605 (住)荒川区東日暮里4-7-5 ☎03-3801-7077 ㉕**未定** ㉔**8(男4, 女4)**
㈱鳥羽洋行	[卸] (特色) 空圧機器を中心に制御・FA関連・産業機器を扱う機械工具の専門商社。産業用ロボットに注力 (売)連28,449 (従)235 (資)1,148 (住)文京区水道2-8-6 ☎03-3944-4031 ㉕**10** ㉔**14(男10, 女4)**
㈱トミタ	[卸] (特色) 1911年創業の工作機械、工具の専門商社。電子関連分野拡大。アジア主体に海外展開図る (売)連21,313 (従)71 (資)397 (住)中央区銀座8-3-10 ☎03-3572-8261 ㉕**4** ㉔**2(男2, 女0)**
㈱巴川コーポレーション	[化] (特色) 半導体実装用テープや電子部品材料を手がける。機能性シートも多数。トナー専業で世界首位 (売)連33,692 (従)396 (資)2,122 (住)中央区京橋2-1-3 ☎03-3516-3401 ㉕**前年並** ㉔**11(男6, 女5)**
巴工業㈱	[機] (特色) 中堅化学機械メーカー。デカンター型遠心分離機で国内首位。輸入化学品商材の扱い大きい (売)連49,628 (従)478 (資)1,061 (住)品川区北品川5-5-15 ☎03-3442-5120 ㉕**15** ㉔**10(男9, 女1)**
㈱巴コーポレーション	[建] (特色) 体育館など大空間構造建築の先駆。文教関係強い。電力鉄塔にも実績。不動産賃貸が安定収益源 (売)連33,342 (従)403 (資)3,000 (住)中央区勝どき4-6-2 ☎03-3533-5311 ㉕**29** ㉔**15(男9, 女6)**
トヨクモ㈱	[情通] (特色) 業務アプリ展開。サイボウズ社キントーン連携と安否確認のサービスが主力。スケジューラーも (売)単2,434 (従)69 (資)394 (住)品川区上大崎3-1-1 ☎050-3816-6668 ㉕**6** ㉔**6(男3, 女3)**

会社名	[業種名] (特色) 会社の特色 (売)売上高(百万円) (従)単独従業員数(名) (資)資本金(百万円) (住)本社の住所, 電話番号 ㉕25年採用計画数(名) ㉔24年入社内定者数(名)
㈱ドラフト	[建] (特色) オフィスや商業施設、都市開発などの空間設計・施工の大手。従業員の約6割がデザイナー (売)連10,702 (従)162 (資)807 (住)港区南青山5-6-19 ☎03-5412-1001 **㉕10 ㉔20(男7, 女13)**
㈱トランザクション	[他製] (特色) デザイン雑貨、エコ雑貨等の企画販売。生産は外部に委託、プリント加工の一部は自社で担う (売)連22,958 (従)33 (資)93 (住)渋谷区渋谷3-28-13 ☎03-5468-9033 **㉕40 ㉔37(男21, 女16)**
トランスコスモス㈱	[サ] (特色) アウトソーシングビジネス大手。BPOからコールセンター、デジタルマーケへ拡大。中韓等も (売)連362,201 (従)18,028 (資)29,065 (住)豊島区東池袋3-1-1 ☎050-1751-7700 **㉕前年並 ㉔766(男324, 女442)**
㈱ドリームインキュベータ	[サ] (特色) 大企業向け戦略コンサルが柱、新規事業支援に強み。投資事業も。電通グループ持分適用会社 (売)連5,378 (従)194 (資)5,019 (住)千代田区霞が関3-2-6 ☎03-5532-3200 **㉕30 ㉔16(男12, 女4)**
㈱ドリコム	[情通] (特色) アニメ、漫画など有力IPのスマホゲーム開発・運用。他社配信主体。出版、Web3事業を育成 (売)連9,779 (従)278 (資)1,850 (住)品川区大崎2-1-1 ☎050-3101-9977 **㉕未定 ㉔11(男5, 女6)**
㈱トリドリ	[サ] (特色) インフルエンサーと企業をつなぐプラットフォーム展開。個人事業主向けサービスに注力中 (売)連3,222 (従)100 (資)57 (住)渋谷区円山町28-1 ☎03-6892-3591 **㉕若干名 ㉔3(男2, 女1)**
㈱トリプルアイズ	[情通] (特色) 独自開発のAI顔認証基盤「AIZE」展開。SI受託と2本柱。画像処理サーバー会社を買収 (売)連2,346 (従)243 (資)54 (住)千代田区神田駿河台3-4 ☎03-3526-2201 **㉕20 ㉔11(男8, 女3)**
トレイダーズホールディングス㈱	[証商] (特色) 「みんなのFX」運営のトレイダーズ証券が主。グループ人員の3分の2がシステム開発に従事 (売)連10,103 (従)63 (資)1,564 (住)渋谷区恵比寿4-20-3 ☎03-6736-9850 **㉕5 ㉔4(男4, 女0)**
㈱トレードワークス	[情通] (特色) 金融関連会社のシステム開発・保守・運用など。インサイダー取引等不正取引の監視も行う (売)連3,753 (従)136 (資)312 (住)港区赤坂5-2-20 ☎03-6230-8900 **㉕10 ㉔4(男4, 女0)**
㈱トレジャー・ファクトリー	[小] (特色) 家電、家具、雑貨など総合リユース軸に衣料、スポーツなど専門業態の展開加速。関東、関西主力 (売)連34,454 (従)1,034 (資)906 (住)千代田区神田練塀町3 ☎03-3880-8822 **㉕130 ㉔110(男84, 女26)**
トレックス・セミコンダクター㈱	[電機] (特色) 電源ICのファブレスメーカー。車載や産機向けに強み。傘下にパワー半導体受託製造会社 (売)連25,751 (従)190 (資)2,967 (住)中央区新川1-24-1 ☎03-6222-2851 **㉕5 ㉔7(男6, 女1)**
トレンダーズ㈱	[サ] (特色) SNSインフルエンサー活用販促支援が柱。美容に加え医療領域育成。アイスタイルの持分社 (売)連5,673 (従)197 (資)629 (住)渋谷区東3-16-3 ☎03-5774-8871 **㉕8 ㉔9(男2, 女7)**
トレンドマイクロ㈱	[情通] (特色) セキュリティで世界有数。法人向け統合プラットフォーム(XDR)に注力。総還元性向100% (売)連248,691 (従)854 (資)19,926 (住)新宿区新宿4-1-6 ☎03-4330-7600 **㉕20 ㉔15(男12, 女3)**
㈱NaITO	[卸] (特色) 機械工具専門商社。岡谷鋼機子会社。切削工具に強い。計測機器、産業機器を第2の柱に育成へ (売)連44,064 (従)321 (資)2,291 (住)北区昭和町2-1-11 ☎03-3800-8651 **㉕15 ㉔14(男7, 女7)**
ナイル㈱	[情通] (特色) デジタルマーケなど扱うDX事業、新車・中古車リース扱う自動車特化型DX事業が2本柱 (売)単5,244 (従)250 (資)596 (住)品川区東五反田1-24-2 ☎03-6409-6766 **㉕12 ㉔6(男4, 女2)**
ナガイレーベン㈱	[卸] (特色) 衛生白衣大手。制電・抗菌加工等で差別化しシェア6割。介護や手術分野も展開。配当性向5割 (売)連17,181 (従)125 (資)1,925 (住)千代田区鍛冶町2-1-10 ☎03-5289-8200 **㉕若干名 ㉔3(男3, 女0)**
長野計器㈱	[精] (特色) 機械式圧力計はグループで世界シェア首位。産機向け主力。世界最大の電子圧力センサー工場 (売)連67,935 (従)783 (資)4,380 (住)大田区東馬込1-30-4 ☎03-3776-5311 **㉕未定 ㉔8(男3, 女5)**
㈱ナカノフドー建設	[建] (特色) 医療、物流など多彩な民間建築が主体の中堅ゼネコン。東南アジアでの高層住宅、工場等に実績 (売)連107,415 (従)797 (資)5,061 (住)千代田区九段北4-2-28 ☎03-3265-4661 **㉕40 ㉔31(男21, 女10)**
㈱ナカボーテック	[建] (特色) 鉄鋼構造物などの腐食抑える防食専業のエンジニアリング。業界首位。RCなど新規事業育成 (売)単13,780 (従)277 (資)866 (住)中央区新川1-17-21 ☎03-5541-5801 **㉕10 ㉔10(男9, 女1)**
㈱ナガホリ	[卸] (特色) 宝飾品の製造卸大手。ダイヤモンドが主力、百貨店に強み。自社ブランド開発、小売り展開も (売)連21,820 (従)310 (資)5,323 (住)台東区上野1-15-3 ☎03-3832-8266 **㉕前年並 ㉔6(男0, 女6)**
㈱中村屋	[食] (特色) 和菓子老舗。中華まんが収益源で下期偏重。インドカレーの草分け。不動産賃貸事業も展開 (売)単37,769 (従)789 (資)7,469 (住)新宿区新宿3-26-13 ☎03-5325-2733 **㉕前年並 ㉔34(男12, 女22)**
㈱ナガワ	[サ] (特色) ユニットハウス大手。倉庫や事務所など軽量鉄骨のモジュール建築拡充。好財務で手元資金潤沢 (売)連32,576 (従)559 (資)2,855 (住)千代田区丸の内1-4-1 ☎03-5288-8666 **㉕23 ㉔29(男21, 女8)**
那須電機鉄工㈱	[金製] (特色) 電力鉄塔代表格。架線金物含め電力・通信関連の比重大。メッキは高技術。建築金物からは撤退 (売)連23,334 (従)368 (資)600 (住)新宿区新宿2-1-12 ☎03-3351-6131 **㉕10 ㉔7(男7, 女0)**
㈱ナック	[サ] (特色) ダスキン加盟店最大手。レンタル事業、水宅配が主力。住宅や建築コンサルにも展開。M&Aも (売)連54,433 (従)1,186 (資)6,729 (住)新宿区西新宿1-25-1 ☎03-3346-2111 **㉕40 ㉔32(男24, 女8)**
㈱NATTY SWANKYホールディングス	[小] (特色) ギョーザ軸にした居酒屋「肉汁餃子のダンダダン」を直営、FCで展開。22年2月に持株会社移行 (売)連7,061 (従)9 (資)1,163 (住)新宿区西新宿1-19-8 ☎03-5989-0237 **㉕10 ㉔2(男1, 女1)**

会社名	[業種名] (特色)会社の特色 (売)売上高(百万円) (従)単独従業員数(名) (資)資本金(百万円) (住)本社の住所，電話番号 ㉕25年採用計画数(名) ㉔24年入社内定者数(名)
㈱なとり	[食] (特色)イカ、サラミ、チーズなどの多品種のおつまみを提供する国内最大手の総合おつまみメーカー (売)連47,578 (従)589 (資)1,975 (住)北区王子5-5-1 ☎03-5390-8111 ㉕**前年並** ㉔**20(男11,女9)**
ナラサキ産業㈱	[卸] (特色)北海道が地盤。三菱電機代理店業務が柱。農業設備、燃料、建設資材、港湾作業、建機に多角化 (売)連107,455 (従)423 (資)2,354 (住)中央区入船3-3-8 ☎03-6732-7350 ㉕**前年並** ㉔**16(男11,女5)**
㈱ナルミヤ・インターナショナル	[小] (特色)子供服の企画販売SPA。SC向け「プティマイン」など。22年アパレルのワールドが子会社化 (売)連37,484 (従)1,060 (資)255 (住)港区芝公園2-4-1 ☎03-6430-9100 ㉕**65** ㉔**65(男1,女64)**
㈱No. 1	[卸] (特色)情報セキュリティ機器の開発・製販が柱。IT軸のコンサルも。小規模企業が主顧客。累進配当 (売)連13,452 (従)526 (資)645 (住)千代田区内幸町1-5-2 ☎03-5510-8911 ㉕**50** ㉔**27(男23,女4)**
㈱ニーズウェル	[情通] (特色)金融システム開発に強み。ソリューション事業強化。エンドユーザーと直接取引は売上高の5割 (売)連8,761 (従)588 (資)908 (住)千代田区紀尾井町4-1 ☎03-6265-6763 ㉕**75** ㉔**57(男30,女27)**
西川計測㈱	[卸] (特色)横河電機や米国アジレントの総合代理店。制御・分析機器等システム展開強い。技術系社員70% (売)単36,417 (従)408 (資)569 (住)渋谷区代々木3-22-7 ☎03-3299-1331 ㉕**前年並** ㉔**14(男11,女3)**
西本Wismettacホールディングス㈱	[卸] (特色)海外の外食・小売店にアジア食材を販売する専門商社。北米に数多くの拠点。輸入青果販売も (売)連300,847 (従)70 (資)2,646 (住)中央区日本橋室町3-2-1 ☎03-6870-2015 ㉕**未定** ㉔**21(男10,女11)**
ニチモウ㈱	[卸] (特色)食品事業と漁網・漁具などの海洋事業が2本柱、食品加工機械や資材も扱う。累進配当を掲げる (売)連127,756 (従)196 (資)6,354 (住)品川区東品川2-2-20 ☎03-3458-3020 ㉕**10** ㉔**13(男10,女3)**
㈱ニチリョク	[小] (特色)霊園や堂内陵墓(納骨堂)受託開発・販売の業界大手。葬祭事業に注力。ファンドが筆頭株主に (売)単2,852 (従)108 (資)1,865 (住)中央区八重洲1-7-20 ☎03-6271-8920 ㉕**前年並** ㉔**9(男1,女8)**
日産証券グループ㈱	[証商] (特色)岡藤HDと日産証券が20年10月経営統合し発足。現物、先物取引受託など金の取り扱いで定評 (売)連7,743 (従)251 (資)1,641 (住)中央区銀座6-10-1 ☎03-6759-8705 ㉕**16** ㉔**13(男10,女3)**
㈱日神グループホールディングス	[不] (特色)東京、神奈川中心にマンション展開。建設、中古買い取り再販、運用受託等の関連事業を強化 (売)連81,023 (従)8 (資)10,111 (住)新宿区新宿5-8-1 ☎03-5360-2016 ㉕**前年並** ㉔**40(男29,女11)**
日進工具㈱	[機] (特色)切削工具中堅。精密金型や部品加工用途の超硬小径エンドミル特化。自社開発機で生産。無借金 (売)連9,040 (従)235 (資)455 (住)品川区大井1-28-1 ☎03-6423-1135 ㉕**前年並** ㉔**12(男10,女2)**
日新商事㈱	[卸] (特色)ENEOS系石油製品販売中堅。関東や中部の直営SS、産業用燃料が柱。太陽光発電、不動産も (売)連38,732 (従)339 (資)3,624 (住)港区芝浦1-12-3 ☎03-3457-6251 ㉕**5** ㉔**5(男2,女3)**
㈱日宣	[サ] (特色)顧客企業から直接受注の広告・販促事業が柱。放送・通信、住まい、医療・健康の3分野に強み (売)連5,224 (従)129 (資)347 (住)千代田区神田司町2-6-5 ☎03-5209-7222 ㉕**5** ㉔**2(男2,女0)**
日東工器㈱	[機] (特色)配管の簡易接続器具である迅速流体継ぎ手の最大手。自社開発製品に強み。海外展開に積極的 (売)連27,072 (従)489 (資)1,850 (住)大田区仲池上2-9-4 ☎03-3755-1111 ㉕**25** ㉔**28(男16,女12)**
日東製網㈱	[繊] (特色)合繊製無結節網の最大手。漁網と漁労機器が主力。タイ拠点軸に東南アジアなど海外開拓へ注力 (売)連20,899 (従)303 (資)1,378 (住)港区新橋2-20-15-701 ☎03-3572-5376 ㉕**前年並** ㉔**11(男10,女1)**
日東富士製粉㈱	[食] (特色)製粉準大手。三菱商事傘下で連携推進。「ケンタッキーフライドチキン」など外食FCも展開 (売)連72,598 (従)403 (資)2,500 (住)中央区新川1-3-17 ☎03-3553-8781 ㉕**未定** ㉔**14(男8,女6)**
日特建設㈱	[建] (特色)基礎、地盤改良、法面など特殊土木大手。環境、防災工事に強み。麻生グループの傘下。好財務 (売)連71,880 (従)1,041 (資)6,064 (住)中央区東日本橋3-10-6 ☎03-5645-5050 ㉕**37** ㉔**33(男28,女5)**
㈱ニッピ	[他製] (特色)ゼラチン、コラーゲン、化粧品等が主力。旧大倉財閥グループ。本社再開発へ。iPS細胞開発 (売)連49,046 (従)449 (資)4,404 (住)足立区千住緑町1-1-1 ☎03-3888-5111 ㉕**前年並** ㉔**10(男6,女4)**
㈱日本アクア	[建] (特色)住宅・建築物用のウレタン断熱材を生産・施工。ヤマダHD傘下のヒノキヤグループの子会社 (売)単28,341 (従)592 (資)1,903 (住)港区港南2-16-2 ☎03-5463-1117 ㉕**40** ㉔**39(男14,女25)**
日本エアーテック㈱	[機] (特色)クリーンルームと関連機器の専業メーカー。電子、バイオ分野が主な需要先。北関東に製造拠点 (売)単13,646 (従)448 (資)2,133 (住)台東区入谷1-14-9 ☎03-3872-6611 ㉕**前年並** ㉔**10(男9,女1)**
㈱日本エム・ディ・エム	[精] (特色)骨接合材料・人工関節など整形外科器具の専門製造販売会社。売上高の8割を米国子会社で製造 (売)連23,177 (従)312 (資)3,001 (住)新宿区市谷台町12-2 ☎03-3341-6545 ㉕**5** ㉔**5(男3,女2)**
日本カーバイド工業㈱	[化] (特色)各種の機能樹脂やセラミック基板等展開。ステッカー、再帰反射シートも。子会社でアルミ建材 (売)連43,231 (従)524 (資)7,797 (住)港区港南2-16-2 ☎03-5462-8200 ㉕**20** ㉔**17(男9,女8)**
日本カーボン㈱	[ガ土] (特色)炭素製品大手。電炉向け電極、半導体やリチウムイオン電池向け製造。航空機用はGE等と合弁 (売)連37,867 (従)181 (資)7,402 (住)中央区八丁堀1-10-7 ☎03-6891-3730 ㉕**3** ㉔**4(男3,女1)**
日本化学工業㈱	[化] (特色)1893年創業の工業薬品企業。無機化学は首位級、セラミック材料強化。電池正極材も継続 (売)連38,538 (従)652 (資)5,757 (住)江東区亀戸9-11-1 ☎03-3636-8111 ㉕**25** ㉔**22(男19,女3)**

会社名	業種名 (特色)会社の特色 (売)売上高(百万円) (従)単独従業員数(名) (資)資本金(百万円) (住)本社の住所, 電話番号 (25)25年採用計画数(名) (24)24年入社内定者数(名)
日本化学産業(株)	化 (特色)無機系の表面処理薬品、2次電池用正極材受託加工が柱。タイに現法。住宅用防災建材も収益源 (売)連22,444 (従)384 (資)1,034 (住)台東区東上野4-8-1 ☎03-5246-3540 (25)**未定** (24)**12(男9, 女3)**
日本瓦斯(株)	小 (特色)関東地盤にLPガス、都市ガスを展開。直販に特色。M&A戦略で商圏拡大。電力にも参入 (売)連194,364 (従)1,171 (資)7,070 (住)渋谷区代々木4-31-8 ☎03-5308-2111 (25)**前年並** (24)**59(男54, 女5)**
日本管財ホールディングス(株)	サ (特色)ビル、公共住宅の清掃、警備など総合管理に実績、自治体など公共施設管理拡充、持株会社移行 (売)連122,674 (従)126 (資)3,000 (住)中央区日本橋2-1-10 ☎03-5299-0007 (25)**60** (24)**27(男10, 女17)**
日本金属(株)	鉄 (特色)圧延専業メーカー。ステンレス帯鋼の精密冷間圧延が強み。自動車部品や家電向けが主力 (売)連51,411 (従)591 (資)6,857 (住)港区芝5-29-11 ☎03-5765-8111 (25)**前年並** (24)**17(男14, 女3)**
日本空港ビルデング(株)	不 (特色)羽田空港国内・国際ターミナルビルの家主。家賃、施設利用収入と、羽田、成田の免税店運営が柱 (売)連217,578 (従)293 (資)38,126 (住)大田区羽田空港3-3-2 ☎03-5757-8000 (25)**未定** (24)**22(男13, 女9)**
(株)日本ケアサプライ	サ (特色)福祉用具レンタル卸大手。物流機能持つ営業所を全国展開。三菱商事、ALSOKが大株主 (売)連28,592 (従)1,295 (資)2,897 (住)港区芝大門1-1-30 ☎03-5733-0381 (25)**前年並** (24)**22(男8, 女14)**
日本高周波鋼業(株)	鉄 (特色)神戸製鋼傘下の特殊鋼メーカー。金型素材となる工具鋼が主力。建機や産機向けに鋳鉄部品も (売)連36,614 (従)505 (資)12,721 (住)千代田区岩本町1-10-5 ☎03-5687-6023 (25)**微増** (24)**7(男7, 女0)**
日本高純度化学(株)	化 (特色)電子部品の接続部位メッキ薬専業。売上原価は貴金属材料の市況に連動。自己資本配当率を採用 (売)単11,419 (従)49 (資)1,283 (住)練馬区北町3-10-18 ☎03-3550-1048 (25)**3** (24)**2(男1, 女1)**
日本国土開発(株)	建 (特色)重機土工事得意。東日本復旧復興に実績。会社更生手続き03年終結。再上場。超高層建築に参入 (売)連135,701 (従)830 (資)5,012 (住)港区虎ノ門4-3-13 ☎03-6777-7881 (25)**50** (24)**41(男30, 女11)**
日本コンクリート工業(株)	ガ土 (特色)ポール(柱)は電力、NTT向けに圧倒的。パイルも大手3社の一角、高支持力杭工法の開発推進 (売)連53,650 (従)359 (資)5,111 (住)港区芝浦4-6-14 ☎03-3452-1025 (25)**10** (24)**6(男4, 女2)**
日本コンセプト(株)	倉運 (特色)タンクコンテナを用いた化学品、薬品、食品材料など液体物流サービスを提供。輸送自体は外注 (売)連17,292 (従)101 (資)1,134 (住)千代田区内幸町2-2-2 ☎03-3507-8812 (25)**10** (24)**7(男4, 女3)**
(株)日本色材工業研究所	化 (特色)OEMで化粧品生産。口紅、マスカラなどメイク品に強み。製薬など異業種からの受託も多い (売)連15,050 (従)318 (資)100 (住)港区三田5-3-13 ☎03-3456-0561 (25)**増加** (24)**17(男6, 女11)**
日本証券金融(株)	他金 (特色)制度信用取引の決済に必要な資金・株券の貸付(貸借取引業務)の最大手。総還元性向100% (売)連50,008 (従)220 (資)10,000 (住)中央区日本橋茅場町1-2-10 ☎03-3666-3184 (25)**前年並** (24)**6(男2, 女4)**
日本食品化工(株)	食 (特色)三菱商事子会社。コーンスターチ首位。糖化品は飲料向けなど気象条件左右。配当性向30%目安 (売)単66,676 (従)433 (資)1,600 (住)千代田区丸の内1-6-5 ☎03-3212-9111 (25)**15** (24)**12(男7, 女5)**
日本精蝋(株)	油炭 (特色)石油系ワックス専業メーカー。キャンドル、タイヤ、包装材料が主用途。伊藤忠と資本業務提携 (売)連21,704 (従)217 (資)100 (住)中央区京橋2-5-18 ☎03-3538-3061 (25)**前年並** (24)**2(男・・, 女・・)**
日本石油輸送(株)	陸 (特色)ENEOS傘下の石油・高圧ガス輸送大手。鉄道輸送取扱量は業界首位。化成品の輸送業務も (売)連34,985 (従)157 (資)1,661 (住)品川区大崎1-11-1 ☎03-5496-7671 (25)**前年並** (24)**6(男4, 女2)**
日本電技(株)	建 (特色)ビル空調計装工事の大手。工場搬送ライン用などの自動制御システムも展開。アズビルと提携 (売)連38,894 (従)894 (資)470 (住)墨田区両国2-10-14 ☎03-5624-1100 (25)**30** (24)**31(男29, 女2)**
日本甜菜製糖(株)	食 (特色)製糖準大手。国産ビート糖首位。ビート作況や砂糖市況影響大。収益柱は飼料と不動産。好財務 (売)連69,297 (従)633 (資)8,279 (住)港区三田3-12-14 ☎03-6414-5522 (25)**前年並** (24)**13(男11, 女2)**
日本電波工業(株)	電機 (特色)電波の送受信に欠かせない水晶デバイスで世界大手。車載用が主体、日中マレーシアで生産 (売)連IFS50,309 (従)697 (資)5,596 (住)渋谷区笹塚1-47-1 ☎03-5453-6711 (25)**20** (24)**19(男15, 女4)**
日本特殊塗料(株)	化 (特色)航空機塗料で創業。現在は自動車用防音(制振、吸・遮音)材が主力。米国、中国、タイで生産販売 (売)連64,693 (従)642 (資)4,753 (住)北区王子3-23-2 ☎03-3913-6131 (25)**前年並** (24)**16(男12, 女4)**
日本トムソン(株)	機 (特色)半導体製造装置等向け直動案内機器が主力。2輪車用ニードル軸受けも。ブランドは「IKO」 (売)連55,048 (従)連2,455 (資)9,533 (住)港区高輪2-19-19 ☎03-3448-5811 (25)**微増** (24)**39(男27, 女12)**
日本ドライケミカル(株)	機 (特色)防災設備大手。消防自動車も製造。資本提携戦略で総合防災体制整備。筆頭株主にALSOK (売)連55,878 (従)781 (資)700 (住)北区田端6-1-1 ☎03-5815-5050 (25)**30** (24)**22(男18, 女4)**
日本ナレッジ(株)	情通 (特色)ソフトウェアの検証サービスとシステム受託開発、業務系ソフトの開発・販売。ERPに強み (売)単4,076 (従)422 (資)217 (住)台東区寿3-19-5 ☎03-3845-4781 (25)**57** (24)**43(男35, 女8)**
日本BS放送(株)	情通 (特色)ビックカメラ傘下で無料のBS11を放送。アニメや韓国ドラマなどに強み。傘下に出版社も (売)連12,417 (従)104 (資)4,190 (住)千代田区神田駿河台2-5 ☎03-3518-1800 (25)**前年並** (24)**4(男3, 女1)**
(株)日本ピグメントホールディングス	化 (特色)樹脂のカラーコンパウンド、着色剤専業で業界首位。中国、東南アジアでの現地生産に注力 (売)連26,683 (従)225 (資)1,481 (住)千代田区神田錦町3-20 ☎03-6362-8801 (25)**10** (24)**10(男8, 女2)**

会社名	業種名 特色 会社の特色 売 売上高(百万円) 従 単独従業員数(名) 資 資本金(百万円) 住 本社の住所, 電話番号 ㉕25年採用計画数(名) ㉔24年入社内定者数(名)
日本ヒューム(株)	ガ土 特色 下水道向けヒューム管でシェア約2割。コンクリートパイルも大手。プレキャスト製品に注力 売連33,732 従425 資5,251 住港区新橋5-33-11 ☎03-3433-4111 ㉕15 ㉔8(男8, 女0)
日本フイルコン(株)	金製 特色 国内首位の抄紙網など各種フィルター、コンベヤーを製造。精密加工技術応用しフォトマスクも 売連27,986 従459 資2,685 住稲城市大丸2220 ☎042-377-5711 ㉕未定 ㉔13(男7, 女6)
日本フエルト(株)	繊 特色 紙・パルプ用フェルトの国内市場をイチカワと二分。バグフィルターなど工業用繊維製品も展開 売連10,082 従418 資2,435 住北区赤羽西1-7-1 ☎03-5993-2030 ㉕若干名 ㉔8(男4, 女4)
日本フェンオール(株)	電機 特色 ガス消火装置など特殊防災が柱。熱制御で半導体製造装置用途に強み。消防関連事業に参入 売連12,601 従224 資996 住千代田区飯田橋1-5-10 ☎03-3237-3561 ㉕若干名 ㉔2(男2, 女0)
日本プロセス(株)	情通 特色 独立系システム開発会社。組み込み系、発電所向けの制御系が柱。自動車関連の開発が拡大 売連9,468 従621 資1,487 住品川区大崎1-11-1 ☎03-4531-2111 ㉕50 ㉔33(男28, 女5)
(株)日本マイクロニクス	電機 特色 半導体検査用器具プローブカード主力で世界3位、メモリー向け同1位、ロジック向け拡大中 売連38,292 従1,161 資5,018 住武蔵野市吉祥寺本町2-6-8 ☎0422-21-2665 ㉕13 ㉔10(男8, 女2)
日本冶金工業(株)	鉄 特色 ステンレス専業大手。ニッケル精錬から圧延まで一貫生産。高耐食・高耐熱など高機能材に注力 売連180,341 従1,169 資24,301 住中央区京橋1-5-8 ☎03-3272-1511 ㉕未定 ㉔26(男22, 女4)
日本ライフライン(株)	卸 特色 医療機器輸入から製造に軸足。得意の心臓領域に加え脳血管、消化器領域に展開、自社品拡大 売連51,384 従976 資2,115 住品川区東品川2-2-20 ☎03-6711-5200 ㉕15 ㉔9(男4, 女5)
日本リーテック(株)	建 特色 総合電気設備工事。09年に千歳電工と保安工業が合併、JR東日本依存大。電力向け等も展開 売連58,542 従1,162 資1,430 住千代田区神田錦町1-6 ☎03-6880-2710 ㉕40 ㉔33(男28, 女5)
日本リビング保証(株)	他金 特色 住設機器保証修理とメーカー保証事務が2本柱。システム開発のメディアシークと経営統合 売連5,359 従236 資212 住新宿区西新宿4-33-4 ☎03-6276-0401 ㉕10 ㉔8(男4, 女4)
日本ルツボ(株)	ガ土 特色 中堅耐火物メーカー。鋳造用るつぼが主力で自動車部品向けが中心。鉄鋼向けや築炉工事も 売連9,610 従194 資704 住渋谷区恵比寿1-21-3 ☎03-3443-5551 ㉕若干名 ㉔2(男2, 女0)
日本ロジテム(株)	陸 特色 株主の日清製粉系はじめ食品、インテリア、電子、衣料が主要荷主の陸運業。大手通販向け強化 売連62,972 従931 資3,145 住港区新橋5-11-3 ☎03-3433-6711 ㉕微増 ㉔25(男19, 女6)
(株)ネオマーケティング	情通 特色 企業のマーケティング支援が柱。市場調査から商品開発・販売まで一貫して支援。業務は内製化 売連2,275 従111 資85 住渋谷区南平台町16-25 ☎03-6328-2880 ㉕20 ㉔10(男5, 女5)
(株)NEXYZ. Group	他金 特色 中小企業がLED照明など初期投資ゼロで設備導入できるよう支援。電子雑誌やエンタメも 売連21,953 従42 資100 住渋谷区桜丘町20-4 ☎03-5459-7444 ㉕180 ㉔135(男72, 女63)
(株)NexTone	サ 特色 音楽コンテンツの著作権管理を展開。JASRACの対抗軸へ。傘下に音楽配信軸のレコチョク 売連13,433 従114 資1,218 住渋谷区恵比寿4-20-3 ☎03-5475-5020 ㉕5 ㉔4(男1, 女3)
(株)ネクストジェン	情通 特色 IP電話を日本に初めて導入。大手通信業者に通信ソリューション提供。一般企業向けにも展開 売連3,522 従140 資1,127 住港区白金1-27-6 ☎03-5793-3230 ㉕8 ㉔6(男3, 女3)
ネットイヤーグループ(株)	情通 特色 顧客体験を重視したネットマーケティング支援に特徴持つ。NTTデータグループの傘下 売単3,630 従202 資570 住中央区銀座2-15-2 ☎03-6369-0500 ㉕未定 ㉔9(男3, 女6)
ネツレン	金製 特色 電気による鋼材焼き入れ(誘導加熱加工)大手。加工受託、棒鋼・ばね鋼線、加熱設備販売が主力 売連57,205 従904 資6,418 住品川区東五反田2-17-1 ☎03-3443-5441 ㉕未定 ㉔11(男9, 女2)
(株)ノダ	他製 特色 木質系住宅建材メーカー。内装建材、フロア材が得意。子会社で合板、MDF販売。全国に販売網 売連73,227 従1,049 資2,141 住台東区浅草橋5-13-6 ☎03-5687-6222 ㉕前年並 ㉔28(男20, 女8)
(株)ノムラシステムコーポレーション	情通 特色 独SAPのERP(統合業務システム)導入コンサルや保守が軸、独自テンプレートも開発 売単2,945 従135 資325 住渋谷区恵比寿1-19-19 ☎03-5793-3330 ㉕20 ㉔7(男5, 女2)
(株)パーカーコーポレーション	化 特色 日本パーカライジング系だが独立色強い。工業用洗剤でトップ級。化学品メーカーへの転換進む 売連67,733 従221 資2,201 住中央区日本橋人形町2-22-1 ☎03-5644-0600 ㉕5 ㉔4(男2, 女2)
(株)ハーバー研究所	化 特色 自然派化粧品の開発・製造・販売。スクワランオイルが有名。通信販売が主体。収益下期型 売連12,324 従483 資696 住千代田区神田須田町1-24-11 ☎03-5296-6250 ㉕未定 ㉔4(男0, 女4)
(株)ハーモニック・ドライブ・システムズ	機 特色 小型・軽量の精密制御減速装置を各産業用に展開。各種駆動装置を組み合わせたメカトロ製品も 売連55,796 従542 資7,100 住品川区南大井6-25-3 ☎03-5471-7800 ㉕10 ㉔13(男11, 女2)
(株)バイク王&カンパニー	卸 特色 中古2輪車買い取り最大手。小売り併設の「バイク王」全国展開。査定から買い取りまで標準化 売単33,068 従連1,048 資590 住世田谷区若林3-15-4 ☎03-6803-8811 ㉕70 ㉔55(男43, 女12)
(株)バイタルケーエスケー・ホールディングス	卸 特色 東北地盤のバイタルネットと関西地盤のケーエスケーが09年に統合。医療用医薬品卸5位 売連587,481 従54 資5,000 住世田谷区弦巻1-1-12 ☎03-5787-8550 ㉕60 ㉔87(男49, 女38)

会社名	業種名 特色 会社の特色 売 売上高(百万円) 従 単独従業員数(名) 資 資本金(百万円) 住 本社の住所, 電話番号 ㉕25年採用計画数(名) ㉔24年入社内定者数(名)
㈱ハウス オブ ローゼ	小 特色 百貨店等でのボディケア品や化粧品の小売りが主。リラクゼーションサロンやフィットネスも 売 単11,989 従 830 資 934 住 港区赤坂2-21-7 ☎03-5114-5800 ㉕ **若干名** ㉔ **2(男0, 女2)**
ハウスコム㈱	不 特色 大東建託の賃貸仲介子会社。東京、中京圏軸に直営店を展開。物件量が豊富。配当性向3割メド 売 連13,529 従 143 資 424 住 港区港南2-16-1 ☎03-6717-6900 ㉕ **100** ㉔ **73(男41, 女32)**
㈱ハウテレビジョン	サ 特色 難関大学生向け就活サービス「外資就活ドットコム」が柱。若手社会人向け「Liiga」も運営 売 単1,842 従 連78 資 10 住 港区赤坂1-12-32 ☎03-6427-2862 ㉕ **5** ㉔ **4(男2, 女2)**
㈱パシフィックネット	サ 特色 PCレンタルやサポート提供。引き取り回収やデータ消去などサービス、中古機器販売も展開 売 連6,921 従 225 資 532 住 港区芝5-34-7 ☎03-5730-1441 ㉕ **10** ㉔ **5(男2, 女3)**
橋本総業ホールディングス㈱	卸 特色 管工機材、住宅設備機器、空調機卸売り。北海道から沖縄まで全国展開。オーテックと業務提携 売 連155,633 従 760 資 542 住 中央区日本橋小伝馬町14-7 ☎03-3665-9000 ㉕ **22** ㉔ **22(男16, 女6)**
長谷川香料㈱	化 特色 国内香料2位。飲料等食品向けフレーバーが主力。化粧品・トイレタリー向けフレグランスも 売 連64,874 従 1,100 資 5,364 住 中央区日本橋本町4-4-14 ☎03-3241-1151 ㉕ **24** ㉔ **16(男11, 女5)**
㈱はてな	情通 特色 個人向け「はてなブログ」運営、法人向けオウンドメディアの支援も、アプリ開発の受託が成長柱 売 単3,309 従 201 資 249 住 港区南青山6-5-55 ☎03-6434-1286 ㉕ **未定** ㉔ **5(男5, 女0)**
㈱HANATOUR JAPAN	サ 特色 インバウンド専門の旅行会社。韓国親会社や中国など団体客向け手配業務が柱。バス、ホテルも 売 連5,154 従 103 資 100 住 新宿区新宿2-3-15 ☎03-6629-4760 ㉕ **未定** ㉔ **2(男2, 女0)**
㈱ハピネス・アンド・ディ	小 特色 宝飾、時計、バッグ、雑貨など販売。SC軸に全国展開。PB拡充、ECと実店舗との連携強化 売 連12,742 従 372 資 348 住 中央区銀座1-16-1 ☎03-3562-7521 ㉕ **10** ㉔ **5(男1, 女4)**
㈱ハマイ	機 特色 LPG容器用バルブで首位。不動産経営も。韓国子会社で海外展開。水素自動車関連に注力 売 連11,132 従 259 資 395 住 品川区西五反田7-7-7 ☎03-3492-6711 ㉕ **増加** ㉔ **7(男6, 女1)**
パラカ㈱	不 特色 時間貸し駐車場運営・管理。土地賃借型を中心に自社保有型も展開。伊藤忠商事と資本業務提携 売 単14,774 従 101 資 1,901 住 港区愛宕2-5-1 ☎03-6841-0809 ㉕ **20** ㉔ **16(男9, 女7)**
バリューコマース㈱	サ 特色 アフィリエイト(成果報酬型)広告で首位級。ヤフー出店者向けにクリック課金広告、CRM展開 売 連29,396 従 311 資 1,728 住 千代田区紀尾井町1-3 ☎03-5210-6688 ㉕ **22** ㉔ **24(男9, 女15)**
㈱バリューゴルフ	情通 特色 プレー予約運営や用品販売のゴルフ事業、トラベル事業主軸に全国展開。広告メディア制作も 売 連3,656 従 35 資 382 住 港区芝4-3-5 ☎03-5441-7390 ㉕ **5** ㉔ **2(男0, 女2)**
バリュエンスホールディングス㈱	卸 特色 中古ブランド品2位。店舗は買い取り主力で販売は自社オークション主。小売り、ECも強化 売 連76,130 従 120 資 1,295 住 港区南青山5-6-19 ☎03-4580-9983 ㉕ **30** ㉔ **36(男18, 女18)**
㈱バロックジャパンリミテッド	小 特色「MOUSSY」など若年女性向け衣料のSPA。店員の接客に強み。中国・米国ほか海外展開も 売 連60,290 従 1,356 資 8,258 住 目黒区青葉台4-7-7 ☎03-5738-5775 ㉕ **前年並** ㉔ **36(男2, 女34)**
㈱ピアラ	サ 特色 化粧品、健康食品中心にECマーケティング展開、成功報酬型に特徴。販促企画等のコンサルも 売 連9,064 従 連160 資 851 住 渋谷区恵比寿4-20-3 ☎03-6362-6831 ㉕ **10** ㉔ **8(男‥, 女‥)**
B-R サーティワン アイスクリーム㈱	食 特色 アイス「サーティワン」FC展開、業界首位。不二家と米バスキン・ロビンスの合弁。台湾等進出 売 連24,760 従 連268 資 735 住 品川区上大崎3-1-1 ☎03-3449-0331 ㉕ **未定** ㉔ **2(男1, 女1)**
㈱PR TIMES	情通 特色 プレスリリース配信サイト「PR TIMES」を運営。原稿制作など関連サービス手がける 売 連6,836 従 132 資 422 住 港区赤坂1-11-44 ☎03-5770-7888 ㉕ **未定** ㉔ **10(男‥, 女‥)**
㈱ビー・エム・エル	サ 特色 臨床検査首位級。生化学的検査に強み。全国に検査ラボ。電子カルテなど医療情報システム育成 売 連137,964 従 2,716 資 6,045 住 渋谷区千駄ヶ谷5-21-3 ☎03-3350-0111 ㉕ **未定** ㉔ **86(男31, 女55)**
PCIホールディングス㈱	情通 特色 自動車、家電などの組み込みソフト開発が主力。業務ソフトやIoT、半導体の開発も手がける 売 連28,491 従 23 資 2,091 住 港区虎ノ門1-21-19 ☎03-6858-0530 ㉕ **90** ㉔ **72(男50, 女22)**
ピー・シー・エー㈱	情通 特色 公認会計士の有志が設立した独立系ソフトハウス。会計や販売管理など業務用ソフトで先駆 売 連15,018 従 510 資 890 住 千代田区富士見1-2-21 ☎03-5211-2711 ㉕ **24** ㉔ **13(男10, 女3)**
光ビジネスフォーム㈱	パ紙 特色 情報用紙や帳票類印刷主体から好採算のデータ出力サービスも柱に育つ。金融機関向けに強み 売 単9,876 従 390 資 798 住 新宿区西新宿2-6-1 ☎03-3348-1431 ㉕ **前年並** ㉔ **14(男7, 女7)**
ピクセルカンパニーズ㈱	卸 特色 金融機関向けシステム開発が主力。IR関連休止。新たな柱としてデータセンター事業立ち上げ 売 連609 従 99 資 4,361 住 港区虎ノ門4-1-40 ☎03-6731-3410 ㉕ **7** ㉔ **7(男7, 女0)**
㈱ビジョン	情通 特色 Wi-Fiルーターレンタルが主力。旅行関連サービスやグランピング運営なども手がける 売 連31,807 従 589 資 2,596 住 新宿区新宿6-27-30 ☎03-5287-3110 ㉕ **若干名** ㉔ **5(男1, 女4)**
㈱ビックカメラ	小 特色 家電量販大手。ターミナル駅周辺で大型店を展開。ソフマップに加え、12年にコジマを傘下に 売 連815,560 従 4,849 資 25,929 住 豊島区高田3-23-23 ☎03-3987-8785 ㉕ **前年並** ㉔ **278(男‥, 女‥)**

会社名	業種名 (特色)会社の特色 (売)売上高(百万円) (従)単独従業員数(名) (資)資本金(百万円) (住)本社の住所, 電話番号 ㉕25年採用計画数(名) ㉔24年入社内定者数(名)
人・夢・技術グループ㈱	サ (特色)建設コンサル上位で、長大橋では世界的実績を有する長大が純粋持株会社を設立して上場 (売)連39,812 (従)991 (資)3,107 (住)中央区日本橋蛎殻町1-20-4 ☎03-3639-3317 ㉕**52** ㉔**48(男38, 女10)**
ヒビノ㈱	サ (特色)コンサート、放送局等の音響・映像サービス提供するファブレスメーカー。建築音響も手がける (売)連50,491 (従)635 (資)1,748 (住)港区港南3-5-14 ☎03-3740-4391 ㉕**12** ㉔**14(男7, 女7)**
㈱ビューティガレージ	卸 (特色)理美容機器や業務用化粧品の通販最大手。フルラインでニーズ対応。シンガポールにアジア拠点 (売)連29,840 (従)196 (資)768 (住)世田谷区桜新町1-34-25 ☎03-6805-9785 ㉕**前年並** ㉔**4(男1, 女3)**
㈱平賀	他製 (特色)販促コンサル武器に、チラシ、POP、シール、Webを企画デザイン、制作、配送まで一貫提供 (売)単9,954 (従)298 (資)434 (住)練馬区豊玉北3-20-2 ☎03-3991-4541 ㉕**10** ㉔**3(男1, 女2)**
平河ヒューテック㈱	非鉄 (特色)電線やネットワーク機器、光中継システムメーカー。医療チューブ展開、中国などで海外生産も (売)連29,326 (従)350 (資)1,555 (住)港区芝4-17-5 ☎03-3457-1400 ㉕**若干名** ㉔**6(男5, 女1)**
㈱ひらまつ	小 (特色)高級レストランチェーン。婚礼やホテル事業なども展開。マルハン系ファンドが筆頭株主 (売)連13,859 (従)701 (資)100 (住)渋谷区恵比寿4-17-3 ☎03-5793-8811 ㉕**未定** ㉔**131(男‥, 女‥)**
ファーストコーポレーション㈱	建 (特色)首都圏軸に分譲マンション建設。用地手当てから建築まで一貫の造注方式に強み。福岡にも進出 (売)連28,485 (従)166 (資)730 (住)杉並区荻窪4-30-16 ☎03-5347-9103 ㉕**増加** ㉔**4(男4, 女0)**
㈱ファインデックス	情通 (特色)大学病院など大病院に医療用データ管理システムを提供。一般産業向けに文書管理システムも (売)連5,191 (従)297 (資)254 (住)千代田区大手町1-7-2 ☎03-6271-8958 ㉕**10** ㉔**2(男1, 女1)**
㈱Fast Fitness Japan	サ (特色)米国の「エニタイム・フィットネス」を国内で運営。小型24時間ジムの先駆で最大手。FC中心 (売)連15,825 (従)269 (資)2,195 (住)新宿区西新宿6-3-1 ☎03-6279-0861 ㉕**10** ㉔**10(男4, 女6)**
㈱ファンコミュニケーションズ	サ (特色)アフィリエイト(成果報酬型)広告大手。「A8」を運用。24年3月に「ネンド」撤退。独立系 (売)連7,396 (従)416 (資)1,173 (住)渋谷区渋谷1-1-8 ☎03-5766-3530 ㉕**15** ㉔**9(男3, 女6)**
㈱ファンデリー	小 (特色)血液検査の数値改善目指す健康食を宅配。医療機関経由で顧客を獲得。冷食宅配やマーケ支援も (売)単2,646 (従)53 (資)280 (住)北区赤羽2-51-3 ☎03-5249-5080 ㉕**前年並** ㉔**5(男0, 女5)**
㈱ブイキューブ	情通 (特色)Web会議などコミュニケーションサービス提供。遠隔医療やネットでのセミナー開催支援も (売)連11,084 (従)318 (資)310 (住)港区白金1-17-3 ☎03-4405-2688 ㉕**4** ㉔**5(男2, 女3)**
フィンテック グローバル㈱	他金 (特色)事業承継問題のソリューション提供、投資が主軸。ムーミンのテーマパークへの投資も行う (売)連9,302 (従)44 (資)5,373 (住)品川区上大崎3-1-1 ☎03-6456-4600 ㉕**前年並** ㉔**3(男2, 女1)**
㈱フェイスネットワーク	不 (特色)投資家向けRC賃貸物件の1棟売りが柱。土地仕入れから施工、管理まで担う。東京・城南中心 (売)連22,284 (従)189 (資)681 (住)渋谷区千駄ヶ谷3-2-1 ☎03-6432-9937 ㉕**8** ㉔**5(男2, 女3)**
フェスタリアホールディングス㈱	小 (特色)宝飾品の製造および小売りチェーン。全国の百貨店やSCに幅広く展開。ベトナムに生産拠点 (売)連8,660 (従)0 (資)811 (住)品川区西五反田7-20-9 ☎03-6633-6869 ㉕**30** ㉔**24(男3, 女21)**
㈱フォーバル	卸 (特色)中小企業向けITコンサルが主力。デジタル化と脱炭素化支援を強化中。子会社で電力小売りも (売)連63,527 (従)842 (資)4,150 (住)渋谷区神宮前5-52-2 ☎03-3498-1541 ㉕**92** ㉔**79(男54, 女25)**
㈱フォーバルテレコム	情通 (特色)中小企業向け光回線販売が柱。電力小売りや印刷、保険販売などへ展開、光との併売商材開拓中 (売)連23,115 (従)87 (資)553 (住)港区港南1-8-23 ☎03-6825-4086 ㉕**10** ㉔**5(男3, 女2)**
フクダ電子㈱	電機 (特色)医用電子機器メーカー。循環器系に強く、心電計でトップ。フィリップスなど海外勢と提携 (売)連140,323 (従)699 (資)4,621 (住)文京区本郷3-39-4 ☎03-3815-2121 ㉕**24** ㉔**22(男14, 女8)**
藤倉コンポジット㈱	ゴ (特色)ゴム引布、産業用資材大手。ゴルフシャフトに定評。アウトドアスポーツ用品展開。フジクラ系 (売)連37,785 (従)766 (資)3,804 (住)江東区有明3-5-7 ☎03-3527-8111 ㉕**12** ㉔**23(男18, 女5)**
富士製薬工業㈱	医 (特色)女性医療、急性期医療の2領域に強い後発薬メーカー。注射剤が主体。新薬・バイオ後続品も (売)連40,889 (従)897 (資)3,799 (住)千代田区三番町5-7 ☎03-3556-3344 ㉕**未定** ㉔**13(男6, 女7)**
富士ダイス㈱	機 (特色)超硬合金製の耐摩耗工具・金型で国内トップ。製造業3000社と取引。受注生産・直接販売 (売)連16,678 (従)869 (資)164 (住)大田区下丸子2-17-10 ☎03-3759-7183 ㉕**前年並** ㉔**19(男17, 女2)**
フジ日本㈱	食 (特色)双日系の精糖中堅。業務用強い。砂糖から作る食物繊維「イヌリン」開発、機能性表示取得し育成 (売)連25,889 (従)60 (資)1,524 (住)中央区日本橋兜町6-7 ☎03-3667-7811 ㉕**未定** ㉔**2(男1, 女1)**
富士紡ホールディングス㈱	繊 (特色)関東の綿紡績先駆。繊維は「BVD」製品が柱。精密加工研磨材が利益柱で、化学工業品も成長 (売)連36,108 (従)106 (資)6,673 (住)中央区日本橋人形町1-18-12 ☎03-3665-7777 ㉕**15** ㉔**13(男7, 女6)**
㈱フジマック	金製 (特色)総合厨房設備機器メーカー。熱機器と冷機器ともに自社製造、外食、ホテルなど大型設備に強み (売)連38,461 (従)588 (資)1,471 (住)港区南麻布1-7-23 ☎03-4235-2200 ㉕**30** ㉔**19(男15, 女4)**
㈱不二家	食 (特色)「ミルキー」等製菓が利益柱。直営・FCで洋菓子店も。山崎製パン傘下。持分にB-R31アイス (売)連105,534 (従)1,433 (資)18,280 (住)文京区大塚2-15-6 ☎03-5978-8100 ㉕**120** ㉔**97(男42, 女55)**

会社名	業種名 特色 会社の特色 売 売上高(百万円) 従 単独従業員数(名) 資 資本金(百万円) 住 本社の住所, 電話番号 ㉕ 25年採用計画数(名) ㉔ 24年入社内定者数(名)
㈱ブシロード	他製 特色「ヴァンガード」「バンドリ!」など自社IP多数保有。多面展開に特徴。傘下に新日本プロレス 売 連46,262 従 246 資 5,773 住 中野区中央1-38-1 ☎03-4500-4350 ㉕ **28** ㉔ **28(男17, 女11)**
扶桑電通㈱	卸 特色 ネットワーク、ソリューション、オフィス、サービスの4本柱。全国54拠点。富士通系ディーラー 売 単41,137 従 954 資 1,083 住 中央区築地5-4-18 ☎03-3544-7211 ㉕ **40** ㉔ **31(男16, 女15)**
㈱不動テトラ	建 特色 土木は陸上と海洋の両面で展開。地盤改良と2本柱。米国に地盤改良子会社。独自工法に強み 売 連67,947 従 860 資 5,000 住 中央区日本橋小網町7-2 ☎03-5644-8500 ㉕ **45** ㉔ **22(男18, 女4)**
フマキラー㈱	化 特色 殺虫剤3位。除菌剤、園芸用品も。殺虫剤東南アジア強く、欧州を深耕中。エステーと継続提携 売 連67,672 従 233 資 3,698 住 千代田区神田美倉町11 ☎03-3252-5941 ㉕ **若干名** ㉔ **10(男‥, 女‥)**
㈱フライトソリューションズ	情通 特色 ITコンサル・開発を手がける。モバイル型電子決済端末や決済アプリサービスなどを展開 売 連3,208 従 115 資 1,205 住 渋谷区恵比寿4-6-1 ☎03-3440-6100 ㉕ **7** ㉔ **6(男6, 女0)**
㈱プラザホールディングス	サ 特色 写真プリント店はFC化進捗。携帯ショップが利益柱。EC事業、法人営業等改革推進。下期偏重 売 連17,638 従 10 資 100 住 中央区晴海1-8-10 ☎03-3532-8800 ㉕ **未定** ㉔ **20(男6, 女14)**
㈱プラスアルファ・コンサルティング	情通 特色 人材活用軸にデータ分析・可視化のクラウドサービス提供。マーケティング支援やCRM用途も 売 連11,171 従 302 資 464 住 港区東新橋1-9-2 ☎03-6432-0427 ㉕ **25** ㉔ **21(男12, 女9)**
㈱プラップジャパン	サ 特色 広報・PRの支援、コンサルティングが主力事業。外資系企業に強く好採算。M&Aに意欲 売 連6,635 従 204 資 470 住 港区赤坂9-7-2 ☎03-4580-9111 ㉕ **20** ㉔ **16(男6, 女10)**
㈱ブランジスタ	サ 特色 読者が無料で閲覧できる、広告モデルの電子雑誌を展開。タレント活用の販促支援事業も 売 連4,558 従 12 資 621 住 渋谷区桜丘町20-4 ☎03-6415-1183 ㉕ **53** ㉔ **34(男18, 女16)**
㈱ブリーチ	サ 特色 成果報酬型の集客支援展開。当社が広告費負担するモデルに特徴。広告制作から運用まで内製 売 単13,806 従 93 資 3,375 住 目黒区上目黒2-1-1 ☎03-6265-8346 ㉕ **30** ㉔ **22(男13, 女9)**
フリュー㈱	機 特色 プリントシール機シェア9割、消耗品シール販売やアプリ有料会員事業で稼ぐ。ゲームも展開 売 連42,768 従 520 資 1,639 住 渋谷区鶯谷町2-3 ☎03-5728-1761 ㉕ **前年並** ㉔ **12(男7, 女5)**
㈱BlueMeme	情通 特色 ローコード開発とアジャイル手法を標榜する次世代システム開発会社。コンサル、教育事業も 売 連2,506 従 129 資 972 住 千代田区神田錦町3-20 ☎03-6712-8196 ㉕ **未定** ㉔ **15(男15, 女0)**
㈱フルキャストホールディングス	サ 特色 日雇い派遣から撤退し、アルバイト紹介と同給与管理代行に主力事業を移行。警備業務請負も 売 連68,974 従 503 資 2,780 住 品川区西五反田8-9-5 ☎03-4530-4880 ㉕ **60** ㉔ **64(男45, 女19)**
ブルドックソース㈱	食 特色 ソース最大手、関東で高シェア。家庭用中心だが業務用も育成。傘下に関西地盤のイカリソース 売 連14,482 従 220 資 1,044 住 中央区日本橋兜町11-5 ☎03-3668-6811 ㉕ **前年並** ㉔ **6(男1, 女5)**
㈱フレクト	情通 特色 クラウド系のシステム開発会社。大企業向け一貫開発体制に強み。セールスフォース系が得意 売 単6,928 従 324 資 701 住 港区芝浦1-1-1 ☎03-5159-2090 ㉕ **40** ㉔ **34(男29, 女5)**
㈱プレステージ・インターナショナル	サ 特色 コールセンターに強いBPO。自動車事故や故障対応で損保関連が主。不動産管理分野も強化 売 連58,738 従 374 資 1,601 住 千代田区麹町2-4-1 ☎03-5213-0220 ㉕ **未定** ㉔ **96(男38, 女58)**
プレミアアンチエイジング㈱	化 特色 化粧落とし「デュオ」が柱。定期通販と卸売り展開。アンチエイジングの「カナデル」など育成中 売 連20,359 従 連237 資 1,351 住 港区虎ノ門2-6-1 ☎03-3502-2020 ㉕ **未定** ㉔ **6(男0, 女6)**
プレミアグループ㈱	他金 特色 中古車オートクレジットとワランティ(故障保証)の2本柱。整備・板金育成、東南アに展開 売 連IFS31,546 従 111 資 1,700 住 港区虎ノ門2-10-4 ☎03-5114-5708 ㉕ **50** ㉔ **49(男26, 女23)**
フロイント産業㈱	機 特色 製薬用造粒・コーティング装置が柱。医薬添加剤・菓子品質保持剤も。全固体電池用装置開発中 売 連22,903 従 261 資 1,035 住 新宿区西新宿6-25-13 ☎03-6890-0750 ㉕ **未定** ㉔ **3(男1, 女2)**
㈱ブロードバンドセキュリティ	情通 特色 監査や脆弱性診断などセキュリティサービス提供。大手、金融系に強み。同業のGSXが大株主 売 単6,457 従 236 資 295 住 新宿区西新宿8-5-1 ☎03-5338-7430 ㉕ **10** ㉔ **7(男7, 女0)**
㈱ブロードバンドタワー	情通 特色 都市型データセンター(DC)運用。東京・大手町の新DC主体。データ保管、クラウド強化 売 連13,243 従 連244 資 3,470 住 千代田区内幸町2-1-6 ☎03-5202-4800 ㉕ **3** ㉔ **4(男4, 女0)**
㈱ブロードリーフ	情通 特色 自動車アフター市場の整備業、部品商等向け業務ソフトで高シェア。部品流通ネットワーク運営 売 連IFS15,384 従 775 資 7,147 住 品川区東品川4-13-14 ☎03-5781-3100 ㉕ **8** ㉔ **3(男1, 女2)**
㈱プロジェクトホールディングス	サ 特色 デジタル技術を活用し、新規事業開発や既存事業変革を支援。デジタルマーケなどの戦略立案も 売 連6,283 従 31 資 50 住 港区麻布台1-3-1 ☎03-6206-1250 ㉕ **35** ㉔ **39(男34, 女5)**
㈱プロシップ	情通 特色 会計パッケージがメイン、特に固定資産管理、リース資産の管理などに強み。独立系。好財務 売 連6,812 従 241 資 749 住 千代田区飯田橋3-8-5 ☎050-1791-3000 ㉕ **60** ㉔ **45(男36, 女9)**
㈱プロネクサス	他製 特色 上場企業のディスクロージャー、IR支援大手。電子開示用システムに強み。利益は上期偏重 売 連IFS30,117 従 913 資 3,058 住 港区海岸1-2-20 ☎03-5777-3111 ㉕ **20** ㉔ **3(男2, 女1)**

会社名	業種名 (特色)会社の特色 (売)売上高(百万円) (従)単独従業員数(名) (資)資本金(百万円) (住)本社の住所, 電話番号 ㉕25年採用計画数(名) ㉔24年入社内定者数(名)
㈱property technologies	不 (特色)中古マンション再生販売や注文住宅子会社を有する持株会社。独自AI査定やDX対応に特長 (売)連36,965 (従)31 (資)695 (住)渋谷区本町3-12-1 ☎03-5308-5050 ㉕**微増** ㉔**33(男17, 女16)**
フロンティア・マネジメント㈱	サ (特色)経営コンサルやM&A助言、再生支援を展開。投資事業を育成。持分に仏M&A助言会社 (売)連10,025 (従)347 (資)384 (住)港区六本木3-2-1 ☎03-6862-5180 ㉕**42** ㉔**30(男19, 女11)**
ベイシス㈱	情通 (特色)携帯電話基地局の保守・運用を全国展開。電気・ガス等のスマートメーター設置と遠隔監視も (売)連6,822 (従)386 (資)334 (住)港区芝公園2-4-1 ☎03-6435-9907 ㉕**15** ㉔**15(男10, 女5)**
㈱平和	機 (特色)パチンコ、パチスロ機大手。パチンコ機の着脱分離方式草分け。傘下にゴルフ場大手PGM (売)連136,381 (従)527 (資)16,755 (住)台東区東上野1-16-1 ☎03-3839-0077 ㉕**未定** ㉔**22(男21, 女1)**
平和紙業㈱	卸 (特色)高級紙、技術紙など特殊紙専門卸のトップ級。オリジナル商品の開発、販売に特徴。技術紙育成 (売)連16,124 (従)143 (資)2,107 (住)中央区新川1-22-11 ☎03-3206-8501 ㉕**未定** ㉔**5(男3, 女2)**
平和不動産㈱	不 (特色)東京、大阪、名古屋、福岡の証券取引所を賃貸。東京・兜町や札幌で再開発が複数進行中 (売)連44,433 (従)100 (資)21,492 (住)中央区日本橋兜町1-10 ☎03-3666-0181 ㉕**前年並** ㉔**3(男2, 女1)**
ベステラ㈱	建 (特色)製鉄所や発電所、石油化学等のプラント解体工事マネジメント会社。複数の特許工法を有する (売)連9,394 (従)118 (資)843 (住)江東区平野3-2-6 ☎03-3630-5555 ㉕**5** ㉔**5(男3, 女2)**
㈱ベストワンドットコム	サ (特色)クルーズ予約サイト「ベストワンクルーズ」運営。外国船が柱。国内旅行など新規事業に積極的 (売)連3,137 (従)21 (資)567 (住)新宿区富久町16-6 ☎03-5312-6247 ㉕**増加** ㉔**2(男1, 女1)**
㈱ヘッドウォータース	情通 (特色)AIを活用したソリューションを提供。業務分析から開発、保守・運用まで一気通貫。DX支援も (売)連2,315 (従)104 (資)378 (住)新宿区西新宿6-5-1 ☎03-6258-0525 ㉕**10** ㉔**15(男12, 女3)**
ヘリオス テクノ ホールディング㈱	電機 (特色)純粋持株会社。傘下に液晶製造用精密印刷装置のナカンテクノ、ランプのフェニックス電機 (売)連10,871 (従)14 (資)2,133 (住)中央区日本橋馬喰町1-11-10 ☎03-6264-9510 ㉕**5** ㉔**4(男4, 女0)**
㈱ベルシステム24ホールディングス	サ (特色)コールセンター(CRM)事業大手。伊藤忠が筆頭株主に。凸版と資本業務提携しBPO事業展開 (売)連IFS148,717 (従)218 (資)27,097 (住)港区虎ノ門4-1-1 ☎03-6733-0024 ㉕**前年並** ㉔**34(男17, 女17)**
㈱ベルパーク	情通 (特色)ソフトバンク主体の携帯電話販売代理店。OCモバイルの買収で3携帯会社のショップを運営 (売)連115,485 (従)1,872 (資)1,148 (住)千代田区平河町1-4-12 ☎03-3288-5211 ㉕**前年並** ㉔**75(男22, 女53)**
HOUSEI㈱	情通 (特色)システム開発・運用会社。新聞社などが主要顧客。新規顧客の開拓進める。中国・香港でも展開 (売)連4,639 (従)186 (資)656 (住)新宿区津久戸町1-8 ☎03-4346-6600 ㉕**16** ㉔**16(男14, 女2)**
ホウライ㈱	サ (特色)不動産業から出発。ビル賃貸、生損保代理店、那須地区での観光、ゴルフ場、乳業等に多面展開 (売)単5,185 (従)162 (資)4,340 (住)中央区日本橋堀留町1-8-12 ☎03-6810-8100 ㉕**2** ㉔**2(男0, 女2)**
ポート㈱	サ (特色)採用活動、エネルギーの成約支援。プロダクト開発によるユーザー集客から受注まで一気通貫 (売)連IFS16,622 (従)558 (資)2,399 (住)新宿区北新宿2-21-1 ☎03-5937-6731 ㉕**140** ㉔**79(男39, 女40)**
㈱ホギメディカル	繊 (特色)医療用不織布首位。手術に必要な消耗品を一括提供するプレミアムキットが主柱。四半期配当 (売)連39,100 (従)738 (資)7,123 (住)港区赤坂2-7-7 ☎03-6229-1300 ㉕**11** ㉔**15(男9, 女6)**
北越コーポレーション㈱	パ紙 (特色)業界5位、印刷・情報用紙と白板紙中心。新潟工場は競争力大。持分会社に家庭紙大手の大王製紙 (売)連297,056 (従)1,495 (資)42,020 (住)中央区日本橋本石町3-2-2 ☎03-3245-4500 ㉕**前年並** ㉔**14(男12, 女2)**
㈱星医療酸器	卸 (特色)医療用ガス首位。関東シェア3割強。酸素使う在宅医療が柱に。介護機器レンタルや施設介護も (売)連14,778 (従)348 (資)436 (住)足立区入谷7-11-18 ☎03-3899-2101 ㉕**10** ㉔**7(男5, 女2)**
ホッカンホールディングス㈱	金製 (特色)食缶業界3位。飲料や食品の缶、ペットボトルの生産と大手ブランドの飲料充填が収益の柱 (売)連90,933 (従)66 (資)11,086 (住)中央区日本橋室町2-1-1 ☎03-5203-2680 ㉕**増加** ㉔**3(男2, 女1)**
北興化学工業㈱	化 (特色)全農系農薬専業大手。医薬中間体、電子材料、樹脂のファインが柱。中国で有機リン化合物生産 (売)連45,227 (従)641 (資)3,214 (住)中央区日本橋本町1-5-4 ☎03-3279-5151 ㉕**20** ㉔**16(男13, 女3)**
㈱ホットランド	小 (特色)たこ焼き「築地銀だこ」が主柱。たい焼き「銀のあん」も展開。台湾、香港などアジア軸に海外進出 (売)連38,710 (従)367 (資)3,313 (住)中央区新富1-9-6 ☎03-3553-8885 ㉕**10** ㉔**8(男5, 女3)**
㈱ホットリンク	情通 (特色)データ解析でのSNSマーケティング支援が柱。ビッグデータ販売も。中国向け販促は売却 (売)連IFS4,739 (従)118 (資)2,438 (住)千代田区富士見1-3-11 ☎03-6261-6930 ㉕**5** ㉔**3(男1, 女2)**
保土谷化学工業㈱	化 (特色)精密化学品が収益柱。有機EL材料を戦略分野に設定、韓国子会社SFCにはサムスンも出資 (売)連44,261 (従)489 (資)11,196 (住)港区東新橋1-9-2 ☎03-6852-0300 ㉕**15** ㉔**12(男8, 女4)**
㈱ボルテージ	情通 (特色)恋愛シミュレーションゲーム先駆。スマホ向けアプリが主力。電子コミックも。顧客は女性中心 (売)連3,456 (従)165 (資)1,250 (住)渋谷区恵比寿4-20-3 ☎03-5475-8141 ㉕**4** ㉔**4(男0, 女4)**
マークラインズ㈱	情通 (特色)自動車業界特化のWeb情報サービスを国内外で展開。部品調達代行やコンサル、人材紹介も (売)連4,845 (従)124 (資)371 (住)千代田区永田町2-11-1 ☎03-4241-3901 ㉕**20** ㉔**10(男7, 女3)**

会社名	[業種名] [特色]会社の特色 [売]売上高(百万円) [従]単独従業員数(名) [資]資本金(百万円) [住]本社の住所, 電話番号 ㉕25年採用計画数(名) ㉔24年入社内定者数(名)
(株)マーケットエンタープライズ	[小] [特色]買い取りサイト「高く売れるドットコム」を展開。リユース情報メディア、通信回線販売も [売]連19,008 [従]372 [資]332 [住]中央区銀座1-10-6 ☎03-5159-4060 ㉕未定 ㉔78(男55,女23)
(株)マースグループホールディングス	[機] [特色]パチンコ店向け機器大手。開発に強み。工場向け等の自動認識関連製品へ展開。宿泊・飲食育成 [売]連36,575 [従]189 [資]7,934 [住]新宿区新宿1-10-7 ☎03-3352-8555 ㉕増加 ㉔20(男15,女5)
(株)マーベラス	[情通] [特色]スマホ・家庭用向けゲームやアミューズメント機器を展開。舞台公演の企画制作・興行も [売]連29,493 [従]621 [資]3,611 [住]品川区東品川4-12-8 ☎03-5769-7447 ㉕30 ㉔28(男15,女13)
(株)毎日コムネット	[不] [特色]学生専用マンションを地主に提案、一括借り受けるサブリースが柱。合宿旅行、新卒採用支援も [売]連20,772 [従]151 [資]775 [住]千代田区大手町2-1-1 ☎03-3548-2111 ㉕前年並 ㉔8(男4,女4)
前澤化成工業(株)	[化] [特色]継ぎ手など塩ビ製の上下水道関連製品が柱。戸建て用中心。水処理システムも。自己資本厚い [売]連23,925 [従]510 [資]3,387 [住]中央区日本橋小網町17-10 ☎03-5962-0711 ㉕7 ㉔7(男6,女1)
前澤給装工業(株)	[機] [特色]水道用給水装置シェア4割。需要家は水道事業体承認業者。住宅設備強化。M&Aにも積極姿勢 [売]連32,008 [従]438 [資]3,358 [住]目黒区鷹番2-14-4 ☎03-3716-1511 ㉕12 ㉔7(男7,女0)
(株)Macbee Planet	[サ] [特色]LTV(顧客生涯価値)予測を基にWeb広告による集客支援を展開。Web接客、解約防止も [売]連39,405 [従]32 [資]2,635 [住]渋谷区渋谷3-11-11 ☎03-3406-8858 ㉕5 ㉔6(男4,女2)
(株)マサル	[建] [特色]ビル、マンション等のシーリング(外壁防水)工事でトップ。リニューアル(補修・改修)を強化 [売]連8,635 [従]130 [資]885 [住]江東区佐賀1-9-14 ☎03-3643-5859 ㉕5 ㉔3(男1,女2)
(株)マナック・ケミカル・パートナーズ	[化] [特色]臭素化合物受託製造のマナックの持株会社。原料調達先東ソーが筆頭株主。福山に主力工場 [売]連9,686 [従]10 [資]300 [住]中央区日本橋3-8-4 ☎03-5931-0554 ㉕前年並 ㉔7(男6,女1)
(株)マネジメントソリューションズ	[サ] [特色]プロジェクトマネジメント(PM)実行支援が柱のコンサル。PM研修提供やDX構築支援等も [売]連16,931 [従]1,156 [資]676 [住]港区赤坂9-7-1 ☎03-5413-8808 ㉕増加 ㉔112(男63,女49)
マミヤ・オーピー(株)	[機] [特色]パチンコ周辺機器が主力、ゴルフはシャフトに特化し内外で販売。システム開発事業を育成中 [売]連27,394 [従]137 [資]4,804 [住]新宿区西新宿6-18-1 ☎03-6273-7360 ㉕13 ㉔8(男3,女5)
(株)丸運	[陸] [特色]ENEOSHD系で石油や化成品の輸送が得意。貨物物流にも注力。神戸製鋼所等も主要荷主 [売]連44,992 [従]351 [資]3,559 [住]中央区日本橋小網町7-2 ☎03-6810-9451 ㉕15 ㉔5(男1,女4)
丸三証券(株)	[証商] [特色]対面営業主体の独立系中堅証券。投信の堅実販売を主軸に置き、残高増による経営安定化に重心 [売]連18,608 [従]1,186 [資]10,000 [住]千代田区麹町3-3-6 ☎03-3238-2200 ㉕117 ㉔104(男49,女55)
(株)マルゼン	[金製] [特色]業務用厨房大手、外食店向けに強み。自社製品比率高い。M&Aでベーカリー機器にも進出 [売]連60,596 [従]919 [資]3,164 [住]台東区根岸2-19-18 ☎03-5603-7111 ㉕増加 ㉔26(男22,女4)
丸藤シートパイル(株)	[卸] [特色]建設仮設材の販売、賃貸で2位グループ。三井物産系。東日本が地盤。工事、鉄骨加工を拡充 [売]連34,543 [従]394 [資]3,626 [住]中央区日本橋本町3-7-2 ☎03-3639-7641 ㉕10 ㉔8(男7,女1)
丸紅建材リース(株)	[卸] [特色]建設仮設材の上場大手3社の一角。丸紅系。同業ヒロセと業務提携。タイ進出30年超で実績多い [売]連21,325 [従]217 [資]2,651 [住]港区芝公園2-4-1 ☎03-5404-8200 ㉕若干名 ㉔3(男3,女0)
(株)丸山製作所	[機] [特色]防除機の大手で農家向けが7割占める。刈払機、噴霧機、消防機械、工業用高圧ポンプにも強み [売]連41,426 [従]576 [資]4,651 [住]千代田区内神田3-4-15 ☎03-3252-2271 ㉕40 ㉔26(男24,女2)
ミアヘルサホールディングス(株)	[小] [特色]調剤、保育園、介護施設の3本柱。調剤は都市圏の門前が軸。21年10月保育園を買収し規模拡大 [売]連22,722 [従]1,181 [資]323 [住]新宿区市谷仲之町3-19 ☎03-3341-7205 ㉕前年並 ㉔124(男19,女105)
三井住建道路(株)	[建] [特色]道路舗装中堅。三井住友G関連の工事が強み。官庁以外の工事拡大に注力。有利子負債ゼロ [売]連30,913 [従]438 [資]1,329 [住]新宿区西新宿6-24-1 ☎03-6258-1523 ㉕25 ㉔16(男12,女4)
三菱製紙(株)	[パ紙] [特色]業界中位で印刷・情報用紙が主体。写真感光材や水処理膜など機能材料も。王子HDの持分会社 [売]連193,462 [従]607 [資]36,561 [住]墨田区両国2-10-14 ☎03-5600-1488 ㉕25 ㉔26(男18,女8)
宮地エンジニアリンググループ(株)	[金製] [特色]宮地鉄工所、宮地建設工業が統合。橋梁・建築とも施工力強い。傘下に旧三菱重工系エンジ会社 [売]連69,365 [従]23 [資]3,000 [住]中央区日本橋富沢町9-19 ☎03-5649-0111 ㉕微増 ㉔14(男11,女3)
ミヨシ油脂(株)	[食] [特色]マーガリンやショートニング等の食品事業と工業用油脂・各種脂肪酸など油化事業の2本柱 [売]連56,236 [従]520 [資]9,015 [住]葛飾区堀切4-66-1 ☎03-3603-1111 ㉕28 ㉔28(男14,女14)
MIRARTHホールディングス(株)	[不] [特色]1次取得者中心にマンション分譲。首都圏地盤だが、地方都市にも進出。再エネ発電事業も展開 [売]連185,194 [従]38 [資]8,332 [住]千代田区丸の内1-8-2 ☎03-6551-2125 ㉕前年並 ㉔46(男32,女14)
ミライアル(株)	[化] [特色]半導体ウエハ容器の専業メーカー。出荷容器が経営の柱。半導体工場向け工程内容器も手がける [売]連13,256 [従]322 [資]1,111 [住]豊島区東池袋1-24-1 ☎03-3986-3782 ㉕9 ㉔8(男7,女1)
(株)ミロク情報サービス	[情通] [特色]企業向けERP(統合業務ソフト)と会計事務所向け会計ソフトの大手。サブスク型へ転換中 [売]連43,971 [従]1,769 [資]3,198 [住]新宿区四谷4-29-1 ☎03-5361-6369 ㉕75 ㉔54(男43,女11)

会社名	業種名 (特色)会社の特色 (売)売上高(百万円) (従)単独従業員数(名) (資)資本金(百万円) (住)本社の住所, 電話番号 ㉕25年採用計画数(名) ㉔24年入社内定者数(名)
(株)ムゲンエステート	不 (特色)首都圏1都3県地盤、中古不動産の買い取り・再販を展開。居住用マンション、投資用不動産が柱 (売)連51,640 (従)356 (資)2,552 (住)千代田区大手町1-9-7 ☎03-6665-0581 ㉕80 ㉔65(男35, 女30)
(株)ムサシ	卸 (特色)情報、印刷機材の富士フイルム特約店。自社開発の選挙機材は断トツ。貨幣処理機器も業界2位 (売)連33,140 (従)198 (資)1,208 (住)中央区銀座8-20-36 ☎03-3546-7711 ㉕7 ㉔6(男3, 女3)
明海グループ(株)	海 (特色)外航船船主。自動車船、タンカー、ばら積み船を中長期貸船。ホテル、ゴルフ場、不動産賃貸も (売)連65,018 (従)114 (資)1,800 (住)目黒区上目黒1-18-11 ☎03-3792-0811 ㉕若干名 ㉔2(男1, 女1)
(株)明光ネットワークジャパン	サ (特色)小中高向け個別指導の補習塾「明光義塾」をFC軸に展開。日本語学校、学童保育も手がける (売)連20,871 (従)656 (資)972 (住)新宿区西新宿7-20-1 ☎03-5860-2111 ㉕50 ㉔33(男14, 女19)
明治機械(株)	機 (特色)製粉、飼料設備首位。プラントと食品原料加工機械製造が2本柱。太陽光Abalance提携 (売)連4,896 (従)163 (資)100 (住)千代田区神田司町2-8-1 ☎03-5295-3511 ㉕3 ㉔9(男5, 女4)
(株)明豊エンタープライズ	不 (特色)主軸の賃貸アパート開発は首都圏中心。子会社で仲介、管理。中古再生も。マンション開発は休止 (売)連20,562 (従)43 (資)614 (住)目黒区目黒2-10-11 ☎03-5434-7650 ㉕3 ㉔6(男2, 女4)
明和地所(株)	不 (特色)マンション中堅。東京、神奈川地盤に札幌、名古屋、福岡に展開。「クリオ」ブランドが主軸 (売)連71,250 (従)450 (資)3,537 (住)渋谷区神泉町9-6 ☎03-5489-0111 ㉕50 ㉔51(男40, 女11)
(株)メディアドゥ	情通 (特色)電子書籍取次で国内首位。コミック軸に独自の配信・ストア運営システムに強み。海外事業育成 (売)連94,036 (従)330 (資)5,959 (住)千代田区一ツ橋1-1-1 ☎03-6212-5113 ㉕10 ㉔10(男・・, 女・・)
メディカル・データ・ビジョン(株)	情通 (特色)医療機関、製薬向けに医療・医薬品データのネットワーク化と利活用の両サービスを提供 (売)連6,419 (従)191 (資)992 (住)千代田区神田美土代町7 ☎03-5283-6911 ㉕20 ㉔23(男10, 女13)
メディキット(株)	精 (特色)人工透析用など留置針で国内トップ。血管造影用カテーテル等医療機器も。ベトナムに生産拠点 (売)連21,850 (従)181 (資)1,241 (住)文京区湯島1-13-2 ☎03-3839-8870 ㉕8 ㉔6(男3, 女3)
森尾電機(株)	電機 (特色)電装品メーカーのパイオニア。主力の鉄道車両向け電気機器が約7割。納入先はJRが多い (売)連7,448 (従)211 (資)1,048 (住)葛飾区立石4-34-1 ☎03-3691-3181 ㉕未定 ㉔5(男5, 女0)
(株)モンスターラボホールディングス	情通 (特色)世界約20の国と地域で展開する大企業や自治体向けDX支援が主。SaaS型サービスも提供 (売)連IFS13,346 (従)22 (資)1,922 (住)渋谷区広尾1-1-39 ☎03-4455-7243 ㉕未定 ㉔17(男10, 女7)
(株)ヤシマキザイ	卸 (特色)鉄道関連部品の専門商社。車両の車体用品や電気部品が柱。産業機器や自動車製造向けも展開 (売)連27,729 (従)241 (資)99 (住)中央区日本橋兜町6-5 ☎03-6758-2558 ㉕8 ㉔8(男5, 女3)
八洲電機(株)	卸 (特色)日立系商社。鉄鋼など工場や鉄道、企業向けに電気機器納入。設置工事まで一括提供。期末偏重 (売)連64,862 (従)513 (資)1,585 (住)港区新橋3-1-1 ☎03-3507-3711 ㉕16 ㉔14(男8, 女6)
山田コンサルティンググループ(株)	サ (特色)経営コンサル大手。事業再生・事業承継に強み。M&A案件を強化中。アジア等海外コンサルも (売)連22,177 (従)821 (資)1,599 (住)千代田区丸の内1-8-1 ☎03-6212-2500 ㉕前年並 ㉔21(男16, 女5)
(株)ヤマタネ	卸 (特色)倉庫準大手で海外引っ越しも。コメ卸売り販売大手。M&Aで食品事業拡大。不動産賃貸下支え (売)連64,512 (従)379 (資)10,555 (住)江東区越中島1-2-21 ☎03-3820-1111 ㉕15 ㉔9(男5, 女4)
(株)ヤマノホールディングス	小 (特色)祖業は美容室運営の事業持株会社。和装宝飾の販売を展開。Web活用の集客や通販も積極的 (売)連13,837 (従)237 (資)10 (住)渋谷区代々木1-30-7 ☎03-3376-7878 ㉕14 ㉔13(男2, 女11)
ULSグループ(株)	情通 (特色)ITシステムのコンサル、設計、構築担う。流通、製造、情報サービス向けに強み。SI企業と合併 (売)連10,382 (従)550 (資)877 (住)中央区晴海1-8-10 ☎03-6890-1600 ㉕20 ㉔25(男19, 女6)
有機合成薬品工業(株)	化 (特色)医薬中間体、化成品、食品添加物が主力。高品質アミノ酸では世界有数。ニプロ、長瀬産業と提携 (売)単12,932 (従)290 (資)3,471 (住)中央区日本橋人形町3-10-4 ☎03-3664-3980 ㉕若干名 ㉔5(男4, 女1)
(株)U-NEXT HOLDINGS	情通 (特色)旧母体USENが傘下の持株会社。店舗・施設向け音楽サービス、動画配信、電力小売り等展開 (売)連276,344 (従)208 (資)99 (住)品川区上大崎3-1-1 ☎03-6823-2000 ㉕250 ㉔257(男127, 女130)
ユーピーアール(株)	サ (特色)物流、製造現場向け箱型荷台(パレット)等をレンタル・販売。ICT事業も。東南アジアに拠点網 (売)連14,833 (従)193 (資)96 (住)千代田区内幸町1-3-2 ☎03-3593-1730 ㉕前年並 ㉔3(男2, 女1)
(株)ユーラシア旅行社	サ (特色)シニア層軸に添乗員同行の海外ツアー等を企画販売。ツアーは比較的高単価。国内旅行も展開 (売)連2,945 (従)41 (資)312 (住)千代田区平河町2-7-4 ☎03-3265-1691 ㉕12 ㉔9(男3, 女6)
豊トラスティ証券(株)	証商 (特色)金中心の商品先物大手。株価指数証拠金取引や為替証拠金取引にも展開。海外でパーム油取引へ (売)連7,402 (従)351 (資)1,722 (住)中央区日本橋蛎殻町1-16-12 ☎03-3667-5211 ㉕前年並 ㉔29(男26, 女3)
(株)ユナイテッドアローズ	小 (特色)紳士・婦人衣料、雑貨のセレクトショップ展開。約半分は自社企画商品。SC向け「コーエン」も (売)連134,269 (従)3,646 (資)3,030 (住)港区赤坂8-1-19 ☎03-5785-6325 ㉕200 ㉔131(男49, 女82)
ユナイテッド&コレクティブ(株)	小 (特色)主力は鶏料理居酒屋「てけてけ」。ハンバーガーチェーンも展開。各店舗内での調理にこだわる (売)単6,168 (従)110 (資)435 (住)千代田区麹町2-5-1 ☎050-3091-3557 ㉕6 ㉔4(男2, 女2)

会社名	業種名 (特色)会社の特色 (売)売上高(百万円) (従)単独従業員数(名) (資)資本金(百万円) (住)本社の住所, 電話番号 ㉕25年採用計画数(名) ㉔24年入社内定者数(名)
ユナイトアンドグロウ㈱	情通 (特色)会員の中堅・中小企業向けにIT人材と知識を提供するシェアード・エンジニアリング事業展開 (売)連2,667 (従)270 (資)346 (住)千代田区神田駿河台4-3 ☎03-5577-2091 ㉕**30** ㉔**23(男6, 女17)**
ユニオンツール㈱	機 (特色)PCB(プリント配線板)ドリルで世界シェア3割超の首位。直動軸受けも。有利子負債ゼロ (売)連25,338 (従)852 (資)2,998 (住)品川区南大井6-17-1 ☎03-5493-1001 ㉕**前年並** ㉔**13(男8, 女5)**
㈱ユニリタ	情通 (特色)独立系ソフト開発会社。メインフレームからオープン系までカバー。15年にビーコンITと合併 (売)連11,982 (従)292 (資)1,330 (住)港区港南2-15-1 ☎03-5463-6381 ㉕**15** ㉔**9(男6, 女3)**
幼児活動研究会㈱	サ (特色)全国の幼稚園、保育園で体育指導。独自教育「YYプロジェクト」の普及図る。園経営コンサルも (売)単6,951 (従)555 (資)513 (住)品川区西五反田2-11-17 ☎03-3494-0262 ㉕**60** ㉔**72(男51, 女21)**
養命酒製造㈱	食 (特色)慶長7(1602)年創業。薬用酒で高シェア。健康飲料など新規分野を模索。財務良好 (売)単10,242 (従)301 (資)1,650 (住)渋谷区南平台町16-25 ☎03-3462-8111 ㉕**10** ㉔**4(男2, 女2)**
㈱ヨコオ	電機 (特色)自動車用アンテナ国内大手。半導体・スマホ用の回路検査機器が収益源。医療用カテーテル育成 (売)連76,895 (従)906 (資)7,819 (住)千代田区神田須田町1-25 ☎03-3916-3111 ㉕**34** ㉔**22(男18, 女4)**
ライク㈱	サ (特色)モバイル、建設、物流など向けの人材サービス。保育園や学童などの保育事業。介護事業も展開 (売)連60,469 (従)52 (資)1,548 (住)渋谷区道玄坂1-12-1 ☎03-5428-5577 ㉕**555** ㉔**328(男97, 女231)**
㈱ライズ・コンサルティング・グループ	サ (特色)総合コンサル会社。資料作成だけでなく課題解決に向けた実行支援に特長。コンサル要員高稼働 (売)連IFS6,155 (従)288 (資)163 (住)港区六本木1-6-1 ☎03-6441-2915 ㉕**未定** ㉔**18(男15, 女3)**
㈱ライドオンエクスプレスホールディングス	サ (特色)すし「銀のさら」や「釜寅」など調理済み食材の宅配をFC・直営で全国展開。海外も。下期偏重 (売)連23,995 (従)32 (資)1,079 (住)港区三田3-5-27 ☎03-5444-3611 ㉕**40** ㉔**40(男37, 女3)**
ライフネット生命保険㈱	保 (特色)インターネット専業生保草分け。商品のわかりやすさや低価格に特徴。KDDIと資本業務提携 (売)連IFS25,280 (従)240 (資)26,617 (住)千代田区麹町2-14-2 ☎03-5216-7900 ㉕**6** ㉔**5(男1, 女4)**
㈱LIFULL	サ (特色)不動産・住宅情報サイトの「ホームズ」を運営。南米・東南アジアでも不動産サイト事業展開 (売)連IFS36,405 (従)671 (資)9,716 (住)千代田区麹町1-4-4 ☎03-6774-1600 ㉕**25** ㉔**8(男4, 女4)**
㈱ラキール	情通 (特色)企業のDX化を支援するプロダクトサービスとシステム開発が2本柱。MBOにより17年独立 (売)連7,653 (従)427 (資)1,016 (住)港区愛宕2-5-1 ☎03-6441-3850 ㉕**75** ㉔**60(男52, 女8)**
㈱ラクーンホールディングス	情通 (特色)衣料・雑貨の企業間電子商取引「スーパーデリバリー」運営。掛け売り決済代行、売掛債権保証も (売)連5,808 (従)100 (資)1,864 (住)中央区日本橋蛎殻町1-14-14 ☎03-5652-1692 ㉕**16** ㉔**11(男5, 女6)**
㈱ラクス	情通 (特色)クラウドとIT人材派遣の2本柱。「メールディーラー」と「楽楽精算」が利益成長を牽引 (売)連38,408 (従)連2,700 (資)378 (住)渋谷区千駄ヶ谷5-27-5 ☎03-6683-3857 ㉕**増加** ㉔**13(男11, 女2)**
ラサ工業㈱	化 (特色)1907年の沖縄ラサ島リン鉱脈発見が起点。半導体向けなどリン酸が主力。工業薬・機械併営 (売)連42,788 (従)458 (資)8,443 (住)千代田区外神田1-18-13 ☎03-3258-1812 ㉕**前年並** ㉔**6(男3, 女3)**
ラサ商事㈱	卸 (特色)鉱物、金属素材や特殊ポンプ等の専門商社。ジルコンでは首位。製鉄所向けリサイクル設備等も (売)連27,916 (従)196 (資)2,076 (住)中央区日本橋蛎殻町1-11-5 ☎03-3668-8231 ㉕**5** ㉔**6(男3, 女3)**
㈱ラックランド	サ (特色)食品、飲食分野の店舗を企画・設計・施工。保守も展開。商業施設、食品工場・倉庫、ホテル等育成 (売)連45,116 (従)987 (資)3,992 (住)新宿区西新宿3-18-20 ☎03-3377-9331 ㉕**前年並** ㉔**27(男18, 女9)**
㈱ランディックス	不 (特色)港区、渋谷区など東京・城南6区が地盤。不動産売買・仲介が主力。顧客データ蓄積に強み持つ (売)連17,041 (従)85 (資)491 (住)目黒区下目黒1-2-14 ☎03-6420-3230 ㉕**15** ㉔**13(男8, 女5)**
㈱ランドコンピュータ	情通 (特色)コンサルからシステム導入、保守管理まで行う独立系SI。金融系に強み。富士通が主顧客 (売)連13,732 (従)542 (資)460 (住)港区芝浦4-13-23 ☎03-5232-3040 ㉕**増加** ㉔**36(男18, 女18)**
㈱ランドネット	不 (特色)物件情報のデータベースを活用した中古マンションの買い取り再販が柱。不動産仲介や管理も (売)連77,790 (従)682 (資)706 (住)豊島区南池袋1-16-15 ☎03-3986-3981 ㉕**75** ㉔**66(男‥, 女‥)**
㈱リアルゲイト	不 (特色)築古ビルの再生、転貸借事業が柱。東京・渋谷区軸に都心展開。ビルなどの運営受託や施工請負も (売)単6,972 (従)85 (資)680 (住)渋谷区千駄ヶ谷3-51-10 ☎03-6804-3904 ㉕**若干名** ㉔**4(男3, 女1)**
リオン㈱	電機 (特色)補聴器は系列店強く国内首位。聴力検査機器も強い。半導体向け液中微粒子計測器は世界2強に (売)連25,726 (従)508 (資)2,052 (住)国分寺市東元町3-20-41 ☎042-359-7830 ㉕**25** ㉔**15(男9, 女6)**
リケンNPR㈱	機 (特色)ピストンリング国内大手のリケンと日本ピストンリングが23年10月に設立した共同持株会社 (売)連138,586 (従)1,787 (資)5,212 (住)千代田区三番町8-1 ☎03-6899-1871 ㉕**17** ㉔**16(男11, 女5)**
理研計器㈱	精 (特色)産業用ガス保安器、計測器最大手。各種センサーを一貫生産。環境、防災関連注力。海外展開も (売)連45,581 (従)1,051 (資)2,565 (住)板橋区小豆沢2-7-6 ☎03-3966-1121 ㉕**未定** ㉔**37(男27, 女10)**
リケンテクノス㈱	化 (特色)塩ビコンパウンド首位。エラストマー注力。建材用では化粧材用フィルム強い。海外展開で先行 (売)連125,739 (従)785 (資)8,514 (住)千代田区神田淡路町2-101 ☎03-5297-1650 ㉕**前年並** ㉔**26(男20, 女6)**

会社名	[業種名] [特色] 会社の特色 [売]売上高(百万円) [従]単独従業員数(名) [資]資本金(百万円) [住]本社の住所, 電話番号 ㉕25年採用計画数(名) ㉔24年入社内定者数(名)
リスクモンスター(株)	[情通] [特色] 独自データベースに基づく与信管理サービスを提供。eラーニング事業やBPOも展開 [売]連3,666 [従]123 [資]1,188 [住]中央区日本橋2-16-5 ☎03-6214-0331 ㉕微増 ㉔2(男2, 女0)
リソルホールディングス(株)	[サ] [特色] ホテルやゴルフ場運営、投資再生ビジネスが主力。福利厚生サービス、再生エネルギーも展開 [売]連25,717 [従]24 [資]3,948 [住]新宿区西新宿6-24-1 ☎03-3344-8811 ㉕23 ㉔6(男2, 女4)
リックソフト(株)	[情通] [特色] 豪アトラシアン社などの業務系パッケージソフトの導入・開発・販売。運用支援、自社開発も [売]連7,491 [従]117 [資]350 [住]千代田区大手町2-1-1 ☎03-6262-3947 ㉕12 ㉔6(男3, 女3)
(株)Ridge-i	[情通] [特色] 顧客企業向けAIコンサル・開発が主力、環境・安保関連の衛星データ解析も。音楽事業も買収 [売]単1,071 [従]32 [資]21 [住]千代田区大手町1-6-1 ☎03-5208-5780 ㉕2 ㉔2(男1, 女1)
(株)リファインバースグループ	[サ] [特色] 持株会社に移行。産業廃棄物処理と再生樹脂製造販売が柱。タイルカーペットの再資源化が強み [売]連3,852 [従]29 [資]162 [住]千代田区有楽町2-2-1 ☎03-6281-4879 ㉕前年並 ㉔4(男3, 女1)
(株)リベロ	[サ] [特色] 引っ越しや新生活に必要な手続き支援サービスに競争力、不動産会社や一般法人向けが収益柱 [売]連2,900 [従]141 [資]427 [住]港区虎ノ門3-8-8 ☎03-6636-0302 ㉕増加 ㉔3(男0, 女3)
リリカラ(株)	[卸] [特色] インテリア卸大手。壁紙、カーテン、床材等販売。24年6月、TKPが株式買い増して親会社に [売]単32,770 [従]538 [資]3,335 [住]新宿区西新宿7-5-20 ☎03-3366-7845 ㉕31 ㉔23(男10, 女13)
(株)リログループ	[サ] [特色] 企業福利厚生の総合アウトソーサー。社宅管理、賃貸管理、福利厚生運営代行、海外赴任支援が柱 [売]連IFS132,580 [従]121 [資]2,667 [住]新宿区新宿4-3-23 ☎03-5312-8704 ㉕50 ㉔40(男20, 女20)
(株)リンガーハット	[小] [特色] 九州発祥。長崎ちゃんぽん「リンガーハット」と、とんかつ「濱かつ」が軸。直営中心、FCも展開 [売]連40,209 [従]155 [資]9,002 [住]品川区大崎1-6-1 ☎03-5745-8611 ㉕30 ㉔29(男18, 女11)
(株)リンクアンドモチベーション	[サ] [特色] 組織・人事・IRなど経営コンサルが主柱。転職支援、資格取得教室や外国語指導講師の派遣も [売]連IFS33,969 [従]499 [資]1,380 [住]中央区銀座4-12-15 ☎03-6853-8111 ㉕60 ㉔62(男35, 女27)
(株)リンクバル	[サ] [特色] 街コンなどイベント情報のサイト運営が柱。婚活マッチングや恋愛情報等のWebサービスも [売]単891 [従]62 [資]50 [住]中央区明石町7-14 ☎050-1741-2300 ㉕3 ㉔3(男2, 女1)
(株)レスター	[卸] [特色] エレクトロニクス総合商社。19年UKCHDがバイテックHDと統合。21年にPALTEK買収 [売]連512,484 [従]853 [資]4,383 [住]港区港南2-10-9 ☎03-3458-4618 ㉕27 ㉔25(男16, 女9)
(株)レゾナック・ホールディングス	[化] [特色] 総合化学メーカー。20年に日立化成買収。半導体材料・石油化学が柱。自動車部材にも注力 [売]連1,288,869 [従]348 [資]182,146 [住]港区東新橋1-9-1 ☎03-6263-9000 ㉕122 ㉔153(男114, 女39)
(株)レダックス	[卸] [特色] 中古車買い取り・販売大手。大型展示場で小売りも。中古トラックをリースバックする事業も [売]連19,072 [従]18 [資]2,820 [住]千代田区紀尾井町4-1 ☎03-3239-3100 ㉕20 ㉔13(男9, 女4)
(株)レノバ	[電ガ] [特色] 再生可能エネルギーの発電と開発・運営が2本柱。太陽光からバイオマス、風力など多様化方針 [売]連IFS44,748 [従]208 [資]11,324 [住]中央区京橋2-2-1 ☎03-3516-6260 ㉕前年並 ㉔4(男4, 女0)
ロイヤルホールディングス(株)	[小] [特色] 外食老舗。「ロイヤルホスト」と天丼「てんや」等を展開。ホテルや施設内食堂、食品も展開 [売]連138,940 [従]114 [資]17,830 [住]世田谷区桜新町1-34-6 ☎03-5707-8800 ㉕60 ㉔31(男7, 女24)
(株)ROBOT PAYMENT	[情通] [特色] サブスク特化型決済代行の「サブスクペイ」と請求・債権一元管理の「請求管理ロボ」の2本柱 [売]単2,213 [従]124 [資]222 [住]渋谷区神宮前6-19-20 ☎03-5469-5787 ㉕15 ㉔11(男6, 女5)
ロンシール工業(株)	[化] [特色] 塩化ビニル製の防水材、壁装材、長尺床材が得意。公共施設向け中心。鉄道車両床材シェア80% [売]連21,021 [従]380 [資]5,007 [住]墨田区緑4-15-3 ☎03-5600-1876 ㉕未定 ㉔10(男9, 女1)
ワイエイシイホールディングス(株)	[機] [特色] 各種自動化機器の中堅。メモリーディスク関連・パワー半導体関連・液晶関連装置が主力 [売]連26,809 [従]19 [資]2,801 [住]昭島市武蔵野3-11-10 ☎042-546-1161 ㉕15 ㉔3(男3, 女0)
YKT(株)	[卸] [特色] 独立系中堅機械商社。スイス製工具研削盤の輸入とパナソニック製電子部品実装機の輸出が柱 [売]連12,882 [従]87 [資]1,389 [住]渋谷区代々木5-7-5 ☎03-3467-1251 ㉕5 ㉔4(男2, 女2)
(株)ワイズテーブルコーポレーション	[小] [特色] 高級レストラン「XEX」、カジュアル伊料理、和食などを直営・FCで展開。比マニラにも出店 [売]連11,284 [従]510 [資]50 [住]港区赤坂8-10-22 ☎03-5412-0065 ㉕40 ㉔23(男5, 女18)
(株)WOWOW	[情通] [特色] 日本初の民間衛星放送会社。BS、CSに有料番組提供。スポーツ、音楽、ドラマ自社制作に注力 [売]連74,869 [従]315 [資]5,000 [住]港区赤坂5-2-20 ☎03-4330-8111 ㉕5 ㉔7(男3, 女4)
若築建設(株)	[建] [特色] 海上土木の中堅。陸上土木にも展開。官公庁向け工事が多いが、民間設備工事や海外事業も強化 [売]連94,917 [従]798 [資]11,374 [住]目黒区下目黒2-23-18 ☎03-3492-0271 ㉕45 ㉔29(男23, 女6)
わかもと製薬(株)	[医] [特色] 「強力わかもと」で有名な一般用医薬品と医家向け眼科薬が柱。乳酸菌やアジア、医療機器育成 [売]単7,738 [従]282 [資]3,395 [住]中央区日本橋本町2-2-2 ☎03-3279-0371 ㉕20 ㉔11(男5, 女6)
(株)早稲田アカデミー	[サ] [特色] 首都圏の中学、高校受験に強い集団指導塾「早稲田アカデミー」が主力。個別指導にも本腰 [売]連32,867 [従]1,020 [資]2,014 [住]豊島区南池袋1-16-15 ☎03-3590-4011 ㉕60 ㉔32(男15, 女17)

会社名	[業種名] (特色) 会社の特色 (売)売上高(百万円) (従)単独従業員数(名) (資)資本金(百万円) (住)本社の住所, 電話番号 ㉕25年採用計画数(名) ㉔24年入社内定者数(名)
㈱早稲田学習研究会	[サ] (特色) 小中学生向けの集団指導塾「W早稲田ゼミ」を北関東軸に展開。高校生向け集団塾、個別塾も (売)単6,463 (従)403 (資)183 (住)中央区京橋1-6-11 ☎03-3538-5400 ㉕**80** ㉔**22(男20, 女2)**
わらべや日洋ホールディングス㈱	[食] (特色) 中食業界で首位。セブン-イレブン向けが収益の柱。米飯類が主力。技術進歩でチルド製品強み (売)連207,009 (従)95 (資)8,049 (住)新宿区富久町13-19 ☎03-5363-7010 ㉕**65** ㉔**85(男47, 女38)**
アイエーグループ㈱	[小] (特色) 神奈川中心に「オートバックス」FC展開。ブライダル事業と2本柱。住宅販売など不動産事業も (売)連35,664 (従)33 (資)1,314 (住)横浜市戸塚区品濃町545-5 ☎045-821-7500 ㉕**70** ㉔**67(男43, 女24)**
㈱アイスコ	[卸] (特色) アイス・冷凍食品の卸売り主力。神奈川地盤に生鮮品中心の食品スーパー併営。収益は上期偏重 (売)単50,498 (従)752 (資)373 (住)横浜市泉区新橋町1212 ☎045-811-1302 ㉕**未定** ㉔**19(男18, 女1)**
アイダエンジニアリング㈱	[機] (特色) サーボ駆動式プレス機で世界2強。自動車関連8割超、非日系開拓で拡大中。高速プレスも注力 (売)連72,742 (従)840 (資)7,831 (住)相模原市緑区大山町2-10 ☎042-772-5231 ㉕**15** ㉔**14(男11, 女3)**
アジア航測㈱	[空] (特色) 航空測量3位。GIS(地理情報システム)等の情報システムとコンサルが柱。官公庁向けが過半 (売)連37,304 (従)1,299 (資)1,673 (住)川崎市麻生区万福寺1-2-2 ☎044-969-7230 ㉕**51** ㉔**35(男24, 女11)**
㈱アップガレージグループ	[小] (特色) タイヤなどカー用品のリユース店を直営、FCで展開。モール型EC、新品タイヤ、用品卸併営 (売)連12,557 (従)218 (資)523 (住)横浜市青葉区榎が丘7-22 ☎045-988-5777 ㉕**36** ㉔**26(男21, 女5)**
アップコン㈱	[建] (特色) ウレタン樹脂による修復工事会社。各種の特許を保持し、民間・公共とも短期の独自工法に強み (売)単852 (従)46 (資)73 (住)川崎市高津区坂戸3-2-1 ☎044-820-8120 ㉕**5** ㉔**2(男1, 女1)**
㈱アトム	[小] (特色) ステーキ、回転ずし中心の外食中堅。居酒屋も。名古屋軸に東日本にも展開。コロワイド子会社 (売)単36,947 (従)663 (資)100 (住)横浜市西区みなとみらい2-2-1 ☎045-224-7390 ㉕**増加** ㉔**16(男9, 女7)**
アネスト岩田㈱	[機] (特色) 塗装機器、圧縮機等の機器メーカー。塗装機国内シェア7割超。欧米、アジア等海外に積極展開 (売)連53,425 (従)606 (資)3,354 (住)横浜市港北区新吉田町3176 ☎045-591-9344 ㉕**12** ㉔**12(男9, 女3)**
アビックス㈱	[他製] (特色) LEDビジョン、液晶モニターを開発・販売するファブレス企業。SNS併用の地域広告事業も (売)連3,727 (従)49 (資)1,207 (住)横浜市中区弁天通6-85 ☎045-670-7711 ㉕**若干名** ㉔**2(男2, 女0)**
㈱アルファ	[金製] (特色) キーセットなど自動車部品主力。日産向け約4割、ホンダ等も。住宅などの施錠部品も手がける (売)連74,544 (従)733 (資)2,760 (住)横浜市金沢区福浦1-6-8 ☎045-787-8400 ㉕**10** ㉔**4(男4, 女0)**
㈱アルファシステムズ	[情通] (特色) 通信系ソフトから非通信系システム開発に急傾斜。独立系だが富士通、NTTグループ6割強 (売)単36,383 (従)3,015 (資)8,500 (住)川崎市中原区上小田中6-6-1 ☎044-733-4111 ㉕**150** ㉔**149(男120, 女29)**
㈱アルプス物流	[陸] (特色) アルプスアルパイン系。TDK物流合併し電子部品強化。生協、通販も。旧日立物流がTOBへ (売)連118,844 (従)983 (資)2,357 (住)横浜市港北区新羽町1756 ☎045-531-4133 ㉕**前年並** ㉔**62(男25, 女37)**
㈱イクヨ	[輸機] (特色) 三菱自、日野、ふそう向けに合成樹脂の自動車内外装部品製造。国内軸だが東南アジアでも展開 (売)連17,351 (従)171 (資)2,298 (住)厚木市上依知3019 ☎046-285-1800 ㉕**前年並** ㉔**4(男4, 女0)**
市光工業㈱	[電機] (特色) 自動車の照明大手。国内とアジアでトヨタ、日産等各社と取引。仏ヴァレオ傘下で再成長目指す (売)連145,897 (従)1,521 (資)9,003 (住)伊勢原市板戸80 ☎0463-96-1451 ㉕**前年並** ㉔**22(男18, 女4)**
イノテック㈱	[電機] (特色) 半導体設計ツールと半導体テスターが2本柱。子会社で専用LSI設計や車載システム開発も (売)連41,358 (従)213 (資)10,517 (住)横浜市港北区新横浜3-17-6 ☎045-474-9000 ㉕**前年並** ㉔**7(男3, 女4)**
イリソ電子工業㈱	[電機] (特色) コネクター大手の一角。車載用途が柱。FA、ゲーム、家電関連も。製品の大半がカスタム品 (売)連55,271 (従)586 (資)5,640 (住)横浜市港北区新横浜2-13-8 ☎045-478-3111 ㉕**17** ㉔**17(男11, 女6)**
㈱エーアンドエーマテリアル	[ガ土] (特色) 太平洋セメントグループの中核建材会社。工業製品や自動車関連部品も。環境分野にも進出 (売)連41,282 (従)215 (資)3,889 (住)横浜市鶴見区鶴見中央2-5-5 ☎045-503-5760 ㉕**前年並** ㉔**9(男5, 女4)**
エバラ食品工業㈱	[食] (特色) 「黄金の味」など焼き肉のたれでシェア首位の調味料メーカー。積極的な広告宣伝で知名度高い (売)連45,216 (従)520 (資)1,387 (住)横浜市西区みなとみらい4-4-5 ☎045-226-0226 ㉕**前年並** ㉔**11(男5, 女6)**
㈱オーイズミ	[機] (特色) パチスロ機用メダル貸機、補給回収システム、パチスロ機が柱。食品事業などへも多角化 (売)連21,393 (従)178 (資)1,006 (住)厚木市中町2-7-10 ☎046-297-2111 ㉕**4** ㉔**4(男4, 女0)**
大井電気㈱	[電機] (特色) 情報通信機器製販とネットワーク工事保守が2本柱。光通信と無線通信システム構築に強み (売)連28,117 (従)424 (資)2,708 (住)横浜市港北区菊名7-3-16 ☎045-433-1361 ㉕**10** ㉔**3(男3, 女0)**
㈱小田原エンジニアリング	[機] (特色) モーター用自動巻線機で国内首位、世界2位。自動車用、家電用が主。ローヤル電機を子会社化 (売)連14,703 (従)135 (資)1,250 (住)足柄上郡松田町松田惣領1577 ☎0465-83-1122 ㉕**25** ㉔**10(男7, 女3)**
㈱小田原機器	[輸機] (特色) 路線バスの運賃箱やICカードシステムなど運賃収受機器が主力。自動運転支援の製品開発も (売)連3,930 (従)141 (資)349 (住)小田原市中町1-11-3 ☎0465-23-0121 ㉕**4** ㉔**8(男7, 女1)**
㈱小野測器	[電機] (特色) デジタル計測機器大手。回転計、音響・振動計で首位。自動車業界向けが中心。アジアへ進出 (売)連11,539 (従)610 (資)7,134 (住)横浜市西区みなとみらい3-3-3 ☎045-935-3888 ㉕**25** ㉔**17(男12, 女5)**

会社名	業種名 (特色)会社の特色 (売)売上高(百万円) (従)単独従業員数(名) (資)資本金(百万円) (住)本社の住所, 電話番号 ㉕25年採用計画数(名) ㉔24年入社内定者数(名)
㈱オハラ	ガ土 (特色)光学ガラス老舗メーカー。生産量は国内トップ。一貫生産に強み。セイコー、キヤノンが大株主 (売)連28,123 (従)492 (資)5,855 (住)相模原市中央区小山1-15-30 ☎042-772-2101 ㉕15 ㉔16(男12,女4)
カッパ・クリエイト㈱	小 (特色)郊外型回転ずし「かっぱ寿司」を直営。業界4位。コンビニ等向け総菜事業も。コロワイド子会社 (売)連72,196 (従)661 (資)100 (住)横浜市西区みなとみらい2-2-1 ☎045-224-7095 ㉕40 ㉔38(男20,女18)
神奈川中央交通㈱	陸 (特色)小田急直系。バス保有台数は西日本鉄道と双璧。営業益の多くを不動産など兼営事業に依存 (売)連117,067 (従)2,048 (資)3,160 (住)平塚市八重咲町6-18 ☎0463-22-8800 ㉕未定 ㉔26(男14,女12)
元旦ビューティ工業㈱	金製 (特色)金属屋根製品のトップメーカー。公共関連に加え民需拡大。太陽光発電など高機能製品に展開 (売)単14,252 (従)322 (資)100 (住)藤沢市湘南台1-1-21 ☎0466-45-8771 ㉕12 ㉔9(男7,女2)
菊水ホールディングス㈱	電機 (特色)独立系の電子計測器、電源機器メーカー。耐電圧試験器、据え置き型直流安定化電源でトップ (売)連12,488 (従)18 (資)2,201 (住)横浜市都筑区茅ケ崎中央6-1 ☎045-482-6912 ㉕前年並 ㉔7(男7,女0)
㈱京三製作所	電機 (特色)信号大手の一角、民鉄に強い。鉄道・道路信号、半導体製造装置用電源装置が3本柱。下期偏重 (売)連70,525 (従)1,399 (資)6,270 (住)横浜市鶴見区平安町2-29-1 ☎045-501-1261 ㉕38 ㉔28(男25,女3)
工藤建設㈱	建 (特色)神奈川地盤の中堅建設。大規模修繕工事に強み。不動産も。介護(老人ホーム)のM&Aに注力 (売)単20,521 (従)704 (資)867 (住)横浜市青葉区新石川4-33-10 ☎045-911-5300 ㉕15 ㉔15(男6,女9)
クリエートメディック㈱	精 (特色)使い捨て医療器具メーカー。シリコン製カテーテルが主力。中国・大連やベトナムで開発・生産も (売)連12,585 (従)318 (資)1,461 (住)横浜市都筑区茅ヶ崎南2-5-25 ☎045-943-2611 ㉕微増 ㉔3(男1,女2)
㈱コロワイド	小 (特色)レストラン、居酒屋展開。子会社に「牛角」のレインズ、カッパ・クリエイト、アトム、大戸屋など (売)連IFS241,284 (従)126 (資)27,905 (住)横浜市西区みなとみらい2-2-1 ☎045-274-5970 ㉕180 ㉔173(男80,女93)
相模ゴム工業㈱	ゴ (特色)コンドーム大手。マレーシアで生産。輸出は中国、東南ア等。事務用、食品包装用フィルムも (売)連6,112 (従)197 (資)547 (住)厚木市元町2-1 ☎046-221-2311 ㉕前年並 ㉔2(男1,女1)
㈱サンオータス	小 (特色)神奈川県下でENEOSやキグナスSS展開。プジョー等輸入車販売。レンタカーも手がける (売)連16,634 (従)199 (資)100 (住)横浜市港北区新横浜2-4-15 ☎045-473-1211 ㉕10 ㉔8(男4,女4)
㈱サン・ライフホールディング	サ (特色)神奈川、都下地盤の冠婚葬祭大手の持株会社。葬儀を柱に婚礼・ホテルや介護も手がける (売)連13,502 (従)49 (資)100 (住)平塚市馬入本町13-11 ☎0463-22-1233 ㉕前年並 ㉔18(男9,女9)
ジオマテック㈱	電機 (特色)成膜加工の専業大手。ガラス基板上の加工に強み。液晶用基板、タッチパネル用が主要製品 (売)単4,605 (従)345 (資)4,043 (住)横浜市西区みなとみらい2-2-1 ☎045-222-5720 ㉕若干名 ㉔3(男2,女1)
芝浦メカトロニクス㈱	電機 (特色)半導体やFPD等の製造装置メーカー。枚葉式半導体ウエハ洗浄装置で世界首位。後工程も (売)連67,556 (従)627 (資)6,761 (住)横浜市栄区笠間2-5-1 ☎045-897-2421 ㉕35 ㉔18(男14,女4)
ジャパニアス㈱	サ (特色)IT人材派遣でSIや製造業向け多い。継続的なエンジニア採用に強み。クラウド人材育成 (売)単9,885 (従)1,731 (資)21 (住)横浜市西区みなとみらい2-2-1 ☎045-670-7240 ㉕60 ㉔44(男39,女5)
㈱シンニッタン	鉄 (特色)自動車・トラック、建機向け部品を製造。ゼネコン向け建築足場設備、エンジン運搬用パレットも (売)連21,587 (従)212 (資)7,256 (住)川崎市川崎区貝塚1-13-1 ☎044-200-7811 ㉕4 ㉔4(男2,女2)
㈱ゼロ	陸 (特色)日産の新車陸送から始まり中古車輸送、一般貨物輸送や人材派遣も。香港上場TCILグループ (売)連IFS140,751 (従)494 (資)3,390 (住)川崎市幸区堀川町580 ☎044-520-0106 ㉕10 ㉔7(男7,女0)
㈱ソディック	機 (特色)放電加工機で世界首位級。NC装置内製し独自色強い。射出成形機や食品機械(製麺機)も育成 (売)連67,174 (従)1,192 (資)24,618 (住)横浜市都筑区仲町台3-12-1 ☎045-942-3111 ㉕25 ㉔28(男20,女8)
第一カッター興業㈱	建 (特色)ダイヤモンド使用のコンクリート構造物切断・穿孔工事が主力。水圧のウォータージェットも (売)連20,918 (従)508 (資)470 (住)茅ヶ崎市萩園833 ☎0467-85-3939 ㉕15 ㉔12(男11,女1)
㈱タウンニュース社	サ (特色)神奈川県と東京・多摩地域で無料情報紙を発行。広告枠販売が主柱。デジタル、非紙面事業拡充 (売)単3,736 (従)198 (資)501 (住)横浜市青葉区荏田西2-1-3 ☎045-913-4111 ㉕10 ㉔15(男4,女11)
ティアンドエスグループ㈱	情通 (特色)製造業の生産管理システムの受託開発や保守が柱。半導体工場の保守・運用も。AI関連を育成 (売)単3,442 (従)320 (資)40 (住)横浜市西区みなとみらい3-6-3 ☎045-226-1040 ㉕30 ㉔22(男15,女7)
帝国通信工業㈱	電機 (特色)可変抵抗器の老舗。ブランドは「ノーブル」。センサーへと指向。ゲーム、自動車、AV向けが軸 (売)連15,223 (従)273 (資)3,453 (住)川崎市中原区苅宿45-1 ☎044-422-3171 ㉕8 ㉔9(男7,女2)
㈱テイン	輸機 (特色)改造車用のサスペンション専業メーカー。英、米、香港、北京に営業拠点。新興国向け強化 (売)連4,865 (従)89 (資)217 (住)横浜市戸塚区上矢部町3515-4 ☎045-810-5511 ㉕未定 ㉔2(男2,女0)
㈱テラプローブ	電機 (特色)メモリー、システムLSIのテスト工程等受託。台湾合弁相手のPTIがTOBで親会社に (売)連35,403 (従)275 (資)11,823 (住)横浜市港北区新横浜2-7-17 ☎045-476-1011 ㉕減少 ㉔27(男15,女12
東京ラヂエーター製造㈱	輸機 (特色)トラック向けラジエーター、クーラーを製造。いすゞ自動車向けが5割程度。建機用も製造 (売)連33,401 (従)513 (資)1,317 (住)藤沢市遠藤2002-1 ☎0466-87-1231 ㉕未定 ㉔9(男7,女2)

会社名	業種名 特色 会社の特色 売 売上高(百万円) 従 単独従業員数(名) 資 資本金(百万円) 住 本社の住所, 電話番号 ㉕ 25年採用計画数(名) ㉔ 24年入社内定者数(名)
東邦チタニウム㈱	非鉄 特色 JX金属系のチタン製錬大手。大阪チタニウムと双璧。航空機と一般工業向け柱、触媒と電材も 売 連78,404 従 1,145 資 11,963 住 横浜市西区南幸1-1-1 ☎045-394-5522 ㉕ **20** ㉔ **5(男4, 女1)**
㈱トーエル	小 特色 神奈川県地盤のLPガス事業者。高い配送密度が特色。飲料水育成し長野とハワイに生産拠点 売 連27,102 従 261 資 886 住 横浜市港北区高田西1-5-21 ☎045-592-7777 ㉕ **10** ㉔ **4(男4, 女0)**
NISSOホールディングス㈱	サ 特色 製造業派遣・請負大手。自動車、電機、精密機器向け主体。老人ホーム運営。23年10月持株会社化 売 連96,858 従 1,432 資 2,016 住 横浜市港北区新横浜1-4-1 ☎045-620-3777 ㉕ **360** ㉔ **150(男114, 女36)**
㈱NITTAN	輸機 特色 エンジンバルブ主体の独立系部品企業。4輪向け中心、2輪・建機・船舶向けも。米国等に子会社 売 連49,478 従 684 資 4,530 住 秦野市曽屋518 ☎0463-82-1311 ㉕ **前年並** ㉔ **7(男4, 女3)**
日本アビオニクス㈱	電機 特色 防衛向け情報システム装置が主力。接合機器、赤外線センサーなど民需も。ファンド傘下 売 連18,055 従 601 資 5,895 住 横浜市都筑区池辺町4475 ☎045-287-0300 ㉕ **30** ㉔ **20(男19, 女1)**
㈱日本動物高度医療センター	サ 特色 高度2次医療行う動物病院を東京、川崎、名古屋、大阪で運営。全国連携病院からの完全紹介制 売 連4,270 従 201 資 801 住 川崎市高津区久地2-5-8 ☎044-850-1320 ㉕ **25** ㉔ **21(男6, 女15)**
野村マイクロ・サイエンス㈱	機 特色 超純水装置の大手。北興化学から分岐。韓国、台湾企業向け開拓で先駆、韓国サムスンと取引多い 売 連73,021 従 406 資 2,236 住 厚木市岡田2-9-10 ☎046-228-3946 ㉕ **15** ㉔ **17(男10, 女7)**
㈱パイオラックス	金製 特色 自動車向けの精密ばねと工業用ファスナーが両輪。日産グループ向け4割弱。医療機器も育成 売 連64,551 従 584 資 2,960 住 横浜市西区花咲町6-145 ☎045-577-3880 ㉕ **前年並** ㉔ **13(男9, 女4)**
Hamee㈱	小 特色 スマホやタブレット向けアクセサリーのデザイン・販売。クラウド型EC事業支援システムも 売 連17,612 従 150 資 605 住 小田原市栄町2-12-10 ☎0465-22-8064 ㉕ **増加** ㉔ **2(男0, 女2)**
㈱ヒップ	サ 特色 開発系技術者派遣の中堅。自動車軸に電子、ソフトウェアの開発設計が主。治験業務支援撤退 売 単5,660 従 858 資 377 住 横浜市西区楠町8-8 ☎045-328-1000 ㉕ **70** ㉔ **44(男40, 女4)**
㈱ファルテック	輸機 特色 自動車外装部品と新車販売時装着のオプション用品も手がける。TPR子会社、日産向け中心 売 連81,886 従 920 資 2,291 住 川崎市幸区堀川町580 ☎044-520-0019 ㉕ **30** ㉔ **27(男22, 女5)**
フォーライフ㈱	不 特色 東急東横線沿線、東京・城南地区中心に1次取得層向け低価格戸建て住宅展開。京都エリア進出 売 単13,987 従 104 資 154 住 横浜市港北区大倉山1-14-11 ☎045-547-3432 ㉕ **増加** ㉔ **3(男3, 女0)**
不二サッシ㈱	金製 特色 アルミサッシ国内4位、ビル用中心。形材・部品の外販、ゴミ処理設備も。文化シヤッター傘下 売 連101,260 従 928 資 1,709 住 川崎市幸区鹿島田1-1-2 ☎044-520-0034 ㉕ **25** ㉔ **32(男21, 女11)**
富士古河E&C㈱	建 特色 社会インフラ工事等プラント、電気、空調工事施工・メンテナンスまで一貫対応。古河グループ 売 連103,649 従 1,170 資 1,970 住 川崎市幸区堀川町580 ☎044-548-4500 ㉕ **44** ㉔ **31(男19, 女12)**
古河電池㈱	電機 特色 古河電気工業の電池製作所が発祥。自動車バッテリー用鉛蓄電池が柱。航空機・電車用、産業用も 売 連75,455 従 1,079 資 1,640 住 横浜市保土ケ谷区星川2-4-1 ☎045-336-5034 ㉕ **21** ㉔ **11(男9, 女2)**
平安レイサービス㈱	サ 特色 神奈川県首位級の冠婚葬祭サービス大手。葬祭が主力、近年は小規模貸し切り葬祭会館が軸に 売 連10,081 従 206 資 785 住 平塚市桜ケ丘1-35 ☎0463-34-2771 ㉕ **15** ㉔ **13(男5, 女8)**
㈱放電精密加工研究所	機 特色 放電加工専業で国内最大規模。アルミ押出用金型も首位。既存技術生かし航空宇宙分野に注力 売 連12,160 従 419 資 1,889 住 横浜市港北区新横浜3-17-6 ☎045-277-0330 ㉕ **12** ㉔ **11(男10, 女1)**
㈱ホテル、ニューグランド	サ 特色 横浜財界が協力し開業したグランドホテル。山下公園前の立地が強み。本館隣にテナントビル 売 単5,372 従 208 資 100 住 横浜市中区山下町10 ☎045-681-1841 ㉕ **15** ㉔ **8(男1, 女7)**
三菱化工機㈱	機 特色 石油・化学装置中心のエンジニアリング会社。下水・排水処理、油清浄機など環境装置手がける 売 連47,774 従 650 資 3,956 住 川崎市川崎区大川町2-1 ☎044-333-5354 ㉕ **20** ㉔ **12(男8, 女4)**
盟和産業㈱	輸機 特色 トランク、マットなど自動車樹脂部品製造が主。住宅設備資材も展開。中国、タイ、米国に拠点 売 連22,394 従 203 資 2,167 住 厚木市寿町3-1-1 ☎046-223-7611 ㉕ **5** ㉔ **2(男2, 女0)**
守谷輸送機工業㈱	機 特色 荷物用エレベーター大手。ことに大型では国内シェア過半。船舶用エレベーターも手がける 売 単17,527 従 345 資 1,082 住 横浜市金沢区福浦1-14-9 ☎045-785-3111 ㉕ **増加** ㉔ **2(男2, 女0)**
ヤマシンフィルタ㈱	機 特色 建設機械の油圧回路に用いるフィルター世界首位、産業機械、電子部品製造工程フィルターも 売 連18,024 従 167 資 6,571 住 横浜市中区桜木町1-1-8 ☎045-680-1671 ㉕ **10** ㉔ **6(男3, 女3)**
㈱山田債権回収管理総合事務所	他金 特色 債権回収と派遣柱に、グループで信託、コンサル、不動産、債権関連サービスを一括提供。独立系 売 連2,483 従 242 資 1,084 住 横浜市西区北幸1-11-15 ☎045-325-3933 ㉕ **10** ㉔ **8(男4, 女4)**
油研工業㈱	機 特色 油圧機器の専業総合メーカー。独自システム製品に強み。アジア中心に海外生産・販売に意欲的 売 連29,511 従 360 資 4,109 住 綾瀬市上土棚中4-4-34 ☎0467-77-2111 ㉕ **微増** ㉔ **6(男5, 女1)**
横浜丸魚㈱	卸 特色 神奈川の水産荷受け。横浜のほか、川崎に拠点。市場外取引も積極的。マルハニチロなど荷主 売 連38,614 従 95 資 1,541 住 横浜市神奈川区山内町1 ☎045-459-2921 ㉕ **10** ㉔ **4(男3, 女1)**

会社名	[業種名] (特色)会社の特色 (売)売上高(百万円) (従)単独従業員数(名) (資)資本金(百万円) (住)本社の住所, 電話番号 ㉕25年採用計画数(名) ㉔24年入社内定者数(名)
㈱有沢製作所	[化] (特色)ガラス繊維が発祥。プリント基板向け電子材料が主力。電気絶縁材料や産業用構造材料を拡大中 (売)連42,114 (従)607 (資)7,875 (住)上越市南本町1-5-5 ☎025-524-7101 ㉕**前年並** ㉔**9(男6, 女3)**
一正蒲鉾㈱	[食] (特色)水産練り製品2位、カニ風味かまぼこ主力で首位。マイタケも生産。新潟地盤に販売地域拡大へ (売)連34,487 (従)893 (資)940 (住)新潟市東区津島屋7-77 ☎025-270-7111 ㉕**増加** ㉔**15(男9, 女6)**
岩塚製菓㈱	[食] (特色)米菓で国内3位。子会社で通販も。出資・技術支援する旺旺集団(台湾系)からの配当金収入多額 (売)連22,000 (従)766 (資)1,634 (住)長岡市飯塚2958 ☎0258-92-4111 ㉕**4** ㉔**3(男2, 女1)**
㈱植木組	[建] (特色)新潟県地盤の中堅建設。東京、中部、東北など県外拡大に意欲。子会社で有料老人ホーム等進出 (売)連55,910 (従)596 (資)5,315 (住)柏崎市駅前1-5-45 ☎0257-23-2200 ㉕**22** ㉔**15(男14, 女1)**
㈱遠藤製作所	[他製] (特色)ゴルフクラブ鍛造品OEM生産からステンレス極薄管、自動車部品へ多角化。タイに工場展開 (売)連15,709 (従)120 (資)1,241 (住)燕市東太田987 ☎0256-63-6111 ㉕**若干名** ㉔**2(男1, 女1)**
㈱オーシャンシステム	[小] (特色)新潟地盤に食品スーパー「チャレンジャー」展開。FCで「業務スーパー」運営。宅食や旅館も (売)連85,899 (従)939 (資)801 (住)三条市西本成寺2-26-57 ☎0256-33-3987 ㉕**10** ㉔**7(男5, 女2)**
㈱キタック	[サ] (特色)新潟地盤の中堅建設コンサルタント。地質調査、土木設計が中心。官公需の依存大。不動産事業も (売)連2,781 (従)182 (資)479 (住)新潟市中央区新光町10-2 ☎025-281-1111 ㉕**10** ㉔**6(男3, 女3)**
㈱コメリ	[小] (特色)新潟発祥の大手ホームセンター(HC)。小型店と大型店を組み合わせた集中出店で全国展開 (売)連370,751 (従)3,880 (資)18,802 (住)新潟市南区清水4501-1 ☎025-371-4111 ㉕**前年並** ㉔**232(男146, 女86)**
㈱コロナ	[金製] (特色)石油暖房機器の最大手。空調、温水機器やヒートポンプ式給湯器「エコキュート」も展開。好財務 (売)連82,046 (従)1,567 (資)7,449 (住)三条市東新保7-7 ☎0256-32-2111 ㉕**40** ㉔**44(男32, 女12)**
㈱セイヒョー	[食] (特色)新潟市の製氷業から出発。現在は森永乳業向けOEM製品やオリジナルのアイスクリーム中心 (売)単4,256 (従)90 (資)417 (住)新潟市北区木崎下山1785 ☎025-386-9988 ㉕**若干名** ㉔**2(男1, 女1)**
第一建設工業㈱	[建] (特色)JR東日本系。線路工事など同社依存度約7割。非鉄道も強化。関東、信越、東北地盤。好財務 (売)単53,993 (従)1,033 (資)3,302 (住)新潟市中央区八千代1-4-34 ☎025-241-8111 ㉕**41** ㉔**39(男36, 女3)**
ダイニチ工業㈱	[金製] (特色)石油ファンヒーター大手。シェア首位の加湿器が第2の柱。国内生産にこだわり。利益下期偏重 (売)単19,650 (従)485 (資)4,058 (住)新潟市南区北田中780-6 ☎025-362-1101 ㉕**前年並** ㉔**10(男5, 女5)**
㈱太陽工機	[機] (特色)新潟地盤の工作機械中堅。立形研削盤で国内首位。中国、欧米でも拡大。DMG森精機の子会社 (売)単10,231 (従)293 (資)700 (住)長岡市西陵町221-35 ☎0258-42-8808 ㉕**16** ㉔**13(男11, 女2)**
田辺工業㈱	[建] (特色)化学プラントを主体とする中堅総合プラント工事会社。関東、中部が地盤。タイで表面処理事業 (売)連51,842 (従)802 (資)885 (住)上越市大字福田20 ☎025-545-6500 ㉕**20** ㉔**27(男27, 女0)**
新潟交通㈱	[陸] (特色)新潟最大のバス会社。土産物卸売り、旅行業も併営。利益柱は商業施設「万代シテイ」歩合賃料 (売)連19,417 (従)586 (資)4,220 (住)新潟市中央区万代1-6-1 ☎025-246-6323 ㉕**15** ㉔**13(男6, 女7)**
日本精機㈱	[輸機] (特色)2輪計器世界首位。4輪も強い。ヘッドアップディスプレー(HUD)もトップ。ホンダ比率2割 (売)連IFS312,355 (従)1,606 (資)14,494 (住)長岡市東蔵王2-2-34 ☎0258-24-3311 ㉕**未定** ㉔**45(男35, 女10)**
㈱ハードオフコーポレーション	[小] (特色)総合リユース業。PC、音響、家電、衣料、家具、カー用品、酒類などの店舗を直営やFCで展開 (売)連30,105 (従)452 (資)1,676 (住)新発田市新栄町3-1-13 ☎0254-24-4344 ㉕**50** ㉔**52(男38, 女14)**
㈱ブルボン	[食] (特色)新潟拠点の菓子大手。ビスケットの割合が6割程度。米菓、チョコも強い。中国でも菓子展開 (売)連103,717 (従)4,088 (資)1,036 (住)柏崎市駅前1-3-1 ☎0257-23-2333 ㉕**未定** ㉔**115(男53, 女62)**
北越工業㈱	[機] (特色)建設現場用等の可搬式エンジンコンプレッサー大手。高所作業車、エンジン発電機も手がける (売)連51,900 (従)484 (資)3,416 (住)燕市下粟生津3074 ☎0256-93-5571 ㉕**30** ㉔**28(男23, 女5)**
北越メタル㈱	[鉄] (特色)トピー工業系列の電炉メーカー。新潟県が地盤。主力は異形棒鋼。高強度鉄筋など特殊鋼強化 (売)連31,823 (従)403 (資)1,969 (住)長岡市蔵王3-3-1 ☎0258-24-5111 ㉕**未定** ㉔**11(男8, 女3)**
北陸ガス㈱	[電ガ] (特色)地方ガス大手。新潟、長岡、三条、柏崎地区に都市ガス供給。原料は県産ガスとLNGの2本柱 (売)連61,405 (従)441 (資)2,400 (住)新潟市中央区東大通1-2-23 ☎025-245-2211 ㉕**未定** ㉔**17(男13, 女4)**
㈱雪国まいたけ	[水農] (特色)マイタケ、シメジ、マッシュルーム軸にキノコ量産。欧州で同業買収、神明HDと国内販路開拓 (売)連IFS47,476 (従)1,024 (資)100 (住)南魚沼市余川89 ☎025-778-0111 ㉕**前年並** ㉔**23(男9, 女14)**
㈱リンコーコーポレーション	[倉運] (特色)新潟港軸の港湾運送大手。倉庫や運輸、商品販売、ホテル、不動産なども展開。川崎汽船系列 (売)連13,110 (従)338 (資)1,950 (住)新潟市中央区万代5-11-30 ☎025-245-4113 ㉕**未定** ㉔**8(男4, 女4)**
朝日印刷㈱	[パ紙] (特色)医薬品包装資材首位、化粧品用上位。大手メーカー向け多い。包装機械などの販売も手がける (売)連41,871 (従)1,165 (資)2,228 (住)富山市一番町1-1 ☎076-421-1177 ㉕**未定** ㉔**32(男18, 女14)**
アルビス㈱	[小] (特色)富山、石川、福井3県で食品スーパー展開。三菱商事と提携。岐阜・愛知の中京圏へも商圏拡大 (売)連97,797 (従)960 (資)4,908 (住)射水市流通センター水戸田3-4 ☎0766-56-7200 ㉕**未定** ㉔**37(男20, 女17)**

会社名	業種名 (特色) 会社の特色 (売)売上高(百万円) (従)単独従業員数(名) (資)資本金(百万円) (住)本社の住所, 電話番号 ㉕25年採用計画数(名) ㉔24年入社内定者数(名)
川田テクノロジーズ㈱	金製 (特色) 鉄骨と鋼橋、PC土木、システム建築の総合最大手。航空事業兼営。ロボットなど先端分野育成 (売)連129,127 (従)1,135 (資)5,311 (住)南砺市苗島4610 ☎0763-22-8822 ㉕**増加** ㉔**34(男25, 女9)**
黒谷㈱	卸 (特色) 銅スクラップと船舶用スクリュー向け銅インゴットの販売・回収が2本柱。美術品鋳造も展開 (売)連84,594 (従)123 (資)1,000 (住)射水市奈呉の江12-2 ☎0766-84-0001 ㉕**7** ㉔**2(男2, 女0)**
コーセル㈱	電機 (特色) 産業機器向け等スイッチング電源の標準品で国内2位。台湾LITE-ON社が筆頭株主に (売)連41,437 (従)473 (資)6,042 (住)富山市上赤江町1-6-43 ☎076-432-8151 ㉕**18** ㉔**15(男12, 女3)**
三光合成㈱	化 (特色) 自動車内外装軸に樹脂部品を金型設計・製作から一貫生産、空調機器等も。インド・北米拠点増強 (売)連93,784 (従)682 (資)4,008 (住)南砺市土生新1200 ☎0763-52-1000 ㉕**15** ㉔**12(男10, 女2)**
㈱CKサンエツ	非鉄 (特色) 黄銅棒・線で首位のサンエツ金属中核。15年に日本伸銅子会社化。カメラ用精密部品も手がける (売)連111,433 (従)498 (資)2,756 (住)高岡市守護町2-12-1 ☎0763-33-1212 ㉕**35** ㉔**35(男30, 女5)**
㈱シキノハイテック	電機 (特色) 自動車用半導体向け耐久テスト、ビューカメラなどを扱う。半導体設計はアナログに強み (売)単7,091 (従)468 (資)421 (住)魚津市吉島829 ☎0765-22-3477 ㉕**11** ㉔**15(男14, 女1)**
ダイト㈱	医 (特色) 医薬品の原薬製造販売や、製剤の製造受託が主力。ジェネリック(後発医薬品)メーカー向け強い (売)連46,895 (従)849 (資)7,186 (住)富山市八日町326 ☎076-421-5665 ㉕**未定** ㉔**14(男6, 女8)**
㈱タカギセイコー	化 (特色) 工業用プラスチック成形品や成形用金型メーカー。2輪、4輪車両向けが主力、通信機器向けも (売)連51,066 (従)805 (資)2,163 (住)高岡市二塚322-3 ☎0766-24-5522 ㉕**20** ㉔**22(男18, 女4)**
中越パルプ工業㈱	パ紙 (特色) 富山県に本社置く製紙中堅、王子HD持分会社。新聞用紙、印刷・包装用紙を展開、発電事業強化 (売)連107,826 (従)782 (資)18,864 (住)高岡市米島282 ☎0766-26-2401 ㉕**20** ㉔**12(男11, 女1)**
㈱富山銀行	銀 (特色) 戦後設立の地銀。預金量約5000億円、地銀協加盟行では最小規模。隣県の金沢に進出 (売)連10,146 (従)327 (資)6,730 (住)高岡市下関町3-1 ☎0766-21-3535 ㉕**未定** ㉔**21(男13, 女8)**
㈱富山第一銀行	銀 (特色) 富山県の第二地銀。県内2番手。新潟、石川、岐阜などにも展開。財務良好。有証利息配当金多い (売)連38,678 (従)596 (資)10,182 (住)富山市西町5-1 ☎076-424-1211 ㉕**未定** ㉔**32(男18, 女14)**
㈱日本抵抗器製作所	電機 (特色) 抵抗器の中堅。自動車向け依存大。ハイブリッドIC、電子機器に主力移行。中国生産を拡大 (売)連7,176 (従)51 (資)724 (住)南砺市北野2315 ☎0763-62-1180 ㉕**未定** ㉔**10(男5, 女5)**
伏木海陸運送㈱	倉運 (特色) 伏木港、富山新港等で紙製品やコンテナの港湾作業が中心。日ロ定期船も運航。客船クルーズも (売)連12,935 (従)308 (資)1,850 (住)高岡市伏木湊町5-1 ☎0766-45-1111 ㉕**6** ㉔**5(男3, 女2)**
北陸電気工業㈱	電機 (特色) 車載用モジュール製品、抵抗器が主力。各種センサーも。無線・センサー組み合わせ品開発推進 (売)連40,811 (従)666 (資)5,200 (住)富山市下大久保3158 ☎076-467-1111 ㉕**25** ㉔**16(男9, 女7)**
北陸電気工事㈱	建 (特色) 電気工事会社。北陸電力の子会社。北陸電向け売上高3割強。地盤の北陸から徐々に全国展開 (売)連53,398 (従)1,154 (資)3,328 (住)富山市小中269 ☎076-481-6092 ㉕**60** ㉔**60(男54, 女6)**
今村証券㈱	証商 (特色) 独立系。地方証券会社の雄。北陸3県が主力地盤。対面営業とインターネット取引の2本柱 (売)単4,816 (従)202 (資)857 (住)金沢市十間町25 ☎076-263-5222 ㉕**11** ㉔**9(男4, 女5)**
EIZO㈱	電機 (特色) ヘルスケアや航空管制など特定産業用からアミューズメント用まで。映像技術の総合企業標榜 (売)連80,471 (従)1,001 (資)4,425 (住)白山市下柏野町153 ☎076-275-4121 ㉕**30** ㉔**26(男13, 女13)**
オリエンタルチエン工業㈱	機 (特色) 高耐久性等独自技術生かした小型チェーンに強み。医療機器向けなど金属射出精密部品も (売)単4,082 (従)192 (資)1,066 (住)白山市宮永市町485 ☎076-276-1155 ㉕**4** ㉔**3(男2, 女1)**
㈱共和工業所	金製 (特色) 六角ボルトなど建設機械用高強度ボルトの専業大手。コマツ向けが主力。自動車関連を育成 (売)連10,972 (従)286 (資)592 (住)小松市工業団地1-57 ☎0761-21-0531 ㉕**5** ㉔**6(男6, 女0)**
小松ウオール工業㈱	他製 (特色) オフィスビル等の間仕切り総合メーカー、国内首位。新設ビル向けに強い。国内市場重点姿勢 (売)単43,551 (従)1,410 (資)3,099 (住)小松市工業団地1-72 ☎0761-21-3131 ㉕**前年並** ㉔**57(男40, 女17)**
小松マテーレ㈱	繊 (特色) ポリエステル織編物の精練・染色・捺染加工の代表格。大株主の東レが主納入先。企画力高い (売)連36,670 (従)870 (資)4,680 (住)能美市浜町ヌ167 ☎0761-55-1111 ㉕**50** ㉔**58(男37, 女21)**
㈱サンウェルズ	サ (特色) パーキンソン病専門の老人ホーム「PDハウス」拡大中。地盤・石川等で介護サービス全般展開 (売)単21,360 (従)2,731 (資)35 (住)金沢市二宮町15-13 ☎076-272-8982 ㉕**前年並** ㉔**34(男15, 女19)**
澁谷工業㈱	機 (特色) 飲料用充填装置で国内最大手。メカトロシステム製販も手がける。アジア、北米、欧州向けに強み (売)連115,434 (従)2,042 (資)11,392 (住)金沢市大豆田本町甲58 ☎076-262-1201 ㉕**前年並** ㉔**54(男45, 女9)**
大同工業㈱	機 (特色) 2輪車用チェーン製販で国内シェアトップ。4輪用も北米市場で攻勢中。ホンダが主顧客 (売)連56,041 (従)844 (資)3,536 (住)加賀市熊坂町イ197 ☎0761-72-1234 ㉕**未定** ㉔**32(男26, 女6)**
㈱大和	小 (特色) 1923年創設の老舗百貨店。金沢・香林坊店と富山店の2店体制。子会社にホテルや勁草書房 (売)連16,537 (従)409 (資)100 (住)金沢市片町2-2-5 ☎076-220-1111 ㉕**若干名** ㉔**2(男0, 女2)**

会社名	業種名 特色 会社の特色 売 売上高(百万円) 従 単独従業員数(名) 資 資本金(百万円) 住 本社の住所，電話番号 ㉕25年採用計画数(名) ㉔24年入社内定者数(名)
ダイワ通信㈱	卸 特色 モバイル事業ベースにセキュリティ事業展開。防犯・監視カメラ、カメラシステムを販売・施工 売 連5,159 従 84 資 100 住 金沢市入江2-180 ☎076-291-4000 ㉕3 ㉔3(男1,女2)
高松機械工業㈱	機 特色 中小型NC旋盤の中堅。自動車産業向けが柱。顧客密着の特注機多い。22年4月に新工場稼働 売 連14,184 従 504 資 1,835 住 白山市旭丘1-8 ☎076-207-6155 ㉕前年並 ㉔9(男7,女2)
タケダ機械㈱	機 特色 形鋼加工機大手。建設・自動車関連業界が主顧客。海外向け丸のこ切断機は自社ブランドで展開 売 連5,464 従 144 資 1,874 住 能美市粟生町西132 ☎0761-58-8211 ㉕増加 ㉔3(男2,女1)
津田駒工業㈱	機 特色 繊維機械の総合首位。ジェットルームは世界1位。中国・インドなど輸出が大半。工作機械関連も 売 連39,278 従 748 資 12,316 住 金沢市野町5-18-18 ☎076-242-1110 ㉕増加 ㉔5(男3,女2)
ニッコー㈱	ガ土 特色 陶磁器食器の老舗。住宅設備機器、機能性セラミック、陶磁器が3本柱。三谷産業との関係強化 売 連14,719 従 596 資 3,470 住 白山市相木町383 ☎076-276-2121 ㉕23 ㉔12(男3,女9)
㈱ハチバン	小 特色 北陸中心にFC主体で「8番らーめん」や和食店を展開。92年進出のタイにもFCで多数の店舗 売 連7,623 従 156 資 1,518 住 金沢市新神田1-12-18 ☎076-292-0888 ㉕前年並 ㉔7(男3,女4)
㈱ビーイングホールディングス	陸 特色 生活物資に特化した3PL(物流一括受託)事業を展開。北陸を地盤に全国へエリア拡大 売 連26,322 従 44 資 690 住 金沢市専光寺町レ3-18 ☎076-268-1110 ㉕20 ㉔3(男2,女1)
福島印刷㈱	他製 特色 発祥は帳票印刷。販促用DM、事務通知物などデータプリント関連が売上高の85%超占める 売 単6,698 従 454 資 460 住 金沢市佐奇森町ル6 ☎076-267-5111 ㉕4 ㉔9(男5,女4)
三谷産業㈱	卸 特色 北陸地盤の総合商社。化学品、情報システム、住宅設備、石油などに展開。医薬品原薬など製造も 売 連95,857 従 615 資 4,808 住 金沢市玉川町1-5 ☎076-233-2151 ㉕30 ㉔24(男16,女8)
KYCOMホールディングス㈱	情通 特色 福井県発祥。システム開発は通信や公共に強み。アウトソーシング強化。レンタカー事業も 売 連6,091 従 5 資 1,612 住 福井市月見5-4-4 ☎0776-34-3512 ㉕前年並 ㉔78(男58,女20)
Genky DrugStores㈱	小 特色 福井地盤のドラッグストア。最近は滋賀出店に注力。低コスト、低価格に強み。食品比率高い 売 連184,860 従 1,615 資 1,024 住 坂井市丸岡町下久米田38-33 ☎0776-67-5240 ㉕460 ㉔340(男206,女134)
㈱田中化学研究所	化 特色 住友化学傘下。リチウムイオン電池・ニッケル水素電池向けの正極材料専業。車載電池用に注力 売 単47,987 従 357 資 9,155 住 福井市白方町45字砂浜割5-10 ☎0776-85-1801 ㉕未定 ㉔10(男5,女5)
日華化学㈱	化 特色 繊維加工用界面活性剤が主力。工業用、クリーニング用薬剤、美容室向けヘア化粧品事業も展開 売 連50,169 従 629 資 2,898 住 福井市文京4-23-1 ☎0776-24-0213 ㉕増加 ㉔27(男16,女11)
福井コンピュータホールディングス㈱	情通 特色 建築・測量土木CADで首位。3次元技術に強く、BIM／CIM深耕中。投票調査装置も 売 連13,821 従 506 資 1,631 住 福井市高木中央1-2501 ☎0776-53-9200 ㉕30 ㉔15(男8,女7)
フクビ化学工業㈱	化 特色 建築資材軸の合成樹脂製品製造大手。日米や東南アに生産拠点。自動車向け中心に産業資材も 売 連39,735 従 753 資 2,194 住 福井市三十八社町33字66 ☎0776-38-8001 ㉕前年並 ㉔11(男8,女3)
㈱PLANT	小 特色 郊外で衣食住を格安販売する超大型スーパーセンターを運営。北陸地盤に近畿などにも展開 売 単97,548 従 686 資 1,425 住 坂井市坂井町下新庄15-8-1 ☎0776-72-0300 ㉕10 ㉔6(男1,女5)
前田工繊㈱	他製 特色 河川、道路補強等の防災用建築・土木資材の大手。産業資材、自動車ホイールも柱。M&A注力 売 連55,833 従 410 資 6,422 住 坂井市春江町沖布目38-3 ☎0776-51-3535 ㉕10 ㉔3(男3,女0)
三谷セキサン㈱	ガ土 特色 パイル(基礎工事用杭)、電柱などコンクリート2次製品大手。情報関連・廃棄物処理、ホテルも 売 連83,116 従 348 資 2,146 住 福井市豊島1-3-1 ☎0776-20-3333 ㉕5 ㉔13(男13,女0)
ユニフォームネクスト㈱	小 特色 飲食店や医療、作業現場などの業務用ユニホームのネット通販を展開。中小事業者が主要顧客 売 単7,453 従 149 資 363 住 福井市八重巻町25-81 ☎0776-43-1034 ㉕前年並 ㉔16(男5,女11)
㈱アミューズ	サ 特色 桑田佳祐、福山雅治など擁す大手芸能プロ。DVD販売や番組制作手がける。アジア展開を強化 売 連54,813 従 352 資 1,587 住 南都留郡富士河口湖町西湖997 ☎0570-06-4301 ㉕前年並 ㉔11(男2,女9)
㈱エノモト	電機 特色 半導体・LED用リードフレーム、コネクター用部品大手。微細加工の精密プレス金型に強み 売 連25,244 従 544 資 4,749 住 上野原市上野原8154-19 ☎0554-62-5111 ㉕24 ㉔22(男19,女3)
㈱オキサイド	電機 特色 単結晶、レーザーなど光製品のニッチ企業。半導体検査装置、がん診断PET装置向けが主力 売 連6,606 従 296 資 3,177 住 北杜市武川町牧原1747-1 ☎0551-26-0022 ㉕減少 ㉔25(男15,女10)
㈱光・彩	他製 特色 総合宝飾品メーカー。ジュエリーパーツで高シェア。ジュエリーはOEMに加え得意技術提案も 売 単3,525 従 87 資 602 住 甲斐市龍地3049 ☎0551-28-4181 ㉕7 ㉔7(男1,女6)
㈱トリケミカル研究所	化 特色 先端半導体製造向けにニッチな化学材料を少量生産。韓国に35%出資合弁。国内新工場竣工へ 売 連11,246 従 228 資 3,278 住 上野原市上野原8154-217 ☎0554-63-6600 ㉕12 ㉔16(男10,女6)
リバーエレテック㈱	電機 特色 水晶振動子等の電子部品の製造・販売を手がける。電子ビーム封止工法など独自技術に定評 売 連5,454 従 68 資 1,681 住 韮崎市富士見ヶ丘2-1-11 ☎0551-22-1211 ㉕10 ㉔4(男4,女0)

会社名	業種名 特色 会社の特色 売 売上高(百万円) 従 単独従業員数(名) 資 資本金(百万円) 住 本社の住所, 電話番号 ㉕ 25年採用計画数(名) ㉔ 24年入社内定者数(名)
エフビー介護サービス㈱	サ 特色 福祉用具と介護事業を運営。有料老人ホーム、グループホーム等を信越・北関東・首都圏に展開 売 連10,361 従 979 資 496 住 佐久市長土呂159-2 ☎0267-88-8188 ㉕ 15 ㉔ 8(男4, 女4)
エムケー精工㈱	金製 特色 SS向け洗車機、電光表示装置と農家向け低温貯蔵庫等が柱。M&Aで住宅設備分野にも展開 売 連28,474 従 873 資 3,373 住 千曲市大字雨宮1825 ☎026-272-0601 ㉕ 18 ㉔ 14(男8, 女6)
㈱エラン	サ 特色 全国の病院や介護関連施設を通じ利用者にタオルなどをレンタルする「CSセット」を提供 売 連41,425 従 306 資 573 住 松本市出川町15-12 ☎0263-29-2680 ㉕ 前年並 ㉔ 44(男・・, 女・・)
㈱共和コーポレーション	サ 特色 独立系の遊戯施設運営会社。業界で高シェア。ゲーム機器販売も展開。100店舗体制目指す 売 連14,580 従 203 資 709 住 長野市若里3-10-28 ☎026-227-1301 ㉕ 10 ㉔ 8(男4, 女4)
KOA㈱	電機 特色 固定抵抗器で世界首位級。長野中心に国内生産比率70%強と高い。自動車向けに強み。好財務 売 連64,835 従 1,687 資 6,033 住 上伊那郡箕輪町大字中箕輪14016 ☎0265-70-7171 ㉕ 前年並 ㉔ 57(男42, 女15)
㈱サンクゼール	食 特色 食のSPA(製造小売り)。FC軸に和食材「久世福商店」等。EC、卸売りも。海外事業を育成 売 連19,162 従 239 資 1,134 住 上水内郡飯綱町大字芋川1260 ☎026-219-3902 ㉕ 未定 ㉔ 12(男2, 女10)
サンリン㈱	卸 特色 長野県の燃料商社でミツウロコ系。JA全農長野のLPG販売代行を含め県内シェア6割 売 連32,042 従 425 資 1,512 住 東筑摩郡山形村字下本郷4082-3 ☎0263-97-3030 ㉕ 15 ㉔ 5(男4, 女1)
タカノ㈱	他製 特色 事務用いすのOEM供給、液晶製造装置用の検査機器が2大柱。産業機器向け駆動部品等も展開 売 連25,173 従 620 資 2,015 住 上伊那郡宮田村137 ☎0265-85-3150 ㉕ 23 ㉔ 26(男16, 女10)
㈱高見澤	卸 特色 長野県地盤。建設資材、電設中心に石油製品販売、自動車販売など多角経営。中国で生コン製販 売 連71,369 従 541 資 1,264 住 長野市大字鶴賀字苗間平1605-14 ☎026-228-0111 ㉕ 前年並 ㉔ 12(男9, 女3)
㈱竹内製作所	機 特色 ミニショベル主体の建機中堅、クローラーローダーを世界初開発、海外販売比率高くシェア上位 売 連212,627 従 738 資 3,632 住 埴科郡坂城町大字上平205 ☎0268-81-1100 ㉕ 80 ㉔ 65(男56, 女9)
㈱電算	情通 特色 信越地盤の情報処理・システム開発中堅。首都圏へも展開。市役所など地方自治体向けに強み 売 連15,974 従 582 資 1,395 住 長野市鶴賀七瀬中町276-6 ☎026-224-6666 ㉕ 未定 ㉔ 7(男5, 女2)
日精エー・エス・ビー機械㈱	機 特色 非飲料系プラスチック容器の成形機市場で世界トップ級。海外比率9割。インドに生産拠点 売 連34,798 従 210 資 3,860 住 小諸市甲4586-3 ☎0267-23-1560 ㉕ 6 ㉔ 3(男3, 女0)
HIOKI㈱	電機 特色 各種テスターなど電気測定器の中堅メーカー。電子測定器、現場測定器に注力。アジア展開強化 売 連39,154 従 778 資 3,299 住 上田市小泉81 ☎0268-28-0555 ㉕ 20 ㉔ 18(男13, 女5)
㈱ミマキエンジニアリング	電機 特色 広告・看板向け産業用IJプリンタ大手。工業製品・小物類、布地・衣料品向け育成。FA参入 売 連75,631 従 897 資 4,357 住 東御市滋野乙2182-3 ☎0268-64-2281 ㉕ 49 ㉔ 49(男42, 女7)
㈱守谷商会	建 特色 長野地盤の中堅建設。首都圏、中部圏でも営業。地中熱利用など再生可能エネルギー事業に注力 売 連43,344 従 316 資 1,712 住 長野市南千歳町878 ☎026-226-0111 ㉕ 15 ㉔ 16(男12, 女4)
綿半ホールディングス㈱	小 特色 長野県地盤のHCと建設事業が2本柱。HC全店で食品、一部店で生鮮品も扱う。貿易事業併営 売 連128,072 従 71 資 1,076 住 飯田市北方1023-1 ☎0265-25-8155 ㉕ 15 ㉔ 14(男7, 女7)
㈱大光	卸 特色 中京地盤の食品卸。ホテルや外食等が顧客。業務用食品スーパー「アミカ」やネットショップも 売 連70,505 従 541 資 1,482 住 大垣市古宮町227-1 ☎0584-89-7777 ㉕ 10 ㉔ 13(男6, 女7)
㈱岐阜造園	建 特色 造園緑化専業で唯一の上場会社。設計・施工・メンテの一貫体制に強み。積水ハウスとの関係強化 売 連5,002 従 126 資 406 住 岐阜市茜部菱野4-79-1 ☎058-272-4120 ㉕ 10 ㉔ 5(男2, 女3)
㈱KVK	機 特色 給水栓専業首位メーカー。パナソニック系住宅設備会社が主納入先。中国とフィリピンに工場 売 連29,799 従 636 資 2,854 住 加茂郡富加町高畑字稲荷641 ☎0574-55-1120 ㉕ 増加 ㉔ 19(男11, 女8)
サンメッセ㈱	他製 特色 総合印刷の中堅。デザインから製版印刷、製本までの一貫体制。IPS(情報処理印刷)に注力 売 連16,633 従 663 資 1,236 住 大垣市久瀬川町7-5-1 ☎0584-81-9111 ㉕ 10 ㉔ 10(男4, 女6)
ジーエフシー㈱	卸 特色 旅館、ホテル、料亭等への業務用加工食材1次卸。業務用高級食材は首位。年末年始が稼ぎ時 売 連21,919 従 219 資 100 住 羽島郡笠松町田代978-1 ☎058-387-8181 ㉕ 10 ㉔ 10(男3, 女7)
㈱J-MAX	金製 特色 自動車用プレス部品。中国やタイに拠点、ホンダ向け7割弱。米国は16年度撤退、東プレと提携 売 連54,347 従 318 資 1,950 住 大垣市上石津町乙坂130-1 ☎0584-46-3191 ㉕ 前年並 ㉔ 13(男10, 女3)
信和㈱	金製 特色 仮設資材、物流機器を製造販売。建設現場向けロック機能付き「次世代足場」の拡販に注力 売 連IFS12,678 従 143 資 153 住 海津市平田町仏師川字村中30-7 ☎0584-66-4436 ㉕ 3 ㉔ 3(男2, 女1)
セブン工業㈱	他製 特色 階段、和風造作等内装建材とプレカット等木構造建材両方を扱う。大規模木造建築の提案施工も 売 単15,264 従 396 資 2,473 住 美濃加茂市牧野1006 ☎0574-28-7800 ㉕ 未定 ㉔ 13(男12, 女1)
㈱セリア	小 特色 100円ショップ2位。独自の業務効率化システム駆使し、利益率高い。国内シェア拡大に注力 売 単223,202 従 586 資 1,278 住 大垣市外渕2-38 ☎0584-89-8858 ㉕ 40 ㉔ 17(男1, 女16)

会社名	業種名 特色 会社の特色 売 売上高(百万円) 従 単独従業員数(名) 資 資本金(百万円) 住 本社の住所, 電話番号 ㉕25年採用計画数(名) ㉔24年入社内定者数(名)
㈱中広	サ 特色 岐阜・名古屋2本社制。各戸配布、地域密着型無料情報誌の広告枠販売が柱。直営・FC全国展開 売 連10,237 従 356 資 404 住 岐阜市東興町27 ☎058-247-2511 ㉕20 ㉔19(男0, 女19)
㈱TYK	ガ土 特色 鉄鋼向け耐火物の大手。海外展開で先行し、米国、欧州、台湾、中国に生産拠点。炭素製品を育成 売 連30,011 従 383 資 2,398 住 多治見市大畑町3-1 ☎0572-22-8151 ㉕前年並 ㉔8(男7, 女1)
㈱日本一ソフトウェア	情通 特色 ゲームソフトメーカー。PS4、Switch用が柱。RPG「ディスガイア」シリーズなど 売 連5,339 従 108 資 568 住 各務原市蘇原月丘町3-17 ☎058-371-7275 ㉕若干名 ㉔8(男5, 女3)
ハビックス㈱	パ紙 特色 不織布と衛生向け原紙が2本柱。不織布は紙おむつ表面材や調理ペーパー用中心。産業向け開拓 売 連13,204 従 201 資 593 住 岐阜市福光東3-5-7 ☎058-296-3911 ㉕前年並 ㉔3(男1, 女2)
㈱ヒマラヤ	小 特色 一般スポーツ、ゴルフ用品等の小売りチェーン。中部地盤に全国展開。ECの収益性向上に注力 売 連60,156 従 713 資 2,544 住 岐阜市江添1-1-1 ☎058-271-6622 ㉕20 ㉔19(男7, 女12)
未来工業㈱	化 特色 電設資材メーカー。劇団がルーツ。製品数は約2万点、独自製品多く高利益率。残業ゼロ経営 売 連44,091 従 837 資 7,067 住 安八郡輪之内町楡俣1695-1 ☎0584-68-0010 ㉕28 ㉔25(男16, 女9)
㈱メイホーホールディングス	サ 特色 建設コンサル、人材派遣、介護など4事業手がける子会社多数有する持株会社。M&A推進方針 売 連10,347 従 38 資 446 住 岐阜市吹上町6-21 ☎058-255-1212 ㉕未定 ㉔2(男0, 女2)
ASTI㈱	電機 特色 車載用電装品が主柱。産業用制御システムに注力。家電・通信用電子部品の実装技術に定評 売 連63,607 従 673 資 2,476 住 浜松市中央区米津町2804 ☎053-444-5111 ㉕未定 ㉔12(男8, 女4)
エイケン工業㈱	輸機 特色 全メーカー対応の補修用自動車フィルター主力。東南アジア向け強化。燃焼機器は部品に特化 売 単6,796 従 252 資 601 住 御前崎市門屋1370 ☎0537-86-3105 ㉕未定 ㉔2(男1, 女1)
㈱AFC-HDアムスライフサイエンス	食 特色 健康食品の受託製造が主。後発品薬、漢方等も。自社製品を店舗等で販売。百貨店さいか屋買収 売 連25,579 従 361 資 2,131 住 静岡市駿河区豊田3-6-36 ☎054-281-0585 ㉕前年並 ㉔8(男4, 女4)
㈱エコム	機 特色 産業用工業炉の設計・製造から保守サービスまで手がける。取引先の7割を自動車業界が占める 売 単2,465 従 72 資 131 住 浜松市浜名区平口5277-1 ☎053-585-6661 ㉕3 ㉔2(男2, 女0)
㈱エッチ・ケー・エス	輸機 特色 モータースポーツ向けマフラーなど改造部品を製販。部品の受託生産も。タイ、北米などに拠点 売 連9,241 従 263 資 878 住 富士宮市上井出2266 ☎0544-29-1111 ㉕5 ㉔8(男8, 女0)
エンシュウ㈱	機 特色 自動車用工作機械とヤマハ発動機向け部品加工が柱。レーザー加工機や自動化システムに力 売 連24,091 従 689 資 4,640 住 浜松市中央区高塚町4888 ☎053-447-2111 ㉕前年並 ㉔19(男15, 女4)
遠州トラック㈱	陸 特色 東海地盤の物流会社。アマゾンなど大手の幹線輸送や宅配を担う。ヤマハ等と連携した倉庫も 売 連46,940 従 1,079 資 1,284 住 袋井市木原22-1 ☎0538-42-1111 ㉕20 ㉔19(男12, 女7)
㈱エンチョー	小 特色 静岡地盤のHC。愛知、神奈川にも展開。木材商発祥で住宅関連に強み。建築専門店を強化 売 連35,571 従 397 資 2,902 住 富士市中央町2-12-12 ☎0545-57-0808 ㉕未定 ㉔6(男2, 女4)
㈱エンビプロ・ホールディングス	鉄 特色 建築廃材や廃車を収集し、鉄くずなどに分別加工し販売。韓国など海外向けが主。中古車輸出も 売 連52,214 従 68 資 1,553 住 富士宮市田中町87-1 ☎0544-21-3160 ㉕4 ㉔4(男4, 女0)
協立電機㈱	電機 特色 FAシステム(最適生産システム)や計測制御機器の設計、開発が主事業。省エネシステムも 売 連34,361 従 385 資 1,441 住 静岡市駿河区中田本町61-1 ☎054-288-8899 ㉕10 ㉔6(男6, 女0)
共和レザー㈱	化 特色 トヨタ系合成樹脂製品の総合メーカー。自動車内装用レザー大手。環境対応商材の開発を強化 売 連52,037 従 732 資 1,810 住 浜松市中央区東町1876 ☎053-425-2121 ㉕前年並 ㉔10(男6, 女4)
㈱桜井製作所	輸機 特色 業界中位の自動車生産ライン用専用工作機と自動車部品が2本柱。ベトナム子会社で現地生産 売 連5,539 従 191 資 100 住 浜松市中央区半田町720 ☎053-432-1711 ㉕前年並 ㉔8(男7, 女1)
㈱スクロール	小 特色 生協向けカタログ通販からM&Aでネット通販等へ展開。PB化粧品、物流等受託も。旧ムトウ 売 連79,826 従 309 資 6,116 住 浜松市中央区佐藤2-24-1 ☎053-464-1111 ㉕前年並 ㉔10(男3, 女7)
スター精密㈱	機 特色 自動旋盤が柱の機械メーカー。POS用小型プリンタやレジ周辺機器も展開。海外比率高い 売 連78,196 従 501 資 12,721 住 静岡市駿河区中吉田20-10 ☎054-263-1111 ㉕前年並 ㉔7(男6, 女1)
静甲㈱	機 特色 食品用包装機械、電動工具部品など製造。FA・空調販売も。傘下の静岡スバル自動車が稼ぎ頭 売 連36,102 従 428 資 100 住 静岡市清水区天神2-8-1 ☎054-366-1030 ㉕18 ㉔13(男13, 女0)
㈱ZOA	小 特色 東海地方を中心にPC販売店展開。バイク用品販売併設や輸入PBに強み。ネット通販にも注力 売 単8,598 従 74 資 331 住 沼津市大諏訪719 ☎055-922-1975 ㉕5 ㉔4(男3, 女1)
天龍製鋸㈱	金製 特色 機械のこ製造で約110年の老舗。木工用丸のこ首位、金属用チップソー拡大。配当性向5割超 売 連11,935 従 200 資 581 住 袋井市浅羽3711 ☎0538-23-6111 ㉕6 ㉔2(男1, 女1)
㈱トーヨーアサノ	ガ土 特色 コンクリ2次製品の中堅。主力は中低層ビル用高支持力パイル。23年にセグメント子会社譲渡 売 連15,067 従 150 資 100 住 沼津市原315-2 ☎055-967-3535 ㉕4 ㉔2(男2, 女0)

会社名	[業種名] [特色] 会社の特色　[売]売上高（百万円）　[従]単独従業員数（名）　[資]資本金（百万円） [住]本社の住所，電話番号　㉕25年採用計画数（名）　㉔24年入社内定者数（名）
日本プラスト(株)	[輸機] [特色] 樹脂とエアバッグなど主力の独立系自動車部品大手。売上高の7割が日産、3割がホンダ向け [売]連124,255 [従]996 [資]3,206 [住]富士宮市山宮3507-15 ☎0544-58-6830 ㉕**25** ㉔**28（男19，女9）**
はごろもフーズ(株)	[食] [特色]「シーチキン」はツナ缶のトップブランド。パスタ、ペットフードも展開。国内外に協力工場網 [売]連73,501 [従]678 [資]1,441 [住]静岡市駿河区南町11-1 ☎054-288-5200 ㉕**前年並** ㉔**25（男13，女12）**
(株)ハマキョウレックス	[陸] [特色] 独立系の物流一括受託（3PL）大手。貨物運送は路線トラックを軸に展開。M&Aに積極的 [売]連140,572 [従]891 [資]6,547 [住]浜松市中央区寺脇町1701-1 ☎053-444-0055 ㉕**30** ㉔**17（男12，女5）**
パルステック工業(株)	[電機] [特色] 研究開発型で電子機器・装置製造、X線残留応力測定装置やヘルスケア装置注力。配当性向30% [売]連2,612 [従]129 [資]1,491 [住]浜松市浜名区細江町中川7000-35 ☎053-522-5176 ㉕**10** ㉔**3（男2，女1）**
フジオーゼックス(株)	[輸機] [特色] 大同特殊鋼系エンジンバルブ最大手。ディーゼル、ガソリン両方対応。M&A含め新規事業模索 [売]連23,381 [従]575 [資]3,018 [住]菊川市三沢1500-60 ☎0537-35-5973 ㉕**未定** ㉔**10（男9，女1）**
(株)マキヤ	[小] [特色] 静岡地盤に総合ディスカウント店「エスポット」展開。食品・業務スーパー拡充。ダイソーも開設 [売]連77,333 [従]426 [資]1,198 [住]富士市大渕2373 ☎0545-36-1000 ㉕**4** ㉔**3（男3，女0）**
(株)村上開明堂	[輸機] [特色] 自動車用バックミラー最大手。取引先はトヨタ、スバルなど。22年に大嶋電機製作所買収 [売]連104,601 [従]979 [資]3,165 [住]静岡市葵区伝馬町11-5 ☎054-253-1811 ㉕**10** ㉔**23（男16，女7）**
(株)ヤマザキ	[機] [特色] 工作機械と2輪車部品が柱。2輪部品はヤマハ発動機向けが大半占め、ベトナムにも生産拠点 [売]連2,496 [従]150 [資]972 [住]浜松市中央区有玉北町489-23 ☎053-434-3011 ㉕**3** ㉔**3（男2，女1）**
(株)ユタカ技研	[輸機] [特色] ホンダ直系の排気系、駆動系部品メーカー。北米や南米、アジアに生産拠点。2輪部品も強化中 [売]連IFS216,260 [従]936 [資]1,754 [住]浜松市中央区豊町508-1 ☎053-433-4111 ㉕**5** ㉔**4（男4，女0）**
(株)ユニバンス	[輸機] [特色] ミッション、アクスル等が主力。米国、アジアに生産拠点。販売比率は日産が約4割。農機向けも [売]連52,771 [従]845 [資]3,500 [住]湖西市鷲津2418 ☎053-576-1311 ㉕**31** ㉔**14（男10，女4）**
ヨシコン(株)	[不] [特色] 静岡地盤。マンションや事業用不動産を開発。REIT運用。祖業のコンクリはファブレス化 [売]連23,913 [従]38 [資]100 [住]静岡市葵区常磐町1-4-12 ☎054-205-6363 ㉕**10** ㉔**4（男3，女1）**
(株)IKホールディングス	[小] [特色] カタログ通販会社で生協向けに強み。テレビ通販プライムダイレクト、韓国化粧品店も併営 [売]連14,049 [従]27 [資]620 [住]名古屋市中村区名駅3-26-8 ☎052-856-3101 ㉕**4** ㉔**4（男1，女3）**
アイサンテクノロジー(株)	[情通] [特色] 建築・土木測量会社等向けソフト開発・販売。モビリティ分野では自動運転用3D地図など展開 [売]連5,478 [従]141 [資]1,922 [住]名古屋市中区錦3-7-14 ☎052-950-7500 ㉕**未定** ㉔**7（男6，女1）**
愛知電機(株)	[電機] [特色] 中部電力系の変圧器メーカー。柱上変圧器に強み。モーターが収益柱に成長。プリント基板育成 [売]連110,595 [従]1,112 [資]4,053 [住]春日井市愛知町1 ☎0568-31-1111 ㉕**増加** ㉔**38（男29，女9）**
愛知時計電機(株)	[精] [特色] ガス・水道メーター大手。ガス会社と自治体が主顧客。計測技術に強み。一般民需向けを強化 [売]連51,225 [従]1,220 [資]3,218 [住]名古屋市熱田区千年1-2-70 ☎052-661-5151 ㉕**前年並** ㉔**29（男18，女11）**
朝日インテック(株)	[精] [特色] 産業用から出発、循環器治療のPCIガイドワイヤへ展開。タイ、ベトナム、フィリピンで生産 [売]連107,547 [従]1,088 [資]18,860 [住]瀬戸市暁町3-100 ☎0561-48-5551 ㉕**59** ㉔**62（男41，女21）**
旭精機工業(株)	[機] [特色] 銃弾製造で培った精密な金属加工技術を生かしプレス機、ばね機械、航空機部品などに展開 [売]単13,143 [従]483 [資]4,175 [住]尾張旭市旭前町新田洞5050-1 ☎0561-53-3112 ㉕**11** ㉔**7（男6，女1）**
アスカ(株)	[輸機] [特色] トヨタ主体の自動車部品のほか、制御システム、FAシステムが3本柱。岡山でサーキット運営 [売]連45,433 [従]424 [資]903 [住]刈谷市新富町2-41-2 ☎0566-62-8811 ㉕**未定** ㉔**16（男14，女2）**
(株)AVANTIA	[不] [特色] 東海圏地盤の戸建て中堅。分譲住宅主力。リノベ、仲介事業積極化。関西、関東、九州にも展開 [売]連58,161 [従]198 [資]3,732 [住]名古屋市中区錦2-20-15 ☎052-307-5090 ㉕**40** ㉔**37（男31，女6）**
石塚硝子(株)	[ガ土] [特色] 製瓶・ガラス食器大手。紙器等に多角化。大手飲料向けペットボトル予備成形品が収益柱に成長 [売]連57,882 [従]422 [資]6,344 [住]岩倉市川井町1880 ☎0587-37-2111 ㉕**9** ㉔**6（男3，女3）**
(株)壱番屋	[小] [特色] カレー専門店を全国展開、約9割がFC。海外にも積極展開、成長を牽引。ハウス食品の子会社 [売]連55,137 [従]644 [資]1,503 [住]一宮市三ツ井6-12-23 ☎0586-76-7545 ㉕**20** ㉔**10（男7，女3）**
(株)ウッドフレンズ	[不] [特色] 名古屋圏地盤に戸建て分譲、注文住宅を展開。建設資材の製造販売も。県営ゴルフ場運営受託 [売]連33,221 [従]154 [資]279 [住]名古屋市中区栄4-5-3 ☎052-249-3503 ㉕**若干名** ㉔**4（男4，女0）**
(株)ヴィッツ	[情通] [特色] 組み込みソフト・自動運転開発用ソフト・受託。車載に強み、コンサル業務も。アイシン出資 [売]連2,501 [従]172 [資]612 [住]名古屋市中区新栄町1-1 ☎052-957-3331 ㉕**20** ㉔**14（男13，女1）**
(株)エイチーム	[情通] [特色] スマホゲーム、比較・情報サイト、ECの3本柱。純粋持株会社で、各事業は子会社が展開 [売]連23,917 [従]68 [資]838 [住]名古屋市中村区名駅3-28-12 ☎052-747-5550 ㉕**20** ㉔**10（男7，女3）**
(株)SYSホールディングス	[情通] [特色] 自動車、工作機械用ソフトや電力、金融向けシステムの開発。IT人材育成やM&Aに積極投資 [売]連12,397 [従]連1,454 [資]401 [住]名古屋市東区代官町35-16 ☎052-937-0209 ㉕**前年並** ㉔**39（男29，女10）**

会社名	[業種名] (特色) 会社の特色 (売)売上高(百万円) (従)単独従業員数(名) (資)資本金(百万円) (住)本社の住所, 電話番号 ㉕25年採用計画数(名) ㉔24年入社内定者数(名)
㈱MTG	[他製] (特色) 美容ブランド「リファ」EMS「シックスパッド」など健康美容機器手がけるファブレスメーカー (売)連60,154 (従)679 (資)16,781 (住)名古屋市中村区本陣通4-13 ☎052-307-7890 ㉕**50** ㉔**39(男15, 女24)**
㈱オータケ	[卸] (特色) バルブなど管工機材の専門商社。住宅・空調設備機器販売。中部地盤に首都圏など全国展開 (売)単31,253 (従)269 (資)1,312 (住)名古屋市中区丸の内2-1-8 ☎052-211-0150 ㉕**10** ㉔**4(男2, 女2)**
㈱買取王国	[小] (特色) 中古品の買い取り・販売。衣料、ホビー主の路面店「買取王国」を東海地盤に展開、工具店が急成長 (売)単6,739 (従)134 (資)49 (住)名古屋市港区川西通5-12 ☎052-304-7851 ㉕**20** ㉔**12(男10, 女2)**
兼房㈱	[金製] (特色) 工業用機械刃物の専業メーカー最大手。木工用に強い。金属用の拡大を推進。配当性向35%メド (売)連20,080 (従)647 (資)2,142 (住)丹羽郡大口町中小口1-1 ☎0587-95-2821 ㉕**10** ㉔**22(男19, 女3)**
㈱カノークス	[卸] (特色) トヨタ自動車向けが主力の鉄鋼商社。自動車向け5割以上。建材など非自動車向け育成中 (売)連172,485 (従)202 (資)2,310 (住)名古屋市西区那古野1-1-12 ☎052-564-3511 ㉕**15** ㉔**11(男6, 女5)**
川崎設備工業㈱	[建] (特色) 電気設備の関電工が親会社。空調・給排水等の設備工事の中堅。旧親会社の川崎重工受注約10% (売)単22,482 (従)418 (資)1,581 (住)名古屋市中区大須1-6-47 ☎052-221-7700 ㉕**27** ㉔**23(男19, 女4)**
KeePer技研㈱	[サ] (特色) 洗車・カーコーティングの材料製造卸と施工店を直営「LABO」とFCで展開。車以外にも進出 (売)単20,574 (従)1,041 (資)1,347 (住)大府市吉川町4-17 ☎0562-45-5258 ㉕**前年並** ㉔**109(男‥, 女‥)**
菊水化学工業㈱	[他製] (特色) 建築物の下地材から仕上げ材まで一貫製販。塗料に進出。改修改装工事が2本目の柱で好採算 (売)連22,392 (従)426 (資)1,972 (住)名古屋市中区栄1-3-3 ☎052-300-2222 ㉕**15** ㉔**14(男10, 女4)**
㈱木曽路	[小] (特色) 中部地盤。しゃぶしゃぶ最大手で、居酒屋や焼き肉も展開。21年、千葉の焼き肉「大将軍」を買収 (売)連52,984 (従)1,305 (資)12,648 (住)名古屋市昭和区白金3-18-13 ☎052-872-1811 ㉕**36** ㉔**17(男6, 女11)**
キムラユニティー㈱	[倉運] (特色) 愛知県地盤。トヨタの部品包装が主力。カーリース、車両整備なども。中国での事業基盤拡大中 (売)連61,493 (従)1,639 (資)3,596 (住)名古屋市中区錦3-8-32 ☎052-962-7051 ㉕**50** ㉔**28(男17, 女11)**
㈱クロップス	[情通] (特色) 東海地盤の携帯電話販売会社。「au」専売。飲食店舗賃貸子会社テンポイノベーション稼ぎ大 (売)連54,487 (従)686 (資)255 (住)名古屋市中村区名駅3-26-8 ☎052-586-5145 ㉕**60** ㉔**42(男‥, 女‥)**
ケイティケイ㈱	[卸] (特色) 再生トナーなどリサイクル商品を製造販売。DX導入支援などITソリューション事業も拡大 (売)連17,611 (従)172 (資)294 (住)名古屋市東区泉2-3-3 ☎052-931-1881 ㉕**5** ㉔**2(男0, 女2)**
㈱ゲオホールディングス	[小] (特色) 映像レンタル大手。ゲーム・スマホや衣料服飾雑貨等のリユースに転換中。店舗型リユース首位 (売)連433,848 (従)562 (資)9,257 (住)名古屋市中区富士見町8-8 ☎052-350-5700 ㉕**160** ㉔**110(男83, 女27)**
㈱コプロ・ホールディングス	[サ] (特色) 建設業界向け専門の人材派遣業。施工管理者を派遣。大手ゼネコン向け2割。15年に持株会社化 (売)連24,098 (従)80 (資)30 (住)名古屋市中村区名駅3-28-12 ☎052-589-3066 ㉕**未定** ㉔**190(男116, 女74)**
㈱コメダホールディングス	[卸] (特色) 中京地区を地盤に「珈琲所 コメダ珈琲店」を全国展開。朝食サービスに特徴。約95%がFC店 (売)連IFS43,236 (従)7 (資)660 (住)名古屋市東区葵3-12-23 ☎052-936-8880 ㉕**15** ㉔**10(男3, 女7)**
㈱コメ兵ホールディングス	[小] (特色) 中古ブランド品首位、名古屋本拠。取扱量重視に転換、法人強化。20年10月に持株会社化 (売)連119,459 (従)28 (資)1,803 (住)名古屋市中区大須3-25-31 ☎052-242-0228 ㉕**46** ㉔**34(男16, 女18)**
㈱コモ	[食] (特色) 天然酵母でロングライフ(LL)パンを製造。販路は生協と自販機で約6割。通販の拡大に傾注 (売)連7,309 (従)163 (資)222 (住)小牧市大字村中字下之坪505-1 ☎0568-73-7050 ㉕**8** ㉔**7(男2, 女5)**
㈱サーラコーポレーション	[小] (特色) 都市ガス、LPガス、住宅販売、建設工事が柱。愛知、静岡地盤。16年にグループ各社が経営統合 (売)連242,059 (従)64 (資)8,025 (住)豊橋市駅前大通1-55 ☎0532-51-1155 ㉕**80** ㉔**81(男55, 女26)**
㈱サカイホールディングス	[情通] (特色) 東海・関東でソフトバンク携帯販売店展開。17年持株会社。収益柱は太陽光発電で保険、葬祭も (売)連14,848 (従)39 (資)747 (住)名古屋市中区千代田5-21-20 ☎052-262-4499 ㉕**50** ㉔**32(男24, 女8)**
㈱サガミホールディングス	[小] (特色) 麺類主体の外食チェーン。名古屋が地盤。直営和食麺類を軸にFCも。18年10月に持株会社化 (売)連31,006 (従)連565 (資)9,090 (住)名古屋市守山区八剣2-118 ☎052-737-6000 ㉕**70** ㉔**49(男28, 女21)**
笹徳印刷㈱	[パ紙] (特色) 印刷物の企画・デザイン・印刷などに加え、販促プロモーションなども手がける総合印刷会社 (売)連12,953 (従)314 (資)309 (住)豊明市栄町大脇7 ☎0562-97-1111 ㉕**12** ㉔**9(男3, 女6)**
佐藤食品工業㈱	[食] (特色) 天然素材エキス専業。粉末化技術で定評。本社工場など愛知県に3工場、生産設備刷新が課題 (売)単6,101 (従)164 (資)3,672 (住)小牧市堀の内4-154 ☎0568-77-7316 ㉕**5** ㉔**7(男4, 女3)**
santec Holdings㈱	[電機] (特色) 光通信部品と光測定器が2本柱。光部品で波長モニターなど独自製品多い。23年春持株会社移行 (売)連18,867 (従)180 (資)4,978 (住)小牧市大草年上坂5823 ☎0568-79-3535 ㉕**微増** ㉔**3(男2, 女1)**
三和油化工業㈱	[化] (特色) 蒸留・高純度化技術用い廃油等の再生、再資源化に強み。化学品製造も。電子材料向け比率高い (売)連15,633 (従)288 (資)1,588 (住)刈谷市一里山町深田15 ☎0566-35-3000 ㉕**20** ㉔**17(男12, 女5)**
㈱シイエム・シイ	[サ] (特色) 技術仕様書等のマニュアル作成、マーケティング支援で有力。トヨタ中心に自動車向け6割超 (売)連18,451 (従)436 (資)657 (住)名古屋市中区平和1-1-19 ☎052-322-3351 ㉕**20** ㉔**5(男4, 女1)**

会社名	[業種名] [特色] 会社の特色 [売]売上高(百万円) [従]単独従業員数(名) [資]資本金(百万円) [住]本社の住所, 電話番号 ㉕25年採用計画数(名) ㉔24年入社内定者数(名)
シェアリングテクノロジー㈱	[情通] [特色] 住まい関連トラブル対応のマッチングサイトを運営。多角化路線改め、柱の住まい関連に集中 [売]連IFS6,228 [従]157 [資]183 [住]名古屋市中村区名駅1-1-1 ☎052-414-5919 ㉕**23** ㉔**10(男1,女9)**
㈱JBイレブン	[小] [特色] ラーメン「一刻魁堂」、中華「ロンフーダイニング」を展開。東海地盤、SC内中心に直営展開 [売]連7,642 [従]15 [資]1,079 [住]名古屋市緑区桶狭間切戸2217 ☎052-629-1100 ㉕**10** ㉔**5(男2,女3)**
㈱システムリサーチ	[情通] [特色] 独立系SI。製造業を中心に企業向け情報システム構築と保守・運用。トヨタG向けが約3割 [売]連23,320 [従]1,536 [資]550 [住]名古屋市中村区岩塚本通2-12 ☎052-413-6820 ㉕**150** ㉔**135(男86,女49)**
ジャニス工業㈱	[ガ土] [特色] 便器、洗面化粧台など衛生陶器の中堅。大手住宅設備、住宅建設向けOEMと自社品が2本柱 [売]連4,369 [従]161 [資]1,000 [住]常滑市唐崎町2-88 ☎0569-35-3150 ㉕**若干名** ㉔**3(男2,女1)**
㈱ジャパン・ティッシュエンジニアリング	[精] [特色] 自家培養表皮・軟骨など開発の再生医療ベンチャーで受託事業も。TOBで21年、帝人の傘下に [売]単2,514 [従]211 [資]4,958 [住]蒲郡市三谷北通6-209-1 ☎0533-66-2020 ㉕**前年並** ㉔**6(男1,女5)**
シンクレイヤ㈱	[建] [特色] CATV事業者向けシステム構築。インターネットサービスへ展開。無線通信事業に参入 [売]連10,443 [従]170 [資]835 [住]名古屋市中区千代田2-21-18 ☎052-242-7871 ㉕**前年並** ㉔**2(男2,女0)**
ゼネラルパッカー㈱	[機] [特色] 自動包装機械の中堅。食品向けが主体。粉末、顆粒向けに特化。食品生産機械に参入し育成中 [売]連9,853 [従]170 [資]251 [住]北名古屋市宇福寺神明65 ☎0568-23-3111 ㉕**8** ㉔**6(男6,女0)**
㈱ソトー	[繊] [特色] 毛織物染色大手、複合繊維も。不動産賃貸が下支え。抗菌や吸水・撥水など特殊加工技術も磨く [売]連10,709 [従]325 [資]100 [住]一宮市篭屋5-1-1 ☎0586-45-1121 ㉕**10** ㉔**6(男4,女2)**
ダイコク電機㈱	[機] [特色] ホール向けコンピュータシステム最大手。遊技機ユニットと2本柱。24年にスマート遊技機参入 [売]連53,861 [従]393 [資]674 [住]名古屋市中村区那古野1-43-5 ☎052-581-7111 ㉕**前年並** ㉔**7(男7,女0)**
㈱ダイセキ	[サ] [特色] 産廃処理大手。廃液・廃油の中間処理・リサイクルが柱。子会社で土壌汚染調査・浄化処理なども [売]連69,216 [従]769 [資]6,382 [住]名古屋市港区船見町1-86 ☎052-611-6322 ㉕**前年並** ㉔**13(男8,女5)**
㈱ダイセキ環境ソリューション	[建] [特色] 汚染土壌の調査から浄化処理までの一貫体制に特徴。名古屋地盤だが関東、関西でも展開拡大 [売]連24,150 [従]202 [資]2,287 [住]名古屋市瑞穂区明前町8-18 ☎052-819-5310 ㉕**4** ㉔**2(男0,女2)**
ダイナパック㈱	[パ紙] [特色] 05年大日本紙業と日本ハイパックが合併。カゴメなど食品向け、工業製品向けの段ボールが主柱 [売]連58,026 [従]665 [資]4,000 [住]名古屋市中区錦3-14-15 ☎052-971-2651 ㉕**10** ㉔**21(男11,女10)**
㈱太平製作所	[機] [特色] 合板・木工機械のトップメーカー。技術力に定評。建材の製造も。東南ア、北米向け輸出に実績 [売]連8,843 [従]125 [資]750 [住]小牧市大字入鹿出新田字宮前955-8 ☎0568-73-6411 ㉕**未定** ㉔**3(男3,女0)**
大豊工業㈱	[機] [特色] トヨタ系中堅。滑り軸受け(メタル)、ダイカスト製品、金型が3本柱。7割弱がトヨタG向け [売]連112,044 [従]1,938 [資]6,712 [住]豊田市緑ヶ丘3-65 ☎0565-28-2225 ㉕**50** ㉔**39(男31,女8)**
大洋基礎工業㈱	[建] [特色] 地中連続壁など特殊土木工事(官公需)と積水ハウスの住宅地盤改良工事が2本柱。建築事業も [売]単14,571 [従]218 [資]456 [住]名古屋市中川区柳森町107 ☎052-362-6351 ㉕**微増** ㉔**3(男3,女0)**
瀧上工業㈱	[金製] [特色] 鉄骨、橋梁の中堅で火力発電用鉄骨強い。愛知県に生産拠点。橋梁の大規模保全工事にも注力 [売]連23,328 [従]320 [資]1,361 [住]半田市神明町1-1 ☎0569-89-2101 ㉕**前年並** ㉔**7(男4,女3)**
タキヒヨー㈱	[卸] [特色] 名古屋地盤の繊維商社。婦人服ほか服地に強い。主要販売先はしまむら。ゴルフウェア小売りも [売]連57,736 [従]537 [資]3,622 [住]名古屋市西区牛島町6-1 ☎052-587-7111 ㉕**未定** ㉔**17(男3,女14)**
竹田iPホールディングス㈱	[他製] [特色] 商業印刷が祖業の持株会社。包装、BPO、印刷資機材商社も展開。半導体マスクが第2柱に成長 [売]連31,669 [従]45 [資]1,937 [住]名古屋市昭和区白金1-11-10 ☎052-871-6351 ㉕**22** ㉔**8(男2,女6)**
知多鋼業㈱	[金製] [特色] 2輪・4輪車ばねが主力の自動車部品メーカー。独立系で、建機や住宅免震部品等も開拓へ [売]連14,526 [従]378 [資]819 [住]春日井市前並町2-12-4 ☎0568-27-7771 ㉕**5** ㉔**8(男··,女··)**
中央可鍛工業㈱	[鉄] [特色] トヨタグループ向けが8割超の鋳造製品メーカー。トラックの比率高い。オフィス家具製造も [売]連33,198 [従]530 [資]1,161 [住]日進市浅田平子1-300 ☎052-805-8600 ㉕**6** ㉔**6(男4,女2)**
中央紙器工業㈱	[パ紙] [特色] トヨタグループ。東海地区地盤で自動車部品・家電製品用段ボール主体。気泡緩衝材も手がける [売]連11,711 [従]161 [資]1,077 [住]清須市春日宮重町363 ☎052-400-2800 ㉕**未定** ㉔**3(男1,女2)**
㈱中京医薬品	[医] [特色] 配置医薬品の大手。東海地区中心の直営店のほか一部地域でFC展開。飲料水宅配事業を伸ばす [売]単6,124 [従]331 [資]681 [住]半田市亀崎北浦町2-15-1 ☎0569-29-0202 ㉕**増加** ㉔**11(男6,女5)**
中部鋼鈑㈱	[鉄] [特色] 厚板専業メーカー。産業、工作機械向け主力で建築にも積極的に進出。国内最大級の電気炉保有 [売]連67,785 [従]372 [資]5,907 [住]名古屋市中川区小碓通5-1 ☎052-661-3811 ㉕**14** ㉔**7(男7,女0)**
中部飼料㈱	[食] [特色] 飼料大手。畜産手がけるが直系農場ない。需要家直結の差別化品注力。伊藤忠との提携は見直し [売]連234,227 [従]427 [資]4,736 [住]名古屋市中区錦2-13-19 ☎052-204-3050 ㉕**15** ㉔**21(男14,女7)**
中部日本放送㈱	[情通] [特色] 東海3県がエリアでTBS系列の一角。中日新聞色。ラジオ兼営で民間ラジオでは最古参 [売]連32,625 [従]237 [資]1,320 [住]名古屋市中区新栄1-2-8 ☎052-241-8111 ㉕**若干名** ㉔**11(男4,女7)**

会社名	[業種名] [特色]会社の特色 [売]売上高(百万円) [従]単独従業員数(名) [資]資本金(百万円) [住]本社の住所,電話番号 ㉕25年採用計画数(名) ㉔24年入社内定者数(名)
(株)鶴弥	[ガ土] [特色]愛知県地盤の陶器瓦専業メーカー最大手。三州瓦主体。製造合理化で先行。高耐久性で差別化 [売]単6,369 [従]346 [資]2,144 [住]半田市州の崎町2-12 ☎0569-29-7311 ㉕前年並 ㉔5(男4,女1)
(株)ティア	[サ] [特色]名古屋地盤に葬祭会館をドミナント展開。会員制度で顧客囲い込み。関東、関西に進出、FCも [売]連14,068 [従]552 [資]1,895 [住]名古屋市北区黒川本通3-35-1 ☎052-918-8200 ㉕35 ㉔27(男15,女12)
テクノホライゾン(株)	[電機] [特色]21年4月事業会社移行。映像・ITはレンズ技術の応用、ロボティクスはFA強い。買収積極的 [売]連48,623 [従]連1,400 [資]2,500 [住]名古屋市南区千竈通2-13-1 ☎052-823-8551 ㉕31 ㉔6(男5,女1)
東海エレクトロニクス(株)	[卸] [特色]電子材料、機器の専門商社。24年3月、柱の自動車関連部品仕入れ形態変更で暗雲。顧客開拓急務 [売]連60,833 [従]214 [資]3,075 [住]名古屋市中区栄3-34-14 ☎052-261-3211 ㉕前年並 ㉔12(男10,女2)
東海染工(株)	[繊] [特色]染色加工大手。高級プリント技術に強み。東南アで一貫生産。不動産賃貸、保育園等受託運営も [売]連13,215 [従]210 [資]4,300 [住]名古屋市中村区名駅3-28-12 ☎052-856-8141 ㉕17 ㉔13(男8,女5)
東建コーポレーション(株)	[建] [特色]地主に賃貸住宅経営提案し施工から管理、仲介まで一貫化。住宅設備子会社を傘下に持つ [売]連340,835 [従]4,909 [資]4,800 [住]名古屋市中区丸の内2-1-33 ☎052-232-8000 ㉕未定 ㉔172(男119,女53
(株)東祥	[サ] [特色]「ホリデイスポーツクラブ」運営。地方重点出店から都市部にも進出。ホテル、賃貸住宅も併営 [売]連30,927 [従]352 [資]1,580 [住]安城市三河安城町1-16-5 ☎0566-79-3111 ㉕80 ㉔55(男43,女12)
東邦ガス(株)	[電ガ] [特色]ガス業界3位。愛知、岐阜、三重の3県が営業地域。LPガスも展開。コージェネ事業を推進 [売]連632,985 [従]940 [資]33,072 [住]名古屋市熱田区桜田町19-18 ☎052-872-9325 ㉕90 ㉔94(男63,女31)
東陽倉庫(株)	[倉運] [特色]中部圏地盤の有力倉庫。工業品から食品まで取り扱い多彩。不動産事業、国際物流も手がけ [売]連27,875 [従]291 [資]3,412 [住]名古屋市中村区名駅南2-6-17 ☎052-581-0251 ㉕未定 ㉔19(男8,女11)
東洋電機(株)	[電機] [特色]FAシステム、制御・配電機器メーカー。エレベーター用センサーで国内首位。耐雷変圧器も強い [売]連8,793 [従]189 [資]1,037 [住]春日井市味美町2-156 ☎0568-31-4191 ㉕12 ㉔11(男5,女6)
徳倉建設(株)	[建] [特色]名古屋地盤の中堅ゼネコン。海洋土木から一般土木、建築に拡大。関東、九州に地場子会社持つ [売]連63,691 [従]430 [資]2,368 [住]名古屋市中区錦3-13-5 ☎052-961-3271 ㉕微増 ㉔21(男17,女4)
トヨタ紡織(株)	[輸機] [特色]トヨタ系。アラコ、タカニチと合併し、内装品・自動車フィルター国内首位、内装品で世界4位 [売]連IFS1,953,625 [従]8,301 [資]8,400 [住]刈谷市豊田町1-1 ☎0566-23-6611 ㉕190 ㉔257(男194,女63)
トランコム(株)	[倉運] [特色]物流センターの一括受託と、空車情報と貨物情報のマッチングの2本柱。東名阪軸に全国展開 [売]連169,410 [従]812 [資]1,080 [住]名古屋市東区葵1-19-30 ☎052-939-2011 ㉕前年並 ㉔38(男19,女19)
トリニティ工業(株)	[機] [特色]トヨタグループ向けが主力。塗装設備の設計からプラントまで一貫化。高級車向け自動車部品も [売]連36,992 [従]連971 [資]1,311 [住]豊田市柿本町1-9 ☎0565-24-4800 ㉕25 ㉔18(男14,女4)
中日本興業(株)	[サ] [特色]名古屋の映画興行会社。2シネコンで26スクリーンを展開。カフェ経営や看板広告も手がける [売]単3,541 [従]65 [資]270 [住]名古屋市中村区名駅4-5-28 ☎052-551-0274 ㉕未定 ㉔3(男1,女2)
名古屋電機工業(株)	[電機] [特色]道路電光情報板など情報表示システムの草分け。第2柱のX線検査装置事業を22年10月譲渡 [売]連17,582 [従]406 [資]1,184 [住]あま市篠田面徳29-1 ☎052-443-1111 ㉕16 ㉔17(男13,女4)
ナトコ(株)	[化] [特色]塗料業界の中堅。金属用、住宅建材用からスマホ向け樹脂用に展開。ファインケミカルを育成 [売]連20,164 [従]219 [資]1,626 [住]みよし市打越町生賀山18 ☎0561-32-2285 ㉕8 ㉔5(男3,女2)
ニチハ(株)	[ガ土] [特色]窯業系外壁材で最大手。高級感のある洋風外壁が特徴。住宅向け以外にも注力。米国で現地生産 [売]連142,790 [従]1,360 [資]8,136 [住]名古屋市中区錦2-18-19 ☎052-220-5111 ㉕22 ㉔19(男15,女4)
(株)NITTOH	[建] [特色]シロアリ駆除から住宅設備・リフォーム工事が柱に。ビルメンテも。愛知地盤だが関東、関西進出 [売]連10,121 [従]249 [資]186 [住]名古屋市中川区広川町3-1-8 ☎052-304-8210 ㉕前年並 ㉔8(男6,女2)
日邦産業(株)	[卸] [特色]独立系電子部品商社。エレキ、自動車、精密機器や医療機器向け。自動車向け軸に自社生産展開 [売]連41,922 [従]452 [資]3,137 [住]名古屋市中区錦1-10-1 ☎052-218-3161 ㉕7 ㉔5(男5,女0)
日本エコシステム(株)	[サ] [特色]公営競技場運営受託と設備工事、道路保守管理、水質管理が3本柱。中部地方地盤。M&A積極的 [売]連7,577 [従]147 [資]984 [住]一宮市新生1-2-8 ☎0586-25-5788 ㉕前年並 ㉔3(男2,女1)
日本車輌製造(株)	[輸機] [特色]JR東海子会社。鉄道車両メーカー大手。輸送用機器、建機、鉄構、プラント等へも多角化 [売]連88,058 [従]2,123 [資]11,810 [住]名古屋市熱田区三本松町1-1 ☎052-882-3316 ㉕微減 ㉔20(男19,女
萩原電気ホールディングス(株)	[卸] [特色]名古屋地盤の半導体等の電子部品・機器商社。自動車向けが約9割。FA機器等製造部門兼営 [売]連225,150 [従]560 [資]6,099 [住]名古屋市東区東桜2-2-1 ☎052-931-3511 ㉕20 ㉔21(男19,女2)
初穂商事(株)	[卸] [特色]建築資材の専門商社。ビル向けなどの鋼製下地材、不燃材が主要商材。エクステリアも手がける [売]連34,422 [従]278 [資]885 [住]名古屋市中区錦2-14-21 ☎052-222-1066 ㉕16 ㉔11(男9,女2)
(株)フジミインコーポレーテッド	[ガ土] [特色]半導体製造用のCMP(化学的機械的研磨)製品大手、先端品に強い。ウエハ研磨材も世界首位 [売]連51,423 [従]791 [資]4,753 [住]清須市西枇杷島町地領2-1-1 ☎052-503-8181 ㉕前年並 ㉔16(男12,女

会社名	業種名 特色 会社の特色 売 売上高(百万円) 従 単独従業員数(名) 資 資本金(百万円) 住 本社の住所，電話番号 ㉕25年採用計画数(名) ㉔24年入社内定者数(名)
㈱ブラス	サ 特色 直営の完全貸し切り型ゲストハウスでのウェディング事業を展開。東海地盤、地域拡大に意欲 売 連12,726 従 567 資 100 住 名古屋市中村区名駅2-36-20 ☎052-571-3322 ㉕**前年並** ㉔**63(男6，女57)**
㈱ブロンコビリー	小 特色 名古屋地盤。炭焼きステーキ等を提供する郊外型高価格レストラン。関東出店を本格化。好財務 売 連23,377 従 575 資 2,210 住 名古屋市名東区平和が丘1-75 ☎052-775-8000 ㉕**120** ㉔**118(男51，女67)**
豊和工業㈱	機 特色 産業用機械の老舗。工作機械が主力。火器、防音サッシなど防衛省需要大。路面清掃車で首位 売 連19,786 従 636 資 9,019 住 清須市須ケロ1900-1 ☎052-408-1111 ㉕**25** ㉔**12(男10，女2)**
マルサンアイ㈱	食 特色 大豆利用の食品加工メーカー。みそと豆乳が2本柱。みそで業界4位、豆乳2位。開発力に定評 売 連30,950 従 350 資 865 住 岡崎市仁木町字荒下1 ☎0564-27-3700 ㉕**前年並** ㉔**5(男3，女2)**
丸八証券㈱	証商 特色 名古屋地盤の中堅。21年4月から東海東京FHD傘下。対面営業特化、投信軸に預かり資産拡大 売 単3,262 従 147 資 3,751 住 名古屋市中区新栄町2-4 ☎052-307-0808 ㉕**9** ㉔**10(男8，女2)**
㈱MARUWA	ガ土 特色 回路・機構部品大手。省エネ、通信関連等向けセラミック基板で世界首位級。子会社で高級照明も 売 連61,564 従 648 資 8,646 住 尾張旭市南本地ケ原町3-83 ☎0561-51-0841 ㉕**13** ㉔**13(男12，女1)**
ミタチ産業㈱	卸 特色 OA機器、工作機械、車載用向け電子部品、液晶扱う専門商社。フィリピンで情報機器端末生産も 売 連38,899 従 134 資 843 住 名古屋市中区伊勢山2-11-28 ☎052-332-2500 ㉕**若干名** ㉔**5(男3，女2)**
㈱三ツ知	金製 特色 シート用など自動車部品主力。土木用部品も。冷間鍛造技術に強み。主顧客はアイシンシロキ 売 連13,147 従 191 資 405 住 春日井市牛山町1203 ☎0568-35-6350 ㉕**未定** ㉔**2(男2，女0)**
美濃窯業㈱	ガ土 特色 セメント向け耐火れんが中堅。独立色。れんが貼り替えなどプラントにも注力。ニューセラ強化 売 連14,159 従 274 資 877 住 名古屋市中村区名駅南1-17-28 ☎052-551-9221 ㉕**5** ㉔**5(男5，女0)**
名工建設㈱	建 特色 発祥は保線工事の中堅ゼネコンでJR東海と密接。JR向けのほか官公庁、民間でも実績積む 売 連86,218 従 1,154 資 1,594 住 名古屋市中村区名駅1-1-4 ☎052-589-1501 ㉕**45** ㉔**53(男50，女3)**
明治電機工業㈱	卸 特色 技術商社でFAエンジニアリング得意。トヨタ関連4割強。海外展開にも積極的。財務堅実 売 連74,580 従 537 資 1,658 住 名古屋市中村区亀島2-13-8 ☎052-451-7661 ㉕**増加** ㉔**16(男8，女8)**
名糖産業㈱	食 特色 チョコやバウムクーヘンなどの菓子が主力。製薬が発祥事業、現在は酵素中心に化成品を拡大中 売 連24,392 従 390 資 1,323 住 名古屋市西区笹塚町2-41 ☎052-521-7111 ㉕**12** ㉔**9(男5，女4)**
㈱物語コーポレーション	小 特色 中部地盤。直営・FCで郊外に出店。食べ放題「焼肉きんぐ」が主力。和食食べ放題やラーメンも 売 連107,156 従 1,637 資 2,883 住 豊橋市西岩田5-7-11 ☎0532-63-8001 ㉕**微増** ㉔**200(男115，女85)**
㈱安江工務店	建 特色 愛知県で住宅リフォーム請負を軸に新築、仲介・買い取り再販も展開。熊本に新築住宅の子会社 売 連7,399 従 160 資 263 住 名古屋市中区栄2-2-23 ☎052-223-1100 ㉕**20** ㉔**15(男4，女11)**
㈱ヤマナカ	小 特色 愛知地盤の中堅スーパー。名古屋都心部等で高級業態も。生鮮食品の充実で競合と差別化図る 売 連86,087 従 779 資 4,220 住 名古屋市中村区岩塚町字西枝1-1 ☎052-413-7200 ㉕**20** ㉔**11(男5，女6)**
㈱ユー・エス・エス	サ 特色 中古車オークション会場の運営で断トツ。中古車買い取り専門店の「ラビット」も。好財務 売 連97,606 従 696 資 18,881 住 東海市新宝町507-20 ☎052-689-1129 ㉕**20** ㉔**13(男10，女3)**
リゾートトラスト㈱	サ 特色 会員制リゾートホテルで首位。1室のタイムシェア制度を採用。健康領域への進出に積極的 売 連201,803 従 6,439 資 19,590 住 名古屋市中区東桜2-18-31 ☎052-933-6000 ㉕**前年並** ㉔**680(男290，女390)**
ワシントンホテル㈱	サ 特色 ビジネスホテルで首都圏中心の「R&B」と関東以西軸の「ワシントンホテルプラザ」を運営 売 単18,294 従 357 資 100 住 名古屋市千種区内山3-23-5 ☎052-745-9030 ㉕**10** ㉔**4(男0，女4)**
CDAホールディングス㈱	小 特色 三重県拠点のホンダ系ディーラー。VW、アウディの輸入車販売、自動車リサイクル事業も展開 売 連33,101 従 276 資 1,161 住 鈴鹿市飯野寺家町234-1 ☎059-381-5540 ㉕**15** ㉔**8(男8，女0)**
㈱柿安本店	食 特色 精肉店の老舗。百貨店に精肉、総菜店を展開。松阪牛販売に強み。外食事業も。和菓子を育成中 売 連37,052 従 838 資 1,269 住 桑名市吉之丸8 ☎0594-23-5500 ㉕**40** ㉔**22(男11，女11)**
カネソウ㈱	金製 特色 建築金具の総合メーカー。免震EXジョイント、意匠性高いスリット溝ぶた主力に首都圏で拡販 売 単8,664 従 246 資 1,820 住 三重郡朝日町大字縄生81 ☎059-377-4747 ㉕**増加** ㉔**7(男4，女3)**
キクカワエンタープライズ㈱	機 特色 製材・木工機械の最大手。発泡模型加工用マシニングセンタ等車載関連工作機械も強い。無借金 売 単5,486 従 190 資 660 住 伊勢市朝熊町3477-36 ☎0596-21-1011 ㉕**7** ㉔**5(男4，女1)**
㈱グリーンズ	サ 特色 三重県地盤のホテル運営会社。全国の都市に展開。ビジネス「コンフォートホテル」などを運営 売 連40,969 従 805 資 100 住 四日市市浜田町5-3 ☎059-351-5593 ㉕**30** ㉔**33(男7，女26)**
ジャパンマテリアル㈱	サ 特色 半導体・液晶工場向けの特殊ガス供給装置と特殊ガス販売・サービス主体。画像処理関連事業も 売 連48,592 従 430 資 1,317 住 三重郡菰野町永井3098-22 ☎059-399-3821 ㉕**未定** ㉔**23(男20，女3)**
太陽化学㈱	食 特色 健康志向の食品・化粧品素材開発メーカー。インド、中国生産拠点軸に世界展開。配当性向3割 売 連47,665 従 488 資 7,730 住 四日市市山田町800 ☎059-340-0800 ㉕**前年並** ㉔**20(男11，女9)**

会社名	[業種名] (特色)会社の特色 (売)売上高(百万円) (従)単独従業員数(名) (資)資本金(百万円) (住)本社の住所, 電話番号 ㉕25年採用計画数(名) ㉔24年入社内定者数(名)
㈱タカキタ	[機] (特色)飼料系農機が主で風力発電用軸受けも。クボタ、井関農機、ヤンマー等と関係強化。収益上期集中 (売)単8,482 (従)286 (資)1,350 (住)名張市夏見2828 ☎0595-63-3111 ㉕10 ㉔10(男9, 女1)
㈱東名	[情通] (特色)月額制の中小企業向け光回線サービスが主力。情報通信商品の販売や電力小売りも展開 (売)連20,531 (従)429 (資)629 (住)四日市市八田2-1-39 ☎059-330-2151 ㉕70 ㉔27(男12, 女15)
三重交通グループホールディングス㈱	[不] (特色)近鉄系。傘下にバスの三重交通と、不動産デベロッパーの三交不動産。メガソーラー事業も展開 (売)連98,218 (従)27 (資)3,000 (住)津市中央1-1 ☎059-213-0351 ㉕未定 ㉔30(男21, 女9)
㈱安永	[輸機] (特色)自動車エンジン部品が柱。工作機械、各種検査装置も製造。海外は東南ア、メキシコに生産拠点 (売)連31,946 (従)603 (資)2,142 (住)伊賀市緑ケ丘中町3860 ☎0595-24-2111 ㉕15 ㉔8(男5, 女3)
㈱アテクト	[化] (特色)半導体保護資材で世界首位。衛生検査器材はシャーレ主体。PIM(粉末射出成形)事業を育成 (売)連3,175 (従)51 (資)822 (住)東近江市上羽田町3275-1 ☎0748-20-3400 ㉕5 ㉔3(男1, 女2)
㈱オーケーエム	[機] (特色)バタフライバルブ中心のバルブ専業大手。建築市場等の陸用と舶用展開、カスタマイズ化に強み (売)連9,484 (従)255 (資)1,180 (住)野洲市市三宅446-1 ☎077-518-1260 ㉕5 ㉔3(男3, 女0)
湖北工業㈱	[電機] (特色)自動車用等アルミ電解コンデンサー用リード端子と海底ケーブル用光通信部品・デバイス製販 (売)連13,472 (従)163 (資)350 (住)長浜市高月町高月1623 ☎0749-85-3211 ㉕前年並 ㉔4(男2, 女2)
㈱メタルアート	[鉄] (特色)自動車用鍛造品はダイハツのほかトヨタとの取引拡大。冷間複合精密鍛造技術は世界でも有数 (売)連45,021 (従)482 (資)2,143 (住)草津市野路3-2-18 ☎077-563-2111 ㉕増加 ㉔5(男4, 女1)
I-PEX㈱	[電機] (特色)コネクター大手。スマホ、PC向けから車載関連に軸足移す。匂いセンサー等新開発分野に活路 (売)連59,014 (従)1,907 (資)10,968 (住)京都市伏見区桃山町根来12-4 ☎075-611-7155 ㉕微減 ㉔5(男4, 女
㈱And Doホールディングス	[不] (特色)自宅売却後も住み続けられるハウス・リースバック事業で成長。FC網が基盤。配当性向30%超 (売)連67,579 (従)249 (資)3,457 (住)京都市中京区烏丸通錦小路上ル手洗水町670 ☎075-229-3200 ㉕100 ㉔41(男31, 女1
㈱エスケーエレクトロニクス	[電機] (特色)液晶や有機ELに電子回路パターン転写するフォトマスク専業。中韓のパネルメーカーに販売 (売)連28,113 (従)228 (資)4,109 (住)京都市上京区東堀川通り一条上ル堅富田町436-2 ☎075-441-2333 ㉕6 ㉔5(男3, 女
㈱エスユーエス	[サ] (特色)開発系技術者派遣・請負とERP導入等のコンサルが2本柱。XR、AI事業重視へ戦略シフト (売)連11,501 (従)2,201 (資)436 (住)京都市下京区四条通烏丸東入ル長刀鉾町8 ☎075-229-6514 ㉕355 ㉔268(男240, 女2
㈱王将フードサービス	[小] (特色)関西地盤に中華料理店「餃子の王将」を展開。直営中心だが、社員のれん分け主体にFCも (売)連101,401 (従)2,376 (資)8,166 (住)京都市山科区西野山射庭ノ上町237 ☎075-592-1411 ㉕45 ㉔40(男35, 女
㈱魁力屋	[小] (特色)3大都市圏を中心に展開のラーメンチェーン。ロードサイドや商業施設に出店。海外にも意欲 (売)単10,583 (従)287 (資)883 (住)京都市中京区烏丸通錦小路上る手洗水町670 ☎075-211-3338 ㉕10 ㉔4(男4, 女0)
㈱京写	[電機] (特色)プリント配線板メーカー。片面プリント配線板で世界首位。中国、ベトナム等が生産拠点に (売)連24,580 (従)389 (資)1,102 (住)久世郡久御山町森村東300 ☎075-631-3191 ㉕前年並 ㉔7(男6, 女1)
㈱京進	[サ] (特色)京滋地盤の学習塾。個別指導はFC主体。日本語学校、英会話教室も。介護、保育事業を強化中 (売)連26,099 (従)795 (資)327 (住)京都市下京区烏丸通五条下る大坂町382-1 ☎075-365-1500 ㉕未定 ㉔40(男・・, 女・
㈱京都ホテル	[サ] (特色)1888年創業の老舗グランドホテル。「ホテルオークラ京都」と「からすま京都ホテル」を経営 (売)単9,138 (従)367 (資)100 (住)京都市中京区河原町通二条南入一之船入町537-4 ☎075-211-5111 ㉕未定 ㉔40(男・・, 女・
㈱クラウディアホールディングス	[繊] (特色)ウェディングドレスメーカー、中国に製造拠点。結婚式場運営、ハワイ、沖縄でのリゾート婚も (売)連11,521 (従)27 (資)50 (住)京都市右京区西院高田町34 ☎075-315-2345 ㉕未定 ㉔3(男0, 女3)
KTC㈱	[金製] (特色)レンチ、スパナなど作業工具製販で首位。自動車関連向けが中心。歯科用機器や売電に進出 (売)連8,428 (従)206 (資)1,032 (住)久世郡久御山町佐山新開地128 ☎0774-46-3700 ㉕10 ㉔9(男8, 女1)
コタ㈱	[化] (特色)美容室向けヘア化粧品製造。一括販売とバーターで無料コンサル行う「旬報店」に特徴。下期偏重 (売)単9,136 (従)404 (資)387 (住)久世郡久御山町田井新荒見77 ☎0774-44-1681 ㉕30 ㉔34(男16, 女18)
サムコ㈱	[機] (特色)半導体など電子部品製造の装置開発に特化。化合物系の薄膜形成、加工が軸。北米開拓を重点化 (売)単8,203 (従)185 (資)1,663 (住)京都市伏見区竹田藁屋町36 ☎075-621-7841 ㉕8 ㉔6(男5, 女1)
サンコール㈱	[金製] (特色)トヨタ、ホンダ向け中心にばね、リングなど精密部品製造。HDD部品、プリンタ用ローラーも (売)連51,496 (従)695 (資)4,808 (住)京都市右京区梅津西浦町14 ☎075-881-8111 ㉕減少 ㉔14(男9, 女5)
㈱ジェイ・エス・ビー	[不] (特色)学生賃貸マンションを運営管理。借り上げ・管理受託が主、自社物件開発も。高齢者住宅は撤退 (売)連63,781 (従)242 (資)4,274 (住)京都市下京区因幡堂町655 ☎075-341-2728 ㉕60 ㉔58(男37, 女21)
㈱松風	[精] (特色)歯科材料・器具の大手。人工歯、研削材で国内シェア高い。欧米など海外積極展開。ネイル事業も (売)連35,080 (従)513 (資)5,968 (住)京都市東山区福稲上高松町11 ☎075-561-1112 ㉕9 ㉔8(男4, 女4)
星和電機㈱	[電機] (特色)プラント向け防爆照明首位。道路表示装置で官公需強い。ノイズ対策品や配線保護機材も育成 (売)連23,760 (従)516 (資)3,648 (住)城陽市寺田新池36 ☎0774-55-8181 ㉕前年並 ㉔17(男11, 女6)

会社名	業種名 (特色)会社の特色 (売)売上高(百万円) (従)単独従業員数(名) (資)資本金(百万円) (住)本社の住所，電話番号 ㉕25年採用計画数(名) ㉔24年入社内定者数(名)
第一工業製薬㈱	化 (特色)凝集剤、合成糊料など工業用薬剤首位。技術力に定評。四日市に主力工場。健康関連分野を育成 (売)連63,118 (従)602 (資)8,895 (住)京都市南区東九条上殿田町48-2 ☎075-276-3030 ㉕微増 ㉔14(男11，女3)
㈱たけびし	卸 (特色)三菱電機系の技術商社。三菱以外も6割超。FA機器主力に半導体、電子デバイス、医療機器も (売)連101,355 (従)430 (資)3,406 (住)京都市右京区西京極豆田町29 ☎075-325-2111 ㉕前年並 ㉔18(男11，女7)
㈱中央倉庫	倉運 (特色)内陸の総合物流でトップクラス。倉庫上位の安田倉庫と連携、補完し合い国際貨物拡大に注力 (売)連26,512 (従)253 (資)2,734 (住)京都市下京区朱雀内畑町41 ☎075-313-6151 ㉕10 ㉔6(男2，女4)
㈱長栄	不 (特色)地盤の京都中心にマンションやビルの不動産管理と賃貸事業を展開。大都市圏への進出に意欲 (売)単9,368 (従)261 (資)714 (住)京都市下京区万寿寺通烏丸西入御供石町369 ☎075-343-1600 ㉕20 ㉔17(男12，女5)
㈱トーセ	情通 (特色)家庭用ゲームソフト開発・制作請負で専業最大手。スマホゲーム開発やサイト運営も行う (売)連5,783 (従)573 (資)967 (住)京都市下京区東洞院通四条下ル ☎075-342-2525 ㉕50 ㉔29(男12，女17)
TOWA㈱	機 (特色)封止や切断加工など半導体後工程用製造装置大手。精密金型製作に競争力。中国等に生産拠点 (売)連50,471 (従)659 (資)8,955 (住)京都市南区上鳥羽上調子町5 ☎075-692-0250 ㉕50 ㉔36(男26，女10)
㈱ニチダイ	機 (特色)独立系金型メーカー。複雑形状の精密鍛造金型で強み。ターボチャージャー部品が第2の柱 (売)連11,323 (従)346 (資)1,429 (住)京田辺市薪北町田13 ☎0774-62-3481 ㉕微減 ㉔10(男9，女1)
日東精工㈱	金製 (特色)工業用ネジの大手。ネジ締め機などの産機、計測制御機器にも展開。自動車向けで海外強化 (売)連44,744 (従)525 (資)3,522 (住)綾部市井倉町梅ヶ畑20 ☎0773-42-3111 ㉕17 ㉔11(男5，女6)
野崎印刷紙業㈱	他製 (特色)包装資材や紙器・紙工品の大手。情報機器も手がけタグ・ラベル高シェア。環境対応製品を強化 (売)連14,157 (従)370 (資)1,570 (住)京都市北区小山下総町54-5 ☎075-441-6965 ㉕10 ㉔9(男2，女7)
ムーンバット㈱	卸 (特色)洋傘首位。スカーフなど洋品、毛皮、宝飾品、帽子などで百貨店シェア高い。海外委託生産多い (売)連10,610 (従)128 (資)1,000 (住)京都市下京区室町通四条南入鶏鉾町493 ☎075-361-0381 ㉕5 ㉔8(男1，女7)
㈱ユーシン精機	機 (特色)プラスチック射出成形品取り出しロボット世界首位、高機能機を軸にシェア約2割。特注機も (売)連23,615 (従)457 (資)1,985 (住)京都市南区久世殿城町555 ☎075-933-9555 ㉕15 ㉔9(男6，女3)
㈱アースインフィニティ	電ガ (特色)店舗や中小工場、家庭向けに電力やガスを小売りする新電力会社。電子ブレーカー製販も展開 (売)単5,000 (従)39 (資)144 (住)大阪市北区中之島2-3-18 ☎06-4967-2222 ㉕未定 ㉔4(男2，女2)
愛眼㈱	小 (特色)眼鏡の卸・小売り専業大手。関西圏地盤に全国展開。ショッピングセンター内の立地が大半 (売)連14,658 (従)706 (資)5,478 (住)大阪市天王寺区大道4-9-12 ☎06-6772-3383 ㉕20 ㉔12(男1，女11)
アイコム㈱	電機 (特色)無線機専業。アマチュア用無線、陸上業務用、海上用の3分野が柱。北米、欧州が売上の約4割 (売)連37,117 (従)647 (資)7,081 (住)大阪市平野区加美南1-1-32 ☎06-6793-5301 ㉕未定 ㉔47(男31，女16)
IDEC㈱	電機 (特色)制御機器専業メーカー。操作スイッチ、表示ランプに強み。太陽光発電、自動認識機器など育成 (売)連72,711 (従)658 (資)10,056 (住)大阪市淀川区西宮原2-6-64 ☎06-6398-2500 ㉕8 ㉔2(男2，女0)
㈱アイ・ピー・エス	情通 (特色)関西地盤に企業向け情報システム開発を行う。SAPのERPを中心に販売。首都圏を強化中 (売)連3,129 (従)145 (資)255 (住)大阪市北区大深町3-1 ☎06-6292-6236 ㉕8 ㉔9(男6，女3)
㈱i-plug	情通 (特色)新卒採用支援の「OfferBox」を運営。企業から学生にアプローチ。適性検査サービスも (売)連4,602 (従)304 (資)664 (住)大阪市淀川区西中島5-11-8 ☎06-6306-6125 ㉕微増 ㉔8(男8，女0)
㈱アイル	情通 (特色)中堅・中小企業向け販売在庫管理システムを開発。実店舗とネットショップの統合管理に展開 (売)連17,508 (従)852 (資)354 (住)大阪市北区大深町3-1 ☎06-6292-1170 ㉕50 ㉔62(男40，女22)
㈱淺沼組	建 (特色)1892年創業の関西系中堅ゼネコン。学校や官公庁建築に実績を持つ。関西を地盤に全国展開 (売)連152,676 (従)1,298 (資)9,614 (住)大阪市浪速区湊町1-2-3 ☎06-6585-5500 ㉕55 ㉔28(男24，女4)
旭松食品㈱	食 (特色)高野豆腐で首位。加工食品はオートミール商品を強化。介護用食材に注力。近畿、甲信越が地盤 (売)連8,098 (従)231 (資)1,617 (住)大阪市淀川区田川3-7-3 ☎06-6306-4121 ㉕前年並 ㉔2(男1，女1)
芦森工業㈱	輸機 (特色)シートベルトやエアバッグなど自動車安全部品が主力、消防用ホースや管路更生工法用材料も (売)連68,389 (従)431 (資)8,388 (住)摂津市千里丘7-11-61 ☎06-6388-1212 ㉕10 ㉔9(男8，女1)
㈱アスタリスク	電機 (特色)スマホ上でのバーコード・RFIDリーダー主力。小売り、自販機、物流に展開、業務効率化支援 (売)連1,759 (従)52 (資)804 (住)大阪市淀川区木川西2-2-1 ☎050-5536-1185 ㉕4 ㉔2(男1，女1)
アズワン㈱	卸 (特色)理化学機器・用品卸で首位。看護・介護用品も。独自カタログに特色。「AXEL」でWeb販売 (売)連95,536 (従)567 (資)5,075 (住)大阪市西区江戸堀2-1-27 ☎06-6447-1210 ㉕40 ㉔32(男14，女18)
新家工業㈱	鉄 (特色)普通鋼の溶接鋼管および各種加工品の製造販売。建材・スチール家具用小径パイプが主力 (売)連44,556 (従)275 (資)3,940 (住)大阪市中央区南船場2-12-12 ☎06-6253-0221 ㉕未定 ㉔11(男10，女1)
㈱アルトナー	サ (特色)技術者派遣の古参。機械、電気・電子、ソフトの設計開発が軸。人材紹介進出。配当性向高い (売)単10,110 (従)1,321 (資)238 (住)大阪市北区中之島3-2-18 ☎06-6445-7551 ㉕200 ㉔170(男‥，女‥)

会社名	[業種名] (特色) 会社の特色 (売)売上高(百万円) (従)単独従業員数(名) (資)資本金(百万円) (住)本社の住所，電話番号 ㉕25年採用計画数(名) ㉔24年入社内定者数(名)
アルメタックス㈱	[金製] (特色) 戸建て用サッシの専業メーカー。積水ハウスが主顧客で大株主。住宅新改築の廃材再生も受託 (売)単9,419 (従)340 (資)2,160 (住)大阪市北区大淀中1-1-30 ☎06-6440-3838 ㉕**4** ㉔**4(男1，女3)**
㈱EMシステムズ	[情通] (特色) 調剤薬局向けシステムの大手、国内シェア3割超で首位。医科システム拡大、介護・福祉も育成 (売)連20,355 (従)457 (資)2,785 (住)大阪市淀川区宮原1-6-1 ☎06-6397-1888 ㉕**25** ㉔**16(男4，女12)**
㈱イートアンドホールディングス	[食] (特色) 外食チェーンと冷凍食品製造の2軸。いずれも「大阪王将」ブランドが柱。全国5工場が稼働中 (売)連35,922 (従)44 (資)3,159 (住)大阪市淀川区宮原3-3-34 ☎06-6399-1110 ㉕**15** ㉔**12(男8，女4)**
eBASE㈱	[情通] (特色) 食品業界向け商品情報管理ソフト「eBASE」を開発、販売。住宅、日用雑貨等へ多角展開中 (売)連5,192 (従)165 (資)190 (住)大阪市北区豊崎5-4-9 ☎06-6486-3955 ㉕**前年並** ㉔**7(男5，女2)**
イサム塗料㈱	[化] (特色) 自動車補修用塗料に強み。環境対応の水性塗料や機能性塗料に注力。東南アジアで技術供与 (売)連7,995 (従)201 (資)1,290 (住)大阪市福島区鷺洲2-15-24 ☎06-6458-0036 ㉕**未定** ㉔**2(男1，女1)**
石原産業㈱	[化] (特色) 顔料など酸化チタン大手。MLCC向けチタン酸バリウムなど機能材料が柱。農薬は新興国開拓 (売)連138,456 (従)1,146 (資)43,420 (住)大阪市西区江戸堀1-3-15 ☎06-6444-1451 ㉕**31** ㉔**40(男34，女6)**
㈱イチネンホールディングス	[サ] (特色) 自動車リース中堅、リース車両整備受託、燃料販売等ケミカル事業も展開。M&Aに積極的 (売)連138,253 (従)86 (資)2,529 (住)大阪市淀川区西中島4-10-6 ☎06-6309-1800 ㉕**43** ㉔**38(男28，女10)**
㈱イトーヨーギョー	[ガ土] (特色) コンクリート2次中堅。マンホールからライン導水ブロックへ製品展開。無電柱化製品など育成 (売)単3,132 (従)123 (資)500 (住)大阪市北区中津6-3-14 ☎06-4799-8850 ㉕**8** ㉔**3(男2，女1)**
㈱イムラ	[パ紙] (特色) 封筒事業で業界首位。シェア2割強。DM向けなどの窓封筒に強み。利益は上期の比重高い (売)連20,869 (従)669 (資)1,197 (住)大阪市中央区難波5-1-60 ☎06-6586-6121 ㉕**6** ㉔**7(男3，女4)**
岩井コスモホールディングス㈱	[証商] (特色) 関西地盤。傘下に岩井コスモ証券。対面営業主体にネットも展開。国内株中心に米国株も収益源 (売)連24,040 (従)852 (資)10,004 (住)大阪市中央区今橋1-8-12 ☎06-6229-2800 ㉕**80** ㉔**80(男61，女19)**
㈱ウィザス	[サ] (特色) 学習塾「第一ゼミナール」が祖業。通信制高校「第一学院」が収益柱に。企業研修、日本語学校も (売)連20,690 (従)608 (資)1,299 (住)大阪市中央区備後町3-6-2 ☎06-6264-4202 ㉕**36** ㉔**28(男8，女20)**
㈱ウイルテック	[サ] (特色) 製造請負・派遣、建設技術者派遣、EMSが3本柱。海外の大学と連携し技術系学生受け入れも (売)連35,696 (従)3,177 (資)155 (住)大阪市淀川区東三国4-3-1 ☎06-6399-9088 ㉕**150** ㉔**118(男99，女19)**
上村工業㈱	[化] (特色) メッキ用化学品首位。機械装置、加工も展開。アジア、米国に生産開発拠点も先端分野は国内基軸 (売)連80,256 (従)299 (資)1,336 (住)大阪市中央区道修町3-2-6 ☎06-6202-8518 ㉕**10** ㉔**11(男10，女1)**
永大化工㈱	[化] (特色) 自動車用フロアマット主力。電子・家電用、下水道補修用部材など産業資材も。ベトナムに拠点 (売)連9,088 (従)140 (資)1,241 (住)大阪市平野区平野北2-3-9 ☎06-6791-3355 ㉕**3** ㉔**3(男2，女1)**
永大産業㈱	[他製] (特色) 住宅用木質建材・設備機器メーカー。複合床材で国内首位級。合弁木質ボード工場が22年稼働 (売)連71,665 (従)981 (資)3,285 (住)大阪市住之江区平林南2-10-60 ☎06-6684-3000 ㉕**20** ㉔**20(男11，女9)**
英和㈱	[卸] (特色) 計測・制御機器中心の技術専門商社。大企業の固定客多く地盤安定。組立・製造子会社を持つ (売)連43,292 (従)331 (資)1,533 (住)大阪市西区北堀江4-1-7 ☎06-6539-4801 ㉕**10** ㉔**8(男6，女2)**
㈱エーアイテイー	[倉運] (特色) 関西発祥の複合一貫輸送業者。日中間の海上輸送で衣料、日用雑貨等輸入に強み。通関業務注力 (売)連51,400 (従)284 (資)500 (住)大阪市中央区本町2-1-6 ☎06-6260-3450 ㉕**10** ㉔**7(男3，女4)**
エコートレーディング㈱	[卸] (特色) ペット用品、ペットフードの卸大手。ペットビジネスの専門学校も持つ。国分と資本業務提携 (売)連107,406 (従)291 (資)1,988 (住)大阪市淀川区宮原1-2-4 ☎06-6396-8250 ㉕**15** ㉔**13(男8，女5)**
SRSホールディングス㈱	[小] (特色) 関西圏地盤の外食中堅。郊外型ファミレス「和食さと」が主力。傘下に「にぎり長次郎」子会社も (売)連60,228 (従)732 (資)11,077 (住)大阪市中央区安土町2-3-13 ☎06-7222-3101 ㉕**30** ㉔**12(男3，女9)**
㈱エスケイジャパン	[卸] (特色) ゲームセンター景品の企画販売が主力。キャラクター販促品も扱う。オリジナル商品の展開強化 (売)連10,612 (従)126 (資)461 (住)大阪市中央区谷町3-1-18 ☎06-7632-5370 ㉕**前年並** ㉔**3(男1，女2)**
エスケー化研㈱	[化] (特色) 建築仕上げ塗材で国内最大手。技術力に優れ水性化では最先端の強み。海外工場も早くから展開 (売)連100,883 (従)1,633 (資)2,662 (住)茨木市中穂積3-5-25 ☎072-621-7720 ㉕**25** ㉔**24(男18，女6)**
SPK㈱	[卸] (特色) 自動車用補修・車検部品の卸。建機組み付けも。連続増配期数は全上場会社中2位。好財務 (売)連63,302 (従)305 (資)898 (住)大阪市福島区福島5-6-28 ☎06-6454-2578 ㉕**10** ㉔**4(男3，女1)**
エスペック㈱	[電機] (特色) 気温・湿度等の環境変化の影響を分析する試験装置のトップ。電池、半導体の試験装置も展開 (売)連62,126 (従)822 (資)6,895 (住)大阪市北区天神橋3-5-6 ☎06-6358-4741 ㉕**28** ㉔**28(男17，女11)**
エスリード㈱	[不] (特色) マンション企画開発、販売が柱。近畿圏での供給戸数トップ級。森トラストの連結子会社 (売)連80,286 (従)245 (資)1,983 (住)大阪市福島区福島6-25-19 ☎06-6345-1880 ㉕**62** ㉔**57(男51，女6)**
㈱エターナルホスピタリティグループ	[小] (特色) 東名阪中心に全品均一価格の焼き鳥店「鳥貴族」展開。地方都市の開拓推進。バーガー育成中 (売)連41,914 (従)59 (資)1,491 (住)大阪市中央区淡路町4-2-13 ☎06-6206-0808 ㉕**20** ㉔**12(男10，女2)**

地域別・採用データ 3,708 社(上場会社編) ■大阪府

会社名	[業種名] (特色)会社の特色 (売)売上高(百万円) (従)単独従業員数(名) (資)資本金(百万円) (住)本社の住所,電話番号 ㉕25年採用計画数(名) ㉔24年入社内定者数(名)
MRKホールディングス(株)	[小] (特色)女性用体型補整下着、化粧品、サプリなど販売。全面委託生産。RIZAPグループの子会社 (売)連19,584 (従)27 (資)6,491 (住)大阪市北区大淀中1-1-30 ☎06-7655-7177 ㉕**未定** ㉔**12(男0,女12)**
エレコム(株)	[電機] (特色)PC周辺機器のファブレスメーカー。マウス、キーボード、スマホ関連で首位。法人向け強化中 (売)連110,169 (従)765 (資)12,577 (住)大阪市中央区伏見町4-1-1 ☎06-6229-1418 ㉕**55** ㉔**48(男33,女15)**
(株)遠藤照明	[電機] (特色)商業施設用照明器具で国内首位級。演出照明に強み。インテリア家具も扱う。LED照明に軸足 (売)連51,706 (従)487 (資)5,155 (住)大阪市中央区備後町1-7-3 ☎06-6267-7095 ㉕**10** ㉔**7(男3,女4)**
尾家産業(株)	[卸] (特色)業務用食品の卸大手。全国の拠点網、提案力に強み。PB商品比率高い。ヘルスケアフード拡大 (売)連111,375 (従)734 (資)1,305 (住)大阪市北区豊崎6-11-27 ☎06-6375-0151 ㉕**30** ㉔**31(男21,女10)**
応用技術(株)	[情通] (特色)住宅・建設用業務改善ソフトと防災コンサルが2本柱。トランスコスモス傘下ながら独自展開 (売)単7,419 (従)268 (資)600 (住)大阪市北区中崎西2-4-12 ☎06-6373-0440 ㉕**未定** ㉔**2(男1,女1)**
(株)OSGコーポレーション	[電機] (特色)浄水器、電解水素水および衛生管理機器の製販、メンテの一貫体制。高級食パン店を展開 (売)連7,896 (従)202 (資)601 (住)大阪市北区天満1-26-3 ☎06-6357-0101 ㉕**増加** ㉔**14(男8,女6)**
大阪製鐵(株)	[鉄] (特色)日本製鉄系電炉の中核。一般形鋼に強み。エレベーター用レールも高シェア。東京鋼鐵が傘下 (売)連117,340 (従)581 (資)8,769 (住)大阪市中央区道修町3-6-1 ☎06-6204-0300 ㉕**6** ㉔**8(男7,女1)**
(株)大阪ソーダ	[化] (特色)エポキシ樹脂原料などの基礎化学品や機能化学品を展開。医薬品精製材料では世界トップ (売)連94,557 (従)653 (資)15,871 (住)大阪市西区阿波座1-12-18 ☎06-6110-1560 ㉕**未定** ㉔**23(男20,女3)**
大阪有機化学工業(株)	[化] (特色)アクリル酸エステルに強く多品種少量生産が得意な独立系化学企業。感光材など電子材料も (売)連28,907 (従)406 (資)3,600 (住)大阪市中央区安土町1-8-15 ☎06-6264-5071 ㉕**23** ㉔**14(男13,女1)**
(株)ODKソリューションズ	[情通] (特色)システム開発・運用会社。入試関連支援業務が主力。利益は下期集中。学研HDが筆頭株主に (売)連5,867 (従)157 (資)637 (住)大阪市中央区道修町1-6-7 ☎06-6202-3700 ㉕**若干名** ㉔**5(男1,女4)**
オーナンバ(株)	[非鉄] (特色)産業・民生用ワイヤハーネスと省エネ・再エネソリューションのグローバル総合配線メーカー (売)連44,758 (従)155 (資)2,323 (住)大阪市中央区南久宝寺町4-1-2 ☎06-7639-5500 ㉕**5** ㉔**4(男3,女1)**
(株)オービーシステム	[情通] (特色)地銀軸に金融に強いSI。小売り、医療、社会公共と幅広く手がける。日立G向け約7割と安定 (売)単6,896 (従)488 (資)190 (住)大阪市中央区平野町2-3-7 ☎06-6228-3411 ㉕**50** ㉔**52(男41,女11)**
OUGホールディングス(株)	[卸] (特色)大阪市中央卸売市場の水産物卸売り。国内最大規模。市場外取引を拡大中。養殖も手がける (売)連333,197 (従)31 (資)6,495 (住)大阪市福島区野田2-13-5 ☎06-4804-3031 ㉕**20** ㉔**12(男11,女1)**
オカダアイヨン(株)	[機] (特色)破砕・解体用建機メーカー。環境機械も仕入れ販売。米国など海外も拡大中。林業機械会社買収 (売)連27,095 (従)223 (資)2,221 (住)大阪市港区海岸通4-1-18 ☎06-6576-1281 ㉕**10** ㉔**10(男6,女4)**
(株)加地テック	[機] (特色)石化などプラント向け特殊ガス圧縮機製造。燃料電池車用水素設備も。三井E&S連結子会社 (売)単7,261 (従)202 (資)1,440 (住)堺市美原区菩提6 ☎072-361-0881 ㉕**未定** ㉔**2(男2,女0)**
(株)カプコン	[情通] (特色)家庭用ゲームソフト開発大手。アクション系軸に人気作品多数。ゲームのデジタル販売に注力 (売)連152,410 (従)3,352 (資)33,239 (住)大阪市中央区内平野町3-1-3 ☎06-6920-3611 ㉕**前年並** ㉔**168(男118,女50)**
(株)カワタ	[機] (特色)プラスチック成形・合理化周辺機器トップ級。アジア軸に海外展開。国内は非成形機分野育成 (売)連24,494 (従)246 (資)977 (住)大阪市西区阿波座1-15-15 ☎06-6531-8211 ㉕**6** ㉔**4(男3,女1)**
川本産業(株)	[繊] (特色)ガーゼなど医療用衛生材料最大手。エア・ウォーター子会社に。西松屋チェーンに育児用品卸す (売)連29,631 (従)229 (資)883 (住)大阪市中央区谷町2-6-4 ☎06-6943-8951 ㉕**5** ㉔**4(男3,女1)**
(株)関門海	[小] (特色)格安フグ料理「玄品」が主力。冬に利益の大半稼ぐ。夏場の閑散期対策でハモ、うなぎ料理提供 (売)連5,015 (従)159 (資)10 (住)松原市三宅東1-8-7 ☎072-349-0029 ㉕**未定** ㉔**10(男4,女6)**
北恵(株)	[卸] (特色)関西圏地盤の住宅資材卸。直販比率が上昇。好採算の施工付き販売を拡大。配当性向35%メド (売)単62,368 (従)385 (資)2,220 (住)大阪市中央区南本町3-6-14 ☎06-6251-1161 ㉕**15** ㉔**9(男7,女2)**
木村工機(株)	[機] (特色)業務用空調機器の開発、製造、販売。ヒートポンプ式に強みを持ち、工場などの産業向けが柱 (売)単13,852 (従)370 (資)744 (住)大阪市中央区上本町西5-3-5 ☎050-3733-9400 ㉕**未定** ㉔**5(男5,女0)**
(株)キャピタル・アセット・プランニング	[情通] (特色)生命保険向けシステム開発が主。銀行・証券向けに相続・事業承継の資産管理システムなど育成 (売)連8,046 (従)323 (資)944 (住)大阪市北区堂島2-4-27 ☎06-4796-5666 ㉕**15** ㉔**9(男7,女2)**
(株)QLSホールディングス	[サ] (特色)認可保育所運営が柱。訪問介護、グループホーム型福祉施設等の介護・福祉と人材派遣も展開 (売)連8,360 (従)15 (資)92 (住)大阪市浪速区難波中1-12-5 ☎06-6575-9845 ㉕**未定** ㉔**46(男2,女44)**
共英製鋼(株)	[鉄] (特色)関西電炉大手。棒鋼に強く、ネジ節棒鋼も。ベトナムと米国、カナダで展開。環境リサイクル併営 (売)連320,982 (従)1,004 (資)18,516 (住)大阪市北区堂島浜1-4-16 ☎06-6346-5221 ㉕**30** ㉔**21(男18,女3)**
近畿車輛(株)	[輸機] (特色)鉄道車両製造の専業。国内はJR主体。海外比重大きく、LRV(低床式路面電車)で実績多い (売)連43,154 (従)994 (資)5,252 (住)東大阪市稲田上町2-2-46 ☎06-6746-5222 ㉕**20** ㉔**21(男20,女1)**

会社名	[業種名] (特色) 会社の特色 (売)売上高(百万円) (従)単独従業員数(名) (資)資本金(百万円) (住)本社の住所, 電話番号 ㉕25年採用計画数(名) ㉔24年入社内定者数(名)
㈱クオルテック	[サ] (特色) EV向け電子部品の信頼性評価が柱。レーザーによる微細加工も受託。主要顧客はデンソー (売)単3,623 (従)242 (資)392 (住)堺市堺区三宝町4-230 ☎072-226-7175 ㉕**5** ㉔**3(男3, 女0)**
㈱グラッドキューブ	[サ] (特色) デジタルマーケティング支援。サイト解析ツールを使ったSaaSとネット広告代理が事業柱 (売)単1,523 (従)132 (資)370 (住)大阪市中央区瓦町2-4-7 ☎06-6105-0315 ㉕**10** ㉔**4(男2, 女2)**
クリエイト㈱	[卸] (特色) 給水・排水パイプ、継ぎ手など管工機材の卸売り専業。全国ネットの販売、物流、製造体制が強み (売)連35,860 (従)438 (資)646 (住)大阪市西区阿波座1-13-15 ☎06-6538-2333 ㉕**17** ㉔**17(男13, 女4)**
クリヤマホールディングス㈱	[卸] (特色) ゴム、合成樹脂製ホースを日米欧で展開。運動施設・建設用床材も。子会社で尿素SCR事業 (売)連71,672 (従)287 (資)783 (住)大阪市中央区城見1-3-7 ☎06-6910-7013 ㉕**前年並** ㉔**11(男8, 女3)**
㈱グルメ杵屋	[小] (特色) 主力のそば「そじ坊」、うどん「杵屋」のほか洋食店など多業態展開。機内食や冷凍弁当の製造も (売)連37,033 (従)520 (資)100 (住)大阪市住之江区北加賀屋3-4-7 ☎06-6683-1222 ㉕**45** ㉔**14(男3, 女11)**
グローバルスタイル㈱	[小] (特色) オーダースーツ店「GINZA Global Style」展開。価格抑え20～40代顧客多い (売)単11,167 (従)286 (資)80 (住)大阪市中央区淡路町3-5-1 ☎06-6206-2711 ㉕**20** ㉔**20(男9, 女11)**
㈱くろがね工作所	[他製] (特色) オフィス家具中堅。OA周辺機器や空調・医療・高齢者施設向け設備(建築付帯設備機器)に注力 (売)連7,180 (従)236 (資)2,998 (住)大阪市西区新町1-4-24 ☎06-6538-1010 ㉕**前年並** ㉔**8(男4, 女4)**
㈱ケア21	[サ] (特色) 関西地盤の在宅介護や老人ホームなど施設介護が軸。関東地区も強化中。総合福祉企業を標榜 (売)連41,098 (従)5,143 (資)100 (住)大阪市北区堂島2-2-2 ☎06-6456-5633 ㉕**160** ㉔**76(男21, 女55)**
京阪神ビルディング㈱	[不] (特色) 場外馬券売り場やオフィスビルを賃貸。データセンターを拡大中。大阪物件多いが首都圏も開拓 (売)連19,310 (従)60 (資)9,827 (住)大阪市中央区瓦町4-2-14 ☎06-6202-7331 ㉕**若干名** ㉔**2(男1, 女1)**
㈱ケー・エフ・シー	[金製] (特色) 建築用の構造部材を固定するファスナーが柱。アンカーボルト2位、トンネル用ボルト首位 (売)連25,070 (従)308 (資)565 (住)大阪市北区西天満3-2-17 ☎06-6363-4188 ㉕**5** ㉔**5(男4, 女1)**
高圧ガス工業㈱	[化] (特色) 溶解アセチレン最大手。接着剤、塗料等ファイン育成。環境等の新技術開発に積極的。好財務 (売)連93,275 (従)599 (資)2,885 (住)大阪市北区中崎西2-4-12 ☎06-7711-2570 ㉕**34** ㉔**17(男11, 女6)**
神島化学工業㈱	[ガ土] (特色) 窯業系の不燃内外装建材が主力。マグネシウム、セラミックスなど化成品の生産・販売を拡充 (売)単25,974 (従)657 (資)1,320 (住)大阪市中央区今橋4-4-7 ☎06-6232-5350 ㉕**20** ㉔**4(男3, 女1)**
コニシ㈱	[化] (特色) 「ボンド」で有名な接着剤最大手。住宅・建築分野に強く耐震補強技術を持つ。化成品商事も有力 (売)連132,969 (従)746 (資)4,603 (住)大阪市中央区道修町1-7-1 ☎06-6228-2811 ㉕**40** ㉔**30(男21, 女9)**
㈱Cominix	[卸] (特色) 切削工具や耐摩工具の専門商社。自動車部品加工メーカー向け比重高い。自社ブランド品も (売)連28,644 (従)206 (資)350 (住)大阪市中央区南本町1-8-14 ☎06-7663-8208 ㉕**前年並** ㉔**7(男6, 女1)**
コンドーテック㈱	[卸] (特色) 足場吊りチェーン、結合金具等の産業資材大手。鉄構資材等も。仕入れ販売中心だが一部は内製 (売)連76,873 (従)820 (資)2,666 (住)大阪市西区境川2-2-90 ☎06-6582-8441 ㉕**20** ㉔**15(男8, 女7)**
コンピューターマネージメント㈱	[情通] (特色) 独立系SI、関西から出発し全国展開。金融や医療に強く、インフラ構築も。SAPパートナー (売)連7,194 (従)718 (資)404 (住)大阪市北区梅田1-13-1 ☎050-3508-9000 ㉕**30** ㉔**30(男17, 女13)**
㈱サイネックス	[サ] (特色) 行政情報誌、自治体の広報活動支援、ふるさと納税代行など地方創生支援行う。郵便発送代行も (売)連15,390 (従)700 (資)750 (住)大阪市天王寺区上本町5-3-15 ☎06-6766-3333 ㉕**前年並** ㉔**41(男22, 女19**
㈱サカイ引越センター	[陸] (特色) 引っ越し業界首位で近畿地盤に全国展開。電気工事やリユース事業なども展開。M&Aにも意欲 (売)連116,861 (従)6,245 (資)4,731 (住)堺市堺区石津北町56 ☎072-241-0464 ㉕**400** ㉔**321(男240, 女81)**
さくらインターネット㈱	[情通] (特色) データセンター(DC)独立系大手。主軸はクラウドサービスに移行。製造業や官公庁向けに実績 (売)連21,826 (従)721 (資)11,283 (住)大阪市北区大深町6-38 ☎06-6476-8790 ㉕**35** ㉔**21(男10, 女11)**
ザ・パック㈱	[パ紙] (特色) 百貨店や専門店向け等の紙袋で最大手。紙器でも有力。段ボールや紙おむつ用袋も手がける (売)連97,714 (従)869 (資)2,553 (住)大阪市東成区東小橋2-9-3 ☎06-4967-1221 ㉕**未定** ㉔**42(男27, 女15)**
サワイグループホールディングス㈱	[医] (特色) ジェネリック(後発)薬大手メーカー。21年春に沢井製薬が持株会社化。大型買収で米国本格展開 (売)連IFS176,862 (従)2,785 (資)10,020 (住)大阪市淀川区宮原5-2-30 ☎06-6105-5818 ㉕**増加** ㉔**103(男60, 女43**
SANEI㈱	[機] (特色) 給水栓大手。住宅用に加えてホテル・飲食店向けの意匠性高い製品に強み。岐阜と大阪で生産 (売)連27,532 (従)649 (資)432 (住)大阪市東成区玉津1-12-29 ☎06-6972-5921 ㉕**微増** ㉔**20(男8, 女12)**
三京化成㈱	[卸] (特色) 樹脂、工業薬品等の化学品商社。西日本が地盤。取り扱い商材は多岐、技術志向型営業を標榜 (売)連26,227 (従)91 (資)1,716 (住)大阪市中央区北久宝寺町1-9-8 ☎06-6262-2881 ㉕**前年並** ㉔**4(男2, 女2)**
三共生興㈱	[卸] (特色) 繊維商社の老舗。高級カジュアル衣料も。「DAKS」など欧米高級ブランドライセンスを保有 (売)連21,271 (従)51 (資)3,000 (住)大阪市中央区安土町2-5-6 ☎06-6268-5000 ㉕**前年並** ㉔**12(男3, 女9)**
㈱三社電機製作所	[電機] (特色) 電源機器と半導体の生産が柱。金属表面処理用電源で国内首位。半導体はパワー系でニッチ特化 (売)連31,005 (従)720 (資)2,774 (住)大阪市東淀川区西淡路3-1-56 ☎06-6321-0321 ㉕**15** ㉔**12(男11, 女1)**

会社名	業種名 特色 会社の特色 売 売上高(百万円) 従 単独従業員数(名) 資 資本金(百万円) 住 本社の住所, 電話番号 ㉕ 25年採用計画数(名) ㉔ 24年入社内定者数(名)
㈱サンユウ	鉄 特色 日本製鉄系。関西以西地盤のみがき棒鋼、冷間圧造用鋼線（CH線）の専業2次加工メーカー 売 連24,012 従 202 資 1,513 住 枚方市春日北町3-1-1 ☎072-858-1251 ㉕ **微増** ㉔ **3（男3, 女0）**
サンヨーホームズ㈱	建 特色 戸建て住宅、マンション、賃貸・福祉住宅の設計・販売が主。近畿中心に首都圏、中部等で展開 売 連45,860 従 346 資 5,945 住 大阪市西区西本町1-4-1 ☎06-6578-3403 ㉕ **増加** ㉔ **24（男14, 女10）**
㈱CDG	サ 特色 販促用品で創業。アライアンスでデジタル領域を強化。CLHDが筆頭株主に。全国展開。無借金 売 連11,312 従 253 資 450 住 大阪市北区梅田2-5-25 ☎06-6133-5200 ㉕ **前年並** ㉔ **11（男4, 女7）**
㈱ジェイエスエス	サ 特色 スイミングスクール専業大手。直営・運営受託で全国展開。会員の大半児童。テニススクールも 売 単8,131 従 483 資 330 住 大阪市西区土佐堀1-4-11 ☎06-6449-6121 ㉕ **30** ㉔ **24（男19, 女5）**
シキボウ㈱	繊 特色 紡績名門。事業ポートフォリオ見直しや航空機向け含む機能材などの育成、海外事業強化を推進 売 連38,681 従 570 資 11,820 住 大阪市中央区備後町3-2-6 ☎06-6268-5493 ㉕ **増加** ㉔ **22（男7, 女15）**
㈱シノプス	情通 特色 大手小売業向けに需要予測型の自動発注システム「sinops」を展開。クラウド型へ転換中 売 単1,728 従 111 資 428 住 豊中市新千里東町1-5-3 ☎06-6836-5780 ㉕ **10** ㉔ **8（男5, 女3）**
シノブフーズ㈱	食 特色 米飯や調理パンを製造。大手コンビニ向け5割以上、スーパーや生協、カフェにも。冷食育成中 売 連54,825 従 579 資 4,693 住 大阪市西淀川区竹島2-3-18 ☎06-6477-0113 ㉕ **35** ㉔ **33（男20, 女13）**
上新電機㈱	小 特色 関西地盤の家電量販大手。PCや玩具、ソフトの専門店も展開。営業等でも地元色を全面訴求 売 連403,692 従 3,707 資 15,121 住 大阪市浪速区日本橋西1-6-5 ☎06-6631-1221 ㉕ **前年並** ㉔ **94（男38, 女56）**
新晃工業㈱	機 特色 セントラル空調機器でシェア4割弱。業務用空調機の中堅。中国やタイ進出。ビル管理会社併営 売 連51,943 従 699 資 5,822 住 大阪市北区南森町1-4-5 ☎06-6367-1811 ㉕ **20** ㉔ **18（男13, 女5）**
新コスモス電機㈱	電機 特色 家庭用ガス警報器でトップ。工業・業務用も展開。独自のガスセンサー技術軸に開発。海外強化 売 連38,546 従 460 資 1,460 住 大阪市淀川区三津屋中2-5-4 ☎06-6308-3112 ㉕ **15** ㉔ **15（男11, 女4）**
新日本理化㈱	化 特色 石化製品の機能性樹脂原料・添加剤、オレオ誘導体に重点。油脂製品も。水素添加技術に強み 売 連32,863 従 298 資 5,660 住 大阪市中央区備後町2-1-8 ☎06-6202-0624 ㉕ **未定** ㉔ **5（男3, 女2）**
㈱杉村倉庫	倉運 特色 関西倉庫業の老舗、流通加工や運送も。不動産賃貸、ゴルフ練習場など併営。野村HDグループ 売 連10,850 従 111 資 2,630 住 大阪市港区福崎1-1-57 ☎06-6571-1221 ㉕ **5** ㉔ **3（男2, 女1）**
杉本商事㈱	卸 特色 機械・工具商社の大手。測定器具関連で高シェア。工作用器具、空油圧器具も販売。財務堅実 売 連46,636 従 509 資 2,597 住 大阪市西区立売堀5-7-27 ☎06-6538-2661 ㉕ **40** ㉔ **40（男31, 女9）**
㈱スタジオアリス	サ 特色 子ども写真館最大手。七五三が売上の4割。成人式用振り袖撮影貸し出しセット「ふりホ」拡充 売 連36,396 従 1,054 資 1,885 住 大阪市北区梅田1-8-17 ☎06-6343-2600 ㉕ **60** ㉔ **63（男1, 女62）**
ステラ ケミファ㈱	化 特色 電子部品用フッ素高純度薬品で世界首位。濃縮ホウ素の拡大を目指す。運輸事業も手がける 売 連30,446 従 304 資 4,829 住 大阪市中央区伏見町4-1-1 ☎06-4707-1511 ㉕ **5** ㉔ **10（男8, 女2）**
㈱スマートバリュー	情通 特色 自治体向けクラウドが主力。車両管理やカーシェアのシステムも。神戸にアリーナを開発中 売 連3,814 従 191 資 1,044 住 大阪市中央区道修町3-6-1 ☎06-6227-5577 ㉕ **8** ㉔ **5（男3, 女2）**
住友精化㈱	化 特色 紙おむつ用の高吸水性樹脂が大黒柱。国内外に生産拠点。各種工業用ガス、微粒子ポリマー等も 売 連142,986 従 1,073 資 9,714 住 大阪市中央区北浜4-5-33 ☎06-6220-8508 ㉕ **前年並** ㉔ **42（男30, 女12）**
住江織物㈱	繊 特色 国会の赤じゅうたんを納入する名門繊維企業。自動車カーペットや内装品が主力。鉄道向けも 売 連103,478 従 258 資 9,554 住 大阪市中央区南船場3-11-20 ☎06-6251-6801 ㉕ **15** ㉔ **14（男8, 女6）**
㈱成学社	サ 特色 大阪地盤に個別指導塾「フリーステップ」を展開、首都圏を開拓。保育や留学生支援事業を育成 売 連13,102 従 743 資 235 住 大阪市北区中崎西3-1-2 ☎06-6373-1529 ㉕ **60** ㉔ **52（男26, 女26）**
西菱電機㈱	サ 特色 三菱電機系商社。交通や防災など情報通信システムが柱。携帯端末小売り・修理再生事業も展開 売 連18,489 従 429 資 523 住 大阪市北区堂島2-4-27 ☎06-6345-4160 ㉕ **34** ㉔ **11（男8, 女3）**
積水化成品工業㈱	化 特色 積水化学グループ、発泡樹脂素材・成形品の大手。自動車用中心に海外拡大。微粒子ポリマーも 売 連130,265 従 432 資 16,533 住 大阪市北区西天満2-4-4 ☎06-6365-3014 ㉕ **10** ㉔ **7（男4, 女3）**
積水樹脂㈱	化 特色 防護壁など道路資材でトップ。外構・景観製品のデザイン力に強み。欧州強化中。積水グループ 売 連62,790 従 352 資 12,334 住 大阪市北区西天満2-4-4 ☎06-6365-3204 ㉕ **20** ㉔ **21（男15, 女6）**
ゼット㈱	卸 特色 スポーツ用品卸大手。各地の小規模スポーツ店に販路。野球用品で自社製品。輸入代理店業も 売 連51,957 従 436 資 1,005 住 大阪市天王寺区烏ケ辻1-2-16 ☎06-6779-1171 ㉕ **未定** ㉔ **14（男9, 女5）**
泉州電業㈱	卸 特色 電線専門商社、オーナー経営。SWCCが最大仕入れ先。即納強み。売上高は銅価と連動性高い 売 連124,967 従 558 資 2,575 住 吹田市南金田1-4-21 ☎06-6384-1101 ㉕ **31** ㉔ **14（男10, 女4）**
㈱ソフト99コーポレーション	化 特色 「ソフト99」カーワックス、補修剤等の自動車用品大手。半導体など産業資材を第2の柱に育成 売 連29,874 従 204 資 2,310 住 大阪市中央区谷町2-6-5 ☎06-6942-8761 ㉕ **5** ㉔ **4（男1, 女3）**

会社名	業種名 特色 会社の特色 売 売上高（百万円） 従 単独従業員数（名） 資 資本金（百万円） 住 本社の住所，電話番号 ㉕25年採用計画数（名） ㉔24年入社内定者数（名）
タイガースポリマー㈱	化 特色 自動車部品用成形品、ゴムシート、ホース大手。家電用ホースも高シェア。住宅・土木用にも拡充 売 連47,862 従 575 資 4,149 住 豊中市新千里東町1-4-1 ☎06-6834-1551 ㉕増加 ㉔11（男9，女2）
㈱大紀アルミニウム工業所	非鉄 特色 アルミ2次合金地金の国内トップ企業。ダイカスト・鋳物用が主力。東南アジアで製販拡大 売 連262,671 従 323 資 6,346 住 大阪市北区中之島3-6-32 ☎06-6444-2751 ㉕5 ㉔5（男4，女1）
㈱ダイケン	金製 特色 建築金物、建材の中堅。ハンガーレール、自転車置き場装置で首位。宅配ボックス、ゴミ箱を展開 売 単10,881 従 329 資 481 住 大阪市淀川区新高2-7-13 ☎06-6392-5551 ㉕10 ㉔6（男3，女3）
大研医器㈱	精 特色 医療機器メーカー。真空吸引器など病院感染防止や麻酔関連が主。最先端医療分野開発に意欲 売 単9,750 従 181 資 495 住 和泉市あゆみ野2-6-2 ☎0725-30-3150 ㉕9 ㉔3（男2，女1）
大幸薬品㈱	医 特色 止瀉薬「正露丸」で有名な大衆薬中堅。オーナー経営色。不振の「クレベリン」など事業再構築中 売 連6,120 従 184 資 10 住 大阪市西区西本町1-4-1 ☎06-4391-1110 ㉕2 ㉔2（男2，女0）
㈱ダイサン	サ 特色 住宅・建築工事の足場設計・施工業者。くさび式で首位。関東圏を拡充。シンガポールに拠点 売 連10,407 従 435 資 100 住 大阪市中央区南本町2-6-12 ☎06-6243-8002 ㉕40 ㉔11（男11，女0）
ダイジェット工業㈱	機 特色 総合超硬工具メーカー上位。需要先は自動車向けが中心。炭窒化チタン系の超硬材料も独自開発 売 連8,344 従 355 資 3,099 住 大阪市平野区加美東2-1-18 ☎06-6791-6781 ㉕14 ㉔3（男2，女1）
㈱大水	卸 特色 ニッスイの持分会社。水産物卸売り主力。関西の中央卸売市場が主要拠点。冷蔵倉庫業も展開 売 連98,460 従 333 資 100 住 大阪市福島区野田1-1-86 ☎06-6469-3000 ㉕10 ㉔13（男13，女0）
大末建設㈱	建 特色 マンション等民間建築が主体。関西主力だが首都圏の比重高まる。ミサワホームと資本業務提携 売 連77,815 従 623 資 4,324 住 大阪市中央区久太郎町2-5-28 ☎06-6121-7121 ㉕50 ㉔28（男21，女7）
ダイトーケミックス㈱	化 特色 半導体・液晶向け感光性材料や写真材料が主力。医薬中間体も注力。子会社で産業廃棄物処理も 売 連15,811 従 231 資 2,901 住 大阪市鶴見区茨田大宮3-1-7 ☎06-6911-9310 ㉕8 ㉔10（男9，女1）
ダイトロン㈱	卸 特色 電子部品中堅卸。製販一体推進。半導体など製造装置も。自社製品の開発体制強化。米国に工場 売 連92,156 従 819 資 2,200 住 大阪市淀川区宮原4-6-11 ☎06-6399-5041 ㉕40 ㉔27（男22，女5）
大日本塗料㈱	化 特色 塗料国内4位。三菱色が濃厚。重防食・住宅建材用に強み。傘下企業で照明機器、蛍光色材事業も 売 連71,940 従 730 資 8,827 住 大阪市中央区南船場1-18-11 ☎06-6266-3100 ㉕未定 ㉔21（男16，女5）
ダイハツディーゼル㈱	輸機 特色 ダイハツ工業が発祥。主力の船舶用ディーゼルエンジン発電用補機関は世界大手の一角。陸用も 売 連81,775 従 889 資 2,434 住 大阪市北区大淀中1-1-30 ☎06-6454-2331 ㉕38 ㉔33（男27，女6）
大丸エナウィン㈱	卸 特色 LPガス販売は近畿3位。医療・産業用ガスも販売。飲料水事業も営む。M&Aに意欲的 売 連29,905 従 443 資 870 住 大阪市住之江区緑木1-4-39 ☎06-6685-5101 ㉕5 ㉔3（男2，女1）
ダイヤモンドエレクトリックホールディングス㈱	電機 特色 自動車用点火コイルの草分け。18年に持株会社化。旧田淵電機を傘下に蓄電システム強化 売 連93,334 従 512 資 1,237 住 大阪市淀川区塚本1-15-27 ☎06-6302-8211 ㉕増加 ㉔2（男2，女0）
DAIWA CYCLE㈱	小 特色 自転車販売・修理の大手。大阪に強固な地盤。販売台数の過半がPB。電動アシスト車比率も高い 売 単15,339 従 704 資 549 住 吹田市江坂町1-12-38 ☎06-6380-3338 ㉕90 ㉔81（男74，女7）
田岡化学工業㈱	化 特色 住友化学系。染料、接着剤から医・農薬中間体など精密化学分野を拡大。インドに生産子会社 売 連28,544 従 398 資 1,572 住 大阪市淀川区新高3-9-14 ☎06-7639-7400 ㉕微増 ㉔11（男8，女3）
高田機工㈱	金製 特色 関西地盤の中堅橋梁・鉄骨メーカー。大空間の鋼構造物で優位。和歌山工場へ生産設備集約 売 単19,695 従 278 資 5,178 住 大阪市浪速区難波中2-10-70 ☎06-6649-5100 ㉕未定 ㉔9（男6，女3）
㈱高松コンストラクショングループ	建 特色 準大手ゼネコン。賃貸マンション建築の高松建設と土木の青木あすなろ建設が中核。買収積極的 売 連312,680 従 1,743 資 5,000 住 大阪市淀川区新北野1-2-3 ☎06-6303-8101 ㉕155 ㉔110（男89，女21）
㈱タカミヤ	サ 特色 仮設機材の販売・レンタル大手。新型足場に注力。アグリ事業を育成。韓国、ベトナムで生産 売 連44,127 従 753 資 1,052 住 大阪市北区大深町3-1 ☎06-6375-3900 ㉕40 ㉔25（男15，女10）
㈱タクミナ	機 特色 定量ポンプの大手。環境装置メーカー向け水処理・塩素殺菌用を基盤に、高精密塗工用も拡大 売 連11,015 従 312 資 892 住 大阪市中央区淡路町2-2-14 ☎06-6208-3971 ㉕前年並 ㉔7（男6，女1）
武田薬品工業㈱	医 特色 国内製薬首位。がん、中枢神経、消化器、希少疾患等に重点。巨額買収で世界売上上位10強入り 売 連IFS4,263,762 従 5,474 資 1,676,596 住 大阪市中央区道修町4-1-1 ☎06-6204-2111 ㉕前年並 ㉔36（男‥，女‥）
タツタ電線㈱	非鉄 特色 総合電線メーカー中堅。電磁波遮蔽フィルムが利益柱。筆頭株主のTOBが成立、上場廃止へ 売 連64,119 従 677 資 6,676 住 東大阪市岩田町2-3-1 ☎06-6721-3331 ㉕未定 ㉔11（男11，女0）
タビオ㈱	卸 特色 靴下やタイツなどの専門店「靴下屋」を直営とFCで展開。店頭連動の国内生産システムに強み 売 連16,220 従 242 資 414 住 大阪市浪速区難波中2-10-70 ☎06-6632-1200 ㉕若干名 ㉔4（男0，女4）
㈱チャーム・ケア・コーポレーション	サ 特色 近畿・首都圏で介護付き有料老人ホーム展開。高価格帯に重点。土地建物賃借の運営中心 売 連47,829 従 1,793 資 2,759 住 大阪市北区中之島3-6-32 ☎06-6445-3403 ㉕100 ㉔67（男32，女35）

会社名	業種名 特色 会社の特色 売 売上高(百万円) 従 単独従業員数(名) 資 資本金(百万円) 住 本社の住所,電話番号 ㉕25年採用計画数(名) ㉔24年入社内定者数(名)
中央自動車工業(株)	卸 特色 コーティング剤など自社企画の自動車用品を販売。自動車補修部品の輸出事業も。好財務 売 連39,331 従 260 資 1,001 住 大阪市北区中之島4-2-30 ☎06-6443-5182 ㉕ **20** ㉔ **14(男10,女4)**
(株)ツバキ・ナカシマ	機 特色 ベアリング用の精密鋼球・ローラーが主力。ボールネジも。MEBOで非上場化も15年再上場 売 連IFS80,337 従 460 資 17,117 住 大阪市中央区本町4-2-12 ☎06-6224-0193 ㉕ **未定** ㉔ **14(男12,女2)**
椿本興業(株)	卸 特色 機械の中堅商社。モーター、チェーンなど動伝商品が柱。液晶関連の搬送装置などFA関連拡充 売 連113,503 従 549 資 2,945 住 大阪市北区梅田3-3-20 ☎06-4795-8800 ㉕ **前年並** ㉔ **15(男13,女2)**
(株)鶴見製作所	機 特色 水中ポンプ専業トップで市場シェア約3割。工場など設備常設型にも注力。日中台に生産工場 売 連62,629 従 909 資 5,188 住 大阪市鶴見区鶴見4-16-40 ☎06-6911-2351 ㉕ **17** ㉔ **14(男12,女2)**
テイカ(株)	化 特色 塗料、UV化粧品向けなど酸化チタン大手。導電性高分子薬剤、医療診断用圧電材料は用途拡大 売 連52,993 従 565 資 9,855 住 大阪市中央区谷町4-11-6 ☎06-6943-6401 ㉕ **前年並** ㉔ **23(男18,女5)**
(株)テクノスマート	機 特色 各種フィルム塗工乾燥機、化工機メーカー。中国、台湾、韓国向け比率高い。国内生産体制堅持 売 単19,242 従 245 資 1,953 住 大阪市中央区久太郎町2-5-28 ☎06-6253-7200 ㉕ **9** ㉔ **7(男6,女1)**
寺崎電気産業(株)	電機 特色 船舶、産業用の配電制御システムメーカー。国内シェア首位。海外でも積極展開。医療装置も 売 連52,065 従 578 資 1,236 住 大阪市平野区加美東6-13-47 ☎06-6791-2701 ㉕ **前年並** ㉔ **17(男13,女4)**
(株)デンキョーグループホールディングス	卸 特色 家電商社で季節商品に強み。子会社の梶原産業で日用雑貨卸、大和無線電器で電子部品卸も行う 売 連54,603 従 32 資 2,644 住 大阪市浪速区日本橋東2-1-3 ☎06-6631-5634 ㉕ **5** ㉔ **2(男0,女2)**
東洋シヤッター(株)	金製 特色 シャッターで3位。重量シャッターに強み。スチールドアも展開。独ハーマン社と資本業務提携 売 連21,487 従 530 資 2,024 住 大阪市中央区南船場2-3-2 ☎06-4705-2110 ㉕ **28** ㉔ **16(男15,女1)**
東洋炭素(株)	ガ土 特色 等方性黒鉛の先駆者、世界シェア3割とトップ。原料調達から製造・加工までの一貫生産に強み 売 連49,251 従 978 資 7,947 住 大阪市北区梅田1-13-1 ☎050-3097-4950 ㉕ **32** ㉔ **33(男28,女5)**
東洋テック(株)	サ 特色 金融機関の警備業務から出発。機械警備やビル管理が主体。関西地方地盤。セコムが筆頭株主 売 連31,249 従 1,069 資 4,618 住 大阪市浪速区桜川1-7-18 ☎06-6563-2111 ㉕ **増加** ㉔ **38(男28,女10)**
(株)トーア紡コーポレーション	繊 特色 毛織物など衣料老舗。自動車用内装材や半導体関連部材など多角化。安定収益の不動産が利益柱 売 連19,042 従 67 資 3,940 住 大阪市中央区城見1-2-27 ☎06-7178-1151 ㉕ **若干名** ㉔ **3(男2,女1)**
(株)酉島製作所	機 特色 ポンプ国内大手3社の一角。発電用高効率ポンプは国内1位。中東の海水淡水化設備向け強い 売 連81,103 従 1,026 資 1,592 住 高槻市宮田町1-1-8 ☎072-695-0551 ㉕ **57** ㉔ **45(男33,女12)**
トルク(株)	卸 特色 建設用ボルト、ナットの首位商社。機械向けなどを充実。工具卸もグループに加え、業容拡大 売 連21,757 従 171 資 2,712 住 大阪市西区南堀江2-7-4 ☎06-6535-3690 ㉕ **増加** ㉔ **7(男4,女3)**
内外トランスライン(株)	倉運 特色 独立系の国際海上輸出混載首位。アジアはじめ豊富な仕向け地と運航頻度が強み。自己資本厚い 売 連32,280 従 234 資 243 住 大阪市中央区備後町2-6-8 ☎06-6260-4710 ㉕ **微減** ㉔ **6(男4,女2)**
(株)ナガオカ	機 特色 石油精製・石油化学プラント用の内部装置、取水用スクリーンのほか、水処理装置の製造も 売 連9,505 従 93 資 1,253 住 大阪市中央区安土町1-8-15 ☎06-6261-6600 ㉕ **前年並** ㉔ **2(男0,女2)**
(株)中西製作所	金製 特色 業務用厨房機器大手。学校給食システムに強み。外食産業向けはマクドナルドなどが有力顧客 売 単36,602 従 613 資 1,445 住 大阪市生野区巽南5-4-14 ☎06-6791-1111 ㉕ **18** ㉔ **18(男13,女5)**
ナカバヤシ(株)	他製 特色 アルバム、図書館製本の最大手。情報処理(BPO)や商業印刷、文房具販売も。業績は下期偏重 売 連61,043 従 1,010 資 6,666 住 大阪市中央区北浜東1-20 ☎06-6943-5555 ㉕ **未定** ㉔ **18(男10,女8)**
中本パックス(株)	他製 特色 グラビア印刷を軸にラミネート、コーティング事業を展開。食品包装、IT・工業材、医療に強み 売 連44,362 従 478 資 1,057 住 大阪市天王寺区空堀町2-8 ☎06-6762-0431 ㉕ **31** ㉔ **8(男7,女1)**
(株)中山製鋼所	鉄 特色 日本製鉄系。鋼板、棒線など鉄鋼メーカーの老舗。自社電気炉と高炉で培った圧延技術に特徴 売 連184,445 従 815 資 20,044 住 大阪市大正区船町1-1-66 ☎06-6555-3029 ㉕ **前年並** ㉔ **8(男7,女1)**
中山福(株)	卸 特色 家庭用品の卸大手。鍋、フライパン等のキッチン用品や保存容器などが主。配当性向35%以上 売 連38,593 従 337 資 1,706 住 大阪市中央区島之内1-22-9 ☎06-6251-3051 ㉕ **15** ㉔ **27(男8,女19)**
南海化学(株)	化 特色 中山製鋼所から独立した化学品メーカー。主力は苛性ソーダとその派生品。原塩加工販売も 売 連19,987 従 217 資 454 住 大阪市西区南堀江1-12-19 ☎06-6532-5590 ㉕ **10** ㉔ **5(男3,女2)**
南海辰村建設(株)	建 特色 近畿地盤の南海建設と、首都圏地盤の辰村組が統合して誕生した南海電鉄グループの中堅建設 売 連43,626 従 451 資 2,000 住 大阪市浪速区難波中3-5-19 ☎06-6644-7802 ㉕ **未定** ㉔ **19(男18,女1)**
(株)日伝	卸 特色 産業用部品、機器の大手専門商社。減変速機等の動力伝導、制御機器類が主。アジアで事業強化 売 連126,912 従 908 資 5,368 住 大阪市中央区上本町西1-2-16 ☎06-7637-7000 ㉕ **50** ㉔ **35(男15,女20)**
(株)ニッカトー	ガ土 特色 工業用耐摩耗・耐熱セラミックス中堅メーカー。ベアリング用にも参入。エンジニアリング併営 売 単10,239 従 288 資 1,320 住 堺市堺区遠里小野町3-2-24 ☎072-238-3641 ㉕ **前年並** ㉔ **6(男6,女0)**

会社名	業種名 特色 会社の特色 売 売上高(百万円) 従 単独従業員数(名) 資 資本金(百万円) 住 本社の住所, 電話番号 ㉕ 25年採用計画数(名) ㉔ 24年入社内定者数(名)
ニッケ	繊 特色 羊毛紡績の有力会社ながら利益柱は商業施設賃貸。スポーツや介護施設、売電などへも展開 売 連113,497 従 502 資 6,465 住 大阪市中央区瓦町3-3-10 ☎06-6205-6600 ㉕ **8** ㉔ **8(男2, 女6)**
ニッタ㈱	ゴ 特色 伝動用ベルト草分け、ホースと2本柱。半導体消耗品と自動車用ベルトの合弁持分2社貢献大 売 連88,609 従 1,092 資 8,060 住 大阪市浪速区桜川4-4-26 ☎06-6563-1211 ㉕ **15** ㉔ **12(男9, 女3)**
新田ゼラチン㈱	化 特色 ゼラチンで日本一、世界5位。兼営のペプチドは国内2位。米国、インド、中国等で現地生産 売 連40,420 従 249 資 3,144 住 八尾市二俣2-22 ☎072-949-5381 ㉕ **前年並** ㉔ **6(男3, 女3)**
日本インシュレーション㈱	ガ土 特色 高層ビルやプラント、発電所向けに耐火建材や保温材の製造、販売から設計、施工も手がける 売 連12,537 従 306 資 1,200 住 大阪市中央区南船場1-18-17 ☎06-6210-1250 ㉕ **22** ㉔ **11(男11, 女0)**
日本基礎技術㈱	建 特色 地盤改良など基礎工事の専業大手。独自工法武器に民間分野の拡大図る。直営施工体制を強化 売 連23,575 従 359 資 5,907 住 大阪市北区天満1-9-14 ☎06-6351-5621 ㉕ **6** ㉔ **6(男6, 女0)**
日本金銭機械㈱	機 特色 紙幣識鑑別機や硬貨計数機等の貨幣処理機大手。欧米市場が主力。米国カジノ向けはシェア大 売 連31,610 従 266 資 2,220 住 大阪市浪速区難波中2-11-18 ☎06-6643-8400 ㉕ **5** ㉔ **2(男0, 女2)**
日本伸銅㈱	非鉄 特色 黄銅棒・線大手。住宅向けが主力。サンエツ金属にメッキ線事業を譲渡。CKサンエツの子会社 売 単23,338 従 97 資 1,595 住 堺市堺区匠町20-1 ☎072-229-0346 ㉕ **4** ㉔ **4(男3, 女1)**
日本精化㈱	化 特色 脂肪酸誘導体で高シェア、化粧品・医薬品原料が成長。家庭用製品も。中国に生産子会社 売 連33,531 従 423 資 5,933 住 大阪市中央区備後町2-4-9 ☎06-6231-4781 ㉕ **6** ㉔ **7(男4, 女3)**
日本精線㈱	鉄 特色 大同特殊鋼系。ステンレス線2次加工で首位。ばね、ネジ、金網など用途多彩。金属繊維拡充 売 連44,727 従 594 資 5,000 住 大阪市中央区高麗橋4-1-1 ☎06-6222-5431 ㉕ **前年並** ㉔ **13(男10, 女3)**
日本駐車場開発㈱	不 特色 商業施設等の転貸型月極駐車場を国内外で運営。傘下に日本スキー場開発、テーマパークも 売 連32,693 従 327 資 699 住 大阪市北区小松原町2-4 ☎06-6360-2353 ㉕ **未定** ㉔ **56(男27, 女29)**
㈱日本トリム	電機 特色 整水器首位、職域販売が柱。血液透析用電解水も。上場子会社ステムセル研で臍帯血バンク運営 売 連20,414 従 338 資 992 住 大阪市北区梅田2-2-22 ☎06-6456-4600 ㉕ **微増** ㉔ **5(男5, 女0)**
ネクストウェア㈱	情通 特色 DBシステムのアウトソーシングが中心、メーカーに強み。18年にOSK日本歌劇団を子会社化 売 連2,820 従 177 資 1,310 住 大阪市中央区北久宝寺町4-3-11 ☎06-6281-0304 ㉕ **20** ㉔ **7(男7, 女0)**
㈱ハークスレイ	小 特色 傘下に弁当「ほっかほっか亭」FC統括会社。飲食店の店舗リース、食品加工など複数事業展開 売 連46,761 従 16 資 4,036 住 大阪市北区鶴野町3-10 ☎06-6376-8088 ㉕ **10** ㉔ **5(男2, 女3)**
㈱ハウスフリーダム	不 特色 南大阪を地盤に新築戸建て分譲、不動産仲介展開。福岡も地盤。地元密着徹底、建設請負も併営 売 連11,788 従 149 資 328 住 松原市上田2-13-10 ☎072-336-0503 ㉕ **10** ㉔ **6(男5, 女1)**
ハリマ化成グループ㈱	化 特色 ロジン原料化学品草分け。製紙薬品・トール油高シェア。米国子会社にロジン製品のローター社 売 連92,330 従 120 資 10,012 住 大阪市中央区今橋4-4-7 ☎06-6201-2461 ㉕ **20** ㉔ **13(男10, 女3)**
㈱ビーアンドピー	他製 特色 業務用インクジェットプリンタ使ったデジタル印刷に強い。同技術使い内装材や電子広告参入 売 単3,174 従 186 資 286 住 大阪市西区江戸堀2-6-33 ☎06-6448-1801 ㉕ **10** ㉔ **9(男4, 女5)**
㈱ヒガシトゥエンティワン	陸 特色 大阪市東区（現中央区）の運送13社統合で設立。株主の日生、関電等が大口客。福祉分野に進出 売 連40,635 従 598 資 1,001 住 大阪市中央区内久宝寺町3-1-9 ☎06-6945-5611 ㉕ **20** ㉔ **17(男15, 女2)**
㈱ビケンテクノ	サ 特色 清掃、警備、設備管理などの総合ビルメンテ、衛生管理業務を展開。病院買収で介護ビジネスも 売 連38,371 従 2,089 資 1,808 住 吹田市南金田2-12-1 ☎06-6380-2141 ㉕ **前年並** ㉔ **13(男11, 女2)**
㈱日阪製作所	機 特色 プレート式熱交換器、染色機器で首位。食品、医薬など生活産業機器を強化。特殊バルブで存在感 売 連34,180 従 692 資 4,150 住 大阪市北区曽根崎2-12-7 ☎06-6363-0006 ㉕ **15** ㉔ **11(男11, 女0)**
㈱PILLAR	機 特色 流体の漏れ防ぐパッキン発祥、メカニカルシールも有力。半導体製造装置向け継ぎ手が利益柱に 売 連58,605 従 640 資 4,966 住 大阪市西区新町1-7-1 ☎06-7166-8281 ㉕ **36** ㉔ **24(男16, 女8)**
㈱ファルコホールディングス	サ 特色 臨床検査受託大手、調剤薬局も展開。がん免疫療法の薬剤効果判定等コンパニオン診断薬育成 売 連43,007 従 4 資 3,371 住 大阪市中央区内平野町1-3-7 ☎06-7632-6150 ㉕ **未定** ㉔ **30(男11, 女19)**
㈱フジオフードグループ本社	小 特色 大阪地盤に大衆セルフ食堂「まいどおおきに食堂」や串揚げ食べ放題「串家物語」などを全国展開 売 連29,756 従 303 資 2,731 住 大阪市北区菅原町2-16 ☎06-6360-0301 ㉕ **25** ㉔ **7(男3, 女4)**
フジコピアン㈱	他製 特色 インクリボン、インクロール等印字記録媒体トップ。OEMで販売。機能性フィルムに注力 売 連8,225 従 272 資 4,791 住 大阪市西淀川区御幣島5-4-14 ☎06-6471-7071 ㉕ **前年並** ㉔ **8(男8, 女0)**
フジ住宅㈱	不 特色 大阪地盤の住宅最大手。注文住宅と分譲マンションが柱。入居者付き中古住宅再販でも断トツ 売 連120,388 従 738 資 4,872 住 岸和田市土生町1-4-23 ☎072-437-9010 ㉕ **55** ㉔ **44(男27, 女17)**
㈱藤商事	機 特色 遊技機の中堅メーカー。大阪発祥。「リング」シリーズなどホラーもので定評。サン電子と提携 売 連36,983 従 450 資 3,281 住 大阪市中央区内本町1-1-4 ☎06-6949-0323 ㉕ **前年並** ㉔ **14(男13, 女1)**

会社名	業種名 (特色)会社の特色 (売)売上高(百万円) (従)単独従業員数(名) (資)資本金(百万円) (住)本社の住所, 電話番号 ㉕25年採用計画数(名) ㉔24年入社内定者数(名)
扶桑化学工業(株)	化 (特色)半導体ウエハ研磨剤で主原料の超高純度コロイダルシリカ、リンゴ酸で世界シェア首位級 (売)連58,970 (従)567 (資)4,334 (住)大阪市中央区北浜3-5-29 ☎06-6203-4771 ㉕**増加** ㉔**10(男6, 女4)**
フルサト・マルカホールディングス(株)	卸 (特色)傘下に鉄骨建築資材大手のフルサト工業と産機・建機の中堅商社マルカ。21年10月に経営統合 (売)連172,980 (従)103 (資)5,000 (住)大阪市中央区南新町1-2-10 ☎06-6946-1600 ㉕**40** ㉔**32(男24, 女8)**
古林紙工(株)	パ紙 (特色)印刷紙器のパッケージング総合大手メーカー。プラスチック包装材も手がける。中国現法拡大 (売)連17,911 (従)251 (資)2,151 (住)大阪市中央区大手通3-1-12 ☎06-6941-8561 ㉕**16** ㉔**8(男4, 女4)**
(株)プレサンスコーポレーション	不 (特色)オープンハウスGの子会社。関西中心に投資用ワンルームやファミリー向けマンションを開発 (売)連161,311 (従)466 (資)7,673 (住)大阪市中央区城見1-2-27 ☎06-4793-1650 ㉕**163** ㉔**118(男95, 女23)**
(株)ブロードエンタープライズ	情通 (特色)賃貸マンション向け全戸一括型インターネットサービスが柱。初期費用無料で既築物件に強み (売)単3,957 (従)125 (資)77 (住)大阪市北区太融寺町5-15 ☎06-6311-4511 ㉕**10** ㉔**12(男6, 女6)**
(株)ベネフィットジャパン	情通 (特色)回線借り通信サービスを行うMVNO事業者。モバイルWi-Fiが主力。コミュロボも扱う (売)連13,065 (従)287 (資)657 (住)大阪市中央区道修町1-5-18 ☎06-6223-9888 ㉕**未定** ㉔**15(男・・, 女・・)**
ホクシン(株)	他製 (特色)MDF(中質繊維板)専業首位。住宅建材用や家具用が多い。自社生産の高機能材の比重大 (売)単10,979 (従)194 (資)2,343 (住)岸和田市木材町17-2 ☎072-438-0141 ㉕**5** ㉔**8(男7, 女1)**
ホシデン(株)	電機 (特色)コネクター、スイッチ、マイク部品等情報通信部品大手。ゲーム機関連は任天堂向けの比率高い (売)連218,910 (従)584 (資)13,660 (住)八尾市北久宝寺1-4-33 ☎072-993-1010 ㉕**20** ㉔**9(男9, 女0)**
(株)翻訳センター	サ (特色)大手翻訳会社。特許、医薬、工業など企業向け技術翻訳が軸。通訳事業には買収子会社で本格進出 (売)連11,303 (従)390 (資)588 (住)大阪市中央区久太郎町4-1-3 ☎06-6282-5010 ㉕**若干名** ㉔**5(男0, 女5)**
松本油脂製薬(株)	化 (特色)界面活性剤の総合メーカー。中国向けなど海外比重大きい。高分子・無機ハイテク製品を拡大 (売)連41,526 (従)331 (資)6,090 (住)八尾市渋川町2-1-3 ☎072-991-1001 ㉕**増加** ㉔**6(男5, 女1)**
丸一鋼管(株)	鉄 (特色)溶接鋼管国内首位、建設関連強い。ステンレス精密細管メーカー買収。海外展開積極的。好財務 (売)連271,310 (従)598 (資)9,595 (住)大阪市中央区難波5-1-60 ☎06-6643-0101 ㉕**7** ㉔**26(男24, 女2)**
マルシェ(株)	小 (特色)居酒屋「酔虎伝」「八剣伝」や餃子食堂「マルケン」運営。関西、東海が地盤。チムニーが筆頭株主 (売)単4,675 (従)115 (資)100 (住)大阪市阿倍野区阪南町2-20-14 ☎06-6624-8100 ㉕**13** ㉔**10(男4, 女6)**
萬世電機(株)	卸 (特色)三菱電機の総代理店。生産システム開発に強み。大阪、兵庫が地盤だが、首都圏営業を強化 (売)連26,151 (従)185 (資)1,005 (住)大阪市福島区福島7-15-5 ☎06-6454-8211 ㉕**10** ㉔**11(男9, 女2)**
(株)マンダム	化 (特色)「ギャツビー」「ルシード」など男性化粧品首位級。女性用も育成中。海外はインドネシアに強み (売)連73,233 (従)619 (資)11,394 (住)大阪市中央区十二軒町5-12 ☎06-6767-5001 ㉕**14** ㉔**13(男5, 女8)**
(株)三ッ星	非鉄 (特色)キャブタイヤケーブルとプラスチック成形品(ポリマテック)が2本柱。フィリピンに生産拠点 (売)連10,329 (従)162 (資)1,136 (住)大阪市中央区本町1-4-8 ☎06-6261-8881 ㉕**前年並** ㉔**3(男1, 女2)**
(株)ミラタップ	小 (特色)キッチンなど建築設備のネット、カタログ通販。設計事務所、工務店が主顧客。消費者へ直販も (売)連15,495 (従)260 (資)817 (住)大阪市北区茶屋町19-19 ☎06-6359-6721 ㉕**13** ㉔**12(男2, 女10)**
明星工業(株)	建 (特色)熱絶縁工事に強い建設工事会社。海外LNG出荷基地工事に実績。構造物補強など環境関連も (売)連60,377 (従)361 (資)6,889 (住)大阪市西区京町堀1-8-5 ☎06-6447-0275 ㉕**15** ㉔**8(男6, 女2)**
(株)メガチップス	電機 (特色)特定用途向け半導体ファブレスメーカー。任天堂向け主体。新たな収益柱として通信事業を育成 (売)連57,942 (従)329 (資)4,840 (住)大阪市淀川区宮原1-1-1 ☎06-6399-2884 ㉕**前年並** ㉔**18(男12, 女6)**
(株)森組	建 (特色)土木からマンション建築主体に。旭化成ホームズが筆頭株主。長谷工コーポとの協力関係続く (売)単27,582 (従)325 (資)1,640 (住)大阪市中央区道修町4-5-17 ☎06-6201-2763 ㉕**20** ㉔**5(男5, 女0)**
モリ工業(株)	鉄 (特色)ステンレス溶接管の大手で加工技術に強み。自動車向けが主。ステンレス条鋼等の加工販売も (売)連47,898 (従)518 (資)7,360 (住)大阪市中央区難波5-1-60 ☎06-6635-0201 ㉕**前年並** ㉔**17(男16, 女1)**
森下仁丹(株)	医 (特色)代名詞の仁丹から整腸作用軸に健康サプリ、医薬品へ展開。シームレスカプセル技術に特長 (売)連12,406 (従)326 (資)3,537 (住)大阪市中央区玉造1-2-40 ☎06-6761-1131 ㉕**5** ㉔**13(男6, 女7)**
モリテック スチール(株)	金製 (特色)特殊帯鋼の商事と焼き入れ・板金加工が2本柱。自動車向け多い。タイやインドネシア等に拠点 (売)連50,774 (従)336 (資)1,848 (住)大阪市中央区谷町6-18-31 ☎06-6762-2721 ㉕**9** ㉔**4(男3, 女1)**
モリト(株)	卸 (特色)1908年創業の服飾付属品の大手、米社買収で金属ホックは世界首位級。自動車内装部品等も (売)連48,529 (従)61 (資)3,532 (住)大阪市中央区南本町4-2-4 ☎06-6252-3551 ㉕**9** ㉔**7(男4, 女3)**
ヤマイチ・ユニハイムエステート(株)	不 (特色)近畿圏地盤の不動産会社。主力の戸建ては2〜3年かけ更地から造成。商業施設などの賃貸も (売)連20,083 (従)81 (資)1,409 (住)大阪市中央区瓦町2-4-7 ☎06-6204-0123 ㉕**前年並** ㉔**5(男3, 女2)**
ヤマト インターナショナル(株)	繊 (特色)アパレル「クロコダイル」を展開。GMSの衣料売り場が主戦場。客層拡大へ商品・店舗を刷新中 (売)連20,801 (従)158 (資)4,917 (住)東大阪市森河内西1-3-1 ☎06-6747-9500 ㉕**7** ㉔**7(男2, 女5)**

会社名	[業種名] (特色)会社の特色 (売)売上高(百万円) (従)単独従業員数(名) (資)資本金(百万円) (住)本社の住所, 電話番号 ㉕25年採用計画数(名) ㉔24年入社内定者数(名)
㈱ユークス	[情通] (特色)ゲームやパチンコ・パチスロソフトの受託開発。自社ソフト開発や独自技術の2次利用の展開も (売)連4,087 (従)217 (資)412 (住)堺市堺区戎島町4-45-1 ☎072-224-5155 ㉕未定 ㉔5(男4, 女1)
㈱ユニバーサル園芸社	[サ] (特色)オフィスなどへの観葉植物レンタル大手。園芸雑貨・生花などの小売り、海外事業の拡大志向 (売)連16,859 (従)415 (資)172 (住)茨木市大字佐保193-2 ☎072-649-2266 ㉕60 ㉔53(男16, 女37)
㈱ヨータイ	[ガ土] (特色)鉄鋼業向けの耐火物メーカー。独立系で電炉向けが多い。セメント、ガラス、電子部品にも納品 (売)連29,128 (従)510 (資)2,654 (住)貝塚市二色中町8-1 ☎072-430-2100 ㉕10 ㉔6(男4, 女2)
㈱ラウンドワン	[サ] (特色)ボウリング、カラオケ、ゲーム、時間制スポーツなど複合エンタメ施設を展開。米国にも出店 (売)連159,181 (従)1,332 (資)25,520 (住)大阪市中央区難波5-1-60 ☎06-6647-6600 ㉕60 ㉔62(男39, 女23)
㈱リグア	[サ] (特色)接骨院へのヘルスケア商材販売軸に、患者管理システムや機材・消耗品も販売。金融事業も (売)連3,430 (従)52 (資)551 (住)大阪市中央区淡路町2-6-6 ☎06-6232-1800 ㉕微増 ㉔7(男6, 女1)
㈱リニカル	[サ] (特色)新薬の治験支援(CRO)専業。がん、中枢神経、免疫系から再生医療等展開。市販後調査強化 (売)連12,307 (従)314 (資)214 (住)大阪市淀川区宮原1-6-1 ☎06-6150-2478 ㉕20 ㉔4(男1, 女3)
㈱リヒトラブ	[他製] (特色)事務用品中堅。主力ファイル類に加え、収納整理用品等を製造販売。文具の新市場開拓意欲旺盛 (売)連8,803 (従)177 (資)1,830 (住)大阪市中央区農人橋1-1-22 ☎06-6946-2525 ㉕前年並 ㉔15(男7, 女8)
㈱レオクラン	[卸] (特色)医療機器・設備の新設・改装病院向け一括販売が柱。遠隔画像診断、福祉施設向け給食事業も (売)連26,632 (従)137 (資)542 (住)摂津市千里丘2-4-26 ☎06-6387-1554 ㉕前年並 ㉔6(男5, 女1)
㈱ロイヤルホテル	[サ] (特色)「リーガロイヤルホテル」展開。23年に大阪ホテル売却、運営受託に注力。海外投資会社が大株主 (売)連20,668 (従)1,140 (資)100 (住)大阪市北区中之島5-3-68 ☎06-6448-1121 ㉕増加 ㉔127(男50, 女77)
㈱ロココ	[サ] (特色)システム開発会社。顧客の7割以上が大手企業。ITアウトソーシングやDX導入支援に強み (売)連7,175 (従)631 (資)642 (住)大阪市中央区西心斎橋2-1-5 ☎06-6214-3655 ㉕増加 ㉔22(男12, 女10)
㈱ワキタ	[卸] (特色)大阪本拠の機械商社。土木建設機械の販売・レンタル主力。小型機の製造も。不動産事業も併営 (売)連88,654 (従)632 (資)13,821 (住)大阪市西区江戸堀1-3-20 ☎06-6449-1901 ㉕35 ㉔29(男21, 女8)
㈱ワッツ	[小] (特色)100円ショップ大手。委託販売の小型軸に機動力強み。M&Aによる多角化志向。海外展開も (売)連59,309 (従)84 (資)440 (住)大阪市中央区城見1-4-70 ☎06-4792-3280 ㉕微増 ㉔5(男0, 女5)
㈱アジュバンホールディングス	[化] (特色)美容室経由でヘアケア、スキンケア、美容機器を販売。関西地盤、製造は外部委託。ECで育毛剤 (売)連4,438 (従)21 (資)776 (住)神戸市中央区下山手通5-5-5 ☎078-351-3100 ㉕10 ㉔5(男3, 女2)
石原ケミカル㈱	[化] (特色)金属表面処理剤の研究開発型メーカー。先端電子部品向けで台湾に進出。自動車用化学製品も柱 (売)連20,705 (従)227 (資)1,980 (住)神戸市兵庫区西柳原町5-26 ☎078-681-4801 ㉕8 ㉔9(男・・, 女・・)
石光商事㈱	[卸] (特色)コーヒー主力の輸入商社。1906年創業の老舗。業務用に強くシェア首位。冷凍、常温食品も (売)連62,025 (従)240 (資)623 (住)神戸市灘区岩屋南町4-40 ☎078-861-7791 ㉕前年並 ㉔4(男2, 女2)
㈱ウィル	[不] (特色)関西地盤の不動産会社。中京や首都圏にも進出。分譲は戸建て中心。売買仲介、リフォーム強化 (売)連11,552 (従)194 (資)304 (住)宝塚市逆瀬川1-14-6 ☎0797-74-7272 ㉕50 ㉔44(男26, 女18)
S FOODS㈱	[食] (特色)牛肉、内臓肉輸入の先駆。加工品は「こてっちゃん」が主力。食肉小売り・外食も。米国に自社工場 (売)連425,011 (従)887 (資)4,298 (住)西宮市鳴尾浜1-22-13 ☎0798-43-1065 ㉕未定 ㉔38(男30, 女8)
㈱大阪チタニウムテクノロジーズ	[非鉄] (特色)高品質の金属チタンで世界首位。航空機向け多い。ポリシリコンから撤退。日本製鉄・神鋼系 (売)単55,322 (従)697 (資)8,739 (住)尼崎市東浜町1 ☎06-6413-9911 ㉕微増 ㉔11(男9, 女2)
川西倉庫㈱	[倉運] (特色)業界中堅。普通、定温、冷蔵倉庫兼営。自社ネットワーク、IT強化で総合物流志向。アジア開拓 (売)連24,993 (従)417 (資)2,108 (住)神戸市兵庫区七宮町1-4-16 ☎078-671-7931 ㉕前年並 ㉔13(男6, 女7)
㈱関通	[倉運] (特色)EC、通販の物流支援サービスが柱。自社開発ソフト販売にも注力。楽天Gと資本、業務提携 (売)連11,938 (従)215 (資)788 (住)尼崎市西向島町111-4 ☎06-6224-3361 ㉕未定 ㉔19(男10, 女9)
木村化工機㈱	[機] (特色)化学機械装置の保守・エンジ。蒸発装置強い。核燃料の輸送容器や濃縮関連機器など原発関連も (売)連24,670 (従)397 (資)1,030 (住)尼崎市杭瀬寺島2-1-2 ☎06-6488-2501 ㉕4 ㉔8(男7, 女1)
KLASS㈱	[機] (特色)自動化・省力化の産業機械メーカー。法人向けは内装施工機、受注生産は2次電池製造機が得意 (売)連9,888 (従)289 (資)631 (住)たつの市龍野町日飼190 ☎0791-62-1771 ㉕5 ㉔7(男3, 女4)
ケミプロ化成㈱	[化] (特色)添加剤が主力で紫外線吸収剤は国内首位。BASFジャパン向け約3割。ホーム産業事業も併営 (売)単9,236 (従)221 (資)2,155 (住)神戸市中央区京町83 ☎078-393-2530 ㉕未定 ㉔2(男2, 女0)
虹技㈱	[鉄] (特色)鉄鋼鋳型、ロールから工作機械向けデンスバー(連続鋳造鋳鉄棒)、ゴミ焼却施設など注力 (売)連25,963 (従)473 (資)2,002 (住)姫路市大津区勘兵衛町4-1 ☎079-236-3221 ㉕増加 ㉔8(男7, 女1)
神戸電鉄㈱	[陸] (特色)阪急系。神戸-有馬-三田が主力路線。不動産は戸建て用地売却を手がける。流通業も併営 (売)連22,313 (従)511 (資)11,710 (住)神戸市兵庫区新開地1-3-24 ☎078-576-8651 ㉕若干名 ㉔8(男7, 女1)

会社名	業種名 特色 会社の特色 売 売上高(百万円) 従 単独従業員数(名) 資 資本金(百万円) 住 本社の住所, 電話番号 ㉕ 25年採用計画数(名) ㉔ 24年入社内定者数(名)
神戸天然物化学㈱	サ 特色 有機化合物の受託研究・開発・量産を手がける。機能材料、医薬、バイオの3本柱。大手向け多い 売 単9,154 従 320 資 1,995 住 神戸市中央区港島南町7-1-19 ☎078-955-9900 ㉕ 30 ㉔ 13(男11, 女2)
三相電機㈱	電機 特色 各種モーター、ポンプとモーター応用製品、部品の製造。技術提案型に定評。中国でも生産、販売 売 連17,666 従 311 資 908 住 姫路市青山北1-1-1 ☎079-266-1200 ㉕ 前年並 ㉔ 9(男6, 女3)
㈱G-7ホールディングス	小 特色 車用品「オートバックス」、食品「業務スーパー」をFC展開。野菜直売や外食、アジア進出も意欲 売 連192,992 従 64 資 1,785 住 神戸市須磨区弥栄台2-1-3 ☎078-797-7700 ㉕ 140 ㉔ 101(男58, 女43)
JCRファーマ㈱	医 特色 ヒト成長ホルモン製剤が主力、バイオ後続品も成長。希少疾病のバイオ新薬開発にも取り組む 売 連42,871 従 955 資 9,061 住 芦屋市春日町3-19 ☎0797-32-8591 ㉕ 34 ㉔ 38(男26, 女12)
㈱指月電機製作所	電機 特色 大型コンデンサー得意。小型・軽量、高耐熱性、高機能化へ展開。三菱電機、村田製作所と緊密 売 連26,305 従 279 資 5,001 住 西宮市大社町10-45 ☎0798-74-5821 ㉕ 18 ㉔ 16(男12, 女4)
㈱ジャパンエンジンコーポレーション	輸機 特色 舶用ディーゼル機関専業。17年神戸発動機と三菱重工の舶用エンジン事業が統合し現社名に 売 単20,969 従 386 資 2,215 住 明石市二見町南二見1 ☎078-949-0800 ㉕ 15 ㉔ 5(男4, 女1)
㈱シャルレ	卸 特色 代理店や特約店通じ女性インナーやアウター、化粧品を訪販。シャワーヘッド製造・販売も 売 連13,168 従 204 資 100 住 神戸市中央区港島中町7-7-1 ☎0120-01-4860 ㉕ 5 ㉔ 9(男2, 女7)
神栄㈱	卸 特色 冷凍食品等の食品輸入を柱に展開。電子製品や防災コンサルも手がける。湿度センサー世界首位 売 連40,204 従 165 資 2,065 住 神戸市中央区京町77-1 ☎078-392-6911 ㉕ 前年並 ㉔ 2(男2, 女0)
神姫バス㈱	陸 特色 兵庫県の大手バス会社。不動産、車両物販、業務受託、介護・レジャーサービスなど多面展開 売 連49,480 従 1,593 資 3,140 住 姫路市西駅前町1 ☎079-223-1241 ㉕ 10 ㉔ 2(男1, 女1)
神鋼鋼線工業㈱	鉄 特色 PC鋼線首位。神戸製鋼系の鋼線2次加工会社。公共工事関連用途に強く、利益は下期に比重 売 連32,726 従 759 資 8,062 住 尼崎市中浜町10-1 ☎06-6411-1051 ㉕ 11 ㉔ 11(男8, 女3)
神東塗料㈱	化 特色 住友系の中堅塗料メーカー。電着・粉体塗料に強み。新幹線向けに道床安定剤など軌道材料も 売 連18,954 従 314 資 2,255 住 尼崎市南塚口町6-10-73 ☎06-6426-3355 ㉕ 5 ㉔ 2(男1, 女1)
㈱ソネック	建 特色 兵庫県(東播磨)地盤とする民間建築中心の中堅ゼネコン。子会社で化学製品運輸事業。無借金 売 連16,179 従 136 資 723 住 高砂市曽根町2257-1 ☎079-447-1551 ㉕ 10 ㉔ 14(男9, 女5)
大栄環境㈱	サ 特色 産業・一般廃棄物の収集運搬、中間処理・再資源化、最終処分まで一貫。最終処分場の保有に強み 売 連73,035 従 1,124 資 5,907 住 神戸市東灘区向洋町中2-9-1 ☎078-857-6600 ㉕ 微増 ㉔ 14(男11, 女3)
㈱大真空	電機 特色 水晶デバイス総合大手。音叉型や民生用振動子などシェア首位級。人工水晶から一貫生産に強み 売 連39,343 従 687 資 19,344 住 加古川市平岡町新在家1389 ☎079-426-3211 ㉕ 未定 ㉔ 11(男11, 女0)
TOA㈱	電機 特色 構内放送設備、セキュリティシステムの2本柱。海外は商品企画から販売まで行う地域体制強化 売 連48,814 従 789 資 5,279 住 神戸市中央区港島中町7-2-1 ☎078-303-5620 ㉕ 20 ㉔ 18(男12, 女6)
㈱TVE	機 特色 バルブ製販とメンテが主軸。PWR(加圧水型)原発向けバルブに強い。西華産業と資本提携 売 連9,396 従 300 資 1,739 住 尼崎市西立花町5-12-1 ☎06-6416-1184 ㉕ 10 ㉔ 3(男3, 女0)
㈱帝国電機製作所	機 特色 キャンド(無漏洩)ポンプ最大手で国内シェア約6割、世界4割弱。米国企業買収。大連に工場 売 連29,217 従 317 資 3,143 住 たつの市新宮町平野60 ☎0791-75-0411 ㉕ 微減 ㉔ 12(男11, 女1)
㈱デコルテ・ホールディングス	サ 特色 自社スタジオによるフォトウェディング主力。家族向けも。カメラマンなど専門人材を内製化 売 連IFS5,854 従 421 資 155 住 神戸市中央区加納町4-4-17 ☎078-954-5820 ㉕ 95 ㉔ 86(男7, 女79)
東洋機械金属㈱	機 特色 小型の射出成形機や電動ダイカストマシンに強み。中国に生産子会社、伊など海外に委託生産 売 連28,842 従 540 資 2,506 住 明石市二見町福里523-1 ☎078-942-2345 ㉕ 前年並 ㉔ 13(男9, 女4)
東リ㈱	化 特色 内装材のトップメーカー。塩ビ床材が主力。カーペット、カーテン、壁紙も。海外拡大が課題 売 連102,470 従 918 資 6,855 住 伊丹市東有岡5-125 ☎06-6492-1331 ㉕ 微増 ㉔ 24(男15, 女9)
トーカロ㈱	金製 特色 高機能皮膜を形成する溶射加工最大手。半導体・液晶製造装置部品向けが主力。産機、鉄鋼関連も 売 連46,735 従 889 資 2,658 住 神戸市中央区港島南町6-4-4 ☎078-303-3433 ㉕ 20 ㉔ 41(男35, 女6)
㈱ドーン	情通 特色 地理情報システム(GIS)の開発・販売と防災分野を中心としたクラウドサービスが主力 売 単1,500 従 63 資 363 住 神戸市中央区磯上通2-2-21 ☎078-222-9700 ㉕ 微増 ㉔ 2(男0, 女2)
特殊電極㈱	金製 特色 鉄鋼、自動車設備の耐摩耗、耐食など特殊工事が主。冷却・脱臭の環境装置も。光通信の持分会社 売 連9,587 従 244 資 484 住 加古川市平岡町土山899-5 ☎078-941-9421 ㉕ 8 ㉔ 9(男5, 女4)
トレーディア㈱	倉運 特色 神戸地盤で5大港での港湾運送が主軸。中国や東南ア中心に国際複合一貫輸送の拡充に注力 売 連15,007 従 322 資 735 住 神戸市中央区海岸通1-2-22 ☎078-391-7170 ㉕ 未定 ㉔ 4(男0, 女4)
日亜鋼業㈱	鉄 特色 線材の2次加工大手。付加価値が高い非市況型特殊線材製品に注力。直納多い。日本製鉄系 売 連34,497 従 329 資 10,720 住 尼崎市道意町6-74 ☎06-6416-1021 ㉕ 前年並 ㉔ 13(男8, 女5)

会社名	[業種名] [特色]会社の特色 [売]売上高(百万円) [従]単独従業員数(名) [資]資本金(百万円) [住]本社の住所, 電話番号 ㉕25年採用計画数(名) ㉔24年入社内定者数(名)
(株)ニチリン	[ゴ] [特色]独立系自動車ホース大手。2輪車ブレーキホース高シェア。ホンダ主体。熱交換器(IHX)も [売]連70,631 [従]357 [資]2,158 [住]姫路市別所町佐土1118 ☎079-252-4151 ㉕7 ㉔9(男6, 女3)
日和産業(株)	[食] [特色]非全農系の配合飼料中堅。西日本地盤。5工場。牛用で雪印、日清丸紅と合弁。畜産子会社持つ [売]連52,887 [従]147 [資]2,011 [住]神戸市東灘区住吉浜町19-5 ☎078-811-1221 ㉕5 ㉔2(男2, 女0)
日工(株)	[機] [特色]土木用プラントメーカー。アスファルトプラントで首位。環境機械も手がける。中国で現地生産 [売]連44,097 [従]657 [資]9,197 [住]明石市大久保町江井島1013-1 ☎078-947-3131 ㉕42 ㉔32(男26, 女6)
日本電子材料(株)	[電機] [特色]半導体検査用プローブカード大手。ブラウン管カソードなどから出発。海外生産比率向上に注力 [売]連17,461 [従]693 [資]3,069 [住]尼崎市西長洲町2-5-13 ☎06-6482-2007 ㉕未定 ㉔23(男21, 女2)
日本山村硝子(株)	[ガ土] [特色]ガラス瓶製造最大手。自動車部品・電子部品用ガラスのほか、飲料用キャップも。利益上期偏重 [売]連72,874 [従]750 [資]14,074 [住]尼崎市西向島町15-1 ☎06-4300-6000 ㉕10 ㉔5(男4, 女1)
(株)ノザワ	[ガ土] [特色]ビル外壁に使われる押出成形セメント板メーカー。工法開発に積極的。環境関連製品を育成 [売]連23,074 [従]326 [資]2,449 [住]神戸市中央区浪花町15 ☎078-333-4111 ㉕10 ㉔6(男4, 女2)
(株)ノバック	[建] [特色]高速道路、橋梁、下水道など土木工事に強み、建築はマンション、工場、学校など大型案件に実績 [売]単34,431 [従]274 [資]1,227 [住]姫路市北条1-92 ☎079-288-3601 ㉕25 ㉔4(男4, 女0)
ハリマ共和物産(株)	[卸] [特色]日用品、化粧品の卸売り。物流加工の一括物流受託を強化。物流拠点の情報システム整い高効率 [売]連61,583 [従]181 [資]719 [住]姫路市飾東町庄313 ☎079-253-5217 ㉕10 ㉔11(男8, 女3)
阪神内燃機工業(株)	[輸機] [特色]中小型船用エンジンの老舗。省エネ・環境対応型重点。内航船向け主力。部分品・修理も収益源 [売]単9,636 [従]284 [資]824 [住]神戸市中央区海岸通8 ☎078-332-2081 ㉕増加 ㉔8(男6, 女2)
兵機海運(株)	[倉運] [特色]姫路、水島、神戸、大阪での鋼材一貫輸送に強み。中ロ韓へ外航海運も。本社に巨大物流センター [売]単14,636 [従]241 [資]612 [住]神戸市中央区港島3-6-1 ☎078-940-2351 ㉕若干名 ㉔2(男1, 女1)
ヒラキ(株)	[小] [特色]靴や衣料の通販を中心に、卸販売、小売店など展開。780円スニーカーなど超低価格帯に強み [売]連13,313 [従]248 [資]450 [住]神戸市西区岩岡町野中字福吉556 ☎078-967-1062 ㉕9 ㉔7(男0, 女7)
ファースト住建(株)	[不] [特色]旧飯田建設加古川支店がのれん分けで独立。ミニ開発の戸建て分譲、1次取得者層が主要顧客 [売]連43,373 [従]273 [資]1,584 [住]尼崎市東難波町5-6-9 ☎06-4868-5388 ㉕25 ㉔13(男11, 女2)
(株)フェリシモ	[小] [特色]月に1度商品を届ける「定期便」通販で衣料品、住宅用品、美容関連などの生活関連品を扱う [売]連29,607 [従]428 [資]1,868 [住]神戸市中央区新港町7-1 ☎078-325-5555 ㉕10 ㉔10(男0, 女10)
フジッコ(株)	[食] [特色]昆布、煮豆の総菜食品で首位。菌管理技術生かしカスピ海ヨーグルトも。年末おせち商戦比重大 [売]連55,715 [従]950 [資]6,566 [住]神戸市中央区港島中町6-13-4 ☎078-303-5911 ㉕20 ㉔20(男8, 女12)
フジプレアム(株)	[化] [特色]精密貼合技術活用しディスプレー分野に展開。車載用途市場に重点移行、太陽電池も並行強化 [売]連13,248 [従]136 [資]2,000 [住]姫路市飾西38-1 ☎079-266-6161 ㉕10 ㉔5(男5, 女0)
丸尾カルシウム(株)	[化] [特色]合成樹脂、塗料など向け工業用カルシウム(補強剤)専門メーカー。製販2子会社で中国進出 [売]連12,889 [従]230 [資]876 [住]明石市魚住町西岡1455 ☎078-942-2112 ㉕前年並 ㉔2(男1, 女1)
美樹工業(株)	[建] [特色]大阪ガス軸のガス工事、子会社のセキスイハイム販売など住宅、建設が柱。不動産賃貸を育成 [売]連32,203 [従]278 [資]764 [住]姫路市北条951-1 ☎079-281-5151 ㉕増加 ㉔13(男12, 女1)
メック(株)	[化] [特色]電子基板向け中心の薬品会社。銅表面処理剤が主力。研究開発型企業。中国、台湾などアジア強化 [売]連14,020 [従]270 [資]594 [住]尼崎市杭瀬南新町3-4-1 ☎06-6401-8160 ㉕3 ㉔3(男0, 女3)
monoAI technology(株)	[情通] [特色]メタバースのプラットフォームOEM供給とメタバースイベント企画・運営。BtoBに強み [売]連1,244 [従]139 [資]1,057 [住]神戸市中央区三宮町1-8-1 ☎078-335-6230 ㉕10 ㉔6(男5, 女1)
(株)MORESCO	[油炭] [特色]独立系の化学品メーカー。自動車向けなど特殊潤滑油、合成潤滑油、素材、ホットメルトが4本柱 [売]連31,886 [従]387 [資]2,118 [住]神戸市中央区港島南町5-5-3 ☎078-303-9010 ㉕8 ㉔3(男1, 女2)
モロゾフ(株)	[食] [特色]神戸が本拠のチョコ、洋菓子の老舗。百貨店内での店舗販売が中心。喫茶・レストランも併営 [売]連34,933 [従]561 [資]3,737 [住]神戸市東灘区御影本町6-11-19 ☎078-822-5000 ㉕14 ㉔15(男4, 女11)
六甲バター(株)	[食] [特色]ベビーチーズで最大手。輸入加工(QBBブランド)が主力。仕入れ、販売面で三菱商事と協力 [売]単44,296 [従]492 [資]2,843 [住]神戸市中央区坂口通1-3-13 ☎078-231-4681 ㉕16 ㉔20(男14, 女6)
和田興産(株)	[不] [特色]独立系マンション開発。「ワコーレ」商標で姫路-阪神間が地盤。賃貸併営。販売外部委託 [売]単38,825 [従]122 [資]1,403 [住]神戸市中央区栄町通4-2-13 ☎078-361-1100 ㉕4 ㉔4(男2, 女2)
GMB(株)	[輸機] [特色]独立系自動車部品メーカー。駆動系の新車用部品と補修用部品が柱。現代自動車向け3割強 [売]連96,291 [従]356 [資]878 [住]磯城郡川西町大字吐田150-3 ☎0745-44-1911 ㉕8 ㉔2(男1, 女1)
(株)タカトリ	[機] [特色]精密切断加工機が主柱、SiC向けのシェアは世界有数。液晶・半導体業界向け製造機器も [売]連16,367 [従]194 [資]963 [住]橿原市新堂町313-1 ☎0744-24-8580 ㉕7 ㉔11(男11, 女0)

地域別・採用データ 3,708 社（上場会社編） ■奈良県, 和歌山県, 鳥取県, 島根県, 岡山県, 広島県

会社名	業種名 特色 会社の特色 売 売上高(百万円) 従 単独従業員数(名) 資 資本金(百万円) 住 本社の住所, 電話番号 ㉕ 25年採用計画数(名) ㉔ 24年入社内定者数(名)
㈱ヒラノテクシード	機 特色 塗工機・化工機・各種熱処理機械が主力。電気・電子、高分子化学の高精度薄膜塗工に強み 売 連46,946 従 321 資 1,847 住 北葛城郡河合町川合101-1 ☎0745-57-0681 ㉕ **13** ㉔ **13(男13, 女0)**
㈱オークワ	小 特色 和歌山地盤に近畿、中部で食品スーパーやスーパーセンター（SuC）展開。ニチリウグループ 売 連247,378 従 2,054 資 14,117 住 和歌山市中島185-3 ☎073-425-2481 ㉕ **100** ㉔ **69(男39, 女30)**
㈱紀陽銀行	銀 特色 和歌山県唯一の地銀。県内シェアは断トツ。大阪にも展開。メイン化を軸とした本業支援に力点 売 連84,782 従 2,182 資 80,096 住 和歌山市本町1-35 ☎073-423-9111 ㉕ **未定** ㉔ **174(男78, 女96)**
㈱サイバーリンクス	情通 特色 食品流通・公共向けシステムをクラウド提供。電子認証分野育成。和歌山地盤でドコモ販売も 売 連15,023 従 561 資 883 住 和歌山市紀三井寺849-3 ☎050-3500-2797 ㉕ **20** ㉔ **17(男12, 女5)**
㈱島精機製作所	機 特色 手袋用で出発、自動化技術で電子制御の横編み機の世界首位に。CADも得意。和歌山一極生産 売 連35,910 従 1,354 資 14,859 住 和歌山市坂田85 ☎073-471-0511 ㉕ **前年並** ㉔ **24(男18, 女6)**
㈱タカショー	卸 特色 ガーデニング用品販売で国内トップ級。家庭用とプロ用で展開。中国にも工場、米欧で販路開拓 売 連19,411 従 359 資 3,043 住 海南市南赤坂20-1 ☎073-482-4128 ㉕ **10** ㉔ **3(男1, 女2)**
㈱鳥取銀行	銀 特色 地銀中下位。鳥取唯一の地銀だが預貸シェアは山陰合同の次。県東部地盤。西部と島根東部強化 売 連14,646 従 628 資 9,061 住 鳥取市永楽温泉町171 ☎0857-22-8181 ㉕ **35** ㉔ **37(男16, 女21)**
日本セラミック㈱	電機 特色 赤外線センサーで国内9割、世界6割のシェア。超音波センサーでも世界的。中国等に生産拠点 売 連24,449 従 321 資 10,994 住 鳥取市広岡176-17 ☎0857-53-3600 ㉕ **30** ㉔ **5(男2, 女3)**
㈱島根銀行	銀 特色 島根県内2位、鳥取にも地盤。上場地銀で最小規模。SBIホールディングスと資本業務提携 売 連9,203 従 322 資 7,886 住 松江市朝日町484-19 ☎0852-24-1234 ㉕ **21** ㉔ **21(男9, 女12)**
㈱ジュンテンドー	小 特色 中国地方トップシェアのホームセンター。園芸農業・資材工具を強化。書店も展開。利益上期偏重 売 単44,651 従 591 資 4,224 住 益田市遠田町2179-1 ☎0856-24-2400 ㉕ **20** ㉔ **17(男11, 女6)**
E・Jホールディングス㈱	サ 特色 エイトコンサルと日本技術開発が07年に経営統合し発足。官公庁工事が柱の総合建設コンサル 売 連37,207 従 20 資 2,803 住 岡山市北区津島京町3-1-21 ☎086-252-7520 ㉕ **58** ㉔ **36(男30, 女6)**
㈱ウエスコホールディングス	サ 特色 西日本地盤の総合建設コンサル。測量・地質調査。スポーツ施設、水族館運営も。14年持株会社化 売 連15,725 従 16 資 400 住 岡山市北区島田本町2-5-35 ☎086-254-6111 ㉕ **20** ㉔ **18(男13, 女5)**
岡山県貨物運送㈱	陸 特色 岡山のトラック79社統合で発祥、通称「オカケン」。中国地方基盤。自社保有車での路線事業が主 売 連37,693 従 1,973 資 2,420 住 岡山市北区清心町4-31 ☎086-252-2111 ㉕ **30** ㉔ **23(男10, 女13)**
㈱岡山製紙	パ紙 特色 中・四国地盤の板紙中堅。王子HD系。果実贈答箱など美粧段ボールも。業績は上期偏重傾向 売 単11,511 従 196 資 821 住 岡山市南区浜野1-4-34 ☎086-262-1101 ㉕ **5** ㉔ **2(男2, 女0)**
㈱ジェイ・イー・ティ	機 特色 半導体洗浄装置メーカー。09年に破綻したエス・イー・エス岡山工場譲り受け、韓国ゼウス傘下 売 連24,984 従 171 資 1,848 住 浅口郡里庄町大字新庄字金山6078 ☎0865-69-4080 ㉕ **5** ㉔ **7(男5, 女2)**
大黒天物産㈱	小 特色 岡山発祥の食品ディスカウントストア。SC向け複合大型店「ラ・ムー」、単独店「ディオ」展開 売 連270,077 従 1,427 資 1,716 住 倉敷市西中新田297-1 ☎086-435-1100 ㉕ **400** ㉔ **248(男163, 女85)**
タツモ㈱	機 特色 半導体製造装置が柱。液晶用塗布装置で高シェア。M&Aで洗浄装置、プリント板装置等も追加 売 連28,161 従 394 資 3,568 住 岡山市北区芳賀5311 ☎086-239-5000 ㉕ **10** ㉔ **12(男10, 女2)**
㈱テイツー	小 特色 「古本市場」を路面店軸に展開。再構築経て21年度より小型店出店加速、傘下の山徳の収益寄与大 売 連35,197 従 323 資 100 住 岡山市南区豊浜町2-2 ☎086-206-7610 ㉕ **20** ㉔ **12(男9, 女3)**
㈱天満屋ストア	小 特色 百貨店天満屋系スーパー。岡山が軸。ヨーカ堂の持分法会社。子会社で総菜製造、飲食業など 売 連58,566 従 419 資 3,697 住 岡山市北区岡町13-16 ☎086-232-7265 ㉕ **50** ㉔ **28(男10, 女18)**
㈱トマト銀行	銀 特色 地銀中下位行。岡山県内2番手。第二地銀。岡山市、倉敷市が地盤。兵庫、広島、大阪にも拠点 売 連24,065 従 758 資 14,310 住 岡山市北区番町2-3-4 ☎086-221-1010 ㉕ **前年並** ㉔ **50(男24, 女26)**
萩原工業㈱	他製 特色 樹脂繊維製品のほか機械部門も持ち原糸からの一貫生産に強み。インドネシア、中国でも生産 売 連31,245 従 534 資 1,778 住 倉敷市水島中通1-4 ☎086-440-0860 ㉕ **20** ㉔ **23(男19, 女4)**
アシードホールディングス㈱	小 特色 酒類・飲料の製販事業を展開。自社商品扱う自販機運営も推進。上期偏重。配当性向30%目安 売 連23,260 従 25 資 798 住 福山市船町7-23 ☎084-923-5552 ㉕ **10** ㉔ **5(男2, 女3)**
㈱あじかん	食 特色 卵加工品、水産練り製品など業務用食材主力。自社企画品やゴボウ茶事業強化。中国市場開拓 売 連50,240 従 738 資 1,102 住 広島市西区商工センター7-3-9 ☎082-277-7010 ㉕ **微増** ㉔ **13(男10, 女3)**
㈱アドテック プラズマ テクノロジー	電機 特色 半導体・液晶製造関連のプラズマ用高周波電源装置大手。栃木子会社は研究機関・大学関連が主 売 連12,498 従 172 資 835 住 福山市引野町5-6-10 ☎084-945-1359 ㉕ **増加** ㉔ **6(男5, 女1)**
アヲハタ㈱	食 特色 家庭用ジャムシェア約3割。産業用フルーツ加工品や介護食なども展開。キユーピーの子会社 売 連20,287 従 444 資 915 住 竹原市忠海中町1-1-25 ☎0846-26-0111 ㉕ **若干名** ㉔ **13(男5, 女8)**

会社名	業種名 特色 会社の特色 売 売上高（百万円） 従 単独従業員数（名） 資 資本金（百万円） 住 本社の住所，電話番号 ㉕ 25年採用計画数（名） ㉔ 24年入社内定者数（名）
㈱石井表記	機 特色 プリント基板製造装置大手。インクジェット塗布機はテレビ液晶用で高シェア。印刷技術も強み 売 連16,729 従 316 資 300 住 福山市神辺町旭丘5 ☎084-960-1247 ㉕ **6** ㉔ **7（男7，女0）**
北川精機㈱	機 特色 プリント基板プレス、FA機器中堅。銅張積層基板製造用真空プレス装置シェアは世界トップ 売 連5,933 従 146 資 574 住 府中市鵜飼町800-8 ☎0847-40-1200 ㉕ **増加** ㉔ **3（男3，女0）**
㈱北川鉄工所	機 特色 自動車用などの鋳造部品、工作機械器具、立駐、産業機械など多角展開。メキシコに製造拠点 売 連61,567 従 1,427 資 8,640 住 府中市元町77-1 ☎0847-45-4560 ㉕ **40** ㉔ **30（男25，女5）**
㈱研創	他製 特色 企業向けサイン等金属銘板の国内トップ。広島を本拠に全国展開。樹脂サイン競争力向上に注力 売 単5,888 従 260 資 664 住 広島市安佐北区上深川町448 ☎082-840-1000 ㉕ **増加** ㉔ **4（男・・，女・・）**
㈱コンセック	卸 特色 建設向けダイヤモンド工具大手。切削機具・建機と特殊工事が柱。切削機具に経営資源再集中 売 連10,379 従 229 資 4,090 住 広島市西区商工センター4-6-8 ☎082-277-5451 ㉕ **6** ㉔ **2（男1，女1）**
㈱JMS	精 特色 使い捨て医療器具の大手。血液回路・透析装置、透析針に強み持つ。海外販売・生産に積極展開 売 連65,292 従 1,611 資 7,411 住 広島市中区加古町12-17 ☎082-243-5844 ㉕ **20** ㉔ **13（男8，女5）**
中国工業㈱	金製 特色 家庭用LPガス容器の最大手。飼料タンク、子会社でトラック輸送も展開。水素容器開発に注力 売 連13,332 従 269 資 1,710 住 呉市広名田1-3-1 ☎0823-72-1212 ㉕ **前年並** ㉔ **2（男2，女0）**
戸田工業㈱	化 特色 顔料・MLCC誘電体等電子素材の老舗。2次電池正極材でBASFと合弁、TDKの持分会社 売 連26,234 従 377 資 7,477 住 広島市南区京橋町1-23 ☎082-577-0055 ㉕ **10** ㉔ **11（男7，女4）**
内海造船㈱	輸機 特色 日立造船系。05年、日立造・因島を合併。中型ばら積み船、フェリー、RORO船など船種幅広い 売 連46,383 従 575 資 1,200 住 尾道市瀬戸田町沢226-6 ☎0845-27-2111 ㉕ **22** ㉔ **12（男10，女2）**
西川ゴム工業㈱	ゴ 特色 自動車部品の独立系メーカー。一般産業資材も。すべての国内自動車メーカーにシール製品納入 売 連117,904 従 1,369 資 3,364 住 広島市西区三篠町2-2-8 ☎082-237-9371 ㉕ **50** ㉔ **29（男22，女7）**
㈱ビーアールホールディングス	建 特色 極東興和が中核。中国、関西地盤のPC橋梁大手。M&Aで関東、東北へエリア拡大し全国化 売 連40,259 従 12 資 3,114 住 広島市東区光町2-6-31 ☎082-261-2860 ㉕ **35** ㉔ **26（男18，女8）**
広島ガス㈱	電ガ 特色 中国地方で都市ガス供給首位。契約戸数はLPガス含め60万戸強。工業用コージェネにも注力 売 連90,670 従 686 資 5,268 住 広島市南区皆実町2-7-1 ☎082-251-2151 ㉕ **20** ㉔ **13（男8，女5）**
広島電鉄㈱	陸 特色 運輸で鉄軌道とバスが2本柱。バスは県内西部が地盤。鉄軌道は路面電車が著名。不動産も展開 売 連30,466 従 1,599 資 2,335 住 広島市中区東千田町2-9-29 ☎082-242-3521 ㉕ **前年並** ㉔ **14（男9，女5**
福留ハム㈱	食 特色 広島を地盤に西日本展開する中堅ハム・ソーセージメーカー。加工食品のほか食肉も手がける 売 連25,193 従 357 資 2,691 住 広島市西区草津港2-6-75 ☎082-278-6161 ㉕ **23** ㉔ **7（男5，女2）**
㈱ポプラ	小 特色 広島地盤のコンビニ。ローソンと共同店舗運営。施設内軸に「生活彩家」など小型店も展開 売 連12,370 従 127 資 30 住 広島市安佐北区安佐町大字久地665-1 ☎082-837-3500 ㉕ **微増** ㉔ **4（男4，女0）**
㈱マツオカコーポレーション	繊 特色 アパレルOEM大手。中国、ミャンマー、バングラデシュ、ベトナムで生産。欧米系SPA開拓 売 連60,176 従 153 資 586 住 福山市宝町4-14 ☎084-973-5188 ㉕ **3** ㉔ **4（男1，女3）**
ヤスハラケミカル㈱	化 特色 天然油テルペン化学品で国内唯一のメーカー。粘着剤・塗料、香料、自動車用品などが顧客 売 単13,192 従 232 資 1,789 住 府中市高木町1071 ☎0847-45-3530 ㉕ **若干名** ㉔ **2（男2，女0）**
㈱やまみ	食 特色 豆腐および関連製品の製造・販売で中堅。拠点置く中国地方で高シェア。関東での拡販に注力中 売 単19,001 従 267 資 1,245 住 三原市沼田西町小原字袖掛73-5 ☎0848-86-3788 ㉕ **25** ㉔ **18（男・・，女・・）**
㈱秋川牧園	水農 特色 無農薬・無投薬の食肉、鶏卵、牛乳等を製造販売。主力の生協経由に加えて直販宅配を強化 売 連7,392 従 250 資 714 住 山口市仁保下郷10317 ☎083-929-0630 ㉕ **未定** ㉔ **4（男2，女2）**
㈱エストラスト	不 特色 山口県内首位のマンション開発業者。福岡など九州へ攻勢。17年TOBで西部ガスHD傘下に 売 連18,044 従 49 資 736 住 下関市竹崎町4-1-22 ☎083-229-3280 ㉕ **前年並** ㉔ **7（男3，女4）**
㈱エムビーエス	建 特色 独自研磨法と特殊コーティング剤での外装リフォーム会社。直接施工と並行し契約工務店拡大 売 単4,356 従 86 資 391 住 宇部市西岐波1173-162 ☎0836-54-1414 ㉕ **前年並** ㉔ **2（男2，女0）**
チタン工業㈱	化 特色 酸化チタンの老舗。高機能の超微粒子注力。リチウムイオン電池用チタン酸リチウムを開発 売 連7,953 従 270 資 3,443 住 宇部市小串1978-25 ☎0836-31-4155 ㉕ **増加** ㉔ **2（男2，女0）**
㈱長府製作所	金製 特色 石油給湯器で首位級。太陽熱温水器や冷暖房機などへも展開。環境配慮型製品に注力。好財務 売 連48,506 従 1,152 資 7,000 住 下関市長府扇町2-1 ☎083-248-2777 ㉕ **30** ㉔ **20（男15，女5）**
林兼産業㈱	食 特色 ハム・ソー、食肉の中堅。養魚・畜産用飼料が利益柱。機能性素材も。マルハニチロと関係緊密 売 連47,376 従 319 資 3,415 住 下関市大和町2-4-8 ☎083-266-0210 ㉕ **増加** ㉔ **11（男5，女6）**
㈱リテールパートナーズ	小 特色 地方の食品スーパー連合。15年山口の丸久と大分のマルミヤストア、17年福岡のマルキョウ統合 売 連252,161 従 770 資 7,218 住 防府市大字江泊1936 ☎0835-20-2477 ㉕ **20** ㉔ **16（男8，女8）**

会社名	[業種名] (特色) 会社の特色 (売)売上高(百万円) (従)単独従業員数(名) (資)資本金(百万円) (住)本社の住所，電話番号 ㉕25年採用計画数(名) ㉔24年入社内定者数(名)
阿波製紙㈱	[パ紙] (特色) 和紙発祥の特殊紙企業。非木材紙に特色。エンジン用濾材など自動車関連、水処理関連が2本柱 (売)連16,115 (従)424 (資)1,385 (住)徳島市南矢三町3-10-18 ☎088-631-8101 ㉕**15** ㉔**7(男6，女1)**
ニホンフラッシュ㈱	[他製] (特色) マンション向け内装ドアの国内首位。完全オーダーメイドが特徴。近年は中国事業が業績支える (売)連25,899 (従)225 (資)1,117 (住)小松島市横須町5-26 ☎0885-32-3431 ㉕**増加** ㉔**7(男6，女1)**
アオイ電子㈱	[電機] (特色) 独立系の電子部品製造。半導体集積回路組み立て・検査受託が柱。印刷ヘッドや抵抗器の製造も (売)連33,941 (従)1,615 (資)4,545 (住)高松市香西南町455-1 ☎087-882-1131 ㉕**微増** ㉔**14(男12，女2)**
大倉工業㈱	[化] (特色) 合成樹脂フィルム大手。液晶向け光学フィルムなど新規材料部門が柱に成長、建材部門も強化 (売)連78,863 (従)1,052 (資)8,619 (住)丸亀市中津町1515 ☎0877-56-1111 ㉕**前年並** ㉔**39(男26，女13)**
四国化成ホールディングス㈱	[化] (特色) 柱はラジアルタイヤ用不溶性硫黄をはじめとする化学品。輸出が多い。23年1月、持株会社制に (売)連63,117 (従)652 (資)6,867 (住)丸亀市土器町東8-537-1 ☎0877-22-4111 ㉕**20** ㉔**14(男9，女5)**
セーラー広告㈱	[サ] (特色) 四国4県と山陽、北部九州が事業地域の中堅広告代理店。タウン誌も発行。ネット事業強化中 (売)連2,050 (従)97 (資)294 (住)高松市扇町2-7-20 ☎087-825-1156 ㉕**前年並** ㉔**5(男3，女2)**
南海プライウッド㈱	[他製] (特色) 和室天井材首位。収納材、床材など住宅内装材総合メーカー。インドネシア、フランスに子会社 (売)連23,774 (従)431 (資)2,121 (住)高松市松福町1-15-10 ☎087-825-3615 ㉕**13** ㉔**10(男4，女6)**
日本興業㈱	[ガ土] (特色) コンクリ2次製品大手。主力は土木関連。舗装材にも強み。庭園等エクステリア製品開発に注力 (売)連13,673 (従)304 (資)2,019 (住)さぬき市志度4614-13 ☎087-894-8130 ㉕**未定** ㉔**10(男6，女4)**
㈱マルヨシセンター	[小] (特色) 香川、徳島、愛媛地盤の中堅食品スーパー。自社工場でPB商品開発・製造。イズミと資本提携 (売)連39,823 (従)403 (資)1,077 (住)高松市国分寺町国分367-1 ☎087-874-5511 ㉕**15** ㉔**6(男4，女2)**
㈱四電工	[建] (特色) 四国電力系で売上比率5割未満。電気、空調工事主力。四国外の市場開拓やメガソーラー事業も (売)連92,112 (従)2,216 (資)3,451 (住)高松市花ノ宮町2-3-9 ☎087-840-0230 ㉕**112** ㉔**114(男105，女9)**
㈱ありがとうサービス	[小] (特色) ブックオフ、ハードオフFC。フードはモスFC等と自社業態。四国・九州・沖縄や海外にも展開 (売)連9,730 (従)205 (資)547 (住)今治市八町西3-6-30 ☎0898-23-2243 ㉕**増加** ㉔**7(男2，女5)**
㈱愛媛銀行	[銀] (特色) 四国全域へ展開する第二地銀。県内預貯金シェア1割強。首脳陣は生え抜き。ネット専業支店も (売)連65,163 (従)1,326 (資)21,367 (住)松山市勝山町2-1 ☎089-933-1111 ㉕**90** ㉔**97(男43，女54)**
セキ㈱	[他製] (特色) 四国を中心に印刷業で全国展開。首都圏の受注開拓に重点。紙卸兼営。水性フレキソ印刷進出 (売)連11,988 (従)300 (資)1,201 (住)松山市湊町7-7-1 ☎089-945-0111 ㉕**15** ㉔**16(男5，女11)**
㈱ダイキアクシス	[化] (特色) 四国のホームセンター・ダイキから事業分割し独立。環境機器、住宅機器が主力。新事業積極展開 (売)連42,681 (従)568 (資)2,556 (住)松山市美沢1-9-1 ☎089-927-2222 ㉕**19** ㉔**12(男6，女6)**
ベルグアース㈱	[水農] (特色) 接ぎ木したトマト、キュウリ、ナス等の苗を開発、生産販売。花き進出。閉鎖型施設や中韓開拓も (売)連7,061 (従)225 (資)724 (住)宇和島市津島町北灘甲88-1 ☎0895-20-8231 ㉕**前年並** ㉔**16(男10，女6)**
㈱ヨンキュウ	[卸] (特色) 養殖業者への養殖用稚魚・飼料販売と鮮魚販売が2本柱。マグロ養殖も手がけ、首都圏開拓に力 (売)連45,130 (従)112 (資)2,757 (住)宇和島市築地町2-318-235 ☎0895-24-0001 ㉕**10** ㉔**9(男9，女0)**
兼松エンジニアリング㈱	[機] (特色) 環境整備用特装車メーカー。強力吸引作業車で国内シェア8割強、高圧洗浄車で5割の最大手 (売)単12,403 (従)267 (資)313 (住)高知市布師田3981-7 ☎088-845-5511 ㉕**未定** ㉔**14(男10，女4)**
㈱技研製作所	[機] (特色) 油圧式杭圧入引抜機等を製造。圧入工事は特殊工事特化など開発型企業に転換中。地下駐輪場も (売)連29,272 (従)512 (資)8,958 (住)高知市布師田3948-1 ☎088-846-2933 ㉕**25** ㉔**21(男14，女7)**
㈱ミロク	[他製] (特色) 猟銃国内首位。米ブローニング社に円建てでOEM供給。工作機械、自動車用ハンドルに多角化 (売)連11,887 (従)21 (資)863 (住)南国市篠原537-1 ☎088-863-3310 ㉕**若干名** ㉔**2(男1，女1)**
㈱アイキューブドシステムズ	[情通] (特色) 法人向けMDM（モバイル端末管理）サービス首位の「CLOMO」提供。月額課金のSaaS (売)連2,949 (従)130 (資)413 (住)福岡市中央区天神4-1-37 ☎092-552-4358 ㉕**14** ㉔**14(男4，女10)**
アイ・ケイ・ケイホールディングス㈱	[サ] (特色) 九州地盤に北陸、東北、四国など地方中核都市中心にゲストハウス型婚礼施設を展開。介護併営 (売)連21,990 (従)862 (資)351 (住)糟屋郡志免町片峰3-6-5 ☎050-3539-1122 ㉕**100** ㉔**159(男25，女134)**
アプライド㈱	[小] (特色) 自社製品含めパソコン販売。地盤・九州から小売店は北陸まで、大学等営業拠点は仙台まで展開 (売)連42,819 (従)410 (資)381 (住)福岡市博多区東比恵3-3-1 ☎092-481-7801 ㉕**微増** ㉔**35(男27，女8)**
イオン九州㈱	[小] (特色) イオン系列。九州で総合スーパー（GMS）や食品スーパーを展開。子会社がドラッグストア運営 (売)連510,317 (従)5,268 (資)4,915 (住)福岡市博多区博多駅南2-9-11 ☎092-441-0611 ㉕**200** ㉔**160(男63，女97)**
㈱井筒屋	[小] (特色) 北九州地盤の老舗百貨店。小倉本店と山口店を展開。黒崎、宇部、コレットは閉鎖し経営資源集中 (売)連22,521 (従)580 (資)100 (住)北九州市小倉北区船場町1-1 ☎093-522-3111 ㉕**未定** ㉔**8(男2，女6)**
イフジ産業㈱	[食] (特色) 液卵製販2位。製パン、製菓向け中心。全国4工場体制で安定供給。連結配当性向25～30％メド (売)連24,503 (従)128 (資)455 (住)糟屋郡粕屋町戸原東2-1-29 ☎092-938-4561 ㉕**10** ㉔**4(男3，女1)**

会社名	業種名 特色 会社の特色 売 売上高(百万円) 従 単独従業員数(名) 資 資本金(百万円) 住 本社の住所, 電話番号 ㉕ 25年採用計画数(名) ㉔ 24年入社内定者数(名)
㈱ウチヤマホールディングス	サ 特色 介護、カラオケ、飲食店が3本柱。介護は入居一時金なしの有料老人ホームが主体。全国展開 売 連28,842 従 30 資 2,222 住 北九州市小倉北区熊本2-10-10 ☎093-551-0002 ㉕ **10** ㉔ **4(男2, 女2)**
㈱FCホールディングス	サ 特色 道路、橋梁、鉄道の調査、設計コンサルタントが中心。交通調査・自治体都市計画など官需に強い 売 連8,526 従 7 資 400 住 福岡市博多区博多駅東3-6-18 ☎092-412-8300 ㉕ **15** ㉔ **19(男10, 女9)**
大石産業㈱	パ紙 特色 包装資材の総合メーカー。パルプモウルドで国内首位。樹脂フィルム拡充。マレーシア現法育成 売 連21,964 従 369 資 466 住 北九州市八幡東区桃園2-7-1 ☎093-661-6511 ㉕ **未定** ㉔ **9(男5, 女4)**
OCHIホールディングス㈱	卸 特色 住宅建材の中堅卸。九州地盤、M&Aで全国展開。木材加工、環境、エンジニアリングとの4本柱 売 連113,366 従 369 資 400 住 福岡市中央区那の津3-12-20 ☎092-732-8959 ㉕ **5** ㉔ **4(男2, 女2)**
九州電力㈱	電ガ 特色 九州財界の雄。産業向け比率が高い。海外、通信事業も育成。原発は川内2基、玄海2基を保有 売 連2,139,447 従 4,726 資 237,304 住 福岡市中央区渡辺通2-1-82 ☎092-761-3031 ㉕ **未定** ㉔ **320(男269, 女51)**
㈱九州リースサービス	他金 特色 リースで九州首位。地域密着で総合金融サービス展開。22年10月西日本FHの持分法適用に 売 連33,508 従 134 資 2,933 住 福岡市博多区博多駅前4-3-18 ☎092-431-2530 ㉕ **6** ㉔ **6(男3, 女3)**
協立エアテック㈱	金製 特色 空調機器専業で中堅。ダンパーのシェア約3割で首位。24時間換気装置など住宅用途を深耕中 売 連11,896 従 321 資 1,683 住 糟屋郡篠栗町和田5-7-1 ☎092-947-6101 ㉕ **6** ㉔ **2(男2, 女0)**
㈱サニックス	サ 特色 太陽光発電設備工事の大手。シロアリ防除で創業。廃プラ処理や売電に加え新電力事業に進出 売 連47,167 従 1,919 資 14,041 住 福岡市博多区博多駅東2-1-23 ☎092-436-8870 ㉕ **増加** ㉔ **39(男36, 女3)**
㈱システムソフト	情通 特色 システム開発からWebマーケ支援など拡大。不動産サイトも。APAMAN傘下は不変 売 連3,390 従 連153 資 1,706 住 福岡市中央区天神1-12-1 ☎092-732-1515 ㉕ **15** ㉔ **12(男10, 女2)**
昭和鉄工㈱	金製 特色 熱源・空調・熱処理炉など機器装置、橋の欄干など素形材、工事・保守が3本柱。1883年創業 売 連13,515 従 385 資 1,641 住 糟屋郡宇美町宇美3351-8 ☎092-933-6390 ㉕ **前年並** ㉔ **15(男9, 女6)**
新日本製薬㈱	化 特色 オールインワン化粧品のファブレスメーカーで主要販路は通販。健康食品、医薬品も手がける 売 連37,653 従 301 資 4,158 住 福岡市中央区大手門1-4-7 ☎092-720-5800 ㉕ **15** ㉔ **10(男1, 女9)**
㈱スターフライヤー	空 特色 北九州拠点の新興航空。出張客軸で高単価。座席広めと独自戦略。ジャパネットHDが大株主 売 単40,019 従 740 資 1,892 住 北九州市小倉南区空港北町6 ☎093-555-4500 ㉕ **前年並** ㉔ **43(男14, 女29)**
㈱正興電機製作所	電機 特色 電力向け受変電設備・開閉装置が中心。九電、日立と密接。制御・情報システム技術で広く展開 売 連27,071 従 643 資 2,607 住 福岡市博多区東光2-7-25 ☎092-473-8831 ㉕ **23** ㉔ **23(男15, 女8)**
西部電機㈱	機 特色 搬送機械、産業機械、精密機械の3本柱。産機は公共、電力が軸。利益は下期偏重。安川電機と親密 売 連31,945 従 565 資 2,658 住 古賀市駅東3-3-1 ☎092-943-7071 ㉕ **前年並** ㉔ **36(男‥, 女‥)**
第一交通産業㈱	陸 特色 タクシー業界最大手。買収テコに全国展開。不動産、金融事業を拡大方針。沖縄でバス事業も 売 連100,711 従 314 資 2,027 住 北九州市小倉北区馬借2-6-8 ☎093-511-8811 ㉕ **増加** ㉔ **12(男7, 女5)**
大英産業㈱	不 特色 北九州エリア中心に九州全域で分譲マンション、戸建て住宅を販売。宿泊施設事業に参入 売 連35,759 従 313 資 330 住 北九州市八幡西区下上津役4-1-36 ☎093-613-5500 ㉕ **10** ㉔ **16(男7, 女9)**
㈱高田工業所	建 特色 鉄鋼・化学関連の中堅プラント工事会社。石油、電力、エレクトロニクスなど幅広い。メンテ拡大 売 連52,257 従 1,412 資 3,642 住 北九州市八幡西区築地町1-1 ☎093-632-2631 ㉕ **前年並** ㉔ **43(男39, 女4)**
㈱力の源ホールディングス	小 特色 博多ラーメン店「一風堂」が柱。フードコート、ラーメンダイニング等の業態も。海外展開強化 売 連31,776 従 18 資 3,148 住 福岡市中央区大名1-13-14 ☎092-762-4445 ㉕ **30** ㉔ **6(男5, 女1)**
㈱筑邦銀行	銀 特色 久留米市、福岡市を中核に福岡県南が地盤。戦後設立、地銀下位。収益多様化へアライアンス 売 連18,023 従 544 資 8,000 住 久留米市諏訪野町2456-1 ☎0942-32-5331 ㉕ **未定** ㉔ **31(男18, 女13)**
トラストホールディングス㈱	不 特色 九州地盤の駐車場中堅。駐車場を投資家に小口販売する商品を組成。新築マンション分譲も展開 売 連13,694 従 84 資 422 住 福岡市博多区博多駅南5-15-18 ☎092-437-8944 ㉕ **11** ㉔ **7(男5, 女2)**
鳥越製粉㈱	食 特色 製粉中堅グループでトップ。九州地盤。低糖質パン用などミックス粉に強み。焼酎用精麦も首位 売 連26,385 従 232 資 2,805 住 福岡市博多区比恵町5-1 ☎092-477-7110 ㉕ **若干名** ㉔ **5(男5, 女0)**
㈱ナフコ	小 特色 家具販売からスタート。家具専門店とHC併設店が主。九州、中国地盤だが関西、関東等にも展開 売 単192,447 従 1,374 資 3,538 住 北九州市小倉北区魚町2-6-10 ☎093-521-5155 ㉕ **100** ㉔ **68(男47, 女21)**
㈱南陽	卸 特色 建機、産機の販売が中心。リース、レンタルも。建機は九州、産機は関東以西が地盤。海外も育成 売 連37,991 従 153 資 1,181 住 福岡市博多区博多駅前3-19-8 ☎092-472-7331 ㉕ **9** ㉔ **5(男4, 女1)**
㈱西日本フィナンシャルホールディングス	銀 特色 福岡本拠の西日本シティ銀と長崎銀、西日本信用保証による共同持株会社。宮崎、大分にも展開 売 連185,595 従 3,304 資 50,000 住 福岡市博多区博多駅前3-1-1 ☎092-476-5050 ㉕ **未定** ㉔ **235(男123, 女112)**
ニッポンインシュア㈱	他金 特色 九州と関東圏中心に家賃保証事業を展開。介護費や入院費保証事業を拡充。配当性向10%以上 売 単2,876 従 114 資 347 住 福岡市中央区天神2-14-2 ☎092-726-1080 ㉕ **前年並** ㉔ **2(男1, 女1)**

会社名	業種名 (特色)会社の特色 (売)売上高(百万円) (従)単独従業員数(名) (資)資本金(百万円) (住)本社の住所, 電話番号 ㉕25年採用計画数(名) ㉔24年入社内定者数(名)
日本乾溜工業(株)	建 (特色)交通安全施設工事が主軸。福岡に重点。防災安全用品や防草舗装材「かぐやロード」にも注力 (売)連16,894 (従)218 (資)413 (住)福岡市東区馬出1-11-11 ☎092-632-1050 ㉕**前年並** ㉔**6(男3, 女3)**
日本タングステン(株)	電機 (特色)タングステンとモリブデンの加工業。超硬合金、ロータリーカッター、自動車用電極など育成 (売)連11,464 (従)435 (資)2,509 (住)福岡市博多区美野島1-2-8 ☎092-415-5500 ㉕**微減** ㉔**16(男12, 女4)**
(株)ピー・ビーシステムズ	情通 (特色)基幹システムのクラウド化・仮想化が柱。VRシアター「MetaWalkers」も開発販売 (売)単2,900 (従)54 (資)350 (住)福岡市博多区東比恵3-3-24 ☎092-481-5669 ㉕**8** ㉔**4(男3, 女1)**
(株)ピエトロ	食 (特色)野菜用ドレッシングが収益柱。中・高級品に強い。国内外でイタリアンレストランも展開 (売)連10,096 (従)306 (資)1,719 (住)福岡市中央区天神3-4-5 ☎092-716-0300 ㉕**前年並** ㉔**8(男3, 女5)**
HYUGA PRIMARY CARE(株)	小 (特色)訪問薬局と中小薬局への訪問薬局運営ノウハウ提供事業が主軸。高齢者向け介護施設も展開 (売)連8,285 (従)578 (資)195 (住)春日市春日原北町2-2-1 ☎092-558-2120 ㉕**7** ㉔**5(男2, 女3)**
(株)富士ピー・エス	建 (特色)PC工法大手で橋梁など土木工事が主力。官公庁向けが大半。九州から全国化、枕木分野を強化 (売)連28,566 (従)439 (資)2,379 (住)福岡市中央区薬院1-13-8 ☎092-721-3471 ㉕**20** ㉔**17(男14, 女3)**
(株)Fusic	情通 (特色)クラウド型システム開発主力。AI、IoT使いデータ収集・解析分野へ展開。研究機関に強い (売)単1,798 (従)106 (資)56 (住)福岡市中央区天神4-1-7 ☎092-737-2616 ㉕**8** ㉔**7(男6, 女1)**
(株)ベガコーポレーション	小 (特色)家具・雑貨等を「LOWYA」ブランドでEC販売。主要都市で実店舗出店に注力。越境ECも (売)単16,063 (従)249 (資)1,037 (住)福岡市博多区祇園町7-20 ☎092-281-3501 ㉕**10** ㉔**18(男7, 女11)**
(株)ホープ	サ (特色)自治体特化のサービス業。広報紙など活用の広告や冊子制作が柱。自治体の課題解決支援に軸足 (売)連2,553 (従)184 (資)10 (住)福岡市中央区薬院1-14-5 ☎092-716-1404 ㉕**10** ㉔**11(男2, 女9)**
(株)マツモト	他製 (特色)学校の卒業アルバム制作大手。学術図書等の一般商業印刷のほか、NFT売買の事業にも進出 (売)単2,214 (従)181 (資)100 (住)北九州市門司区社ノ木1-2-1 ☎093-371-0298 ㉕**未定** ㉔**5(男1, 女4)**
(株)マルタイ	食 (特色)九州地盤の即席麺メーカー。棒ラーメンが九州で高い認知度。サンヨー食品と資本・業務提携 (売)単8,944 (従)181 (資)1,989 (住)福岡市西区今宿青木1042-1 ☎092-807-0711 ㉕**5** ㉔**4(男2, 女2)**
室町ケミカル(株)	医 (特色)医薬品原薬の販売・製造、健康食品の企画・製造や、液体処理用イオン交換樹脂等の化学品も展開 (売)単6,369 (従)205 (資)143 (住)大牟田市新勝立町1-38-5 ☎0944-41-2131 ㉕**5** ㉔**4(男2, 女2)**
リックス(株)	卸 (特色)鉄鋼、自動車、電子用ポンプなど産業機械・機器のメーカー商社。旧新日鉄へのゴム靴納入で創業 (売)連49,752 (従)485 (資)827 (住)福岡市博多区山王1-15-15 ☎092-472-7311 ㉕**20** ㉔**20(男20, 女0)**
(株)YE DIGITAL	情通 (特色)安川電機の持分法適用会社。システム構築と組み込みソフト開発が主力。IoT分野を強化中 (売)連19,504 (従)546 (資)747 (住)北九州市小倉北区米町2-1-21 ☎093-522-1010 ㉕**15** ㉔**32(男18, 女14)**
(株)戸上電機製作所	電機 (特色)高圧負荷開閉器主力の配電制御システム機器メーカー。電力向け約4割、中国にも生産現法 (売)連26,731 (従)551 (資)2,899 (住)佐賀市大財北町1-1 ☎0952-24-4111 ㉕**微増** ㉔**7(男5, 女2)**
久光製薬(株)	医 (特色)貼る鎮痛消炎剤首位。医療用シェア5割。大衆薬「サロンパス」で有名。米国、中国など海外強化 (売)連141,706 (従)1,506 (資)8,473 (住)鳥栖市田代大官町408 ☎0942-83-2101 ㉕**未定** ㉔**69(男31, 女38)**
グリーンランドリゾート(株)	サ (特色)九州などで遊園地、ホテル、ゴルフ場経営。賃貸など不動産活用に重点。西部ガスHDが筆頭株主 (売)連6,406 (従)68 (資)4,180 (住)荒尾市下井手1616 ☎0968-66-2111 ㉕**増加** ㉔**2(男0, 女2)**
(株)ビューティカダンホールディングス	卸 (特色)生花祭壇の企画提案・制作・設営、生花卸・物流が2本柱。ブライダル装花、システム開発事業も (売)連6,982 (従)14 (資)213 (住)熊本市南区流通団地1-46 ☎096-370-0004 ㉕**増加** ㉔**3(男0, 女3)**
平田機工(株)	機 (特色)生産設備エンジニアリング会社。自動車や半導体、家電関連など顧客多彩。産業用ロボットも (売)連82,839 (従)1,235 (資)2,633 (住)熊本市北区植木町一木111 ☎096-272-5558 ㉕**60** ㉔**78(男61, 女17)**
(株)ヤマックス	ガ土 (特色)九州の大手コンクリ2次製品メーカー。土木向けは九州・東北、建築向けは首都圏・九州に展開 (売)連20,807 (従)519 (資)1,752 (住)熊本市中央区水前寺3-9-5 ☎096-381-6411 ㉕**前年並** ㉔**14(男12, 女2)**
(株)Lib Work	建 (特色)熊本県、福岡県地盤の注文住宅メーカー。関東にも展開。ネット中心の販売から展示場も活用へ (売)連15,435 (従)256 (資)1,321 (住)山鹿市鍋田178-1 ☎0968-36-9112 ㉕**11** ㉔**34(男‥, 女‥)**
(株)アメイズ	サ (特色)九州地盤に郊外・ロードサイド型のビジネスホテル「HOTEL AZ」を運営。レストランも (売)単16,907 (従)145 (資)1,299 (住)大分市西鶴崎1-7-17 ☎097-524-3301 ㉕**増加** ㉔**4(男1, 女3)**
(株)大分銀行	銀 (特色)地銀中位。大分県地盤だが福岡、宮崎、熊本でも店舗展開。香港駐在員事務所も。企業育成に注力 (売)連73,240 (従)1,569 (資)19,598 (住)大分市府内町3-4-1 ☎097-534-1111 ㉕**前年並** ㉔**45(男20, 女25)**
(株)グランディーズ	不 (特色)大分地盤の不動産会社。近県・四国や関東に展開。低価格の建売住宅と投資用物件開発が2本柱 (売)連4,600 (従)22 (資)268 (住)大分市都町2-1-10 ☎097-548-6700 ㉕**1** ㉔**3(男2, 女1)**
(株)cotta	卸 (特色)和洋菓子店、弁当店などに包装資材、食材を小ロットで通信販売。カフェなど法人向け拡大 (売)連8,615 (従)37 (資)665 (住)津久見市大字上青江4478-8 ☎0972-85-0117 ㉕**未定** ㉔**2(男1, 女1)**

会社名	[業種名] [特色] 会社の特色 [売] 売上高(百万円) [従] 単独従業員数(名) [資] 資本金(百万円) [住] 本社の住所, 電話番号 ㉕25年採用計画数(名) ㉔24年入社内定者数(名)
ジェイリース(株)	[他金] [特色] 住居・事業用家賃保証の大手。大都市中心に地方へ出店し全国展開。病院向け医療費保証に進出 [売] 連13,220 [従] 431 [資] 717 [住] 大分市都町1-3-19 ☎097-534-2277 ㉕ **23** ㉔ **23(男14, 女9)**
(株)ジョイフル	[小] [特色] 九州地盤。ステーキ、ハンバーグ軸のファミレスを展開。傘下に近畿地盤とするフレンドリー [売] 連65,957 [従] 203 [資] 100 [住] 大分市三川新町1-1-45 ☎097-551-7131 ㉕ **増加** ㉔ **63(男37, 女26)**
(株)豊和銀行	[銀] [特色] 大分の第二地銀。中小企業向け貸出と取引仲介に注力。金融機能強化法の公的資金注入行 [売] 単10,465 [従] 511 [資] 13,495 [住] 大分市王子中町4-10 ☎097-534-2611 ㉕ **未定** ㉔ **36(男19, 女17)**
旭有機材(株)	[化] [特色] 旭化成系。半導体製造装置向けバルブなど管材やレジスト用樹脂など展開。水処理・資源開発も [売] 連87,426 [従] 811 [資] 5,000 [住] 延岡市中の瀬町2-5955 ☎0982-35-0880 ㉕ **14** ㉔ **7(男5, 女2)**
(株)ハンズマン	[小] [特色] 九州地盤の中堅ホームセンター。アイテム数が1店平均20万点の大型店に特徴。本州にも進出へ [売] 単34,121 [従] 1,183 [資] 1,057 [住] 都城市吉尾町2080 ☎0986-38-0847 ㉕ **100** ㉔ **51(男25, 女26)**
(株)宮崎銀行	[銀] [特色] 宮崎県の指定金融機関。鹿児島、福岡など域外にも展開。農業、医療・介護向けの金融も注力 [売] 連68,889 [従] 1,337 [資] 14,697 [住] 宮崎市橘通東4-3-5 ☎0985-27-3131 ㉕ **増加** ㉔ **72(男32, 女40)**
(株)宮崎太陽銀行	[銀] [特色] 宮崎県地盤、隣県も展開。第二地銀。県内貸出シェアは2割弱。130億円の公的資金を完済 [売] 連14,615 [従] 592 [資] 8,752 [住] 宮崎市広島2-1-31 ☎0985-24-2111 ㉕ **前年並** ㉔ **51(男17, 女34)**
(株)アクシーズ	[水農] [特色] 鶏肉国内大手。ケンタッキー(KFC)と食肉卸向け柱。飼料製造から加工まで一貫。外食FCも [売] 連25,836 [従] 874 [資] 452 [住] 鹿児島市草牟田2-1-8 ☎099-223-7385 ㉕ **5** ㉔ **2(男2, 女0)**
コーアツ工業(株)	[建] [特色] 橋梁工事中心の中堅。官公需8割。九州地盤。プレストレストコンクリ技術に定評。売電事業も [売] 連9,844 [従] 259 [資] 1,319 [住] 鹿児島市伊敷5-17-5 ☎099-229-8181 ㉕ **未定** ㉔ **12(男12, 女0)**
サンケイ化学(株)	[化] [特色] 南九州地盤の農薬メーカー。全農向け約3割。受託生産とゴルフ場等除草請負は関東にも拠点 [売] 連5,998 [従] 112 [資] 664 [住] 鹿児島市南栄2-9 ☎099-268-7588 ㉕ **未定** ㉔ **2(男0, 女2)**
(株)新日本科学	[サ] [特色] 非臨床試験受託の最大手。臨床試験、医療機関支援も展開。米国市場は回復途上。経鼻薬も本腰 [売] 連26,450 [従] 連1,445 [資] 9,679 [住] 鹿児島市宮之浦町2438 ☎099-294-2600 ㉕ **未定** ㉔ **100(男‥, 女‥)**
(株)Misumi	[卸] [特色] 南九州地盤のENEOS(旧新日石)系有力特約店で石油関連、LPGが柱。外食、書籍、PCも [売] 連60,656 [従] 522 [資] 1,690 [住] 鹿児島市卸本町7-20 ☎099-260-2200 ㉕ **40** ㉔ **16(男7, 女9)**
(株)南日本銀行	[銀] [特色] 鹿児島が地盤の第二地銀。県内融資シェア1割強。九州他県にも拠点。公的資金は完済済み [売] 連14,565 [従] 640 [資] 13,351 [住] 鹿児島市山下町1-1 ☎099-226-1111 ㉕ **40** ㉔ **28(男13, 女15)**
(株)サンエー	[小] [特色] 沖縄流通最大手。スーパー軸に外食等展開。ローソンと合弁でコンビニも。ニチリウグループ [売] 連227,580 [従] 1,706 [資] 3,723 [住] 宜野湾市大山7-2-10 ☎098-898-2230 ㉕ **未定** ㉔ **86(男48, 女38)**
全保連(株)	[他金] [特色] 独立系家賃債務保証会社で業界最大手。信託口座使う概算払い方式の家賃集金スキームが強み [売] 単24,510 [従] 608 [資] 1,163 [住] 那覇市字天久905 ☎098-866-4901 ㉕ **10** ㉔ **4(男3, 女1)**

会社名	業種名 (事業)会社の事業構成(%) ㉕25年採用計画数(名) ㉔24年入社内定者数(名) (売)売上高(百万円) (従)単独従業員数(名) (資)資本金(百万円) (住)本社の住所, 電話番号
網走信用金庫	銀 (事業)(単)現・預け金35 有価証券33 貸出金30 他2 ㉕未定 ㉔8 (売)単3,159 (従)134 (資)529 (住)北海道網走市南5条東1-4-1 ☎0152-44-5171
㈱アレフ	外 (事業)(単)レストラン 卸売 商品 ㉕40 ㉔19 (売)単48,920 (従)723 (資)100 (住)札幌市白石区菊水6条3-1-26 ☎011-823-8301
伊藤組土建㈱	建 (事業)(単)建築63 土木31 他6 ㉕未定 ㉔14 (売)単48,168 (従)419 (資)1,000 (住)札幌市中央区北4条西4-1 ☎011-241-8477
岩倉建設㈱	建 (事業)(単)土木工事60 建築工事40 ㉕未定 ㉔14 (売)単16,715 (従)262 (資)280 (住)札幌市中央区南1条西7-16-2 ☎011-281-6000
岩田地崎建設㈱	建 (事業)(単)建築部門56 土木部門43 他1 ㉕30 ㉔40 (売)単105,834 (従)769 (資)2,000 (住)札幌市中央区北二条東17-2 ☎011-221-2221
㈱AIRDO	航 (事業)(単)航空運送事業100 ㉕未定 ㉔68 (売)単51,556 (従)1,095 (資)100 (住)札幌市中央区北1条西2-9 ☎011-252-5533
㈱エイチ・エル・シー	シソ (事業)(単)システムサービス45 システム開発45 インフラ構築8 ㉕60 ㉔70 (売)単7,728 (従)811 (資)90 (住)札幌市中央区大通西20-2-18 ☎011-615-7575
渡島信用金庫	銀 (事業)(単)現・預け金28 有価証券12 貸出金60 他0 ㉕未定 ㉔6 (売)単3,565 (従)61 (資)783 (住)北海道茅部郡森町字御幸町115 ☎01374-2-2024
カネシメホールディングス㈱	食卸 (事業)(連)水産物卸売95 冷凍冷蔵倉庫3 水産物製造加工1 他1 ㉕5 ㉔5 (売)連52,401 (従)33 (資)100 (住)札幌市中央区北12条西20-1-10 ☎011-618-2110
㈱カンディハウス	他製 (事業)(単)椅子50 棚物18 テーブル18 内装1 他13 ㉕未定 ㉔10 (売)単3,480 (従)279 (資)80 (住)北海道旭川市永山北2条6 ☎0166-47-1188
㈱キョクイチホールディングス	食卸 (事業)(単)地方卸売市場・生鮮食品卸売事業を営むグループ会社の事業管理 ㉕3 ㉔3 (売)単1,497 (従)39 (資)100 (住)北海道旭川市流通団地1条2 ☎0166-48-3141
㈱栗林商会	総卸 (事業)(単)商事71 運輸29 ㉕未定 ㉔7 (売)単41,808 (従)284 (資)150 (住)北海道室蘭市入江町1-19 ☎0143-24-7011
寿産業㈱	機 (事業)(単)圧延用ガイド・関連機器24 圧延・関連機器パーツ22 一般産業機械23 耐摩耗品30 環境・機器1 ㉕未定 ㉔3 (売)単3,393 (従)69 (資)96 (住)札幌市中央区北3条東2-2-30 ☎011-261-5221
札幌テレビ放送㈱	通 (事業)(単)放送92 通信販売6 不動産2 ㉕未定 ㉔10 (売)単14,653 (従)225 (資)750 (住)札幌市中央区北一条西8-1-1 ☎011-241-1181
札幌トヨペット㈱	自販 (事業)(単)新車 中古車 サービス ㉕30 ㉔17 (売)単42,341 (従)683 (資)50 (住)札幌市豊平区月寒東1条14-1-1 ☎011-858-8181
㈱常口アトム	不 (事業)(単)アパート・マンション・戸建等居住物件の賃貸仲介 店舗・賃貸借仲介 他 ㉕30 ㉔29 (売)単9,292 (従)681 (資)50 (住)札幌市中央区北2条西3-1-12 ☎0120-270-206
シンセメック㈱	機 (事業)(単)省力・自動化装置部門80 部品加工部門20 ㉕5 ㉔5 (売)単1,108 (従)65 (資)31 (住)北海道石狩市新港西2-788-7 ☎0133-75-6600
新太平洋建設㈱	建 (事業)(単)土木建築工事 ㉕未定 ㉔5 (売)単9,547 (従)81 (資)90 (住)札幌市中央区南1条東1-2-1 ☎011-200-6000
㈱セイコーフレッシュフーズ	総卸 (事業)(単)卸売業 ㉕未定 ㉔5 (売)単112,139 (従)175 (資)492 (住)札幌市白石区流通センター7-9-35 ☎011-892-8551
㈱セコマ	小 (事業)(単)グループ会社の管理業務・不動産賃貸事業等 ㉕45 ㉔37 (売)単9,768 (従)124 (資)428 (住)札幌市中央区南9条西5-421 ☎011-511-2796
㈱ダイナックス	自 (事業)(連)自動車部品87 産業機械用部品12 他1 ㉕未定 ㉔18 (売)連77,904 (従)1,071 (資)500 (住)北海道千歳市上長都1053-1 ☎0123-24-3247
DMG MORI Digital㈱	他製 (事業)(単)ハードウエア・ソフトウエア関連 ㉕6 ㉔10 (売)単4,533 (従)227 (資)100 (住)札幌市厚別区下野幌テクノパーク1-1-14 ☎011-807-6666
道路工業㈱	建 (事業)(単)完成工事70 兼業売上30 ㉕未定 ㉔3 (売)単15,433 (従)180 (資)100 (住)札幌市中央区南8条西15-2-1 ☎011-561-2251
㈱ドーコン	築設 (事業)(単)土木設計85 建築設計9 地質調査2 測量他2 補償コンサルタント2 ㉕20 ㉔21 (売)単15,597 (従)631 (資)60 (住)札幌市厚別区厚別中央1条5-4-1 ☎011-801-1500
苫小牧信用金庫	銀 (事業)(単)現・預け金25 有価証券27 貸出金45 他3 ㉕未定 ㉔26 (売)連7,130 (従)212 (資)305 (住)北海道苫小牧市表町3-1-6 ☎0144-34-2171

会社名	業種名 事業 会社の事業構成(%) ㉕25年採用計画数(名) ㉔24年入社内定者数(名) 売 売上高(百万円) 従 単独従業員数(名) 資 資本金(百万円) 住 本社の住所，電話番号
㈱中山組	建 事業 (単)建設業 ㉕**13** ㉔**10** 売 単31,473 従 243 資 100 住 札幌市東区北19条東1-1-1 ☎011-741-7111
㈱ナシオ	食卸 事業 (単)菓子卸100 ㉕**未定** ㉔**11** 売 単53,508 従 264 資 56 住 札幌市西区八軒9条西10-448-9 ☎011-642-5155
日本アクセス北海道㈱	食卸 事業 (単)食料品，農畜産物，花卉等販売・輸出入・企画開発・分析 他 ㉕**未定** ㉔**8** 売 単102,558 従 230 資 310 住 札幌市東区苗穂町9-1-1 ☎011-750-3100
野口観光㈱	ホ 事業 (連)ホテル事業100 ㉕**70** ㉔**55** 売 連17,193 従 175 資 45 住 北海道登別市登別温泉町203-1 ☎0143-84-2350
北門信用金庫	銀 事業 (単)現・預け金29 有価証券31 貸出金38 他2 ㉕**未定** ㉔**6** 売 連3,218 従 193 資 455 住 北海道滝川市栄町3-3-4 ☎0125-22-1111
北海道いすゞ自動車㈱	自販 事業 (単)車輌63 自動車部品14 自動車修理21 他2 ㉕**10** ㉔**5** 売 単31,875 従 347 資 100 住 札幌市白石区本通20-北1-68 ☎011-558-0050
北海道エネルギー㈱	小 事業 (単)サービスステーションの運営 ㉕**45** ㉔**27** 売 単123,364 従 1,050 資 480 住 札幌市中央区北1条東3-3 ☎011-209-8300
北海道テレビ放送㈱	通 事業 (単)テレビ92 他8 ㉕**4** ㉔**8** 売 単11,685 従 193 資 750 住 札幌市中央区北1条西1-6 ☎･･
北海道糖業㈱	食 事業 (単)砂糖84 ビートパルプ7 バイオ製品6 農機4 ㉕**5** ㉔**5** 売 単24,942 従 278 資 100 住 札幌市中央区北1条西5-2 ☎011-221-1126
北海道ハニューフーズ㈱	食 事業 (単)食肉の加工・販売 ㉕**5** ㉔**5** 売 単12,338 従 82 資 100 住 札幌市北区新川3条19-2-12 ☎011-765-1221
北海道文化放送㈱	通 事業 (単)テレビ放送95 他5 ㉕**未定** ㉔**3** 売 単9,133 従 152 資 500 住 札幌市中央区北一条西14-1-5 ☎011-214-5200
北海道放送㈱	通 事業 (単)放送関連97 事業2 不動産1 ㉕**8** ㉔**7** 売 単10,727 従 230 資 100 住 札幌市中央区北一条西5-2 ☎011-232-5800
北海道リース㈱	リ 事業 (単)輸送用機器43 土木建設機械24 情報通信機器9 商業用設備8 他16 ㉕**8** ㉔**3** 売 単30,681 従 90 資 500 住 札幌市中央区南1条西10-3 ☎011-281-2255
㈱マテック	鉄金卸 事業 (単)鉄60 非鉄24 紙7 廃棄物処理3 他6 ㉕**20** ㉔**18** 売 単36,137 従 475 資 96 住 北海道帯広市西21条北1-3-20 ☎0155-37-5511
丸水札幌中央水産㈱	食卸 事業 (単)鮮魚介類35 冷凍魚介類39 加工製品類26 ㉕**5** ㉔**5** 売 単45,317 従 105 資 100 住 札幌市中央区北12条西20-2-1 ☎011-643-1234
丸玉木材㈱	他製 事業 (単)合板60 商品36 病院2 他2 ㉕**未定** ㉔**8** 売 単49,298 従 583 資 100 住 北海道網走郡津別町字新町7 ☎0152-76-2111
三ッ輪運輸㈱	陸 事業 (単)港湾運送22 倉庫16 貨物利用運送51 他11 ㉕**5** ㉔**10** 売 単15,197 従 372 資 300 住 北海道釧路市錦町5-3 ☎0154-54-3501
㈱ムトウ	他卸 事業 (単)医療機器95 理化学機器3 ウェルネス2 ㉕**40** ㉔**40** 売 単136,429 従 825 資 501 住 札幌市北区北11条西4-1-15 ☎011-746-5111
㈱モロオ	化医卸 事業 (単)医療用医薬品98 一般用医薬品1 他1 ㉕**未定** ㉔**17** 売 単121,345 従 601 資 800 住 札幌市中央区北3条西15-1-50 ☎011-618-2323
よつ葉乳業㈱	食 事業 (単)市乳 バター 粉乳 クリーム チーズ ヨーグルト アイスクリーム ㉕**未定** ㉔**35** 売 単123,481 従 705 資 3,100 住 札幌市中央区北4条西1-1 ☎011-222-1311
㈱ラルズ	小 事業 (単)小売99 他1 ㉕**24** ㉔**40** 売 単148,282 従 1,015 資 4,200 住 札幌市中央区南13条西11-2-32 ☎011-530-6000
青森朝日放送㈱	通 事業 (単)テレビ放送 ㉕**未定** ㉔**6** 売 単3,393 従 72 資 100 住 青森市荒川柴田125-1 ☎017-762-1111
青森放送㈱	通 事業 (単)テレビ ラジオ ㉕**未定** ㉔**4** 売 単4,941 従 125 資 150 住 青森市松森1-8-1 ☎017-743-1234
㈱角弘	総卸 事業 (単)鉄鋼建設資材53 燃料29 住宅用品18 ㉕**5** ㉔**3** 売 単29,709 従 260 資 378 住 青森市新町2-5-1 ☎017-723-2222
北日本造船㈱	自 事業 (単)新造船建造99 修理船工事1 ㉕**未定** ㉔**5** 売 単35,550 従 259 資 100 住 青森県八戸市江陽3-1-25 ☎0178-24-4171

会社名	業種名 事業 会社の事業構成(%) ㉕25年採用計画数(名) ㉔24年入社内定者数(名) 売 売上高(百万円) 従 単独従業員数(名) 資 資本金(百万円) 住 本社の住所,電話番号
㈱青南商事	鉄金卸 事業 (単)製鋼原料65 非鉄金属18 産業廃棄物処理8 自動車部品4 他5 ㉕未定 ㉔10 売 単33,182 従 636 資 98 住 青森県弘前市神田5-4-5 ☎0172-35-1413
太子食品工業㈱	食 事業 (単)豆腐・納豆等大豆加工品販売92 他卸売8 ㉕未定 ㉔22 売 単19,113 従 652 資 70 住 青森県三戸郡三戸町川守田字沖中68 ☎0179-22-2111
東和電機工業㈱	電機 事業 (単)配電盤51 操作盤・制御盤29 分電盤11 開閉器盤3 他6 ㉕未定 ㉔10 売 単6,998 従 358 資 100 住 青森県南津軽郡藤崎町大字榊字和田88-1 ☎0172-69-5111
東和電材㈱	電卸 事業 (単)電設資材卸販売 ㉕10 ㉔4 売 単14,162 従 160 資 100 住 青森市第二問屋町4-1-20 ☎017-771-9000
八戸ガス㈱	電ガ 事業 (単)ガス売上90 受注工事1 附帯事業1 他営業雑収益8 ㉕2 ㉔3 売 単2,474 従 40 資 100 住 青森県八戸市沼館3-6-48 ☎0178-43-3165
弘前航空電子㈱	電機 事業 (単)コネクタ100 ㉕未定 ㉔20 売 単37,186 従 796 資 450 住 青森県弘前市清野袋5-5-1 ☎0172-33-3111
プライフーズ㈱	食 事業 (連)ブロイラー製造98 外食事業2 ㉕40 ㉔32 売 連86,973 従 827 資 1,793 住 青森県八戸市北白山台2-6-30 ☎0178-70-5506
紅屋商事㈱	小 事業 (単)加工食品42 他・嗜好品20 生鮮食品27 非食品6 テナント1 医薬品4 ㉕10 ㉔8 売 単52,747 従 439 資 50 住 青森市大字石江字三好130-1 ☎0172-29-5777
㈱ほくとう	他サ 事業 (単)建設機械・車両等のレンタル・販売100 ㉕未定 ㉔3 売 単21,131 従 392 資 30 住 青森県八戸市北インター工業団地3-2-80 ☎0178-21-1513
㈱マエダ	小 事業 (単)スーパー100 ㉕20 ㉔16 売 単37,416 従 258 資 30 住 青森県むつ市小川町2-4-8 ☎0175-22-8333
㈱吉田産業	鉄金卸 事業 (単)建築施工31 建材15 鋼材17 土木資材14 セメント9 他14 ㉕20 ㉔13 売 単82,855 従 839 資 363 住 青森県八戸市廿三日町2 ☎0178-47-8111
いわて生活協同組合	小 事業 (単)店舗 宅配 葬祭 ㉕未定 ㉔4 売 単43,659 従 334 資 10,961 住 岩手県滝沢市土沢220-3 ☎019-687-1321
㈱岩手日報社	新 事業 (単)販売 広告 ㉕未定 ㉔7 売 単6,084 従 249 資 200 住 盛岡市内丸3-7 ☎019-653-4111
㈱十文字チキンカンパニー	食 事業 (単)鶏肉85 飼料・ひな14 電気1 ㉕6 ㉔7 売 単63,665 従 1,032 資 100 住 岩手県二戸市石切所字火行塚25 ☎0195-23-3377
㈱平野組	建 事業 (単)建築工事52 土木工事47 他1 ㉕若干 ㉔4 売 単12,425 従 116 資 100 住 岩手県一関市竹山町6-4 ☎0191-26-3711
㈱三田商店	他卸 事業 (単)セメント・生コン58 石油30 化薬9 硝子・サッシ3 ㉕前年並 ㉔11 売 単44,728 従 185 資 120 住 盛岡市中央通1-1-23 ☎019-624-2111
アイリスオーヤマ㈱	他製 事業 (単)生活用品の企画・製造・販売 ㉕380 ㉔415 売 単226,527 従 4,600 資 100 住 仙台市青葉区五橋2-12-1 ☎022-221-3400
阿部建設㈱	建 事業 (単)建築工事95 土木工事5 ㉕2 ㉔3 売 単6,735 従 60 資 60 住 仙台市青葉区中江2-23-20 ☎022-223-8115
㈱NTKセラテック	ガ土 事業 (単)各種ファインセラミックス製品の製造・販売 ㉕22 ㉔22 売 単34,652 従 780 資 450 住 仙台市泉区明通3-24-1 ☎022-378-9231
北日本電線㈱	非鉄 事業 (単)電線90 エンジニアリング10 光デバイス1 ㉕未定 ㉔11 売 単33,877 従 376 資 135 住 仙台市太白区鈎取字向原前6-2 ☎022-307-1800
気仙沼信用金庫	銀 事業 (単)現・預け金30 有価証券35 貸出金34 他1 ㉕未定 ㉔5 売 単1,652 従 105 資 7,828 住 宮城県気仙沼市八日町2-4-10 ☎0226-22-6830
小松物産㈱	総卸 事業 (単)管工機材35 住宅設備機器35 土木建築資材25 他5 ㉕未定 ㉔7 売 単34,272 従 329 資 525 住 仙台市青葉区一番町1-4-28 ☎022-266-1131
㈱小山商会	リ 事業 (単)病院寝具62 学校・会社寮寝具18 ホテルリネンサプライ16 他4 ㉕未定 ㉔3 売 単25,659 従 1,525 資 50 住 仙台市青葉区花京院2-2-75 ☎022-265-9701
積水ハウス不動産東北㈱	不 事業 (単)賃貸85 販売2 仲介2 管理1 他10 ㉕5 ㉔7 売 単49,774 従 254 資 200 住 仙台市青葉区本町2-16-10 ☎022-262-2251
仙南信用金庫	銀 事業 (単)現・預け金25 有価証券22 貸出金51 他2 ㉕8 ㉔8 売 単3,350 従 150 資 1,850 住 宮城県白石市沢端町1-45 ☎0224-24-3074

会社名	[業種名] (事業) 会社の事業構成(%) ㉕25年採用計画数(名) ㉔24年入社内定者数(名) (売)売上高(百万円) (従)単独従業員数(名) (資)資本金(百万円) (住)本社の住所, 電話番号
通研電気工業㈱	[電機] (事業) (単)製造51 工事35 電算4 商事10 ㉕未定 ㉔10 (売)単10,443 (従)460 (資)100 (住)仙台市泉区明通3-9 ☎022-377-2800
㈱デンコードー	[小] (事業) (単)家庭電化製品並びに関連商品の販売及び付帯工事・修理サービス ㉕25 ㉔37 (売)単159,033 (従)1,463 (資)2,866 (住)宮城県名取市上余田字千刈田308 ☎022-382-8822
東北アルフレッサ㈱	[化医卸] (事業) (単)医療用医薬品 他 ㉕未定 ㉔18 (売)単157,343 (従)824 (資)105 (住)仙台市若林区卸町4-8-5 ☎022-290-8210
東北放送㈱	[通] (事業) (単)放送95 他5 ㉕未定 ㉔6 (売)単6,657 (従)136 (資)100 (住)仙台市太白区八木山香澄町26-1 ☎022-229-1111
東北ポール㈱	[ガ土] (事業) (単)ポール61 パイル22 関連製品・商事17 ㉕若干 ㉔14 (売)単9,642 (従)228 (資)236 (住)仙台市青葉区大町2-15-28 ☎022-263-5252
東北緑化環境保全㈱	[建] (事業) (単)造園土木部門 環境部門 商品販売部門 ㉕未定 ㉔8 (売)単11,009 (従)438 (資)50 (住)仙台市青葉区本町2-5-1 ☎022-263-0607
㈱東流社	[他卸] (事業) (単)化粧品・日用雑貨品・家庭紙・ペットフードおよびその他商品の卸売業 ㉕10 ㉔4 (売)単66,672 (従)261 (資)400 (住)仙台市若林区卸町東3-4-13 ☎022-287-7555
㈱トーキン	[電機] (事業) (単)タンタルキャパシタ 電気二重層キャパシタ 磁性デバイス 圧電デバイス 各種センサ ㉕10 ㉔13 (売)単47,877 (従)752 (資)100 (住)宮城県白石市旭町7-1-1 ☎0224-24-4111
㈱トークス	[建管] (事業) (単)警備80 施設管理20 ㉕未定 ㉔5 (売)単8,323 (従)321 (資)90 (住)仙台市宮城野区五輪1-17-47 ☎022-799-5600
㈱バイタルネット	[化医卸] (事業) (単)医薬品等販売 ㉕40 ㉔74 (売)単282,874 (従)1,230 (資)3,992 (住)仙台市青葉区大手町1-1 ☎022-266-4511
㈱橋本店	[建] (事業) (単)土木一式工事42 建築一式工事58 ㉕10 ㉔12 (売)単22,079 (従)197 (資)100 (住)仙台市青葉区立町27-21 ☎022-714-7020
㈱東日本放送	[通] (事業) (単)テレビ放送100 ㉕2 ㉔4 (売)単6,191 (従)115 (資)1,000 (住)仙台市太白区あすと長町1-3-15 ☎022-304-5005
㈱深松組	[建] (事業) (単)特定建設 不動産賃貸 不動産取引 ㉕未定 ㉔4 (売)単7,912 (従)154 (資)93 (住)仙台市青葉区荒巻本沢2-18-1 ☎022-271-9211
㈱藤崎	[小] (事業) (単)百貨店業99 他1 ㉕7 ㉔5 (売)単46,134 (従)522 (資)400 (住)仙台市青葉区一番町3-2-17 ☎022-261-5111
㈱丸本組	[建] (事業) (単)土木67 建築26 他7 ㉕未定 ㉔4 (売)単8,349 (従)160 (資)100 (住)宮城県石巻市恵み野3-1-2 ☎0225-96-2222
㈱宮城テレビ放送	[通] (事業) (単)テレビCM放送収入90 他収入10 ㉕未定 ㉔4 (売)単7,139 (従)106 (資)300 (住)仙台市宮城野区日の出町1-5-33 ☎022-236-3411
秋田酒類製造㈱	[食] (事業) (単)清酒100リキュール他0 ㉕2 ㉔3 (売)単2,632 (従)113 (資)60 (住)秋田市川元むつみ町4-12 ☎018-864-7331
秋田信用金庫	[銀] (事業) (単)現・預け金15 有価証券30 貸出金52 他3 ㉕7 ㉔7 (売)単2,458 (従)153 (資)1,250 (住)秋田市大町3-3-18 ☎018-866-6171
羽後信用金庫	[銀] (事業) (単)現・預け金32 有価証券19 貸出金47 ㉕20 ㉔3 (売)単2,562 (従)156 (資)3,331 (住)秋田県由利本荘市本荘24 ☎0184-23-3000
アイジー工業㈱	[金製] (事業) (単)アイジーサイディング62 他38 ㉕15 ㉔21 (売)単30,194 (従)412 (資)253 (住)山形県東根市大字蟹沢字上縄目1816-12 ☎0237-43-1830
ASEジャパン㈱	[電機] (事業) (単)半導体100 ㉕20 ㉔7 (売)単5,949 (従)534 (資)100 (住)山形県東置賜郡高畠町入生田1863 ☎0238-57-2211
エヌ・デーソフトウェア㈱	[シソ] (事業) (単)福祉・医療関連ソフトウェアの企画・開発・販売および運用・保守 ㉕未定 ㉔23 (売)連20,398 (従)448 (資)100 (住)山形県南陽市和田3369 ☎0238-47-3477
エムテックスマツムラ㈱	[電機] (事業) (単)半導体デバイス76 樹脂成型14 半導体製造装置8 自動車部品2 ㉕未定 ㉔4 (売)単11,573 (従)231 (資)449 (住)山形県天童市北久野本1-7-43 ☎023-654-3211
新庄信用金庫	[銀] (事業) (単)現・預け金24 有価証券23 貸出金50 他2 ㉕未定 ㉔3 (売)単1,787 (従)71 (資)237 (住)山形県新庄市本町2-9 ☎0233-22-4222
㈱スタンレー鶴岡製作所	[電機] (事業) (単)発光ダイオード100 ㉕3 ㉔3 (売)単16,999 (従)223 (資)2,100 (住)山形県鶴岡市渡前字大坪45 ☎0235-64-3111

会社名	業種名 事業 会社の事業構成(%) ㉕25年採用計画数(名) ㉔24年入社内定者数(名) 売 売上高(百万円) 従 単独従業員数(名) 資 資本金(百万円) 住 本社の住所,電話番号
第一貨物㈱	陸 事業 (単)物流関連99 他1 ㉕110 ㉔102 売 単72,799 従 4,424 資 100 住 山形市諏訪町2-1-20 ☎023-623-1414
鶴岡信用金庫	銀 事業 (単)現・預け金19 有価証券45 貸出金34 他2 ㉕未定 ㉔6 売 単5,690 従 152 資 4,421 住 山形県鶴岡市馬場町1-14 ☎0235-22-2360
㈱天童木工	他製 事業 (単)業務用家具製造66 家庭用家具製造16 自動車内装部品18 ㉕3 ㉔3 売 単2,965 従 233 資 300 住 山形県天童市乱川1-3-10 ☎023-653-3121
㈱でん六	食 事業 (単)おつまみ,豆菓子,甘納豆,チョコレート,ナッツの製造・販売 ㉕未定 ㉔29 売 単27,449 従 388 資 425 住 山形市清住町3-2-45 ☎023-644-4422
米沢信用金庫	銀 事業 (単)現・預け金29 有価証券29 貸出金40 他2 ㉕10 ㉔5 売 単2,999 従 116 資 692 住 山形県米沢市大町5-4-27 ☎0238-22-3435
あぶくま信用金庫	銀 事業 (単)現・預け金40 有価証券29 貸出金28 他1 ㉕未定 ㉔3 売 単2,769 従 93 資 10,648 住 福島県南相馬市原町区栄町2-4 ☎0244-23-5132
郡山信用金庫	銀 事業 (単)現・預け金40 有価証券18 貸出金40 他1 ㉕10 ㉔5 売 単3,324 従 184 資 1,289 住 福島県郡山市清水台2-13-26 ☎024-932-2222
佐藤工業㈱	建 事業 (単)土木工事32 建築工事68 ㉕9 ㉔5 売 単11,799 従 136 資 100 住 福島市泉字清水内1 ☎024-557-1166
㈱ダイユーエイト	小 事業 (単)ホームセンター 他 ㉕未定 ㉔45 売 単43,078 従 491 資 100 住 福島市太平寺字堰ノ上58 ☎024-545-2215
東洋システム㈱	電機 事業 (単)電子応用装置76 省力化用装置13 二次電池応用製品6 他5 ㉕5 ㉔5 売 単5,548 従 137 資 100 住 福島県いわき市常磐西郷町銭田106-1 ☎0246-72-2151
㈱福島中央テレビ	通 事業 (単)テレビ放送95 他・事業5 ㉕3 ㉔6 売 単5,771 従 116 資 400 住 福島県郡山市池ノ台13-23 ☎024-923-3300
㈱福島放送	通 事業 (単)テレビCM放送100 ㉕未定 ㉔4 売 単4,257 従 84 資 100 住 福島県郡山市桑野4-3-6 ☎024-933-1111
㈱ワタザイ	建 事業 (単)木質系内装工事85 木工製品製造10 建材販売5 ㉕2 ㉔3 売 単2,030 従 40 資 24 住 福島県郡山市富田町字池ノ上29-1 ☎024-951-0281
㈱アールビー	金製 事業 (単)家庭用給湯器90 業務用給湯器10 ㉕5 ㉔4 売 単10,912 従 300 資 88 住 茨城県土浦市北神立町1-1 ☎029-831-3511
㈱旭物産	食 事業 (単)カット野菜67 大根ツマ10 もやし類17 大葉等促成小物6 ㉕10 ㉔8 売 単16,341 従 260 資 20 住 水戸市高田町127 ☎029-303-5500
関東鉄道㈱	鉄バ 事業 (連)運輸74 不動産7 流通3 レジャー・サービス14 他2 ㉕未定 ㉔15 売 連14,989 従 664 資 100 住 茨城県土浦市御町1-1-1 ☎029-846-0234
京三電機㈱	自 事業 (単)燃料ポンプモジュール ディーゼルソレノイド ディーゼルフィルタ 直噴ポンプソレノイド ㉕未定 ㉔13 売 単44,459 従 1,430 資 1,090 住 茨城県古河市丘里11-3 ☎0280-98-3370
㈱潤工社	他製 事業 (単)ハイパフォーマンスポリマー応用製品の製造・販売 ㉕13 ㉔10 売 単18,443 従 354 資 207 住 茨城県笠間市福田961-20 ☎0296-70-2000
関彰商事㈱	石燃卸 事業 (単)エネルギー90 ビジネストランスフォーメーション7 他3 ㉕50 ㉔50 売 単95,216 従 620 資 90 住 茨城県筑西市一本松1755-2 ☎0296-24-3121
大陽日酸東関東㈱	化 事業 (単)高圧ガス他各種ガスの製造販売73 各種ガス関連設備の設計・施工・検査27 ㉕未定 ㉔3 売 単10,007 従 100 資 200 住 茨城県日立市国分町3-1-17 ☎0294-36-0811
㈱タイヨー	小 事業 (単)生鮮食品スーパー100 ㉕30 ㉔16 売 単132,026 従 4,374 資 34 住 茨城県神栖市大野原4-7-1 ☎0299-92-6481
㈱武井工業所	ガ土 事業 (単)プレキャストコンクリート製品の製造・販売 ㉕未定 ㉔5 売 単5,450 従 202 資 100 住 茨城県石岡市若松1-3-26 ☎0299-24-5200
ダテックス㈱	化 事業 (単)自動車用樹脂成形内・外装品86 住宅関連樹脂成形品8 他6 ㉕3 ㉔3 売 単1,061 従 87 資 18 住 茨城県筑西市玉戸1019-9 ☎0296-28-2345
東京フード㈱	食 事業 (単)業務用チョコレート100 ㉕未定 ㉔15 売 単13,490 従 341 資 200 住 茨城県つくば市上大島字神明1687-1 ☎029-866-1587
東鉱商事㈱	化医卸 事業 (単)工業薬品 電気・電子材料 合成樹脂 石油製品 理化学関連 設備機器 ㉕5 ㉔4 売 単45,774 従 295 資 100 住 茨城県日立市幸町1-3-8 ☎0294-22-1172

会社名	[業種名] (事業) 会社の事業構成(%) ㉕25年採用計画数(名) ㉔24年入社内定者数(名) (売)売上高(百万円) (従)単独従業員数(名) (資)資本金(百万円) (住)本社の住所，電話番号
㈱東精エンジニアリング	[精] (事業) (単)自動計測機器46 半導体製造装置33 計測機器サービス21 ㉕**2** ㉔**9** (売)単16,813 (従)427 (資)988 (住)茨城県土浦市東中貫町4-6 ☎029-830-1888
㈱水戸京成百貨店	[小] (事業) (単)衣料品28 食料品27 雑貨15 身回品17 家庭用品5 食堂・喫茶5 サービス他3 ㉕**20** ㉔ (売)単22,947 (従)297 (資)50 (住)水戸市泉町1-6-1 ☎029-231-1111
結城信用金庫	[銀] (事業) (単)現・預け金35 有価証券32 貸出金32 他1 ㉕**24** ㉔**6** (売)単4,392 (従)228 (資)1,924 (住)茨城県結城市大字結城557 ☎0296-32-2110
烏山信用金庫	[銀] (事業) (単)現・預け金33 有価証券27 貸出金38 他2 ㉕**7** ㉔**3** (売)単2,248 (従)161 (資)676 (住)宇都宮市下岡本町4290 ☎028-678-3211
ギガフォトン㈱	[精] (事業) (単)エキシマレーザ事業100 ㉕**未定** ㉔**40** (売)単44,910 (従)892 (資)5,000 (住)栃木県小山市横倉新田400 ☎0285-28-8410
菊地歯車㈱	[金製] (事業) (単)自動車関連歯車44 油圧機器28 航空・宇宙9 建設機械5 産業機械4 他10 ㉕**5** ㉔ (売)単3,329 (従)168 (資)30 (住)栃木県足利市福富新町726-30 ☎0284-71-4315
㈱グリーンシステムコーポレーション	[電ガ] (事業) (単)太陽光発電システム企画・設計・施工・メンテナンス 売電収入 ㉕**6** ㉔**10** (売)単6,103 (従)81 (資)10 (住)宇都宮市鶴田町1435-1 ☎028-666-5171
㈱大協精工	[ゴ皮] (事業) (単)医薬用ゴム栓48 医療用ゴム製品26 プラスチック容器26 ㉕**25** ㉔**30** (売)単23,572 (従)890 (資)100 (住)栃木県佐野市黒袴町1305-1 ☎0283-27-0008
㈱東武宇都宮百貨店	[小] (事業) (単)衣料22 食料品36 雑貨20 身回品15 家庭用品2 他5 ㉕**未定** ㉔**7** (売)単26,905 (従)223 (資)50 (住)宇都宮市宮園町5-4 ☎028-636-2211
東武建設㈱	[建] (事業) (単)建設99 兼業1 ㉕**未定** ㉔**3** (売)単26,198 (従)359 (資)1,091 (住)栃木県日光市大桑町138 ☎0288-21-8321
フタバ食品㈱	[食] (事業) (単)冷菓冷凍調理食品部門80 フードサービス10 コンフェクショナリー10 ㉕**10** ㉔**7** (売)単21,900 (従)264 (資)492 (住)宇都宮市一条4-1-16 ☎028-634-2441
吉澤石灰工業㈱	[ガ土] (事業) (単)生石灰48 砕石12 消石灰6 ドロマイト5 軽焼ドロマイト14 他15 ㉕**4** ㉔**6** (売)単22,283 (従)259 (資)216 (住)栃木県佐野市宮下町7-10 ☎0283-84-1111
アイオー信用金庫	[銀] (事業) (単)現・預け金15 有価証券30 貸出金53 他2 ㉕**8** ㉔**10** (売)単4,176 (従)270 (資)1,700 (住)群馬県伊勢崎市中央町20-17 ☎0270-30-5000
㈱有賀園ゴルフ	[小] (事業) (単)ゴルフクラブ45 ゴルフアパレル20 ゴルフ用品25 他10 ㉕**5** ㉔**5** (売)単7,948 (従)300 (資)48 (住)群馬県高崎市下之城町300-1 ☎027-322-3800
岩瀬産業㈱	[精機卸] (事業) (単)機電62 管材38 ㉕**30** ㉔**15** (売)単48,876 (従)600 (資)60 (住)群馬県伊勢崎市下植木町3-10 ☎0270-24-5515
エスビック㈱	[ガ土] (事業) (単)各種コンクリートブロック73 エクステリア商品27 ㉕**10** ㉔**7** (売)単11,506 (従)366 (資)100 (住)群馬県高崎市綿貫町1729-5 ☎027-384-4190
沖電線㈱	[非鉄] (事業) (単)電線 FPC 電極線 不動産賃貸 ㉕**21** ㉔**15** (売)単12,346 (従)516 (資)4,304 (住)群馬県伊勢崎市境伊与久3344-1 ☎0270-76-4311
関東いすゞ自動車㈱	[自販] (事業) (単)車両70 部品10 修理20 ㉕**未定** ㉔**34** (売)単69,032 (従)769 (資)350 (住)群馬県高崎市宮原町1-21 ☎027-346-1111
関東建設工業㈱	[建] (事業) (単)総合建設業 ㉕**15** ㉔**12** (売)単58,883 (従)316 (資)1,150 (住)群馬県太田市飯田町1547 ☎0276-30-0211
桐生信用金庫	[銀] (事業) (単)現・預け金10 有価証券36 貸出金53 他1 ㉕**20** ㉔**18** (売)連7,384 (従)430 (資)1,372 (住)群馬県桐生市錦町2-15-21 ☎0277-44-8181
㈱ジーシーシー	[シソ] (事業) (単)情報サービス64 情報処理サービス20 商品販売16 ㉕**38** ㉔**31** (売)単13,064 (従)681 (資)90 (住)前橋市上大島町96 ☎027-263-1637
しげる工業㈱	[自] (事業) (単)自動車内装・外装部品 樹脂加工品 ㉕**40** ㉔**40** (売)単52,836 (従)1,132 (資)450 (住)群馬県太田市由良町330 ☎0276-31-3913
㈱上毛新聞社	[新] (事業) (単)日刊新聞発行 書籍出版 各種イベント ㉕**未定** ㉔**6** (売)単7,951 (従)369 (資)36 (住)前橋市古市町1-50-21 ☎027-254-9911
㈱千代田製作所	[自] (事業) (単)自動車用樹脂部品74 自動車用ワイヤリングハーネス26 ㉕**20** ㉔**20** (売)単32,300 (従)450 (資)360 (住)群馬県太田市西新町126-2 ☎0276-31-8201
ファームドゥ㈱	[小] (事業) (単)農業用品11 生鮮食品58 委託販売手数料21 他10 ㉕**8** ㉔**5** (売)単6,085 (従)53 (資)98 (住)前橋市問屋町1-1-1 ☎027-219-3100

会社名	業種名 事業 会社の事業構成(%) ㉕25年採用計画数(名) ㉔24年入社内定者数(名) 売 売上高(百万円) 従 単独従業員数(名) 資 資本金(百万円) 住 本社の住所，電話番号
㈱山田製作所	自 事業 (連)4輪車部品95 2輪・汎用他5 ㉕**15** ㉔**8** 売 連91,392 従 1,285 資 2,000 住 群馬県伊勢崎市香林町2-1296 ☎0270-40-9111
㈱ヤマダホームズ	建 事業 (単)建設・土木工事 不動産売買 家具・電化製品・住宅設備機器等の販売 他 ㉕**未定** ㉔**16** 売 単71,193 従 1,695 資 100 住 群馬県高崎市栄町1-1 ☎027-310-2244
㈱アーベルソフト	シソ 事業 (単)ソフトウエア開発100 ㉕**4** ㉔**6** 売 単687 従 67 資 50 住 埼玉県坂戸市薬師町10-2 ☎049-284-5748
アイ・エム・アイ㈱	精機卸 事業 (単)医療機器の輸入・販売 ㉕**15** ㉔**6** 売 単8,831 従 226 資 100 住 埼玉県越谷市流通団地3-3-12 ☎048-988-4411
伊田テクノス㈱	建 事業 (連)建設92 不動産6 介護2 ㉕**未定** ㉔**15** 売 連11,222 従 214 資 100 住 埼玉県東松山市松本町2-1-1 ☎0493-22-1170
大森機械工業㈱	機 事業 (単)全自動包装機械85 補給部品等15 ㉕**27** ㉔**21** 売 単22,221 従 654 資 238 住 埼玉県越谷市西方2761 ☎048-988-2111
川口信用金庫	銀 事業 (単)現・預け金27 有価証券19 貸出金52 他2 ㉕**未定** ㉔**24** 売 単11,178 従 629 資 2,124 住 埼玉県川口市栄町3-9-3 ☎048-253-3227
川口土木建築工業㈱	建 事業 (単)建設78 不動産22 ㉕**未定** ㉔**35** 売 単29,416 従 247 資 210 住 埼玉県川口市本町4-11-6 ☎048-224-5111
キヤノンファインテックニスカ㈱	機 事業 (単)事務機周辺機器 産業用プリンター・他 ㉕**未定** ㉔**12** 売 単40,854 従 1,445 資 3,451 住 埼玉県三郷市中央1-14-1 ☎048-949-2111
㈱ゴトー養殖研究所	医 事業 (単)水産用医薬品10 水産用飼料添加物10 水産用飼料50 他30 ㉕**3** ㉔**3** 売 単7,758 従 45 資 50 住 埼玉県狭山市入間川3-1-4 ☎04-2955-0555
㈱サイサン	石燃卸 事業 (単)LPガス43 同関連機器工事8 産業・医療ガス・関連商品8 電力30 水4 他7 ㉕**未定** ㉔**60** 売 単75,289 従 1,543 資 95 住 さいたま市大宮区桜木町1-11-5 ☎048-641-8211
埼玉トヨペット㈱	自販 事業 (単)新車64 中古車20 サービス15 他1 ㉕**76** ㉔**71** 売 単126,962 従 1,567 資 50 住 さいたま市中央区上落合2-2-1 ☎048-859-4111
佐竹マルチミクス㈱	機 事業 (単)撹拌機器装置90 環境試験装置10 ㉕**未定** ㉔**5** 売 単5,577 従 170 資 90 住 埼玉県戸田市新曽66 ☎048-433-8711
西武建設㈱	建 事業 (単)建築67 土木33 ㉕**30** ㉔**30** 売 単66,962 従 703 資 11,000 住 埼玉県所沢市くすのき台1-11-1 ☎04-2926-3311
㈱セキ薬品	小 事業 (単)ドラッグストア 調剤薬局 ㉕**100** ㉔**90** 売 単96,095 従 1,442 資 83 住 埼玉県南埼玉郡宮代町百間4-2-22 ☎··
ちふれホールディングス㈱	化 事業 (単)化粧品100 ㉕**15** ㉔**20** 売 単17,357 従 317 資 650 住 埼玉県川越市芳野台2-8-59 ☎049-225-6101
東武運輸㈱	陸 事業 (単)貨物利用運送 倉庫業 3PL事業他 ㉕**未定** ㉔**4** 売 単18,150 従 29 資 294 住 埼玉県南埼玉郡宮代町川端4-13-25 ☎0480-31-1311
㈱東洋クオリティワン	化 事業 (連)ポリウレタンフォーム関連99 不動産賃貸1 ㉕**未定** ㉔**3** 売 連36,242 従 275 資 800 住 埼玉県川越市下小坂328-2 ☎049-231-2331
日酸TANAKA㈱	機 事業 (単)FA41 産業機材30 ガス18 制御機器11 ㉕**未定** ㉔**4** 売 単20,478 従 355 資 1,220 住 埼玉県入間郡三芳町竹間沢11 ☎049-258-4412
㈱日東テクノブレーン	ア 事業 (単)人材派遣 データ処理 システム開発 他 ㉕**未定** ㉔**3** 売 単1,569 従 336 資 20 住 埼玉県所沢市西所沢1-14-14 ☎04-2922-5359
㈱富士薬品	小 事業 (連)薬局・ドラッグストア91 配置販売5 医薬品製造販売3 他1 ㉕**567** ㉔**254** 売 連386,237 従 4,630 資 314 住 さいたま市大宮区桜木町4-383 ☎048-644-3240
武州瓦斯㈱	電ガ 事業 (単)ガス88 受注工事3 附帯事業収益6 他営業雑収益4 ㉕**15** ㉔**8** 売 単43,423 従 278 資 413 住 埼玉県川越市田町32-12 ☎049-241-9000
ポラス㈱	他サ 事業 (連)グループ会社の本社機能91 他9 ㉕**375** ㉔**182** 売 連283,594 従 197 資 40 住 埼玉県越谷市南越谷1-21-2 ☎048-989-9111
堀川産業㈱	石燃卸 事業 (単)LPガス66 石油製品15 住設機器10 不動産販売2 太陽光発電2 他5 ㉕**未定** ㉔**8** 売 単20,449 従 640 資 605 住 埼玉県草加市住吉1-13-10 ☎048-925-1141
ホンダ開発㈱	他サ 事業 (単)不動産・建設27 保険12 旅行9 物品販売16 ケータリングサービス33 他3 ㉕**5** ㉔**5** 売 単18,793 従 1,920 資 785 住 埼玉県和光市本町5-39 ☎048-452-5800

会社名	[業種名] [事業] 会社の事業構成(%) ㉕25年採用計画数(名) ㉔24年入社内定者数(名) [売]売上高(百万円) [従]単独従業員数(名) [資]資本金(百万円) [住]本社の住所，電話番号
本田金属技術(株)	[自] [事業] (単)シリンダーヘッド23 ピストン20 ナックル8 ウォーターパッセージ8 他41 ㉕12 ㉔9 [売]単17,491 [従]618 [資]1,260 [住]埼玉県川越市的場1620 ☎049-231-1521
(株)丸広百貨店	[小] [事業] (単)衣料品・食料品・雑貨家庭用品等の販売 ㉕未定 ㉔10 [売]単21,012 [従]900 [資]100 [住]埼玉県川越市新富町2-6-1 ☎049-224-1111
三井精機工業(株)	[機] [事業] (単)工作機械55 産業機械45 ㉕未定 ㉔6 [売]単21,230 [従]522 [資]948 [住]埼玉県比企郡川島町八幡6-13 ☎049-297-5555
三菱電機ホーム機器(株)	[電機] [事業] (単)家電製品 ㉕5 ㉔11 [売]単18,600 [従]868 [資]400 [住]埼玉県深谷市小前田1728-1 ☎048-584-1231
むさし証券(株)	[証] [事業] (単)受入手数料80 トレーディング損益10 金融収益10 ㉕10 ㉔4 [売]単5,288 [従]290 [資]5,000 [住]さいたま市大宮区桜木町4-333-13 ☎048-643-7043
(株)武蔵野	[食] [事業] (単)弁当42 おにぎり35 寿司7 調理パン4 麺類6 ゴルフ練習場・ホテルの運営管理5 他1 ㉕80 ㉔73 [売]単175,859 [従]1,673 [資]260 [住]埼玉県朝霞市西原1-1-1 ☎048-487-1111
(株)モンテール	[食] [事業] (単)洋生菓子99 他1 ㉕未定 ㉔53 [売]単29,200 [従]817 [資]50 [住]埼玉県八潮市大瀬3-1-8 ☎048-994-2100
山下ゴム(株)	[ゴ皮] [事業] (単)型物69 押出8 他23 ㉕10 ㉔10 [売]単16,679 [従]482 [資]475 [住]埼玉県ふじみ野市亀久保1239 ☎049-262-2121
アシザワ・ファインテック(株)	[機] [事業] (単)粉砕・分散機(ビーズミル)80 攪拌機(ミキサー)10 分散・混練機(ロールミル)5 粉体混合機他5 ㉕5 ㉔6 [売]単2,836 [従]164 [資]90 [住]千葉県習志野市茜浜1-4-2 ☎047-453-8111
イオンフードサプライ(株)	[食] [事業] (単)農産品35 水産品23 畜産品29 総菜品他13 ㉕26 ㉔18 [売]単264,500 [従]2,123 [資]100 [住]千葉県船橋市高瀬町24-6 ☎047-431-8396
(株)内山アドバンス	[ガ土] [事業] (単)生コンクリート製造80 他20 ㉕8 ㉔8 [売]単15,891 [従]235 [資]100 [住]千葉県市川市新井3-6-10 ☎047-398-8801
エヌデーシー(株)	[自] [事業] (単)軸受メタル100 ㉕9 ㉔4 [売]単8,181 [従]265 [資]1,575 [住]千葉県習志野市実籾2-39-1 ☎047-477-1122
京成建設(株)	[建] [事業] (単)建築工事58 土木工事42 ㉕20 ㉔7 [売]単27,087 [従]321 [資]450 [住]千葉県船橋市宮本4-17-3 ☎047-435-6321
(株)ケイハイ	[建] [事業] (単)ガス工事50 住宅設備20 保安10 土木他20 ㉕未定 ㉔6 [売]単12,387 [従]366 [資]70 [住]千葉県船橋市市場3-17-1 ☎047-460-0813
(株)三喜	[小] [事業] (連)婦人・紳士子供洋品42 実用衣料30 寝具・インテリア19 服地・クラフト等8 他1 ㉕10 ㉔10 [売]連65,739 [従]420 [資]49 [住]千葉県柏市中央町4-20 ☎04-7167-6177
しのはらプレスサービス(株)	[機保] [事業] (単)プレス機械特定自主点検21 プレス機械修理37 プレス機械改造19 プレス機械システム化23 ㉕10 ㉔5 [売]単3,273 [従]196 [資]90 [住]千葉県船橋市潮見町34-2 ☎047-433-7761
(株)新昭和	[建] [事業] (単)住宅・建設30 不動産53 他17 ㉕未定 ㉔28 [売]単36,842 [従]283 [資]1,082 [住]千葉県君津市東坂田4-3-3 ☎0439-54-7711
スターツアメニティー(株)	[不] [事業] (単)管理9 工事23 賃貸67 他1 ㉕30 ㉔26 [売]単67,950 [従]437 [資]350 [住]千葉市美浜区中瀬1-9-1 ☎043-274-1004
住友ケミカルエンジニアリング(株)	[建] [事業] (単)機械器具設置工事60 管工事30 他10 ㉕未定 ㉔5 [売]単19,153 [従]174 [資]1,000 [住]千葉市美浜区中瀬1-7-1 ☎043-299-0200
セイコーインスツル(株)	[精] [事業] (単)情報関連 電子部品 生産財 ㉕未定 ㉔26 [売]単34,235 [従]673 [資]9,756 [住]千葉市美浜区中瀬1-8 ☎043-211-1111
(株)セレクション	[小] [事業] (単)生鮮部門55 非生鮮部門45 ㉕未定 ㉔5 [売]単14,925 [従]117 [資]30 [住]千葉県市川市湊新田1-6-8 ☎047-390-3336
千葉製粉(株)	[食] [事業] (単)製粉60 機能素材10 食品28 他2 ㉕未定 ㉔8 [売]単22,634 [従]188 [資]500 [住]千葉市美浜区新港17 ☎043-241-0111
千葉トヨペット(株)	[自販] [事業] (単)自動車販売81 自動車修理17 他2 ㉕未定 ㉔6 [売]単77,150 [従]1,092 [資]50 [住]千葉市美浜区稲毛海岸4-5-1 ☎043-241-1181
(株)千葉日報社	[新] [事業] (単)新聞販売48 広告等39 他13 ㉕未定 ㉔6 [売]単1,901 [従]110 [資]360 [住]千葉市中央区中央4-14-10 ☎043-222-9211
千葉窯業(株)	[ガ土] [事業] (単)ボックスカルバート30 道路用25 擁壁10 水路10 共同溝5 他20 ㉕未定 ㉔10 [売]単12,890 [従]264 [資]99 [住]千葉市中央区市場町3-1 ☎043-221-7001

会社名	業種名 事業 会社の事業構成(%) ㉕25年採用計画数(名) ㉔24年入社内定者数(名) 売売上高(百万円) 従単独従業員数(名) 資資本金(百万円) 住本社の住所, 電話番号
日綜産業㈱	リ 事業 (単)新築20 修繕(メンテナンス)70 工事10 ㉕未定 ㉔20 売単30,176 従403 資1,791 住千葉市美浜区中瀬1-3 ☎043-296-2700
日野興業㈱	他サ 事業 (単)サニタリーユニット ユニットハウス 物置 ㉕5 ㉔6 売単14,770 従450 資50 住千葉県市川市原木3024 ☎047-318-8760
福井電機㈱	電卸 事業 (単)重電機卸売販売48 設備工事業52 ㉕未定 ㉔5 売単11,541 従181 資100 住千葉市中央区問屋町16-3 ☎043-241-6401
三井E&Sシステム技研㈱	シソ 事業 (単)ビジネスソリューション パッケージソリューション 製造・電子ソリューション 基盤サービス ㉕30 ㉔27 売単25,912 従634 資720 住千葉市美浜区中瀬1-3 ☎043-274-6162
ヤマサ醤油㈱	食 事業 (単)醤油・食品・調味料・医薬品類の製造販売 ㉕未定 ㉔33 売単44,950 従888 資100 住千葉県銚子市新生町2-10-1 ☎0479-22-0095
㈱ワイズマート	小 事業 (単)生鮮品54 グロサリー46 ㉕未定 ㉔9 売単47,449 従581 資630 住千葉県浦安市当代島1-2-25 ☎047-352-0111
アース環境サービス㈱	他サ 事業 (単)工場等の総合環境衛生管理 ㉕50 ㉔37 売単29,073 従955 資296 住東京都中央区晴海4-7-4 ☎03-4546-0640
アースサポート㈱	他サ 事業 (単)介護サービス100 ㉕100 ㉔53 売連20,680 従6,000 資52 住東京都渋谷区本町1-4-14 ☎03-3377-1100
アートチャイルドケア㈱	他サ 事業 (単)保育所運営・サービス100 ㉕50 ㉔50 売単8,996 従1,256 資50 住東京都品川区東品川1-3-10 ☎03-5461-0123
アールエム東セロ㈱	化 事業 (単)包装フィルム ㉕16 ㉔19 売単78,717 従1,254 資3,450 住東京都千代田区神田美土代町7 ☎03-6895-9300
IHI運搬機械㈱	機 事業 (単)パーキングシステム 運搬システム ㉕15 ㉔37 売単73,388 従1,634 資2,647 住東京都中央区明石町8-1 ☎03-5550-5321
㈱IHI回転機械エンジニアリング	機 事業 (単)汎用機械等製造・修理・点検工事65 汎用機械等装置据付工事15 部品販売15 機器販売5 ㉕9 ㉔7 売単43,676 従1,153 資1,033 住東京都江東区東雲1-7-12 ☎03-6703-0350
㈱IHI原動機	機 事業 (単)陸上発電設備・ポンプ駆動設備45 船舶用機関・Zペラ55 ㉕7 ㉔10 売単64,131 従1,460 資3,000 住東京都千代田区外神田2-14-5 ☎03-4366-1200
㈱IHIビジネスサポート	他サ 事業 (単)設備メンテ19 土木・建築20 不動産9 人材9 他43 ㉕7 ㉔12 売単19,666 従731 資480 住東京都千代田区丸の内3-4-1 ☎03-3213-7800
㈱ISTソフトウェア	シソ 事業 (単)システム開発サービス97 情報処理サービス2 システム機器販売1 ㉕28 ㉔21 売単8,100 従516 資100 住東京都大田区蒲田5-37-1 ☎03-5480-7211
㈱アイオス	シソ 事業 (単)ITサービス99 デジタルソリューション1 ㉕20 ㉔20 売単5,712 従253 資313 住東京都港区浜松町2-4-1 ☎03-5843-7651
アイレット㈱	シソ 事業 (単)ITコンサルティング システム開発・保守・運用 サーバハウジング・ホスティング ㉕50 ㉔49 売単53,683 従873 資70 住東京都港区虎ノ門1-23-1 ☎03-6206-6820
青木あすなろ建設㈱	建 事業 (単)建築54 土木46 ㉕60 ㉔40 売単81,541 従950 資5,000 住東京都港区芝4-8-2 ☎03-5419-1011
あかつき証券㈱	証 事業 (連)受入手数料44 トレーディング損益55 金融収益1 ㉕未定 ㉔9 売連14,479 従184 資3,067 住東京都中央区日本橋小舟町8-1 ☎03-5641-7800
㈱秋田書店	新 事業 (単)雑誌85 書籍15 ㉕未定 ㉔4 売単14,000 従150 資57 住東京都千代田区飯田橋2-10-8 ☎03-3264-7011
アクアス㈱	化 事業 (単)水処理薬品61 サービス30 プラント9 ㉕未定 ㉔6 売単13,946 従471 資375 住東京都品川区北品川5-5-15 ☎03-5795-2711
アクサ損害保険㈱	保 事業 (単)火災0 傷害1 自動車94 自賠責1 ペット5 ㉕25 ㉔21 売単55,887 従768 資17,221 住東京都台東区寿2-1-13 ☎03-4335-8570
㈱アクティス	シソ 事業 (単)ソフトウェア開発64 IT基盤サービス17 他ソリューション19 ㉕20 ㉔13 売単4,279 従306 資100 住東京都千代田区東神田2-3-10 ☎03-5822-7070
朝日機材㈱	他卸 事業 (単)資材工事27 機械8 鉄鋼7 仮設機材58 ㉕未定 ㉔14 売単38,272 従350 資400 住東京都千代田区大手町1-1-3 ☎03-6774-7079
旭日産業㈱	総卸 事業 (単)住環境機器35 管工機材8 工業製品26 工業材料31 他0 ㉕10 ㉔11 売単101,612 従431 資330 住東京都中央区日本橋本石町1-1-6 ☎03-5200-8111

会社名	業種名 (事業)会社の事業構成(%) ㉕25年採用計画数(名) ㉔24年入社内定者数(名) (売)売上高(百万円) (従)単独従業員数(名) (資)資本金(百万円) (住)本社の住所, 電話番号
朝日信用金庫	銀 (事業)(単)現・預け金22 有価証券14 貸出金61 他3 ㉕未定 ㉔52 (売)連35,671 (従)1,336 (資)19,102 (住)東京都台東区台東2-8-2 ☎03-3833-0251
㈱アサヒセキュリティ	他サ (事業)(単)輸送警備96 機械警備4 ㉕未定 ㉔59 (売)単50,706 (従)6,056 (資)100 (住)東京都港区海岸2-4-2 ☎03-5441-8383
㈱アサヒファシリティズ	建管 (事業)(単)不動産管理収入98 保険手数料1 他1 ㉕50 ㉔42 (売)単63,938 (従)1,728 (資)450 (住)東京都江東区新砂1-3-3 ☎03-5683-1191
㈱アテナ	他サ (事業)(単)メーリングサービス49 物流サービス23 デジタルBPOサービス13 プリント11 他4 ㉕未定 ㉔16 (売)単15,292 (従)185 (資)100 (住)東京都江戸川区臨海町5-2-2 ☎03-3689-3511
㈱アトックス	建管 (事業)(単)電力向けメンテナンス80 他20 ㉕30 ㉔30 (売)単29,333 (従)1,784 (資)150 (住)東京都港区芝4-11-3 ☎03-6758-9000
アビリティーズ・ケアネット㈱	他卸 (事業)(単)福祉用具の販売とレンタル 障害者・高齢者の各種施設運営 ㉕10 ㉔6 (売)単7,460 (従)503 (資)414 (住)東京都渋谷区代々木4-30-3 ☎03-5388-7521
アベイズム㈱	他製 (事業)(単)印刷 マニュアル編集 デジタルコンテンツソリューション エレクトロニクスデザイン 出版 他 ㉕未定 ㉔6 (売)単7,000 (従)550 (資)94 (住)東京都目黒区上目黒4-30-12 ☎03-5720-7000
アムス・インターナショナル㈱	不 (事業)(単)サブリース93 不動産流通1 他6 ㉕未定 ㉔9 (売)単9,232 (従)136 (資)100 (住)東京都豊島区東池袋1-15-12 ☎03-5958-0011
アライドテレシス㈱	電機 (事業)(単)ネットワーク機器100 ㉕30 ㉔23 (売)単28,608 (従)857 (資)1,987 (住)東京都品川区西五反田7-21-11 ☎03-5437-6000
ALSOKファシリティーズ㈱	建管 (事業)(単)清掃衛生管理30 設備保守管理22 保安警備9 エンジニアリング25 他14 ㉕38 ㉔43 (売)単20,533 (従)1,009 (資)72 (住)東京都千代田区四番町4-2 ☎03-3264-2923
アルファテック・ソリューションズ㈱	シソ (事業)(単)システムソリューション提供 システム運用・保守・サービス マルチベンダ機器販売 ㉕22 ㉔13 (売)単15,676 (従)240 (資)1,000 (住)東京都品川区大井1-20-10 ☎03-6831-7200
アルプス システム インテグレーション㈱	シソ (事業)(単)デジタル, セキュリティ, ファームウェア, AI・IoT等のソリューション提供 ㉕40 ㉔30 (売)単17,204 (従)520 (資)200 (住)東京都大田区雪谷大塚町1-7 ☎03-5499-8181
安藤ハザマ興業㈱	他卸 (事業)(単)建材売上73 他27 ㉕若干 ㉔3 (売)単73,418 (従)136 (資)152 (住)東京都江東区亀戸1-38-4 ☎03-5626-7130
EAファーマ㈱	医 (事業)(単)医薬品および医療機器の研究開発, 製造, 販売および輸出入 ㉕未定 ㉔19 (売)単56,622 (従)913 (資)9,145 (住)東京都中央区入船2-1-1 ☎03-6280-9500
イースタン・カーライナー㈱	海 (事業)(連)海上運賃収入 貸船料収入 ㉕未定 ㉔3 (売)連77,735 (従)164 (資)100 (住)東京都品川区東品川2-5-8 ☎03-5769-7611
㈱池田理化	精機卸 (事業)(単)理化学機器販売100 ㉕10 ㉔10 (売)単変25,221 (従)516 (資)50 (住)東京都千代田区鍛冶町1-8-6 ☎03-5256-1051
イシグロ㈱	他卸 (事業)(単)バルブ38 継手22 パイプ化成品23 計器他17 ㉕50 ㉔46 (売)単82,745 (従)998 (資)100 (住)東京都中央区八丁堀4-5-8 ☎050-1704-7011
石福金属興業㈱	非鉄 (事業)(単)金銀白金地金売買 貴金属地金精製・回収 工業用・医療用貴金属製品製販 ㉕未定 ㉔9 (売)単167,954 (従)346 (資)100 (住)東京都千代田区内神田3-20-7 ☎03-3252-3131
いすゞ自動車首都圏㈱	自販 (事業)(単)車両65 修理26 産業機械0 部品7 他2 ㉕38 ㉔60 (売)単163,352 (従)1,474 (資)100 (住)東京都江東区新木場1-18-14 ☎03-3522-4700
㈱井田両国堂	化医卸 (事業)(単)化粧品90 日用品・装粧品10 ㉕未定 ㉔37 (売)単170,990 (従)298 (資)90 (住)東京都千代田区麹町4-2-6 ☎03-3514-2008
㈱イチネンケミカルズ	化 (事業)(単)工業薬品 化学品 ㉕8 ㉔5 (売)単11,918 (従)244 (資)100 (住)東京都港区芝浦4-2-8 ☎03-6414-5600
イッツ・コミュニケーションズ㈱	通 (事業)(単)放送法による一般放送事業 電気通信事業法による電気通信事業 ㉕20 ㉔18 (売)単29,901 (従)654 (資)5,294 (住)東京都世田谷区用賀4-10-1 ☎03-4346-1600
㈱伊藤製鐵所	鉄 (事業)(単)鉄筋コンクリート用棒鋼100 ㉕未定 ㉔6 (売)単39,688 (従)318 (資)691 (住)東京都千代田区神田小川町1-3-1 ☎03-5829-4630
伊藤忠アーバンコミュニティ㈱	不 (事業)(単)マンション管理 ビルマネジメント レジデンシャル運営 エンジニアリング ㉕未定 ㉔1[illegible] (売)連36,079 (従)757 (資)310 (住)東京都中央区日本橋大伝馬町1-4 ☎03-3662-5100
伊藤忠オートモービル㈱	精機卸 (事業)(単)自動車部品20 建機・産機用部品81 二輪車および部品0 ㉕7 ㉔7 (売)連18,487 (従)136 (資)360 (住)東京都港区北青山2-5-1 ☎03-3497-4700

会社名	業種名 事業 会社の事業構成(%) ㉕25年採用計画数(名) ㉔24年入社内定者数(名) 売 売上高(百万円) 従 単独従業員数(名) 資 資本金(百万円) 住 本社の住所, 電話番号
伊藤忠TC建機㈱	精機卸 事業 (単)建機レンタル業界用商品54 仮設資材16 移動式クレーン4 シールド・PFP15 他11 ㉕**未定** ㉔**7** 売 連40,859 従 135 資 2,300 住 東京都中央区日本橋室町1-13-7 ☎03-3242-5211
伊藤忠テクノソリューションズ㈱	シソ 事業 (単)エンタープライズ16 流通11 情報通信31 広域・社会インフラ18 金融10 他14 ㉕**300** ㉔**294** 売 連647,500 従 5,087 資 21,764 住 東京都港区虎ノ門4-1-1 ☎03-6403-6000
伊藤忠プラスチックス㈱	化医卸 事業 (単)包装材料 合成樹脂原料素材 電子材料 産業資材 ㉕**10** ㉔**9** 売 単215,452 従 513 資 1,000 住 東京都千代田区一番町21 ☎03-6880-1600
伊藤忠ロジスティクス㈱	倉埠 事業 (単)国際物流66 国内物流34 ㉕**未定** ㉔**32** 売 連103,175 従 457 資 5,083 住 東京都港区東新橋1-5-2 ☎03-6254-6100
今中㈱	総卸 事業 (単)食品80 化学品20 ㉕**未定** ㉔**4** 売 単37,172 従 56 資 100 住 東京都千代田区九段北4-1-28 ☎03-5213-2761
入江㈱	精機卸 事業 (単)半導体関連機器 理化学機器 計測機器他 ㉕**未定** ㉔**4** 売 単17,660 従 78 資 45 住 東京都中央区日本橋本町4-5-14 ☎03-3241-7100
岩井機械工業㈱	機 事業 (単)食料品・医薬品・化学品製造機械の設計・製造・販売・修理 ㉕**10** ㉔**18** 売 単25,542 従 397 資 511 住 東京都大田区東糀谷3-17-10 ☎03-3744-1119
岩城製薬㈱	医 事業 (単)医薬品100 ㉕**未定** ㉔**3** 売 単9,794 従 173 資 210 住 東京都中央区日本橋本町4-8-2 ☎03-6626-6250
イワタボルト㈱	金製 事業 (単)ボルト・ファスナー類・省力機器100 ㉕**10** ㉔**10** 売 単27,081 従 444 資 308 住 東京都品川区西五反田2-32-4 ☎03-3493-0211
㈱イングリウッド	他サ 事業 (単)情報通信 ㉕**60** ㉔**40** 売 単13,679 従 260 資 79 住 東京都渋谷区道玄坂1-21-1 ☎03-6455-1161
インフォテック㈱	シソ 事業 (単)受託開発ソフトウエア95 パッケージ販売5 ㉕**40** ㉔**40** 売 単8,797 従 533 資 205 住 東京都新宿区西新宿3-7-1 ☎03-3348-0360
ウエットマスター㈱	機 事業 (単)加湿器98 流量計2 他0 ㉕**5** ㉔**5** 売 単8,029 従 216 資 100 住 東京都新宿区中落合3-15-15 ☎03-3954-1101
㈱ウエノ	精機卸 事業 (単)切削工具7 油圧・空圧8 作業工具9 駆動・伝動9 FA8 測定計器7 他52 ㉕**10** ㉔**7** 売 単27,159 従 339 資 412 住 東京都台東区東上野1-9-6 ☎03-3835-3991
㈱ウォーターエージェンシー	他サ 事業 (単)上・下水道処理施設のオペレーション・メンテナンス78 商品22 ㉕**未定** ㉔**4** 売 単72,560 従 2,812 資 200 住 東京都新宿区東五軒町3-25 ☎03-3267-4001
内宮運輸機工㈱	陸 事業 (単)運送業14 建設業84 不動産業2 ㉕**5** ㉔**5** 売 単8,300 従 300 資 84 住 東京都江戸川区中央1-8-1 ☎03-3651-1111
宇宙技術開発㈱	シソ 事業 (単)ロケット・人工衛星追跡管制65 各種データ解析15 調査研究10 他10 ㉕**40** ㉔**31** 売 単9,778 従 778 資 100 住 東京都中野区中野5-62-1 ☎03-3319-4002
エア・ウォーターアグリ＆フーズ㈱	食 事業 (単)ハム・デリカ 冷凍野菜 ソース スイーツ ㉕**7** ㉔**5** 売 単46,590 従 262 資 250 住 東京都品川区東品川4-13-14 ☎03-6711-4340
ANAファシリティーズ㈱	不 事業 (単)不動産事業 社宅管理事業 保険代理店事業 ファシリティマネジメント事業 ㉕**未定** ㉔**5** 売 単16,265 従 118 資 100 住 東京都中央区日本橋2-14-1 ☎03-6625-8210
㈱エーピーアイ コーポレーション	化 事業 (単)医薬原薬・医薬中間体100 ㉕**未定** ㉔**15** 売 単18,288 従 432 資 4,000 住 東京都港区浜松町1-30-5 ☎03-6809-1103
㈱エーピーコミュニケーションズ	シソ 事業 (単)ネットワーク・サーバー関連90 ソフトウエア開発10 ㉕**10** ㉔**8** 売 単4,805 従 432 資 92 住 東京都千代田区鍛冶町2-9-12 ☎03-5297-8011
㈱エービーシー商会	他卸 事業 (単)土木建築資材85 建築工事15 ㉕**20** ㉔**20** 売 単30,427 従 480 資 90 住 東京都千代田区永田町2-12-14 ☎03-3507-7111
エームサービス㈱	他サ 事業 (連)フードサービス事業 オフィスコーヒー・給茶サービス事業他 ㉕**未定** ㉔**703** 売 連191,787 従 5,447 資 100 住 東京都港区赤坂2-23-1 ☎03-6234-7500
㈱SRA	シソ 事業 (単)開発68 運用・構築25 販売6 ㉕**35** ㉔**30** 売 単21,903 従 840 資 2,640 住 東京都豊島区南池袋2-32-8 ☎03-5979-2111
㈱SI＆C	シソ 事業 (単)システムインテグレーション AI・IoT活用支援 クラウド活用支援 他 ㉕**50** ㉔**47** 売 単変6,425 従 657 資 350 住 東京都中央区勝どき1-7-3 ☎03-5547-5700
SMB建材㈱	他卸 事業 (単)窯業建材 請負工事 合板 木質ボード 木質建材 住宅機器 木材製品他 ㉕**未定** ㉔**6** 売 単108,952 従 431 資 3,035 住 東京都港区虎ノ門2-2-1 ☎03-5573-5101

会社名	業種名 事業 会社の事業構成(%) ㉕25年採用計画数(名) ㉔24年入社内定者数(名) 売 売上高(百万円) 従 単独従業員数(名) 資 資本金(百万円) 住 本社の住所, 電話番号
㈱SMBC信託銀行	信 事業 (単)信託銀行業 銀行業他 ㉕未定 ㉔37 売 単122,754 従 1,657 資 87,550 住 東京都千代田区丸の内1-3-2 ☎‥
㈱エスケーホーム	不 事業 (単)不動産99 他1 ㉕15 ㉔13 売 単16,895 従 92 資 100 住 東京都新宿区西新宿2-6-1 ☎03-5339-1566
SCSKサービスウェア㈱	シソ 事業 (単)プロセスサービス システムマネジメントサービス ヒューマンリソースサービス ㉕未定 ㉔26 売 単35,026 従 2,910 資 100 住 東京都江東区豊洲3-2-24 ☎03-6890-2500
SCSK Minoriソリューションズ㈱	シソ 事業 (単)受託開発ソフトウエア ㉕71 ㉔68 売 単27,826 従 1,474 資 480 住 東京都江東区豊洲3-2-20 ☎03-6772-6900
㈱SBI証券	証 事業 (単)受入手数料41 トレーディング損益21 金融収益38 他0 ㉕未定 ㉔20 売 連203,398 従 910 資 54,323 住 東京都港区六本木1-6-1 ☎03-5562-7210
㈱SBI新生銀行	銀 事業 (連)現・預け金20 有価証券10 貸出金49 他21 ㉕80 ㉔71 売 連530,771 従 2,288 資 512,204 住 東京都中央区日本橋室町2-4-3 ☎03-6880-7000
SBS東芝ロジスティクス㈱	倉埠 事業 (単)貨物利用運送事業 倉庫業 通関業 他 ㉕25 ㉔26 売 単93,584 従 778 資 2,128 住 東京都新宿区西新宿8-17-1 ☎03-6772-8201
SBSリコーロジスティクス㈱	陸 事業 (単)運送48 保管・荷役30 包装5 国際物流14 他3 ㉕未定 ㉔26 売 単85,604 従 2,029 資 448 住 東京都新宿区西新宿8-17-1 ☎03-6772-8202
SBSロジコム㈱	陸 事業 (単)物流事業97 不動産3 他0 ㉕未定 ㉔10 売 単82,991 従 1,199 資 101 住 東京都新宿区西新宿8-17-1 ☎03-6772-8204
㈱S-FIT	不 事業 (単)不動産賃貸仲介・管理・売買仲介 ㉕未定 ㉔50 売 単4,095 従 425 資 127 住 東京都港区六本木1-6-1 ☎03-5797-7030
㈱エッサム	シソ 事業 (単)事務用品65 財務用コンピュータ35 ㉕5 ㉔12 売 単4,690 従 255 資 455 住 東京都千代田区神田須田町1-26-3 ☎03-3254-8751
NRS㈱	陸 事業 (単)運送44 倉庫23 賃貸12 通関17 他4 ㉕20 ㉔19 売 連0 従 658 資 2,000 住 東京都千代田区神田錦町3-7-1 ☎03-5281-8111
NSユナイテッド内航海運㈱	海 事業 (単)海運業 陸運業 他 ㉕未定 ㉔3 売 連27,215 従 137 資 718 住 東京都千代田区大手町1-5-1 ☎03-6895-6500
㈱NXワンビシアーカイブズ	シソ 事業 (単)データ・ソリューション 保険代理店 ㉕未定 ㉔20 売 単20,405 従 836 資 4,000 住 東京都港区虎ノ門4-1-28 ☎03-5425-5100
NOKフガクエンジニアリング㈱	機 事業 (単)金型75 各種機械装置(圧縮成形機)25 ㉕4 ㉔4 売 単6,382 従 336 資 150 住 東京都港区芝大門1-12-15 ☎‥
NGB㈱	他サ 事業 (単)外国特許 実用新案 意匠 商標の出願仲介 調査 情報サービス 翻訳他 ㉕2 ㉔3 売 単77,001 従 293 資 41 住 東京都港区西新橋1-7-13 ☎03-6203-9111
NTTアドバンステクノロジ㈱	他サ 事業 (単)トータルソリューション24 アプリケーション21 ソーシャルプラットフォーム39 マテリアル&ナノテクノロジー16 ㉕32 ㉔31 売 単72,368 従 2,103 資 5,000 住 東京都新宿区西新宿3-20-2 ☎03-5843-5100
㈱NTT-ME	通 事業 (単)電気・情報通信50 ITソリューション50 ㉕未定 ㉔296 売 単117,993 従 12,500 資 100 住 東京都新宿区西新宿3-19-2 ☎03-3985-2121
NTTコムエンジニアリング㈱	通 事業 (単)サービス運用 ㉕50 ㉔47 売 単43,037 従 1,848 資 100 住 東京都港区芝浦1-2-1 ☎03-6737-1001
エヌ・ティ・ティ・システム開発㈱	シソ 事業 (単)ソフトウェア設計・開発100 ㉕未定 ㉔58 売 単9,043 従 950 資 100 住 東京都豊島区目白2-16-20 ☎03-3985-8711
㈱NTTデータCCS	シソ 事業 (単)ソフトウェア開発57 情報処理33 システム販売10 他0 ㉕30 ㉔30 売 単15,953 従 726 資 330 住 東京都品川区東品川4-12-1 ☎03-5782-9500
NTTデータ先端技術㈱	シソ 事業 (単)情報通信システムおよび関連ソフトウェア等の設計・開発等 他 ㉕50 ㉔40 売 単65,056 従 1,108 資 100 住 東京都中央区月島1-15-7 ☎03-5843-6800
㈱NTTデータ ニューソン	シソ 事業 (単)エンジニアリングサービス ソフトウェア受託開発 ソリューションビジネス ㉕20 ㉔20 売 単10,608 従 549 資 100 住 東京都港区赤坂2-2-12 ☎03-5545-8631
エバーネットデータ㈱	シソ 事業 (単)ソフトウエア74 人材サプライ8 OAサービス8 不動産管理10 ㉕10 ㉔5 売 単967 従 150 資 100 住 東京都千代田区五番町12 ☎03-6823-1130
荏原商事㈱	精機卸 事業 (単)機械設備工事他47 産業用機械器具販売24 他29 ㉕10 ㉔9 売 単26,607 従 580 資 200 住 東京都中央区日本橋茅場町3-9-10 ☎03-5645-0151

会社名	業種名 (事業)会社の事業構成(%) ㉕25年採用計画数(名) ㉔24年入社内定者数(名) (売)売上高(百万円) (従)単独従業員数(名) (資)資本金(百万円) (住)本社の住所, 電話番号
F-LINE(株)	陸 (事業)(単)貨物利用運送 倉庫 貨物自動車運送 他 ㉕**94** ㉔**36** (売)単79,343 (従)1,748 (資)2,480 (住)東京都中央区晴海1-8-11 ☎03-6910-1080
MSD(株)	医 (事業)(単)医療用医薬品・ワクチンの開発・輸入・製造・販売 ㉕**未定** ㉔**12** (売)単395,277 (従)3,200 (資)26,349 (住)東京都千代田区九段北1-13-12 ☎03-6272-1000
エムエスティ保険サービス(株)	保 (事業)(単)保険代理業 ㉕**40** ㉔**41** (売)単14,376 (従)998 (資)1,010 (住)東京都新宿区西新宿1-6-1 ☎03-3340-3566
エムエム建材(株)	鉄金卸 (事業)(単)建設鋼材 製鋼原料 ㉕**未定** ㉔**21** (売)単752,337 (従)640 (資)10,375 (住)東京都港区東新橋1-5-2 ☎03-6891-1777
エム・ケー(株)	不 (事業)(単)物件75 ヘッドリース22 家賃2 管理業務1 ㉕**未定** ㉔**3** (売)単5,925 (従)49 (資)100 (住)東京都日野市大坂上1-30-28 ☎042-589-0222
エム・シー・ヘルスケアホールディングス(株)	他卸 (事業)(連)医療材料・機器・医薬品調達等の支援・SPD(物流管理) 病院経営コンサルティング ㉕**未定** ㉔**20** (売)連147,458 (従)129 (資)548 (住)東京都港区港南2-16-1 ☎03-6852-0010
(株)エム・テイー・フード	外 (事業)(単)給食100 ㉕**未定** ㉔**10** (売)単4,460 (従)279 (資)20 (住)東京都港区南青山1-26-1 ☎03-3408-6609
MDロジス(株)	陸 (事業)(単)包装12 輸送33 保管20 配送10 国際物流25 他0 ㉕**27** ㉔**27** (売)単106,281 (従)974 (資)1,735 (住)東京都中野区中野4-10-1 ☎03-6777-9950
王子製鉄(株)	鉄 (事業)(単)平鋼96 角鋼4 ㉕**未定** ㉔**8** (売)連41,926 (従)350 (資)345 (住)東京都中央区日本橋3-2-5 ☎03-5201-7711
王子物流(株)	陸 (事業)(単)倉庫15 運輸65 沿岸荷役2 請負5 他13 ㉕**3** ㉔**4** (売)単77,051 (従)592 (資)1,434 (住)東京都中央区銀座5-12-8 ☎03-5550-3110
大内新興化学工業(株)	化 (事業)(単)有機ゴム薬品88 果樹用抗菌剤5 化成品7 ㉕**未定** ㉔**6** (売)単13,479 (従)314 (資)115 (住)東京都中央区日本橋小舟町7-4 ☎03-3662-6451
(株)オーク製作所	電機 (事業)(単)機械装置部門76 管球部門15 他9 ㉕**8** ㉔**6** (売)単20,124 (従)484 (資)588 (住)東京都町田市小山ヶ丘3-9-6 ☎042-798-5120
(株)オオゼキ	小 (事業)(単)スーパーマーケット ㉕**120** ㉔**102** (売)単101,718 (従)1,407 (資)100 (住)東京都世田谷区北沢2-9-21 ☎03-6407-2511
大塚製薬(株)	医 (事業)(単)医薬品・臨床検査・医療機器・食料品・化粧品の製造・販売 ㉕**未定** ㉔**138** (売)単716,504 (従)5,827 (資)20,000 (住)東京都港区港南2-16-4 ☎03-6717-1400
大塚刷毛製造(株)	他卸 (事業)(単)塗装用刷毛 ローラー 他 資材の全国販売 ㉕**未定** ㉔**19** (売)単35,227 (従)530 (資)100 (住)東京都新宿区四谷4-1 ☎03-3357-4711
大林ファシリティーズ(株)	建管 (事業)(単)ビル管理71 建築管理26 ビジネスサポート(アウトソーシング受託)他3 ㉕**未定** ㉔**33** (売)単33,222 (従)1,280 (資)50 (住)東京都千代田区神田錦町1-6 ☎03-5281-8311
(株)オーム電機	電機 (事業)(単)電気用品製造・輸入・卸100 ㉕**未定** ㉔**4** (売)単21,694 (従)312 (資)100 (住)東京都豊島区南池袋2-26-4 ☎03-3988-7181
オーロラ(株)	繊紙卸 (事業)(単)洋傘製造卸57 洋品部門20 帽子部門23 ㉕**3** ㉔**4** (売)単6,280 (従)157 (資)100 (住)東京都渋谷区神宮前2-7-7 ☎03-5771-2050
(株)オカモトヤ	他卸 (事業)(単)オフィス家具47 事務機械20 文具30 印刷3 ㉕**6** ㉔**5** (売)単7,524 (従)139 (資)70 (住)東京都港区虎ノ門1-1-24 ☎03-3591-2251
長田電機工業(株)	精 (事業)(単)歯科医療機器の製造販売 ㉕**5** ㉔**3** (売)単4,885 (従)196 (資)100 (住)東京都品川区西五反田5-17-5 ☎03-3492-7651
(株)小田急エージェンシー	広 (事業)(単)小田急グループのハウスエージェンシー グループ外企業の広告 ㉕**未定** ㉔**4** (売)単7,176 (従)189 (資)50 (住)東京都新宿区西新宿2-7-1 ☎03-3346-0664
小野田ケミコ(株)	建 (事業)(連)地盤改良工事73 シールド16 固化材1 他10 ㉕**未定** ㉔**9** (売)連24,465 (従)340 (資)400 (住)東京都千代田区神田錦町3-21 ☎03-6386-7030
オムロン フィールドエンジニアリング(株)	機保 (事業)(単)保守・サービス60 設置工事30 技術指導・調整その他10 ㉕**38** ㉔**42** (売)単47,209 (従)1,299 (資)360 (住)東京都目黒区三田1-6-21 ☎03-6773-5152
オリジン東秀(株)	外 (事業)(単)オリジン86 外食9 デリカ融合5 他0 ㉕**40** ㉔**27** (売)単48,727 (従)646 (資)100 (住)東京都調布市調布ケ丘1-18-1 ☎042-443-6801
オリックス銀行(株)	銀 (事業)(単)現・預け金6 有価証券11 貸出金81 他2 ㉕**前年並** ㉔**25** (売)単64,384 (従)857 (資)45,000 (住)東京都港区芝3-22-8 ☎0120-008-884

会社名	業種名 (事業)会社の事業構成(%) ㉕25年採用計画数(名) ㉔24年入社内定者数(名) (売)売上高(百万円) (従)単独従業員数(名) (資)資本金(百万円) (住)本社の住所，電話番号
オリックス・レンテック(株)	リ (事業)(単)レンタル 他 ㉕**20** ㉔**21** (売)単104,790 (従)1,005 (資)730 (住)東京都品川区北品川5-5-15 ☎03-3473-7561
オルビス(株)	小 (事業)(連)化粧品・栄養補助食品・ボディウェア等の企画・開発および通信販売・店舗販売 ㉕**未定** ㉔**33** (売)連42,874 (従)1,055 (資)110 (住)東京都品川区平塚2-1-14 ☎・・
(株)ガイアート	建 (事業)(単)建設78 製造・販売22 ㉕**25** ㉔**23** (売)単46,580 (従)777 (資)1,000 (住)東京都新宿区新小川町8-27 ☎03-5261-9211
角田無線電機(株)	電卸 (事業)(単)電器製品卸90 電子製品卸10 ㉕**未定** ㉔**5** (売)単53,319 (従)300 (資)72 (住)東京都千代田区外神田3-14-10 ☎03-3253-8111
岳南建設(株)	建 (事業)(単)送電線工事 土木 移動体通信設備 情報通信設備 ㉕**10** ㉔**8** (売)単11,641 (従)270 (資)364 (住)東京都中央区築地1-3-7 ☎03-3545-2661
鹿島建物総合管理(株)	建管 (事業)(単)建物管理94 補修・改装工事等6 ㉕**55** ㉔**41** (売)単71,391 (従)2,849 (資)100 (住)東京都中央区銀座6-17-1 ☎03-6748-7111
鹿島道路(株)	建 (事業)(単)建設84 製造・販売16 ㉕**60** ㉔**63** (売)単131,474 (従)1,467 (資)4,000 (住)東京都文京区後楽1-7-27 ☎03-5802-8001
鹿島リース(株)	リ (事業)(単)不動産58 リース40 他2 ㉕**未定** ㉔**4** (売)単9,163 (従)59 (資)400 (住)東京都港区元赤坂1-6-6 ☎03-5474-9210
(株)カシワバラ・コーポレーション	建 (事業)(単)塗装工事・土木工事・建設工事99 兼業事業1 ㉕**50** ㉔**30** (売)単63,649 (従)976 (資)250 (住)東京都港区港南1-2-70 ☎03-5479-1400
片岡物産(株)	食卸 (事業)(単)コーヒー・紅茶・ココア・チョコレート50 果実加工品・酒類他50 ㉕**未定** ㉔**5** (売)単34,800 (従)306 (資)490 (住)東京都港区新橋6-21-6 ☎03-5405-7001
加藤産商(株)	化医卸 (事業)(単)合成ゴム・合成樹脂62 化学工業薬品33 塗料・機械他5 ㉕**未定** ㉔**5** (売)単42,558 (従)129 (資)106 (住)東京都中央区日本橋兜町21-7 ☎03-3668-9430
兼松エレクトロニクス(株)	シソ (事業)(単)電子機器の売買 賃貸 保守 ㉕**50** ㉔**46** (売)連90,605 (従)469 (資)9,031 (住)東京都中央区京橋2-13-10 ☎03-5250-6801
(株)兼松KGK	精機卸 (事業)(単)工作機械他55 産業機械18 他27 ㉕**10** ㉔**13** (売)単8,261 (従)255 (資)706 (住)東京都中央区京橋1-7-2 ☎03-5579-5880
兼松コミュニケーションズ(株)	電卸 (事業)(単)移動体関連ビジネス100 ㉕**115** ㉔**7** (売)単141,232 (従)2,363 (資)1,425 (住)東京都渋谷区代々木3-22-7 ☎03-5308-1011
株木建設(株)	建 (事業)(単)土木57 建築43 ㉕**20** ㉔**23** (売)単34,762 (従)374 (資)2,700 (住)東京都新宿区下落合3-14-28 ☎03-6908-2700
河淳(株)	他製 (事業)(単)流通(店舗用什器備品)57 ハードウエア(建築用金物)15 ホームインテリア26 他2 ㉕**未定** ㉔**26** (売)単53,660 (従)906 (資)256 (住)東京都中央区日本橋浜町3-15-1 ☎03-3665-1921
関工商事(株)	電卸 (事業)(単)電設部門99 他1 ㉕**4** ㉔**7** (売)単34,908 (従)153 (資)100 (住)東京都台東区東上野4-24-11 ☎03-5826-6300
(株)関工パワーテクノ	建 (事業)(単)電気工事44 管工事8 舗装工事21 とび・土工27 ㉕**未定** ㉔**14** (売)単6,959 (従)229 (資)400 (住)東京都大田区東六郷3-5-3 ☎03-5713-8200
管清工業(株)	建 (事業)(単)建設工事39 排水管清掃23 調査31 コンサルタント1 他6 ㉕**31** ㉔**30** (売)単16,670 (従)599 (資)250 (住)東京都世田谷区上用賀1-7-3 ☎03-3709-5151
関東化学(株)	化 (事業)(単)電子材料51 試薬49 ㉕**未定** ㉔**47** (売)単49,358 (従)867 (資)100 (住)東京都中央区日本橋室町2-2-1 ☎03-6214-1050
かんぽシステムソリューションズ(株)	シソ (事業)(単)情報システムの設計，開発，保守および運用業務の受託 ㉕**70** ㉔**56** (売)単48,118 (従)730 (資)500 (住)東京都品川区北品川5-6-1 ☎03-6631-0700
技研(株)	自 (事業)(単)スポイラー35 バイザー26 タイヤカバー7 射出品17 成形品10 他6 ㉕**11** ㉔**11** (売)単9,068 (従)375 (資)99 (住)東京都板橋区新河岸2-8-24 ☎03-3939-4511
基礎地盤コンサルタンツ(株)	他サ (事業)(単)土木 建築コンサルタント 各種地盤調査 測量業務 ㉕**15** ㉔**5** (売)単15,838 (従)692 (資)100 (住)東京都江東区亀戸1-5-7 ☎03-6861-8800
(株)紀伊國屋書店	小 (事業)(連)書籍・雑誌95 文具・事務機他5 ㉕**未定** ㉔**19** (売)連130,607 (従)4,898 (資)36 (住)東京都目黒区下目黒3-7-10 ☎03-6910-0502
(株)キミカ	化 (事業)(単)アルギン酸塩類90 他10 ㉕**6** ㉔**8** (売)単12,137 (従)173 (資)100 (住)東京都中央区八重洲2-1-1 ☎03-3548-1941

会社名	業種名 事業 会社の事業構成(%) ㉕25年採用計画数(名) ㉔24年入社内定者数(名) 売 売上高(百万円) 従 単独従業員数(名) 資 資本金(百万円) 住 本社の住所, 電話番号
㈱キャスティングロード	ア 事業 (単)人材派遣紹介100 ㉕未定 ㉔36 売 単11,421 従 199 資 50 住 東京都新宿区新宿3-1-24 ☎03-6384-0520
キヤノンITソリューションズ㈱	シソ 事業 (単)業種別ソリューション ITプロダクトの運用・保守等 ㉕185 ㉔183 売 単126,953 従 4,000 資 3,617 住 東京都港区港南2-16-6 ☎03-6701-3300
キヤノンプロダクションプリンティングシステムズ㈱	電卸 事業 (単)プロダクション印刷機器および消耗品の販売 保守サービス ワークフローシステムなどの開発・提供 ㉕未定 ㉔8 売 単9,063 従 401 資 2,745 住 東京都港区港南2-13-29 ☎03-6719-9700
キャロットソフトウェア㈱	シソ 事業 (単)ソフトウエア開発100 ㉕10 ㉔4 売 単728 従 68 資 40 住 東京都千代田区丸の内2-7-2 ☎03-6268-0510
㈱牛繁ドリームシステム	外 事業 (単)飲食店の経営100 ㉕5 ㉔4 売 単5,477 従 144 資 50 住 東京都新宿区新宿2-1-2 ☎03-5367-2429
キユーソーティス㈱	陸 事業 (単)一般貨物自動車運送 ㉕未定 ㉔58 売 単57,372 従 1,446 資 82 住 東京都調布市調布ケ丘3-50-1 ☎042-426-4751
京西テクノス㈱	機保 事業 (単)医療機器修理 通信機器・計測器修理 受託機器製造 システム保守 他 ㉕未定 ㉔7 売 単13,726 従 367 資 80 住 東京都多摩市愛宕4-25-2 ☎042-303-0888
㈱ぎょうせい	新 事業 (単)出版 システム・調査研究等 ㉕20 ㉔13 売 単22,831 従 569 資 500 住 東京都江東区新木場1-18-11 ☎0120-953-431
共同カイテック㈱	電機 事業 (単)バスダクト(電力幹線システム)60 OAフロアシステム35 屋上緑化システム5 ㉕9 ㉔10 売 単19,358 従 399 資 60 住 東京都渋谷区恵比寿南1-15-1 ☎03-6825-7020
協友アグリ㈱	化 事業 (単)農薬100 ㉕未定 ㉔9 売 単17,645 従 275 資 2,250 住 東京都中央区日本橋小網町6-1 ☎03-5645-0700
共立製薬㈱	医 事業 (単)動物用医薬品100 ㉕30 ㉔50 売 単62,403 従 729 資 55 住 東京都千代田区九段南1-6-5 ☎03-3263-2931
キョーラク㈱	化 事業 (単)成型品60 化成品15 機械・金型他25 ㉕7 ㉔17 売 単56,179 従 625 資 250 住 東京都中央区東日本橋1-1-5 ☎03-5833-2825
㈱極東商会	精機卸 事業 (単)空調機械・部材79 ガス9 機能材10 他2 ㉕未定 ㉔13 売 単35,852 従 120 資 420 住 東京都千代田区外神田4-10-6 ☎03-5244-4600
旭洋㈱	他卸 事業 (単)洋紙16 産業資材46 化成品・機能材28 海外・他10 ㉕未定 ㉔13 売 単184,253 従 367 資 1,300 住 東京都中央区日本橋本町1-1-1 ☎03-3271-2751
㈱桐井製作所	金製 事業 (単)建築用鋼製下地材(自社製品)50 建材商品50 ㉕未定 ㉔14 売 単126,286 従 591 資 100 住 東京都千代田区丸の内1-9-2 ☎03-4345-6000
㈱銀座コージーコーナー	食 事業 (単)洋菓子95 レストラン・喫茶5 ㉕27 ㉔18 売 単24,556 従 600 資 49 住 東京都中央区新川2-27-1 ☎03-6854-8770
金方堂松本工業㈱	金製 事業 (単)菓子缶64 海苔缶15 他21 ㉕5 ㉔6 売 単5,769 従 158 資 100 住 東京都台東区東上野1-28-12 ☎03-3831-1191
㈱クオラス	広 事業 (単)広告100 ㉕10 ㉔12 売 単57,381 従 384 資 100 住 東京都品川区大崎2-1-1 ☎03-5487-5001
草野産業㈱	鉄金卸 事業 (単)銑鉄15 鉄鋼原料49 炭素材5 土木建材4 鋼材8 他19 ㉕5 ㉔4 売 単67,584 従 152 資 430 住 東京都中央区銀座3-9-4 ☎03-3541-2911
㈱久米設計	築設 事業 (単)建築・都市の設計88 PM・CM6 海外6 ㉕28 ㉔12 売 単変12,661 従 657 資 90 住 東京都江東区潮見2-1-22 ☎03-5632-7811
㈱グリーンハウス	外 事業 (連)コントラクトフードサービス レストラン ホテルマネジメント ㉕710 ㉔539 売 連127,003 従 5,713 資 2,143 住 東京都新宿区西新宿3-20-2 ☎03-3379-1211
㈱グリーンハウスフーズ	外 事業 (連)レストラン デリカ ㉕15 ㉔5 売 連45,200 従 1,396 資 90 住 東京都新宿区西新宿3-20-2 ☎03-6276-2250
クリオン㈱	ガ土 事業 (単)ALC商品96 他4 ㉕10 ㉔6 売 単16,839 従 303 資 3,075 住 東京都江東区越中島1-2-21 ☎03-6458-5400
㈱クリタス	機保 事業 (単)水処理施設管理70 水処理施設補修・工事25 分析1 薬品3 他2 ㉕20 ㉔12 売 単19,490 従 729 資 220 住 東京都豊島区南池袋1-11-22 ☎03-3590-0301
㈱クリマテック	建 事業 (単)給排水衛生・空調設備工事等の設計・施工 他 ㉕22 ㉔8 売 単21,326 従 392 資 300 住 東京都中央区銀座6-17-1 ☎03-6705-0550

会社名	[業種名] [事業]会社の事業構成(%) ㉕25年採用計画数(名) ㉔24年入社内定者数(名) [売]売上高(百万円) [従]単独従業員数(名) [資]資本金(百万円) [住]本社の住所, 電話番号
グローブシップ(株)	[建管] [事業](単)設備管理35 清掃32 工事19 他14 ㉕未定 ㉔20 [売]単43,585 [従]5,360 [資]100 [住]東京都港区芝4-11-3 ☎03-6362-9700
京王観光(株)	[レ] [事業](単)旅行部門98 保険部門2 ㉕未定 ㉔8 [売]単12,454 [従]348 [資]100 [住]東京都多摩市関戸2-37-3 ☎042-375-7211
(株)京王設備サービス	[建管] [事業](単)ビル管理70 工事30 ㉕未定 ㉔10 [売]単28,229 [従]1,134 [資]200 [住]東京都渋谷区神泉町4-6 ☎03-5456-8710
(株)京王百貨店	[小] [事業](単)衣料品24 食料品30 雑貨25 家庭用品4 身回品9 他8 ㉕未定 ㉔8 [売]単21,520 [従]701 [資]100 [住]東京都渋谷区初台1-53-7 ☎・・
(株)ケイミックス	[建管] [事業](単)ビルメンテナンス76 道路メンテナンス22 不動産2 PPP事業0 ㉕6 ㉔6 [売]単11,993 [従]699 [資]100 [住]東京都港区虎ノ門1-3-1 ☎03-3500-5900
ケイライン ロジスティックス(株)	[倉埠] [事業](単)航空貨物47 海上貨物53 他0 ㉕20 ㉔15 [売]単20,301 [従]560 [資]600 [住]東京都中央区晴海1-8-10 ☎03-6772-8800
(株)ケーエムエフ	[金製] [事業](単)構造部材の建築型枠26 土木型枠51 ボックスカルバート16 型枠以外7 ㉕未定 ㉔10 [売]単4,125 [従]194 [資]166 [住]東京都港区海岸1-9-1 ☎03-3434-0321
ケーオーデンタル(株)	[化医卸] [事業](単)歯科用材料・薬品70 歯科用機械10 歯科用金属20 ㉕20 ㉔20 [売]単51,867 [従]770 [資]97 [住]東京都新宿区西新宿1-26-2 ☎03-3344-1181
(株)ケーピーエス	[シソ] [事業](単)ソフトウエア開発87 ファシリティマネジメント他13 ㉕10 ㉔7 [売]単761 [従]64 [資]100 [住]東京都新宿区百人町2-4-8 ☎03-3360-6111
ケミカルグラウト(株)	[建] [事業](単)地盤改良・耐震・液状化・凍結38 斜面安定・アンカー14 岩盤4 基礎・連続壁41 土壌浄化3 ㉕15 ㉔10 [売]単26,182 [従]333 [資]300 [住]東京都千代田区霞が関3-2-5 ☎03-6703-6767
(株)建研	[建] [事業](単)建築工事99 土木工事1 ㉕6 ㉔5 [売]単8,883 [従]134 [資]100 [住]東京都中央区日本橋堀留町1-4-8 ☎03-5651-8211
建装工業(株)	[建] [事業](単)マンションリニューアル工事73 電力・プラント関連11 他16 ㉕30 ㉔32 [売]単64,760 [従]824 [資]300 [住]東京都港区西新橋3-11-1 ☎03-3433-0501
(株)小泉	[総卸] [事業](単)衛生陶器・金具20 ビニールパイプ・継手7 鋼管・継手6 住設機器・空調8 他59 ㉕100 ㉔71 [売]連170,158 [従]408 [資]100 [住]東京都杉並区荻窪4-32-5 ☎03-3393-2511
興国インテック(株)	[ゴ皮] [事業](単)自動車59 家電7 OA7 医療14 他13 ㉕10 ㉔17 [売]単21,196 [従]631 [資]315 [住]東京都千代田区麹町2-1 ☎03-3230-4661
郷商事(株)	[精機卸] [事業](単)建産機 電機 電子機器 ㉕5 ㉔6 [売]単47,956 [従]151 [資]400 [住]東京都中央区八丁堀2-11-2 ☎03-3552-7700
合同酒精(株)	[食] [事業](単)酒類食品 アルコール 酵素医薬品 他 ㉕未定 ㉔20 [売]単61,350 [従]484 [資]2,000 [住]東京都墨田区東駒形1-17-6 ☎03-6757-4020
興和不動産ファシリティーズ(株)	[建管] [事業](単)管理受託67 営繕工事33 ㉕前年並 ㉔6 [売]単20,897 [従]597 [資]100 [住]東京都港区西新橋3-8-3 ☎03-3437-5161
(株)ゴードー	[化医卸] [事業](単)化学工業薬品81 道路関係資材7 飼料および食品類4 アルコール類8 ㉕12 ㉔6 [売]単28,980 [従]165 [資]150 [住]東京都中央区日本橋本石町4-6-7 ☎03-3241-0750
郡リース(株)	[建] [事業](単)鉄骨系プレハブ建築物の製造・設計・施工・リース・販売 ㉕未定 ㉔8 [売]単38,600 [従]279 [資]86 [住]東京都港区六本木6-11-17 ☎03-3470-0291
(株)コガネイ	[機] [事業](単)空気圧事業75 他25 ㉕20 ㉔16 [売]単17,445 [従]593 [資]641 [住]東京都小金井市緑町3-11-28 ☎042-383-7111
コクサイエアロマリン(株)	[倉埠] [事業](単)輸出入貨物取扱業務航空貨物63 同海上貨物・他37 ㉕未定 ㉔6 [売]単6,925 [従]212 [資]569 [住]東京都港区新橋1-10-6 ☎03-3572-5931
国際興業(株)	[鉄バ] [事業](単)運輸57 商事39 他4 ㉕30 ㉔18 [売]単38,388 [従]2,175 [資]100 [住]東京都中央区八重洲2-10-3 ☎03-3273-1118
国際航業(株)	[他サ] [事業](単)地理空間情報技術を軸とした防災・減災, 行政・インフラマネジメント, 脱炭素・環境分野での技術コンサルティング他 ㉕70 ㉔64 [売]単42,093 [従]1,996 [資]6,794 [住]東京都新宿区北新宿2-21-1 ☎03-6362-5931
(株)コシダテック	[電卸] [事業](連)自動車関連商品 半導体 情報通信関連機器 携帯電話 二輪用品 ソフトウェア開発 ㉕未定 ㉔4 [売]連77,344 [従]206 [資]371 [住]東京都港区高輪2-15-21 ☎03-5789-1630
(株)古島	[鉄金卸] [事業](単)鋼管26 継手・バルブ30 化成品16 他28 ㉕未定 ㉔10 [売]単34,908 [従]299 [資]250 [住]東京都中央区日本橋茅場町2-17-7 ☎03-3668-4333

会社名	業種名 (事業)会社の事業構成(%) ㉕25年採用計画数(名) ㉔24年入社内定者数(名) (売)売上高(百万円) (従)単独従業員数(名) (資)資本金(百万円) (住)本社の住所, 電話番号
コスモエネルギーソリューションズ㈱	石燃卸 (事業)(単)エネルギー100 ㉕未定 ㉔8 (売)単251,745 (従)284 (資)100 (住)東京都中央区日本橋浜町3-3-2 ☎03-5642-8755
コスモ工機㈱	金製 (事業)(単)継手製品41 不断水製品24 工事18 他17 ㉕20 ㉔29 (売)単20,279 (従)458 (資)498 (住)東京都港区西新橋3-9-5 ☎03-3435-8812
㈱コトブキ	他製 (事業)(単)都市景観関連製品73 建築サイン関連26 他1 ㉕15 ㉔15 (売)単7,763 (従)350 (資)100 (住)東京都港区浜松町1-14-5 ☎03-5733-6691
コトブキシーティング㈱	他製 (事業)(単)公共施設家具 カプセルベッド ㉕15 ㉔12 (売)連25,766 (従)305 (資)100 (住)東京都千代田区神田駿河台1-2-1 ☎03-5280-5690
小西安㈱	化医卸 (事業)(単)化学工業薬品50 電子材料40 ライフサイエンス6 他4 ㉕未定 ㉔5 (売)単52,778 (従)140 (資)315 (住)東京都中央区日本橋本町2-6-3 ☎03-3661-3126
㈱コバヤシ	他製 (事業)(単)コバゾール10 容器49 流通資材19 産業機材13 新規開発4 他5 ㉕30 ㉔13 (売)単34,420 (従)633 (資)80 (住)東京都台東区浅草橋3-26-5 ☎03-3865-5500
コマツ物流㈱	陸 (事業)(単)運輸 物流センター 機工 他 ㉕16 ㉔17 (売)単86,239 (従)723 (資)1,080 (住)東京都港区白金1-17-3 ☎050-3772-4480
㈱コモディイイダ	小 (事業)(単)青果15 日配品13 鮮魚11 精肉11 他50 ㉕60 ㉔55 (売)単93,552 (従)870 (資)360 (住)東京都北区滝野川7-27-7 ☎03-3916-1111
㈱ゴルフパートナー	小 (事業)(単)直営78 フランチャイズ22 ㉕未定 ㉔22 (売)単48,946 (従)430 (資)100 (住)東京都千代田区神田錦町3-20 ☎03-5217-9700
㈱コンベンションリンケージ	他サ (事業)(単)コンベンション・MICE50 施設ホール運営・管理30 同時通訳・翻訳15 調査・研究5 ㉕15 ㉔15 (売)単21,500 (従)947 (資)50 (住)東京都千代田区三番町2 ☎03-3263-8686
㈱ザイエンス	他製 (事業)(単)住宅資材63 環境整備資材11 化成品16 素材商事5 産業用資材2 他3 ㉕未定 ㉔4 (売)単18,169 (従)196 (資)220 (住)東京都千代田区丸の内2-3-2 ☎03-3284-0501
斎久工業㈱	建 (事業)(単)衛生工事91 空調工事9 ㉕20 ㉔9 (売)単46,504 (従)461 (資)1,481 (住)東京都千代田区丸の内2-6-1 ☎03-3201-0319
サイデン化学㈱	化 (事業)(単)合成樹脂エマルジョン96 他4 ㉕前年並 ㉔10 (売)単22,973 (従)307 (資)300 (住)東京都中央区日本橋本町3-4-7 ☎03-3279-4401
サイバネットシステム㈱	シソ (事業)(単)シミュレーションソリューションサービス ㉕12 ㉔11 (売)連21,546 (従)374 (資)995 (住)東京都千代田区神田練塀町3 ☎03-5297-3010
坂田建設㈱	建 (事業)(単)建築62 土木22 電気関連土木工事15 兼業売上1 ㉕12 ㉔4 (売)単11,428 (従)171 (資)200 (住)東京都墨田区本所3-21-10 ☎03-5610-7810
㈱鷺宮製作所	電機 (事業)(単)自動制御機器93 試験装置7 ㉕39 ㉔37 (売)単37,988 (従)1,109 (資)960 (住)東京都新宿区大久保3-8-2 ☎03-6205-9101
佐藤建設工業㈱	建 (事業)(単)送電工事83 通信工事16 他1 ㉕未定 ㉔3 (売)単6,980 (従)160 (資)440 (住)東京都品川区東大井5-12-10 ☎03-5715-2520
㈱佐藤秀	建 (事業)(単)建築工事78 不動産22 ㉕6 ㉔8 (売)単16,647 (従)189 (資)100 (住)東京都新宿区新宿5-6-11 ☎03-3225-0310
さわやか信用金庫	銀 (事業)(単)現・預け金28 有価証券19 貸出金51 他2 ㉕65 ㉔32 (売)連21,345 (従)936 (資)13,700 (住)東京都大田区萩中2-2-1 ☎03-3742-0615
三栄電気工業㈱	建 (事業)(単)電気工事95 通信工事5 ㉕未定 ㉔32 (売)単21,734 (従)366 (資)80 (住)東京都渋谷区東2-29-12 ☎03-3407-8721
産業振興㈱	鉄金卸 (事業)(単)製鋼原料 作業請負・環境 鋼材・加工 物流 肥料 ㉕未定 ㉔11 (売)単104,264 (従)1,379 (資)390 (住)東京都千代田区神田小川町3-9-2 ☎03-5259-6801
三恵技研工業㈱	自 (事業)(単)四輪車部品72 二輪車部品17 他11 ㉕未定 ㉔9 (売)単50,494 (従)603 (資)500 (住)東京都北区赤羽南2-5-1 ☎03-3902-8200
三光設備㈱	建 (事業)(単)電気工事99 他1 ㉕未定 ㉔5 (売)単13,900 (従)262 (資)216 (住)東京都中央区銀座2-11-17 ☎03-3524-3021
三信建設工業㈱	建 (事業)(連)特殊基礎土木工事業 ㉕若干 ㉔4 (売)連12,267 (従)194 (資)500 (住)東京都台東区柳橋2-19-6 ☎03-5825-3700
㈱サンフジ企画	広 (事業)(単)総合住宅展示場の企画・開発・運営 温浴事業の開発 ㉕未定 ㉔3 (売)単12,782 (従)79 (資)50 (住)東京都渋谷区代々木1-35-4 ☎03-3379-7171

会社名	業種名 (事業)会社の事業構成(%) ㉕25年採用計画数(名) ㉔24年入社内定者数(名) (売)売上高(百万円) (従)単独従業員数(名) (資)資本金(百万円) (住)本社の住所,電話番号
㈱サンプラネット	他サ (事業)(単)研究所・工場内支援サービス31 機器・消耗品等販売42 学会研究会運営10 厚生サービス等9 他8 ㉕**30** ㉔**17** (売)単16,556 (従)547 (資)455 (住)東京都文京区大塚3-5-10 ☎03-5978-1941
㈱サンベルクス	小 (事業)(単)スーパーマーケットの経営 ㉕**80** ㉔**51** (売)単108,921 (従)5,377 (資)50 (住)東京都足立区花畑5-14-1 ☎03-3858-8719
㈱三冷社	建 (事業)(単)空気調和給排水衛生・冷凍冷蔵設備・電気工事98 他2 ㉕**未定** ㉔**3** (売)単12,299 (従)277 (資)300 (住)東京都中央区日本橋本町3-4-6 ☎03-3231-3966
㈱三和	小 (事業)(単)生鮮食品45 加工食品36 日用雑貨他19 ㉕**前年並** ㉔**43** (売)単164,406 (従)987 (資)100 (住)東京都町田市金森4-1-2 ☎042-746-3001
サンワコムシスエンジニアリング㈱	建 (事業)(連)キャリア系63 メーカー・ベンダー関連12 通信・電気等コンストラクション25 ㉕**22** ㉔**32** (売)連62,600 (従)770 (資)3,624 (住)東京都品川区東五反田2-17-1 ☎03-6365-3111
㈱シー・アイ・シー	シソ (事業)(単)情報提供サービス100 ㉕**8** ㉔**6** (売)単7,979 (従)188 (資)500 (住)東京都新宿区西新宿1-23-7 ☎03-3348-0601
GEヘルスケア・ジャパン㈱	精 (事業)(単)医用画像診断装置の開発・製造・輸出入・販売・サービス 他 ㉕**未定** ㉔**19** (売)単127,379 (従)1,500 (資)1,000 (住)東京都日野市旭が丘4-7-127 ☎042-585-5111
㈱JR東海エージェンシー	広 (事業)(単)宣伝・広告業 ㉕**7** ㉔**13** (売)単14,961 (従)302 (資)61 (住)東京都港区港南2-1-95 ☎03-6688-4288
㈱JR東日本クロスステーション	小 (事業)(単)小売48 飲食15 自販機11 商業施設運営26 ㉕**未定** ㉔**29** (売)単252,922 (従)2,770 (資)4,101 (住)東京都渋谷区千駄ヶ谷5-33-8 ☎050-3644-7177
JR東日本コンサルタンツ㈱	他サ (事業)(単)建設コンサルタント業 測量業 地質調査業 ㉕**15** ㉔**10** (売)単20,312 (従)724 (資)50 (住)東京都品川区西品川1-1-1 ☎03-5435-7660
㈱JR東日本情報システム	シソ (事業)(単)情報サービス100 ㉕**50** ㉔**55** (売)単78,631 (従)1,615 (資)500 (住)東京都新宿区大久保3-8-2 ☎03-3208-1555
JR東日本メカトロニクス㈱	機保 (事業)(単)駅機械設備工事42 電子マネー端末・ICカード製造25 機械メンテナンス20 他13 ㉕**未定** ㉔**30** (売)単70,889 (従)1,361 (資)100 (住)東京都渋谷区代々木2-1-1 ☎03-5365-3802
㈱ジェイエスキューブ	精機卸 (事業)(単)機器販売 機器開発 システム開発 保守サービス ㉕**6** ㉔**11** (売)単11,096 (従)413 (資)100 (住)東京都江東区東雲1-7-12 ☎03-6204-2730
JNC㈱	化 (事業)(連)機能材料14 加工品45 化学品26 商事7 電力5 他3 ㉕**前年並** ㉔**36** (売)連131,442 (従)2,650 (資)31,150 (住)東京都千代田区大手町2-2-1 ☎03-3243-6760
JFE条鋼㈱	鉄 (事業)(単)鉄鋼製品100 ㉕**前年並** ㉔**20** (売)単136,603 (従)932 (資)30,000 (住)東京都港区新橋5-11-3 ☎03-5777-3811
JFE商事鋼管管材㈱	鉄金卸 (事業)(単)鋼管67 管材13 他20 ㉕**未定** ㉔**6** (売)単47,252 (従)218 (資)500 (住)東京都千代田区大手町2-2-1 ☎03-5203-6020
JFEプラントエンジ㈱	機保 (事業)(単)プラント建設 プラントメンテナンス 産業機械 ㉕**前年並** ㉔**95** (売)単170,215 (従)3,707 (資)1,700 (住)東京都台東区蔵前2-17-4 ☎03-3864-3865
JFEミネラル㈱	ガ土 (事業)(単)鉱産品5 水島合金鉄31 クロム&リサイクル16 製鉄関連37 機能素材10 他1 ㉕**15** ㉔**12** (売)単145,949 (従)1,322 (資)2,000 (住)東京都港区芝3-8-2 ☎03-5445-5200
システム・プロダクト㈱	シソ (事業)(単)システム開発100 ㉕**3** ㉔**4** (売)単655 (従)89 (資)90 (住)東京都中央区日本橋本石町4-4-9 ☎03-6225-2404
シマダヤ㈱	食 (事業)(単)食品100 ㉕**13** ㉔**13** (売)単38,930 (従)312 (資)1,000 (住)東京都渋谷区恵比寿西1-33-11 ☎03-5489-5511
㈱島津アクセス	機保 (事業)(単)精密機器のプロアクティブ・アフターサービス100 ㉕**未定** ㉔**18** (売)単27,140 (従)914 (資)55 (住)東京都台東区浅草橋5-20-8 ☎03-5820-3280
㈱島津理化	精機卸 (事業)(単)教育システム 研究設備 他 ㉕**4** ㉔**7** (売)単16,296 (従)140 (資)30 (住)東京都千代田区神田神保町1-32 ☎03-6848-6600
㈱シミズ・ビルライフケア	建 (事業)(単)リニューアル46 ビルマネジメント53 他1 ㉕**36** ㉔**32** (売)単70,684 (従)1,584 (資)100 (住)東京都中央区京橋2-10-2 ☎03-6228-6130
㈱ジャパンテクニカルソフトウェア	シソ (事業)(単)ソフトウェア開発98 販売・コンサルティング2 ㉕**40** ㉔**38** (売)単8,571 (従)600 (資)80 (住)東京都港区港南2-13-31 ☎03-5461-1550
㈱JALカード	貸 (事業)(単)会費収入56 加盟店手数料収入32 他12 ㉕**27** ㉔**18** (売)単13,238 (従)273 (資)360 (住)東京都品川区東品川2-4-11 ☎・・

会社名	[業種名] [事業]会社の事業構成(%) ㉕25年採用計画数(名) ㉔24年入社内定者数(名) [売]売上高(百万円) [従]単独従業員数(名) [資]資本金(百万円) [住]本社の住所,電話番号
㈱ジャルパック	[レ] [事業](単)旅行業法に基づく旅行業 旅行会社の依頼による国内・海外手配代行業 ㉕**15** ㉔**11** [売]単115,452 [従]544 [資]80 [住]東京都品川区東品川2-4-11 ☎03-5715-8120
㈱集英社	[新] [事業](単)雑誌 書籍 広告 他 ㉕**未定** ㉔**25** [売]単209,684 [従]752 [資]100 [住]東京都千代田区一ツ橋2-5-10 ☎03-3230-6111
㈱ジューテック	[他卸] [事業](単)住宅総合資材・工業用資材の販売 ㉕**40** ㉔**25** [売]単139,490 [従]653 [資]850 [住]東京都港区新橋6-3-4 ☎03-4582-3390
㈱小学館集英社プロダクション	[他サ] [事業](単)メディア84 教育15 他1 ㉕**若干** ㉔**8** [売]単37,449 [従]526 [資]100 [住]東京都千代田区神田神保町2-30 ☎03-3222-9100
㈱証券ジャパン	[証] [事業](単)受入手数料79 トレーディング損益13 金融収益8 ㉕**未定** ㉔**6** [売]単4,134 [従]214 [資]3,000 [住]東京都中央区日本橋茅場町1-2-18 ☎03-3668-2210
昭産商事㈱	[食卸] [事業](単)食品 飼料 リース保険販売 ㉕**未定** ㉔**6** [売]単67,100 [従]185 [資]391 [住]東京都板橋区板橋1-9-3 ☎03-3579-7272
昭和興産㈱	[化医卸] [事業](単)合成樹脂40 化学品40 産業資材分野13 情報電材6 他1 ㉕**未定** ㉔**3** [売]単77,765 [従]165 [資]550 [住]東京都港区赤坂6-13-18 ☎03-3584-9111
昭和西川㈱	[繊衣] [事業](単)寝具98 不動産賃貸2 ㉕**5** ㉔**6** [売]単14,335 [従]216 [資]40 [住]東京都中央区日本橋浜町1-4-15 ☎03-6858-5670
昭和リース㈱	[リ] [事業](連)リース・割賦72 ファイナンス2 他26 ㉕**23** ㉔**19** [売]連118,026 [従]512 [資]29,360 [住]東京都中央区日本橋室町2-4-3 ☎03-4284-1111
ショーボンド建設㈱	[建] [事業](単)土木建築工事 工事材料販売 ㉕**44** ㉔**31** [売]単63,985 [従]715 [資]10,100 [住]東京都中央区日本橋箱崎町7-8 ☎03-6861-8101
㈱ジョブス	[ア] [事業](単)人材派遣紹介100 ㉕**未定** ㉔**10** [売]単6,229 [従]97 [資]50 [住]東京都新宿区新宿2-3-13 ☎03-6380-6825
㈱白子	[食] [事業](単)海苔加工品90 他10 ㉕**未定** ㉔**4** [売]単12,623 [従]123 [資]100 [住]東京都江戸川区中葛西7-5-9 ☎03-3804-2111
信越石英㈱	[ガ土] [事業](単)光学用石英ガラス 石英ガラス加工品 ランプ用石英ガラス 石英ガラスるつぼ ㉕**前年並** ㉔**3** [売]単29,403 [従]648 [資]1,000 [住]東京都品川区大崎1-11-2 ☎03-6737-0221
信幸建設㈱	[建] [事業](単)土木工事請負 工事用船舶・資機材の賃貸及び開発・管理 測量・建設コンサル等の受託 ㉕**未定** ㉔**3** [売]単16,575 [従]206 [資]50 [住]東京都千代田区神田司町2-2-7 ☎03-5256-5610
新三平建設㈱	[建] [事業](単)建設99 他1 ㉕**5** ㉔**7** [売]単15,014 [従]97 [資]100 [住]東京都台東区元浅草1-6-13 ☎03-3847-3311
㈱新進	[食] [事業](単)食品事業77 食材事業他23 ㉕**15** ㉔**10** [売]単17,261 [従]462 [資]100 [住]東京都千代田区神田司町2-6 ☎03-6206-4111
新生テクノス㈱	[建] [事業](連)鉄道72 一般28 ㉕**70** ㉔**31** [売]連55,508 [従]1,325 [資]1,091 [住]東京都港区芝5-29-11 ☎03-6899-2800
新生ビルテクノ㈱	[建管] [事業](単)設備管理53 清掃26 警備3 他18 ㉕**10** ㉔**5** [売]単15,462 [従]1,048 [資]100 [住]東京都文京区千駄木3-50-13 ☎03-5814-0111
新東亜交易㈱	[総卸] [事業](単)ペット31 健康産業17 自販機19 メタル資材9 航空・艦船24 ㉕**5** ㉔**5** [売]単157,961 [従]173 [資]500 [住]東京都千代田区丸の内1-6-1 ☎03-3286-0211
新日本造機㈱	[機] [事業](単)回転機器100 ㉕**5** ㉔**6** [売]単14,429 [従]428 [資]2,408 [住]東京都品川区大崎2-1-1 ☎03-6737-2630
進和テック㈱	[精機卸] [事業](単)空調機械部門52 環境機械部門25 プラント機械部門14 グローバル事業部門9 ㉕**5** ㉔**5** [売]単17,650 [従]262 [資]100 [住]東京都中野区本町1-32-2 ☎03-5352-7200
スガ試験機㈱	[精] [事業](単)耐候光試験機50 腐食試験機40 カラーメーター10 ㉕**未定** ㉔**4** [売]単5,364 [従]220 [資]92 [住]東京都新宿区新宿5-4-14 ☎03-3354-5241
スガツネ工業㈱	[金製] [事業](単)建築・家具部品50 産業機器部品50 ㉕**20** ㉔**12** [売]単21,769 [従]502 [資]400 [住]東京都千代田区岩本町2-9-13 ☎03-3864-1122
㈱スガテック	[建] [事業](単)建設工事37 設備保全63 ㉕**34** ㉔**36** [売]単38,285 [従]1,057 [資]472 [住]東京都港区海岸3-20-20 ☎03-6275-1200
㈱スコープ	[広] [事業](単)広告宣伝・販売促進媒体100 ㉕**未定** ㉔**18** [売]単18,773 [従]298 [資]35 [住]東京都千代田区富士見2-10-2 ☎03-3556-7610

会社名	[業種名] [事業] 会社の事業構成(%) ㉕25年採用計画数(名) ㉔24年入社内定者数(名) [売]売上高(百万円) [従]単独従業員数(名) [資]資本金(百万円) [住]本社の住所, 電話番号
ストラパック㈱	[機] [事業] (単)梱包機・包装ライン68 包装関連機器7 包装関連資材25 ㉕**未定** ㉔**7** [売]単16,694 [従]437 [資]100 [住]東京都中央区銀座8-16-6 ☎03-6278-1801
住電電業㈱	[建] [事業] (単)電気設備・情報ネットワーク・プラント・電力・通信工事 ㉕**未定** ㉔**12** [売]単10,127 [従]198 [資]60 [住]東京都港区三田3-12-15 ☎03-3454-6961
住友建機㈱	[機] [事業] (単)油圧ショベル・道路機械の製販および保守 ㉕**20** ㉔**14** [売]単200,994 [従]832 [資]16,000 [住]東京都品川区大崎2-1-1 ☎03-6737-2600
住友建機販売㈱	[精機卸] [事業] (単)建設機械の国内販売・修理・賃貸 ㉕**10** ㉔**5** [売]単82,649 [従]648 [資]4,000 [住]東京都品川区大崎2-1-1 ☎03-6737-2610
住友重機械イオンテクノロジー㈱	[機] [事業] (単)イオン注入装置100 ㉕**12** ㉔**15** [売]単49,038 [従]498 [資]480 [住]東京都品川区大崎2-1-1 ☎03-6737-2690
住友重機械建機クレーン㈱	[機] [事業] (単)クローラクレーン等の建設機械・機械 器具の製造・修理・販売・賃貸・リース ㉕**15** ㉔**13** [売]単42,993 [従]591 [資]4,000 [住]東京都台東区東上野6-9-3 ☎03-3845-1384
住友商事グローバルメタルズ㈱	[鉄金卸] [事業] (単)鉄鋼および非鉄金属製品の輸出入・販売・製造・加工 ㉕**未定** ㉔**18** [売]単118,890 [従]612 [資]17,812 [住]東京都千代田区大手町2-3-2 ☎03-6285-7000
住友商事ケミカル㈱	[化医卸] [事業] (単)合成樹脂36 有機化学品19 機能化学品20 エレクトロニクス21 無機化学品1 電子・機能材2 ㉕**11** ㉔**9** [売]単50,759 [従]289 [資]900 [住]東京都千代田区一ツ橋1-2-2 ☎03-5220-8200
住友商事パワー＆モビリティ㈱	[精機卸] [事業] (単)自動車 モビリティ 電力プロジェクト 社会インフラプロジェクト ㉕**11** ㉔**5** [売]単30,312 [従]244 [資]450 [住]東京都千代田区一ツ橋1-2-2 ☎03-4531-6000
住友商事マシネックス㈱	[総卸] [事業] (単)機械・器具 電機・設備機器 情報・通信機器 ㉕**未定** ㉔**20** [売]単10,096 [従]471 [資]5,300 [住]東京都千代田区一ツ橋1-2-2 ☎03-4531-3900
住友林業ホームテック㈱	[建] [事業] (単)増改築等95 他5 ㉕**100** ㉔**134** [売]単68,410 [従]2,335 [資]100 [住]東京都千代田区一ツ橋2-6-3 ☎03-6890-5810
㈱スリーボンド	[化医卸] [事業] (単)工材44 純正53 他3 ㉕**未定** ㉔**56** [売]単49,470 [従]403 [資]300 [住]東京都八王子市南大沢4-3-3 ☎042-670-5333
㈱セイビ	[建管] [事業] (単)清掃44 設備管理33 警備5 他18 ㉕**未定** ㉔**3** [売]単8,373 [従]770 [資]60 [住]東京都中央区日本橋人形町3-3-3 ☎03-3664-8821
西武信用金庫	[銀] [事業] (単)現・預け金31 有価証券6 貸出金61 他2 ㉕**85** ㉔**74** [売]連35,229 [従]1,179 [資]24,007 [住]東京都中野区中野2-29-10 ☎03-3384-6111
西武ポリマ化成㈱	[ゴ皮] [事業] (単)土木資材40 産業資材28 海洋資材32 ㉕**未定** ㉔**3** [売]単6,993 [従]271 [資]95 [住]東京都中央区日本橋3-8-2 ☎03-3527-9811
生和コーポレーション㈱東日本本社	[建] [事業] (単)建築100 ㉕**未定** ㉔**97** [売]単59,629 [従]756 [資]1,000 [住]東京都千代田区神田淡路町1-3 ☎03-3257-1777
ゼオン化成㈱	[化医卸] [事業] (単)包装材料7 物流資材69 建築材料7 高機能材料7 PSC開発営業10 ㉕**若干** ㉔**3** [売]単12,619 [従]135 [資]462 [住]東京都千代田区丸の内1-6-2 ☎03-5208-5111
セコム損害保険㈱	[保] [事業] (単)火災30 海上0 傷害1 自動車18 自賠責3 他48 ㉕**15** ㉔**13** [売]単51,929 [従]453 [資]16,808 [住]東京都千代田区平河町2-6-2 ☎03-5216-6111
ゼブラ㈱	[他製] [事業] (単)ボールペン(油性・水性)62 マーカー27 シャープ5 ペン先他6 ㉕**未定** ㉔**11** [売]単27,865 [従]783 [資]90 [住]東京都新宿区東五軒町2-9 ☎03-3268-1181
セントラルコンサルタント㈱	[他サ] [事業] (単)土木設計97 建築設計・測量・地質調査3 ㉕**未定** ㉔**23** [売]単12,557 [従]522 [資]130 [住]東京都中央区晴海2-5-24 ☎03-3532-8031
セントラル短資㈱	[他金] [事業] (単)短資資金(コール・手形)取引 TDB・CD・CPの売買 ㉕**若干** ㉔**4** [売]単-589 [従]148 [資]5,000 [住]東京都中央区日本橋本石町3-3-14 ☎03-3242-6611
全日空商事㈱	[総卸] [事業] (単)航空機部品 航空機 アビエーション 電子 ライフスタイル 他 ㉕**23** ㉔**25** [売]単47,022 [従]458 [資]1,000 [住]東京都港区東新橋1-5-2 ☎03-6735-5011
㈱全日警	[建管] [事業] (単)常駐警備業務75 機械警備業務16 ビルメンテナンス他9 ㉕**160** ㉔**151** [売]単38,820 [従]4,957 [資]494 [住]東京都中央区日本橋浜町1-1-12 ☎03-3862-3321
全日本食品㈱	[食卸] [事業] (単)加工・日配39 食品23 青果8 菓子6 精肉・加工肉8 酒類6 他9 ㉕**未定** ㉔**12** [売]単104,844 [従]325 [資]1,800 [住]東京都足立区入谷6-2-2 ☎03-5691-2111
相互住宅㈱	[不] [事業] (単)マンション賃貸 オフィス賃貸 開発・建替 分譲住宅 ソリューション ㉕**未定** ㉔**3** [売]単19,172 [従]184 [資]100 [住]東京都品川区大崎1-2-2 ☎03-3494-6771

会社名	業種名 事業 会社の事業構成(%) ㉕25年採用計画数(名) ㉔24年入社内定者数(名) 売 売上高(百万円) 従 単独従業員数(名) 資 資本金(百万円) 住 本社の住所, 電話番号
双日建材㈱	他卸 事業 (単)合板45 木材製品23 建材22 建設工事2 他7 ㉕未定 ㉔9 売 単87,180 従 368 資 1,039 住 東京都千代田区大手町1-7-2 ☎03-6870-7800
SocioFuture㈱	電機 事業 (単)ハードウエア17 メンテナンス7 アウトソース65 システム・サービス11 ㉕55 ㉔66 売 単35,699 従 2,719 資 480 住 東京都港区浜松町1-30-5 ☎03-5405-3100
ソニー銀行㈱	銀 事業 (単)現・預け金13 有価証券20 貸出金65 他3 ㉕20 ㉔22 売 単101,906 従 655 資 38,500 住 東京都千代田区内幸町2-1-6 ☎03-6832-5900
㈱損害保険リサーチ	他サ 事業 (単)保険調査 ㉕未定 ㉔5 売 単6,841 従 395 資 100 住 東京都文京区後楽1-7-27 ☎03-5842-3700
SOMPOケア㈱	他サ 事業 (単)介護付きホーム・サービス付き高齢者向け住宅・グループホームの運営, 居宅サービス ㉕200 ㉔188 売 単145,931 従 20,863 資 3,925 住 東京都品川区東品川4-12-8 ☎03-6455-8560
SOMPOダイレクト損害保険㈱	保 事業 (単)火災1 海上0 傷害2 自動車94 自賠責1 他2 ㉕35 ㉔35 売 単69,256 従 985 資 32,260 住 東京都豊島区東池袋3-1-1 ☎03-3988-2711
第一港運㈱	倉埠 事業 (単)港湾運送49 貨物利用運送業11 梱包業14 他26 ㉕未定 ㉔5 売 単4,808 従 100 資 98 住 東京都江東区清澄1-8-16 ☎03-3642-3255
第一工業㈱	建 事業 (単)空気調和75 衛生10 搬送15 ㉕30 ㉔17 売 単22,777 従 401 資 1,017 住 東京都千代田区丸の内3-3-1 ☎03-3211-8511
第一高周波工業㈱	金製 事業 (単)パイプ59 表面処理19 機器5 Tヘッド工法鉄筋10 バイメット3 他4 ㉕未定 ㉔15 売 単9,465 従 433 資 607 住 東京都中央区日本橋馬喰町1-6-2 ☎03-5649-3725
第一設備工業㈱	建 事業 (単)管工事業95 電気工事業5 ㉕15 ㉔12 売 単16,268 従 325 資 400 住 東京都港区芝浦4-15-33 ☎03-5443-5100
㈱第一テクノ	建 事業 (単)内燃力発電設備・附帯設備48 上下水道施設・水処理施設・ポンプ設備・付帯設備他47 他5 ㉕未定 ㉔8 売 単21,575 従 343 資 80 住 東京都品川区南大井6-13-10 ☎03-5762-8008
㈱第一ビルディング	建管 事業 (単)不動産賃貸管理99 損害保険代理店1 ㉕10 ㉔13 売 単10,075 従 480 資 900 住 東京都品川区大崎1-2-2 ☎03-6773-7200
大栄不動産㈱	不 事業 (連)ビル賃貸30 駐車場9 住宅48 不動産営業10 他3 ㉕2 ㉔6 売 連37,152 従 182 資 2,527 住 東京都中央区日本橋室町1-1-8 ☎03-3244-0625
㈱大京アステージ	建管 事業 (単)マンション管理100 ㉕未定 ㉔12 売 単59,794 従 1,507 資 200 住 東京都渋谷区千駄ヶ谷4-19-18 ☎03-5775-5111
㈱大京穴吹不動産	不 事業 (単)不動産売買 不動産賃貸 ㉕30 ㉔28 売 単73,039 従 1,154 資 100 住 東京都渋谷区千駄ヶ谷4-19-18 ☎03-6367-0500
㈱ダイキンアプライドシステムズ	建 事業 (単)空調・冷熱設備関連エンジニアリング64 同サービス36 ㉕未定 ㉔22 売 単38,646 従 556 資 300 住 東京都港区港南2-18-1 ☎03-6712-3020
㈱大建設計	築設 事業 (単)建築設計監理100 ㉕未定 ㉔9 売 単6,872 従 388 資 99 住 東京都品川区東五反田5-10-8 ☎03-5424-8610
大興物産㈱	他卸 事業 (単)建設工事 資機材販売 仮設レンタル ㉕10 ㉔9 売 単58,015 従 316 資 750 住 東京都港区虎ノ門4-1-17 ☎03-6381-5203
㈱大黒屋	小 事業 (単)物品販売 金券 質屋業 他 ㉕未定 ㉔12 売 単10,671 従 162 資 318 住 東京都港区港南4-1-8 ☎03-3472-7740
大成設備㈱	建 事業 (単)給排水衛生設備工事46 冷暖房空気調和設備工事47 電気設備工事7 ㉕20 ㉔19 売 単36,055 従 518 資 625 住 東京都新宿区西新宿2-6-1 ☎03-6302-0150
大成ネット㈱	シソ 事業 (単)ソフトウエアの開発 パソコンスクール 一般派遣 RFIDシステム開発 IOT研究開発 ㉕10 ㉔10 売 単857 従 112 資 50 住 東京都港区芝大門1-10-11 ☎03-5408-8566
大星ビル管理㈱	建管 事業 (単)受託管理43 清掃24 工事28 オフィスサービス4 ビル事業1 ㉕未定 ㉔16 売 単37,860 従 1,360 資 166 住 東京都文京区小石川4-22-2 ☎03-5804-5111
大成有楽不動産販売㈱	不 事業 (単)不動産流通56 賃貸管理16 不動産販売18 他10 ㉕10 ㉔6 売 単10,357 従 400 資 500 住 東京都中央区京橋3-13-1 ☎03-6867-0070
大成ユーレック㈱	建 事業 (単)建設99 不動産等1 ㉕22 ㉔17 売 単33,400 従 399 資 4,500 住 東京都港区虎ノ門2-2-1 ☎03-6230-1700
㈱ダイトーコーポレーション	倉埠 事業 (単)港湾運送51 曳船・海上防災20 貨物利用運送13 上屋・倉庫他16 ㉕未定 ㉔14 売 単24,359 従 458 資 842 住 東京都港区芝浦2-1-13 ☎03-3452-6271

会社名	業種名 (事業)会社の事業構成(%) ㉕25年採用計画数(名) ㉔24年入社内定者数(名) (売)売上高(百万円) (従)単独従業員数(名) (資)資本金(百万円) (住)本社の住所, 電話番号
㈱ダイナムジャパンホールディングス	レ (事業)(連)パチンコ95 航空機リース5 ㉕**未定** ㉔**44** (売)連130,363 (従)38 (資)15,000 (住)東京都荒川区西日暮里2-25-1-702 ☎03-5615-1222
大日本ダイヤコンサルタント㈱	他サ (事業)(単)設計コンサルタント98 他2 ㉕**50** ㉔**53** (売)連32,577 (従)1,278 (資)1,399 (住)東京都千代田区神田練塀町300 ☎03-5298-2051
大鵬薬品工業㈱	医 (事業)(単)医薬品100 ㉕**未定** ㉔**62** (売)単167,351 (従)2,159 (資)200 (住)東京都千代田区神田錦町1-27 ☎03-3294-4527
㈱ダイヤモンド社	新 (事業)(単)書籍 雑誌 広告 他 ㉕**未定** ㉔**10** (売)単14,853 (従)202 (資)140 (住)東京都渋谷区神宮前6-12-17 ☎03-5778-7203
大陽ステンレススプリング㈱	金製 (事業)(単)ばね部門48 巻もの部門36 シャフト部門16 ㉕**未定** ㉔**5** (売)単8,283 (従)457 (資)484 (住)東京都練馬区三原台1-15-17 ☎03-3922-4111
太陽石油㈱	油炭 (事業)(単)揮発油31 軽油26 灯油12 キシレン9 LPG7 A重油4 ベンゼン他11 ㉕**30** ㉔**30** (売)単744,461 (従)748 (資)400 (住)東京都千代田区内幸町2-2-3 ☎03-3502-1601
大和証券㈱	証 (事業)(単)受入手数料60 トレーディング損益20 金融収益20 ㉕**560** ㉔**465** (売)単407,337 (従)7,843 (資)100,000 (住)東京都千代田区丸の内1-9-1 ☎03-5555-2111
大和ハウスリアルティマネジメント㈱	不 (事業)(単)不動産 ホテル ㉕**前年並** ㉔**37** (売)単237,393 (従)769 (資)200 (住)東京都千代田区神田三崎町3-3-21 ☎03-5214-2950
大和ライフネクスト㈱	建管 (事業)(単)マンション管理58 ビル管理39 他3 ㉕**30** ㉔**28** (売)単102,249 (従)8,402 (資)130 (住)東京都港区赤坂5-1-33 ☎03-5549-7111
高木工業㈱	ア (事業)(単)業務請負・人材派遣84 スポーツ15 不動産・保険・警備1 ㉕**未定** ㉔**15** (売)単13,169 (従)375 (資)50 (住)東京都品川区西五反田7-19-1 ☎03-5487-6750
㈱高木商会	電卸 (事業)(単)電気機器販売100 ㉕**10** ㉔**8** (売)単25,856 (従)187 (資)310 (住)東京都大田区北千束2-2-7 ☎03-3783-6311
㈱タカシマ	鉄金卸 (事業)(単)卸売55 直需45 ㉕**未定** ㉔**4** (売)単10,443 (従)164 (資)68 (住)東京都千代田区岩本町2-8-13 ☎03-5821-6750
㈱高山	食卸 (事業)(単)チョコレート15 スナック13 ビスケット12 米菓9 豆菓子8 キャンディー8 他35 ㉕**30** ㉔**16** (売)単217,502 (従)496 (資)310 (住)東京都台東区西浅草3-24-6 ☎03-3843-1811
㈱竹尾	他卸 (事業)(単)紙・板紙96 紙加工品クロス4 ㉕**8** ㉔**10** (売)単25,209 (従)220 (資)330 (住)東京都千代田区神田錦町3-12-6 ☎03-3292-3611
㈱竹中土木	建 (事業)(単)土木95 建築4 他1 ㉕**50** ㉔**39** (売)単87,767 (従)943 (資)7,000 (住)東京都江東区新砂1-1-1 ☎03-6810-6200
立川ハウス工業㈱	建 (事業)(単)プレハブ構造建築・受注施工38 プレハブ構造建築賃貸38 不動産賃貸24 ㉕**4** ㉔**3** (売)単9,161 (従)95 (資)98 (住)東京都立川市曙町2-20-5 ☎042-525-5221
立花証券㈱	証 (事業)(連)受入手数料52 トレーディング損益32 金融収益16 ㉕**前年並** ㉔**7** (売)連13,415 (従)349 (資)6,695 (住)東京都中央区日本橋茅場町1-13-14 ☎03-3669-3111
㈱タツノ	精 (事業)(単)給油所建設工事45 ガソリン計量機等石油用機器40 保守・サービス15 ㉕**未定** ㉔**15** (売)単43,605 (従)1,018 (資)480 (住)東京都港区三田3-2-6 ☎050-9000-0500
田中貴金属工業㈱	非鉄 (事業)(単)工業用貴金属製品加工 貴金属地金販売 ㉕**76** ㉔**63** (売)単変217,204 (従)1,781 (資)500 (住)東京都中央区日本橋茅場町2-6-6 ☎03-6311-5511
㈱田中建設	建 (事業)(単)建築84 土木4 リフォーム8 ホテル1 不動産3 ㉕**5** ㉔**7** (売)単19,499 (従)225 (資)300 (住)東京都八王子市旭町11-6 ☎042-656-1100
田中土建工業㈱	建 (事業)(単)建設81 不動産19 ㉕**10** ㉔**6** (売)単10,014 (従)210 (資)1,200 (住)東京都新宿区四谷本塩町14-1 ☎03-3353-2131
多摩運送㈱	陸 (事業)(単)運送64 倉庫28 他8 ㉕**未定** ㉔**3** (売)単16,069 (従)785 (資)50 (住)東京都立川市富士見町6-49-18 ☎042-526-1231
㈱玉子屋	外 (事業)(単)給食弁当 出張宴会及び折詰め調整等 ㉕**6** ㉔**8** (売)単4,200 (従)300 (資)50 (住)東京都大田区中央8-44-7 ☎03-3754-6167
多摩信用金庫	銀 (事業)(単)現・預け金32 有価証券32 貸出金32 他4 ㉕**85** ㉔**67** (売)連55,468 (従)1,830 (資)20,812 (住)東京都立川市緑町3-4 ☎042-526-1111
多摩都市モノレール㈱	鉄バ (事業)(単)旅客運送97 付帯3 ㉕**若干** ㉔**5** (売)単8,264 (従)250 (資)100 (住)東京都立川市泉町1078-92 ☎042-526-7800

会社名	[業種名] [事業] 会社の事業構成(%) [25]25年採用計画数(名) [24]24年入社内定者数(名) [売]売上高(百万円) [従]単独従業員数(名) [資]資本金(百万円) [住]本社の住所，電話番号
タマポリ㈱	[化] [事業] (単)ポリエチレンフィルム73 ポリエチレンラミネート27 **[25]未定 [24]8** [売]単26,151 [従]432 [資]472 [住]東京都豊島区南池袋1-16-15 ☎03-3981-1431
地崎道路㈱	[建] [事業] (単)舗装・土木・水道施設工事83 合材製造販売他17 **[25]5 [24]5** [売]単7,560 [従]142 [資]350 [住]東京都港区港南2-13-31 ☎03-5460-1031
チャコット㈱	[繊衣] [事業] (単)バレエ用品40 フィットネス・ヨガ用品20 コスメティック用品30 他10 **[25]未定 [24]10** [売]単9,612 [従]490 [資]100 [住]東京都港区海岸3-9-32 ☎03-6858-0522
中央日本土地建物グループ㈱	[不] [事業] (連)都市開発51 住宅38 不動産ソリューション7 資産運用1 他4 **[25]前年並 [24]15** [売]連114,850 [従]53 [資]10,000 [住]東京都千代田区霞が関1-4-1 ☎03-3501-6511
中央物産㈱	[化医卸] [事業] (単)化粧品・日用品の販売 **[25]未定 [24]6** [売]単138,144 [従]370 [資]100 [住]東京都港区南青山2-2-3 ☎03-3796-5094
中興化成工業㈱	[化] [事業] (単)化成品 環境関連製品 **[25]5 [24]4** [売]単14,218 [従]449 [資]300 [住]東京都港区赤坂2-11-7 ☎03-6230-4414
㈱長大	[他サ] [事業] (単)コンサルタント サービスプロバイダ プロダクツ **[25]50 [24]45** [売]単20,632 [従]942 [資]1,000 [住]東京都中央区日本橋蛎殻町1-20-4 ☎03-3639-3301
㈱千代田組	[電卸] [事業] (単)産業用電機品44 産業用設備・諸機械35 産業用標準機器・部品14 他7 **[25]未定 [24]10** [売]単103,307 [従]436 [資]200 [住]東京都港区西新橋1-2-9 ☎03-3503-8111
㈱千代田テクノル	[他卸] [事業] (単)線量計測15 アイソトープ32 原子力43 医療機器10 **[25]20 [24]17** [売]単25,835 [従]668 [資]90 [住]東京都文京区湯島1-7-12 ☎03-3816-5241
千代田電子機器㈱	[電卸] [事業] (単)電子機器部品100 **[25]未定 [24]6** [売]単11,500 [従]87 [資]98 [住]東京都千代田区外神田3-3-9 ☎03-3253-9561
月島食品工業㈱	[食] [事業] (単)食用加工油脂85 他食品15 **[25]未定 [24]17** [売]単44,276 [従]613 [資]640 [住]東京都江戸川区東葛西3-17-9 ☎03-3689-3111
月星商事㈱	[鉄金卸] [事業] (単)表面処理鋼板41 ステンレス16 加工品5 建築資材他38 **[25]15 [24]7** [売]単63,795 [従]219 [資]436 [住]東京都中央区八丁堀4-4-2 ☎03-3551-2122
都築テクノサービス㈱	[シソ] [事業] (単)情報サービス70 商品販売30 **[25]未定 [24]12** [売]単17,663 [従]498 [資]209 [住]東京都港区海岸1-11-1 ☎03-3437-3911
坪井工業㈱	[建] [事業] (単)建築工事60 土木工事10 環境事業(メガソーラー造成)30 **[25]12 [24]5** [売]単40,957 [従]310 [資]100 [住]東京都中央区銀座2-9-17 ☎03-3563-1301
鶴見サンマリン㈱	[海] [事業] (単)運賃87 貸船料12 他海運収益1 **[25]若干 [24]5** [売]単55,787 [従]179 [資]392 [住]東京都港区西新橋1-2-9 ☎03-3591-1131
㈱TMJ	[ア] [事業] (単)コールセンター バックオフィス等のアウトソーシング事業 **[25]未定 [24]53** [売]連55,900 [従]2,840 [資]100 [住]東京都新宿区西新宿7-20-1 ☎03-6758-2000
DKSHジャパン㈱	[総卸] [事業] (単)化学品・医薬品・食品・香料等の原材料の輸出入・販売 **[25]3 [24]5** [売]単33,712 [従]183 [資]1,600 [住]東京都港区三田3-4-19 ☎03-5441-4511
㈱TFDコーポレーション	[不] [事業] (単)マンション販売89 賃貸収入11 **[25]13 [24]13** [売]単9,229 [従]121 [資]80 [住]東京都港区赤坂4-2-6 ☎03-3582-2111
㈱帝国書院	[新] [事業] (単)教科書70 指導書10 学採物(教材他)10 店頭物他10 **[25]2 [24]5** [売]単5,212 [従]106 [資]55 [住]東京都千代田区神田神保町3-29 ☎03-3262-4795
帝産観光バス㈱	[鉄バ] [事業] (単)一般貸切旅客自動車運送業 国内旅行業 他 **[25]15 [24]16** [売]単6,032 [従]515 [資]100 [住]東京都品川区東品川4-10-27 ☎03-5460-1201
㈱DINOS CORPORATION	[小] [事業] (単)通販事業(カタログ・テレビ等)94 直販事業他6 **[25]未定 [24]5** [売]単51,474 [従]699 [資]100 [住]東京都中野区本町2-46-2 ☎03-5353-1111
テクノブレイブ㈱	[シソ] [事業] (単)ソフトウェア開発40 システム運用30 ネットワーク構築20 ネットワーク運用10 **[25]33 [24]29** [売]単7,688 [従]681 [資]75 [住]東京都千代田区内神田1-2-8 ☎03-5577-3950
㈱テクノプロ	[ア] [事業] (単)技術者派遣 請負 **[25]未定 [24]920** [売]単150,740 [従]22,108 [資]101 [住]東京都港区六本木6-10-1 ☎・・
デジタルテクノロジー㈱	[電卸] [事業] (単)IT機器販売100 **[25]6 [24]11** [売]単9,532 [従]178 [資]100 [住]東京都荒川区東日暮里5-7-18 ☎03-5604-7801
㈱テヅカ	[精機卸] [事業] (単)切削工具48 測定機器11 空油圧機器9 機械・機器4 補用機器7 他21 **[25]未定 [24]4** [売]単9,116 [従]95 [資]457 [住]東京都大田区大森本町1-9-10 ☎03-3766-6011

会社名	業種名 (事業)会社の事業構成(%) ㉕25年採用計画数(名) ㉔24年入社内定者数(名) (売)売上高(百万円) (従)単独従業員数(名) (資)資本金(百万円) (住)本社の住所, 電話番号
㈱テツゲン	鉄金卸 (事業)(単)原料26 スラグ21 塩酸・酸化鉄17 水処理15 エネルギー・石炭処理12 不動産1 他8 ㉕**15** ㉔**13** (売)単41,327 (従)1,323 (資)1,000 (住)東京都千代田区富士見1-4-4 ☎03-3262-4142
鉄道情報システム㈱	シソ (事業)(単)JR基幹情報システム29 ネットワーク16 製品開発販売14 情報処理41 ㉕**未定** ㉔**24** (売)単35,515 (従)691 (資)1,000 (住)東京都渋谷区代々木2-2-2 ☎03-5334-0655
テルウェル東日本㈱	他サ (事業)(単)清掃 商品販売 営業受託 他 ㉕**未定** ㉔**21** (売)単60,215 (従)5,531 (資)100 (住)東京都江東区深川2-7-6 ☎03-3350-7121
電機資材㈱	鉄金卸 (事業)(単)電磁鋼板・鋼材・非鉄金属の販売・加工 電気機械器具等の販売 ㉕**5** ㉔**5** (売)単64,752 (従)129 (資)310 (住)東京都千代田区鍛冶町2-2-2 ☎03-6853-8011
電通工業㈱	建 (事業)(単)通信設備85 OA・コンピュータ10 弱電設備工事5 電気工事0 ㉕**未定** ㉔**7** (売)単5,290 (従)183 (資)220 (住)東京都品川区東大井5-11-2 ☎03-5479-3711
東亜商事㈱	食卸 (事業)(単)一般食品48 冷凍食品37 洋酒12 貿易3 ㉕**未定** ㉔**5** (売)単165,318 (従)341 (資)100 (住)東京都千代田区神田司町2-19 ☎03-3292-2301
東亜電気工業㈱	電卸 (事業)(単)自動車49 電子部品・半導体6 FA・半導体製造装置19 他25 ㉕**20** ㉔**10** (売)単68,571 (従)301 (資)450 (住)東京都千代田区外神田5-1-4 ☎03-3834-0181
東亜レジン㈱	他製 (事業)(単)合成樹脂製電照式看板100 ㉕**10** ㉔**11** (売)単9,310 (従)504 (資)99 (住)東京都新宿区西新宿4-33-4 ☎03-5302-7151
東罐興業㈱	パ紙 (事業)(単)紙容器66 樹脂容器34 ㉕**未定** ㉔**32** (売)単63,018 (従)1,376 (資)1,531 (住)東京都品川区東五反田2-18-1 ☎03-4514-2100
㈱東急イーライフデザイン	他サ (事業)(単)高齢者住宅・施設の経営・運営・運営受託 高齢者会員組織の企画・運営 ㉕**5** ㉔**4** (売)単10,750 (従)1,046 (資)400 (住)東京都渋谷区道玄坂1-10-8 ☎03-6455-1236
東急バス㈱	鉄バ (事業)(単)自動車運送事業84 付帯事業16 ㉕**前年並** ㉔**11** (売)単28,580 (従)1,335 (資)100 (住)東京都目黒区東山3-8-1 ☎03-6412-0109
㈱東急モールズデベロップメント	不 (事業)(単)SC企画開発運営事業(サブリース・プロパティマネジメント) ㉕**10** ㉔**7** (売)単19,753 (従)241 (資)100 (住)東京都渋谷区道玄坂1-10-7 ☎03-3477-5150
東急リゾーツ&ステイ㈱	ホ (事業)(単)会員制リゾートホテル ゴルフ場 スキー場 他 ㉕**140** ㉔**166** (売)単62,334 (従)2,163 (資)100 (住)東京都渋谷区道玄坂1-10-8 ☎03-6455-5600
㈱東京エコール	他卸 (事業)(単)文具・事務用品75 事務機・OA機器25 ㉕**10** ㉔**6** (売)単27,307 (従)323 (資)177 (住)東京都中央区日本橋横山町9-15 ☎03-3864-3471
東京ガスエンジニアリングソリューションズ㈱	電ガ (事業)(単)LNG関連施設等エネルギー関連 ㉕**30** ㉔**27** (売)単169,483 (従)1,889 (資)14,000 (住)東京都港区海岸1-2-3 ☎03-6452-8400
㈱東京かねふく	食 (事業)(単)水産食品加工卸96 外食2 不動産貸2 ㉕**未定** ㉔**8** (売)単11,964 (従)94 (資)88 (住)東京都中央区銀座5-13-16 ☎03-3542-4522
東京コンピュータサービス㈱	シソ (事業)(単)システム・機器の保守・運用管理32 システム・機器の販売63 ソフト開発・システム構築4 他1 ㉕**15** ㉔**9** (売)単11,578 (従)529 (資)300 (住)東京都文京区本郷1-18-6 ☎03-3816-5011
東京材料㈱	化医卸 (事業)(単)合成ゴム販売46 合成樹脂販売37 輸出・海外17 ㉕**未定** ㉔**6** (売)単51,853 (従)176 (資)227 (住)東京都千代田区丸の内1-6-2 ☎03-5219-2171
東京システム運輸ホールディングス㈱	倉埠 (事業)(連)運送20 物流78 小売2 ㉕**10** ㉔**4** (売)連17,183 (従)35 (資)80 (住)東京都立川市曙町2-38-5 ☎042-521-1421
東京システムズ㈱	シソ (事業)(単)ソフトウェア開発100 ㉕**24** ㉔**16** (売)単5,633 (従)380 (資)80 (住)東京都渋谷区恵比寿1-18-18 ☎03-3446-2531
東京シティ青果㈱	食卸 (事業)(単)野菜66 果実33 ㉕**2** ㉔**7** (売)単85,748 (従)187 (資)400 (住)東京都江東区豊洲6-3-1 ☎03-6633-9100
㈱東京スター銀行	銀 (事業)(単)現・預け金21 有価証券12 貸出金63 他4 ㉕**30** ㉔**18** (売)連54,659 (従)1,224 (資)26,000 (住)東京都港区赤坂2-3-5 ☎03-3586-3111
東京青果㈱	食卸 (事業)(連)野菜部門47 果実部門52 他1 ㉕**15** ㉔**9** (売)連141,195 (従)495 (資)478 (住)東京都大田区東海3-2-1 ☎03-5492-2001
東京建物不動産販売㈱	不 (事業)(単)仲介 アセットソリューション 賃貸 ㉕**15** ㉔**15** (売)単41,560 (従)430 (資)4,321 (住)東京都中央区八重洲1-5-20 ☎03-6837-7700
東京中小企業投資育成㈱	ベ (事業)(単)株式配当金・社債利息62 株式売却益37 経営指導料他1 ㉕**4** ㉔**3** (売)単6,687 (従)81 (資)6,673 (住)東京都渋谷区渋谷3-29-22 ☎03-5469-1811

会社名	業種名 (事業) 会社の事業構成(%) ㉕25年採用計画数(名) ㉔24年入社内定者数(名) (売)売上高(百万円) (従)単独従業員数(名) (資)資本金(百万円) (住)本社の住所, 電話番号
東京電機産業㈱	電卸 (事業) (単)制御機器68 計測情報通信機器13 ラボ分析機器16 産業機器他3 ㉕**15** ㉔**13** (売)単31,996 (従)546 (資)229 (住)東京都渋谷区幡ヶ谷1-18-12 ☎03-3481-1111
東京電設サービス㈱	他サ (事業) (単)発電・送電・変電設備の保守工事 電気設備のリニューアル・保守工事等 ㉕**20** ㉔**20** (売)単30,320 (従)949 (資)50 (住)東京都台東区東上野6-2-1 ☎03-6371-3000
東京電力エナジーパートナー㈱	電ガ (事業) (単)小売電気 ガス等 ㉕**未定** ㉔**78** (売)単5,666,008 (従)2,651 (資)260,000 (住)東京都中央区銀座8-13-1 ☎03-6373-1111
東京博善㈱	他サ (事業) (単)火葬料59 容器料7 休憩料5 殯館料24 菓子・飲料5 ㉕**未定** ㉔**9** (売)単13,191 (従)303 (資)200 (住)東京都港区芝浦1-2-3 ☎03-6374-8040
東京貿易ホールディングス㈱	総卸 (事業) (連)エネルギー機械31 技術・自動車・情報29 医療・生活・科学30 資材・資源・鉄鋼10 ㉕**22** ㉔**29** (売)連49,074 (従)52 (資)5,000 (住)東京都中央区京橋2-2-1 ☎03-6633-5263
東京鋪装工業㈱	建 (事業) (単)道路舗装80 他20 ㉕**未定** ㉔**11** (売)単12,445 (従)185 (資)100 (住)東京都千代田区外神田2-4-4 ☎03-3253-9861
東京冷機工業㈱	建 (事業) (単)工事72 修理21 保守6 商品1 ㉕**45** ㉔**25** (売)単21,795 (従)556 (資)300 (住)東京都文京区本駒込6-24-5 ☎03-3943-5551
東銀リース㈱	リ (事業) (単)情報通信機器27 商業及びサービス業用機器18 輸送用機器12 土木建設機械10 産業機械10 他23 ㉕**20** ㉔**14** (売)単51,459 (従)374 (資)20,049 (住)東京都中央区新川2-27-1 ☎‥
東エコーセン㈱	総卸 (事業) (連)繊維および衣料品66 化学品22 機械金属11 不動産関連0 ㉕**5** ㉔**3** (売)連23,464 (従)153 (資)200 (住)東京都千代田区四番町4-2 ☎03-3512-3921
東芝テックソリューションサービス㈱	機保 (事業) (単)保守54 導入設置14 ネットワーク・システム運用ソリューション27 他5 ㉕**35** ㉔**32** (売)単51,583 (従)2,124 (資)100 (住)東京都品川区東五反田2-17-2 ☎03-5791-4555
東神開発㈱	不 (事業) (単)不動産賃貸65 他35 ㉕**未定** ㉔**6** (売)単57,418 (従)263 (資)2,140 (住)東京都世田谷区玉川3-17-1 ☎03-3709-0121
東部瓦斯㈱	電ガ (事業) (単)ガス事業90 受注工事2 器具販売等6 附帯事業2 ㉕**未定** ㉔**15** (売)単40,963 (従)463 (資)407 (住)東京都中央区日本橋箱崎町7-1 ☎03-3662-4611
㈱東武ストア	小 (事業) (連)スーパーマーケット ㉕**未定** ㉔**27** (売)連72,766 (従)780 (資)100 (住)東京都板橋区上板橋3-1-1 ☎03-5922-5111
東武トップツアーズ㈱	レ (事業) (単)旅行50 他50 ㉕**未定** ㉔**137** (売)単127,221 (従)2,706 (資)3,000 (住)東京都墨田区押上1-1-2 ☎03-3624-1231
㈱東武百貨店	小 (事業) (単)衣料品20 食料品34 雑貨25 身回品10 家庭用品5 他6 ㉕**10** ㉔**11** (売)単130,654 (従)605 (資)50 (住)東京都豊島区西池袋1-1-25 ☎03-3981-2211
東邦電気工業㈱	建 (事業) (連)電気設備工事99 不動産賃貸1 ㉕**35** ㉔**18** (売)連37,674 (従)745 (資)2,204 (住)東京都渋谷区恵比寿1-19-23 ☎03-3448-8211
東洋テクノ㈱	建 (事業) (単)基礎杭打工事76 煙突・サイロ工事10 NSエコパイル10 他工事4 ㉕**10** ㉔**4** (売)単22,868 (従)205 (資)661 (住)東京都渋谷区広尾5-4-12 ☎03-3444-2141
東洋不動産㈱	不 (事業) (単)不動産仲介・鑑定等43 土地・建物賃貸18 不動産販売39 ㉕**12** ㉔**6** (売)単14,864 (従)254 (資)320 (住)東京都港区虎ノ門2-3-17 ☎03-3504-2341
東洋メビウス㈱	陸 (事業) (単)運送63 作業16 倉庫18 賃貸3 ㉕**若干** ㉔**14** (売)単36,172 (従)699 (資)95 (住)東京都品川区西五反田3-7-10 ☎03-5436-0251
東レエンジニアリング㈱	機 (事業) (単)エンジニアリング31 メカトロファインテック69 ㉕**32** ㉔**33** (売)連129,634 (従)713 (資)1,500 (住)東京都中央区八重洲1-3-22 ☎03-3241-1541
東レ・ファインケミカル㈱	化 (事業) (単)機能ケミカル 機能ポリマ 機能部材 ㉕**未定** ㉔**4** (売)単24,114 (従)325 (資)474 (住)東京都千代田区神田須田町2-3-1 ☎03-6859-1111
㈱東和システム	シソ (事業) (単)システム開発79 技術サービス21 ㉕**20** ㉔**18** (売)単6,305 (従)396 (資)270 (住)東京都千代田区神田小川町3-10 ☎03-3294-1401
東和電気㈱	他卸 (事業) (単)電気絶縁材料 工業材料 化学製品 ㉕**5** ㉔**5** (売)単27,001 (従)155 (資)301 (住)東京都港区新橋2-13-8 ☎03-3504-1511
トークシステム㈱	精機卸 (事業) (単)各種産業用機器の製造・卸・販売 ㉕**3** ㉔**3** (売)単14,661 (従)169 (資)400 (住)東京都港区芝浦2-12-10 ☎03-5730-3930
㈱トータル保険サービス	他サ (事業) (単)保険代理業100 ㉕**15** ㉔**8** (売)単7,272 (従)414 (資)350 (住)東京都中央区京橋2-2-1 ☎03-3243-5221

会社名	業種名 (事業)会社の事業構成(%) ㉕25年採用計画数(名) ㉔24年入社内定者数(名) (売)売上高(百万円) (従)単独従業員数(名) (資)資本金(百万円) (住)本社の住所, 電話番号
TOTOエムテック(株)	他卸 (事業)(単)衛生陶器, 給排水器具, 温水洗浄便座, キッチン, ユニットバス等の住宅設備機器の販売・施工 ㉕20 ㉔18 (売)単45,125 (従)459 (資)100 (住)東京都新宿区西新宿6-24-1 ☎03-5339-0700
トーハツ(株)	自 (事業)(連)マリン79 防災16 不動産賃貸5 ㉕未定 ㉔3 (売)連37,495 (従)473 (資)500 (住)東京都板橋区小豆沢3-5-4 ☎03-3966-3111
(株)徳力本店	非鉄 (事業)(単)貴金属地金 貴金属工業用製品 歯科材料 貴金属宝飾品 ㉕2 ㉔6 (売)単91,608 (従)298 (資)100 (住)東京都千代田区鍛冶町2-9-12 ☎03-3252-0171
(株)図書館流通センター	他卸 (事業)(単)図書95 書誌データ5 ㉕5 ㉔6 (売)単54,215 (従)320 (資)266 (住)東京都文京区大塚3-1-1 ☎03-3943-2221
(株)トッパンパッケージプロダクツ	他製 (事業)(単)軟包装(フィルム)および紙器などパッケージの製造・加工 ㉕72 ㉔47 (売)単74,443 (従)2,516 (資)100 (住)東京都台東区台東1-5-1 ☎・・
トピー実業(株)	鉄金卸 (事業)(単)鉄鋼・建設61 自動車部品27 マテリアル3 建機部品4 産業機械2 他3 ㉕10 ㉔4 (売)単35,124 (従)288 (資)480 (住)東京都品川区大崎1-2-2 ☎03-3495-6500
トプレック(株)	精機卸 (事業)(単)冷凍車90 冷凍・冷蔵物流センター設計・施工10 ㉕5 ㉔8 (売)単45,217 (従)191 (資)300 (住)東京都中央区日本橋茅場町1-13-12 ☎03-6892-7811
富山薬品工業(株)	化 (事業)(単)コンデンサ薬品43 電材薬品37 特殊薬品20 ㉕未定 ㉔5 (売)単6,104 (従)128 (資)151 (住)東京都中央区日本橋本町1-2-6 ☎03-3242-5141
(株)トムス・エンタテインメント	他情 (事業)(連)アニメーション制作・販売 ㉕未定 ㉔21 (売)連21,893 (従)252 (資)100 (住)東京都中野区中野3-31-1 ☎・・
(株)トモズ	小 (事業)(単)調剤33 物販(一般医薬品・化粧品・日用品)67 ㉕未定 ㉔158 (売)単97,926 (従)1,702 (資)100 (住)東京都文京区西片1-15-15 ☎03-5844-0251
トヨタ・コニック・プロ(株)	広 (事業)(単)媒体取扱い45 SP関連55 ㉕未定 ㉔19 (売)単62,983 (従)650 (資)50 (住)東京都千代田区神田淡路町2-101 ☎03-6757-8200
ナイガイ(株)	建 (事業)(単)保温工事60 耐火被覆工事30 他10 ㉕10 ㉔6 (売)単18,461 (従)222 (資)100 (住)東京都墨田区緑1-27-8 ☎03-3635-6211
ナカ工業(株)	金製 (事業)(単)ビル用建材製品41 公共福祉関連製品23 住宅用建材製品19 他17 ㉕20 ㉔10 (売)単21,525 (従)538 (資)860 (住)東京都台東区東上野2-18-10 ☎03-5817-5300
中島水産(株)	小 (事業)(単)水産物小売72 同卸売27 海外現地法人からの収益1 ㉕未定 ㉔6 (売)単26,753 (従)427 (資)99 (住)東京都中央区築地6-19-20 ☎03-3543-5721
(株)ナカノ商会	倉埠 (事業)(単)3PL88 不動産12 ㉕未定 ㉔10 (売)単86,770 (従)1,458 (資)100 (住)東京都江戸川区中葛西3-18-5 ☎03-5667-8877
ナショナルソフトウェア(株)	シソ (事業)(単)車載55 制御15 クラウド14 通信13 他3 ㉕30 ㉔21 (売)単5,135 (従)323 (資)30 (住)東京都文京区本駒込5-4-7 ☎03-6808-9821
ナブコシステム(株)	建 (事業)(単)自動ドア69 ステンレスサッシ・建材28 トップライト・防煙垂壁3 ㉕未定 ㉔19 (売)単25,868 (従)862 (資)300 (住)東京都千代田区霞が関3-2-5 ☎03-3591-6411
ナブテスコサービス(株)	精機卸 (事業)(単)自動車関連38 鉄道車両関連25 油圧・空圧関連37 ㉕7 ㉔5 (売)単12,887 (従)184 (資)300 (住)東京都品川区東五反田2-10-2 ☎03-3447-6911
(株)二木ゴルフ	小 (事業)(単)ゴルフ用品小売100 ㉕15 ㉔10 (売)単14,341 (従)348 (資)50 (住)東京都板橋区高島平1-80-1 ☎03-5920-0151
西川(株)	繊紙卸 (事業)(単)寝具寝装86 インテリア14 他0 ㉕25 ㉔19 (売)単49,943 (従)1,217 (資)100 (住)東京都中央区日本橋富沢町8-8 ☎03-3664-8161
(株)ニシ・スポーツ	他製 (事業)(単)陸上競技専用機器の製造販売 陸上競技会運営システム販売 他 ㉕未定 ㉔7 (売)単4,467 (従)116 (資)24 (住)東京都江東区新砂3-1-18 ☎03-6369-9000
(株)西原衛生工業所	建 (事業)(単)給排水衛生設備98 消防設備2 ㉕未定 ㉔26 (売)単31,676 (従)653 (資)1,367 (住)東京都港区三田3-5-27 ☎03-4218-3950
(株)ニシヤマ	他卸 (事業)(単)工業用ゴム・プラスチック製品 産業用機械器具類 計測機器の販売 関連設置工事 ㉕10 ㉔9 (売)単41,795 (従)334 (資)484 (住)東京都大田区大森北4-11-11 ☎03-5767-5351
(株)日医リース	リ (事業)(単)医療・福祉機関向けリース ㉕未定 ㉔6 (売)単34,926 (従)186 (資)100 (住)東京都品川区西五反田1-3-8 ☎03-3490-8641
(株)ニチベイ	他製 (事業)(単)ブラインド商品81 間仕切・パーティション商品12 他7 ㉕未定 ㉔6 (売)単26,139 (従)832 (資)460 (住)東京都中央区日本橋3-15-4 ☎03-3272-0174

会社名	[業種名] (事業) 会社の事業構成(%) ㉕25年採用計画数(名) ㉔24年入社内定者数(名) (売)売上高(百万円) (従)単独従業員数(名) (資)資本金(百万円) (住)本社の住所, 電話番号
㈱日経リサーチ	[シソ] (事業) (単)調査事業および関連業務100 ㉕**未定** ㉔**13** (売)単7,563 (従)213 (資)32 (住)東京都千代田区内神田2-2-1 ☎03-5296-5111
㈱日建設計	[築設] (事業) (単)建築設計監理98 他2 ㉕**未定** ㉔**93** (売)単59,456 (従)2,470 (資)460 (住)東京都千代田区飯田橋2-18-3 ☎03-5226-3030
日研トータルソーシング㈱	[ア] (事業) (単)人材派遣87 業務請負12 有料職業紹介1 ㉕**1000** ㉔**857** (売)単120,574 (従)23,000 (資)50 (住)東京都大田区西蒲田7-23-3 ☎03-5711-6400
日建リース工業㈱	[リ] (事業) (単)建設用仮設機材賃貸64 各種事務用機器賃貸他18 物流機器賃貸8 介護用具賃貸10 ㉕**未定** ㉔**51** (売)単96,436 (従)1,996 (資)95 (住)東京都千代田区神田猿楽町2-7-8 ☎03-3295-9111
㈱ニッコー	[鉄金卸] (事業) (単)普通鋼鋼管65 ステンレス鋼鋼管25 他10 ㉕**未定** ㉔**7** (売)単42,827 (従)329 (資)420 (住)東京都中央区日本橋茅場町2-1-1 ☎03-6732-1125
㈱ニッコクトラスト	[外] (事業) (単)産業給食97 一般外食3 ㉕**20** ㉔**7** (売)単26,136 (従)8,316 (資)99 (住)東京都江東区新木場1-18-6 ☎03-6687-4451
日産証券㈱	[証] (事業) (単)受入手数料88 受取手数料3 トレーディング損益7 金融収支1 他営業収益1 ㉕**10** ㉔**12** (売)単7,581 (従)268 (資)1,500 (住)東京都中央区銀座6-10-1 ☎03-4216-1200
日昭電気㈱	[建] (事業) (単)電気工事業75 不動産賃貸収入7 商品売上6 売電収入12 ㉕**4** ㉔**4** (売)単5,295 (従)101 (資)99 (住)東京都港区北青山2-7-9 ☎03-3402-7151
日清医療食品㈱	[他サ] (事業) (単)給食95 他5 ㉕**1151** ㉔**1042** (売)連350,378 (従)16,330 (資)100 (住)東京都千代田区丸の内2-7-3 ☎03-3287-3611
日清紡ケミカル㈱	[化] (事業) (単)断熱製品45 燃料電池用セパレータ25 添加剤・改質剤20 カーボン製品10 ㉕**前年並** ㉔**15** (売)単10,746 (従)325 (資)3,000 (住)東京都中央区日本橋人形町2-31-11 ☎03-5695-8886
日清紡ブレーキ㈱	[自] (事業) (単)自動車, 輸送用機器用摩擦材の開発・製造・加工・売買・輸出入 ㉕**未定** ㉔**5** (売)単19,111 (従)614 (資)9,447 (住)東京都中央区日本橋人形町2-31-11 ☎03-6897-8900
日清紡マイクロデバイス㈱	[電機] (事業) (単)電子デバイス製品, マイクロ波製品の製造・販売 ㉕**50** ㉔**46** (売)連81,301 (従)1,851 (資)5,220 (住)東京都中央区日本橋横山町3-10 ☎03-5642-8222
日清丸紅飼料㈱	[食] (事業) (単)配合飼料販売85 畜産物販売15 他0 ㉕**未定** ㉔**26** (売)単212,816 (従)468 (資)5,500 (住)東京都中央区日本橋室町4-5-1 ☎03-5201-3230
日水物流㈱	[倉埠] (事業) (単)冷蔵倉庫業73 貨物運送取扱事業9 通関業16 他2 ㉕**未定** ㉔**17** (売)単17,444 (従)486 (資)2,000 (住)東京都港区芝大門2-8-13 ☎03-5472-6100
日精㈱	[機] (事業) (単)機械式駐車設備37 商品事業50 凍結乾燥機事業13 ㉕**6** ㉔**9** (売)単30,292 (従)323 (資)450 (住)東京都港区西新橋1-18-17 ☎03-3502-3471
日成共益㈱	[食卸] (事業) (単)工業薬品19 食品75 合板建材6 賃貸収入1 ㉕**未定** ㉔**4** (売)単51,084 (従)155 (資)218 (住)東京都千代田区神田美土代町7 ☎03-3293-3741
㈱ニッセイコム	[シソ] (事業) (単)情報システム100 ㉕**50** ㉔**33** (売)単23,686 (従)893 (資)300 (住)東京都中央区日本橋室町2-1-1 ☎03-6774-7200
ニッセイ・リース㈱	[リ] (事業) (単)賃貸95 割賦1 ファイナンス4 ㉕**前年並** ㉔**5** (売)単44,972 (従)180 (資)3,099 (住)東京都千代田区九段南2-3-14 ☎03-6758-3400
ニッタン㈱	[建] (事業) (単)防災設備工事64 防災機器販売20 防災設備保守点検16 ㉕**25** ㉔**24** (売)単42,954 (従)943 (資)2,302 (住)東京都渋谷区笹塚1-54-5 ☎03-5333-8601
日鉄環境㈱	[建] (事業) (単)水処理プラント・薬品32 環境分析・技術68 ㉕**12** ㉔**36** (売)単38,304 (従)1,364 (資)500 (住)東京都港区海岸1-9-1 ☎03-6771-7550
日鉄ステンレス㈱	[鉄] (事業) (単)ステンレス薄板 ステンレス厚板 ステンレス棒線 ステンレス鋼片他 ㉕**未定** ㉔**52** (売)単432,508 (従)2,617 (資)5,000 (住)東京都千代田区丸の内1-8-2 ☎03-6841-4800
日鉄日立システムソリューションズ㈱	[シソ] (事業) (単)DX化推進支援・コンサル 電子ドキュメント ERP ITインフラ等 ㉕**30** ㉔**17** (売)単19,948 (従)510 (資)250 (住)東京都中央区明石町8-1 ☎03-3544-7800
日鉄物産㈱	[鉄金卸] (事業) (連)鉄鋼 産機・インフラ 食糧 繊維 ㉕**未定** ㉔**50** (売)連2,099,487 (従)1,323 (資)16,389 (住)東京都中央区日本橋2-7-1 ☎03-6772-5001
日鉄物流㈱	[海] (事業) (連)海上運送 港湾物流 自動車運送 他 ㉕**111** ㉔**114** (売)連241,928 (従)6,281 (資)4,000 (住)東京都中央区日本橋1-13-1 ☎03-3241-6400
日東工営㈱	[建] (事業) (単)建築事業65 ハウス事業35 ㉕**増加** ㉔**7** (売)単10,173 (従)112 (資)60 (住)東京都新宿区西新宿7-7-30 ☎03-3366-1311

会社名	[業種名] [事業]会社の事業構成(%) ㉕25年採用計画数(名) ㉔24年入社内定者数(名) [売]売上高(百万円) [従]単独従業員数(名) [資]資本金(百万円) [住]本社の住所, 電話番号
日発販売㈱	[精機卸] [事業](単)オートパーツ31 プレシジョンパーツ64 産業インフラ5 ㉕10 ㉔5 [売]単41,713 [従]384 [資]2,040 [住]東京都港区東新橋2-14-1 ☎03-6854-1600
㈱にっぱん	[外] [事業](単)魚がし日本一87 青ゆず寅・油や13 ㉕3 ㉔4 [売]単5,045 [従]127 [資]50 [住]東京都千代田区有楽町2-10-1 ☎03-6259-1928
日宝化学㈱	[化] [事業](単)電子材料55 農業樹脂22 医療ファイン17 開発4 ㉕未定 ㉔3 [売]単7,479 [従]186 [資]517 [住]東京都中央区日本橋本町4-8-15 ☎03-3270-5341
日邦薬品工業㈱	[化医卸] [事業](単)医薬品・医薬部外品・動物用医薬品等の販売 食品の販売 他 ㉕未定 ㉔7 [売]単9,808 [従]125 [資]201 [住]東京都渋谷区代々木3-46-16 ☎03-3370-7174
日本液炭㈱	[化] [事業](単)液化炭酸 ドライアイス 工業ガス 高品位尿素水 低温物流資材等の販売 ㉕14 ㉔8 [売]単38,103 [従]338 [資]600 [住]東京都港区芝4-1-23 ☎03-6722-2250
日本カーソリューションズ㈱	[リ] [事業](単)自動車等リース91 自動車等割賦販売2 他7 ㉕32 ㉔26 [売]連203,039 [従]1,051 [資]1,181 [住]東京都千代田区外神田4-14-1 ☎03-5207-2000
日本紙通商㈱	[他卸] [事業](単)紙・パルプ70 他30 ㉕未定 ㉔7 [売]単159,590 [従]395 [資]1,000 [住]東京都千代田区神田駿河台4-6 ☎03-6665-7032
日本カルミック㈱	[他サ] [事業](単)事業所向けトイレ ビルの給排水 厨房設備 ㉕15 ㉔12 [売]単17,961 [従]568 [資]20 [住]東京都千代田区九段南1-6-5 ☎03-3230-6760
日本管材センター㈱	[他卸] [事業](単)パイプ15 継手23 弁類12 住設・機器5 プレハブ加工22 他23 ㉕未定 ㉔27 [売]単76,686 [従]446 [資]500 [住]東京都港区赤坂1-1-14 ☎03-6880-5111
日本クロージャー㈱	[他製] [事業](単)樹脂製品 アルミキャップ スチールキャップ 王冠 関連機械他 ㉕47 ㉔20 [売]単52,930 [従]1,322 [資]500 [住]東京都品川区東五反田2-18-1 ☎03-4514-2150
㈱日本経済広告社	[広] [事業](単)新聞広告13 テレビ広告28 インタラクティブ27 マーケティングプロモーション10 OOH5 他17 ㉕18 ㉔33 [売]単54,101 [従]411 [資]89 [住]東京都千代田区神田小川町2-10 ☎03-5282-8000
㈱日本経済社	[広] [事業](単)新聞34 テレビ23 デジタル14 SP13 雑誌3 ラジオ1 他13 ㉕未定 ㉔12 [売]単35,478 [従]380 [資]197 [住]東京都港区元赤坂1-2-7 ☎03-6434-5023
日本原子力発電㈱	[電ガ] [事業](連)電気事業99 他1 ㉕未定 ㉔30 [売]連96,719 [従]1,188 [資]120,000 [住]東京都台東区上野5-2-1 ☎03-6371-7400
日本建設㈱	[建] [事業](単)建築工事100 土木工事0 ㉕28 ㉔23 [売]単78,733 [従]446 [資]2,000 [住]東京都港区芝3-8-2 ☎03-4321-0756
日本建設工業㈱	[建] [事業](単)火力・原子力発電プラントの建設 自家発電設備工事 電気計装工事 ㉕未定 ㉔4 [売]単33,597 [従]508 [資]400 [住]東京都中央区月島4-12-5 ☎03-3532-7151
日本コンベヤ㈱	[機] [事業](単)コンベヤ 立体駐車装置 ㉕未定 ㉔4 [売]単11,048 [従]265 [資]3,851 [住]東京都千代田区神田鍛冶町3-6-3 ☎03-6625-0011
日本ジェネリック㈱	[医] [事業](単)医療用医薬品の製造・販売 ㉕未定 ㉔29 [売]単36,126 [従]535 [資]1,255 [住]東京都千代田区丸の内1-9-1 ☎03-6810-0500
日本事務器㈱	[シソ] [事業](単)商品系(ハード)27 ソフト系35 保守・技術系38 ㉕30 ㉔27 [売]単34,008 [従]835 [資]360 [住]東京都渋谷区本町3-12-1 ☎050-3000-1500
日本重化学工業㈱	[鉄] [事業](単)合金鉄44 機能材料54 エネルギー2 ㉕5 ㉔8 [売]単44,400 [従]482 [資]100 [住]東京都中央区日本橋茅場町2-12-10 ☎03-6704-4720
日本住宅ローン㈱	[他金] [事業](単)貸出金等99 他1 ㉕増加 ㉔8 [売]単10,437 [従]179 [資]1,000 [住]東京都渋谷区代々木2-1-1 ☎03-6701-7710
日本情報通信㈱	[シソ] [事業](単)インフラビジネス36 SIビジネス37 マネージドビジネス19 EDIビジネス8 ㉕50 ㉔39 [売]単36,994 [従]880 [資]4,000 [住]東京都中央区明石町8-1 ☎03-6278-1111
㈱日本信用情報機構	[シソ] [事業](単)個人信用情報の収集・提供・管理 ㉕若干 ㉔5 [売]単6,778 [従]118 [資]100 [住]東京都台東区北上野1-10-14 ☎・・
日本製紙クレシア㈱	[パ紙] [事業](単)衛生紙製品・産業用ワイパーの製造・販売 ㉕未定 ㉔28 [売]単109,623 [従]1,000 [資]3,067 [住]東京都千代田区神田駿河台4-6 ☎03-6665-5300
日本製紙パピリア㈱	[パ紙] [事業](単)包装用紙・工業用紙60 印刷・出版用紙20 機能品部門20 ㉕未定 ㉔7 [売]単19,871 [従]417 [資]3,949 [住]東京都千代田区神田駿河台4-6 ☎03-6665-5800
㈱日本設計	[築設] [事業](単)建築設計部門89 都市計画部門11 ㉕30 ㉔29 [売]単23,336 [従]1,007 [資]100 [住]東京都港区虎ノ門1-23-1 ☎050-3139-7100

会社名	業種名 事業 会社の事業構成(%) ㉕25年採用計画数(名) ㉔24年入社内定者数(名) 売 売上高(百万円) 従 単独従業員数(名) 資 資本金(百万円) 住 本社の住所,電話番号
日本設備工業㈱	建 事業 (単)空調設備工事62 空調衛生工事19 衛生工事15 他3 ㉕25 ㉔23 売 単27,696 従 360 資 460 住 東京都中央区日本橋箱崎町36-2 ☎03-4213-4900
㈱日本総研情報サービス	シソ 事業 (単)運用管理83 開発17 ㉕35 ㉔32 売 単13,900 従 1,185 資 450 住 東京都世田谷区用賀4-5-16 ☎03-5491-6111
㈱日本デキシー	パ紙 事業 (単)紙コップ 紙皿等紙器一般 ㉕未定 ㉔10 売 単15,229 従 316 資 100 住 東京都千代田区丸の内2-7-2 ☎03-3201-8721
日本テレマティーク㈱	シソ 事業 (単)システムソリューション ソフトウエア開発 CRM・コンタクトセンタソリューション 他 ㉕4 ㉔3 売 単6,363 従 112 資 300 住 東京都渋谷区初台1-34-14 ☎03-5351-1511
日本トーカンパッケージ㈱	パ紙 事業 (単)段ボール83 紙器12 他5 ㉕24 ㉔20 売 単49,601 従 1,061 資 700 住 東京都品川区東五反田2-18-1 ☎03-4514-2130
日本トーター㈱	他サ 事業 (単)公営競技の総合運営46 保守・運用37 機器販売他17 ㉕30 ㉔18 売 単36,613 従 2,851 資 100 住 東京都港区港南2-16-1 ☎03-5783-2200
日本乳化剤㈱	化 事業 (単)界面活性剤13 グリコールエーテル73 アミン誘導体14 ㉕12 ㉔11 売 単22,485 従 367 資 1,000 住 東京都中央区日本橋小舟町4-1 ☎03-5651-5631
㈱日本能率協会コンサルティング	他サ 事業 (単)経営コンサルティング100 ㉕未定 ㉔4 売 単6,553 従 250 資 250 住 東京都港区芝公園3-1-22 ☎03-4531-4300
㈱日本ヒュウマップ	他サ 事業 (単)清掃部門60 飲食部門38 ㉕5 ㉔4 売 単6,739 従 151 資 100 住 東京都荒川区西日暮里5-15-7 ☎03-3802-8141
日本ファシリオ㈱	建 事業 (単)衛生・空調69 電気30 他1 ㉕30 ㉔13 売 単21,958 従 314 資 2,500 住 東京都港区北青山2-12-28 ☎03-5411-5611
日本ファブテック㈱	金製 事業 (単)鉄構51 橋梁46 ソフトウェア2 賃貸1 ㉕30 ㉔15 売 単38,001 従 677 資 2,437 住 東京都港区芝浦4-15-33 ☎03-6705-0221
日本分光㈱	精 事業 (単)光分析機器75 液体クロマトグラフ15 他10 ㉕10 ㉔9 売 単8,020 従 294 資 90 住 東京都八王子市石川町2967-5 ☎042-646-4111
日本無線㈱	電機 事業 (連)マリンシステム31 ソリューション・特機44 ICT・メカトロニクス16 医用機器4 他4 ㉕未定 ㉔56 売 連140,566 従 2,173 資 14,704 住 東京都中野区中野4-10-1 ☎03-6832-1721
日本郵便㈱	他サ 事業 (連)郵便・物流59 郵便局窓口27 国際物流13 ㉕2600 ㉔1342 売 連3,323,743 従 171,804 資 400,000 住 東京都千代田区大手町2-3-1 ☎03-3477-0111
日本ルナ㈱	食 事業 (単)はっ酵乳および乳酸菌飲料・洋菓子・各種飲料水の製造販売 ㉕未定 ㉔9 売 単20,310 従 276 資 397 住 東京都品川区大崎2-1-1 ☎03-4555-8313
ニッポンレンタカーサービス㈱	リ 事業 (単)自動車有償貸渡事業100 ㉕未定 ㉔8 売 単43,937 従 215 資 720 住 東京都千代田区神田練塀町3 ☎03-6859-6111
㈱ニヤクコーポレーション	陸 事業 (連)物流85 構内・倉庫2 他12 ㉕15 ㉔16 売 連52,814 従 1,806 資 800 住 東京都江東区冬木14-5 ☎03-5809-8701
ニューロング工業㈱	機 事業 (単)製袋機47 包装機械38 工業用ミシン14 コンベヤ他1 ㉕2 ㉔3 売 単9,784 従 162 資 100 住 東京都葛飾区白鳥4-8-14 ☎03-3603-2251
㈱にんべん	食 事業 (単)つゆの素類60 鰹節・削節類25 ふりかけ他5 ギフト品類10 ㉕6 ㉔8 売 単16,071 従 244 資 88 住 東京都中央区日本橋室町1-5-5 ☎03-3241-0241
㈱ネクスティ エレクトロニクス	電卸 事業 (単)半導体79 情報通信機器および応用システム11 他10 ㉕19 ㉔11 売 単460,356 従 964 資 5,284 住 東京都港区港南2-3-13 ☎03-5462-9611
㈱ノースイ	食卸 事業 (単)水産33 冷食67 ㉕未定 ㉔8 売 単65,752 従 277 資 435 住 東京都港区三田3-11-36 ☎03-5476-0906
㈱野澤組	総卸 事業 (単)食品61 繊維7 畜産9 機械5 開発18 ㉕6 ㉔5 売 単22,588 従 161 資 100 住 東京都千代田区有楽町1-5-2 ☎03-3528-8101
ノバルティス ファーマ㈱	医 事業 (単)医薬品100 ㉕未定 ㉔6 売 単269,504 従 2,600 資 100 住 東京都港区虎ノ門1-23-1 ☎03-6899-8000
ノボ ノルディスク ファーマ㈱	医 事業 (単)医療用医薬品100 ㉕未定 ㉔10 売 単129,765 従 1,135 資 2,104 住 東京都千代田区丸の内2-1-1 ☎03-6266-1000
野村信託銀行㈱	信 事業 (単)信託業務 銀行業務 登録金融機関業務 他 ㉕若干 ㉔17 売 単33,807 従 579 資 50,000 住 東京都千代田区大手町2-2-2 ☎03-5202-1600

会社名	業種名 (事業)会社の事業構成(%) ㉕25年採用計画数(名) ㉔24年入社内定者数(名) (売)売上高(百万円) (従)単独従業員数(名) (資)資本金(百万円) (住)本社の住所,電話番号
野村不動産ソリューションズ(株)	不 (事業)(単)不動産仲介 保険代理店 銀行代理 不動産情報サイト運営 ㉕未定 ㉔144 (売)単49,569 (従)1,967 (資)1,000 (住)東京都新宿区西新宿1-26-2 ☎03-3345-7778
野村不動産パートナーズ(株)	建管 (事業)(単)管理55 受注工事35 他10 ㉕64 ㉔62 (売)単106,563 (従)2,509 (資)200 (住)東京都新宿区西新宿1-26-2 ☎03-3345-0611
パーカー加工(株)	金製 (事業)(単)輸送用機器49 機械プラント14 精密機器8 電気通信7 交通土木4 建築7 他12 ㉕未定 ㉔13 (売)単8,440 (従)218 (資)416 (住)東京都中央区日本橋1-15-1 ☎03-3275-3271
パークタワーホテル(株)	ホ (事業)(単)ホテル事業100 ㉕80 ㉔20 (売)単8,932 (従)333 (資)1,000 (住)東京都新宿区西新宿3-7-1 ☎03-5322-1234
パイオニア(株)	電機 (事業)(連)カーエレクトロニクス 他 ㉕20 ㉔15 (売)連241,513 (従)1,859 (資)57,381 (住)東京都文京区本駒込2-28-8 ☎03-6634-8777
ハイモ(株)	化 (事業)(単)水処理用高分子凝集剤 製紙用高分子薬剤 機能性高分子薬剤 ㉕未定 ㉔14 (売)単16,289 (従)203 (資)281 (住)東京都千代田区丸の内3-4-1 ☎03-6212-3838
(株)白泉社	新 (事業)(単)雑誌50 書籍50 ㉕未定 ㉔4 (売)単13,953 (従)114 (資)10 (住)東京都千代田区神田淡路町2-2-2 ☎03-3526-8000
(株)長谷工アーベスト	不 (事業)(単)不動産販売・代理 他 ㉕未定 ㉔24 (売)単12,691 (従)725 (資)1,000 (住)東京都港区芝2-6-1 ☎03-5440-5800
(株)長谷工コミュニティ	建管 (事業)(単)管理事業収入69 完成工事高28 他3 ㉕未定 ㉔57 (売)単61,020 (従)6,941 (資)2,840 (住)東京都港区芝2-6-1 ☎0120-009-226
パナソニック コネクト(株)	電機 (事業)(単)産業用電気機械器具・産業用ロボット 金属加工機械 他 ㉕200 ㉔197 (売)単595,367 (従)9,945 (資)500 (住)東京都中央区銀座8-21-1 ☎03-5565-8700
(株)パルコスペースシステムズ	建 (事業)(単)空間形成44 ビルマネジメント56 ㉕未定 ㉔15 (売)単22,631 (従)825 (資)100 (住)東京都渋谷区神泉町8-16 ☎03-5459-6811
パルスモ(株)	電卸 (事業)(単)LCD LED モーター各種 基板電子部品 液晶 ソレノイド 防衛関連部品輸入販売 ㉕未定 ㉔3 (売)単11,897 (従)165 (資)86 (住)東京都文京区本郷2-38-5 ☎03-3815-6108
(株)パレスホテル	ホ (事業)(連)ホテル81 不動産賃貸19 ㉕未定 ㉔130 (売)連35,571 (従)683 (資)1,000 (住)東京都千代田区丸の内1-1-1 ☎03-3211-5211
(株)バンザイ	精機卸 (事業)(単)自動車整備・検査機器販売98 不動産賃貸1 ホテル1 ㉕10 ㉔5 (売)単38,755 (従)464 (資)559 (住)東京都港区芝2-31-19 ☎03-3769-6800
(株)BS朝日	通 (事業)(単)テレビ放送89 他11 ㉕若干 ㉔3 (売)単18,347 (従)81 (資)10,000 (住)東京都港区西麻布1-2-9 ☎03-5412-9255
PSP(株)	シソ (事業)(単)医療用システム 医療関連クラウドサービス 他 ㉕11 ㉔13 (売)単9,726 (従)413 (資)1,100 (住)東京都港区港南1-2-70 ☎03-4346-3180
(株)ビーエスフジ	通 (事業)(単)放送事業95 他放送3 他事業2 ㉕未定 ㉔4 (売)単16,255 (従)81 (資)6,200 (住)東京都港区台場2-4-8 ☎03-5500-8000
東日本建設業保証(株)	他金 (事業)(単)公共工事前払金保証・契約保証・金融保証事業 ㉕未定 ㉔5 (売)連12,295 (従)262 (資)2,000 (住)東京都中央区八丁堀2-27-10 ☎03-3552-7520
日立グローバルライフソリューションズ(株)	電機 (事業)(単)家電品 空調機器 設備機器等の販売 エンジニアリング 保守 他 ㉕62 ㉔79 (売)単350,591 (従)5,300 (資)20,000 (住)東京都港区西新橋2-15-12 ☎03-3502-2111
(株)日立産機システム	電機 (事業)(単)産業機器80 ソリューションサービス20 ㉕110 ㉔69 (売)単192,661 (従)3,495 (資)10,000 (住)東京都千代田区外神田1-5-1 ☎03-6271-7001
(株)日立産業制御ソリューションズ	シソ (事業)(単)社会インフラ 産業・流通システム 組込システム セキュリティシステム ㉕100 ㉔71 (売)単80,949 (従)3,413 (資)3,000 (住)東京都台東区秋葉原6-1 ☎03-3251-7200
日立チャネルソリューションズ(株)	電機 (事業)(単)自動機80 端末システム20 ㉕20 ㉔20 (売)単81,803 (従)932 (資)8,500 (住)東京都品川区大崎1-6-3 ☎03-5719-5500
(株)日立ハイテクソリューションズ	精機卸 (事業)(単)OTソリューション88 ISソリューション12 ㉕16 ㉔11 (売)単22,260 (従)537 (資)400 (住)東京都港区虎ノ門1-17-1 ☎03-3504-7773
(株)日立ハイテクフィールディング	機保 (事業)(単)技術サービス40 国内・海外向け部品販売60 ㉕31 ㉔24 (売)単79,310 (従)975 (資)1,000 (住)東京都港区虎ノ門1-17-1 ☎0120-203-813
(株)日立ビルシステム	機 (事業)(単)エレベーター・エスカレーターの製販・据付・保守・改修 ビル設備機器管理 ㉕290 ㉔170 (売)単280,209 (従)8,600 (資)5,105 (住)東京都千代田区神田淡路町2-101 ☎03-3295-1211

会社名	業種名 事業 会社の事業構成(%) ㉕25年採用計画数(名) ㉔24年入社内定者数(名) 売 売上高(百万円) 従 単独従業員数(名) 資 資本金(百万円) 住 本社の住所, 電話番号
㈱日立プラントサービス	建 事業 (単)産業設備76 水処理24 ㉕**52** ㉔**32** 売 単122,433 従 1,437 資 3,000 住 東京都豊島区東池袋3-1-1 ☎03-6386-3001
ビッグホリデー㈱	レ 事業 (単)国内旅行パッケージ30 手配旅行60 他10 ㉕**若干** ㉔**7** 売 単31,905 従 138 資 80 住 東京都文京区本郷3-19-2 ☎03-3818-5008
㈱ヒノキヤグループ	建 事業 (単)建設 ㉕**60** ㉔**51** 売 単68,321 従 1,956 資 100 住 東京都千代田区丸の内1-8-3 ☎050-1702-5800
㈱ヒューテックノオリン	倉埠 事業 (単)倉庫業 冷凍冷蔵業 一般貨物自動車運送事業ならびに貨物運送取扱事業 ㉕**15** ㉔**15** 売 単47,849 従 1,982 資 1,217 住 東京都新宿区若松町33-8 ☎03-5291-8111
ヒロセホールディングス㈱	リ 事業 (連)グループの戦略策定・経営管理 ㉕**未定** ㉔**26** 売 連136,440 従 57 資 2,341 住 東京都江東区東陽4-1-13 ☎03-5634-4501
㈱VHリテールサービス	小 事業 (単)眼鏡等小売, 通販 ㉕**70** ㉔**117** 売 単23,523 従 1,199 資 100 住 東京都中央区日本橋堀留町1-9-11 ☎0465-24-3611
フォーデイズ㈱	食 事業 (単)健康食品78 化粧品22 ㉕**5** ㉔**5** 売 単31,919 従 200 資 45 住 東京都中央区日本橋小網町6-7 ☎03-5643-0651
フコク物産㈱	総卸 事業 (単)自動車関係 OA事務器 鉄道・産業機械 建材関係 ㉕**5** ㉔**5** 売 単18,482 従 168 資 324 住 東京都大田区大森西2-32-7 ☎03-3765-3211
富士機材㈱	総卸 事業 (単)管材44 住機建材18 設備機材21 空調機器17 ㉕**50** ㉔**51** 売 単169,092 従 871 資 100 住 東京都千代田区一番町12 ☎03-3556-4500
㈱フジクラプリントサーキット	電機 事業 (単)フレキシブルプリント配線板の生産・販売 ㉕**6** ㉔**3** 売 単73,356 従 340 資 1,000 住 東京都江東区木場1-5-1 ☎03-5606-1192
不二建設㈱	建 事業 (単)建築工事業99 不動産事業等1 ㉕**30** ㉔**17** 売 単39,786 従 243 資 200 住 東京都港区芝3-5-5 ☎03-5476-5561
富士港運㈱	倉埠 事業 (単)港湾運送50 一般貨物運送28 倉庫14 他8 ㉕**6** ㉔**7** 売 単9,911 従 515 資 546 住 東京都港区浜松町1-29-6 ☎03-3434-5231
㈱不二工機	機 事業 (単)カーエアコン部門51 ルーム・パッケージエアコン44 コールドチェーン他5 ㉕**15** ㉔**15** 売 単45,804 従 566 資 298 住 東京都世田谷区等々力7-17-24 ☎03-3702-5141
フジ産業㈱	外 事業 (単)給食受託業 ㉕**30** ㉔**40** 売 単12,313 従 3,475 資 47 住 東京都港区虎ノ門3-22-1 ☎03-3434-8901
㈱不二製作所	機 事業 (単)サンドブラスト装置 サンドブラスト部品 研磨材 サンドブラスト受託加工 他 ㉕**8** ㉔**7** 売 単6,172 従 290 資 100 住 東京都江戸川区松江5-2-24 ☎03-3686-2291
フジタ道路㈱	建 事業 (単)舗装工事73 土木工事13 解体工事14 ㉕**12** ㉔**9** 売 単12,182 従 210 資 100 住 東京都中央区晴海1-8-10 ☎03-5859-0670
富士ビジネス㈱	他卸 事業 (単)オペレーションサポート営業本部26 オフィス環境営業本部68 ビジネスソリューション営業本部6 ㉕**未定** ㉔**3** 売 単25,866 従 275 資 290 住 東京都千代田区丸の内2-5-1 ☎03-6250-1031
フジモトHD㈱	他卸 事業 (単)ピップグループ会社の経営計画・管理および付随業務 ㉕**15** ㉔**5** 売 連229,700 従 85 資 2,000 住 東京都千代田区内神田3-3-7 ☎・
㈱富士ロジテックホールディングス	倉埠 事業 (単)倉庫48 運送36 不動産13 他3 ㉕**未定** ㉔**14** 売 単20,847 従 772 資 300 住 東京都千代田区丸の内3-4-1 ☎03-5208-1001
㈱フソウ	建 事業 (単)建設43 販売50 製造6 メンテナンス1 ㉕**20** ㉔**15** 売 単47,349 従 687 資 3,000 住 東京都中央区日本橋室町2-3-1 ☎03-6880-2110
㈱二葉	倉埠 事業 (連)一般港湾運送・通関34 倉庫44 物流他22 ㉕**未定** ㉔**13** 売 連24,955 従 302 資 626 住 東京都港区高輪3-19-15 ☎03-3473-8210
物林㈱	他卸 事業 (単)素材21 製材38 建材・資材31 工事10 ㉕**10** ㉔**5** 売 単25,765 従 136 資 50 住 東京都江東区新木場1-7-22 ☎03-5534-3580
プラス㈱	他製 事業 (連)オフィス関連89 ソリューション11 ㉕**25** ㉔**16** 売 連231,875 従 1,457 資 9,867 住 東京都港区虎ノ門4-1-28 ☎03-5860-7000
古河産業㈱	鉄金卸 事業 (連)電装・エレクトロニクス45 輸送機器15 社会インフラ30 合成樹脂6 ライフサイエンス4 他0 ㉕**未定** ㉔**6** 売 連126,934 従 290 資 700 住 東京都港区新橋4-21-3 ☎03-5405-6011
㈱フルキャスト	他サ 事業 (単)人材アウトソーシング ㉕**60** ㉔**59** 売 単43,163 従 480 資 100 住 東京都品川区西五反田8-9-5 ☎03-4530-4848

会社名	[業種名] (事業) 会社の事業構成(%) ㉕25年採用計画数(名) ㉔24年入社内定者数(名) (売)売上高(百万円) (従)単独従業員数(名) (資)資本金(百万円) (住)本社の住所，電話番号
㈱文藝春秋	[新] (事業)(単)雑誌 書籍 ㉕**未定** ㉔**7** (売)単19,012 (従)348 (資)144 (住)東京都千代田区紀尾井町3-23 ☎03-3265-1211
㈱文昌堂	[パ紙] (事業)(単)段ボール原紙58 板紙34 洋紙8 ㉕**前年並** ㉔**3** (売)単48,165 (従)105 (資)200 (住)東京都台東区上野5-1-1 ☎03-3836-1151
㈱ベリサーブ	[シソ] (事業)(連)システム検証 ㉕**70** ㉔**39** (売)連23,676 (従)1,386 (資)792 (住)東京都千代田区神田三崎町3-1-16 ☎03-6629-8540
ぺんてる㈱	[他製] (事業)(単)文具89 電子機器3 省力機器1 他8 ㉕**30** ㉔**30** (売)単23,363 (従)642 (資)450 (住)東京都中央区日本橋小網町7-2 ☎03-3667-3333
㈱朋栄	[電機] (事業)(単)放送用映像機器48 輸入品2 システム他50 ㉕**未定** ㉔**11** (売)単9,119 (従)321 (資)300 (住)東京都渋谷区恵比寿3-8-1 ☎03-3446-3121
北越紙販売㈱	[他卸] (事業)(単)洋紙75 板紙22 加工品他3 ㉕**未定** ㉔**3** (売)単59,751 (従)96 (資)1,300 (住)東京都中央区日本橋本石町3-2-2 ☎03-6328-0001
ポケットカード㈱	[貸] (事業)(単)クレジットカード 融資 保険代理店 他 ㉕**20** ㉔**15** (売)単38,901 (従)404 (資)14,374 (住)東京都港区芝公園1-1-1 ☎03-3432-6070
㈱細川洋行	[他製] (事業)(単)食品包装材53 工業品包装材8 薬品包装材30 他9 ㉕**未定** ㉔**6** (売)単31,371 (従)456 (資)304 (住)東京都千代田区二番町11-5 ☎03-3263-1461
ポリプラスチックス㈱	[化] (事業)(連)ポリアセタール樹脂 液晶ポリマー ポリブチレンテレフタレート樹脂 他 ㉕**17** ㉔**16** (売)連186,868 (従)952 (資)3,000 (住)東京都港区港南2-18-1 ☎03-6711-8600
本州化学工業㈱	[化] (事業)(単)化学品61 機能材料20 工業材料16 他3 ㉕**10** ㉔**10** (売)連25,120 (従)372 (資)1,500 (住)東京都中央区日本橋3-3-9 ☎03-3272-1481
㈱ホンダファイナンス	[貸] (事業)(単)顧客向け金融88 事業者向け金融12 ㉕**15** ㉔**17** (売)単92,036 (従)456 (資)11,090 (住)東京都千代田区九段南2-1-30 ☎03-5210-7890
㈱マーブル	[シソ] (事業)(単)ソフトウェア開発80 システムインテグレーション20 ㉕**370** ㉔**125** (売)単36,601 (従)2,900 (資)100 (住)東京都中央区日本橋本町4-8-14 ☎03-3243-5311
㈱マウスコンピューター	[電機] (事業)(単)パソコン 液晶ディスプレイ ㉕**28** ㉔**17** (売)単53,460 (従)547 (資)100 (住)東京都千代田区大手町2-3-2 ☎03-6739-3811
㈱前川製作所	[機] (事業)(単)産業用冷凍機並びに各種ガスコンプレッサーの製造販売 農畜・水産・食品・飲料関連冷却設備，設計施工メンテナンス 他 ㉕**45** ㉔**22** (売)単98,735 (従)2,001 (資)1,000 (住)東京都江東区牡丹3-14-15 ☎03-3642-8181
㈱増岡組	[建] (事業)(単)建築工事85 土木工事15 ㉕**8** ㉔**10** (売)単21,572 (従)249 (資)1,250 (住)東京都千代田区丸の内1-8-2 ☎03-6206-3451
㈱松下産業	[建] (事業)(単)建築94 土木6 ㉕**4** ㉔**7** (売)単19,040 (従)238 (資)312 (住)東京都文京区本郷1-34-4 ☎03-3814-6901
㈱松田平田設計	[築設] (事業)(単)設計監理報酬100 ㉕**15** ㉔**13** (売)単6,552 (従)383 (資)60 (住)東京都港区元赤坂1-5-17 ☎03-3403-6161
丸磯建設㈱	[建] (事業)(単)土木一式工事90 建築一式工事10 ㉕**5** ㉔**7** (売)単25,377 (従)211 (資)98 (住)東京都品川区北品川3-6-7 ☎03-5462-8800
丸一ステンレス鋼管㈱	[鉄] (事業)(単)シームレスステンレス鋼管 他 ㉕**30** ㉔**21** (売)単27,752 (従)336 (資)4,250 (住)東京都品川区北品川5-9-11 ☎03-5739-5051
丸善雄松堂㈱	[小] (事業)(単)教育・学術事業 店舗内装事業他 ㉕**未定** ㉔**4** (売)単31,140 (従)330 (資)100 (住)東京都中央区新川1-28-23 ☎03-6367-6004
丸紅ITソリューションズ㈱	[シソ] (事業)(単)情報・通信システムの企画・設計 ソフトウェアの開発および販売 ㉕**23** ㉔**19** (売)単19,219 (従)397 (資)410 (住)東京都文京区後楽2-6-1 ☎03-4512-3000
丸紅ケミックス㈱	[化医卸] (事業)(単)化学品 機械器具 電子部品 無機鉱産物 化粧品 食品 医療品 ㉕**4** ㉔**4** (売)単20,000 (従)153 (資)650 (住)東京都千代田区神田美土代町7 ☎03-4360-3400
丸紅シーフーズ㈱	[食卸] (事業)(単)水産物売買100 冷蔵倉庫0 ㉕**未定** ㉔**19** (売)連88,744 (従)189 (資)640 (住)東京都港区芝浦4-9-25 ☎03-3769-0031
丸紅情報システムズ㈱	[シソ] (事業)(単)製造・エンタープライズ・IT基盤・デジタルIT・クラウドに対するソリューションの提供 ㉕**19** ㉔**23** (売)単35,381 (従)591 (資)1,565 (住)東京都文京区後楽2-6-1 ☎03-4243-4000
丸紅食料㈱	[食卸] (事業)(単)茶類，コーヒー，一般加工食品，青果物，小麦粉，砂糖の取り扱い ㉕**2** ㉔**3** (売)単26,441 (従)144 (資)1,000 (住)東京都中央区京橋1-12-5 ☎03-3538-8800

会社名	[業種名] [事業] 会社の事業構成(%) ㉕25年採用計画数(名) ㉔24年入社内定者数(名) [売]売上高(百万円) [従]単独従業員数(名) [資]資本金(百万円) [住]本社の住所,電話番号
丸紅都市開発(株)	[不] [事業] (単)不動産開発および販売業務100 ㉕**4** ㉔**4** [売]単8,312 [従]94 [資]400 [住]東京都千代田区大手町1-4-2 ☎03-6268-5310
丸紅フォレストリンクス(株)	[他卸] [事業] (単)洋紙卸売57 板紙卸売28 化成品他卸売15 ㉕**13** ㉔**13** [売]単147,501 [従]264 [資]1,000 [住]東京都千代田区大手町1-4-2 ☎03-6268-5211
丸紅プラックス(株)	[化医卸] [事業] (単)自動車産業,電子電気産業,食品業界等向け合成樹脂・関連製品の販売 ㉕**未定** ㉔**5** [売]単17,108 [従]154 [資]1,000 [住]東京都文京区後楽1-4-14 ☎03-6891-7700
丸美屋食品工業(株)	[食] [事業] (単)レトルト食品50 ふりかけ食品50 ㉕**未定** ㉔**14** [売]単64,075 [従]545 [資]288 [住]東京都杉並区松庵1-15-18 ☎03-3332-8181
マンパワーグループ(株)	[ア] [事業] (単)人材派遣75 人材紹介他25 ㉕**100** ㉔**80** [売]単157,000 [従]3,772 [資]4,000 [住]東京都港区芝浦3-1-1 ☎045-227-4400
ミアヘルサ(株)	[小] [事業] (単)医薬事業50 介護事業18 保育事業27 他5 ㉕**前年並** ㉔**124** [売]単18,643 [従]1,181 [資]100 [住]東京都新宿区市谷仲之町3-19 ☎03-3341-2421
三笠産業(株)	[機] [事業] (単)土木建設機械製造100 ㉕**5** ㉔**4** [売]単15,141 [従]147 [資]240 [住]東京都千代田区神田猿楽町1-4-3 ☎03-3292-1411
三木産業(株)	[化医卸] [事業] (単)コーティング材料15 高機能樹脂31 生活産業資材18 精密化学品他36 ㉕**5** ㉔**3** [売]単70,387 [従]218 [資]100 [住]東京都中央区日本橋3-15-5 ☎03-3271-4186
水澤化学工業(株)	[化] [事業] (単)活性白土22 微粉シリカ12 PVC用安定剤19 他48 ㉕**未定** ㉔**8** [売]単10,607 [従]369 [資]1,519 [住]東京都中央区日本橋堀留町1-10-13 ☎03-6700-3960
みずほファクター(株)	[他金] [事業] (単)ファクタリング業務,代金回収業務 ㉕**未定** ㉔**6** [売]単13,566 [従]223 [資]1,000 [住]東京都千代田区丸の内1-6-2 ☎03-3286-2200
みずほ不動産販売(株)	[不] [事業] (単)不動産仲介100 ㉕**未定** ㉔**53** [売]単22,649 [従]855 [資]1,500 [住]東京都中央区日本橋1-3-13 ☎03-5200-0537
三井化学クロップ&ライフソリューション(株)	[化] [事業] (単)農業化学品 ㉕**12** ㉔**9** [売]単81,166 [従]588 [資]350 [住]東京都中央区日本橋1-19-1 ☎03-5290-2700
三井金属商事(株)	[鉄金卸] [事業] (単)非鉄金属38 リサイクル38 工業薬品15 電子材料5 印刷材料・他4 ㉕**未定** ㉔**5** [売]単35,561 [従]66 [資]240 [住]東京都墨田区錦糸3-2-1 ☎03-5819-9021
三井情報(株)	[シソ] [事業] (連)ITインフラ・基盤構築 基幹システム導入 業務アプリ開発 他 ㉕**65** ㉔**39** [売]連109,453 [従]1,851 [資]4,113 [住]東京都港区愛宕2-5-1 ☎03-6376-1000
三井住友トラスト不動産(株)	[不] [事業] (単)不動産仲介100 ㉕**81** ㉔**80** [売]単26,455 [従]1,228 [資]300 [住]東京都千代田区神田錦町3-11-1 ☎03-6870-3310
三井倉庫サプライチェーンソリューション(株)	[陸] [事業] (単)物流 ㉕**10** ㉔**8** [売]単17,215 [従]271 [資]1,550 [住]東京都港区西新橋3-20-1 ☎03-6858-7450
三井農林(株)	[食] [事業] (単)食品100 ㉕**未定** ㉔**4** [売]単23,877 [従]480 [資]9,463 [住]東京都港区西新橋1-2-9 ☎03-3500-0611
三井物産グローバルロジスティクス(株)	[倉埠] [事業] (単)倉庫 国内運送 通関 不動産 国際物流 ㉕**15** ㉔**11** [売]単65,503 [従]555 [資]1,000 [住]東京都港区東新橋2-14-1 ☎03-5657-1130
三井物産ケミカル(株)	[化医卸] [事業] (単)溶剤・塗料等の国内販売および貿易 ㉕**若干** ㉔**10** [売]単193,292 [従]296 [資]800 [住]東京都千代田区大手町1-3-1 ☎03-6759-5000
三井不動産ファシリティーズ(株)	[建管] [事業] (単)建物総合管理(設備・清掃・警備・環境) ㉕**30** ㉔**30** [売]単38,255 [従]3,861 [資]490 [住]東京都千代田区霞が関3-8-1 ☎03-3528-8640
三井不動産レジデンシャルサービス(株)	[建管] [事業] (単)管理受託81 工事請負12 付帯事業4 サポート2 ㉕**22** ㉔**21** [売]単48,560 [従]2,992 [資]400 [住]東京都江東区豊洲5-6-52 ☎03-3534-3101
三井不動産レジデンシャルリース(株)	[不] [事業] (単)賃貸100 ㉕**30** ㉔**24** [売]単107,376 [従]690 [資]490 [住]東京都新宿区西新宿2-1-1 ☎03-5381-1031
(株)三井三池製作所	[機] [事業] (単)荷役運搬機械55 産機流体機械14 原動機20 精密部品11 他0 ㉕**15** ㉔**9** [売]単24,185 [従]438 [資]1,000 [住]東京都中央区日本橋室町2-1-1 ☎03-3270-2001
三菱オートリース(株)	[リ] [事業] (単)自動車に係るリース,メンテナンス等の総合ソリューションサービス ㉕**20** ㉔**20** [売]単201,229 [従]1,096 [資]960 [住]東京都港区芝5-33-11 ☎03-5476-0111
三菱ケミカル物流(株)	[陸] [事業] (単)陸運68 海運15 包装・資材販売10 海外7 ㉕**15** ㉔**11** [売]単80,748 [従]1,491 [資]1,500 [住]東京都港区芝大門1-1-30 ☎03-5408-4500

会社名	業種名 事業 会社の事業構成(%) ㉕25年採用計画数(名) ㉔24年入社内定者数(名) 売 売上高(百万円) 従 単独従業員数(名) 資 資本金(百万円) 住 本社の住所, 電話番号
三菱地所コミュニティ㈱	建管 事業 (単)マンション総合管理 ビル総合管理 リニューアル工事等 ㉕**前年並** ㉔**52** 売 単60,915 従 1,439 資 100 住 東京都千代田区三番町6-1 ☎03-5213-6100
三菱地所・サイモン㈱	不 事業 (単)プレミアム・アウトレットの開発・所有・運営 ㉕**7** ㉔**6** 売 単57,376 従 167 資 249 住 東京都千代田区大手町1-9-7 ☎··
三菱地所プロパティマネジメント㈱	不 事業 (単)オフィスビル, 商業施設等の建物の総合的な運営・管理サービス ㉕**42** ㉔**55** 売 単103,747 従 1,442 資 300 住 東京都千代田区丸の内2-2-3 ☎03-3287-4111
三菱地所リアルエステートサービス㈱	不 事業 (単)仲介75 賃貸他25 ㉕**30** ㉔**44** 売 単32,584 従 653 資 2,400 住 東京都千代田区大手町1-9-2 ☎03-3510-8011
三菱重工交通・建設エンジニアリング㈱	建 事業 (単)交通・機器事業部24 エンジニアリング事業部76 ㉕**18** ㉔**8** 売 単53,533 従 963 資 300 住 東京都港区芝5-33-11 ☎03-5476-6961
三菱商事テクノス㈱	精機卸 事業 (単)工場内設備機械装置・IT関連カスタマイズ・省エネ設備の販売他 ㉕**未定** ㉔**5** 売 単59,774 従 326 資 600 住 東京都港区芝浦3-1-21 ☎03-3453-7441
三菱商事ロジスティクス㈱	倉埠 事業 (単)物流 不動産 ㉕**未定** ㉔**8** 売 単19,136 従 183 資 1,067 住 東京都千代田区有楽町2-10-1 ☎03-6267-2500
三菱電機システムサービス㈱	電機 事業 (単)商品部門41 機電部門30 電子部門29 ㉕**未定** ㉔**40** 売 単75,814 従 2,012 資 600 住 東京都世田谷区太子堂4-1-1 ☎03-5431-7750
三菱電機ソフトウエア㈱	シソ 事業 (単)システムエンジニアリング・ソフト開発 システムインテグレーション ㉕**252** ㉔**229** 売 単108,501 従 5,253 資 1,000 住 東京都港区浜松町2-4-1 ☎03-6721-5831
三菱電機トレーディング㈱	総卸 事業 (単)国内資材調達62 海外資材調達・貿易35 集中購買3 ㉕**12** ㉔**7** 売 単231,784 従 656 資 1,000 住 東京都千代田区丸の内2-1-1 ☎03-5220-7301
三菱電機フィナンシャルソリューションズ㈱	リ 事業 (単)リースおよびレンタル, 割賦販売業務 ㉕**10** ㉔**7** 売 単75,636 従 383 資 1,010 住 東京都品川区大崎1-6-3 ☎03-5496-5421
三菱電機プラントエンジニアリング㈱	機保 事業 (単)重電機器の保守・修理およびエンジニアリング100 ㉕**76** ㉔**73** 売 単101,408 従 3,182 資 350 住 東京都台東区東上野5-24-8 ☎03-5827-6311
三菱電機ライフサービス㈱	不 事業 (単)ビジネスサービス34 不動産21 フードサービス19 介護サービス他26 ㉕**12** ㉔**12** 売 単34,012 従 2,631 資 3,000 住 東京都港区芝公園2-4-1 ☎03-6402-6001
三菱プレシジョン㈱	精 事業 (単)シミュレーションシステム46 航空・宇宙機器28 パーキングシステム26 ㉕**32** ㉔**34** 売 単19,319 従 842 資 3,167 住 東京都港区港南1-6-41 ☎03-6712-3740
三菱UFJ不動産販売㈱	不 事業 (単)不動産の売買・交換の媒介・代理・金融商品取引法に規定する第二種金融商品取引業等100 ㉕**55** ㉔**52** 売 単24,493 従 903 資 300 住 東京都千代田区神田神保町2-1 ☎03-3237-3761
ミツワ電機㈱	電卸 事業 (単)照明器具28 配電・配線機器20 空調設備機器15 電線・配管機器15 太陽光・オール電化1 他21 ㉕**25** ㉔**29** 売 単115,255 従 874 資 330 住 東京都中央区東日本橋2-26-3 ☎03-3862-1111
ミドリ安全㈱	他卸 事業 (単)産業用安全衛生保護具 ユニホーム・産業用特殊服 環境改善機器製造販売 ㉕**30** ㉔**30** 売 単98,047 従 1,010 資 1,454 住 東京都渋谷区広尾5-4-3 ☎03-3442-8281
緑屋電気㈱	電卸 事業 (単)国内販売 貿易 ㉕**未定** ㉔**8** 売 単91,300 従 290 資 321 住 東京都中央区日本橋室町1-2-6 ☎03-5200-4600
㈱三松	小 事業 (単)きもの40 ドレス・宝飾・毛皮他60 ㉕**未定** ㉔**30** 売 単7,704 従 445 資 50 住 東京都渋谷区千駄ヶ谷3-60-5 ☎03-6810-8800
みらい建設工業㈱	建 事業 (単)土木・建築等工事 他 ㉕**20** ㉔**18** 売 単33,222 従 316 資 2,500 住 東京都港区芝4-6-12 ☎03-6436-3710
㈱ミルックス	建 事業 (単)建設・内装工事他 損害保険 仮設資材リース他 ㉕**10** ㉔**10** 売 単34,770 従 437 資 372 住 東京都中央区京橋2-18-3 ☎03-3567-7700
向井建設㈱	建 事業 (単)建築工事67 土木工事33 ㉕**未定** ㉔**40** 売 単32,385 従 654 資 100 住 東京都千代田区神田須田町2-8-1 ☎03-3257-1301
武蔵オイルシール工業㈱	ゴ皮 事業 (単)オイルシール70 オーリング10 他工業用ゴム製品20 ㉕**未定** ㉔**5** 売 単4,866 従 295 資 62 住 東京都港区六本木5-11-29 ☎03-3404-6341
㈱ムラオ	他製 事業 (単)貴金属・宝飾品100 ㉕**5** ㉔**3** 売 単14,643 従 153 資 100 住 東京都千代田区神田淡路町1-23 ☎03-3251-2428
㈱明治ゴム化成	ゴ皮 事業 (連)ゴム製品80 合成樹脂製品20 ㉕**4** ㉔**3** 売 連17,916 従 190 資 692 住 東京都新宿区西新宿7-22-35 ☎03-5338-4691

会社名	[業種名] [事業] 会社の事業構成(%) [25] 25年採用計画数(名) [24] 24年入社内定者数(名) [売] 売上高(百万円) [従] 単独従業員数(名) [資] 資本金(百万円) [住] 本社の住所, 電話番号
明治安田アセットマネジメント(株)	[投] [事業] (単)投資信託委託業 投資顧問業 [25] 未定 [24] 3 [売] 単11,015 [従] 219 [資] 1,000 [住] 東京都千代田区大手町2-3-2 ☎03-6700-4058
明治ロジテック(株)	[陸] [事業] (単)一般貨物運送90 倉庫業5 燃料販売4 整備他1 [25] 8 [24] 8 [売] 単45,875 [従] 477 [資] 98 [住] 東京都江東区新砂1-2-10 ☎03-5653-0577
(株)明成商会	[化医卸] [事業] (単)化学品37 エレクトロニクス・ソリューション38 環境21 他4 [25] 3 [24] 3 [売] 単26,657 [従] 110 [資] 302 [住] 東京都中央区日本橋本町4-8-14 ☎03-5299-6211
(株)明治屋	[小] [事業] (単)小売56 商品30 海上8 不動産6 [25] 26 [24] 8 [売] 単30,104 [従] 440 [資] 270 [住] 東京都中央区京橋2-2-8 ☎03-3271-1111
(株)メイテックフィルダーズ	[ア] [事業] (単)エンジニアリングソリューション [25] 400 [24] 302 [売] 単33,662 [従] 4,576 [資] 120 [住] 東京都台東区上野1-1-10 ☎050-3000-5826
名糖運輸(株)	[陸] [事業] (単)一般貨物自動車運送 貨物運送取扱 倉庫 [25] 15 [24] 7 [売] 単56,708 [従] 1,963 [資] 2,176 [住] 東京都新宿区若松町33-8 ☎03-5291-8110
メディア(株)	[シソ] [事業] (単)歯科診療支援システム [25] 5 [24] 4 [売] 単5,287 [従] 257 [資] 100 [住] 東京都文京区本郷3-26-6 ☎03-5684-2510
(株)mediba	[広] [事業] (単)広告 メディアプロデュース コンテンツ運用 課金サービス [25] 6 [24] 6 [売] 単8,256 [従] 533 [資] 1,035 [住] 東京都品川区上大崎2-13-30 ☎・・
(株)メフォス	[他サ] [事業] (連)シルバー福祉施設34 学校27 病院16 幼保12 産業8 寮・保養所他3 [25] 未定 [24] 386 [売] 連59,898 [従] 1,580 [資] 100 [住] 東京都港区赤坂2-23-1 ☎03-6234-7600
(株)桃屋	[食] [事業] (単)海苔佃煮24 液体調味料15 中華総菜20 食べる調味料27 他14 [25] 3 [24] 4 [売] 単14,128 [従] 307 [資] 300 [住] 東京都中央区日本橋蛎殻町2-16-2 ☎03-3668-5771
森トラスト・ホテルズ&リゾーツ(株)	[ホ] [事業] (単)ホテル・ゴルフ場運営 法人会員制倶楽部運営 レストラン・カフェ運営 他 [25] 未定 [24] 58 [売] 単30,378 [従] 1,068 [資] 100 [住] 東京都品川区北品川4-7-35 ☎03-6409-2811
森永乳業クリニコ(株)	[食] [事業] (単)医療食50 栄養補助食品50 [25] 15 [24] 9 [売] 単26,741 [従] 329 [資] 200 [住] 東京都目黒区目黒4-4-22 ☎03-3793-4101
森村商事(株)	[総卸] [事業] (単)セラミックス15 電子材料17 化成品12 香料食品6 樹脂25 金属7 航空18 [25] 未定 [24] 7 [売] 単92,837 [従] 257 [資] 450 [住] 東京都港区虎ノ門4-1-28 ☎03-3432-3510
(株)MOLDINO	[機] [事業] (単)切削工具等の製造・販売 [25] 10 [24] 5 [売] 単19,789 [従] 725 [資] 1,455 [住] 東京都墨田区両国4-31-11 ☎03-6890-5101
(株)八重椿本舗	[化] [事業] (単)化粧品製造 入浴剤製造 化粧品・入浴剤の研究開発 [25] 5 [24] 6 [売] 単9,200 [従] 250 [資] 10 [住] 東京都港区浜松町1-30-5 ☎03-5776-0261
(株)ヤグチ	[食卸] [事業] (単)食品56 冷食37 食品資材・米・粉・酒7 [25] 未定 [24] 6 [売] 単86,908 [従] 217 [資] 100 [住] 東京都港区海岸2-1-21 ☎03-3452-7532
安田不動産(株)	[不] [事業] (単)建物の賃貸61 土地の賃貸5 不動産販売他34 [25] 7 [24] 5 [売] 単39,375 [従] 157 [資] 270 [住] 東京都千代田区神田錦町2-11 ☎03-5259-0511
八千代エンジニヤリング(株)	[他サ] [事業] (単)都市計画6 道路23 環境6 河川・砂防・ダム32 港湾3 鋼構造・コンクリ12 廃棄物他18 [25] 95 [24] 65 [売] 単26,774 [従] 1,321 [資] 450 [住] 東京都台東区浅草橋5-20-8 ☎03-5822-2900
(株)ヤマイチ	[小] [事業] (単)生鮮食品97 雑貨その他3 [25] 8 [24] 7 [売] 単14,230 [従] 142 [資] 10 [住] 東京都江戸川区一之江4-14-14 ☎03-3656-0121
やまう(株)	[食] [事業] (単)漬物販売97 不動産賃貸2 他1 [25] 5 [24] 5 [売] 単5,143 [従] 166 [資] 96 [住] 東京都目黒区大橋1-6-8 ☎03-3463-7211
(株)山下設計	[築設] [事業] (単)建築の設計・監理93 PM・CM7 [25] 20 [24] 16 [売] 単9,588 [従] 452 [資] 100 [住] 東京都中央区日本橋小網町6-1 ☎03-3249-1551
ヤマト科学(株)	[精] [事業] (単)理科学機器, 研究施設, 分析計測機器, 試験検査機器の開発・製造・販売 [25] 20 [24] 16 [売] 単36,290 [従] 738 [資] 100 [住] 東京都中央区晴海1-8-11 ☎03-5548-7101
ヤマトシステム開発(株)	[シソ] [事業] (単)情報処理サービス83 システム開発9 システム機器販売8 [25] 150 [24] 185 [売] 単64,014 [従] 2,627 [資] 1,800 [住] 東京都江東区南砂2-5-15 ☎03-6333-0100
(株)ヤヨイサンフーズ	[食] [事業] (単)調理冷凍食品100 [25] 29 [24] 18 [売] 単39,469 [従] 1,237 [資] 727 [住] 東京都港区芝大門1-10-11 ☎03-5400-1500
(株)UK	[精機卸] [事業] (単)軸受と直導部品33 油圧・空圧部品20 電機・制御部品10 伝動部品5 その他部品32 [25] 4 [24] 4 [売] 単26,851 [従] 226 [資] 36 [住] 東京都文京区湯島1-7-13 ☎03-3814-2211

会社名	[業種名] (事業)会社の事業構成(%) ㉕25年採用計画数(名) ㉔24年入社内定者数(名) (売)売上高(百万円) (従)単独従業員数(名) (資)資本金(百万円) (住)本社の住所,電話番号
郵船トラベル㈱	[レ] (事業)(単)海外部門80 国内部門10 クルーズ部門10 ㉕**未定** ㉔**7** (売)単29,782 (従)206 (資)270 (住)東京都千代田区神田神保町2-2 ☎03-6777-9067
ユーソナー㈱	[シソ] (事業)(単)DBマーケティング支援 ㉕**20** ㉔**20** (売)単5,038 (従)272 (資)100 (住)東京都新宿区西新宿3-20-2 ☎03-5388-7000
㈱雄電社	[建] (事業)(単)電気工事100 ㉕**12** ㉔**12** (売)単19,184 (従)278 (資)693 (住)東京都品川区旗の台2-8-21 ☎03-3786-1161
有楽製菓㈱	[食] (事業)(単)菓子製造販売 ㉕**未定** ㉔**37** (売)単15,400 (従)435 (資)11 (住)東京都小平市小川町1-94 ☎042-341-1811
㈱ユカ	[小] (事業)(単)自販機直販(清涼飲料)83 自販機型コンビニ10 卸他部門(清涼飲料)2 受取手数料5 ㉕**未定** ㉔**11** (売)単29,996 (従)718 (資)100 (住)東京都目黒区南2-1-30 ☎03-5701-3351
ユニオン建設㈱	[建] (事業)(単)軌道工事46 土木工事43 建築工事11 ㉕**未定** ㉔**17** (売)単41,754 (従)739 (資)120 (住)東京都目黒区中目黒2-10-1 ☎03-3719-0731
ユニファースト㈱	[総卸] (事業)(単)企業のオリジナルグッズや物販用アイテムの企画・販売 アイデア商品および自社ブランドアイテムの開発 プロモーション支援などに関するSP業務 ㉕**8** ㉔**5** (売)単4,090 (従)55 (資)98 (住)東京都台東区浅草橋3-4-3 ☎03-3865-5031
㈱ユポ・コーポレーション	[パ紙] (事業)(単)合成紙86 合成紙加工品14 ㉕**未定** ㉔**6** (売)単14,708 (従)349 (資)495 (住)東京都千代田区神田駿河台4-3 ☎03-5281-0811
養老乃瀧㈱	[外] (事業)(単)フランチャイズ事業 直営事業 他 ㉕**未定** ㉔**3** (売)単13,030 (従)320 (資)50 (住)東京都豊島区西池袋1-10-15 ☎03-6327-2800
横河商事㈱	[電卸] (事業)(単)計測制御システム・電子計測器・工業計器等98 他2 ㉕**12** ㉔**6** (売)単22,820 (従)300 (資)90 (住)東京都品川区西五反田3-6-21 ☎03-3495-6635
㈱横森製作所	[金製] (事業)(単)鉄骨製階段91 階段手すり9 ㉕**未定** ㉔**19** (売)単16,501 (従)523 (資)60 (住)東京都渋谷区笹塚1-47-1 ☎03-3460-9211
㈱ヨシダ	[他卸] (事業)(単)歯科医療機器類80 歯科材料類20 ㉕**10** ㉔**17** (売)単35,330 (従)688 (資)320 (住)東京都台東区上野7-6-9 ☎03-3845-2971
㈱吉田製作所	[精] (事業)(単)歯科医療器械ユニット25 レントゲン30 レーザー17 DI15 他14 ㉕**4** ㉔**4** (売)単9,278 (従)357 (資)138 (住)東京都墨田区江東橋1-3-6 ☎03-3631-2191
㈱吉野工業所	[他製] (事業)(単)合成樹脂成型加工100 ㉕**前年並** ㉔**12** (売)単210,504 (従)4,778 (資)432 (住)東京都江東区大島3-2-6 ☎03-3682-1141
㈱読売情報開発	[他サ] (事業)(単)各種商品・サービス85 読売新聞他契約手数料10 他5 ㉕**20** ㉔**11** (売)単17,440 (従)534 (資)40 (住)東京都千代田区平河町2-13-3 ☎03-5212-1111
㈱読売新聞東京本社	[新] (事業)(単)新聞発行 文化・スポーツ事業等 ㉕**未定** ㉔**66** (売)単258,803 (従)2,374 (資)1,000 (住)東京都千代田区大手町1-7-1 ☎03-3242-1111
ライクキッズ㈱	[他サ] (事業)(単)公的保育サービス89 受託保育サービス11 ㉕**300** ㉔**172** (売)単30,402 (従)3,244 (資)50 (住)東京都渋谷区道玄坂1-12-1 ☎03-6431-9899
㈱LIXIL住宅研究所	[他サ] (事業)(単)建設業の技術支援およびコンサルタント ㉕**6** ㉔**6** (売)単17,439 (従)202 (資)100 (住)東京都品川区西品川1-1-1 ☎050-1791-2213
リコージャパン㈱	[電卸] (事業)(単)リコー事務機器製品の販売・保守サービス ㉕**250** ㉔**257** (売)単679,873 (従)18,161 (資)2,517 (住)東京都港区芝3-8-2 ☎03-6837-8800
りそなカード㈱	[貸] (事業)(単)クレジットカード 金銭貸付・信用保証 ㉕**7** ㉔**8** (売)単444,051 (従)329 (資)1,000 (住)東京都江東区木場1-5-25 ☎03-5665-0601
りそなリース㈱	[リ] (事業)(単)商業用機器26 土木建設機械13 情報関連機器12 輸送用機器10 産業・工作機械13 他25 ㉕**前年並** ㉔**9** (売)単32,204 (従)276 (資)3,300 (住)東京都千代田区神田美土代町9-1 ☎03-5280-1657
㈱流機エンジニアリング	[他製] (事業)(単)トンネル工事換気装置レンタル48 環境装置販売・レンタル25 開発製造事業9 他18 ㉕**3** ㉔**6** (売)単5,334 (従)145 (資)40 (住)東京都港区三田3-4-2 ☎03-3452-7400
菱電エレベータ施設㈱	[建] (事業)(単)エレベーター・エスカレーター等販売16 同据付49 同製造他35 ㉕**76** ㉔**48** (売)単22,023 (従)894 (資)200 (住)東京都新宿区市谷砂土原町2-4 ☎03-3235-9201
りんかい日産建設㈱	[建] (事業)(単)建設業 ㉕**20** ㉔**17** (売)単70,450 (従)654 (資)1,950 (住)東京都港区芝大門2-11-8 ☎03-6897-4801
ルートインジャパン㈱	[ホ] (事業)(単)ルートインホテルズの運営・管理・企画・旅行企画 ㉕**未定** ㉔**164** (売)単127,723 (従)17,820 (資)50 (住)東京都品川区大井1-35-3 ☎03-3777-5515

会社名	業種名 事業 会社の事業構成(%) ㉕25年採用計画数(名) ㉔24年入社内定者数(名) 売 売上高(百万円) 従 単独従業員数(名) 資 資本金(百万円) 住 本社の住所, 電話番号
㈱LEOC	他サ 事業 (単)学校・病院給食や企業の食堂などの管理・運営 ㉕**815** ㉔**595** 売 連130,900 従 10,040 資 50 住 東京都千代田区大手町1-1-3 ☎03-5220-8550
ローレルバンクマシン㈱	精機卸 事業 (単)現金出納システム機60 硬貨整理機10 紙幣整理機15 両替機5 他10 ㉕**未定** ㉔**5** 売 単45,861 従 833 資 45 住 東京都港区虎ノ門1-1-2 ☎03-3502-3311
ロジスティード㈱	陸 事業 (連)国内物流53 国際物流45 他2 ㉕**50** ㉔**35** 売 連800,243 従 891 資 100 住 東京都中央区京橋2-9-2 ☎03-6263-2800
㈱ロフト	小 事業 (単)雑貨専門店事業100 ㉕**50** ㉔**43** 売 単107,188 従 4,645 資 750 住 東京都千代田区九段北4-2-6 ☎03-5210-6210
YKアクロス㈱	総卸 事業 (単)合成樹脂25 電子材料・化学品26 建材・無機材料部27 高機能化学品16 住環事業6 ㉕**5** ㉔**5** 売 単10,971 従 291 資 1,200 住 東京都港区芝公園2-4-1 ☎03-5405-6111
㈱YDKテクノロジーズ	精 事業 (単)航海機器51 防衛機器23 環境計測機器13 他13 ㉕**19** ㉔**12** 売 単15,820 従 646 資 300 住 東京都渋谷区千駄ヶ谷5-23-13 ☎03-3225-5350
湧永製薬㈱	医 事業 (単)一般用医薬品・健康食品85 他15 ㉕**未定** ㉔**9** 売 単7,863 従 282 資 544 住 東京都新宿区荒木町13-4 ☎0570-666-170
ワッティー㈱	精 事業 (単)特機54 電熱37 センサ9 ㉕**未定** ㉔**4** 売 単16,436 従 186 資 95 住 東京都品川区西五反田7-18-2 ☎03-3779-1001
㈱IHI検査計測	機保 事業 (単)原子力・ボイラー等検査計測37 試験検査装置50 研究開発等支援13 ㉕**5** ㉔**8** 売 単11,512 従 354 資 220 住 横浜市金沢区福浦2-6-17 ☎045-791-3513
㈱アイ・シイ・エス	金製 事業 (単)熱処理70 DLCコーティング他20 他10 ㉕**3** ㉔**3** 売 単4,756 従 139 資 220 住 神奈川県愛甲郡愛川町三増247-15 ☎046-281-6900
㈱AOKI	小 事業 (単)ファッション100 ㉕**130** ㉔**68** 売 単100,974 従 1,749 資 100 住 横浜市都筑区葛が谷6-56 ☎045-941-3488
㈱旭商工社	精機卸 事業 (単)工具・産業機等の仕入・販売 ㉕**10** ㉔**6** 売 単19,759 従 223 資 485 住 横浜市西区平沼1-7-10 ☎045-311-1551
荒井商事㈱	総卸 事業 (単)中古車オートオークション92 食品卸売5 パチンコホール3 ㉕**12** ㉔**13** 売 単211,852 従 455 資 100 住 神奈川県平塚市紅谷町17-2 ☎0463-23-2011
アルバックテクノ㈱	機保 事業 (単)機械メンテ 部品・消耗品販売 規格品販売 金属表面処理 ㉕**15** ㉔**6** 売 単26,088 従 831 資 125 住 神奈川県茅ヶ崎市萩園2609-5 ☎0467-87-1046
上野トランステック㈱	海 事業 (単)海運100 ㉕**未定** ㉔**7** 売 単21,319 従 157 資 480 住 横浜市中区山下町70-3 ☎045-671-7535
エア・ウォーター・パフォーマンスケミカル㈱	化 事業 (単)化学100 ㉕**14** ㉔**15** 売 単33,463 従 560 資 100 住 川崎市幸区大宮町1310 ☎044-540-0110
AGCセイミケミカル㈱	化 事業 (単)有機材料59 無機材料41 ㉕**若干** ㉔**9** 売 単10,595 従 341 資 450 住 神奈川県茅ヶ崎市茅ヶ崎3-2-10 ☎0467-82-4131
㈱エスシー・マシーナリ	他サ 事業 (単)建設機械レンタ83 建設機械販売15 工事2 ㉕**7** ㉔**7** 売 単32,189 従 295 資 200 住 横浜市瀬谷区北町25-9 ☎045-924-2711
NECマグナスコミュニケーションズ㈱	電機 事業 (単)通信機器電子機器企画開発販売 自動券売機・金銭処理ユニット企画開発製造 ㉕**未定** ㉔**12** 売 単17,773 従 406 資 100 住 川崎市幸区新小倉1-2 ☎044-276-7600
NTTイノベーティブデバイス㈱	電機 事業 (単)フォトニックコンポーネント 映像コンポーネント 通信用エレクトロニクス コパッケージドオプティクス ㉕**未定** ㉔**12** 売 単28,523 従 602 資 6,576 住 横浜市神奈川区新浦島町1-1-32 ☎045-414-9700
ENEOSオーシャン㈱	海 事業 (単)海上運送業 石油・鉄・非鉄金属等の売買他 ㉕**4** ㉔**4** 売 単73,576 従 349 資 4,000 住 横浜市西区みなとみらい2-2-1 ☎045-307-3000
江ノ島電鉄㈱	鉄バ 事業 (単)運輸 不動産 レジャーサービス ㉕**未定** ㉔**6** 売 単6,899 従 222 資 300 住 神奈川県藤沢市片瀬海岸1-8-16 ☎0466-24-2711
MHIパワーエンジニアリング㈱	他サ 事業 (単)設計・製図80 一般産業機械他20 ㉕**25** ㉔**5** 売 単21,806 従 1,217 資 100 住 横浜市中区錦町12 ☎045-285-0120
大江電機㈱	電卸 事業 (単)制御機器60 電設資材29 リテールソリューション11 ㉕**2** ㉔**4** 売 単9,725 従 115 資 72 住 横浜市南区前里町1-9 ☎045-241-3711
オーケー㈱	小 事業 (連)ディスカウントセンター ディスカウントスーパーマーケット ㉕**300** ㉔**168** 売 連623,812 従 3,696 資 2,868 住 横浜市西区みなとみらい6-3-6 ☎045-263-6062

会社名	業種名 事業 会社の事業構成(%) ㉕25年採用計画数(名) ㉔24年入社内定者数(名) 売 売上高(百万円) 従 単独従業員数(名) 資 資本金(百万円) 住 本社の住所,電話番号
㈱快活フロンティア	レ 事業 (単)シェアリングスペース・カラオケルーム・セルフトレーニング施設等の経営 ㉕36 ㉔7 売 単71,212 従 526 資 100 住 横浜市都筑区北山田3-1-50 ☎045-590-4888
川本工業㈱	建 事業 (単)空気調和設備工事38 給排水衛生設備工事44 他18 ㉕15 ㉔11 売 単25,458 従 258 資 500 住 横浜市中区寿町2-5-1 ☎045-662-2021
キーパー㈱	自 事業 (連)輸送用機器製造販売100 ㉕13 ㉔7 売 連15,561 従 473 資 693 住 神奈川県藤沢市辻堂神台2-4-36 ☎0466-33-2111
キヤノンアネルバ㈱	電機 事業 (単)半導体製造装置37 電子部品製造装置30 サービス・他33 ㉕前年並 ㉔19 売 単34,538 従 1,054 資 1,800 住 川崎市麻生区栗木2-5-1 ☎044-980-5111
京セラSOC㈱	精 事業 (単)レーザ発振器27 特定光学機器15 光学システム39 光学部品19 ㉕10 ㉔14 売 単8,629 従 272 資 50 住 横浜市緑区白山1-22-1 ☎045-931-6511
協同電気㈱	電卸 事業 (単)電気機器50 電設資材29 計装工事21 ㉕未定 ㉔7 売 単13,293 従 128 資 100 住 横浜市中区山下町227 ☎045-651-1415
㈱京急ストア	小 事業 (単)食品91 日用品4 ドラッグ3 他1 ㉕25 ㉔20 売 単56,696 従 615 資 100 住 横浜市西区高島1-2-8 ☎045-305-3100
㈱KSP	建管 事業 (単)総合警備業100 ㉕40 ㉔11 売 単6,191 従 1,681 資 50 住 横浜市中区山吹町1-1 ☎045-243-3111
サイバーコム㈱	シソ 事業 (単)ソフトウェア開発 サービスファシリティ ㉕130 ㉔128 売 単17,625 従 1,274 資 399 住 横浜市中区本町4-34 ☎045-681-6001
㈱サンジェルマン	食 事業 (単)パン 菓子の製造・販売 ㉕未定 ㉔4 売 単9,222 従 1,550 資 9 住 横浜市港北区新羽町688 ☎045-716-8501
四季㈱	レ 事業 (単)演劇100 ㉕10 ㉔17 売 単27,560 従 333 資 100 住 横浜市青葉区あざみ野1-24-7 ☎045-903-1141
㈱シンクスコーポレーション	鉄金卸 事業 (単)アルミ軽圧品90 ステンレス10 ㉕4 ㉔3 売 単14,361 従 407 資 88 住 神奈川県愛甲郡愛川町中津桜台4057-2 ☎046-284-3494
㈱シンデン	建 事業 (単)東京電力請負工事85 一般受注電気工事15 セキュリティ関連工事0 ㉕10 ㉔8 売 単9,234 従 249 資 130 住 横浜市西区平沼1-2-23 ☎045-321-5001
新日本建販㈱	精機卸 事業 (単)商品売上高48 機械賃貸収入52 ㉕5 ㉔3 売 単15,881 従 238 資 495 住 横浜市港北区新横浜3-6-5 ☎045-473-4011
㈱杉孝	リ 事業 (単)建設用仮設資材のレンタル100 ㉕31 ㉔28 売 単34,530 従 748 資 100 住 横浜市神奈川区金港町1-7 ☎045-444-0835
杉本電機産業㈱	電卸 事業 (単)照明器具16 受配電機器14 電線・ケーブル20 配管・配線材15 他35 ㉕26 ㉔17 売 単49,041 従 503 資 919 住 川崎市川崎区渡田向町6-5 ☎044-211-4745
㈱成城石井	小 事業 (単)小売95 卸5 ㉕未定 ㉔77 売 連112,544 従 1,323 資 100 住 横浜市西区北幸2-9-30 ☎045-329-2300
セイノーロジックス㈱	海 事業 (単)NVOCC(海上輸送利用運送事業) ㉕未定 ㉔4 売 単7,121 従 92 資 100 住 横浜市西区みなとみらい2-3-1 ☎045-682-5311
㈱多摩川電子	電機 事業 (連)通信用機器・部品 電子応用機器 ㉕若干 ㉔5 売 連3,195 従 134 資 310 住 神奈川県綾瀬市上土棚中3-11-23 ☎0467-76-2291
中栄信用金庫	銀 事業 (単)現・預け金24 有価証券40 貸出金34 他2 ㉕15 ㉔10 売 単5,966 従 249 資 168 住 神奈川県秦野市元町1-7 ☎0463-81-1850
千代田エクスワンエンジニアリング㈱	建 事業 (単)石油・石油化学・金属60 医薬・ライフサイエンス・一般化学30 環境・新エネ・インフラ他10 ㉕未定 ㉔12 売 単55,336 従 704 資 150 住 横浜市神奈川区守屋町3-13 ☎045-441-9341
ディー・ティー・ファインエレクトロニクス㈱	精 事業 (単)電子精密部品製造100 ㉕若干 ㉔5 売 単11,605 従 255 資 490 住 川崎市幸区小向東芝町1 ☎044-549-8393
東急テクノシステム㈱	建 事業 (単)交通事業42 電設事業58 ㉕未定 ㉔14 売 単10,865 従 520 資 480 住 川崎市中原区今井上町11-21 ☎044-733-4351
東京濾器㈱	自 事業 (単)排ガス用触媒など自動車部品98 事務機器部品他2 ㉕20 ㉔18 売 単69,983 従 967 資 2,000 住 横浜市都筑区仲町台3-12-3 ☎045-945-8511
東芝デバイス㈱	電卸 事業 (単)半導体・電子部品99 電池他1 ㉕3 ㉔3 売 単41,333 従 190 資 500 住 川崎市幸区堀川町580 ☎044-556-8000

会社名	業種名 事業 会社の事業構成(%) ㉕25年採用計画数(名) ㉔24年入社内定者数(名) 売 売上高(百万円) 従 単独従業員数(名) 資 資本金(百万円) 住 本社の住所, 電話番号
東芝デバイスソリューション(株)	シソ 事業 (単)半導体の設計・開発 ㉕**22** ㉔**16** 売単6,402 従700 資500 住川崎市幸区小向東芝町1 ☎044-548-2610
奈良建設(株)	建 事業 (単)土木工事50 建築工事50 ㉕**未定** ㉔**6** 売単15,042 従220 資200 住横浜市港北区新横浜1-13-3 ☎045-472-2111
(株)ニクニ	機 事業 (単)産業用ポンプ46 産業用装置28 液晶半導体製造装置16 精密加工製品他10 ㉕**5** ㉔**5** 売単9,321 従154 資80 住川崎市高津区久地843-5 ☎044-833-1101
日揮触媒化成(株)	化 事業 (単)触媒61 環境・新エネルギー8 ファイン31 ㉕**未定** ㉔**16** 売単39,153 従551 資1,800 住川崎市幸区堀川町580 ☎044-556-9137
日興システムソリューションズ(株)	シソ 事業 (単)情報処理サービス100 ㉕**50** ㉔**36** 売単47,865 従655 資3,000 住横浜市鶴見区大東町12-1 ☎045-506-8811
(株)日産クリエイティブサービス	他サ 事業 (単)販売・旅行9 環境・生産技術70 情報・物流19 PG・車両管理他2 ㉕**15** ㉔**10** 売単58,846 従2,995 資90 住横浜市戸塚区上矢部町2384 ☎045-814-7301
日産トレーデイング(株)	総卸 事業 (単)自動車2 機械8 部品34 マテリアル52 他4 ㉕**未定** ㉔**15** 売単16,258 従318 資320 住横浜市戸塚区川上町91-1 ☎050-3360-2021
日産モータースポーツ&カスタマイズ(株)	自 事業 (単)特装車両の製造・販売96 部用品販売他4 ㉕**未定** ㉔**5** 売単176,499 従604 資480 住神奈川県茅ヶ崎市萩園824-2 ☎0467-87-8001
日発精密工業(株)	自 事業 (単)ねじ工具 自動車部品 情報処理機器部品 産業用精密部品 ㉕**未定** ㉔**5** 売単4,269 従195 資480 住神奈川県伊勢原市沼目2-1-49 ☎0463-94-5235
ハーベスト(株)	他サ 事業 (単)事業所給食85 食材宅配15 学童0 ㉕**120** ㉔**50** 売単29,521 従9,000 資210 住横浜市保土ケ谷区岩間町2-120 ☎045-336-1100
浜銀ファイナンス(株)	リ 事業 (単)リース95 代金回収4 ファクタリング他1 ㉕**若干** ㉔**4** 売単31,253 従134 資200 住横浜市西区みなとみらい3-1-1 ☎045-225-2321
(株)バンテック	倉埠 事業 (単)運輸56 倉庫業17 運輸サービス26 他1 ㉕**未定** ㉔**13** 売単63,142 従510 資3,874 住横浜市西区みなとみらい3-6-1 ☎045-306-5221
(株)日立システムズエンジニアリングサービス	シソ 事業 (単)システム開発27 システム運用サービス58 システム基盤設計・構築14 他2 ㉕**未定** ㉔**50** 売単39,210 従2,079 資250 住横浜市西区みなとみらい2-2-1 ☎045-228-4141
(株)日立情報通信エンジニアリング	シソ 事業 (単)エンジニアリング48 システムソリューション52 ㉕**未定** ㉔**77** 売単72,228 従2,925 資1,350 住横浜市西区みなとみらい2-3-3 ☎045-227-3000
(株)日立ハイシステム21	シソ 事業 (単)情報システム100 ㉕**50** ㉔**51** 売単24,123 従850 資300 住横浜市西区みなとみらい2-2-1 ☎045-650-2650
(株)ファルコン	シソ 事業 (単)受託システムの開発50 システム開発支援46 システム運用支援4 その他IT全般情報処理0 ㉕**3** ㉔**3** 売単764 従70 資50 住横浜市神奈川区西神奈川1-13-12 ☎045-317-6521
富士シティオ(株)	小 事業 (単)食料品90 雑貨衣料他10 ㉕**30** ㉔**22** 売単63,489 従620 資50 住横浜市中区日本大通17 ☎045-641-1111
富士通ネットワークソリューションズ(株)	シソ 事業 (単)工事・現調23 SE10 ストック55 プロダクト12 ㉕**30** ㉔**38** 売単59,624 従1,337 資3,942 住川崎市幸区大宮町1-5 ☎044-742-2770
冨士電線(株)	非鉄 事業 (単)通信用ケーブル58 消防用ケーブル41 他1 ㉕**未定** ㉔**7** 売単23,694 従405 資318 住神奈川県伊勢原市鈴川10 ☎0463-94-3721
プライムデリカ(株)	食 事業 (単)調理パン26 軽食13 惣菜12 サラダ29 デザート20 ㉕**未定** ㉔**34** 売単104,594 従795 資100 住相模原市南区麻溝台1-7-1 ☎042-702-0011
(株)フリーデン	農水 事業 (単)豚規格肉等60 飼料等18 一般食品等8 豚枝肉等5 加工食品ハム等3 他6 ㉕**未定** ㉔**5** 売単22,554 従196 資100 住神奈川県平塚市南金目227 ☎0463-58-0123
ペルノックス(株)	化 事業 (単)機能樹脂52 機能塗料31 導電材料17 ㉕**4** ㉔**3** 売単4,323 従153 資60 住神奈川県秦野市菩提8-7 ☎0463-86-8000
(株)ベン	他製 事業 (単)各種弁 管継手 ㉕**3** ㉔**7** 売単8,155 従281 資449 住横浜市中区住吉町3-30 ☎045-227-5241
ポーラ化成工業(株)	化 事業 (単)化粧品製造100 ㉕**未定** ㉔**10** 売単21,477 従429 資110 住横浜市戸塚区柏尾町560 ☎045-826-7111
(株)マブチ	倉埠 事業 (単)自動車KD梱包 一般輸出梱包 スチール製箱製作 通関業 包装資材販売 住宅製造請負 ㉕**5** ㉔**4** 売単18,124 従510 資130 住横浜市中区日本大通17 ☎045-210-0055

会社名	業種名 事業 会社の事業構成(%) ㉕25年採用計画数(名) ㉔24年入社内定者数(名) 売 売上高(百万円) 従 単独従業員数(名) 資 資本金(百万円) 住 本社の住所，電話番号
馬淵建設(株)	建 事業 (単)建築工事73 土木工事21 他6 ㉕**18** ㉔**11** 売単28,234 従321 資1,258 住横浜市南区花之木町2-26 ☎045-712-1221
三井埠頭(株)	倉埠 事業 (単)港運営業28 環境48 倉庫営業14 東扇島営業5 業務4 不動産1 海外0 ㉕**3** ㉔**3** 売単13,342 従157 資3,500 住川崎市川崎区扇町9-1 ☎044-333-5311
三菱重工環境・化学エンジニアリング(株)	建 事業 (単)ごみ焼却設備74 環境装置関連他26 ㉕**14** ㉔**8** 売単55,061 従552 資3,450 住横浜市西区みなとみらい4-4-2 ☎045-227-1280
三菱ふそうトラック・バス(株)	自 事業 (単)トラック・バス・産業エンジンの開発・設計・製造 ㉕**240** ㉔**220** 売単832,928 従10,000 資35,000 住川崎市中原区大倉町10 ☎044-330-7700
(株)三好商会	他卸 事業 (単)生コン67 セメント14 硝子その他建材19 ㉕**未定** ㉔**3** 売単43,548 従99 資100 住横浜市西区北幸2-8-4 ☎045-328-3440
美和電気(株)	電機 事業 (単)事故区間検出装置・継電器および工事34 電気計測器15 制御機器27 磁気反転表示器20 他4 ㉕**4** ㉔**3** 売単917 従63 資80 住川崎市中原区今井南町34-30 ☎044-722-7131
メーカーズシャツ鎌倉(株)	小 事業 (単)メンズ・レディース衣料の小売 ㉕**7** ㉔**11** 売単5,509 従260 資100 住神奈川県鎌倉市雪ノ下3-1-31 ☎‥
ヤオマサ(株)	小 事業 (単)食料品・家庭雑貨販売92 レンタル・書籍・CD販売8 ㉕**10** ㉔**5** 売単17,920 従175 資30 住神奈川県小田原市前川183-13 ☎0465-47-8000
(株)有隣堂	小 事業 (単)書籍類28 雑誌6 文具6 スチール2 OA機器18 他40 ㉕**10** ㉔**6** 売単52,015 従349 資50 住横浜市中区伊勢佐木町1-4-1 ☎045-825-5551
ユナイテッド・セミコンダクター・ジャパン(株)	精 事業 (単)半導体製造受託メーカー ㉕**未定** ㉔**29** 売単76,648 従1,136 資10,000 住横浜市神奈川区金港町3-1 ☎045-620-2682
(株)臨海	他サ 事業 (単)授業料100 委託授業料0 ㉕**未定** ㉔**162** 売単24,424 従1,502 資50 住横浜市神奈川区金港町8-8 ☎045-441-4119
レモンガス(株)	石燃卸 事業 (単)LPガス63 アクアクララ(ボトルドウォーター)10 石油製品4 ガス器具・工事6 都市ガス他17 ㉕**10** ㉔**7** 売単21,803 従425 資20 住神奈川県平塚市高根1-1-11 ☎0463-31-7009
(株)エスエフシー新潟	シソ 事業 (単)医療関係ソフトシステム100 ㉕**8** ㉔**6** 売単905 従55 資80 住新潟市中央区南出来島1-10-21 ☎025-282-2233
越後交通(株)	鉄バ 事業 (連)運輸53 建設13 不動産7 他27 ㉕**10** ㉔**10** 売連23,903 従287 資480 住新潟県長岡市千秋2-2788-1 ☎0258-29-1111
越後製菓(株)	食 事業 (単)餅47 米菓33 麺類2 総菜・米飯17 他1 ㉕**20** ㉔**15** 売単20,590 従738 資234 住新潟県長岡市呉服町1-4-5 ☎0258-32-2358
(株)NS・コンピュータサービス	シソ 事業 (単)IDCサービス4 ソリューション開発29 物品販売30 エンデベッド開発37 ㉕**53** ㉔**47** 売単10,468 従589 資323 住新潟県長岡市金房3-3-2 ☎0258-37-1320
(株)NST新潟総合テレビ	通 事業 (単)タイムセールス放送36 スポットセールス放送52 制作収入等12 ㉕**未定** ㉔**3** 売単6,749 従83 資300 住新潟市中央区八千代2-3-1 ☎025-245-8181
(株)エヌ・エム・アイ	小 事業 (単)処方箋調剤99 OTC・介護用品1 ㉕**未定** ㉔**25** 売単7,964 従225 資30 住新潟県長岡市緑町1-38-283 ☎0258-28-2538
岡三にいがた証券(株)	証 事業 (単)受入手数料98 トレーディング損益1 金融収益1 ㉕**未定** ㉔**8** 売単4,363 従184 資852 住新潟県長岡市大手通1-5-5 ☎0258-35-0290
(株)加賀田組	建 事業 (単)建築工事67 土木工事22 舗装工事9 兼業事業2 ㉕**未定** ㉔**31** 売単38,248 従404 資520 住新潟市中央区万代4-5-15 ☎025-247-5171
(株)加藤組	建 事業 (単)土木工事61 建築工事19 他20 ㉕**2** ㉔**7** 売単2,845 従94 資40 住新潟県村上市久保多町7-3 ☎0254-53-4165
加茂信用金庫	銀 事業 (単)現・預け金27 有価証券34 貸出金38 他1 ㉕**未定** ㉔**4** 売単1,069 従85 資313 住新潟県加茂市本町1-29 ☎0256-53-2211
(株)北村製作所	自 事業 (単)アルミバン48 シェルター37 洗浄機5 他10 ㉕**未定** ㉔**5** 売単12,125 従419 資100 住新潟市江南区両川1-3604-12 ☎025-280-7120
(株)興和	建 事業 (単)建設76 地質調査11 建設コンサルタント4 物品販売等6 不動産賃貸3 ㉕**未定** ㉔**5** 売単9,326 従248 資93 住新潟市中央区新光町6-1 ☎025-281-8811
新潟綜合警備保障(株)	建管 事業 (単)機械警備50 常駐警備30 警備輸送12 他8 ㉕**28** ㉔**28** 売単7,764 従757 資48 住新潟市東区小金町1-17-20 ☎025-274-1965

会社名	業種名 事業 会社の事業構成(%) ㉕25年採用計画数(名) ㉔24年入社内定者数(名) 売 売上高(百万円) 従 単独従業員数(名) 資 資本金(百万円) 住 本社の住所, 電話番号
㈱新潟テレビ21	通 事業 (単)タイム放送48 スポット放送48 制作1 他3 ㉕未定 ㉔4 売 単4,655 従 81 資 100 住 新潟市中央区下大川前通六ノ町2230-19 ☎025-223-0021
新潟トヨタ自動車㈱	自販 事業 (単)新車70 サービス15 中古車15 ㉕未定 ㉔14 売 単17,983 従 224 資 62 住 新潟市中央区女池南1-2-13 ☎025-281-7111
㈱新潟日報社	新 事業 (単)日刊新聞100 ㉕未定 ㉔11 売 単14,122 従 519 資 142 住 新潟市中央区万代3-1-1 ☎025-385-7111
㈱新潟三越伊勢丹	小 事業 (単)百貨店100 ㉕5 ㉔6 売 単35,939 従 218 資 100 住 新潟市中央区八千代1-6-1 ☎025-242-1111
㈱原信	小 事業 (単)生鮮食品47 加工食品48 他3 営業収入2 ㉕未定 ㉔40 売 単161,340 従 1,277 資 500 住 新潟県長岡市中興野18-2 ☎0258-66-6711
㈱BSNアイネット	シソ 事業 (単)情報処理サービス50 コンピュータシステム販売27 ソフト開発23 ㉕20 ㉔13 売 単13,689 従 389 資 200 住 新潟市中央区米山2-5-1 ☎025-243-0211
福田道路㈱	建 事業 (単)舗装工事69 土木工事9 製品売上19 他3 ㉕17 ㉔17 売 単28,477 従 509 資 2,000 住 新潟市中央区川岸町1-53-1 ☎025-231-1211
㈱本間組	建 事業 (単)土木50 建築45 他5 ㉕未定 ㉔18 売 単46,875 従 524 資 1,000 住 新潟市中央区西湊町通三ノ町3300-3 ☎025-229-2511
マルソー㈱	陸 事業 (単)共同配送30 3PL(サード・パーティー・ロジスティクス)50 他20 ㉕未定 ㉔3 売 単4,531 従 450 資 98 住 新潟県三条市月岡字綾ノ前2783-1 ☎0256-34-2621
㈱マルタケ	化医卸 事業 (単)医療用医薬品90 一般用医薬品1 他9 ㉕未定 ㉔7 売 単34,468 従 240 資 100 住 新潟市西区流通センター4-6-2 ☎025-268-6311
㈱水倉組	建 事業 (単)建築工事40 土木工事45 舗装工事10 他5 ㉕増加 ㉔4 売 単8,134 従 163 資 100 住 新潟市西蒲区巻甲5480 ☎0256-72-2371
明星セメント㈱	ガ土 事業 (単)セメント70 他30 ㉕未定 ㉔6 売 単19,805 従 146 資 2,500 住 新潟県糸魚川市上刈7-1-1 ☎025-552-2011
石友リフォームサービス㈱	建 事業 (単)リフォーム建築工事100 ㉕20 ㉔20 売 単5,167 従 195 資 20 住 富山県高岡市下牧野36-2 ☎0766-82-1777
大谷製鉄㈱	鉄 事業 (単)鉄筋コンクリート用棒鋼100 ㉕未定 ㉔4 売 単23,723 従 255 資 480 住 富山県射水市奈呉の江8-4 ☎0766-84-6151
河上金物㈱	鉄金卸 事業 (単)各種鋼材, 二次製品, 建築用金物, 各種建材, 家庭用金物, 各種工作機械等の販売, 重仮設材リース ㉕4 ㉔7 売 単18,913 従 129 資 20 住 富山市新庄本町2-1-120 ☎076-451-0036
㈱北日本新聞社	新 事業 (単)新聞発行100 ㉕未定 ㉔5 売 単9,599 従 297 資 99 住 富山市安住町2-14 ☎076-445-3300
協和ファーマケミカル㈱	医 事業 (単)医薬品原料91 体外診断薬他9 ㉕未定 ㉔14 売 単14,630 従 399 資 6,276 住 富山県高岡市長慶寺530 ☎0766-21-3456
黒田化学㈱	他製 事業 (単)自動車用プラスチック部品90 情報・電気機器用5 他5 ㉕10 ㉔8 売 単8,778 従 380 資 40 住 富山県南砺市城端368 ☎0763-62-0013
㈱廣貫堂	医 事業 (連)医薬品等配置卸販売20 医薬品等配置販売13 ヘルスケア32 医薬品製造受託29 他6 ㉕未定 ㉔18 売 連15,395 従 658 資 100 住 富山市梅沢町2-9-1 ☎076-424-2271
コマツNTC㈱	機 事業 (単)トランスファーマシン, 研削盤, 他装置等の設計・製造・販売 ㉕未定 ㉔27 売 単34,726 従 1,226 資 6,014 住 富山県南砺市福野100 ☎0763-22-2161
ゼオンノース㈱	建 事業 (単)商事19 エンジニアリング74 環境分析6 ㉕未定 ㉔5 売 単8,692 従 261 資 100 住 富山県高岡市米島1061-2 ☎0766-25-1111
高岡信用金庫	銀 事業 (単)現・預け金14 有価証券39 貸出金45 他2 ㉕15 ㉔8 売 単4,583 従 290 資 306 住 富山県高岡市守山町68 ☎0766-23-1221
武内プレス工業㈱	金製 事業 (単)缶49 チューブ38 商品12 他1 ㉕未定 ㉔31 売 単33,235 従 731 資 1,010 住 富山市上赤江町1-10-1 ☎076-441-1856
立山黒部貫光㈱	鉄バ 事業 (連)運輸70 ホテル30 他0 ㉕10 ㉔8 売 連5,958 従 190 資 100 住 富山市桜町1-1-36 ☎076-441-3331
中越合金鋳工㈱	非鉄 事業 (単)自動車関係26 ベアリング17 油圧機器13 鉄鋼関係12 連鋳製品11 継手7 他14 ㉕5 ㉔6 売 単18,747 従 499 資 499 住 富山県中新川郡立山町西芦原新1-1 ☎076-463-1211

会社名	業種名 (事業)会社の事業構成(%) ㉕25年採用計画数(名) ㉔24年入社内定者数(名) (売)売上高(百万円) (従)単独従業員数(名) (資)資本金(百万円) (住)本社の住所, 電話番号
津根精機㈱	機 (事業)(単)切断機・同関連製品製造80 機械部品・人造大理石原料20 ㉕未定 ㉔4 (売)単6,277 (従)174 (資)36 (住)富山市婦中町高日附852 ☎076-469-3330
砺波信用金庫	銀 (事業)(単)現・預け金24 有価証券34 貸出金42 他0 ㉕若干 ㉔3 (売)単1,075 (従)47 (資)146 (住)富山県南砺市福野1621-15 ☎0763-22-2200
富山信用金庫	銀 (事業)(単)現・預け金23 有価証券34 貸出金42 他1 ㉕4 ㉔6 (売)単4,269 (従)196 (資)666 (住)富山市室町通り1-1-32 ☎076-492-7300
富山地方鉄道㈱	鉄バ (事業)(連)運輸64 不動産4 建設10 保険代理4 航空輸送3 ホテル5 他10 ㉕45 ㉔13 (売)連9,465 (従)489 (資)1,557 (住)富山市桜町1-1-36 ☎076-432-5530
北陸プラントサービス㈱	建 (事業)(単)機械器具設置工事73 管工事11 電気工事7 他9 ㉕若干 ㉔4 (売)単17,816 (従)581 (資)95 (住)富山市草島字鶴田1-1 ☎076-435-5410
㈱アクトリー	機 (事業)(単)焼却および焼成処理プラント72 焼却発電25 再生油3 ㉕未定 ㉔5 (売)単17,047 (従)153 (資)98 (住)石川県白山市水澄町375 ☎076-277-3380
一村産業㈱	繊紙卸 (事業)(単)繊維54 プラスチック45 先端材料1 ㉕未定 ㉔8 (売)単20,672 (従)137 (資)1,000 (住)金沢市南町5-20 ☎076-263-1171
㈱久世ベローズ工業所	金製 (事業)(連)継目無ステンレス鋼鋼管56 継目無ステンレス鋼継手22 金属ベローズ22 ㉕8 ㉔8 (売)連20,069 (従)550 (資)40 (住)石川県河北郡津幡町字南中条リ74-1 ☎076-289-4740
興能信用金庫	銀 (事業)(単)現・預け金24 有価証券30 貸出金44 他2 ㉕未定 ㉔15 (売)単3,661 (従)178 (資)828 (住)石川県鳳珠郡能登町字宇出津ム字45-1 ☎0768-62-1122
小松鋼機㈱	鉄金卸 (事業)(単)鋼材61 機工39 ㉕2 ㉔4 (売)単8,417 (従)114 (資)63 (住)石川県小松市光町20 ☎0761-22-2051
㈱ジェイ・エス・エス	シソ (事業)(単)ソフトウェア開発48 アウトソーシング35 ハードウェア販売17 ㉕15 ㉔13 (売)単3,008 (従)200 (資)100 (住)金沢市示野中町2-115 ☎076-223-7361
伸晃化学㈱	他製 (事業)(単)合成樹脂医薬品容器製造95 他5 ㉕未定 ㉔6 (売)単12,250 (従)573 (資)90 (住)金沢市藤江南2-4 ☎076-267-3235
㈱東振精機	機 (事業)(単)ベアリング組込用ローラ83 精密ピン・シャフト5 工作機械他10 ポンプ他2 ㉕10 ㉔11 (売)単9,210 (従)506 (資)73 (住)石川県能美市寺井町ハ18 ☎0761-58-5222
㈱トーケン	建 (事業)(単)建設85 開発不動産8 環境緑化3 ソーラーシステム2 他2 ㉕5 ㉔3 (売)単11,502 (従)81 (資)70 (住)金沢市入江3-25 ☎076-291-8818
㈱ファイネス	化医卸 (事業)(単)医療用医薬品73 試薬・医療材料・医療機器8 動物薬19 ㉕未定 ㉔6 (売)単49,515 (従)359 (資)98 (住)金沢市大浦町ハ55 ☎076-239-0032
㈱別川製作所	電機 (事業)(単)配電盤43 制御盤・空調盤23 分電盤・端子盤15 他19 ㉕10 ㉔11 (売)単11,733 (従)411 (資)100 (住)石川県白山市漆島町1136 ☎076-277-6700
㈱ほくつう	建 (事業)(単)完成工事84 保守受託9 物品販売7 他0 ㉕未定 ㉔23 (売)単22,220 (従)605 (資)78 (住)金沢市問屋町1-65 ☎076-238-1111
北陸鉄道㈱	鉄バ (事業)(連)運輸66 レジャー・サービス25 建設7 他2 ㉕未定 ㉔5 (売)連11,180 (従)307 (資)100 (住)金沢市広岡3-1-1 ☎076-204-9600
北菱電興㈱	電卸 (事業)(単)電子・電気機器販売65 同製造10 建築設備25 ㉕未定 ㉔9 (売)単20,157 (従)361 (資)100 (住)金沢市古府3-12 ☎076-269-8500
米沢電気工事㈱	建 (事業)(単)電気工事95 電気通信工事4 消防施設工事他1 ㉕15 ㉔14 (売)単18,521 (従)356 (資)80 (住)金沢市進和町32 ☎076-291-5200
菱機工業㈱	建 (事業)(単)管工事86 消防設備工事0 機械器具設置工事0 電気工事0 他14 ㉕18 ㉔15 (売)単21,238 (従)336 (資)100 (住)金沢市御影町10-7 ☎076-241-1141
石黒建設㈱	建 (事業)(単)建設・土木の設計・請負・監理 不動産の売買・賃貸・仲介 砂利採取・セメント販売 ㉕未定 ㉔8 (売)単18,934 (従)170 (資)500 (住)福井市西開発3-301-1 ☎0776-54-1496
㈱エイチアンドエフ	機 (事業)(単)プレス機械 各種自動化装置 制御装置の製造・販売・アフターサービス ㉕未定 ㉔6 (売)単17,924 (従)398 (資)1,055 (住)福井県あわら市自由ケ丘1-8-28 ☎0776-73-1220
エネックス㈱	他製 (事業)(単)OA機器サプライ品79 環境機材4 機能材料17 ㉕未定 ㉔5 (売)単4,021 (従)145 (資)98 (住)福井市花堂中2-15-1 ☎0776-36-5821
小浜信用金庫	銀 (事業)(単)現・預け金27 有価証券38 貸出金32 他3 ㉕未定 ㉔3 (売)単2,018 (従)94 (資)319 (住)福井県小浜市大手町9-20 ☎0770-53-2123

会社名	業種名 事業 会社の事業構成(%) ㉕25年採用計画数(名) ㉔24年入社内定者数(名) 売 売上高(百万円) 従 単独従業員数(名) 資 資本金(百万円) 住 本社の住所, 電話番号
サカセ化学工業(株)	他製 事業 (単)病院向けキャビネットカートの製造・販売80 他20 ㉕5 ㉔3 売 単2,408 従 164 資 96 住 福井市下森田町3-5 ☎0776-56-1122
(株)塩浜工業	建 事業 (単)建築工事80 土木工事20 ㉕20 ㉔25 売 単58,882 従 342 資 480 住 福井県敦賀市観音町12-1 ☎0770-25-6027
轟産業(株)	電卸 事業 (単)工業計測器35 省力・自動化機器26 研究・開発機器24 他15 ㉕未定 ㉔11 売 単68,847 従 527 資 262 住 福井市毛矢3-2-4 ☎0776-36-5520
日信化学工業(株)	化 事業 (単)化学製品製造100 ㉕未定 ㉔10 売 単19,747 従 252 資 500 住 福井県越前市北府2-17-33 ☎0778-22-5100
福井精米(株)	食卸 事業 (単)米100 ㉕3 ㉔3 売 連11,421 従 45 資 80 住 福井市森行町5-15-2 ☎0776-38-1000
福井鋲螺(株)	金製 事業 (単)特殊圧造パーツ80 ブラインドリベット9 中空リベット8 打込みリベット2 省力機器1 ㉕5 ㉔15 売 単16,064 従 474 資 450 住 福井県あわら市山十楽1-7 ☎0776-73-1000
(株)ふじや食品	食 事業 (単)玉子どうふ14 茶わんむし54 中華類7 グラタン5 胡麻どうふ14 他6 ㉕18 ㉔17 売 単10,266 従 537 資 100 住 福井県越前市矢船町1-7-1 ☎0778-23-0524
(株)松浦機械製作所	機 事業 (単)マシニングセンタ90 他10 ㉕10 ㉔12 売 単17,787 従 404 資 90 住 福井市東森田4-201 ☎0776-56-8100
(株)オギノ	小 事業 (単)食料品90 衣料品5 住居関連品4 他1 ㉕50 ㉔38 売 単74,820 従 4,530 資 50 住 甲府市徳行1-2-18 ☎055-227-7100
(株)ジインズ	シソ 事業 (単)ネットワーク構築・保守40 ソフトウエア開発・販売60 ㉕3 ㉔3 売 単983 従 71 資 43 住 山梨県笛吹市境川町三椚301 ☎055-269-8780
(株)シャトレーゼ	食 事業 (単)和・洋菓子, アイスクリーム等の製造・販売 ㉕110 ㉔94 売 単131,332 従 1,484 資 50 住 甲府市下曽根町3440-1 ☎055-266-5151
(株)内藤ハウス	建 事業 (単)プレハブハウス プレハブハウスリース 自走式駐車場 一般建築工事 ホテル業 ㉕未定 ㉔10 売 単29,338 従 340 資 100 住 山梨県韮崎市円野町上円井3139 ☎0551-27-2131
山梨信用金庫	銀 事業 (単)現・預け金39 有価証券22 貸出金38 他1 ㉕未定 ㉔13 売 単5,952 従 343 資 10,085 住 甲府市中央1-12-36 ☎055-235-0311
山梨ダイハツ販売(株)	自販 事業 (単)自動車販売・整備 ㉕未定 ㉔6 売 単7,616 従 171 資 80 住 甲府市横根町48 ☎055-220-7130
(株)山梨日日新聞社	新 事業 (単)日刊新聞 書籍 催物企画 広告 ㉕未定 ㉔6 売 単6,720 従 170 資 40 住 山梨県甲府市北口2-6-10 ☎055-231-3040
(株)山梨放送	通 事業 (単)放送事業100 ㉕未定 ㉔4 売 単4,995 従 128 資 240 住 甲府市北口2-6-10 ☎055-231-3040
アート金属工業(株)	自 事業 (単)内燃機関用ピストン・ピストンピン87 他13 ㉕14 ㉔9 売 単26,459 従 745 資 2,397 住 長野県上田市常磐城2-2-43 ☎0268-22-3000
(株)R&Cながの青果	食卸 事業 (単)野菜62 果実37 他1 ㉕未定 ㉔4 売 単102,418 従 350 資 497 住 長野市市場3-1 ☎026-285-3333
アルプス中央信用金庫	銀 事業 (単)現・預け金31 有価証券27 貸出金40 他2 ㉕未定 ㉔12 売 連3,525 従 210 資 997 住 長野県伊那市荒井3438-1 ☎0265-76-4533
伊那食品工業(株)	食 事業 (単)業務用部門60 家庭用部門30 サービス部門10 ㉕30 ㉔30 売 単22,723 従 574 資 96 住 長野県伊那市西春近5074 ☎0265-78-1121
(株)岩野商会	建 事業 (単)内装仕上工事90 ビルメンテナンス9 他1 ㉕10 ㉔5 売 単9,991 従 547 資 96 住 長野市大字北長池2051 ☎026-263-7000
上田日本無線(株)	電機 事業 (単)マリン・ソリューション特機37 情報通信11 医用・超音波40 無線応用12 ㉕4 ㉔15 売 単11,871 従 440 資 700 住 長野県上田市踏入2-10-19 ☎0268-26-2112
オリオン機械(株)	機 事業 (単)産業機械82 酪農機械18 ㉕未定 ㉔25 売 連63,586 従 780 資 100 住 長野県須坂市大字幸高246 ☎026-245-1230
オルガン針(株)	他卸 事業 (単)ミシン針 ニット針 プローブ 他 ㉕6 ㉔5 売 単10,953 従 202 資 300 住 長野県上田市前山1 ☎0268-38-3111
(株)角藤	建 事業 (単)工事部門90 販売部門10 ㉕未定 ㉔15 売 単75,422 従 746 資 90 住 長野市南屋島515 ☎026-221-8141

会社名	業種名 (事業)会社の事業構成(%) ㉕25年採用計画数(名) ㉔24年入社内定者数(名) (売)売上高(百万円) (従)単独従業員数(名) (資)資本金(百万円) (住)本社の住所,電話番号
樫山工業(株)	精 (事業)(単)半導体産業向真空機器99 スキー場設備1 ㉕35 ㉔31 (売)単35,382 (従)961 (資)85 (住)長野県佐久市根々井1-1 ☎0267-67-3311
キッセイコムテック(株)	シソ (事業)(単)システム開発・システムインテグレーション システムリソースサービス 他 ㉕25 ㉔12 (売)単10,511 (従)346 (資)334 (住)長野県松本市和田4010-10 ☎0263-40-1122
(株)グラフィック	他サ (事業)(単)測量・設計 建設コンサルタント業 地質調査業 ㉕10 ㉔4 (売)連8,824 (従)296 (資)30 (住)長野県松本市井川城3-3-8-5 ☎0263-25-7668
(株)コシナ	精 (事業)(単)交換レンズ35 液晶プロジェクターユニット40 他25 ㉕未定 ㉔8 (売)単7,573 (従)337 (資)68 (住)長野県中野市吉田1081 ☎0269-22-5100
(株)国興	精機卸 (事業)(単)工具機器62 機械32 電子機器6 ㉕6 ㉔5 (売)単20,620 (従)139 (資)484 (住)長野県諏訪市中洲4600 ☎0266-52-2457
シチズンマシナリー(株)	機 (事業)(単)工作機械100 ㉕17 ㉔21 (売)連81,629 (従)822 (資)2,651 (住)長野県北佐久郡御代田町御代田4107-6 ☎0267-32-5900
シナノケンシ(株)	電機 (事業)(連)精密電機92 システム機器8 ㉕15 ㉔22 (売)連51,439 (従)866 (資)650 (住)長野県上田市上丸子1078 ☎0268-41-1800
昭和電機産業(株)	電卸 (事業)(単)電設資材81 産業機器19 ㉕11 ㉔12 (売)単31,344 (従)346 (資)750 (住)長野市三輪荒屋1154 ☎026-243-0146
(株)伸光製作所	電機 (事業)(単)プリント配線板の設計・製造・販売 ㉕6 ㉔10 (売)単14,296 (従)300 (資)737 (住)長野県上伊那郡箕輪町大字中箕輪12238 ☎0265-79-0121
多摩川精機(株)	電機 (事業)(単)特殊精密モーター57 計測器・自動制御装置43 ㉕4 ㉔13 (売)単44,670 (従)543 (資)100 (住)長野県飯田市大休1879 ☎0265-21-1811
(株)都筑製作所	自 (事業)(単)自動車部品48 建設機械部品52 ㉕17 ㉔5 (売)単18,404 (従)435 (資)480 (住)長野県埴科郡坂城町坂城6649-1 ☎0268-82-2800
(株)デリカ	機 (事業)(単)農業機械他 ㉕5 ㉔4 (売)単4,451 (従)152 (資)95 (住)長野県松本市大字和田5511-11 ☎0263-48-1184
(株)テレビ信州	通 (事業)(単)テレビ放送95 他5 ㉕未定 ㉔3 (売)単4,677 (従)87 (資)1,200 (住)長野市若里1-1-1 ☎026-227-5511
(株)デンソーエアクール	電機 (事業)(単)バス・建・農機エアコン44 業務用空調機34 冷凍機13 熱交換器2 住設用空調機他7 ㉕未定 ㉔19 (売)単24,438 (従)566 (資)800 (住)長野県安曇野市穂高北穂高2027-9 ☎0263-81-1100
長野信用金庫	銀 (事業)(単)現・預け金13 有価証券49 貸出金36 他1 ㉕前年並 ㉔31 (売)連13,245 (従)529 (資)2,352 (住)長野市居町133-1 ☎026-228-0221
(株)ながの東急百貨店	小 (事業)(単)百貨店業 ㉕未定 ㉔7 (売)単6,306 (従)194 (資)100 (住)長野市南千歳1-1-1 ☎026-226-8181
長野都市ガス(株)	電ガ (事業)(単)ガス 燃焼器具 住宅設備機器の販売 他 ㉕未定 ㉔3 (売)単19,465 (従)230 (資)3,800 (住)長野市鶴賀1017 ☎026-226-8161
長野日産自動車(株)	自販 (事業)(単)新車62 中古車12 サービス21 収入手数料5 ㉕未定 ㉔22 (売)単25,613 (従)457 (資)37 (住)長野市川合新田3616-1 ☎026-221-2332
長野日本無線(株)	電機 (事業)(単)ソリューション特機29 情報通信・電源41 メカトロニクス19 車載部品11 他0 ㉕未定 ㉔19 (売)連32,906 (従)868 (資)3,649 (住)長野市稲里町1163 ☎026-285-1111
ナパック(株)	金製 (事業)(単)粉末冶金部門88 磁石部門12 ㉕5 ㉔4 (売)単2,561 (従)147 (資)96 (住)長野県駒ヶ根市赤穂14-1823 ☎0265-82-5266
日本電熱(株)	電機 (事業)(単)家庭用環境機器8 産業用電熱機器および装置92 ㉕7 ㉔5 (売)単6,726 (従)197 (資)95 (住)長野県安曇野市三郷温3788 ☎0263-87-8282
ハ十二リース(株)	リ (事業)(単)リース83 割賦15 他2 ㉕3 ㉔3 (売)単19,377 (従)89 (資)200 (住)長野市中御所岡田218-14 ☎026-226-8282
富士電機パワーセミコンダクタ(株)	電機 (事業)(単)パワー半導体製造100 ㉕未定 ㉔18 (売)単36,154 (従)688 (資)300 (住)長野県松本市筑摩4-18-1 ☎0263-27-7425
フレックスジャパン(株)	繊紙卸 (事業)(単)ドレスシャツ87 カジュアルシャツ2 レディスシャツ11 ㉕7 ㉔5 (売)単6,037 (従)257 (資)301 (住)長野県千曲市大字屋代2451 ☎026-261-3000
(株)前田製作所	機 (事業)(単)建設機械本部68 産業機械本部32 ㉕30 ㉔11 (売)連41,903 (従)563 (資)3,160 (住)長野市篠ノ井御幣川1095 ☎026-292-2222

会社名	[業種名] [事業] 会社の事業構成(%) ㉕25年採用計画数(名) ㉔24年入社内定者数(名) [売]売上高(百万円) [従]単独従業員数(名) [資]資本金(百万円) [住]本社の住所，電話番号
松山㈱	[機] [事業] (単)農業機械100 ㉕**未定** ㉔**5** [売]単22,064 [従]340 [資]100 [住]長野県上田市塩川5155 ☎0268-42-7500
丸善食品工業㈱	[食] [事業] (単)飲料製品84 なめ茸山菜類3 トマトケチャップ2 他11 ㉕**15** ㉔**10** [売]単30,737 [従]457 [資]80 [住]長野県千曲市大字寂蒔880 ☎026-272-0536
マルヤス機械㈱	[機] [事業] (単)搬送省力機械・自動化機器・各種コンベヤー100 ㉕**10** ㉔**19** [売]単12,108 [従]460 [資]100 [住]長野県岡谷市成田町2-11-6 ☎0266-23-5630
ミヤマ㈱	[他サ] [事業] (単)廃液等化学処理・リサイクル 汚染土壌洗浄 環境機械や装置の開発・設計・施工 環境分析 他総合環境事業 ㉕**若干** ㉔**5** [売]単15,132 [従]488 [資]100 [住]長野市稲里1-5-3 ☎026-285-4166
ルビコン㈱	[電機] [事業] (単)電解コンデンサ90 他10 ㉕**未定** ㉔**20** [売]単56,716 [従]1,271 [資]396 [住]長野県伊那市西箕輪1938-1 ☎0265-72-7111
アピ㈱	[食] [事業] (単)蜂蜜11 ローヤルゼリー14 健康食品等62 他13 ㉕**未定** ㉔**79** [売]単46,183 [従]1,456 [資]48 [住]岐阜市加納桜田町1-1 ☎058-271-3838
㈱安部日鋼工業	[建] [事業] (単)橋梁54 水道24 鉄道1 建築3 製品18 ㉕**未定** ㉔**11** [売]単24,413 [従]540 [資]301 [住]岐阜市六条大溝3-13-3 ☎058-271-3391
㈱市川工務店	[建] [事業] (単)土木工事49 建築工事44 舗装工事7 ㉕**未定** ㉔**10** [売]単22,024 [従]370 [資]203 [住]岐阜市鹿島町6-27 ☎058-251-2240
揖斐川工業㈱	[ガ土] [事業] (連)建設関連75 農業関連24 他1 ㉕**未定** ㉔**12** [売]連16,766 [従]216 [資]498 [住]岐阜県大垣市万石2-31 ☎0584-81-6171
イビデンエンジニアリング㈱	[建] [事業] (単)ファシリティ事業本部66 環境技術17 精機17 ㉕**未定** ㉔**7** [売]単20,386 [従]299 [資]30 [住]岐阜県大垣市木戸町1122 ☎0584-75-2301
大垣精工㈱	[金製] [事業] (単)プレス部品80 プレス金型20 ㉕**3** ㉔**6** [売]単4,489 [従]253 [資]50 [住]岐阜県大垣市浅西3-92-1 ☎0584-89-5811
岐建㈱	[建] [事業] (単)建築工事79 土木工事14 舗装工6 他1 ㉕**20** ㉔**16** [売]単45,680 [従]516 [資]500 [住]岐阜県大垣市西崎町2-46 ☎0584-81-2121
三甲㈱	[他製] [事業] (単)合成樹脂100 ㉕**85** ㉔**76** [売]単117,753 [従]4,275 [資]100 [住]岐阜県瑞穂市本田474-1 ☎058-327-3535
昭和コンクリート工業㈱	[建] [事業] (単)コンクリート二次製品・製造60 建設業40 ㉕**25** ㉔**18** [売]単27,237 [従]753 [資]100 [住]岐阜市香蘭1-1 ☎058-255-3333
関ヶ原石材㈱	[ガ土] [事業] (連)石材加工・施工と原石・石製品の工事90 製品売上6 他4 ㉕**5** ㉔**4** [売]連9,952 [従]201 [資]96 [住]岐阜県不破郡関ケ原町大字関ケ原2682 ☎0584-43-1234
大日本土木㈱	[建] [事業] (単)土木51 建築49 開発0 ㉕**45** ㉔**31** [売]単74,073 [従]893 [資]2,000 [住]岐阜市宇佐南1-3-11 ☎058-276-1111
太平洋精工㈱	[自] [事業] (単)自動車用ヒューズ及び精密金属プレスの製造・販売 ㉕**2** ㉔**15** [売]単25,101 [従]321 [資]98 [住]岐阜県大垣市桧町450 ☎0584-91-3131
㈱東和製作所	[金製] [事業] (単)油圧製品99 修理1 ㉕**若干** ㉔**4** [売]単4,788 [従]227 [資]52 [住]岐阜県美濃加茂市川合町4-5-2 ☎0574-25-3828
トヨタカローラネッツ岐阜㈱	[自販] [事業] (単)車両販売80 車両修理16 他4 ㉕**未定** ㉔**23** [売]単82,517 [従]1,385 [資]100 [住]岐阜市六条大溝4-1-3 ☎058-272-3111
鍋屋バイテック㈱	[機] [事業] (単)伝動機器55 他45 ㉕**未定** ㉔**7** [売]単11,135 [従]334 [資]96 [住]岐阜県関市桃紅大地1 ☎0575-23-1121
日本耐酸壜工業㈱	[ガ土] [事業] (単)ガラス壜関連100 ㉕**前年並** ㉔**4** [売]単14,432 [従]390 [資]100 [住]岐阜県大垣市中曽根町610 ☎0584-91-6311
濃飛倉庫運輸㈱	[倉埠] [事業] (単)自動車37 倉庫26 海外12 港運12 通運9 不動産4 ㉕**未定** ㉔**18** [売]単27,716 [従]1,100 [資]496 [住]岐阜市橋本町2-20 ☎058-251-0111
長谷虎紡績㈱	[繊衣] [事業] (単)カーペット39 製品織物43 合織混紡糸4 他14 ㉕**若干** ㉔**9** [売]単9,200 [従]93 [資]95 [住]岐阜県羽島市江吉良町197-1 ☎058-392-2121
㈱マルエイ	[石燃卸] [事業] (単)液化石油ガス54 器具20 石油製品3 ガスロンパイプ6 他17 ㉕**7** ㉔**7** [売]単15,685 [従]249 [資]480 [住]岐阜市入舟町4-8-1 ☎058-245-0101
丸栄コンクリート工業㈱	[ガ土] [事業] (単)公共事業用コンクリート製品90 民間工事用コンクリート製品10 ㉕**25** ㉔**3** [売]単27,540 [従]658 [資]69 [住]岐阜県羽島市福寿町間島1518 ☎058-393-0211

会社名	業種名 事業 会社の事業構成(%) ㉕25年採用計画数(名) ㉔24年入社内定者数(名) 売 売上高(百万円) 従 単独従業員数(名) 資 資本金(百万円) 住 本社の住所, 電話番号
㈱アイエイアイ	機 事業 (単)インテリジェントアクチュエータ100 ㉕未定 ㉔40 売 単34,618 従 1,391 資 30 住 静岡市清水区庵原町1210 ☎054-364-5301
㈱アイ・テック	鉄金卸 事業 (単)一般鋼材・鋼板・鋼管製品等の加工および販売 他 ㉕15 ㉔16 売 単108,425 従 597 資 3,948 住 静岡市清水区中之郷1-1-15 ☎054-340-2811
朝日電装㈱	自 事業 (単)オートバイ用電装品45 自動車用電装品10 船舶用電装品25 建・農・産機用電装品20 ㉕未定 ㉔9 売 単21,135 従 630 資 80 住 浜松市浜名区染地台6-2-1 ☎053-587-2111
㈱アツミテック	自 事業 (単)四輪部品 二輪部品 汎用機械部品 試作他 ㉕10 ㉔3 売 連61,510 従 727 資 310 住 浜松市中央区高丘西4-6-1 ☎053-438-6711
㈱天野回漕店	海 事業 (単)海運貨物取扱52 倉庫・運送35 他13 ㉕若干 ㉔15 売 単13,291 従 541 資 48 住 静岡市清水区港町2-9-5 ☎054-353-2151
臼井国際産業㈱	自 事業 (単)自動車部品93 電機部品1 他5 ㉕未定 ㉔12 売 単91,938 従 699 資 305 住 静岡県駿東郡清水町長沢131-2 ☎055-972-2111
遠州信用金庫	銀 事業 (単)現・預け金19 有価証券32 貸出金47 他2 ㉕5 ㉔7 売 単6,351 従 232 資 583 住 浜松市中央区中沢町81-18 ☎053-472-2111
遠州鉄道㈱	鉄バ 事業 (連)運輸6 リテールサービス33 モビリティサービス42 ウェルネス6 不動産8 他5 ㉕未定 ㉔60 売 連214,505 従 1,575 資 3,800 住 浜松市中央区旭町12-1 ☎053-454-2211
㈱遠鉄ストア	小 事業 (単)生鮮食品 一般食品 日用雑貨等の小売 ドラッグストア 調剤薬局 ㉕17 ㉔30 売 単54,509 従 645 資 100 住 浜松市中央区佐鳴台4-16-10 ☎053-445-1000
㈱大川原製作所	機 事業 (単)環境装置部門35 産機装置部門65 ㉕未定 ㉔3 売 単8,108 従 270 資 779 住 静岡県榛原郡吉田町神戸1235 ☎0548-32-3211
㈱カネトモ	食卸 事業 (単)水産物卸売98 倉庫運輸2 ㉕2 ㉔7 売 単22,032 従 142 資 50 住 静岡県藤枝市平島698-1 ☎054-643-1515
木内建設㈱	建 事業 (単)静岡東海地区完成工事 首都圏分完成工事 ㉕15 ㉔12 売 単47,446 従 387 資 1,070 住 静岡市駿河区国吉田1-7-37 ☎054-264-7111
㈱キャタラー	自 事業 (単)触媒99 他1 ㉕30 ㉔25 売 単283,550 従 1,093 資 551 住 静岡県掛川市千浜7800 ☎0537-72-3131
㈱協栄製作所	自 事業 (単)オートバイ部品製造45 自動車部品製造50 他5 ㉕5 ㉔4 売 単15,448 従 290 資 40 住 浜松市中央区金折町1417-10 ☎053-425-2511
協和医科器械㈱	精機卸 事業 (単)医療機器販売98 他2 ㉕25 ㉔20 売 単89,047 従 622 資 80 住 静岡市駿河区池田156-2 ☎054-655-6611
㈱建通新聞社	新 事業 (単)新聞販売59 速報販売2 電子版収入14 広告収入19 データ・出版物収入他6 ㉕11 ㉔14 売 単3,441 従 173 資 100 住 静岡市駿河区豊田1-9-34 ☎054-288-8111
興亜工業㈱	パ紙 事業 (単)段ボール原紙95 更紙6 ㉕5 ㉔5 売 単33,236 従 255 資 2,342 住 静岡県富士市比奈1286-2 ☎0545-38-0123
㈱三明	電卸 事業 (単)産業用電気機器64 産業用省力化機器20 ナノテクノロジー分野5 漁業用省力機器1 他10 ㉕未定 ㉔4 売 単18,313 従 104 資 20 住 静岡市清水区松原町6-16 ☎054-353-3271
三明機工㈱	機 事業 (単)FA・ロボットシステム55 ダイカストマシン周辺自動化20 鋳造プラント25 ㉕5 ㉔5 売 単1,774 従 125 資 10 住 静岡市清水区袖師町940 ☎054-366-0088
三立製菓㈱	食 事業 (単)パイ57 カンパン8 チョコ加工品12 クッキー8 パン10 他5 ㉕未定 ㉔5 売 単12,468 従 236 資 205 住 浜松市中央区中央1-16-11 ☎053-453-3111
㈱静岡朝日テレビ	通 事業 (単)テレビ放送 放送外事業 ㉕未定 ㉔6 売 単7,754 従 129 資 1,000 住 静岡市葵区東町15 ☎054-251-3300
静岡製機㈱	機 事業 (単)穀物乾燥機 業務用熱機器 農産物低温貯蔵庫 穀物乾燥調製施設 他 ㉕未定 ㉔8 売 単11,101 従 270 資 153 住 静岡県袋井市諸井1300 ☎0538-23-2000
㈱静岡第一テレビ	通 事業 (単)テレビ放送100 ㉕未定 ㉔3 売 単7,759 従 119 資 1,000 住 静岡市駿河区中原563 ☎054-283-8111
㈱静岡中央銀行	銀 事業 (連)現・預け金11 有価証券17 貸出金71 他2 ㉕未定 ㉔29 売 連14,084 従 411 資 2,000 住 静岡県沼津市大手町4-76 ☎055-962-2900
静岡鉄道㈱	鉄バ 事業 (連)交通8 流通28 自動車販売49 不動産6 レジャー・サービス6 建設3 ㉕未定 ㉔20 売 連170,112 従 564 資 1,800 住 静岡市葵区鷹匠1-1-1 ☎054-254-5111

会社名	業種名 (事業)会社の事業構成(%) ㉕25年採用計画数(名) ㉔24年入社内定者数(名) (売)売上高(百万円) (従)単独従業員数(名) (資)資本金(百万円) (住)本社の住所,電話番号
㈱静岡日立	電卸 (事業)(単)電子営業58 電機営業40 他2 ㉕**4** ㉔**4** (売)単20,719 (従)214 (資)100 (住)静岡市駿河区聖一色84-1 ☎054-264-7171
しずおか焼津信用金庫	銀 (事業)(単)現・預け金24 有価証券24 貸出金47 他5 ㉕**65** ㉔**42** (売)連20,523 (従)892 (資)3,243 (住)静岡市葵区相生町1-1 ☎054-247-1151
静銀リース㈱	リ (事業)(単)産業機械14 情報関連機器10 輸送用機器33 商業・サービス業用機器20 他23 ㉕**8** ㉔**8** (売)単33,384 (従)108 (資)250 (住)静岡市葵区呉服町1-1-2 ☎054-255-7788
㈱鈴木楽器製作所	他製 (事業)(単)楽器製造 ソフトウエア制作 ㉕**3** ㉔**3** (売)単4,054 (従)201 (資)92 (住)浜松市中央区領家2-25-7 ☎053-461-2325
スズキ教育ソフト㈱	シソ (事業)(単)校務支援システム95 学習支援システム2 他3 ㉕**前年並** ㉔**8** (売)単703 (従)84 (資)60 (住)浜松市中央区植松町61-1 ☎053-467-5580
㈱スズキビジネス	建 (事業)(単)不動産42 石油39 特販6 オート用品6 保険3 他4 ㉕**未定** ㉔**6** (売)単26,800 (従)480 (資)110 (住)浜松市中央区篠原町21339 ☎053-440-0860
鈴与㈱	倉埠 (事業)(単)物流100 ㉕**40** ㉔**38** (売)単153,314 (従)1,178 (資)1,000 (住)静岡市清水区入船町11-1 ☎054-354-3019
鈴与建設㈱	建 (事業)(単)土木20 建築78 他2 ㉕**10** ㉔**10** (売)単30,426 (従)256 (資)100 (住)静岡市清水区松原町5-17 ☎054-354-3401
須山建設㈱	建 (事業)(単)建築工事67 土木工事30 他3 ㉕**11** ㉔**11** (売)単21,102 (従)173 (資)220 (住)浜松市中央区布橋2-6-1 ☎053-471-0321
セキスイハイム東海㈱	建 (事業)(単)住宅販売84 マンション12 他4 ㉕**未定** ㉔**15** (売)連65,258 (従)518 (資)198 (住)浜松市中央区板屋町111-2 ☎053-453-4560
㈱Z会	他サ (事業)(単)通信教育89 他11 ㉕**14** ㉔**10** (売)連20,308 (従)452 (資)100 (住)静岡県三島市文教町1-9-11 ☎055-976-9711
第一工業㈱	自 (事業)(単)2・4輪車部品52 ボルト・ナット37 机・イス他11 ㉕**19** ㉔**12** (売)単26,486 (従)517 (資)200 (住)浜松市中央区大島町955-9 ☎053-433-1111
大昭和紙工産業㈱	パ紙 (事業)(単)重袋・角底袋・芥袋29 洋紙・板紙38 加工紙26 家庭紙1 他6 ㉕**10** ㉔**7** (売)単44,671 (従)557 (資)469 (住)静岡県富士市依田橋61-1 ☎0545-32-1500
太陽建機レンタル㈱	他サ (事業)(単)土木建設機械レンタル93 商品売上7 ㉕**40** ㉔**33** (売)単97,271 (従)3,177 (資)1,140 (住)静岡市駿河区大坪町2-26 ☎054-284-3111
㈱タミヤ	他製 (事業)(単)プラモデル100 ㉕**未定** ㉔**9** (売)単14,088 (従)367 (資)50 (住)静岡市駿河区恩田原3-7 ☎054-286-5105
㈱中央コンタクト	小 (事業)(単)コンタクトレンズ80 コンタクトレンズケア用品19 メガネ1 ㉕**未定** ㉔**15** (売)単16,080 (従)1,040 (資)60 (住)静岡市駿河区南町14-1 ☎054-202-5730
㈱デンソーワイパシステムズ	自 (事業)(単)ワイパーブレード27 ワイパーアーム15 ワイパーリンク32 他26 ㉕**未定** ㉔**3** (売)単38,190 (従)1,063 (資)450 (住)静岡県湖西市梅田390 ☎053-577-3320
東海溶材㈱	精機卸 (事業)(単)溶接機材 一般高圧ガス 産業機器 OA・FA機器 ㉕**未定** ㉔**7** (売)単23,669 (従)182 (資)21 (住)静岡市清水区北脇242 ☎054-345-5121
㈱TOKAIコミュニケーションズ	通 (事業)(単)通信サービス 情報サービス 他 ㉕**47** ㉔**41** (売)単61,121 (従)1,334 (資)1,221 (住)静岡市葵区常磐町2-6-8 ☎054-254-3781
トヨタユナイテッド静岡㈱	自販 (事業)(単)新車68 U-Car11 サービス17 収入手数料4 ㉕**40** ㉔**31** (売)単73,278 (従)1,262 (資)180 (住)静岡市葵区長沼611 ☎054-261-4113
ナカダ産業㈱	繊衣 (事業)(単)ネット製造70 各種ネット設備工事30 ㉕**4** ㉔**3** (売)単3,709 (従)120 (資)52 (住)静岡県島田市志戸呂880-3 ☎0547-45-3141
㈱中村組	建 (事業)(単)建築工事71 土木工事28 合材販売1 ㉕**5** ㉔**10** (売)単16,197 (従)188 (資)155 (住)浜松市中央区住吉5-22-1 ☎053-412-1111
中村建設㈱	建 (事業)(単)建築部門58 土木部門36 他6 ㉕**8** ㉔**12** (売)単20,775 (従)223 (資)150 (住)浜松市中央区中沢町71-23 ☎053-471-3421
日管㈱	建 (事業)(単)管工事92 機械器具設置工事2 電気工事4 他3 ㉕**未定** ㉔**9** (売)単28,657 (従)468 (資)1,200 (住)浜松市中央区池町220-4 ☎053-459-3000
日研フード㈱	食 (事業)(単)天然調味料 乾燥食品 健康志向食品 ㉕**未定** ㉔**11** (売)単12,321 (従)269 (資)100 (住)静岡県袋井市春岡723-1 ☎0538-49-0121

会社名	[業種名] [事業] 会社の事業構成(%) ㉕25年採用計画数(名) ㉔24年入社内定者数(名) [売]売上高(百万円) [従]単独従業員数(名) [資]資本金(百万円) [住]本社の住所，電話番号
日星電気(株)	[非鉄] [事業] (単)光ファイバ加工品 LED照明装置 ケーブル加工品 他 ㉕**未定** ㉔**30** [売]単38,563 [従]737 [資]1,776 [住]浜松市中央区大久保町1509 ☎053-485-4705
(株)ニッセー	[食] [事業] (単)清涼飲料水製造100 ㉕**未定** ㉔**10** [売]単22,368 [従]325 [資]98 [住]静岡県焼津市下江留896-2 ☎054-622-1212
沼津信用金庫	[銀] [事業] (単)現・預け金13 有価証券48 貸出金38 他1 ㉕**20** ㉔**15** [売]連9,474 [従]419 [資]696 [住]静岡県沼津市大手町5-6-16 ☎055-962-5200
パーパス(株)	[金製] [事業] (単)住宅関連設備機器部門 電子制御機器部門 情報処理ソフト 他 ㉕**未定** ㉔**28** [売]単19,326 [従]829 [資]98 [住]静岡県富士市西柏原新田201 ☎0545-33-0700
(株)ハマネツ	[他製] [事業] (単)トイレユニット96 管工事2 他2 ㉕**4** ㉔**5** [売]単4,228 [従]171 [資]96 [住]浜松市中央区砂山町325-6 ☎053-450-8050
(株)ベルソニカ	[自] [事業] (単)自動車部品100 ㉕**未定** ㉔**15** [売]単21,431 [従]475 [資]156 [住]静岡県湖西市山口630-18 ☎053-576-1551
(株)ホテイフーズコーポレーション	[食] [事業] (単)水産食料品14 畜産食料品14 農産食料品9 飲料48 他15 ㉕**6** ㉔**5** [売]単22,369 [従]394 [資]97 [住]静岡市清水区蒲原4-26-6 ☎054-385-3131
三島信用金庫	[銀] [事業] (単)現・預け金17 有価証券39 貸出金42 他2 ㉕**前年並** ㉔**33** [売]単13,809 [従]702 [資]970 [住]静岡県三島市芝本町12-3 ☎055-975-4840
三井化学エムシー(株)	[化] [事業] (単)合成樹脂調合製品95 他5 ㉕**未定** ㉔**4** [売]単21,836 [従]224 [資]300 [住]静岡市清水区駒越北町14-1 ☎054-334-1221
南富士(株)	[建] [事業] (単)屋根・外壁工事85 中国ビジネス他15 ㉕**4** ㉔**5** [売]単6,926 [従]115 [資]98 [住]静岡県三島市萩65-1 ☎055-988-8810
ヤマハモーターエンジニアリング(株)	[自] [事業] (単)輸送用機器設計60 産業用機器開発20 他20 ㉕**前年並** ㉔**14** [売]単7,908 [従]446 [資]40 [住]静岡県磐田市西貝塚3622-8 ☎0538-37-8314
ヤマハモーターソリューション(株)	[シソ] [事業] (単)システム構築50 システム運用サービス50 ㉕**20** ㉔**19** [売]単14,199 [従]363 [資]100 [住]静岡県磐田市岩井2000-1 ☎0538-39-2213
ヤマハモーターパワープロダクツ(株)	[自] [事業] (単)パワープロダクツ38 GC57 他5 ㉕**7** ㉔**8** [売]単37,539 [従]530 [資]275 [住]静岡県掛川市逆川200-1 ☎0537-27-1110
菱和設備(株)	[建] [事業] (単)空調設備工事70 給排水衛生設備工事29 消防防災施設工事1 土木工事0 ㉕**未定** ㉔**18** [売]単13,922 [従]335 [資]300 [住]静岡市葵区清閑町14-5 ☎054-254-8321
和信化学工業(株)	[化] [事業] (単)木材用塗料46 スタンピング箔およびプラスチック用塗料52 他2 ㉕**7** ㉔**10** [売]単5,454 [従]154 [資]360 [住]静岡市清水区袖師町1460 ☎054-365-3111
(株)アイキテック	[自] [事業] (単)4輪96 2輪1 他3 ㉕**20** ㉔**5** [売]連44,613 [従]400 [資]499 [住]愛知県知多郡東浦町森岡栄東1-1 ☎0562-82-3270
アイコクアルファ(株)	[自] [事業] (単)自動車部品48 開発ソフト販売15 ラクラクハンド14 航空機・精密機器部品23 ㉕**未定** ㉔**17** [売]単28,764 [従]1,021 [資]1,200 [住]愛知県稲沢市祖父江町森上本郷十一，4-1 ☎0587-97-1111
アイシン開発(株)	[建] [事業] (単)建築 土木 都市開発 保険 ㉕**7** ㉔**7** [売]単33,609 [従]268 [資]456 [住]愛知県刈谷市相生町3-3 ☎0566-27-8700
アイシン化工(株)	[自] [事業] (単)摩擦材65 樹脂製品19 化成品他16 ㉕**3** ㉔**3** [売]単52,999 [従]1,032 [資]2,118 [住]愛知県豊田市藤岡飯野町大川ヶ原1141-1 ☎0565-76-6661
アイシン高丘(株)	[自] [事業] (連)自動車部品(ブレーキディスク等) 他 ㉕**34** ㉔**30** [売]連426,079 [従]2,437 [資]5,396 [住]愛知県豊田市高丘新町天王1 ☎0565-54-1123
(株)アイセロ	[化] [事業] (単)ポリエチレンフィルム37 成形品21 PVAフィルム30 他12 ㉕**未定** ㉔**9** [売]単22,618 [従]584 [資]350 [住]愛知県豊橋市石巻本町字越川45 ☎0532-88-4111
愛知海運(株)	[海] [事業] (単)港湾運送36 倉庫保管荷役22 自動車運送22 内航運送8 外航運送6 通関・航空貨物・他6 ㉕**10** ㉔**11** [売]単17,922 [従]433 [資]250 [住]名古屋市港区浜2-1-11 ☎052-651-3221
愛知海運産業(株)	[海] [事業] (単)港湾運送 倉庫 通関 燃料販売 土木建築 不動産 車両整備 ㉕**7** ㉔**7** [売]単13,653 [従]391 [資]30 [住]愛知県田原市田原町柳町6 ☎0531-22-1241
愛知金属工業(株)	[金製] [事業] (単)鉄塔(設計・製造)52 変圧器ケース・カバー19 配電用金物類4 他25 ㉕**5** ㉔**5** [売]単4,975 [従]152 [資]120 [住]愛知県春日井市大手田酉町3-13-18 ☎0568-81-4181
(株)葵商店	[鉄] [事業] (単)鋼材加工業100 ㉕**4** ㉔**4** [売]単36,444 [従]128 [資]37 [住]愛知県岡崎市牧平町字岩田3-28 ☎0564-82-3432

会社名	業種名 事業 会社の事業構成(%) ㉕25年採用計画数(名) ㉔24年入社内定者数(名) 売 売上高(百万円) 従 単独従業員数(名) 資 資本金(百万円) 住 本社の住所, 電話番号
㈱青山製作所	金製 事業 (単)ボルト56 ナット18 タッピング3 樹脂製品5 他18 ㉕未定 ㉔16 売 単114,494 従 2,454 資 100 住 愛知県丹羽郡大口町高橋1-8 ☎0587-95-1151
旭鉄工㈱	自 事業 (単)自動車部品100 ㉕未定 ㉔5 売 単16,888 従 428 資 27 住 愛知県碧南市中山町7-26 ☎0566-41-2350
安藤証券㈱	証 事業 (単)受入手数料40 トレーディング損益44 金融収益16 ㉕10 ㉔4 売 単7,638 従 222 資 2,280 住 名古屋市中区錦3-23-21 ☎052-971-1511
㈱井高	精機卸 事業 (単)工作機械53 補助機器15 計測機器・測定工具10 切削工具9 空・油圧機器7 環境等6 ㉕未定 ㉔14 売 単47,185 従 331 資 313 住 名古屋市中区上前津1-6-3 ☎052-321-9251
㈱岩田商会	化医卸 事業 (単)化学品41 防水材29 住宅内装材16 合成樹脂10 先端材料4 ㉕未定 ㉔4 売 単33,602 従 140 資 97 住 名古屋市中区錦1-2-11 ☎052-201-2750
岩田食品㈱	食 事業 (単)直販40 量販59 他1 ㉕18 ㉔6 売 単13,690 従 263 資 76 住 愛知県一宮市萩原町松山566-8 ☎0586-71-0321
㈱NHC	小 事業 (単)健康食品 医療用機器 他食料品 ㉕118 ㉔74 売 単29,460 従 950 資 50 住 名古屋市中村区名駅2-35-22 ☎052-300-1188
NDS㈱	建 事業 (連)総合エンジニアリング ICTソリューション 住宅不動産 ㉕35 ㉔45 売 連84,429 従 1,095 資 5,676 住 名古屋市中区千代田2-15-18 ☎052-263-5011
NTP名古屋トヨペット㈱	自販 事業 (単)自動車販売 ㉕123 ㉔101 売 単203,908 従 2,649 資 100 住 名古屋市熱田区尾頭町2-22 ☎052-683-2111
㈱ENEOSウイング	小 事業 (単)軽油 ガソリン 灯油・重油 洗車・点検整備 自動車用品 ㉕160 ㉔157 売 単322,527 従 2,200 資 100 住 名古屋市中区栄3-6-1 ☎052-269-3210
㈱FTS	自 事業 (単)燃料タンク 他燃料系部品 鋼板加工品 ㉕38 ㉔18 売 単96,790 従 1,346 資 3,000 住 愛知県豊田市鴻ノ巣町2-26 ☎0565-29-2211
大岡技研㈱	自 事業 (単)MT部品91 AT部品2 CVT部品2 トランスファー部品4 エンジン部品1 ㉕未定 ㉔20 売 単22,007 従 852 資 98 住 愛知県豊田市高岡町秋葉山1-1 ☎0565-52-3441
㈱岡島パイプ製作所	鉄 事業 (単)鋼管98 他2 ㉕5 ㉔9 売 単8,760 従 126 資 240 住 愛知県東海市大田町上浜田58 ☎0562-33-2135
㈱オティックス	自 事業 (単)ラッシュアジャスタ・ローラロッカアーム・バランサ等34 エンジン部品22 他44 ㉕30 ㉔19 売 単69,866 従 1,339 資 30 住 愛知県西尾市中畑町浜田下10 ☎0563-59-0311
小原建設㈱	建 事業 (単)建築工事 土木工事舗装工事 ㉕18 ㉔19 売 単19,681 従 283 資 180 住 愛知県岡崎市明大寺町字西郷中37 ☎0564-51-2621
角文㈱	建 事業 (単)建築工事58 住宅分譲・マンション31 土木7 他4 ㉕9 ㉔8 売 単12,914 従 127 資 80 住 愛知県刈谷市泉田町古和井1 ☎0566-22-1811
春日井製菓㈱	食 事業 (単)キャンディ55 豆菓子15 グミキャンディ30 ㉕10 ㉔11 売 単18,300 従 520 資 100 住 名古屋市西区花の木1-3-14 ☎052-531-1677
㈱加藤建設	建 事業 (単)土木工事93 舗装工事6 建築工事1 他0 ㉕未定 ㉔18 売 単23,022 従 349 資 100 住 愛知県海部郡蟹江町蟹江新田字下市場19-1 ☎0567-95-2181
蒲郡信用金庫	銀 事業 (単)現・預け金25 有価証券34 貸出金38 他3 ㉕40 ㉔40 売 連0 従 728 資 832 住 愛知県蒲郡市神明町4-25 ☎0533-69-5311
河村電器産業㈱	電機 事業 (単)受配電設備・配線器具の製造販売 ㉕66 ㉔75 売 連76,062 従 1,826 資 1,803 住 愛知県瀬戸市暁町3-86 ☎0561-86-8111
㈱川本製作所	機 事業 (単)ポンプ製品90 部品他10 ㉕25 ㉔17 売 単48,568 従 748 資 100 住 名古屋市中区大須4-11-39 ☎052-251-7171
㈱キクチメガネ	小 事業 (単)メガネ95 コンタクトレンズ4 他1 ㉕未定 ㉔17 売 単8,820 従 580 資 100 住 愛知県春日井市高森台4-11-1 ☎0568-92-7711
㈱キクテック	建 事業 (単)交通安全事業71 スペースソリューションズ事業23 他6 ㉕未定 ㉔9 売 単14,294 従 292 資 80 住 名古屋市南区加福本通1-26 ☎052-611-0680
㈱共栄社	機 事業 (単)芝刈機39 草刈機19 部品22 管理機12 他機械8 ㉕前年並 ㉔5 売 単11,727 従 266 資 300 住 愛知県豊川市美幸町1-26 ☎0533-84-1221
㈱協豊製作所	自 事業 (単)部品事業80 他20 ㉕未定 ㉔25 売 単74,197 従 836 資 1,088 住 愛知県豊田市トヨタ町6 ☎0565-28-1881

会社名	[業種名] [事業] 会社の事業構成(%) ㉕25年採用計画数(名) ㉔24年入社内定者数(名) [売]売上高(百万円) [従]単独従業員数(名) [資]資本金(百万円) [住]本社の住所, 電話番号
軽急便㈱	[陸] [事業](単)運送収入95 他5 ㉕**10** ㉔**9** [売]単5,932 [従]115 [資]210 [住]名古屋市中区葵1-27-29 ☎052-930-4771
光生アルミニューム工業㈱	[非鉄] [事業](単)ホイール56 二輪部品11 四輪部品30 他3 ㉕**未定** ㉔**3** [売]連40,999 [従]424 [資]199 [住]愛知県豊田市神池町2-1236 ☎0565-80-4492
㈱興和工業所	[金製] [事業](単)めっき38 機械加工22 プレス塗装12 土木建材10 表面処理9 他10 ㉕**未定** ㉔**34** [売]単31,991 [従]1,112 [資]381 [住]名古屋市瑞穂区二野町2-28 ☎052-871-7151
国分中部㈱	[食卸] [事業](単)酒類・食品・関連消費財卸売 流通加工 配送 不動産賃貸 他 ㉕**未定** ㉔**13** [売]単173,019 [従]219 [資]500 [住]名古屋市北区浪打町2-35 ☎052-911-3171
小林クリエイト㈱	[他製] [事業](単)帳票45 ラベル16 データプリントサービス15 他24 ㉕**前年並** ㉔**31** [売]単39,449 [従]1,036 [資]100 [住]愛知県刈谷市小垣江町北高根115 ☎0566-26-5310
近藤産興㈱	[他サ] [事業](単)工事15 レンタル56 イベント17 ケア12 ㉕**5** ㉔**6** [売]単7,493 [従]220 [資]100 [住]名古屋市南区浜田町1-10 ☎052-614-2511
佐橋工業㈱	[他製] [事業](単)自動車用防振ゴム製品90 金型部門4 化成品関係2 工業品関係4 ㉕**前年並** ㉔**4** [売]単10,160 [従]379 [資]99 [住]愛知県小牧市久保新町32 ☎0568-77-2356
サンエイ㈱	[他サ] [事業](単)重機21 営統12 建設13 サービス21 物流27 環境6 ㉕**15** ㉔**10** [売]単30,212 [従]1,585 [資]80 [住]愛知県刈谷市桜町3-3 ☎0566-21-4301
サンエイ糖化㈱	[食] [事業](単)糖化部門95 乳酸菌部門5 ㉕**未定** ㉔**4** [売]単19,903 [従]260 [資]400 [住]愛知県知多市北浜町24-5 ☎0562-55-5111
サンコー商事㈱	[精機卸] [事業](単)機械60 機器・工具32 車両機材3 巻線機5 ㉕**未定** ㉔**3** [売]単36,967 [従]155 [資]310 [住]名古屋市名東区高社2-245 ☎052-772-1151
㈱三洋堂書店	[小] [事業](単)書籍・雑誌 文具・雑貨 映像・音楽ソフト ゲームソフト トレカ フィットネス 教育 ㉕**7** ㉔**4** [売]単16,858 [従]128 [資]10 [住]名古屋市瑞穂区新開町18-22 ☎052-871-3434
㈱シーテック	[建] [事業](単)建設業93 他7 ㉕**未定** ㉔**56** [売]単73,018 [従]1,699 [資]720 [住]名古屋市緑区忠治山101 ☎052-720-6300
㈱ジェイテクトギヤシステム	[自] [事業](単)自動車部品99 工作機械・歯車1 ㉕**15** ㉔**6** [売]単64,447 [従]769 [資]2,000 [住]愛知県瀬戸市暁町3-45 ☎0561-48-2221
㈱ジェイテクトフルードパワーシステム	[機] [事業](単)油圧機器47 自動車部品35 機械装置7 空圧機器7 他4 ㉕**10** ㉔**7** [売]単9,205 [従]400 [資]254 [住]愛知県岡崎市鉢地町字開山45 ☎0564-48-2211
ジャペル㈱	[他卸] [事業](単)ペット関連商品卸売 ㉕**未定** ㉔**46** [売]連176,685 [従]821 [資]140 [住]愛知県春日井市桃山町3-105 ☎0568-85-4111
㈱昭和	[食卸] [事業](単)水産品・水産加工品50 一般食品17 冷凍食品23 ギフト4 酒類他6 ㉕**未定** ㉔**29** [売]単129,263 [従]428 [資]96 [住]愛知県稲沢市福島町中之町80 ☎0587-34-3400
新明工業㈱	[機] [事業](単)工程間搬送設備53 自動車整備・特殊車両製作37 金型6 他4 ㉕**35** ㉔**37** [売]単28,724 [従]970 [資]98 [住]愛知県豊田市衣ヶ原3-20 ☎0565-32-3450
スガキコシステムズ㈱	[外] [事業](単)ラーメン類70 甘党30 ㉕**20** ㉔**9** [売]単11,406 [従]180 [資]50 [住]名古屋市中区丸の内1-16-2 ☎052-209-9010
㈱スギヤス	[機] [事業](単)自動車整備用機器64 物流機器32 環境機器1 住宅福祉機器3 ㉕**8** ㉔**9** [売]単11,557 [従]344 [資]88 [住]愛知県高浜市本郷町4-3-21 ☎0566-53-1127
スジャータめいらく㈱	[食] [事業](連)業務用・家庭用商品の輸入・加工・販売 ㉕**171** ㉔**119** [売]連178,029 [従]2,496 [資]180 [住]名古屋市天白区中砂町310 ☎052-831-6688
鈴秀工業㈱	[鉄] [事業](単)磨棒鋼70 冷間圧造用鋼線22 他8 ㉕**2** ㉔**3** [売]単19,967 [従]354 [資]100 [住]名古屋市緑区大高町南関山35 ☎052-623-3221
太啓建設㈱	[建] [事業](単)土木工事31 建築工事64 兼業他5 ㉕**未定** ㉔**12** [売]単15,634 [従]292 [資]100 [住]愛知県豊田市東梅坪町10-3-3 ☎0565-31-1271
大興運輸㈱	[陸] [事業](単)貨物運送80 倉庫業20 ㉕**17** ㉔**7** [売]単39,170 [従]1,495 [資]83 [住]愛知県刈谷市新栄町2-38 ☎0566-21-3416
㈱大仙	[建] [事業](単)温室・トップライト65 エクステリア23 額縁12 ㉕**10** ㉔**10** [売]単17,081 [従]250 [資]100 [住]愛知県豊橋市下地町字柳目8 ☎0532-54-6527
大同テクニカ㈱	[鉄] [事業](単)特殊鋼加工・生産事業 ㉕**15** ㉔**13** [売]単5,647 [従]570 [資]40 [住]愛知県東海市元浜町39 ☎0562-33-1231

会社名	業種名 事業 会社の事業構成(%) ㉕25年採用計画数(名) ㉔24年入社内定者数(名) 売 売上高(百万円) 従 単独従業員数(名) 資 資本金(百万円) 住 本社の住所, 電話番号
ダイドー(株)	精機卸 事業 (単)産業用ロボット 制御機器 FA機器 ㉕**50** ㉔**51** 売 単95,588 従 1,000 資 777 住 名古屋市中村区名駅南4-12-19 ☎052-533-6722
大豊精機(株)	機 事業 (単)搬送装置34 自動車部品9 溶接設備10 プレス金型24 他2 試作部品18 ㉕**12** ㉔**9** 売 単13,555 従 409 資 878 住 愛知県豊田市上原町折橋1-15 ☎0565-43-0801
大有建設(株)	建 事業 (単)舗装工事62 他土木工事18 建築工事1 生コン製造3 アスファルト合材製造9 他7 ㉕**17** ㉔**16** 売 単23,338 従 436 資 100 住 名古屋市中区金山5-14-2 ☎052-881-1581
(株)高木化学研究所	自 事業 (単)合成繊維25 自動車部品65 プラスチック成形品他10 ㉕**未定** ㉔**5** 売 単2,085 従 117 資 30 住 愛知県岡崎市大幡町字堀田21-1 ☎0564-48-3016
高砂電気工業(株)	電機 事業 (単)ソレノイドバルブおよびポンプ等流体制御機器の製造・販売・設計 ㉕**未定** ㉔**4** 売 単4,100 従 265 資 90 住 名古屋市緑区鳴海町杜若66 ☎052-891-2301
竹本油脂(株)	化 事業 (単)ゴマ油 界面活性剤 ㉕**15** ㉔**21** 売 単107,710 従 684 資 100 住 愛知県蒲郡市港町2-5 ☎0533-68-2111
中央工機(株)	精機卸 事業 (単)切削工具30 治工具25 設備20 検査・測定機器10 他15 ㉕**未定** ㉔**12** 売 単21,439 従 215 資 80 住 名古屋市昭和区高辻町4-3 ☎052-889-1711
中央精機(株)	自 事業 (単)アルミホイール スチールホイール タイヤ組付 LPG容器 ㉕**未定** ㉔**17** 売 単89,610 従 1,373 資 4,754 住 愛知県安城市尾崎町丸田1-7 ☎0566-96-6170
中央電気工事(株)	建 事業 (単)電気工事93 電気通信工事6 土木一式工事1 他0 ㉕**30** ㉔**12** 売 単25,501 従 415 資 100 住 名古屋市中区栄3-14-22 ☎052-262-2151
(株)中外	化医卸 事業 (単)化成品 電気関連 自動車部品 機械関連 ㉕**未定** ㉔**7** 売 単45,530 従 338 資 328 住 名古屋市中区千代田5-21-11 ☎050-7776-0501
(株)中部	建 事業 (単)建設 建材 情報通信 ㉕**5** ㉔**8** 売 単17,085 従 243 資 2,322 住 愛知県豊橋市神野新田町字トノ割28 ☎0532-31-1111
中部国際空港(株)	他サ 事業 (連)空港56 商業38 交通アクセス施設6 ㉕**未定** ㉔**13** 売 連39,989 従 274 資 83,668 住 愛知県常滑市セントレア1-1 ☎0569-38-7777
中部テレコミュニケーション(株)	通 事業 (単)電気通信事業100 ㉕**32** ㉔**44** 売 単104,967 従 906 資 38,816 住 名古屋市中区錦1-10-1 ☎052-740-8011
(株)中部プラントサービス	建 事業 (単)火力・原子力発電所保修工事36 同改良工事5 他工事52 運転業務・受託他4 発電O&3 ㉕**未定** ㉔**36** 売 単65,350 従 1,600 資 240 住 名古屋市熱田区五本松町11-22 ☎052-679-1200
中菱エンジニアリング(株)	他サ 事業 (単)航空宇宙分野69 冷熱機器・産業機械分野31 ㉕**40** ㉔**30** 売 単18,738 従 967 資 100 住 名古屋市中区栄3-18-1 ☎080-8665-9800
(株)槌屋	化医卸 事業 (単)プリント材料・製品 工業用テープ 塗料 合成樹脂 電子部品 他 ㉕**25** ㉔**31** 売 単73,021 従 548 資 100 住 名古屋市中区上前津2-9-29 ☎052-331-5451
テイコクテーピングシステム(株)	機 事業 (単)半導体製造装置100 ㉕**2** ㉔**3** 売 単1,250 従 25 資 22 住 愛知県東海市加木屋町腹太43-1 ☎0562-33-7172
(株)テクノ中部	他サ 事業 (単)火力発電所環境・燃料設備管理54 環境調査・測定・分析11 製品販売25 他10 ㉕**15** ㉔**8** 売 単16,338 従 729 資 120 住 名古屋市港区大江町3-12 ☎052-614-7171
電子システム(株)	建 事業 (単)システム工事69 商品売上24 保守サービス7 ㉕**前年並** ㉔**3** 売 単3,337 従 81 資 97 住 名古屋市昭和区御器所3-2-5 ☎052-872-0505
(株)デンソーエレクトロニクス	自 事業 (単)リレー・音49 電子製品31 他20 ㉕**95** ㉔**76** 売 単80,845 従 2,377 資 1,001 住 愛知県安城市篠目町1-10 ☎0566-73-0022
東海興業(株)	自 事業 (単)自動車部品99 建材1 ㉕**25** ㉔**12** 売 単42,968 従 755 資 301 住 愛知県大府市長根町4-1 ☎0562-44-1500
東海テレビ放送(株)	通 事業 (単)放送関連事業97 他3 ㉕**未定** ㉔**5** 売 単27,306 従 325 資 1,000 住 名古屋市東区東桜1-14-27 ☎052-951-2511
東海プラントエンジニアリング(株)	建 事業 (単)機械器具設置60 管工事18 鋼構造物21 他1 ㉕**未定** ㉔**12** 売 単14,282 従 424 資 200 住 名古屋市南区南陽通り6-1 ☎052-691-2141
東邦液化ガス(株)	電ガ 事業 (単)液化石油ガス79 コークス7 石油製品4 他10 ㉕**未定** ㉔**11** 売 単86,591 従 843 資 480 住 名古屋市熱田区桜田町19-18 ☎052-882-3754
東朋テクノロジー(株)	電機 事業 (単)空調工事28 半導体製造装置8 産業機器11 検査装置9 電力設備8 他36 ㉕**10** ㉔**14** 売 単39,523 従 542 資 430 住 名古屋市中区栄3-10-22 ☎052-251-7211

会社名	[業種名] (事業) 会社の事業構成(%) ㉕25年採用計画数(名) ㉔24年入社内定者数(名) (売)売上高(百万円) (従)単独従業員数(名) (資)資本金(百万円) (住)本社の住所, 電話番号
豊川信用金庫	[銀] (事業) (単)現・預け金27 有価証券27 貸出金44 他2 ㉕**未定** ㉔**26** (売)連10,348 (従)549 (資)1,441 (住)愛知県豊川市末広通3-34-1 ☎0533-89-1151
トヨタカローラ愛知㈱	[自販] (事業) (単)新車販売74 サービス(車両修理)12 U-Car13 車両リース1 ㉕**53** ㉔**57** (売)単64,034 (従)658 (資)50 (住)名古屋市東区泉1-6-1 ☎052-962-3311
豊田信用金庫	[銀] (事業) (単)現・預け金28 有価証券22 貸出金48 他2 ㉕**50** ㉔**36** (売)単17,000 (従)798 (資)845 (住)愛知県豊田市元城町1-48 ☎0565-31-1616
豊田通商システムズ㈱	[シソ] (事業) (単)企業向けIT機器, クラウドインフラ, エンジニアリングサービスの提供 ㉕**24** ㉔**26** (売)単67,775 (従)465 (資)450 (住)名古屋市中村区名駅4-11-27 ☎052-898-7100
豊通物流㈱	[倉埠] (事業) (単)集荷配送28 梱包作業24 業務委託15 荷役10 保管9 他14 ㉕**未定** ㉔**18** (売)単27,306 (従)780 (資)350 (住)名古屋市中村区名駅4-11-27 ☎052-558-2100
豊臣機工㈱	[自] (事業) (単)自動車部品94 プレス金型5 他1 ㉕**30** ㉔**27** (売)単60,718 (従)1,348 (資)481 (住)愛知県安城市今本町東向山7 ☎0566-97-9131
豊橋飼料㈱	[食] (事業) (単)配合飼料68 畜産物31 不動産1 ㉕**5** ㉔**3** (売)単50,802 (従)195 (資)100 (住)愛知県豊橋市明海町5-9 ☎0532-23-5060
豊橋信用金庫	[銀] (事業) (単)現・預け金22 有価証券36 貸出金41 他1 ㉕**未定** ㉔**29** (売)連12,565 (従)519 (資)585 (住)愛知県豊橋市小畷町579 ☎0532-56-5550
トヨフジ海運㈱	[海] (事業) (単)内航海上輸送関係27 海外海上輸送関係66 港湾荷役取扱7 ㉕**未定** ㉔**5** (売)単86,352 (従)274 (資)120 (住)愛知県東海市新宝町33-3 ☎052-603-6111
中北薬品㈱	[化医卸] (事業) (単)医薬品90 医療用機器用具3 診断用試薬2 他5 ㉕**50** ㉔**22** (売)単215,603 (従)961 (資)867 (住)名古屋市中区丸の内3-5-15 ☎052-971-3681
中西電機工業㈱	[電卸] (事業) (単)電子制御機器60 電線・制御BOX20 雑材・小物電気機器15 電動機5 ㉕**11** ㉔**9** (売)単22,955 (従)262 (資)99 (住)名古屋市中区富士見町9-1 ☎052-332-5221
中日本航空㈱	[航] (事業) (単)航空機使用事業・航空運送事業 航空機整備 調査測量 ㉕**未定** ㉔**27** (売)単20,091 (従)937 (資)120 (住)愛知県西春日井郡豊山町豊場殿釜2 ☎0568-28-2151
名古屋電気㈱	[電卸] (事業) (単)電線・電気機器 粉末合金・電子材料 鉄鋼線材 工業用ゴム製品 他 ㉕**未定** ㉔**6** (売)単50,305 (従)210 (資)120 (住)名古屋市中区錦3-8-14 ☎052-951-9111
鳴海製陶㈱	[ガ土] (事業) (単)洋食器65 産業器材他35 ㉕**16** ㉔**8** (売)単7,459 (従)223 (資)540 (住)名古屋市緑区鳴海町伝治山3 ☎052-896-2200
西尾信用金庫	[銀] (事業) (単)現・預け金20 有価証券36 貸出金43 他1 ㉕**50** ㉔**49** (売)連22,281 (従)719 (資)786 (住)愛知県西尾市寄住町洲田51 ☎0563-56-7111
㈱ニデック	[精] (事業) (単)眼科医療機器・眼鏡店向け機器93 光学部品等コーティング7 ㉕**56** ㉔**38** (売)単43,803 (従)1,658 (資)461 (住)愛知県蒲郡市拾石町前浜34-14 ☎0533-67-6611
日本インフォメーション㈱	[シソ] (事業) (単)ソフトウェア開発95 自社製品5 ㉕**20** ㉔**10** (売)単2,813 (従)226 (資)410 (住)名古屋市千種区今池1-8-8 ☎052-741-7566
日本ゼネラルフード㈱	[外] (事業) (連)給食受託運営85 配送弁当・ケータリング5 食材卸売10 ㉕**未定** ㉔**132** (売)連38,861 (従)1,940 (資)96 (住)名古屋市中区千代田5-7-5 ☎052-243-6111
日本メディアシステム㈱	[電卸] (事業) (単)電話機46 FAX・複合機10 LED・エコ5 ネットワーク15 ストック14 他10 ㉕**未定** ㉔**1** (売)単12,997 (従)428 (資)81 (住)名古屋市東区泉1-12-35 ☎052-972-7810
日本メナード化粧品㈱	[化] (事業) (単)化粧品90 他10 ㉕**未定** ㉔**23** (売)単37,355 (従)870 (資)74 (住)名古屋市中区丸の内3-18-15 ☎052-961-3181
㈱バッファロー	[電機] (事業) (単)デジタル家電及びパソコン周辺機器の開発・製造・販売及びデータ復旧サービス ㉕**30** ㉔**2** (売)単64,267 (従)645 (資)320 (住)名古屋市中区大須3-30-20 ☎052-249-6610
㈱浜乙女	[食] (事業) (単)味付のり ごま パン粉等の製造加工・販売 他食品全般の卸販売 衣料品の小売 スーパーストアー ㉕**未定** ㉔**3** (売)単14,316 (従)392 (資)320 (住)名古屋市中村区名駅4-16-26 ☎052-582-5551
林テレンプ㈱	[自] (事業) (連)自動車内装部品 用品 表皮 電装部品 他 ㉕**未定** ㉔**46** (売)連311,822 (従)1,546 (資)1,000 (住)名古屋市中区上前津1-4-5 ☎052-322-2121
㈱ヒメノ	[建] (事業) (単)電気工事69 土木工事23 舗装工事5 通信工事2 他1 ㉕**13** ㉔**12** (売)単13,533 (従)158 (資)400 (住)名古屋市東区東大曽根町12-19 ☎052-935-8571
ビューテック㈱	[ガ土] (事業) (単)ガラス加工25 輸送28 製造請負17 樹脂成形品製造9 他21 ㉕**未定** ㉔**5** (売)単50,166 (従)3,095 (資)5,500 (住)愛知県豊田市梅坪町9-30-3 ☎0565-31-5521

会社名	業種名 (事業)会社の事業構成(%) ㉕25年採用計画数(名) ㉔24年入社内定者数(名) (売)売上高(百万円) (従)単独従業員数(名) (資)資本金(百万円) (住)本社の住所,電話番号
㈱フィールホールディングス	小 (事業)(連)商品販売94 不動産賃貸3 物流3 ㉕未定 ㉔47 (売)連126,920 (従)17 (資)100 (住)名古屋市昭和区鶴舞2-21-6 ☎052-872-2116
フジクリーン工業㈱	他製 (事業)(単)小型浄化槽50 中型浄化槽・大型浄化槽・プラント25 他25 ㉕25 ㉔25 (売)単22,242 (従)614 (資)300 (住)名古屋市千種区今池4-1-4 ☎052-733-0325
㈱フジケン	不 (事業)(単)分譲マンション 分譲住宅 注文住宅 公共建築 商業建築 不動産仲介 ㉕未定 ㉔5 (売)単17,476 (従)85 (資)60 (住)愛知県岡崎市戸崎町藤狭1-9 ☎0564-72-2211
藤田螺子工業㈱	金製 (事業)(単)ファスナー類89 自動省力化機械3 ジオメット処理1 他7 ㉕6 ㉔9 (売)単28,418 (従)424 (資)89 (住)名古屋市中村区名駅南3-9-3 ☎052-586-1181
フタムラ化学㈱	化 (事業)(単)ポリプロピレンフィルム セロハン 活性炭 ポリエステルフィルム 他 ㉕45 ㉔27 (売)単88,023 (従)1,397 (資)500 (住)名古屋市中村区名駅2-29-16 ☎052-565-1212
フルタ電機㈱	他製 (事業)(単)農事用換気扇64 工業用送排風機30 水産用機械6 ㉕3 ㉔3 (売)単3,871 (従)150 (資)32 (住)名古屋市瑞穂区堀田通7-9 ☎052-872-4111
碧海信用金庫	銀 (事業)(単)現・預け金23 有価証券27 貸出金48 他3 ㉕未定 ㉔54 (売)連25,559 (従)1,201 (資)1,208 (住)愛知県安城市御幸本町15-1 ☎0566-77-8101
豊生ブレーキ工業㈱	自 (事業)(連)ドラムブレーキ25 ディスクブレーキ41 リヤパーキングブレーキ7 アクスルハウジング8 他19 ㉕未定 ㉔53 (売)連96,801 (従)1,433 (資)6,436 (住)愛知県豊田市和会町道上10 ☎0565-21-1213
ホーユー㈱	化 (事業)(単)染毛剤 頭髪関連品 家庭薬 ㉕未定 ㉔23 (売)単44,579 (従)1,049 (資)110 (住)名古屋市東区徳川1-501 ☎052-935-9556
㈱HOWA	自 (事業)(単)成形天井48 サンシェードトリム9 ダッシュサイレンサー12 他31 ㉕20 ㉔22 (売)単36,742 (従)775 (資)302 (住)愛知県春日井市味美白山町2-10-4 ☎0568-34-8180
ポッカサッポロフード&ビバレッジ㈱	食 (事業)(単)飲料水および食品100 ㉕未定 ㉔18 (売)単69,211 (従)986 (資)5,431 (住)名古屋市中区栄3-27-1 ☎0570-550-360
本多金属工業㈱	非鉄 (事業)(単)アルミ押出形材85 三次加工品14 ㉕未定 ㉔6 (売)単20,813 (従)363 (資)96 (住)名古屋市中区栄3-32-22 ☎052-251-4811
丸美産業㈱	不 (事業)(単)マンション32 戸建11 木材52 他5 ㉕若干 ㉔3 (売)単13,571 (従)75 (資)220 (住)名古屋市瑞穂区瑞穂通3-21 ☎052-851-3511
マルヤス工業㈱	自 (事業)(単)ブラケット部品19 チューブ部品18 ユニット部品62 産業用製品1 ㉕40 ㉔34 (売)単79,536 (従)896 (資)450 (住)名古屋市昭和区白金2-7-11 ☎052-871-3232
ミソノサービス㈱	建管 (事業)(連)清掃17 施設管理25 マンション管理13 警備保障8 賃貸20 リニューアル7 他10 ㉕4 ㉔4 (売)連16,410 (従)191 (資)30 (住)名古屋市北区平安2-15-56 ☎052-916-6777
宮川工機㈱	機 (事業)(単)CAD・CAMプレカットシステム80 他木工機10 ソフト10 ㉕5 ㉔9 (売)単8,762 (従)223 (資)88 (住)愛知県豊橋市花田町字中ノ坪53 ☎0532-31-1251
㈱メイキコウ	機 (事業)(単)コンベヤー・シザーリフト等標準汎用機器80 クリーン・搬送システム装置20 ㉕前年並 ㉔3 (売)単8,467 (従)218 (資)200 (住)愛知県豊明市大久伝町東180 ☎0562-92-7111
名鉄EIエンジニア㈱	建 (事業)(単)完成工事高61 他39 ㉕未定 ㉔18 (売)単18,011 (従)518 (資)100 (住)名古屋市熱田区神宮4-3-36 ☎052-678-1771
名鉄協商㈱	総卸 (事業)(単)販売6 駐車場58 リース33 貸ビル他3 ㉕12 ㉔14 (売)単33,671 (従)343 (資)720 (住)名古屋市中村区名駅南2-14-19 ☎052-582-1011
㈱メイテツコム	シソ (事業)(単)ソフトウェア開発37 情報処理50 商品販売13 他1 ㉕19 ㉔15 (売)単9,322 (従)380 (資)100 (住)名古屋市中村区名駅南1-21-12 ☎052-589-2001
名鉄自動車整備㈱	機保 (事業)(単)自動車整備91 商品販売5 自動車販売3 他1 ㉕未定 ㉔11 (売)単7,613 (従)425 (資)100 (住)名古屋市緑区曽根2-427 ☎052-623-2220
名菱テクニカ㈱	電機 (事業)(単)FA19 モーター46 機電30 縫製機械2 絶縁材・ロボット3 ㉕19 ㉔17 (売)単29,396 (従)698 (資)60 (住)名古屋市東区矢田南5-1-14 ☎052-722-1949
メーキュー㈱	外 (事業)(単)給食 食品加工および販売 ㉕未定 ㉔10 (売)単8,224 (従)578 (資)50 (住)名古屋市守山区下志段味3-2302 ☎052-770-2221
モリリン㈱	繊紙卸 (事業)(単)繊維関連90 建築資材関連10 ㉕未定 ㉔16 (売)単91,202 (従)376 (資)1,350 (住)愛知県一宮市本町4-22-10 ☎0586-25-2281
㈱八幡ねじ	金製 (事業)(単)締結部品(ボルト・ナット類)製造販売 ホームセンター向パッケージ商品 ㉕未定 ㉔10 (売)単25,821 (従)287 (資)20 (住)愛知県北名古屋市山之腰天神東18 ☎0568-22-2629

会社名	[業種名] [事業] 会社の事業構成(%) ㉕25年採用計画数(名) ㉔24年入社内定者数(名) [売] 売上高(百万円) [従] 単独従業員数(名) [資] 資本金(百万円) [住] 本社の住所, 電話番号
山宗(株)	[化医卸] [事業] (単)プラスチック原材料卸販売72 プラスチック製品部品製造28 ㉕20 ㉔21 [売] 単64,763 [従] 555 [資] 72 [住] 名古屋市北区大曽根1-6-28 ☎052-913-6151
大和産業(株)	[食卸] [事業] (単)米穀45 小麦粉33 糖類19 飼料他3 ㉕未定 ㉔6 [売] 単133,000 [従] 182 [資] 310 [住] 名古屋市西区新道1-14-4 ☎052-571-1161
(株)山西	[小] [事業] (単)住宅資材販売86 2×4コンポーネント6 プレカット6 ホームセンター2 ㉕未定 ㉔10 [売] 単20,526 [従] 388 [資] 100 [住] 名古屋市中区千代田2-1-13 ☎052-261-5466
豊証券(株)	[証] [事業] (単)受入手数料48 トレーディング損益48 金融収益4 ㉕15 ㉔7 [売] 単4,453 [従] 178 [資] 2,540 [住] 名古屋市中区栄3-7-1 ☎052-251-3311
リンタツ(株)	[鉄金卸] [事業] (単)ステンレス鋼材販売98 加工品他2 ㉕8 ㉔10 [売] 単82,728 [従] 306 [資] 221 [住] 名古屋市中区橘1-28-9 ☎052-331-8311
ワシノ商事(株)	[精機卸] [事業] (単)専用機24 工作機械2 エコ商品69 鍛圧機械1 産業機械他4 ㉕2 ㉔4 [売] 単10,510 [従] 56 [資] 143 [住] 愛知県安城市東栄町2-1-20 ☎0566-98-6101
旭電器工業(株)	[電機] [事業] (単)配線器具70 制御機器12 情報機器7 他11 ㉕20 ㉔17 [売] 単12,930 [従] 552 [資] 80 [住] 津市白塚町2856 ☎059-233-2000
(株)一号舘	[小] [事業] (単)スーパーマーケット39 ホームセンター6 Fマート55 ㉕4 ㉔4 [売] 単22,800 [従] 683 [資] 30 [住] 三重県四日市市日永東3-4-1 ☎059-347-1100
(株)ぎゅーとら	[小] [事業] (単)鮮魚10 精肉13 総菜14 食品13 青果16 菓子5 日配他29 ㉕15 ㉔9 [売] 単38,426 [従] 341 [資] 46 [住] 三重県伊勢市西豊浜町655-18 ☎0596-37-5500
(株)交洋	[食卸] [事業] (単)水産品41 水産加工品31 農畜産物21 他7 ㉕前年並 ㉔17 [売] 単81,935 [従] 209 [資] 98 [住] 三重県四日市市新正5-4-19 ☎059-354-5411
三交不動産(株)	[不] [事業] (単)分譲43 賃貸25 環境エネルギー17 注文住宅11 仲介3 ㉕未定 ㉔12 [売] 単31,118 [従] 372 [資] 3,800 [住] 津市丸之内9-18 ☎059-227-5111
(株)扇港電機	[電卸] [事業] (連)電気設備用資材・機器96 防災・防犯通信設備工事4 ㉕52 ㉔23 [売] 連106,309 [従] 904 [資] 98 [住] 三重県四日市市北浜町8-16 ☎059-353-1711
東海コンクリート工業(株)	[ガ土] [事業] (単)ポール51 基礎20 プレコン27 他2 ㉕7 ㉔4 [売] 単7,716 [従] 166 [資] 300 [住] 三重県いなべ市大安町大井田2250 ☎0594-77-0511
(株)トピア	[自] [事業] (単)自動車部品試作製造85 電気機械試作製造10 他5 ㉕未定 ㉔14 [売] 単13,700 [従] 750 [資] 86 [住] 三重県鈴鹿市一ノ宮町1477-1 ☎059-383-7322
トリックス(株)	[自] [事業] (単)金属板金プレス・溶接・表面処理一貫加工 部品組立 ㉕未定 ㉔7 [売] 連57,906 [従] 308 [資] 280 [住] 津市片田町846-3 ☎059-237-4113
長島観光開発(株)	[レ] [事業] (単)スパーランド40 ホテル24 なばなの里14 他22 ㉕未定 ㉔6 [売] 単21,994 [従] 814 [資] 1,200 [住] 三重県桑名市長島町浦安333 ☎0594-45-1111
(株)ナベル	[他製] [事業] (単)蛇腹製造・販売100 ㉕6 ㉔3 [売] 単3,175 [従] 212 [資] 50 [住] 三重県伊賀市ゆめが丘7-2-3 ☎0595-21-5060
(株)日本陸送	[陸] [事業] (単)運送 倉庫 梱包 他 ㉕20 ㉔13 [売] 単18,235 [従] 494 [資] 90 [住] 三重県鈴鹿市国府町石丸7755 ☎059-378-1181
松阪興産(株)	[ガ土] [事業] (単)砂利・砂・砕石等44 コンクリート二次製品47 他9 ㉕未定 ㉔10 [売] 単20,439 [従] 610 [資] 100 [住] 三重県松阪市鎌田町253-5 ☎0598-51-0211
三重交通(株)	[鉄バ] [事業] (単)乗合自動車 貸切自動車 ㉕未定 ㉔30 [売] 単20,326 [従] 1,132 [資] 4,017 [住] 津市中央1-1 ☎059-229-5511
三重交通商事(株)	[小] [事業] (単)石油製品販売 カーケア・自動車整備 液化石油ガスの供給・販売 外食 他 ㉕未定 ㉔5 [売] 単10,793 [従] 138 [資] 99 [住] 津市本町29-16 ☎059-228-8101
三重テレビ放送(株)	[通] [事業] (単)放送事業100 他1 ㉕4 ㉔3 [売] 単2,556 [従] 65 [資] 500 [住] 津市渋見町字小谷693-1 ☎059-226-1133
ヤマダイ食品(株)	[食] [事業] (単)業務用総菜92 市販用総菜4 冷凍果実3 飲料1 ㉕未定 ㉔6 [売] 単3,921 [従] 199 [資] 86 [住] 三重県四日市市富田2-8-19 ☎059-364-4331
(株)ISS山崎機械	[鉄] [事業] (単)建設用重機械部品55 他産業用機械部品45 ㉕3 ㉔6 [売] 単11,800 [従] 219 [資] 87 [住] 滋賀県湖南市日枝町3-2 ☎0748-75-1187
近江鍛工(株)	[鉄] [事業] (単)土木建設機械部品20 ベアリング部品42 自動車・船舶17 他21 ㉕3 ㉔6 [売] 単18,131 [従] 258 [資] 99 [住] 大津市月輪1-4-6 ☎077-545-3281

会社名	業種名 (事業)会社の事業構成(%) ㉕25年採用計画数(名) ㉔24年入社内定者数(名) (売)売上高(百万円) (従)単独従業員数(名) (資)資本金(百万円) (住)本社の住所, 電話番号
川重冷熱工業㈱	機 (事業)(単)空調機器, 汎用ボイラーの製造・販売・保守点検・改修改造工事 ㉕13 ㉔9 (売)単19,699 (従)539 (資)1,460 (住)滋賀県草津市青地町1000 ☎077-563-1111
湖東信用金庫	銀 (事業)(単)現・預け金 有価証券 貸出金 他 ㉕未定 ㉔12 (売)単2,516 (従)167 (資)646 (住)滋賀県東近江市青葉町1-1 ☎0748-20-2550
三恵工業㈱	自 (事業)(単)ボールジョイント36 タイロットエンド35 スタビライザーリンク22 他7 ㉕未定 ㉔5 (売)単21,863 (従)309 (資)48 (住)滋賀県栗東市高野305 ☎077-553-0555
滋賀中央信用金庫	銀 (事業)(単)現・預け金14 有価証券31 貸出金52 他3 ㉕20 ㉔14 (売)単6,214 (従)339 (資)1,281 (住)滋賀県彦根市小泉町34-1 ☎0749-22-7722
㈱昭建	建 (事業)(単)土木・舗装工事70 アスファルト合材製造・販売30 ㉕5 ㉔3 (売)単9,746 (従)159 (資)500 (住)大津市浜大津2-5-9 ☎077-525-5131
高橋金属㈱	金製 (事業)(単)健康・住宅20 農機・船舶産機・建材55 OA機器3 環境9 自動車7 他6 ㉕未定 ㉔5 (売)単10,774 (従)356 (資)98 (住)滋賀県長浜市細江町864-4 ☎0749-72-3980
㈱ディーアクト	自 (事業)(単)自動車部品 ㉕未定 ㉔15 (売)単43,631 (従)631 (資)375 (住)滋賀県湖南市小砂町1-7 ☎0748-75-8583
㈱日立建機ティエラ	機 (事業)(単)建設機械100 ㉕37 ㉔27 (売)単173,434 (従)632 (資)1,440 (住)滋賀県甲賀市水口町笹が丘1-2 ☎0748-62-6431
ムラテックメカトロニクス㈱	他製 (事業)(単)制御盤・プリント基板59 繊維機械部品3 搬送装置28 工作機械部品0 デジタル複合機3 他7 ㉕未定 ㉔15 (売)単37,075 (従)429 (資)30 (住)滋賀県蒲生郡竜王町弓削37 ☎0748-57-2000
㈱ITP	他製 (事業)(単)印刷業 ㉕25 ㉔30 (売)単18,445 (従)825 (資)90 (住)京都市中京区丸太町通小川西入横鍛冶町100 ☎075-211-9111
綾羽㈱	繊衣 (事業)(単)不動産賃貸等87 タイヤコード・産業資材等13 ㉕30 ㉔25 (売)単3,928 (従)108 (資)1,000 (住)京都市下京区烏丸通四条下る水銀屋町612 ☎075-221-5080
㈱エクソル	電卸 (事業)(単)公共・産業用太陽光発電 家庭用太陽光発電 家庭用オール電化 ㉕未定 ㉔16 (売)単26,077 (従)411 (資)100 (住)京都市中京区烏丸通錦小路上ル手洗水町659 ☎075-213-3440
エムケイ㈱	陸 (事業)(単)タクシー運送73 バス・派遣業務5 オートガス2 整備5 アミューズメント7 他8 ㉕40 ㉔27 (売)単13,695 (従)1,823 (資)95 (住)京都市南区西九条東島町63-1 ☎075-555-3132
応用電機㈱	電機 (事業)(単)半導体他各種電子部品検査装置(計測機器, 制御装置) ㉕20 ㉔19 (売)単19,447 (従)688 (資)72 (住)京都府城陽市平川中道表63-1 ☎0774-52-0001
㈱オンリー	小 (事業)(単)紳士服・婦人服の製造・販売 ㉕15 ㉔5 (売)連5,555 (従)170 (資)10 (住)京都市下京区松原通烏丸西入ル玉津島町303 ☎075-354-4129
鐘通㈱	電卸 (事業)(連)電線・ケーブル 電気機器・部品 ハーネス プリント基板 ㉕未定 ㉔11 (売)連42,249 (従)268 (資)96 (住)京都市南区西九条豊田町1 ☎075-662-1111
黄桜㈱	食 (事業)(単)日本酒・クラフトビール・ウイスキー・食品の製造・販売 ㉕若干 ㉔9 (売)単9,500 (従)223 (資)60 (住)京都市伏見区横大路下三栖梶原町53 ☎075-611-4101
㈱京都科学	他製 (事業)(単)医学・看護教育用教材 ㉕3 ㉔3 (売)単5,123 (従)97 (資)80 (住)京都市伏見区北寝小屋町15 ☎075-605-2500
㈱京都製作所	機 (事業)(単)自動包装機械・関連機器 電子部品組立機械他・各種自動機械 ㉕40 ㉔27 (売)連47,543 (従)625 (資)1,891 (住)京都市伏見区淀美豆町377-1 ☎075-631-3151
京都電子工業㈱	精 (事業)(単)分析機器・環境用分析機器製造 ㉕22 ㉔4 (売)単6,850 (従)359 (資)30 (住)京都市南区吉祥院新田二の段町68 ☎075-691-4121
クロイ電機㈱	電機 (事業)(単)照明器具85 照明器具用部品2 他13 ㉕6 ㉔5 (売)単9,959 (従)168 (資)98 (住)京都市南区上鳥羽大物町7 ☎075-644-7775
佐川印刷㈱	他製 (事業)(単)一般印刷物80 他20 ㉕前年並 ㉔54 (売)単68,910 (従)1,343 (資)100 (住)京都府向日市森本町戌亥5-3 ☎075-933-8081
㈱三笑堂	精機卸 (事業)(単)医療機器, 医薬品, 医療用品, バイオ, 在宅介護用品, 在宅介護用品レンタル ㉕未定 ㉔30 (売)単64,195 (従)848 (資)60 (住)京都市南区上鳥羽大物町68 ☎075-681-5131
㈱新学社	新 (事業)(単)小・中学校直販部門79 家販部門20 他1 ㉕未定 ㉔10 (売)単14,693 (従)331 (資)53 (住)京都市山科区東野中井ノ上町11-39 ☎075-581-6111
総合食品エスイー㈱	食卸 (事業)(単)食肉卸94 食肉加工5 焼肉レストラン1 ㉕30 ㉔16 (売)単76,685 (従)454 (資)120 (住)京都市伏見区竹田藁屋町80 ☎075-621-4525

会社名	業種名 事業 会社の事業構成(%) ㉕25年採用計画数(名) ㉔24年入社内定者数(名) 売 売上高(百万円) 従 単独従業員数(名) 資 資本金(百万円) 住 本社の住所, 電話番号
タキイ種苗㈱	農水 事業 (単)種子 球根・苗木 農業用資材 ㉕40 ㉔47 売 単52,331 従822 資200 住 京都市下京区梅小路通猪熊東入南夷町180 ☎075-365-0123
竹中エンジニアリング㈱	電機 事業 (単)セキュリティ機器70 情報機器20 周辺機器10 ㉕10 ㉔5 売 単10,150 従212 資75 住 京都市山科区東野五条通外環西入83-1 ☎075-594-7211
㈱TANAX	他製 事業 (単)販促企画商品 産業資材 商業包装 物流ソリューション ㉕10 ㉔8 売 単21,711 従495 資364 住 京都市下京区五条通烏丸東入松屋町438 ☎075-361-2000
㈱鶴屋吉信	食 事業 (単)京銘菓製造販売 ㉕20 ㉔25 売 単3,459 従370 資40 住 京都市上京区今出川通大宮東入2丁目西船橋町340-1 ☎075-441-0105
ニシムラ㈱	電卸 事業 (単)照明器具19 電路材料21 空調機器12 電線14 配管材料9 他25 ㉕未定 ㉔11 売 単23,290 従295 資40 住 京都市南区上鳥羽角田町32 ☎075-671-1016
日新電機㈱	電機 事業 (単)電力・環境システム ビーム・プラズマ 装置部品ソリューション ㉕未定 ㉔54 売 単82,006 従1,997 資10,252 住 京都市右京区梅津高畝町47 ☎075-861-3151
光伝導機㈱	精機卸 事業 (単)精密・機械卸売100 ㉕6 ㉔6 売 単20,983 従217 資307 住 京都市南区吉祥院石原京道町1-1 ☎075-682-1995
フィルネクスト㈱	他製 事業 (単)製品売上78 商品売上20 版売上2 ㉕未定 ㉔9 売 単26,011 従443 資301 住 京都市右京区西院月双町5 ☎075-311-0185
福田金属箔粉工業㈱	非鉄 事業 (単)金属粉関連74 電解箔関連24 金属箔関連2 ㉕未定 ㉔13 売 単48,864 従545 資700 住 京都市山科区西野山中臣町20 ☎075-581-2161
㈱堀場エステック	精 事業 (単)半導体システム機器96 医用システム機器2 環境・プロセスシステム機器他2 ㉕未定 ㉔27 売 単83,044 従666 資1,478 住 京都市南区上鳥羽鉾立町11-5 ☎075-693-2300
㈱マルハン	レ 事業 (単)パチンコ部門100 ボウリング他レジャー部門0 ㉕120 ㉔148 売 連1,434,468 従4,379 資10,000 住 京都市上京区出町今出川上る青龍町231 ☎075-252-0011
宮崎木材工業㈱	建 事業 (単)建築内部造作工事95 家具類製造3 住宅建築工事2 ㉕未定 ㉔5 売 単1,600 従107 資88 住 京都市中京区夷川通堺町西入る絹屋町129 ☎075-222-8112
ムラテックCCS㈱	機保 事業 (単)物流システムサービス 工作機械サービス ㉕20 ㉔9 売 単19,500 従373 資30 住 京都市南区吉祥院南落合町3 ☎075-672-8141
メテック㈱	金製 事業 (単)電子部品95 機械部品3 他2 ㉕未定 ㉔3 売 単4,639 従269 資97 住 京都市南区上鳥羽薬田町32 ☎075-661-4900
吉忠マネキン㈱	他製 事業 (単)店舗装飾59 陳列器具19 ウィンド装飾20 マネキン他2 ㉕9 ㉔20 売 単10,659 従205 資80 住 京都市中京区御池通高倉西入綿屋町525 ☎075-241-7551
㈱ロマンス小杉	繊紙卸 事業 (単)ふとん類61 毛布・タオルケット15 ギフト・カバー類11 他13 ㉕未定 ㉔7 売 単5,024 従130 資347 住 京都市下京区室町通仏光寺上ル白楽天町517 ☎075-341-3111
㈱ワイエムシィ	化 事業 (単)クロマト消耗品 クロマト装置 ㉕19 ㉔22 売 単9,927 従352 資687 住 京都市下京区五条通烏丸西入醍醐町284 ☎075-342-4510
ワタキューセイモア㈱	リ 事業 (単)寝具・医療衣等の賃貸及び洗濯 商品販売等 他 ㉕60 ㉔35 売 単174,869 従18,601 資48 住 京都市下京区烏丸通高辻下ル薬師前町707 ☎075-361-4130
㈱アーテック	他製 事業 (単)学校教材関連85 他15 ㉕11 ㉔10 売 単8,950 従170 資40 住 大阪府八尾市北亀井町3-2-21 ☎072-990-5505
アート引越センター㈱	陸 事業 (単)引越100 ㉕200 ㉔149 売 単78,868 従3,664 資100 住 大阪市中央区城見1-2-27 ☎06-6946-0123
アイテック㈱	他サ 事業 (単)上下水道施設, 焼却・リサイクル施設の維持管理 高速道路の交通管制・道路管理 電気保安業務 ㉕50 ㉔16 売 単22,937 従2,200 資90 住 大阪市北区梅田1-13-1 ☎06-6346-0036
㈱浅野歯車工作所	自 事業 (単)自動車関連74 建機産機関連18 トラック関連8 ㉕20 ㉔5 売 単36,605 従680 資324 住 大阪府大阪狭山市東池尻4-1402-1 ☎072-365-0801
朝日ウッドテック㈱	他製 事業 (単)床材 壁材 床下地 造作材他 ㉕14 ㉔17 売 単28,915 従610 資1,180 住 大阪市中央区南本町4-5-10 ☎06-6245-9506
㈱朝日エアポートサービス	外 事業 (単)売店47 機内食調製・搭載15 レストラン10 サービスエリア28 ㉕未定 ㉔12 売 単9,112 従175 資100 住 大阪府豊中市箕輪3-2-7 ☎06-6856-7421
朝日エティック㈱	他製 事業 (単)建築・設備工事54 屋外広告工事43 機器製造・工事3 ㉕20 ㉔11 売 単16,810 従821 資96 住 大阪市福島区福島7-15-26 ☎06-6343-9175

会社名	業種名 (事業)会社の事業構成(%) ㉕25年採用計画数(名) ㉔24年入社内定者数(名) (売)売上高(百万円) (従)単独従業員数(名) (資)資本金(百万円) (住)本社の住所, 電話番号
旭精工㈱	機 (事業)(連)軸受ユニット76 エアクラッチ・ブレーキ等機械部品他24 ㉕**5** ㉔**7** (売)連12,564 (従)264 (資)660 (住)堺市西区鳳東町6丁570-1 ☎072-271-1221
㈱Asue	電卸 (事業)(単)電子部材卸94 化学薬品卸6 ㉕**未定** ㉔**4** (売)単125,829 (従)100 (資)301 (住)大阪市中央区平野町4-2-3 ☎06-6206-5767
㈱天辻鋼球製作所	機 (事業)(単)転がり軸受用鋼球・各種金属球・各種非金属球の製造・販売 ㉕**17** ㉔**18** (売)単23,593 (従)734 (資)2,101 (住)大阪府門真市上野口町1-1 ☎06-6908-2261
アラヤ特殊金属㈱	鉄金卸 (事業)(単)ステンレス100 ㉕**2** ㉔**4** (売)単24,073 (従)126 (資)300 (住)大阪市中央区南船場2-12-12 ☎06-6251-9801
アルフレッサ ファーマ㈱	医 (事業)(単)医薬品48 診断薬10 医療機器13 他29 ㉕**未定** ㉔**17** (売)単46,531 (従)849 (資)3,000 (住)大阪市中央区石町2-2-9 ☎06-6941-0300
㈱飯田	食卸 (事業)(単)洋酒50 ビール28 和酒12 食品他10 ㉕**未定** ㉔**11** (売)単35,107 (従)124 (資)59 (住)大阪府八尾市安中町1-1-29 ☎072-923-6002
㈱池田泉州銀行	銀 (事業)(単)現・預け金12 有価証券10 貸出金76 他2 ㉕**100** ㉔**71** (売)連83,167 (従)2,007 (資)61,385 (住)大阪市北区茶屋町18-14 ☎06-6375-1005
㈱イチネン	リ (事業)(単)オートリース65 自動車メンテナンス受託26 燃料販売5 他4 ㉕**15** ㉔**15** (売)単43,921 (従)266 (資)100 (住)大阪市淀川区西中島4-10-6 ☎06-6309-3001
一冨士フードサービス㈱	他サ (事業)(単)フードサービス(給食請負等)90 食材料の販売10 ㉕**200** ㉔**208** (売)単56,326 (従)1,927 (資)10 (住)大阪市北区梅田3-3-20 ☎06-6458-8801
㈱因幡電機製作所	電機 (事業)(単)配電盤 照明用ポール 照明器具 ㉕**未定** ㉔**5** (売)単5,787 (従)187 (資)130 (住)大阪市西区立売堀3-1-1 ☎06-6532-2301
イヌイ㈱	化医卸 (事業)(単)化学品・電子材料35 住設資材40 輸出入13 受託製造12 ㉕**3** ㉔**6** (売)単20,750 (従)160 (資)352 (住)大阪市中央区道修町2-2-5 ☎06-6203-7831
井上定㈱	他卸 (事業)(単)エクステリア64 建材32 住設4 ㉕**20** ㉔**16** (売)単38,400 (従)377 (資)100 (住)大阪市中央区西心斎橋2-1-5 ☎06-4708-5247
㈱イモト	他卸 (事業)(単)スポーツシューズ50 スポーツウェア40 他10 ㉕**6** ㉔**6** (売)単17,157 (従)140 (資)50 (住)大阪市北区本庄東3-1-5 ☎06-6372-2861
㈱イワセ・エスタグループ本社	食卸 (事業)(単)乳製品34 食用油9 果実缶詰11 乾果実6 酒類6 他34 ㉕**未定** ㉔**10** (売)単47,248 (従)466 (資)96 (住)大阪市浪速区元町3-12-20 ☎06-6632-3071
岩瀬コスファ㈱	化医卸 (事業)(単)化粧品原料 化粧品製品 健康食品・医薬品 試験分析 他 ㉕**未定** ㉔**3** (売)単34,196 (従)177 (資)100 (住)大阪市中央区道修町1-7-11 ☎06-6231-3456
岩谷瓦斯㈱	化 (事業)(単)ガス84 エンジニアリング15 ガス関連1 ㉕**20** ㉔**14** (売)単43,220 (従)508 (資)1,619 (住)大阪市北区西天満4-8-17 ☎06-6530-1011
上田八木短資㈱	他金 (事業)(単)コール資金取引 レポ取引 手形・CD・CP・国債の売買 ㉕**5** ㉔**4** (売)単-5,905 (従)139 (資)5,000 (住)大阪市中央区高麗橋2-4-2 ☎06-6202-5551
㈱うおいち	食卸 (事業)(単)鮮魚40 冷凍35 塩干25 ㉕**17** ㉔**12** (売)単201,724 (従)404 (資)2,000 (住)大阪市福島区野田1-1-86 ☎06-6469-2001
㈱魚国総本社	他サ (事業)(単)産業給食 営業給食 病院患者給食 学校給食 他 ㉕**未定** ㉔**110** (売)単66,029 (従)2,337 (資)286 (住)大阪市西淀川区竹島4-1-28 ☎06-6478-5700
ウメトク㈱	鉄金卸 (事業)(単)特殊鋼60 電子材料20 他20 ㉕**未定** ㉔**8** (売)単86,126 (従)520 (資)303 (住)大阪市北区茶屋町3-7 ☎06-6374-3352
永和信用金庫	銀 (事業)(単)現・預け金26 有価証券25 貸出金47 他2 ㉕**20** ㉔**19** (売)単9,246 (従)351 (資)2,301 (住)大阪市浪速区日本橋4-7-20 ☎06-6633-1181
エー・ビー・シー開発㈱	他サ (事業)(単)ハウジング68 HDC15 不動産13 広告代理店2 他2 ㉕**若干** ㉔**5** (売)単9,927 (従)91 (資)145 (住)大阪市福島区福島6-20-12 ☎06-6451-1111
㈱エコスタイル	建 (事業)(連)オフサイト太陽光発電開発 オンサイト太陽光発電開発 電力小売 太陽光発電 ㉕**43** ㉔**36** (売)連25,871 (従)441 (資)1,541 (住)大阪市中央区道修町1-4-6 ☎06-6232-1755
㈱エスエスケイ	他卸 (事業)(単)スポーツ用品40 スポーツシューズ36 スポーツウエア24 ㉕**若干** ㉔**9** (売)単49,178 (従)495 (資)98 (住)大阪市中央区上本町西1-2-19 ☎06-6768-1111
NX・NPロジスティクス㈱	倉埠 (事業)(単)保管・荷役・輸配送・受注等のロジスティクスサービス ㉕**30** ㉔**24** (売)単68,167 (従)825 (資)1,800 (住)大阪府摂津市東別府3-2-6 ☎06-6349-5261

会社名	業種名 事業 会社の事業構成(%) ㉕25年採用計画数(名) ㉔24年入社内定者数(名) 売 売上高(百万円) 従 単独従業員数(名) 資 資本金(百万円) 住 本社の住所, 電話番号
㈱NTTデータ関西	シソ 事業 (単)各種情報システム・システム開発 他 ㉕**110** ㉔**65** 売 単37,069 従 1,141 資 400 住 大阪市北区堂島3-1-21 ☎050-5545-3186
エムオーテックス㈱	シソ 事業 (連)自社商品LANSCOPEシリーズの開発・販売 IT資産管理からサイバーセキュリティ領域全体でサービス展開 ㉕**25** ㉔**26** 売 連11,527 従 463 資 20 住 大阪市淀川区西中島5-12-12 ☎06-6308-8989
㈱エムジー	電機 事業 (単)電気信号変換器63 計装信号用避雷器5 電動アクチュエータ5 他27 ㉕**未定** ㉔**11** 売 単11,707 従 288 資 96 住 大阪市中央区今橋2-5-8 ☎06-6659-8203
㈱MJE	他卸 事業 (単)JCT事業88 SS事業13 他0 ㉕**23** ㉔**25** 売 単4,148 従 127 資 67 住 大阪市中央区久太郎町4-1-3 ☎06-6253-7701
MP五協フード＆ケミカル㈱	化医卸 事業 (単)食品原材料52 化学工業原材料48 ㉕**未定** ㉔**3** 売 単37,578 従 229 資 200 住 大阪市北区梅田2-5-25 ☎06-7177-6866
近江化工㈱	他製 事業 (単)プラスチック射出成形品45 同製品用金型25 同二次加工・組立品30 ㉕**3** ㉔**3** 売 単8,247 従 265 資 50 住 大阪市生野区新今里2-4-2 ☎06-6752-2821
大阪厚生信用金庫	銀 事業 (単)現・預け金46 有価証券15 貸出金38 他0 ㉕**35** ㉔**55** 売 単35,310 従 607 資 3,973 住 大阪市中央区島之内1-20-19 ☎06-4708-6321
大阪シーリング印刷㈱	他製 事業 (単)シール・ラベル印刷83 軟包材・フィルム15 ラベラー2 ㉕**未定** ㉔**102** 売 単95,566 従 3,045 資 324 住 大阪市天王寺区小橋町1-8 ☎06-6762-0001
大阪シティ信用金庫	銀 事業 (単)現・預け金29 有価証券15 貸出金53 他3 ㉕**70** ㉔**64** 売 単27,835 従 1,521 資 26,490 住 大阪市中央区北浜2-5-4 ☎06-6201-2881
大阪商工信用金庫	銀 事業 (単)現・預け金16 有価証券19 貸出金64 他1 ㉕**20** ㉔**16** 売 連14,677 従 405 資 6,901 住 大阪市中央区本町2-2-8 ☎06-6267-1636
㈱大阪真空機器製作所	精 事業 (単)規格品61 装置30 他9 ㉕**4** ㉔**4** 売 単9,859 従 200 資 348 住 大阪市中央区今橋3-3-13 ☎06-6203-3981
大阪精工㈱	鉄金卸 事業 (単)冷間圧造用鋼線72 冷間圧造部品18 他10 ㉕**5** ㉔**7** 売 単21,816 従 265 資 44 住 大阪府東大阪市中石切町5-7-59 ☎072-982-2721
大阪銘板㈱	他製 事業 (単)家電20 自動車関係40 遊戯関連30 他10 ㉕**3** ㉔**4** 売 単7,860 従 65 資 98 住 大阪府東大阪市七軒家18-15 ☎06-6745-6309
㈱オーナミ	倉埠 事業 (単)倉庫 港湾荷役 海運 陸運 梱包 ㉕**未定** ㉔**9** 売 単12,473 従 271 資 525 住 大阪市西区江戸堀2-6-33 ☎06-6445-0073
岡畑産業㈱	化医卸 事業 (単)無機8 有機60 合成樹脂原料22 合成樹脂製品7 他3 ㉕**6** ㉔**5** 売 単42,868 従 85 資 96 住 大阪市中央区南船場1-7-11 ☎06-6262-0641
㈱岡本銘木店	他卸 事業 (単)建材・住宅機器40 木材55 銘木5 ㉕**未定** ㉔**3** 売 単6,455 従 146 資 75 住 大阪府吹田市岸部北5-32-1 ☎06-6388-3411
奥野製薬工業㈱	化 事業 (単)表面処理薬品75 食品添加物20 無機材料薬品5 ㉕**21** ㉔**20** 売 単29,700 従 458 資 70 住 大阪市中央区道修町4-7-10 ☎06-6203-0721
奥村組土木興業㈱	建 事業 (単)土木舗装管工事76 建築工事13 建材製造販売他11 ㉕**67** ㉔**51** 売 単55,572 従 880 資 1,000 住 大阪市港区三先1-11-18 ☎06-6572-5301
㈱オンテック	電機 事業 (単)プリント回路32 エンベデッド55 ビデオコミュニケーション0 EDMS13 ㉕**未定** ㉔**7** 売 単4,255 従 127 資 100 住 大阪府吹田市垂水町3-20-27 ☎06-6338-8581
カイゲンファーマ㈱	医 事業 (単)医療用医薬品45 医療機器34 一般用医薬品11 健康食品2 他8 ㉕**未定** ㉔**8** 売 単8,240 従 230 資 2,364 住 大阪市中央区道修町2-5-14 ☎06-6202-8971
㈱カクダイ	金製 事業 (単)混合栓・水栓類26 配管部材・バルブ28 洗面・バス・トイレ関連品39 緑化庭園他7 ㉕**未定** ㉔**5** 売 単28,234 従 501 資 98 住 大阪市西区立売堀1-4-4 ☎06-6538-1121
金井重要工業㈱	繊衣 事業 (単)繊維機器 不織布製造 他 ㉕**5** ㉔**5** 売 単5,286 従 236 資 90 住 大阪市北区堂島1-2-9 ☎06-6346-1471
カメヤマ㈱	油炭 事業 (単)ローソク・線香78 キャンドル・雑貨13 他9 ㉕**未定** ㉔**3** 売 単8,352 従 271 資 71 住 大阪市北区大淀中2-9-11 ☎06-4798-9071
㈱かんでんエンジニアリング	建 事業 (単)電気工事46 電気通信工事13 管・土木・鋼構造物・他工事5 商品販売他36 ㉕**前年並** ㉔**43** 売 単92,777 従 2,247 資 786 住 大阪市北区中之島6-2-27 ☎06-6448-5711
関電プラント㈱	建 事業 (単)プラント 原子力 ㉕**未定** ㉔**35** 売 単69,920 従 1,360 資 300 住 大阪市北区本庄東2-9-18 ☎06-6372-1151

会社名	業種名 事業 会社の事業構成(%) ㉕25年採用計画数(名) ㉔24年入社内定者数(名) 売 売上高(百万円) 従 単独従業員数(名) 資 資本金(百万円) 住 本社の住所, 電話番号
紀伊産業(株)	他製 事業 (単)プラスチック部門52 化粧品部門28 農業資材部門20 ㉕20 ㉔19 売 単16,372 従 642 資 180 住 大阪市中央区本町1-3-20 ☎06-6271-5171
岸本建設(株)	建 事業 (単)土木100 建築0 舗装0 水道0 ㉕10 ㉔10 売 単17,276 従 240 資 261 住 大阪府摂津市昭和園9-13 ☎072-632-3221
岸和田製鋼(株)	鉄 事業 (単)鉄筋コンクリート用棒鋼100 ㉕10 ㉔5 売 単39,320 従 223 資 357 住 大阪府岸和田市臨海町20 ☎072-438-0011
KISCO(株)	化医卸 事業 (連)合成樹脂55 化学品26 電子材料19 ㉕未定 ㉔8 売 連101,605 従 294 資 600 住 大阪市中央区伏見町3-3-7 ☎06-6203-5651
北おおさか信用金庫	銀 事業 (単)現・預け金23 有価証券23 貸出金50 他4 ㉕45 ㉔45 売 連20,378 従 975 資 4,535 住 大阪府茨木市西駅前町9-32 ☎072-623-4981
(株)共和	ゴ皮 事業 (単)包装用品40 電材・工業用ゴム用品17 医療・ウエルネス用品他43 ㉕5 ㉔11 売 単12,617 従 392 資 750 住 大阪市西成区橘3-20-28 ☎06-6658-8211
協和テクノロジィズ(株)	シソ 事業 (単)電気通信工事52 電気通信機器類20 情報処理機器類12 保守15 ㉕15 ㉔12 売 単14,992 従 472 資 98 住 大阪市北区中崎1-2-23 ☎06-6363-8800
キョーワ(株)	リ 事業 (単)安全ネット・シート類リース60 同販売35 雑品類販売他5 ㉕10 ㉔14 売 単22,341 従 608 資 99 住 大阪市中央区久太郎町4-1-3 ☎06-6244-7200
近畿日本鉄道(株)	鉄バ 事業 (単)運輸業 ㉕220 ㉔187 売 単155,947 従 6,700 資 100 住 大阪市天王寺区上本町6-1-55 ☎06-6775-3355
(株)近商ストア	小 事業 (単)スーパーマーケットの経営 ㉕30 ㉔16 売 単58,058 従 537 資 100 住 大阪府松原市上田3-8-28 ☎072-338-3800
銀泉(株)	保 事業 (単)保険31 ビル38 駐車場29 他2 ㉕20 ㉔10 売 単27,500 従 837 資 370 住 大阪市中央区高麗橋4-6-12 ☎06-6202-2511
近鉄ファシリティーズ(株)	建管 事業 (単)設備管理40 清掃・衛生管理23 工事15 警備管理12 他10 ㉕30 ㉔29 売 単24,817 従 1,686 資 100 住 大阪市中央区難波2-2-3 ☎06-6211-2090
近鉄不動産(株)	不 事業 (単)土地建物 手数料 工事 付帯事業経営収入他 ㉕未定 ㉔75 売 単115,436 従 878 資 100 住 大阪市天王寺区上本町6-5-13 ☎06-6776-3001
栗原工業(株)	建 事業 (単)内線94 外線6 ㉕30 ㉔27 売 単104,113 従 1,323 資 1,155 住 大阪市北区南森町1-4-24 ☎06-4709-2300
(株)クリハラント	建 事業 (単)電気工事95 機械器具設置工事2 管工事1 電気通信工事2 他0 ㉕60 ㉔31 売 単41,560 従 828 資 980 住 大阪市北区西天満4-8-17 ☎06-6311-5000
(株)京阪百貨店	小 事業 (単)百貨店業 ㉕20 ㉔16 売 単44,703 従 421 資 1,500 住 大阪府守口市河原町8-3 ☎06-6994-1313
(株)ケーエスケー	化医卸 事業 (単)医薬品等販売100 ㉕50 ㉔22 売 連282,935 従 1,261 資 1,328 住 大阪市中央区本町橋1-20 ☎06-6941-1201
健栄製薬(株)	医 事業 (単)医療用医薬品43 一般用医薬品36 医薬部外品等18 他3 ㉕未定 ㉔5 売 単25,060 従 620 資 99 住 大阪市中央区伏見町2-5-8 ☎06-6231-5626
小池産業(株)	化医卸 事業 (単)電池材料20 合成樹脂15 機能材17 電子機材17 化学品他31 ㉕3 ㉔4 売 単33,202 従 130 資 100 住 大阪市中央区平野町1-8-7 ☎06-6222-5771
コイズミ照明(株)	電機 事業 (単)住宅照明60 店舗照明40 ㉕19 ㉔18 売 単27,186 従 631 資 450 住 大阪市中央区備後町3-3-7 ☎06-6266-7801
小泉成器(株)	電卸 事業 (単)調理家電・家事用品32 健康器具30 理美容器具20 シーズン商品10 音響・セキュリティ5 他3 ㉕8 ㉔5 売 単67,879 従 309 資 593 住 大阪市中央区備後町3-3-7 ☎06-6268-1415
(株)神戸屋	食 事業 (単)菓子パン60 食パン20 調理物10 和洋菓子6 他4 ㉕48 ㉔29 売 単11,768 従 324 資 100 住 大阪府豊中市新千里西町1-2-2 ☎06-6832-7100
光洋機械産業(株)	金製 事業 (単)コンクリートプラント(製造・販売・メンテ) 仮設関連・コンベヤ・搬送・環境(製造・販売) ㉕12 ㉔11 売 単17,112 従 386 資 500 住 大阪市中央区南本町2-3-12 ☎06-6268-3100
コーナン建設(株)	建 事業 (単)建築 土木 ㉕15 ㉔9 売 単19,775 従 272 資 485 住 大阪市北区大淀南1-9-10 ☎06-6456-4311
国際セーフティー(株)	建管 事業 (単)常駐警備74 機械警備14 AED販売6 清掃・施設業務1 防犯用カメラ販売1 他4 ㉕61 ㉔15 売 単9,067 従 650 資 100 住 大阪市北区東天満1-5-12 ☎06-6351-5931

会社名	[業種名] [事業] 会社の事業構成(%) ㉕25年採用計画数(名) ㉔24年入社内定者数(名) [売]売上高(百万円) [従]単独従業員数(名) [資]資本金(百万円) [住]本社の住所,電話番号
国分西日本(株)	[食卸] [事業] (単)酒類・食品等卸売・流通加工,配送業務,貿易,不動産賃貸借,他 ㉕**未定** ㉔**20** [売]単335,699 [従]588 [資]500 [住]大阪市北区天満橋1-8-30 ☎06-6882-5530
小太郎漢方製薬(株)	[医] [事業] (単)漢方医薬品の製造・販売 ㉕**6** ㉔**3** [売]単8,000 [従]263 [資]510 [住]大阪市北区中津2-5-23 ☎06-6371-9881
寿精版印刷(株)	[他製] [事業] (単)包材事業 販促事業 転写事業 ITソリューション事業 ㉕**10** ㉔**11** [売]単8,878 [従]469 [資]60 [住]大阪市天王寺区上汐6-4-26 ☎06-6770-2800
(株)コンテック	[電機] [事業] (単)電子機器100 ㉕**10** ㉔**6** [売]単26,989 [従]340 [資]450 [住]大阪市西淀川区姫里3-9-31 ☎06-6472-7130
阪本薬品工業(株)	[化] [事業] (単)グリセリン37 化学品19 工材13 粧材12 他19 ㉕**14** ㉔**10** [売]単21,495 [従]326 [資]100 [住]大阪市中央区淡路町1-2-6 ☎06-6231-1851
サクラインターナショナル(株)	[他サ] [事業] (単)展示会業務97 国際広告3 ㉕**20** ㉔**17** [売]単4,597 [従]197 [資]72 [住]大阪市中央区備後町1-7-3 ☎06-6264-3900
(株)ササクラ	[機] [事業] (連)船舶用機器 陸上用機器 水処理装置 消音冷熱装置 ㉕**前年並** ㉔**11** [売]連12,371 [従]274 [資]100 [住]大阪市西淀川区竹島4-7-32 ☎06-6473-2131
サムテック(株)	[自] [事業] (単)ホイールハブユニット54 自動車用ギヤ・ドラム33 ベアリング8 他5 ㉕**14** ㉔**12** [売]単23,424 [従]454 [資]95 [住]大阪府柏原市円明町1000-18 ☎072-977-8851
三栄源エフ・エフ・アイ(株)	[化] [事業] (単)食品添加物全般100 ㉕**前年並** ㉔**57** [売]単89,400 [従]1,006 [資]1,800 [住]大阪府豊中市三和町1-1-11 ☎06-6333-0521
サンキン(株)	[鉄] [事業] (単)鋼管85 スチール機器15 ㉕**若干** ㉔**10** [売]単43,941 [従]441 [資]925 [住]大阪市西区新町2-15-27 ☎06-6539-3200
(株)三晃空調	[建] [事業] (単)空調設備60 衛生設備40 ㉕**26** ㉔**28** [売]単39,242 [従]410 [資]1,236 [住]大阪市北区西天満3-13-20 ☎06-6363-1671
サンコーインダストリー(株)	[鉄金卸] [事業] (単)ネジ・関連工具類100 ㉕**25** ㉔**26** [売]単38,447 [従]509 [資]100 [住]大阪市西区立売堀1-9-28 ☎06-6539-3537
(株)サンセイテクノス	[電卸] [事業] (単)産業用制御機器関連70 他30 ㉕**20** ㉔**16** [売]単24,783 [従]371 [資]94 [住]大阪市淀川区西三国1-1-1 ☎06-6398-3111
(株)サンプラザ	[小] [事業] (単)一般食品23 日配品16 青果13 精肉11 海産10 他27 ㉕**10** ㉔**10** [売]単32,639 [従]239 [資]50 [住]大阪府羽曳野市誉田3-3-15 ☎072-361-3033
三宝電機(株)	[建] [事業] (単)電気工事71 管工事28 他1 ㉕**前年並** ㉔**10** [売]単14,616 [従]286 [資]90 [住]大阪市北区大淀中1-5-1 ☎06-6451-3311
三和パッキング工業(株)	[自] [事業] (単)ガスケット31 ヒートプロテクター46 パッキング3 他20 ㉕**5** ㉔**4** [売]単8,750 [従]295 [資]99 [住]大阪府豊中市利倉2-18-5 ☎06-6863-0761
(株)JR西日本コミュニケーションズ	[広] [事業] (単)ラジオ・テレビ1 新聞・雑誌1 交通広告32 SP・イベント55 インターネット7 他4 ㉕**10** ㉔**10** [売]単23,130 [従]372 [資]200 [住]大阪市北区堂島1-6-20 ☎06-6344-5138
JR西日本不動産開発(株)	[不] [事業] (単)賃貸52 分譲48 仲介・鑑定0 ㉕**未定** ㉔**12** [売]単80,588 [従]460 [資]13,200 [住]大阪市北区中之島2-2-7 ☎06-7167-5600
(株)ジェイテクトマシンシステム	[他製] [事業] (単)工作機械 自動車部品 精密機械部品 ドライブシャフト ㉕**20** ㉔**17** [売]単40,903 [従]1,251 [資]1,100 [住]大阪府八尾市南植松町2-34 ☎072-922-7881
システムギア(株)	[電機] [事業] (単)コンピュータシステム コンピュータ周辺機器 各種入出力機器の開発・設計・製販 他 ㉕**未定** ㉔**9** [売]単5,559 [従]355 [資]100 [住]大阪市西区江戸堀1-9-14 ☎06-6225-2211
(株)島田商会	[化医卸] [事業] (単)化学工業薬品42 合成樹脂30 機能材料・フィルム7 パルプ関連8 土木建築資材14 ㉕**3** ㉔**4** [売]単39,979 [従]110 [資]150 [住]大阪市中央区安土町3-5-6 ☎06-6262-1531
島津メディカルシステムズ(株)	[精機卸] [事業] (単)医用機器の販売・据付・修理・保守点検 ㉕**未定** ㉔**11** [売]単22,289 [従]656 [資]115 [住]大阪市淀川区宮原3-5-36 ☎06-7668-2890
シミヅ産業(株)	[精機卸] [事業] (単)切削工具58 油空圧機器12 補用機器7 切削保持工具7 他16 ㉕**未定** ㉔**5** [売]単21,760 [従]213 [資]170 [住]大阪市西区立売堀2-5-23 ☎06-6532-0832
城東テクノ(株)	[他製] [事業] (単)建築資材92 土木資材5 他3 ㉕**10** ㉔**10** [売]単22,545 [従]398 [資]100 [住]大阪市中央区今橋3-3-13 ☎06-6786-8601
昭和精工(株)	[自] [事業] (単)テーパーローラーベアリング57 ステアリング部品23 ピロー・ボールベアリング15 他5 ㉕**未定** ㉔**9** [売]単19,142 [従]532 [資]80 [住]大阪府岸和田市臨海町20-2 ☎072-436-1848

会社名	業種名 (事業)会社の事業構成(%) ㉕25年採用計画数(名) ㉔24年入社内定者数(名) (売)売上高(百万円) (従)単独従業員数(名) (資)資本金(百万円) (住)本社の住所, 電話番号
昭和プロダクツ㈱	パ紙 (事業)(単)繊維紙管および巻芯関連74 容器・輸送包材・樹脂製品関連26 ㉕**4** ㉔**3** (売)単10,065 (従)258 (資)100 (住)大阪市浪速区湊町2-1-57 ☎06-6684-8561
㈱ショクリュー	食卸 (事業)(単)食品流通サービス業 ㉕**未定** ㉔**5** (売)単131,381 (従)546 (資)5,211 (住)大阪市中央区日本橋1-22-25 ☎06-6647-6270
白石工業㈱	化 (事業)(単)各種炭酸カルシウム・化学工業薬品の製販 工業薬品等の輸出入 製販 ㉕**未定** ㉔**3** (売)単27,823 (従)213 (資)1,869 (住)大阪市北区中之島2-2-7 ☎06-6417-3131
新関西製鐵㈱	鉄 (事業)(単)平鋼他鋼材100 ㉕**3** ㉔**3** (売)単26,539 (従)337 (資)100 (住)堺市堺区塩浜町5 ☎072-238-5561
㈱新通	広 (事業)(単)新聞媒体55 電波媒体20 SP他25 ㉕**10** ㉔**11** (売)単20,560 (従)250 (資)10 (住)大阪市西区西本町1-5-8 ☎06-6532-1682
新日本海フェリー㈱	海 (事業)(連)海運業52 貨物運送45 石油製品販売0 ホテル2 他0 ㉕**20** ㉔**27** (売)連57,620 (従)516 (資)1,950 (住)大阪市北区梅田2-5-25 ☎06-6345-3921
㈱スイデン	電機 (事業)(単)工業用扇風機11 環境機器89 ㉕**9** ㉔**4** (売)単6,295 (従)169 (資)367 (住)大阪市天王寺区逢阪2-4-24 ☎06-6772-0460
スターネット㈱	通 (事業)(単)個別ネットワークサービス71 ネットワークインテグレーション15 他14 ㉕**4** ㉔**3** (売)単11,299 (従)120 (資)480 (住)大阪市中央区北浜4-7-28 ☎06-6220-4500
㈱住化分析センター	他サ (事業)(単)医薬40 マテリアル40 健康・安全20 ㉕**20** ㉔**17** (売)単18,446 (従)1,123 (資)250 (住)大阪市中央区高麗橋4-6-17 ☎06-6202-1810
住友重機械ギヤボックス㈱	機 (事業)(単)小型減速機62 大型減速機38 ㉕**16** ㉔**12** (売)単18,276 (従)459 (資)840 (住)大阪府貝塚市脇浜4-16-1 ☎072-431-3021
㈱精研	建 (事業)(単)空調設備工事56 地盤凍結工事12 電機・産業機器・冷凍空調機器32 ㉕**15** ㉔**10** (売)単14,188 (従)313 (資)200 (住)大阪市中央区南船場2-1-3 ☎06-6224-0751
生和コーポレーション㈱西日本本社	建 (事業)(単)建築100 ㉕**未定** ㉔**45** (売)単55,186 (従)630 (資)1,000 (住)大阪市福島区福島5-8-1 ☎06-6345-0661
千寿製薬㈱	医 (事業)(連)眼科・耳鼻科用医薬品99 他1 ㉕**前年並** ㉔**26** (売)連48,969 (従)975 (資)1,415 (住)大阪市中央区瓦町3-1-9 ☎06-6201-2512
全星薬品工業㈱	医 (事業)(単)医療用医薬品100 ㉕**未定** ㉔**42** (売)単20,571 (従)789 (資)42 (住)大阪市阿倍野区旭町1-2-7 ☎06-6630-7502
大果大阪青果㈱	食卸 (事業)(単)野菜部51 果実部43 商事部6 ㉕**未定** ㉔**9** (売)単126,063 (従)306 (資)200 (住)大阪市福島区野田1-1-86 ☎06-6469-5030
大成機工㈱	金製 (事業)(単)上下水道・ガス管用特殊継手 ダクタイル製伸縮可撓管 各種不断水工事 他 ㉕**10** ㉔**6** (売)単17,061 (従)404 (資)98 (住)大阪市北区梅田1-1-3-2700 ☎06-6344-7771
大銑産業㈱	鉄金卸 (事業)(単)鋳物67 建設6 燃料機材14 化学品9 土木4 他0 ㉕**5** ㉔**3** (売)単67,199 (従)159 (資)264 (住)大阪市中央区今橋2-1-10 ☎06-6220-1121
大都産業㈱	化医卸 (事業)(単)合成ゴム ゴムコンパウンド 配合薬品 カーボンブラック他 ㉕**6** ㉔**4** (売)単15,635 (従)105 (資)50 (住)大阪市中央区瓦町2-1-15 ☎06-6202-4128
大八化学工業㈱	化 (事業)(単)有機化学薬品99 不動産賃貸1 ㉕**5** ㉔**4** (売)単15,903 (従)271 (資)825 (住)大阪市中央区本町4-3-9 ☎06-6258-0166
大丸興業㈱	総卸 (事業)(単)自動車38 産業資材25 電子デバイス22 リテールビジネス16 ㉕**未定** ㉔**4** (売)単34,905 (従)163 (資)1,800 (住)大阪市中央区備後町3-4-9 ☎06-6205-1000
太陽工業㈱	他製 (事業)(単)建築系事業分野61 資材系事業分野39 ㉕**20** ㉔**30** (売)連55,021 (従)557 (資)2,570 (住)大阪市淀川区木川東4-8-4 ☎06-6306-3111
㈱太洋工作所	金製 (事業)(単)電子機器関連貴金属・銅スル63 プラスチックメッキ・金型成形品37 ㉕**未定** ㉔**10** (売)単13,440 (従)500 (資)99 (住)大阪市旭区森小路1-2-27 ☎06-6952-3177
大和物流㈱	陸 (事業)(単)貨物自動車運送58 物流サービス34 他8 ㉕**25** ㉔**24** (売)単67,242 (従)1,491 (資)3,764 (住)大阪市西区阿波座1-5-16 ☎06-4968-6355
大和紡績㈱	繊衣 (事業)(単)繊維・不織布・産業資材・衣料品の製造販売および加工 ㉕**26** ㉔**15** (売)単36,137 (従)752 (資)3,545 (住)大阪市中央区久太郎町3-6-8 ☎06-6281-2512
大和無線電器㈱	電卸 (事業)(単)電気商品卸販売94 電子部品販売6 ㉕**4** ㉔**5** (売)単20,079 (従)126 (資)337 (住)大阪市浪速区日本橋東2-1-3 ☎06-6631-5650

会社名	業種名 (事業)会社の事業構成(%) ㉕25年採用計画数(名) ㉔24年入社内定者数(名) (売)売上高(百万円) (従)単独従業員数(名) (資)資本金(百万円) (住)本社の住所, 電話番号
高松建設(株)	建 (事業)(単)建設93 不動産7 ㉕155 ㉔110 (売)単92,336 (従)1,743 (資)5,000 (住)大阪市淀川区新北野1-2-3 ☎06-6307-8110
タカラ通商(株)	他卸 (事業)(単)陶器住設機器40 塩ビパイプ30 銅管継手25 他5 ㉕未定 ㉔18 (売)単36,857 (従)420 (資)60 (住)大阪市中央区和泉町2-2-19 ☎06-6946-1133
タカラベルモント(株)	他製 (事業)(単)理美容器具33 医療用機器43 頭髪化粧品24 ㉕未定 ㉔40 (売)単63,965 (従)1,636 (資)300 (住)大阪市中央区東心斎橋2-1-1 ☎06-6211-2831
(株)たけでん	電卸 (事業)(単)照明器具24 空調・換気設備16 設備機器13 通信・防災14 電線・電線管12 他21 ㉕25 ㉔25 (売)単89,538 (従)781 (資)350 (住)大阪市旭区今市1-18-5 ☎06-6954-6821
(株)TAKシステムズ	シソ (事業)(単)CAD関連94 コンピューター利用等支援6 ㉕未定 ㉔10 (売)単5,818 (従)310 (資)100 (住)大阪市中央区本町4-1-13 ☎06-6266-1766
(株)辰巳商会	海 (事業)(単)海運31 倉庫29 陸運14 港運22 航空4 ㉕30 ㉔25 (売)単75,754 (従)840 (資)750 (住)大阪市港区築港4-1-1 ☎06-6576-1821
(株)チクマ	繊紙卸 (事業)(単)ビジネスユニホーム61 スクールユニホーム39 ㉕5 ㉔7 (売)単17,152 (従)200 (資)678 (住)大阪市中央区淡路町3-3-10 ☎06-6222-3671
中央コンピューター(株)	シソ (事業)(単)システム開発74 システム管理17 システム運用6 他3 ㉕28 ㉔26 (売)単8,695 (従)604 (資)70 (住)大阪市北区中之島6-2-27 ☎06-6446-0755
中央復建コンサルタンツ(株)	築設 (事業)(単)土木設計93 測量1 地質調査1 建築設計3 補償調査1 他1 ㉕25 ㉔20 (売)単12,624 (従)528 (資)306 (住)大阪市東淀川区東中島4-11-10 ☎06-6160-1121
(株)チュチュアンナ	小 (事業)(連)靴下部門50 インナー・ウエア部門50 ㉕未定 ㉔43 (売)連23,384 (従)1,510 (資)85 (住)大阪市中央区森ノ宮中央1-10-2 ☎06-7176-1546
(株)テラモト	他製 (事業)(単)マット・人工芝36 清掃用品26 環境備品33 他5 ㉕未定 ㉔7 (売)単10,718 (従)355 (資)90 (住)大阪市西区立売堀3-5-29 ☎06-6541-3333
(株)デンロコーポレーション	金製 (事業)(単)鉄塔 設備 メッキ加工 ㉕前年並 ㉔27 (売)単16,554 (従)698 (資)96 (住)大阪市東成区深江北2-11-17 ☎06-6976-1161
東洋アルミニウム(株)	非鉄 (事業)(単)箔事業80 ペースト事業20 ㉕未定 ㉔16 (売)連105,640 (従)1,477 (資)8,000 (住)大阪市中央区久太郎町3-6-8 ☎06-6271-3151
東洋カーマックス(株)	リ (事業)(単)サービスステーション5 ソリューション36 オートリース47 パーキング10 不動産賃貸1 ㉕4 ㉔3 (売)単33,762 (従)188 (資)300 (住)大阪市北区西天満4-8-17 ☎06-6363-1101
東陽建設工機(株)	機 (事業)(単)鉄筋加工機100 ㉕10 ㉔7 (売)単4,531 (従)205 (資)100 (住)大阪市大正区三軒家東2-4-15 ☎06-6552-0341
東洋ハイテック(株)	精機卸 (事業)(単)粉体プラント66 粉体機器15 部品12 リユース7 ㉕6 ㉔8 (売)単5,017 (従)165 (資)98 (住)大阪市北区万歳町3-20 ☎06-6312-2565
東レ建設(株)	建 (事業)(単)建設60 不動産40 ㉕14 ㉔11 (売)単44,069 (従)344 (資)1,503 (住)大阪市北区中之島3-3-3 ☎06-6447-5152
(株)十川ゴム	ゴ皮 (事業)(単)ホース類43 ゴム工業用品類49 他8 ㉕未定 ㉔22 (売)単14,029 (従)655 (資)471 (住)大阪市西区南堀江4-2-5 ☎06-6538-1261
ドギーマンハヤシ(株)	他製 (事業)(単)ペット食品・用品の製造・販売・輸出入 ㉕未定 ㉔6 (売)単22,171 (従)200 (資)90 (住)大阪市東成区深江南1-16-14 ☎06-6977-6711
都市クリエイト(株)	他サ (事業)(単)一般廃棄物処理 産業廃棄物中間処理 リサイクル 他 ㉕未定 ㉔3 (売)単10,011 (従)410 (資)50 (住)大阪府高槻市上田辺町19-8 ☎072-681-0089
TOMATEC(株)	ガ土 (事業)(単)多成分系ガラス・関連製品の販売 複合酸化物系顔料・関連製品の製造販売 他 ㉕未定 ㉔4 (売)単9,577 (従)242 (資)310 (住)大阪市北区大淀北2-1-27 ☎06-6456-0001
内外電機(株)	電機 (事業)(単)標準分電盤43 標準キュービクル式変電設備25 他32 ㉕15 ㉔6 (売)単16,563 (従)740 (資)100 (住)大阪市中央区本町2-5-7 ☎06-4708-3908
中西金属工業(株)	機 (事業)(単)軸受保持器部門 コンベア部門 他 ㉕12 ㉔9 (売)単56,855 (従)602 (資)90 (住)大阪市北区天満橋3-3-5 ☎06-6351-4832
日米ユナイテッド(株)	石燃卸 (事業)(単)石油製品69 LPガス製品14 石油化学製品4 他13 ㉕2 ㉔4 (売)単40,367 (従)418 (資)255 (住)大阪市西区南堀江4-25-15 ☎06-6538-7071
日昌(株)	電卸 (事業)(連)エレクトロニクス業界中心にフィルムおよび粘着テープなどの製造・販売と関連製品の販売 ㉕10 ㉔12 (売)連55,998 (従)399 (資)515 (住)大阪市北区西天満4-8-17 ☎06-6363-4621

会社名	業種名 事業 会社の事業構成(%) ㉕25年採用計画数(名) ㉔24年入社内定者数(名) 売売上高(百万円) 従単独従業員数(名) 資資本金(百万円) 住本社の住所，電話番号
㈱日商エステム	不 事業 (単)分譲マンション企画・販売100 ㉕**18** ㉔**21** 売単27,903 従110 資300 住大阪市中央区南船場2-9-14 ☎06-7660-1155
日東化成㈱	化 事業 (単)塩化ビニル樹脂用安定剤 海中生物防汚剤 触媒 他 ㉕**若干** ㉔**9** 売単17,964 従175 資140 住大阪市東淀川区西淡路3-17-14 ☎06-6322-4351
ニプロファーマ㈱	医 事業 (単)医療用医薬品の製造および販売 ㉕**50** ㉔**39** 売単98,615 従3,568 資8,669 住大阪府摂津市千里丘新町3-26 ☎06-7639-3190
日本化学機械製造㈱	機 事業 (単)化学プラント機器装置85 超低温液化ガス容器15 ㉕**未定** ㉔**5** 売単6,210 従180 資100 住大阪市淀川区加島4-6-23 ☎06-6308-3881
日本臓器製薬㈱	医 事業 (単)医薬品等100 ㉕**未定** ㉔**8** 売単23,272 従515 資100 住大阪市中央区平野町4-2-3 ☎06-6203-0441
㈱ニュージェック	築設 事業 (単)土木84 建築11 海外5 ㉕**30** ㉔**19** 売単16,766 従828 資200 住大阪市北区本庄東2-3-20 ☎06-6374-4901
ネクスタ㈱	パ紙 事業 (単)軽包材31 機能包材14 重包材9 環境保全商品12 化成品12 他22 ㉕**未定** ㉔**5** 売単15,057 従155 資320 住大阪市城東区今福西3-2-24 ☎06-6932-7214
野里電気工業㈱	建 事業 (単)電気工事76 制御盤12 パーキングシステム12 ㉕**前年並** ㉔**12** 売単17,057 従288 資280 住大阪市西淀川区柏里2-4-1 ☎06-6477-6000
野村建設工業㈱	建 事業 (単)建設97 不動産他3 ㉕**3** ㉔**5** 売単15,770 従136 資300 住大阪市中央区高麗橋2-1-2 ☎06-6226-9515
野村貿易㈱	総卸 事業 (単)フード60 ライフ19 インダストリー16 アジア現地法人3 海外支店1 他0 ㉕**5** ㉔**4** 売連76,527 従228 資2,500 住大阪市中央区安土町1-7-3 ☎06-6268-8111
バイエル薬品㈱	医 事業 (単)医薬品，医療機器の開発・輸入・製造・販売 ㉕**未定** ㉔**5** 売単223,877 従1,591 資2,273 住大阪市北区梅田2-4-9 ☎06-6133-7000
長谷川工業㈱	金製 事業 (単)総合仮設機材 園芸用品 自動車用品 イベント用品 特別設計製作 ㉕**5** ㉔**3** 売単10,338 従277 資90 住大阪市西区江戸堀2-1-1 ☎06-6446-1845
㈱初田製作所	機 事業 (単)消火器 消火設備 ファイヤープリベンションシステム 消火栓 ホース 社外品 ㉕**10** ㉔**5** 売単31,375 従744 資80 住大阪府枚方市招提田近3-5 ☎072-856-1281
ハニューフーズ㈱	食卸 事業 (連)食肉卸売 ㉕**13** ㉔**13** 売連285,331 従238 資491 住大阪市中央区南船場2-11-16 ☎06-6252-9774
埴生ミートパッカー㈱	食 事業 (単)国産牛肉の製造・販売 ㉕**5** ㉔**3** 売単10,893 従71 資100 住大阪府羽曳野市向野2-4-14 ☎072-939-1101
林純薬工業㈱	化 事業 (単)電子工業用薬品80 分析用標準品・試薬20 ㉕**7** ㉔**7** 売単16,182 従293 資100 住大阪市中央区内平野町3-2-12 ☎06-6910-7335
林六㈱	化医卸 事業 (単)製紙・ダンボール業界61 水処理業界14 土木業界15 他10 ㉕**未定** ㉔**3** 売単28,784 従84 資100 住大阪市中央区南船場4-11-28 ☎06-6262-3914
阪急電鉄㈱	鉄バ 事業 (単)都市交通 不動産 エンタテインメント・コミュニケーション ㉕**85** ㉔**94** 売連253,317 従3,791 資100 住大阪市北区芝田1-16-1 ☎06-6373-5085
㈱阪急阪神ビジネストラベル	レ 事業 (単)旅行業100 ㉕**10** ㉔**7** 売単32,581 従236 資60 住大阪市北区梅田2-5-25 ☎06-4795-5781
㈱阪神住建	不 事業 (単)分譲マンション0 不動産売却29 賃貸37 スパワールド14 太陽光発電20 他0 ㉕**未定** ㉔**10** 売単10,210 従65 資99 住大阪市福島区吉野1-21-14 ☎06-6447-0001
ヒエン電工㈱	非鉄 事業 (単)船舶用電線79 産業機材・機能性複合フィルム21 ㉕**2** ㉔**3** 売単5,419 従115 資99 住大阪市中央区道修町3-4-11 ☎06-6226-1501
㈱ピカソ美化学研究所	化 事業 (単)化粧品65 医薬部外品15 研究開発15 他5 ㉕**15** ㉔**26** 売単12,325 従316 資80 住大阪市淀川区西宮原1-8-35 ☎06-6399-8899
㈱光アルファクス	電卸 事業 (単)電子デバイス70 社会インフラ16 マテリアル14 ㉕**10** ㉔**5** 売連44,500 従245 資320 住大阪市北区中之島2-2-2 ☎06-6208-1811
㈱久門製作所	精機卸 事業 (単)バルブ75 継手・パイプ10 他15 ㉕**3** ㉔**4** 売単20,571 従183 資72 住大阪市西区立売堀3-5-11 ☎06-6532-1981
ピップ㈱	他卸 事業 (単)ベビー用品39 ヘルスケア用品32 日用雑貨15 シニアケア14 ㉕**15** ㉔**5** 売単209,293 従610 資270 住大阪市中央区農人橋2-1-36 ☎06-6941-1781

会社名	業種名 (事業)会社の事業構成(%) ㉕25年採用計画数(名) ㉔24年入社内定者数(名) (売)売上高(百万円) (従)単独従業員数(名) (資)資本金(百万円) (住)本社の住所, 電話番号
非破壊検査㈱	他サ (事業)(単)検査サービス99 他1 ㉕**40** ㉔**22** (売)単18,396 (従)595 (資)88 (住)大阪市西区北堀江1-18-14 ☎06-6539-5821
㈱ヒラカワ	機 (事業)(単)蒸気ボイラー14 温水ヒーター17 メンテナンス67 他2 ㉕**未定** ㉔**4** (売)単7,681 (従)310 (資)90 (住)大阪市北区大淀北1-9-5 ☎06-6458-8687
フェザー安全剃刀㈱	金製 (事業)(単)安全剃刀30 メディカル商品50 理美容業刃物17 他3 ㉕**4** ㉔**6** (売)単9,743 (従)421 (資)180 (住)大阪市北区大淀南3-3-70 ☎06-6458-1631
深田サルベージ建設㈱	建 (事業)(単)海洋土木・鉄鋼構造物の運搬・組立・据付44 海難救助26 海洋開発30 ㉕**19** ㉔**16** (売)単32,897 (従)358 (資)650 (住)大阪市港区築港4-1-1 ☎06-6576-1871
㈱福井製作所	機 (事業)(単)安全弁の製造・販売 ㉕**未定** ㉔**3** (売)単9,469 (従)176 (資)100 (住)大阪府枚方市招提田近1-6 ☎072-857-4521
福栄鋼材㈱	鉄金卸 (事業)(単)鉄鋼・金属卸売100 ㉕**4** ㉔**5** (売)単70,442 (従)304 (資)86 (住)大阪市中央区道修町3-6-1 ☎06-6201-2981
㈱フセラシ	自 (事業)(単)自動車関係向精密ナット・部品89 電機メーカー他向精密ナット8 他3 ㉕**20** ㉔**18** (売)単32,565 (従)568 (資)300 (住)大阪府東大阪市高井田11-74 ☎06-6789-7121
フルサト工業㈱	鉄金卸 (事業)(単)鉄骨建築資材の製造販売 ㉕**未定** ㉔**10** (売)単39,989 (従)555 (資)400 (住)大阪市中央区南新町1-2-10 ☎06-6946-9608
㈱紅中	他卸 (事業)(単)住宅資材建材機器販売50 産業資材40 他10 ㉕**10** ㉔**8** (売)単21,247 (従)184 (資)99 (住)大阪市淀川区西中島5-14-5 ☎06-6195-3330
牧村㈱	繊紙卸 (事業)(単)紳士服地 婦人服地 ユニホーム地 紳士二次製品 ㉕**未定** ㉔**4** (売)単9,700 (従)118 (資)100 (住)大阪市中央区本町3-2-8 ☎06-6253-1251
㈱松井製作所	機 (事業)(単)粉粒体乾燥装置・同温調装置 計量混合・同輸送装置 粉砕機器装置・同システム機器 ㉕**18** ㉔**10** (売)単11,794 (従)315 (資)200 (住)大阪市中央区城見1-4-70 ☎06-6942-9555
松浪硝子工業㈱	ガ土 (事業)(単)電子材部門34 医療部門66 ㉕**4** ㉔**9** (売)単8,008 (従)300 (資)90 (住)大阪府岸和田市八阪町2-1-10 ☎072-433-4546
マツモト機械㈱	機 (事業)(単)溶接・切断用治具30 ロボットシステム30 自動溶接・省力化装置40 ㉕**未定** ㉔**9** (売)単4,229 (従)134 (資)159 (住)大阪府八尾市老原4-153 ☎072-949-4661
㈱松本組	建 (事業)(単)建築工事業98 売電事業2 ㉕**5** ㉔**6** (売)単11,530 (従)73 (資)80 (住)大阪市住吉区苅田5-15-24 ☎06-6697-2600
マツモト産業㈱	精機卸 (事業)(単)溶接機材43 産業機器44 マツモト製品9 高圧ガス他4 ㉕**25** ㉔**28** (売)単61,673 (従)469 (資)768 (住)大阪市西区靭本町1-12-6 ☎06-6225-2200
マリンフード㈱	食 (事業)(単)チーズ80 マーガリン・バター17 シリアル類2 他1 ㉕**未定** ㉔**30** (売)単36,219 (従)313 (資)90 (住)大阪府豊中市豊南町東4-5-1 ☎06-6333-6801
丸石化学品㈱	化医卸 (事業)(単)合成樹脂・ゴム52 工業薬品20 添加剤19 塗料0 染・顔料7 水処理薬品1 他1 ㉕**3** ㉔**5** (売)単31,523 (従)97 (資)100 (住)大阪市北区中之島2-3-18 ☎06-7637-3227
㈱マルカ	精機卸 (事業)(単)工作・鍛圧・土木・建築・搬送・食品機械の国内販売・輸出入 ㉕**10** ㉔**7** (売)単34,055 (従)159 (資)400 (住)大阪市中央区南新町2-2-5 ☎06-6450-6823
丸協運輸㈱	陸 (事業)(単)運送85 荷役6 倉庫9 ㉕**未定** ㉔**6** (売)単15,968 (従)512 (資)16 (住)大阪府東大阪市長田3-6-10 ☎06-6788-9690
丸善薬品産業㈱	化医卸 (事業)(単)化学品26 水・環境7 ファインマテリアル38 食品14 アグリ7 ライフサイエンス9 ㉕**未定** ㉔**10** (売)単77,867 (従)242 (資)330 (住)大阪市中央区道修町2-4-7 ☎06-6206-5669
マルホ㈱	医 (事業)(連)医薬品90 他10 ㉕**未定** ㉔**65** (売)連96,184 (従)1,566 (資)382 (住)大阪市北区中津1-5-22 ☎06-6371-8876
ミカサ商事㈱	電卸 (事業)(単)商社セグメント78 ソリューションセグメント22 ㉕**15** ㉔**6** (売)単34,378 (従)233 (資)346 (住)大阪市中央区北浜3-5-29 ☎06-6201-6700
三起商行㈱	繊衣 (事業)(単)衣服60 小物40 ㉕**未定** ㉔**24** (売)単17,681 (従)431 (資)2,030 (住)大阪府八尾市若林町1-76-2 ☎072-920-2111
㈱水上	鉄金卸 (事業)(単)金物卸 ㉕**未定** ㉔**7** (売)単9,711 (従)178 (資)99 (住)大阪市中央区島之内2-7-22 ☎06-6211-1110
三星ダイヤモンド工業㈱	機 (事業)(単)装置製造53 ガラス関連工具29 他18 ㉕**4** ㉔**4** (売)単4,355 (従)203 (資)41 (住)大阪府摂津市香露園32-12 ☎072-648-5000

会社名	業種名 (事業)会社の事業構成(%) ㉕25年採用計画数(名) ㉔24年入社内定者数(名) (売)売上高(百万円) (従)単独従業員数(名) (資)資本金(百万円) (住)本社の住所,電話番号
㈱三ツワフロンテック	精機卸 (事業)(単)研究分析機器58 各種試験機11 工業計測器10 他21 ㉕**15** ㉔**9** (売)単15,986 (従)167 (資)99 (住)大阪市北区天神橋3-6-24 ☎06-6351-9631
宮脇鋼管㈱	金製 (事業)(単)鋼管・鋼材販売 鋼管加工 ㉕**4** ㉔**10** (売)単10,916 (従)173 (資)100 (住)大阪市西成区津守3-7-10 ☎06-6658-3801
村本建設㈱	建 (事業)(単)建築 土木 不動産 ㉕**35** ㉔**34** (売)単62,261 (従)765 (資)480 (住)大阪市天王寺区上汐4-5-26 ☎06-6772-8201
メルコモビリティーソリューションズ㈱	精機卸 (事業)(単)オートモーティブシステム72 アフターマーケットサービス28 ㉕**9** ㉔**7** (売)単36,453 (従)338 (資)500 (住)大阪市福島区福島6-13-14 ☎06-6458-0052
㈱モリタ	精機卸 (事業)(単)総合歯科医療商社(器械・材料・薬品・情報機器等) ㉕**未定** ㉔**30** (売)単100,479 (従)957 (資)584 (住)大阪府吹田市垂水町3-33-18 ☎06-6380-2525
八木通商㈱	繊紙卸 (事業)(連)輸出入貿易事業99 不動産賃貸事業1 ㉕**未定** ㉔**7** (売)連53,300 (従)189 (資)100 (住)大阪市中央区北浜3-1-9 ☎06-6227-6830
ヤスダエンジニアリング㈱	建 (事業)(単)総合建設業 ㉕**4** ㉔**4** (売)単4,603 (従)154 (資)300 (住)大阪市浪速区塩草3-2-26 ☎06-6561-5788
ヤマウチ㈱	ゴ皮 (事業)(単)事務機器部品24 製紙用ロール19 ディスク・防振部品10 他47 ㉕**未定** ㉔**19** (売)連21,385 (従)341 (資)240 (住)大阪府枚方市招提田近2-7 ☎072-856-1130
ヤマックス㈱	他製 (事業)(単)シール・ラベル38 ステッカー17 フィルム印刷物26 他19 ㉕**未定** ㉔**7** (売)単5,190 (従)330 (資)40 (住)大阪市北区中津1-16-31 ☎06-6371-6131
山本光学㈱	他製 (事業)(単)スポーツ用品・眼鏡・サングラス・光学機器・バイクヘルメット産業用保護具の製造販売 ㉕**未定** ㉔**12** (売)単変2,995 (従)263 (資)230 (住)大阪府東大阪市長堂3-25-8 ☎06-6783-0232
山本通産㈱	化医卸 (事業)(単)化学品および精密機器100 ㉕**4** ㉔**3** (売)連26,684 (従)106 (資)96 (住)大阪市中央区博労町1-7-16 ☎06-6252-2131
吉田鋼業㈱	鉄金卸 (事業)(単)鋼材販売 鉄骨工事 倉庫 ㉕**未定** ㉔**8** (売)単71,000 (従)282 (資)90 (住)大阪府東大阪市西石切町5-1-22 ☎072-984-5701
淀川ヒューテック㈱	化 (事業)(単)フッ素樹脂製品素材・加工品 射出成型品 液晶製造設備 ㉕**25** ㉔**19** (売)単46,662 (従)574 (資)50 (住)大阪府吹田市江坂町2-4-8 ☎06-6386-2466
淀鋼商事㈱	鉄金卸 (事業)(単)鋼材部門82 物資部門11 陸・海輸送部門4 他2 ㉕**前年並** ㉔**4** (売)単28,397 (従)140 (資)370 (住)大阪市中央区南本町4-1-1 ☎06-6241-7231
ラブリー・ペット商事㈱	他卸 (事業)(単)ペットフード・用品100 ㉕**若干** ㉔**3** (売)単変26,157 (従)142 (資)99 (住)大阪府門真市松生町6-20 ☎06-6905-9700
㈱りそな銀行	銀 (事業)(連)現・預け金28 有価証券12 貸出金55 他5 ㉕**595** ㉔**678** (売)連553,872 (従)8,127 (資)279,928 (住)大阪市中央区備後町2-2-1 ☎06-6271-1221
㈱レクザム	電機 (事業)(単)電子制御機器81 金属加工製品7 医療用電子機器7 他5 ㉕**30** ㉔**26** (売)単71,323 (従)1,246 (資)48 (住)大阪市中央区南本町2-1-8 ☎06-6262-0871
レジノカラー工業㈱	化 (事業)(単)合成樹脂関連等着色剤53 各種機能性材料38 他7 ㉕**未定** ㉔**4** (売)単5,125 (従)124 (資)200 (住)大阪市淀川区十三元今里3-1-102 ☎06-6301-0636
㈱ロゴスコーポレーション	他製 (事業)(単)キャンプ用品75 アウトドアウエア15 雨衣10 ㉕**2** ㉔**8** (売)単6,354 (従)150 (資)100 (住)大阪市住之江区平林南2-11-1 ☎06-6681-8000
若井産業㈱	鉄金卸 (事業)(単)特殊釘15 建築用ネジ35 DIY関連商品15 接着剤・シーリング材11 他25 ㉕**5** ㉔**7** (売)単13,765 (従)173 (資)98 (住)大阪府東大阪市森河内西1-6-30 ☎06-6783-2080
和田精密歯研㈱	他製 (事業)(単)義歯・歯科技工製品100 ㉕**65** ㉔**53** (売)単14,652 (従)1,296 (資)99 (住)大阪市東淀川区西淡路3-15-46 ☎06-6321-8551
赤穂化成㈱	化 (事業)(単)化成 塩 食品 健康 ㉕**3** ㉔**7** (売)単10,000 (従)196 (資)30 (住)兵庫県赤穂市坂越329 ☎0791-48-1111
㈱アップ	他サ (事業)(単)教育99 不動産賃貸1 ㉕**25** ㉔**15** (売)単9,419 (従)504 (資)100 (住)兵庫県西宮市高松町4-8 ☎0798-64-8100
㈱アメフレック	電卸 (事業)(単)機器販売部門70 エンジニアリング部門30 ㉕**7** ㉔**3** (売)単11,186 (従)141 (資)98 (住)兵庫県尼崎市水堂町2-40-10 ☎06-6438-8191
㈱イズミフードマシナリ	機 (事業)(単)食品製造用機械100 ㉕**4** ㉔**4** (売)単5,809 (従)185 (資)120 (住)兵庫県尼崎市潮江4-2-30 ☎06-6718-6150

会社名	業種名 事業 会社の事業構成(%) ㉕25年採用計画数(名) ㉔24年入社内定者数(名) 売 売上高(百万円) 従 単独従業員数(名) 資 資本金(百万円) 住 本社の住所, 電話番号
伊丹産業㈱	石燃卸 事業 (単)ガス46 石油38 米穀15 モバイル1 ㉕100 ㉔82 売 単106,417 従 1,549 資 50 住 兵庫県伊丹市中央5-5-10 ☎072-783-0001
植田製油㈱	食 事業 (単)食用油脂71 マーガリン・ショートニング10 ラード9 他10 ㉕未定 ㉔8 売 単26,310 従 188 資 72 住 神戸市東灘区魚崎浜町17 ☎078-451-2361
㈱オイシス	食 事業 (単)食パン・菓子パン・調理パン49 総菜12 麺類17 スイーツ16 直営店5 他1 ㉕15 ㉔12 売 単29,536 従 477 資 91 住 兵庫県伊丹市池尻2-23 ☎072-772-0144
オークラ輸送機㈱	機 事業 (単)パレタイジングシステム16 ソーティングシステム48 搬送システム15 物流機器21 ㉕15 ㉔17 売 単33,777 従 607 資 1,330 住 兵庫県加古川市野口町古大内900 ☎079-426-1181
㈱大月真珠	他卸 事業 (単)真珠90 宝石宝飾品10 ㉕3 ㉔4 売 単20,589 従 263 資 100 住 神戸市中央区港島中町6-4-1 ☎078-303-2111
㈱岡崎製作所	電機 事業 (単)工業用温度検出器85 原子力関連機器5 他10 ㉕19 ㉔3 売 単13,562 従 475 資 86 住 神戸市中央区御幸通3-1-3 ☎078-251-8200
音羽電機工業㈱	電機 事業 (単)高圧アレスタ(避雷器)27 低圧アレスタ35 耐雷トランス18 他20 ㉕未定 ㉔5 売 単7,279 従 284 資 81 住 兵庫県尼崎市潮江5-6-20 ☎06-6429-3541
川崎油工㈱	機 事業 (単)液圧(油圧)プレス機械52 油圧プレス修理・改造45 他3 ㉕6 ㉔3 売 単4,542 従 144 資 436 住 兵庫県明石市二見町南二見15-1 ☎078-941-3311
川重商事㈱	精機卸 事業 (単)産業機械72 建築請負・建材8 石油18 鉄鋼2 ㉕13 ㉔15 売 単85,925 従 386 資 600 住 神戸市中央区海岸通8 ☎078-392-1131
㈱神崎組	建 事業 (単)建築工事83 土木工事14 不動産3 ㉕未定 ㉔3 売 単10,122 従 125 資 500 住 兵庫県姫路市北条口3-22 ☎079-223-2021
菊正宗酒造㈱	食 事業 (単)清酒81 他19 ㉕未定 ㉔6 売 単9,604 従 220 資 100 住 神戸市東灘区御影本町1-7-15 ☎078-851-0001
共栄㈱	鉄金卸 事業 (単)鉄屑売買90 鉄鋼製品溶断加工および非鉄屑10 ㉕若干 ㉔3 売 単79,760 従 153 資 40 住 神戸市中央区栄町通2-3-9 ☎078-321-2121
㈱共進ペイパー&パッケージ	パ紙 事業 (単)段ボールケース・シート43 印刷紙器29 洋紙・板紙卸売2 他26 ㉕4 ㉔7 売 単6,957 従 279 資 450 住 神戸市中央区元町通6-1-6 ☎078-341-1741
桑村繊維㈱	繊衣 事業 (単)織物100 ㉕2 ㉔3 売 単6,769 従 114 資 210 住 兵庫県多可郡多可町中区曽我井315 ☎0795-32-1180
㈱合食	食卸 事業 (単)するめ加工品類26 原料塩干24 干しするめ12 冷凍・総菜12 他26 ㉕未定 ㉔5 売 単42,933 従 336 資 90 住 神戸市兵庫区中之島1-1-1 ☎078-672-7500
甲南電機㈱	他製 事業 (単)制御弁33 アクチュエータ33 空気圧回路補器11 自動装置2 建設機械20 商品1 ㉕未定 ㉔3 売 単5,172 従 165 資 479 住 兵庫県西宮市上田東町4-97 ☎0798-40-6600
㈱神戸新聞社	新 事業 (連)新聞・雑誌・書籍等の発行印刷・販売77 他23 ㉕未定 ㉔4 売 連37,533 従 443 資 600 住 神戸市中央区東川崎町1-5-7 ☎078-362-7100
神戸信用金庫	銀 事業 (単)現・預け金30 有価証券21 貸出金43 他6 ㉕30 ㉔24 売 単6,722 従 370 資 1,684 住 神戸市中央区浪花町61 ☎078-391-8011
㈱神戸ポートピアホテル	ホ 事業 (単)ホテル業99 他1 ㉕60 ㉔47 売 単8,643 従 434 資 50 住 神戸市中央区港島中町6-10-1 ☎078-302-1111
㈱コーアツ	他製 事業 (単)消火設備の製造・据付工事67 消火設備の保守他33 ㉕10 ㉔10 売 単12,547 従 281 資 60 住 兵庫県伊丹市北本町1-310 ☎072-782-8561
小林桂㈱	食卸 事業 (単)香辛料・ハーブ・ナッツ類等の輸入 ハッカ製造販売 ワインの輸入販売 ㉕3 ㉔6 売 単6,122 従 50 資 49 住 神戸市中央区東町123 ☎078-321-8431
㈱コベルコE&M	建 事業 (単)機電事業部82 プラント18 ㉕36 ㉔21 売 単51,059 従 1,289 資 150 住 神戸市灘区岩屋北町4-5-22 ☎078-803-2901
㈱シマブンコーポレーション	鉄 事業 (単)製鋼・製鉄原材料50 鋼材関係32 鉄鋼関連請負業15 ラベル他3 ㉕10 ㉔16 売 単変27,481 従 1,204 資 65 住 神戸市灘区岩屋中町4-2-7 ☎078-871-5181
ショーワグローブ㈱	他製 事業 (単)手袋製造販売100 ㉕未定 ㉔12 売 単28,554 従 389 資 48 住 兵庫県姫路市砥堀565 ☎079-264-1234
シンエーフーヅ㈱	外 事業 (単)洋食料理 日本料理 中国料理店 他 ㉕未定 ㉔3 売 単3,031 従 85 資 50 住 神戸市中央区中町通2-3-2 ☎078-341-7117

会社名	業種名 (事業)会社の事業構成(%) ㉕25年採用計画数(名) ㉔24年入社内定者数(名) (売)売上高(百万円) (従)単独従業員数(名) (資)資本金(百万円) (住)本社の住所, 電話番号
神港精機(株)	機 (事業)(単)真空ポンプおよび真空機器 投影機 電気炉 半導体関係機器, 医療機器 ㉕8 ㉔3 (売)単5,583 (従)181 (資)375 (住)神戸市西区高塚台3-1-35 ☎078-991-3011
神鋼物流(株)	海 (事業)(単)港湾運送 内航海運業 通関業 貨物自動車運送事業 倉庫業 他 ㉕13 ㉔8 (売)単51,965 (従)1,003 (資)2,479 (住)神戸市中央区脇浜海岸通2-2-4 ☎078-262-3800
新生コベルコリース(株)	リ (事業)(単)総合リース ㉕2 ㉔5 (売)単28,992 (従)110 (資)3,243 (住)神戸市中央区脇浜海岸通2-2-4 ☎078-261-6641
住電機器システム(株)	金製 (事業)(単)電線ケーブル用機器92 精密機器・精密工具5 バスダクト機器3 ㉕5 ㉔3 (売)単17,142 (従)457 (資)310 (住)兵庫県伊丹市北河原6-1-3 ☎072-782-0671
生活協同組合コープこうべ	小 (事業)(単)生鮮食品29 加工食品51 住居関連15 衣料5 ㉕未定 ㉔59 (売)単245,746 (従)1,792 (資)36,466 (住)神戸市東灘区住吉本町1-3-19 ☎078-856-1003
セイコー化工機(株)	機 (事業)(単)環境装置 送風機 ポンプ メンテナンス ㉕2 ㉔3 (売)単8,795 (従)188 (資)100 (住)兵庫県明石市二見町南二見15-3 ☎078-944-1840
西部電気建設(株)	建 (事業)(単)電気工事施工管理 ㉕15 ㉔16 (売)単18,553 (従)250 (資)93 (住)神戸市灘区都通4-1-1 ☎078-882-4051
セッツカートン(株)	パ紙 (事業)(単)段ボールシート30 段ボールケース60 他10 ㉕18 ㉔18 (売)単66,427 (従)887 (資)400 (住)兵庫県伊丹市東有岡5-33 ☎072-784-6001
太陽鉱工(株)	非鉄 (事業)(単)モリブデン72 バナジウム22 他6 ㉕若干 ㉔6 (売)単29,034 (従)147 (資)200 (住)神戸市中央区磯辺通1-1-39 ☎078-231-3700
(株)但馬銀行	銀 (事業)(連)現・預け金15 有価証券11 貸出金72 他2 ㉕50 ㉔33 (売)連17,186 (従)574 (資)5,481 (住)兵庫県豊岡市千代田町1-5 ☎0796-24-2111
多田電機(株)	機 (事業)(単)各種熱交換器62 鉄鋼用溶接機20 電子ビーム加工機18 ㉕15 ㉔7 (売)単9,551 (従)337 (資)300 (住)兵庫県尼崎市塚口本町8-1-1 ☎06-6496-2291
(株)ダンロップスポーツエンタープライズ	他サ (事業)(単)トーナメント100 ㉕5 ㉔4 (売)単5,967 (従)69 (資)100 (住)兵庫県芦屋市大原町2-6 ☎0797-31-1618
TC神鋼不動産(株)	不 (事業)(単)不動産販売43 不動産賃貸48 他9 ㉕未定 ㉔9 (売)連39,269 (従)211 (資)3,037 (住)神戸市中央区脇浜海岸通2-2-4 ☎078-261-2121
(株)テイエルブイ	金製 (事業)(単)計測・制御機器の製造・販売・コンサル 蒸気・動力システム, 配管の設計・施工 他 ㉕12 ㉔14 (売)単10,243 (従)473 (資)100 (住)兵庫県加古川市野口町長砂881 ☎079-422-1122
(株)デービー精工	自 (事業)(単)自動車用部品98 産業機器2 ㉕14 ㉔3 (売)単38,506 (従)950 (資)96 (住)兵庫県姫路市香寺町溝口1127 ☎079-232-1245
東亜外業(株)	建 (事業)(単)建設工事80 大口径鋼管製造18 船舶建造2 ㉕18 ㉔7 (売)単11,112 (従)386 (資)90 (住)神戸市中央区海岸通6 ☎078-332-5555
東興海運(株)	海 (事業)(単)外航海運業99 他1 ㉕未定 ㉔4 (売)単46,234 (従)77 (資)49 (住)神戸市中央区明石町32 ☎078-331-1511
(株)トーホーキャッシュアンドキャリー	食卸 (事業)(単)キャッシュアンドキャリー100 ㉕10 ㉔6 (売)単41,073 (従)254 (資)100 (住)神戸市東灘区向洋町西5-9 ☎078-845-2402
(株)トーホーフードサービス	食卸 (事業)(単)ディストリビューター100 ㉕56 ㉔51 (売)単123,917 (従)734 (資)100 (住)神戸市東灘区向洋町西5-9 ☎078-845-2501
トクセン工業(株)	金製 (事業)(単)タイヤ用スチールコード ビードワイヤ 各種異形線 ソーワイヤ 他 ㉕未定 ㉔10 (売)単25,019 (従)726 (資)480 (住)兵庫県小野市住吉町南山1081 ☎0794-63-1050
ナイス(株)	金製 (事業)(単)溶接材料44 溶接施工32 真空ろう付15 機器Eng7 他2 ㉕未定 ㉔4 (売)単7,789 (従)138 (資)150 (住)兵庫県尼崎市北大物町20-1 ☎06-6488-7700
西芝電機(株)	電機 (事業)(単)船舶電機システム55 発電・産業システム45 ㉕5 ㉔5 (売)単21,523 (従)699 (資)2,237 (住)兵庫県姫路市網干区浜田1000 ☎079-271-2448
日東コンピューターサービス(株)	シソ (事業)(単)受託システム開発96 機器販売2 コンピュータ用消耗品販売2 ㉕20 ㉔15 (売)単2,435 (従)222 (資)30 (住)兵庫県姫路市南畝町2-1 ☎079-222-2051
日本イーライリリー(株)	医 (事業)(単)医薬品100 ㉕未定 ㉔50 (売)単195,427 (従)2,700 (資)12,772 (住)神戸市中央区磯上通5-1-28 ☎078-242-9000
(株)ネオス	化 (事業)(単)工業薬品50 金属表面処理50 ㉕5 ㉔3 (売)単11,251 (従)294 (資)409 (住)神戸市中央区加納町6-2-1 ☎078-331-9381

会社名	業種名 (事業)会社の事業構成(%) ㉕25年採用計画数(名) ㉔24年入社内定者数(名) (売)売上高(百万円) (従)単独従業員数(名) (資)資本金(百万円) (住)本社の住所, 電話番号
白鶴酒造㈱	食 (事業)(単)清酒90 他10 ㉕**8** ㉔**10** (売)単27,503 (従)460 (資)495 (住)神戸市東灘区住吉南町4-5-5 ☎078-822-8901
ヒガシマル醤油㈱	食 (事業)(単)醤油・液体調味料 粉末調味料 他 ㉕**未定** ㉔**9** (売)単17,368 (従)351 (資)100 (住)兵庫県たつの市龍野町富永100-3 ☎0791-63-4567
姫路信用金庫	銀 (事業)(単)現・預け金22 有価証券21 貸出金55 他1 ㉕**40** ㉔**31** (売)単11,958 (従)648 (資)3,147 (住)兵庫県姫路市十二所前町105 ☎079-288-1121
兵庫信用金庫	銀 (事業)(単)現・預け金22 有価証券33 貸出金41 他4 ㉕**未定** ㉔**51** (売)単10,317 (従)453 (資)2,418 (住)兵庫県姫路市北条口3-27 ☎079-282-1255
ブンセン㈱	食 (事業)(単)佃煮類 日配総菜 LL惣菜 調味料 他 ㉕**未定** ㉔**10** (売)単8,828 (従)243 (資)380 (住)兵庫県たつの市新宮町新宮387 ☎0791-75-1151
兵神装備㈱	機 (事業)(単)産業用ポンプ(モーノポンプ・モーノディスペンサー)および周辺機器の製造・販売 ㉕**未定** ㉔**10** (売)単16,594 (従)475 (資)99 (住)神戸市兵庫区御崎本町1-1-54 ☎078-652-1111
松谷化学工業㈱	食 (事業)(単)加工澱粉50 澱粉糖30 海外品20 ㉕**未定** ㉔**11** (売)単65,005 (従)450 (資)100 (住)兵庫県伊丹市北伊丹5-3 ☎072-771-2001
ミツ精機㈱	精 (事業)(単)航空機関連部品84 船用部品5 医療機器部品8 他3 ㉕**5** ㉔**5** (売)単2,745 (従)248 (資)49 (住)兵庫県淡路市下河合301 ☎0799-85-1133
宮野医療器㈱	他卸 (事業)(単)医療機器94 理化学機器5 住宅・介護機器1 ㉕**30** ㉔**14** (売)単129,874 (従)854 (資)96 (住)神戸市中央区楠町5-4-8 ☎078-371-2121
ミヨシ電子㈱	電機 (事業)(単)情報通信機器および同部品37 電子デバイス関連製品60 他3 ㉕**7** ㉔**4** (売)単11,376 (従)160 (資)400 (住)兵庫県川西市久代3-13-21 ☎072-756-1331
三輪運輸工業㈱	陸 (事業)(単)運輸 建設 車両製造・製缶 産業廃棄物処理 ㉕**10** ㉔**10** (売)単24,159 (従)832 (資)120 (住)神戸市中央区脇浜町2-1-16 ☎078-251-5001
㈱明和工務店	建 (事業)(単)建築土木70 管工事19 電気工事10 不動産賃貸他1 ㉕**11** ㉔**4** (売)単14,379 (従)153 (資)480 (住)神戸市中央区港島中町7-4-3 ☎078-940-1000
㈱森長組	建 (事業)(単)土木78 建築22 ㉕**6** ㉔**7** (売)単9,985 (従)256 (資)480 (住)兵庫県南あわじ市賀集823 ☎0799-54-0721
安福ゴム工業㈱	ゴ皮 (事業)(単)工業用ゴム・樹脂製品の製造販売100 ㉕**4** ㉔**4** (売)単4,091 (従)144 (資)98 (住)神戸市西区福吉台1-1-1 ☎078-967-1313
大和製衡㈱	精 (事業)(連)工業はかり90 一般はかり10 ㉕**15** ㉔**14** (売)連33,196 (従)528 (資)497 (住)兵庫県明石市茶園場町5-22 ☎078-918-5500
山村ロジスティクス㈱	倉埠 (事業)(単)貨物自動車運送 自動車運送取扱 倉庫 人材派遣 警備他 ㉕**15** ㉔**12** (売)単10,979 (従)1,850 (資)20 (住)兵庫県尼崎市西向島町15-1 ☎06-4300-6430
㈱ユタックス	繊衣 (事業)(連)NF商品67 アンダーウェア5 製品スポーツ6 他23 ㉕**3** ㉔**3** (売)連12,135 (従)170 (資)90 (住)兵庫県西脇市野村町201-1 ☎0795-23-5511
寄神建設㈱	建 (事業)(単)土木96 建築4 ㉕**未定** ㉔**6** (売)単18,071 (従)272 (資)100 (住)神戸市兵庫区七宮町2-1-1 ☎078-681-3120
立建設㈱	建 (事業)(単)建築工事 ㉕**前年並** ㉔**7** (売)単6,049 (従)79 (資)459 (住)兵庫県姫路市西延末269-6 ☎079-297-2130
㈱飯塚製作所	自 (事業)(単)自動車部品95 他5 ㉕**4** ㉔**5** (売)単3,180 (従)205 (資)20 (住)奈良県大和高田市大字根成柿493 ☎0745-22-3515
㈱MSTコーポレーション	機 (事業)(単)マシニングセンター用ツーリング70 汎用機械用ツーリング5 放電加工用ホルダ5 他20 ㉕**10** ㉔**9** (売)単4,396 (従)305 (資)70 (住)奈良県生駒市北田原町1738 ☎0743-78-1184
㈱関西メディコ	小 (事業)(単)処方箋調剤97 有料老人ホーム3 他0 ㉕**未定** ㉔**8** (売)単18,988 (従)590 (資)20 (住)奈良県生駒郡平群町上庄1-14-12 ☎0745-45-3993
三和澱粉工業㈱	食 (事業)(単)食品向け澱粉・糖化品81 工業用澱粉4 他15 ㉕**10** ㉔**6** (売)単36,248 (従)263 (資)500 (住)奈良県橿原市雲梯町594 ☎0744-22-5531
㈱ジェイテクトサーモシステム	機 (事業)(単)工業用熱処理装置13 半導体開発28 電子先端28 CS30 他1 ㉕**7** ㉔**10** (売)単18,357 (従)576 (資)450 (住)奈良県天理市嘉幡町229 ☎0743-64-0981
大同薬品工業㈱	医 (事業)(単)医薬品・医薬部外品70 飲料30 ㉕**前年並** ㉔**11** (売)単12,963 (従)280 (資)100 (住)奈良県葛城市新村214-1 ☎0745-62-5031

会社名	業種名 事業 会社の事業構成(%) ㉕25年採用計画数(名) ㉔24年入社内定者数(名) 売 売上高(百万円) 従 単独従業員数(名) 資 資本金(百万円) 住 本社の住所, 電話番号
大和ガス(株)	電ガ 事業 (単)ガス事業74 工事器具13 電気12 他1 ㉕**10** ㉔**8** 売 単15,853 従 120 資 150 住 奈良県大和高田市旭南町8-36 ☎0745-22-6221
(株)ナカガワ	他卸 事業 (単)住宅設備機器類卸売53 配管資材類卸売36 機械・工具類卸売3 建築資材類卸売7 OA・家電・他卸売1 ㉕**未定** ㉔**6** 売 単8,197 従 167 資 70 住 奈良県大和高田市東中2-12-25 ☎0745-53-5558
奈良交通(株)	鉄バ 事業 (連)自動車運送71 不動産7 物品販売18 他4 ㉕**36** ㉔**18** 売 連22,784 従 1,435 資 1,285 住 奈良市大宮町1-1-25 ☎0742-20-3116
奈良トヨタ(株)	自販 事業 (単)新車75 中古車11 サービス14 ㉕**11** ㉔**14** 売 単33,520 従 463 資 80 住 奈良市南京終町2-269 ☎0742-61-3301
大和信用金庫	銀 事業 (単)銀行業 ㉕**20** ㉔**20** 売 連9,283 従 333 資 901 住 奈良県桜井市桜井281-11 ☎0744-42-9001
(株)浅川組	建 事業 (単)土木工事, 建築工事の請負・設計・監理 不動産の売買・賃貸 他 ㉕**14** ㉔**14** 売 単28,354 従 308 資 300 住 和歌山市小松原通3-69 ☎073-423-7161
(株)キナン	リ 事業 (単)土木建設機械レンタル・リース50 同販売・修理35 温浴4 太陽光発電11 ㉕**前年並** ㉔**26** 売 単28,515 従 521 資 330 住 和歌山県新宮市浮島1-25 ☎0735-21-3800
ヨシダエルシス(株)	機 事業 (単)畜産用資材及び機械器具製造 鶏舎及び倉庫等の建築 ㉕**未定** ㉔**4** 売 単11,591 従 80 資 20 住 和歌山県御坊市藤田町吉田155 ☎0738-22-2111
寿製菓(株)	食 事業 (単)観光土産菓子製造卸85 小売15 ㉕**20** ㉔**17** 売 単12,662 従 570 資 90 住 鳥取県米子市旗ケ崎2028 ☎0859-22-7456
山陰酸素工業(株)	石燃卸 事業 (単)液化石油ガス36 液化天然ガス11 一般高圧ガス21 工事9 器材22 電気2 ㉕**未定** ㉔**8** 売 単22,813 従 330 資 130 住 鳥取県米子市旗ヶ崎2201-1 ☎0859-32-2300
(株)さんれいフーズ	食卸 事業 (単)魚介・水産加工品50 調理食品20 畜産・肉加工品9 一般食品19 他2 ㉕**未定** ㉔**11** 売 単22,443 従 278 資 100 住 鳥取県米子市旗ケ崎2147 ☎0859-33-6165
日本海テレビジョン放送(株)	通 事業 (単)放送事業99 他1 ㉕**3** ㉔**3** 売 単4,336 従 100 資 200 住 鳥取市田園町4-360 ☎0857-27-2111
美保テクノス(株)	建 事業 (単)土木建築工事 ㉕**未定** ㉔**7** 売 単10,326 従 220 資 100 住 鳥取県米子市昭和町25 ☎0859-33-9211
今井産業(株)	建 事業 (単)総合建設業95 他5 ㉕**8** ㉔**15** 売 単14,945 従 305 資 200 住 島根県江津市桜江町川戸472-1 ☎0855-92-1321
小松電機産業(株)	他製 事業 (単)シートシャッター門番70 上下水道システムやくも水神30 ㉕**未定** ㉔**4** 売 単4,693 従 83 資 100 住 松江市乃木福富町735-188 ☎0852-32-3636
島根電工(株)	建 事業 (単)電気・通信・給排水衛生・空調・計装システム・新エネルギー環境設備工事他 ㉕**35** ㉔**34** 売 単10,897 従 381 資 260 住 松江市東本町5-63 ☎0852-26-2833
(株)中筋組	建 事業 (単)土木工事49 建築工事44 港湾工事6 他1 ㉕**11** ㉔**5** 売 単7,180 従 117 資 80 住 島根県出雲市姫原町262 ☎0853-22-8111
アイサワ工業(株)	建 事業 (単)土木工事60 建築工事40 ㉕**20** ㉔**12** 売 単27,993 従 396 資 1,550 住 岡山市北区表町1-5-1 ☎086-225-2151
明石被服興業(株)	繊衣 事業 (連)学生衣料75 スポーツ衣料17 企業ユニフォーム8 ㉕**未定** ㉔**6** 売 連30,878 従 631 資 41 住 岡山県倉敷市児島田の口1-3-44 ☎086-477-7701
(株)荒木組	建 事業 (単)建築85 土木15 ㉕**10** ㉔**7** 売 単19,087 従 213 資 100 住 岡山市北区天瀬4-33 ☎086-222-6841
内山工業(株)	ゴ皮 事業 (単)自動車関連製品70 建設・住宅関連製品11 王冠・キャップ材4 他15 ㉕**未定** ㉔**14** 売 単51,641 従 987 資 120 住 岡山市中区小橋町2-1-10 ☎086-272-7557
(株)エイト日本技術開発	築設 事業 (単)建設コンサルタント ㉕**35** ㉔**28** 売 単26,322 従 1,069 資 2,056 住 岡山市北区津島京町3-1-21 ☎086-252-8917
岡山ガス(株)	電ガ 事業 (単)ガス88 受注工事2 他10 ㉕**未定** ㉔**6** 売 単29,758 従 258 資 400 住 岡山市中区桜橋2-1-1 ☎086-272-3111
おかやま信用金庫	銀 事業 (単)現・預け金22 有価証券30 貸出金35 他13 ㉕**25** ㉔**19** 売 連7,222 従 496 資 1,769 住 岡山市北区柳町1-11-21 ☎086-223-7475
オハヨー乳業(株)	食 事業 (単)市乳・飲料32 チルドデザート45 アイス23 ㉕**未定** ㉔**25** 売 単45,207 従 952 資 100 住 岡山市中区神下565 ☎086-279-1231

会社名	業種名 (事業) 会社の事業構成(%) ㉕25年採用計画数(名) ㉔24年入社内定者数(名) (売)売上高(百万円) (従)単独従業員数(名) (資)資本金(百万円) (住)本社の住所, 電話番号
カバヤ食品(株)	食 (事業)(単)チョコレート35 グミ35 清涼菓子18 玩具菓子6 他6 ㉕未定 ㉔3 (売)単29,840 (従)684 (資)100 (住)岡山市北区御津野々口1100 ☎086-724-4300
(株)北原産業	他製 (事業)(単)食品軽量容器の企画販売95 プラスチック・紙の原料販売5 ㉕3 ㉔4 (売)単11,120 (従)92 (資)30 (住)岡山県倉敷市新倉敷駅前5-141 ☎086-526-3040
倉敷化工(株)	ゴ皮 (事業)(単)自動車用ゴム部品70 産業用防振・防音・緩衝機器30 ㉕11 ㉔19 (売)単34,290 (従)872 (資)309 (住)岡山県倉敷市連島町矢柄四の町4630 ☎086-465-1111
コアテック(株)	機 (事業)(単)産業用機械設備80 太陽光・風力発電システム6 ACサーボツール12 他2 ㉕10 ㉔8 (売)単6,941 (従)279 (資)167 (住)岡山県総社市赤浜500 ☎0866-94-9000
(株)システムエンタープライズ	シソ (事業)(単)コンピュータソフトウエアの受託開発100 ㉕10 ㉔10 (売)単1,672 (従)116 (資)50 (住)岡山市北区富吉3202-1 ☎086-286-9188
(株)新来島サノヤス造船	自 (事業)(単)船舶の建造・修繕 タンク類他鉄鋼構造物の製造 ㉕未定 ㉔24 (売)単37,976 (従)609 (資)100 (住)岡山県倉敷市児島塩生2767-21 ☎086-475-1551
(株)ストライプインターナショナル	小 (事業)(連)紳士・婦人服 洋品雑貨 他 ㉕260 ㉔216 (売)連99,165 (従)2,704 (資)100 (住)岡山市北区幸町2-8 ☎086-235-8216
(株)タイム	小 (事業)(単)ホームセンター ㉕15 ㉔6 (売)単15,435 (従)197 (資)100 (住)岡山市北区下中野465-4 ☎086-245-6700
タカヤ(株)	電機 (事業)(単)EMS57 テスタ20 RFID機器17 他6 ㉕未定 ㉔27 (売)単10,392 (従)679 (資)100 (住)岡山県井原市井原町661-1 ☎0866-62-2015
玉島信用金庫	銀 (事業)(単)現・預け金34 有価証券25 貸出金40 他1 ㉕6 ㉔3 (売)単4,639 (従)237 (資)976 (住)岡山県倉敷市玉島1438 ☎086-526-1351
(株)トスコ	シソ (事業)(単)ソフトウェア開発100 ㉕42 ㉔33 (売)単5,389 (従)576 (資)100 (住)岡山市南区西市116-13 ☎086-243-8868
(株)トンボ	繊衣 (事業)(連)学生衣料74 スポーツ衣料17 介護・メディカルウエア9 ㉕20 ㉔15 (売)連42,299 (従)786 (資)261 (住)岡山市北区厚生町2-2-9 ☎086-232-0311
(株)中島商会	化医卸 (事業)(単)塗料75 化成品5 塗装設備機器5 他15 ㉕8 ㉔8 (売)単22,853 (従)294 (資)50 (住)岡山市北区柳町2-2-23 ☎086-232-2711
ピープルソフトウェア(株)	シソ (事業)(単)ソフトウエア開発78 ハードウエア販売5 パッケージソフト販売1 SaaSサービス16 ㉕7 ㉔5 (売)単1,656 (従)151 (資)48 (住)岡山県倉敷市阿知1-15-3 ☎086-426-5930
ヒルタ工業(株)	自 (事業)(単)自動車部品92 産業機械部品3 他5 ㉕36 ㉔12 (売)単25,331 (従)794 (資)100 (住)岡山県笠岡市茂平1410 ☎0865-66-3700
丸五ゴム工業(株)	ゴ皮 (事業)(単)防振ゴム46 ホース45 他9 ㉕5 ㉔7 (売)単28,005 (従)1,120 (資)96 (住)岡山県倉敷市上富井58 ☎086-422-5111
ミサワホーム中国(株)	建 (事業)(単)建設 不動産 リフォーム ㉕6 ㉔5 (売)連20,119 (従)408 (資)100 (住)岡山市北区野田2-13-17 ☎086-245-3233
みのる産業(株)	機 (事業)(単)田植機41 野菜移植機26 もちつき機7 シイタケ6 防除器具5 壁面緑化5 他10 ㉕未定 ㉔8 (売)単7,941 (従)399 (資)72 (住)岡山県赤磐市下市447 ☎086-955-1122
(株)両備システムズ	シソ (事業)(単)ソフトウェア開発18 受託情報処理62 機器販売13 他7 ㉕80 ㉔74 (売)単35,599 (従)1,578 (資)300 (住)岡山市北区下石井2-10-12 ☎086-264-0111
(株)アイメックス	機 (事業)(単)ボイラ29 環境装置・産業機械47 ディーゼルエンジン24 ㉕8 ㉔7 (売)単15,028 (従)358 (資)1,484 (住)広島県尾道市因島土生町2293-1 ☎0845-22-6411
アオイ化学工業(株)	化 (事業)(単)目地板27 舗装資材22 注入・成型目地材他36 工事施工14 ㉕8 ㉔3 (売)単4,192 (従)121 (資)89 (住)広島市安佐南区相田1-1-26 ☎082-877-1341
朝日工業(株)	建 (事業)(単)定期補修工事57 一般補修工事26 化工機工事8 配管工事5 改造・解体4 ㉕未定 ㉔7 (売)単10,476 (従)239 (資)98 (住)広島市中区大手町3-9-5 ☎082-241-8681
(株)アスティ	繊紙卸 (事業)(単)アパレルメーカー62 ホールセール27 ディベロッパー11 ㉕若干 ㉔6 (売)単8,142 (従)101 (資)100 (住)広島市西区商工センター2-15-1 ☎082-278-1111
(株)アンデルセン・パン生活文化研究所	食 (事業)(連)パン製造 小売 FC ㉕99 ㉔67 (売)連72,699 (従)53 (資)50 (住)広島市中区鶴見町2-19 ☎082-240-9405
(株)栄工社	電卸 (事業)(単)電子・電気制御機器76 制御装置設計製作17 他7 ㉕未定 ㉔8 (売)単13,369 (従)277 (資)98 (住)広島県福山市南町7-27 ☎084-921-3322

会社名	業種名 (事業)会社の事業構成(%) ㉕25年採用計画数(名) ㉔24年入社内定者数(名) (売)売上高(百万円) (従)単独従業員数(名) (資)資本金(百万円) (住)本社の住所, 電話番号
㈱エバルス	化医卸 (事業)(単)医療用医薬品91 一般用医薬品0 医療用機器3 試薬5 他1 ㉕**未定** ㉔**7** (売)単163,111 (従)436 (資)1,510 (住)広島市南区大州5-2-10 ☎082-286-3300
エム・エム ブリッジ㈱	建 (事業)(単)橋梁100 ㉕**12** ㉔**14** (売)単29,639 (従)213 (資)450 (住)広島市西区観音新町1-20-24 ☎082-292-1111
㈱河原	機 (事業)(単)産業機械89 テクノ事業11 ㉕**未定** ㉔**3** (売)単2,549 (従)95 (資)490 (住)広島県福山市霞町1-1-1 ☎084-961-3273
㈱キーレックス	自 (事業)(単)自動車部品90 型具2 治具装置3 試作4 他1 ㉕**45** ㉔**39** (売)単53,890 (従)1,418 (資)90 (住)広島県安芸郡海田町南明神町2-51 ☎082-822-2141
㈱キャステム	精 (事業)(単)一般産業用機器部品45 繊維機械部品10 印刷機器部品15 医療機器部品5 他25 ㉕**未定** ㉔**20** (売)単7,868 (従)225 (資)79 (住)広島県福山市御幸町大字中津原1808-1 ☎084-955-2221
極東興和㈱	建 (事業)(単)建設89 製品販売11 ㉕**30** ㉔**22** (売)単32,985 (従)396 (資)1,600 (住)広島市東区光町2-6-31 ☎082-261-1207
クニヒロ㈱	食卸 (事業)(単)生カキ・水産品32 水産品加工50 商品18 ㉕**5** ㉔**4** (売)単11,493 (従)340 (資)90 (住)広島県尾道市東尾道15-13 ☎0848-46-3994
㈱熊平製作所	金製 (事業)(単)金庫・金庫室設備43 セキュリティ機器54 他3 ㉕**未定** ㉔**14** (売)単8,644 (従)464 (資)450 (住)広島市南区宇品東2-1-42 ☎082-252-7003
呉信用金庫	銀 (事業)(単)現・預け金14 有価証券30 貸出金55 他1 ㉕**35** ㉔**35** (売)連10,930 (従)538 (資)2,752 (住)広島県呉市本通2-2-15 ☎0823-24-1181
広成建設㈱	建 (事業)(単)土木64 建築36 兼業0 ㉕**未定** ㉔**34** (売)単66,355 (従)1,030 (資)780 (住)広島市東区上大須賀町1-1 ☎082-264-1711
三建産業㈱	建 (事業)(単)特殊鋼16 自動車48 鋳鍛重機10 他26 ㉕**4** ㉔**3** (売)単6,722 (従)167 (資)95 (住)広島市安佐南区伴西3-1-2 ☎082-849-6790
三光電業㈱	電卸 (事業)(単)制御部品販売 制御装置設計製作 産業用ロボットシステムインテグレータ ㉕**未定** ㉔**9** (売)単11,180 (従)132 (資)70 (住)広島市西区商工センター5-11-7 ☎082-278-2351
山陽工業㈱	小 (事業)(単)管材・住設機器販売60 管工事・空調設備工事設計施工30 ホテル業10 ㉕**11** ㉔**7** (売)単8,833 (従)280 (資)88 (住)広島県尾道市高須町904 ☎0848-46-1212
㈱シギヤ精機製作所	機 (事業)(単)工作機械100 ㉕**7** ㉔**7** (売)単6,502 (従)271 (資)100 (住)広島県福山市箕島町5378 ☎084-954-2961
しまなみ信用金庫	銀 (事業)(単)現・預け金29 有価証券24 貸出金39 他8 ㉕**26** ㉔**18** (売)単4,568 (従)273 (資)3,151 (住)広島県三原市港町1-8-1 ☎0848-62-7111
新川電機㈱	電卸 (事業)(単)工業計器43 計測器16 電気機器7 化学分析機器7 他27 ㉕**25** ㉔**16** (売)単34,974 (従)671 (資)300 (住)広島市中区三川町10-9 ☎082-247-4211
㈱シンコー	機 (事業)(単)ポンプ55 蒸気タービン12 部品32 特殊機器1 ㉕**7** ㉔**6** (売)単34,600 (従)490 (資)100 (住)広島市南区大州5-7-21 ☎082-508-1000
㈱セイエル	化医卸 (事業)(単)医薬品卸売100 ㉕**6** ㉔**4** (売)単175,300 (従)535 (資)95 (住)広島市西区商工センター5-1-1 ☎082-278-1912
㈱ダイクレ	金製 (事業)(単)スチールグレーチング70 熱交換機器10 他20 ㉕**未定** ㉔**5** (売)単22,618 (従)421 (資)100 (住)広島県呉市築地町1-24 ☎0823-21-1331
タカヤ商事㈱	繊紙卸 (事業)(単)ジーンズ25 OEM30 ワークウェア23 他22 ㉕**未定** ㉔**6** (売)単5,867 (従)295 (資)80 (住)広島県福山市千田町千田1741-1 ☎084-955-3777
田中電機工業㈱	電機 (事業)(単)電気電子制御盤 他 ㉕**16** ㉔**11** (売)単14,952 (従)379 (資)50 (住)広島市南区大州1-5-24 ☎082-282-0251
中国電機製造㈱	電機 (事業)(単)電力機器関係60 制御機器40 ㉕**未定** ㉔**9** (売)単10,261 (従)249 (資)150 (住)広島市南区大州4-4-32 ☎082-286-3411
中国木材㈱	他製 (事業)(単)製材製品11 乾燥材41 集成材29 チップ5 他14 ㉕**90** ㉔**56** (売)単166,124 (従)2,100 (資)100 (住)広島県呉市広多賀谷3-1-1 ☎0823-71-7147
中電技術コンサルタント㈱	築設 (事業)(単)土木70 建築4 電気14 環境5 情報7 ㉕**18** ㉔**16** (売)単11,577 (従)446 (資)100 (住)広島市南区出汐2-3-30 ☎082-255-5501
ティーエスアルフレッサ㈱	化医卸 (事業)(単)医療用医薬品 医療機器・衛生材料 試薬 他 ㉕**未定** ㉔**18** (売)単172,810 (従)709 (資)1,144 (住)広島市西区商工センター1-2-19 ☎082-501-0222

会社名	業種名 事業 会社の事業構成(%) ㉕25年採用計画数(名) ㉔24年入社内定者数(名) 売 売上高(百万円) 従 単独従業員数(名) 資 資本金(百万円) 住 本社の住所,電話番号
テラル(株)	機 事業 (単)ポンプ25 送風機16 給水装置24 防災・環境関連機器等35 ㉕**30** ㉔**24** 売 単39,440 従 987 資 78 住 広島県福山市御幸町大字森脇230 ☎084-955-1111
(株)テレビ新広島	通 事業 (単)テレビ放送 ㉕**未定** ㉔**4** 売 単7,291 従 111 資 1,000 住 広島市南区出汐2-3-19 ☎082-255-1111
(株)東洋シート	自 事業 (単)自動車用シート88 自動車用コンバーチブルトップ1 他10 ㉕**10** ㉔**7** 売 単41,800 従 728 資 100 住 広島県安芸郡海田町国信1-6-25 ☎082-822-6111
トーヨーエイテック(株)	機 事業 (単)工作機械62 自動車部品28 表面処理10 ㉕**21** ㉔**23** 売 単30,316 従 694 資 3,000 住 広島市南区宇品東5-3-38 ☎082-252-5212
トヨタカローラ広島(株)	自販 事業 (単)新車67 サービス14 U-Car18 他1 ㉕**58** ㉔**37** 売 単82,749 従 955 資 100 住 広島市西区庚午中1-18-13 ☎082-275-2111
南条装備工業(株)	自 事業 (単)ドアトリム95 シートトリム5 ㉕**18** ㉔**14** 売 単25,332 従 718 資 100 住 広島市南区西荒神町1-8 ☎082-568-0150
八光建設工業(株)	建 事業 (単)建設業52 海運業48 ㉕**未定** ㉔**3** 売 単3,136 従 44 資 45 住 広島市東区光町2-4-23 ☎082-262-8166
早川ゴム(株)	ゴ皮 事業 (単)建設用資材(土木用止水材・建築用防水材) 産業用資材(住宅防音・化成品) 他 ㉕**6** ㉔**4** 売 単9,871 従 359 資 494 住 広島県福山市箕島町南丘5351 ☎084-954-7801
広島テレビ放送(株)	通 事業 (単)民間テレビ放送100 ㉕**4** ㉔**3** 売 単9,400 従 128 資 200 住 広島市東区二葉の里3-5-4 ☎082-207-0404
(株)広島ホームテレビ	通 事業 (単)放送90 他10 ㉕**若干** ㉔**3** 売 単7,554 従 141 資 100 住 広島市中区白島北町19-2 ☎082-221-7111
(株)ヒロテック	自 事業 (単)自動車車体部品80 プレス金型・治具装置15 他5 ㉕**35** ㉔**33** 売 単64,663 従 1,862 資 100 住 広島市佐伯区石内南5-2-1 ☎082-941-7800
復建調査設計(株)	築設 事業 (単)建設コンサルタント76 測量11 地質調査9 補償コンサルタント4 ㉕**20** ㉔**20** 売 単14,854 従 687 資 300 住 広島市東区光町2-10-11 ☎082-506-1811
(株)古川製作所	機 事業 (単)ロータリー真空包装機20 全自動竪型袋詰真空包装機18 他62 ㉕**15** ㉔**7** 売 単11,011 従 241 資 1,600 住 広島県三原市沼田西町小原200-65 ☎0848-86-2100
マツダロジスティクス(株)	陸 事業 (単)ビジネス開発本部3 車輌物流本部22 広島生産部品物流本部37 防府生産部品物流本部他38 ㉕**未定** ㉔**37** 売 単59,717 従 1,940 資 490 住 広島市南区楠那町3-19 ☎082-251-3251
(株)マリモ	不 事業 (単)マンション70 収益不動産30 ㉕**25** ㉔**20** 売 単58,817 従 270 資 100 住 広島市西区庚午北1-17-23 ☎082-273-7772
三島食品(株)	食 事業 (単)ふりかけ37 レトルト13 ペースト17 混ぜごはんの素22 調理素材9 他2 ㉕**若干** ㉔**7** 売 単13,998 従 415 資 90 住 広島市中区南吉島2-1-53 ☎082-245-3211
三菱重工マシナリーテクノロジー(株)	機 事業 (単)一般産業機械他 ㉕**10** ㉔**3** 売 単14,453 従 353 資 100 住 広島市西区観音新町4-6-22 ☎082-291-2339
(株)村上農園	農水 事業 (単)豆苗30 スプラウト60 かいわれ8 他2 ㉕**5** ㉔**13** 売 単9,094 従 115 資 10 住 広島市佐伯区五日市中央4-16-1 ☎082-923-6080
(株)ゆめカード	貸 事業 (単)クレジットカード業50 電子マネー15 融資14 他21 ㉕**未定** ㉔**4** 売 単8,244 従 296 資 480 住 広島市東区二葉の里3-3-1 ☎0570-666-373
(株)宇部スチール	鉄 事業 (単)ビレット80 鋳造品20 ㉕**10** ㉔**6** 売 単27,768 従 274 資 1,000 住 山口県宇部市小串字沖の山1978-19 ☎0836-35-1300
(株)西京銀行	銀 事業 (連)現・預け金12 有価証券17 貸出金70 他1 ㉕**未定** ㉔**47** 売 連33,994 従 591 資 28,497 住 山口県周南市平和通1-10-2 ☎0834-31-1211
大晃機械工業(株)	機 事業 (単)歯車ポンプ ブロワ 遠心ポンプ 真空ポンプ 他 ㉕**15** ㉔**15** 売 単18,954 従 347 資 100 住 山口県熊毛郡田布施町大字下田布施209-1 ☎0820-52-3111
東ソー物流(株)	陸 事業 (単)物流部門100 ㉕**未定** ㉔**7** 売 単51,902 従 674 資 1,200 住 山口県周南市野村1-23-15 ☎0834-63-0077
不二輸送機工業(株)	機 事業 (単)運搬・包装機械 産業用ロボット 他産業用機械の製造販売・輸出入 ㉕**未定** ㉔**6** 売 単12,814 従 322 資 490 住 山口県山陽小野田市東高泊2327-1 ☎0836-83-2237
山口産業(株)	石燃卸 事業 (単)石油製品販売97 CD・DVD販売レンタル,書籍販売2 フィットネスクラブ運営1 ㉕**5** ㉔**10** 売 単109,156 従 131 資 60 住 山口県宇部市琴芝町1-1-25 ☎0836-21-7341

会社名	業種名 事業 会社の事業構成(%) ㉕25年採用計画数(名) ㉔24年入社内定者数(名) 売 売上高(百万円) 従 単独従業員数(名) 資 資本金(百万円) 住 本社の住所, 電話番号
㈱山産	精機卸 事業 (単)機械電気設備エンジニアリング 産業機械商社 ㉕**7** ㉔**3** 売 単12,759 従 123 資 100 住 山口市小郡下郷2189 ☎083-973-2133
UBEマシナリー㈱	機 事業 (単)ダイカスト・押出27 射出成形機28 産機45 ㉕**未定** ㉔**26** 売 単54,024 従 1,160 資 6,700 住 山口県宇部市大字小串字沖ノ山1980 ☎0836-22-0072
大久保産業㈱	精機卸 事業 (単)産業用機械 管工機材 建設土木資材 建築設備機器 環境衛生商品 省エネ機器 ㉕**2** ㉔**4** 売 単10,019 従 103 資 30 住 徳島市昭和町8-8 ☎088-623-1311
大塚包装工業㈱	他製 事業 (単)紙器・段ボールケース60 樹脂成形34 その他包材6 ㉕**未定** ㉔**6** 売 単13,814 従 340 資 58 住 徳島県鳴門市大津町木津野字東辰巳1 ☎088-685-2154
㈱キョーエイ	小 事業 (単)食品関連80 住居関連6 衣料関連10 他4 ㉕**10** ㉔**4** 売 単33,880 従 260 資 48 住 徳島市川内町加賀須野463-15 ☎088-665-9001
四国化工機㈱	機 事業 (単)食品機械45 包装資材35 食品20 ㉕**前年並** ㉔**25** 売 単52,500 従 725 資 145 住 徳島県板野郡北島町太郎八須字西の川10-1 ☎088-698-4141
長生堂製薬㈱	医 事業 (単)医療用医薬品の製造・販売 ㉕**未定** ㉔**12** 売 単12,007 従 384 資 340 住 徳島市国府町府中92 ☎088-642-1101
徳島信用金庫	銀 事業 (単)現・預け金25 有価証券30 貸出金45 他0 ㉕**未定** ㉔**7** 売 単3,081 従 205 資 1,479 住 徳島市紺屋町8 ☎088-622-3191
㈱徳島大正銀行	銀 事業 (単)現・預け金8 有価証券14 貸出金76 他2 ㉕**55** ㉔**47** 売 連48,489 従 1,092 資 14,173 住 徳島市富田浜1-41 ☎088-623-3111
富田製薬㈱	医 事業 (単)粉末透析剤58 塩化ナトリウム5 酸化マグネシウム4 制酸剤10 他23 ㉕**未定** ㉔**6** 売 単20,376 従 611 資 96 住 徳島県鳴門市瀬戸町明神字丸山85-1 ☎088-688-0511
㈱姫野組	建 事業 (単)総合建設業 ㉕**未定** ㉔**7** 売 単11,227 従 158 資 99 住 徳島市佐古8番町5-7 ☎088-623-3211
㈱丸本	食卸 事業 (単)食肉等の卸売・小売 ペットフード製造・卸売 ㉕**5** ㉔**5** 売 単12,251 従 215 資 20 住 徳島県海部郡海陽町大井大谷41 ☎0884-73-1500
朝日スチール工業㈱	金製 事業 (単)フェンス 土木・落石防災製品 一般金網・エキスパンドメタル ㉕**未定** ㉔**16** 売 単27,719 従 566 資 100 住 高松市花園町1-2-29 ☎087-833-5151
㈱味のちぬや	食 事業 (単)コロッケ52 畜肉製品20 メンチカツ15 串もの6 かき揚げ5 水産フライ2 ㉕**8** ㉔**5** 売 単30,980 従 110 資 100 住 香川県三豊市豊中町本山乙708 ☎0875-62-5221
㈱穴吹ハウジングサービス	建管 事業 (単)分譲マンション等の建物管理 駐車場 ㉕**50** ㉔**37** 売 単24,232 従 4,158 資 100 住 高松市紺屋町3-6 ☎087-822-3110
㈱STNet	通 事業 (単)通信70 情報システム30 ㉕**29** ㉔**28** 売 単45,214 従 733 資 3,000 住 高松市春日町1735-3 ☎087-887-2400
㈱香川銀行	銀 事業 (単)有価証券22 貸出金58 他20 ㉕**未定** ㉔**37** 売 連39,580 従 928 資 14,105 住 高松市亀井町6-1 ☎087-861-3121
観音寺信用金庫	銀 事業 (単)現・預け金17 有価証券46 貸出金36 他1 ㉕**未定** ㉔**12** 売 単5,661 従 155 資 706 住 香川県観音寺市観音寺町甲3377-3 ☎0875-25-2181
㈱合田工務店	建 事業 (単)建築請負95 不動産5 ㉕**25** ㉔**18** 売 単67,800 従 384 資 450 住 高松市天神前9-5 ☎087-861-9155
小松印刷グループ㈱	他製 事業 (単)折込広告48 パンフレット・ポスター21 ボックスティッシュ8 ポップ6 他17 ㉕**6** ㉔**6** 売 単16,210 従 573 資 90 住 高松市香南町由佐2100-1 ☎087-879-1248
㈱サムソン	機 事業 (単)ボイラ等販売58 メンテナンス42 ㉕**19** ㉔**25** 売 単8,067 従 382 資 100 住 香川県観音寺市八幡町3-4-15 ☎0875-25-4581
四国アルフレッサ㈱	化医卸 事業 (単)医療用医薬品95 試薬機器5 他0 ㉕**未定** ㉔**7** 売 単73,501 従 439 資 161 住 高松市国分寺町福家甲1255-10 ☎087-802-5000
四国計測工業㈱	電機 事業 (単)製造51 工事45 他4 ㉕**未定** ㉔**25** 売 単18,425 従 799 資 480 住 香川県仲多度郡多度津町南鴨200-1 ☎0877-33-2221
四変テック㈱	電機 事業 (単)電力機器60 電子機器25 精機8 電気給湯機7 ㉕**17** ㉔**8** 売 単15,910 従 471 資 318 住 香川県仲多度郡多度津町桜川2-1-97 ☎0877-33-1212
高松信用金庫	銀 事業 (単)現・預け金26 有価証券32 貸出金39 他3 ㉕**未定** ㉔**15** 売 単7,373 従 397 資 1,910 住 高松市瓦町1-9-2 ☎087-861-0111

会社名	業種名 事業 会社の事業構成(%) ㉕25年採用計画数(名) ㉔24年入社内定者数(名) 売 売上高(百万円) 従 単独従業員数(名) 資 資本金(百万円) 住 本社の住所，電話番号
帝國製薬㈱	医 事業 (単)医家向け医薬品86 一般薬6 他8 ㉕**未定** ㉔**22** 売 単39,516 従 781 資 100 住 香川県東かがわ市三本松567 ☎0879-25-2221
西日本放送㈱	通 事業 (単)テレビ放送96 ラジオ放送4 ㉕**未定** ㉔**4** 売 単6,437 従 65 資 360 住 高松市丸の内8-15 ☎087-826-7333
富士鋼材㈱	鉄金卸 事業 (単)棒鋼50 鋼板20 形鋼15 鉄鋼加工製品10 他5 ㉕**未定** ㉔**3** 売 単64,665 従 185 資 96 住 高松市朝日町5-2-3 ☎087-821-1181
㈱マキタ	自 事業 (単)舶用機関製造・販売85 修理・部品15 ㉕**11** ㉔**16** 売 単20,592 従 372 資 100 住 高松市朝日町4-1-1 ☎087-821-5501
㈱ヤマウチ	小 事業 (単)ガソリンスタンド70 フィットネス20 他10 ㉕**未定** ㉔**23** 売 単36,758 従 621 資 40 住 高松市田村町397 ☎087-867-6868
ユニ・チャーム国光ノンウーヴン㈱	繊衣 事業 (単)不織布製品70 紙製品30 ㉕**4** ㉔**5** 売 単22,325 従 300 資 40 住 香川県観音寺市豊浜町和田浜1531-15 ☎0875-52-6111
四電エンジニアリング㈱	建 事業 (単)機械50 電気19 原子力18 情報通信6 土木建築7 ㉕**40** ㉔**32** 売 単58,587 従 1,068 資 360 住 高松市上之町3-1-4 ☎087-867-1711
四電ビジネス㈱	総卸 事業 (単)ビル・不動産25 環境21 ビジネス54 ㉕**未定** ㉔**11** 売 単14,352 従 553 資 300 住 高松市亀井町7-9 ☎087-807-1151
㈱あわしま堂	食 事業 (単)和菓子62 洋菓子30 他8 ㉕**未定** ㉔**45** 売 単16,366 従 692 資 100 住 愛媛県八幡浜市保内町川之石1-237-53 ☎0894-36-2177
宇和島信用金庫	銀 事業 (単)現・預け金23 有価証券18 貸出金58 他1 ㉕**未定** ㉔**4** 売 単1,773 従 98 資 672 住 愛媛県宇和島市本町追手2-8-21 ☎0895-23-7000
㈱新来島どっく	自 事業 (単)新造船98 他2 ㉕**未定** ㉔**30** 売 単110,616 従 791 資 1,737 住 愛媛県今治市大西町新町甲945 ☎0898-36-5511
生活協同組合コープえひめ	小 事業 (単)共同購入・宅配 店舗 サービス 福祉 共済 ㉕**未定** ㉔**12** 売 単36,183 従 1,612 資 11,287 住 松山市朝生田町3-1-12 ☎089-931-5201
大黒工業㈱	他卸 事業 (単)化成品40 紙製品50 他雑貨10 ㉕**3** ㉔**3** 売 単29,210 従 172 資 100 住 愛媛県四国中央市中曽根町1593 ☎0896-24-2140
㈱タケチ	ゴ皮 事業 (単)電子家電・機器家電用ゴム部品32 冷蔵庫用ドアガスケット31 他37 ㉕**2** ㉔**4** 売 単4,678 従 328 資 100 住 松山市中野町甲936 ☎089-963-1311
マルトモ㈱	食 事業 (単)花かつお だしの素 煮干 つゆ チルド製品の製造・販売 ㉕**10** ㉔**15** 売 単23,955 従 476 資 100 住 愛媛県伊予市米湊1696 ☎089-982-1151
ヤマキ㈱	食 事業 (単)海産乾物・加工調味料等の製造販売 ㉕**前年並** ㉔**19** 売 単47,200 従 677 資 100 住 愛媛県伊予市米湊1698-6 ☎089-982-1231
㈱よんやく	化医卸 事業 (単)医薬89 メディカルシステム6 他5 ㉕**10** ㉔**10** 売 単80,428 従 532 資 119 住 松山市南高井町1828 ☎089-990-4141
㈱リブドゥコーポレーション	他製 事業 (単)紙おむつ78 メディカルディスポーザブル用品22 ㉕**50** ㉔**59** 売 単56,595 従 1,192 資 773 住 愛媛県四国中央市金田町半田乙45-2 ☎0896-58-3019
㈱高知新聞社	新 事業 (単)日刊新聞発行 ㉕**未定** ㉔**5** 売 単7,692 従 277 資 98 住 高知市本町4-1-24 ☎088-822-2111
高知ダイハツ販売㈱	自販 事業 (単)新車 中古車 メンテナンス 他 ㉕**6** ㉔**3** 売 単7,255 従 205 資 30 住 高知県南国市蛍が丘2-3-4 ☎088-804-8881
㈱高知放送	通 事業 (単)テレビ放送収入90 ラジオ放送収入6 事業他4 ㉕**若干** ㉔**3** 売 単3,938 従 100 資 220 住 高知市本町3-2-8 ☎088-825-4200
㈱ソフテック	シソ 事業 (単)システムハウス系38 コンピュータディーラー系38 計算センター系22 マルチメディア商品開発系2 ㉕**10** ㉔**15** 売 単2,015 従 227 資 25 住 高知県南国市蛍が丘1-4 ☎088-880-8877
大旺新洋㈱	建 事業 (単)土木工事50 建築工事40 他工事10 ㉕**9** ㉔**15** 売 単23,038 従 422 資 479 住 高知市仁井田1625-2 ☎088-847-2112
㈱テレビ高知	通 事業 (単)テレビ放送100 ㉕**若干** ㉔**4** 売 単2,745 従 94 資 300 住 高知市北本町3-4-27 ☎088-880-1111
㈱アグリス	精 事業 (単)医療用具47 透析ケアセット30 農業資材20 海外事業3 ㉕**未定** ㉔**8** 売 単9,091 従 213 資 100 住 福岡県八女市鵜池477-1 ☎0943-30-1177

会社名	業種名 事業 会社の事業構成(%) ㉕25年採用計画数(名) ㉔24年入社内定者数(名) 売 売上高(百万円) 従 単独従業員数(名) 資 資本金(百万円) 住 本社の住所, 電話番号
㈱麻生	他サ 事業 (連)セメント7 医療関連11 商社流通3 人材教育6 情報ソフト12 建築土木59 他2 ㉕**15** ㉔**13** 売 連395,750 従 1,981 資 3,580 住 福岡県飯塚市芳雄町7-18 ☎0948-22-3604
㈱アトル	化医卸 事業 (単)医療用医薬品99 他1 ㉕**未定** ㉔**5** 売 単206,703 従 931 資 500 住 福岡市東区香椎浜ふ頭2-5-1 ☎092-665-7100
池田興業㈱	陸 事業 (単)運輸40 業務17 建設19 工務13 物資5 燻蒸2 キルン他4 ㉕**10** ㉔**11** 売 単33,852 従 1,662 資 100 住 北九州市門司区大里本町2-2-5 ☎093-371-0968
㈱岩田屋三越	小 事業 (単)百貨店 ㉕**未定** ㉔**16** 売 単124,516 従 914 資 100 住 福岡市中央区天神2-5-35 ☎092-721-1111
㈱インフォグラム	シソ 事業 (単)ソフトウエア開発54 自社パッケージ販売23 サポート保守21 ハードウエア販売2 他0 ㉕**5** ㉔**6** 売 単590 従 71 資 20 住 福岡市博多区博多駅前2-17-19 ☎092-452-2733
上村建設㈱	建 事業 (単)建築一式100 ㉕**15** ㉔**14** 売 単30,016 従 315 資 100 住 福岡市博多区住吉4-3-2 ☎092-475-6551
FFG証券㈱	証 事業 (単)受入手数料94 トレーディング損益3 金融収益3 ㉕**前年並** ㉔**19** 売 単4,557 従 245 資 3,000 住 福岡市中央区天神2-13-1 ☎092-771-3836
MHT㈱	機 事業 (単)新船42 単品19 修理18 輸出新船12 輸出単品9 ㉕**未定** ㉔**5** 売 単5,137 従 164 資 60 住 福岡市中央区港3-1-53 ☎092-711-1110
㈱オーレック	機 事業 (単)農業用機械器具 ㉕**未定** ㉔**23** 売 単19,771 従 403 資 95 住 福岡県八女郡広川町日吉548-22 ☎0943-32-5002
越智産業㈱	他卸 事業 (単)建築資材 住設機器 ㉕**未定** ㉔**5** 売 単59,261 従 330 資 100 住 福岡市中央区那の津3-12-20 ☎092-711-9171
㈱門倉剪断工業	鉄 事業 (単)鋼板切断加工製品販売100 ㉕**4** ㉔**4** 売 単12,412 従 175 資 99 住 福岡県鞍手郡鞍手町木月2037-4 ☎0949-42-1471
㈱九建	建 事業 (単)架空線工事61 地中線工事24 保守工事他15 ㉕**未定** ㉔**11** 売 単14,905 従 192 資 100 住 福岡市中央区清川2-13-6 ☎092-523-9123
九州東邦㈱	化医卸 事業 (単)医薬品99 他1 ㉕**未定** ㉔**7** 売 単123,218 従 398 資 522 住 福岡市東区箱崎ふ頭3-4-46 ☎092-641-3141
㈱QTnet	通 事業 (単)通信事業94 放送事業3 電力販売事業2 広告事業1 ㉕**22** ㉔**34** 売 単70,993 従 881 資 22,020 住 福岡市中央区天神1-12-20 ☎092-981-7575
九鉄工業㈱	建 事業 (単)土木59 建築40 兼業1 ㉕**25** ㉔**6** 売 単36,094 従 437 資 216 住 北九州市門司区小森江3-12-10 ☎093-371-1731
九電テクノシステムズ㈱	電機 事業 (単)制御盤・電子応用機器関係 電力量計 電流制限器・計器用変成器 高圧受電盤 EV用充電器 他 ㉕**15** ㉔**15** 売 単17,555 従 600 資 327 住 福岡市南区清水4-19-18 ☎092-551-1731
グロリア㈱	繊紙卸 事業 (単)ソックス・Tシャツ・靴40 キャミ10 マット・同カバー10 バック・ベルト10 ルーム小物・同カーテン5 他25 ㉕**10** ㉔**7** 売 単3,414 従 78 資 50 住 福岡市東区多の津2-8-1 ☎092-622-3377
KMアルミニウム㈱	非鉄 事業 (単)IT機材30 半導体装置部材25 基礎素材45 ㉕**10** ㉔**6** 売 単8,588 従 248 資 1,363 住 福岡県大牟田市四山町80 ☎0944-53-3590
KBCグループホールディングス㈱	通 事業 (連)民間放送90 不動産5 他5 ㉕**若干** ㉔**5** 売 連17,349 従 39 資 380 住 福岡市中央区長浜1-1-1 ☎092-721-1234
コンダクト㈱	不 事業 (単)インベストメント81 ソリューション19 ㉕**2** ㉔**3** 売 単2,099 従 11 資 467 住 北九州市小倉北区浅野2-17-38 ☎093-513-3338
㈱サニクリーン九州	他サ 事業 (単)業務75 家庭8 他17 ㉕**50** ㉔**50** 売 単23,637 従 1,830 資 100 住 福岡市博多区半道橋1-17-41 ☎092-474-0081
㈱サンレー	他サ 事業 (単)冠婚葬祭 介護 他 ㉕**30** ㉔**18** 売 単19,268 従 490 資 50 住 北九州市小倉北区上富野3-2-8 ☎093-551-3030
㈱シー・アール・シー	他サ 事業 (単)臨床検査受託80 健康診断支援13 他7 ㉕**未定** ㉔**10** 売 単6,981 従 242 資 20 住 福岡市南区長丘2-1-4 ☎092-623-2111
㈱JR博多シティ	不 事業 (単)商業施設の開発・運営 ㉕**2** ㉔**4** 売 単17,213 従 86 資 1,150 住 福岡市博多区博多駅中央街7-21 ☎092-441-5941
㈱シティアスコム	シソ 事業 (単)ソフトウェア開発77 保守運用6 他17 ㉕**25** ㉔**26** 売 単10,167 従 481 資 442 住 福岡市早良区百道浜2-2-22 ☎092-852-5111

会社名	業種名 事業 会社の事業構成(%) ㉕25年採用計画数(名) ㉔24年入社内定者数(名) 売 売上高(百万円) 従 単独従業員数(名) 資 資本金(百万円) 住 本社の住所, 電話番号
㈱翔薬	化医卸 事業 (単)医療用医薬品93 医療機器1 他6 ㉕10 ㉔15 売 単179,662 従 509 資 880 住 福岡市博多区山王2-3-5 ☎092-471-2200
㈱新出光	石燃卸 事業 (単)石油製品95 太陽光発電機器1 他4 ㉕12 ㉔12 売 連285,812 従 361 資 100 住 福岡市博多区上呉服町1-10 ☎092-291-4134
新ケミカル商事㈱	化医卸 事業 (単)化学品47 合成樹脂23 硫安10 コークス10 炭素材3 他7 ㉕未定 ㉔3 売 単45,466 従 117 資 400 住 北九州市小倉北区京町3-1-1 ☎093-288-5300
新日本非破壊検査㈱	他サ 事業 (単)検査 工事管理 メカトロニクス ㉕10 ㉔6 売 単6,366 従 397 資 60 住 北九州市小倉北区井堀4-10-13 ☎093-581-1234
双日九州㈱	総卸 事業 (単)機械43 物資27 食料22 非鉄6 他3 ㉕未定 ㉔5 売 単11,522 従 83 資 500 住 福岡市中央区天神1-4-2 ☎092-751-3308
大電㈱	非鉄 事業 (単)電線・電力用機器48 FAロボット電線35 ネットワーク機器11 産業機器6 ㉕未定 ㉔12 売 単20,735 従 462 資 412 住 福岡県久留米市南2-15-1 ☎0942-22-1111
田中藍㈱	化医卸 事業 (単)無機薬品30 合成ゴム樹脂20 有機薬品15 他35 ㉕10 ㉔5 売 単44,241 従 136 資 330 住 福岡県久留米市城南町8-27 ☎0942-32-6331
鶴丸海運㈱	海 事業 (単)海運業44 トラック運送業26 港湾運送業22 他8 ㉕未定 ㉔16 売 単21,056 従 412 資 200 住 北九州市若松区本町1-5-11 ☎093-761-5631
㈱ドーワテクノス	電卸 事業 (単)モータ等電気品43 工事・改造・改作9 サーボ等メカトロ製作15 修理・点検4 表示器4 他25 ㉕3 ㉔5 売 単14,679 従 202 資 87 住 北九州市八幡西区黒崎城石3-5 ☎093-621-4132
㈱ニシイ	化医卸 事業 (単)塗料50 塗料用関連資材他50 ㉕10 ㉔3 売 単24,748 従 265 資 48 住 福岡市博多区東比恵3-4-6 ☎092-415-0241
西鉄エム・テック㈱	機保 事業 (単)バス整備32 一般整備34 商事販売21 他13 ㉕未定 ㉔7 売 単9,194 従 454 資 60 住 福岡市中央区大名2-4-30 ☎092-762-5220
㈱西日本シティ銀行	銀 事業 (単)現・預け金17 有価証券13 貸出金68 他2 ㉕増加 ㉔227 売 単157,460 従 3,154 資 85,745 住 福岡市博多区博多駅前1-3-6 ☎‥
西日本プラント工業㈱	建 事業 (単)保修部門80 建設部門20 ㉕50 ㉔51 売 単67,691 従 2,046 資 150 住 福岡市中央区高砂1-10-1 ☎‥
ニシム電子工業㈱	電機 事業 (単)電気通信機器製造・販売31 電気通信工事32 電気通信機器保守37 ㉕20 ㉔12 売 単32,432 従 836 資 300 住 福岡市博多区美野島1-2-1 ☎092-461-0246
日鉄ソリューションズ九州㈱	シソ 事業 (単)製鉄システム 親会社連携事業 大学ソリューション 地域顧客向けソリューション ㉕35 ㉔39 売 単14,119 従 625 資 90 住 福岡市博多区博多駅前2-3-7 ☎092-471-2022
日本磁力選鉱㈱	鉄 事業 (単)鉄鋼63 環境33 プラント3 他1 ㉕14 ㉔5 売 単20,378 従 419 資 448 住 北九州市小倉北区馬借3-6-42 ☎093-521-4455
日本地研㈱	建 事業 (単)地質調査66 建設工事34 測量0 ㉕6 ㉔5 売 単2,079 従 120 資 50 住 福岡市博多区諸岡5-25-25 ☎092-571-2764
㈱ハローデイ	小 事業 (単)スーパーマーケット ㉕未定 ㉔11 売 単83,191 従 859 資 50 住 北九州市小倉南区徳力3-6-16 ☎093-963-4780
㈱深江工作所	金製 事業 (単)金型45 プレス加工55 ㉕未定 ㉔9 売 単7,606 従 312 資 48 住 北九州市八幡西区則松5-3-9 ☎093-691-1731
㈱福岡魚市場	食卸 事業 (単)受託販売47 買付販売53 ㉕未定 ㉔5 売 単42,496 従 107 資 100 住 福岡市中央区長浜3-11-3 ☎092-711-6000
福岡信用金庫	銀 事業 (単)現・預け金17 有価証券18 貸出金61 他4 ㉕未定 ㉔8 売 単2,450 従 148 資 640 住 福岡市中央区天神1-6-8 ☎092-751-4732
福岡トヨタ自動車㈱	自販 事業 (単)新車 中古車 サービスリース他 ㉕80 ㉔78 売 単102,739 従 1,239 資 50 住 福岡市中央区渡辺通4-8-28 ☎092-761-3331
福岡ひびき信用金庫	銀 事業 (単)現・預け金12 有価証券35 貸出金47 他6 ㉕未定 ㉔26 売 単18,571 従 519 資 3,430 住 北九州市八幡東区尾倉2-8-1 ☎093-661-2311
㈱ふくや	食 事業 (単)明太子販売70 業務用食品30 ㉕5 ㉔5 売 単13,587 従 280 資 30 住 福岡市博多区中洲2-6-10 ☎092-291-3575
不二精機㈱	機 事業 (単)おにぎりロボット 製麺機 寿司ロボット 弁当ロボット 他 ㉕前年並 ㉔18 売 単11,832 従 418 資 100 住 福岡市博多区西月隈3-2-35 ☎092-411-2977

会社名	業種名 事業 会社の事業構成(%) ㉕25年採用計画数(名) ㉔24年入社内定者数(名) 売 売上高(百万円) 従 単独従業員数(名) 資 資本金(百万円) 住 本社の住所，電話番号
㈱ペンシル	シソ 事業 (単)WEBコンサルティング業・戦略的WEBサイトの制作・サイト解析他 ㉕**未定** ㉔**5** 売 単2,484 従 100 資 50 住 福岡市中央区天神1-10-20 ☎092-235-5210
㈱松本商店	小 事業 (単)鉄鋼製品・非鉄金属・プラスチック製品の販売，製作請負 他 ㉕**3** ㉔**3** 売 単3,055 従 75 資 30 住 福岡県久留米市津福本町2348-29 ☎0942-46-7355
明治屋産業㈱	小 事業 (単)食肉75 デリカ16 レストラン5 他4 ㉕**28** ㉔**11** 売 単31,557 従 984 資 98 住 福岡市博多区博多駅東2-14-1 ☎092-432-9511
㈱矢野特殊自動車	自 事業 (単)冷凍・冷蔵車他バン型車82 タンクローリー他タンク車8 他12 ㉕**12** ㉔**7** 売 単13,166 従 370 資 100 住 福岡県糟屋郡新宮町上府北4-2-1 ☎092-963-2000
㈱ヤマサキ	建 事業 (単)築炉工事85 鋼構造物工事10 管工事他5 ㉕**未定** ㉔**6** 売 単14,846 従 464 資 45 住 福岡県大牟田市大字橘11 ☎0944-58-1366
豊鋼材工業㈱	鉄 事業 (単)加工67 受託5 在庫5 直送23 ㉕**未定** ㉔**5** 売 単17,833 従 206 資 450 住 福岡県糟屋郡篠栗町尾仲572 ☎092-947-3351
ユニプレス九州㈱	自 事業 (単)自動車部品100 ㉕**4** ㉔**9** 売 単44,382 従 460 資 450 住 福岡県京都郡みやこ町勝山松田507 ☎0930-32-4051
㈱ラック	他サ 事業 (単)婚礼8 衣裳9 典礼79 飲食1 福祉2 賃借料収入1 ㉕**15** ㉔**11** 売 単6,001 従 350 資 65 住 福岡市博多区東比恵3-14-25 ☎092-473-0101
㈱ワイドレジャー	レ 事業 (単)アミューズメント95 テナント賃貸3 他2 ㉕**30** ㉔**26** 売 単27,812 従 370 資 50 住 福岡県小郡市小郡2413-1 ☎0942-72-7534
九州ひぜん信用金庫	銀 事業 (単)現・預け金29 有価証券18 貸出金51 他2 ㉕**7** ㉔**4** 売 単2,410 従 147 資 1,954 住 佐賀県武雄市武雄町大字富岡8894 ☎0954-23-1281
㈱佐賀共栄銀行	銀 事業 (単)現・預け金7 有価証券19 貸出74 他0 ㉕**未定** ㉔**5** 売 単6,094 従 253 資 2,679 住 佐賀市松原4-2-12 ☎0952-26-2161
㈱佐賀鉄工所	金製 事業 (連)ボルト100 ㉕**未定** ㉔**10** 売 連90,343 従 572 資 310 住 佐賀市神園1-5-30 ☎0952-31-2111
㈱佐賀電算センター	シソ 事業 (単)ソフトウェア 情報処理提供サービス インターネット付随サービス 他 ㉕**30** ㉔**23** 売 単7,887 従 363 資 80 住 佐賀市兵庫町藤木1427-7 ☎0952-34-1500
㈱佐電工	建 事業 (単)電力供給工事10 内線工事70 空調管工事13 情報通信等工事7 ㉕**未定** ㉔**14** 売 単24,410 従 440 資 100 住 佐賀市天神1-4-3 ☎0952-23-4144
トヨタ紡織九州㈱	自 事業 (単)自動車内装部品98 エアフィルターエンジン吸気系部品2 ㉕**未定** ㉔**21** 売 単89,463 従 976 資 480 住 佐賀県神埼市神埼町鶴1600 ☎0952-52-7111
㈱中山鉄工所	機 事業 (単)破砕機等・プラント63 パーツ26 修理他11 ㉕**4** ㉔**5** 売 単6,991 従 125 資 86 住 佐賀県武雄市朝日町大字甘久2246-1 ☎0954-22-4171
日清紡マイクロデバイスAT㈱	電機 事業 (単)電子デバイス100 ㉕**20** ㉔**22** 売 単6,955 従 336 資 50 住 佐賀県神埼郡吉野ヶ里町立野950 ☎0952-52-3181
松尾建設㈱	建 事業 (連)建設96 他4 ㉕**25** ㉔**20** 売 連93,053 従 678 資 100 住 佐賀市多布施1-4-27 ☎0952-24-1181
㈱ミゾタ	機 事業 (単)鉄工事業67 水処理事業33 ㉕**未定** ㉔**24** 売 単10,340 従 428 資 100 住 佐賀市伊勢町15-1 ☎0952-26-2551
理研農産化工㈱	食 事業 (単)食用油80 小麦粉18 有機配合肥料2 ㉕**未定** ㉔**4** 売 単29,879 従 186 資 1,100 住 佐賀市大財北町2-1 ☎0952-23-4181
㈱ワイビーエム	機 事業 (単)地盤改良機他69 ツールス他16 ボーリングマシン・ポンプ15 ㉕**5** ㉔**6** 売 単8,510 従 280 資 100 住 佐賀県唐津市原1534 ☎0955-77-1121
イサハヤ電子㈱	電機 事業 (単)小信号半導体50 パワー半導体50 ㉕**未定** ㉔**7** 売 単11,564 従 172 資 485 住 長崎県諫早市津久葉町6-41 ☎0957-26-3592
㈱エレナ	小 事業 (単)生鮮食品37 一般食料品39 日配品16 他8 ㉕**20** ㉔**18** 売 単58,425 従 460 資 50 住 長崎県佐世保市大塔町8-2 ☎0956-32-0100
佐世保重工業㈱	自 事業 (連)修繕船80 機械16 他4 ㉕**未定** ㉔**4** 売 連14,555 従 368 資 100 住 長崎県佐世保市立神町1 ☎0956-25-9111
東京エレクトロンデバイス長崎㈱	電機 事業 (単)産業用制御機器9 CT関連機器6 電力・省エネ関連機器8 半導体製造装置関連機器45 他32 ㉕**5** ㉔**5** 売 単6,333 従 151 資 134 住 長崎県諫早市津久葉町6-47 ☎0957-25-2001

会社名	業種名 事業 会社の事業構成(%) ㉕25年採用計画数(名) ㉔24年入社内定者数(名) 売 売上高(百万円) 従 単独従業員数(名) 資 資本金(百万円) 住 本社の住所, 電話番号
㈱長崎銀行	銀 事業 (単)現・預け金11 有価証券4 貸出金84 他1 ㉕**未定** ㉔**10** 売 単4,807 従 212 資 7,621 住 長崎市栄町3-14 ☎095-825-4151
アイシン九州㈱	自 事業 (単)自動車機能部品・装飾部品96 半導体製造装置・液晶製造装置他4 ㉕**21** ㉔**24** 売 単34,857 従 764 資 1,490 住 熊本市南区城南町舞原500-1 ☎0964-28-8181
アイシン九州キャスティング㈱	自 事業 (単)ダイカストから加工・組立・生産 ㉕**7** ㉔**9** 売 単14,187 従 344 資 1,000 住 熊本市南区城南町舞原1227-1 ☎0964-28-1611
天草信用金庫	銀 事業 (単)現・預け金38 有価証券21 貸出金41 他0 ㉕**未定** ㉔**4** 売 単2,742 従 132 資 434 住 熊本県天草市太田町9-3 ☎0969-24-1177
内村酸素㈱	他卸 事業 (単)高圧ガス22 溶接材料21 機械工具26 FA商品23 電子材料4 消費財4 ㉕**未定** ㉔**3** 売 単10,824 従 111 資 96 住 熊本市中央区本荘5-13-18 ☎096-371-8730
九州産業交通ホールディングス㈱	鉄バ 事業 (連)自動車運送39 食堂・売店27 旅行6 不動産賃貸10 整備6 航空代理店3 海上運送等9 ㉕**22** ㉔**35** 売 連0 従 59 資 1,065 住 熊本市中央区新市街1-28 ☎096-325-8229
熊本信用金庫	銀 事業 (単)現・預け金34 有価証券15 貸出金48 他3 ㉕**未定** ㉔**8** 売 単2,996 従 159 資 1,077 住 熊本市中央区手取本町2-1 ☎096-326-2211
熊本第一信用金庫	銀 事業 (単)現・預け金42 有価証券7 貸出金48 他3 ㉕**未定** ㉔**6** 売 単4,551 従 218 資 3,647 住 熊本市中央区花畑町10-29 ☎096-355-6111
㈱熊本日日新聞社	新 事業 (単)日刊新聞100 ㉕**未定** ㉔**4** 売 単13,497 従 396 資 15 住 熊本市中央区世安1-5-1 ☎096-361-3111
金剛㈱	金製 事業 (単)保管・保存関連58 セキュリティ関連2 エンジニアリング＆サービス5 他市販品関連35 ㉕**未定** ㉔**5** 売 単8,304 従 300 資 60 住 熊本市西区上熊本3-8-1 ☎096-355-1111
重光産業㈱	食 事業 (単)食品製造50 飲食25 フランチャイズ25 ㉕**4** ㉔**5** 売 単2,429 従 108 資 64 住 熊本県菊池郡菊陽町辛川448 ☎096-349-2222
㈱SYSKEN	建 事業 (単)情報電気通信76 総合設備22 他2 ㉕**25** ㉔**21** 売 単27,555 従 589 資 801 住 熊本市中央区萩原町14-45 ☎096-285-1111
㈱新星	建 事業 (単)電気工事63 管工事36 電気通信工事1 水道・消防施設工事1 ㉕**未定** ㉔**4** 売 単3,055 従 65 資 31 住 熊本市東区神園2-1-1 ☎096-380-1188
㈱鶴屋百貨店	小 事業 (単)衣料品30 身の回り品12 雑貨21 家庭用品6 食料品27 他4 ㉕**20** ㉔**18** 売 単46,997 従 519 資 100 住 熊本市中央区手取本町6-1 ☎096-356-2111
富田薬品㈱	化医卸 事業 (単)医薬部門93 A＆S部門7 ㉕**15** ㉔**15** 売 単146,776 従 676 資 2,415 住 熊本市中央区九品寺6-2-35 ☎096-373-1111
ネクサス㈱	化 事業 (単)プラ成形品25 ユニット組立品58 プラ・マグネシウム成形用金型7 マグネシウム成形品他10 ㉕**若干** ㉔**3** 売 単4,085 従 169 資 91 住 熊本県玉名郡南関町下坂下1683-4 ☎0968-53-8181
㈱ヒライ	外 事業 (単)弁当・サンドイッチ・すし40 厨房製品(うどん・フライ等)40 菓子・ジュース類20 ㉕**10** ㉔**5** 売 単17,272 従 2,156 資 50 住 熊本市西区春日7-26-70 ☎096-324-3666
㈱九州エナジー	石燃卸 事業 (単)ガソリン 軽油 重油 白灯油 ㉕**未定** ㉔**3** 売 単22,550 従 141 資 100 住 大分市都町3-1-1 ☎097-534-0468
㈱佐伯建設	建 事業 (単)建築工事75 土木工事23 不動産事業他2 ㉕**10** ㉔**11** 売 単13,914 従 247 資 100 住 大分市中島西3-5-1 ☎097-536-1530
鶴崎海陸運輸㈱	倉埠 事業 (単)構内事業33 物流16 石油販売25 ポートサービス業20 他6 ㉕**30** ㉔**30** 売 単19,320 従 824 資 80 住 大分市三佐1000 ☎097-521-6111
㈱テレビ大分	通 事業 (単)テレビ放送 ㉕**未定** ㉔**4** 売 単4,678 従 90 資 500 住 大分市春日浦843-25 ☎097-532-9111
㈱トキハ	小 事業 (単)衣料品30 食料品34 雑貨17 家庭用品6 身回品10 他3 ㉕**未定** ㉔**17** 売 単17,673 従 592 資 100 住 大分市府内町2-1-4 ☎097-538-1111
㈱フォレストホールディングス	化医卸 事業 (連)医薬品等卸販売100 臨床検査0 他0 ㉕**61** ㉔**47** 売 連504,770 従 68 資 3,000 住 大分市西大道2-3-8 ☎097-543-2111
霧島酒造㈱	食 事業 (単)本格焼酎99 地ビール1 ㉕**20** ㉔**50** 売 単53,113 従 599 資 3 住 宮崎県都城市下川東4-28-1 ☎0986-22-2323
向陽プラントサービス㈱	建 事業 (単)各種プラントの建設工事・機器組立56 設備メンテナンス・日常保全工事44 ㉕**7** ㉔**7** 売 単10,311 従 238 資 100 住 宮崎県延岡市大武町39-5 ☎0982-34-2551

会社名	業種名 (事業)会社の事業構成(%) ㉕25年採用計画数(名) ㉔24年入社内定者数(名) (売)売上高(百万円) (従)単独従業員数(名) (資)資本金(百万円) (住)本社の住所,電話番号
㈱ソラシドエア	航 (事業)(単)航空運送事業 ㉕未定 ㉔57 (売)単49,942 (従)1,049 (資)100 (住)宮崎市大字赤江 ☎0985-89-0123
㈱テレビ宮崎	通 (事業)(単)放送事業収入94 他6 ㉕6 ㉔8 (売)単6,950 (従)139 (資)330 (住)宮崎市祇園2-78 ☎0985-31-5111
㈱宮崎日日新聞社	新 (事業)(単)日刊新聞発行 ㉕未定 ㉔3 (売)単6,303 (従)223 (資)40 (住)宮崎市高千穂通1-1-33 ☎0985-26-9315
ENEOS喜入基地㈱	石燃卸 (事業)(単)石油の貯蔵および受払業務100 ㉕3 ㉔4 (売)単7,687 (従)104 (資)6,000 (住)鹿児島市喜入中名町2856-5 ☎099-345-1131
鹿児島相互信用金庫	銀 (事業)(単)現・預け金30 有価証券12 貸出金53 他5 ㉕20 ㉔21 (売)単9,660 (従)557 (資)7,185 (住)鹿児島市与次郎1-6-30 ☎099-259-5222
鹿児島テレビ放送㈱	通 (事業)(単)放送料97 他3 ㉕4 ㉔3 (売)単4,671 (従)113 (資)300 (住)鹿児島市紫原6-15-8 ☎099-258-1111
㈱土佐屋	総卸 (事業)(単)セメント51 鋼材30 インテリア3 リゾート13 他3 ㉕5 ㉔3 (売)単12,173 (従)243 (資)95 (住)鹿児島市宇宿2-9-11 ☎099-230-0010
南国交通㈱	鉄バ (事業)(連)一般旅客自動車運送64 航空運送代理店30 他関連事業6 ㉕35 ㉔29 (売)連8,418 (従)967 (資)337 (住)鹿児島市中央町18-1 ☎099-255-2141
南国殖産㈱	総卸 (事業)(連)建設資材11 エネルギー関連52 機械設備8 情報通信8 ビル賃貸3 再生可能エネ9 他9 ㉕35 ㉔28 (売)連196,120 (従)1,172 (資)500 (住)鹿児島市中央町18-1 ☎099-255-2111
日之出紙器工業㈱	パ紙 (事業)(単)段ボールケース70 段ボールシート13 美粧箱他16 ㉕未定 ㉔7 (売)単16,059 (従)426 (資)81 (住)鹿児島県日置市伊集院町麦生田2158 ☎099-273-9111
㈱山形屋	小 (事業)(単)百貨店100 ㉕若干 ㉔10 (売)単16,239 (従)497 (資)100 (住)鹿児島市金生町3-1 ☎099-227-6111
㈱山野井	食 (事業)(単)食肉加工品100 ㉕3 ㉔5 (売)単825 (従)58 (資)43 (住)鹿児島県南さつま市金峰町高橋3075-28 ☎0993-77-3800
ザ・テラスホテルズ㈱	ホ (事業)(単)ホテル95 ゴルフ5 ㉕60 ㉔49 (売)単23,063 (従)1,711 (資)2,050 (住)沖縄県名護市喜瀬1808 ☎098-864-1191
大同火災海上保険㈱	保 (事業)(単)火災9 海上1 傷害3 自動車64 自賠責13 他10 ㉕8 ㉔8 (売)連17,135 (従)325 (資)1,054 (住)那覇市久茂地1-12-1 ☎098-867-1161
拓南製鐵㈱	鉄 (事業)(単)棒鋼87 バーインコイル(軟鋼線材)3 他10 ㉕7 ㉔15 (売)単17,117 (従)180 (資)400 (住)沖縄市海邦町3-26 ☎098-934-6822
琉球セメント㈱	ガ土 (事業)(連)セメント・セメント関連41 鉱産品42 商事関連8 他9 ㉕4 ㉔3 (売)連17,641 (従)101 (資)1,411 (住)沖縄県浦添市西洲2-2-2 ☎098-870-1080
㈱琉球ネットワークサービス	シソ (事業)(単)コンピュータソフト開発98 他2 ㉕10 ㉔12 (売)単1,195 (従)198 (資)30 (住)那覇市久米2-4-16 ☎098-864-1001
㈱りゅうせき	石燃卸 (事業)(連)石油関連73 ガス関連7 他20 ㉕26 ㉔19 (売)連110,437 (従)441 (資)1,050 (住)沖縄県浦添市西洲2-2-3 ☎098-875-5000

博士・高専生の採用情報

業種別・博士課程修了予定者を採用する会社

会社名 （掲載ページ）		23年	24年	25年
●商社・卸売業●				
三井物産㈱	*83*	1	1	—
双日㈱	*85*	1	0	0
㈱日立ハイテク	*96*	0	6	4
長瀬産業㈱	*105*	1	0	0
興和㈱	*123*	0	2	3
岩谷産業㈱	*127*	1	1	0
松田産業㈱	*133*	0	1	0
●シンクタンク●				
㈱野村総合研究所	*140*	1	1	1
㈱日本総合研究所	*140*	0	1	0
みずほリサーチ＆テクノロジーズ㈱	*141*	1	1	0
㈱三菱総合研究所	*141*	1	2	1
㈱大和総研	*142*	1	3	0
三菱ＵＦＪリサーチ＆コンサルティング㈱	*142*	0	0	2
●コンサルティング●				
ＩＤ＆Ｅグループ	*144*	0	1	1
パシフィックコンサルタンツ㈱	*145*	1	0	0
㈱オリエンタルコンサルタンツグローバル	*146*	1	0	1
●通信サービス●				
日本電信電話㈱	*150*	17	24	39
㈱ＮＴＴドコモ	*150*	1	1	—
ソフトバンク㈱	*151*	7	5	—
ＫＤＤＩ㈱	*151*	3	2	2
㈱インターネットイニシアティブ	*154*	0	2	5
●システム・ソフト●				
㈱ＮＴＴデータ	*157*	1	0	—
㈱日立システムズ	*160*	0	1	0
ＢＩＰＲＯＧＹ㈱	*160*	1	0	1
日鉄ソリューションズ㈱	*161*	1	0	2
ＧＭＯインターネットグループ㈱	*163*	0	0	1
㈱ＮＳＤ	*171*	0	1	0
㈱ＪＳＯＬ	*176*	1	0	0
㈱構造計画研究所	*192*	4	2	2
㈱ハイマックス	*193*	0	0	1
●銀行●				
㈱千葉銀行	*211*	0	0	1
㈱大垣共立銀行	*218*	1	0	—
●証券●				
大和証券グループ	*237*	4	4	—
ＳＭＢＣ日興証券㈱	*239*	1	1	2
㈱日本取引所グループ	*240*	0	0	1
●生保●				
オリックス生命保険㈱	*251*	0	0	1
●損保●				
あいおいニッセイ同和損害保険㈱	*254*	1	0	—
●信販・カード・リース他●				
アイフル㈱	*270*	1	0	0
●広告●				
㈱電通ＰＲコンサルティング	*288*	0	1	0
●出版●				
学研グループ	*298*	0	0	1
●電機・事務機器●				
㈱リコー	*311*	3	5	3
セイコーエプソン㈱	*312*	2	1	6
コニカミノルタ㈱	*312*	6	10	3
ブラザー工業㈱	*313*	0	1	0
沖電気工業㈱	*314*	0	1	0
㈱ＰＦＵ	*315*	0	2	0
富士電機㈱	*317*	1	1	2
オムロン㈱	*318*	0	1	3
㈱安川電機	*318*	3	0	0

業種別・博士課程修了予定者を採用する会社 278 社

会社名	（掲載ページ）	23年	24年	25年
㈱島津製作所	319	6	6	5
㈱堀場製作所	319	2	1	1
㈱明電舎	320	0	1	0
㈱ダイヘン	321	0	0	1
日本電子㈱	321	1	4	2
日東工業㈱	322	1	0	0
㈱イシダ	322	1	1	1
古野電気㈱	324	0	0	1
アジレント・テクノロジー㈱	325	0	0	2
●電子部品・機器●				
ＴＤＫ㈱	326	4	1	3
京セラ㈱	327	4	6	4
㈱村田製作所	327	3	2	5
ルネサスエレクトロニクス㈱	328	1	5	12
ミネベアミツミ㈱	328	0	1	0
キオクシア㈱	329	19	6	3
アルプスアルパイン㈱	329	2	1	0
日東電工㈱	330	2	0	0
日亜化学工業㈱	330	2	2	3
ローム㈱	331	4	1	0
イビデン㈱	331	3	0	2
太陽誘電㈱	332	0	1	1
アズビル㈱	333	0	1	0
浜松ホトニクス㈱	335	1	0	0
㈱ソシオネクスト	336	1	1	1
新光電気工業㈱	337	0	2	0
ニチコン㈱	338	0	0	1
㈱メイコー	338	0	0	1
新電元工業㈱	343	1	0	0
㈱タムロン	345	1	0	0
東京計器㈱	346	0	1	0
日本テキサス・インスツルメンツ（合同）	349	2	1	2
東京エレクトロン㈱	350	5	4	15
横河電機㈱	350	0	2	0
㈱ＳＣＲＥＥＮホールディングス	351	2	9	18
㈱ディスコ	352	0	0	2
レーザーテック㈱	353	1	1	2
ウシオ電機㈱	354	2	0	0

会社名	（掲載ページ）	23年	24年	25年
●住宅・医療機器他●				
オリンパス㈱	356	0	1	0
テルモ㈱	357	4	3	1
キヤノンメディカルシステムズ㈱	358	4	4	2
シスメックス㈱	358	2	0	7
日本光電	359	1	0	0
●自動車●				
日産自動車㈱	361	5	10	—
スズキ㈱	361	1	1	—
マツダ㈱	362	0	0	3
三菱自動車工業㈱	363	1	2	2
ＵＤトラックス㈱	365	0	0	2
ヤマハ発動機㈱	365	1	0	0
●自動車部品●				
㈱ＧＳユアサ	371	1	1	1
㈱ブリヂストン	372	3	5	2
横浜ゴム㈱	373	0	1	0
ＴＯＹＯ ＴＩＲＥ㈱	373	0	0	2
ＮＯＫ㈱	378	0	1	2
日清紡ホールディングス㈱	385	0	1	0
武蔵精密工業㈱	388	1	2	0
㈱エクセディ	389	0	1	0
三ツ星ベルト㈱	392	0	1	0
●輸送用機器●				
ジャパン マリンユナイテッド㈱	396	0	1	0
㈱シマノ	399	2	0	0
●機械●				
三菱重工業㈱	399	4	1	—
㈱ＩＨＩ	400	4	4	—
㈱クボタ	401	0	0	3
古河機械金属㈱	404	0	0	1
井関農機㈱	404	0	1	0
ダイキン工業㈱	405	2	4	5
コマツ	406	0	1	0
㈱東光高岳	409	0	1	0
㈱ジェイテクト	410	0	1	0

業種別・博士課程修了予定者を採用する会社 278 社

会社名	（掲載ページ）	23年	24年	25年
ＮＴＮ㈱	410	2	0	0
日本精工㈱	411	1	0	0
㈱日本製鋼所	412	2	0	1
住友重機械工業㈱	413	1	0	2
ＳＭＣ㈱	414	0	0	1
㈱マキタ	414	0	1	0
ナブテスコ㈱	417	1	0	0
㈱椿本チエイン	417	0	1	0
㈱ミツトヨ	419	0	1	0
㈱ＦＵＪＩ	420	1	0	0
ファナック㈱	424	1	0	2
ＤＭＧ森精機㈱	425	2	5	0
オークマ㈱	426	1	1	1
㈱牧野フライス製作所	426	1	0	0
㈱荏原製作所	427	1	1	6
カナデビア㈱	428	0	0	2
栗田工業㈱	428	1	2	3
●食品・水産●				
サントリーホールディングス㈱	434	0	1	1
アサヒビール㈱	434	0	0	2
キリンホールディングス㈱	435	3	5	5
㈱ヤクルト本社	437	2	0	1
森永乳業㈱	440	1	0	0
ＪＴ	441	7	7	—
味の素㈱	441	2	7	9
㈱明治	442	0	0	1
アサヒグループ食品㈱	445	0	0	1
キッコーマン㈱	448	0	0	1
日清食品㈱	451	0	0	1
㈱ニッスイ	461	1	0	1
●印刷・紙パルプ●				
ＴＯＰＰＡＮホールディングス㈱	463	1	0	0
大日本印刷㈱	464	0	2	—
日本製紙㈱	466	0	1	0
●化粧品・トイレタリー●				
㈱資生堂	468	4	2	2
㈱ファンケル	469	0	0	1
花王㈱	470	0	3	0
ライオン㈱	471	1	0	2

会社名	（掲載ページ）	23年	24年	25年
●医薬品●				
田辺三菱製薬㈱	472	7	1	1
アステラス製薬㈱	473	7	6	6
中外製薬㈱	473	40	40	42
エーザイ㈱	474	13	4	7
小野薬品工業㈱	474	15	19	19
塩野義製薬㈱	475	18	12	15
住友ファーマ㈱	475	11	15	7
ロート製薬㈱	476	6	6	4
東和薬品㈱	477	2	0	2
大正製薬㈱	478	0	0	1
日本新薬㈱	479	10	8	6
杏林製薬㈱	479	2	0	1
持田製薬㈱	480	1	0	1
日本ケミファ㈱	482	1	0	2
●化学●				
三菱ケミカル㈱	483	5	1	2
旭化成グループ	484	24	26	9
東レ㈱	484	8	13	12
住友化学㈱	485	37	29	15
信越化学工業㈱	485	7	6	10
三井化学㈱	486	11	9	10
㈱レゾナック	486	16	18	10
積水化学工業㈱	487	4	2	4
帝人㈱	487	1	0	0
東ソー㈱	488	1	1	7
三菱ガス化学㈱	488	3	8	12
㈱クラレ	489	2	2	3
㈱カネカ	489	0	1	2
㈱ダイセル	490	2	3	1
東洋紡㈱	491	0	1	1
ＪＳＲ㈱	491	11	5	4
㈱ＡＤＥＫＡ	492	1	0	2
デンカ㈱	492	3	4	0
日本ゼオン㈱	493	2	3	3
㈱トクヤマ	493	4	5	3
日本化薬㈱	496	0	2	0
東京応化工業㈱	497	1	1	1
三洋化成工業㈱	498	1	0	0
大陽日酸㈱	501	0	1	3

業種別・博士課程修了予定者を採用する会社 278 社

会社名	（掲載ページ）	23年	24年	25年
エア・ウォーター㈱	502	0	2	0
㈱日本触媒	502	3	3	6
日産化学㈱	503	3	0	1
日油㈱	503	0	2	1
高砂香料工業㈱	504	1	1	1
㈱クレハ	504	2	2	3
東亞合成㈱	505	1	1	1
日本曹達㈱	505	0	1	0
日本パーカライジング㈱	506	0	1	0
日本農薬㈱	506	0	2	1
日本ペイントホールディングス㈱	507	0	0	1
ＤＩＣ㈱	508	4	5	6
ａｒｔｉｅｎｃｅ㈱	509	0	2	1
●衣料・繊維●				
クラボウ	510	0	1	1
セーレン㈱	511	0	0	1
●ガラス・土石●				
ＡＧＣ㈱	514	11	4	12
日本電気硝子㈱	515	1	2	2
セントラル硝子㈱	516	1	4	2
日東紡	516	0	1	0
太平洋セメント㈱	517	0	2	1
ＵＢＥ三菱セメント㈱	517	1	0	3
日本特殊陶業㈱	518	2	0	1
日本ガイシ㈱	519	0	0	1
東海カーボン㈱	519	1	0	0
日本コークス工業㈱	522	0	1	0
●金属製品●				
㈱ＬＩＸＩＬ	522	1	0	0
東洋製罐グループホールディングス㈱	523	0	0	4
㈱ＳＵＭＣＯ	524	0	1	0
●鉄鋼●				
日本製鉄㈱	527	0	1	0
ＪＦＥスチール㈱	527	0	1	0
㈱神戸製鋼所	528	1	1	1
㈱プロテリアル	529	0	2	2
㈱淀川製鋼所	531	0	1	0

会社名	（掲載ページ）	23年	24年	25年
●非鉄●				
住友電気工業㈱	532	1	9	5
古河電気工業㈱	533	2	3	3
ＳＷＣＣ㈱	534	0	1	—
三菱マテリアル㈱	534	1	0	0
ＪＸ金属㈱	535	4	1	1
住友金属鉱山㈱	535	6	2	2
ＤＯＷＡホールディングス㈱	536	1	0	0
三井金属	536	1	1	1
田中貴金属グループ	537	1	0	1
㈱ＵＡＣＪ	539	0	2	1
日本軽金属㈱	539	0	1	0
●その他メーカー●				
ヤマハ㈱	543	2	0	0
大建工業㈱	545	0	1	0
リンナイ㈱	547	1	0	0
コクヨ㈱	549	0	1	0
●建設●				
鹿島	554	2	3	2
㈱大林組	554	1	1	3
清水建設㈱	555	3	4	—
大成建設㈱	555	4	2	4
西松建設㈱	559	1	0	0
安藤ハザマ	560	0	0	1
㈱奥村組	560	1	1	0
㈱錢高組	564	1	0	0
五洋建設㈱	565	1	2	2
東亜建設工業㈱	566	0	1	0
日揮ホールディングス㈱	572	0	1	0
ＪＦＥエンジニアリング㈱	572	0	0	2
東洋エンジニアリング㈱	574	1	0	2
高砂熱学工業㈱	578	1	1	2
㈱関電工	585	1	0	0
●電力・ガス●				
北海道電力㈱	608	0	1	0
東北電力㈱	608	0	1	1
東京電力ホールディングス㈱	609	0	2	2
関西電力㈱	611	0	0	1
東京ガス㈱	614	0	1	0

業種別・博士課程修了予定者を採用する会社 278 社

会社名　（掲載ページ）		23年	24年	25年
●石油●				
ＥＮＥＯＳ㈱	*618*	0	1	8
出光興産㈱	*618*	6	1	0
コスモ石油㈱	*619*	0	0	1
㈱ＩＮＰＥＸ	*620*	2	1	1
石油資源開発㈱	*620*	0	1	0
●外食・中食●				
日本マクドナルド㈱	*641*	1	0	0
●ゲーム●				
任天堂㈱	*668*	3	0	2
●人材・教育●				
㈱メイテック	*669*	1	1	—
㈱ベネッセコーポレーション	*676*	0	0	3
●レジャー●				
㈱東京ドーム	*687*	0	0	1
●海運・空運●				
全日本空輸㈱	*693*	0	2	2
日本航空㈱	*693*	0	0	1
●運輸・倉庫●				
三井倉庫ホールディングス㈱	*704*	1	0	0
●その他サービス●				
(一財)日本海事協会	*726*	0	1	2
(国研)宇宙航空研究開発機構	*727*	13	6	6
(国研)科学技術振興機構	*728*	2	1	1
(独法)鉄道建設・運輸施設整備支援機構	*729*	0	0	2
(独法)エネルギー・金属鉱物資源機構	*730*	1	0	2
セコム㈱	*732*	3	3	—

会社名　（掲載ページ）	23年	24年	25年

業種別・高等専門学校生を採用する会社

会社名（掲載ページ）		23年	24年	25年
●商社・卸売業●				
㈱日立ハイテク	96	11	7	18
キヤノンマーケティングジャパン㈱	97	9	11	13
サンワテクノス㈱	99	1	0	0
東京エレクトロン デバイス㈱	102	0	0	1
丸文㈱	103	0	1	—
興和㈱	123	2	0	2
松田産業㈱	133	0	1	0
●シンクタンク●				
㈱日本総合研究所	140	1	0	0
●コンサルティング●				
ＩＤ＆Ｅグループ	144	5	10	7
パシフィックコンサルタンツ㈱	145	0	4	1
●通信サービス●				
ソフトバンク㈱	151	22	20	—
ＫＤＤＩ㈱	151	4	4	3
ＮＴＴ東日本	152	0	2	—
ＮＴＴ西日本	153	21	27	30
ＪＣＯＭ㈱	153	1	3	4
㈱インターネットイニシアティブ	154	1	0	0
●システム・ソフト●				
㈱ＮＴＴデータ	157	6	4	—
㈱大塚商会	158	0	3	5
伊藤忠テクノソリューションズ㈱	158	0	5	11
㈱日立システムズ	160	2	4	2
ＮＥＣネッツエスアイ㈱	161	26	24	19
ＮＥＣソリューションイノベータ㈱	162	3	4	9
富士ソフト㈱	162	12	8	—
ＮＴＴコムウェア㈱	163	5	3	4
エフサステクノロジーズ㈱	164	3	2	3
ネットワンシステムズ㈱	165	3	0	0
㈱日立ソリューションズ	165	0	0	1
㈱トヨタシステムズ	166	15	19	12
京セラコミュニケーションシステム㈱	166	26	28	23
㈱インテック	169	0	2	2
㈱ＤＴＳ	169	0	3	0
日本ビジネスシステムズ㈱	170	0	2	4
㈱ＮＳＤ	171	6	3	8
㈱中電シーティーアイ	175	0	1	0
㈱シーイーシー	175	0	1	0
ＮＳＷ㈱	178	0	1	2
ＴＤＣソフト㈱	179	7	5	2
㈱菱友システムズ	181	1	0	—
トーテックアメニティ㈱	183	25	9	14
㈱ビジネスブレイン太田昭和	183	1	0	0
㈱ＩＤホールディングス	184	2	2	0
㈱シーエーシー	186	10	4	5
クオリカ㈱	186	0	1	2
ＡＧＳ㈱	189	1	1	0
サイバーコム㈱	193	1	0	3
㈱ハイマックス	193	12	8	9
㈱アドービジネスコンサルタント	196	0	0	1
●銀行●				
㈱セブン銀行	203	0	0	1
三井住友信託銀行㈱	203	0	1	—
㈱常陽銀行	209	0	1	—
㈱京葉銀行	212	2	6	—
㈱第四北越銀行	215	0	1	0
㈱北陸銀行	216	0	0	1
㈱山梨中央銀行	217	0	2	—
㈱名古屋銀行	221	1	1	—
㈱百五銀行	222	0	1	0
㈱滋賀銀行	223	0	3	—
㈱山陰合同銀行	225	0	0	1
㈱広島銀行	226	3	7	20
㈱阿波銀行	227	0	1	—
㈱福岡銀行	229	8	3	NA

業種別・高等専門学校生を採用する会社 456 社

会社名 （掲載ページ）		23年	24年	25年
㈱佐賀銀行	230	2	1	1
㈱十八親和銀行	230	10	11	—
㈱肥後銀行	231	1	2	0
●証券●				
ＳＭＢＣ日興証券㈱	239	0	0	1
東海東京フィナンシャル・ホールディングス㈱	241	1	2	—
水戸証券㈱	243	0	0	1
東洋証券㈱	243	0	6	0
●生保●				
第一生命保険㈱	244	0	3	0
●損保●				
三井住友海上火災保険㈱	254	0	1	—
●信販・カード・リース他●				
㈱クレディセゾン	267	0	1	0
アイフル㈱	270	0	1	0
●広告●				
㈱セプテーニ・ホールディングス	284	0	1	0
●新聞●				
㈱河北新報社	293	0	1	2
●出版●				
学研グループ	298	20	0	0
●メディア・映像・音楽●				
㈱サイバーエージェント	300	3	6	1
●電機・事務機器●				
㈱ニコン	308	NA	NA	20
㈱デンソーテン	308	4	3	0
㈱ＪＶＣケンウッド	309	0	1	1
㈱リコー	311	1	0	2
セイコーエプソン㈱	312	16	16	21
コニカミノルタ㈱	312	7	1	3
㈱ＰＦＵ	315	0	1	2
富士電機㈱	317	37	41	46
オムロン㈱	318	4	5	2
㈱安川電機	318	15	11	7
㈱島津製作所	319	1	0	0
㈱堀場製作所	319	3	1	0
㈱明電舎	320	5	9	6
㈱ＴＭＥＩＣ	320	2	2	5
㈱ダイヘン	321	0	1	0
日本電子㈱	321	2	2	3
日東工業㈱	322	0	1	2
㈱イシダ	322	11	13	12
日新電機㈱	323	4	1	2
㈱日立パワーソリューションズ	323	4	5	—
能美防災㈱	324	1	0	0
古野電気㈱	324	2	0	2
日本信号㈱	325	2	2	1
●電子部品・機器●				
ニデック㈱	326	4	2	—
ＴＤＫ㈱	326	1	2	1
㈱村田製作所	327	10	8	9
ルネサスエレクトロニクス㈱	328	2	8	0
ミネベアミツミ㈱	328	5	6	6
アルプスアルパイン㈱	329	3	7	4
日東電工㈱	330	33	36	23
日亜化学工業㈱	330	7	13	7
ローム㈱	331	4	2	0
イビデン㈱	331	2	1	2
太陽誘電㈱	332	0	0	1
アズビル㈱	333	3	13	15
浜松ホトニクス㈱	335	30	31	24
㈱トプコン	336	0	1	0
新光電気工業㈱	337	1	0	0
㈱三井ハイテック	337	3	1	3
ニチコン㈱	338	1	0	0
マブチモーター㈱	339	3	4	4
ＮＩＳＳＨＡ㈱	339	1	3	3
ヒロセ電機㈱	340	2	1	0
フォスター電機㈱	341	2	0	1
シンフォニアテクノロジー㈱	343	1	4	2
オリエンタルモーター㈱	345	2	7	1
㈱日立国際電気	346	1	2	—
東京計器㈱	346	1	1	1
ＳＭＫ㈱	347	1	0	1
メクテック㈱	348	1	1	NA

業種別・高等専門学校生を採用する会社 456 社

会社名	(掲載ページ)	23年	24年	25年
㈱エヌエフホールディングス	349	0	0	1
日本テキサス・インスツルメンツ(合同)	349	1	0	0
東京エレクトロン㈱	350	30	22	40
㈱ＳＣＲＥＥＮホールディングス	351	3	9	14
㈱アドバンテスト	351	1	1	2
㈱ディスコ	352	19	16	17
㈱アルバック	352	1	2	0
㈱ＫＯＫＵＳＡＩ ＥＬＥＣＴＲＩＣ	353	2	4	2
㈱東京精密	354	0	1	0
ローツェ㈱	355	0	1	2

●住宅・医療機器他●

会社名	(掲載ページ)	23年	24年	25年
ホーチキ㈱	355	0	4	2
テルモ㈱	357	13	6	9
ニプロ㈱	357	15	2	6
キヤノンメディカルシステムズ㈱	358	42	41	20
シスメックス㈱	358	1	0	0
日機装㈱	359	1	1	0

●自動車●

会社名	(掲載ページ)	23年	24年	25年
トヨタ自動車㈱	360	9	2	NA
本田技研工業㈱	360	14	16	37
日産自動車㈱	361	32	41	—
スズキ㈱	361	7	3	—
マツダ㈱	362	11	7	5
いすゞ自動車㈱	364	1	3	0
日野自動車㈱	364	5	1	1
ヤマハ発動機㈱	365	0	4	1
カワサキモータース㈱	366	0	0	3

●自動車部品●

会社名	(掲載ページ)	23年	24年	25年
ダイハツ九州㈱	367	0	1	0
トヨタ自動車東日本㈱	368	9	6	3
㈱ＧＳユアサ	371	4	3	7
㈱ブリヂストン	372	1	0	0
横浜ゴム㈱	373	0	0	1
住友電装㈱	377	2	3	0
矢崎総業㈱	377	6	14	3
ＮＯＫ㈱	378	6	10	3
スタンレー電気㈱	379	4	2	0
豊田鉄工㈱	380	0	0	1
太平洋工業㈱	383	0	1	1
㈱アドヴィックス	384	1	0	0
ジヤトコ㈱	385	0	0	1
日清紡ホールディングス㈱	385	1	0	0
日本発条㈱	386	4	0	0
カヤバ㈱	387	0	5	0
㈱エクセディ	389	0	0	1
バンドー化学㈱	391	0	1	0
ダイキョーニシカワ㈱	393	1	2	0
㈱アーレスティ	394	0	1	0

●輸送用機器●

会社名	(掲載ページ)	23年	24年	25年
今治造船㈱	395	0	2	0
㈱三井Ｅ＆Ｓ	395	3	4	—
新明和工業㈱	397	4	10	1
極東開発工業㈱	397	2	2	3
㈱モリタホールディングス	398	2	0	0
三菱ロジスネクスト㈱	398	0	1	—
㈱シマノ	399	10	4	5

●機械●

会社名	(掲載ページ)	23年	24年	25年
三菱重工業㈱	399	13	23	—
川崎重工業㈱	400	5	1	—
㈱ＩＨＩ	400	1	1	—
㈱クボタ	401	0	2	1
日立建機㈱	402	3	4	4
ヤンマーホールディングス㈱	402	3	1	8
㈱タダノ	403	8	9	7
古河機械金属㈱	404	0	1	0
ダイキン工業㈱	405	71	66	90
コマツ	406	7	15	10
ホシザキ㈱	406	1	3	2
㈱富士通ゼネラル	407	2	2	3
㈱キッツ	407	1	1	1
中外炉工業㈱	409	0	0	1
㈱ジェイテクト	410	0	4	2
ＮＴＮ㈱	410	2	1	2
日本精工㈱	411	5	7	9
ＴＨＫ㈱	411	0	1	0

業種別・高等専門学校生を採用する会社 456 社

会社名	（掲載ページ）	23年	24年	25年
㈱不二越	412	1	2	2
㈱日本製鋼所	412	1	4	3
住友重機械工業㈱	413	0	1	2
ＳＭＣ㈱	414	0	0	5
㈱マキタ	414	1	1	0
㈱ダイフク	415	0	0	2
村田機械㈱	415	25	11	6
三菱電機ビルソリューションズ㈱	416	29	28	24
グローリー㈱	416	1	1	1
ナブテスコ㈱	417	1	0	1
㈱椿本チエイン	417	5	3	2
フジテック㈱	418	10	10	12
オーエスジー㈱	418	0	0	1
㈱ミツトヨ	419	1	1	1
ＣＫＤ㈱	420	2	1	1
㈱ＦＵＪＩ	420	1	3	3
ＪＵＫＩ㈱	422	0	0	1
ホソカワミクロン㈱	422	3	4	0
ファナック㈱	424	18	26	16
ＤＭＧ森精機㈱	425	12	14	21
㈱アマダ	425	0	1	0
オークマ㈱	426	7	4	7
㈱牧野フライス製作所	426	2	6	5
芝浦機械㈱	427	1	1	0
㈱荏原製作所	427	2	1	1
カナデビア㈱	428	6	1	3
メタウォーター㈱	429	20	24	21
三浦工業㈱	429	1	8	3
㈱タクマ	430	3	3	3
㈱神鋼環境ソリューション	431	1	0	0
●食品・水産●				
アサヒビール㈱	434	2	2	2
㈱ヤクルト本社	437	0	0	2
雪印メグミルク㈱	440	14	14	10
森永乳業㈱	440	16	9	8
ＪＴ	441	6	14	—
味の素㈱	441	1	9	6
不二製油㈱	443	0	4	4
日清オイリオグループ㈱	443	1	1	1
カゴメ㈱	445	3	5	3
テーブルマーク㈱	446	0	0	1

会社名	（掲載ページ）	23年	24年	25年
理研ビタミン㈱	450	5	2	4
伊藤ハム米久ホールディングス㈱	452	1	0	0
森永製菓㈱	455	1	2	3
㈱ロッテ	455	1	1	2
日清製粉グループ	457	0	0	1
山崎製パン㈱	458	6	3	3
敷島製パン㈱	459	0	2	0
●印刷・紙パルプ●				
ＴＯＰＰＡＮホールディングス㈱	463	10	6	7
大日本印刷㈱	464	0	1	—
日本製紙㈱	466	0	1	0
レンゴー㈱	467	0	0	1
●化粧品・トイレタリー●				
㈱ミルボン	470	0	2	4
花王㈱	470	9	20	15
ライオン㈱	471	2	2	2
●医薬品●				
アステラス製薬㈱	473	7	10	10
エーザイ㈱	474	2	0	3
住友ファーマ㈱	475	1	1	1
参天製薬㈱	476	1	0	0
ロート製薬㈱	476	1	3	5
東和薬品㈱	477	8	3	1
大正製薬㈱	478	2	4	0
佐藤製薬㈱	482	0	2	0
●化学●				
三菱ケミカル㈱	483	4	6	8
富士フイルム㈱	483	9	12	13
東レ㈱	484	15	30	22
住友化学㈱	485	1	2	1
積水化学工業㈱	487	1	2	1
東ソー㈱	488	4	2	2
三菱ガス化学㈱	488	9	9	9
㈱カネカ	489	16	18	15
㈱ダイセル	490	2	2	1
ＵＢＥ㈱	490	2	0	4
ＪＳＲ㈱	491	1	0	1
㈱ＡＤＥＫＡ	492	0	2	0

業種別・高等専門学校生を採用する会社 456 社

会社名	（掲載ページ）	23年	24年	25年
デンカ㈱	492	1	3	3
㈱トクヤマ	493	3	7	4
㈱エフピコ	495	0	0	1
三洋化成工業㈱	498	9	13	9
ＺＡＣＲＯＳ㈱	499	1	3	0
ユニチカ㈱	499	3	7	3
大陽日酸㈱	501	1	4	4
㈱日本触媒	502	6	8	8
高砂香料工業㈱	504	0	1	0
㈱クレハ	504	5	5	6
ＤＩＣ㈱	508	14	16	10
ａｒｔｉｅｎｃｅ㈱	509	14	6	7
大日精化工業㈱	510	26	23	12

●衣料・繊維●

会社名	（掲載ページ）	23年	24年	25年
クラボウ	510	1	0	0
セーレン㈱	511	0	1	0
グンゼ㈱	511	0	2	3

●ガラス・土石●

会社名	（掲載ページ）	23年	24年	25年
ＡＧＣ㈱	514	2	2	3
日本板硝子㈱	515	0	1	0
日本電気硝子㈱	515	1	2	0
太平洋セメント㈱	517	0	1	2
ＵＢＥ三菱セメント㈱	517	1	0	0
黒崎播磨㈱	520	3	0	0

●金属製品●

会社名	（掲載ページ）	23年	24年	25年
㈱ＬＩＸＩＬ	522	29	57	46
東洋製罐グループホールディングス㈱	523	2	2	2
ＹＫＫ㈱	523	1	0	0
ＹＫＫ ＡＰ㈱	524	1	0	0
㈱ＳＵＭＣＯ	524	2	3	4
三和シヤッター工業㈱	525	1	0	0

●鉄鋼●

会社名	（掲載ページ）	23年	24年	25年
日本製鉄㈱	527	1	0	7
ＪＦＥスチール㈱	527	1	0	1
㈱神戸製鋼所	528	1	0	2
山陽特殊製鋼㈱	530	1	0	0
愛知製鋼㈱	530	1	0	0
㈱栗本鐵工所	532	1	0	0

●非鉄●

会社名	（掲載ページ）	23年	24年	25年
住友電気工業㈱	532	5	6	6
ＪＸ金属㈱	535	1	1	1
住友金属鉱山㈱	535	1	0	0
ＤＯＷＡホールディングス㈱	536	0	1	1
田中貴金属グループ	537	7	4	12
日鉄鉱業㈱	537	0	0	1
㈱フルヤ金属	538	4	2	0
日本軽金属㈱	539	0	2	0

●その他メーカー●

会社名	（掲載ページ）	23年	24年	25年
㈱アシックス	540	0	1	0
㈱タカラトミー	541	1	4	1
ヤマハ㈱	543	2	1	0
ローランド㈱	543	1	1	0
大建工業㈱	545	1	0	0
ＴＯＴＯ㈱	547	4	2	4
リンナイ㈱	547	1	0	2
タカラスタンダード㈱	548	0	2	0
クリナップ㈱	549	0	2	0
㈱オカムラ	551	1	0	1
㈱イトーキ	551	1	0	0

●建設●

会社名	（掲載ページ）	23年	24年	25年
鹿島	554	0	25	37
㈱大林組	554	13	15	16
清水建設㈱	555	6	12	—
大成建設㈱	555	6	15	17
㈱竹中工務店	556	5	9	10
前田建設工業㈱	557	1	1	2
㈱フジタ	557	3	2	4
戸田建設㈱	558	10	6	7
三井住友建設㈱	558	8	5	5
㈱熊谷組	559	0	2	5
西松建設㈱	559	8	2	5
安藤ハザマ	560	3	2	0
㈱奥村組	560	6	2	1
東急建設㈱	561	4	3	1
㈱鴻池組	561	6	3	3
鉄建建設㈱	562	0	0	1
佐藤工業㈱	563	3	3	4

業種別・高等専門学校生を採用する会社 456 社

会社名	(掲載ページ)	23年	24年	25年
ピーエス・コンストラクション㈱	563	6	3	0
松井建設㈱	565	0	0	1
五洋建設㈱	565	15	12	19
東亜建設工業㈱	566	5	7	6
東洋建設㈱	566	3	2	2
㈱横河ブリッジホールディングス	567	7	7	12
飛島建設㈱	567	1	3	2
㈱ＮＩＰＰＯ	568	6	2	3
前田道路㈱	569	2	4	2
日本道路㈱	569	1	0	0
日揮ホールディングス㈱	572	3	5	5
ＪＦＥエンジニアリング㈱	572	0	2	1
千代田化工建設㈱	573	4	2	2
日鉄エンジニアリング㈱	573	5	3	6
レイズネクスト㈱	574	2	7	4
㈱ＮＴＴファシリティーズ	575	14	2	—
新菱冷熱工業㈱	576	2	0	3
三機工業㈱	576	5	4	2
東芝プラントシステム㈱	577	7	3	3
三建設備工業㈱	577	3	1	3
㈱朝日工業社	578	5	0	1
高砂熱学工業㈱	578	2	0	0
㈱大気社	579	7	1	3
ダイダン㈱	579	3	11	6
新日本空調㈱	580	0	0	1
エクシオグループ㈱	581	4	7	3
㈱ミライト・ワン	581	4	4	2
日本電設工業㈱	582	1	1	0
住友電設㈱	583	6	7	5
㈱きんでん	584	5	1	—
㈱関電工	585	0	0	3
㈱九電工	585	2	0	1
㈱トーエネック	586	3	1	—
㈱ユアテック	586	2	1	1
㈱中電工	587	2	1	—
大和リース㈱	587	2	3	0
●住宅・マンション●				
大和ハウス工業㈱	588	3	25	—
積水ハウス㈱	588	3	0	
住友林業㈱	589	1	1	0
大東建託㈱	589	2	3	1
㈱一条工務店	590	4	3	6
三井ホーム㈱	592	0	1	0
一建設㈱	593	0	0	3
スターツグループ	597	0	0	1
●不動産●				
三井不動産㈱	597	3	3	3
森ビル㈱	602	2	2	0
●電力・ガス●				
東北電力㈱	608	3	10	2
東京電力ホールディングス㈱	609	36	33	41
㈱ＪＥＲＡ	609	14	13	21
Ｊ-ＰＯＷＥＲ	610	21	15	18
北陸電力㈱	610	10	8	—
中部電力㈱	611	37	34	—
関西電力㈱	611	48	44	53
中国電力㈱	612	11	13	11
中国電力ネットワーク㈱	612	33	38	24
四国電力㈱	613	28	25	29
東京ガス㈱	614	21	18	15
大阪ガス㈱	617	42	0	0
●石油●				
ＥＮＥＯＳ㈱	618	35	26	15
出光興産㈱	618	24	22	25
㈱ＩＮＰＥＸ	620	1	0	2
●デパート●				
㈱三越伊勢丹	623	6	0	0
●コンビニ●				
㈱ローソン	627	0	1	1
●スーパー●				
㈱ヨークベニマル	632	1	0	0
㈱ハートフレンド	638	3	0	0
●外食・中食●				
日本マクドナルド㈱	641	0	1	0
㈱松屋フーズ	642	1	16	—
㈱ロック・フィールド	644	8	0	0

業種別・高等専門学校生を採用する会社 456 社

会社名　（掲載ページ）		23年	24年	25年
●家電量販・薬局・HC●				
㈱カワチ薬品	648	0	0	1
コーナン商事㈱	651	0	9	0
●その他小売業●				
㈱ミスターマックス・ホールディングス	653	2	0	0
㈱ファーストリテイリング	653	1	0	—
㈱ＡＴグループ	659	13	0	0
アスクル㈱	664	2	1	3
●ゲーム●				
任天堂㈱	668	3	5	3
コナミグループ	668	0	0	1
●人材・教育●				
㈱アルプス技研	670	2	3	—
●ホテル●				
藤田観光㈱	681	11	25	0
●レジャー●				
㈱オリエンタルランド	686	0	0	2
●海運・空運●				
日本郵船㈱	690	2	2	2
㈱商船三井	691	4	5	5
川崎汽船㈱	691	4	2	3
全日本空輸㈱	693	0	0	1
日本航空㈱	693	0	0	1
●運輸・倉庫●				
日本通運㈱	694	1	0	—
トナミ運輸㈱	696	0	1	—
山九㈱	697	3	3	3
阪神高速道路㈱	698	1	0	0
●鉄道●				
北海道旅客鉄道㈱	708	4	1	—
西武鉄道㈱	708	1	1	0
東日本旅客鉄道㈱	709	13	10	—
南海電気鉄道㈱	717	0	0	4
大阪市高速電気軌道㈱	718	0	2	1
四国旅客鉄道㈱	719	2	3	—
九州旅客鉄道㈱	719	0	4	—
●その他サービス●				
東日本高速道路㈱	720	9	5	5
中日本高速道路㈱	721	4	5	—
西日本高速道路㈱	722	12	5	6
全国農業協同組合連合会	723	3	4	0
（一財）日本品質保証機構	725	1	5	7
（一財）日本海事協会	726	1	0	1
（国研）宇宙航空研究開発機構	727	0	1	1
（独法）鉄道建設・運輸施設整備支援機構	729	0	0	2
セコム㈱	732	4	3	—
ＡＬＳＯＫ	732	0	4	—
ジェコス㈱	734	0	3	1
三菱電機エンジニアリング㈱	735	20	27	39
日本空調サービス㈱	736	0	1	0
㈱マイスターエンジニアリング	736	4	4	2
シミックグループ	738	4	2	4
㈱コベルコ科研	739	1	1	0
コンパスグループ・ジャパン㈱	739	0	0	5
㈱ベネフィット・ワン	742	0	6	0
㈱乃村工藝社	744	0	3	4
㈱日本創発グループ	744	0	0	1
㈱パスコ	745	0	0	1

早めに知っておきたい

早期選考

会社名　（掲載ページ）		早期選考データ
●商社・卸売業●		
三菱商事㈱	82	総【対象】海外大学正規留学生【プロセス】エントリー(9月上旬〜10月下旬)→面接(3回、11月中旬、3月下旬ないし6月上旬〜)→内々定(3月下旬、6月上旬〜)
豊田通商㈱	83	総【対象】冬インターンシップ参加者【プロセス】冬インターンシップ参加後→面接(複数回)→内々定
伊藤忠丸紅鉄鋼㈱	86	総【対象】インターン参加者【プロセス】NA
日鉄物産㈱	87	総【対象】5daysインターンシップ参加者【プロセス】ES提出・PR動画・適性検査(3月〜)→面接(複数回、3月〜)→内々定(4月〜)
神鋼商事㈱	89	総【対象】インターン参加者【プロセス】ES・Webテスト合格保証(提出必須、3月〜)→面接・筆記(3回、2〜4月)→内々定
伊藤忠丸紅住商テクノスチール㈱	90	総【対象】インターン参加者【プロセス】ES・適性検査→GW→面接(3回)→内々定
小野建㈱	90	総【対象】夏季プログラム・冬季プログラム参加者 ダイレクトリクルーティングで募集【プロセス】夏季・冬季プログラム参加(6〜12月)ダイレクトリクルーティングでのオファー承認(8〜12月)→早期選考案内(12月中旬)→ES提出(1月上旬)→面接(1月中旬〜2月末)→内々定
大同興業㈱	91	総【対象】インターン参加者【プロセス】インターン(11月)→書類選考・Webテスト(12月)→面接(2〜3回)→内々定(3〜4月)
ユアサ商事㈱	92	総【対象】インターンシップ参加者【プロセス】ES提出(1〜2月)→Webテスト(1〜2月)→1次面接(1〜2月)→2次面接(2〜3月)→3次面接(2〜3月)→役員面接(3〜4月)→内々定(3〜4月)
㈱山善	92	総【対象】インターンシップ オープンカンパニー参加者など【プロセス】Webセミナー・ES提出→GD→SPI→面接(2回)→内々定※一部選考の免除あり
㈱ミスミ	93	総【対象】1dayインターンシップ参加者【プロセス】1dayインターンシップ(12〜1月)→ES提出(12〜1月)→適性テスト(2月)→1次面接(2月)→筆記(3月)→2次面接(3月)→最終面接(4月)→内々定(4〜5月)
トラスコ中山㈱	93	総【対象】インターン参加者【プロセス】ES(1月)→GD(2月)→1次面接(3月)→2次面接(3月)→内々定(3月)
㈱豊通マシナリー	94	総【対象】インターンシップ参加者【プロセス】インターンシップ参加後、随時選考・リクルーター面談等案内
第一実業㈱	94	総【対象】理系学生 グローバル経験学生【プロセス】NA
㈱守谷商会	95	総【対象】オープンカンパニー参加者【プロセス】ES提出・説明会(必須、11月〜)→筆記→面接(3回)→内々定(12月〜)
西華産業㈱	95	総【対象】インターン参加者【プロセス】インターンシップ(必須、12月)→ES提出(1月下旬)→Web試験(2月上旬)→面接(3回、2〜3月)→内々定(3月)
ダイワボウ情報システム㈱	96	総 技【対象】インターンシップ参加者【プロセス】説明会(必須、11月)→ES提出・Webテスト(随時・一部免除)→面接(3回)→内々定
キヤノンマーケティングジャパン㈱	97	総 技【対象】インターンシップ参加者(対面プログラムの3days以上)【プロセス】ES提出・SPI(テストセンター)→1次面接→最終面接→内々定
因幡電機産業㈱	97	総 技【対象】当社イベント参加者【プロセス】説明会(必須)→動画選考→集団面接→個人面接・適性検査→役員面接→内々定
㈱RYODEN	98	技【対象】インターン参加者【プロセス】インターン(11〜1月)→GW(2月)→1次面接(2月)→最終面接(3月)→内々定(3月)
㈱立花エレテック	99	総【対象】インターンシップ参加者【プロセス】インターンシップ・説明会(必須、8月〜)→書類選考(履歴書・ES・SPI)(12月〜)→面接(3回、12月〜)→内々定(12月〜)
エプソン販売㈱	100	総 技【対象】インターンシップ参加者 カジュアル面談参加者【プロセス】カジュアル面談(10〜11月)→ES提出・適性検査(11 〜1月)→面接(2回)→内々定(2月〜)
㈱カナデン	100	総【対象】仕事体験参加者 学内セミナー参加者【プロセス】仕事体験or学内セミナー(必須、11月)→WEBテスト(2月)→ES提出(2月)→面接(3回、3月〜)→内々定(5月〜)

業種別・早期選考データ 691社

会社名 (掲載ページ)		早期選考データ
㈱マクニカ	101	総【対象】インターンシップ参加者【プロセス】ES提出→インターンシップ参加→Web面接→SPI適性検査→Web面接→最終面接→内々定 技【対象】インターンシップ参加者【プロセス】ES提出→SPI適性検査→Web面接→インターンシップ参加→Web面接→最終面接→内々定
リョーサン菱洋ホールディングス㈱	102	総 技【対象】インターン参加者【プロセス】説明会(必須)→ES提出→適性検査→Web筆記→個人面接(2回)→内々定
東京エレクトロン デバイス㈱	102	技【対象】インターン参加者【プロセス】インターン(必須、12月～)→ES・1次面接(2月～)→Webテスト→2次面接→最終面接→内々定(3月～)
丸文㈱	103	総 技【対象】説明会参加者【プロセス】説明会(必須)→ES提出(10月)→面接(11月)→適性試験(11～12月)→面接(1～2月)→内々定(2月)
伯東㈱	103	総【対象】インターン参加者【プロセス】インターンシップ→SPI→人事面接もしくは部門面接→役員面接(最終面接)→内々定 技【対象】インターン参加者【プロセス】インターンシップ→SPI→部門面接→役員面接(最終面接)→内々定
新光商事㈱	104	総【対象】営業職向けインターンシップ参加者 OfferBox座談会参加者【プロセス】ES提出・適性検査→面接(3回)→内々定 技【対象】理系学生向け夏季インターンシップ参加者 OfferBox座談会参加者【プロセス】ES提出・適性検査→面接(3回)→内々定
長瀬産業㈱	105	総【対象】海外大生【プロセス】ES提出(11月)→面接(3回、12月～1月)→内々定(1月)
稲畑産業㈱	105	総【対象】インターンシップ参加者【プロセス】ES提出→1次面接→筆記・適性→2次面接→最終面接→内々定
ＣＢＣ㈱	106	総【対象】個別面談参加者 インターンシップ参加者【プロセス】ES提出(2月～)・Webテスト→面接(4回)→内々定
オー・ジー㈱	106	総【対象】1day仕事体験参加者【プロセス】1day仕事体験(必須、8・9・11・12月)→ES提出・1次選考(面接、1月中旬)→2次選考(適性検査・面接、1月下旬)→最終選考(面接、2月中旬)→内々定(2月下旬)
明和産業㈱	107	総【対象】インターン参加者【プロセス】インターン(12月中旬～1月)→1次面接(2月下旬)→Webテスト(3月上旬)→2次面接(3月下旬)→最終面接(4月中旬)→内々定(4月中旬)
ＪＫホールディングス㈱	107	総【対象】インターン参加者 説明会参加者【プロセス】インターン・説明会(7月～翌2月)→ES提出→個人面接(2～3回、10月～翌2月)→内々定(10月以降)※選考途中に社員との面談が複数回あり
渡辺パイプ㈱	108	総【対象】インターンシップ、仕事体験参加者【プロセス】説明会(必須、12月～)→ES・SPI→1次面接→2次面接→内々定
伊藤忠建材㈱	108	総【対象】インターンシップ参加者 求人サイトで募集【プロセス】Web説明会(任意、11～12月)→ES提出・SPI(12月)→1次面接(1月)→2次面接(2月)→最終面接(2月)→内々定(2月)
ナイス㈱	109	総 技【対象】インターン参加者【プロセス】インターン参加・ES・Webテスト→面接(2回・うち1回目Web)→内々定
㈱サンゲツ	109	総【対象】インターン参加および複数のイベント参加者【プロセス】インターン参加＋当社関連イベントに参加→ES提出(1月)→面接(3回、2月～)→内々定(3月～)
㈱デザインアーク	110	総【対象】オープンカンパニー参加者【プロセス】説明会(必須、12月)→WebES・テスト(1月)→面接(3回、2月)→内々定(3月) 技【対象】オープンカンパニー、採用イベント参加者【プロセス】説明会(必須、12月)→WebES・テスト(1月)→面接(3回、2月)→内々定(3月)
加藤産業㈱	112	総【対象】インターン参加者【プロセス】インターンシップ参加→説明会(必須、1月～)→ES提出→集団面接→GD→個人面接(2回)→内々定
㈱シジシージャパン	112	総【対象】求人サイトで募集【プロセス】説明会(必須)→ES提出→Webテスト→面接(3回)→内々定
ヤマエグループホールディングス㈱	113	総【対象】特定期間に当社と接点を持った学生【プロセス】説明会(任意、11月)→ES提出(12月)→Web適性検査(1月)→面接(2回、Web・対面)→内々定(3月)
伊藤忠食品㈱	113	総【対象】NA【プロセス】Web説明会(任意、12～1月)→ES提出(12～1月)→面接(1～3月)→内々定(3月)
スターゼン㈱	115	総【対象】1day仕事体験、業界説明会参加者【プロセス】説明会(必須)→WebES提出(2月～)→面接(2回、3月～)→Webテスト(4月～)→内々定(4月～)

会社名 （掲載ページ）		早期選考データ
㈱マルイチ産商	115	総【対象】インターンシップ参加者【プロセス】インターンシップ参加→ES提出→1次面接→2次面接→個人面談→最終面接→内々定
㈱トーホー	116	総【対象】インターン参加者【プロセス】夏季セミナー(必須、8〜12月)→1次選考(ES：12月〜)→2次選考(Web面接：1月〜)→最終選考(対面面接：1月〜)→内々定(1月〜)
横浜冷凍㈱	117	総【対象】インターン参加者【プロセス】説明会(必須、1月上旬〜)→適性→面接(3回)→内々定(4月〜)
日本出版販売㈱	118	総【対象】インターン参加者【プロセス】説明会・ES提出(6月・10月)→1dayワークショップ(7月・11月)→個人面接(8月・12月)→5daysインターンシップ(9月・2月)→ES提出・筆記(10月・3月)→個人面接(11月・4月)→内々定(12月〜4月)
㈱トーハン	119	総【対象】インターン参加者【プロセス】ES・レポート提出・Webテスト(2〜3月)→個人面接(3月)→最終面接(3月)→内々定(4月上旬)
㈱メディセオ	120	総【対象】インターンシップ参加者【プロセス】インターンシップ→ES提出・Web試験→面接(3回)→内々定
アルフレッサ㈱	120	総【対象】1day仕事体験参加者【プロセス】Web説明会(任意、11月)→ES提出・Webテスト(12月)→動画選考→(12月)→Web面接(1月)→最終面接(1月)→内々定(1月) 技【対象】インターンシップ(1day仕事体験)参加者【プロセス】Web説明会(任意、11月)→ES提出・Webテスト(12月)→Web面接(1月)→面接(1月)→内々定(1月)
東邦薬品㈱	121	総【対象】インターンシップ参加者 プレサイトエントリー者 学内説明会参加者【プロセス】ES提出→面接→Webテスト→面接(1〜2回)→内々定
㈱ＰＡＬＴＡＣ	122	総【対象】夏季インターンシップ参加者【プロセス】ES提出(随時)→個人面接・適性検査(随時)→役員面接(随時)→内々定(随時)
㈱あらた	122	総 技【対象】マイページ登録者【プロセス】ES提出・Webテスト(2月)→適性検査・自己紹介シート(3月上旬〜)→個人面接(3月中旬)→個人面接(4月上旬〜)→内々定(4月中旬)
花王グループカスタマーマーケティング㈱	123	総【対象】インターン参加者【プロセス】ES提出・Web適性(11月)→AI面接(11月)→ワークセッション(12月・1月)→GD(2月)→部長面接(3月)→幹部面接(4月)→内々定(4月)
豊島㈱	124	総【対象】2DAYSインターンシップ参加者【プロセス】自己紹介書提出・Web適性検査・C-GAB受験(2月〜)→1次面接(3月〜)→最終前面談(3月)→最終面接(3月〜4月)→内々定
帝人フロンティア㈱	125	総【対象】インターン参加者【プロセス】Web説明会(必須、2月)→ES提出・Webテスト(2月)→面接(3回、3〜4月)→内々定(4月) 技【対象】インターン参加者【プロセス】Web説明会(必須、1〜2月)→ES提出・Webテスト(1〜2月)→面接(3回、2〜3月)→内々定(3月)
スタイレム瀧定大阪㈱	126	総【対象】1dayお仕事体験参加者【プロセス】ES提出・Webテスト→Web面接(1回)→対面面接(2回)→内々定
伊藤忠エネクス㈱	127	総【対象】インターン参加者【プロセス】ES提出・Webテスト・面接(6〜11月)→インターンシップ参加(7〜11月)→面接(2回、2月)→内々定
岩谷産業㈱	127	総 技【対象】インターン参加者【プロセス】NA
三愛オブリ㈱	128	総 技【対象】インターンシップ参加者【プロセス】ES提出・SPI→Web面接→役員面接→最終面接→内々定
ＮＸ商事㈱	128	総【対象】インターン参加者【プロセス】ES提出→Web適性検査・面接→内々定
三谷商事㈱	129	総【対象】マイページ登録者【プロセス】ES提出(12月)→SPI(12月)→Web説明会・作文課題1(12月)→Web社員座談会・作文課題2(1月)→Web1次面接(1月)→最終面接(1月)→内々定(2月)
ＴＯＫＡＩグループ	130	総 技【対象】インターン参加者【プロセス】ES・Webテスト→面接(3回)
鈴与商事㈱	131	総【対象】インターンシップ参加者【プロセス】ES提出(1〜2月)→1次面接(2月)→適性検査・2次面接(3月)→3次面接(4月)→内々定(4月)
㈱巴商会	131	総 技【対象】オープンカンパニー参加者【プロセス】オープンカンパニー参加→グループ面接(1月下旬〜)→Web適性・GD(2月下旬〜)→面接(3月上旬〜)→内々定(3月下旬〜)

会社名 （掲載ページ）	早期選考データ
松田産業㈱ 133	総【対象】インターンシップ参加者【プロセス】面接(2回)→適性検査・能力検査→最終面接→内々定 技【対象】インターンシップ参加者【プロセス】面接→技術面接→適性検査・能力検査→最終面接→内々定
㈱ハピネット 134	総【対象】インターン参加者【プロセス】インターンシップ・Webテスト(1～2月)・ES提出(2月上旬)→面接(3回、2～3月)→内々定(3月下旬)
新生紙パルプ商事㈱ 135	総【対象】ビジネス体験プログラム参加者(オリエンテーションのみの参加も可)【プロセス】説明会(必須、2月)→ES提出(2月)→書類選考(2月)→1次面接(2月)→筆記(2月)→2次面接(3月)→リクルーター面談(3月)→適性検査(3月)→最終面接(3月)→内々定
㈱オートバックスセブン 135	総【対象】オープンカンパニー参加者【プロセス】オンデマンド説明会(必須、2月～)→ES提出(2月)→書類選考(2月)→適性診断(2月)→オートバックスゼミ(3月)→人事面接(3月)→最終面接(3月)→内々定(3月)
㈱ドウシシャ 136	総【対象】インターンシップ参加者【プロセス】Web説明会・ES提出(1月～)→GD→適性検査・面接→面接→内々定(7月～)
●シンクタンク●	
㈱日本総合研究所 140	総【対象】インターンシップ参加者【プロセス】ES提出→Webテスト→面接→内々定
●コンサルティング●	
㈱日本M&Aセンター 143	総【対象】サマーインターン参加者【プロセス】ES・顔写真提出→書類選考→インターン面接→サマーインターン参加→適性検査・アンケート回答→二次面接→最終面接→内々定
㈱船井総合研究所 143	総【対象】インターン参加者【プロセス】インターンシップ→GD→WebES・適性検査→1次面接→最終面接→内々定
㈱ビジネスコンサルタント 144	総【対象】インターンシップ参加者【プロセス】GD→グループ面接→プレゼンテーション・個人面接→内々定
ＩＤ&Ｅグループ 144	総【対象】インターンシップ参加者※日本工営都市空間㈱のみ早期選考実施【プロセス】ES提出・Webテスト→面接(2回)→内々定 技【対象】インターンシップ参加者【プロセス】ES提出・Webテスト・小論文→面接(2回)→内々定※日本工営都市空間㈱：小論文除く
パシフィックコンサルタンツ㈱ 145	総 技【対象】インターン参加者【プロセス】面談(10月上旬～)ES・履歴書提出他(11月上旬～)→筆記(11月中旬～)→面接(2回、12月上旬～)→内々定(1月下旬～)
●リサーチ●	
㈱インテージ 146	総 技【対象】インターン参加者【プロセス】ES提出→適性検査→面接(2～3回)→内々定
㈱マクロミル 147	総【対象】インターン参加者【プロセス】Web説明会(12月～)→Webテスト→面接(3回)→内々定(3月～)
㈱東京商工リサーチ 148	総【対象】1day仕事体験参加者【プロセス】NA
●通信サービス●	
楽天グループ㈱ 152	総【対象】求人サイトで募集【プロセス】Application Form提出・Webテスト→面接(複数回)→内々定※状況により異なる 技【対象】求人サイトで募集【プロセス】Application Form提出→コーディングテスト(一部ポジション受検不要)→面接(複数回)→内々定※状況により異なる
ＪＣＯＭ㈱ 153	総 技【対象】インターン参加者【プロセス】ES提出・適性検査→面接(複数回)→内々定
㈱ティーガイア 154	総【対象】インターンシップ参加者【プロセス】インターンシップ→筆記・履歴書提出(11月)→ 面接(2回、12月)→ 内々定(12月)
㈱インターネットイニシアティブ 154	総 技【対象】インターン参加者【プロセス】説明会(11月下旬)→1次選考(12月)→2次選考(1月)→最終選考(1月)→内々定(1月下旬～2月上旬)

会社名 （掲載ページ）	早期選考データ
㈱ＭＩＸＩ 155	技【対象】自社求人ページより募集【プロセス】ES提出→面接(2～5回、12月～)→内々定(1月～)※職種によって異なる
インフォコム㈱ 156	総 技【対象】インターン参加者【プロセス】インターン(～12月中旬)→Webテスト(12月下旬～)→ES提出(12月下旬～)→面接(3回、1月～)→内々定(2月上旬～)
㈱ぐるなび 157	総【対象】インターン参加者【プロセス】ES提出(10月～)→1次面接(10月～)→2次面接(11月～)→3次面接(12月～)→最終面接(12月～)→内々定(12月～) 技【対象】インターン参加者【プロセス】ES提出(10月～)→1次面接(10月～)→最終面接(11月～)→内々定(11月～)

●システム・ソフト●

会社名 （掲載ページ）	早期選考データ
㈱大塚商会 158	総 技【対象】インターン参加者の一部【プロセス】セミナー(12月～)→Web適性検査→個人面接(2～3回)→内々定
ＳＣＳＫ㈱ 159	総 技【対象】早期イベントの参加者【プロセス】説明会・ES・適性テスト→面接(複数回)・適性テスト→内々定
㈱日立システムズ 160	総 技【対象】インターン参加者【プロセス】説明会(必須、2月～)→SPI(テストセンター)→ES提出→面接(2回)→内々定
ＮＥＣネッツエスアイ㈱ 161	総 技【対象】インターン参加者【プロセス】Webテスト・ES提出→GD→面接(2回)→内々定
ＧＭＯインターネットグループ㈱ 163	総 技【対象】インターン参加者【プロセス】ES提出(10月～)→Webテスト→面接(3回)→内々定
ネットワンシステムズ㈱ 165	総 技【対象】長期インターンシップ参加者、オープンカンパニー参加者【プロセス】グループディスカッション→面接(2回)→内々定
㈱日立ソリューションズ 165	総 技【対象】1day仕事体験参加者【プロセス】ES提出→Web1次面接→Web最終面接→内々定
㈱トヨタシステムズ 166	技【対象】インターン参加者【プロセス】説明会・筆記・ES提出(12月上旬～)→面接(2回、1月中旬～)→内々定(1月下旬～)
京セラコミュニケーションシステム㈱ 166	総 技【対象】インターンシップ参加者【プロセス】説明会(必須、2月)→ES提出→事業部の業務内容動画視聴→事業部面談(1回)→Web適性検査→面接(1回)→内々定(3月～)
ユニアデックス㈱ 167	総 技【対象】インターンシップ参加者【プロセス】ES提出・説明会(Web)・筆記(2～7月)→面接(2回、2～7月)→内々定
パナソニック インフォメーションシステムズ㈱ 168	技【対象】1dayインターンシップ参加者【プロセス】ES・適性検査→GD・面接など→内々定
都築電気㈱ 168	総 技【対象】インターン参加者【プロセス】Web説明会(必須、1月)→ES提出(1月)→SPI(2月)→1次面接(随時、Web)→2次面接(随時、Web)→最終面接(随時、Webまたは対面)→内々定
㈱インテック 169	総 技【対象】インターン参加者【プロセス】説明会・ES提出・Webテスト→グループディスカッション→面接(2回)→内々定
㈱ＤＴＳ 169	技【対象】インターンシップ(1day仕事体験)参加者【プロセス】説明会(必須)→適性検査→面接(2～3回)→内々定
三菱ＵＦＪインフォメーションテクノロジー㈱ 171	技【対象】自社イベントへの複数日程参加者【プロセス】ES提出→適性検査→面談・面接(2～3回)→内々定
㈱ＮＳＤ 171	技【対象】インターンシップ参加者【プロセス】説明会(必須)・適性試験(1～8月)→GD→面接(2回)→内々定
兼松エレクトロニクス㈱ 172	総 技【対象】対象イベント参加者【プロセス】ES提出・筆記→面接(2～3回)→内々定
ニッセイ情報テクノロジー㈱ 172	技【対象】1DAY仕事体験イベント(12～2月)参加者【プロセス】1DAY仕事体験イベント(12月～)→ES提出・Webテスト(1月～)→面談・面接(3～4回、1月～)→内々定
㈱ＴＫＣ 173	総 技【対象】インターン参加者(希望者のみ)【プロセス】インターン→録画面接→ES提出・1次面接・論理思考→最終面接→内々定(随時)※一括採用、入社後に各職種を決定
ＪＦＥシステムズ㈱ 174	総 技【対象】インターン参加者【プロセス】Web検査・書類選考→個人面接→個人面接→内々定

会社名 （掲載ページ）		早期選考データ
㈱中電シーティーアイ	175	技【対象】インターンシップ参加者【プロセス】NA
㈱シーイーシー	175	技【対象】インターンシップ参加者【プロセス】早期説明会・能力適性検査→面接(Webまたは対面・3回)→内々定
㈱ＪＳＯＬ	176	技【対象】インターン参加者【プロセス】ES提出・適性検査(11月以降)→ジョブマッチング・社員面談(1～3回)→内々定
コベルコシステム㈱	177	総 技【対象】SE体験ワーク(早期イベント)参加者【プロセス】説明会(必須、8～2月)→グループ面接・適性テスト・ES記入(11～2月)→面接(2回、11～3月)→内々定(1～3月)
ＮＳＷ㈱	178	技【対象】インターンシップ参加者、求人サイトで募集【プロセス】説明会・ES提出・Webテスト→面接(3回)→内々定
ｔｄｉグループ	178	総 技【対象】インターン参加者【プロセス】インターン・説明会(12月～)→適性検査(1月～)→面接(2回、2月～)→内々定
ＴＤＣソフト㈱	179	技【対象】インターン参加者【プロセス】説明会(必須、9月～)→Web試験・履歴書(9月～)→面接(2回、10月～)→内々定(11月～)
㈱図研	180	総 技【対象】インターンシップ参加者 自己応募者 過去のイベント参加者 求人サイトで募集【プロセス】説明会またはWeb面談(必須、12月～)→ES提出・SPI→面接(2回)→内々定
㈱アイネット	180	総 技【対象】インターン参加者【プロセス】説明会・筆記・ES提出(8月中旬～)→面接(3回、9月上旬～)→内々定(10月～)
㈱アグレックス	181	技【対象】インターン参加者、求人サイトで募集【プロセス】説明会(必須)→適性検査(12月～)→ES提出・面接(2回、12月下旬～)→内々定(1月下旬～)
㈱菱友システムズ	181	技【対象】インターン参加者【プロセス】インターンシップ(必須、8月～)→ES提出→作文→Webテスト→面接(2～3回)→内々定
東芝情報システム㈱	182	技【対象】インターン参加者【プロセス】1次面談(11月～)→ES提出・Web適性検査(選考なし)→2次面談(12月～)→合否通知(12月～)
トーテックアメニティ㈱	183	総 技【対象】インターン参加者 プレ期のエントリー者【プロセス】説明会(必須)→筆記・面接(2回)→内々定
㈱ビジネスブレイン太田昭和	183	総【対象】BBS主催のワークショップ参加者【プロセス】勤務地・職種マッチング面談→配属部門面接→役員面接
㈱ソフトウェア・サービス	184	総 技【対象】インターン参加者【プロセス】説明会・ES・適性検査(11月～)→1次面接→2次面接→最終面接→内々定
㈱ＩＤホールディングス	184	技【対象】1Day仕事体験参加者 採用イベント参加者 求人サイトで募集【プロセス】ES提出→会社説明会→WebテストSPI→面接(2回)→内々定
㈱フォーカスシステムズ	185	技【対象】インターン参加者【プロセス】インターン参加→Web説明会(必須)→ES→適性検査・個人面接(1～2回)→役員面接→内々定
㈱エクサ	185	総【対象】インターン参加者【プロセス】エントリー→Webテスト→人事面接(11月～)→部長面接・リクルーター面談(11月～)→役員面接(12月～)→内々定(12月～) 技【対象】インターン参加者 その他イベント参加者【プロセス】エントリー→Webテスト→人事面接(11月～)→部長面接・リクルーター面談(11月～)→役員面接(12月～)→内々定(12月～)
クオリカ㈱	186	総 技【対象】インターン参加者【プロセス】インターンシップ参加(必須)→筆記→1次面接→適性検査→2次面接→内々定※全てWeb
㈱ＣＩＪ	187	技【対象】インターン参加者 求人サイト応募者【プロセス】適性検査(10月～随時)→面接(2回、12月～随時)→内々定
さくら情報システム㈱	188	技【対象】インターン参加者【プロセス】Web適性検査(性格診断／能力テスト、11月～)→社員交流会(11月～)→ES提出(12月～)→役員面接対策面談(12月)→役員面接(1月)→内々定(1月)
㈱エヌアイデイ	188	技【対象】インターン参加者【プロセス】インターン参加(必須、7月～)→適性検査選考(随時)→ES提出→面接選考(2～3回、随時)→内々定(随時)
ＡＧＳ㈱	189	総 技【対象】インターン参加者【プロセス】書類提出(7月～)→面接(2回)→内々定(12月～)
アイエックス・ナレッジ㈱	189	総 技【対象】インターンシップ参加者【プロセス】説明会(必須、11月～)→作文・CAB(12月～)→面接(3回、2月～)→内々定

会社名 （掲載ページ）		早期選考データ
㈱ジャステック	190	技【対象】オープンカンパニー参加者【プロセス】説明会(必須、1月)→ES提出(1月)→筆記(1月)→面接(2回、1月)→内々定(2月)
ビジネスエンジニアリング㈱	191	技【対象】インターン参加者【プロセス】説明会(必須)→ES提出・SPI→1次面接→2次面接→役員面接→内々定
ＮＣＳ＆Ａ㈱	192	総【対象】1日仕事体験 学内セミナー参加者【プロセス】ES提出→1次面接→適性検査(Web)→2次面接→最終面接→内々定
㈱構造計画研究所	192	技【対象】インターン参加者【プロセス】書類選考免除 以降は本選考と同様
サイバーコム㈱	193	技【対象】インターンシップサイトにて当社へエントリーした学生【プロセス】説明会(必須)→ES提出→Web適性試験→面接(2回)→内々定
㈱ハイマックス	193	技【対象】インターンシップ参加【プロセス】説明会(11月～)・Web適性検査(12月～)→録画面接(免除)→個別面接(2回、12月下旬から順次)→内々定(1月下旬)
㈱東邦システムサイエンス	194	技【対象】学内セミナー参加者 インターン参加者 逆求人サイトで募集【プロセス】説明会(必須 11～2月)→ES提出(11～2月)→Webテスト(11～2月)→論作文(12～2月)→面接(2回 12～2月)→内々定(1～2月)
㈱クロスキャット	194	総 技【対象】オープンカンパニー・インターン参加者【プロセス】説明会・ES提出・Web適性検査・CAB(3月～)→面接(2回)→内々定 ※学業に支障が出ないように配慮
㈱ＳＣＣ	195	技【対象】インターンシップ参加者【プロセス】説明会(必須、11月～)→面接(12月～)→筆記(1月～)→面接(2月～)→内々定(3月～)
三和コンピュータ㈱	197	総 技【対象】インターン参加者【プロセス】説明会・適性検査→ES提出→面接→内々定

●銀行●

会社名 （掲載ページ）		早期選考データ
ＳＢＩ新生銀行グループ	202	総 技【対象】インターンシップ等のイベント参加者【プロセス】ES提出(自己PR動画含む)→適性検査→面接(複数回)→内々定
㈱あおぞら銀行	202	総【対象】当行採用HP、求人サイト等で募集【プロセス】ES提出・適性検査→面接(4回)→内々定 技【対象】当行採用HP、求人サイト等で募集【プロセス】ES提出・適性検査→面接(3回)→内々定
三井住友信託銀行㈱	203	総【対象】インターンシップ参加者【プロセス】WebES提出・Web適性検査→面接(複数回)→内々定(6月～)
三菱ＵＦＪ信託銀行㈱	204	総【対象】インターンシップ参加者【プロセス】WebES提出・Web適性検査→面接(複数回)→内々定
㈱秋田銀行	207	総【対象】インターンシップ参加者【プロセス】ES提出(2月～)→面接(2～4回、3月上旬～)→適性検査(SPI、3月下旬～)→内々定(3月下旬～)※総合職・一般職一括採用 技【対象】インターンシップ参加者【プロセス】ES提出(2月～)→面接(2～4回、3月上旬～)→適性検査(SPI、3月下旬～)→内々定(3月下旬～)
㈱北都銀行	207	総【対象】インターン参加者【プロセス】ES提出(1月～)→1次面接→Webテスト(2月～)→面接(2回、4月～)→内々定(5月)
㈱神奈川銀行	214	総【対象】インターンシップ・職業体験プログラム参加者【プロセス】説明会・ES提出→面接→Webテスト→役員面接→内々定(5月上～下旬)
㈱北國フィナンシャルホールディングス	216	総【対象】インターンシップ参加者【プロセス】ES提出 ・適性検査受検(12～2月)→履修データ提出・ 面接3回(1月～)→内々定(2月～3月)
㈱八十二銀行	218	総 技【対象】NA【プロセス】ES提出→筆記→面接(複数回)→内々定
㈱清水銀行	220	総【対象】インターン参加者 個別面談参加者 他【プロセス】ES提出→面接→Webテスト→面接→内々定
㈱あいちフィナンシャルグループ	221	総【対象】インターン参加者【プロセス】ES提出(3月～)→面接(2回)・Webテスト(4月～)→内々定(4月～)
㈱百五銀行	222	総【対象】インターンシップ参加者【プロセス】インターンシップ参加→Webテスト→面接(約2回)→内々定
㈱南都銀行	225	総【対象】インターンシップ参加者【プロセス】ES提出(3月～)→Webテスト(3月～)→面接(3回)→内々定

業種別・早期選考データ 691 社

会社名 *（掲載ページ）*	早期選考データ
㈱四国銀行 *228*	総【対象】インターンシップ参加者【プロセス】説明会(必須、2月上旬)→ES提出・Webテスト→面接(2月下旬～3月上旬)→内々定(3月中旬)
㈱肥後銀行 *231*	総【対象】インターン参加者 リクルーター面談参加者【プロセス】ES提出(11月～)→面接(3回)→内々定(12月下旬～)
●共済●	
日本コープ共済生活協同組合連合会 *237*	総【対象】座談会参加者【プロセス】仕事体験→座談会→ES提出→適性検査→GD→面接(2回)→内々定
●証券●	
いちよし証券㈱ *242*	総【対象】インターン参加者 早期エントリー者【プロセス】説明会(任意)→ES提出→面接→Webテスト→面接(2回)→内々定
水戸証券㈱ *243*	総【対象】インターンシップ参加者【プロセス】NA
東洋証券㈱ *243*	総【対象】インターン参加者、求人サイトで募集【プロセス】イベント(必須)→ES提出→Webテスト→オンライン面接(1回)→役員面接(1回)→内々定
●生保●	
日本生命保険(相) *245*	総【対象】インターンシップ参加者【プロセス】先輩職員訪問→人事面談
住友生命保険(相) *246*	総【対象】インターン参加者 他【プロセス】ES提出→Webテスト→面接→内々定
アクサ生命保険㈱ *248*	総【対象】インターンシップ参加者【プロセス】ES・Webテスト(1月～)→面接(3回～4回、2月～)→内々定(3月～)
富国生命保険(相) *250*	総【対象】インターン参加者【プロセス】Web試験→ワーク選考→面接(約2回)→内々定
三井住友海上あいおい生命保険㈱ *251*	総【対象】インターン複数参加者かつ社員Web訪問実施者【プロセス】1Dayインターン→3Daysインターン→社員Web訪問→早期選考
ＳＯＭＰＯひまわり生命保険㈱ *252*	総【対象】当社主催イベント(仕事体験)参加者【プロセス】説明会(必須)→ES提出→SPI→面接(3～4回)→内々定
●損保●	
東京海上日動火災保険㈱ *253*	総【対象】インターンシップ参加者【プロセス】ES提出・適性検査→面接(3～4回)・作文→内々定
共栄火災海上保険㈱ *255*	総【対象】インターン参加者【プロセス】ES提出→インターンシップ参加→面談→適性検査→2次面接→最終面接→内々定
ソニー損害保険㈱ *256*	総【対象】インターンシップ参加者【プロセス】NA
日新火災海上保険㈱ *256*	総【対象】イベント参加者【プロセス】NA
●代理店●	
㈱アドバンスクリエイト *257*	総【対象】インターンシップ参加者【プロセス】説明会(必須)→ES提出・面接(2～3回)・能力テスト・適性検査→内々定
共立㈱ *257*	総【対象】インターン参加者【プロセス】ES提出(1月中旬)→面接(3回、2月上旬～3月上旬)→適性検査(2月下旬)→内々定(3月中旬)
●信販・カード・リース他●	
オリックス㈱ *258*	総【対象】インターン参加者【プロセス】ES提出・Web適性検査→筆記・面接(3～5回)→内々定
三菱ＨＣキャピタル㈱ *259*	総【対象】インターン参加者【プロセス】WebES・適性検査(2～3月)→面接(3～4回、2月下旬～5月)→内々定(3～6月)
東京センチュリー㈱ *259*	総【対象】冬季インターンシップ参加者の一部【プロセス】ES提出(1月～)→Web個人面接(3～4回)・大学成績・Webテスティング→内々定(1月～)

会社名 (掲載ページ)		早期選考データ
芙蓉総合リース㈱	260	総【対象】インターン参加者【プロセス】説明会(必須)→ES提出→SPI→面接(複数回)→内々定
NTT・TCリース㈱	261	総【対象】求人サイトで募集【プロセス】ES提出→面接(2回程度)→内々定
㈱JECC	262	総【対象】インターンシップ参加者【プロセス】説明会→ES提出・適性検査→面接(3〜4回)→内々定
リコーリース㈱	262	総【対象】1day仕事体験参加者【プロセス】1day仕事体験参加→説明会(必須、オンデマンド視聴もしくはWeb説明会参加、12月〜)→Webテスト→ES提出→面接(3回、2月〜)→内々定
三井住友トラスト・パナソニックファイナンス㈱	263	総【対象】オープンカンパニー参加者【プロセス】ES提出(1月〜)→適性検査(1月〜)→面接(3〜4回、2月〜)→内々定(3月〜)
住友三井オートサービス㈱	264	総【対象】インターンシップ参加者【プロセス】説明会動画視聴(必須、12月〜)→ES提出(12月)→1次面接(1月)→Webテスト(1月)→2次面接(2月)→最終面接(3月)→内々定
NECキャピタルソリューション㈱	264	総【対象】オープンカンパニー参加者【プロセス】ES提出→オープンカンパニー参加→ES提出・Webテスト→面接(2回)→内々定
三井住友カード㈱	265	総【対象】インターン参加者【プロセス】NA
㈱ジェーシービー	265	総【対象】インターン参加者【プロセス】Web説明会(必須)→面接・人事面談等→内々定
三菱UFJニコス㈱	266	総【対象】インターンシップ(5days)参加者【プロセス】履歴書・ES提出→動画提出→面接(2回)→内々定 ※Webテスト、一次面接免除
イオンフィナンシャルサービス㈱	266	総【対象】インターン参加者【プロセス】ES提出(1月下旬)→適性検査(2月上旬)→面接(3回、2月下旬)→内々定(2月下旬)
㈱クレディセゾン	267	総【対象】インターン参加者【プロセス】Webテスト→インターン→ES提出→面接(複数回)→内々定
トヨタファイナンス㈱	267	総【対象】インターンシップ全コンテンツ参加者【プロセス】NA
㈱オリエントコーポレーション	268	総【対象】インターン参加者【プロセス】ES提出・Webテスト→課題ワーク・AI面接→面接(1次・2次・最終)→内々定
アコム㈱	269	総【対象】1Day仕事体験参加からの早期選考希望者【プロセス】1Day仕事体験(7〜10月)→説明会(必須、10.11月)→ES提出・Webテスト(11.12月)→面談(1〜3回、8〜2月)→面接(1〜3回、12〜5月)→内々定(12〜5月)※面接回数は面談回数等により異なる
アイフル㈱	270	総【対象】インターン参加者【プロセス】適性検査・ES提出→面談・面接(2〜3回)→内々定 技【対象】インターン参加者のIT系学生【プロセス】適性検査・ES提出→面談・面接(2〜3回)→内々定

●広告●

会社名 (掲載ページ)		早期選考データ
㈱電通	280	総【対象】採用選考直結型インターン参加者【プロセス】NA
㈱博報堂	280	総【対象】インターン参加者【プロセス】NA
㈱ADKホールディングス	281	総【対象】インターン選考通過者 早期エントリー者【プロセス】ES提出(10〜11月)→書類選考→1次選考(GD)→2次選考(面接)→3次マーケティングディスカッション→最終役員面接→内々定
㈱東急エージェンシー	281	総【対象】インターンシップ参加者【プロセス】Web適性(2月)→面接(2回、3月)→内々定(4月)
㈱読売IS	283	総【対象】インターン参加者【プロセス】インターン(1月)→社員座談会(2月)→ES提出(2月)→適性検査(3月)→1次面接(3月)→2次面接(4月)→内々定(4月)
㈱大広	286	総【対象】インターン参加者【プロセス】ES提出→書類選考→面談→インターンシップ→面談→適性検査→最終面談→内々定
㈱電通東日本	286	総【対象】インターン参加者【プロセス】ES提出(12〜1月)→インターン参加(2月)→面接・面談(複数回、3〜4月)→内々定(4月下旬)

会社名	（掲載ページ）	早期選考データ
㈱ＡＯＩ Ｐｒｏ．	287	[総]【対象】特になし【プロセス】＜PM＞ES提出・Web適性テスト→面接（複数回）・Web適性テスト→内々定＜PD＞ES提出・Web適性テスト・任意作品提出→課題（複数回）→面接・課題→内々定＜GPM＞ES提出・Web適性テスト→面接（複数回）・Web適性テスト→内々定
㈱プロトコーポレーション	287	[総]【対象】インターン参加者 求人サイトで募集【プロセス】説明会・Webテスト（10月～随時）→面接（2回、12月～随時）→内々定（随時）
㈱博報堂プロダクツ	288	[総]【対象】インターンシップ参加者【プロセス】時期・フローは職種によって異なる
●新聞●		
㈱朝日新聞社	290	[総]【対象】制限なし【プロセス】＜記者職＞ES提出（12～1月）→SPI→面接（複数回）・実技・作文→内々定 ＜ビジネス職＞ES提出（12～1月）→SPI→面接（複数回）→内々定 [技]【対象】制限なし（本採用選考が12～1月にエントリー受付のため）【プロセス】ES提出（12～2月）→面接（複数回）→内々定
読売新聞社	290	[総]【対象】NA【プロセス】ES提出→筆記→面接・総支局体験会（取材記者）など→内々定 [技]【対象】NA【プロセス】ES提出→筆記→面接→内々定
㈱産業経済新聞社	292	[総]【対象】冬インターン参加者【プロセス】インターン→人事面談→筆記・作文→面接（2～3回）
●出版●		
㈱ＫＡＤＯＫＡＷＡ	296	[総]【対象】インターン参加者【プロセス】面接複数回
●電機・事務機器●		
ＮＥＣ	305	[総] [技]【対象】インターン参加者【プロセス】NA
㈱東芝	306	[総]【対象】インターンシップ参加者のうち一部優秀者 リクルーター面談参加者【プロセス】選考プロセス一部免除 [技]【対象】インターンシップ参加者のうち一部優秀者【プロセス】選考プロセス一部免除
㈱デンソーテン	308	[総] [技]【対象】マイページ登録者【プロセス】ES提出・Webテスト→面接（2回）→内々定
㈱ＪＶＣケンウッド	309	[総] [技]【対象】インターン参加者【プロセス】インターン（2月）→ES提出・SPI（2月）→面接（2回、2月下旬～）→内々定（3月～）
カシオ計算機㈱	309	[技]【対象】就業経験を伴うプログラム参加者【プロセス】就業体験（必須）→面接（1～2回）→内々定
セイコーエプソン㈱	312	[技]【対象】インターンシップ参加者【プロセス】ES提出→面接（複数回、一部免除）→内々定（6月～）
ブラザー工業㈱	313	[総]【対象】対象イベント参加者【プロセス】説明会参加→書類選考→適性検査→対面イベント参加→ES→面接（2回）→内々定
東芝テック㈱	313	[技]【対象】指定のイベント参加者【プロセス】ES提出・Webテスト→面接（1～2回）→内々定
京セラドキュメントソリューションズ㈱	314	[総] [技]【対象】インターンシップ・オープンカンパニー参加者【プロセス】ES提出→筆記→面接（2回）→内々定
沖電気工業㈱	314	[技]【対象】インターン参加者【プロセス】ES提出＆適性検査・専門テスト（12～2月）→面接（1回、2～3月）→内々定（2～3月）
㈱ＰＦＵ	315	[総] [技]【対象】対面開催のインターンシップ参加者【プロセス】適性検査→ES提出→カジュアル面談→面接（複数回）→内々定※時期により異なる場合あり
理想科学工業㈱	316	[総] [技]【対象】インターン参加者 個別面談参加者 少人数説明会参加者【プロセス】NA
オムロン㈱	318	[総] [技]【対象】インターン参加者【プロセス】面接（1回）→内々定
㈱安川電機	318	[総] [技]【対象】インターンシップ参加者【プロセス】ES提出→面接（2回）→内々定
㈱ダイヘン	321	[総]【対象】2Days営業体験イベント参加者【プロセス】イベント参加→ES提出・テストセンター→面接（2回）・適性検査→内々定 [技]【対象】1Dayエンジニアの働き方がわかる社員座談会参加者【プロセス】イベント参加→ES提出・テストセンター→面接（2回）・適性検査→内々定

会社名 (掲載ページ)		早期選考データ
日東工業㈱	322	総 技【対象】インターンシップ参加者の中で早期選考を希望する人【プロセス】ES提出(1月〜2月)→1次面接・適性検査(2〜3月)→テストセンター(2〜3月)→最終面接(3〜4月)→内々定4月〜)
㈱イシダ	322	総 技【対象】インターン参加者 OBOGからの紹介【プロセス】ES提出→1次面接→Webテスト→2次面接→個人面談→最終面接→内々定 ※選考の中で、工場や配属先のオフィス見学を実施する場合あり
日新電機㈱	323	総【対象】インターンシップ参加者【プロセス】ES提出(1月中旬頃〜)→Webテスト→面接(3回)→内々定(3月上旬頃〜) 技【対象】インターンシップ参加者【プロセス】ES提出(1月中旬頃〜)→Webテスト→面接(1〜3回)→内々定(3月上旬頃〜)
㈱日立パワーソリューションズ	323	技【対象】インターン参加者【プロセス】書類提出(成績・Webテスト、2月下旬〜3月上旬)→会社説明動画(3月)→1次面談(3月中旬)→ES・最終面接(3月下旬〜)→内々定(3月下旬〜)
能美防災㈱	324	総 技【対象】インターンシップ参加者【プロセス】ES提出(11月)・Webテスト→面接→面接・作文→内々定(1月)
古野電気㈱	324	技【対象】インターン参加者【プロセス】Web説明会(任意、1月〜)→ES提出(1月〜)→Web1次面接(2月〜)→Web適性検査・Web2次面接(2月〜)→最終面接(対面、3月〜)→内々定
アジレント・テクノロジー㈱	325	技【対象】インターンシップ参加者【プロセス】ES提出(6月〜)→面接→インターンシップ実施→本選考

●電子部品・機器●

会社名 (掲載ページ)		早期選考データ
ニデック㈱	326	技【対象】インターン参加者【プロセス】ES提出・Web適性検査(1月〜)→面接(2回、2月〜)→内々定(2月)
TDK㈱	326	技【対象】インターン参加者【プロセス】NA
京セラ㈱	327	総【対象】現場実習型インターンシップ、複数回の自社イベント参加者【プロセス】ES提出・適性検査(3月〜)→論作文・GD・面接(2回、4月〜)→内々定 技【対象】現場実習&研究型インターンシップ、複数回の自社イベント参加者【プロセス】ES提出・適性検査(11月〜)→面接(2回、12月〜)→内々定
ルネサスエレクトロニクス㈱	328	技【対象】インターンシップ参加者(一部)【プロセス】NA
ミネベアミツミ㈱	328	総【対象】早期実施する社内セミナー説明会の参加者【プロセス】ES提出・Webテスト→面接(2〜3回)→内々定 技【対象】インターンシップ参加者 早期実施する社内セミナー説明会の参加者【プロセス】ES提出・Webテスト→面接(2〜3回)→内々定
アルプスアルパイン㈱	329	技【対象】インターンシップ参加者 OB社員研究室訪問に参加した学生【プロセス】ES提出(1月〜)→Webテスト(1月〜)→特別マッチング面談(1月〜4月)→最終面接(1月〜4月)→内々定(6月〜)
日東電工㈱	330	総 技【対象】各種イベント参加者(インターンシップなど)【プロセス】ES提出→Webテスト→1次面接(グループ)→Webテスト→2次面接→最終面接→内々定
日亜化学工業㈱	330	技【対象】1day仕事体験参加者【プロセス】ES提出・SPI→面接(2回)→内々定
ローム㈱	331	技【対象】夏季インターン参加者【プロセス】ES提出(11月)→面接(1回)→内々定(12月〜)
太陽誘電㈱	332	技【対象】インターンシップ参加者【プロセス】インターンシップ→ES提出・筆記→人事面接→部門面接→役員面接→内々定
セイコーグループ㈱	334	総【対象】インターン参加者【プロセス】説明会(必須、12月)→ES提出・適性検査(1月)→面接(3回、2〜3月)→内々定(3月)
サンケン電気㈱	334	総 技【対象】インターンシップ参加者【プロセス】Webテスト→面接(2回)→内々定
日本航空電子工業㈱	335	技【対象】インターン参加者【プロセス】インターンシップ参加→適性検査・ES提出・選考→面接・筆記(Web・対面、複数回)→内々定
浜松ホトニクス㈱	335	総【対象】当社採用マイページで募集【プロセス】説明会(必須、1〜5月)→適性(1〜5月)→面接(3回、1〜5月)→内々定(3月) 技【対象】当社採用マイページで募集【プロセス】説明会(必須、11〜5月)→適性(1〜5月)→面接(3回、1〜5月)→内々定(3月)
㈱ソシオネクスト	336	技【対象】OB訪問参加者 求人サイト募集【プロセス】説明会(必須、11月)→ES提出(11月)→書類選考(11月)→適性検査(11月)→面接(2回、12月)→内々定(1月)

業種別・早期選考データ 691 社

会社名 *(掲載ページ)*		早期選考データ
㈱トプコン	336	技【対象】インターンシップ参加者 OB・部門訪問参加者【プロセス】カジュアル面談(1~2月)→ES提出・筆記・作文(2月)→Webテスト(2月)→面接(3回、2~3月)→内々定(4月)
新光電気工業㈱	337	総【対象】オープンカンパニー参加者【プロセス】ES提出(2月~)→Webテスト、面接(2回)→内々定 技【対象】インターンシップ・オープンカンパニー参加者【プロセス】ES提出(11月~)→Webテスト、面接(3回)→内々定 ※インターンシップ等の対面プログラム参加者は早期選考に加え、ES合格確約、一次面接免除にて選考実施
㈱三井ハイテック	337	総 技【対象】冬期までの企業単独型イベント参加者(オープンカンパニー他)【プロセス】履歴書提出(2~6月)→Webテスト→面接(2回、3~6月)→内々定
ニチコン㈱	338	技【対象】インターン参加者【プロセス】早期選考説明会・ES提出(2月)→面接(3月~)・作文→内々定(3月~)
マブチモーター㈱	339	総【対象】夏季インターンシップ参加者【プロセス】ES提出(2月)→1次選考(面接・筆記、2月~)→最終選考(面接、3月~)→内々定(3月) 技【対象】夏季インターンシップ参加者【プロセス】ES提出(1月)→1次選考(面接・筆記、1月~)→2次選考(面接・筆記、1月~)→最終選考(面接、2月~)→内々定(2月~)
NISSHA㈱	339	総【対象】インターンシップ参加者 他社内イベント参加者 リクルーター面談参加者 他【プロセス】説明会(必須、リアルorオンライン)→ES提出・Webテスト→面接(2~3回)→内々定 技【対象】インターンシップ参加者 他社内イベント参加者 リクルーター面談参加者 など【プロセス】説明会(必須、リアルorオンライン)→ES提出・Webテスト→面接(2~3回)→内々定
ヒロセ電機㈱	340	技【対象】インターンシップ参加者【プロセス】ES提出・SPI(11月~)→個人面談(2回)→内々定
日本ケミコン㈱	340	総【対象】インターンシップ参加者【プロセス】ES提出・面接(2~3回、2月~)→内々定(3月上旬~) 技【対象】インターンシップ参加者【プロセス】ES提出(1月下旬~)→面接(2~3回)→内々定
マクセル㈱	341	総 技【対象】オープンカンパニー参加者【プロセス】オープンカンパニー(必須、1月下旬~)→ES提出・テスト(2月下旬~)→面接(2~3回、3月上旬)→内々定(3月下旬)
フォスター電機㈱	341	総 技【対象】インターンシップ参加者【プロセス】インターンシップ(夏期 冬期)→ES提出→1次面接→2次面接→最終面接→内々定(~3月)
アンリツ㈱	342	総【対象】インターン参加者【プロセス】ES提出・書類提出→面接(3回)・適性検査→内々定 技【対象】インターン参加者【プロセス】ES提出・書類提出(3月~)→筆記・適性検査・面接(3回)→内々定
㈱タムラ製作所	342	技【対象】インターンシップ参加者【プロセス】NA
シンフォニアテクノロジー㈱	343	総【対象】インターン参加者【プロセス】インターン参加→Webセミナー(必須)・ES提出(11月~随時)→書類選考(10日以内)→個別面接(1回)→適性検査→個別面接(1~2回)→内々定(2月) 技【対象】インターン参加者【プロセス】インターン参加→Webセミナー(必須)・ES提出(11月~随時)→書類選考(10日以内)→個別面接(1回)→Webテスト→個別面接(1~2回、4月)→内々定(2月)
新電元工業㈱	343	技【対象】インターン参加者【プロセス】ES提出(1月上旬~)→Webテスト(1月中旬~)→1次面接・専門試験(1月下旬~)→最終面接(2月上旬~)→内々定※専門試験は対面実施時のみ
富士通フロンテック㈱	344	総 技【対象】インターンシップ参加者【プロセス】説明会・ES(希望職種提出)→適性検査→面接(2回)→内々定
㈱タムロン	345	総 技【対象】インターン参加者(※求人サイトで募集)【プロセス】ES提出・Webテスト→面接(3回)・適性検査→内々定
オリエンタルモーター㈱	345	総 技【対象】インターン、オープンカンパニー参加者【プロセス】NA
東京計器㈱	346	技【対象】イベント参加者 リクルーター面談参加者【プロセス】ES提出(1月)→書類選考(1月)→Webテスト・面接(2回、1月下旬~2月上旬)→内々定(2月上旬)
SMK㈱	347	総 技【対象】採用イベント参加者【プロセス】説明会または個別面談→ES提出→筆記→面接(2~3回)→内々定
日本テキサス・インスツルメンツ(合同)	349	総【対象】インターン参加者【プロセス】NA 技【対象】NA【プロセス】CV提出→面接→内々定

会社名　（掲載ページ）		早期選考データ
東京エレクトロン㈱	350	総 技【対象】イベント参加者【プロセス】イベント(必須、7月～)→適性検査(12月～)→ES提出(12月～)→ジョブマッチング(3回、1月～)→ジョブマッチング成立(1月～)
㈱アドバンテスト	351	技【対象】インターン参加者他【プロセス】ES・Webテスト→Web面接・Webテスト→Web面接・Web作文→面接(Web・対面)→内々定 ※学校推薦は異なる
㈱アルバック	352	技【対象】インターンシップ参加者 スカウト承諾・面談参加者【プロセス】ES提出(12月～)→面接(2～3回)・適性検査・Webテスト・作文→内々定
レーザーテック㈱	353	技【対象】各種イベント参加者【プロセス】イベント参加→ES・研究概要提出→Webテスト→面接(2回)→内々定
㈱KOKUSAI ELECTRIC	353	技【対象】夏季インターンシップ参加者【プロセス】ES提出(12月)→1次面談(1月)→Webテスト&2次面談(2月)→内々定(2月中旬～)
ウシオ電機㈱	354	技【対象】インターンおよび関連イベント参加者【プロセス】説明会(11～12月)→ES提出・Web適性/学力検査(12月)→面接(2回、12～1月)→内々定(1～2月)
ローツェ㈱	355	技【対象】インターンシップ参加者【プロセス】インターンシップ参加→筆記→1次面接→最終面接→内々定

●住宅・医療機器他●

会社名		早期選考データ
ホーチキ㈱	355	総 技【対象】インターン参加者【プロセス】インターン参加→早期説明会(必須)→ES提出・Web能力検査→1次面接→最終面接→内々定
アイホン㈱	356	総 技【対象】インターンシップ参加者【プロセス】説明会(必須)→ES提出(通過確約)→適性検査・GD・SPI・面接(2回)→内々定
オリンパス㈱	356	技【対象】インターン参加者【プロセス】面接
ニプロ㈱	357	総 技【対象】求人サイトで募集【プロセス】NA
キヤノンメディカルシステムズ㈱	358	総 技【対象】インターン参加者 イベント参加者【プロセス】ES提出(12月)→1次選考(筆記・面接)→2次選考(面接)→最終選考(面接)→内々定
シスメックス㈱	358	総 技【対象】国内インターン参加者【プロセス】<国内>適性検査(3月～)→GDまたは1on1→面接(3回)→内々定 ※通年採用 <海外>実施なし
日本光電	359	総 技【対象】インターンシップ及び、その他イベント参加者【プロセス】ES提出(1月～)→Webテスト(2月)→面接(2回、3月～)→内々定(3月中)
日機装㈱	359	総 技【対象】インターンシップ参加者 リクルーター説明会参加者【プロセス】<インターンシップ参加>インターンシップ参加(8月～)→ES提出(10月～)→面接(3回、10月～)・適性検査(11月～)→内々定(12月～)<リクルーター説明会参加>説明会参加(11月～)→ES提出(1月～)→面接(3回、1月～)・適性検査(2月～)→内々定(2月～)

●自動車●

会社名		早期選考データ
日産自動車㈱	361	総【対象】インターン参加者【プロセス】Web適性検査→GD→ES提出→面接(複数回)→内々定 技【対象】インターン参加者【プロセス】Web適性検査→ES提出→面接(複数回)→内々定
マツダ㈱	362	総 技【対象】インターン参加者【プロセス】ES提出(11～5月)→最終面接(12～6月)→内々定(6月)※インターン終了後順次個別対応
ダイハツ工業㈱	363	技【対象】インターン参加者【プロセス】ES提出(3月～)→面接(1回、6月～)→内々定(6月中旬～)
日野自動車㈱	364	総【対象】ワークショップ参加学生【プロセス】ES提出・テストセンター→面接(2回)→内々定 技【対象】ワークショップ/インターンシップ参加学生【プロセス】ES提出・テストセンター→面接(2回)→内々定
UDトラックス㈱	365	総 技【対象】インターンシップ参加者【プロセス】説明会(必須)→ES提出(12月)→書類選考(12月)→面接(2回、12～1月)→内々定(12月～)
ヤマハ発動機㈱	365	技【対象】インターンシップ参加者【プロセス】ES提出(3月～)→面談(1回)→内々定(6月上旬～)

会社名 (*掲載ページ*)		早期選考データ
カワサキモータース(株)	366	総【対象】イベント参加者【プロセス】ES(12月)→SPI(1月)→GD(2月)→面接(3月)→内々定 技【対象】インターンシップ参加者【プロセス】ES(11月)→面接(12月)→内々定

●自動車部品●

会社名 (*掲載ページ*)		早期選考データ
ダイハツ九州(株)	367	総 技【対象】インターンシップ参加者【プロセス】履歴書提出→Web試験→面接(1回、随時)→内々定
日産車体(株)	367	総 技【対象】インターンシップ(仕事体験)参加者【プロセス】インターンシップ(仕事体験)参加→書類提出(ES含む)・適性検査→1次面接→適性検査→役員面接→内々定
マザーサンヤチヨ・オートモーティブシステムズ(株)	368	総 技【対象】インターン参加者【プロセス】ES提出→説明会→書類・SPI選考→面接(2回)→内々定
(株)アイシン	369	技【対象】インターンシップ参加者【プロセス】ES提出(12月)→面接・他選考(1回、1月〜)→内々定(2月〜)※選考はオンラインで実施
豊田合成(株)	370	総 技【対象】インターンシップ参加者【プロセス】インターンシップ(8月〜)→最終面談(1月〜)→内々定(2月〜)
(株)東海理化	371	総【対象】早期イベント参加者【プロセス】ES提出(1月〜)→Web適性検査(1月〜)→GD(2月〜)→面接(2回、5月〜)→内々定(3月〜) 技【対象】長期インターン参加者【プロセス】面接(2回、1月〜)→内々定(3月〜)
(株)GSユアサ	371	技【対象】5daysインターンシップ参加者(一部)【プロセス】ES提出(12月)→SPI(12月〜)→筆記→面接(1〜2回)→内々定(6月〜)
(株)ブリヂストン	372	総【対象】ワークショップ参加者【プロセス】ES提出・Webテスト→イベント参加→面接→内々定 技【対象】インターン参加者【プロセス】ES提出・Webテスト・技術面談→内々定
住友ゴム工業(株)	372	総【対象】選考付きイベント参加・合格者【プロセス】ES提出→適性テスト→面接(2回)→内々定※面接を一部免除 技【対象】インターン参加者 選考付きイベント参加・合格者【プロセス】<インターン参加者>面接(2回)→内々定 ※書類選考・面接を一部免除<選考付きイベント参加・合格者>ES提出→適性テスト→面接(2回)→内々定※面接を一部免除
TOYO TIRE(株)	373	技【対象】インターンシップ参加者 リクルーター面談参加者【プロセス】ES提出・SPI受検(1月〜)→面接(1〜2回)→内々定(3月〜)
住友理工(株)	374	技【対象】夏季インターンシップ応募者 リクルーター面談参加者【プロセス】夏季インターンシップES提出(5月上旬〜)→面接(1回、8月)→インターンシップ参加(7月)→部署マッチング(11月)→面接(1回、12月)→内々定 リクルーター面談(1回、11月)→面接(2回、1月)→内々定
テイ・エス テック(株)	374	総 技【対象】自社イベント参加者など【プロセス】NA
(株)タチエス	375	技【対象】求人サイトで募集【プロセス】Web説明会(任意、2月上旬)→個人面接・性格検査・ES提出(2月下旬)→役員面接(3月上旬)→内々定(3月中旬)
(株)ミツバ	376	総 技【対象】インターンシップ・仕事体験参加者【プロセス】説明会(対面・Web、3月〜)→ES提出・Webテスト→面接(3回、対面orWeb)→内々定
(株)ハイレックスコーポレーション	376	総 技【対象】インターンシップ参加者【プロセス】説明会・必須(11月)→ES提出(11月)→1次面接(11月)→Webテスト(12月)→役員面接(1月)→内々定(1月)
住友電装(株)	377	総【対象】インターン参加者【プロセス】Web面接→最終面接→内々定 技【対象】インターン参加者【プロセス】最終面接→内々定
矢崎総業(株)	377	総 技【対象】インターン参加者【プロセス】キャリアシート提出→Webテスト→面接(2回)→内々定
スタンレー電気(株)	379	総 技【対象】インターン参加者 など【プロセス】説明会(任意)→ES提出→SPI→Web面接(2回)→内々定
(株)三五	380	総【対象】オープン・カンパニー参加者 個別面談参加者 教授推薦者 等【プロセス】ES提出(2月末)→面接(3回、3月上旬〜4月下旬)・Webテスト(3月上旬)→内々定(4月下旬) 技【対象】オープン・カンパニー参加者 個別面談参加者 教授推薦者 等【プロセス】ES提出(1月下旬〜2月上旬)→面接(1回、3月上旬)・Webテスト(3月上旬)→内々定(3月中旬)

会社名 （掲載ページ）		早期選考データ
㈱ジーテクト	381	総 技【対象】インターン参加者 ワークショップ参加者【プロセス】オープンカンパニー(6月～)→ES提出・適性検査(8月下旬～)→1次面接(10月上旬～)→最終面接(10月下旬～)→内々定(11月上旬～)
ユニプレス㈱	382	総 技【対象】1day仕事体験参加者【プロセス】1day仕事体験(～2月)→適性検査・ES提出(2月～)→人事面接(2月下旬～)→最終役員面接(3月上旬～)→内々定
トピー工業㈱	382	総 技【対象】インターン参加者【プロセス】NA
太平洋工業㈱	383	技【対象】インターン等参加者【プロセス】ES提出(12月)→Webテスト(12～1月)→1次面接(1月下旬～2月初旬)→最終面接(2月中旬～)→内々定
プレス工業㈱	384	総 技【対象】インターン参加者【プロセス】筆記(3月～)→ES提出→面接(3回、4月～)→内々定(5月～)※一次面接は確約
㈱アドヴィックス	384	技【対象】インターシップ参加者【プロセス】ES提出・適性検査→面接→内々定
ジヤトコ㈱	385	技【対象】1day仕事体験参加者 工場見学参加者 OB訪問参加者【プロセス】Web適性検査・ES提出→面接(2回)→内々定
日清紡ホールディングス㈱	385	技【対象】インターンシップ参加者【プロセス】ES提出(11月～)→1次面接→2次面接→最終面接→内々定
日本発条㈱	386	総【対象】インターンシップ参加者【プロセス】1日インターンシップ(必須、6月～)→適性検査(8月～)→ES提出(11月～)→面接3回(1～2月)→内々定(2月～) 技【対象】1日インターンシップ参加者【プロセス】1日インターンシップ(必須、6月～)→適性検査(8月～)→ES提出(11月～)→面接2～3回(12～2月)→内々定(1月～)
㈱ヨロズ	386	総【対象】マイナビで募集【プロセス】説明会(必須、2月上旬)→1次面接(3月上旬)→ES提出→2次面接→適性検査→最終面接(4月上旬)→内々定(4月下旬) 技【対象】インターン参加者 マイナビで募集【プロセス】説明会(必須、2月上旬)→1次面接(3月上旬)→ES提出→2次面接→適性検査→最終面接(4月上旬)→内々定(4月下旬)※インターン参加者は説明会、1次面接免除
カヤバ㈱	387	総【対象】早期採用イベント参加者【プロセス】早期イベント参加(8月～)→説明会(12月～)→ ES提出・Webテスト(12月～)→ 書類選考(1月～)→ 面接(2回、2月～)→内々定(2月～) 技【対象】早期採用イベント参加者【プロセス】早期イベント参加(7月～)→説明会(11月～)→ ES提出(12月～)→Webテスト・面接(2回、12月～)→内々定(2月～)
武蔵精密工業㈱	388	技【対象】仕事体験、インターン参加者【プロセス】仕事体験、インターン参加→早期選考のご案内→1次面接／適性
㈱エクセディ	389	技【対象】インターンシップ参加者【プロセス】面接(1～2回)→内々定
㈱エフテック	389	総 技【対象】1day仕事体験・オープンカンパニー参加者【プロセス】説明会(1～2月)→ES提出(1～2月)→筆記(1～2月)→面接(2回、1～3月)→内々定(2～3月)
㈱エフ・シー・シー	390	技【対象】冬季3daysインターンシップ参加者【プロセス】冬3days IS参加(2月中旬)→ES提出・適性検査(面接の参考資料として提出していただいた)→役員面接→内々定
大同メタル工業㈱	390	総 技【対象】インターン参加者【プロセス】ES提出→一次面接→適性検査・二次面接→最終面接→内々定
バンドー化学㈱	391	技【対象】インターン参加者、オファーサイト、新卒就職サイトなど【プロセス】ES提出→一次選考免除→二次選考→最終選考→内々定
ダイキョーニシカワ㈱	393	総【対象】1dayインターンシップ参加者【プロセス】説明会(必須)→書類(ES含む)提出→SPI→面接(2回)→内々定 技【対象】5dayインターンシップ参加者 1dayインターンシップ参加者【プロセス】説明会(必須)→書類(ES含む)提出→SPI→面接(2回)→内々定
リョービ㈱	393	総 技【対象】当社主催イベント参加者等【プロセス】NA
ＴＰＲ㈱	394	総【対象】学内説明会当社ブース参加者 スカウトサイトで募集【プロセス】適性検査・ES提出(2月～)→1次面接(2月～)→2次面接(3月～)→最終面接(3月～)→内々定 ※応募によって都度実施 技【対象】インターン参加者 学内説明会弊社ブース参加者 スカウトサイトで募集【プロセス】適性検査・ES提出(12月～)→1次面接(2月～)→2次面接(3月～)→最終面接(3月～)→内々定 ※応募によって都度実施

会社名 （掲載ページ）		早期選考データ
●輸送用機器●		
㈱三井Ｅ＆Ｓ	395	技【対象】工場実習型インターンシップ(タイプ3)の参加者【プロセス】ES提出→書類選考→適性テスト→人事面談→ジョブマッチング面談→内々定
ジャパン マリンユナイテッド㈱	396	総【対象】インターン参加者 リクルーター面談参加者【プロセス】説明会(任意、3月～)→ES提出(3月～)→Webテスト(3月～)→面接(3回、6月～)→内々定 技【対象】インターン参加者 リクルーター面談参加者【プロセス】説明会(任意 3月～)→ES提出(3月～)→Webテスト(3月～)→面接(3回 6月～)→内々定
新明和工業㈱	397	総 技【対象】原則インターンシップ参加者【プロセス】ES提出(1月～)→面接・Web面接(1～2月～)→Webテスト(1～2月～)→面接・Web面接(2回、2～3月随時)→内々定
極東開発工業㈱	397	総【対象】インターン参加者【プロセス】ES提出・Webテスト→個人面接(3回)→内々定 ※予定 技【対象】インターン参加者【プロセス】ES提出・Webテスト・Web専門試験→個人面接(3回)→内々定 ※予定
㈱モリタホールディングス	398	総 技【対象】夏季仕事体験参加者【プロセス】仕事体験参加→説明会(必須、11月～)→ES提出(11月～)→Webテスト・WEB1次面接→最終面接→内々定
三菱ロジスネクスト㈱	398	総 技【対象】インターンシップ参加者 企業スカウト承認者 当社イベント参加者(工場見学会等)【プロセス】マッチング面談→ES提出→SPI→面接(2回)→内々定
㈱シマノ	399	総 技【対象】社内イベント参加者、求人サイトで募集【プロセス】NA
●機械●		
川崎重工業㈱	400	技【対象】2Weekインターン参加者【プロセス】1次選考(ES)→2次選考(専門試験)→最終選考(個人面接)→内々定
日立建機㈱	402	技【対象】特になし【プロセス】ES提出・性格検査・SPI3(1月～)→面接(2回)→内々定
ヤンマーホールディングス㈱	402	総【対象】インターンシップ参加者【プロセス】ES提出・適性検査(2月～)→面接(複数回)→最終面接→内々定 技【対象】インターンシップ参加者【プロセス】ES提出・適性検査(10月～)→面接(複数回)→最終面接→内々定
コベルコ建機㈱	403	総【対象】インターン参加者【プロセス】ES提出・Web適性検査(2月～)→個人面接(2回、作文含む、3月～)→内々定(4月～) 技【対象】インターン参加者【プロセス】ES提出・Web適性検査(12月～)→個人面接(1回、作文含む、12月～)→内々定(12月～)
㈱タダノ	403	総 技【対象】インターンシップ参加者【プロセス】説明会(必須)→ES提出→1次面接→適性検査→2次面接→最終面接→内々定
古河機械金属㈱	404	技【対象】インターン参加者 説明会参加者【プロセス】<インターン参加者>2次面接→最終面接(書類選考・1次面接免除)<説明会参加者>1次面接→2次面接→最終面接(書類選考免除)
井関農機㈱	404	総 技【対象】インターンシップ参加者【プロセス】NA
ダイキン工業㈱	405	総 技【対象】インターン参加者【プロセス】ES提出(1月～)→適性検査(1月～)→面談(2回、2月～)→内々定(6月～)
ホシザキ㈱	406	技【対象】当社マイページ(採用情報サイト)登録者【プロセス】ES提出(1月)→1次面接・筆記(適性検査、1月)→面接(2回、2～3月)→内々定(3月)
㈱富士通ゼネラル	407	技【対象】インターン参加者【プロセス】ES提出(11月～)→面接(複数回)・Webテスト(12～月)→最終面接(12月～)→内々定(1月～)
㈱キッツ	407	総 技【対象】イベント参加者【プロセス】書類選考スキップ→1次面接→2次面接→最終面接→内々定
アマノ㈱	408	総 技【対象】インターンシップ参加者【プロセス】ES提出・Web試験(12月～)→面接(3回、1月～)→内々定(2月中旬)
フクシマガリレイ㈱	408	総【対象】オープンカンパニー・仕事体験・その他イベント参加者、求人サイトで募集【プロセス】オープンカンパニー・仕事体験(必須、8～2月)→GD(10月～)→筆記(11月～)→ES提出・面接(2回、12月～)→内々定(1月～) 技【対象】インターンシップ・その他イベント参加者、求人サイトで募集【プロセス】インターンシップ・その他イベント(8月～)→面談→筆記(10月～)→ES提出・面接(2回、11月～)→内々定(12月～)

会社名 （掲載ページ）		早期選考データ
㈱東光高岳	409	技【対象】夏・冬の1dayオープンカンパニー参加者【プロセス】ES提出・履修履歴登録・適性試験(1月～)→面接(2回、2月～)→内々定(3月～)
中外炉工業㈱	409	総 技【対象】インターン参加者【プロセス】ES提出・筆記(11月)→面接(3回、11月以降)→内々定(年内)
ＮＴＮ㈱	410	技【対象】インターン参加者【プロセス】面接(WEB／対面、3回、3月～)→内々定 ※書類選考なし
㈱不二越	412	技【対象】インターンシップ参加者等【プロセス】書類・ES提出(12月～)→面接(2回、1月～)→内々定
オイレス工業㈱	413	技【対象】理系学部出身で技術系職種希望者【プロセス】ES提出・WebGAB(12月～1月)→面接(3回)→内々定
住友重機械工業㈱	413	技【対象】インターンシップ等のイベント参加者【プロセス】書類提出(ES、履修履歴、研究サマリー)・筆記(適性)→面接(3回)→内々定
㈱マキタ	414	総【対象】インターン参加者【プロセス】Web座談会(必須、1月～)→ES提出・Webテスト(1月～)→WebGD(1月～)→面接(2回、2月～)→内々定 技【対象】インターン参加者【プロセス】Web座談会(必須、12月～)→ES提出(12月～)→Webテスト(12月～)→Web専門試験(12月～)→面接(Web、2回、1月～)→内々定
㈱ダイフク	415	技【対象】インターンシップ参加者【プロセス】説明会(必須)→ES提出・適性検査(11月～)→面接(2回、11月～)→内々定(12月～)
村田機械㈱	415	総【対象】オープンカンパニー参加者【プロセス】適性検査・ES提出(2月～)→面接(対面またはWeb3回)・Webテスト→内々定(3月～) 技【対象】インターン参加者 オープンカンパニー参加者【プロセス】＜インターン参加者＞適性検査・ES提出(12月～)→面接(対面またはWeb2回)・Webテスト→内々定(1月～)＜オープンカンパニー参加者＞適性検査・ES提出(1月～)→面接(対面またはWeb3回)・Webテスト→内々定(2月～)
三菱電機ビルソリューションズ㈱	416	総【対象】インターン参加者【プロセス】説明会・Webテスト(1月中旬)→個人面接(1月下旬)→最終面接(2月上旬)→内々定(2月下旬) 技【対象】インターン参加者【プロセス】説明会・Webテスト(11月下旬)→個人面接(12月中旬)→内々定(1月中旬)
グローリー㈱	416	総 技【対象】インターン参加者【プロセス】未定
ナブテスコ㈱	417	技【対象】インターンシップおよび社内イベント参加者のうち希望者【プロセス】説明会(12～1月)→ES提出・適性検査受験(1～2月)→面接(3回、1～2月※GD含む)→内々定(3月)
㈱椿本チエイン	417	技【対象】インターンシップ参加者【プロセス】ES提出・Webテスト→1次選考→2次選考→最終面接→内々定
オーエスジー㈱	418	技【対象】4月～10月マイページ登録者【プロセス】説明会(7～9月)→ES提出(9月)→GD・筆記(10月上旬)→面接(2回、10月下旬～12月上旬)→内々定(12月中旬)
㈱ミツトヨ	419	技【対象】インターンシップ参加者【プロセス】ES提出・Webテスト(12月頃)→面接(2回、1月～)→内々定(2月～)
サトーホールディングス㈱	419	技【対象】開発部門(メカ・エレキ・ソフト)【プロセス】ES・履歴書提出→書類選考→1次面接(人事)→適性検査(Web)→2次面接(担当部門部長)→最終面接(役員、人事)→内々定
ＣＫＤ㈱	420	技【対象】インターンシップ参加者 ※短期インターンシップ含まず【プロセス】ES提出・Web試験(12月～)→Web・対面面接(2回、1月～)→内々定(2月～)
㈱ＦＵＪＩ	420	総【対象】インターン参加者【プロセス】ES提出・Webテスト(2月)→面接(2回、2月下旬～)→内々定(3月中旬～) 技【対象】インターン参加者【プロセス】ES提出・Webテスト(1月)→面接(2回、2月上旬～)→内々定(2月下旬～)
新東工業㈱	421	技【対象】当社イベント(1Day仕事体験等)参加者 合同・学内説明会参加者等【プロセス】説明会(必須、3月以前～随時)→ES提出→面接(2回)・適性検査→内々定
ＪＵＫＩ㈱	422	総 技【対象】インターン参加者 イベント参加者【プロセス】説明会(必須、3月)→ES提出・適性試験(3～4月)→面接(3回、4～5月)→内々定(5月)※人事面接で確約
ホソカワミクロン㈱	422	総 技【対象】インターン参加者【プロセス】ES提出(2月～)→性格検査・面接(3回)→内々定
富士精工㈱	423	総 技【対象】インターン参加者 OB訪問者【プロセス】説明会(必須、8月～)→筆記・面接(2回、1月～)→内々定(2月～)

会社名	*(掲載ページ)*	早期選考データ
三木プーリ㈱	*424*	総 技【対象】インターンシップ参加者 仕事体験イベント参加者 会社見学会参加者 OB訪問参加者【プロセス】ES提出・Webテスト→1次面接→2次面接→最終面接→内々定
ファナック㈱	*424*	総 技【対象】インターン参加者【プロセス】書類選考・適性検査→ジョブマッチング(Web)→面接(対面)→内々定
DMG森精機㈱	*425*	総 技【対象】インターン参加者【プロセス】ES提出→SPI(Web)→個別面接(Web)→筆記・個別面接→最終面接→内々定 ※インターン参加者で、既に上記プロセスで完了しているものがあれば、スキップする
㈱アマダ	*425*	総 技【対象】5Daysインターンシップ参加者【プロセス】ES提出(11月)→筆記・面接(2回、12月～1月)→内々定(12月末)
オークマ㈱	*426*	総 技【対象】会社イベント参加者・求人サイトで募集【プロセス】説明会(必須)→書類提出(ES含む)→Webテスト→面接(3回)→内々定
㈱牧野フライス製作所	*426*	総 技【対象】インターン参加者【プロセス】Webテスト(3月～)→ES提出・Web人事面接(4月～)→面接(2回)→内々定
芝浦機械㈱	*427*	総 技【対象】インターン参加者【プロセス】ES提出(～12月)→面接(3回)・Webテスト(1～3月)→内々定(3～4月)
㈱荏原製作所	*427*	技【対象】インターンシップ参加者【プロセス】ES提出・Webテスト(1月～)→面接(2回、2月～)→内々定(3月～)
カナデビア㈱	*428*	技【対象】夏期インターンシップ参加者 冬季オープンカンパニー(対面型)参加者【プロセス】＜一般応募＞ES・書類提出(12月～)→筆記・マッチング面談(1月～)→最終面談(2月～)→内々定(2月～)＜学校推薦＞ES・書類提出(12月～)→筆記・マッチング面談(1月～)→最終面談(2月～)→内々定(2月～)
栗田工業㈱	*428*	技【対象】インターン参加者 求人サイトで募集【プロセス】Web説明会(任意)・インターン(6月～)→ES提出・適性検査(12月～)→Web・対面面接(3回、12月～)→内々定(3月～)
メタウォーター㈱	*429*	総 技【対象】イベント参加者(インターンシップ・オープンカンパニー等)【プロセス】ES提出・Webテスト→面接(2回)→内々定
三浦工業㈱	*429*	総 技【対象】理系限定夏季対面インターンシップ参加者【プロセス】ES提出→Web試験・面接(2回)・説明会(面接内)→内々定
オルガノ㈱	*430*	総 技【対象】インターン参加者【プロセス】ES提出→適性検査→面接(3回)→内々定
㈱タクマ	*430*	総 技【対象】インターンシップ参加者【プロセス】インターンシップ(8, 9, 12月)→ES提出(2月～)→筆記(2月～)→小論文・マッチング面談(1回、3月～)→マッチング面談(2回、3月～)→内々定(4月中旬～)

●食品・水産●

会社名	*(掲載ページ)*	早期選考データ
サントリーホールディングス㈱	*434*	総【対象】インターン参加者【プロセス】インターンES提出→書類選考・Webテスト→面接→インターンシップ→最終面接→内々定 技【対象】インターン参加者【プロセス】インターンES提出→書類選考→面接→インターンシップ→本選考ES提出・Webテスト→最終面接→内々定
アサヒビール㈱	*434*	総 技【対象】インターン参加者【プロセス】面談(2回)→内々定(3月～)
キリンホールディングス㈱	*435*	総【対象】インターン参加者【プロセス】NA
コカ・コーラ ボトラーズジャパン㈱	*436*	総【対象】インターン参加者【プロセス】説明会(必須、3月)→ES提出・Webテスト(3～4月)→面接(2～3回、5～7月)→内々定(6～7月) 技【対象】ワークショップ参加者【プロセス】説明会(必須、3月)→ES提出・Webテスト(3～4月)→面接(2～3回、5～7月)→内々定(6～7月)
㈱ヤクルト本社	*437*	総 技【対象】インターン参加者【プロセス】NA
㈱伊藤園	*437*	総 技【対象】仕事体験、オープンカンパニー参加者【プロセス】ES提出(2月中旬～)→説明会・筆記→面接(2回)→内々定(5月)
ダイドードリンコ㈱	*438*	総【対象】インターン参加者【プロセス】インターンシップ(2月)→面接(2回、3月)→内々定(4月)
キーコーヒー㈱	*439*	総 技【対象】インターン参加者【プロセス】一般選考と同じ

会社名	（掲載ページ）	早期選考データ
ニチレイグループ	442	[総]【対象】インターンシップ参加者【プロセス】＜1＞ES提出(2月)→説明会(2月)→面接(2回、3月)→最終面接(4月)→内々定(4月下旬)＜2＞説明会(必須、2月上旬)→1次面接・適性検査(2月中旬～下旬)→2次面接・適性検査(3月上旬)→最終面接(3月下旬)※事業会社により異なる [技]【対象】インターンシップ参加者【プロセス】＜1＞ES提出・適性検査(1月上旬)→1次面接(1月中旬)→最終面接(2月中旬)＜2＞説明会(必須、2月上旬)→1次面接(2月中旬～下旬)→2次面接・適性検査(3月上旬)→最終面接・適性検査(3月下旬)＜3＞ES提出(2月)→説明会(2月)→面接(2回、3月)→最終面接(4月)→内々定(4月下旬)※事業会社により異なる
ハウス食品㈱	444	[総]【対象】複数日程のインターンシップ参加者【プロセス】社員座談会→面接(2回)→内々定 [技]【対象】複数日程のインターンシップ参加者【プロセス】社員座談会→面接(1回)→内々定
テーブルマーク㈱	446	[総] [技]【対象】職業体験会参加者【プロセス】インターンシップ→ES提出・Webテスト→面接(オンライン1回、対面1回)→内々定
ホクト㈱	447	[技]【対象】インターンシップ参加者の中から選抜【プロセス】インターンシップ参加→面接(2回)→内々定
キッコーマン㈱	448	[総]【対象】インターン参加者【プロセス】ES提出(3月)→適性検査(3月)→面接(3回、3～4月)→内々定(4月) [技]【対象】インターン参加者【プロセス】ES提出(12月)→適性検査(12月)→面接(1月)→内々定(1月)
日本食研ホールディングス㈱	449	[総] [技]【対象】インターンシップ参加者【プロセス】ES提出→面接→内々定
理研ビタミン㈱	450	[技]【対象】ダイレクトリクルーティングでのインターン参加者【プロセス】ダイレクトリクルーティングから受付(11～1月)→Web説明会(必須、1～2月)→インターンまたはオープンカンパニー(2月)→面接(2回、3月)
日清食品㈱	451	[総] [技]【対象】インターン・キャリア教育参加者【プロセス】ES提出(3月)→1次面接(3月)→最終面接(4月)→内々定(4月)
プリマハム㈱	453	[総] [技]【対象】1DAY仕事体験参加者【プロセス】1DAY仕事体験用ES提出→仕事体験参加→ES提出(2月～)→Webテスト(SPI)→面接(複数回)→内々定
江崎グリコ㈱	454	[総] [技]【対象】インターン参加者【プロセス】ES提出(6月～ 11月～ 3月～)→適性検査・筆記(7月 12月 4月)→面接(8月 12月 4月)→ワークショップ(9月 2月 4月)→面接(10月 2月 5月)→内々定
カルビー㈱	454	[総] [技]【対象】条件は特になし【プロセス】採用ホームページから応募→適性検査→動画選考・ES提出→面接→内々定※入社後のキャリアパスに沿ったコース別選考
亀田製菓㈱	456	[技]【対象】ダイレクトリクルーティング【プロセス】説明会→工場見学会→1次面接→最終面接
昭和産業㈱	458	[技]【対象】学内説明会参加者・当社実施イベント参加者※技術系総合職(設備コース)のみ実施【プロセス】ES提出・Webテスト→面接(1～2回)→内々定
山崎製パン㈱	458	[総] [技]【対象】インターン・オープンカンパニー参加者【プロセス】説明会・ES提出適性検査→面接(3～4回)→内々定
敷島製パン㈱	459	[総]【対象】インターンシップ参加者【プロセス】＜生産職＞ES提出(2月)→Webテスト(2月)→1次選考(2月)→2次選考(3月)→役員面接(3月)→内々定(3月) [技]【対象】インターンシップ参加者【プロセス】＜設備職＞ES提出(1月)→Webテスト(1月)→1次選考(2月)→役員面接(2月)→内々定(2月)
㈱ＹＫベーキングカンパニー	459	[総] [技]【対象】早期選考実施受付日までにマイページへエントリーした者【プロセス】ES提出(1月)→1次面接(2月)→適性検査(2月)→最終面接(3月)→内々定
フジパングループ本社㈱	460	[総]【対象】インターンシップ参加者【プロセス】ES提出→面接(3回)→内々定
フィード・ワン㈱	462	[総]【対象】インターンシップ参加者【プロセス】Web説明会(任意、2月中旬)→WebES提出(2月下旬)→Webテスト(3月上旬)→1次面接(Web、3月中旬)→2次面接(対面、3月下旬)→役員面接(4月中旬)→内々定(4月下旬)

●農林●

会社名	（掲載ページ）	早期選考データ
カネコ種苗㈱	463	[総] [技]【対象】インターンシップ参加者のうち希望者のみ実施【プロセス】ES提出→筆記(Web)→集団面接→役員面接→内々定

会社名 （掲載ページ）		早期選考データ
●印刷・紙パルプ●		
TOPPANホールディングス㈱	463	総 技【対象】インターンシップへの参加者の中の高評価者【プロセス】ES提出→適性検査→面接→内々定
大日本印刷㈱	464	総 技【対象】インターンシップ参加者【プロセス】ES提出(11月～)→Webテスト(適性、11月～)→面接(複数回、12月)→内々定(6月～)
TOPPANエッジ㈱	464	総 技【対象】インターン参加者【プロセス】説明会(必須、1月)→面接(2回、2～3月)→内々定(3～4月)※昨年度
共同印刷㈱	465	技【対象】当社インターン・オープンカンパニー等イベント参加者【プロセス】ES提出・Webテスト(1月頃予定)→面談・面接(3回、2月～)→内々定(3月～)
王子ホールディングス㈱	466	総【対象】早期イベント参加者【プロセス】ES提出→適性検査→面接(3回)→内々定 技【対象】早期イベント参加者【プロセス】ES提出→適性検査→面接(2回)→内々定
レンゴー㈱	467	総【対象】インターン参加者【プロセス】Web説明会(必須)→履歴書・ES提出(1月～)→面接(Web2回)→適性検査→面接(対面)→内々定 技【対象】インターン参加者【プロセス】Web説明会(必須)→履歴書・ES提出(12月～)→面接(Web2回)→適性検査→面接(対面)→内々定
●化粧品・トイレタリー●		
㈱資生堂	468	総 技【対象】インターン参加者【プロセス】ES提出・Web適性テスト→1次選考→本選考GW→面接→内々定 ※職種による
㈱ファンケル	469	総【対象】インターンシップ参加者【プロセス】ES提出・適性検査受診・動画選考→インターンシップ参加→面接(2回)→内々定
㈱ポーラ	469	総【対象】インターンシップ参加者【プロセス】インターンシップES提出(必須、6～11月)→インターンシップ(必須、9～2月)→本選考ES提出(12～3月)→面接(3回、2～5月)→内々定(4～5月)
㈱ミルボン	470	総【対象】インターンシップ参加者【プロセス】説明会視聴→ES提出→テストセンター→GD(3回)→長期プログラム→面接(2回)→内々定(11月下旬～)
花王㈱	470	技【対象】インターンシップ参加者【プロセス】ES・研究概要提出→書類選考→Web面接(1回)→インターンシップ参加→内々定
●医薬品●		
中外製薬㈱	473	総【対象】インターンシップ参加者【プロセス】説明会(任意、9月)→ES提出・適性検査(9～10月)→GD選考*(11月)→ジョブ型インターンシップ(12～2月)→面接(2回、2月)→ジョブマッチング合格(3月)→内々定(6月)*一部職種のみ 技【対象】インターンシップ参加者【プロセス】説明会(任意、9月)→ES提出・適性検査(9～10月)→GD選考*(11月)→ジョブ型インターンシップ(12～2月)→面接(2回、2～3月)→ジョブマッチング合格(3月)→内々定(6月)*一部職種のみ
ロート製薬㈱	476	技【対象】インターン参加者【プロセス】面接(1回、1月)→最終面接(2月)→内々定(2月)
東和薬品㈱	477	総 技【対象】説明会参加者【プロセス】NA
杏林製薬㈱	479	総【対象】インターンシップ参加者【プロセス】ES提出→面接(2回)→内々定
●化学●		
富士フイルム㈱	483	総【対象】汎用的能力型インターンシップ参加者【プロセス】ES提出・Web適性検査→SPI3→面接(複数回)→内々定(6月～) 技【対象】汎用的能力・専門活用型インターンシップ参加者【プロセス】ES提出・Web適性検査→SPI3・面接(複数回)→内々定(6月～)
旭化成グループ	484	総【対象】業務体験プログラム参加者【プロセス】ES提出・Webテスト→面接(1～2回)→内々定 技【対象】奨学金希望者【プロセス】ES提出・Webテスト(10月～)→面接(2～3回)→内々定(～2月)

会社名 （掲載ページ）		早期選考データ
㈱レゾナック	486	総【対象】インターン参加者【プロセス】ES一式提出(ES・動画・写真・適性検査)→Webテスト→グループワーク→マッチング面接→最終面接→内々定 技【対象】博士奨学生【プロセス】説明会・各種セミナー(任意)→ES一式提出(ES・適性検査)→書類審査→Webテスト→写真提出→マッチング面接→最終面接→内々定
積水化学工業㈱	487	総【対象】住宅カンパニー、環境・ライフラインカンパニー、コーポレートの事務系職種希望者【プロセス】ES提出(10月～)→適性検査(10月～)→面接(3～4回、11月～)→内々定(2月～) 技【対象】全カンパニー、コーポレートの技術系職種希望者【プロセス】ES提出(10月～)→適性検査(10月～)→面接(3～4回、11月～)→内々定(1月～)
東ソー㈱	488	総 技【対象】採用イベント参加者【プロセス】ES提出・適性検査→1次面接→最終面接→内々定
三菱ガス化学㈱	488	総【対象】キャリア教育参加者【プロセス】ES提出→適性検査→面談・面接(複数回)→内々定 技【対象】キャリア教育参加者 インターンシップ参加者【プロセス】ES提出→適性検査→面談・面接(2回)→内々定
㈱クラレ	489	総【対象】インターン参加者【プロセス】ES提出・適性検査→面接(3回)→内々定 技【対象】インターン参加者 奨学金対象者【プロセス】ES提出・適性検査→1次面接→最終面接→内々定
ＵＢＥ㈱	490	技【対象】業務体験参加者【プロセス】ES提出(3月)→技術面接・SPI→最終面接→内々定
ＪＳＲ㈱	491	技【対象】博士卒【プロセス】ES提出(10月～)→SPI(10～11月)→技術面接(2回、11～12月)→内々定(12月)
㈱ＡＤＥＫＡ	492	総 技【対象】インターン参加者【プロセス】ES提出→説明会・Webテスト・動画選考→面接(2回)→内々定
デンカ㈱	492	総【対象】OB訪問参加者【プロセス】説明会(1月～)→ES・適性検査(2月～)→面接(3回)→内々定 技【対象】インターン参加者 OB訪問参加者【プロセス】説明会(1月～)→ES・適性検査(2月～)→面接(3回)→内々定
日本ゼオン㈱	493	総 技【対象】インターン参加者 リクルーター面談参加者 OB訪問参加者【プロセス】Web会社説明会(任意、1月～)→ES提出(～2月末)→SPI→面接(複数回、オンライン)→最終面接(対面)→内々定
㈱トクヤマ	493	技【対象】インターン参加者 セミナー参加者 博士向けイベント参加者【プロセス】面接(2回)→内々定
住友ベークライト㈱	494	技【対象】インターン参加者 マイページ登録者【プロセス】ES提出(12月)→1次面接(1月)→適性検査(1月)→最終面接(2～3月)→内々定(2～3月)
リンテック㈱	494	総【対象】オープンカンパニー参加者 早期エントリー者【プロセス】Web説明会(必須、1～2月)→ES提出(1～3月)→適性試験(2～3月)→面接(3回、2～5月)→内々定(4～5月) 技【対象】オープンカンパニー参加者 早期エントリー者【プロセス】Web説明会(必須、1～2月)→ES提出(1～2月)→適性試験(2～3月)→面接(2回、2～4月)→内々定(3～4月)
アイカ工業㈱	495	総【対象】早期選考説明会参加者 インターン参加者【プロセス】説明会(必須、1月)→ES提出(2月)→面接(1回)・SPI(2～3月)→役員面接(3月)→内々定(4月) 技【対象】早期選考説明会参加者 インターン参加者【プロセス】説明会(必須、1月)→ES提出(2月)→面接(1回)・SPI(2～3月)→役員面接(3月)→内々定(3月)
㈱エフピコ	495	総 技【対象】インターンシップ参加者【プロセス】説明会(必須、1月)→ 面接(複数回)→ 内々定
日本化薬㈱	496	技【対象】インターンシップ(1day)参加者【プロセス】インターンシップ(12月～)→ES提出(2月～)→Webテスト→面接(2回)→内々定(6月～)
㈱イノアックコーポレーション	496	総【対象】インターン参加者【プロセス】インターン(必須、12月)→ES提出→面接(2回)→内々定(2月) 技【対象】インターン参加者【プロセス】インターン(必須、8～9月)→ES提出→面接(2回)→内々定(2月)
三洋化成工業㈱	498	総 技【対象】インターンシップ参加者【プロセス】ES提出→適性検査・面接→内々定
タキロンシーアイ㈱	498	総 技【対象】早期エントリー者【プロセス】説明会(必須)→ES提出・適性検査→面接(複数回)→内々定
ＺＡＣＲＯＳ㈱	499	総 技【対象】1day仕事体験参加者【プロセス】ES提出・適性検査(11～12月)→面接(2回、12～2月)→内々定(1月下旬～2月中旬)

会社名 (掲載ページ)		早期選考データ
堺化学工業㈱	500	技【対象】オープンカンパニー参加者【プロセス】オープンカンパニー(8～9月全2回)→ES提出→面接(2～3回)→内々定(3月)※選考途中でSPI実施
藤倉化成㈱	500	技【対象】インターン参加者【プロセス】応募受付(3月)→書類選考(3月)→面接(3回、3～4月)→内々定(4月)
ニチバン㈱	501	総 技【対象】インターン参加(夏・冬)リクルーター面談 オファーサイト【プロセス】インターン参加→面談→1次面接→最終面接
大陽日酸㈱	501	技【対象】インターン参加者【プロセス】ES提出→筆記→面接(2回)→内々定
エア・ウォーター㈱	502	総 技【対象】スカウトサイトで募集【プロセス】個別面談(2月～)→適性検査→面接(複数回)→内々定(4月頃～)
㈱日本触媒	502	総【対象】インターンシップ応募者(抽選の結果参加できなかった人も応募可)【プロセス】ES→書類選考→Webテスト→面接3回→内々定
日産化学㈱	503	総 技【対象】インターンシップ参加者(一部)【プロセス】ES提出(12月)→面接(1月)→Webテスト(2月)→面接・内々定(2～3月)
日本パーカライジング㈱	506	技【対象】オープンカンパニー参加者【プロセス】ES提出・Webテスト(12月～)→面接(2回、1月下旬)→役員面接(2月下旬)→内々定(2月下旬)
荒川化学工業㈱	507	総【対象】インターン参加者【プロセス】説明会・筆記→ES(書類)提出・適性検査→面接(2回)→内々定 技【対象】インターン参加者【プロセス】説明会(対面プログラム参加者は免除)・筆記→ES(書類)提出・適性検査→面接(2回)→内々定
日本ペイントホールディングス㈱	507	総【対象】求人サイト等で募集【プロセス】ES提出・筆記受検(12月～)→インターン実施→面接(3回)→内々定 技【対象】【技術系】インターン参加者【プロセス】ES提出・筆記受検(12月～)→インターン実施→面接(3回)→内々定
DIC㈱	508	総【対象】インターンシップ参加者【プロセス】ES・履歴書提出(1月～)→Web試験→面接(2回)→最終面接→内々定 技【対象】インターンシップ参加者【プロセス】ES・履歴書提出(1月～)→Web試験→1次面接→技術面接→最終面接→内々定
サカタインクス㈱	509	技【対象】求人サイトで募集【プロセス】説明会(任意、配信動画視聴)→ES提出・適性検査→面接(2回)→内々定
大日精化工業㈱	510	総【対象】インターン参加者【プロセス】ES提出→1次面接→筆記テスト→2次面接→適性検査→最終面接→内々定 技【対象】インターン参加者【プロセス】ES提出→1次面接→筆記テスト→2次面接→適性検査・研究概要書→最終面接→内々定

●衣料・繊維●

会社名 (掲載ページ)		早期選考データ
クラボウ	510	総 技【対象】プレサイトからのエントリー者【プロセス】ES提出→説明会→1次面接→適性検査→2次面接→最終面接→内々定
セーレン㈱	511	総 技【対象】インターン参加者【プロセス】ES提出→面接→内々定
岡本㈱	512	総【対象】インターンシップ参加者【プロセス】1次選考GW(2月中旬)→ES提出・2次選考個人面接(2月下旬)→最終面接(3月上旬)→内々定(3月上旬)※総合職技術系・技術系以外一括採用
クロスプラス㈱	514	総【対象】オープンカンパニー・早期企業説明会参加者【プロセス】OPC(8月・9月)→ES提出(12月)→Web面接(12月)→筆記試験(1月)→面接(2月)→最終面接(4月)→内々定(4月末)

●ガラス・土石●

会社名 (掲載ページ)		早期選考データ
日本電気硝子㈱	515	総 技【対象】オープン・カンパニー(インターンシップ)参加者【プロセス】選考なし(抽選)
セントラル硝子㈱	516	技【対象】インターン参加者【プロセス】ES提出→面接(1回)→内々定
日東紡	516	技【対象】インターンシップ参加者【プロセス】ES・履歴書提出→適性検査→面接(3回、内オンライン2回対面1回)→内々定(6月～)
太平洋セメント㈱	517	技【対象】インターン参加者【プロセス】ES提出・Web試験(1月～)→面接(2～3回)→内々定(順次)※学校推薦は別

会社名 (掲載ページ)		早期選考データ
住友大阪セメント(株)	518	総【対象】説明会、インターン、座談会いずれか1つ以上に参加した人【プロセス】ES提出(1月)→Web適性検査→Web社員面談→1次面接(Web)→最終面接(対面)→内々定 技【対象】2月までの自社イベント参加者【プロセス】イベント参加(～2月)→ES提出(～2月末)→Web適性検査→Web社員面談→1次面接(Web)→最終面接(対面)→内々定
日本特殊陶業(株)	518	総 技【対象】インターンシップ参加者【プロセス】説明会(2月)→ES提出・Webテスト(2月中旬)→面接(3回)→内々定
日本ガイシ(株)	519	総【対象】自社イベント参加者【プロセス】自社イベント参加(6～12月の間に数回)→筆記・ES提出(2月～)→個人面接(Web2回、対面1回)→内々定(4月～) 技【対象】自社イベント参加者【プロセス】自社イベント参加(6～12月の間に数回)→筆記・ES提出(1月～)→個人面接(Web2回、対面1回)→内々定(2月～)
東海カーボン(株)	519	技【対象】インターン(1Day仕事体験)参加者【プロセス】インターン(必須、9～10月)→1次選考(ES提出・面接、12月)→2次選考(Web適性検査・面接、1月)→最終選考(面接、2月)→内々定(2月)
吉野石膏(株)	521	総 技【対象】仕事体験やセミナー参加者【プロセス】説明会(必須、12月)→適性検査(12月下旬)→面接(3回、1月)→内々定(2月末)
ノリタケ(株)	521	技【対象】インターン参加者【プロセス】ES提出(3～5月)→面接(2回)・適性検査→内々定
日本コークス工業(株)	522	技【対象】インターンシップ参加者【プロセス】説明会・インターンシップ(必須)→ES提出(1月～)→Webテスト(1月～)→面接(2～3回、2月中旬～)→内々定(3月中旬～)

●金属製品●

会社名 (掲載ページ)		早期選考データ
(株)LIXIL	522	技【対象】インターン参加者 夏季1dayイベント参加者【プロセス】筆記(インターン選考時に受験)→面接(2回、11月～)→内々定(12月下旬～)
東洋製罐グループホールディングス(株)	523	総【対象】求人サイト・マイページにて募集【プロセス】説明会(任意)・ES提出→面接(4回)→内々定 ※一般採用と採用プロセスは同様(時期が異なるのみ) 技【対象】求人サイト・マイページにて募集【プロセス】説明会(任意)・ES提出→面接(3回)→内々定 ※一般採用と採用プロセスは同様(時期が異なるのみ)
YKK AP(株)	524	総 技【対象】インターン参加者 早期イベント参加者 OBOG訪問参加者【プロセス】書類エントリー(ES・適性検査)→ 面談(複数回)→内々定
(株)SUMCO	524	総【対象】オープンカンパニー参加者 その他早期選考対象の自社イベント参加者【プロセス】ES提出(2月上旬～)→筆記(2月中旬～)→面接(3回 3月上旬～)→内々定(3月中旬～) 技【対象】インターンシップ及びオープンカンパニー参加者 その他早期選考対象の自社イベント参加者【プロセス】ES提出(1月上旬～)→筆記(1月中旬～)→面接(3回 2月上旬～)→内々定(3月上旬～)
三協立山(株)	525	総 技【対象】インターン参加者 他【プロセス】ES提出→筆記→面接(2回)→内々定

●鉄鋼●

会社名 (掲載ページ)		早期選考データ
合同製鐵(株)	528	技【対象】インターン(1日仕事体験)、工場見学参加者【プロセス】ES提出→面接(3回)→Web適性診断→内々定
(株)プロテリアル	529	技【対象】インターンシップ・イベント参加者など【プロセス】ES提出・Webテスト・履修履歴データ提出(2月～)→技術面接(プレゼン含む、随時)→最終面接(プレゼン含む、随時)→内々定(順次)
山陽特殊製鋼(株)	530	総 技【対象】インターンシップ参加者【プロセス】インターンシップ参加(必須)→ES提出→適性検査→1次面接→2次面接→最終面接→内々定(全体で2～3カ月程度)
愛知製鋼(株)	530	総【対象】インターンシップ参加者【プロセス】ES提出(2月)→Webテスト・GD→面接(2回)→内々定(4月中旬) 技【対象】インターンシップ参加者・推薦取得予定者【プロセス】ES提出(1月)→Webテスト→面接(2回)→内々定(2月中旬)
(株)栗本鐵工所	532	総 技【対象】インターンシップ参加者【プロセス】ES提出→GD・面接(2回)→内々定

●非鉄●

会社名 (掲載ページ)		早期選考データ
古河電気工業(株)	533	総 技【対象】インターン参加者【プロセス】NA

会社名 （掲載ページ）		早期選考データ
㈱フジクラ	533	総【対象】就活フォーラム参加者【プロセス】適性検査・ES提出→面接→内々定 技【対象】インターン参加者【プロセス】説明会→適性検査・ES提出→面接→内々定
SWCC㈱	534	総 技【対象】インターン参加者【プロセス】インターンシップ参加→面接・筆記→最終面接→内々定
三菱マテリアル㈱	534	総【対象】当社サイト含む求人サイトで募集【プロセス】ES提出(1月～)→Webテスト→面接(2回)・適性検査→内々定 技【対象】当社サイト含む求人サイトで募集【プロセス】ES提出(11月～)→Webテスト→面接(2回)・適性検査→内々定
DOWAホールディングス㈱	536	総【対象】インターンシップ参加者【プロセス】インターンシップ参加→ES提出→面接(1回、随時)→内々定(順次) 技【対象】インターンシップ参加者【プロセス】インターンシップ参加→ES提出→面接(2回、随時)→内々定(順次)
三井金属	536	技【対象】お仕事体験参加者 他イベント参加者【プロセス】お仕事体験(8月～)→ES提出(11月以降随時)→適性検査・筆記・面接(研究内容紹介含め3回、随時)→内々定(6月～)
田中貴金属グループ	537	総 技【対象】インターン参加者【プロセス】ES提出→筆記→面接(2回)→内々定※実施時期は人による
㈱フルヤ金属	538	総 技【対象】インターン参加者 求人サイトで募集【プロセス】説明会(必須、12月下旬)→適性検査(1月)→ES提出(1月)→面接(2回、1～2月)→内々定(2月)
日本軽金属㈱	539	技【対象】インターンシップ参加者【プロセス】ES提出→適性検査・筆記→2次面接→最終面接→内々定

●その他メーカー●

会社名		早期選考データ
ヨネックス㈱	541	技【対象】理系インターン参加者【プロセス】NA
ピジョン㈱	542	総 技【対象】オープンカンパニー参加者【プロセス】オープンカンパニー参加(9月～12月)→対面個人面接(1月)→対面役員面接(2月)→対面社長面接(2月)
㈱河合楽器製作所	544	総 技【対象】インターンシップ参加者【プロセス】インターンシップ参加→面接数回→内々定
パラマウントベッド㈱	544	総 技【対象】求人サイトで募集【プロセス】NA
フランスベッド㈱	545	総 技【対象】インターン参加者【プロセス】ES提出・説明会・筆記(12月～2月)→面接(2回、1～3月)→内々定(3～4月)
大建工業㈱	545	総【対象】インターンシップ参加者【プロセス】ES(自己紹介書)提出・適性検査(1月)→面接(3回、2～3月)→内々定(3月) 技【対象】インターンシップ参加者【プロセス】ES(自己紹介書)提出・適性検査(12～1月)→面接(3回、1～2月)→内々定(2月)
㈱ウッドワン	546	総 技【対象】インターン参加者【プロセス】説明会(必須)・ES提出・SPI適性検査(2月～)→面接(3回、2月～)→内々定(3月下旬～)
㈱パロマ	546	総 技【対象】インターンシップ参加者【プロセス】ES→筆記試験・面接2回
リンナイ㈱	547	総 技【対象】対面のインターンシップ参加者【プロセス】ES提出→適性検査→面接(3回)→内々定
㈱ノーリツ	548	総 技【対象】インターンシップ参加者【プロセス】ES提出・適性検査→面接(3回)→内々定
タカラスタンダード㈱	548	総 技【対象】インターン参加者【プロセス】WebES提出→個人面接(対面またはWeb)・適性検査→内々定※1次面接免除
クリナップ㈱	549	技【対象】インターン参加者【プロセス】説明会動画・ES提出・性格検査(2月)→面接(Web2回・対面1回、2月中旬～3月中旬)→内々定(3月下旬)
㈱オカムラ	551	総 技【対象】インターン参加者【プロセス】説明会動画視聴(必須)・Webテスト・ES提出→面接(2～3回)・社員座談会→内々定

●建設●

会社名		早期選考データ
㈱長谷工コーポレーション	556	総【対象】インターン参加者【プロセス】ES提出(1月～)→筆記(2月～)→面接(3回、3月～)→内々定(4月～) 技【対象】インターン参加者【プロセス】ES提出(11月～)→筆記(12月～)→面接(3回、1月～)→内々定(2月～)

会社名 （掲載ページ）		早期選考データ
㈱フジタ	557	総【対象】オープン・カンパニー参加者【プロセス】説明会(必須)→ES提出・Webテスト→面接・適性→面接→内々定 技【対象】インターンシップ参加者 オープン・カンパニー参加者【プロセス】説明会(必須)→ES提出・Webテスト→面接・適性→面接→内々定
戸田建設㈱	558	技【対象】インターン参加者【プロセス】ES提出(9月～)→Webテスト→本社面接→役員面接→内々定
西松建設㈱	559	技【対象】インターンシップ参加者【プロセス】ES提出→Webテスト→面接(2回)→内々定
安藤ハザマ	560	技【対象】インターンシップ参加者【プロセス】ES提出・Webテスト→面接(2回)→内々定(6月)
㈱奥村組	560	技【対象】インターンシップ参加者 リクルーター面談参加者【プロセス】Webテスト・ES提出・履修履歴提出→1次面接・筆記(設計職のみ)→最終面接→内々定
東急建設㈱	561	技【対象】求人サイトで募集【プロセス】ES提出→適性検査→面接(複数回)→内々定
㈱鴻池組	561	総 技【対象】インターン参加者【プロセス】ES提出→筆記→面接(2回)→内々定
鉄建建設㈱	562	総 技【対象】インターン参加者【プロセス】インターンシップ参加→書類選考(ES提出・SPI)→1次選考(面接)→2次選考(面接)→内々定
㈱福田組	562	総【対象】インターンシップ参加者【プロセス】ES提出(1月上旬～)→1次面接・小論文・性格検査(1月中旬)→2次面接(2月中旬)→内々定(2月中旬) 技【対象】インターンシップ参加者【プロセス】ES提出(12月上旬～)→1次面接・小論文・性格検査(12月中旬)→2次面接(12月中旬)→内々定(12月下旬)
㈱錢高組	564	総 技【対象】インターンシップ参加者 合同企業学内外説明会参加者 OBOG訪問参加者【プロセス】Web説明会→筆記・作文・適性(性格)検査→面接(2回)→内々定
矢作建設工業㈱	564	技【対象】インターンシップ参加者【プロセス】ES提出→面接→Webテスト→面接→内々定
松井建設㈱	565	総【対象】オープンカンパニー参加者【プロセス】説明会(必須、2月)→ES提出(必須、2月)→Web試験→面接(2回)→内々定 技【対象】インターンシップ、オープンカンパニー参加者【プロセス】説明会(必須、10～2月)→ES提出(必須、10～2月)→Web試験→面接(2回)→内々定
五洋建設㈱	565	総【対象】自社イベント参加者【プロセス】自己紹介シート(2月～)→グループ面接(3月～)→個人面接→最終面接準備シート・SPI→役員面接・筆記→内々定(3月下旬～) 技【対象】インターン参加者 自社イベント参加者 リクルーター面談参加者【プロセス】ES(11月～)→Webテスト(学力・性格)→個人面接→役員面接・筆記→内々定(12月中旬～)
東洋建設㈱	566	技【対象】インターンシップ参加者【プロセス】応募書類提出→適性検査(Web)→個別面接(2回)→内々定
㈱横河ブリッジホールディングス	567	総【対象】オープンカンパニー参加者【プロセス】オープンカンパニー(8～9月)→説明会(必須、10月)→ES提出・Webテスト(10～11月)→Web人事面談(11月)→Web1次面接(11～12月)→最終面接(12月)→内々定(12月) 技【対象】インターンシップ参加者【プロセス】インターンシップ(8～9月)→説明会(必須、10月)→ES提出・Webテスト(10～11月)→Web人事面談(11月)→Web1次面接(11～12月)→最終面接(12月)→内々定(12月)
㈱ＮＩＰＰＯ	568	技【対象】インターン参加者 現場見学会参加者【プロセス】ES提出・Webテスト・作文・1次面接(3月～)→2次面接→役員面接→内々定
前田道路㈱	569	技【対象】インターンシップ参加者 OB訪問参加者【プロセス】インターンシップ(7～2月)→履歴書提出(11～2月)→1次面接・性格検査(11～2月)→2次面接(12～3月)→最終面接(12～3月)→内々定(12～3月)
日本道路㈱	569	総 技【対象】インターン参加者【プロセス】1次面接→2次面接→適性検査→最終面接→内々定(3月～)
東亜道路工業㈱	570	総【対象】早期に接触した人【プロセス】説明会・ES配付(5月～)→筆記・面接(7月上旬～)→面接(7月下旬～)→内々定(8月～) 技【対象】就業体験参加者 早期に接触した人【プロセス】説明会・ES配付(5月～)→筆記・面接(7月上旬～)→面接(7月下旬～)→内々定(8月～)
大成ロテック㈱	570	総 技【対象】インターンシップ参加者【プロセス】インターンシップ参加→ES提出・SPI→1次面接→最終面接→内々定

会社名 （掲載ページ）		早期選考データ
世紀東急工業㈱	571	技【対象】インターンシップ参加者【プロセス】面接(12月頃～)→Web適性試験(1月～)→ES提出(1月～)→内々定(2月頃～)
千代田化工建設㈱	573	総【対象】座談会参加者【プロセス】Webテスト・ES提出→面接(3回)・GD→内々定(6月～) 技【対象】インターン参加者【プロセス】Webテスト・ES提出→面接(3回)→内々定(6月～)
東洋エンジニアリング㈱	574	技【対象】インターンシップ参加者【プロセス】ES提出・Webテスト(9～10月)→個人面接(2回、10月～12月上旬)→内々定(10月下旬～12月上旬)
レイズネクスト㈱	574	技【対象】インターンシップ参加者【プロセス】インターンシップ参加(必須、8月～)→ES提出・Web適性検査(1月中旬～)→面接(2回、1月下旬～)→内々定(2月～)
太平電業㈱	575	総【対象】インターン参加者【プロセス】オープンカンパニー参加(必須)→WebES提出→SPI→書類選考→1次面談(合否なし)→最終面接(→フォロー面談(希望制))→内々定 技【対象】インターン参加者【プロセス】オープンカンパニー参加(必須)→WebES提出→SPI→1次面談(合否なし)→最終面接(→フォロー面談(希望制))→内々定
新菱冷熱工業㈱	576	技【対象】5daysインターンシップ参加者他【プロセス】説明会(必須、12月)→ES提出・SPI受験(1次選考、1月～)→面接(2回、2月～)→内々定
三機工業㈱	576	総 技【対象】オープンカンパニー参加者【プロセス】Webテスト→1次面接・ES提出→最終面接→内々定
東芝プラントシステム㈱	577	技【対象】インターンシップ参加者【プロセス】インターンシップ参加(8～12月)→ES提出(12～1月)→Webテスト・面接(3回)→内々定(4月)
三建設備工業㈱	577	技【対象】インターン参加者【プロセス】適性検査・ES提出(11月～)→面接(2回)→内々定
㈱朝日工業社	578	技【対象】インターンシップ参加者 仕事体験参加者【プロセス】インターンシップ、仕事体験(必須、8月～)→ES提出→1次面接→Webテスト→最終面接→内々定
㈱大気社	579	技【対象】3DAYS／1DAY 仕事体験参加者【プロセス】適性検査・ES提出・履修履歴登録→面接(2回)→内々定
ダイダン㈱	579	技【対象】インターン参加者 仕事体験参加者【プロセス】NA
新日本空調㈱	580	総 技【対象】冬季インターンシップ参加者【プロセス】冬季インターンシップ参加(11～1月)→適性検査→面接(2回)→内々定(随時)
東洋熱工業㈱	580	技【対象】インターン及び業界セミナー参加者【プロセス】業界セミナー→履歴書・ES提出→1次面談→2次面接→内々定
エクシオグループ㈱	581	総 技【対象】インターンシップ参加者【プロセス】選考直結セミナー(必須、12月～)→ES提出(2月～)→面接(2回)・適性検査(3月中旬～)→内々定
㈱ミライト・ワン	581	総 技【対象】インターン参加者【プロセス】インターン参加→説明会・ES提出(2月上旬)→1次面接→Web試験→最終面接→内々定(2月下旬)
日本コムシス㈱	582	総 技【対象】インターンシップ参加者【プロセス】ES提出・Webテスト(3月～)→面接(2回)→内々定
日本電設工業㈱	582	技【対象】インターンシップ参加者【プロセス】各種説明会(必須)→ES提出→適性検査・一般常識→面接(2回)→内々定
住友電設㈱	583	技【対象】インターンシップ参加者【プロセス】説明会(必須)→ES・SPI提出→1次面接・筆記→最終面接→内々定 ※3月以降開催の説明会の参加者より優先的に選考を案内
東光電気工事㈱	583	技【対象】インターン参加者【プロセス】説明会・ES(12月中旬～)→面接(2回、1月～)→内々定(1月下旬～)
㈱ＨＥＸＥＬ Ｗｏｒｋｓ	584	総【対象】インターンシップ、仕事体験、オープンカンパニー参加者【プロセス】説明会(必須、12～2月)→履歴書・適性検査(12～2月)→面談・面接(2回、12～2月)→内々定(12～5月) 技【対象】インターンシップ、仕事体験、オープンカンパニー参加者【プロセス】説明会(必須、10～2月)→履歴書・適性検査(11～2月)→面談・面接(2回、12～2月)→内々定(12～5月)
㈱きんでん	584	技【対象】説明会参加者 仕事体験参加者【プロセス】NA
㈱関電工	585	技【対象】インターンシップ参加者【プロセス】説明会(必須)→履歴書・ES提出→テストセンター(SPI3)→面接(2回)→内々定
㈱トーエネック	586	技【対象】インターンシップ参加者【プロセス】説明会・筆記(12月)→ES提出・面談・面接(各1回 1～2月)→内々定(2月～)

会社名 (*掲載ページ*)		早期選考データ
●住宅・マンション●		
積水ハウス㈱	*588*	総【対象】インターンシップ参加者【プロセス】ES提出・適性検査→面接(2〜3回)→Webテスト→内々定 技【対象】インターンシップ参加者【プロセス】自己紹介動画提出・適性検査→面接(2〜3回)→Webテスト→内々定
住友林業㈱	*589*	総 技【対象】インターン参加者【プロセス】ES提出、Webテスト受検後に面接開始
大東建託㈱	*589*	総【対象】インターン参加者【プロセス】説明会(必須、12月)→WebES・適性検査→面接(2回)→内々定 技【対象】インターン参加者【プロセス】説明会(必須、12月)→WebES・適性検査→GD→面接(2回)→内々定
旭化成ホームズ㈱	*590*	総 技【対象】オープンカンパニー(仕事体験イベント)参加者【プロセス】ES提出・Web適性テスト(2月〜)→面接(2回)→面談・内々定
ミサワホーム㈱	*591*	総 技【対象】インターン参加者【プロセス】説明会(必須、7月上旬)→ES提出・適性検査(7月下旬)→インターシップ(8月中旬〜9月下旬)→特別イベント(2回、10月〜)→面接(3回、11月上旬〜12月中旬)→内々定(12月末〜)
パナソニック ホームズ㈱	*591*	総【対象】インターンシップ参加者【プロセス】WebES・適性検査→面接(2回)→内々定 技【対象】インターンシップ参加者【プロセス】WebES・適性検査→面接(2回)・技術審査(即時設計)→内々定
トヨタホーム㈱	*592*	総 技【対象】夏季インターンシップ参加者【プロセス】説明会(必須、12月〜)→ES提出(1月〜)→1次グループ面接・適性検査(1月〜)→個人面接(2回、2月〜)→内々定(3月〜)
一建設㈱	*593*	総 技【対象】インターンシップ 仕事体験 オープンカンパニー参加者【プロセス】説明会または面談(必須)→面接→内々定
穴吹興産㈱	*594*	総【対象】インターン参加者【プロセス】1次面接・適性検査→2次面接→SPI・最終面接→内々定
㈱大京	*594*	総【対象】インターン参加者【プロセス】ES提出・Web試験A・B・自己PRシート→面談→1次面接→面談→最終面接→内々定
㈱東急コミュニティー	*595*	総 技【対象】インターン参加者【プロセス】説明会(必須、10月〜)→ES提出→面接(複数回)→内々定(12月〜)
日本総合住生活㈱	*595*	総 技【対象】インターンシップ参加者 1day仕事体験参加者【プロセス】説明会(必須)→ES提出(1月〜)→SPI→面接(3回、1月〜)→内々定(2月〜)
日本ハウズイング㈱	*596*	総 技【対象】インターン参加者【プロセス】NA
●不動産●		
日鉄興和不動産㈱	*602*	総【対象】インターンシップ参加者【プロセス】NA
大成有楽不動産㈱	*604*	総【対象】インターン・セミナー等の早期イベント参加者 ※デベロッパーは早期選考未実施【プロセス】早期イベント参加→ES提出→性格適性検査→1次面接→最終面接→内々定(3〜4月) 技【対象】インターン・セミナー等の早期イベント参加者【プロセス】早期イベント参加→ES提出→性格適性検査→1次面接→最終面接→内々定(12〜3月)
東急リバブル㈱	*606*	総【対象】インターン参加者【プロセス】インターンシップ参加→現場体験→早期選考
三井不動産リアルティ㈱	*606*	総【対象】インターンシップ等参加者【プロセス】ES提出→筆記・テストセンター→面接(複数回)・適性検査→内々定
●電力・ガス●		
東京ガス㈱	*614*	技【対象】DXコース【プロセス】ES提出・適性検査・Webテスト(2〜3月)→ジョブマッチング面談(2回程度)→最終面接(1回程度、6月)→内々定(6月)
アストモスエネルギー㈱	*615*	総【対象】インターン参加者【プロセス】インターンシップ・Webテスト(必須、11月上旬〜2月下旬)→1次面接・ES提出(1月上旬〜2月下旬)→2次面接(2月下旬〜3月上旬)→最終面接(3月上旬〜4月下旬)→内々定(3月上旬〜)
ＥＮＥＯＳグローブ㈱	*615*	総【対象】インターンシップ参加者【プロセス】ES提出→Webテスト→面接(2回)→GD→面接(1回)→内々定

会社名 （掲載ページ）		早期選考データ
●石油●		
ENEOS㈱	618	総【対象】長期インターンシップ参加者【プロセス】ES提出・Webテスト→ワークショップ参加→面談→長期インターンシップ→内々定
石油資源開発㈱	620	総 技【対象】インターンシップ参加者【プロセス】ES提出・Webテスト(2月～)→面接(複数回)→内々定
●デパート●		
㈱三越伊勢丹	623	総【対象】選考直結型インターンシップ参加者【プロセス】選考直結型インターンシップ参加→ES提出→面接→内々定
●コンビニ●		
㈱ローソン	627	総【対象】インターン参加者【プロセス】説明会(必須)→適性検査・ES提出→面談(3回)→内々定
㈱ファミリーマート	628	総【対象】インターンシップ全日程参加者【プロセス】インターンシップ参加(7～12月)→Webテスト(12～3月)→面接(2回、12～4月)→内々定(2～4月)
ミニストップ㈱	628	総【対象】1dayセミナー参加者【プロセス】1dayセミナー(必須)→ES提出・適性検査→面接2回→内々定
●スーパー●		
㈱フジ	630	総【対象】インターンシップ参加者【プロセス】説明会(動画視聴、任意、2月～)→DPI・ES提出(2月～)→面接(2月中旬～)→適性検査(2月中旬～)→役員面接(3月初旬～)
㈱イズミ	630	総【対象】インターンシップ・仕事体験 参加者【プロセス】Webセミナー→ES・作文提出(12月頃～)→書類選考→Web試験→1次面接→2次面接(→3次面接)→最終面接→内々定(2月頃～)※予定
㈱平和堂	631	総【対象】インターンシップ参加者【プロセス】インターンシップ(6～12月)→ES提出(12月～)→Webテスト→Web面接(12月～)→役員面接(1月～)→内々定
㈱Olympicグループ	631	総【対象】インターンシップ参加者【プロセス】NA
㈱ユニバース	632	総【対象】インターン参加者 リクルーター面談参加者【プロセス】面談(12月～1月)→ES提出・面接・筆記(2月)→役員面接(3月中旬)→内々定(3月下旬)
㈱ヨークベニマル	632	総【対象】インターン参加者【プロセス】エントリー(3月)→説明会(必須)→1次面接(Web)→最終面接(対面)→内々定
㈱カスミ	633	総【対象】エントリー者【プロセス】業界研究セミナー(Webまたは対面)→1次面接(Web)→SPI3→最終面接(対面)・クレペリン適性検査→内々定
㈱ベイシア	633	総【対象】インターンシップ参加者【プロセス】インターンシップ参加者向け説明会(必須)→ES1枚目提出・Web-GAB受験(選考免除)→個人面談→ES2枚目提出→面接(2回)→内々定
㈱ヤオコー	634	総【対象】オープンカンパニー参加者(説明会免除)インターンシップ参加者(1次面接免除)【プロセス】オープンカンパニー実施(5～3月)→インターンシップ実施(8～9月)→1次面接(9月)→2次面接(10月)→最終面接(11月)
㈱ベルク	634	総【対象】インターンシップ参加者 自社アルバイト従業員【プロセス】説明会(必須)→Web適性検査・面接(Web)→面接→内々定
㈱マミーマート	635	総【対象】インターンシップ参加者【プロセス】Web説明会(必須)→Web人事面接→最終選考・役員面接→内々定
サミット㈱	635	総【対象】夏季インターンシップ参加者【プロセス】筆記(11月～)→Web面接(12月～)→最終面接(1月～)→内々定(2月～)
㈱いなげや	636	総【対象】インターン参加者【プロセス】説明会→筆記→面接→GD→内々定※説明会、筆記、面接はWebでも実施
㈱東急ストア	636	総【対象】インターンシップ参加者【プロセス】説明会(必須、3月)→ES提出・筆記→面接(2回)→内々定

会社名 （*掲載ページ*）	早期選考データ
アクシアル リテイリンググループ *637*	総【対象】インターン参加者【プロセス】説明会(必須、2月～)→ES提出・SPI(2月～)→1次面接(2月～)→役員面接(2月～)→内々定(3月～)
マックスバリュ東海㈱ *638*	総【対象】インターン参加者【プロセス】説明会(任意、2月上旬)→1次面接(2月中旬)→性格適性検査SPI3・最終面接(2月下旬)→内々定(3月上旬)
㈱神戸物産 *639*	総【対象】インターンシップ参加者【プロセス】インターンシップ参加→早期説明会→書類選考(履歴書・ES)→面接→内々定
㈱関西スーパーマーケット *640*	総【対象】インターン参加者【プロセス】Web説明会(必須)→Web試験→Web個人面接→役員面接→内々定
㈱ハローズ *640*	総【対象】インターンシップ、1DAY仕事体験参加者【プロセス】Web適性検査→ES・筆記・GD→面接(2回)→内々定

●外食・中食●

会社名 （*掲載ページ*）	早期選考データ
日本マクドナルド㈱ *641*	総【対象】プレ期(8月～1月)のイベント参加者【プロセス】説明会オンライン／動画(12月～)→Web適性検査(12月～)→ES提出→グループセッション(1月～)→個人面談(2～3回、1月～)→最終面談(2月～)→内々定(2月下旬～)
㈱松屋フーズ *642*	総【対象】インターンシップ参加者 求人サイトで募集【プロセス】説明会(必須)→適性検査→1次面接→最終面接前面談→最終面接
㈱ドトールコーヒー *642*	総【対象】インターンシップ、オープンカンパニー参加者【プロセス】面接(2回、2月～)→面談(2月～)→最終面接(3月～)→内々定(3月～随時)
テンアライド㈱ *643*	総【対象】インターン参加者 求人サイトで募集【プロセス】面談(随時)→面接・適性検査(随時)→役員面接・筆記(随時)→内々定(随時)
㈱Genki Global Dining Concepts *643*	総【対象】インターンシップ参加者【プロセス】インターンシップ(Web)→1次面接(Web)→2次面接(Web)→最終面接(適性検査・対面面接)→内々定
㈱プレナス *644*	総【対象】全学生【プロセス】説明会(必須)→個別面談→1次選考→最終選考→内々定

●家電量販・薬局・HC●

会社名 （*掲載ページ*）	早期選考データ
㈱ノジマ *645*	総【対象】オープンカンパニー・仕事体験会参加者、求人サイトで募集【プロセス】オープンカンパニー・仕事体験会(8～2月)→説明会・ES提出(11～2月)→面談(1～2回、11～2月)→面接(1～2回、11～2月)→SPI(11～2月)→面接(1～2回 、11～2月)→内々定(11～2月) 技【対象】オープンカンパニー・仕事体験会参加者、求人サイトで募集【プロセス】オープンカンパニー・仕事体験会(8～2月)→説明会・ES提出(11～2月)→面談(1～2回、1～2月)→面接(1～2回、11～2月)→SPI(11～2月)→面接(1～2回、11～2月)→内々定(11～2月)
㈱エディオン *645*	総 技【対象】サイトで募集【プロセス】説明会→面接(人事)→Web適性検査→面接(役員)→内々定
㈱マツキヨココカラ＆カンパニー *646*	総【対象】インターンシップ参加者【プロセス】早期説明会(必須、12月)→書類提出(ES含む)・Webテスト(12月)→面接(1月)→最終面接(2月)※GDもしくは1次面接免除
㈱クリエイトエス・ディー *647*	総【対象】1日インターン参加者【プロセス】インターン→面接(2回)→筆記→内々定
㈱カワチ薬品 *648*	総【対象】会社説明会参加者【プロセス】会社説明会(必須)→ES提出→一般常識・面接→面接→内々定
総合メディカル㈱ *648*	総【対象】11月迄に説明会に参加した学生【プロセス】説明会(必須)→Webテスト・ES提出→面接(3回)→内々定
㈱キリン堂 *649*	総【対象】インターンシップ参加者 求人サイトより応募【プロセス】説明会→1次選考→2次選考→3次選考(最終選考)→内々定
㈱サッポロドラッグストアー *649*	総【対象】インターンシップ参加者【プロセス】インターンシップ(7月～)→ES提出・リクルーター面接(10月～)→役員・社長面接(11月～)→内々定(12月～)
㈱カインズ *650*	総【対象】インターン参加者【プロセス】リクルーター面談→個人選考→最終選考
DCM㈱ *650*	総【対象】インターンシップ参加者【プロセス】説明会(必須、10月～)→Webテスト・ES提出→1次面接(11月～)→最終面接(11月～)→内々定(12月～)
コーナン商事㈱ *651*	総【対象】インターンシップ参加者【プロセス】インターン参加(必須)→適性検査(Web、9月～)→2次面接(10月～)→最終面接(11月～)→内々定(11月～)

会社名 （掲載ページ）	早期選考データ
アークランズ㈱ 651	総【対象】インターン(オープンカンパニー)参加者【プロセス】説明会(任意、11月)→ES提出・1次面接(12月～)→Web適性検査・最終面接(12月～)→内々定(12月下旬～)

●その他小売業●

会社名 （掲載ページ）	早期選考データ
㈱ミスターマックス・ホールディングス 653	総【対象】業界研究セミナー参加者【プロセス】説明会(必須、10月)→Web適性検査(11月)→ES提出・Web個人面接(11月)→最終面接(Webまたは対面)→内々定(12月)
㈱ファーストリテイリング 653	総【対象】不問(通年採用のため)【プロセス】＜グローバルリーダー＞説明会(必須)→適性検査→個人面接(複数回)→内々定＜地域正社員＞説明会(必須)→個人面接→適性検査→個人面接(複数回)→内々定 技【対象】インターン参加者【プロセス】個人面接(複数回)→内々定
㈱しまむら 654	総【対象】特別インターンシップ参加者【プロセス】ES提出(8～12月)→特別インターンシップ参加(9～1月)→適性検査(2月)→GD(3月)→個人面接(2回、3～5月)→内々定(5月)
㈱ハニーズ 654	総【対象】インターンシップ参加優良者 内部推薦者【プロセス】ES提出(2月)→1次面接(2月)→適性検査(3月)→最終面接(3月)→内々定(3月)
㈱エービーシー・マート 655	総【対象】インターンシップ参加者【プロセス】インターンシップ参加(随時)→説明会(3月)→GD(3月)→マッチング面談(4月)→最終面談(5月)→内々定
㈱レリアン 655	総【対象】早期早わかりセミナー、店舗体験セミナー参加者【プロセス】セミナー(12～1月)→ES提出(2月)→質問会(2月)→適性検査(3月)→店舗見学レポート→最終面接→内々定(4月)
㈱西松屋チェーン 656	総【対象】オープンカンパニー参加者、採用HP・各種ナビサイトからの応募者【プロセス】Web検査・面接(随時)→最終面接(随時・対面)→内々定(随時)※Web検査と面接の実施回数や実施順序は個人により異なる。面接はWebと対面を併用
青山商事㈱ 656	総【対象】インターン参加者【プロセス】説明会(必須、9月～2月)→ES提出・面接(3回、10～3月)→内々定(12～3月)
㈱コナカ 657	総【対象】インターンシップ参加者【プロセス】説明会(必須、2月～)→グループ面談(質問会)→1次面接→筆記・小論文→2次面接→適性検査→最終面接→内々定
はるやま商事㈱ 658	総【対象】インターン参加者【プロセス】NA
㈱ヤナセ 658	総【対象】インターン参加者 就活イベント参加者 早期選考開始までのエントリー者【プロセス】説明会(必須、1月)→ES提出・筆記(1月下旬)→面接(2～3回、2～3月)→内々定(3月下旬～4月上旬)※地域により異なる
㈱エフ・ディ・シィ・プロダクツ 659	総【対象】インターン参加者【プロセス】会社研究会(必須)→WebES提出→面接→適性検査・面接→面接→内々定 技【対象】インターン参加者【プロセス】会社研究会(必須)→WebES提出→面接・実技試験→適性検査・面接→面接→内々定
㈱アルペン 660	総【対象】インターン参加者【プロセス】ES提出(10月～)→筆記(11月中旬)→面接(12月上旬)→GD(12月下旬)→最終面接(1月上旬)→内々定(1月中旬)
ゼビオ㈱ 661	総【対象】夏冬のオンラインオープンカンパニーならびに対面のオープンカンパニー参加者【プロセス】ES提出(3月)→面接・WebSPI試験(2回・11月より順次)→内々定(12月より順次)
つるや㈱ 661	総【対象】インターン参加者 就職イベント参加者【プロセス】説明会(必須、1月～)→ESまたは履歴書提出・筆記(含作文)・面接(2月～)→面接(1回)→内々定(3月中旬～)
㈱三洋堂ホールディングス 662	総【対象】インターン参加者【プロセス】セミナー・筆記(9～1月)→1次面接・適性検査(9～2月)→2次面接(11～2月)→最終面接(12～2月)→内々定(12～2月)
ブックオフコーポレーション㈱ 662	総【対象】インターン参加者【プロセス】説明会→個人面接→最終面接→内々定
㈱良品計画 663	総【対象】学年問わず、在学中の人は通年で選考を実施【プロセス】ES提出→Webテスト・適性検査(毎月月末)→面接(3回、翌月中)→内々定(翌月中)
㈱ベルーナ 664	総【対象】インターン参加者【プロセス】インターンシップ→適性検査→面接ES→面談・面接(2～3回)→GD選考→最終面接→内々定
㈱あさひ 665	総【対象】インターン参加者【プロセス】インターン参加(必須)→WebES提出・Webテスト→Web面接(2回)→内々定

会社名 （*掲載ページ*）	早期選考データ
㈱はせがわ *666*	総【対象】夏の仕事体験参加者【プロセス】説明会(10月～)→GD(10月～)→適性検査(10月～)→面接(2回、11月～)→内々定(12月～)
●ゲーム●	
任天堂㈱ *668*	総【対象】就職イベントへの参加者【プロセス】NA
コナミグループ *668*	総【対象】新卒採用マイページ登録者(特定職種)【プロセス】ES提出→Webテスト→面接(2～3回)→内々定 技【対象】新卒採用マイページ登録者(特定職種)【プロセス】ES提出→作品審査・筆記→面接(2～3回)→内々定
●人材・教育●	
㈱アルプス技研 *670*	技【対象】インターン参加者【プロセス】NA
㈱公文教育研究会 *677*	総【対象】マイページ登録者全体【プロセス】説明会(必須、2月～)→ES提出(第1ターム2月～第2ターム3月～)→適性検査→GD→面接(2回)→内々定※23年夏～秋のインターンシップ応募者の一部に選考一部免除あり
㈱ナガセ *677*	総【対象】インターンシップ参加者【プロセス】ES提出→グループワーク選考→面接・適性テスト→内々定
㈱秀英予備校 *678*	総【対象】インターンシップ参加者【プロセス】説明会(必須)・筆記(1月～)→ES提出(1月～)→面接(2回、1月～)→内々定(2月～)
●ホテル●	
㈱西武・プリンスホテルズワールドワイド *680*	総【対象】夏季インターンシップ参加者【プロセス】ES提出(2月)→Web面接(3月)→面接(複数回3月～4月)→内々定(4月)
藤田観光㈱ *681*	総【対象】説明会参加者【プロセス】ES提出・適性検査→面接(2回)→内々定
●レジャー●	
名鉄観光サービス㈱ *684*	総【対象】北海道、東北、中四国、九州のインターンシップ参加者【プロセス】ES提出→Webテスト受検→面接(2回)→内々定
㈱ラウンドワンジャパン *686*	総【対象】インターンシップ参加者【プロセス】説明会・適性試験(1月～)→グループ面接・筆記(1～3月)→面接(2回、2～3月)→内々定(3月)
㈱バンダイナムコアミューズメント *687*	総【対象】インターン参加者 ※店舗マネジメント職のみ【プロセス】通常選考と同様
㈱東京ドーム *687*	総【対象】インターンシップ参加者【プロセス】ES提出(12・1月)→動画選考(1月)→面接(2月)→面接・適性検査(2回、2月・3月)→内々定(3月初旬)
東宝㈱ *688*	総【対象】インターン参加者【プロセス】NA
東映㈱ *688*	総【対象】インターン参加者のうち若干名【プロセス】面接(11月中旬)→最終面接・内々定(12月上旬)
セントラルスポーツ㈱ *689*	総【対象】業界説明会参加者 仕事体験参加者【プロセス】履歴書提出(12月頃)→1次面接(12月頃)→2次面接(12～1月)→内々定(2～3月)
●海運・空運●	
朝日航洋㈱ *694*	総 技【対象】5daysインターンシップ参加者 オンラインイベント参加者【プロセス】ES提出(12～1月)・Webテスト→1次GD(Web)・2次面接(2月)→最終面接(2～3月)→内々定
●運輸・倉庫●	
西濃運輸㈱ *695*	総【対象】インターンシップ参加者【プロセス】ES提出・Web試験→Web面接→最終面接→内々定
福山通運㈱ *695*	総【対象】インターン参加者【プロセス】説明会・ES(1月～)→面接筆記(1月上旬)→内々定(2月)
トナミ運輸㈱ *696*	総【対象】インターンシップ等の参加者【プロセス】書類提出→適性検査→面接(1～2回)→役員面接→内々定(随時)

会社名 （掲載ページ）		早期選考データ
センコー㈱	697	総【対象】5Daysインターンシップ参加者【プロセス】説明会・Webテスト(1月下旬〜2月上旬)→ES・GAB提出→面接(1回)→内々定
山九㈱	697	総【対象】OB訪問参加者 早期イベント参加者【プロセス】イベント参加(11月〜)→Web検査・ES(1月〜)→面接(2回、2月〜)→内々定(4月〜) 技【対象】インターン参加者 OB訪問参加者 早期イベント参加者【プロセス】イベント参加(8月〜)→Web検査(11月〜)→面接(2回、12月〜)→内々定(1月〜)
鴻池運輸㈱	698	総【対象】インターンシップ参加者【プロセス】ES提出→Webテスト→面接(3回)→内々定
日本梱包運輸倉庫㈱	699	総【対象】インターン参加者【プロセス】一部選考免除
㈱キユーソー流通システム	699	総【対象】仕事体験+先輩社員座談会+職場見学会参加者【プロセス】仕事体験→先輩社員座談会→職場見学会→説明会(必須、12月〜)→ES提出→Web適性試験→面接(3回)→内々定(3月上旬〜)
㈱日新	700	総【対象】ワンデー仕事体験 インターンシップ参加者【プロセス】説明会(任意)→ES提出・Webテスト→集団面接(2回)→個人面接→内々定
丸全昭和運輸㈱	700	総【対象】インターンまたは1day仕事体験参加者【プロセス】イベント参加(必須、7月中旬〜1月上旬)→SPI3(1月中旬)→面接(2回、1月下旬〜2月上旬)→内々定(2月中旬)
郵船ロジスティクス㈱	701	総【対象】インターン参加者【プロセス】Web説明会→WebES提出→Webテスト→Web適性検査→GD→面接(2回)→内々定
㈱阪急阪神エクスプレス	702	総【対象】インターンシップ参加者【プロセス】インターンシップ参加→WebES→面接(2〜3回)→内々定
三井倉庫ホールディングス㈱	704	総【対象】インターン参加者【プロセス】インターン参加(9〜1月)→Webテスト・ES提出(1月)→面接(3回、2〜3月)→内々定(3月)
三菱倉庫㈱	705	総【対象】インターン参加者【プロセス】Web説明会(必須、1月)→ES提出・筆記(1〜3月)→Web面接(2〜4月)→対面面接(2〜3回、2〜5月)→内々定(3〜6月)
日本トランスシティ㈱	706	総【対象】インターンシップ、オープンカンパニー参加者【プロセス】ES提出・適性検査→面接(約3回)→内々定
安田倉庫㈱	707	総【対象】インターン参加者【プロセス】説明会(必須、3〜6月)→面接(3回、3〜6月)→内々定※2次面接時に筆記・作文実施
●鉄道●		
大阪市高速電気軌道㈱	718	総 技【対象】オープンカンパニー参加者【プロセス】適性検査・ES提出→面接(複数回)→内々定
●その他サービス●		
日本自動車連盟	724	総【対象】2days仕事体験 1dayオープン・カンパニー参加者【プロセス】早期説明会・ES提出(順次)→Webテスト(順次)→面接(2回)→内々定(順次) 技【対象】総合職(技術系以外)対象者のうち希望者【プロセス】早期説明会・ES提出(順次)→Webテスト(順次)→面接(2回)→内々定(順次)
(一財)日本品質保証機構	725	総 技【対象】インターンシップ参加者【プロセス】ES・Webテスト→面接(3回)→内々定
(一財)関東電気保安協会	725	技【対象】インターシップ参加者【プロセス】ES提出・Web適性検査→面接(2回)→内々定
セコム㈱	732	総【対象】インターンシップ参加者【プロセス】説明会(必須)→筆記またはWeb試験→ES提出→面接(複数回)→内々定 技【対象】インターンシップ参加者【プロセス】ES提出→説明会→筆記またはWeb試験→面接(複数回)→内々定
ALSOK	732	総 技【対象】インターン参加者【プロセス】インターン→個人面談→適性試験・面接(1〜2回)→内々定
㈱アクティオ	733	総 技【対象】オープンカンパニー参加者【プロセス】OC参加者限定イベント→Web適性検査→面接(2回)→内々定
西尾レントオール㈱	734	総 技【対象】インターン・説明会参加者 学校紹介 求人サイトへの応募 他【プロセス】NA

会社名 （掲載ページ）		早期選考データ
ジェコス㈱	734	総 技【対象】インターンシップ参加者【プロセス】ES提出→Webテスト・面接(2～3回)→最終面接→内々定
サコス㈱	735	総 技【対象】インターンシップ参加者【プロセス】インターンシップ(12～2月)→説明会・ES提出・適性検査(1～2月)→1次面接(2月下旬)→2次面接・一般常識(3月上旬)→最終面接(3月下旬)→内々定(3月下旬)
日本空調サービス㈱	736	総【対象】1Dayインターンシップ参加者で営業職希望者【プロセス】書類選考(ES)・適性検査(SPI)→支店面接→役員面接→内々定 技【対象】1Dayインターンシップ参加者で技術職希望者【プロセス】書類選考(ES)・適性検査(SPI)→支店面接→役員面接→内々定
㈱マイスターエンジニアリング	736	技【対象】インターンシップ参加者【プロセス】説明会(任意、10月～)→Web適性・面談(1回、10月～)→面接(10月～)→内々定(11月～)
㈱ダスキン	737	総【対象】オープンカンパニー参加者【プロセス】説明会・ES提出(2月)→SPI3→面接(2月中旬)→最終面接(3月)→内々定(4月)
㈱白洋舎	737	総 技【対象】求人サイトで募集【プロセス】説明会(必須)→適性試験・1次面接→2次面接→最終面接→内々定
㈱トーカイ	738	総【対象】営業同行参加者【プロセス】説明会(必須)→ES提出・Webテスト→最終面接→人事面談→内々定 技【対象】インターンシップ参加者【プロセス】説明会(必須)→ES提出・Webテスト→最終面接→人事面談→内々定
㈱コベルコ科研	739	技【対象】人材紹介、インターン参加者【プロセス】ES提出→適性検査→面接(2回)・作文→内々定
コンパスグループ・ジャパン㈱	739	総【対象】1day仕事体験参加者【プロセス】NA
㈱テイクアンドギヴ・ニーズ	740	総【対象】インターンシップ参加者【プロセス】説明会(必須)→ES提出→Webテスト→座談会・面談→個人面接(2～3回)→内々定
㈱ノバレーゼ	741	総【対象】選考型3daysインターンシップ参加者【プロセス】面接(10月)→現場面談(11～12月)→最終面接(12月)→内々定(12月)
㈱ベネフィット・ワン	742	総【対象】インターン参加者 イベント参加者【プロセス】説明会(必須)→ES提出・適性検査2種・面接(3回)→内々定
ＪＰホールディングスグループ	742	総【対象】インターン参加者【プロセス】面接3回→内々定※書類選考なし
ぴあ㈱	743	総【対象】ダイレクトリクルーティングを経由しスカウトしたインターン参加者・面談参加者 ※クローズド選考【プロセス】エントリー(3月上旬)→ES提出(3月中旬)→役員面接(4月上旬)→筆記→最終面接(4月下旬)→内々定
㈱乃村工藝社	744	総【対象】インターンシップ参加者【プロセス】<ディレクター職>ES提出(11月初旬～下旬)→技能試験 ・GD→面接(2回)→内々定(1月)
㈱日本創発グループ	744	総【対象】インターン参加者【プロセス】Web説明会(必須、12月～)→ES提出→適性→筆記・面接(2～3回)→内々定(3月～)
㈱パスコ	745	総 技【対象】イベント参加者 リクルーター経由での選考参加者【プロセス】面接(2回、1月)→内々定(2月)
㈱エフアンドエム	745	総【対象】インターン参加者【プロセス】インターンDAY1(4～12月)→インターンDAY2(5～12月)→説明会(必須、12～3月)→面接(5回、12～3月)→内々定(1～3月下旬)

どんな問題がでたの？

ES、GD、論作文の出題テーマ

業種別・ES、GD、論作文の出題テーマ 1,048 社

会社名 (掲載ページ)		テーマ
●商社・卸売業●		
伊藤忠商事㈱	82	総【ES】あなたの強み・弱み チームで取り組み成果を上げたこと 志望動機 他
三井物産㈱	83	総【ES】自分史(2000字程度)
住友商事㈱	84	総【小論文】あなたが思う『Diversity, Equity & Inclusion』とは何か、これまでの経験をふまえて記述しなさい(500字・25分)
兼松㈱	85	総【ES】ゼミ研究内容(200字)周囲からの評価(300字)人生経験に基づいた志望理由(300字)責任を持って行動したこと(300字)熱意を持って挑戦したこと(300字)
伊藤忠丸紅鉄鋼㈱	86	総【ES】学生時代に力を入れたこと 他
阪和興業㈱	86	総【ES】困難を乗り越えた経験(300字)あなたが阪和興業でチャレンジしたいこと(250字)最もあなたらしい写真を添付し、説明(200字)【GD】20分
㈱メタルワン	87	総【ES】あなた自身が最後までやり抜いた経験を3つ(各40字)上記の中で最も力を入れたことについて、やり抜くにあたってどのような困難があり、それをどのように周囲を巻き込み克服したか(400字)
日鉄物産㈱	87	総【ES】今までに経験した挫折(200字以内)志望動機(400字以内)
㈱ホンダトレーディング	88	総【ES】当社への志望動機 大学講義の中で最も力を入れた授業とその理由 人生で最大の困難とどのようにして乗り越えられたか
岡谷鋼機㈱	89	総【ES】学生時代にチーム(2人以上)で取り組んだこと あなたの弱点と、それを克服するための取り組み 岡谷鋼機の中で興味のあるセグメント・営業本部はどこか またそのセグメント・営業本部で将来どのような商売をしていきたいか(各200〜300字)
神鋼商事㈱	89	総【ES】大学での研究内容 長所が現れたエピソード 短所を克服したエピソード 自ら学び行動した経験 商社を志望する理由
伊藤忠丸紅住商テクノスチール㈱	90	総【ES】学生時代に取り組んだこと 就職後にどんな仕事がしたいか
小野建㈱	90	総【ES】自己PR 学生時代に頑張ったこと 志望動機
佐藤商事㈱	91	総【ES】志望動機 自己PR 学生時代に力を入れたこと
大同興業㈱	91	総【ES】学校の課題で関心を持って取り組んだこと(200字)学外活動で関心を持って取り組んだこと(200字)入社したらやりたいこと・将来像(300字)自分史の作成
ユアサ商事㈱	92	総【ES】学生時代の取り組み(400字)【GD】論理的・創造的思考能力(50分)
㈱山善	92	総【ES】自ら考え行動し目標達成した経験 他【GD】成長に必要なのは成功体験か失敗体験か(30分)ホワイト企業に当てはまる要素を3つ(30分)挑戦・考動をするために大切な要素を3つ(30分)他
㈱ミスミ	93	総【ES】これまでの経験を活かして、社会に出てからどのような挑戦をしていきたいですか?(400字以内)
トラスコ中山㈱	93	総【ES】大学生活の中でもっとも○○(頑張ったこと・チャレンジしたこと・困難だったこと・失敗したこと4択)についてタイトル名+内容自由記入(400字)周囲の人からどのような人だと言われるか(30文字)+それに対する自分の考え(200字)【GD】学生時代の経験や価値観・考え方についてグループ内で深堀・発表(ディスカッション50分)
㈱豊通マシナリー	94	総【ES】学業・ゼミ・研究室などで取り組んだ内容(250字)自己PR(400字)学生時代に最も打ち込んだこと(400字)【GD】当社の求める人物像について(30分)
第一実業㈱	94	総【ES】今までで一番努力したこと 当社でどのようなことにチャレンジしたいかとその理由 あなたのセールスポイント(各300字以内)
㈱守谷商会	95	総【作文】学生時代の活動(B5一枚)
西華産業㈱	95	総【ES】学業および学業以外で力を注いだこと 志望動機
ダイワボウ情報システム㈱	96	総 技【ES】学歴 得意な分野・科目 研究課題 自己PR 学生時代に最も力を入れて取り組んできたこと 趣味・特技 他
㈱日立ハイテク	96	総【ES】志望動機 自己PR 大学時代の取り組み 他 技【ES】志望動機 研究内容 志望職種 他
キヤノンマーケティングジャパン㈱	97	総 技【ES】志望理由 自己PR 学生時代に得たもの
シークス㈱	98	総 技【ES】志望動機(200字)大学時代の取り組み 自己PR(各400字)他

業種別・ES、GD、論作文の出題テーマ 1,048 社

会社名 *(掲載ページ)*	テーマ
㈱ＲＹＯＤＥＮ *98*	総 技【ES】問題解決のために自ら行動し、周囲を巻き込んだ経験 自己PR 学生時代に取り組んだこと 人生最大のチャレンジとそれに伴う工夫・苦労(各400字)【GW】ディスカッション(25分)例：やる気のない社員をやる気にさせてください ディベート(40分)例：給料重視VSやりがい重視
㈱立花エレテック *99*	総 技【ES】最も大きな成功体験
サンワテクノス㈱ *99*	総【ES】学業(学んだこと)部活動・サークル・アルバイトの内容と得られたこと 強み・弱み・他者から見た自分 志望動機 企業選びで重視すること 他社選考状況 希望勤務地コース・希望職種・希望勤務地(字数制限なし)
エプソン販売㈱ *100*	総 技【ES】志望動機(400字)学校で学んでいることや研究テーマ、趣味や特技(100字)人生における挑戦3つ(各50字)会社を選ぶ際に重視すること3つ(各15字)
㈱カナデン *100*	総【ES】学業・ゼミ・研究室などで取り組んだ内容(250字)自己PR(400字)学生時代に最も打ち込んだこと(400字)
加賀電子㈱ *101*	総 技【ES】志望動機 学生時代に力を入れたこと 自己PR 他(字数制限なし)
リョーサン菱洋ホールディングス㈱ *102*	総 技【ES】学業で力を注いだこと 自己PR 学生時代の取り組み 志望動機
東京エレクトロン デバイス㈱ *102*	総 技【ES】自己PR 学生時代に最も打ち込んだこと 学業・ゼミ・研究室などで取り組んだ内容
丸文㈱ *103*	総 技【ES】大学時代に力を注いだこと 自己PR(各300字程度)
伯東㈱ *103*	総 技【ES】ゼミ・研究室のテーマと内容 特技・趣味 自己PR
新光商事㈱ *104*	総 技【ES】自己PR 学生時代の取り組み(各400字程度)就職活動の軸とその理由(200字程度)
三信電気㈱ *104*	総 技【ES】志望動機 学生時代に力を入れたこと その他自己PR(字数制限なし)
長瀬産業㈱ *105*	総【ES】学生時代に学業、学業以外それぞれにおいて頑張ったこと(各30字以内)
稲畑産業㈱ *105*	総【ES】次の2つから選択(1)あなたしか経験したことがないエピソード(2)人生最大のターニングポイントとなったエピソード(字数制限なし)空白のスペースを用いて自分自身を自由に表現(字数制限なし)
ＣＢＣ㈱ *106*	総【ES】志望動機(400字以内)自己PR(400字以内)熊による人身被害の問題について(600字以内)
明和産業㈱ *107*	総【ES】自己PR 学生時代に最も打ち込んだこと(400文字程度)自身の考える強み・弱み 就職する会社に求めること(200〜400文字)大学・高校時代に取り組んだこと(100〜200文字)
ＪＫホールディングス㈱ *107*	総【ES】人生で一生懸命取り組んだ体験と、その際に発揮した、あなたの「強み」(400字以内)社会人になって高めていきたい能力や、理想の社会人像(400字以内)
渡辺パイプ㈱ *108*	総【ES】強み・弱み 大学時代に最も苦労した経験 志望動機(各300〜500字)
伊藤忠建材㈱ *108*	総【ES】志望動機 リーダーシップを発揮した経験 これまでで最大のピンチについて(各400字)他【作文】あなたにとって仕事とは何か(800字)
㈱サンゲツ *109*	総【ES】志望動機(300字)成し遂げた成果3つ(各30字)3つの成果から1つ選択して具体的エピソード(250字)
㈱デザインアーク *110*	総 技【ES】目標達成への取り組み(300字程度)志望理由(200字程度)
㈱日本アクセス *110*	総【ES】学生時代に力をいれたこと 志望動機 自己PR 他
三菱食品㈱ *111*	総【ES】学生時代の困難や苦労 仕事を通じて成し遂げたいこと(各400字以内)
国分グループ *111*	総【ES】学生時代に力を注いできたこと(700字程度)他
加藤産業㈱ *112*	総【ES】人とやりとりするうえで「得意なこと」「苦手なこと」学校で学んでいる分野・取組み 学生時代に取り組んだ部活動・アルバイト・その他活動 応募する企業の決め方
㈱シジシージャパン *112*	総【ES】志望動機 自己PR【GD】論理的思考力 数字理解力 発想力
ヤマエグループホールディングス㈱ *113*	総【ES】志望動機 大学時代の取り組み 他
伊藤忠食品㈱ *113*	総【ES】学生時代に力を入れた活動(400字)
日本酒類販売㈱ *114*	総【ES】志望動機(450字以内)他【GD】60分
旭食品㈱ *114*	総【ES】学生時代に力をいれたこと

業種別・ES、GD、論作文の出題テーマ 1,048 社

会社名 （*掲載ページ*）		テーマ
スターゼン㈱	*115*	総【ES】あなたにとって食とは チーム活動のエピソード 志望動機(各300～400字)
㈱マルイチ産商	*115*	総【ES】志望動機(300字以内)自己PR(300字以内)
㈱トーホー	*116*	総【ES】外食業界に関する興味・関心 志望理由 希望職種でどのような貢献をしたいか
カナカン㈱	*117*	総【ES】OpenES 希望職種 志望動機 長所・セールスポイント
木徳神糧㈱	*118*	総【ES】学生時代の取り組み 自己PR 志望動機 当社の興味を持った仕事と、入社後どのように自身の強みを活かしたいか
日本出版販売㈱	*118*	総【ES】志望動機 当社の未来の可能性 これまで経験したサービス・商品の魅力語り チームでの行動 人生最大のチャレンジ 世の中で変えたいこと 他(各250字)【GD】成功を定義 他(20分)
㈱トーハン	*119*	総【ES】自己PR 学生時代に最も打ち込んだこと 他に学生時代に打ち込んだ活動 トーハンで入社後チャレンジしてみたいこと(字数制限なし)
日本紙パルプ商事㈱	*119*	総【ES】志望動機 学生時代の取り組み 長所と短所 好きな言葉
㈱スズケン	*121*	総【ES】志望理由 大学生活において特に力を注いだこと 自己PR(各200字)他
東邦薬品㈱	*121*	総【ES】志望理由 学生時代に力を入れたこと 現在資格取得に向け勉強している内容や今後勉強してみたい資格や分野(各200字)
㈱ＰＡＬＴＡＣ	*122*	総【ES】志望動機 選社基準 大学時代の取り組み 技【ES】志望動機 選社基準 研究内容
㈱あらた	*122*	総 技【ES】志望理由 学生生活で特に力を入れて取り組んだ内容 その中で最も困難だった課題 その課題に対してどのように取り組んだか(各200字)
花王グループカスタマーマーケティング㈱	*123*	総【ES】志望動機 強み・弱み 自分の殻を破った経験【GD】弊社のACとして小売業様への販売戦略提案(30分)弊社のACとしての臨機応変な対応方法について(30分)
興和㈱	*123*	総 技【ES】自己PR 会社で挑戦したいこと 他
蝶理㈱	*124*	総【ES】実力を発揮するために必要なもの 就職とは何か その上で当社を志望する理由 自己PR(各200字)
豊島㈱	*124*	総【ES】これまでに困難を乗り越えた経験 あなたのことが最もよく伝わるストーリー【GD】個人の価値観について問う質問
㈱ＧＳＩクレオス	*125*	総【ES】自己PR 商社を志望する理由 他【GD】人材育成について
㈱ヤギ	*126*	総【ES】求める人材像に沿った設問(各400字以内)
スタイレム瀧定大阪㈱	*126*	総【ES】学生時代に成果が残せた出来事(200字)学生時代に乗り越えた出来事(200字)あなたらしさを表す画像とその理由(50字)あなたらしさが分かる「○○の仕方」または「こだわり」(100字)
伊藤忠エネクス㈱	*127*	総【ES】志望動機 学生時代に最も力を入れて取り組んだこと 他
岩谷産業㈱	*127*	総 技【ES】PRポイント(30字以内)学生時代に打ち込んだこと(300字以内)志望動機(250～300字)
三愛オブリ㈱	*128*	総 技【ES】志望動機 自己PR 学生時代に打ち込んだこと
ＮＸ商事㈱	*128*	総【ES】志望理由(150字)興味を持った部門(選択)と、その選択理由(300字)
三谷商事㈱	*129*	総【ES】学業 部活・サークル アルバイト(各100～300字)ボランティア活動(200字)自己PR(300～400字)志望理由(200～300字)【作文】当社の強みや特長はなにか(400字以上)今後、どのように当社を成長させたいか(400字以上)
㈱ＥＮＥＯＳフロンティア	*129*	総【ES】学生時代に取り組んだこと 自己PR 志望動機(各200字)
ＴＯＫＡＩグループ	*130*	総 技【ES】志望動機 自己PR
郵船商事㈱	*130*	総【ES】自己PR 学生時代の取り組み
鈴与商事㈱	*131*	総【ES】自己PR 学生時代に最も打ち込んだこと
㈱巴商会	*131*	総 技【ES】趣味・特技 長所・短所 自己PR【GD】部活予算会議(40分)
丸紅エネルギー㈱	*132*	総【ES】学業・ゼミ・研究室などで取り組んだ内容 自己PR 学生時代に最も打ち込んだこと
トヨタモビリティパーツ㈱	*132*	総【ES】志望動機 自己PR 他人には負けない自分の一番の強み 今まで生きてきた中で大きな「挑戦」

会社名　(掲載ページ)		テーマ
メルセデス・ベンツ日本(合同)	133	総【ES】志望動機(500字)これまでに経験した変革や変化、どのような役割を果たしたか(500字)【GD】EV車を販売、普及させていくための問題点と解決策、戦略、ターゲット
新生紙パルプ商事㈱	135	総【ES】自己PR 学生時代の取り組み
㈱オートバックスセブン	135	総【ES】自身の強み これまでに力を入れてきたこと 志望動機 企業選びの軸
㈱ドウシシャ	136	総【ES】志望動機 あなたは当社の「卸売型」・「開発型」どのカテゴリーに興味がありますか【GD】60分

●シンクタンク●

会社名		テーマ
㈱三菱総合研究所	141	総【ES】志望動機と入社後に実現したいこと 専門分野とその成果 学業以外で力を入れたこと(各1000字程度)
㈱大和総研	142	総【ES】学生時代に力を入れて取り組んだこと(300字)志望動機(250字)入社後に行いたい仕事(250字)10年後の姿(300字)
三菱ＵＦＪリサーチ＆コンサルティング㈱	142	総【ES】志望動機 専攻分野 自己PR 他

●コンサルティング●

会社名		テーマ
㈱日本Ｍ＆Ａセンター	143	総【ES】学生時代に得た素晴らしい経験(400文字以内)
㈱船井総合研究所	143	総【ES】志向性チェック、 ”経営コンサルティング”という仕事に興味をもったきっかけ(200字)
ＩＤ＆Ｅグループ	144	総 技【ES】志望動機 学生時代の取り組み 他【小論文】字数制限なし・50分 ※日本工営空間：小論文無し
㈱建設技術研究所	145	総 技【ES】これまで勉強、研究してきたことをふまえた当業界の志望動機(200字)当社の志望理由(200字)志望分野の理由(200字)学生時代に最も力を入れて取り組んだこと(200字)他【小論文】800字・50分
パシフィックコンサルタンツ㈱	145	総 技【ES】志望理由 自己PR 他【論述】A4一枚・45分
㈱オリエンタルコンサルタンツグローバル	146	総 技【ES】志望動機 学生時代の取り組み ご自身の強み

●リサーチ●

会社名		テーマ
㈱インテージ	146	総【ES】学業での取り組み 学業以外での取り組み 仕事を通して成し遂げたいこと(各400字) 技【ES】学業での取り組み 学業以外での取り組み 仕事を通して成し遂げたいこと(各400字)保有スキル Webフレームワークの経験
㈱帝国データバンク	147	総【ES】興味を持った理由(300字以内)人生において記憶に残るベストな瞬間3つ(各150字以内)人生における最大の失敗(300字以内)他

●通信サービス●

会社名		テーマ
日本電信電話㈱	150	技【ES】現在の研究内容とその意義 今後取り組みたい内容と理由 他(各400字)
㈱ＮＴＴドコモ	150	総 技【ES】＜オープン／WILLコース共通＞これまでの人生でチャレンジしたエピソード(成功・失敗問わず)(400字以内)ドコモで叶えたい夢・実現したいこと(400字以内)＜WILLコースのみ＞スキル、経験、志向性などで希望するワークフィールド・ポストにマッチしていること(400字以内)希望するワークフィールド・ポストに関連する領域で、ゼミ・研究・そのほかの課外活動などでの特筆すべき経験があれば記載(論文URLなど)(400字以内)
ＫＤＤＩ㈱	151	総【ES】実現したいこと(400字)難易度の高い経験(400字) 技【ES】実現したいこと(400字)難易度の高い経験(400字)デザインコースのみポートフォリオ(400字)
ＮＴＴ東日本	152	総 技【ES】大学時代の取り組み 志望動機
ＮＴＴ西日本	153	総【ES】自己PR(400字)志望動機(400字)採用コースに対応する専門性やスキル、経験(300字・選択コースによって必須条件は異なる)
ＪＣＯＭ㈱	153	総 技【ES】JCOMにエントリーした理由(200字以内)本コースを選択した理由 本領域で活かせそうな経験やスキル、資格等について(300文字以内)他
㈱ティーガイア	154	総【GD】日本が抱える問題の解決に貢献できる事業の検討(40分)

会社名 （掲載ページ）	テーマ
㈱インターネットイニシアティブ 154	総 技【ES】学生時代一番情熱を傾けて取り組んだこと(300字)学生時代二番目に情熱を傾けて取り組んだこと(300字)専攻内容(300字)趣味(200字)
㈱MIXI 155	総【ES】インターンやアルバイト、起業、学生団体など学生時代に力を入れた取り組みの中で、最も達成難易度が高かった出来事 また、その中で目標達成に至るまでの課題、課題に対するアプローチ、実行内容、結果について 他 技【ES】＜エンジニア＞開発経験＜デザイナー＞ポートフォリオ
インフォコム㈱ 156	総 技【ES】(1)自己アピール(2)学生時代に力を入れて取り組んだ内容(3)当社でやりたい仕事
㈱ゼンリン 156	総 技【ES】保有資格・スキル 趣味特技 学業・ゼミ・研究室などで取り組んだ内容 自己PR 学生時代に最も打ち込んだこと 希望職種 志望理由・発揮したい能力 失敗経験からの学び
㈱ぐるなび 157	総【ES】自身の強みと強みを発揮できた経験 当社の事業に対して感じている特徴や魅力 当社で実現したい仕事の目標(各1000字まで) 技【ES】当社エンジニアの志望理由 チームワークを発揮して成功した経験 当社で実現したい仕事の目標(各1000字まで)

●システム・ソフト●

会社名 （掲載ページ）	テーマ
㈱NTTデータ 157	総 技【ES】志望理由(200字)志望する採用コースで入社後チャレンジしたいこと(200字)成果を上げた経験と自分の役割(300字)今までで一番苦労したこと(300字)他
伊藤忠テクノソリューションズ㈱ 158	総 技【ES】志望理由 入社してチャレンジしたいこと 他
TIS㈱ 159	総 技【ES】就職活動 当社について 入社後イメージ 他
㈱日立システムズ 160	総 技【ES】志望動機 自己PR 他
BIPROGY㈱ 160	総 技【ES】志望理由 学業・学業外等で力を入れてきたこと 他
NECネッツエスアイ㈱ 161	総 技【ES】自己PR 学業 当社でどんな仕事をやりたいか(各400字)保有している技術的知識・スキル(各100字程度)【GD】60分
日鉄ソリューションズ㈱ 161	総【ES】当社への関心(志望動機・きっかけ)学生時代に最も力を入れたこと 学業で力を入れたこと 経験・自己PR 他
NECソリューションイノベータ㈱ 162	技【ES】困難を乗り越えた経験 ICTで変えたい未来(各500字)他
富士ソフト㈱ 162	総 技【ES】志望動機(200字)自己PR(250字)学業・ゼミ・研究室で学んだ内容(200字)他【GD】課題解決型テーマについて(20分)
GMOインターネットグループ㈱ 163	総 技【ES】企業理念を読みどう思ったか アルバイトやインターンシップでの自慢できるエピソード(字数制限なし)
NTTコムウェア㈱ 163	総 技【ES】志望する理由と挑戦したいこと(400字)学生時代こだわりを持って取り組んだ経験等選択制設問(200字)
日本オラクル㈱ 164	総【ES】志望動機 学生時代に力を入れたこと 自己PR
エフサステクノロジーズ㈱ 164	技【ES】志望動機 在学中に力を注いだこと 富士通のパーパスと志望会社のミッションを踏まえて挑戦したいこと 自己PR(各400字以内)
㈱日立ソリューションズ 165	総【ES】＜営業＞「ITのおもしろさ」とIT業界に就職するにあたっての取り組み(300字以内)志望動機(300字以内)これまでに得た知識・経験、当社で実現したいこと(300字以内)＜スタッフ＞志望動機(300字以内)これまでに得た知識・経験、当社で実現したいこと(300字以内)最近の人事関連のニュースやトピックで気になるものとその理由(人事部門のみ 300字以内)就活で重要視していることと現在の活動状況(財務・調達部門のみ300字以内)【GW】＜営業＞システムエンジニアやソリューション営業の仕事で、特に重要な顧客対応を体験 顧客とのアポイントメントを実施し、最終的にソリューション提案まで行う＜スタッフ＞スタッフ部門を取り巻く環境や様々な課題を議論し、その内容についての報告・連絡・相談を行う 技【ES】「ITのおもしろさ」とIT業界に就職するにあたっての取り組み(300字以内)志望動機(300字以内)これまでに得た知識・経験、当社で実現したいこと(300字以内)【GW】システムエンジニアやソリューション営業の仕事で、特に重要な顧客対応を体験 顧客とのアポイントメントを実施し、最終的にソリューション提案まで行う
㈱トヨタシステムズ 166	総 技【ES】志望職種 志望動機 入社後にやってみたい仕事 主な履修科目 研究課題 自己PR 長所・短所(A4一枚程度)

業種別・ES、GD、論作文の出題テーマ 1,048 社

会社名 （掲載ページ）	テーマ
京セラコミュニケーションシステム㈱ 166	総 技【ES】志望動機（150文字以下）希望職種とその理由（200文字以下）学校で特に力を入れて勉強したこと（200文字以下）成功体験と失敗体験（各300文字以下）
都築電気㈱ 168	総 技【ES】ゼミまたは研究内容（150字以内）志望動機（400字以内）自己PR（400字以内）
日本ビジネスシステムズ㈱ 170	総 技【ES】希望職種・職種志望理由（200字以内）希望勤務地・会社志望理由（300字以内）自己PR（400字以内）
三菱ＵＦＪインフォメーションテクノロジー㈱ 171	技【ES】志望動機 自己PR 学生時代に力を入れて取り組んだこと 他
㈱ＮＳＤ 171	技【GD】海を知らない人に海を説明する 他（60分程度）
兼松エレクトロニクス㈱ 172	総 技【ES】自己PR 学生時代の取り組み（400文字）他
ニッセイ情報テクノロジー㈱ 172	技【ES】学生時代に力を注いだこと 自己PR 他
㈱システナ 173	総 技【ES】志望動機、得意科目または研究課題・ゼミ・卒論（100字以内）学業以外で力を注いだこと（300字以内）就職する上で重要視している項目を3つ記入【GD】当社の魅力について（60分）他
三菱総研ＤＣＳ㈱ 174	技【ES】自己PR 学生時代に最も力を注いだこと 企業・仕事を選ぶ軸【GW】90分
㈱中電シーティーアイ 175	総 技【ES】志望動機 自分自身について 学生時代に最も打ち込んだこと
㈱ＪＳＯＬ 176	技【ES】学生時代に最も力を入れたこと IT業界でチャレンジしたいこと（各200字）
ＮＴＴテクノクロス㈱ 176	総 技【ES】NTTテクノクロスで働く将来的なイメージと根拠 困難な目標・難しい問題に主体的に取り組み達成・解決したといえる経験 自分をどんな人間と思うか 学校での勉強で特に注力しているテーマや概要 他
コベルコシステム㈱ 177	総 技【ES】自身の特徴（人物特性、グループやチームでの役割）学生時代の取り組み（研究テーマ・ゼミ活動、クラブ・サークル・アルバイトの経験、学生生活で主体的または継続的に取り組んだこと）志望動機 他（枠内に収まる字数）
㈱オージス総研 177	技【ES】仕事を通じて実現したいこと（500字）チームで何かに取り組んだ経験の中で、最も頑張ったと言えるエピソード（500字）
ＴＤＣソフト㈱ 179	技【ES】部活・サークル（各150字）趣味・特技（各150字）あなたの性格について（150字）志望動機（300字）自己PR（300字）
㈱アイネット 180	総 技【ES】履歴書に準じた基本的な事項
㈱アグレックス 181	技【ES】学業、ゼミ、研究室などで取り組んだ内容 組織の中でどのような役割を担ってきたか、その具体的エピソード 自己PR 学生時代に最も打ち込んだこと
㈱菱友システムズ 181	技【ES】志望動機 自己PR 学生時代の取り組みについて（A4二枚）【作文】600字・30分
東芝情報システム㈱ 182	総 技【ES】自己PR 学生時代に最も打ち込んだこと 志望動機 希望職種 希望職種を選択した理由およびプログラミング経験（各200字）
スミセイ情報システム㈱ 182	技【ES】学生時代頑張ったこと最大3つ（各300字以内）【GD】テーマに対し、情報収集を元にした提案（25分）
㈱ソフトウェア・サービス 184	総【ES】自身と異なる価値観を持った人たちと協同して目標達成した経験について 技【ES】困難を乗り越えた経験とそこから学んだことについて
㈱ＩＤホールディングス 184	技【ES】字数制限・テーマ指定なし
㈱フォーカスシステムズ 185	技【ES】学業、ゼミ、研究室などで取り組んだ内容 自己PR 学生時代に最も打ち込んだこと
㈱シーエーシー 186	技【ES】IT学習経験 IT業界志望理由 当社志望理由およびやりたいこと 今まで力を入れたチーム活動および個人活動
クオリカ㈱ 186	総 技【ES】自己PR 学生時代の取り組み 志望動機 プログラミング経験の有無
㈱さくらケーシーエス 187	技【ES】自己PR 志望理由 学生時代の取組み 課外活動について
さくら情報システム㈱ 188	技【ES】学業・ゼミ・研究室などで取り組んだ内容 自己PR 学生時代に最も打ち込んだこと
㈱エヌアイデイ 188	技【ES】志望動機 自己PR 目標を掲げて取り組んだエピソード（各400字以内）
ＡＧＳ㈱ 189	総 技【ES】学業、ゼミ、研究室で取り組んだ内容 自己PR 志望理由 学生時代の取り組み チャレンジした経験 チームで協力して取り組み成し遂げた経験（各500字）
アイエックス・ナレッジ㈱ 189	総 技【作文】志望動機（字数制限なし）指定されたモノを説明（200字程度）他

会社名 （掲載ページ）		テーマ
㈱ジャステック	190	技【ES】自己PR(300字)志望業種 志望職種 入社決定因子 他
㈱東計電算	191	総 技【ES】会社選びのポイント 将来の目標 学生時代の経験・学んだこと 他【作文】IT化にまつわるアイデア 他
ビジネスエンジニアリング㈱	191	技【ES】学業・ゼミ・研究室などで取り組んだ内容 自己PR 学生時代に最も打ちこんだこと 志望動機(各400字以内)
ＮＣＳ＆Ａ㈱	192	総【ES】セールスポイント 学生時代に力を入れ成果をあげたこと 志望動機
㈱構造計画研究所	192	技【ES】趣味 部活 アルバイト 得意な事など(字数制限なし)【GD】「良い会社」とは何でしょうか(70分)【作文】学生時代にがんばったこと(300 字程度・事前提出)なぜKKEで働きたいと思うか(700字程度・事前提出)
サイバーコム㈱	193	総 技【ES】自己PR(50～300字)
㈱東邦システムサイエンス	194	技【ES】趣味特技 資格 長所短所 自己PR PG経験 志望業界 当社への質問 他【作文】学生時代に打ち込んだこと(800字程度・時間制限なし)他
㈱クロスキャット	194	総 技【ES】自己PR 成長した経験 苦労した経験 研究テーマ ボランティア 部活動 アルバイト経験
㈱ＳＣＣ	195	総【ES】未来社会に向けての私の目標 志望動機(500字以内) 技【ES】未来社会に向けての私の目標 志望動機(500字以内)【GD】理想のSE像(60分)
㈱ＳＩ&Ｃ	196	技【ES】IT業界の志望理由 企業選びの軸(各200字以内)自己PR 学生時代に最も打ち込んだこと(400字以内)
三和コンピュータ㈱	197	総 技【ES】志望動機 学生時代に注力したこと(A4一枚・字数制限なし)

●銀行●

会社名		テーマ
㈱みずほ銀行	200	総【ES】志望動機 学生時代に力を入れたこと
㈱ゆうちょ銀行	201	総【ES】志望動機 学生時代の経験
りそなグループ	201	総【ES】志望動機 学生時代の誇れる実績
ＳＢＩ新生銀行グループ	202	総 技【ES】顔写真、自己PR動画(30秒)、応募コースの志望理由 自己PR あなたが学生時代最も打ちこんだこと
㈱あおぞら銀行	202	総 技【ES】志望動機 当行でチャレンジしたいこと 他
㈱セブン銀行	203	総【ES】自己PR(300字)学生時代に最も打ち込んだこと(500字)志望理由・入社後チャレンジしたいこと(400字)
三井住友信託銀行㈱	203	総【ES】これまでに最も力を入れて取り組んだこと(400字)当社を志望する理由(300字)
三菱ＵＦＪ信託銀行㈱	204	総【ES】自覚している長所・短所とその理由 これまで最も力を入れて取り組んできたこと 志望動機 他
㈱日本カストディ銀行	204	総【ES】志望動機 自己PR 他
㈱北海道銀行	205	総【ES】就職希望先の一つとして北海道銀行を選んだ理由 北海道銀行の仕事を通じて成し遂げたいこと
㈱青森銀行	206	総【ES】学生時代に最も力を入れて取り組んだこと(300字程度)人生のターニングポイントになった出来事(200字程度)
㈱岩手銀行	206	総【ES】地域課題認識(200字)実現したいこと(200字)最も影響を与えた出来事(200字)
㈱秋田銀行	207	総 技【ES】志望動機(200字程度)学生時代に最も力を入れた取り組み3つ(各50字程度)その中で工夫・苦労したこと・成果(200字程度)地域の発展のために入行後にどのようなことを実現したいか(300字程度)
㈱北都銀行	207	総【ES】志望動機(150～300字)自己PR(150～300字)
㈱山形銀行	208	総【ES】具体的に当行で挑戦したいこと(350字以上400字以内)具体的なエピソードを交え学生時代に経験した苦労や失敗(350字以上400字以内)
㈱荘内銀行	208	総【ES】志望動機 今までの人生における「挑戦」(各500字)どんな仕事をしたいか ゼミで取り組んだ内容(各300字)
㈱常陽銀行	209	総【ES】志望動機 自己PR 他
㈱足利銀行	209	総【ES】志望理由 将来の夢や目標 今まで熱中したこととその理由(各400字)顧客アンケート結果を踏まえ、CS向上に向けてどのような取り組みができるか(30分)

会社名 （掲載ページ）		テーマ
㈱栃木銀行	210	総【ES】入行後のキャリアプラン、どのようにそのキャリアプランを実現するか 人生における一番の挑戦について 自分を示すキャッチコピーとその理由
㈱群馬銀行	210	総【ES】志望動機(200字)、今までで努力したこと3つ挙げ、その中から1つ選択し、具体的なエピソードを記載(200字)
㈱千葉銀行	211	総【ES】記述式の設問なし
㈱京葉銀行	212	総【ES】志望動機 希望職種 他
㈱千葉興業銀行	212	総【ES】会社選びの際に最も重視すること(3つ選択)
㈱東日本銀行	213	総【ES】これまでの経験で、あなた自身が挑戦したと思えることは何か、具体的なエピソードを記述(400字以内)あなたが東日本銀行で実現したいこと、また、そこにあなた自身のこれまでの経験や強みをどのように活かせるか(400字以内)
㈱きらぼし銀行	213	総【ES】あなたらしさが表れているエピソードを3つ(各80字)今までの人生で何かに全力で取り組んだ経験、何かに“つくした”経験(200字)きらぼし銀行へ興味を持った点とその理由(100字)入行後にやりたいこと(業務・職種30字 理由100字)
㈱横浜銀行	214	総【ES】これまでに成し遂げたこと(400字)横浜銀行で実現したいこと(200字)
㈱神奈川銀行	214	総【ES】自己PR 学生時代に力を入れた取り組み 銀行業界のどのようなところに関心・興味をもっているか 入社したらどのような業務に挑戦したいか(各400字以内)
㈱第四北越銀行	215	総【ES】志望動機(300字)これまでの人生で一番心に残っていること(200字)セールスポイント(300字)
㈱大光銀行	215	総【ES】自己PR 学生時代の取り組み 他
㈱北陸銀行	216	総 技【ES】志望動機 自己PR 他
㈱北國フィナンシャルホールディングス	216	総【ES】あなたの人となりを表すエピソード(100字×3つ)これまでどのように自己成長に取り組んできたか(300字)なぜ北國FHDで働きたいか(300字)ここまでの内容で伝えられていないあなた自身について(300字以内)
㈱福井銀行	217	総 技【ES】自己PR 学生時代に取り組んだこと 志望動機 他
㈱八十二銀行	218	総 技【ES】あなたが今までに充実感を得られたエピソードを一つあげ、内容と理由(450字)他
㈱十六フィナンシャルグループ	219	総【ES】志望動機 長所(各200字)
㈱清水銀行	220	総【ES】自己PR 学生時代に最も打ち込んだこと 志望動機(各500字)他
㈱名古屋銀行	221	総【ES】人生において自分の人格形成に大きな影響を与えた経験 志望動機
㈱あいちフィナンシャルグループ	221	総【ES】志望動機(400字)あなたの強みが最も発揮された経験、そこから何を学んだか(400字)
㈱三十三銀行	222	総【ES】志望動機 学生時代に力を注いだこと 自己PR
㈱滋賀銀行	223	総【ES】あなたの魅力、これまでに力を入れて取り組んだこと、どのような「社会人」になりたいか。そのために滋賀銀行でどのようなことにチャレンジしたいか(各400字)
㈱京都銀行	223	総【ES】志望動機 学生時代に一番頑張ったこと
㈱関西みらい銀行	224	総【ES】志望理由 自己PR(各300字以内)他【GD】30分程度
㈱みなと銀行	224	総【ES】志望理由 自己PR(各300字以内)他【GD】30分程度
㈱南都銀行	225	総【ES】自己PR(400字)
㈱山陰合同銀行	225	総【ES】志望動機 学生時代の取り組み(字数制限なし)
㈱阿波銀行	227	総【ES】学生時代に最も打ち込んだこと(500字)
㈱伊予銀行	228	総【ES】学業・ゼミなどで取り組んだ内容 自己PR 学生時代に打ち込んだこと 伊予銀行で将来やりたい仕事(各400字以内)
㈱四国銀行	228	総【ES】自己PR 学生時代に最も打ち込んだこと あなたが考える地域活性化の方法
㈱高知銀行	229	総【ES】志望動機 他
㈱福岡銀行	229	総 技【ES】志望動機 自己PR 他
㈱佐賀銀行	230	総 技【ES】志望動機(350字以内)他
㈱十八親和銀行	230	総【ES】志望動機 自己PR 他

会社名 （掲載ページ）		テーマ
㈱肥後銀行	231	総【ES】自己PR 学生時代に頑張ったこと【GD】地域価値共創グループの進化に向けて、肥後銀行が取り組むべき事業について(20分)【小論文】GDの内容を記述(400字・30分)
㈱鹿児島銀行	231	総【ES】自己PR 志望理由(各300字)他
㈱琉球銀行	232	総【ES】過去のエピソード(学生時代に苦労して乗り越えたことなど)他
㈱沖縄銀行	232	総【ES】自己PR(自分をどう表現できるか)志望動機 経営理念に対する想い キャリアプラン

●政策金融・金庫●

会社名		テーマ
商工中金	233	総【ES】志望動機 自己PR 学生時代に打ち込んだこと(各200字)他【GD】支援企業対象の選択と支援方法について(90分)
㈱国際協力銀行	233	総【ES】学生時代に取り組んだこと2つ(300字)国際協力銀行で成し遂げたいことと強み(300字)大切にしてきた価値観と形成された経緯(200字)他
信金中央金庫	234	総【ES】志望動機 学生時代に特に力を入れて取り組んだこと(各400字)
㈱日本貿易保険	234	総【ES】学生時代(大学、中学～高校)に力を入れたこと 企業を選ぶ際に重視すること 関心のある業務とその理由 身近な人からの評価 他(各100～300字)【小論文】コロナ禍を経験したことによる自身の考えの変化(800～1600字)
中央労働金庫	235	総【ES】志望動機 他

●共済●

会社名		テーマ
ＪＡ共済連	235	総【ES】志望動機 学生時代の取り組み 長所と短所(各400字)【GD】JA共済連に関するテーマ(30分)他(20分)
全国生活協同組合連合会	236	総 技【ES】志望動機 企業選びのポイント 学生時代に経験した困難な状況とどのように乗り越えたか(各400字以内)
全国労働者共済生活協同組合連合会	236	総【ES】自己PR 学生時代に最も打ち込んだこと 志望動機 学業・ゼミ・研究室などで取り組んだ内容
日本コープ共済生活協同組合連合会	237	総【ES】志望動機 学生時代に取り組んだこと 他(字数制限なし)【GD】全職員が「ワークライフバランスが整っている」と感じるためには(30分)

●証券●

会社名		テーマ
大和証券グループ	237	総【ES】当社及び選択したコースの志望理由 入社後のキャリアプラン(後者は部門別コースのみ 400字)自分史(2000字)
ＳＢＩホールディングス㈱	238	総【ES】自己PR あなたが学生時代に頑張ったこと 志望業界について 就職先の志望基準 就職後にやりたいこと
野村證券㈱	238	総【ES】志望動機 他
みずほ証券㈱	239	総【ES】学生時代に力を入れたこと(400字)志望理由(400字)他
ＳＭＢＣ日興証券㈱	239	総【ES】志望理由(300字)特徴づける個性3つ(各100字)大切にしている価値観(300字)
三菱ＵＦＪモルガン・スタンレー証券㈱	240	総【ES】10年後の日本を想像し、その中で証券会社が担うべき役割についてのあなたの考え(300字以内)他
㈱日本取引所グループ	240	総【ES】これまで力を入れて取り組んだ事項を3点(各30字)それに関して自身の行った工夫や行動とその結果について(各200字)なぜ当社を希望しているのか、またどのように仕事をしていきたいか(200字)【GD】50分程度
東海東京フィナンシャル・ホールディングス㈱	241	総【ES】志望動機 自分の強みと弱みについて
松井証券㈱	242	総【ES】学生時代に力を入れたこと 投資をおもしろい体験にするためのアイディア(各500字以内)【GD】投資をもっと知的好奇心が刺激されるような、おもしろい体験にするためのアイディア(30分)
いちよし証券㈱	242	総【ES】自己PR 学生時代の取り組み(各400字)
水戸証券㈱	243	総【ES】自己PR 志望動機(各300字)【GW】90分
東洋証券㈱	243	総【ES】学業で力を入れたこと(250字)学業以外で力を入れたこと(250字)趣味・特技・資格(100字)自己PR(300字)志望動機(250字)

会社名 （掲載ページ）		テーマ
三菱ＵＦＪアセットマネジメント㈱	244	総【ES】学業・ゼミ・研究室などで取り組んだ内容 自己PR 学生時代に最も打ち込んだこと
●生保●		
第一生命保険㈱	244	総【ES】志望動機 学生時代の取り組み 他
日本生命保険（相）	245	総【ES】これまで力を入れて取り組んだことについて、自身がどのように行動したか、なぜその行動をとったのか 、定量的な実績やそこから学んだこと、大切にしたい価値観等(400字)将来取り組みたい仕事、興味のある分野、成し遂げたいこと(300字)
㈱かんぽ生命保険	245	総【ES】志望動機 他
明治安田生命保険（相）	246	総【ES】学生時代に一番力を入れて取り組んだこと 志望動機
住友生命保険（相）	246	総【ES】学生時代の取り組み(400字)自己PR(150字)志望動機(250字)
ソニー生命保険㈱	247	総【ES】人生で最も力を入れて取り組んだこと(400字)
アフラック生命保険㈱	247	総【ES】学生時代の経験（選択式）学生時代に新しく挑戦したこと（最大3つ 30字以内）志望動機(200字)【GD】解決すべきと考える社会課題とその解決策
大樹生命保険㈱	248	総【ES】自己PR 学生時代に力を入れたこと 志望動機 入社してやりたい仕事を具体的に
アクサ生命保険㈱	248	総【ES】希望職種 学生時代に取り組んだこと（学業、学業以外）(500字以下)
大同生命保険㈱	249	総【ES】志望動機 学生時代に力をいれたこと(400字)大学時代に関心を持って学んだこと(300字)「自分を表す一言」とその理由(200字)
東京海上日動あんしん生命保険㈱	249	総【ES】志望理由 学生時代に挑戦したこと その挑戦から得た・学んだことについて 他
三井住友海上あいおい生命保険㈱	251	総【ES】学業面で取り組んだ内容(200字)自身に影響を与えた人物(200字)自身の強み(400字)チームワークを発揮した経験(400字)志望理由(400字)
ＳＯＭＰＯひまわり生命保険㈱	252	総【ES】専攻科目 趣味・特技 資格・免許 学生時代に力を入れて取り組んだこと 人生で最も悔しかった・怒りを覚えた・悲しかったエピソード 入社して挑戦したいこと（各300字程度）
朝日生命保険（相）	252	総【ES】学生時代に最も力を入れたこと・挑戦したエピソード 社会人になって発揮したい力や強み
●損保●		
東京海上日動火災保険㈱	253	総【ES】大学時代に力を入れて取り組んだこと 他【作文】A4一枚・25分程度
損害保険ジャパン㈱	253	総【ES】自己PR 学生時代に力を入れた取り組み3つ（各50字）その中で最も力を入れた取り組みの理由、活動期間、役割など(400字)これまでに一番悩み抜いて下した決断について、決断までの過程や、その決断に至った理由(200字)損保ジャパンで実現したいこと(200字)
三井住友海上火災保険㈱	254	総【ES】学生時代にもっとも力を入れたこと(400字)現状をよりよくするために自ら考え、行動した経験(400字)将来なりたい社会人像と、それを三井住友海上でどのように実現したいか(300字)
あいおいニッセイ同和損害保険㈱	254	総【ES】あなたの強みについて(300字)志望理由(300字)
トーア再保険㈱	255	総【ES】あなたの就職観とそれを踏まえた志望理由 他（100～400字）
共栄火災海上保険㈱	255	総【ES】自己PR 学生時代の取り組み 志望理由「自分で考えて、自発的に行動した経験」について
日新火災海上保険㈱	256	総【ES】自己PR 学生時代に最も力をいれたこと（各300字程度）
●代理店●		
㈱アドバンスクリエイト	257	総【ES】学生時代に力を入れたことを3つ(50字)そのうち1つについて、最も力を入れたと考える理由(400字)就職以外で、悩んだ上で決めたことについて、悩んだ点や決めるにあたって大切にしたこと(200字)他

会社名　（掲載ページ）		テーマ
共立㈱	257	総【ES】自己PR 志望動機 学生時代に注力したこと 他（400字以内）

●信販・カード・リース他●

会社名	掲載ページ	テーマ
オリックス㈱	258	総【ES】オリックスに興味を持った理由 オリックスでチャレンジしたい部署・職種を選んだ理由 どの様にあなたの強みを生かしていきたいか あなたの特徴がよくあらわれているエピソード（各300字）あなたのモチベーションの源（100字）
三菱ＨＣキャピタル㈱	259	総【ES】あなたの強み・長所を最も発揮できた活動や出来事（20字）それによって得たもの、周囲に与えた影響などを具体的に（400字）なぜ改善したい点として挙げたのかまた、改善に向け取り組んでいること、もしくは、今後取り組もうとしていることを具体的に（200字）
東京センチュリー㈱	259	総【ES】志望動機
芙蓉総合リース㈱	260	総【ES】大学時代の取り組み 他
みずほリース㈱	260	総【ES】学業で注力したこと 学業以外で注力したこと（各250字）志望動機 自己PR（各200字）
ＪＡ三井リース㈱	261	総【ES】あなたが人生において「主体性をもって取り組んだこと」と「そこから学んだこと」（400字程度）入社後、当社で「挑戦」したいこと（400字程度）あなたを表すキーワードを3つ（各20字以内）【GD】現在、A中学では定期テストを廃止し、単元別テスト・レポート・グループ討議での成績評価を検討しています。 A校長の立場に立ち、定期テスト廃止の是非について、様々な関係者の立場を考慮した上で、論理的に回答してください（30分）
ＮＴＴ・ＴＣリース㈱	261	総【ES】自己PR 大学時代の取り組み（学業 それ以外）志望動機【GD】絶対的な解がない問題に対してチームで議論を行う内容（40分）
㈱ＪＥＣＣ	262	総【ES】志望動機 学生時代に注力したこと 自己PR 他【GW】約60分
リコーリース㈱	262	総【ES】これまで最も注力した活動 他
ＮＴＴファイナンス㈱	263	総【ES】長所・短所 大学時代の取り組み（学業 それ以外）志望動機
三井住友トラスト・パナソニックファイナンス㈱	263	総【ES】志望動機 これまでで最も本気で取り組んだこととそこから得られたこと（学んだこと）当社でチャレンジしたいこと（各300字）
住友三井オートサービス㈱	264	総【ES】学業、ゼミ、研究室などで取り組んだ内容（250字）自己PR、学生時代に打ち込んだこと（各400字）
三菱ＵＦＪニコス㈱	266	総【ES】学生時代に力を入れたこと（300字）当社で挑戦したいことあるいは社会で実現したいこととその理由（300字）
イオンフィナンシャルサービス㈱	266	総【ES】3社への志望割合、志望理由（200～400字）学生時代最も力を入れて取り組んだこと（200～400字）当社で挑戦したいこと、実現したいこと3社（200～400字）これまでの経験の中で当社が掲げる5つの求める人財像の中で自身がいずれか1つの項目に当てはまる具体的なエピソード（200～400字）他
㈱クレディセゾン	267	総【ES】あなたがこれまで夢中になって取り組んだ経験を、当社でどのように活かせるか、自由にアピール
トヨタファイナンス㈱	267	総【ES】大学時代に力を入れた経験2つ（各200字）等
㈱オリエントコーポレーション	268	総【ES】当社に関心を持った理由（200字以上）過去の経験に基づく自己PR（400字以上）
㈱ジャックス	268	総【ES】学生時代力を注いだこと 自己PR 自由記入欄（志望動機 入社してやってみたいこと 興味のある分野 他）
ユーシーカード㈱	269	総【ES】志望動機 自己PR 他
アコム㈱	269	総 技【ES】学校生活において（最も・2番目）に力を注いだこと（350字以内）特技やアピールポイント（350字以内）【GD】お客さまをお待たせしないための提案（30分）
ＳＭＢＣコンシューマーファイナンス㈱	270	総【ES】志望動機 自己分析（各250字）学生時代に力を入れたこと（250字）保有免許や資格（任意）
アイフル㈱	270	総【ES】あなたを語るうえで欠かせないエピソードは？ 学生時代力をいれたこと 将来像 技【ES】あなたを語るうえで欠かせないエピソードは？ 学生時代力をいれたこと 将来像 使用できる言語（学習期間）開発経験

●テレビ●

会社名	掲載ページ	テーマ
日本テレビ放送網㈱	272	総 技【ES】志望動機 部門別の課題 自己PR 他（各300字程度）

会社名 （掲載ページ）		テーマ
㈱長野放送	274	総【ES】長野放送を志望する理由 入社してどのような事をしたいか 自己PR
㈱テレビ静岡	275	総 技【ES】志望動機 自己PR 他【GD】25分
朝日放送テレビ㈱	276	総【ES】朝日放送テレビで実現したいこと 最近気になったニュース 人生で踏み出した「最大の一歩」「相席旅」をするなら、誰とどこで何をしたいか 技【ES】朝日放送テレビで実現したいこと 学生時代に取り組んだこと、熱中したこと「こうありたい」と考える朝日放送テレビの10年後の姿
讀賣テレビ放送㈱	276	総 技【ES】志望動機 自己PR 大学時代に力を入れたこと 他【GD】"良いチーム"が生まれる条件を考え、理由とともに教えてください【作文】「価値観が変わった出来事」
㈱毎日放送	277	総 技【ES】自己PR 他
RSK山陽放送㈱	278	総 技【ES】志望動機 自己アピール 他
岡山放送㈱	279	総【ES】志望動機 ローカルテレビ局がこれからも価値あるメディアとして存在し続けるためには何がポイントだと思うか(各400字)

●ラジオ●

会社名		テーマ
㈱ニッポン放送	279	総【ES】当社以外で入社したい会社とその理由 あなたが学生時代に最も打ち込んだものは何か 技【ES】当社以外で入社したい会社とその理由 あなたが学生時代に最も打ち込んだものは何か 大学での研究テーマ

●広告●

会社名		テーマ
㈱電通	280	総【ES】これまでに取り込んできたこと 現在のあなたを形成している人生の3大エピソード あなたの身の回りで「こうなるともっと豊かになるのになあ」と思うこと あなたを夢中にさせているコト／モノの魅力 他
㈱ADKホールディングス	281	総【ES】これまで集団で取り組んだ経験において、最も困難な壁にぶつかった内容を、 あなたの役割やどのように乗り越えようとしたのかを含めて具体的に(500字以内)経験内容に関して、自分なりに感じたことや学び(150字以内)あなたが自分の中で最も誇れること(400字以内)あなたの個性や性格が分かるようなハッシュタグを3つ作成する(各15字以内)
㈱東急エージェンシー	281	総【ES】大学生活で「困難な状況に立ち向かって解決したこと」は何か 自分を表す3つの要素およびそれぞれの要素が占める割合 必修科目の中で、気が進まない科目や苦手と感じていた科目は何か、その科目に対してどういう取り組み方をしたか
㈱読売IS	283	総【ES】働くうえで大切にしたい軸や考え方 人とコミュニケーションを取る際に大切にしていること(各400字)志望動機(600字)
㈱CARTA HOLDINGS	284	総【ES】学生時代にチームや周囲を巻き込んで頑張ったこと(各項目400字以内)現在のキャリアの志向性について 技【ES】開発したシステムのソースコード 技術的なアウトプット・実績 担当したことのある役割 苦労した点・工夫した点 利用したことのある技術 得意な技術領域 今後強みにしていきたい領域
㈱オリコム	285	総【ES】志望動機 学生時代に力を入れたこと 自身の長所・短所等(各300字)
㈱読売広告社	285	総【ES】広告業界で成し遂げたいこと(300～500字)学業、学業以外の取り組み(各300字)他
㈱大広	286	総【ES】お題2つについて自由記述(好きなブランドの成長プランを提案 人柄や大切にしている価値観について)【GD】社会課題について(個人ワーク30分 GD60分 発表5分)
㈱電通東日本	286	総【ES】志望理由 電通東日本に入社したらやってみたいことを、自分のどんな能力をどのように発揮するかを踏まえて記述 最近気になった企業によるコミュニケーションは何ですか(広告だけでなく、企業が発信しているキャンペーンやオウンドメディア、SNSでのコミュニケーションなど)理由とあわせて記述(各400字)
㈱AOI Pro.	287	総【ES】志望理由 学生生活における取り組み 他
㈱博報堂プロダクツ	288	総【ES】職種によって内容が異なる職種によって内容が異なる

●新聞●

会社名		テーマ
㈱日本経済新聞社	289	総【ES】日経で取り組みたい仕事 仕事をする上で最も大切にしたいことは何か あなたの強みは何か サイト制作やプログラミングの経験【作文】最近思うこと 技【ES】日経で取り組みたい仕事 仕事をする上で最も大切にしたいことは何か あなたの強みは何か サイト制作やプログラミングの経験

業種別・ES、GD、論作文の出題テーマ 1,048 社

会社名	(掲載ページ)	テーマ
㈱朝日新聞社	290	総【ES】<記者部門>志望動機 アピールポイント 印象に残ったコンテンツ 他<ビジネス部門>誰にも負けない長所 これから直したいところ 大事にしている価値観 志望動機 あなたらしさを表す写真2枚 他【作文】<記者部門>「汗」「世代交代」他(800字・60分) 技【ES】<技術部門>志望動機 アピールポイント 理想像や目標像 これまでの挫折経験 他
読売新聞社	290	総【ES】あなたの趣味 特技 大学のゼミや専攻 志望動機や入社後に取り組みたいこと 最近印象に残ったニュース 他論作文あり 技【ES】卒業課題の研究内容 今まで力を注いできたことや、一番印象に残っている経験 読売新聞の技術総合職を目指す理由をあなたの自己アピールや特徴を含めて 最近関心を持ったニュースとその感想
㈱毎日新聞社	291	総【ES】志望理由と取り組みたい仕事(400字)長所・短所(400字)学生時代に直面した困難(400字)気になったニュース(400字)課題作文「私が大切にしていること」(800字)他 ※作文は記者職のみ【実技試験】記者職 300～500字の作文 技【ES】志望理由と取り組みたい仕事(400字)長所・短所(400字)学生時代に直面した困難(400字)気になったニュース(400字)他
㈱中日新聞社	291	総【ES】志望の動機(400字)学生時代に打ち込んだこと(600字)【作文】寛容(編集職のみ) 技【ES】志望の動機(400字)学生時代に打ち込んだこと(600字)
㈱産業経済新聞社	292	総 技【ES】当社を志望した理由と職種を選んだ理由 学生時代に打ちこんだことを踏まえた自己PR 最近気になるニュース
㈱北海道新聞社	292	総【ES】自分の性格(強みと弱み)志望動機 学生時代に力を入れたこと 新聞への提言(各200～400字程度)【作文】<記者職><写真記者職>「価値」(800字・60分)<ビジネス職>「変化」(800字・60分) 技【ES】自分の性格(強みと弱み)志望動機 学生時代に力を入れたこと 新聞製作システムの将来への提言(各200～400字程度)【作文】北海道新聞社が新しいビジネスを始めるなら(800字・60分)
㈱河北新報社	293	総【ES】志望動機 大学時代に打ち込んだこと 自己紹介 長所と短所 入社してやってみたいこと(字数制限なし)【作文】(仙台・東京)「真」(600字・60分) 技【ES】志望動機 大学時代に打ち込んだこと 自己紹介 長所と短所 入社してやってみたいこと(字数制限なし)
信濃毎日新聞㈱	293	総 技【ES】学生時代に熱心に取り組んだこと その他アピールしたいこと 志望動機 自覚している性格【作文】「挑む」(1000字・70分)
㈱山陽新聞社	294	総【ES】志望動機 モチベーションの源 他(字数制限なし)【論作文】「地」のつく言葉、熟語(800字・60分) 技【ES】志望動機 モチベーションの源 他(字数制限なし)【論作文】「公」のつく言葉、熟語(800字・60分)
㈱中国新聞社	294	総【ES】志望動機 入社後に取り組みたいこと 自身の性格・特徴・セールスポイント 学生生活等で特に力を入れたこと【作文】<記者職>1次試験：「模様」「存在」等(800字・60分)【グループワーク】最終試験 技【ES】志望動機 入社後に取り組みたいこと 自身の性格・特徴・セールスポイント 学生生活等で特に力を入れたこと
㈱西日本新聞社	295	総【ES】志望理由 当社の発行媒体掲載記事への意見 学生時代に得た経験・知見 社会への興味関心 他(各140～300字以内)【作文】<記者部門>「道」(800字・90分)
●通信社●		
(一社)共同通信社	295	総【ES】志望動機 入社後取り組みたいテーマ 最近印象に残ったニュースと理由【作文】「変」「動」(800字・60分) 技【ES】志望動機 入社後取り組みたいテーマ 最近印象に残ったニュースと理由
㈱時事通信社	296	総【ES】<全職種>学生時代に力を入れたことや苦労したこと(600字)最近気になったニュース 自分の強み(各300字)<ビジネス以外>志望理由・やりたい仕事(計600字)<ビジネス>「ニュース」「情報」という商品をどこに、どのように売りたい、伝えたいか【作文】<一般記者>災い、道、手作業、鉛筆、彩り 技【ES】志望理由・やりたい仕事 学生時代に力を入れたことや苦労したこと(各600字)自分の強み(300字)
●出版●		
㈱KADOKAWA	296	総【ES】学生時代の経験 好きなエンターテイメント 他
㈱講談社	297	総【ES】やりたい仕事(30字以内)とその詳細と理由(300字以内)具体的なエピソードを交えて現在進行形で頑張っていること(300字)今おすすめしたいコンテンツ6作と推薦コメント(各40字以内)【作文】「大発見！ ○○は●●だった」

会社名	（掲載ページ）	テーマ
㈱東洋経済新報社	297	総【ES】志望理由 学生時代の取り組み 長所・短所 最近気になったニュースや出来事についての考え 最近読んだ書籍の感想 これまでの人生での成功や失敗エピソード チームでの役割 他（職種により若干異なる）【作文】＜記者・編集者＞用字用語 論作文 記事執筆（180分）＜書籍編集＞お勧めの書籍 他4題（210分）【GD】＜データビジネス＞当社データビジネス職の認知度を上げ、応募者数を増加させるには（90分）
学研グループ	298	総【ES】自己PR 志望動機 入社したらやってみたいこと 他
東京書籍㈱	299	総【ES】志望動機（400字以内）志望職種を選択し、職種の志望順や選択理由を具体的に（400字以内）教育DXについての経験
㈱文溪堂	299	総【ES】学生時代に直面した課題に対して、行った改善活動とその結果について【レポート】希望職種とそこで自分のどんなところが活かせるか、また、その仕事をするうえで、大切にしたいこと

●メディア・映像・音楽●

会社名	（掲載ページ）	テーマ
スカパーＪＳＡＴ㈱	300	総 技【ES】志望理由（400字）挑戦した経験（600字）
ソニーミュージックグループ	301	総 技【ES】ソニーミュージックグループに入って変革したいこと 新たに挑戦したいこと「自分らしさ」が表現されているビジュアル3つと、それぞれに関連するエピソード

●電機・事務機器●

会社名	（掲載ページ）	テーマ
三菱電機㈱	304	総【ES】自分史（700～1000字）入社後に実現したい想い（400字） 技【ES】志望動機（字数制限なし）自己PR（字数制限なし）
富士通㈱	305	総 技【ES】学生生活の取り組みの中で、自信を持ってやり遂げたと言えるエピソード 富士通の「パーパス」を踏まえて、あなたが富士通で挑戦したいこと（各600字）
㈱東芝	306	総【ES】学生時代力を入れて取り組んだこと（500字）仕事をする上での夢や目標（250字）東芝で実現したいこと（250字）志望理由（150字） 技【ES】志望理由（200字）研究テーマ概要（1500字）仕事をする上での夢や目標（250字）東芝で実現したいこと（250字）
シャープ㈱	307	総 技【ES】研究・ゼミ内容 一番頑張ったこと（各350字）就職活動の軸（250字）就きたい仕事のために努力・経験したこと（200字）
㈱ニコン	308	総 技【ES】ニコンで挑戦したいこと（400文字以内）
㈱デンソーテン	308	総 技【ES】志望動機 学生時代に困難に直面したとき、自らの意思でやり方を工夫しながら最後までやり遂げたエピソード 他
㈱ＪＶＣケンウッド	309	総 技【ES】志望動機 入社後にやってみたいこと（得意分野をどのように活かせるかという視点で）希望職種（第3希望まで）とその理由 興味のある事業分野
象印マホービン㈱	310	総 技【ES】自己PR 志望動機 他（字数制限なし）
キヤノン㈱	310	総【ES】当社で実現したいこと 学生時代に力をいれて取り組んだこと 技【ES】当社で実現したいこと 学生時代に学んだ専門分野
富士フイルムビジネスイノベーション㈱	311	総【ES】人生の中で一番印象に残っている出来事（400字）面接の場で相手に伝えたいこと（400字）趣味 特技（100字）長所（50字）短所（50字） 技【ES】研究テーマ（400字）これまでに直面した課題と解決に向けた取り組み（400字）就職活動の軸（400字）取り組みたい技術分野／業務、実現したいこと（400字）
㈱リコー	311	総 技【ES】志望動機 自己PR
セイコーエプソン㈱	312	総 技【ES】大学で学んだこと 研究テーマについて（400字）大学で学んだことを当社でどのように活かせるか（300字）
コニカミノルタ㈱	312	総【ES】これまでの人生で自ら立ち向かった最も高い困難と、そこから得たもの（400字）これまでの人生で培った信念（400字）企業選びの軸と、志望する理由（200字） 技【ES】これまでの人生で自ら立ち向かった最も高い困難と、そこから得たもの（400字）企業選びの軸と、志望する理由（200字）研究のテーマ・概要、特に工夫した点や注力した点を交え、専門外の人にも分かりやすいように（400字）
東芝テック㈱	313	総【ES】これまでに一番力を入れてきたこと（200字）志望理由（200字）当社でどのように活躍したいか（200字）【GD】顧客の問題解決のための施策を検討する 技【ES】これまでに一番力を入れてきたこと（200字）志望理由（200字）当社でどのように活躍したいか（200字）

会社名　（掲載ページ）	テーマ
京セラドキュメントソリューションズ㈱　314	総 技【ES】希望職種の志望理由 授業・ゼミなどで取組んだ内容 自己PR(長所・エピソード)
沖電気工業㈱　314	総【ES】志望動機(300字)希望職種(選択式)自身の強みを発揮した具体的なエピソード(300字)他 技【ES】志望動機(300字)希望職種(選択式)人生で成長できたと思えた出来事(修士以上は研究内容)(500字)その出来事に取り組んだ背景とこだわり(400字)他
㈱ＰＦＵ　315	総 技【ES】志望動機 自己PR あきらめずに取り組んだ経験 従来の枠にとらわれず独自の工夫をした経験 新しい環境のもとであなたはどう振舞うか
理想科学工業㈱　316	総 技【作文】A4一枚・20分
㈱安川電機　318	総【ES】＜共通＞学業で取り組んだ内容 これまでに成し遂げた最も大きな成果 志望動機＜営業職＞営業職としてチャレンジしたいこと どんな状況でもねばり強く頑張ることができることがわかるエピソード＜コーポレート職＞自身のキャッチフレーズとその理由 熱い思いがあればアピールしてください 技【ES】＜共通＞研究内容 学業で取り組んだ内容 周囲を巻き込んで成し遂げたこと 志望動機＜フィールドエンジニア職＞フィールドエンジニア職としてチャレンジしたいこと＜技術職＞どんな技術者として活躍したいか
㈱明電舎　320	総【ES】志望動機(300字)自己PR(300字)他 技【ES】志望動機(300字)自己PR(300字)研究内容または得意科目 他
㈱ＴＭＥＩＣ　320	総【ES】志望理由 自己PR 学生時代力を入れたこと(各500字) 技【ES】志望理由 研究テーマ 学生時代力を入れたこと(各500字)
㈱ダイヘン　321	総【ES】自身の強みを活かして取り組みたいこと あなたのキャッチコピーとその理由(各300字)他 技【ES】専門性を活かして取り組みたいこと 研究テーマ(各300～450字)他
日本電子㈱　321	総 技【ES】希望職種の選択理由 学生時代の取り組み 学生時代に打ち込んだこと
日東工業㈱　322	総 技【ES】学業、ゼミ、研究室などで取り組んだ内容 自己PR 学生時代に最も打ち込んだこと 志望動機 自覚する短所(各200～400字)
㈱イシダ　322	総【ES】小・中学、高校、大学時代の学生生活への取り組み 企業理念に対する考え 技【ES】学業や研究における取り組み 興味・関心のあること3つ 企業理念に対する考え
日新電機㈱　323	総 技【ES】志望動機 希望職種 自己PR どんなキャリアを進みたいか(各400字)
㈱日立パワーソリューションズ　323	総 技【ES】志望動機 学生時代に注力・チャレンジしたこと 研究・論文について
能美防災㈱　324	総 技【ES】志望動機 自己PR 他【作文】能美防災でどんなキャリアを築きたいか、キャリアマップを参照して、その理由も併せて記述。その他不安に感じていること
古野電気㈱　324	総 技【ES】志望動機 学生時代に打ち込んだこと 自己PR(各400字)
日本信号㈱　325	総【ES】ゼミ・研究テーマ 得意科目 自己PR 志望理由 他 技【ES】ゼミ・研究テーマ 得意科目 自己PR 志望理由 他【小論文】研究内容(150字)自身が担当している点(150字)日本信号で活かせること(200字)
アジレント・テクノロジー㈱　325	技【ES】志望動機 志望職種 他

●電子部品・機器●

会社名　（掲載ページ）	テーマ
ニデック㈱　326	総【ES】チームで取り組んだ経験および自身の役割 学校の講義を通じて学んだこと・専門分野 志望動機(各500字) 技【ES】チームで取り組んだ経験および自身の役割 専門分野・研究テーマ 志望動機(各500字)
ＴＤＫ㈱　326	総【ES】入社熱意 自己PR 技【ES】入社熱意 専門性
京セラ㈱　327	総【ES】志望理由 学生時代に力を入れたこと 一番の試練・挫折とそれをどのようにして乗り越えたか あなたと京セラの考え方の共通点(各400字)【論作文】製品にちなんだテーマ(1000字)【GD】論作文のテーマに従い実施 技【ES】志望理由 京セラ入社後どの事業分野でどのような専門技術を活かしたいか 学業や研究以外に学生時代に力を入れていることや大切にしていること(各400字)
ルネサスエレクトロニクス㈱　328	総 技【ES】ルネサスに興味を持った理由(300字)Renesas Cultureより強みを発揮して成し遂げた経験(300字)他
ミネベアミツミ㈱　328	総 技【ES】情熱をもって取り組んだ経験 ものづくりへの興味 チームで何かを成し遂げた経験(各200字)希望職種とその理由 関心のある製品

業種別・ES、GD、論作文の出題テーマ 1,048 社

会社名　(掲載ページ)		テーマ
キオクシア㈱	329	総【ES】学業、ゼミ、研究室などで取り組んだ内容 自己PR 学生時代に最も打ち込んだこと 大学時代に直面した困難のうち、周囲と協力して乗り越えた経験とそのなかでの役割、成果「働く上で大切にしたい価値観」と「その価値観を持つに至った経験」を含めたキオクシアの志望理由 技【ES】学業、ゼミ、研究室などで取り組んだ内容 自己PR 学生時代に最も打ち込んだこと 技術者として目指したいこと、またその理由、背景、動機 大学時代に直面した困難のうち、周囲と協力して乗り越えた経験とそのなかでの役割、成果
アルプスアルパイン㈱	329	総 技【ES】希望職種の選択 学業で取り組んだ内容 他
日東電工㈱	330	総【ES】いちばん頑張ったと思う出来事とその原動力、困難だったと思う出来事に対して取った行動(各150文字)他 技【ES】いちばん頑張ったと思う出来事とその原動力、困難だったと思う出来事に対して取った行動(各150文字)研究概要 他【GD】Nittoの技術を活かしたイノベーションのアイデア提案(45分)
日亜化学工業㈱	330	総【ES】志望動機 日亜で成し遂げたい夢 自己PR 私の性格 学生時代に力入れて取り組んだこと 希望業務 技【ES】志望動機 研究課題 日亜で成し遂げたい夢 自己PR 私の性格 学生時代に力入れて取り組んだこと 希望業務
ローム㈱	331	総【ES】研究、ゼミ内容(200字)志望動機(200字)今まで最も困難な目標に挑んだ経験(400字)他 技【ES】研究、ゼミ内容(200字)志望動機(200字)他
イビデン㈱	331	総 技【ES】就活の軸・志望動機 入社後取り組みたいこと 学生時代の目標と取り組み 学生時代の失敗(各300字)
ＮＥＣプラットフォームズ㈱	332	総 技【ES】志望動機 学生時代に最も力を入れたこと
太陽誘電㈱	332	総 技【ES】志望理由 成功体験と失敗体験、そこから得たもの(各200字程度)
シチズン時計㈱	333	総 技【ES】志望動機 自己PR
アズビル㈱	333	総 技【ES】研究内容(500字)自己PR(200字)学生時代に力を入れたこと(200字)入社後に取り組みたいこと(200字)希望職種
セイコーグループ㈱	334	総【ES】就職活動の軸(100字)持株会社である当社への志望動機と入社してやりたいこと・できると思うこと(400字)あなたを最大限にアピールしてください(タイトル40字 本文500字)
日本航空電子工業㈱	335	総 技【ES】力を入れた学業 自己PR 学生時代で取り組んだ課外活動 志望動機(各150～250字)その他
浜松ホトニクス㈱	335	総 技【ES】志望動機 学生時代注力したこと 他
㈱ソシオネクスト	336	総 技【ES】専攻内容 自己PR 志望動機(各300字程度)
㈱トプコン	336	総【ES】グローバルに活躍することへの想い 自分が誰にも負けないこと 他(字数制限なし)【作文】自分の将来像(35分) 技【ES】卒業研究テーマ 志望動機 自己PR 他(字数制限なし)【作文】自分の将来像(35分)
新光電気工業㈱	337	総 技【ES】学業、ゼミ、研究室などで取り組んだ内容 趣味・特技 自己PR ガクチカ 困難を乗り越えた経験 希望職種・挑戦したいこと(各200～400字程度)
ニチコン㈱	338	総 技【ES】志望動機 志望職種 研究内容またはゼミ アピールしたい長所 改めたい短所 他(A4一枚)
㈱メイコー	338	総 技【ES】学生時代に失敗から学んだこと(800字)
マブチモーター㈱	339	総 技【ES】自己PR 志望動機 志望職種 他
ＮＩＳＳＨＡ㈱	339	総 技【ES】志望動機 NISSHAでチャレンジしてみたいこと 学業で頑張ったことまたは学生時代頑張ったこと
ヒロセ電機㈱	340	総 技【ES】志望動機 大学時代の取り組み 働く意義(各300字程度)
日本ケミコン㈱	340	総【ES】自己PR 志望動機 志望職種 得意科目 学生時代最も力を入れたこと 最も困難だったこと(A4一枚程度) 技【ES】自己PR 志望動機 志望職種 研究内容 学生時代最も力を入れたこと(A4一枚程度)
マクセル㈱	341	総 技【ES】これまでに頑張ったこと(400字)学業において学んできたこと(400字)志望動機(500字)
フォスター電機㈱	341	総 技【ES】今まで最も困難と感じた経験とその克服経験について(400字)志望動機(200字)当社でどんなことをしてみたいか(200字)
アンリツ㈱	342	総 技【ES】自己PR 志望動機 卒論・修論のテーマ 学生時代の失敗体験
シンフォニアテクノロジー㈱	343	総【ES】志望動機 自身の特徴など ゼミのテーマと概要 技【ES】志望動機 自身の特徴など ゼミ・研究室のテーマと概要

会社名 (掲載ページ)		テーマ
新電元工業㈱	343	総 技【ES】志望動機 専門性・強み 自己PR 学生時代の取り組み(各400字程度)
富士通フロンテック㈱	344	総 技【ES】説明会参加日程 希望職種 TOEIC受験状況
日本シイエムケイ㈱	344	総 技【ES】学業・ゼミ・研究室などで取り組んだ内容 自己PR 学生時代最も打ち込んだこと
㈱タムロン	345	総 技【ES】志望動機 研究テーマもしくはアピールポイント(各300〜400字程度)
オリエンタルモーター㈱	345	総 技【ES】自己PR 学生時代の取り組み(各400字)【論作文】字数制限なし・10分
㈱日立国際電気	346	総 技【ES】志望動機 一番苦労した経験 学生時代の取り組み 自己PR 希望している業界・職種とその理由(各400字)
東京計器㈱	346	総 技【ES】自己PR(200字)他
SMK㈱	347	総 技【ES】志望動機 自己PR(各350字程度)
㈱アイ・オー・データ機器	347	総 技【ES】考え方や価値観を問う質問
メクテック㈱	348	総 技【ES】志望動機 自己PR 他
㈱ナカヨ	348	総 技【ES】学業で力を入れたこと 学業以外で力を入れたこと(各300〜400字)
㈱エヌエフホールディングス	349	総【ES】大学時代の取り組み 特技 趣味 長所 短所 アルバイト経験 モノづくり経験 他社就職活動状況 志望コース 志望動機【作文】新聞記事用のインタビューを行うという想定で、アポイントの依頼状 技【ES】大学時代の取り組み 特技 趣味 長所 短所 アルバイト経験 モノづくり経験 他社就職活動状況 志望コース 志望動機
東京エレクトロン㈱	350	総 技【ES】志望理由(400字)力を注いだ科目または研究テーマ(50字)および概要(400字)自己PR(400字)
横河電機㈱	350	総【ES】志望動機 卒論テーマ 入社後にやりたい仕事・挑戦したいこと 技【ES】志望動機 研究テーマ 入社後にやりたい仕事・挑戦したいこと
㈱アドバンテスト	351	総【ES】専攻テーマ 志望理由(300字)他【作文】入社後にやりたいこと(400字) 技【ES】研究内容 志望理由(300字)他【作文】入社後にやりたいこと(400字)
㈱アルバック	352	総【ES】専攻テーマ 志望理由と入社後やってみたいこと 最も困難と感じた経験とそれをどう克服したか、そこから何を学んだか【作文】400字以内・30分 技【ES】研究内容 志望理由と入社後やってみたいこと 最も困難と感じた経験とそれをどう克服したか、そこから何を学んだか【作文】400字以内・30分
レーザーテック㈱	353	技【ES】研究テーマ概要 興味を持っていること 過去から継続していること 心がけていること 他
㈱KOKUSAI ELECTRIC	353	総 技【ES】志望理由 自己PR 学生時代に力を入れたこと 卒論・研究内容とテーマの選定理由(いずれも字数制限なし)
ウシオ電機㈱	354	総 技【ES】学生時代に打ち込んだこと 志望理由 自己PR(各400〜600字)
㈱東京精密	354	総【ES】学業以外で力を注いだこと(420字) 技【ES】所属するゼミ・研究室の研究内容について(600字)
ローツェ㈱	355	技【ES】志望動機、研究内容、取り組み事項など

●住宅・医療機器他●

会社名 (掲載ページ)		テーマ
ホーチキ㈱	355	総 技【ES】最近真剣に考えていること・取り組んでいること 自己紹介・アピールポイント 志望動機
アイホン㈱	356	総【ES】自己PR 学生時代に最も打ち込んだこと 他(各200〜400字) 技【ES】自己PR 学生時代に最も打ち込んだこと 他(各200〜400字)【作文】自らの技術力の生かし方(字数制限なし)
オリンパス㈱	356	総【ES】志望動機(400字)学生時代に成し遂げたこと(400字)
キヤノンメディカルシステムズ㈱	358	総 技【ES】志望動機 学生時代に力を入れたこと 自己PR(各300字)
シスメックス㈱	358	総【GD】<国内採用>営業：顧客の要望にはどこまで応えるべきか 技【GD】<国内採用>研究：企業はなぜ研究活動を行うのか 開発：製品開発において納期・コスト品質はどれを優先すべきか
日本光電	359	総 技【ES】学生時代に挑戦したこと・取り組んだ理由・自身の役割・成果 壁にぶつかった時の行動 集団で行動した経験 志望動機
日機装㈱	359	総 技【ES】当社グループにエントリーした動機およびどのような仕事がしたいか(400字)

●自動車●

会社名（掲載ページ）		テーマ
本田技研工業㈱	360	総【ES】学生時代に最も情熱を注いで取り組んだこと 仕事を通じて成し遂げたいこと 技【ES】学生時代に最も力を入れて取り組んだ学問、研究テーマ 学生時代に最も情熱を注いで取り組んだこと 仕事を通じて成し遂げたいこと
日産自動車㈱	361	総【ES】当社への志望動機 配属希望職種への志望動機 リーダーシップを発揮した経験【GD】ビジネスケースに基づきディスカッション 技【ES】当社への志望動機 研究内容 自己PR 希望職種 他
スズキ㈱	361	総【ES】志望する上で最も重視したポイントと理由(400字) 技【ES】志望理由(200字)
マツダ㈱	362	総 技【ES】(1)研究概要・得意科目(400字)(2)これまでで長期的且つ最も粘り強く主体的に取り組んだ目標(300字)(3)その中で最も挫折したこと・その原因と対策等(300字)(4)希望業務領域とやりたい仕事・その理由(300字)(5)就職活動における会社選びの軸(200字)
㈱SUBARU	362	総 技【ES】一番注力してきた学問分野の内容 これまでの学生生活で最も力を入れたこと その中で最も困難だったことをどう乗り越えたのか そこで得た経験を今後仕事の中でどのように活かしていきたいか SUBARUで将来どの領域でどんなことに挑戦したいか
三菱自動車工業㈱	363	総 技【ES】志望動機 学生時代の取り組み2つ(各200字)
いすゞ自動車㈱	364	総 技【ES】志望動機 学業での取り組み 学生時代に最も打ち込んだこと いすゞで実現したいこと
日野自動車㈱	364	総【ES】志望動機 大学時代の取り組み 他 技【ES】志望動機 研究内容 他
UDトラックス㈱	365	総 技【ES】志望動機(最大800字)学生時代の取り組み(300字)職種の選択理由(最大800字)
ヤマハ発動機㈱	365	総【ES】長所・短所(各40字)研究テーマ(200字)当社への志望理由(400字) 技【ES】長所・短所(各40字)研究テーマ(200字)当社への志望理由(500字)
カワサキモータース㈱	366	総【ES】志望理由(400字)大学時代に最も力を入れて取り組んできたこと(400字)他 技【ES】研究内容(100字)志望理由(300字)大学時代に最も力を入れて取り組んできたこと(300字)他

●自動車部品●

会社名（掲載ページ）		テーマ
トヨタ車体㈱	366	総 技【ES】志望動機とやりたい仕事 学生時代に最も力を入れて主体的に取り組んできたこと(各300字)
ダイハツ九州㈱	367	総 技【ES】専攻について 自己PR 学生時代に打ち込んだこと 志望動機【作文】あなたの経験した失敗や辛かった時のエピソードとその乗り越え方、得たもの
日産車体㈱	367	総【ES】日産車体でどんな仕事をしたいか 他者との協力事例 学生時代にチャレンジしたこと 技【ES】どんなエンジニアを目指すか 他者との協力事例 学生時代にチャレンジしたこと
トヨタ自動車東日本㈱	368	総 技【ES】当社のどのような分野で活躍したいか どのようなことにチャレンジしたいか(400字)他
マザーサンヤチヨ・オートモーティブシステムズ㈱	368	総 技【ES】志望動機 学生時代に大切にしてきたこと 入社してやりたい仕事
㈱アイシン	369	総 技【ES】志望動機 自己PR 他
㈱豊田自動織機	370	総【ES】学業・ゼミ・研究室での取り組み内容(100字)自己PR(400字)チャレンジ経験(400字)企業選びの軸・価値観(300字) 技【ES】研究内容(100字)研究や学業全般でチャレンジした経験(300字)研究・学業以外でチャレンジした経験(300字)PRできる知識・スキル(300字)当社で叶えたい夢(300字)
豊田合成㈱	370	総 技【ES】志望理由 希望職種 入社後達成したいこと 学生時代チームワークを発揮した経験

会社名 (掲載ページ)		テーマ
㈱東海理化	371	総【ES】学業・ゼミ・研究室等で取り組んだ内容(300字)自己PR(400字)学生時代に最も打ち込んだこと(400字)最も達成感・挫折を感じた経験・エピソード(各400字)【GD】新規事業であるデジタルキーを用いて、取引先への提案内容を企画するワーク 技【ES】学業・ゼミ・研究室等で取り組んだ内容(300字)自己PR(400字)学生時代に最も打ち込んだこと(400字)最も達成感・挫折を感じた経験・エピソード(各400字)
㈱ブリヂストン	372	総【ES】志望動機 学生時代の取り組み 他 技【ES】志望動機 研究内容 他
住友ゴム工業㈱	372	総 技【ES】学業・ゼミ・研究室などで取り組んだ内容 これまでの人生で挑戦した経験とそこから学んだこと 当社で挑戦したいこととその理由(各400字程度)
横浜ゴム㈱	373	総 技【ES】志望動機(200字)自己PRとその内容に沿った写真の添付(400字)興味のある仕事について(300字)研究内容について(300字)
TOYO TIRE㈱	373	総 技【ES】学業・ゼミ・研究室などで取り組んだ内容 自己PR 学生生活で打ち込んだこと 志望動機
住友理工㈱	374	総 技【ES】志望理由(300字)大学時代に取り組んだこと(300字)
テイ・エス テック㈱	374	総 技【ES】学生時代の最大の挑戦(300字以内)テイ・エス テックで成し遂げたいこと(200字以内)他
㈱タチエス	375	総 技【ES】部活動・サークル アルバイト経験 趣味特技(各40字)
アイシンシロキ㈱	375	総 技【ES】志望動機 希望勤務地 希望する業務及び希望理由
㈱ミツバ	376	総 技【ES】研究テーマ 自己PR 他
㈱ハイレックスコーポレーション	376	総 技【ES】志望動機 自己PR
住友電装㈱	377	総【ES】志望動機 自己PR これまで最も力を入れて挑戦したエピソード(各400字以内)【GD】結果とプロセスどちらが大事か 失敗と成長のどちらが成長に大事か 他(30分) 技【ES】志望動機 自己PR これまで最も力を入れて挑戦したエピソード(各400字以内)
矢崎総業㈱	377	総 技【ES】あなたが将来実現したいこと チャレンジしていきたいこと またそれに向けて現在取り組んでいること これまでの人生でぶつかった困難なこと どのように乗り越えたか 他
NOK㈱	378	総 技【ES】志望動機 自己PR 他
イーグル工業㈱	378	総 技【ES】志望動機 自己PR 他
スタンレー電気㈱	379	総 技【ES】志望動機 応募コースと選択理由(各200字)自己PR 卒業論文・修士論文テーマ(各400字)他
フタバ産業㈱	379	総 技【ES】目標をもって取り組んだこと 強み・弱み これまで周りと協力して成し遂げたこと(各300字)
㈱三五	380	総 技【ES】大学時代に最も打ち込んだこと 志望動機 長所 短所
豊田鉄工㈱	380	総 技【ES】自己PR(300字)学生時代に最も打ち込んだこと(300字)志望動機(200字)
東プレ㈱	381	総 技【ES】自己PR 学生時代の取り組み(各300字)長所と短所 志望理由(各800字)
㈱ジーテクト	381	総 技【ES】ゼミ内容 志望理由 求める人物像にまつわるエピソード(各字数制限なし)
ユニプレス㈱	382	総 技【ES】志望動機 入社後やってみたい仕事・職種 セールスポイント(強み)大学時代に成し遂げた一番のチャレンジ(挑戦)(各400～450字)
トピー工業㈱	382	総 技【ES】志望動機 ゼミ研究内容 人となりを表す要素3つ 学生時代に取り組んだこと(A3一枚)
㈱エイチワン	383	総 技【ES】自己PR(400字)学生時代の取り組み(400字)入社後挑戦してみたいこと(400字)他
太平洋工業㈱	383	総 技【ES】志望理由・希望職種 最大の失敗経験とその乗り越え方 リーダーシップを発揮した経験(各400字)
プレス工業㈱	384	総 技【ES】志望動機 学んでいること 趣味・没頭できること 他(300字)
㈱アドヴィックス	384	総【ES】学生時代に最も打ち込んだこと、働く上で大切にしたいこと(各400字以内) 技【ES】職業および企業を選択する上で大切にしていること、アドヴィックスへ就職する魅力(各400字以内)

業種別・ES、GD、論作文の出題テーマ 1,048 社

会社名 (掲載ページ)		テーマ
ジヤトコ(株)	385	総 技【ES】志望動機 会社で活かせる自身の強み 大学・大学院時代に打ち込んだこと 大学・大学院の勉強で興味を持った領域や自ら学びを深めてきたこと モノづくりにおいて重要だと思うこと
日清紡ホールディングス(株)	385	総 技【ES】研究概要(修士以上)・得意科目(大卒)(300字)自己PR(300字)志望動機(300字)挑戦や創造の経験(400字)
日本発条(株)	386	総 技【ES】当社を知った契機 当社を魅力に感じている点について 自覚している長所・短所 過去に経験したアルバイト 自ら学び行動した経験 特技技能 他【小論文】以下のテーマから1つ選択(1)現在思い描いている、仕事や働き方の将来像を述べてください(2)周囲と協力して成し遂げたことを、経緯と自分の役割を含めて教えてください(3)ゼミでの研究内容を小学生にもわかるように教えてください。また、そこから得たものは何ですか(文字数自由・40分)
(株)ヨロズ	386	総 技【ES】志望動機 周りから見たあなたの印象 大切にしている考え方 チャレンジしたこと(各240字)
中央発條(株)	387	総 技【ES】大学・大学院で研究や学んでいること(50字)身近な人からどんな人だと言われるか(200字)人生で最も長く続けてきたこと(300字)志望動機(200字)
カヤバ(株)	387	総 技【ES】学生時代に最も打ち込んだこと 志望動機 あなたが今まで一番困難だと思った課題と対応策 10年後の自分の姿(250字)
武蔵精密工業(株)	388	総 技【ES】志望動機 入社後にやりたいこと
(株)エクセディ	389	総 技【ES】研究テーマ 志望動機 大学時代の取り組み 入社後につきたい職業とその理由(A3一枚程度)
(株)エフテック	389	総 技【ES】入社してやってみたいこと どのように成長したいか(300字)
(株)エフ・シー・シー	390	総 技【ES】現在学んでいること(専攻や研究テーマ)の概要(400字以内)大学生活で「新たに挑戦した取組み(結果失敗したことでも可)とその結果得られたこと」(400字以内)将来、当社でどのようなキャリアを実現していきたいか(400字以内)身近な人からどのような人だと言われるか(150字以内)
大同メタル工業(株)	390	総 技【ES】学生時代に頑張ったこと 志望動機 他
オートリブ(株)	391	技【ES】学業・ゼミ・研究室などで取り組んだ内容(250字)自己PR(400字)学生時代に最も打ち込んだこと(400字)志望理由(500字)志望職種(選択)
バンドー化学(株)	391	総【ES】学業・ゼミ・研究室などで取り組んだ内容(400字)当社が求める人材像と合致する項目を1つ選び、自身にあったエピソードを記入(400字)【GD】当社の技術力を今後活かすための方向性を示す(45分) 技【ES】学業・ゼミ・研究室などで取り組んだ内容(400字)当社が求める人材像と合致する項目を1つ選び、自身にあったエピソードを記入(400字)
三ツ星ベルト(株)	392	総 技【ES】志望動機 自己PR 研究テーマ【作文】複数テーマから選択：自身の取組 当社について等(A4一枚)
(株)ニフコ	392	総 技【ES】卒論・卒研のテーマ これまでの最大の挑戦 自己PR 志望動機 将来像
ダイキョーニシカワ(株)	393	総 技【ES】志望動機 入社後にやってみたいこと 大学時代の取り組み
リョービ(株)	393	総 技【ES】大学時代に力を入れたことと入社後にやってみたいこと 他(A4 三分の二)
(株)アーレスティ	394	総 技【ES】学業・ゼミ・研究室などで取り組んだ内容 自己PR 学生時代に最も打ち込んだこと 志望理由(字数制限なし)
ＴＰＲ(株)	394	総【ES】志望動機 自己PR(各200～300字程度) 技【ES】志望動機 自己PR(各200～300字程度)研究概要(200～500字)※研究室配属前の場合は力を入れた科目・得意な科目

●輸送用機器●

会社名 (掲載ページ)		テーマ
(株)三井E＆S	395	総【ES】就職活動の軸 希望職種選択理由 他 技【ES】興味のある製品・職種の選択とその理由 他
ジャパン マリンユナイテッド(株)	396	総 技【ES】志望動機 学生時代の取り組み 自己PR 当社について興味をもったこと
(株)名村造船所	396	総 技【ES】志望動機 希望職種・勤務地 セールスポイント 他(A4二枚程度)
新明和工業(株)	397	総 技【ES】学業・ゼミ・研究室で取り組んだ内容 自己PR 学生時代最も打ち込んだこと これまでのクラブ・サークル・アルバイトについて 志望理由 興味を持った事業部や職種
極東開発工業(株)	397	総 技【ES】自分自身の強み(400字)学生時代に最も打ち込んだこと(400字)

会社名 （掲載ページ）		テーマ
㈱モリタホールディングス	398	総 技【ES】研究テーマ及び概要 志望動機(各800字)今まで取り組んだクラブ活動・アルバイト等(各400字)
三菱ロジスネクスト㈱	398	総 技【ES】志望理由 海外居住経験 サークル活動(各400字)
㈱シマノ	399	総 技【ES】専攻科目とその内容 学業以外で積極的に取り組んだこと 志望動機とチャレンジしたいこと 他

●機械●

会社名		テーマ
三菱重工業㈱	399	総【ES】企業を選ぶ基準・当社志望理由(400字)最も困難だった経験と学んだこと(600字(150字×4))他 技【ES】当社志望理由(500字)配属予約希望先とその理由(500字)周囲と協力して大きな目標を達成した経験(500字)研究の概要(500字)他
三井海洋開発㈱	401	総 技【ES】志望動機 大学生活を通じて熱中したこと 仕事をやりきる上で必要なものは何か 自己PR
㈱クボタ	401	総【ES】困難にチャレンジした経験(400字以内)自身の夢(100字以内)興味ある事業・希望の職種 選んだ事業(製品)や職種の志望理由(200字以内)自分らしい写真とその説明(100字以内)人生に影響を与えた出来事3つ(各50字以内)【GD】人事労務に関連したテーマ※人事労務職種の一次選考(60分) 技【ES】困難にチャレンジした経験(400字以内)自身の夢(100字以内)興味ある事業・希望の職種 選んだ事業(製品)や職種の志望理由(200字以内)自分らしい写真とその説明(100字以内)人生に影響を与えた出来事3つ(各50字以内)
日立建機㈱	402	総 技【ES】志望理由 自己PR 取り組んできたこと 社会人になること(各500字)強みと弱み(200字)
ヤンマーホールディングス㈱	402	総 技【ES】志望業界 学生時代の取り組み 他
コベルコ建機㈱	403	総 技【ES】学生時代の最も重要な経験と得た教訓 達成したい目標・夢 自己PR(各250字)【作文】30分
㈱タダノ	403	総 技【ES】具体的な希望職種(働き方)志望動機
古河機械金属㈱	404	総 技【ES】志望動機 他
井関農機㈱	404	総 技【ES】自己PR 学生時代に最も打ち込んだこと 志望動機(各500字以内)論文のテーマ
㈱やまびこ	405	総 技【ES】志望動機 学生時代の取り組み 研究課題及び得意科目 自己PR 他
ダイキン工業㈱	405	総【ES】キャリアを通して成し遂げたいこと・目指す姿(300字)当社の経営理念について共感するもの3つとその理由(200字)強み・特徴を発揮したエピソード(300字) 技【ES】キャリアを通して成し遂げたいこと・目指す姿(300字)学校での研究テーマの概要、当社の経営理念について共感するもの3つとその理由(200字)強み・特徴を発揮したエピソード(300字)
コマツ	406	総 技【ES】研究テーマ 会社選びの基準 学生時代に目標を持って取り組んだこと
ホシザキ㈱	406	総 技【ES】志望動機 学生時代に努力したこと 他(各300字)
㈱富士通ゼネラル	407	総 技【ES】志望動機 今まで力を入れて取り組んだこと 他
㈱キッツ	407	総 技【ES】志望動機 大学時代の取り組み(学業・学業以外)行動指針の中で最も共感できるものとその理由(各300字程度)
アマノ㈱	408	総 技【ES】学生生活の中で最も打ち込んできたこと(250字)
フクシマガリレイ㈱	408	総 技【ES】志望動機 自己PR 大学での活動(字数制限なし)
㈱東光高岳	409	総 技【ES】学生時代の取り組み 志望動機 自己PR これまでリーダーシップを発揮した経験またはチームで何かを成し遂げた経験について
中外炉工業㈱	409	総 技【ES】学業・ゼミ・研究室などで取り組んだ内容(250字)自己PR 学生時代に最も打ち込んだこと 志望動機(各400字)【作文】今興味のある時事問題(A4一枚程度)
㈱ジェイテクト	410	総【ES】自身の強みと弱み(200字)これまで周囲を巻き込んで何かを成し遂げた経験(400字)就職活動の軸と志望動機(400字)あなたの考えるジェイテクトの強みと弱み(400字) 技【ES】自身の強みと弱み(200字)これまで周囲を巻き込んで何かを成し遂げた経験(400字)就職活動の軸と志望動機(400字)あなたの考えるジェイテクトの強みと弱み(400字)【小論文】<修士以上>研究内容について<学部生>得意な専攻分野について、または特に力を入れた科目について
ＮＴＮ㈱	410	総【ES】自己PR 志望動機 あなたらしさを表すキーワードとエピソード チャレンジしたこと 技【ES】自己PR 志望動機 チャレンジしたこと 卒論・修論テーマと内容

会社名	(掲載ページ)	テーマ
ヨ本精工㈱	411	総【ES】学生時代に頑張った活動又は取り組み 技【ES】NSKでやりたい仕事とその理由
㈱不二越	412	総 技【ES】志望動機 自己PR 学生時代に打ち込んだこと 当社でやってみたいこと 他
㈱日本製鋼所	412	総【ES】学生生活を充実したものとするために主体的に取り組んだこと 興味・関心のある事業、製品 どのようなキャリアを歩みたいか 技【ES】これまで身に着けた専門性や能力 興味・関心のある事業、製品 どのようなキャリアを歩みたいか
オイレス工業㈱	413	総 技【ES】成功体験または失敗体験(100〜400字)学生生活のなかで周囲と協力して成し遂げたこと、またはそのために挑戦したこと(100〜400字)学業や研究での取り組み内容(200字)
主友重機械工業㈱	413	総 技【ES】志望理由 長所・短所 長所を活かしたエピソード(各300字程度)
SMC㈱	414	総【ES】学生時代の取り組み 入社後やってみたいこと 他 技【ES】学生時代の取り組み 入社後やってみたいこと 他【論述課題】研究内容について(800字以内)
㈱マキタ	414	総 技【ES】自己PR 大学での取り組み内容 志望動機 他(250〜300字)
㈱ダイフク	415	総 技【ES】諦めずに最後までやり遂げた経験について(500字)志望理由(300字)
村田機械㈱	415	総【ES】強みとエピソード どんな仕事がしたいか【作文】一般常識と合わせて(字数制限なし・60分) 技【ES】研究内容 志望理由
ナブテスコ㈱	417	総 技【ES】志望動機 チームでの活動経験と貢献度 一番苦労したこととそこから学んだこと(各200字)他【GD】企業理念について(45分)
㈱椿本チエイン	417	総 技【ES】学業・ゼミ・研究などで取り組んだ内容(300字)自己PR(300字)学生時代に最も打ち込んだこと(300字)失敗経験やそれを乗り越えたエピソード(300字)椿本チエインを知ったきっかけと志望動機(300字)【小論文】選択肢の中から一つを選び手書きで記述 10年後の自分 気になる時事問題 椿本チエインの弱点
ナーエスジー㈱	418	総 技【ES】自己PR写真とその説明(150字)自分を象徴するキーワード4つ、学業・ゼミ・研究室などで取り組んだ内容(400字)会社の人財要件の中で最も当てはまるものを選び自己PR(500字)一番心に残っている体験・経験について自由記述(500字)
㈱ミツトヨ	419	総 技【ES】志望理由 学業で最も力を入れて取り組んだこと それ以外で最も力を入れて活動したこと(各200〜400字)
ナトーホールディングス㈱	419	総 技【ES】志望動機 希望の職種 応募経路 オープンカンパニー・会社説明会の参加可否 他
CKD㈱	420	総 技【ES】学業・ゼミ・研究室などで取り組んだこと(300字以内)自己PR(300字以内)学生時代一番頑張ったことや苦労したこと(500字以内)志望動機(500字以内)
㈱FUJI	420	総 技【ES】失敗・挫折した経験とその経験の活用法 志望動機
新東工業㈱	421	総 技【ES】志望動機・職種・地域 学生時代に力を入れたこと 学業 他
JUKI㈱	422	総 技【ES】志望理由・入社後やってみたい仕事(200〜300字程度)課外活動や国際交流で力を入れたこと(200〜300字程度)ゼミ・卒論の概要(100字程度)
ホソカワミクロン㈱	422	総 技【ES】大学時代の取り組み やりたい仕事 他(A4一枚程度)
ナノヤスホールディングス㈱	423	総 技【ES】志望理由 当社のイメージ 他
三木プーリ㈱	424	総 技【ES】自己PR 学生時代に取り組んだこと キャリアプラン(各400字)
ファナック㈱	424	総 技【ES】学校で勉強または研究していること(300字程度)学生時代力を入れたこと(300字程度)志望理由(300字程度)入社後成し遂げたいこと(300字程度)
DMG森精機㈱	425	総 技【ES】志望動機 熱意を持ってチャレンジしたこと(A4一枚)
㈱アマダ	425	総 技【ES】選んだ職種の志望理由と、当社で具体的にやってみたいことに関して(200〜300字)あなたの最大の挑戦について具体的に(200〜300字)
オークマ㈱	426	総 技【ES】直面した困難と乗り越えた方法について キャリアイメージ 自己PR(350字)
㈱牧野フライス製作所	426	総 技【ES】入社したらどんな仕事がしたいか 工作機械に対する考え 興味のある国とその理由 学生時代に自ら考え実践したこと 就職活動を通して感じていること
芝浦機械㈱	427	総 技【ES】志望職種 志望動機(400字)
㈱荏原製作所	427	総 技【ES】問題解決に向け『熱意』を持って、物事に取り組んだ経験(300字以内)
カナデビア㈱	428	総 技【ES】入社志望理由 自己PR(クラブ・サークル活動 アルバイト 趣味 他)

会社名	（掲載ページ）	テーマ
栗田工業㈱	428	技【ES】今後当社がさらに魅力的な企業になるために必要なこと 人生の中で最も誰かの期待を越えようと行動したエピソード（各400字）
メタウォーター㈱	429	総 技【ES】学生生活で打ち込んだこと 卒業研究内容 自己PR（自由形式）他
三浦工業㈱	429	総【ES】志望動機 学生時代に最も力を注いだこと 自己PR 他 技【ES】卒業研究テーマ 志望動機 学生時代に最も力を注いだこと 自己PR 他
オルガノ㈱	430	総 技【ES】周囲の人と協力し、物事に取り組んだ経験 失敗を恐れずチャレンジした経験 志望職種の理由（各60字）他
㈱タクマ	430	総 技【ES】学生時代に最も打ち込んだこと 自己PR タクマへ興味を持ったポイント【小論文】これまでの人生最大の「困難」と、それを乗り越えるために努力したことを具体的に
㈱神鋼環境ソリューション	431	総 技【ES】志望動機 自身の成功体験 他【GD】60分

●食品・水産●

会社名	（掲載ページ）	テーマ
サントリーホールディングス㈱	434	総【ES】大学時代に注力したこと あなたの強みを活かしてサントリーで成し遂げたいこと 今までの人生における「挑戦」と「創造」の経験について（フリーフォーマット）今のあなた自身を作り上げたエピソードを5つ 技【ES】学生時代に力を入れた活動 当社で具体的にやってみたい仕事 研究概要（学士の人は任意）
アサヒビール㈱	434	総【ES】志望動機 自己PR 学生時代の挑戦エピソード モチベーションの源泉等 技【ES】志望動機 研究内容 他
キリンホールディングス㈱	435	総【ES】チャレンジ経験（300字）苦労したことを乗り越えるための考え・行動（400字）キリングループでチャレンジしたいこと（400字）他 技【ES】チャレンジ経験（300字）苦労したことを乗り越えるための考え・行動（400字）研究内容（200字）キリングループでチャレンジしたいこと（400字）他
サッポロビール㈱	435	総 技【ES】挑戦と学び 価値観 研究・学問 挑戦したいこと 将来像
宝ホールディングス㈱	436	総【ES】自己PR 志望動機 入社後に取り組みたいこと（各300字程度） 技【ES】自己PR 志望動機 研究内容について（各300字程度）
コカ・コーラ ボトラーズジャパン㈱	436	総 技【ES】志望動機 自己PR（200字）他
㈱ヤクルト本社	437	総 技【ES】志望動機 学生時代頑張ったこと（課題や発揮した強み）他
㈱伊藤園	437	総 技【ES】伊藤園で実現したい夢や目標（200字）
ダイドードリンコ㈱	438	総【ES】自己PR 学生時代に最も打ち込んだこと（各400字以内）
味の素ＡＧＦ㈱	439	総 技【ES】入社してから実現したいこと（300字）前例や慣習にとらわれずに、志をもって取り組んだ内容（300文字以下）
キーコーヒー㈱	439	総 技【ES】志望動機 学業 アルバイト（各400字）キーコーヒーの魅力 コーヒーの魅力（各200字）
雪印メグミルク㈱	440	総【ES】志望理由と挑戦してみたいこと（500字）【GD】「働きやすい会社」の条件とは何だと思うか 技【ES】志望理由と挑戦してみたいこと（500字）【GD】ものづくりの仕事をする上で最も大切なことは何だと思うか
森永乳業㈱	440	総 技【ES】学生時代に最も力を注いだこと（800字）森永乳業で挑戦したいこと（300字）
ＪＴ	441	総【ES】学業・課外活動への取り組み 他
味の素㈱	441	総【ES】目の前の人の心を動かし、行動を変え、成果を創出した経験（200字）プロセスにおいて苦労した点や課題（200字）その課題解決のために取り組んだこと（500字）入社して実現したいこと（150字）この職種を志望する理由（150字）他 技【ES】前例や慣習にとらわれず、主体的に行動を起こしたテーマ（50字）テーマの中で発生した問題や設定した課題（200字）その課題を解決するために取り組んだこと（400字）入社して実現したいこと（300字）他
㈱明治	442	総 技【ES】志望動機 学生時代の取り組み 当社で挑戦したい部門
ニチレイグループ	442	総 技【ES】今までの人生で最も苦労したがやりきった経験 学生時代に主体性を発揮して取り組んだ内容と当時苦労したこと、またそれをどう乗り越えたか 研究・ゼミテーマ（150字）マイヒストリー（これまで取り組んできたこと）（400字）志望動機と入社後やりたいこと（400字）

業種別・ES、GD、論作文の出題テーマ 1,048 社

会社名 （*掲載ページ*）	テーマ
日清オイリオグループ㈱ *443*	総 技【ES】学業・ゼミ・研究室などで取り組んだ内容 自己PR これからの人生でチャレンジしたいこと(各300字)学生時代に最も打ち込んだこと 志望理由と興味のある仕事内容(各500字)
ハウス食品㈱ *444*	総【ES】志望動機 あなたらしさを発揮しチャレンジした経験(各300字)他【GD】自社製品の魅力を広めるためには(40分) 技【ES】志望動機 あなたらしさを発揮しチャレンジした経験 食に関するエピソード(各300字)他
㈱J-オイルミルズ *444*	総 技【ES】大学(院)時代に努力した経験
カゴメ㈱ *445*	総【ES】自己PR 志望理由 変化や周囲との衝突を恐れずに交渉や折衝した経験 他【GD】営業系で実施(70分) 技【ES】自己PR 志望理由 研究テーマ チームで課題に取り組んだ経験 他
アサヒグループ食品㈱ *445*	総 技【ES】志望動機 挑戦したエピソード 好奇心をもって取り組んだエピソード チームで取り組んだエピソード(各200字)
テーブルマーク㈱ *446*	総 技【ES】テーブルマークでやりたいこと 食に関連した話題について 人生で壁を乗り越えた経験 食に関わる仕事をしたいと思ったきっかけとなるエピソード(各300〜600字)
味の素冷凍食品㈱ *446*	総 技【ES】今までに力を入れて取り組んだ経験 他
ホクト㈱ *447*	総 技【ES】志望動機・入社後・学生時代・自身の経験について 自己PR 他
エスビー食品㈱ *448*	総【ES】「自分らしさ」が良く出ていると思うエピソード(400字以内)他 技【ES】大学での研究内容 他
日本食研ホールディングス㈱ *449*	総 技【ES】志望動機(200字以内)在学中に力を注いだことについて、取り組んだ理由やプロセス、結果、得られたもの(400字以内)【作文】私のこれまでの成長
ケンコーマヨネーズ㈱ *450*	総【ES】最大の強み「チームワーク」や「リーダーシップ」を発揮した経験(各400字) 技【ES】あなたが自ら考えて実行した「ユニーク」な経験「チームワーク」や「リーダーシップ」を発揮した経験(400字)
理研ビタミン㈱ *450*	総 技【ES】志望動機および志望職種にてチャレンジしてみたいこと 自己PR(A4一枚)
日清食品㈱ *451*	総 技【ES】希望する職種を選択した理由(300字以内)自身のHungryさを活かして成し遂げた経験(300字以内)
東洋水産㈱ *451*	総 技【ES】東洋水産に入社し、どのような仕事に就いて、その結果としてお客様や社会にどのように貢献したいか(800字)
日本ハム㈱ *452*	総【ES】日本ハムに興味を持った理由および志望動機 これまで培った経験や能力を日本ハムで働くうえでどのように生かしていきたいか 学生時代に力を注いだこと 周りからどのような人と言われるか(各500字) 技【ES】日本ハムに興味を持った理由および志望動機 これまで培った経験や能力を日本ハムで働くうえでどのように生かしていきたいか 学生時代に力を注いだこと 周りからどのような人と言われるか(各500字)現在の研究概要(200字)
伊藤ハム米久ホールディングス㈱ *452*	総 技【ES】これまでに力を入れて頑張ってきたこと 自己PR
プリマハム㈱ *453*	総 技【ES】保有資格 趣味・特技 研究テーマ 語学スキル 部活・サークル アルバイト 希望職種 キャッチコピー(30文字)キャッチコピーを踏まえての自己PR(150文字)これまでに最も打ち込んだこと(150文字)入社後の抱負(450文字)
丸大食品㈱ *453*	総 技【ES】自己PR 学生時代に最も打ち込んだこと【GD】企業理解を深めていただくためのテーマ
江崎グリコ㈱ *454*	総 技【ES】所属しているゼミ・研究室の専攻内容 専攻理由 成果 他
カルビー㈱ *454*	総 技【ES】学生時代の専攻分野や研究テーマ(400字)入社後に成し遂げたいこと(400字)現時点で興味がある職種(選択式)
森永製菓㈱ *455*	総【ES】志望動機(200字)学生時代に力を入れて取り組んだこと(400字)学生時代頑張ったことを当社でどのように活かしていきたいか(200字)他【GD】当日提示した課題に対し議論を行い回答を導く(1グループ 4〜6名・40分) 技【ES】志望動機(200字)学生時代に力を入れて取り組んだこと(400字)学生時代頑張ったことを当社でどのように活かしていきたいか(200字)他【GD】当日提示した課題に対し議論を行い回答を導く(1グループ4〜5名・40分)
㈱ロッテ *455*	総 技【ES】学生時代に最も力を入れて成果をあげたこと
亀田製菓㈱ *456*	総 技【ES】自己PR 志望理由 入社後チャレンジしたいこと

会社名	（掲載ページ）	テーマ
井村屋グループ㈱	456	総 技【ES】逆境や未経験の場で努力したこと【GD】90分
日清製粉グループ	457	総【ES】人生において最も注力したこと(480字)志望理由(300字)入社後、獲得したいスキル・経験(200字) 技【ES】研究内容(200字)自身の強み(250字)最近興味をもっていること(300字)
㈱ニップン	457	総 技【ES】当社でやりたいことと、活かしたい強み(400字)失敗・挫折を切り抜けた経験について(700字)
昭和産業㈱	458	総 技【ES】求める人物像に当てはまる、あなたのこれまでの具体的な体験について(300字)他
山崎製パン㈱	458	総 技【ES】志望動機 自己PR 学生時代に力を入れたこと(各200字)
敷島製パン㈱	459	総【ES】志望動機 リーダシップを発揮した取り組み 最も努力したこと(各300字)影響を受けた人や目指している人は誰か(200字)【GD】3つある選択肢の中から、どれを選ぶのかを話し合う内容。選んだ都度、新たな問題点が出題され、同様に3つの選択肢の中から選択。これを合計3回実施(1回目10分、2回目7分、3回目7分) 技【ES】志望動機 リーダシップを発揮した取り組み 最も努力したこと(各300字)影響を受けた人や目指している人は誰か(200字)
㈱ＹＫベーキングカンパニー	459	総 技【ES】志望動機 学生時代に取り組んだこと(各200字)
マルハニチロ㈱	460	総【ES】高校から現在までに目標を掲げて挑戦した取り組み(500字)高校から現在までに直面した最も大きな困難(400字)会社選びの基準(200字)志望理由とエピソード(300字)自己PR(200字)
㈱ニッスイ	461	総【ES】当社への志望理由と、入社後に達成したいこと(300字以内)自ら目標を掲げ、周囲と協力して成し遂げたこと その中で、あなた自身の役割や取り組みについて(400字以内) 技【ES】当社への志望理由と、入社後に達成したいこと(300字以内)学生時代の研究活動で熱心に取り組んだことを、具体的なエピソードを交えて記述(400字以内)
㈱極洋	461	総 技【ES】当社ではどんな仕事がしたいか 他(A4一枚)
フィード・ワン㈱	462	総【ES】強みについて 大学時代に打ち込んだこと 志望動機(各400字程度)企業選びで重視しているポイント(250字程度)
●農林●		
カネコ種苗㈱	463	総 技【ES】第一希望の職種 その職種でどのような社員になりたいか
●印刷・紙パルプ●		
ＴＯＰＰＡＮホールディングス㈱	463	総【ES】志望動機 強み ゼミ・専攻内容 他【GD】ビジネス関連テーマ 技【ES】研究テーマとその内容 志望理由 他【レポート】自身の研究テーマ
大日本印刷㈱	464	総【ES】志望動機(300字)大学時代の取り組み(800字)他 技【ES】研究テーマ(1000字)志望動機(500字)他
ＴＯＰＰＡＮエッジ㈱	464	総 技【ES】セールスポイント(200字)【GD】70分
共同印刷㈱	465	総 技【ES】自己PR 就職活動の軸 学業に関して 他
ＴＯＰＰＡＮクロレ㈱	465	総【ES】チャレンジしてみたい業務 人生最大の決断のエピソードとそれを選んだ理由 最近関心を持った出来事やもの
王子ホールディングス㈱	466	総 技【ES】研究内容 志望動機 苦労したエピソード(各400字)
日本製紙㈱	466	総 技【ES】志望動機 自己PR 学業・研究内容 他
レンゴー㈱	467	総 技【ES】社会人に必要な資質・求められていることは何かなど、3つのテーマから1つ(600字程度)
大王製紙㈱	467	総【ES】大王製紙への志望動機(300字)大学時代にチームで成し遂げた経験を自身の役割も含めて(300字)あなたを一言で表すと？理由もあわせて(300字)【GD】エリエールティシューの売り上げを伸ばすためにはどのようなことに取り組むべきだと思いますか(60分) 技【ES】大王製紙への志望動機(300字)自身の身の回りで発生した課題や問題を解決するために行動した経験(300字)他のメンバーと連携し、目標達成のために取り組んだ経験、その際にあなたがチームの中でどのような役割を果たしていたかを合わせて(300字)

業種別・ES、GD、論作文の出題テーマ 1,048 社

会社名 （掲載ページ）		テーマ
●化粧品・トイレタリー●		
㈱資生堂	468	総【ES】共通：学生時代頑張ったこと その他：職種による【GD】各職種の実務に沿ったケーススタディを実施 技【ES】私の大学生活における成果について 資生堂に入社してどの様なことを実現したいか(動画)【GD】各職種の実務に沿ったケーススタディを実施
㈱コーセー	468	総【ES】あなたの一番のPRポイントと、それが最も伝わるエピソード 当社での10年後の活躍ビジョン 技【ES】あなたが思うコーセーの強み・弱み、それを踏まえてコーセーが今後取り組むべき施策を提案する コーセー入社後に挑戦したいこと
㈱ファンケル	469	総【ES】ファンケルで成し遂げたいこと(400字)人生最大のチャレンジ(400字)周囲の人と成し遂げた経験(300字)
㈱ポーラ	469	総【ES】学生時代の経験 志望動機 他
㈱ミルボン	470	総 技【ES】1クール：人生における最大の困難(400字)2クール：5年後の目標と、そこに至るまでの計画(400字)【GD】職種理解 企業理解
花王㈱	470	総【ES】志望動機 就業意識 企業理念 自己PR 他 技【ES】志望動機 専門分野 研究に対する取り組み方とそこから得た成果 他【小論文】あなたが最近「不条理に思った出来事」について
ライオン㈱	471	総 技【ES】自己PR 志望動機 他
アース製薬㈱	472	総 技【ES】録画(動画提出)にて自己PR 自由発表
●医薬品●		
アステラス製薬㈱	473	総【ES】志望動機 大学時代の取り組み 他 技【ES】挑戦した経験 自身の強み 他
中外製薬㈱	473	総【ES】あなたの強みを生かすことで、当社でどのようなチャレンジをしたいか 技【ES】あなたの強みを活かすことで、社会にどのような貢献ができると考えるか【個人ワーク】インバスケット【GD】優先順位とその対応についてグループとしてまとめる(一部職種のみ・60分)
エーザイ㈱	474	総【ES】志望動機 学生時代に注力していたこと 学生時代にリーダーシップを発揮して進めたチャレンジとその成果 将来どんな人間になりたいか 入社後に挑戦したいこと ※職種により若干異なる 技【ES】志望動機 アピールポイント 興味のある業務 学生時代に注力したこと 得られた成果【小論文】学生時代に注力した目標や課題 ※職種により小論文の有無は異なる
小野薬品工業㈱	474	総 技【ES】志望動機 自己PR 今までに最も力を注いだこと【GD】小野薬品が新たなビジネスをするとしたら何をするか具体的に考える 他(1グループ6〜7名・50〜60分)
塩野義製薬㈱	475	総【ES】志望動機 学生時代の取り組み 技【ES】研究概要 志望動機 学生時代の取り組み
参天製薬㈱	476	総【ES】自己PR 学内(ゼミ・部活等)と学外(アルバイト・インターンシップ等)それぞれで頑張ったこと 志望動機(各200字)【GW】目の疾患を持つ患者様視点を体験する 技【ES】自己PR 学生時代に頑張ったこと 志望動機(各200字)
ロート製薬㈱	476	総 技【ES】のめりこんでいること 社会の中で違和感のあること 何か伝えたいこと(各500字)【GD】ロート製薬の仕事に関するテーマ(150分程度)
東和薬品㈱	477	総 技【ES】志望動機 長所と短所 会社説明会で印象に残ったプログラム
大正製薬㈱	478	技【ES】研究概要
㈱ツムラ	478	総 技【ES】志望職種において、何を実現したいか(400字以内)他
日本新薬㈱	479	総【ES】学生時代最も注力した体験(400字)他【GD】業務や企業理解に関するテーマ 技【ES】入社して5年後どのように活躍しているか(400字)他【GD】業務や企業理解に関するテーマ
持田製薬㈱	480	総 技【ES】志望理由 自己PR(各500字程度)
ゼリア新薬工業㈱	480	総【ES】志望動機 自己PR 学生時代の取組(部活、課外活動、アルバイト)(各200字) 技【ES】志望動機 自己PR 学生時代の取組(部活、課外活動、アルバイト)研究概要 習得する実験手段・手法(各200字)
扶桑薬品工業㈱	481	総 技【ES】自己PR 学生時代の取り組み 趣味・特技 力を入れた学業 所属ゼミ・研究室(研究室の研究内容)保有資格・語学スキル

会社名 (掲載ページ)		テーマ
鳥居薬品㈱	481	総 技【ES】志望動機 学生時代に乗り越えた「最大の壁」前述の経験での気づきを活かしたこと(各400字以内)他
日本ケミファ㈱	482	総【ES】志望理由(800字) 技【ES】自己PR(450字)学生時代に最も打ち込んだこと(450字)研究サマリー(1300字)志望理由(800字)

●化学●

会社名 (掲載ページ)		テーマ
三菱ケミカル㈱	483	総【ES】当社志望理由(200字)職種志望理由(150字)キャリア像(200字)学生時代の困難なエピソード(500字)自己PR(500字) 技【ES】当社志望理由(200字)職種志望理由(150字)キャリア像(200字)学生時代の困難なエピソード(500字)研究概要(A4二枚以内)自己PR(500字)
富士フイルム㈱	483	総【ES】学生時代の取り組み 今までに直面した困難 仕事とは(各400字) 技【ES】学生時代の研究 希望する仕事(各200字)努力して達成したこと(300字)
旭化成グループ	484	総【ES】学生時代最も注力したこと(300字以内)3つ以上のワードを用いた文章作成(200字以内)大事にしている軸(100字以内) 技【ES】学生時代最も注力したこと(300字以内)3つ以上のワードを用いて文章作成(200字以内)大事にしている軸(100字以内)
東レ㈱	484	総【ES】当社で成し遂げたいこと(400字)自身の強みを具体的な取り組みから説明(400字) 技【ES】研究概要(300字)とポイント3つ 学生時代に最も力を入れて取り組んだこと(400字)当社で成し遂げたいこと(400字)
住友化学㈱	485	総【ES】志望動機など3項目(200〜250字) 技【ES】研究テーマ・概要など(400〜600字)
信越化学工業㈱	485	総【ES】志望動機 自己PR【GD】生産性を上げるために必要なこと(45分) 技【ES】志望動機 自己PR(各300字)
三井化学㈱	486	総【ES】学生時代に注力したこと(400字)これまでに一番苦労した経験について(400字)あなたらしさが伝わるエピソード(動画約1分)どのようなキャリアを持つ社員の話を聞きたいか(100字) 技【ES】研究の中で、あなたが独創性・オリジナリティーをどのように発揮したのか(400字)どのような仕事に携わりたいか(400字)研究以外の自己PRを具体的なエピソードと共に(600字)
㈱レゾナック	486	総【ES】学生時代に最も力を入れて取り組んできたこと(大学時代に限らず)(400字以内)あなたの強み・弱み(その根拠も含めて)(各200字以内、計400字以内)当社のパーパス・バリューは以下のとおり(パーパス：化学の力で社会を変える バリュー：プロフェッショナルとしての成果へのこだわり 機敏さと柔軟性 枠を超えるオープンマインド 未来への先見性と高い倫理観)もっとも共感するバリューおよびその選択理由 入社後に実現したいこと(300字以内)【GW】約150分 技【ES】研究の概要について、目標や課題を明確にしたうえで簡潔に説明。研究室に所属していない人は、最終年次1年間での学習計画・目的を説明(300字以内)今まで最も困難な目標に挑んだ経験と、その場面で考えたことや行動した内容(300字以内)今のあなたにキャッチフレーズをつける(20字以内)そのキャッチフレーズをつけた理由(200字以内)入社後に実現したいこと(300字以内)
積水化学工業㈱	487	総 技【ES】学生時代最も力を入れて取り組んだこと 自己PR 将来挑戦したいこと
帝人㈱	487	総【ES】当社を知ったきっかけ、もしくは興味を持った理由(150字)大学時代に最も力をいれたこと(150字)就職活動における企業選びの軸やポイント(150字)【作文】500字 技【ES】研究概要(400字)志望理由(150字)パーソナリティー(150字)学生時代に力を入れたこと(150字)チームワークを発揮したエピソード(200字)
東ソー㈱	488	総【ES】興味関心が高いテーマ 大きな目標に向けて努力した経験 志望動機 入社後取り組みたいこと 技【ES】研究テーマ 組織で成し遂げたこと 心に残る失敗経験 志望動機 入社後取り組みたいこと
三菱ガス化学㈱	488	総【ES】学生時代に力を入れて取り組んだこと 大事にしている「こだわり」(各300字) 技【ES】研究活動に対する姿勢として心がけていること 学生生活の総括(各300字)研究概要 志望動機(各A4一枚)
㈱クラレ	489	総【ES】志望動機 チャレンジした経験 あなたらしさ 技【ES】志望動機 チャレンジした経験 あなたらしさ 研究概要
㈱カネカ	489	総【ES】志望事業・職種の選択理由 本気で取り組んだこと 取り組んだ理由と学び 仕事を通じてどう成長したいか(各300字) 技【ES】これまでの人生で一番本気で取り組んだこと 自分の専門性を活かしてカネカでチャレンジしたいこと(各600字)

会社名　(掲載ページ)		テーマ
㈱ダイセル	490	総【ES】志望動機(400字)自己PR(400字)学生時代に最も打ち込んだこと(400字)入社して実現したい夢・目標(400字)他 技【ES】主な研究テーマ(200字)研究で最もアピールしたい成果(200字)志望動機(400字)自己PR(400字)学生時代に最も打ち込んだこと(400字)他
ＵＢＥ㈱	490	総【ES】学生時代に「やり切った」と思えること(300字) 技【ES】あなたの強みを活かし、入社後はどのような活躍をしたいか(300字)
東洋紡㈱	491	総【ES】学生時代に成し遂げたこと 東洋紡で挑戦したいこと(100字)就職先の選び方・基準(50字)【GD】回によりテーマは異なる(60分程度) 技【ES】研究概要 研究以外で熱意を持って取り組んだこと(390字)あなたという人物を自由に表現(220字)
ＪＳＲ㈱	491	技【ES】研究テーマ(400字)働くイメージ(400字)他(350字)
㈱ＡＤＥＫＡ	492	総 技【ES】志望理由 語学力 自己PR 他
デンカ㈱	492	総 技【ES】学生時代に熱心に取り組んだこと(300字)志望理由 入社後の抱負(各250字)
日本ゼオン㈱	493	総 技【ES】ゼミ・研究室にて取り組んでいるテーマ 学生時代にもっとも打ち込んだこと 志望理由および希望業務 5年・10年先の将来の展望(各400字)
㈱トクヤマ	493	総【ES】自己PR 学生生活で自分が最も成長できたと思うこと 他(各150字程度) 技【ES】研究テーマ・研究概要及び研究活動で学んだこと 身につけたこと 大変と感じたこと 他(各600字程度)
住友ベークライト㈱	494	総 技【ES】学生時代に努力をした経験(300字)志望理由(200字)
リンテック㈱	494	総【ES】志望動機(600字)自己PR(300字)学業・ゼミ・研究室などで取り組んだ内容(200字)学生時代に注力したこと(300字) 技【ES】志望動機(300字)自己PR(300字)学業・ゼミ・研究室などで取り組んだ内容(200字)学生時代に注力したこと(300字)指導教官・研究テーマ(100字)
アイカ工業㈱	495	総【ES】志望動機 学生時代の取り組み 何の商品に興味を持ったか 会社のどの部分に共感できたか 技【ES】研究内容について どんな技術者になりたいか 志望動機 学生時代の取り組み
㈱エフピコ	495	総 技【ES】自己PR 志望動機 会社で実現したいこと
日本化薬㈱	496	総【ES】志望動機(400字)学生生活で力を注いだこと(400字)趣味・特技・免許・資格 技【ES】志望動機(400字)学生生活で力を注いだこと(400字)趣味・特技・免許・資格【GD】研究者に求められる能力とは(40分)
㈱イノアックコーポレーション	496	総 技【ES】携わりたい事業・仕事内容 研究室またはゼミでの取り組み内容 誰にも負けない強み
東京応化工業㈱	497	総 技【ES】ゼミテーマ 自己PR 学生時代に力を入れたこと 当社でやってみたいこと(各200字程度)【GD】グループ討議(60分)
クミアイ化学工業㈱	497	総【ES】志望した理由(200字)チャレンジしたいこと(200字)研究テーマ(400字)
三洋化成工業㈱	498	総 技【ES】当社を志望する理由 あなたのセールスポイント 当社に入って成し遂げたいこと
タキロンシーアイ㈱	498	総 技【ES】大学時代に学業で力をいれたこと(300字)大学時代に取り組んだ活動で自身にとって最も難易度が高かったもの(400字)【GD】プラスチックメーカーが今後取り組むべきこととは
ＺＡＣＲＯＳ㈱	499	総 技【ES】大きな困難を乗り越えて最後までやり遂げたこと
ユニチカ㈱	499	技【ES】自己PR(150字)学生時代の過ごし方(200字)志望動機(200字)
堺化学工業㈱	500	総 技【ES】研究テーマ 志望動機 自己PR 今まで最も力を入れて取り組んだこと 過去の挑戦について
ニチバン㈱	501	総 技【ES】3年後の自分と果たしたい役割(300字)【GD】課題を個人及びチームで達成する(60分)
大陽日酸㈱	501	総 技【ES】志望動機 自己PR 学生時代の取り組み 他
エア・ウォーター㈱	502	総 技【ES】学生時代に最も注力したこと 志望動機 その他自由記入
㈱日本触媒	502	総【ES】企業選びの軸(300字)大学時代に力を入れたこと(500字) 技【ES】入社志望理由および将来の抱負 研究概要 自己PR(各字数制限なし)
日産化学㈱	503	総【ES】志望動機 自己PR 将来やってみたい仕事(各字数制限なし) 技【ES】志望動機 自己PR 研究テーマ内容(各字数制限なし)
日油㈱	503	総 技【ES】学業で力を注いだこと 自己PR 他

会社名 (掲載ページ)		テーマ
高砂香料工業(株)	504	総【ES】志望理由 自己PR 技【ES】志望理由 研究テーマ 自己PR
(株)クレハ	504	総【ES】(1)学生時代に最も努力したこと、困難をどう乗り越えたか(400字)(2)あなたの強みと、それをクレハでどう活かしていきたいか具体的に(200字)【小論文】リーダーシップについて(字数制限なし・30分) 技【ES】(1)学生時代に最も努力したこと、困難をどう乗り越えたか(400字)(2)あなたの強みと、それをクレハでどう活かしていきたいか具体的に(200字)
東亞合成(株)	505	総【ES】志望動機 学生時代に注力したこと 他 技【ES】志望動機 学生時代に注力したこと 研究内容 他
日本曹達(株)	505	総【ES】志望動機 志望職種 学業で力を入れたこと 学業以外で力を入れたこと 今までの挫折と克服過程(各300字)他 技【ES】志望動機 研究や学業で意識していること 学業以外で力を入れたこと 今までの挫折と克服過程(各300字)他
日本パーカライジング(株)	506	総 技【ES】学業・ゼミ・研究室などで取り組んだ内容 自己PR 学生時代に最も打ち込んだこと あなたらしさを表す一言とエピソード(各400字以内)
日本農薬(株)	506	総【ES】志望動機(400字以内)所属学校で学んでいること(400字以内)趣味・特技・クラブ活動など(300字以内)苦労したことやこれまで影響を受けたこと・入社してから自分が貢献できることなど(各300字以内)希望職種とその理由(400字以内)自己PR 技【ES】志望動機(400字以内)研究テーマ・学会発表 投稿論文情報(400字以内)趣味・特技・クラブ活動など自由記述(400字以内)希望分野
荒川化学工業(株)	507	総 技【ES】あなたの「個性」とそれが活かされた場面 企業選びで最も重視しているポイントとその理由
日本ペイントホールディングス(株)	507	総【ES】就職活動の軸とその背景 仲間と協働して物事に取り組む上であなたが大切にしている考え方 興味を持たれている事業 他 技【ES】研究内容とその目的や意義 仲間と協働して物事に取り組む上であなたが大切にしている考え方 興味を持たれている事業 他
D I C(株)	508	総 技【ES】入社後に挑戦したいこと 大学時代の取り組みについて 長所・短所 他
関西ペイント(株)	508	総 技【ES】志望動機 大学時代の取り組み 他
a r t i e n c e(株)	509	総 技【ES】履歴書のみ
サカタインクス(株)	509	総【ES】自己PR チームで取り組んだ経験 挑戦したといえる経験 企業選びで大事にしている考え 志望動機(各200字)これからやってみたいこと(400字) 技【ES】自己PR チームで取り組んだ経験 挑戦したといえる経験 企業選びで大事にしている考え 志望動機(各200字)これからやってみたいこと(400字)研究概要書(A4一枚)

●衣料・繊維●

会社名		テーマ
クラボウ	510	総 技【ES】自己PR(400字)研究論文内容(200字)入社後どのように貢献したいか(400字)
セーレン(株)	511	総 技【ES】志望動機 研究内容 将来像 他(各200字)
グンゼ(株)	511	総 技【ES】これまでの考えを変えて挑戦したこと(400字)あなたらしさを表す漢字一文字(300字)
岡本(株)	512	総【ES】大切にしている価値観 大学で学んだこと(研究課題 ゼミ 興味ある科目等)自己の特徴(長所や強み)(字数制限なし)【GD】価値を生み出す
(株)オンワード樫山	513	総【ES】自己PR 学生時代に力を入れたこと【GD】アパレル業界で10年後に活躍する人はどのような人か
(株)三陽商会	513	総【ES】最大のチャレンジ・経験を通して得たこと 最大の失敗・経験を通して得たこと(各400字)
クロスプラス(株)	514	総【ES】自己PR(字数制限なし)志望動機 学生時代の取り組み サークル活動 アルバイト経験

●ガラス・土石●

会社名		テーマ
A G C(株)	514	総【ES】学生時代に力を入れて取り組んだこと 企業選びで重視する点 技【ES】学生時代に力を入れて取り組んだこと 企業選びで重視する点 研究内容
日本板硝子(株)	515	総 技【ES】自己PR(400字)学生時代の取り組み(400字)志望動機(400字)興味がある職種(複数選択)
日東紡	516	総 技【ES】志望動機 志望職種 自己PR 学生時代に力を入れたこと 研究内容 他

会社名 （掲載ページ）		テーマ
太平洋セメント㈱	517	総 技【ES】志望理由 自己PR 自己分析診断(字数制限なし)
ＵＢＥ三菱セメント㈱	517	総 技【ES】研究・学業概要 志望理由 学生時代にチャレンジした経験(各300字)
住友大阪セメント㈱	518	総 技【ES】志望動機 大学時代の取り組み 他
日本特殊陶業㈱	518	総 技【ES】過去に変えようと思って取り組んだこと(140～200字)日特に入社して「挑戦」したいこと(150字以内)
日本ガイシ㈱	519	総【ES】学生時代に最も力を入れたこと どのような仕事に挑戦したいか 自己紹介 技【ES】学生時代に最も力を入れたこと 研究テーマ(大学院生)得意科目(学部生)どのような仕事に挑戦したいか
東海カーボン㈱	519	総 技【ES】自己紹介とアピールポイント 主体性をもって取り組んだこと 志望理由(各300～400字)
ニチアス㈱	520	総 技【ES】これまでの人生で一番つらかったこと、挫折した経験とそれをどう克服してきたか これまでの人生で達成した目標や夢、そのために努力したことや得られたこと(いずれかを選択)
黒崎播磨㈱	520	総 技【ES】苦労した経験や努力した経験など(各300字程度)
ノリタケ㈱	521	総 技【ES】志望理由 興味のある事業・就きたい職種とその理由 大学(院)生活で力を注いだこと 長所やアピールポイントとその現状を踏まえた将来像 他
日本コークス工業㈱	522	総【ES】志望動機(400字)自己PR(400字)学生時代の取り組み(400字) 技【ES】志望動機(400字)自己PR(400字)学生時代の取り組み(400字)研究概要書

●金属製品●

会社名 （掲載ページ）		テーマ
東洋製罐グループホールディングス㈱	523	総【ES】志望理由 自己PR 大学時代の取り組み(各400字) 技【ES】志望理由 自己PR 大学時代の取り組み 専攻分野について(各400字)
ＹＫＫ ＡＰ㈱	524	総【ES】当社のビジョンや価値観で印象に残っている点(150字)最も困難であった出来事と解決策(200字)希望職種とその理由(50字) 技【ES】研究内容または専攻内容(50字)得意とする技術分野(選択式)希望職種とその理由(50字)最も困難であった出来事と解決策(100字)
㈱ＳＵＭＣＯ	524	総 技【ES】志望動機 自己PR 研究テーマ 保有資格 他
三和シヤッター工業㈱	525	総 技【ES】志望動機 学生時代に最も打ち込んだこと 自己PR
文化シヤッター㈱	526	総 技【ES】志望動機 自己PR 学生時代の取り組み(各300字程度)

●鉄鋼●

会社名 （掲載ページ）		テーマ
ＪＦＥスチール㈱	527	総【ES】応募理由 自己PR 学生生活の取り組み(各200字) 技【ES】研究内容 応募理由 自己PR 学生生活の取り組み(各200字程度)
㈱神戸製鋼所	528	総【ES】これまで最も満足感を得た出来事について、事例と理由(200字以内)【作文】字数制限なし・30分 技【ES】研究内容 神戸製鋼で実現したいこと その理由 他(各400字以内)【作文】字数制限なし・30分
合同製鐵㈱	528	総 技【ES】自己PR(400字)学生時代の取り組み(200字)就職活動や企業選びの軸(200字)
㈱プロテリアル	529	総【ES】簡単な自己PRと学生時代に注力したこと(600字)当社に興味を持った理由(200字)ゼミで取り組んでいる内容(200字) 技【ES】簡単な自己PRと学生時代に注力したこと(600字)当社に興味を持った理由(200字)研究概要(200字)
大同特殊鋼㈱	529	総【ES】学業(ゼミ活動)で最も力を入れたこと 学生生活で最も力を入れたこと 技【ES】学業(研究など)で最も力を入れたこと 学生生活で最も力を入れたこと
山陽特殊製鋼㈱	530	総 技【ES】学生時代に特に力を入れたこと 志望理由 自身の強み
愛知製鋼㈱	530	総【ES】(1)あなたを一言で表すと(30字)(2)(1)の理由(300字)(3)当事者意識を持って取り組んだ経験(300字)(4)入社後のビジョン(200字)【GD】愛知製鋼は「空欄」で「世のため、人のため」に、お役に立つ会社です「空欄」をグループで検討してください(30分) 技【ES】(1)あなたを一言で表すと(30字)(2)(1)の理由(300字)(3)当事者意識を持って取り組んだ経験(300字)(4)入社後のビジョン(200字)
㈱淀川製鋼所	531	総 技【ES】就職活動の軸 志望理由 今まで経験した中で一番困難だったことと、それをどう乗り越えたか
㈱栗本鐵工所	532	総 技【ES】自己PR 大学時代に最も打ち込んだこと【GD】モノを売る際に必要な力は何か(60分)

会社名 （掲載ページ）		テーマ
●非鉄●		
住友電気工業㈱	532	総【ES】ゼミでのテーマ 学生時代に力を入れて取り組んだこと 志望動機 他 技【ES】研究内容 学生時代に力を入れて取り組んだこと 志望動機 他
古河電気工業㈱	533	総【ES】卒論（修論）テーマについて（300字）他人と協力して成し遂げた出来事について（400字）大学（大学院）生時代の最大のトラブルとそこから学んだこと（400字） 技【ES】研究テーマについて（1000字）大学（大学院）生時代の最大のトラブルとそこから学んだこと（400字）
㈱フジクラ	533	総【ES】学業やゼミ・研究室で学んだ内容（430字）あなた自身について（150字）学生時代に最も打ち込んだこと（300字）コロナ禍においてあなた自身の意識や行動が変容したこと（200字） 技【ES】学業やゼミ・研究室で学んだ内容（250字）企業選びで大切にしている点（200字）学生時代に最も打ち込んだこと（300字）コロナ禍においてあなた自身の意識や行動が変容したこと（300字）
ＳＷＣＣ㈱	534	総 技【ES】学業・ゼミ・研究室で取り組んだ内容 自己PR 学生時代に最も打ち込んだこと 希望する職種とその理由（2つ以上）
ＪＸ金属㈱	535	総 技【ES】志望動機 Ownership発揮エピソード 改善志向・チャレンジ精神について（各400字）卒論テーマ（300字）
ＤＯＷＡホールディングス㈱	536	総 技【ES】志望動機 力を入れて取り組んだ経験3つ 誰にも負けないくらい没頭したこと（各200字）
三井金属	536	総 技【ES】志望動機（150字）自己PR 他
田中貴金属グループ	537	総 技【ES】志望動機（250字）学生時代にチャレンジした経験とそこから学んだことについて（250字）
日鉄鉱業㈱	537	総 技【ES】志望動機 学生時代の取り組み 自己PR 転勤可否
東邦亜鉛㈱	538	総 技【ES】入社後にやってみたい仕事及び自分の能力がどのように活かせると思うか（100～400字）志望理由（100～400字）
㈱フルヤ金属	538	総 技【ES】自己PR 学生時代の取り組み（各400字）
㈱ＵＡＣＪ	539	総【ES】卒論・修論・ゼミテーマ 大学時代の取り組み 志望動機 技【ES】卒論・修論テーマ 大学時代の取り組み 志望動機【GD】健康を維持するために最も大切なことは何か（30分）
日本軽金属㈱	539	総 技【ES】学生時代に打ち込んだこと 興味を持ったこと 保有資格・スキル 趣味特技 学業・ゼミ・研究室などで取り組んだ内容 自己PR（字数制限なし）
●その他メーカー●		
㈱アシックス	540	総【ES】当社の抱える課題 他 技【ES】研究内容
デサントジャパン㈱	540	総【ES】志望理由（400字）自身の強み（400字）他【GD】マルチタスクワーク（50分）
ヨネックス㈱	541	総【ES】自覚している性格（200字）学生時代 特に力を入れてきたこと（200字）志望理由 やってみたい仕事（200字）その他特記したい事項（200字）【GD】ヨネックスを成長させるためにできる施策を考えてください（30分） 技【ES】自覚している性格（200字）学生時代 特に力を入れてきたこと（200字）志望理由 やってみたい仕事（200字）その他特記したい事項（200字）
㈱タカラトミー	541	総【ES】自己PR 志望動機 経験など 技【ES】自己PR 志望動機 スキル
㈱バンダイ	542	総【ES】自分史グラフ 私の得意（特異）技とそのエピソード あなたらしい写真 集団での役割 入社後にチャレンジしたいこと バンダイ・BANDAI SPIRITSへのアツい想い 技【ES】自分史グラフ 私の得意（特異）技とそのエピソード あなたらしい写真 モノづくりの経験やこだわり 入社後にチャレンジしたいこと バンダイ・BANDAI SPIRITSへのアツい想い
ピジョン㈱	542	総 技【ES】企業研究に関連するテーマ
ヤマハ㈱	543	総 技【ES】保有スキル 趣味・特技 資格 語学力 専攻または研究内容 その他に力を入れたこと 志望理由 志望職種【GD】あるテーマについて、グループで議論・発表（60分）

会社名 (掲載ページ)		テーマ
ローランド㈱	543	総【ES】志望動機・自己PR(制限なし)学生時代の取り組み(400字)入社後したいこと(500字)最も打ち込んだこと(600字)一度だけ誰にでもなれるとしたら誰になって何をするか(400字) 技【ES】志望動機・自己PR(制限なし)学生時代の取り組み(400字)入社後したいこと(500字)最も打ち込んだこと(400字)一度だけ誰にでもなれるとしたら誰になって何をするか(400字)
㈱河合楽器製作所	544	総 技【ES】志望職種とその理由(300字以内)学生時代に一番力を入れたこと(300字以内)興味関心のあること3つ(400字以内)当社の課題(400字以内)
パラマウントベッド㈱	544	総【ES】学生時代を通じて最も挑戦したこと 他 技【ES】研究で設定した目標に対して 他
フランスベッド㈱	545	総 技【ES】学業・ゼミ・研究室などで取り組んだ内容 自己PR 学生時代に最も打ち込んだこと 志望動機(各字数制限なし)
大建工業㈱	545	総 技【ES】発揮能力エピソード(350字)自身の特徴(200字)志望動機(200字)
㈱ウッドワン	546	総 技【ES】学生時代に最も打ち込んだことを踏まえ、自己PR 就職活動および働くうえで、大切にされている価値観や軸 入社後、現時点で取り組んでみたいこと(各300字)【作文】私の就職活動(900字・60分)
㈱パロマ	546	総 技【ES】学生時代に一番力を入れてきたこと あなたという人物について(字数制限なし)【GD】20分
ＴＯＴＯ㈱	547	総【ES】学生時代に力を入れたこと 努力したこと 他 技【ES】研究内容 学生時代に力を入れたこと 努力したこと 他
リンナイ㈱	547	総【ES】学生時代に最も力を入れたこと 志望動機 将来リンナイでどのような仕事したいか(各300字以内) 技【ES】学生時代に最も力を入れたこと 志望動機 将来リンナイでどのような技術者になりたいか(各300字以内)
㈱ノーリツ	548	総 技【ES】学生生活の中で目標を立てて取り組んだこと、その背景 目標達成に向けた活動内容(創意工夫)、就活の軸、ノーリツでのキャリアビジョン他
タカラスタンダード㈱	548	総【ES】あなたが挑戦したことで最も印象に残っていること、どのように工夫したか 自身の強みをどのように仕事(志望職種)に活かしていきたいか(各300字程度) 技【ES】自分の強みとエピソード 専攻分野をどのように仕事(希望職種)に活かしていきたいか(各300字程度)
クリナップ㈱	549	総 技【ES】人生で一番頑張ったこと 自分の好きなところ 希望職種 ゼミ・クラブ活動 他
コクヨ㈱	549	総【ES】大学生活で周囲の人と協力して課題解決または成果創出を目指して活動した経験、取り組んだこと(50文字以内)当時どのような背景・状況だったか(200文字以内)その背景・状況を踏まえ、あなたは何を目標に掲げ、それを達成するためにどんな課題があったか(200文字以内)担った役割と具体的に行った行動(300文字以内) 技【ES】企業や仕事を選択する上で、あなたが大事にしている価値観や軸について(300字)コクヨを志望する理由(300字以内)あなたが現在の専攻(もしくは学部学科)を選んだ理由(500字)人生最大の挑戦について(500字)
㈱パイロットコーポレーション	550	総【ES】志望動機 大学時代に自分の成長につながった経験 今までにない価値をもった筆記具の提案 技【ES】志望動機 大学時代に自分の成長につながった経験 現在取り組んでいる研究内容
㈱オカムラ	551	総 技【ES】志望動機 自己PR 力を注いだこと(学業・学業以外)
㈱イトーキ	551	総 技【ES】長所 短所 入社して取り組みたいこと

●建設●

会社名 (掲載ページ)		テーマ
鹿島	554	総 技【ES】志望動機 自己PR 他
㈱大林組	554	総【ES】志望動機 学生生活で特に力を注いできた事項 自己の特徴・長所 他 技【ES】志望動機 学生生活で特に力を注いできた事項 自己の特徴・長所 他職種により異なる

会社名　（掲載ページ）		テーマ
清水建設㈱	555	総【ES】取り組んでいる専攻内容(各200字)学生時代に力を入れて取り組んだこと(400字)志望動機(400字)希望する職種で業務上直面すると思われる困難は何か、それを困難に感じるのはどのような性格や行動特性によるものか(400字)「課題や困難に対する取り組み姿勢」「対人関係」「他者からの評価」について、強み・長所と弱み・短所(各30字)【GD】事前知識等で回答に優劣が出ないテーマをランダムに設定(30分) 技【ES】取り組んでいる専攻内容(各200字)学生時代に力を入れて取り組んだこと(400字)志望動機(400字)希望する職種で業務上直面すると思われる困難は何か、それを困難に感じるのはどのような性格や行動特性によるものか(400字)「課題や困難に対する取り組み姿勢」「対人関係」「他者からの評価」について、強み・長所と弱み・短所(各30字)
大成建設㈱	555	総【ES】あなたの大学時代における喜怒哀楽を象徴する出来事について 志望理由をあなたの就職活動における軸を踏まえて具体的に 当社が手掛けるべき新たなビジネスは何か、また達成するために必要な施策を具体的に あなたにとって社会人として働く意義とは(各字数制限なし) 技【ES】「学生生活で得たもの」を1つあげ、それを得るために最も力を入れた行動について具体的に あなたの夢と、その夢を当社でどのように実現していきたいか(各字数制限なし)
㈱竹中工務店	556	総【ES】学生時代の活動 志望動機 他【GD】(職種によって実施)時事問題 経営理念 志望職種 仕事等の中から選定 技【ES】学生時代の専門性(研究内容)や活動 志望動機 他【GD】(職種によって実施)時事問題 経営理念 志望職種 仕事等の中から選定
㈱長谷工コーポレーション	556	総 技【ES】志望動機(300字)最も長期間続けたこと(200字)最も大きな挑戦(300字)長所(30字)短所(30字)
前田建設工業㈱	557	総【ES】自己PR 志望する理由及び入社後に描くキャリア 学生時代に最も力を入れたこと【作文】時事問題について(400字・30分) 技【ES】自己PR 志望する理由及び入社後に描くキャリア 学生時代に最も力を入れたこと【作文】時事問題について(800字以内・60分)
㈱フジタ	557	総 技【ES】学生時代に打ち込んできたこと 志望理由 自己PR 他
戸田建設㈱	558	総 技【ES】志望動機 得意な科目 長所 強み 当社で取り組みたいこと(各400字)現在の学部・学科を選んだ理由(300字)
三井住友建設㈱	558	総 技【ES】志望動機 自己PR 学生時代に力を注いだこと 他
㈱熊谷組	559	総【ES】あなたが目指す社会人像 就職活動で大切にしていること 志望理由 入社して成し遂げたいこと 学生時代に力を注いだこと 自己PR 技【ES】志望理由 入社して成し遂げたいこと 学生時代に力を注いだこと 自己PR
西松建設㈱	559	総 技【ES】建築業を志望した理由 西松建設を志望した理由 西松建設で実現したい夢や目標 これまでに力を注いだこと(クラブ活動・ボランティア・アルバイト等)自己PR 資格免許
安藤ハザマ	560	総 技【ES】自己PR 志望動機 学生時代に最も打ち込んだこと 学業・ゼミ・研究室などで取り組んだ内容
㈱奥村組	560	総 技【ES】志望理由 当社でやりたいこと 自己アピール(A4一枚・字数制限なし)
東急建設㈱	561	総【ES】志望動機(500字)ゼミ(研究室)課外活動について(300字)自己の強みについてその理由(300字)学生時代の取り組み(300字)【GD】＜事務のみ＞建設業の仕事理解ワーク(60分程度) 技【ES】志望動機 ゼミ(研究室)課外活動について 将来どのような社員になりたいのか
㈱鴻池組	561	総 技【ES】今まで一番努力したこと 周囲と協力して取り組んだエピソード 建設業および当社の志望理由 他
鉄建建設㈱	562	総 技【ES】志望動機 学業・ゼミ・研究室で取り組んだ内容 自己PR 学生時代に最も打ちこんだこと(各400字)
㈱福田組	562	総【ES】志望動機(400字)入社3年後の活躍イメージ(100字)【小論文】職業観(45分) 技【ES】志望動機(400字)入社3年後の活躍イメージ(100字)【小論文】職業観および目指す将来像 他(合わせて45分)
佐藤工業㈱	563	総 技【ES】自己PR(字数制限なし)志望動機 学生時代に最も打ち込んだこと 他(各400字程度)
㈱錢高組	564	総 技【作文】3つのテーマの中から1つ選択(350〜400字以内・30分)
矢作建設工業㈱	564	総 技【ES】自己PR 学生時代に最も打ち込んだこと これまでの人生における成功体験とそこから学んだこと 志望理由(各200字程度)
松井建設㈱	565	総 技【ES】自己PR 志望動機 学生時代に経験したこと 趣味・特技など

会社名 (掲載ページ)		テーマ
五洋建設㈱	565	総 技【ES】志望動機(350字)学生時代に最も打ち込んだこと・充実感・達成感を得た経験(350字)
東亜建設工業㈱	566	総【ES】学生時代に最も力を入れて取り組んだこと【論作文】1200字以内・その他筆記と合わせて90分 技【ES】学生時代に最も力を入れて取り組んだこと
㈱横河ブリッジホールディングス	567	総 技【ES】自己分析(200字)志望動機 入社後に挑戦したいこと
飛島建設㈱	567	総 技【ES】志望動機 自己PR 今まで何かに努力して取り組んだ経験【GD】30分
㈱ＮＩＰＰＯ	568	総 技【ES】志望動機 学生時代に力を注いだこと 自分の短所・弱点 就職において重視している点【作文】字数制限なし・60分
前田道路㈱	569	総 技【ES】自己PR 志望動機(各250字)
東亜道路工業㈱	570	総 技【ES】自己PR 志望動機 学生時代に打ち込んだこと 入社して成し遂げたいこと
大成ロテック㈱	570	総 技【ES】志望動機 希望職種の選択理由 自己PR(各400字以内)
大林道路㈱	571	総 技【ES】志望動機 卒業論文テーマ 学業以外で力を入れたこと 建設業に興味を持った理由 他
世紀東急工業㈱	571	総 技【ES】志望理由 学生時代に力を入れて取り組んだこと 自己PR(各字数制限なし)
日揮ホールディングス㈱	572	総 技【ES】研究テーマ(400字)学生時代に最も熱心に取り組んだこと(400字)志望動機(400字)希望分野・職種とその理由(200字)
ＪＦＥエンジニアリング㈱	572	総 技【ES】興味のある業界・理由(200字)志望動機(200字)学生時代に最も力を入れたこと(200字)研究内容(150字)やってみたい仕事(200字)
千代田化工建設㈱	573	総 技【ES】志望動機 人生に最も影響を与えた経験他
日鉄エンジニアリング㈱	573	総【ES】これまで情熱をもって取り組んだこと(400字)会社・社会という場を通じて成し遂げたい、実現したいこと(400字) 技【ES】これまで情熱をもって取り組んだこと(400字)研究テーマ・内容(400字)
東洋エンジニアリング㈱	574	総 技【ES】志望動機(400～600字)卒業論文(400～600字)学生時代に頑張ったこと2つ(各400字)得意なこと・不得意なこと(250字)【GD】カーボンニュートラルに関するテーマ(60分)
レイズネクスト㈱	574	総 技【ES】学業・ゼミ・研究室などで取り組んだ内容(300字)自己PR・学生時代に打ち込んだこと(400字)志望動機(300字)
太平電業㈱	575	総 技【ES】学生の時に力を入れたこと(200～600字以内)志望職種(第1希望 第2希望)入社するうえで重要視すること(第1希望 第2希望)選考を希望するエリア
新菱冷熱工業㈱	576	総 技【ES】希望職種(150字)志望動機 自己PR 学生時代の取り組み(各300字程度)他
三機工業㈱	576	総 技【ES】周囲の支えで、つらいことや困難・壁を乗り越えた経験 あなたが働く上で大切にしたいことや、譲れないこと・こだわりたいこと 他
三建設備工業㈱	577	総 技【ES】志望理由 志望する職種のイメージ 会社を選ぶ基準
㈱朝日工業社	578	総 技【ES】志望動機(字数制限なし)
高砂熱学工業㈱	578	総 技【ES】「入社後になりたい姿」を含めた自己PR(400字)これまで最も打ち込んだこと(300字)
㈱大気社	579	総 技【ES】志望動機 学業・ゼミ研究室などで取り組んだ内容 自己PR 他
ダイダン㈱	579	総 技【ES】志望動機(200字程度)学業以外に最も力を注いだこと(200字程度)
東洋熱工業㈱	580	総 技【ES】学業・ゼミ・研究室などで取り組んだ内容(250字)自己PR 学生時代に最も打ち込んだこと(各400字)
エクシオグループ㈱	581	総 技【ES】志望動機 これまで情熱を持って取り組んできたこと 長所と強み セールスポイント(各500字)
㈱ミライト・ワン	581	総 技【ES】志望動機 自己PR 学生時代注力した事
日本コムシス㈱	582	総 技【ES】志望動機(400字)自己PR(250字)学生時代に力を入れたこと(450字)
日本電設工業㈱	582	総 技【ES】志望動機 自己PR(各400字)
住友電設㈱	583	総 技【ES】学業、ゼミ、研究室などで取り組んだ内容 自己PR 学生時代に最も打ち込んだこと 志望動機 入社後取り組みたいこと
東光電気工事㈱	583	総 技【ES】志望動機 学業以外で力を注いだこと 自己PR

会社名　（掲載ページ）		テーマ
㈱HEXEL Works	584	総 技【ES】ゼミ・研究テーマ 当社を知ったきっかけ 学生時代に力を入れて取り組んだこと 自己PR(字数制限なし)
㈱きんでん	584	総 技【ES】自己PR(300字)学生時代に最も打ち込んだこと(400字)志望理由(400字)他
㈱関電工	585	総 技【ES】学生時代の自分史(中学 高校 大学)志望動機 自己PR(各300字)
㈱九電工	585	総 技【ES】当社を選んだ理由 学生時代に打ち込んだこと 困難な問題を解決したこと
㈱トーエネック	586	総 技【ES】志望動機 入社後にやりたいこと 自己PR 働くうえで大切にしたいこと(字数制限なし)

●住宅・マンション●

会社名		テーマ
大和ハウス工業㈱	588	総 技【作文】60分
積水ハウス㈱	588	総【ES】自己PR動画【GD】持続可能な環境実現への取組み(40分)or 地域活性化への提案(40分)or 人生100年時代の幸せに対してどんなことができるか(40分) 技【ES】自己PR 志望動機 希望している職務において重要視すること 専攻分野の研究内容(各400字)【GD】持続可能な環境実現への取組み(40分)or 地域活性化への提案(40分)or 人生100年時代の幸せに対してどんなことができるか(40分)
住友林業㈱	589	総 技【ES】志望動機 学生時代に取り組んだこと
大東建託㈱	589	総【ES】自己PR(600字)希望職種・選択理由(600字)【GD】＜総合営業職＞事業内容について(20分) 技【ES】自己PR(600字)希望職種・選択理由(600字)【GD】＜設計職・施工管理職＞事業内容について(20分)
旭化成ホームズ㈱	590	総 技【ES】志望理由(300字以内)「働く動機」として強いもの、2つ以上の動機を理由と共に記入し、動機の比重が合計で10になるようにしてください。将来どんな人になりたいか。「人生」と「キャリア」の二つの視点で、具体的に
㈱一条工務店	590	総 技【ES】自分で高い目標を掲げて達成した経験と、その結果どのように成長できたか 志望動機(各400字)
ミサワホーム㈱	591	総【ES】自分自身のキャッチコピー(20字)志望理由(400字)学生時代に力を入れたこと(400字)ミサワホームに入社したら、どんな事業分野において、どんな挑戦したいのかを具体的に(400字) 技【ES】志望理由(400字)携わりたい事業、業務、キャリア、具体的に行いたい挑戦(400字)学生時代に力を入れたこと(400字)ミサワの商品・デザインの魅力に感じるところ
パナソニック ホームズ㈱	591	総 技【ES】(1)誰にも負けないと思う強みとその強みが発揮された経験(2)仕事をするうえで大切にしたいこととその理由(3)入社後、何に対してどう貢献したいか(各350字)
三井ホーム㈱	592	総 技【ES】学生時代に一番力を入れて取り組んだこと 困難にぶつかった経験 仕事をする上で大切だと思うこと(3つ)
トヨタホーム㈱	592	総 技【ES】志望動機 学業で取り組んだ内容とそれを通して学んだこと 学業以外で取り組んだ内容とそれを通して学んだこと 入社後の自身の将来 自由PR(各500字以内)
一建設㈱	593	総 技【ES】学生時代に注力・苦労したこと 住宅業界を興味を持ったきっかけ 入社5年後になりたい姿
三井不動産レジデンシャル㈱	593	総【ES】学生時代に力を入れて取り組んだ経験 志望動機 他
穴吹興産㈱	594	総【ES】学生時代に印象に残っていること 当社へのイメージ
㈱大京	594	総【ES】学生時代に最も力を入れて取り組んだこと(A4サイズ一枚)
㈱東急コミュニティー	595	総【ES】志望理由 学生時代に最も力を入れて取り組み、成し遂げたこととその成果【GD】当社が管理を受託するマンションの課題を解決する 技【ES】志望理由 学生時代に最も力を入れて取り組み、成し遂げたこととその成果
日本総合住生活㈱	595	総 技【ES】志望動機(400字)学業等で取り組んだ内容(250字)自己PR(400字)学生時代に最も打ち込んだこと(400字)入社後に実現したいこと(400字)
スターツグループ	597	総【ES】自分史作成と自己PR【GD】テーマ例：今後伸びる業界について(10分) 技【ES】自分史作成と自己PR

会社名 (掲載ページ)		テーマ
●不動産●		
三井不動産㈱	597	総【ES】学生時代に取り組んだ(取り組んでいる)こと 他
三菱地所㈱	598	総【ES】自分史 これまで取り組んできたことで最も自分自身を表すエピソード 入社して成し遂げたいこと実施・内容に関しては開示しない
住友不動産㈱	599	総【ES】志望動機 他
(独法)都市再生機構	599	総 技【ES】自己PR 志望理由 携わってみたい仕事 当機構の事業に対する関心・感想(各300字程度)
野村不動産㈱	600	総【ES】学生時代に取り組んだこと 他
東京建物㈱	601	総【ES】これまでやり抜いた経験(500字)業界を志望する動機・理由(400字)東京建物を志望する理由(200字)人生を3つの時期に分け、それぞれの時期にタイトルを付ける(100字)【オンラインGD】60分
森ビル㈱	602	総【ES】これまでの経験や取り組み2つ(500字 300字)森ビルの街づくりの魅力(300字)志望動機(600字)
日鉄興和不動産㈱	602	総【ES】志望動機(200字)学生時代に最も力を入れて取り組んだこと(600字)
森トラスト㈱	603	総【ES】人生における重要な経験について2つ(各500字)2030年に当社が取り組むべき事業提案(500字)志望動機(500字)
NTT都市開発㈱	603	総【ES】学生時代の取り組み 志望理由 他
㈱サンケイビル	604	総【ES】人生の中で他人から言われて最も深く心に残っている言葉(20字)とその要約(100字)当社の志望動機(400字)自己の価値観が大きく変わった出来事や転機について(500字)自らの意志で人を巻き込んだ経験(400字)
大成有楽不動産㈱	604	総 技【ES】(1)会社・コースの志望理由(2)チームや組織で活動するときに、どのような立ち位置をとってきたか、なぜそうしたかの具体例(3)(2)の中で、あなた自身はどのように周囲へ働きかけたのか、なぜそうしたかの具体例(各300字程度)
㈱アトレ	605	総【ES】応募動機 アトレで実現したいこと 学生時代に力を入れて取り組んだこと 価値観に大きく影響を与えた経験
東京都住宅供給公社	605	総 技【ES】就職活動の軸(100字)志望動機 自己PR 入社後に当公社で取り組んでみたいこと(各400字)
東急リバブル㈱	606	総【ES】志望動機 本人の強みについて 学生時代の取り組み 他(各項目字数制限なし)
三井不動産リアルティ㈱	606	総【ES】今までの人生で力を入れて取り組んだこと・取り組む上で困難だったこと(題名20字程度、内容150字以内)困難を乗り越え、そこから学んだこと(150字以内)企業選び・就活の軸(50字以内)当社への志望動機と入社後の活躍イメージ(300字以内)
●電力・ガス●		
北海道電力㈱	608	総 技【ES】学業面で力を入れて取り組んだこと 学生時代に特に力を入れて取り組んだこと 志望動機 入社してからやりたい仕事・チャレンジしたいこと(各字数制限なし)
東京電力ホールディングス㈱	609	総 技【ES】学生時代に目標をもって挑戦したこと 東京電力が果たすべき使命や達成すべき使命(各250字)東京電力を志望した理由(400字)
㈱JERA	609	総 技【ES】自己PR 学生時代に最も打ち込んだこと 志望理由
北陸電力㈱	610	総 技【ES】志望動機と入社後にやりたい仕事 自己PR 他
中部電力㈱	611	総 技【ES】当社を志望した動機および入社して取り組みたい仕事 実現したいこと(600字)自己PR(800字)
四国電力㈱	613	総 技【ES】志望動機 自己PR 他【小論文】800字・60分
沖縄電力㈱	613	総 技【ES】志望動機 自己PR 他
京葉瓦斯㈱	614	総 技【ES】志望理由(300字)学生時代に最も力を入れたこと(300字)
東京ガス㈱	614	総【ES】挑戦エピソード(400字)他者貢献エピソード(400字)スキル・学習内容(300字)他【GD】2030年にあるべき姿を実現するためにすべきこと他(40分) 技【ES】挑戦エピソード(300字)他者貢献エピソード(300字)研究・学習内容(400字)他

業種別・ES、GD、論作文の出題テーマ1,048社

会社名　（掲載ページ）		テーマ
アストモスエネルギー㈱	615	総【ES】大学入学以降であなたにとっての最大の挑戦と成功・失敗に関わらずそこから得られたこと 自分は10年後どのようになっていたいか 自己PR
ＥＮＥＯＳグローブ㈱	615	総【ES】学業・ゼミ・研究室などで取り組んだ内容(100字)学生時代に力を入れて取り組んだこと(300字)自由記載欄(300字)
ジクシス㈱	616	総【GD】ジクシスの特長について(30分)
静岡ガス㈱	616	総 技【ES】入社後の活躍ビジョン 学生時代の学びとその経験を通じた変化 強み弱み
大阪ガス㈱	617	総【ES】学生時代にエネルギーを注いだこと(300～500字)大学で学んだこと(300字)現在の自分を形成する上で大きな影響を受けた出来事3つ(各200字)あなたらしさを表す写真【GD】25分 技【ES】学生時代にエネルギーを注いだこと(300～500字)研究内容(300字)現在の自分を形成する上で大きな影響を受けた出来事3つ(各200字)あなたらしさを表す写真【GD】25分

●石油●

会社名		テーマ
ＥＮＥＯＳ㈱	618	総【ES】学業を通して学んだこと・今後に活かしていきたいこと 学業以外に力を入れたこと 自己認識について(各200～300字) 技【ES】研究活動を通して学んだこと・今後に活かしていきたいこと 学業以外に力を入れたこと 自己認識について(各200～300字)
出光興産㈱	618	総 技【ES】志望動機 学生時代に最も注力した取り組み 入社後10年間に実現したいキャリアパス(各400字)
コスモ石油㈱	619	総【ES】志望動機(200字以内)学生時代に力を入れていたこと(300字以内) 技【ES】志望動機(200字以内)学生時代に力を入れていたこと(300字以内)研究概要(A4一枚程度)
富士石油㈱	619	総 技【ES】志望動機 自己PR 学生時代に打ちこんだこと
石油資源開発㈱	620	総 技【ES】ゼミや研究の内容 サークルや課外活動の内容 入社後にやりたいこと 学生時代に積極的に取り組んだこと

●デパート●

会社名		テーマ
㈱大丸松坂屋百貨店	622	総【ES】チームで何かを成し遂げた経験について(300字以内)他【GD】過去の事業に基づいたテーマ(65分)
㈱髙島屋	622	総【ES】学生時代に力を入れて取り組んだこと(400字)【GD】35分
㈱三越伊勢丹	623	総【ES】志望動機 入社してやりたいこと 大学時代に力を入れて取り組んだ科目・活動 自己PR(強み・弱み)【GD】新規プロジェクトの適応人材を選出(60分)
㈱丸井グループ	623	総【ES】自ら挑戦し、やり抜いた経験(300字)ビジネスを通じて実現したいこと(200字)丸井グループでやりたいこと(200字)【GD】学校教育においてオンライン授業を更に拡大するための課題と解決策
㈱阪急阪神百貨店	624	総【ES】志望動機 就職活動の軸 学生時代力を入れて取り組んだこと
㈱近鉄百貨店	624	総【ES】他の人に負けない強み(スキル、資格、経験等)を1つ挙げ、エピソードを交えてPR(200字以内)当社で挑戦したい仕事を選択(複数選択)妥協しない点について(200字以内) 技【ES】他の人に負けない強み(スキル、資格、経験等)を1つ挙げ、エピソードを交えてPR(200字以内)妥協しない点について(200字以内)
㈱そごう・西武	625	総【GD】百貨店に制服は必要かどうか(25分)
㈱松屋	626	総【ES】自己PR 学生時代に力を入れたこと 志望動機
㈱小田急百貨店	626	総【ES】当社が求める人物像は、自ら考え、行動し、成果を出せる人である。そのためには、情報を収集して「先を読む力」自ら課題を発見して「変革する力」周囲のメンバーと協力して推進する「巻き込む力」が必要だと考える。そこで、自身が最も強みだと考える「力」について、以下3つの中から1つを選び、これまでの経験も交えて記載せよ。先を読む力・変革する力・巻き込む力(500字)

●コンビニ●

会社名		テーマ
㈱ローソン	627	総 技【ES】あなたのことがよくわかるキーワードを5つ記入 今までの人生において力を入れて取り組んだこと、そこから学んだこと ローソンWAYの項目のうち、あなたが一番大切にしたいと思う項目とその理由 ローソンに入社して10年後までのキャリアプラン

業種別・ES、GD、論作文の出題テーマ 1,048 社

会社名 (掲載ページ)		テーマ
㈱セブン-イレブン・ジャパン	627	総【ES】学生時代に取り組んできたこと(400字)
㈱ファミリーマート	628	総【ES】あなたの強み・弱み(自由記述)あなたが会社を選ぶ際に重要視していること(選択式:企業理念、仕事内容、人材・社風、給与・待遇)それを回答した理由について(任意)
ミニストップ㈱	628	総【ES】就活軸(200字)学生時代の取り組み(300字)ミニストップで実現したいこと(200字)他
●スーパー●		
ユニー㈱	629	総【ES】志望動機・学生時代に頑張ったこと・自己PR・当社に入社したら、どんな仕事をしてみたいかなど具体的に記入
㈱イトーヨーカ堂	629	総【ES】自己PR 志望動機 学生時代に主に取り組んだこと3つ(各400字)【GD】何度も足を運びたいスーパーとは(30分)
㈱フジ	630	総【ES】志望動機 学生生活の中で最も打ち込んだこと 強み・弱み(各400字)他【GD】テーマについて自身の意見をワークシートに記入した後、グループで討議し、その後代表者が1分間でグループの意見を発表する(30分弱)
㈱イズミ	630	総【ES】自己PR 働く上で重要視するポイント 志望動機【作文】人生のターニングポイントについて
㈱平和堂	631	総【ES】志望動機 自己PR
㈱Ｏｌｙｍｐｉｃグループ	631	総【ES】セミナー・説明会の感想 自己PR
㈱ユニバース	632	総【ES】学生時代に打ち込んだこと 将来どんな仕事がしたいか 当社に興味関心を持った理由 自己PR
㈱ヨークベニマル	632	総【GD】「好きなこと」と「得意なこと」どちらを仕事にすべきか(30分)他複数テーマ有
㈱ベイシア	633	総【ES】1枚目:保有している資格(箇条書き)自覚している性格(3つ)実施経験(複数選択可能の選択式)2枚目:自己PR(300字)志望動機(300字)店舗で担当したい部門(複数選択可能の選択式)長期ビジョン(150字)
㈱ヤオコー	634	総【ES】志望動機(400字)自己PR(400字)【GD】卒業旅行はどこに行きたいか(10分)
サミット㈱	635	総【ES】志望動機 学生時代に注力して取り組んだこと 入社後に叶えたい夢(各150字)
㈱東急ストア	636	総【ES】志望動機 入社後の目標 やってみたい職種 自己PR 学生時代に力を入れたこと 他【GD】小売業や東急ストアに関するテーマ(30分)
アクシアル リテイリンググループ	637	総【ES】アルバイト歴 セールスポイント 短所と克服策 他
㈱ライフコーポレーション	639	総【ES】将来してみたい仕事(150字程度)会社を選ぶにあたっての基準(50～200字程度)学生時代力を入れて取り組んだこと(200～300字程度)自己PR(200～300字程度)
㈱神戸物産	639	総【ES】<本社>失敗体験 新商品の提案 何年後かのキャリアプラン他<焼肉事業部>入社して○○年後、どんな仕事をしていると思うか お客様を笑顔にする理想の接客とはどのようなものか
㈱関西スーパーマーケット	640	総【ES】学生時代の取り組み 趣味 特技 自己PR
㈱ハローズ	640	総【ES】志望動機 学生時代に一番力を入れたこと【GD】自分にとって良い会社とは
●外食・中食●		
日本マクドナルド㈱	641	総【ES】長所について 強みについて 仕事をするうえで重視すること 大切にしたいこと【グループセッション】マクドナルドの会社理解を深め、キャリアイメージの具体化をはかる
㈱松屋フーズ	642	総【ES】店舗利用について 学生時の活動について 今までのアルバイト経験 志望動機 自己PR 学生生活で取り組んだこと
●家電量販・薬局・HC●		
㈱ノジマ	645	総 技【ES】志望動機 自己分析シート 部活動 他
㈱エディオン	645	総 技【ES】会社説明会で印象に残った内容と理由 志望動機(字数制限なし)

会社名　（掲載ページ）		テーマ
㈱マツキヨココカラ＆カンパニー	646	総【ES】志望動機 学生時代に周囲と力を合わせて取り組んだこと 自分の強み・弱み 将来のビジョン【GD】店舗の販売施策立案 技【ES】志望動機 入社後の目標
㈱スギ薬局	646	総 技【ES】志望動機 大学の講義や実習、研究等の経験とそこから学んだこと アルバイト・クラブ活動等の課外活動の経験とそこから学んだこと(各400字)
㈱カワチ薬品	648	総【ES】入社してチャレンジしてみたいこと、実現したいこと 自己PR(字数制限なし)
総合メディカル㈱	648	総【ES】学生時代に最も力を入れて取り組んだこと(400文字以内) 技【ES】当社の志望理由(200文字以内)
㈱サッポロドラッグストアー	649	総【ES】自己PR 学生時代最も力をいれたこと 入社後のビジョン
ＤＣＭ㈱	650	総【ES】自己アピール 志望動機 志望職種 アルバイト経験
アークランズ㈱	651	総【ES】志望動機 学生時代に最も打ち込んだこと 自己PR あなたが当社で実現したい事
㈱ハンズ	652	総【ES】ハンズへの志望理由 学生時代の経験 他【GD】20分

●その他小売業●

会社名		テーマ
㈱ドン・キホーテ	652	総【ES】志望動機 学生時代に頑張ったこと 自己PR 当社に入社したら、どんな仕事をしてみたいかなど具体的に記入
㈱ミスターマックス・ホールディングス	653	総【ES】志望動機 大学で学んだこと 学業以外の活動で力を入れたこと(字数制限なし)
㈱しまむら	654	総【GD】経費を掛けずに売上を上げる方法は(50分)
㈱ハニーズ	654	総【ES】志望理由(400字)希望職種とその職種を選んだ理由(200字)当社の印象(店舗・商品)について(400字)入社後のキャリアイメージ(200字)学生生活で学業と課外活動の割合を表すとどのような比率か(400文字)
青山商事㈱	656	総【ES】長所・短所 応募のきっかけ 学生時代力を入れたこと(400字)他
㈱ＡＯＫＩホールディングス	657	総【ES】過去の失敗や思い通りの結果を導き出せなかったことに対して、前向きに振り返り、次に活かすために行動したことについて(400字程度)【GD】日本が海外に誇れる強み3つ(25分)
㈱ヤナセ	658	総【ES】志望動機(300字)学生時代に取り組んだこと(100字)仕事を選ぶ上で重視していること(200字)他 技【ES】志望動機 自己PR 他
㈱ＡＴグループ	659	総【ES】志望動機(400字)あなたを表すキャッチコピーとその理由(300字)
㈱エフ・ディ・シィ・プロダクツ	659	総【ES】学生時代に力を入れたこと
㈱ヴァンドームヤマダ	660	総【ES】自己PR アルバイト経験 当社の総合職を志望する理由 説明会に参加して感じたこと(各400字以内)【GW】90分 技【ES】当社を志望する理由「これだけは自慢できる」と思っていることについて アルバイト経験 説明会に参加して感じたこと(各400字以内)
㈱アルペン	660	総【ES】自己PR 今までリーダーシップを発揮した経験 志望理由(各200字)【GD】就職活動をする学生にとって魅力がある職場にするために、企業は何をするべきか(20分)
ゼビオ㈱	661	総【ES】授業・ゼミで学んだこと(200字)反対意見や逆風の中でチャレンジしたこと(300字)自己PR(300字)
つるや㈱	661	総【作文】字数制限なし・25分
ニトリグループ	663	総【ES】人生で一番「挑戦」したエピソード(300字以内) 技【ES】自己PR(200～400字以内)研究室もしくはゼミで学んでいる内容(100文字以内)
㈱良品計画	663	総【ES】学業において主に力を入れて学んできたこと(200～300字)今までで一番力を入れて取り組んだこと(ゼミ活動・就業経験・留学経験等)(200～300字)なぜ良品計画に興味を持ったのか、良品計画で何をしたいか それに向けて、どんなキャリアパスを歩みたいのか(1500字以内)
㈱ベルーナ	664	総【ES】(面接ES)志望理由 自分を表すキャッチコピー 長所 短所 アルバイト経験 他(選考ES)説明会で感じた共感ポイント 就職活動の軸 他

会社名 （掲載ページ）		テーマ
ジュピターショップチャンネル㈱	665	総【ES】困難な目標を達成するため、どのように周りの人を巻き込んでチャレンジしてきたか(字数制限なし)入社後どのようなことを成し遂げたいか(500字)
㈱あさひ	665	総【ES】志望動機 入社後の目標 学生時代打ち込んだこと(各100字程度)入社5年後にやりたいこと(50字程度)
㈱はせがわ	666	総【GD】鬼ヶ島に1匹だけ連れて行くとしたら、犬、サル、キジ、のどれを連れていきますか(60分)はせがわでの新規事業を考える(60分)

●ゲーム●

会社名		テーマ
㈱バンダイナムコエンターテインメント	669	総【ES】サークル・部活などの取り組み アルバイト経験 志望職種 志望動機(800字)小学校から現在までのゲーム経験(各200字)一番楽しいときの写真とその理由(400字)【GD】当社が世界で1番「働く社員の幸福度が高い」企業となるためにどんな手段が考えられますか(30分)

●人材・教育●

会社名		テーマ
(学校法人)慶應義塾	670	総【ES】志望動機(500字以内)学業・学業以外において力を入れたこと(各500字以内)他
(学校法人)早稲田大学	671	総 技【ES】職業として大学職員を選択した理由と特に本学職員を志望した具体的理由 自己PR 大学で力を入れたこと(各500字)
(学校法人)北里研究所	671	総【ES】志望動機(800字)自身が成長した経験(800字)他
(学校法人)立命館	672	総【ES】学生生活について 志望動機について 自己PR
(学校法人)明治大学	672	総【ES】志望動機(400字)学生時代に力を入れて取り組んだこと(400字・300字の2つ)
(学校法人)法政大学	673	総【ES】志望理由 学生時代最も力を入れたこと 周囲と協力して物事を進めた経験について(字数制限なし)【GD】学生食堂のあり方について(40分)
(学校法人)東洋大学	674	総【ES】自己PR 業界研究に関する設問 他
(学校法人)神奈川大学	675	総【ES】(1)学生時代に力を入れて取り組んだこと(2)志望理由(3)大学職員として携わりたい(興味のある)仕事(4)大学のホームページ・Instagramをみて、興味を持った活動や取り組みを1つ取り上げ、理由や活動等への考えを記述(5)神奈川大学が更なる発展を遂げるために取り組むべき課題を挙げ、その課題に対する考えや解決策を記述(6)神奈川大学の研究や教育成果を他企業と協力して発信する場合、どのような企画を行うか、理由・計画・効果を記述
(学校法人)昭和大学	676	総【ES】医系総合大学である昭和大学を志望した動機 昭和大学でやりたいこと
㈱ベネッセコーポレーション	676	総【ES】大学時代の取り組み 他
㈱公文教育研究会	677	総【ES】志望動機 成長した経験 実現したいこと 他(各300字)【GD】教室コンサルティング業務のロールプレイング(60分)
㈱ナガセ	677	総【ES】志望動機 自己PR 他【GD】30分程度
㈱ステップ	678	総【ES】学生時代に打ち込んだこと 自己PR(各200字)他
㈱秀英予備校	678	総【ES】志望動機 自分の長所・短所 10年後なりたい社会人像
㈱昴	679	総【ES】自己PR 学生時代の取り組み 趣味・特技(各字数制限なし)【作文】挑戦・課題・目標について(1000字程度)

●ホテル●

会社名		テーマ
㈱西武・プリンスホテルズワールドワイド	680	総【ES】志望動機(700字以内)学生時代努力したこと(500字)今後、プリンスホテルが国内において出店すべきエリア(○○県○○市)を一つ検討してください
㈱ニュー・オータニ	681	総【ES】資格・免許などあなたが今までの人生で「NEW」なことに積極的に挑戦した経験 ニュー・オータニで、どのような能力・強みを生かし、どのように活躍していきたいか
藤田観光㈱	681	総【ES】自己PR 学生時代、一番力を入れたことについて 志望動機
㈱帝国ホテル	682	総【ES】志望動機 自己PR 他
㈱ホテルオークラ東京	682	総【ES】志望動機 チームで動くときのあなたの役割について 入社後成し遂げたいこと【小論文】時事問題(A4一枚・20分)

会社名 （掲載ページ）		テーマ
●レジャー●		
㈱阪急交通社	683	総【ES】自己PR 志望動機 在学中に研究してきたこと、または興味のある科目
㈱ジェイアール東海ツアーズ	685	総【ES】志望動機 学生時代の取り組み等
㈱オリエンタルランド	686	総【ES】志望動機(200字)組織やチームで取り組んだこと(400字)他【GD】2030年に目指す姿であるを実現するための取り組みについて検討 他 技【ES】志望動機(300字)他【GD】職種に求められる能力を考える 他
㈱バンダイナムコアミューズメント	687	総【ES】志望動機(500字)学生時代に最も打ち込んだこと(350字)バンダイナムコアミューズメント社員としての将来像(500字)
㈱東京ドーム	687	総【ES】周囲の仲間に与えている影響 自分に大きな影響を与えた出来事(各500字)
東宝㈱	688	総【ES】志望動機 志望職種 大学時代の取り組み 好きな作品【GD】オンライン45分
東映㈱	688	総【ES】学生時代に最も力を入れたこと、その成果(300字)など【作文】喜・怒・哀・楽のうちから一つ選び、読み手をその感情にさせる”ものがたり”を自由に書く(600字)
松竹㈱	689	総【ES】一番やってみたい仕事とその理由(400字)大学、大学院時代に、自身の挑戦が成長に繋がった経験(400字)過去の自分にメッセージを送ることができるなら、なにを伝えたいですか(50字)【GD】お題に対して7つの要素を決める(40分)
㈱ルネサンス	690	総【ES】学生時代に一番力を入れて取り組んできたこと 他
●海運・空運●		
日本郵船㈱	690	総【ES】自身の強み 価値観や人物を表すエピソード 他(600字程度)
川崎汽船㈱	691	総 技【GD】 60分
NSユナイテッド海運㈱	692	総【ES】学生時代に力を入れたこと 学業、ゼミなど取り組んだ内容 趣味、没頭していること
飯野海運㈱	692	総【ES】長所と短所(50字)学生時代に注力した活動3つ(各50字)他
日本航空㈱	693	総 技【ES】学生時代の取り組み 入社後実現したいこと 他
朝日航洋㈱	694	総 技【ES】チーム活動で意見を話し合う際、あなたはどんな役割を担うことが多いか またコミュニケーションをとる際に工夫したこと(300字以内)【GD】 日本が誇る麺料理は何か？ 新しい祝日を作るとしたらどんな祝日を作るか。他
●運輸・倉庫●		
日本通運㈱	694	総【ES】志望動機 当社でどのような力を発揮したいか
西濃運輸㈱	695	総【ES】業界・当社の志望動機 自己PR 学生時代に頑張ったこと 他【作文】弊社の魅力に感じる点は何か(150字・30分程度)
福山通運㈱	695	総【ES】自己PR 学生生活で力を入れたこと 志望理由
トナミ運輸㈱	696	総【ES】学生時代に力をいれたこと 志望動機 やってみたい仕事
ロジスティード㈱	696	総【ES】自己PR(400字以内)学生時代の経験(400字以内)物流業界(ロジスティード)に興味を持った理由・取り組んでみたいこと(300字以内)
センコー㈱	697	総【ES】大学生活の成果 志望動機 就職して実現したいこと 自己アピール(各200字程度)
山九㈱	697	総【ES】志望動機 学生時代に力を注いだエピソードをもとにあなたの強みについて(各150字程度)
阪神高速道路㈱	698	総 技【ES】志望動機 自己PR
日本梱包運輸倉庫㈱	699	総【ES】志望動機 自己PR 学生時代に力を入れたこと
㈱キユーソー流通システム	699	総【ES】学生時代の取り組み 挑戦したい仕事 他
㈱日新	700	総【ES】学業(300字)自己PR(400字)学生時代に打ち込んだこと(400字)志望動機(400字)
丸全昭和運輸㈱	700	総【ES】志望理由 自己PR 学生時代の取り組み
㈱近鉄エクスプレス	701	総【ES】志望動機(400字)学生時代に力を入れたこと(400字)

会社名 (掲載ページ)		テーマ
郵船ロジスティクス(株)	701	総【ES】履歴書と合わせてA3一枚程度【GD】約60分
関西エアポート(株)	702	総 技【ES】志望理由 学生時代の活動・挑戦 長所とそれを当社でどのように活かせそうか 他
(株)阪急阪神エクスプレス	702	総【ES】これまでに取り組んだ活動(学外・学内何でも可)の中で、自分らしさを形成したエピソード(字数制限なし)【オンラインGD】社会人として大切なことは(60分)
(株)上組	703	総【ES】自己PR 学生時代の取り組み 志望動機 企業選択基準 他(各400字)
名港海運(株)	703	総【ES】自己PR 学生時代の取り組み 志望業界 志望理由 他【GD】ビジネスシーンにおけるケースワーク
伊勢湾海運(株)	704	総【ES】自己PR 会社や仕事を選ぶポイント 趣味 特技
三井倉庫ホールディングス(株)	704	総【ES】志望動機 あなたは家族や友人など周囲の人からどのような人だと言われるか あなたが、他の人と協力して行動するとき気をつけていることを、具体的なエピソードを交えて(各400字)
三菱倉庫(株)	705	総【ES】志望動機 集団の中でどのように行動するタイプか
澁澤倉庫(株)	706	総【ES】将来のキャリアビジョンについて
両備ホールディングス(株)	707	総【ES】学歴 資格 自己PR 学生時代に最も打ち込んだこと 志望理由 他

鉄道

会社名 (掲載ページ)		テーマ
北海道旅客鉄道(株)	708	総 技【ES】学生時代の取り組み(各300字程度)他
東日本旅客鉄道(株)	709	総 技【ES】自己PR(300字)当社で挑戦したいこと(300字)
東海旅客鉄道(株)	710	総 技【ES】学校で学んだ内容 志望理由 自己PR 他
東武鉄道(株)	711	総【ES】(代表例)東武鉄道・東武グループを取り巻く環境と自身の特性を踏まえて、あなたができると思う具体的なこと
京王電鉄(株)	712	総 技【ES】志望動機 自己PR 他【GD】お客様ニーズを先取りしたサービス提供施策の提案(30分)
東京地下鉄(株)	713	総 技【ES】あなたが東京メトロに伝えたいことは何ですか(300字)
日本貨物鉄道(株)	713	総 技【ES】志望動機 自己PR 他
富士急行(株)	714	総【ES】当社で取り組みたいこと 就職活動について 大学時代の取り組み これまでの自分を表す写真【GD】働く上で最も大切にしたい価値観(40分)
名古屋鉄道(株)	715	総【ES】志望理由(350字)学生時代に打ち込んだもの(450字)あなたを表すキャッチコピー(200字)【GD】企業の成長に必要な人材は2つのうちどちらか(1)ゼネラリスト(複数の分野の知識を広く浅く持っている人材)(2)スペシャリスト(特定の分野の知識を狭く深く持っている人材)25分程度 技【ES】志望理由(350字)学生時代に打ち込んだもの(450字)あなたを表すキャッチコピー(200字)
西日本旅客鉄道(株)	715	総 技【ES】志望動機 入社して取り組みたいこと 他
阪急阪神ホールディングス(株)	716	総【ES】学生時代の経験(動画45秒)当社で実現したい夢(300字)
南海電気鉄道(株)	717	総 技【ES】志望動機 南海電鉄で挑戦したいこと 自分の強みと活かし方
大阪市高速電気軌道(株)	718	総 技【ES】志望動機 キャリアプラン 学生時代に学んだ学問・研究 自身の強み
四国旅客鉄道(株)	719	総 技【ES】JR四国を志望した理由と入社後にしてみたい仕事 これまでに力を入れて取り組んだこと、そこから学んだこと 受験者の強みについて 会社選びで重視していることは
九州旅客鉄道(株)	719	総 技【ES】最も力を入れて取り組んだこと 入社して成し遂げたいこと(各500字)
西日本鉄道(株)	720	総 技【ES】学生時代一番力を入れて取り組んだこと(400字)志望理由および当社で取り組んでみたいこと(400字)自己PR(あなたの強み、得意とするものなど)(400字)

その他サービス

会社名 (掲載ページ)		テーマ
東日本高速道路(株)	720	総 技【ES】志望動機 学生時代に力を入れたこと・そこから学んだこと 自己PR
首都高速道路(株)	721	総【ES】志望理由 学生生活で最も困難だったこと 未来の首都高について 技【ES】志望理由 自己PR
西日本高速道路(株)	722	総【ES】志望動機 学生時代取り組んだこと 自己PR【GD】高速道路に関する施策について(35分) 技【ES】志望動機 学生時代取り組んだこと 自己PR

会社名　（掲載ページ）		テーマ
日本郵政㈱	722	総 技【ES】志望動機 他
全国農業協同組合連合会	723	総 技【ES】志望動機 他
日本生活協同組合連合会	723	総【ES】性格分析(長所 短所 他人から)大学・学生時代に取り組んだこと 卒論・修士論文テーマ 自分自身を表す漢字1文字とその理由 自己PR(字数制限なし)【GD】主力商品の若年層への販促方法(35分)
(国研)産業技術総合研究所	724	総【ES】周囲の人と協力し課題解決に取り組んだ経験2つ(300〜400字以内)キャラクターを構成する要素とそれを体現する具体的なエピソード(300〜400字以内) 技【ES】現在取り組んでいる(またはこれまでに取り組んできた)研究論文における研究課題について、その背景、目的、先行研究、手法(1000字以内)そこから見出した発展性や興味と、社会に提供できる知見や技術(700字以内)志望動機(400字以内)自己PR(1000字以内)研究分野によっては実施あり。テーマは研究分野により異なる
日本自動車連盟	724	総【ES】志望動機 自己PR 学生時代に力を入れたこと 自身の長所と短所(各400字)
(一財)日本品質保証機構	725	総 技【ES】あなたが思うJQAの魅力・志望動機(200〜500字)【作文】学生時代に学んだ最も大切なこと(50分)
(一財)関東電気保安協会	725	総【ES】志望動機 挫折経験から学んだこと 他社と関わるうえで大事にしていることとその理由(各400字) 技【ES】志望動機と入社後どのような点で活躍できるか、その理由も 周囲と協力しながら取り組んだ出来事について(各400字)
(一財)日本海事協会	726	総 技【ES】ゼミ・研究テーマ 志望動機 自己PR 学生時代に力を入れて取り組んだこと 他
日本商工会議所	726	総【ES】志望動機 学生時代の取り組み キーワード論述(地域・中小企業の課題に関するもの)【小論文】中小企業・地域が抱える課題と解決策について(800字・30分)
東京商工会議所	727	総【ES】東京商工会議所の4つの活動のうち、最も関心のあるものと選んだ事業で成し遂げたいことを記述(200字以内)あなたの最大の挫折経験(400字以内)あなたが尊敬できる人に共通する特徴は何か(200字以内)【GW】東京商工会議所が会員企業を対象に実施した新型コロナワクチン共同接種事業の会場レイアウトを策定する(約100分)
(国研)宇宙航空研究開発機構	727	総【ES】専攻・専門分野 志望動機 希望職種 技【ES】研究テーマ 志望動機 希望職種
(国研)科学技術振興機構	728	総【ES】志望理由 関心のある事業や業務 入職後仕事で関わる人達と良好な関係性を築くうえで自身が大切だと考える事 要配慮事項の有無
(独法)国際協力機構	728	総【ES】志望動機(400字)これまでに一番力を入れたこと(400字)自己PR(400字)ゼミ・卒論または修論のテーマ 学校で勉強した内容(250字)【小論文】1000字以内・25分
(独法)国際交流基金	729	総【ES】志望動機 取り組んでみたい仕事について 人生の中で印象に残っていること、自分に影響を与えた出来事【小論文】国際文化交流に関するテーマ(1000字)
(独法)鉄道建設・運輸施設整備支援機構	729	総 技【ES】チームで協力して取り組んだ経験について 困難を乗り越えた経験について 志望動機(400字以内)
(独法)エネルギー・金属鉱物資源機構	730	総 技【ES】志望動機(400字)JOGMECに求められる責務(300字)大学・大学院で学んでいること(200字)他
(独法)日本貿易振興機構	730	総【ES】企業を選ぶ際に大切にしている基準 志望理由 興味のある業務 JETROのビジョンミッションバリューズの中で価値観と合うものとその理由 これまで経験した失敗や挫折とその分析 関心のある国内外の地域【小論文】1000字(50分)テーマ選択式
(独法)中小企業基盤整備機構	731	総【ES】学生生活において励んだこと(200字)志望理由(400字)他
セコム㈱	732	総【ES】学業・ゼミ・研究室等で取り組んだ内容(300字以下)学生時代に力を入れたこと 自己PR(200〜400字)志望動機(200〜400字)等 技【ES】自己紹介 志望動機 学生時代の取り組み 研究内容 保有資格 等
㈱アクティオ	733	総 技【ES】趣味・特技PR 学業・ゼミ・研究室での取り組み 人生で最も打込んだこと 自己PR 志望動機(各300字)
西尾レントオール㈱	734	総 技【ES】学業以外で学生時代に力を注いだことは何か これだけは自信があるということは何か 志望動機
ジェコス㈱	734	総 技【ES】形式自由
サコス㈱	735	総 技【ES】志望動機 職種に相応しい理由 社会人として「仕事をする」こととは(各120字程度)

業種別・ES、GD、論作文の出題テーマ 1,048 社

会社名 *(掲載ページ)*		テーマ
三菱電機エンジニアリング㈱	*735*	総 技【ES】専攻・研究テーマ 志望理由 学生時代に力を入れたこと(学業・課外活動それぞれ)
日本空調サービス㈱	*736*	総【ES】志望動機(400字以内)学生時代に力を入れたこと・そこで得られたことをどう当社で活かそうと考えるか(400字以内) 技【ES】志望動機(400字以内)学生時代に力を入れたこと・そこで得られたことをどう当社で活かそうと考えるか(200字以内または400字以内)
㈱トーカイ	*738*	総【ES】志望動機 学生時代に力を入れたこと トーカイ入社後に実現したいこと・チャレンジしたいこと(各400字程度)【GD】自然災害が起きた地域にトーカイができる支援は(35分)男性の育休取得を義務化するべきか(35分)高齢社会に必要な移動手段は(35分) 技【ES】志望動機 学生時代に力を入れたこと トーカイ入社後に実現したいこと・チャレンジしたいこと(各400字程度)
㈱コベルコ科研	*739*	総【ES】研究課題の要約(150字)志望理由(400字)学生時代の成功・失敗経験(各400字)パーソナリティ(200字)他【作文】字数制限なし・30分 技【ES】研究課題の要約(150字)志望理由(400字)学生時代の目標実現(300字)パーソナリティ(200字)他【作文】字数制限なし・30分
㈱テイクアンドギヴ・ニーズ	*740*	総【ES】希望職種 就職活動の状況 他【GD】当社における「あそびごころ」とは何かについてディスカッションを行い、グループとしての答えを出す 他
ワタベウェディング㈱	*740*	総【ES】就職活動の軸 ワタベウェディングでどのような人財になりたいか その他志望業界とその理由(各200～400字)【GD】30分
㈱ノバレーゼ	*741*	総【ES】学生時代に力を入れて頑張ったこと(400字以内)
㈱共立メンテナンス	*741*	総【ES】アルバイト歴(300字)保有資格・スキル(300字)趣味・特技(20字)学業・ゼミ・研究室などで取り組んだ内容(400字)志望動機(400字)自己PR(400字)
㈱ベネフィット・ワン	*742*	総【ES】私を一言で表すと〇〇です あなたが感じる社会の問題点は何か 入社後チャレンジしたいことは何か
ＪＰホールディングスグループ	*742*	総【ES】志望動機 興味を持った社会ニュース 今までの成果 社会課題解決について(A4一枚程度)
ぴあ㈱	*743*	総【ES】学生時代に真剣に取り組んだ目標と成果 他
㈱乃村工藝社	*744*	総【ES】学生時代の活動について(400字)志望動機(400字)等【GD】時事問題・社会情勢について
㈱日本創発グループ	*744*	総【ES】志望理由 入社後に取り組みたい仕事 あなたの特徴(自己アピール)
㈱パスコ	*745*	総 技【ES】学業以外で力を入れて取り組んだこと(サークル、趣味、アルバイトなど)について、特に他者を巻き込んで行った経験など(300字以内)

給与の仕組みがわかる

初任給の内訳

SHUSHOKU SHIKIHO

業種別・初任給の内訳 1,165社

●商社・卸売業●

会社名	（掲載ページ）	初任給（大卒総合職）の内訳
三菱商事㈱	82	【初任給】325,000円　【内訳】基本給325,000円
伊藤忠商事㈱	82	【初任給】305,000円　【内訳】基本給305,000円
三井物産㈱	83	【初任給】270,000円　【内訳】基本給270,000円
豊田通商㈱	83	【初任給】285,000円　【内訳】基本給285,000円
住友商事㈱	84	【初任給】305,000円　【内訳】基本給305,000円
双日㈱	85	【初任給】305,000円　【内訳】基本給305,000円
兼松㈱	85	【初任給】290,000円　【内訳】基本給290,000円
伊藤忠丸紅鉄鋼㈱	86	【初任給】305,000円　【内訳】基本給305,000円
阪和興業㈱	86	【初任給】300,000円　【内訳】基本給300,000円
㈱メタルワン	87	【初任給】305,000円　【内訳】基本給305,000円
日鉄物産㈱	87	【初任給】300,000円　【内訳】基本給300,000円
㈱ホンダトレーディング	88	【初任給】255,050円　【内訳】基本給255,050円
ＪＦＥ商事㈱	88	【初任給】280,000円　【内訳】基本給280,000円
岡谷鋼機㈱	89	【初任給】260,000円　【内訳】基本給260,000円
神鋼商事㈱	89	【初任給】270,000円　【内訳】基本給270,000円
伊藤忠丸紅住商テクノスチール㈱	90	【初任給】250,000円　【内訳】基本給250,000円
小野建㈱	90	【初任給】244,000円　【内訳】基本給156,800円　総合職手当36,130円　定額残業手当51,070円（36時間）
佐藤商事㈱	91	【初任給】260,000円　【内訳】基本給260,000円（手当込）
大同興業㈱	91	【初任給】265,000円　【内訳】基本給265,000円
ユアサ商事㈱	92	【初任給】268,000円　【内訳】基本給268,000円
㈱山善	92	【初任給】252,000円　【内訳】基本給252,000円
㈱ミスミ	93	【初任給】279,000円　【内訳】基本給279,000円
トラスコ中山㈱	93	【初任給】245,000円　【内訳】基本給185,000円　評価給60,000円
㈱豊通マシナリー	94	【初任給】255,000円　【内訳】基本給235,000円　住宅手当20,000円※一部対象者には、住宅手当の代わりに借上社宅を適用
第一実業㈱	94	【初任給】234,000円　【内訳】基本給234,000円
㈱守谷商会	95	【初任給】296,200円　【内訳】基本給246,200円　職務手当50,000円
西華産業㈱	95	【初任給】262,000円　【内訳】基本給197,000円　ライフプラン手当25,000円　勤務地非限定プレミアム40,000円
ダイワボウ情報システム㈱	96	【初任給】246,000円　【内訳】職能給229,000円　地域手当17,000円（首都圏勤務の場合）
㈱日立ハイテク	96	【初任給】255,500円　【内訳】基本給255,500円
キヤノンマーケティングジャパン㈱	97	【初任給】245,000円　【内訳】基本給245,000円
因幡電機産業㈱	97	【初任給】272,000円　【内訳】基本給267,000円　諸手当5,000円
シークス㈱	98	【初任給】240,000円　【内訳】基本給240,000円
㈱ＲＹＯＤＥＮ	98	【初任給】240,000円　【内訳】基本給240,000円
㈱立花エレテック	99	【初任給】235,000円　【内訳】基本給＜営業職・技術職＞235,000円＜事務職＞222,000円
サンワテクノス㈱	99	【初任給】239,000円　【内訳】基準給220,000円　勤務地コース手当10,000円　住宅手当9,000円
エプソン販売㈱	100	【初任給】253,000円　【内訳】基本給253,000円
㈱カナデン	100	【初任給】260,000円　【内訳】役割給260,000円

業種別・初任給の内訳 1,165 社

会社名	（掲載ページ）	初任給（大卒総合職）の内訳
㈱マクニカ	101	【初任給】250, 380～300, 110円 【内訳】＜営業職・技術職・コーポレート職＞基本給256, 500円 役割加給43, 610円※固定残業代20時間分含む＜事務職＞基本給214, 000円 役割加給36, 380円※固定残業代20時間分含む
加賀電子㈱	101	【初任給】250, 000円 【内訳】基本給196, 000円 総合職手当25, 000円 調整給25, 000円 住宅手当4, 000円～
リョーサン菱洋ホールディングス㈱	102	【初任給】220, 000円 【内訳】基本給220, 000円
東京エレクトロン デバイス㈱	102	【初任給】227, 000～275, 000円 【内訳】基本給196, 000円 地域手当31, 000円（住宅補助（独身者用借上社宅）適用外の場合79, 000円）
丸文㈱	103	【初任給】261, 500円 【内訳】基本給220, 500円 資格手当10, 000円 地域手当（本社）26, 000円 ワークライフ支援手当5, 000円
伯東㈱	103	【初任給】243, 000円 【内訳】基本給198, 000円 住宅手当（首都圏）15, 000円 営業手当30, 000円または研究手当20, 000円または技術手当20, 000円
新光商事㈱	104	【初任給】240, 000円 【内訳】基本給240, 000円
三信電気㈱	104	【初任給】243, 000円 【内訳】職能給243, 000円
長瀬産業㈱	105	【初任給】291, 500円 【内訳】基本給291, 500円
稲畑産業㈱	105	【初任給】260, 000円 【内訳】基本給260, 000円
ＣＢＣ㈱	106	【初任給】290, 000円 【内訳】基本給290, 000円
オー・ジー㈱	106	【初任給】260, 000円 【内訳】基本給238, 000円 都市手当10, 000円 住宅手当5, 000円 社会保険補給金7, 000円
明和産業㈱	107	【初任給】250, 000円 【内訳】基本給250, 000円
ＪＫホールディングス㈱	107	【初任給】242, 000円 【内訳】基本給171, 000円 ライフプラン給38, 000円 固定残業代33, 000円（15時間）
渡辺パイプ㈱	108	【初任給】206, 000円 【内訳】基本給206, 000円
伊藤忠建材㈱	108	【初任給】260, 000円 【内訳】基本給255, 000円 調整手当5, 000円
ナイス㈱	109	【初任給】225, 000円 【内訳】基本給225, 000円
㈱サンゲツ	109	【初任給】270, 000円 【内訳】基本給260, 000円 グレード給10, 000円
㈱デザインアーク	110	【初任給】224, 000円 【内訳】基本給（職能給・資格給）224, 000円
㈱日本アクセス	110	【初任給】243, 600円 【内訳】基本給243, 600円
三菱食品㈱	111	【初任給】250, 000円 【内訳】役割給222, 500円 ライフプラン支援金27, 500円
ヤマエグループホールディングス㈱	113	【初任給】248, 000円 【内訳】基本給248, 000円
伊藤忠食品㈱	113	【初任給】240, 000円 【内訳】基本給240, 000円
日本酒類販売㈱	114	【初任給】230, 000円 【内訳】基本給230, 000円
旭食品㈱	114	【初任給】208, 000～258, 000円 【内訳】基本給198, 000円 地域手当10, 000～40, 000円 外勤手当（営業職のみ固定残業代（10～11時間相当））20, 000円
スターゼン㈱	115	【初任給】231, 000円 【内訳】基本給210, 000円 地域手当21, 000円（東京・神奈川）
㈱マルイチ産商	115	【初任給】214, 000円 【内訳】基本給214, 000円
㈱トーホー	116	【初任給】220, 020～243, 020円 【内訳】基本給220, 020円 地域手当0～23, 000円
東海澱粉㈱	116	【初任給】250, 000円 【内訳】基本給200, 000円 固定残業手当（34時間30分）50, 000円
カナカン㈱	117	【初任給】208, 000円 【内訳】基本給208, 000円
横浜冷凍㈱	117	【初任給】（京浜地区）245, 000円 【内訳】基本給235, 000円 地域手当10, 000円
木徳神糧㈱	118	【初任給】230, 600円 【内訳】基本給220, 600円 退職金前払10, 000円
日本出版販売㈱	118	【初任給】220, 000円 【内訳】基本給220, 000円
㈱トーハン	119	【初任給】220, 000円 【内訳】職能給140, 500円 年齢給40, 000円 地域調整手当39, 500円
日本紙パルプ商事㈱	119	【初任給】265, 000円 【内訳】基本給265, 000円

業種別・初任給の内訳 1,165 社

会社名	（掲載ページ）	初任給（大卒総合職）の内訳
㈱メディセオ	120	【初任給】＜営業職＞251,000～260,700円＜薬事関連職＞240,900～249,900円＜事務職＞207,500～215,500円　【内訳】＜営業職＞基本給215,200～223,500円 営業手当35,800～37,200円
アルフレッサ㈱	120	【初任給】220,000円＜薬剤師職＞265,000円　【内訳】＜営業職＞基本給220,000円＜薬剤師職＞基本給240,000円 役割手当5,000円 薬剤師手当20,000円
㈱スズケン	121	【初任給】256,500円　【内訳】基本給186,500円 前払時間外手当（営業）35,000円 地域総合手当35,000円
東邦薬品㈱	121	【初任給】250,421円　【内訳】基本給215,000円 固定残業代（20時間）35,421円
㈱ＰＡＬＴＡＣ	122	【初任給】228,200～276,200円　【内訳】基本給228,200円 営業手当38,000円（1日1時間・20日モデル）地域手当10,000円（首都圏エリア）
㈱あらた	122	【初任給】（地域による）222,000～246,000円　【内訳】貢献給210,000円 地域手当12,000～36,000円
花王グループカスタマーマーケティング㈱	123	【初任給】229,200円　【内訳】（例：東京）基本給214,200円 地域手当15,000円※勤務地域により地域手当加算（0～15,000円）
興和㈱	123	【初任給】260,000円　【内訳】基本給260,000円
蝶理㈱	124	【初任給】265,000円　【内訳】基本給265,000円
豊島㈱	124	【初任給】260,000円　【内訳】基本給249,000円 住宅手当6,000円 食事手当5,000円
帝人フロンティア㈱	125	【初任給】252,000円　【内訳】基本給252,000円
㈱ＧＳＩクレオス	125	【初任給】240,000円　【内訳】基本給240,000円
㈱ヤギ	126	【初任給】250,000円　【内訳】基本給250,000円
スタイレム瀧定大阪㈱	126	【初任給】270,000円　【内訳】基本給250,000円 ライフプラン手当20,000円
伊藤忠エネクス㈱	127	【初任給】260,000円　【内訳】基本給260,000円
三愛オブリ㈱	128	【初任給】260,000円　【内訳】基本給260,000円
ＮＸ商事㈱	128	【初任給】237,900円　【内訳】役割給192,800円 都市手当45,100円
三谷商事㈱	129	【初任給】275,000円　【内訳】基本給245,000円 地域手当30,000円
㈱ＥＮＥＯＳフロンティア	129	【初任給】240,000円　【内訳】基本給220,000円（全国手当含む）若年者生計支援手当20,000円
ＴＯＫＡＩグループ	130	【初任給】240,000円　【内訳】基本給240,000円
郵船商事㈱	130	【初任給】250,500円　【内訳】基本給208,000円 地域手当32,000円 食事手当10,500円 ※地域手当は、配属地域によって異なる。A地区（首都圏）32,000円 B地区（名阪神）23,000円 C地区（その他）21,000円
鈴与商事㈱	131	【初任給】250,000円　【内訳】基本給250,000円
㈱巴商会	131	【初任給】＜事務職以外＞245,500円＜事務職＞240,500円　【内訳】＜事務職以外＞基本給238,500円 職務手当7,000円＜事務職＞基本給238,500円 職務手当2,000円
丸紅エネルギー㈱	132	【初任給】240,000円　【内訳】基本給109,000円 職能給131,000円
トヨタモビリティパーツ㈱	132	【初任給】239,500円　【内訳】基本給239,500円
メルセデス・ベンツ日本（合同）	133	【初任給】240,700円　【内訳】基本給240,700円
松田産業㈱	133	【初任給】230,000円　【内訳】基本給230,000円
㈱内田洋行	134	【初任給】250,000円　【内訳】基本給225,000円 資格手当13,000円 住宅手当12,000円
新生紙パルプ商事㈱	135	【初任給】265,000円　【内訳】基本給257,000円 食事手当8,000円
㈱オートバックスセブン	135	【初任給】231,762円　【内訳】基本給206,500円 住宅地域手当9,000円 LDF手当16,262円
㈱ＪＡＬＵＸ	136	【初任給】254,000円　【内訳】基本給254,000円
㈱ドウシシャ	136	【初任給】302,670円　【内訳】基本給227,910円 固定残業手当（42時間）74,760円
㈱サンリオ	137	【初任給】229,200円　【内訳】基本給214,200円 生活手当15,000円
●シンクタンク●		
㈱三菱総合研究所	141	【初任給】254,900円　【内訳】基本給254,900円

業種別・初任給の内訳 1,165 社

会社名 （掲載ページ）		初任給（大卒総合職）の内訳
㈱大和総研	142	【初任給】290, 000円 【内訳】基本給290, 000円
三菱ＵＦＪリサーチ＆コンサルティング㈱	142	【初任給】271, 000円 【内訳】基本給199, 000円 ライフプラン支援金52, 000円 住居手当20, 000円

●コンサルティング●

会社名 （掲載ページ）		初任給（大卒総合職）の内訳
㈱日本Ｍ＆Ａセンター	143	【初任給】402, 750円 【内訳】基本給260, 000円 時間調整手当117, 750円 営業手当25, 000円
㈱船井総合研究所	143	【初任給】270, 000円 【内訳】基本給197, 000円 業務手当（45時間分の固定残業代）73, 000円
㈱ビジネスコンサルタント	144	【初任給】254, 000円 【内訳】基本給210, 000円 営業手当20, 000円 みなし時間外手当24, 000円
ＩＤ＆Ｅグループ	144	【初任給】267, 000円 【内訳】月額報酬221, 500円 ライフプラン支援金27, 500円 住宅補助金18, 000円
㈱建設技術研究所	145	【初任給】246, 000円 【内訳】基礎給100, 500円 職能給118, 000円 ライフプラン手当27, 500円
パシフィックコンサルタンツ㈱	145	【初任給】265, 000円 【内訳】基本給265, 000円
㈱オリエンタルコンサルタンツグローバル	146	【初任給】244, 000円 【内訳】基本給244, 000円

●リサーチ●

会社名 （掲載ページ）		初任給（大卒総合職）の内訳
㈱インテージ	146	【初任給】269, 000円 【内訳】基本給269, 000円
㈱帝国データバンク	147	【初任給】256, 000円 【内訳】基本給256, 000円
㈱マクロミル	147	【初任給】237, 212円 【内訳】基本給211, 910円 固定残業代25, 302円（15時間）
㈱東京商工リサーチ	148	【初任給】291, 690円 【内訳】基本給214, 850円 資格手当8, 000円 外勤手当26, 000円 時間外みなし手当31, 840円 住宅手当11, 000円

●通信サービス●

会社名 （掲載ページ）		初任給（大卒総合職）の内訳
ソフトバンク㈱	151	【初任給】263, 000円 【内訳】基本給249, 000円 自己成長支援金10, 000円 WorkStyle支援金4, 000円
ＫＤＤＩ㈱	151	【初任給】270, 000円 【内訳】グレード給270, 000円
楽天グループ㈱	152	【初任給】300, 000円 【内訳】基本給227, 849円 固定残業代72, 151円（40時間分）
ＮＴＴ東日本	152	【初任給】301, 390円 【内訳】基本給262, 790円 住宅補助費38, 600円
ＮＴＴ西日本	153	【初任給】298, 990円 【内訳】基本給等262, 790円 住宅補助費36, 200円 ※1 住宅補助費は独身・大阪府の場合の金額（独身・首都圏の場合は38, 600円、独身・その他府県の場合は33, 000円）※2 グレード6で採用した場合の金額
ＪＣＯＭ㈱	153	【初任給】220, 000円 【内訳】基本給220, 000円
㈱ティーガイア	154	【初任給】230, 000円 【内訳】基本給201, 200円 地域給28, 800円
㈱インターネットイニシアティブ	154	【初任給】256, 667円 【内訳】基本給220, 000円 固定残業代36, 667円
㈱ＭＩＸＩ	155	【初任給】300, 000円～ 【内訳】基本給 228, 520円（ライフプラン手当を含む）職務給71, 480円
インフォコム㈱	156	【初任給】250, 000円 【内訳】基本給210, 000円 都市圏手当40, 000円
㈱ゼンリン	156	【初任給】242, 000円 【内訳】基本給242, 000円
㈱ぐるなび	157	【初任給】220, 000円 【内訳】基本給220, 000円

●システム・ソフト●

会社名 （掲載ページ）		初任給（大卒総合職）の内訳
㈱大塚商会	158	【初任給】270, 000円 【内訳】固定給270, 000円
伊藤忠テクノソリューションズ㈱	158	【初任給】295, 500円 【内訳】基本給295, 500円

業種別・初任給の内訳 1,165社

会社名 （掲載ページ）	初任給（大卒総合職）の内訳
ＳＣＳＫ㈱ *159*	【初任給】310,000円 【内訳】基本給255,800円 業務手当44,200円（残業時間代20時間相当）学び手当5,000円 リモートワーク推進手当5,000円
㈱日立システムズ *160*	【初任給】232,000円 【内訳】本給232,000円
ＢＩＰＲＯＧＹ㈱ *160*	【初任給】264,000円 【内訳】基本給264,000円
ＮＥＣネッツエスアイ㈱ *161*	【初任給】254,200円 【内訳】基本給254,200円
日鉄ソリューションズ㈱ *161*	【初任給】233,000円 【内訳】基本給233,000円
ＮＥＣソリューションイノベータ㈱ *162*	【初任給】254,200円 【内訳】基本給254,200円
富士ソフト㈱ *162*	【初任給】234,000円 【内訳】基本給234,000円
ＧＭＯインターネットグループ㈱ *163*	【初任給】328,344～591,675円 【内訳】基本給266,000円 見込残業手当（40時間）140,875円 調整手当184,800円＜ジョブ型No. 1採用＞基本給266,000円 見込残業手当（40時間）113,096円 調整手当95,905円＜地域No. 1採用＞基本給266,000円 見込残業手当（30時間）62,344円
ＮＴＴコムウェア㈱ *163*	【初任給】（地域限定勤務型を除く）302,190円 【内訳】302,190円（地域限定勤務型を除く、住宅補助費39,400円を含む）
エフサステクノロジーズ㈱ *164*	【初任給】264,000円 【内訳】コンピテンシー給264,000円
ネットワンシステムズ㈱ *165*	【初任給】260,000円 【内訳】基本給260,000円
㈱日立ソリューションズ *165*	【初任給】250,000円 【内訳】基本給250,000円
㈱トヨタシステムズ *166*	【初任給】237,000円 【内訳】基本給237,000円
京セラコミュニケーションシステム㈱ *166*	【初任給】260,000円 【内訳】基本給260,000円
ユニアデックス㈱ *167*	【初任給】227,000円 【内訳】基本給227,000円
パナソニック インフォメーションシステムズ㈱ *168*	【初任給】265,000円 【内訳】基本給265,000円
都築電気㈱ *168*	【初任給】250,500円 【内訳】本給199,000円 都市手当31,000円（東京23区に居住の場合）住宅手当20,500円（東京オフィス勤務の場合）※住宅手当は社宅・寮利用者以外全員に支給
㈱インテック *169*	【初任給】249,700円 【内訳】基本給227,000円 地域手当22,700円（東京・横浜勤務）
㈱ＤＴＳ *169*	【初任給】238,000円 【内訳】役割基準額228,000円 地域手当10,000円（首都圏）
日本ビジネスシステムズ㈱ *170*	【初任給】250,000円＜コーポレートスタッフ職＞217,000円 【内訳】本給223,765円 法定時間外残業手当（15時間分）26,235円
三菱ＵＦＪインフォメーションテクノロジー㈱ *171*	【初任給】257,500円 【内訳】役割給257,500円
㈱ＮＳＤ *171*	【初任給】306,000円 【内訳】基本給226,000円 地域手当80,000円（東京地区）
兼松エレクトロニクス㈱ *172*	【初任給】250,000円 【内訳】基本給250,000円
ニッセイ情報テクノロジー㈱ *172*	【初任給】250,000円 【内訳】基本給225,000円 学びの手当10,000円 エンジニア研鑽手当10,000円 健康増進・リモートワーク手当5,000円
㈱システナ *173*	【初任給】235,000円 【内訳】基本給235,000円
㈱ＴＫＣ *173*	【初任給】243,000円 【内訳】基本給228,000円 職務能力手当15,000円
三菱総研ＤＣＳ㈱ *174*	【初任給】250,000円 【内訳】基本給250,000円
ＪＦＥシステムズ㈱ *174*	【初任給】262,000円 【内訳】基本給262,000円
㈱中電シーティーアイ *175*	【初任給】235,000円 【内訳】基本給235,000円
㈱シーイーシー *175*	【初任給】235,000円 【内訳】基本給235,000円 地域手当（0～26,000円）
㈱ＪＳＯＬ *176*	【初任給】255,000円 【内訳】基本給255,000円
ＮＴＴテクノクロス㈱ *176*	【初任給】262,790円 【内訳】グレード賃金180,840円 成果手当75,540円 採用調整加算6,410円
コベルコシステム㈱ *177*	【初任給】250,000円 【内訳】基本給250,000円
㈱オージス総研 *177*	【初任給】228,000円 【内訳】基本給228,000円
ＮＳＷ㈱ *178*	【初任給】255,000円 【内訳】基本給235,000円 住宅手当20,000円（東京地区世帯主）

業種別・初任給の内訳 1,165 社

会社名	（掲載ページ）	初任給（大卒総合職）の内訳
ｔｄｉグループ	178	【初任給】230,000円 【内訳】基本給230,000円
ＴＤＣソフト㈱	179	【初任給】250,000円 【内訳】基本給250,000円※東京本社
㈱図研	180	【初任給】250,570円 【内訳】月給250,570円（住宅手当20,000円を含む）
㈱アイネット	180	【初任給】240,000円 【内訳】基本給240,000円
㈱アグレックス	181	【初任給】232,000円 【内訳】基本給232,000円
東芝情報システム㈱	182	【初任給】250,000円 【内訳】基本給250,000円
スミセイ情報システム㈱	182	【初任給】225,000円 【内訳】基本給225,000円
トーテックアメニティ㈱	183	【初任給】212,000円 【内訳】基本給212,000円
㈱ビジネスブレイン太田昭和	183	【初任給】293,500円 【内訳】基本給266,000円 ライフプラン支援金27,500円
㈱ソフトウェア・サービス	184	【初任給】320,000円 【内訳】基本給320,000円
㈱ＩＤホールディングス	184	【初任給】226,000円 【内訳】基本給226,000円
㈱フォーカスシステムズ	185	【初任給】230,000円 【内訳】基本給120,000円 職能給84,700円 精勤手当3,300円 住宅手当22,000円
㈱エクサ	185	【初任給】258,000円 【内訳】基本給255,000円 アップデート手当3,000円
㈱シーエーシー	186	【初任給】235,000円 【内訳】基本給235,000円
クオリカ㈱	186	【初任給】237,000円 【内訳】基本給237,000円
㈱ＣＩＪ	187	【初任給】255,700円 【内訳】基本給・職能給233,000円 加算金22,700円（固定残業代12.5時間分）
㈱さくらケーシーエス	187	【初任給】214,000円 【内訳】基本給214,000円
さくら情報システム㈱	188	【初任給】215,500円 【内訳】役割給210,000円 昼食手当5,500円
㈱エヌアイデイ	188	【初任給】232,500円 【内訳】基本給206,000円 住宅手当20,000円 生活応援手当6,500円
ＡＧＳ㈱	189	【初任給】235,000円 【内訳】基本給235,000円
アイエックス・ナレッジ㈱	189	【初任給】221,000円 【内訳】役割給（基本給）191,000円 地域手当30,000円（首都圏）
㈱ジャステック	190	【初任給】230,000円 【内訳】基本給230,000円
キーウェアソリューションズ㈱	190	【初任給】223,000円 【内訳】基本給222,000円 勤務手当1,000円
ビジネスエンジニアリング㈱	191	【初任給】261,000円 【内訳】基本給261,000円
ＮＣＳ＆Ａ㈱	192	【初任給】229,300円 【内訳】基本給229,300円
㈱構造計画研究所	192	【初任給】280,000円 【内訳】基本給241,500円 一律地域手当（東京）33,500円 非喫煙手当5,000円
サイバーコム㈱	193	【初任給】202,000～220,000円 【内訳】（首都圏及び愛知）基本給220,000円（それ以外の地区）基本給202,000円
㈱ハイマックス	193	【初任給】230,000円 【内訳】年齢給32,000円 職能給198,000円
㈱東邦システムサイエンス	194	【初任給】225,000円 【内訳】基本給225,000円
㈱クロスキャット	194	【初任給】239,000円 【内訳】基本給239,000円
㈱リンクレア	195	【初任給】265,000円 【内訳】基本給185,000円 資格ランク手当44,000円 固定時間外手当36,000円（15時間相当分）
㈱ＳＣＣ	195	【初任給】240,050円 【内訳】年齢給128,000円 職能給89,050円 都市手当23,000円
㈱アドービジネスコンサルタント	196	【初任給】226,200円 【内訳】基本給191,500円 職務手当11,700円 住宅手当23,000円
㈱ＳＩ&Ｃ	196	【初任給】240,000円 【内訳】基本給240,000円
三和コンピュータ㈱	197	【初任給】213,000円 【内訳】基本給213,000円
●銀行●		
㈱三井住友銀行	200	【初任給】255,000円 【内訳】基本給255,000円
りそなグループ	201	【初任給】255,000円 【内訳】基本給255,000円

業種別・初任給の内訳 1,165 社

会社名 *（掲載ページ）*		初任給（大卒総合職）の内訳
ＳＢＩ新生銀行グループ	*202*	【初任給】(SBI新生銀行)245,000円(アプラス営業・昭和リース)236,000円(新生フィナンシャル)251,000円他 コースによって異なる 【内訳】基本給195,000～362,000円
㈱あおぞら銀行	*202*	【初任給】265,000円 【内訳】基本給265,000円
㈱セブン銀行	*203*	【初任給】238,700円 【内訳】職責給238,700円
三菱ＵＦＪ信託銀行㈱	*204*	【初任給】＜全国＞255,000円＜地域＞250,000円 【内訳】＜全国＞基本給255,000円＜地域＞基本給250,000円
日本マスタートラスト信託銀行㈱	*205*	【初任給】260,000円 【内訳】基本給260,000円(一律昼食費補助10,000円を含む)
㈱北海道銀行	*205*	【初任給】225,000円 【内訳】基本給225,000円
㈱青森銀行	*206*	【初任給】215,000円 【内訳】基本給215,000円
㈱岩手銀行	*206*	【初任給】220,000円 【内訳】基本給220,000円
㈱秋田銀行	*207*	【初任給】220,000円 【内訳】基本給220,000円
㈱北都銀行	*207*	【初任給】220,000円 【内訳】基本給220,000円
㈱山形銀行	*208*	【初任給】220,000円 【内訳】資格給170,000円 役割業績給46,000円 転勤準備手当4,000円
㈱荘内銀行	*208*	【初任給】220,000円 【内訳】基本給220,000円
㈱常陽銀行	*209*	【初任給】218,000～230,000円 【内訳】基本給218,000～230,000円
㈱足利銀行	*209*	【初任給】250,000円 【内訳】基本給250,000円
㈱栃木銀行	*210*	【初任給】220,000円 【内訳】基本給220,000円
㈱群馬銀行	*210*	【初任給】220,000円 【内訳】基本給220,000円
㈱東和銀行	*211*	【初任給】＜総合職＞220,000円＜総合職(エリアオプション)＞210,000円 【内訳】＜総合職＞基本給220,000円＜総合職(エリアオプション)＞基本給210,000円
㈱千葉銀行	*211*	【初任給】230,000円 【内訳】基本給230,000円(ライフプラン支援金を含む)
㈱千葉興業銀行	*212*	【初任給】230,000円 【内訳】本給26,500円 資格給54,500円 職務給149,000円
㈱東日本銀行	*213*	【初任給】220,000円 【内訳】基本給220,000円
㈱きらぼし銀行	*213*	【初任給】255,000円 【内訳】基本給255,000円
㈱横浜銀行	*214*	【初任給】220,000円 【内訳】基本給220,000円
㈱神奈川銀行	*214*	【初任給】215,000円 【内訳】基本給215,000円
㈱第四北越銀行	*215*	【初任給】220,000円 【内訳】基本給220,000円
㈱大光銀行	*215*	【初任給】220,000円 【内訳】基本給220,000円
㈱北陸銀行	*216*	【初任給】225,000円 【内訳】基本給210,000円 エリアフリー手当15,000円
㈱北國フィナンシャルホールディングス	*216*	【初任給】277,500円 【内訳】基本給250,000円 キャリア支援金27,500円
㈱福井銀行	*217*	【初任給】205,000円 【内訳】基本給185,000円 遠隔地勤務準備手当20,000円
㈱八十二銀行	*218*	【初任給】230,000円＜エリア限定職＞223,100円 【内訳】基本給230,000円
スルガ銀行㈱	*220*	【初任給】240,000円＜エリア限定総合職＞223,000円 【内訳】基本給240,000円＜エリア限定総合職＞基本給223,000円
㈱清水銀行	*220*	【初任給】220,000円 【内訳】基本給220,000円
㈱名古屋銀行	*221*	【初任給】240,000円 【内訳】基本給240,000円
㈱あいちフィナンシャルグループ	*221*	【初任給】220,000円 【内訳】基本給200,000円 ライフプラン手当20,000円
㈱百五銀行	*222*	【初任給】236,000円 【内訳】基礎給59,000円 職能給152,000円 ライフプラン給25,000円
㈱三十三銀行	*222*	【初任給】230,000円 【内訳】基本給230,000円
㈱滋賀銀行	*223*	【初任給】225,000円 【内訳】基本給215,000円 職能手当10,000円
㈱京都銀行	*223*	【初任給】260,000円 【内訳】基本給260,000円
㈱関西みらい銀行	*224*	【初任給】225,000円 【内訳】基本給225,000円

業種別・初任給の内訳 1,165 社

会社名	*（掲載ページ）*	初任給（大卒総合職）の内訳
㈱みなと銀行	*224*	【初任給】225,000円　【内訳】基本給225,000円
㈱南都銀行	*225*	【初任給】<BPコース>230,000円　【内訳】基本給230,000円
㈱山陰合同銀行	*225*	【初任給】260,000円　【内訳】基本給260,000円
㈱中国銀行	*226*	【初任給】225,000円　【内訳】基本給225,000円
㈱広島銀行	*226*	【初任給】<Pコース>（勤務地限定無）225,000円（勤務地限定有）210,000円　【内訳】<Pコース>（勤務地限定無）基本給225,000円（勤務地限定有）基本給210,000円
㈱阿波銀行	*227*	【初任給】250,000円　【内訳】基本給250,000円
㈱百十四銀行	*227*	【初任給】215,000円　【内訳】基本給215,000円
㈱伊予銀行	*228*	【初任給】<エリアF>255,000円<エリアL>227,000円　【内訳】<エリアF>資格給117,500円 役割給82,000円 エリアフリー手当28,000円 ライフプラン支援金27,500円<エリアL>資格給117,500円 役割給82,000円 ライフプラン支援金27,500円
㈱四国銀行	*228*	【初任給】<総合職>215,000円<地域総合職>190,000円　【内訳】<総合職>基本給215,000円<地域総合職>基本給190,000円
㈱高知銀行	*229*	【初任給】225,000円　【内訳】基本給225,000円
㈱佐賀銀行	*230*	【初任給】220,000円　【内訳】基本給220,000円
㈱肥後銀行	*231*	【初任給】230,000～240,000円　【内訳】基本給230,000～240,000円
㈱鹿児島銀行	*231*	【初任給】240,000円　【内訳】基本給240,000円
㈱琉球銀行	*232*	【初任給】211,000円　【内訳】基本給211,000円
㈱沖縄銀行	*232*	【初任給】205,000円　【内訳】基本給205,000円
●政策金融・金庫●		
商工中金	*233*	【初任給】260,000円　【内訳】基本給260,000円
㈱国際協力銀行	*233*	【初任給】260,000円　【内訳】基本給260,000円
信金中央金庫	*234*	【初任給】260,000円　【内訳】基本給260,000円
㈱日本貿易保険	*234*	【初任給】240,800円　【内訳】基本給240,800円
中央労働金庫	*235*	【初任給】230,000円　【内訳】基本給230,000円
●共済●		
ＪＡ共済連	*235*	【初任給】247,990円　【内訳】基本給247,990円
全国生活協同組合連合会	*236*	【初任給】260,000円　【内訳】基本給260,000円
全国労働者共済生活協同組合連合会	*236*	【初任給】297,060円　【内訳】（研修職員）職能資格給203,760円 成果給29,500円 地域手当63,800円（東京区部）
日本コープ共済生活協同組合連合会	*237*	【初任給】225,000円　【内訳】本人給180,000円 職能給25,000円 地域手当20,000円（東京勤務の場合）
●証券●		
大和証券グループ	*237*	【初任給】290,000円　【内訳】基本給290,000円
ＳＢＩホールディングス㈱	*238*	【初任給】300,000円　【内訳】基本給300,000円
野村證券㈱	*238*	【初任給】<オープンコース・エリアコース>265,000円　【内訳】<総合職オープンコース・エリアコース>基本給265,000円
みずほ証券㈱	*239*	【初任給】260,000円　【内訳】基本給260,000円
ＳＭＢＣ日興証券㈱	*239*	【初任給】<総合コース>（全国型）302,000円（地域型）282,000円　【内訳】<総合コース>（全国型）基本給265,000円 退職金前払給37,000円（地域型）基本給245,000円 退職金前払給37,000円
㈱日本取引所グループ	*240*	【初任給】240,000円　【内訳】基本給240,000円
岡三証券㈱	*241*	【初任給】250,000円　【内訳】基本給250,000円
松井証券㈱	*242*	【初任給】300,000円　【内訳】基本給300,000円

会社名　(掲載ページ)		初任給(大卒総合職)の内訳
いちよし証券㈱	242	【初任給】＜全国転勤型＞265, 000円＜地域限定型＞253, 000円　【内訳】＜全国転勤型＞基本給265, 000円＜地域限定型＞基本給253, 000円
水戸証券㈱	243	【初任給】261, 000円　【内訳】本給246, 000円 営業手当15, 000円
東洋証券㈱	243	【初任給】256, 000円　【内訳】＜基幹職営業職＞役割給239, 200円 職務給16, 800円※広域エリア・エリア、営業・スタッフで給与は異なる
三菱ＵＦＪアセットマネジメント㈱	244	【初任給】281, 300円　【内訳】基本給281, 300円
●生保●		
日本生命保険(相)	245	【初任給】246, 000円＜エリア総合職＞226, 000円　【内訳】＜総合職＞基準内賃金246, 000円＜エリア総合職＞基準内賃金226, 000円
住友生命保険(相)	246	【初任給】235, 000円　【内訳】＜Gコース＞基本給235, 000円＜Aコース＞基本給230, 000円＜Rコース＞基本給220, 000円
アフラック生命保険㈱	247	【初任給】271, 000円　【内訳】職務給271, 000円
大樹生命保険㈱	248	【初任給】＜総合職＞275, 000円(試用期間4～6月は235, 000円)＜エリア総合職＞240, 000円(試用期間4～6月は210, 000円)　【内訳】＜総合職＞基本給235, 000円 勤務加算40, 000円＜エリア総合職＞基本給210, 000円 勤務加算30, 000円
アクサ生命保険㈱	248	【初任給】346, 250円　【内訳】＜営業部門＞月給346, 250円(基本給296, 250円 営業手当50, 000円 時間外労働手当)＜非営業部門＞月給301, 250円(基本給296, 250円 在宅勤務手当5, 000円 時間外労働手当)
大同生命保険㈱	249	【初任給】240, 000円　【内訳】(全国型)基本給240, 000円(地域型)基本給210, 000円
東京海上日動あんしん生命保険㈱	249	【初任給】263, 150円　【内訳】基本給243, 150円 ”挑”手当20, 000円
三井住友海上あいおい生命保険㈱	251	【初任給】＜全国転勤型＞249, 490円＜地域限定型＞218, 520円　【内訳】＜全国転勤型＞249, 490円＜地域限定型＞218, 520円
オリックス生命保険㈱	251	【初任給】270, 000円　【内訳】基本給270, 000円
ＳＯＭＰＯひまわり生命保険㈱	252	【初任給】260, 834円　【内訳】基本給260, 834円
朝日生命保険(相)	252	【初任給】＜全国型＞275, 000円＜ブロック型＞264, 000円＜地域型＞195, 000円　【内訳】＜全国型＞基本給214, 480円 勤務加算60, 520円＜ブロック型＞基本給205, 880円 勤務加算58, 120円＜地域型＞基本給195, 000円
●損保●		
東京海上日動火災保険㈱	253	【初任給】＜総合職・担当者クラス＞263, 240円＜総合職(エリア限定)・担当者クラス＞220, 560円　【内訳】＜総合職・担当者クラス＞基本給243, 240円 Myチャレンジ・インセンティブ20, 000円＜総合職(エリア限定)・担当者クラス＞基本給200, 560円 Myチャレンジ・インセンティブ20, 000円
三井住友海上火災保険㈱	254	【初任給】227, 000～276, 000円　【内訳】役割給191, 610円(コース共通)転居転勤加算・定額時間外給(コース等により異なる)他
あいおいニッセイ同和損害保険㈱	254	【初任給】＜基幹社員＞210, 400～268, 863円　【内訳】＜基幹社員(転居可)＞資格給130, 850～151, 450円 担当手当69, 550円 転居同意加給・居住地給0～37, 863円 新生活応援手当10, 000円
共栄火災海上保険㈱	255	【初任給】＜全国型＞250, 900円＜ワイドエリア型＞235, 700円＜勤務地限定型＞226, 100円　【内訳】＜全国型＞本給224, 000円 厚年手当16, 900円 キャリア形成支援手当10, 000円＜ワイドエリア型＞本給192, 400円 厚年手当13, 300円 地域手当20, 000円 キャリア形成支援手当10, 000円＜勤務地限定型＞本給182, 800円 厚年手当13, 300円 地域手当20, 000円 キャリア形成支援手当10, 000円
ソニー損害保険㈱	256	【初任給】243, 000円　【内訳】基本給243, 000円
日新火災海上保険㈱	256	【初任給】245, 350円　【内訳】＜全国型＞基本給153, 350円 役割給79, 000円 渉外手当13, 000円＜広域型＞基本給126, 440円 役割給79, 000円 渉外手当13, 000円＜地域型＞基本給101, 500円 役割給79, 000円 渉外手当13, 000円 地区勤務手当20, 000円

業種別・初任給の内訳 1,165 社

会社名	（掲載ページ）	初任給（大卒総合職）の内訳
●代理店●		
㈱アドバンスクリエイト	257	【初任給】243,400円　【内訳】月給243,400円（自己投資支援手当一律10,000円含む）
共立㈱	257	【初任給】241,630円　【内訳】基本給241,630円
●信販・カード・リース他●		
オリックス㈱	258	【初任給】＜全国型＞270,000円＜地域限定型＞262,000円　【内訳】＜全国型＞基本給270,000円＜地域限定型＞基本給262,000円
三井住友ファイナンス＆リース㈱	258	【初任給】267,000円　【内訳】基本給267,000円
三菱ＨＣキャピタル㈱	259	【初任給】293,000円　【内訳】基本給293,000円
東京センチュリー㈱	259	【初任給】＜全国勤務型＞270,000円＜首都圏勤務型＞243,000円　【内訳】＜全国勤務型＞基本給270,000円＜首都圏勤務型＞基本給243,000円
芙蓉総合リース㈱	260	【初任給】＜全国型＞基本給260,000円＜首都圏限定型＞基本給227,300円　【内訳】＜全国型＞基本給260,000円＜首都圏限定型＞基本給227,300円
みずほリース㈱	260	【初任給】＜総合職＞270,000円＜地域限定総合職＞247,000円　【内訳】＜総合職＞基本給270,000円＜地域限定総合職＞基本給247,000円
ＪＡ三井リース㈱	261	【初任給】260,000円　【内訳】基本給260,000円
ＮＴＴ・ＴＣリース㈱	261	【初任給】262,790円　【内訳】グレード賃金180,840円 成果手当75,540円 採用調整加算6,410円
㈱ＪＥＣＣ	262	【初任給】270,000円　【内訳】基本給270,000円
リコーリース㈱	262	【初任給】260,000円　【内訳】基本給238,000円 資格手当22,000円
三井住友トラスト・パナソニックファイナンス㈱	263	【初任給】＜全国＞240,000円＜地域＞210,000円　【内訳】＜全国勤務総合職＞基本給240,000円＜地域限定勤務総合職＞基本給210,000円
住友三井オートサービス㈱	264	【初任給】240,000円　【内訳】職能給240,000円
ＮＥＣキャピタルソリューション㈱	264	【初任給】260,000円　【内訳】基本給260,000円
三井住友カード㈱	265	【初任給】255,000円　【内訳】基本給255,000円
三菱ＵＦＪニコス㈱	266	【初任給】225,000円　【内訳】基本給225,000円
イオンフィナンシャルサービス㈱	266	【初任給】265,000円　【内訳】基本給265,000円
㈱クレディセゾン	267	【初任給】246,000円　【内訳】基本給246,000円
トヨタファイナンス㈱	267	【初任給】257,200円　【内訳】基本給257,200円
㈱オリエントコーポレーション	268	【初任給】240,000円　【内訳】基本給240,000円
㈱ジャックス	268	【初任給】250,000円　【内訳】全国転勤型250,000円 地域限定型230,000円※業務内容は同じ
ユーシーカード㈱	269	【初任給】235,000円　【内訳】基本給235,000円
アコム㈱	269	【初任給】260,000円　【内訳】基本給260,000円
ＳＭＢＣコンシューマーファイナンス㈱	270	【初任給】255,000円　【内訳】基本給255,000円
アイフル㈱	270	【初任給】256,000円　【内訳】基本給256,000円
●テレビ●		
㈱テレビ朝日	273	【初任給】293,553円　【内訳】基準賃金226,000円 固定残業（15時間分）30,053円 ワークライフバランス手当月平均37,500円
㈱フジテレビジョン	273	【初任給】302,100円　【内訳】基準賃金260,500円 クリエイティブ手当・ライフサポート手当41,600円
㈱テレビ東京	274	【初任給】281,600円　【内訳】基本給256,000円 固定手当25,600円
㈱テレビ静岡	275	【初任給】240,000円　【内訳】基本給240,000円

会社名 （掲載ページ）		初任給（大卒総合職）の内訳
中京テレビ放送㈱	275	【初任給】252,400円 【内訳】基本給154,500円 資格給45,700円 固定残業手当（15時間）24,200円 住宅手当28,000円
朝日放送テレビ㈱	276	【初任給】275,000円 【内訳】基本給275,000円
讀賣テレビ放送㈱	276	【初任給】（住宅手当等含む）296,000円 【内訳】（住宅手当等含む）296,000
関西テレビ放送㈱	277	【初任給】250,100円 【内訳】基本給250,100円
テレビ大阪㈱	278	【初任給】240,000円 【内訳】基本給240,000円
岡山放送㈱	279	【初任給】224,804～236,704円 【内訳】基本給175,000円 住宅手当（実家）40,300円（賃貸）52,200円 健康保険補助手当9,504円
●広告●		
㈱電通	280	【初任給】355,925円 【内訳】基本給275,600円 リモートワーク手当6,300円 固定時間外手当（30時間）74,025円
㈱博報堂	280	【初任給】（年俸制）3,600,000円 【内訳】年俸制3,600,000円
㈱東急エージェンシー	281	【初任給】239,900円 【内訳】基本給239,900円
㈱東北新社	282	【初任給】215,000円 【内訳】基本給215,000円
㈱朝日広告社	283	【初任給】240,000円 【内訳】基本給240,000円
㈱セプテーニ・ホールディングス	284	【初任給】365,000円 【内訳】基本給360,000円 在宅勤務手当5,000円
㈱ＣＡＲＴＡ ＨＯＬＤＩＮＧＳ	284	【初任給】（年俸制）4,080,000円＜技術系＞5,040,000円 【内訳】340,000円（固定残業代92,761円（所定時間外45時間分および深夜割増15時間分相当）ライフプラン支援金55,000円を含む）＜技術系＞420,000円（固定残業代114,601円（所定時間外45時間分および深夜割増15時間分相当）ライフプラン支援金55,000円を含む）
㈱オリコム	285	【初任給】245,000円 【内訳】基本給245,000円
㈱読売広告社	285	【初任給】250,000円 【内訳】基本給250,000円
㈱大広	286	【初任給】234,600円（東京）249,600円 【内訳】基本給234,600円 地域手当15,000円（東京地区）
㈱電通東日本	286	【初任給】236,000円 【内訳】基本給184,000円 グレード給（一律）52,000円
㈱ＡＯＩ Ｐｒｏ.	287	【初任給】250,000円 【内訳】基本給181,000円 みなし残業手当69,000円（45時間、深夜10時間分※超過分は別途支給）
㈱プロトコーポレーション	287	【初任給】256,000円 【内訳】基本給214,859円 定額時間外手当41,141円（25時間分※超過分別途支給）
㈱電通ＰＲコンサルティング	288	【初任給】220,000円 【内訳】基本給220,000円
●新聞●		
読売新聞社	290	【初任給】294,000円 【内訳】基本給294,000円
㈱毎日新聞社	291	【初任給】227,500円 【内訳】基準内賃金224,500円 調整手当3,000円
㈱北海道新聞社	292	【初任給】246,100円 【内訳】基本賃金246,100円
㈱河北新報社	293	【初任給】240,200円 【内訳】基本給240,200円
信濃毎日新聞㈱	293	【初任給】231,000円 【内訳】本給217,000円 厚生手当7,000円 通勤手当7,000円
㈱山陽新聞社	294	【初任給】224,870円 【内訳】基本給153,140円 資格給51,730円 ユースサポート手当20,000円
㈱中国新聞社	294	【初任給】245,900円 【内訳】基本給222,900円 厚生手当20,000円 ワークスタイル手当3,000円
㈱西日本新聞社	295	【初任給】236,763円 【内訳】基本給158,763円 役割給78,000円

業種別・初任給の内訳 1,165 社

会社名	*（掲載ページ）*	初任給（大卒総合職）の内訳
●通信社●		
(一社)共同通信社	*295*	【初任給】＜一般記者 運動記者 英文記者 写真・映像記者 技術職員＞255,700円＜校閲専門記者・編集職員＞210,000円＜総合事務職員＞223,000円 【内訳】＜一般記者 運動記者 英文記者 写真・映像記者 技術職員＞基本給255,700円＜校閲専門記者・編集職員＞基本給210,000円＜総合事務職員＞基本給223,000円
㈱時事通信社	*296*	【初任給】270,500円 【内訳】基本給238,000円 住宅手当32,500円（首都圏在住の単身者の場合）
●出版●		
㈱ＫＡＤＯＫＡＷＡ	*296*	【初任給】260,000円 【内訳】基本給260,000円
㈱講談社	*297*	【初任給】268,260円 【内訳】本給268,260円
㈱東洋経済新報社	*297*	【初任給】280,030円 【内訳】基本給243,290円 評価給36,740円
㈱医学書院	*298*	【初任給】305,880円 【内訳】基本給305,880円
学研グループ	*298*	【初任給】260,000円 【内訳】基本給260,000円
東京書籍㈱	*299*	【初任給】263,000円 【内訳】基本給235,000円 住宅手当17,000円 社会保険手当11,000円（都内・単身世帯主の場合）
㈱文溪堂	*299*	【初任給】218,000円 【内訳】基本給218,000円
●メディア・映像・音楽●		
スカパーＪＳＡＴ㈱	*300*	【初任給】300,000円 【内訳】基本給300,000円
●電機・事務機器●		
㈱日立製作所	*304*	【初任給】250,000円 【内訳】基本給250,000円
三菱電機㈱	*304*	【初任給】250,000円 【内訳】基本給250,000円
富士通㈱	*305*	【初任給】264,000円 【内訳】基本給264,000円
ＮＥＣ	*305*	【初任給】280,000円 【内訳】基本月収280,000円
㈱東芝	*306*	【初任給】250,000円 【内訳】基準賃金250,000円
ソニーグループ㈱	*306*	【初任給】275,000円～ 【内訳】ベース給275,000円
パナソニックグループ	*307*	【初任給】（パナソニック HD）250,000円 【内訳】基本給250,000円
シャープ㈱	*307*	【初任給】251,000円 【内訳】基本給251,000円
㈱ニコン	*308*	【初任給】247,000円 【内訳】基本給247,000円
㈱デンソーテン	*308*	【初任給】254,000円 【内訳】本給48,500円 ライフプラン給36,000円 コンピテンシ給169,500円
㈱ＪＶＣケンウッド	*309*	【初任給】250,000円 【内訳】基本給250,000円
カシオ計算機㈱	*309*	【初任給】257,000円 【内訳】基本給257,000円
象印マホービン㈱	*310*	【初任給】232,000円 【内訳】基礎給102,000円 職務職能給130,000円
キヤノン㈱	*310*	【初任給】250,000円 【内訳】基本給250,000円
富士フイルムビジネスイノベーション㈱	*311*	【初任給】280,000円 【内訳】基本給280,000円
㈱リコー	*311*	【初任給】250,000円 【内訳】基本給250,000円
セイコーエプソン㈱	*312*	【初任給】253,000円 【内訳】基本給253,000円
コニカミノルタ㈱	*312*	【初任給】248,550円 【内訳】基本給248,550円
ブラザー工業㈱	*313*	【初任給】247,400円 【内訳】基本給247,400円
東芝テック㈱	*313*	【初任給】250,000円 【内訳】基本給250,000円
京セラドキュメントソリューションズ㈱	*314*	【初任給】260,000円 【内訳】基本給260,000円
沖電気工業㈱	*314*	【初任給】253,000円 【内訳】基本給253,000円

会社名　（掲載ページ）		初任給(大卒総合職)の内訳
㈱ＰＦＵ	315	【初任給】245,000円　【内訳】基本給245,000円
マックス㈱	315	【初任給】230,600円　【内訳】基本給230,600円
理想科学工業㈱	316	【初任給】249,450円　【内訳】基本給235,450円 住宅手当11,000円 地域手当3,000円
千代田インテグレ㈱	316	【初任給】250,000円　【内訳】基本給250,000円
富士電機㈱	317	【初任給】250,000円　【内訳】職能給250,000円
㈱キーエンス	317	【初任給】＜B職＞250,000円　【内訳】基本給220,000円 地域住宅補助30,000円(大阪勤務・独身の場合)
オムロン㈱	318	【初任給】250,000円　【内訳】基本給250,000円
㈱安川電機	318	【初任給】250,000円　【内訳】基本給250,000円
㈱堀場製作所	319	【初任給】245,200円　【内訳】基本給245,200円
㈱明電舎	320	【初任給】250,000円　【内訳】本給250,000円
㈱ＴＭＥＩＣ	320	【初任給】251,000円　【内訳】基本給251,000円
㈱ダイヘン	321	【初任給】250,000円　【内訳】基本給250,000円
日本電子㈱	321	【初任給】247,000円　【内訳】基本給247,000円
日東工業㈱	322	【初任給】230,000円　【内訳】基本給230,000円
㈱イシダ	322	【初任給】280,000円　【内訳】基本給245,000円 住宅手当5,000円 チャレンジャーズ手当30,000円
日新電機㈱	323	【初任給】250,000円　【内訳】基本給250,000円
㈱日立パワーソリューションズ	323	【初任給】250,000円　【内訳】本給250,000円
古野電気㈱	324	【初任給】250,500円　【内訳】基本給250,500円
日本信号㈱	325	【初任給】250,000円　【内訳】基本給250,000円
アジレント・テクノロジー㈱	325	【初任給】247,200円　【内訳】基本給247,200円
●電子部品・機器●		
ニデック㈱	326	【初任給】256,000円　【内訳】基本給256,000円
ＴＤＫ㈱	326	【初任給】265,000円　【内訳】基本給265,000円
京セラ㈱	327	【初任給】260,000円　【内訳】基本給260,000円
㈱村田製作所	327	【初任給】260,000円　【内訳】基本給260,000円
ルネサスエレクトロニクス㈱	328	【初任給】250,000円　【内訳】基本給250,000円
ミネベアミツミ㈱	328	【初任給】250,000円　【内訳】基本給189,000円 職務手当56,000円 地域手当5,000円
キオクシア㈱	329	【初任給】232,000円　【内訳】基本給232,000円
アルプスアルパイン㈱	329	【初任給】250,000円　【内訳】基本給250,000円
日東電工㈱	330	【初任給】260,000円　【内訳】基本給260,000円
日亜化学工業㈱	330	【初任給】250,000円　【内訳】基本給250,000円
ローム㈱	331	【初任給】247,000円　【内訳】基本給247,000円
イビデン㈱	331	【初任給】262,000円　【内訳】職務給262,000円
ＮＥＣプラットフォームズ㈱	332	【初任給】254,200円　【内訳】基本給254,200円
太陽誘電㈱	332	【初任給】250,050円　【内訳】基本給250,050円
シチズン時計㈱	333	【初任給】250,000円　【内訳】役割業績給230,000円 ライフプラン給20,000円
アズビル㈱	333	【初任給】250,000円　【内訳】基本給250,000円
セイコーグループ㈱	334	【初任給】240,000円　【内訳】基本給240,000円
サンケン電気㈱	334	【初任給】256,000円　【内訳】基本給256,000円
日本航空電子工業㈱	335	【初任給】250,000円　【内訳】基本給250,000円
浜松ホトニクス㈱	335	【初任給】237,390円　【内訳】基本給232,800円 皆勤手当4,590円
㈱ソシオネクスト	336	【初任給】255,000円　【内訳】基本給255,000円
㈱トプコン	336	【初任給】230,000円　【内訳】基本給230,000円

業種別・初任給の内訳 1,165 社

会社名 （掲載ページ）		初任給（大卒総合職）の内訳
新光電気工業㈱	337	【初任給】245, 000円 【内訳】基本給245, 000円
㈱三井ハイテック	337	【初任給】247, 000円 【内訳】基本給247, 000円
ニチコン㈱	338	【初任給】253, 000円 【内訳】基本給219, 200円 等級手当33, 800円
㈱メイコー	338	【初任給】271, 600円 【内訳】基本給271, 600円
マブチモーター㈱	339	【初任給】250, 000円 【内訳】基本給250, 000円
ＮＩＳＳＨＡ㈱	339	【初任給】240, 000円 【内訳】基本給238, 000円 食事手当2, 000円
日本ケミコン㈱	340	【初任給】232, 000円 【内訳】基本給232, 000円
マクセル㈱	341	【初任給】250, 000円 【内訳】基本給250, 000円
フォスター電機㈱	341	【初任給】250, 300円 【内訳】基本給250, 300円
アンリツ㈱	342	【初任給】250, 000円 【内訳】基本給78, 250円 職能給86, 500円 加算給85, 250円
㈱タムラ製作所	342	【初任給】244, 000円 【内訳】基本給244, 000円
シンフォニアテクノロジー㈱	343	【初任給】250, 000円 【内訳】基本給250, 000円
新電元工業㈱	343	【初任給】237, 500円 【内訳】基本給237, 500円
富士通フロンテック㈱	344	【初任給】241, 000円 【内訳】基本給241, 000円
日本シイエムケイ㈱	344	【初任給】210, 300円 【内訳】基本給201, 000円 精皆勤手当6, 000円 食事手当3, 300円
㈱タムロン	345	【初任給】248, 300円 【内訳】基本給248, 300円
オリエンタルモーター㈱	345	【初任給】255, 200円 【内訳】基本給167, 500円 採用調整手当42, 700円 転勤待機手当45, 000円
㈱日立国際電気	346	【初任給】250, 000円 【内訳】基本給250, 000円
東京計器㈱	346	【初任給】228, 000円 【内訳】基本給228, 000円
ＳＭＫ㈱	347	【初任給】232, 000円 【内訳】基本給232, 000円
㈱アイ・オー・データ機器	347	【初任給】214, 500円 【内訳】基本給214, 500円
メクテック㈱	348	【初任給】232, 500円 【内訳】基本給232, 500円
㈱ナカヨ	348	【初任給】210, 000円 【内訳】職能給基礎額202, 000円 年齢給8, 000円
㈱エヌエフホールディングス	349	【初任給】210, 200～215, 700円 【内訳】基本給197, 700円 住宅手当（実家）12, 500円（賃貸）18, 000円
日本テキサス・インスツルメンツ（合同）	349	【初任給】390, 870円 【内訳】基本給390, 870円
東京エレクトロン㈱	350	【初任給】275, 800円 【内訳】基本給275, 800円
横河電機㈱	350	【初任給】245, 000円 【内訳】基本給245, 000円
㈱ＳＣＲＥＥＮホールディングス	351	【初任給】255, 000円 【内訳】基本給255, 000円
㈱アドバンテスト	351	【初任給】267, 000円 【内訳】基本給248, 730円 ライフプラン給基準額18, 270円
㈱ディスコ	352	【初任給】354, 900円 【内訳】基本給（資格給＋職能給＋コミット手当）343, 900円 都市手当11, 000円（東京本社）
㈱アルバック	352	【初任給】224, 700円 【内訳】基本給224, 700円
レーザーテック㈱	353	【初任給】275, 000円 【内訳】基本給275, 000円
㈱ＫＯＫＵＳＡＩ ＥＬＥＣＴＲＩＣ	353	【初任給】268, 500円 【内訳】基本給268, 500円
ウシオ電機㈱	354	【初任給】232, 000円 【内訳】基本給232, 000円
㈱東京精密	354	【初任給】248, 000円 【内訳】基本給235, 000円 住宅手当13, 000円
ローツェ㈱	355	【初任給】252, 000円 【内訳】基本給252, 000円
●住宅・医療機器他●		
ホーチキ㈱	355	【初任給】231, 000円 【内訳】基本給231, 000円
アイホン㈱	356	【初任給】230, 000円 【内訳】本人給104, 500円 職能給125, 500円
オリンパス㈱	356	【初任給】236, 000円 【内訳】基本給236, 000円

会社名 (掲載ページ)		初任給(大卒総合職)の内訳
テルモ(株)	357	【初任給】233,500円 【内訳】基本給233,500円
キヤノンメディカルシステムズ(株)	358	【初任給】245,000円 【内訳】基本給245,000円
シスメックス(株)	358	【初任給】250,000円 【内訳】基本給250,000円
日本光電	359	【初任給】248,000円 【内訳】基本給248,000円
日機装(株)	359	【初任給】239,650円 【内訳】基本給228,850円 本社・営業所地域手当10,800円

●自動車●

会社名 (掲載ページ)		初任給(大卒総合職)の内訳
本田技研工業(株)	360	【初任給】251,000円 【内訳】本給171,100円 業績加給42,840円 号給加給28,560円 能力開発手当8,500円
日産自動車(株)	361	【初任給】250,000円 【内訳】基本給250,000円
マツダ(株)	362	【初任給】236,000円 【内訳】基本給236,000円
(株)SUBARU	362	【初任給】252,000円 【内訳】基本給252,000円
日野自動車(株)	364	【初任給】254,000円 【内訳】基本給254,000円
UDトラックス(株)	365	【初任給】265,000円 【内訳】基本給265,000円
ヤマハ発動機(株)	365	【初任給】250,000円 【内訳】基本給250,000円
カワサキモータース(株)	366	【初任給】260,000円 【内訳】基本給260,000円

●自動車部品●

会社名 (掲載ページ)		初任給(大卒総合職)の内訳
トヨタ車体(株)	366	【初任給】254,000円 【内訳】基本給254,000円
ダイハツ九州(株)	367	【初任給】225,560円 【内訳】基本給223,060円 食事手当2,500円
日産車体(株)	367	【初任給】224,000円 【内訳】基本給224,000円
トヨタ自動車東日本(株)	368	【初任給】254,000円 【内訳】基本給254,000円
マザーサンヤチヨ・オートモーティブシステムズ(株)	368	【初任給】217,460円 【内訳】基本給189,960円 進化育成手当4,000円 ライフプラン手当23,500円
(株)デンソー	369	【初任給】254,000円 【内訳】基本給228,500円 ライフプラン原資25,500円
(株)アイシン	369	【初任給】258,000円 【内訳】基本給258,000円
豊田合成(株)	370	【初任給】254,000円 【内訳】基本給254,000円
(株)東海理化	371	【初任給】254,000円 【内訳】役割給254,000円
(株)GSユアサ	371	【初任給】254,100円 【内訳】基本給254,100円
(株)ブリヂストン	372	【初任給】264,200円 【内訳】基本給264,200円
住友ゴム工業(株)	372	【初任給】234,100円 【内訳】基本給126,400円 職能給100,700円 付加給7,000円
横浜ゴム(株)	373	【初任給】230,600円 【内訳】基本給230,600円
TOYO TIRE(株)	373	【初任給】237,700円 【内訳】職能給228,700円 住宅手当2,000円 勤務地手当7,000円
住友理工(株)	374	【初任給】225,500円 【内訳】基本給225,500円 地域手当5,000円
テイ・エス テック(株)	374	【初任給】240,000円 【内訳】基本給240,000円(精勤手当3,000円含む)
(株)タチエス	375	【初任給】204,500円 【内訳】基本給204,500円
アイシンシロキ(株)	375	【初任給】220,000円 【内訳】基本給220,000円
(株)ミツバ	376	【初任給】226,000円 【内訳】基本給226,000円
(株)ハイレックスコーポレーション	376	【初任給】223,000円 【内訳】基本給223,000円
住友電装(株)	377	【初任給】260,000円 【内訳】基準給260,000円
矢崎総業(株)	377	【初任給】240,200円 【内訳】基本給228,060円 調整給9,140円 等級手当3,000円
NOK(株)	378	【初任給】232,500円 【内訳】基本給232,500円
イーグル工業(株)	378	【初任給】232,500円 【内訳】基本給232,500円
スタンレー電気(株)	379	【初任給】234,805円 【内訳】基本給234,805円

業種別・初任給の内訳 1,165 社

会社名 (掲載ページ)		初任給(大卒総合職)の内訳
フタバ産業㈱	379	【初任給】254,000円 【内訳】職能給174,300円 習熟給69,700円 職能資格手当10,000円
㈱三五	380	【初任給】254,000円 【内訳】基本給254,000円
豊田鉄工㈱	380	【初任給】257,000円 【内訳】基本給253,000円 生産手当4,000円
東プレ㈱	381	【初任給】235,000円 【内訳】基本給235,000円
㈱ジーテクト	381	【初任給】240,000円 【内訳】基本給240,000円
ユニプレス㈱	382	【初任給】240,000円 【内訳】役割給191,000円 加算給49,000円
トピー工業㈱	382	【初任給】250,000円 【内訳】基本給250,000円
㈱エイチワン	383	【初任給】218,680円 【内訳】基本給218,680円
太平洋工業㈱	383	【初任給】238,000円 【内訳】基本給235,000円 一律支給手当3,000円
プレス工業㈱	384	【初任給】232,900円 【内訳】資格給99,546円 年齢給77,684円 精勤手当3,000円 その他52,670円
㈱アドヴィックス	384	【初任給】258,000円 【内訳】基本給258,000円
ジヤトコ㈱	385	【初任給】222,000円 【内訳】基本給222,000円
日清紡ホールディングス㈱	385	【初任給】240,450円 【内訳】基本給240,450円
日本発条㈱	386	【初任給】230,120円 【内訳】基本給230,120円
㈱ヨロズ	386	【初任給】225,500円 【内訳】基本給225,500円
中央発條㈱	387	【初任給】254,000円 【内訳】基本給254,000円
カヤバ㈱	387	【初任給】229,500円 【内訳】基本給229,500円
愛三工業㈱	388	【初任給】254,000円 【内訳】基本給254,000円
武蔵精密工業㈱	388	【初任給】250,000円 【内訳】基本給250,000円
㈱エクセディ	389	【初任給】238,000円 【内訳】基本給238,000円
㈱エフテック	389	【初任給】210,370円 【内訳】基本給210,370円
㈱エフ・シー・シー	390	【初任給】224,600円 【内訳】基本給224,600円
オートリブ㈱	391	【初任給】215,000円 【内訳】基本給215,000円
バンドー化学㈱	391	【初任給】260,800円 【内訳】基本給254,800円 給食手当6,000円
三ツ星ベルト㈱	392	【初任給】254,600円 【内訳】基本給238,000円 地域手当7,900円 住宅手当8,700円
㈱ニフコ	392	【初任給】240,000円 【内訳】基本給240,000円
ダイキョーニシカワ㈱	393	【初任給】213,600円 【内訳】基本給213,600円
リョービ㈱	393	【初任給】230,000円 【内訳】基本給230,000円
㈱アーレスティ	394	【初任給】230,000円 【内訳】基本給230,000円
ＴＰＲ㈱	394	【初任給】240,000円 【内訳】基本給240,000円
●輸送用機器●		
今治造船㈱	395	【初任給】237,366円 【内訳】基本給237,366円
㈱三井Ｅ＆Ｓ	395	【初任給】237,700円 【内訳】基本給237,700円
ジャパン マリンユナイテッド㈱	396	【初任給】229,000円 【内訳】本給84,600円 職能給144,400円
㈱名村造船所	396	【初任給】225,000円 【内訳】基本給225,000円
新明和工業㈱	397	【初任給】250,000円 【内訳】基本給250,000円
極東開発工業㈱	397	【初任給】227,500円 【内訳】基本給227,500円
㈱モリタホールディングス	398	【初任給】240,930円 【内訳】基本給240,930円
三菱ロジスネクスト㈱	398	【初任給】251,000円 【内訳】基本給244,200円 食事補助6,000円 共済会補助800円
㈱シマノ	399	【初任給】266,320円 【内訳】基本給236,320円 クオリティオブライフ手当30,000円
●機械●		
三菱重工業㈱	399	【初任給】260,000円 【内訳】本給69,700円 職能給156,200円 調整給34,100円

会社名 *（掲載ページ）*		初任給（大卒総合職）の内訳
川崎重工業㈱	*400*	【初任給】260,000円 【内訳】基本給260,000円
三井海洋開発㈱	*401*	【初任給】257,900円 【内訳】基本給257,900円
㈱クボタ	*401*	【初任給】274,000円 【内訳】基本給274,000円
日立建機㈱	*402*	【初任給】260,000円 【内訳】基本給260,000円
ヤンマーホールディングス㈱	*402*	【初任給】255,000円 【内訳】基本給255,000円
コベルコ建機㈱	*403*	【初任給】262,000円 【内訳】基本給262,000円
㈱タダノ	*403*	【初任給】230,500円 【内訳】基本給230,500円
古河機械金属㈱	*404*	【初任給】251,000円 【内訳】基本給251,000円
井関農機㈱	*404*	【初任給】231,000円 【内訳】基本給231,000円
㈱やまびこ	*405*	【初任給】240,570円 【内訳】基本給240,570円
ダイキン工業㈱	*405*	【初任給】280,000円 【内訳】基本給280,000円
コマツ	*406*	【初任給】（全社採用）276,600円（事業所採用）255,600円 【内訳】（全社採用）基本給276,600円（事業所採用）基本給255,600円
ホシザキ㈱	*406*	【初任給】235,600円 【内訳】基本給205,900円 地域手当（本社勤務）29,700円
㈱富士通ゼネラル	*407*	【初任給】250,000円 【内訳】基本給250,000円
㈱キッツ	*407*	【初任給】230,000円 【内訳】基本給220,000円 グローバル職手当10,000円
アマノ㈱	*408*	【初任給】240,000円 【内訳】基本給162,600円 能力給73,400円 精勤給4,000円
フクシマガリレイ㈱	*408*	【初任給】246,800円 【内訳】基本給229,000円 住宅手当2,000円 業務手当15,800円（固定残業代8.7時間分）
㈱東光高岳	*409*	【初任給】242,000円 【内訳】基本給242,000円
中外炉工業㈱	*409*	【初任給】251,500円 【内訳】基本給225,000円 住宅手当17,000円（最低額※世帯によって変動）昼食手当9,000円 在宅手当500円
㈱ジェイテクト	*410*	【初任給】254,000円 【内訳】基本給254,000円
ＮＴＮ㈱	*410*	【初任給】238,000円 【内訳】基本給238,000円
日本精工㈱	*411*	【初任給】243,000円 【内訳】基本給243,000円
㈱不二越	*412*	【初任給】243,200円 【内訳】基本給243,200円
㈱日本製鋼所	*412*	【初任給】241,700円 【内訳】基本給241,700円
オイレス工業㈱	*413*	【初任給】236,770円 【内訳】基本給236,770円
住友重機械工業㈱	*413*	【初任給】260,190円 【内訳】基本給260,190円
ＳＭＣ㈱	*414*	【初任給】255,500円 【内訳】基本給255,500円
㈱マキタ	*414*	【初任給】240,000円 【内訳】基本給240,000円
㈱ダイフク	*415*	【初任給】256,000円 【内訳】基本給256,000円
村田機械㈱	*415*	【初任給】242,000円 【内訳】基本給242,000円
三菱電機ビルソリューションズ㈱	*416*	【初任給】250,000円 【内訳】基本給＋職能給
グローリー㈱	*416*	【初任給】221,500～228,500円 【内訳】基本給221,500～228,500円
ナブテスコ㈱	*417*	【初任給】250,200円 【内訳】基本給250,200円
㈱椿本チエイン	*417*	【初任給】258,000円 【内訳】基本給253,000円 食事手当5,000円
フジテック㈱	*418*	【初任給】230,000円 【内訳】基本給230,000円
オーエスジー㈱	*418*	【初任給】220,710円 【内訳】本給171,290円 調整給49,420円
㈱ミツトヨ	*419*	【初任給】239,500円 【内訳】基本給239,500円
サトーホールディングス㈱	*419*	【初任給】230,000円 【内訳】月額基本年俸212,000円 前払退職金15,000円 住宅手当3,000円～
ＣＫＤ㈱	*420*	【初任給】235,000円 【内訳】基本給235,000円
㈱ＦＵＪＩ	*420*	【初任給】248,000円 【内訳】資格給102,000円 職能給146,000円
新東工業㈱	*421*	【初任給】245,000円 【内訳】基本給（本人給＋仕事給）245,000円

業種別・初任給の内訳 1,165社

会社名	（掲載ページ）	初任給（大卒総合職）の内訳
㈱小森コーポレーション	421	【初任給】240,000円　【内訳】基本給240,000円
ＪＵＫＩ㈱	422	【初任給】235,000円　【内訳】基本給235,000円
ホソカワミクロン㈱	422	【初任給】230,350円　【内訳】基本給135,200円　役割給95,150円
サノヤスホールディングス㈱	423	【初任給】231,000円　【内訳】基本給231,000円
富士精工㈱	423	【初任給】205,400円　【内訳】基本給205,400円
三木プーリ㈱	424	【初任給】212,600円　【内訳】基本給212,600円
ファナック㈱	424	【初任給】276,000円　【内訳】基本給276,000円
ＤＭＧ森精機㈱	425	【初任給】300,000円　【内訳】基本給300,000円
㈱アマダ	425	【初任給】242,200円　【内訳】基本給242,200円
オークマ㈱	426	【初任給】232,100円　【内訳】基本給232,100円
㈱牧野フライス製作所	426	【初任給】232,000円　【内訳】基本給232,000円
芝浦機械㈱	427	【初任給】242,150円　【内訳】基本給242,150円
㈱荏原製作所	427	【初任給】239,000円　【内訳】基本給239,000円
カナデビア㈱	428	【初任給】257,000円　【内訳】基本給257,000円
栗田工業㈱	428	【初任給】250,000円　【内訳】基本給250,000円
メタウォーター㈱	429	【初任給】253,000円　【内訳】基本給253,000円
オルガノ㈱	430	【初任給】269,000円　【内訳】基本給269,000円
㈱タクマ	430	【初任給】242,180円　【内訳】基本給233,500円　資格手当2,000円　調整手当6,680円
㈱神鋼環境ソリューション	431	【初任給】257,100円　【内訳】基本給257,100円

●食品・水産●

会社名	（掲載ページ）	初任給（大卒総合職）の内訳
サントリーホールディングス㈱	434	【初任給】278,000円　【内訳】基本給278,000円
アサヒビール㈱	434	【初任給】273,000円　【内訳】基本給273,000円
キリンホールディングス㈱	435	【初任給】270,000円　【内訳】基本給270,000円
サッポロビール㈱	435	【初任給】245,000円　【内訳】基本給245,000円
宝ホールディングス㈱	436	【初任給】240,590円　【内訳】基本給240,590円
コカ・コーラ ボトラーズジャパン㈱	436	【初任給】210,000円　【内訳】基本給210,000円
㈱ヤクルト本社	437	【初任給】241,500円　【内訳】基本給230,000円　地域手当6,000円　食事手当5,500円
㈱伊藤園	437	【初任給】＜営業職＞モデル240,000円　【内訳】基本給129,000円　資格能力給70,000円　職務手当16,000円　定額時間外手当25,000円
アサヒ飲料㈱	438	【初任給】273,500円　【内訳】基本給273,500円
ダイドードリンコ㈱	438	【初任給】222,000円　【内訳】基本給222,000円
味の素ＡＧＦ㈱	439	【初任給】229,000円　【内訳】基本給229,000円
キーコーヒー㈱	439	【初任給】205,240円　【内訳】基本給205,240円
雪印メグミルク㈱	440	【初任給】230,000円　【内訳】基本給230,000円
森永乳業㈱	440	【初任給】230,000円　【内訳】基本給219,000円　ナショナル社員手当11,000円
ＪＴ	441	【初任給】237,700円　【内訳】基本給237,000円
味の素㈱	441	【初任給】259,000円　【内訳】基本給231,500円　ライフプラン給27,500円
㈱明治	442	【初任給】240,500円　【内訳】基本給240,500円
ニチレイグループ	442	【初任給】236,000円　【内訳】役割給224,000円　地域手当12,000円
不二製油㈱	443	【初任給】236,800円　【内訳】基本給236,800円
日清オイリオグループ㈱	443	【初任給】243,500円　【内訳】基本給243,500円
ハウス食品㈱	444	【初任給】227,900円　【内訳】基本給227,900円
㈱Ｊ-オイルミルズ	444	【初任給】236,000円　【内訳】基本給236,000円
カゴメ㈱	445	【初任給】227,500円　【内訳】役割給227,500円

業種別・初任給の内訳 1,165 社

会社名 （掲載ページ）		初任給（大卒総合職）の内訳
アサヒグループ食品(株)	445	【初任給】273, 500円 【内訳】基本給273, 500円
テーブルマーク(株)	446	【初任給】241, 890円 【内訳】基本給219, 900円 勤務地手当（東京23区の勤務事業所のみ）21, 990円
ホクト(株)	447	【初任給】264, 660円 【内訳】年齢給84, 915円 評価給104, 290円 職務給21, 333円 基幹職給10, 875円 固定残業代（25時間分）43, 247円
ミツカングループ	447	【初任給】225, 000円 【内訳】基本給225, 000円
エスビー食品(株)	448	【初任給】232, 500円 【内訳】基本給232, 500円
キユーピー(株)	449	【初任給】228, 000円 【内訳】基本給228, 000円
ケンコーマヨネーズ(株)	450	【初任給】223, 000円 【内訳】基本給223, 000円
理研ビタミン(株)	450	【初任給】235, 150円 【内訳】基本給221, 350円 食事手当6, 000円 被服手当5, 000円 住宅手当2, 800円
日清食品(株)	451	【初任給】235, 000円 【内訳】基本給97, 000円 職能給138, 000円
東洋水産(株)	451	【初任給】244, 000円 【内訳】基本給238, 000円 地域手当6, 000円
日本ハム(株)	452	【初任給】262, 000円 【内訳】（東京勤務）基本給244, 800円 地域調整手当17, 200円
伊藤ハム米久ホールディングス(株)	452	【初任給】247, 710円 【内訳】基本給217, 310円 調整手当30, 400円
プリマハム(株)	453	【初任給】231, 000円 【内訳】基本給231, 000円
丸大食品(株)	453	【初任給】219, 000円 【内訳】基本給205, 500円 地域手当（13, 500～53, 500円）
江崎グリコ(株)	454	【初任給】254, 000円 【内訳】基本給254, 000円
カルビー(株)	454	【初任給】235, 000円 【内訳】基本給235, 000円
森永製菓(株)	455	【初任給】230, 000円 【内訳】基本給230, 000円
(株)ロッテ	455	【初任給】240, 500円 【内訳】基本給240, 500円
亀田製菓(株)	456	【初任給】229, 100円 【内訳】基本給229, 100円
井村屋グループ(株)	456	【初任給】（名古屋・営業）231, 000円 【内訳】（名古屋・営業）基本給211, 000円 外務手当20, 000円
(株)ニップン	457	【初任給】229, 630円 【内訳】基本給229, 630円
昭和産業(株)	458	【初任給】228, 000円 【内訳】基本給228, 000円
山崎製パン(株)	458	【初任給】254, 100円 【内訳】基本給207, 500円 調整給23, 000円 都市手当23, 600円（勤務地により異なる）
敷島製パン(株)	459	【初任給】237, 400円 【内訳】基本給237, 400円
(株)ＹＫベーキングカンパニー	459	【初任給】222, 800円 【内訳】基本給214, 800円 研修手当8, 000円
フジパングループ本社(株)	460	【初任給】235, 530円 【内訳】本人給205, 930円 仕事給24, 600円 その他手当5, 000円
マルハニチロ(株)	460	【初任給】261, 000円 【内訳】基本給261, 000円
(株)極洋	461	【初任給】287, 000円 【内訳】基本給287, 000円
フィード・ワン(株)	462	【初任給】246, 000円 【内訳】基本給246, 000円
●農林●		
(株)サカタのタネ	462	【初任給】233, 800円 【内訳】基本給233, 800円
カネコ種苗(株)	463	【初任給】232, 000円 【内訳】基本給232, 000円＜技術職＞基本給242, 000円
●印刷・紙パルプ●		
ＴＯＰＰＡＮホールディングス(株)	463	【初任給】254, 000円 【内訳】基本給233, 500円 都市手当10, 500円 ジョブチャレンジ手当10, 000円
大日本印刷(株)	464	【初任給】252, 000円 【内訳】基本給252, 000円（大都市圏）
ＴＯＰＰＡＮエッジ(株)	464	【初任給】254, 000円 【内訳】基本給233, 500円 都市手当（東京都内）10, 500円 ジョブチャレンジ手当10, 000円
共同印刷(株)	465	【初任給】240, 000円 【内訳】基本給240, 000円

業種別・初任給の内訳 1,165社

会社名	（掲載ページ）	初任給（大卒総合職）の内訳
ＴＯＰＰＡＮクロレ㈱	465	【初任給】230,000円　【内訳】基本給230,000円
王子ホールディングス㈱	466	【初任給】236,500円　【内訳】役割給基礎額206,500円　地域手当30,000円（全国一律）
日本製紙㈱	466	【初任給】228,400円　【内訳】基本給218,400円　都市勤務地手当10,000円
レンゴー㈱	467	【初任給】（東京本社）268,000円　【内訳】基本給245,000円　地域手当23,000円（S地域）
大王製紙㈱	467	【初任給】242,600円　【内訳】基本給229,600円　勤務地手当（東京）13,000円
●化粧品・トイレタリー●		
㈱資生堂	468	【初任給】237,890円　【内訳】基本給228,890円　地域手当9,000円（東京23区）
㈱ファンケル	469	【初任給】226,000円　【内訳】基本給226,000円
㈱ポーラ	469	【初任給】254,500円　【内訳】基本給254,500円（定額時間外手当［17時間相当］30,000円を含む）
㈱ミルボン	470	【初任給】240,600円　【内訳】基本給240,600円
花王㈱	470	【初任給】240,000円　【内訳】基本給240,000円
ユニ・チャーム㈱	471	【初任給】235,000円　【内訳】基本給235,000円
ライオン㈱	471	【初任給】237,530円　【内訳】基本給237,530円
アース製薬㈱	472	【初任給】220,000円　【内訳】基本給220,000円
●医薬品●		
田辺三菱製薬㈱	472	【初任給】230,000円　【内訳】基本給230,000円
アステラス製薬㈱	473	【初任給】326,700円　【内訳】基本給326,700円
中外製薬㈱	473	【初任給】250,000円　【内訳】基本給250,000円
エーザイ㈱	474	【初任給】300,000円　【内訳】基本給300,000円
小野薬品工業㈱	474	【初任給】273,000円　【内訳】基本給273,000円
塩野義製薬㈱	475	【初任給】250,000円　【内訳】基本給240,000円　ワークスタイル手当10,000円
参天製薬㈱	476	【初任給】314,100円　【内訳】基本給314,100円
ロート製薬㈱	476	【初任給】240,000円　【内訳】基本給240,000円
東和薬品㈱	477	【初任給】228,000円　【内訳】基本給228,000円
Ｍｅｉｊｉ　Ｓｅｉｋａ ファルマ㈱	477	【初任給】245,000円　【内訳】基本給245,000円
大正製薬㈱	478	【初任給】265,000円　【内訳】基本給265,000円
㈱ツムラ	478	【初任給】247,700円　【内訳】基本給247,700円
日本新薬㈱	479	【初任給】264,000円　【内訳】基本給264,000円
杏林製薬㈱	479	【初任給】235,000円　【内訳】基本給235,000円
持田製薬㈱	480	【初任給】237,000円　【内訳】基本給237,000円
ゼリア新薬工業㈱	480	【初任給】260,560円　【内訳】基本給260,560円
扶桑薬品工業㈱	481	【初任給】225,700円　【内訳】基本給225,700円
鳥居薬品㈱	481	【初任給】231,000円　【内訳】役割給231,000円
日本ケミファ㈱	482	【初任給】223,000円　【内訳】基本給120,000円　職能給101,000円　インフレ手当2,000円
●化学●		
三菱ケミカル㈱	483	【初任給】260,000円　【内訳】基本給260,000円
富士フイルム㈱	483	【初任給】280,000円　【内訳】基本給280,000円
旭化成グループ	484	【初任給】247,750円　【内訳】基本給233,180円　勤務地手当14,570円（東京・独身者）
東レ㈱	484	【初任給】256,170円　【内訳】基本給256,170円
住友化学㈱	485	【初任給】245,400円　【内訳】基本給245,400円

業種別・初任給の内訳 1,165 社

会社名　（掲載ページ）		初任給（大卒総合職）の内訳
信越化学工業㈱	485	【初任給】272,450円　【内訳】基本給272,450円
三井化学㈱	486	【初任給】256,000円　【内訳】基本給256,000円
㈱レゾナック	486	【初任給】250,000円　【内訳】基本給250,000円
積水化学工業㈱	487	【初任給】255,000円　【内訳】基本給110,000円　資格給80,000円　業績給65,000円
帝人㈱	487	【初任給】251,640円　【内訳】基本給251,640円
東ソー㈱	488	【初任給】268,975円　【内訳】業績給153,800円　職分給103,592円　都市手当11,583円
三菱ガス化学㈱	488	【初任給】275,125円　【内訳】基本給238,625円　諸手当36,500円
㈱クラレ	489	【初任給】270,000円　【内訳】基本給270,000円
㈱カネカ	489	【初任給】243,000円　【内訳】基本給239,000円　年齢加算金（4,000～10,000円）
㈱ダイセル	490	【初任給】250,000円　【内訳】基本給250,000円
ＵＢＥ㈱	490	【初任給】258,000円　【内訳】資格給125,000円　成果給133,000円
東洋紡㈱	491	【初任給】235,500円　【内訳】本人給99,500円　職能給136,000円
ＪＳＲ㈱	491	【初任給】260,000円　【内訳】基本給260,000円
㈱ＡＤＥＫＡ	492	【初任給】237,190円　【内訳】基本給237,190円
デンカ㈱	492	【初任給】247,570円　【内訳】基本給239,175円　地区手当8,395円
日本ゼオン㈱	493	【初任給】264,150円　【内訳】本人給147,300円　発揮職能給116,850円（京浜地区）
㈱トクヤマ	493	【初任給】264,000円　【内訳】年齢給138,917円　役割資格給107,700円　付加給4,811円　地域手当12,572円
住友ベークライト㈱	494	【初任給】242,530円　【内訳】基本給242,530円
リンテック㈱	494	【初任給】236,400円　【内訳】基本給236,400円
アイカ工業㈱	495	【初任給】226,190円　【内訳】基本給207,890円　資格手当7,300円　住宅手当6,000円　カフェテリアプラン5,000円
㈱エフピコ	495	【初任給】238,100円　【内訳】基本給238,100円
日本化薬㈱	496	【初任給】238,000円　【内訳】基本給238,000円
㈱イノアックコーポレーション	496	【初任給】232,200円　【内訳】基本給224,200円　生活加給8,000円
東京応化工業㈱	497	【初任給】230,600円　【内訳】基本給230,600円
クミアイ化学工業㈱	497	【初任給】236,600円　【内訳】基本給236,600円
三洋化成工業㈱	498	【初任給】255,500円　【内訳】基本給255,500円
タキロンシーアイ㈱	498	【初任給】240,000円　【内訳】基本給240,000円
ＺＡＣＲＯＳ㈱	499	【初任給】238,500円　【内訳】基本給238,500円
ユニチカ㈱	499	【初任給】217,100円　【内訳】本給107,200円　職能給109,900円
堺化学工業㈱	500	【初任給】240,400円　【内訳】基本給210,400円　グローバル手当10,000円　DC手当20,000円
藤倉化成㈱	500	【初任給】213,000円　【内訳】基本給213,000円
ニチバン㈱	501	【初任給】221,950円　【内訳】基本給214,700円　食事補助手当7,250円
大陽日酸㈱	501	【初任給】240,000円　【内訳】基本給240,000円
エア・ウォーター㈱	502	【初任給】260,000円　【内訳】基本給260,000円
㈱日本触媒	502	【初任給】255,800円　【内訳】基本給255,800円
日産化学㈱	503	【初任給】266,600円　【内訳】基本給266,600円
日油㈱	503	【初任給】244,300円　【内訳】基本給244,300円
高砂香料工業㈱	504	【初任給】221,000円　【内訳】基本給212,200円　住宅手当8,800円
㈱クレハ	504	【初任給】251,500円　【内訳】基本給251,500円
東亞合成㈱	505	【初任給】252,000円　【内訳】基本給252,000円
日本曹達㈱	505	【初任給】253,700円　【内訳】基本給253,700円
日本パーカライジング㈱	506	【初任給】239,210円　【内訳】基本給96,700円　職能給142,510円
日本農薬㈱	506	【初任給】251,200円　【内訳】基礎賃金251,200円

業種別・初任給の内訳 1,165 社

会社名 (掲載ページ)		初任給(大卒総合職)の内訳
荒川化学工業㈱	507	【初任給】235, 000円 【内訳】基本給235, 000円
日本ペイントホールディングス㈱	507	【初任給】257, 320円 【内訳】基本給227, 820円 職務給29, 000円 福祉手当500円
ＤＩＣ㈱	508	【初任給】251, 720円 【内訳】基本給251, 720円
関西ペイント㈱	508	【初任給】252, 200円 【内訳】基本給252, 200円
ａｒｔｉｅｎｃｅ㈱	509	【初任給】255, 510円 【内訳】役割給189, 210円 能力給66, 300円
サカタインクス㈱	509	【初任給】247, 100円 【内訳】基本給247, 100円
大日精化工業㈱	510	【初任給】244, 000円 【内訳】基本給219, 000円 ライフプラン手当25, 000円
●衣料・繊維●		
クラボウ	510	【初任給】253, 100円 【内訳】基本給244, 000円 勤務地手当(本社)9, 100円
セーレン㈱	511	【初任給】277, 000円 【内訳】基本給210, 000円 固定残業代20, 000円 都市手当37, 000円(東京本社勤務)その他手当10, 000円
グンゼ㈱	511	【初任給】240, 000円 【内訳】基本給240, 000円
岡本㈱	512	【初任給】226, 100円 【内訳】基本給226, 100円
㈱ワコール	512	【初任給】259, 200円 【内訳】基本給259, 200円
㈱オンワード樫山	513	【初任給】(首都圏手当含む)240, 000円 【内訳】基本給230, 000円 首都圏手当10, 000円
㈱三陽商会	513	【初任給】235, 000円 【内訳】職能給153, 400円 業績給81, 600円
クロスプラス㈱	514	【初任給】240, 000円 【内訳】基本給240, 000円
●ガラス・土石●		
日本板硝子㈱	515	【初任給】256, 600円 【内訳】基本給256, 600円
日本電気硝子㈱	515	【初任給】261, 000円 【内訳】本給120, 000円 能力給60, 734円 役割給80, 266円
セントラル硝子㈱	516	【初任給】262, 000円 【内訳】基本給262, 000円
日東紡	516	【初任給】238, 500円 【内訳】基本給238, 500円
太平洋セメント㈱	517	【初任給】263, 000円 【内訳】基本給263, 000円
ＵＢＥ三菱セメント㈱	517	【初任給】267, 000円 【内訳】基本給267, 000円
住友大阪セメント㈱	518	【初任給】260, 000円 【内訳】基本給260, 000円
日本特殊陶業㈱	518	【初任給】244, 000円 【内訳】職能給114, 600円 年齢給90, 500円 ライフプラン手当27, 500円 資格手当11, 400円
日本ガイシ㈱	519	【初任給】263, 000円 【内訳】基本給263, 000円
東海カーボン㈱	519	【初任給】240, 000円 【内訳】基本給240, 000円
ニチアス㈱	520	【初任給】253, 000円 【内訳】基本給253, 000円
黒崎播磨㈱	520	【初任給】240, 400円 【内訳】基本給240, 400円
吉野石膏㈱	521	【初任給】226, 600円 【内訳】基本給211, 600円 地域給9, 000円 食事手当6, 000円
ノリタケ㈱	521	【初任給】228, 000円 【内訳】基本給221, 000円 資格手当7, 000円
日本コークス工業㈱	522	【初任給】242, 100円 【内訳】能力給242, 100円
●金属製品●		
㈱ＬＩＸＩＬ	522	【初任給】229, 200円 【内訳】基本給229, 200円
東洋製罐グループホールディングス㈱	523	【初任給】232, 000円 【内訳】役割給232, 000円
ＹＫＫ㈱	523	【初任給】240, 000円 【内訳】基本給240, 000円
ＹＫＫ ＡＰ㈱	524	【初任給】240, 000円 【内訳】基本給240, 000円
㈱ＳＵＭＣＯ	524	【初任給】250, 000円 【内訳】基本給250, 000円
三協立山㈱	525	【初任給】221, 000円 【内訳】基本給221, 000円

会社名 （掲載ページ）		初任給（大卒総合職）の内訳
三和シヤッター工業㈱	525	【初任給】234, 200円 【内訳】基本給219, 200円 都市手当15, 000円
文化シヤッター㈱	526	【初任給】236, 000円 【内訳】基本給233, 000円 住宅手当一律3, 000円
アルインコ㈱	526	【初任給】276, 700円 【内訳】基本給276, 700円
●鉄鋼●		
日本製鉄㈱	527	【初任給】265, 000円 【内訳】基本給265, 000円
ＪＦＥスチール㈱	527	【初任給】282, 000円 【内訳】基本給282, 000円
㈱神戸製鋼所	528	【初任給】257, 060円 【内訳】基本給70, 760円 業績給186, 300円
合同製鐵㈱	528	【初任給】270, 000円 【内訳】基本給270, 000円
㈱プロテリアル	529	【初任給】250, 600円 【内訳】本給26, 800円 職能加算223, 800円
大同特殊鋼㈱	529	【初任給】242, 000円 【内訳】基本給本給42, 040円 基本給加給16, 130円 職能給133, 830円 役割給40, 000円 ライフプラン手当10, 000円
山陽特殊製鋼㈱	530	【初任給】243, 000円 【内訳】基本給91, 050円 職能給151, 950円
愛知製鋼㈱	530	【初任給】254, 000円 【内訳】専門能力給58, 700円 能力発揮給117, 800円 基礎能力給77, 500円
三菱製鋼㈱	531	【初任給】248, 100円 【内訳】基本給248, 100円
㈱淀川製鋼所	531	【初任給】242, 000円 【内訳】基本給242, 000円
㈱栗本鐵工所	532	【初任給】250, 000円 【内訳】基本給250, 000円
●非鉄●		
住友電気工業㈱	532	【初任給】271, 000円 【内訳】基礎給120, 000円 初任手当151, 000円
古河電気工業㈱	533	【初任給】250, 000円 【内訳】本給250, 000円
㈱フジクラ	533	【初任給】255, 000円 【内訳】基本給255, 000円
ＳＷＣＣ㈱	534	【初任給】241, 000円 【内訳】基本給241, 000円
三菱マテリアル㈱	534	【初任給】（ライフプラン手当含）257, 000円 【内訳】基本給242, 000円 ライフプラン手当15, 000円
ＪＸ金属㈱	535	【初任給】260, 000円 【内訳】基本給260, 000円
住友金属鉱山㈱	535	【初任給】260, 000円 【内訳】基本給260, 000円
ＤＯＷＡホールディングス㈱	536	【初任給】254, 000円 【内訳】基本給254, 000円
三井金属	536	【初任給】254, 000円 【内訳】基本給254, 000円
田中貴金属グループ	537	【初任給】244, 000円 【内訳】基本給63, 900円 級職給180, 100円
日鉄鉱業㈱	537	【初任給】253, 000円 【内訳】基本給253, 000円
東邦亜鉛㈱	538	【初任給】228, 000～238, 000円 【内訳】基本給228, 000円（一律ライフプラン支援金15, 000円を含む）都会地手当0～10, 000円
㈱フルヤ金属	538	【初任給】268, 100円 【内訳】基本給228, 100円 営業手当40, 000円
㈱ＵＡＣＪ	539	【初任給】257, 150円 【内訳】本給257, 150円
日本軽金属㈱	539	【初任給】241, 000円 【内訳】基本給241, 000円
●その他メーカー●		
㈱アシックス	540	【初任給】275, 000円 【内訳】基本給275, 000円
デサントジャパン㈱	540	【初任給】257, 000円 【内訳】基本給257, 000円
ヨネックス㈱	541	【初任給】233, 000円 【内訳】基本給233, 000円
㈱タカラトミー	541	【初任給】232, 005円 【内訳】基本給232, 005円
㈱バンダイ	542	【初任給】290, 000円 【内訳】基本給290, 000円
ピジョン㈱	542	【初任給】265, 000円 【内訳】基本給265, 000円
ヤマハ㈱	543	【初任給】240, 000円 【内訳】基本給240, 000円

業種別・初任給の内訳 1,165 社

会社名	*（掲載ページ）*	初任給（大卒総合職）の内訳
ローランド㈱	*543*	【初任給】221,000円 【内訳】基本給221,000円
㈱河合楽器製作所	*544*	【初任給】221,000円 【内訳】基本給221,000円
パラマウントベッド㈱	*544*	【初任給】241,000円 【内訳】基本給241,000円
フランスベッド㈱	*545*	【初任給】207,700円 【内訳】基本給192,700円 地域手当15,000円
大建工業㈱	*545*	【初任給】250,000円 【内訳】基本給237,000円 その他手当8,000円 自己啓発支援手当5,000円
㈱ウッドワン	*546*	【初任給】225,000円 【内訳】基本給223,000円 昼食手当2,000円
㈱パロマ	*546*	【初任給】230,450円 【内訳】基本給220,950円 食事手当7,000円 通勤手当2,500円
ＴＯＴＯ㈱	*547*	【初任給】254,000円 【内訳】基本給254,000円
リンナイ㈱	*547*	【初任給】235,000円 【内訳】基本給235,000円
㈱ノーリツ	*548*	【初任給】223,800円 【内訳】役割給223,800円
タカラスタンダード㈱	*548*	【初任給】230,000円 【内訳】基本給214,000円 勤務エリア手当12,500円 食事手当3,500円
クリナップ㈱	*549*	【初任給】217,320円 【内訳】基本給217,320円
コクヨ㈱	*549*	【初任給】229,000円 【内訳】基本給229,000円
㈱パイロットコーポレーション	*550*	【初任給】251,000円 【内訳】基本給231,000円 全域手当20,000円（特定地域社員は全域手当なし）
㈱オカムラ	*551*	【初任給】250,000円 【内訳】基本給250,000円
㈱イトーキ	*551*	【初任給】228,000円 【内訳】基本給228,000円

●建設●

会社名	*（掲載ページ）*	初任給（大卒総合職）の内訳
㈱大林組	*554*	【初任給】280,000円 【内訳】基本給280,000円
清水建設㈱	*555*	【初任給】<グローバル職>280,000円<エリア職>採用給（首都圏）252,000円 【内訳】<グローバル職>採用給280,000円<エリア職>採用給（首都圏）252,000円
大成建設㈱	*555*	【初任給】280,000円<専任職>（地域による）262,300～238,300円 【内訳】等級給228,200円 等級加算20,000円 業績給31,800円
㈱竹中工務店	*556*	【初任給】280,000円 【内訳】基本給280,000円
㈱長谷工コーポレーション	*556*	【初任給】300,000円 【内訳】基本給300,000円
前田建設工業㈱	*557*	【初任給】261,000円 【内訳】基本給260,000円 NEXT10手当1,000円
㈱フジタ	*557*	【初任給】270,000円 【内訳】基本給270,000円
戸田建設㈱	*558*	【初任給】270,000円 【内訳】基本給270,000円
三井住友建設㈱	*558*	【初任給】265,000円 【内訳】基本給265,000円
㈱熊谷組	*559*	【初任給】265,000円 【内訳】基本給265,000円
西松建設㈱	*559*	【初任給】265,000円 【内訳】基本給265,000円
安藤ハザマ	*560*	【初任給】265,000円 【内訳】基本給245,000円 ワークライフバランス手当20,000円
㈱奥村組	*560*	【初任給】260,000円 【内訳】本給180,000円 査定給20,000円 役割給60,000円
東急建設㈱	*561*	【初任給】265,000円 【内訳】職能給225,000円 職務開発給40,000円
㈱鴻池組	*561*	【初任給】260,000円 【内訳】基本給260,000円
鉄建建設㈱	*562*	【初任給】270,000円 【内訳】基本給270,000円
㈱福田組	*562*	【初任給】230,000円 【内訳】基本給210,300円 加算13,000円 地域給6,700円（新潟エリア）
佐藤工業㈱	*563*	【初任給】265,000円 【内訳】職能給265,000円
ピーエス・コンストラクション㈱	*563*	【初任給】270,000円 【内訳】基本給270,000円
㈱錢高組	*564*	【初任給】270,000円 【内訳】基本給270,000円
矢作建設工業㈱	*564*	【初任給】255,000円 【内訳】基本給255,000円
松井建設㈱	*565*	【初任給】265,000円 【内訳】基本給265,000円

会社名 (掲載ページ)		初任給(大卒総合職)の内訳
五洋建設(株)	565	【初任給】280,000円 【内訳】基本給280,000円
東亜建設工業(株)	566	【初任給】280,000円 【内訳】基本給280,000円
東洋建設(株)	566	【初任給】270,000円 【内訳】基本給270,000円
(株)横河ブリッジホールディングス	567	【初任給】257,500円 【内訳】基本給257,500円
飛島建設(株)	567	【初任給】245,000円 【内訳】基本給245,000円
(株)ＮＩＰＰＯ	568	【初任給】270,000円 【内訳】基礎給170,000円 職能給100,000円
前田道路(株)	569	【初任給】260,000円 【内訳】基本給260,000円
日本道路(株)	569	【初任給】260,000円 【内訳】基本給260,000円
東亜道路工業(株)	570	【初任給】258,000円 【内訳】基本給258,000円
大成ロテック(株)	570	【初任給】250,000円 【内訳】基本給250,000円
大林道路(株)	571	【初任給】255,200円 【内訳】基本給250,000円 現場手当5,200円
世紀東急工業(株)	571	【初任給】245,000円 【内訳】基本給202,800円 調整手当42,200円
日揮ホールディングス(株)	572	【初任給】240,000円 【内訳】基本給240,000円
ＪＦＥエンジニアリング(株)	572	【初任給】265,000円 【内訳】基本給198,500円 能力給66,500円
千代田化工建設(株)	573	【初任給】241,000円 【内訳】基本給241,000円
日鉄エンジニアリング(株)	573	【初任給】265,000円 【内訳】基本給265,000円
東洋エンジニアリング(株)	574	【初任給】237,900円 【内訳】基本給237,900円
レイズネクスト(株)	574	【初任給】231,400円 【内訳】基本給231,400円
太平電業(株)	575	【初任給】238,800円 【内訳】職能給76,300円 生活給162,500円
(株)ＮＴＴファシリティーズ	575	【初任給】262,790円 【内訳】グレード賃金180,840円 成果手当75,540円 採用調整手当6,410円
新菱冷熱工業(株)	576	【初任給】280,000円 【内訳】基本給280,000円
三機工業(株)	576	【初任給】280,000円 【内訳】基本給280,000円
東芝プラントシステム(株)	577	【初任給】250,000円 【内訳】基本給250,000円
三建設備工業(株)	577	【初任給】270,000円 【内訳】基本給270,000円
(株)朝日工業社	578	【初任給】280,000円 【内訳】基本給基礎222,600円 資格手当57,400円
高砂熱学工業(株)	578	【初任給】270,000円 【内訳】基本給270,000円
(株)大気社	579	【初任給】243,000円 【内訳】基本給243,000円
ダイダン(株)	579	【初任給】270,000円 【内訳】基本給270,000円
新日本空調(株)	580	【初任給】265,000円 【内訳】基本給265,000円
東洋熱工業(株)	580	【初任給】256,000円 【内訳】基本給199,270円 調整手当16,730円 資格手当40,000円
エクシオグループ(株)	581	【初任給】232,200円 【内訳】基本給232,200円
(株)ミライト・ワン	581	【初任給】232,200円 【内訳】基礎給103,100円 役割給129,100円
日本コムシス(株)	582	【初任給】232,200円 【内訳】基本給212,600円 調整手当19,600円
日本電設工業(株)	582	【初任給】230,930円 【内訳】基本給210,130円 地域手当(東京等)20,800円
住友電設(株)	583	【初任給】265,200円 【内訳】基本給265,200円
(株)ＨＥＸＥＬ Ｗｏｒｋｓ	584	【初任給】225,000円 【内訳】基本給225,000円
(株)関電工	585	【初任給】240,000円 【内訳】基本給190,000円 職務グレード給50,000円
(株)九電工	585	【初任給】240,000円 【内訳】役割資格給240,000円
(株)トーエネック	586	【初任給】240,000円 【内訳】基本給240,000円
(株)ユアテック	586	【初任給】225,000円 【内訳】基本給225,000円
(株)中電工	587	【初任給】235,000円 【内訳】本人給124,000円 職能給99,600円 資格給11,400円
大和リース(株)	587	【初任給】246,000円 【内訳】本給205,000円 資格給41,000円

業種別・初任給の内訳 1,165社

●住宅・マンション●

会社名	（掲載ページ）	初任給（大卒総合職）の内訳
大和ハウス工業㈱	*588*	【初任給】250,000円　【内訳】基本給250,000円
積水ハウス㈱	*588*	【初任給】240,400円　【内訳】資格給123,400円　職能給117,000円
住友林業㈱	*589*	【初任給】264,000円　【内訳】基本給264,000円
大東建託㈱	*589*	【初任給】240,000円　【内訳】基本給201,000円　業績加算給25,000円　新卒手当14,000円
旭化成ホームズ㈱	*590*	【初任給】260,000円　【内訳】基本給230,000円　転宅転勤加算給30,000円
㈱一条工務店	*590*	【初任給】240,000円　【内訳】基本給240,000円
ミサワホーム㈱	*591*	【初任給】230,000円　【内訳】基本給230,000円
パナソニック ホームズ㈱	*591*	【初任給】233,000円　【内訳】基本給233,000円
三井ホーム㈱	*592*	【初任給】235,000円　【内訳】基礎給235,000円
トヨタホーム㈱	*592*	【初任給】231,000円　【内訳】基本給231,000円
一建設㈱	*593*	【初任給】250,000円　【内訳】基本給250,000円
三井不動産レジデンシャル㈱	*593*	【初任給】292,000円　【内訳】基本給292,000円
穴吹興産㈱	*594*	【初任給】273,600円　【内訳】基本給228,000円　職務手当45,600円
㈱大京	*594*	【初任給】228,000円　【内訳】基本給218,000円　全国勤務手当10,000円
㈱東急コミュニティー	*595*	【初任給】220,250円　【内訳】（首都圏）年齢給50,150円　職能給137,050円　地域給33,050円
日本総合住生活㈱	*595*	【初任給】224,100円　【内訳】基本給205,600円　地域加算手当18,500円（首都圏の場合）
日本ハウズイング㈱	*596*	【初任給】250,900円　【内訳】基本給220,900円　住宅手当30,000円
積水ハウス不動産東京㈱	*596*	【初任給】230,000円　【内訳】基本給230,000円
スターツグループ	*597*	【初任給】232,000円　【内訳】基本給232,000円

●不動産●

会社名	（掲載ページ）	初任給（大卒総合職）の内訳
三菱地所㈱	*598*	【初任給】260,000円　【内訳】基本給260,000円
住友不動産㈱	*599*	【初任給】305,000円　【内訳】基本給305,000円
（独法）都市再生機構	*599*	【初任給】221,400円　【内訳】職能給（本給相当）221,400円
野村不動産㈱	*600*	【初任給】300,000円　【内訳】基本給300,000円
ヒューリック㈱	*600*	【初任給】310,000円　【内訳】基本給310,000円
イオンモール㈱	*601*	【初任給】260,550円　【内訳】基本給260,550円
東京建物㈱	*601*	【初任給】300,000円　【内訳】基本給300,000円
森ビル㈱	*602*	【初任給】260,000円　【内訳】基準内給260,000円
日鉄興和不動産㈱	*602*	【初任給】300,000円　【内訳】基本給300,000円
森トラスト㈱	*603*	【初任給】300,000円　【内訳】基本給300,000円
㈱サンケイビル	*604*	【初任給】285,000円　【内訳】基本給285,000円
大成有楽不動産㈱	*604*	【初任給】＜不動産＞260,000円＜施設管理（全国型）＞218,000円＜施設管理（地域限定型）＞207,000円　【内訳】＜不動産＞等級給198,000円　業績給41,000円　地域手当21,000円＜施設管理（全国型）＞等級給167,000円　業績給30,000円　地域手当21,000円（首都圏）＜施設管理（地域限定型）＞等級給162,000円　業績給24,000円　地域手当21,000円（首都圏）
㈱アトレ	*605*	【初任給】233,200円　【内訳】基本給233,200円
東京都住宅供給公社	*605*	【初任給】225,254円　【内訳】基本給225,254円
東急リバブル㈱	*606*	【初任給】230,000円　【内訳】基本給220,000円　住宅手当10,000円
三井不動産リアルティ㈱	*606*	【初任給】250,000円　【内訳】基本給250,000円

業種別・初任給の内訳 1,165 社

会社名　（掲載ページ）		初任給（大卒総合職）の内訳
●電力・ガス●		
東北電力㈱	608	【初任給】224,000円　【内訳】基本給224,000円
東京電力ホールディングス㈱	609	【初任給】237,100円　【内訳】基本給202,100円　勤務給24,000円　ライフサイクル手当11,000円※東京勤務
㈱ＪＥＲＡ	609	【初任給】280,000円　【内訳】基準内賃金280,000円
北陸電力㈱	610	【初任給】225,000円　【内訳】基本給225,000円
中部電力㈱	611	【初任給】237,000円　【内訳】初任調整給119,300円　ライフサイクル給117,700円
沖縄電力㈱	613	【初任給】210,500円　【内訳】基本給210,500円
京葉瓦斯㈱	614	【初任給】226,110円　【内訳】基本給177,110円　役割業績給35,000円　初任給調整手当14,000円
アストモスエネルギー㈱	615	【初任給】248,580円　【内訳】基本給248,580円
ＥＮＥＯＳグローブ㈱	615	【初任給】247,000円　【内訳】ベース給247,000円
ジクシス㈱	616	【初任給】248,000円　【内訳】基本給248,000円
静岡ガス㈱	616	【初任給】235,000円　【内訳】基本給235,000円
●石油●		
ＥＮＥＯＳ㈱	618	【初任給】287,000円　【内訳】基本給287,000円
出光興産㈱	618	【初任給】254,000円　【内訳】基本給254,000円
コスモ石油㈱	619	【初任給】306,050円　【内訳】基本給306,050円
富士石油㈱	619	【初任給】254,000円　【内訳】基本給254,000円
㈱ＩＮＰＥＸ	620	【初任給】321,000円　【内訳】職務給296,000円　ライフプラン手当25,000円
石油資源開発㈱	620	【初任給】261,872円　【内訳】基本給239,600円（ライフプラン手当27,500円を含む）地域手当16,772円　食事手当5,500円
●デパート●		
㈱大丸松坂屋百貨店	622	【初任給】247,000円　【内訳】基本給247,000円
㈱高島屋	622	【初任給】240,000円　【内訳】基本給240,000円
㈱三越伊勢丹	623	【初任給】250,000円　【内訳】基本給250,000円
㈱丸井グループ	623	【初任給】272,000円　【内訳】基本給272,000円
㈱阪急阪神百貨店	624	【初任給】240,000円　【内訳】基本給240,000円
㈱東急百貨店	625	【初任給】220,000円　【内訳】基本給220,000円（東京地区）
㈱そごう・西武	625	【初任給】238,000円　【内訳】基本給（資格給）187,000円　地区手当12,000円　異動勤務手当39,000円
㈱松屋	626	【初任給】235,000円　【内訳】基本給235,000円
㈱小田急百貨店	626	【初任給】225,100円　【内訳】基本給225,100円
●コンビニ●		
㈱ローソン	627	【初任給】233,000円　【内訳】基本給203,000円　勤務地手当（東京）12,000円　住居手当（東京）18,000円
㈱セブン-イレブン・ジャパン	627	【初任給】250,000円　【内訳】基本給250,000円
㈱ファミリーマート	628	【初任給】245,000円　【内訳】基本給217,500円　地域手当（東京）27,500円
ミニストップ㈱	628	【初任給】<Ｇコース（全国転勤）>250,000円<Ｌコース（地域限定）>210,000円　【内訳】<Ｇコース（全国転勤）>基本給250,000円<Ｌコース（地域限定）>基本給210,000円
●スーパー●		
ユニー㈱	629	【初任給】220,000円　【内訳】基本給220,000円（生鮮配属：生鮮手当20,000円）

業種別・初任給の内訳 1,165 社

会社名 （掲載ページ）		初任給（大卒総合職）の内訳
㈱イトーヨーカ堂	629	【初任給】230,000円 【内訳】基本給230,000円
㈱フジ	630	【初任給】255,000円 【内訳】資格給207,000円 リージョナル手当48,000円
㈱イズミ	630	【初任給】245,000円 【内訳】基本給245,000円
㈱平和堂	631	【初任給】230,000円 【内訳】基本給230,000円
㈱Ｏｌｙｍｐｉｃグループ	631	【初任給】230,000円 【内訳】基本給230,000円
㈱ユニバース	632	【初任給】215,000円 【内訳】基本給215,000円
㈱ヨークベニマル	632	【初任給】226,400円 【内訳】基本給220,900円 ナショナル手当5,500円
㈱カスミ	633	【初任給】241,100円 【内訳】基本給241,000円
㈱ベイシア	633	【初任給】213,000円 【内訳】基本給213,000円
㈱ヤオコー	634	【初任給】234,000円 【内訳】基本給234,000円
㈱ベルク	634	【初任給】236,000円 【内訳】基本給236,000円
㈱マミーマート	635	【初任給】250,000円 【内訳】基本給234,500円 フレッシュマンズ手当15,500円
サミット㈱	635	【初任給】250,000円 【内訳】年齢給139,330円 職能給110,670円
㈱いなげや	636	【初任給】242,500円～ 【内訳】基本給242,500円～
㈱東急ストア	636	【初任給】228,100円 【内訳】本人給228,100円
㈱スーパーアルプス	637	【初任給】238,900円 【内訳】基本給218,900円 ライフプラン支援金20,000円
アクシアル リテイリンググループ	637	【初任給】223,650円 【内訳】年齢給103,960円 職能給119,690円
マックスバリュ東海㈱	638	【初任給】232,500円 【内訳】＜全域総合職＞基本給232,500円＜地域総合職＞基本給219,500円
㈱ハートフレンド	638	【初任給】230,000円 【内訳】基本給230,000円
㈱ライフコーポレーション	639	【初任給】＜近畿＞235,000円＜首都圏＞243,000円 【内訳】(近畿)基本給225,000円 地域手当10,000円(首都圏)基本給225,000円 地域手当18,000円
㈱神戸物産	639	【初任給】＜本社＞200,000円＜焼肉事業部＞241,000円 【内訳】＜本社＞200,000円＜焼肉事業部＞241,000基本給210,000円時間外手当31,000円(19.5時間分)
㈱関西スーパーマーケット	640	【初任給】222,000円 【内訳】基本給205,500円 調整手当16,500円
㈱ハローズ	640	【初任給】250,000円 【内訳】基本給250,000円

●外食・中食●

会社名 （掲載ページ）		初任給（大卒総合職）の内訳
日本マクドナルド㈱	641	【初任給】270,000円 【内訳】基本給270,000円
㈱モスフードサービス	641	【初任給】240,140円 【内訳】基本給225,140円 職位手当15,000円
㈱松屋フーズ	642	【初任給】250,000円 【内訳】基本給209,000～250,000円
㈱ドトールコーヒー	642	【初任給】220,000円 【内訳】基本給200,000円 固定残業代20,000円(約13時間)
テンアライド㈱	643	【初任給】217,200円 【内訳】基本給202,200円 固定残業代(10時間分)15,000円
㈱Ｇｅｎｋｉ Ｇｌｏｂａｌ Ｄｉｎｉｎｇ Ｃｏｎｃｅｐｔｓ	643	【初任給】＜グローバル＞238,000円＜ナショナル＞228,000円＜エリア限定＞205,000円 【内訳】＜グローバル社員＞基本給238,000円＜ナショナル社員＞基本給228,000円＜エリア限定社員＞基本給205,000円
㈱プレナス	644	【初任給】255,000円 【内訳】基本給255,000円
㈱ロック・フィールド	644	【初任給】(関東)215,500円(関西)213,000円 【内訳】(関東)基本給202,500円 ライフデザイン手当6,000円 食事手当7,000円(関西)基本給200,000円 ライフデザイン手当6,000円 食事手当7,000円

●家電量販・薬局・HC●

会社名 （掲載ページ）		初任給（大卒総合職）の内訳
㈱ノジマ	645	【初任給】265,000円 【内訳】基本給265,000円
㈱エディオン	645	【初任給】240,000円 【内訳】基本給240,000円(ゼネラルコース)
㈱マツキヨココカラ&カンパニー	646	【初任給】230,000円 【内訳】基本給230,000円
㈱スギ薬局	646	【初任給】228,000円 【内訳】基本給228,000円

会社名 (掲載ページ)		初任給(大卒総合職)の内訳
㈱ツルハ	647	【初任給】220,000円 【内訳】基本給220,000円
㈱クリエイトエス・ディー	647	【初任給】230,000円 【内訳】基本給230,000円
㈱カワチ薬品	648	【初任給】216,440円 【内訳】基本給216,440円
総合メディカル㈱	648	【初任給】230,000円 【内訳】基本給200,000円 裁量手当30,000円
㈱キリン堂	649	【初任給】220,000円 【内訳】基本給220,000円
㈱サッポロドラッグストアー	649	【初任給】223,000円 【内訳】基本給218,000円 住宅手当5,000円
㈱カインズ	650	【初任給】213,000円 【内訳】基本給213,000円
ＤＣＭ㈱	650	【初任給】217,000円 【内訳】基本給206,000円 エリアフリー給5,000円 成長サポート手当6,000円 勤務地区分手当(地域により異なる)
コーナン商事㈱	651	【初任給】＜総合職＞(関東)233,500円(その他)230,500円＜地域限定職＞(関東)223,500円(その他)220,500円 【内訳】(関東)基本給230,500円 関東手当3,000円(その他)基本給230,500円
アークランズ㈱	651	【初任給】221,600円 【内訳】基本給211,600円 前払退職金10,000円
㈱ハンズ	652	【初任給】213,000円 【内訳】基本給213,000円

●その他小売業●

会社名 (掲載ページ)		初任給(大卒総合職)の内訳
㈱ドン・キホーテ	652	【初任給】260,000円 【内訳】基礎給241,300円 みなし時間外労働10時間相当分17,700円 ライフプラン手当1,000円
㈱ミスターマックス・ホールディングス	653	【初任給】210,000円 【内訳】基本給210,000円
㈱しまむら	654	【初任給】290,400円 【内訳】基本給290,400円
㈱ハニーズ	654	【初任給】(東京・神奈川)241,000円 【内訳】基本給200,000円 調整手当10,000円 職務給16,000円 地域手当10,000～15,000円
㈱エービーシー・マート	655	【初任給】230,533円 【内訳】基本給162,400円 諸手当68,133円(固定残業代20時間分含む)
青山商事㈱	656	【初任給】222,680円 【内訳】基本給192,800円 総合職手当19,280円 地域手当10,600円
㈱ＡＯＫＩホールディングス	657	【初任給】260,000円 【内訳】基本給総額218,000円 役職手当17,000円 業務手当25,000円
㈱コナカ	657	【初任給】220,000円 【内訳】基本給220,000円
はるやま商事㈱	658	【初任給】221,000円 【内訳】基本給206,000円 NO残業手当15,000円
㈱ヤナセ	658	【初任給】(東京)230,000円 【内訳】ランク給157,400円 地域調整給40,000円 成果給32,600円
㈱ＡＴグループ	659	【初任給】204,500円 【内訳】基本給204,500円
㈱ヴァンドームヤマダ	660	【初任給】225,000円 【内訳】基本給225,000円
㈱アルペン	660	【初任給】240,000円 【内訳】基本給216,000円 群手当24,000円
ゼビオ㈱	661	【初任給】206,600円 【内訳】基本給(修士総合職)213,000円 基本給(大卒総合職)206,600円
つるや㈱	661	【初任給】230,000円 【内訳】基本給230,000円
㈱三洋堂ホールディングス	662	【初任給】214,000円 【内訳】基本給202,000円 役職時間外手当(8時間)12,000円
ブックオフコーポレーション㈱	662	【初任給】230,000円 【内訳】基本給210,000円(ライフプラン制度金35,000円を含む)残業手当20,000円
ニトリグループ	663	【初任給】(東京)270,000円 【内訳】(東京)基本給230,400円 地域手当39,600円
㈱良品計画	663	【初任給】270,000円 【内訳】基本給250,000円 従業員特別手当20,000円
㈱ベルーナ	664	【初任給】225,330円 【内訳】基本給214,600円 加給10,730円
ジュピターショップチャンネル㈱	665	【初任給】215,000円 【内訳】基本給215,000円
㈱あさひ	665	【初任給】220,000円 【内訳】基本給220,000円

会社名 （掲載ページ）		初任給（大卒総合職）の内訳
㈱はせがわ	666	【初任給】237,600円 【内訳】実力給最大213,600円 営業手当3,000円 地域手当最大21,000円
●ゲーム●		
任天堂㈱	668	【初任給】256,000円 【内訳】基本給256,000円
㈱バンダイナムコエンターテインメント	669	【初任給】280,000円 【内訳】基本給280,000円
●人材・教育●		
㈱メイテック	669	【初任給】227,200円 【内訳】本給225,700円 PCコスト還元手当1,500円
㈱アルプス技研	670	【初任給】230,000～243,750円 【内訳】基本給159,600円 成果給70,400円 その他手当(住宅手当 在宅手当 WEB手当)0～13,750円
(学校法人)慶應義塾	670	【初任給】215,000円 【内訳】基本給215,000円
(学校法人)早稲田大学	671	【初任給】223,420円 【内訳】基本給223,420円
(学校法人)北里研究所	671	【初任給】227,600円 【内訳】基本給168,700円 ライフプラン手当27,500円 地域手当31,400円
(学校法人)立命館	672	【初任給】238,000円 【内訳】基本給223,000円 住宅手当15,000円(同居家族無し世帯主)
(学校法人)明治大学	672	【初任給】200,200円 【内訳】基本給200,200円
(学校法人)法政大学	673	【初任給】228,200円 【内訳】基本給210,000円 住宅手当(非世帯主)18,200円
(学校法人)中央大学	673	【初任給】222,900円 【内訳】本俸197,900円 住宅手当25,000円
(学校法人)立教学院	674	【初任給】231,000円 【内訳】基本給201,000円 研修手当8,000円 住宅手当22,000円(同居者なしの場合)
(学校法人)東洋大学	674	【初任給】192,600円 【内訳】基本給(ライフプラン手当含む)192,600円(モデルケース)
(学校法人)神奈川大学	675	【初任給】218,800円 【内訳】基本給218,800円
(学校法人)昭和大学	676	【初任給】210,400円 【内訳】基本給198,000円 諸手当12,400円
㈱ベネッセコーポレーション	676	【初任給】215,000円 【内訳】基本給215,000円
㈱公文教育研究会	677	【初任給】259,000円 【内訳】基本給234,000円 地域限定なし加算給25,000円
㈱ナガセ	677	【初任給】279,050円 【内訳】基本給236,150円 時間外手当42,900円(25時間分)
㈱ステップ	678	【初任給】<教師職>290,000円<チューター職・キャスト職・学童スタッフ>248,000円 【内訳】<教師職>基本給235,000円 調整手当40,000円 住宅10,000円 前払い退職金手当5,000円<チューター職・キャスト職・学童スタッフ>基本給191,000円 職務手当15,000円 調整手当37,000円 前払い退職金手当5,000円
㈱秀英予備校	678	【初任給】230,000円 【内訳】基本給195,900円 固定残業手当(23時間)34,100円
㈱昴	679	【初任給】240,000円 【内訳】職能給197,000円 定額時間外手当18,000円 住宅手当25,000円
㈱クリップコーポレーション	679	【初任給】202,000円 【内訳】基本給162,400円 皆勤手当3,000円 職務手当29,600円 調整給7,000円
●ホテル●		
㈱ミリアルリゾートホテルズ	680	【初任給】235,000円 【内訳】基本給235,000円
㈱西武・プリンスホテルズワールドワイド	680	【初任給】251,500円 【内訳】基本給251,500円 地域手当(地域によって異なる)
㈱ニュー・オータニ	681	【初任給】219,600円 【内訳】基本給219,600円
藤田観光㈱	681	【初任給】230,000円 【内訳】基本給230,000円
㈱帝国ホテル	682	【初任給】233,720円 【内訳】基本給196,820円 諸手当36,900円
㈱ホテルオークラ東京	682	【初任給】220,250円 【内訳】基本給205,000円 食事手当6,750円 住宅手当8,500円

業種別・初任給の内訳 1,165 社

会社名	（掲載ページ）	初任給（大卒総合職）の内訳
●レジャー●		
㈱エイチ・アイ・エス	683	【初任給】（地域による）220,000円　【内訳】基本給200,000円 地域手当（第1地域20,000円 第2地域15,000円 第3地域10,000円）
㈱日本旅行	684	【初任給】（全国社員・東京）240,000円（エリア社員・東京）229,800円　【内訳】＜全国社員＞基本給190,000円 都市手当（東京）15,200円 調整給34,800円＜エリア社員＞基本給180,500円 都市手当（東京）14,500円 調整給34,800円
名鉄観光サービス㈱	684	【初任給】210,000～223,000円　【内訳】基本給210,000円 業務手当または営業手当10,000円（フレックスタイム勤務者）特別地域手当3,000円（首都圏独身者）
日本中央競馬会	685	【初任給】218,000円　【内訳】基本給218,000円（東京23区内）
㈱オリエンタルランド	686	【初任給】255,000円　【内訳】ステージ給255,000円
㈱ラウンドワンジャパン	686	【初任給】323,000円　【内訳】基本給301,000円 前払い退職金22,000円
㈱バンダイナムコアミューズメント	687	【初任給】230,000円　【内訳】基本給230,000円
東宝㈱	688	【初任給】250,000円　【内訳】基本給250,000円
東映㈱	688	【初任給】257,300円　【内訳】本給219,500円 住宅手当37,800円
松竹㈱	689	【初任給】255,640円　【内訳】基本給255,640円
セントラルスポーツ㈱	689	【初任給】218,500円　【内訳】基本給218,500円
㈱ルネサンス	690	【初任給】211,000～246,000円　【内訳】基本給211,000～246,000円
●海運・空運●		
㈱商船三井	691	【初任給】315,000円　【内訳】基本給315,000円
川崎汽船㈱	691	【初任給】296,400円　【内訳】基本給296,400円
ＮＳユナイテッド海運㈱	692	【初任給】298,700円　【内訳】本給272,700円 資格手当26,000円
飯野海運㈱	692	【初任給】295,710円　【内訳】基本給295,710円
全日本空輸㈱	693	【初任給】249,557円　【内訳】基本給249,557円
日本航空㈱	693	【初任給】251,000円　【内訳】基本給251,000円
朝日航洋㈱	694	【初任給】242,000円　【内訳】基本給210,000円 住宅手当32,000円
●運輸・倉庫●		
日本通運㈱	694	【初任給】243,300円　【内訳】基準内賃金243,300円※東京の場合
福山通運㈱	695	【初任給】（東京）225,200円　【内訳】基本給185,200円 職能給10,000円 生産性手当30,000円
トナミ運輸㈱	696	【初任給】210,000円　【内訳】基本給160,000円 業績給50,000円（一律）
ロジスティード㈱	696	【初任給】244,299円　【内訳】基本給244,299円
センコー㈱	697	【初任給】＜全国型＞242,800円＜エリア型＞（東京基準）222,800円　【内訳】＜全国型＞基本給191,500円 他手当51,300円＜エリア型＞基本給191,500円 他手当31,300円
山九㈱	697	【初任給】253,890円　【内訳】基本給238,890円 地域手当15,000円
鴻池運輸㈱	698	【初任給】226,000円　【内訳】基本給226,000円
阪神高速道路㈱	698	【初任給】232,440円　【内訳】基本給232,440円（特別都市手当・ライフプラン支援金を含む）
日本梱包運輸倉庫㈱	699	【初任給】222,000円　【内訳】基本給222,000円
㈱キユーソー流通システム	699	【初任給】225,000円　【内訳】基本給225,000円
㈱日新	700	【初任給】242,000円　【内訳】資格給214,500円 ライフプラン手当27,500円
丸全昭和運輸㈱	700	【初任給】240,000円　【内訳】基本給190,000円 職能給50,000円
㈱近鉄エクスプレス	701	【初任給】248,000円　【内訳】役割給248,000円
郵船ロジスティクス㈱	701	【初任給】243,100円　【内訳】基本給243,100円

業種別・初任給の内訳 1,165 社

会社名	（掲載ページ）	初任給（大卒総合職）の内訳
関西エアポート㈱	702	【初任給】230,000円　【内訳】基本給230,000円
㈱阪急阪神エクスプレス	702	【初任給】223,000円　【内訳】基本給205,000円　業績給18,000円
㈱上組	703	【初任給】235,000円　【内訳】基本給235,000円
名港海運㈱	703	【初任給】243,000円　【内訳】基本給241,000円　食事手当2,000円
伊勢湾海運㈱	704	【初任給】242,000円　【内訳】基本給242,000円
三井倉庫ホールディングス㈱	704	【初任給】260,000円　【内訳】基本給260,000円
㈱住友倉庫	705	【初任給】260,000円　【内訳】基本給260,000円
日本トランスシティ㈱	706	【初任給】230,000円　【内訳】基本給230,000円
澁澤倉庫㈱	706	【初任給】260,000円　【内訳】基本給260,000円
安田倉庫㈱	707	【初任給】245,000円　【内訳】基本給245,000円
両備ホールディングス㈱	707	【初任給】245,000円　【内訳】基本給245,000円

●鉄道●

会社名	（掲載ページ）	初任給（大卒総合職）の内訳
東日本旅客鉄道㈱	709	【初任給】（東京23区）250,075円＜エリア職＞（東京23区）240,530円　【内訳】基本給210,500円　都市手当31,575円（東京23区）初任給特別措置8,000円＜エリア職＞基本給202,200円　都市手当30,330円（東京23区）初任給特別措置8,000円
東急㈱	710	【初任給】246,500円　【内訳】基本給246,500円
東武鉄道㈱	711	【初任給】243,000円　【内訳】基本給243,000円
㈱西武ホールディングス	711	【初任給】252,000円　【内訳】基本給252,000円
小田急電鉄㈱	712	【初任給】245,500円　【内訳】基本給245,500円
日本貨物鉄道㈱	713	【初任給】224,100円　【内訳】基本給214,100円　プランナー職（総合職）手当10,000円
富士急行㈱	714	【初任給】266,000円　【内訳】基本給211,000円　生涯設計手当55,000円
名古屋鉄道㈱	715	【初任給】300,000円　【内訳】年俸制（月額）300,000円
西日本旅客鉄道㈱	715	【初任給】239,646円＜プロフェッショナル職＞217,272円　【内訳】基本給217,860円　エリア手当（京阪神地区勤務の場合）21,786円
阪急阪神ホールディングス㈱	716	【初任給】328,334円　【内訳】基本給328,334円（一律基準外手当相当額20,000円含む）
京阪ホールディングス㈱	717	【初任給】237,000円　【内訳】基本給237,000円
南海電気鉄道㈱	717	【初任給】234,500円　【内訳】基本給234,500円
大阪市高速電気軌道㈱	718	【初任給】247,900円　【内訳】基本給247,900円
京阪電気鉄道㈱	718	【初任給】214,000円　【内訳】基本給214,000円
四国旅客鉄道㈱	719	【初任給】211,900円　【内訳】基本給189,900円　初任給調整手当22,000円
西日本鉄道㈱	720	【初任給】220,000円　【内訳】基本給220,000円

●その他サービス●

会社名	（掲載ページ）	初任給（大卒総合職）の内訳
東日本高速道路㈱	720	【初任給】235,500円　【内訳】基本給235,500円
首都高速道路㈱	721	【初任給】248,904円　【内訳】基本給233,400円　特別都市手当14,004円　在宅勤務手当1,500円
中日本高速道路㈱	721	【初任給】232,500円　【内訳】基本給205,000円　ライフプラン支援金27,500円
西日本高速道路㈱	722	【初任給】232,500円　【内訳】基本給232,500円（ライフプラン支援金を含む）
全国農業協同組合連合会	723	【初任給】＜全国コース＞233,900円　【内訳】＜全国コース＞基本給233,900円
日本生活協同組合連合会	723	【初任給】205,000円　【内訳】本人給180,000円　職能給25,000円
（国研）産業技術総合研究所	724	【初任給】226,300円　【内訳】俸給月額211,300円　職責手当15,000円※職群および種別ごとに異なる
日本自動車連盟	724	【初任給】185,400円　【内訳】基本給185,400円
（一財）日本品質保証機構	725	【初任給】230,000円　【内訳】本人給147,400円　職能給82,600円
（一財）関東電気保安協会	725	【初任給】237,250円　【内訳】基本給237,250円
（一財）日本海事協会	726	【初任給】271,500円　【内訳】基本給264,500円　食事補助7,000円

業種別・初任給の内訳 1,165 社

会社名 *（掲載ページ）*	初任給（大卒総合職）の内訳
日本商工会議所 *726*	【初任給】226, 180円 【内訳】基本給226, 180円
東京商工会議所 *727*	【初任給】230, 020円 【内訳】基本給230, 020円
（国研）宇宙航空研究開発機構 *727*	【初任給】215, 100円 【内訳】基本給215, 100円
（国研）科学技術振興機構 *728*	【初任給】218, 100円 【内訳】基本給218, 100円
（独法）国際協力機構 *728*	【初任給】235, 087円 【内訳】基礎給126, 780円 職能給95, 000円 特別都市手当13, 307円（東京勤務の場合）
（独法）国際交流基金 *729*	【初任給】210, 100円 【内訳】本俸210, 100円
（独法）鉄道建設・運輸施設整備支援機構 *729*	【初任給】235, 620円 【内訳】基本給214, 200円 地域手当21, 420円
（独法）エネルギー・金属鉱物資源機構 *730*	【初任給】231, 012円 【内訳】基本月額213, 900円 諸手当一律17, 112円
（独法）日本貿易振興機構 *730*	【初任給】205, 100円 【内訳】基本給205, 100円
（独法）中小企業基盤整備機構 *731*	【初任給】214, 500円 【内訳】基本給214, 500円
日本年金機構 *731*	【初任給】196, 200円 【内訳】基本給196, 200円
ＡＬＳＯＫ *732*	【初任給】239, 000円 【内訳】号俸給167, 300円 職務給36, 700円 地域手当35, 000円
㈱アクティオ *733*	【初任給】237, 220円 【内訳】基本給211, 800円 地域手当25, 420円（東京23区、勤務地により異なる）
㈱カナモト *733*	【初任給】220, 000円 【内訳】基本給190, 000円 等級手当30, 000円
西尾レントオール㈱ *734*	【初任給】228, 400円 【内訳】基本給187, 000円 職務手当8, 000円 調整手当15, 900円 研修手当17, 500円
ジェコス㈱ *734*	【初任給】235, 000円 【内訳】基本給235, 000円
サコス㈱ *735*	【初任給】218, 000円 【内訳】基本給218, 000円
三菱電機エンジニアリング㈱ *735*	【初任給】255, 000円 【内訳】基本給255, 000円
日本空調サービス㈱ *736*	【初任給】228, 500～253, 500円 【内訳】基本給220, 000円 住宅手当8, 500～33, 500円
㈱マイスターエンジニアリング *736*	【初任給】205, 000円 【内訳】基本給205, 000円
㈱ダスキン *737*	【初任給】233, 600円 【内訳】基本給233, 600円
㈱白洋舎 *737*	【初任給】231, 000円 【内訳】本給221, 000円 総合職手当10, 000円
㈱トーカイ *738*	【初任給】211, 800～252, 000円 【内訳】基本給与207, 800円 職種手当4, 000～20, 000円 地域手当0～20, 000円
シミックグループ *738*	【初任給】250, 000円 【内訳】基本給250, 000円
㈱コベルコ科研 *739*	【初任給】253, 000円 【内訳】基本給253, 000円
コンパスグループ・ジャパン㈱ *739*	【初任給】230, 000円＜栄養士職＞220, 000円 【内訳】基本給230, 000円
㈱テイクアンドギヴ・ニーズ *740*	【初任給】258, 100円 【内訳】基本給210, 000円 固定残業代48, 100円（30時間分）
㈱ノバレーゼ *741*	【初任給】245, 000円 【内訳】基本給183, 485円 固定残業手当61, 515円（43. 8時間）
㈱共立メンテナンス *741*	【初任給】＜総合職＞226, 000円 【内訳】＜総合職＞基本給196, 000円 勤務区分給30, 000円＜ホテル職＞基本給191, 000円 勤務区分給30, 000円＜介護職＞基本給176, 000円 処遇改善金17, 835円 介護職員初任者研修手当40, 000円
㈱ベネフィット・ワン *742*	【初任給】275, 000円 【内訳】月額給与250, 000円（業務手当50, 000円含む）カフェテリアプラン25, 000円
ＪＰホールディングスグループ *742*	【初任給】206, 000円 【内訳】基本給186, 000円 地域手当20, 000円
㈱リクルート *743*	【初任給】326, 551円 【内訳】基準給252, 813円 グレード手当73, 738円
ぴあ㈱ *743*	【初任給】234, 000円 【内訳】基本給234, 000円
㈱日本創発グループ *744*	【初任給】240, 000円 【内訳】基本給240, 000円
㈱パスコ *745*	【初任給】242, 000円 【内訳】基本給210, 000円 住宅手当32, 000円（東京勤務・独身者）
㈱エフアンドエム *745*	【初任給】255, 000円 【内訳】基本給210, 000円 固定残業手当45, 000円

「働く」を知るきっかけに

会社名 (掲載ページ)		コース概要
●商社・卸売業●		
三菱商事㈱	82	【概要】MC Academia -Summer Workshop：総合商社における新規事業開発を体感※キャリア教育の一環【時期】9月上旬(2日間)ないし9月中旬(2日間)
伊藤忠商事㈱	82	【概要】当社の業務を基にしたビジネス実体験型ワーク【時期】未定
三井物産㈱	83	【概要】(1)～(3)当社の取り組むビジネス課題をテーマに基づくディスカッション及びワーク(4)グループワーク型のプログラムでDX関連の新規事業立案に向けたディスカッション及びワーク【時期】(1)7月中旬(3日間)(2)2月中旬(4日間)(3)(4)2月中旬(3日間)
豊田通商㈱	83	【概要】会社説明 ケーススタディ 新規事業立案 部長講話【時期】1～2月(5日間)
住友商事㈱	84	【概要】(1)再生可能エネルギー事業をテーマにしたケーススタディ(2)モビリティ事業をテーマに、総合商社の新規ビジネス創出プロセスを体感するワークショップ(3)当社の事業をテーマにしたケーススタディ【時期】(1)7月下旬～8月(5日間)(2)9月下旬～11月(5日間×2回)(3)11～1月(5日間)
双日㈱	85	【概要】(1)働く目的の探求を行う前半パートと各本部の双日社員と共にビジネスモデルの理解及び事業開発・提案を体験する後半パートで構成(予定)(2)特定の部署やプロジェクトを題材に双日社員と共に事業理解や業務追体験を行う(予定)【時期】(1)12～1月(4日間×複数回)(2)2月(4～5日間)
兼松㈱	85	【概要】(1)商社トレーディング体験ワークショップ、模擬商談、座談会(2)現状のビジネスを学び自らの手で新規事業を模索、メンター社員との交流【時期】(1)9月 10月(2日間)(2)8月 9月 12月 1月(5日間)
伊藤忠丸紅鉄鋼㈱	86	【概要】実際に当社が手がけたプロジェクト事例を題材とした業務体験型のグループワークを通じて、商社業界及びその仕事に対する理解を深める【時期】冬期(時期・期間は未定)
阪和興業㈱	86	【概要】(1)バリューチェーン型業界分析ワーク 商社ならではの視点で開発したオリジナル業界分析ワーク(2)自己分析・他己分析ワーク(3)オンラインビジネス体感ワーク 顧客へのヒアリングと提案を通じて実際の商社のビジネスを体感するワーク【時期】(1)(2)8～12月(2日間)(3)7～2月(1日)
㈱メタルワン	87	【概要】Metal One 1Day Workshop：トレーディング(駐在員として新しい国でビジネスを作り上げていくグループワーク)のワークショップ、事業投資(実際のケースを基にしたグループワーク)社員座談会【時期】8月上旬～2月中旬
日鉄物産㈱	87	【概要】(1)商社ビジネス理解ワーク、キャリア体験ワーク、会社説明会、社員座談会(2)新規事業立案ワーク【時期】(1)7～11月(2日間)(2)12月(5日間)
㈱ホンダトレーディング	88	【概要】(1)商社の役割を考えるグループワーク(商社基礎)貿易ケーススタディ、会社紹介(2)貿易業務体験(三国間)会社紹介、先輩社員座談会【時期】(1)7～9月(2)12～1月
ＪＦＥ商事㈱	88	【概要】(1)商社ビジネス体験ワーク 社員座談会 社員講話(2)業界・企業説明 社員座談会 人事座談会【時期】(1)秋季・冬季(具体的な時期は未定)(2)通期
岡谷鋼機㈱	89	【概要】(1)実際の営業シーンや社員との座談会等を通して商社の業務を体感する3Daysインターン(2)商社業界・岡谷鋼機のビジネスを体感できるグループワーク(3)会社説明会(4)社員座談会【時期】(1)8月中旬 9月中旬 12月 1月(3日間)(2)～(4)毎月2回程度
神鋼商事㈱	89	【概要】1Day インターンシップ(会社・仕事理解セミナー 自己分析・他己分析セミナー 模擬面接)【時期】12月上旬 2月上旬(1日)
伊藤忠丸紅住商テクノスチール㈱	90	【概要】業界説明、商社ビジネス体験ワーク、先輩社員座談会、オフィス見学【時期】9～1月(1日)
小野建㈱	90	【概要】GWによる業界・営業職理解【時期】7月 8月 9月 11月 12月
大同興業㈱	91	【概要】会社紹介、当社の実務をアレンジしたワーク、社員座談会【時期】冬季(1日×3クール)
ユアサ商事㈱	92	【概要】(1)営業部門の社員との営業同行(2)営業体感グループワーク(3)商社体感グループワーク【時期】(1)8～9月中旬(3～5日間)(2)9～12月(1日)(3)1月中旬～2月中旬(半日)
㈱山善	92	【概要】(1)会社を知る！(2)社員を知る！(3)営業を知る！【時期】(1)8月 10月(1日×複数回)(2)9月 11月(1日×複数回)(3)10月 12月(1日×複数回)
㈱ミスミ	93	【概要】(1)BtoB業界紹介・業務にて使用するフレームワークを使った新商品開発体験(2)BtoB業界紹介・フレームワークを使った企画職体験【時期】(1)8～9月(2日)(2)12～1月(1日)
トラスコ中山㈱	93	【概要】(1)【夏季インターンシップ】①営業ロールプレイ②自己理解ワーク+社員座談会③グループディスカッション+社員座談会④会社説明(2)【冬季インターンシップ】①GD+会社説明+社員座談会②自己理解ワーク+会社説明+社員座談会(3)【長期インターンシップ】①営業部勤務②商品部勤務③物流センター勤務【時期】(1)8月下旬～9月上旬(1日)(2)10月下旬～11月中旬(1日)(3)9～2月(日程要相談)
㈱豊通マシナリー	94	【概要】(1)パネルディスカッション(営業社員・業務職社員登壇)(2)業界・会社説明会(3)座談会及びワークショップ【時期】(1)7月中旬～12月(2)7月中旬～12月(半日)(3)9～1月(半日～1日)
第一実業㈱	94	【概要】(1)会社紹介、DJK体感ワーク、内定者座談会、人事キャリア相談会(2)会社紹介、DJK体感ワーク、営業社員座談会(3)会社紹介、DJK体感ワーク、海外駐在員座談会(4)業界研究、DJK仕事理解【時期】(1)6～7月(1日×2回)(2)7月(1日×3回)(3)8月(1日×2回)(4)11～12月(1日×3～4回)
㈱守谷商会	95	【概要】商社業界研究 会社紹介 社員座談会【時期】8～2月(1日)

業種別・インターン 1,222 社

会社名 （掲載ページ）		コース概要
西華産業㈱	95	【概要】オープンカンパニー「西華産業のビジネスモデル・手がける事業を理解する」「新規ビジネスの立案ワーク」【時期】12～2月
ダイワボウ情報システム㈱	96	【概要】(1)業界研究説明会(2)営業体験ワーク、プレゼン実施、及びフィードバック(3)当社主催のICT総合イベント見学(4)ハッカソン体験【時期】(1)7～12月(1日)(2)8～12月(1・2・5日間)(3)12月(1日)(4)8～1月(1日)
㈱日立ハイテク	96	【概要】(1)理系学生：社員インタビューによる会社・業務理解 他(2)営業・事務：社員インタビューによる会社・業務理解 他(3)営業・事務：就業体験(4)エンジニア：就業体験【時期】(1)8～12月(1日)(2)10～12月(1日)(3)1～2月(5日間)(4)8月(2週間または3週間)
キヤノンマーケティングジャパン㈱	97	【概要】(1)(高専)技術職向けの就業体験(2)(大学生)社会課題解決体感コース(3)(障がい者向け)1day仕事体験(4)(大学生)BtoB職種体感コース(Imaging＆IT Solution Job Trial)【時期】(1)8月下旬(5日間)(2)8～10月(2日間)(3)1月下旬(1日)(4)1～2月(1日)
因幡電機産業㈱	97	【概要】(1)業界研究、会社紹介(2)商社営業体験ワーク、社員座談会【時期】(1)9～10月に4回程度(2)10月に2回程度
シークス㈱	98	【概要】(1)(理系)製造工場での見学および工程体験(2)経営トップや先輩社員と交流する会社・事業理解イベント(3)仕事理解のためのオープンカンパニー【時期】(1)7月下旬(2日間)(2)8月下旬(5日間)(3)2月(1日間)
㈱ＲＹＯＤＥＮ	98	【概要】グループでの提案営業体験ワーク：商社業界の現状・将来の展望を説明・考察 他【時期】12～1月(1日)
㈱立花エレテック	99	【概要】会社紹介 社内見学 営業体験グループワーク ロボットラボルーム見学 先輩社員との座談会【時期】8～2月(1日)
サンワテクノス㈱	99	【概要】会社説明会・パネルディスカッション【時期】2月上旬(1日×1回)2月下旬(1日×1回)
エプソン販売㈱	100	【概要】(1)1day仕事体験 自己理解ワーク(2)「技術」×「未来」販売会社の未来を創るエンジニアとは(3)「顧客」×「価値創出」顧客の未来を創る営業職とは(4)対面セミナー 会社紹介 質問会【時期】(1)6月下旬～8月下旬(2)9～12月(3)10～1月(1日)(4)10～3月
㈱カナデン	100	【概要】商社業界研究 会社紹介 営業体験ワーク【時期】11～2月
㈱マクニカ	101	【概要】(1)商社ビジネス体感：営業職体験(2)商社エンジニア体感：技術職体験【時期】(1)8～2月(1日)(2)8～2月(3日間または4日間)
加賀電子㈱	101	【概要】商社の営業(商談)を疑似体験【時期】10～12月(1日×8回)
リョーサン菱洋ホールディングス㈱	102	【概要】(1)業界＆会社説明+社員との座談会、会社見学、営業模擬体験(2)マーケティング業務体験(3)プログラミング体験(4)セールスエンジニア体験【時期】(1)6月～12月(1日)(2)(3)8～9月(1.5日)(4)8～9月(1日)
東京エレクトロン デバイス㈱	102	【概要】(1)オープンカンパニー(会社説明 自己分析等のワーク)(2)技術商社でのエンジニア体験コース(コンピューターネットワーク事業部)(3)技術商社でのエンジニア体験コース(プライベートブランド事業部)(4)技術商社でのエンジニア体験コース(半導体・電子デバイス事業部)【時期】(1)9月(1日)(2)～(4)10～1月(1日)
丸文㈱	103	【概要】商社業界研究、会社紹介、展示会レイアウトを考えるワーク 他【時期】10月～2月(1日)
伯東㈱	103	【概要】営業職体験ワーク、会社紹介、自己分析会、座談会【時期】10～2月中旬(3日間)
新光商事㈱	104	【概要】(1)プロモーション活動体験 ソリューション提案体験 エレクトロニクス業界理解 就職活動支援(理系)(2)会社概要理解 営業仕事体験 エレクトロニクス業界理解 先輩社員座談会(3)会社概要理解 エレクトロニクス業界理解 先輩社員座談会【時期】(1)8～9月(3日間もしくは5日間)(2)9月(1日)(3)2月(1日)
三信電気㈱	104	【概要】検討中【時期】12月以降(半日×複数回)
長瀬産業㈱	105	【概要】商社ビジネスを理解・体感できるグループワーク【時期】10～2月(1日)
稲畑産業㈱	105	【概要】(1)(2)稲畑産業の「愛敬」に基づいた営業マインドを学ぶ【時期】(1)(2)8～1月(1日)
ＣＢＣ㈱	106	【概要】(1)会社説明・社員座談会(2)ケーススタディ・社員座談会【時期】(1)8～9月(1日)12～1月(1日)(2)12～1月(1日)
オー・ジー㈱	106	【概要】(1)クイズ問題を通した専門商社の営業体験(2)(理系)座談会【時期】(1)8月 9月 12月(各半日)(2)6月 7月 10月 11月(各半日)
明和産業㈱	107	【概要】商社業界説明、会社説明、社員座談会【時期】8～9月上旬(90分×4回)12月(90分×3～4回)
ＪＫホールディングス㈱	107	【概要】(1)業界・企業理解 自己分析(2)商社の営業マン体感ワーク(3)住宅業界がわかる1泊2日のリゾート宿泊型プログラム(4)事務職体感ワーク【時期】(1)(2)(4)7～2月(3)8～2月
渡辺パイプ㈱	108	【概要】(1)会社体験 模擬営業体験 営業所実習(2)(3)会社紹介 模擬営業体験【時期】(1)9月(5日間)(2)8月(1DAYコース)2日程開催 9月(1DAYコース)1日程開催(3)7～2月(1日)
伊藤忠建材㈱	108	【概要】(1)(2)建材商社の仕事体感。複合型提案：「商社業界研究」と「仕事体感」【時期】(1)2月(1日のみ)(2)1月(1日のみ)
ナイス㈱	109	【概要】(1)1Day仕事体験(業界・会社説明、提案営業体験ワーク)(2)オープンカンパニー(業界・会社説明)【時期】(1)6～11月(半日間・月数回程度)(2)12～2月(半日間・月数回程度)
㈱サンゲツ	109	【概要】サンゲツの商品サンプルを用いてプランボードを作成しデザイン提案を行う【時期】8～9月中旬(半日)
㈱デザインアーク	110	【概要】オープンカンパニー(1DAY)【時期】月4～8回

会社名　（掲載ページ）		コース概要
㈱日本アクセス	110	【概要】食品商社・卸の仕事が分かる：業界&企業説明 グループワーク 社員座談会【時期】8～1月(1日)
三菱食品㈱	111	【概要】冬季インターンシップ(仕事体験)【時期】12月上旬
国分グループ	111	【概要】業界説明・グループワーク・先輩社員のパネルトークといった「食品卸を知る」「国分がわかる」(職種理解イベント)【時期】8～9月 12月 2月(1日)
加藤産業㈱	112	【概要】業界説明 売場提案ワーク(営業編)物流拠点立ち上げワーク(物流編)食流行分析ワーク(仕入編)先輩社員や内定者との座談会【時期】8～1月(3時間・月に1～3回)予定
ヤマエグループホールディングス㈱	113	【概要】業界研究・会社概要、リテールサポート(グループワークによる棚割実習)【時期】8～9月(1日×6回)
伊藤忠食品㈱	113	【概要】会社紹介 業務体験ワーク 社員座談会【時期】11～12月
旭食品㈱	114	【概要】得意先バイヤーとの商談・メーカーとの事前打ち合わせのGW【時期】8月
スターゼン㈱	115	【概要】(1)ルート営業就業体験、先輩座談会(2)食品・食肉業界研究 会社紹介【時期】(1)(2)7～2月(1日)
㈱マルイチ産商	115	【概要】(1)グループワークによる、ビジネスプラン企画・立案(水産業界について考える)(2)グループワークによる、ビジネスプラン企画・立案(水産練り製品業界の活性化施策を考える)(3)グループワークによる、ビジネスプラン企画・立案(信州地域における当社活性化施策を考える)(4)先輩社員座談会、企業研究【時期】(1)1月下旬(2日間)2月上旬(2日間)(2)1月下旬(2日間)2月中旬(2日間)(3)1月中旬(1日間)2月上旬(1日間)(4)8月下旬(1日×2日程)9月下旬(1日×2日程)10月下旬(1日×2日程)
㈱トーホー	116	【概要】(1)(3)「食のプロ」トーホーグループ業界・仕事セミナー：業界・会社説明、就業体験ワーク、座談会(2)業界・会社説明会【時期】(1)8月6日 14日 16日 22日 9月3日 13日 17日(1日、全日程共通)(2)4月24日～7月31日(毎週水曜日、2時間制を同日に2回)(3)8月9日 13日 15日 19日 20日 21日 26日 28日 29日 9月2日 9日 10日 18日
東海澱粉㈱	116	【概要】食品商社セミナー：業界・企業説明、グループワーク、社員との座談会 他【時期】12～1月(1日×5回)
カナカン㈱	117	【概要】展示商談会 見学・体験 卸売業界研究【時期】9月11日、12日(1day)
横浜冷凍㈱	117	【概要】冷蔵倉庫、食品商社営業の業務をグループワークを通じ理解【時期】6～1月(半日×複数回)
木徳神糧㈱	118	【概要】コメ卸の仕事を疑似的に体験するゲーム形式のワークや、当社において様々なシーンで活躍している実務担当者と個別質問会などを通して、仕事内容や働き方についての理解を深める仕事体験【時期】10～12月(1日)
日本出版販売㈱	118	【概要】(1)インターンシップ、事業説明会(2)データ分析や企画立案プレゼン体験を通じた事業体感ワークショップ、社員座談会(3)キャリアワーク、日販事業体験ワーク・新規事業立案ワークを通じた就業体験、役員講評、社員座談会【時期】(1)6月上旬 10月上旬(1時間半×複数回)(2)7月中旬 11月中旬(1日×複数回)(3)9月上旬(5日間)
㈱トーハン	119	【概要】(1)入門編：1日でわかる出版業界、業界のウラ側オモテ側教えます(2)応用編：スキルアップに役立つ、出版業界とトーハンの未来を考えよう【時期】(1)9～12月(2)12～1月
日本紙パルプ商事㈱	119	【概要】会社紹介、社員座談会【時期】8月28日 9月6日
㈱メディセオ	120	【概要】(1)営業職：業界概要等視聴、仕事内容をGWで体験、採用担当または社員とのパネルディスカッション(2)薬事関連職：業界概要等視聴、仕事内容をGWで体験、本社部門の業務体験(3)営業職：業界説明、ビジネスマナー、営業職社員との同行(4)薬事関連職：各部門の業務体験、社員座談会、現場見学会【時期】(1)(2)8～2月(1日)(3)8月 11月(5日間)(4)8月(4日間)
アルフレッサ㈱	120	【概要】(1)営業職：「医療ビジネスを支える戦略の舞台」MS体感ワーク(グループ対抗ゲーム形式)(2)営業職：「貴方の課題解決力を活かせる」MS模擬体験(3)薬剤師職：「あなたの知的好奇心を活かせる」薬剤師模擬体験【時期】(1)5～2月(2時間程度)(2)5～2月(1日)(3)5～2月(3時間程度)
㈱スズケン	121	【概要】(1)(全学部)医療制度・医療業界について知る(2)(薬学部)管理薬剤師業務について知る(3)(全学部)スズケンで働くイメージを持つ(4)(薬学部対象)コース2参加者限定、Web倉庫見学会【時期】(1)(2)8月下旬～12月上旬(1日2時間×複数回)(3)12月中旬～2月上旬(1日2時間×複数回)(4)10月中旬～2月上旬((1日1時間×複数回)
東邦薬品㈱	121	【概要】(1)(2)営業職業務体験(3)(6年制薬学部のみ)医薬品卸の薬剤師業務体験【時期】(1)6月～2月(2)7月～2月(3)8月
㈱PALTAC	122	【概要】業界・ビジネス理解講座、グループワーク、人事部座談会【時期】8～3月(1日)
㈱あらた	122	【概要】(1)業界研究 仕事理解(2)グループワークによる分析を用いた提案型営業(営業部門)【時期】(1)8月上旬～9月上旬(1日)(2)2月中旬～下旬(1日)
花王グループカスタマーマーケティング㈱	123	【概要】(1)オープンカンパニー：KCMKの会社や仕事について様々なテーマ(2)WORKセッション：営業職(アカウント)の特徴を理解する提案型グループワーク【時期】(1)8月下旬～10月下旬(複数回)(2)2月(1日／回)
蝶理㈱	124	【概要】当社の営業社員が実際に行った案件を体験できるグループワーク【時期】8～2月
豊島㈱	124	【概要】会社説明・商社ビジネス体感ワーク・営業社員座談会・自己分析ワーク【時期】7月 8月 9月 10月 11月 12月 1月 2月

会社名 *(掲載ページ)*		コース概要
帝人フロンティア㈱	*125*	【概要】(1)せんいの「商社×メーカー」を知る、事務系2daysインターンシップ(2)せんいの「研究開発職」について学ぶ、技術系2daysインターンシップ【時期】(1)7月 9月 11月 12月 1月(2日間)(2)9月 11月(2日間)
㈱GSIクレオス	*125*	【概要】(1)(2)業界・商社ビジネス説明、新規事業開拓ワーク(フィードバックあり)先輩社員との座談会【時期】(1)8月上旬(半日×複数回)(2)1月下旬～2月初旬(半日×複数回)
㈱ヤギ	*126*	【概要】(1)業界研究ワーク(2)営業実務体感ワーク【時期】(1)8～9月(1日)(2)10～11月(1日)
スタイレム瀧定大阪㈱	*126*	【概要】(1)オープンカンパニー：繊維業界・会社説明、自己分析対策、座談会(2)お仕事体験：繊維業界・会社説明、社員座談会、社内案内、グループワーク、模擬面接【時期】(1)7～1月(2)7～2月
伊藤忠エネクス㈱	*127*	【概要】(1)新規事業立案型(3days)(2)新規事業立案型(1day)【時期】(1)8～10月(3日間×7回)(2)7月(1日×3回)
岩谷産業㈱	*127*	【概要】商談同席【時期】8月 9月(5日間)
三愛オブリ㈱	*128*	【概要】(1)航空関連(2)化学品(3)営業体験(4)会社理解・自己理解【時期】(1)8月上旬(2日間)8月下旬(5日間)9月上旬(5日間)11月中旬(2日間)2月中旬(2日間)(2)9月中旬(2日間)(3)8月下旬(5日間)11月中・下旬(2日間)(4)5～6月中旬(1日×複数回)
NX商事㈱	*128*	【概要】(1)商社業界紹介、自己分析、グループワーク、先輩社員座談会(2)事業理解グループワーク、新規事業提案グループワーク【時期】(1)8月中旬～下旬(複数回)(2)12～2月(複数回)
三谷商事㈱	*129*	【概要】(1)会社紹介 先輩社員座談会 GD演習(2)商社業界研究 研究発表(3)SE業務体験型(4)TS業務体験型【時期】(1)8月下旬～9月上旬、 11月下旬～12月上旬(半日)(2)11月(1日)(3)9月上旬(3日間)(4)11月中旬～下旬(2日間)
TOKAIグループ	*130*	【概要】(1)エネルギー事業(営業職)を理解するコース(2)IT技術職の新人研修を体験できるコース(3)建築設備事業(技術職)を体験できるコース(4)TOKAIグループのイベントを見学し会社について理解するコース【時期】(1)8～9月上旬(2日間)12月下旬～2月上旬(2日間)(2)8月下旬～9月中旬(1日)12月下旬～1月中旬(1日)(3)9月中旬(1日)1月中旬(1日)(4)11月中旬～下旬(1日)
郵船商事㈱	*130*	【概要】(1)(2)当社のビジネスモデルをチームで疑似体験【時期】(1)7～8月(1日×2回)(2)12月(半日×2回)
鈴与商事㈱	*131*	【概要】(1)動画視聴によるケーススタディプログラム：実際の営業社員になりきり、顧客に提案するアイデアを考える(2)営業職仮想体験：実際の社員も行う営業ロープレを通じて、当社営業の面白さや難しさを体感する【時期】(1)8～1月(2週間×複数回)(2)8～12月(1日×複数回)各回30名定員
㈱巴商会	*131*	【概要】(1)会社紹介、先輩社員との座談会、職場見学・就業体験(2)自己紹介&交流タイム、ビジネスマナー、会社紹介、営業ロールプレイング、先輩社員との座談会(3)会社紹介、先輩社員との座談会【時期】(1)(2)7月下旬 8月下旬(月1回)(3)9月 10月 11月 12月(月1回)
トヨタモビリティパーツ㈱	*132*	【概要】(1)車業界やトヨタモビリティパーツの仕事内容、仕事体験プログラムなどのメリットを伝える業界・仕事研究セミナー(2)(3)自動車部品商社のBtoBルート営業・企画体験：実際の商品やサービスの販売促進方法を考えるワーク他【時期】(1)6～7月(1時間15分×複数回)(2)8～9月(2日間×4回、1日×2回)冬(日程未定)(3)8～9月(1日×複数回)
メルセデス・ベンツ日本(合同)	*133*	【概要】(1)人事業務(2)配置予定部署での業務体験【時期】(1)2月 8月(半年)(2)7月(8日間)
松田産業㈱	*133*	【概要】(1)業界セミナー 会社紹介(2)グループワークによる模擬営業提案体験(3)社員座談会 就活セミナー(4)(理系)技術開発職の就業体験【時期】(1)8～2月(1日間)(2)8～12月(1日間)(3)9～12月(1日間)(4)8～9月(1日間)
㈱ハピネット	*134*	【概要】(1)(2)未定【時期】(1)12月上旬～中旬(2)1月中旬～下旬
㈱内田洋行	*134*	【概要】営業コース【時期】8月下旬(5日間)
新生紙パルプ商事㈱	*135*	【概要】ロールプレイング形式のグループワークで「紙の営業」を体験(若手営業社員との座談会・現場社員からのフィードバックあり)【時期】12月(1日)
㈱オートバックスセブン	*135*	【概要】(1)オートバックスにおけるマーケティングの仕事体験(2)SV(スーパーバイザー)の仕事体験(3)ロジカルライティングを駆使した商品導入企画書作成の仕事体験【時期】(1)～(3)8～9月 12月中旬～1月(1日間)
㈱JALUX	*136*	【概要】(1)EC事業マーケティング戦略体感ワーク 仕事体験(2)商社トレーディング事業体感ワーク仕事体験(3)商社ビジネスを学ぶ新規事業立案ワーク【時期】(1)(2)8～9月(1日×複数回)(3)1～2月(2日間×複数回)
㈱ドウシシャ	*136*	【概要】(1)営業の「リアル」を体験、就職活動に参考になるプログラム(2)ドウシシャの上流(開発)～下流(営業)までをワンストップ体験【時期】(1)8～1月(2)9月(3日間)
●シンクタンク●		
㈱野村総合研究所	*140*	【概要】(1)経営戦略コンサルティング(2)ITソリューション(3)セキュリティエキスパート(4)DXエキスパート【時期】(1)＜夏期＞7月下旬～9月下旬(5日間)＜冬期＞12月上旬～1月下旬(5日間)(2)＜夏期＞8月中旬～9月下旬(5日間)＜冬期＞11月下旬～12月下旬(5日間)(3)＜夏期＞9月下旬(8日間)＜冬期＞12月上旬(8日間)(4)＜夏期＞8月下旬～9月上旬(9日間)＜冬期＞12月上旬(10日間)

会社名　(掲載ページ)	コース概要
㈱日本総合研究所　140	【概要】(1)プロジェクトマネジメントコース(2)DXエンジニアコース(3)金融×セキュリティコース 金融×先端技術コース 金融×データサイエンスコース(4)戦略コンサルティングコース【時期】(1)8〜9月(3日間)11〜1月(1日)(2)8〜9月 12月(2日間)(3)8〜9月 12〜1月(2週間)(4)8月 12月(1日)
みずほリサーチ＆テクノロジーズ㈱　141	【概要】(1)コンサルタントコース・ワークショップ型(2)システムエンジニアコース・ワークショップ型【時期】(1)7〜2月(1〜2日間)(2)8〜2月(1日)
㈱三菱総合研究所　141	【概要】(1)体験・実践型(個別受入)：公共イノベーション部門、社会イノベーション部門、海外事業本部(2)グループワーク型：シンクタンク部門、デジタルイノベーション部門 コンペティション型：デジタルイノベーション部門【時期】(1)7月下旬〜9月 11月下旬〜12月(5〜10日間)(2)7月下旬〜9月 11月下旬〜12月(3〜10日間)
㈱大和総研　142	【概要】(1)ITソリューション業務体験(2)データサイエンティスト業務体験(3)エコノミスト業務体験【時期】(1)8〜2月(1〜3日間)(2)8〜9月(5日間)(3)1〜2月(5日間)
三菱ＵＦＪリサーチ＆コンサルティング㈱　142	【概要】(1)経営コンサルティングコース：コンサルタントの指導のもと実際の経営課題をテーマとした課題解決を実践(2)政策研究コース：研究員の指導のもと調査分析、プレゼンテーション等を体験【時期】(1)7〜8月(3日間×4回)秋・冬にも予定(2)9月(3〜4日間×5回)秋・冬にも予定

●コンサルティング●

会社名　(掲載ページ)	コース概要
㈱日本Ｍ＆Ａセンター　143	【概要】M&A業務フローの体験【時期】5日・3日
㈱船井総合研究所　143	【概要】(1)3Daysワークショップ(2)1Daysワークショップ(3)長期インターンシップ(4)オープンカンパニー【時期】(1)5〜9月(3日間)(2)10〜12月(1日)(3)最大3カ月(延長の可能性あり)(4)毎月開催
㈱ビジネスコンサルタント　144	【概要】(1)当社のコンサルティング営業の仕事である、企業課題の解決提案の流れを体験(2)オープンカンパニー【時期】(1)7月中旬〜9月上旬(2日間)(2)7〜1月
ＩＤ＆Ｅグループ　144	【概要】(1)日本工営㈱：コンサルティング事業部門(2)日本工営都市空間㈱：都市空間事業部門(3)日本工営エナジーソリューションズ㈱：エネルギー事業部門(4)日本工営ビジネスパートナーズ㈱：事務系総合職部門【時期】(1)(3)8〜10月(2週間×4ターム)(2)7〜11月(2週間×6ターム)(4)9月
㈱建設技術研究所　145	【概要】(1)業務実践型：技術部門での実務(実業務の図表・図面作成 写真・データ整理他)(2)業務体験型：当社のプロジェクト事例をテーマとしたGW 他(3)業務体験型：管理・営業部門での就業体験【時期】(1)8〜9月(2週間×3回)(2)11〜12月(1日×複数回)(3)9月(1週間×1回)
パシフィックコンサルタンツ㈱　145	【概要】(1)経営管理：人事・総務・事業管理・財務経理・戦略企画など経営管理業務全般(2)営業：建設コンサルタント業界における営業活動全般(3)技術分野：各分野における建設コンサルタント業務の実務体験【時期】(1)8〜12月(5日間)(2)8〜2月(5日間)(3)8〜2月(5〜10日間)
㈱オリエンタルコンサルタンツグローバル　146	【概要】(1)(2)技術部門での就業体験【時期】(1)8月上旬(2週間)(2)9月中旬(2週間)

●リサーチ●

会社名　(掲載ページ)	コース概要
㈱インテージ　146	【概要】(1)クライアントの課題に対し、仮説と検証を繰り返しながら、マーケティングリサーチのビジネスを体験するGW(2)生活者のログデータをもとに、ダッシュボードなどのアプリケーションの企画立案を体験するGW 他【時期】(1)24年6月〜25年1月(1〜3日間)(2)8月(4日間)12月(予定)
㈱帝国データバンク　147	【概要】(1)ビジネス体感ゲーム 企業信用調査体感ワーク 先輩社員座談会(2)企業信用調査体感ワーク 提案営業ワーク 先輩社員座談会【時期】(1)8〜9月(2日間)(2)12〜2月(2〜3日間)
㈱マクロミル　147	【概要】(1)本社採用コース＜Drive＞：一段上のステージへレベルアップするための選抜型2daysプログラム(2)本社採用コース＜Prologue＞：様々な企業のマーケティング課題に向き合う2職種の業務を体験できる1dayプログラム(3)仙台採用コース＜Marketing & Research Seminar in Sendai＞：リアルなデータを用いて、マーケティング・リサーチの基礎を学べる1dayプログラム【時期】(1)8〜9月(2日間)(2)8〜9月(1日)(3)8月(1日)
㈱東京商工リサーチ　148	【概要】(1)調査営業職の目線で見た、企業研究・自己分析セミナー(2)調査営業職の目線でみた、企業の特徴から詳しく知るセミナー(3)模擬取材やレポート作成等のGW 他(4)模擬取材やレポート作成・営業提案等のGW 他【時期】(1)5〜2月(1日)(2)(3)6〜2月(1日)(4)8〜2月(1日)

●通信サービス●

会社名　(掲載ページ)	コース概要
日本電信電話㈱　150	【概要】研究所社員の指導のもとで研究開発を体験【時期】8〜9月中旬 12〜3月(4週間程度)
㈱ＮＴＴドコモ　150	【概要】(1)ビジネス創造(2)ドコモハッカソン(3)現場受け入れ型(4)ビジネスグロース【時期】(1)〜(3)8〜9月(4)11月
ソフトバンク㈱　151	【概要】(1)経験やスキルをソフトバンクの実際の仕事で活かせる就業体験型インターン。内定後、参加者とソフトバンク双方が、インターンで参加したジョブでの配属を希望する場合は配属を確約する(2)次の時代を創る“変革リーダー”を目指す学生のための地方創生インターン【時期】(1)(2)未定

業種別・インターン 1,222 社

会社名 （掲載ページ）		コース概要
ＫＤＤＩ㈱	151	【概要】(1)ネットワークコース：研究所見学 体験ワーク グループワーク 先輩社員座談会 他(2)アカウントコンサルコース：グループワーク 発表会 フィードバック 他(3)セキュリティコース：講義 グループワーク 発表 他(4)データサイエンス：部署紹介 データ分析・資料作成 発表 他【時期】(1)8月(4日間)9月(4日間)(2)8月(2日間)(3)8月(5日間)(4)9月(5日間)
楽天グループ㈱	152	【概要】(1)ビジネス職向け：GW 他(2)ビジネス職向け：地域課題を解決する新規事業立案ワーク(3)エンジニア職向け：GW 他(4)エンジニア職向け：1カ月以上の現場体験【時期】(1)8～9月(半日、1日)(2)8～9月(5日間)(3)8～9月(3～5日間×5回)(4)7～10月
ＮＴＴ東日本	152	【概要】(1)GWによる新規ビジネス立案(2)GWによる通信ネットワークの企画設計(3)GWによるシステムエンジニアリング業務の体験(4)GWによるセキュリティ・データサイエンス等の業務体験【時期】(1)(2)8月 9月 12月(5日間)(3)8月 12月(5日間)(4)9月(5日間)12月(3日間)
ＮＴＴ西日本	153	【概要】(1)インターンシップ説明会(What's NTT WEST)(2)ビジネス共創インターンシップ ※項番1(説明会)への参加が必須(3)エンジニアインターンシップ ※コース1(説明会)への参加が必須(4)セキュリティインターンシップ ※項番1(説明会)への参加が必須【時期】(1)5～10月(2日／月)(2)9月上旬(最大5日)12月上旬(最大5日)(3)9月下旬(最大5日)12月下旬(最大5日)(4)12月上旬(最大5日)
ＪＣＯＭ㈱	153	【概要】(1)各職種の就業体験：コンテンツビジネス制作、経理、サービスインフラ、情報システム、データサイエンティストの各職種(2)就業体験：セールス・マーケティング職(3)1Day仕事体験(文系、理系)(4)就業体験：サービスインフラ(ネットワークエンジニア)職種【時期】(1)8～10月(2～4日間)(2)8～10月(1日程)(3)8～10月(4)8月(5日間)
㈱ティーガイア	154	【概要】社会人基礎及び各事業部の仕事の違いや醍醐味を学ぶワークショップ【時期】8月～未定(1日)
㈱インターネットイニシアティブ	154	【概要】(1)ネットワーク：日本で最初にインターネットを始めた会社で、最前線で働くエンジニアと直接話をしながらインターネットの「作り方」を学ぶ(2)クラウド：クラウドを支える(インフラ)技術、仕組みについて実習を通して学ぶ(3)IT営業：「IIJの営業」の意義・責任・やりがいを講義・グループワークを通し体感する(4)システムインテグレーション：第一線で活躍するエンジニアによる講義・グループワークを通し、IT業界の構造、働き方、「システムエンジニア／プロジェクトマネージャ」に求められる資質、仕事についての理解を深める【時期】(1)8月下旬(3日間)(2)9月上旬(4日間)(3)(4)8月中旬(半日)
㈱ＭＩＸＩ	155	【概要】(1)エンジニア向け就業型(各事業部配属)(2)企画職向け短期(ビジネスコンペティション型)【時期】(1)6月～(1カ月以上から)(2)9月(3日間)
㈱ディー・エヌ・エー	155	【概要】(1)ビジネス職コース(2)ソフトウェアエンジニアコース(3)デザイナーコース(4)AIスペシャリストコース【時期】(1)8月(1週間程度)(2)(3)8～9月(1週間程度)(4)8～11月(2カ月程度)
インフォコム㈱	156	【概要】業界・企業説明 事業企画ワーク 先輩社員座談会【時期】9～1月(1日×9回)
㈱ゼンリン	156	【概要】会社説明 座談会 業務体験(技術系)【時期】2日間

●システム・ソフト●

会社名 （掲載ページ）		コース概要
㈱ＮＴＴデータ	157	【概要】(1)ワークショップ型(2)プロジェクト型：現場配属型【時期】(1)7月下旬～9月中旬(5日間)(2)8月中旬～10月(プロジェクトによって異なる)
㈱大塚商会	158	【概要】(1)営業の難しさ、厳しさ、喜びややりがいを体感(2)顧客のニーズを掘り起こし、最適なソリューションを考える(3)CADソフトを使用し、CADビジネスを体感(4)ITの力で新たなソリューション、ビジネスを生み出す【時期】(1)7～11月(1日×複数回)(2)9～11月(1日×複数回)(3)8月(5日間)(4)9月(5日間)
伊藤忠テクノソリューションズ㈱	158	【概要】(1)夏ワークショップ：ビジネスプロデュース型ワークショップ(2)冬ワークショップ：業務理解型ワークショップ(3)5Daysインターンシップ(エンジニア向け)【時期】(1)7～9月(3日間)(2)11～12月(2日間)(3)12月下旬(5日間)
ＴＩＳ㈱	159	【概要】(1)<ビジネス体感セミナー：人事主催>実際の業務を題材とした仕事体験(2)現場社員との座談会(3)<現場エンジニア主催>実務をベースとした、技術による課題解決・チーム開発体験(4)<現場エンジニア主催>Webアプリケーション開発を通じたチーム開発体験【時期】(1)(2)6～1月(半日)(3)8月下旬～9月(1週間)(4)11～1月(2日間)
ＳＣＳＫ㈱	159	【概要】システム開発疑似体験や社員との座談会【時期】7月～
㈱日立システムズ	160	【概要】(1)SE体感プログラム(初級)：SIerの基本的な開発フローを学び、グループワークを通じてプロジェクトマネジメントを体験(2)SE体感プログラム(中級)：ケーススタディを通して、要件定義～開発～運用までのプロセスを疑似体験(3)SE体感プログラム(5days)：ITの基礎知識や、SEの仕事内容、プロジェクトマネジメント等の基礎的な座学を踏まえて、グループワークを通じて業務を疑似体験(4)営業体感プログラム：SIer会社の営業の仕事を理解するとともに、日立システムズの行うコンサルティング営業とは何か？サービス提案のやりがいを体感【時期】(1)(2)7～9月(2日間)11～1月(2日間)(3)8～9月(5日間)11～12月(5日間)(4)11～1月(2日間)
ＢＩＰＲＯＧＹ㈱	160	【概要】(1)製造ソリューションエンジニア(2)Business Development(3)AI Engineer／Data Scientist(4)Software Engineer【時期】(1)(2)8月(3日間)(3)(4)8月(5日間)
ＮＥＣネッツエスアイ㈱	161	【概要】(1)ネットワーク機器の設定方法と動作確認を学ぶ(高専生限定)(2)職場受入型インターンシップ：各事業部におけるマーケットや顧客に応じた業務体験(3)SIerの仕事理解・体験ワークショップ(4)DX技術を活用した業務改善における企画立案・実装・効果測定までのサポート業務【時期】(1)8月(2)8～9月(5日間程度)(3)6～2月(1日)(4)9～11月(3カ月間)

会社名 （掲載ページ）	コース概要
日鉄ソリューションズ㈱ *161*	【概要】(1)SEのタマゴ養成講座(システムエンジニア業務体験)(2)研究開発職インターンシップ(システム開発研究センターでの 現場配属型インターンシップ)(3)Agile Labインターンシップ(アジャイル開発手法の業務体験)(4)1Dayイベント(1日業務体験)【時期】(1)8月 9月(5日間×4回)(2)8月 9月(3週間×1回)個人によって異なる(3)8月 9月(5日間×2回)(4)8月～11月(1日×13回)予定
ＮＥＣソリューションイノベータ㈱ *162*	【概要】(1)社会課題をテーマとして、グループワークで「課題の特定～解決策の提案」を実践(2)職場でSEの業務を疑似体験(3)SEとの交流を通じて働き方や技術を知り キャリアのヒントを掴むイベント【時期】(1)9月(5日間)(2)8～9月(5日間～1カ月程度)(3)半日未満
富士ソフト㈱ *162*	【概要】(1)組込プログラミング体験(2)(プログラミング経験者のみ)Webアプリケーション開発(3)(プログラミング経験者のみ)製造業BtoCサイトの機能分析・改善提案(4)(プログラミング経験者のみ)2D仮想空間を活用した新企画の検討・試作【時期】(1)6～2月(1日)(2)～(4)8月(5日間)
ＧＭＯインターネットグループ㈱ *163*	【概要】(1)データサイエンス、ブロックチェーン、Webエンジニアリング等の研究開発(2)Webアプリ開発、インフラ、セキュリティ等の技術に触れる(3)業界研究、会社研究、GW他(4)デザイン(Web・グラフィック)映像制作等のグループ制作経験【時期】(1)8～9月(10日間)(2)8～9月(5日間)(3)6～9月(1日)(4)8月(3日間)
ＮＴＴコムウェア㈱ *163*	【概要】(1)Project Management：当社のデザイン力と技術力をワークで体感(2)Comware Festival：現場社員との交流(3)NTTグループ横断システム開発コース：当社のデザイン力と技術力をワークで体感(4)NTTドコモグループ・プロダクト開発コース：ワークでアジャイル開発を体感【時期】(1)7～8月(半日×12回)(2)8月(3日程)(3)(4)12～1月(半日×12回)
エフサステクノロジーズ㈱ *164*	【概要】(1)各職場で業務を体験(2)ワークや発表を通して保守業務を体感(3)運用・保守についてワークや発表、社員との交流【時期】(1)1月22～26日(2)11～1月(1日)(3)9～1月(1日)
ネットワンシステムズ㈱ *165*	【概要】(1)実際のプロジェクトを基に企画された協創ビジネスコンペを通して、インフラエンジニア(フロントサイド)の仕事を体感する提案型ワーク。学生と社員がチームを組んで、最適なICT基盤を検討し、 顧客のビジネスに「付加価値」を提供できる提案書を作ってプレゼンを行う(2)カスタマーサクセスの視点に立ち、保守・運用に関するアフターフォローの仕事を体感する就業体験型インターンシップ(3)チームでICT基盤の過去変遷を学び、未来を発想するワークに取り組むことで、SIerの魅力や業務への理解、弊社で働くイメージを深めることができる1日仕事体験(4)顧客サイド・提案サイドの2役に分かれて、チームを組み、カードを用いた顧客への課題ヒアリング／提案活動／受注の模擬体験を通じてSierの仕事体験いただける1日仕事体験【時期】(1)(2)7月(2週間)8月(2週間)(3)(4)各月随時開催(1日)
㈱日立ソリューションズ *165*	【概要】(1)会社説明および先輩社員によるパネルディスカッション。実際のキャリパス紹介を含め学生と社員のQ&Aセッションを実施(2)システムエンジニアやソリューション営業の幅広い仕事の中でも特に重要な顧客対応を、チームに分かれて体験。顧客とのアポイントメントを実施し、最終的にソリューション提案まで行う(3)オープンデータの分析・可視化を通して発見した課題に対し、解決策を議論し、データ利活用を体験。 デジタルアクセラレーション事業を支えるweb3技術をベースに課題に対してソリューション提案(4)セキュリティ診断コンサルティングからサービス提案まで体験し、仕事の流れやセキュリティ技術を学ぶ【時期】(1)8～2月(1日×12回)(2)1～2月(1日×数日程)(予定)(3)(4)8～9月(8日間)
㈱トヨタシステムズ *166*	【概要】(1)技術的側面に焦点を当てた事業分野別セミナー(2)トヨタシステムズへの理解を深める：事業分野別課題解決ワーク、先輩社員との座談会(3)商品改良、新商品企画に活かせるようなお客様の隠れた潜在ニーズを分析・調査するデータ分析体験ワーク(4)実際の職場に入り込んだ、よりリアルな就業体験型インターンシップ、先輩社員からフィードバックあり【時期】(1)6月(1日間)11月(1日間)(2)8～9月 2月(2・3日間)(3)1月(3日間)(4)8～9月(10日間)
京セラコミュニケーションシステム㈱ *166*	【概要】(1)SE：インフラ・アプリ、クラウド、AI、XR、無線通信ネットワーク業務体験 他(2)通信・環境エンジニア：携帯電話基地局や太陽光発電施設の現場見学 他(3)営業：法人営業の仕事体験(4)女子学生向け：システムエンジニア、通信・環境エンジニア業務体験、 女性活躍推進ワーク【時期】(1)(2)8～9月 11～12月(2～5日間)(3)8～9月 11～12月(2日間)(4)8月～10月(5日間)
ユニアデックス㈱ *167*	【概要】(1)Uniadex interface seminar：ICTインフラを支える仕事とキャリアを体感(2)内定者・若手社員・採用担当との交流会【時期】(1)8～2月(2～3日間)(2)11～2月中旬(1日)
㈱電通総研 *167*	【概要】(1)会社 事業部紹介 現場社員仕事紹介 QA会(2)事業領域ごとの市場ニーズを捉え、経営者視点で電通総研のビジネス全体の理解を深めるグループワーク(3)現場社員座談会【時期】(1)5～2月(1日)(2)9～12月(1日)(3)11～12月(1日)
パナソニック インフォメーションシステムズ㈱ *168*	【概要】(1)データ分析：会社・仕事紹介、社員座談会(2)プロジェクト管理：会社・仕事紹介 社員座談会(3)クラウド活用：会社・仕事紹介 社員座談会(4)ITコミュニケーションツールの変革：会社・仕事紹介 社員座談会【時期】(1)～(4)7～9月(2日)11～2月(1日)
都築電気㈱ *168*	【概要】(1)業界説明と自分の強みを見つけ出す自己分析ワーク(2)テキストマイニングをワークで実施し、当社のデータドリブンビジネスを体験できるインターン(3)企業のDX推進を提案するワークを実施し、企業に変革を起こすDXコンサルティングを体験できるインターン【時期】(1)6～7月 10月(半日間)(2)(3)8～9月 12月(半日間)
㈱インテック *169*	【概要】(1)業界理解編(Real DX Academy)：「実社会」を変えるための仕事に必要なことを考える(2)事業理解編(Touch The Core)：ワークを通じて、IT業界で身につくスキルを理解する(3)仕事・風土理解編(Real Stages)：3年目・5年目・10年目の3つのキャリアステージと「仕事のリアル」を体感する【時期】(1)5～10月(1日)(2)7～9月(1日)(3)10～12月(1日)
㈱ＤＴＳ *169*	【概要】顧客の課題解決に向けたシステム提案体験グループワーク【時期】7～9月 11～2月(1日)

業種別・インターン 1,222 社

会社名　(掲載ページ)	コース概要
日本ビジネスシステムズ㈱ 170	【概要】(1)現場受入型エンジニア業務体験(2)現場受入型営業業務体験(3)IT業界理解オンラインハンズオン講座、先輩社員座談会(4)クラウド理解オンラインハンズオン講座、先輩社員座談会【時期】(1)(2)8月下旬(5日間)(3)(4)随時(半日)
㈱オービック 170	【概要】(1)経営者体感ワーク(夏期コース)(2)経営者体感ワーク(秋・冬期コース)【時期】(1)7月下旬〜9月(2日間×10回)(2)10月中旬〜1月(1日×15回)
三菱ＵＦＪインフォメーションテクノロジー㈱ 171	【概要】(1)金融系スマホアプリ開発体験5DAYS(2)金融×IT プロジェクト体験5DAYS(3)金融×IT プロジェクト体験2DAYS(4)金融×ITシステム設計コース1DAY【時期】(1)8〜9月(4日間)＋10月以降(1日)(2)11月(1日)＋12月(3日間)＋1月(1日)(3)8〜9月 11〜1月上旬(2日間)(4)6〜2月(1日)
㈱ＮＳＤ 171	【概要】(1)業界や会社理解を深めるコンテンツ(2)SEの仕事理解を深めるためのグループディスカッション、社員との交流【時期】(1)8月・1日間(2)9〜11月・2日間
ニッセイ情報テクノロジー㈱ 172	【概要】(1)システム提案体験(2)プロジェクトマネジメント体験(3)IT業界の仕事理解【時期】(1)7〜9月(半日)(2)10〜12月(半日)(3)12〜2月(半日)
㈱システナ 173	【概要】オープンカンパニー(業界研究、会社説明会)【時期】7〜9月上旬(1日)
㈱ＴＫＣ 173	【概要】IT企業のサービス体感コース(仕事体験)【時期】8〜9月 12〜1月(1日)
三菱総研ＤＣＳ㈱ 174	【概要】(1)システム開発の基礎「アルゴリズム」／ICTサービス企画の体感型ワーク(2)AI×コミュニケーションロボット研究開発の体感型ワーク【時期】(1)各半日×20回程度(2)各半日×10回程度
ＪＦＥシステムズ㈱ 174	【概要】(1)ITコンサル体感ワーク：IT業界や新技術の紹介、現場エンジニアとの座談会(2)RPA技術体感ワーク：プログラム体験、現場エンジニアとの座談会(3)チャットボット構築体感ワーク：プログラム体験、現場エンジニアとの座談会【時期】(1)〜(3)6〜10月 12〜1月(1日)状況により追加仕事体験
㈱中電シーティーアイ 175	【概要】(1)電力の安定供給を支えているセキュリティ分野の5daysインターンシップ：会社概要説明 脆弱性調査 フォレンジック 座談会(2)中部電力グループ唯一のIT企業として、電力事業を支えてきた実績とこれからの可能性を感じる仕事体験(3)オープン・カンパニー 会社概要説明 座談会【時期】(1)9月(5日間)(2)9月(2日間×2日程)
㈱シーイーシー 175	【概要】(1)IT業界・SE職の説明、グループワーク(プログラミング)(2)IT業界・SE職の説明、グループワーク(企画提案)(3)IT業界・SE職の説明、グループワーク(SEのコミュニケーション)【時期】(1)6〜2月(各週2日程)(2)7〜2月(各週2日程)(3)8月下旬〜2月(各週2日程)
㈱ＪＳＯＬ 176	【概要】(1)システム企画・開発・保守体験、ITコンサル・営業体験、CAE開発体験(2)(4)システム開発模擬体験、グループ討議、座談会(3)システム企画・開発・保守体験、ITコンサル体験【時期】(1)8〜9月(5〜10日間)(2)8〜9月(3日間)(3)9月(7 日間)(4)11〜1月(1日)
ＮＴＴテクノクロス㈱ 176	【概要】(1)会社で働く自分自身をイメージするワークショップ(ブロックを活用したワーク)会社見学ツアー 先輩社員との懇談会(2)業界の理解を深めるための技術体験型ワークショップ 最先端技術や働き方の紹介 会社見学ツアー 先輩社員との懇談会(3)業界研究 会社紹介 先輩社員との懇談会【時期】(1)(2)8〜11月(半日)(3)8〜11月(数時間)
コベルコシステム㈱ 177	【概要】ゲーム形式のグループワーク「システムトラブルの原因究明」を通したシステムエンジニア(SE)の仕事理解、先輩社員による仕事紹介【時期】8〜2月(1日)
㈱オージス総研 177	【概要】(1)(2)課題解決・ワークショップ型【時期】(1)8月(計2日間)(2)8〜2月(1日)
ＮＳＷ㈱ 178	【概要】(1)画像処理・モデルベース開発(2)業界・企業研究、先輩社員座談会、IoTサービスのデモ体験【時期】(1)5日間(2)1日
ｔｄｉグループ 178	【概要】実機を用いたソリューション開発体験【時期】12月中旬〜1月(2日間)
㈱オービックビジネスコンサルタント 179	【概要】ワーク型課題解決提案【時期】6月下旬〜10月(半日×複数回)
ＴＤＣソフト㈱ 179	【概要】(1)SEの仕事内容を疑似体験(2)SEの仕事内容の疑似体験(PG実装)(3)開発部門での就業体験【時期】(1)6〜2月(1日×複数回)(2)8〜2月(1日×複数回、3日間)(3)8月中旬(2週間)
㈱図研 180	【概要】モノづくりDX：図研製品(CAD、PDMシステム)を活用した電子機器開発体験【時期】8月19〜29日(9日間)
㈱アイネット 180	【概要】IT業界研究、システム開発の企画業務体験、グループワーク、プレゼン、社内ツアー、先輩社員との座談会 他【時期】7〜9月 11〜12月(2日間および1日×複数回)
㈱アグレックス 181	【概要】(1)TRYOUT・Quest：SEの顧客ヒアリング・ソリューション提案体験※IT専門知識不要、文理不問(2)TRYOUT・Design：SE視点のGW※IT専門知識不要、文理不問(3)Experience・Across：オリジナルテーマのGD※IT専門知識不要、文理不問(4)Experience・Planning：新規ビジネス考案体験※IT専門知識不要、文理不問【時期】(1)〜(4)5〜1月(1日×複数回)
㈱菱友システムズ 181	【概要】(1)DXのトレンド紹介(事例紹介等)先輩社員との座談会(2)航空宇宙業界における解析・設計サービスの紹介【時期】(1)(2)12〜2月(1日)
東芝情報システム㈱ 182	【概要】(1)IoTデバイスを活用した組込みソフトウェア開発体験(2)半導体回路設計体験【時期】(1)8月 9月 2月 3月(5日間)(2)8月 9月 12月 2月 3月(5日間)
スミセイ情報システム㈱ 182	【概要】(1)(2)顧客企業への課題解決プロジェクト体験(ソリューション提案のロールプレイ)(3)(4)プロジェクトマネジメント体験(工数管理やベンダー選定のロールプレイ)【時期】(1)8月(半日×2回)(2)9月(半日×2回)(3)11月(半日×2回)(4)12月(半日×2回)

会社名 （掲載ページ）	コース概要
トーテックアメニティ㈱ 183	【概要】(1)設計開発業務体験(情報・電気電子・機械)「ぶつからない車の設計開発」業務の体験(2)EVカーの部品設定検討(電気電子)(3)企業研究セミナー(4)業界研究セミナー【時期】(1)(2)8～9月(実働5日間)(3)(4)1日
㈱ビジネスブレイン太田昭和 183	【概要】(1)経営会計コンサル職：要求分析体験(2)ITコンサルタント職：要件定義からシステム構築体験(3)SE適性発見コース：業界分析(4)会計×IT×コンサルの仕事：会社紹介＆社員QA会【時期】(1)6～2月(2日間 月1回)(2)8～12月(2日間 月1回)(3)4～2月(半日 月2回)(4)4～10月(2h)
㈱ソフトウェア・サービス 184	【概要】(1)【医療×ITの仕事体験】課題解決力強化 インターンシップ 5days(2)【病院の課題解決、提案にチャレンジ】コンサルタントSE職 1day仕事体験(3)【アプリの機能拡張と修正にチャレンジ！】PG・SE職 1day仕事体験【時期】(1)8月19日(月)～23日(金)(2)(3)6月中旬～2月中旬
㈱ＩＤホールディングス 184	【概要】1Day仕事体験：IT業界とエンジニア業務の説明、AI体験、先輩社員との座談会【時期】7～12月(1日)
㈱フォーカスシステムズ 185	【概要】(1)FOCUS Basic Seminer：フローチャート・価値観整理ワーク(2)FOCUS Advance Seminar：FCSの要件定義・設計ワーク【時期】(1)6～2月中旬(月8回程度)(2)7～2月(月1回程度)
㈱エクサ 185	【概要】(1)グループワークでシステムインテグレーターとして顧客の新規ビジネスを企画立案(要件ヒアリング → 提案 → プロトタイプ作成)(2)グループワークでシステムインテグレーターとして顧客の新規ビジネスを企画立案(要件ヒアリング → 提案)(3)自己分析ワークショップ、業界研究セミナー(4)会社セミナー、社員座談会【時期】(1)8月(5日間)(2)8～9月(2日間)(3)(4)毎月(1日)
クオリカ㈱ 186	【概要】SEの要件定義体験【時期】8月下旬～9月下旬(1日間)
㈱ＣＩＪ 187	【概要】(1)グループワークによるSE体験(1day仕事体験)(2)会社紹介と若手社員座談会(オープン・カンパニー)【時期】(1)6～2月(1日間)(2)7～2月(1日間)
㈱さくらケーシーエス 187	【概要】(1)SEの就業体験(システム開発上流体験)、現場社員との座談会 他(2)オープンカンパニー(IT業界＆企業研究会)【時期】(1)8～9月 11～2月(1～2日間×複数回)(2)7～2月
さくら情報システム㈱ 188	【概要】(1)ハッカソン(2)ゲーム形式でIT業界全体の仕事理解と、システムエンジニアの業務体験(3)ビジネスシミュレーションゲームを用いながら要件定義を疑似体験(4)先輩社員座談会【時期】(1)7～9月(3日間)(2)(3)7～10月(1日)(4)9～10月(1日)
㈱エヌアイデイ 188	【概要】(1)1日仕事体験(業界研究 会社説明会 就業体験プログラム 社員座談会)(2)オープンカンパニー(会社説明会 社員座談会)【時期】(1)(2)7～2月中旬(1日)
ＡＧＳ㈱ 189	【概要】仮想顧客へのヒアリングの中から問題を洗い出し、グループワークで課題を解決【時期】8月中旬～12月上旬(2日間)
アイエックス・ナレッジ㈱ 189	【概要】(1)AWS関連の開発ワーク(2)要件定義ワーク、会社紹介、先輩社員座談会【時期】(1)8月 9月 12月(2)随時(1日)
㈱ジャステック 190	【概要】(1)会社紹介、IT業界研究 社員とのパネルディスカッション システム設計演習(グループワーク)(2)会社紹介 社員とのパネルディスカッション システム設計演習(グループワーク)【時期】(1)(2)7～9月(1日)12～2月(1日)
キーウェアソリューションズ㈱ 190	【概要】(1)IT業界勉強 システムエンジニア体験(2)業界勉強 システムエンジニア体験【時期】(1)8月19～23日(5日間)(2)8月(半日間×10回)1月(半日間×10回)
㈱東計電算 191	【概要】SE：システム開発部門に席を置き、現場の雰囲気を体感しながら、一からプログラミングを体験【時期】8月中旬～9月上旬(実質5日間)
ビジネスエンジニアリング㈱ 191	【概要】IT×製造業のDXビジネスを3時間で体感【時期】6～2月(1日)
ＮＣＳ＆Ａ㈱ 192	【概要】業界研究 他【時期】8月 12月 1月(半日、各月2日程)
㈱構造計画研究所 192	【概要】(1)現業部門でのエンジニアリングコンサルティング就業体験 または 営業部門でのセールスマーケティング就業体験(2)エンジニアリングコンサルタント職体験ワークショップ(3)自己分析セミナー【時期】(1)8月中旬～9月中旬(10日間)(2)8月中旬～9月中旬(2日間)(3)10月下旬～2月下旬(3時間)
サイバーコム㈱ 193	【概要】(1)オープンカンパニー： IT業界やシステムエンジニア職について基礎から学び、理解を深める(2)仕事体験：社員表彰の受賞歴があるエンジニアの事例をもとにシステムエンジニアの業務内容や大切にしている考えなどを学ぶ(3)仕事体験：システム開発体験のはじまりである「要件定義」を通してITソリューション提案をチームで体験(4)インターンシップ： 弊社の自社製品「ポジションナビプラス(屋内位置測位システム)」を使って 新しいアイディアを考え、その活用方法を提案【時期】(1)5～8月上旬(1時間)(2)7～9月上旬 12月下旬～2月中旬(1日)(3)7～9月上旬 12月中旬～2月中旬(2日間)(4)8月～9上旬(5日間)
㈱ハイマックス 193	【概要】(1)システム開発上流工程疑似体験(2)(3)システム開発上流体験(4)システム開発体験【時期】(1)7月27日 8月24日 9月14日(1日)(2)8月5日～8月9日(5日間)(3)9月2日～9月6日(5日間)(4)8月19日～8月30日(平日のみ10日間)
㈱東邦システムサイエンス 194	【概要】1DAY講座：IT業界がわかる・企業研究手法がわかる・SE適性がわかる【時期】8～2月(1日×複数回)
㈱クロスキャット 194	【概要】(1)ブロック玩具を用いたGWによるシステム開発体験 他(2)アルゴリズムの講義 プログラミング体験 他(3)企業説明 勤怠データの分析・情報抽出 新機能の提案まで行うハッカソン 成果発表会(4)IT業界セミナー 社内見学ツアー 自己分析ワーク【時期】(1)(2)8～9月中旬 12月下旬～2月(1日)(3)8月(3日間)(4)5～7月 10～11月

会社名	（掲載ページ）	コース概要
㈱リンクレア	195	【概要】新しいビジネスのアイデア出しをするワークショップ【時期】1月中旬～2月中旬(1日)
㈱ＳＣＣ	195	【概要】(1)SEの仕事体験：チームで上流工程を中心としたシステム開発体験(2)SEの仕事体験：チームで要件定義、顧客への提案体験【時期】(1)8月26日～9月6日(10日間)(2)8月上旬(1日)8月下旬(1日)
㈱ＳＩ&Ｃ	196	【概要】業界 職種紹介 会社紹介 システム開発の流れの体験【時期】7～2月
三和コンピュータ㈱	197	【概要】(1)営業職体験(2)システムエンジニア(SE)職体験(3)カスタマエンジニア(CE)職体験(4)ファシリティエンジニア(FE)職体験【時期】(1)～(4)8月下旬(1日)

●銀行●

会社名	（掲載ページ）	コース概要
㈱みずほ銀行	200	【概要】(1)法人営業体験型GW(2)マーケット分析GW(3)金融工学・データサイエンス等を活かした実践型クオンツGW 先輩社員座談会(4)不動産営業体験型GW 先輩社員座談会【時期】(1)7月中旬～8月中旬(1日×複数回)(2)9月(2日間)(3)9月4～8日(5日間)(4)8月下旬(1日×複数回)
㈱三井住友銀行	200	【概要】大企業営業編 グローバルマーケット編 グループリテール編 ガバナンス編(他 理系コースも複数あり)【時期】8月中旬～9月中旬(5日間または半日・1日・3日間)
㈱ゆうちょ銀行	201	【概要】(1)プロモーション企画等のグループワーク(総合職向け)社員座談会(2)市場関連業務 顧客分析業務を体験(クオンツコース、データサイエンスコース向け)(3)運用に関するグループワーク(マーケットコース向け)(4)コンサルティング業務を学ぶグループワーク(エリア基幹職向け)【時期】(1)8～12月(全5日間)1月(1日)(2)9月(2週間)(3)7月(2日間)(4)各エリアごとに異なる(2日間)
りそなグループ	201	【概要】RESONA PROFESSIONAL ACADEMY：金融工学・データサイエンス編【時期】8月(5日間)
ＳＢＩ新生銀行グループ	202	【概要】(1)銀行の法人ビジネス業務を体験：銀行法人向けビジネス研究 法人向け営業業務体験 先輩社員登壇(2)銀行のデータサイエンティスト業務を体験：銀行データサイエンティスト業務研究 データサイエンティスト業務体験 先輩社員登壇(3)昭和リースHalf-Day仕事体験：リースビジネス業界研究 ビジネス戦略 業務体験 先輩社員登壇【時期】(1)11月(3日間)(2)11月(2日間)(3)2月(半日)
㈱あおぞら銀行	202	【概要】(1)＜総合職向け＞リテール営業・事業法人営業を体感(2)＜総合職向け＞リテール営業・事業法人営業を体感、および現場での就業体験(3)＜IT職向け＞システム開発の上流工程を体感【時期】(1)8～9月(1日)11～12月(1日)1月下旬～2月(1日)(2)8月上旬(5日)(3)8月下旬(1日)
㈱セブン銀行	203	【概要】(1)グループワークによる企画立案業務体験 会社紹介 先輩社員座談会(2)IT関連3部署で実務を体験【時期】(1)8月 9月 11月 12月(半日×16回)(2)8月(5日間)
三井住友信託銀行㈱	203	【概要】(1)グループワークによる業務体験(個人事業もしくは法人事業)(2)専門分野別(リスク管理、財務企画、アクチュアリー、マーケット、デジタル)【時期】(1)8～9月 1～2月(夏期：5日間、冬期：3日間)(2)9月 11～12月(1～3日間)
三菱ＵＦＪ信託銀行㈱	204	【概要】5daysインターンシップ「TRUST TO LAST」【時期】8月～9月 12月～1月 2月(いずれも4日＋1日の5日間)
㈱日本カストディ銀行	204	【概要】(1)総合職向け1Day仕事体験：資産管理業界研究 会社紹介 業務模擬体験(2)IT職向け1Day仕事体験：資産管理業界研究 会社紹介 業務模擬体験【時期】(1)(2)8～9月(1日間)
日本マスタートラスト信託銀行㈱	205	【概要】(1)企画コース：企画領域の仕事体験、社員との座談会(2)投資信託コース：投資信託の基準価格算出体験、社員との座談会(3)株式コース：外国株式の配当金算出体験、社員との座談会【時期】(1)8～9月(2)(3)11～1月
㈱北海道銀行	205	【概要】(1)法人業務体験GW、個人業務体験GW 、行員との座談会、フィードバック面談(2)本部部署紹介(3)就活支援講座・北海道エリアについて【時期】(1)8～9月(2日間または5日間)10～11月(2日間または3日間)12～1月(2日間)(2)12～1月(1日間)(3)随時(1日間)
㈱青森銀行	206	【概要】銀行業務の就業体験【時期】8月～随時
㈱岩手銀行	206	【概要】(1)(2)1DAY就業体験：銀行業務体験、グループワーク 他(3)半日仕事体験：銀行業務体験、グループワーク 他(4)オープンカンパニー【時期】(1)8～9月(1日)(2)12～2月(1日)(3)8月 9月(4)5月～(毎月)
㈱秋田銀行	207	【概要】(1)あきぎん地方創生コース(2)リテール・法人業務体験コース(3)あきぎんコンサルティングコース(4)あきぎんオープン・カンパニー【時期】(1)8月中旬～下旬(2日間)(2)7～9月(1日)12～2月(1日)(3)12月下旬(2日間)(4)6～12月(1日)
㈱北都銀行	207	【概要】(1)事業紹介、業務体験ワーク、営業店実習、内定者座談会(2)～(4)事業紹介、業務体験ワーク、先輩行員座談会【時期】(1)8月中旬(2日間)(2)8月下旬(1日)(3)1月(4)2月
㈱山形銀行	208	【概要】(1)オリジナルセミナー：会社概要や業務内容の紹介(2)Summer School 2024：グループワークを通して法人営業担当者の仕事を体験(3)Open Company2024：職場見学や社員による座談会(4)Winter School 2025：グループワークを通して法人・個人営業担当者の仕事を体験【時期】(1)7月(1日、1時間程度)(2)8月中旬～9月中旬(1日×8回)(3)11月 12月(2日間)(4)1月中旬～2月中旬(1日×8回)
㈱荘内銀行	208	【概要】(1)(2)グループワークによる業界研究と営業体験・座談会・就活対策講座【時期】(1)8中旬～下旬(2)12月下旬～1月上旬
㈱常陽銀行	209	【概要】グループワークによる法人営業疑似体験【時期】8月下旬～9月上旬 11月下旬～12月上旬 2月中旬(1日)

会社名　（掲載ページ）	コース概要
㈱足利銀行　*209*	【概要】グループワークによる業界研究・銀行業務体験、行員との座談会 他【時期】8～9月(1日×8回)11月(1日×4回)12～2月(1日×11回)
㈱栃木銀行　*210*	【概要】(1)自己理解を深めキャリアビジョンに役立てるワーク 資産運用相談業務体験 法人融資業務体験 先輩行員との座談会(2)銀行員としてのキャリア形成ワーク 先輩行員との座談会(3)資産形成の重要性を学ぶワーク 法人企業の強みや潜在的課題を把握し、銀行としての支援策を考えるワーク 先輩行員との座談会【時期】(1)8～9月(2)11月(3)1～2月
㈱群馬銀行　*210*	【概要】(1)オープンコース(対面)：業界研究 業務疑似体験 ビジネスマナー 支店見学(2)オープンコース(オンライン)：業界研究 グループワーク ビジネスマナー(3)専門職コース(対面)：業界研究 業務疑似体験等【時期】(1)8～2月(2日間×8回)(2)10月12月(2日間×2回)(3)8月(5日間)×5部署で実施
㈱東和銀行　*211*	【概要】銀行業務の基礎、先輩行員との座談会【時期】2月上旬～中旬(1日)
㈱千葉銀行　*211*	【概要】地方銀行の役割、渉外業務(法人・個人)、審査の疑似体験、資産運用提案のロールプレイング 他【時期】8～2月(3日間・1日)
㈱京葉銀行　*212*	【概要】働き方・ソリューション・資産運用・DXの取組み・地方創生についての座学及びグループワーク。現役行員との座談会 他【時期】7～2月(回数未定)
㈱千葉興業銀行　*212*	【概要】(1)インターンシップ＜法人コンサルティング＋DX・IT＞ちば興銀のビジネス理解 法人コンサルティング、バリューサポート会議体験 グループでのコミュニティサイト企画体験 採用担当、先輩行員との懇親会(2)仕事体験ワークショップ＜DX・IT編＞ちば興銀のビジネス理解 グループでのコミュニティサイト企画体験 採用担当、先輩行員との懇親会(3)仕事体験ワークショップ＜法人or個人コンサルティング編＞ちば興銀のビジネス理解 法人コンサルティング、バリューサポート会議体験 or個人コンサルティング、個人中核化会議体験 採用担当、先輩行員との懇親会【時期】(1)7～9月(5日間)(2)8～9月(2日間)(3)8～9月(1日)
㈱東日本銀行　*213*	【概要】ソリューション営業体験(グループワーク)銀行員目線での財務分析体験(グループワーク)業界研究 座談会 他【時期】12～3月(2日間×7回程度)
㈱きらぼし銀行　*213*	【概要】(1)(2)銀行グループ体感ワーク・会社紹介【時期】(1)8月中旬(5日間)9月上旬～中旬(1日)(2)12～1月(1日)
㈱横浜銀行　*214*	【概要】(1)法人・個人向け営業体験GW、地域戦略アイディアコンテスト(2)システム設計体験GW、サイバーセキュリティ対策業務体験、PRA体験、デジタルサービス企画体験GW、座談会(3)データ分析・マーケティング企画体験、座談会(4)融資審査ワーク体験、支店長講話、座談会【時期】(1)8～9月 10月 12月 2月(1日)(2)8～9月 冬実施予定(1日)(3)冬季実施予定(4)8～1月(5日間)
㈱神奈川銀行　*214*	【概要】(1)銀行業務についての講義、グループワーク(提案営業体験・模擬審査)、現場見学(2)銀行業務についての講義、グループワーク(提案営業体験・模擬審査)、現場見学、取引先訪問(経営者との面談・工場見学等)(3)金融業界についての講義【時期】(1)7月下旬～2月(2日間×複数回)(2)9月上旬(5日間×1回)(3)6～7月(半日×複数回)
㈱第四北越銀行　*215*	【概要】(1)～(4)コンサルティング営業体験グループワーク、先輩行員との座談会 他【時期】(1)8～9月(5日間)(2)9月(1日)(3)12月下旬(5日間)(4)1～2月(1日)
㈱大光銀行　*215*	【概要】(1)夏のたいこう仕事体験(2)インターンシップ(3)オープン・カンパニー(4)冬のたいこう仕事体験【時期】(1)8月 9月(2)9月(3)7～2月(4)12月頃
㈱北陸銀行　*216*	【概要】(1)(3)(4)リテール・法人業務体験(2)コンサルティング提案業務体験【時期】(1)8～9月上旬(1日×6回)(2)8～9月上旬(2日間×5回)(3)11月下旬～12月上旬(1日×複数回)(4)1月上旬(1日×複数回)
㈱北國フィナンシャルホールディングス　*216*	【概要】(1)仕事体験：会社紹介 会社見学 先輩社員座談会 個人営業・コンサル紹介 法人ビジネス体験(法人営業 法人コンサル デジタルマーケティング)(2)オープンカンパニー：会社概要・業務内容・働き方などの紹介(3)オフィス見学：会社見学 質疑応答(4)若手社員との座談会【時期】(1)8～9月 1月(2日間)(2)～(4)6～7月(1日)
㈱福井銀行　*217*	【概要】(1)業界研究会(2)(3)仕事体験(4)自己分析企画【時期】(1)6～9月(半日)(2)6月～2025年2月(1日)(3)8～12月(2日間)(4)10～11月(半日)
㈱山梨中央銀行　*217*	【概要】(1)コース別就業体験(営業職 事務職 システム職)、グループワーク 他(2)コース別就業体験(営業職・事務職・システム職)【時期】(1)8～9月(1日)(2)2月(1日)
㈱八十二銀行　*218*	【概要】(1)マネジメント育成：銀行業務・信州経済の理解 職場訪問 他(2)仕事研究：法人・個人営業の知識習得 他(3)デジタル・システム：仕事紹介他(4)デジタル・システム：システム開発の上流工程体験他【時期】(1)8月(2日間)11月(1日)12月(1日)2月(1日)(2)8～9月 11月 2月(1日)(3)6～8月(1日)(4)8～9月(1日)
㈱大垣共立銀行　*218*	【概要】(1)地方創生に関する企画・立案業務(2)法人営業(法人ソリューション業務・融資業務)個人営業(マネーコンサルタント業務)【時期】(1)7～9月(2)12～2月
㈱十六フィナンシャルグループ　*219*	【概要】(1)(2)会社説明 グループワーク【時期】(1)(2)8～9月
㈱静岡銀行　*219*	【概要】(1)3days：銀行業務の仕組みを理解、営業店見学、融資案件検討グループワーク、行員との情報交換会、営業担当者同行訪問、本部見学(2)1day：銀行業務の仕組みを理解、営業店見学、行員との情報交換会、ソリューション営業グループワーク、法人個人案件事例紹介(3)5days：銀行業務の仕組みを理解、営業店見学、融資案件検討グループワーク、行員との情報交換会、営業担当者同行訪問、本部見学【時期】(1)9月(1回)10月(1回)(3日間)(2)10～12月(1日×7回)(3)8月(2回)2月(1回)(5日間)

業種別・インターン 1,222 社

会社名 (掲載ページ)		コース概要
スルガ銀行㈱	220	【概要】(1)業界・企業研究(2)ライフプランニング業務(3)企画・提案等の仕事体験【時期】(1)夏季(1日)(2)夏季〜秋季(1日)(3)冬季(1日)
㈱清水銀行	220	【概要】(1)金融業界の説明 銀行業務の説明 清水銀行の業務体験(渉外係)行員との座談会 他(2)金融業界の説明 銀行業務の説明 清水銀行の業務体験(融資係)他(3)金融業界の説明 銀行業務の説明 清水銀行の業務体験(テラー・MA)支店見学 他(4)金融業界の説明 銀行業務の説明 清水銀行の業務体験(渉外係・テラー・MA)他【時期】(1)8月中旬(2日間)8月下旬(2日間)9月上旬(2日間)(2)11月上旬(1日)(3)11月中旬(1日)(4)12月下旬(1日)
㈱名古屋銀行	221	【概要】(1)グループワークを通じた提案営業体験、先輩行員座談会、業界研究(2)企業説明会【時期】(1)8月下旬 12月下旬(2)2〜3月
㈱あいちフィナンシャルグループ	221	【概要】(1)(2)グループワークによる法人営業(ソリューション業務)・個人営業(資産運用業務)のケーススタディ 他【時期】(1)8〜9月(2日間×4回 1日×3回)1〜2月(2日間×4回)(2)8月(1日×1回)
㈱百五銀行	222	【概要】(1)「百五銀行で働く」を徹底的に考える5日間(2)オープンカンパニー：銀行業務体験【時期】(1)8〜2月(5日間)(2)1〜3月(2日間)
㈱三十三銀行	222	【概要】(1)個人・法人営業体験 ビジネスマナー(2)仕事内容紹介(3)個人・法人営業体験 融資業務体験【時期】(1)8月上旬〜9月下旬(2日間)(2)10月中旬〜11月中旬(1日)(3)12月中旬〜2月中旬(2日間)
㈱滋賀銀行	223	【概要】(1)2daysインターンシップ(コンサルティング体験)(2)5daysインターンシップ(コンサルティング体験等、営業店での顧客訪問)(3)理系学生向け座談会 職場見学会 お仕事紹介【時期】(1)2日間(2)5日間(3)半日
㈱京都銀行	223	【概要】(1)5daysコース(2)1dayコース【時期】(1)8月19〜23日(5日間)(2)8〜9月(1日)
㈱関西みらい銀行	224	【概要】(1)仕事体験：講義(銀行業界・当社概要)GWによる銀行業務体験ワークや座談会 他(2)長期・有償インターンシップ【時期】(1)7〜2月(1〜2日間)(2)2〜3月(14日間／月)
㈱みなと銀行	224	【概要】講義(銀行業界・当社概要)社員との座談会、営業についてのグループワーク【時期】8月 10月 11月 12月 1月 2月(各1日)
㈱南都銀行	225	【概要】(1)(3)(4)グループワークによる銀行業務体験、行員・内定者パネルディスカッション 他(2)グループワークによる銀行業務体験、行員・内定者パネルディスカッション、支店見学 他【時期】(1)8〜9月(日数未定)(2)9月 5日間(3)10〜11月(日数未定)(4)1〜2月(日数未定)
㈱山陰合同銀行	225	【概要】(1)銀行業界研究 業務体験ワーク 行員との座談会 会社説明 他(2)業務体験ワーク(法人融資・コンサル、資産運用コンサル、地方創生、DX)行員との座談会 自己開発ワークショップ 他(3)行員との座談会【時期】(1)6月中旬〜2月(2)8月(1週間)(3)11〜2月
㈱中国銀行	226	【概要】(1)営業部門の就業体験：グループワークによる銀行業務体験、先輩行員との座談会(2)SE職部門の職業体験：業務ワーク、先輩行員との座談会【時期】(1)8〜2月(1〜2日間)(2)9月 12月(2日間)
㈱広島銀行	226	【概要】(1)相続業務仕事理解コース(2)渉外・融資業務理解コース(3)IT ・デジタル企画仕事理解コース(4)Uターン者向けワークショップ&座談会コース【時期】(1)10月中旬(2日間)(2)9月下旬 11月下旬(3)8月中旬(1日)(4)6月中旬 8月初旬(1日)
㈱阿波銀行	227	【概要】(1)グループワークを通して地方銀行の仕事・役割を知る(2)先輩行員との座談会【時期】(1)8月中旬(5日間)9〜2月(月1〜2回)(2)9月 2月(月5回以上)
㈱百十四銀行	227	【概要】1day仕事体験 2days仕事体験【時期】8〜2月
㈱伊予銀行	228	【概要】(1)グループワークによる経済に関する学び・コンサルティング体験(2)銀行のデジタル分野での仕事体験(3)銀行の地域創生分野での仕事体験【時期】(1)8〜9月上旬 12月下旬〜2月上旬(1日)(2)9月上旬 12月下旬(5日間)(3)2月下旬(4日間)
㈱四国銀行	228	【概要】(1)(2)銀行業務の概要 法人コンサルティング業務体験 他(3)銀行業務 IT・デジタル業務本部見学 金融商品販売 コンサルティング活動 融資審査 他(4)IT デジタル系(銀行業務 システム・デジタル分野)【時期】(1)7〜2月(1日間)(2)8〜2月(1〜2日間)(3)8月下旬(5日間)(4)8〜2月(1日間)
㈱高知銀行	229	【概要】銀行業務体験：講義、グループワーク、端末操作体験、先輩行員との懇談会 他【時期】8月 9月 12月 2月
㈱福岡銀行	229	【概要】(1)事例研究を通じた就業体験：グループワーク、行員との座談会(2)ソリューション営業部門・事例研究を通じた就業体験：個人ワーク、グループワーク、行員との座談会(3)インベストメント部門・事例研究を通じた就業体験：個人ワーク、グループワーク、行員との座談会(4)デジタルIT・事例研究を通じた就業体験：個人ワーク、グループワーク、行員との座談会【時期】(1)7〜2月(1日)(2)〜(4)7〜2月(5日間)
㈱佐賀銀行	230	【概要】(1)銀行業務編(2)就職活動準備編(3)デジタルイノベーションコース【時期】(1)(2)日数未定(参考)1日：1日仕事体験 2〜3日間(随時)3週間(夏季・冬季休み限定)(3)8月下旬(5日間)
㈱十八親和銀行	230	【概要】事例研究を通じた就業体験：グループワーク、行員との座談会【時期】7〜2月
㈱肥後銀行	231	【概要】(1)決算書分析 座談会 他(2)(3)GWを通した実務経験(決算書分析 地方創生について 他)【時期】(1)8〜9月(5日間・1日)(2)11〜12月(5日間・1日予定)(3)2月(5日間・1日予定)
㈱鹿児島銀行	231	【概要】(1)〜(3)業界研究、グループワーク課題解決策立案【時期】(1)8月上旬〜中旬(半日)(2)8月下旬〜9月上旬(1〜5日間)(3)8〜9月(2日間)
㈱琉球銀行	232	【概要】(1)(2)業界研究、会社紹介、社員座談会【時期】(1)8月(2)2月

会社名　(掲載ページ)	コース概要
㈱沖縄銀行　232	【概要】企業概要説明、営業店実習、内定者座談会、グループワークによる資産運用提案業務体験【時期】8月(1週間)2月(1週間)

●政策金融・金庫●

会社名　(掲載ページ)	コース概要
商工中金　233	【概要】(1)(理系)(2)(3)事業性評価をベースとした、中小企業金融コンサルティング提案業務(ロールプレイングを含むグループワーク形式)【時期】(1)8月(2日間×1回)(2)8月(2日間×13回)(3)11月(2日間×12回)
㈱国際協力銀行　233	【概要】(1)(2)組織概要及び業務内容の紹介 当行の取り組んだ案件をテーマとしたケーススタディ 職員との交流会 他【時期】(1)9月上旬(1日)(2)2月(5日間)
信金中央金庫　234	【概要】(1)信用金庫の経営コンサルティング(グループワーク)他(2)信用金庫の経営コンサルティング発展編(グループワーク)他【時期】(1)9～1月(2～3日間)(2)1～2月(3日間)
㈱日本貿易保険　234	【概要】(1)～(3)企業概要や業務内容について理解を深めるセミナー・GW・ケーススタディ 若手職員との座談会(4)案件審査及び保険引受に係る就業体験「政府系金融機関が支える海外プロジェクトファイナンス」若手職員との座談会【時期】(1)6月～8月(7日程)(2)9～10月(5日程)(3)11～12月(5日程)(4)2月(4日程)
中央労働金庫　235	【概要】(1)～中央労働金庫を取り巻く世界を巡りながら、中央労働金庫の未来について考えよう！～ グループワーク、業界研究、職員座談会【2Days】(2)～協働！顧客として仲間として～ 会員データを用いて分析・提案グループワーク【1Day】(3)～実務経験！各部門の仕事を経験し、運考を突破せよ！～ 事務・融資・渉外部門の模擬仕事体験、社員座談会【1Day】【時期】(1)8月 9月(複数日程)(2)10月 11月(複数日程)(3)12月 1月(複数日程)

●共済●

会社名　(掲載ページ)	コース概要
ＪＡ共済連　235	【概要】(1)グループワークを通じてJA共済の事業を知る(2)映像とグループワークにより全国本部の「仕組開発部門(商品開発)」と「普及推進部門(営業企画)」の仕事を疑似体験する(3)グループワークやディスカッションを通じてJA共済の理念、職員を知る(4)グループワークを通じてアクチュアリーの業務内容を疑似体験する【時期】(1)7～9月(1日×複数回)(2)10～11月(1日間×複数回)(3)12～1月(2日×複数回)(4)9月(1日間×複数回)
全国生活協同組合連合会　236	【概要】仕事体験：業界説明・企業説明、グループワーク、人事担当者との懇談【時期】7～2月(1日、月2回程度)
全国労働者共済生活協同組合連合会　236	【概要】(1)オープンカンパニー 業界研究編(2)オープンカンパニー 共済の仕組み理解編(3)1day仕事体験「経営企画編」(4)1day仕事体験「事業推進(職域)編」【時期】(1)～(4)1日
日本コープ共済生活協同組合連合会　237	【概要】(1)ワークを通して、コープ共済連の概要や価値観、キャリアイメージなどを考え、体感できるプログラム(2)ワークを通して、共済商品の開発を体験できるプログラム【時期】(1)7～2月(月2回程度)(2)7～11月(月1回程度)

●証券●

会社名　(掲載ページ)	コース概要
大和証券グループ　237	【概要】(1)資産コンサルタントコース：株式等の金融商品に関する講義やワーク、顧客への資産運用提案のロールプレイング 他(2)部門別コース：グローバル・インベストメント・バンキング、グローバル・マーケッツ、リサーチ、リスクマネジメント、IT、投資部門【時期】(1)(2)夏・冬
野村證券㈱　238	【概要】(1)ウェルス・マネジメント(2)インベストメント・バンキング(3)グローバル・マーケッツ(4)リサーチ【時期】(1)～(3)8月(5日間)(4)8月(3～5日間)
みずほ証券㈱　239	【概要】(1)Summer Workshop(証券業界理解)(2)Winter Workshop(企業理解編)(3)グローバル投資銀行部門(4)Experienceグローバルマーケッツ(セールス＆トレーディングコース)【時期】(1)8月(2日間)(2)12月(3日間)(3)8月 2月(5日間)(4)9月 1月～2月(2日間)
ＳＭＢＣ日興証券㈱　239	【概要】(1)証券業務体感ワーク(リテール部門)(2)証券業務体感ワーク(グローバル・マーケッツ部門、システム部門、クオンツ部門、投資銀行部門)【時期】(1)(2)未定
三菱ＵＦＪモルガン・スタンレー証券㈱　240	【概要】(1)営業部門：アドバイザリービジネス業務の体験(2)投資銀行部門：M&A、ファイナンス等の投資銀行業務の体験(3)リサーチ部門：市場分析等のリサーチ業務の体験【時期】(1)8月 12月(3～5日程度)(2)9月 12月 2月(3～5日程度)(3)未定
㈱日本取引所グループ　240	【概要】(1)(2)現場部署の業務体験【時期】(1)8月下旬 9月上旬(3日間)(2)1～2月中旬(2日間)
東海東京フィナンシャル・ホールディングス㈱　241	【概要】業界、企業研究講座 グループワーク 座談会業界 他【時期】8～2月上旬(2日間)10～1月上旬(1日)
岡三証券㈱　241	【概要】マーケティング統括部門：資産運用コンサルティングの体験、株式プレゼンテーション 他【時期】2日間
いちよし証券㈱　242	【概要】株式について 資産アドバイザー体験(グループワーク)座談会 他【時期】7～12月(1日)
水戸証券㈱　243	【概要】証券業界の役割と金融業界について、会社紹介、株式投資体感ゲーム、営業ロールプレイング、社員座談会【時期】6～1月(1日)8月(5日間)
東洋証券㈱　243	【概要】(1)就職活動で役に立つ企業分析の一例 ES添削 社内オンラインツアー 先輩社員とのディスカッション(2)金融業界・証券業界について 先輩社員とのディスカッション 金融教育ゲーム 職場見学【時期】(1)11～1月(1日)(2)8月～(2日)

会社名 （掲載ページ）	コース概要
三菱ＵＦＪアセットマネジメント㈱ 244	【概要】(1)企業説明・各種業務体験ワークショップ 他(2)企業説明・運用業務体験ワークショップ 他【時期】(1)9月・12月(5日×2回程度)(2)1月(1日×5回程度)
●生保●	
第一生命保険㈱ 244	【概要】(1)オープン：複数部門の業務を体験(2)アクチュアリー：数理モデルに基づく保険料・責任準備金の算出等のワークを通じて、生保・年金アクチュアリー業務を体験(3)クオンツ・データサイエンティスト：金融工学知識やデータ解析等を用いた実践的な業務を体験(4)IT・システム：各種システムや新規デジタルサービスの企画業務などを体験【時期】(1)8～9月(5日間、3日間、1日間)10月以降(2)～(4)9月 1～2月(5日間)10月以降
日本生命保険(相) 245	【概要】興味のあるコースを選択し、社員と共に実際の業務に即した課題等に取り組み、フィードバックを実施【時期】7月中旬～
㈱かんぽ生命保険 245	【概要】(1)総合職の仕事を体験 他(2)アクチュアリー、クオンツ及びデジタルの仕事を体験 他(3)リテール営業・法人営業の仕事または保険事務の仕事を体験 他(4)実際の業務を想定した課題に対するデータ分析を行い、データサイエンティストの仕事を体験【時期】(1)(3)8～2月(1～5日間)(2)8～2月(2～3日間)(4)10～12月(5日間)
明治安田生命保険(相) 246	【概要】(1)総合コース(2)アクチュアリーコース(3)システム・データサイエンティストコース(4)コンサルティング営業コース【時期】(1)～(3)8～9月 1～2月(4)随時
住友生命保険(相) 246	【概要】(1)リテールマネジメント体感コース(2)営業理解コース(コンサルティング営業、ライフデザイナー)(3)アクチュアリーコース(4)1Day基礎理解コース【時期】(1)9～11月の各日程で計5日間(2)地域による(3)9月(2日間×2回)(4)6～2月(1日×月2～4回程度)
ソニー生命保険㈱ 247	【概要】(1)入門編：ソニー生命が提供する価値とは(2)ビジネスフレームを学びながら自己成長を目指すワーク(3)部門別：総合・代理店営業・IT・アクチュアリー(4)多様な業務体験を通じた“オンリーワンのキャリア”の発見【時期】(1)5月～(2時間)(2)8～9月(3日間×複数回、1日間×複数回)(3)10～12月(半日～2日間×複数回)(4)12～1月(1日×複数回)
アフラック生命保険㈱ 247	【概要】(1)コアビジネス(営業・契約管理事務)の就業体験(2)IT・デジタルの就業体験(3)ファイナンス・情報セキュリティの就業体験(4)アクチュアリーの就業体験【時期】(1)8～9月(3日間×2回)2月(3日間×2回)(2)2月(1日)(3)2月(3日間×1回、1日×1回)(4)2月(3日間×1回)
大樹生命保険㈱ 248	【概要】(1)本社部門コース：業界会社説明・部門別仕事講義・社員座談会・GW等を通し、生保の社会的意義や役割・仕事内容について学ぶ(2)アクチュアリー仕事研究：仕事講義・社員座談会等を通し、生保のアクチュアリー業務について学ぶ【時期】(1)8～2月(2日間×9回)(2)12～2月(1日×2回)
アクサ生命保険㈱ 248	【概要】(1)アクチュアリー：業務体験、部門説明、オフィスツアー他(2)代理店営業：代理店営業ワークショップ、部門説明他(3)データサイエンティスト：機械学習モデルの作成、探索的な分析(4)業界研究&就活スタートアップセミナー【時期】(1)9月(1日)(2)9～2月(1日)(3)8～9月(1日)+長期(1ヶ月)(4)8～9月(1日)
大同生命保険㈱ 249	【概要】(1)生命保険業界に対する知識の習得とワークを通じた当社業務体感 先輩社員座談会(総合職、障がい学生対象)(2)生命保険業界に対する知識の習得とワークを通じた当社業務体感 先輩社員座談会(アクチュアリー職)(3)生命保険業界に対する知識の習得とワークを通じた当社業務体感 先輩社員座談会(システム職)【時期】(1)(3)8月上旬～2月中旬(3日間、1日間)(2)8月下旬～2月中旬(2日間、1日間)
東京海上日動あんしん生命保険㈱ 249	【概要】学生同士のディスカッション・プレゼンテーションを通じて、あんしん生命のビジネスを肌で感じ、将来のビジョンについて真剣に考える【時期】7月 8月 10月 11月(1日)1月(2日間)
太陽生命保険㈱ 250	【概要】(1)(2)業界概要および会社概要、各種グループワーク(3)業界概要および会社概要 各種グループワーク【時期】(1)8～9月(2)10～12月(3)1～2月
富国生命保険(相) 250	【概要】(1)総合職・エリア職：当社の事業を知る、アフターサービス企画ワークを体験(2日間)(2)アクチュアリー：アクチュアリーの業務体験(3)総合職・エリア職：所長の仕事・当社の価値観について、Webブラウザゲームを通じて体験する(1日間)(4)エリア職：当社を知る座談会・商品開発ワークを実施(1日間)【時期】(1)(3)①8月下旬～9月中旬②12月中旬③1月下旬～2月中旬(2)8月下旬～9月中旬(2日間)(4)1月下旬～2月中旬
三井住友海上あいおい生命保険㈱ 251	【概要】(1)当社の営業をWebで模擬体験(2)生保コンサルティングの基礎と新たなビジネスの創造する3日間(3)専門領域コース向けイベント(アクチュアリー・データサイエンス・デジタルデザイン)【時期】(1)8月 11月 12月 1月(2)10月 2月(3)8月 10月 2月
オリックス生命保険㈱ 251	【概要】業界・会社説明 仕事・キャリア説明 社員座談会 グループワーク【時期】8～2月(1日)
ＳＯＭＰＯひまわり生命保険㈱ 252	【概要】(1)健康応援企業としての代理店営業体感ワーク(2)キャリアデザインワーク(3)健康応援企業としてのヘルスケアサービス企画体感ワーク(4)内定者就職活動相談会【時期】(1)～(3)8～2月(日数未定)(4)6～2月(日数未定)
朝日生命保険(相) 252	【概要】業界研究・企業研究を通じて「働く」とは何かを考える【時期】10月中旬～1月(3日間)
●損保●	
東京海上日動火災保険㈱ 253	【概要】(1)就業体験：営業、損害サービス、資産運用、IT戦略等のビジネスフィールドを学び、社員と交流(2)就業体験：営業、損害サービス等のビジネスフィールドを学び、社員と交流【時期】(1)8～9月 2～3月(5日間)(2)8～9月 2～3月(2日間)

会社名 （掲載ページ）	コース概要
損害保険ジャパン㈱ 253	【概要】(1)Basic(自己分析ワーク、業務体感ワーク)(2)Discovery(面接対策)(3)Innovative(企画業務体感)(4)ジョブ型・技術調査系の専門分野のインターンシップも有り【時期】(1)7〜10月(2)10〜11月 予定(3)12〜1月 予定
三井住友海上火災保険㈱ 254	【概要】(1)営業や損害サポート部門の業務内容を疑似体感(2)アクチュアリー：8部門の業務を体感するGW(3)職場受入型(4)GWによる新規事業立案【時期】(1)7〜9月 2月(連続4日間＋1日)(2)8月 2月(連続4日間＋1日)(3)11月(5日間)(4)2月(2週間)
あいおいニッセイ同和損害保険㈱ 254	【概要】(1)損害保険会社の存在意義・使命・魅力を学ぶ体感ワーク 他(2)営業や損害サービス部門の現場へ同行 他(3)リスクリターン分析、アクチュアリー業務を体験(4)アクチュアリー部門での就業体験 他【時期】(1)8〜9月(対面3日間 オンライン3日間・1日)(2)2月(1日・3日間・5日間)(3)8〜9月(1〜2日間)(4)3月(3日間)
共栄火災海上保険㈱ 255	【概要】(1)オープンカンパニー 損害保険業界と共栄火災について理解を深める(説明・ワーク)(2)冬インターンシップ 営業部門、損害サービス部門の就業体験 先輩社員、内定者との座談会(3)夏インターンシップ 損害保険業界の理解、営業・損サ部門の就業体験、商品開発の就業体験【時期】(1)各月4回(半日)(2)12月下旬(5日間)(3)8月27〜29日
ソニー損害保険㈱ 256	【概要】業界・企業説明 グループワークによる業務体験 先輩社員座談会【時期】6〜9月 11〜2月(1日)
日新火災海上保険㈱ 256	【概要】(1)1day仕事体験セミナー：損害サービス・営業の業務を知る(2)2days仕事体験セミナー：損害サービス・営業の業務を体験(3)マーケティング講座：実際にある保険商品をもとに、マーケティングについて学ぶ(4)商品開発ワークショップ：新しい保険商品を開発する【時期】NA

●代理店●

会社名 （掲載ページ）	コース概要
㈱アドバンスクリエイト 257	【概要】(1)就活セミナー(2)金融業界・保険業界についての基礎学習(3)代理店営業の就業体験(4)法人営業、マーケティングの就業体験【時期】(1)〜(4)4〜1月(1日)
共立㈱ 257	【概要】(1)保険代理店理解、共立の主力ビジネスである企業向け損害保険提案・企業リスク分析(グループワーク)他(2)基幹職担当の企業営業について、企業研究・保険提案体験(FB付き)、先輩社員座談会 他【時期】(1)6〜1月(1日・各月複数回)(2)8月(3日間)

●信販・カード・リース他●

会社名 （掲載ページ）	コース概要
オリックス㈱ 258	【概要】(1)企業説明やワークショップを通してオリックスの独自性・事業内容やビジネスモデルを体感(2)経理部署で実際の業務や打ち合わせに参加(3)DX部署で実際の業務や打ち合わせに参加(4)事業投資部署で投資先のデータ分析や経営者への提案などを行う【時期】(1)7〜1月(2日間×複数回)(2)11〜2月(2日間×2回)(3)(4)11〜2月(3日間×2回)
三井住友ファイナンス＆リース㈱ 258	【概要】(1)3Days仕事体験(2)1Day仕事体験(3)オープンカンパニー(オンラインセミナー)【時期】(1)8〜11月(3日間)(2)7〜11月(1日)(3)6月
三菱ＨＣキャピタル㈱ 259	【概要】講義やグループワークなどを通して、法人営業の基本から当社がめざすリース会社の枠を超えた「金融と事業の融合」ビジネスの一端を体感【時期】8〜2月(2日間)
東京センチュリー㈱ 259	【概要】(1)ベーシック編：各事業分野に必要な能力を考察する 当社の課題解決ビジネスを体感する(2)チャレンジ編：課題解決型の新規ビジネスを創出する【時期】(1)8〜11月(1日)(2)12月 1月(2日間)
芙蓉総合リース㈱ 260	【概要】営業実務体験・グループワーク等を通じてリース事業について理解を深める【時期】9月〜12月(1日)
みずほリース㈱ 260	【概要】(1)リース業界及び当社が世の中へ提供している価値について学ぶグループワーク(2)リース営業の疑似体験ワーク(3)リースにとどまらない、世の中の課題を解決するための新規事業を考えるグループワーク【時期】(1)7〜9月(1日)11〜12月(1日)(2)9〜12月(1日)(3)11〜12月(1日)
ＪＡ三井リース㈱ 261	【概要】総合職の実務(現場で行ったプロジェクトを基にした提案型営業)を疑似体験【時期】8〜10月(1日)
ＮＴＴ・ＴＣリース㈱ 261	【概要】(1)業界分析ワーク 仕事理解ワーク(2)提案型営業体感 新規事業立案ワーク【時期】(1)8〜9月(2)11〜2月
㈱ＪＥＣＣ 262	【概要】(1)社員インタビューとグループワークによる経営戦略立案体験(2)グループワークと個人ワークによるITリース営業で活かせるチカラ・伸ばせるチカラ分析【時期】(1)9〜11月(1日×複数回)(2)11〜2月(1日×複数回)
リコーリース㈱ 262	【概要】(1)グループワークによる新規事業立案や、キャリア開発(2)自己分析、業界・企業研究等の就活対策セミナー【時期】(1)9〜1月(1日)(2)8月(1日)
ＮＴＴファイナンス㈱ 263	【概要】(1)業界・企業研究、会社紹介(2)事業説明、業務体験、社員フィードバックあり(3)仕事体験、社員座談会【時期】(1)8〜9月(1日)(2)10〜11月(1日)(3)10〜11月(複数日程)
三井住友トラスト・パナソニックファイナンス㈱ 263	【概要】(1)企業研究セミナー(基礎編)：業界研究、企業研究、事業体験(グループワーク)(2)企業研究セミナー(応用編)： 事業体験(グループワーク)、先輩社員座談会【時期】(1)7〜10月(予定)(半日)(2)9〜12月(予定)(半日)
住友三井オートサービス㈱ 264	【概要】提案営業の体験【時期】8〜12月
ＮＥＣキャピタルソリューション㈱ 264	【概要】法人営業ビジネスシミュレーション グループワーク 先輩社員座談会 就活相談会 社内見学【時期】9〜2月(複数回)

業種別・インターン 1,222 社

会社名　（掲載ページ）		コース概要
三井住友カード㈱	265	【概要】(1)SMCC WORKSHOP：会社説明会(2)SMCC BUSINESS ACADEMY～データ分析コース～：キャッシュレスデータをを活用した顧客の課題分析、ソリューション提案※人事部との1対1フィードバック面談あり(3)SMCC BUSINESS ACADEMY～マーケティングコース～：プロモーション戦略の立案※人事部との1対1フィードバック面談あり(4)SMCC BUSINESS ACADEMY～企画営業コース～：新事業立案と想定顧客へのプレゼン※人事部との1対1フィードバック面談あり【時期】(1)1日(2)(3)3日間(4)2日間
㈱ジェーシービー	265	【概要】(1)(リアルタイム配信 1dayワークショップ)Start Dash／Next Stepセミナー：キャッシュレス業界・JCBのミッションを体感 リアルタイム配信限定で質疑応答も実施(各1時間半)(2)(3days プログラム)世界を舞台に新たなJCBビジネスの企画・立案を体感【時期】(1)6月(1日×4日程)10月(1日×4日程)(2)9月 12月(3日間×4日程)
三菱ＵＦＪニコス㈱	266	【概要】(1)キャッシュレス業界の現状や成長性、当社の主要事業を紹介するセミナー(2)<Day1～2>グループメンバーとの議論を通じて、当社主要事業、業務の理解を深める <Day3>ビジネスシミュレーションゲームを通じて、法人向けソリューション営業を疑似体験する(3)<Day4～5>グループメンバーとの議論を通じて、「キャッシュレスのその先」を考える、新規事業立案型プログラム ※Day1～3参加者のみ応募可能【時期】(1)6～7月 10～11月(1日)(2)7～8月 11～12月(3日間)(3)9月 1月(2日間)
イオンフィナンシャルサービス㈱	266	【概要】(1)1day Program(オープンカンパニー)：グループワーク・プレゼンテーションを通じて、事業内容や業務内容を体験(2)未来プロジェクトコース(オープンカンパニー)：グループワーク・プレゼンテーションを通じて、事業内容や業務内容を体験(3)デジタル・ITコース(オープンカンパニー)：グループワーク・プレゼンテーションを通じて、システムに特化した当社事業や業務内容を体験【時期】(1)5月下旬～1月(1日、各月10回程度)(2)7～12月(2日間×6回)(3)8月中旬～12月(2日間×5回)
㈱クレディセゾン	267	【概要】(1)キャリア教育プログラム(3DAYS)(2)キャリア教育プログラム(1DAY)【時期】(1)8～9月(2)12～1月(予定)
トヨタファイナンス㈱	267	【概要】(1)グループの概要理解 志望動機作成 採用担当との交流(TFSG academy～業界&企業研究編～)(2)部門別の仕事紹介 現場社員との交流(TFSG academy～職種別仕事まるわかり編～)(3)プロジェクト推進体感グループワーク 現場社員からのフィードバック(TFSG academy～新規事業プロジェクト体感編～)【時期】(1)8～2月(半日)(2)9～2月(半日)(3)10～2月(半日)
㈱オリエントコーポレーション	268	【概要】クレジットビジネス オリコの仕事・未来を知る：オリコの基本職種(営業推進・営業事務・債権管理)を体感【時期】7～12月(1日×3ステップ)
ユーシーカード㈱	269	【概要】法人コンサルティング営業体感ワーク【時期】9月 11月 12月 1月(1日間)
アコム㈱	269	【概要】(1)『CM制作ワーク編：YouTubeで放映するCMの企画、立案』(2)『営業・お客さま応対編：お客さま応対をロールプレイング等を通じて体験』【時期】(1)(2)6月～12月(1日)
ＳＭＢＣコンシューマーファイナンス㈱	270	【概要】(1)～(4)1day仕事体験：業界・当社を知る グループワーク プレゼンテーション 社員座談会 他【時期】(1)～(4)8～2月(1日×複数回)
アイフル㈱	270	【概要】(1)総合職｜業界研究・キャリア創造(2)IT職｜エンジニア業務の体験(3)デザイナー職｜デザイナー業務の体験(4)総合職｜コンテンツ検討中【時期】(1)7～9月(2)(3)8月(4)10～2月

●テレビ●

会社名		コース概要
日本放送協会	272	【概要】(1)職種別(ジャーナリストコース、アナウンサーコース、ディレクターコース、デザインコース、メディアエンジニアコース、経営管理・営業コース)(2)障害のある学生のための1day仕事体験(3)オンラインカレッジ(NHKの仕事を知る1日オンラインイベント)【時期】(1)9月 12月(2)8月 1月(3)6月 10月 1月
日本テレビ放送網㈱	272	【概要】(1)アナウンス：現場社員講義、アナウンサー業務体験(2)クリエイター：現場社員講義、企画・台本作成等のコンテンツ制作体験(3)報道記者：現場社員講義・取材等の報道記者体験・ニュース企画立案(4)IT技術・放送技術の仕事体験【時期】(1)5～6月(2日間)(2)9月(2日間)(3)8～9月(2日間)(4)10月下旬(1日)
㈱テレビ朝日	273	【概要】<コンテンツ制作・ビジネス部門>(ドラマ、バラエティー、スポーツ、報道情報、ビジネス)実際に番組企画やコンテンツを利用した新ビジネスの考案などを行い、現役社員からフィードバック <テクノロジー・デザイン部門>先端技術を利用したコンテンツ制作企画やデザイン企画の検討、実際の技術現場見学などでテレビ局の技術に触れる【時期】8月下旬～9月上旬(2日間程度)
㈱フジテレビジョン	273	【概要】(1)報道・情報部門(2)ドラマ部門(3)バラエティ部門(4)技術・IT部門【時期】(1)(2)(4)8月(2日間)(3)8月(1日)
㈱テレビ東京	274	【概要】(1)(3)企画プレゼン型インターンシップ(2)(4)現場体験型インターンシップ【時期】(1)8月中旬～9月中旬(3日間)(2)9月中旬(3日間)(3)11月下旬～12月中旬(3日間)(4)1月中旬(3日間)
㈱テレビ静岡	275	【概要】1DAY仕事体験<制作>生放送疑似体験 番組内コーナー制作体験<報道>模擬取材 災害報道についての勉強会<技術>テレビ局の機材紹介 疑似体験<営業>企画会議 CM案作成【時期】8月中旬～9月上旬(1日×4回)
中京テレビ放送㈱	275	【概要】(1)アナウンサーコース：現役アナウンサーからアナウンスの基礎を学ぶ(2)制作・報道コース：調整中(3)ビジネスコース：調整中(4)テクノロジーコース：調整中【時期】(1)7月中旬(1日)8月中旬(1日)(2)9月上旬(1日)(3)(4)調整中
朝日放送テレビ㈱	276	【概要】(1)アナウンス(2)総合(3)総合技術【時期】(1)8月下旬～(2)9月中旬～(3)10月中旬～

会社名　(掲載ページ)		コース概要
讀賣テレビ放送㈱	276	【概要】(1)制作コース：会社紹介 社員座談会 コンテンツ制作現場の見学および企画体験(2)報道コース：会社紹介 社員座談会 報道現場の見学および報道記者の模擬体験(3)ビジネスコース：会社紹介 社員座談会 イベントビジネス等の現場見学および事業企画体験(4)技術・ICTコース：会社紹介 社員座談会 コンテンツ制作現場の見学および制作体験【時期】(1)～(4)8～9月(数日間)
㈱毎日放送	277	【概要】(1)社員等による説明と業務の模擬体験(一般コース)(2)同(エンジニアコース)(3)同(アナウンサーコース)【時期】(1)8月下旬～9月上旬(2日間)(2)8月下旬(2日間)(3)8月中旬(1日)
関西テレビ放送㈱	277	【概要】(1)アナウンスセミナー(2)一般コース(制作・報道・ビジネス)(3)IT・技術コース(4)オフィスコース【時期】(1)7月(2)(3)9月(4)9月 3月
テレビ大阪㈱	278	【概要】企画立案・プレゼン体験、先輩社員との座談会【時期】9月上旬
ＲＳＫ山陽放送㈱	278	【概要】(1)会社説明(2)報道についての業務説明 報道記者模擬体験 先輩社員との座談会(3)ネットコンテンツについての業務説明 Webコンテンツ制作グループワーク 先輩社員との座談会(4)映像ライブラリーについての業務説明 体験 先輩社員との座談会【時期】(1)～(4)9月(半日)1～2月(半日予定)

●広告●

会社名		コース概要
㈱電通	280	【概要】(1)アイデア力やクリエイティビティを学ぶ(2)(デザイン系学生)アイデア力やアート力を磨く(3)データとプランニング力を学ぶ(4)テクノロジーとアイデアを掛け合わせ生まれる価値、人・企業・社会を動かすクリエイティビティを学ぶ【時期】(1)8～9月(8日程)(2)8～9月(7日程)(3)9月(7日程)(4)2月(7日程)
㈱博報堂	280	【概要】(1)ビジネスデザイン篇(2)クリエイティブ×テクノロジー篇(3)データサイエンス篇(4)ワークショップ：事業創造篇・グローバル篇【時期】(1)8月(5日間)12月(5日間)(2)8月(5日間)(3)8月(4～5日間)12月(4～5日間)(4)6月下旬(2日間)
㈱ＡＤＫホールディングス	281	【概要】(1)ADK 1day Breakthrough Camp(2)ADK 5days Breakthrough Camp(3)ADK Data Science Camp【時期】(1)1期：7月8日 9日 10日 11日 2期：8月19日 20日 22日 23日(2)1期：8月1日 2日 5日 6日 8日 2期：9月9日 10日 12日 13日 17日(3)9月2日 3日 4日 5日 6日
㈱東急エージェンシー	281	【概要】ワークショップ型【時期】12月 1月(5日間)
㈱ジェイアール東日本企画	282	【概要】(1)夏インターン(グループワーク及びプレゼン)(2)オンラインサロン(年数回予定)(3)冬インターン(グループワーク及びプレゼン)(4)ビジネスコンテスト(決勝プレゼン)【時期】(1)8月中旬(5日間)(2)6月中旬～8月上旬(隔週計5回)9月中旬～11月上旬(隔週計5回)(3)1月中旬(5日間)(予定)(4)11月下旬
㈱東北新社	282	【概要】(1)総合映像プロダクションってなにができるの？：事業説明 ワーク 若手社員との座談会(2)2week就業体験型インターンシップ【時期】(1)9～2月(1日×複数回)(2)8～9月(2週間)
㈱朝日広告社	283	【概要】業界・会社説明 先輩社員座談会 グループワーク 他【時期】1月下旬～2月(1日×複数回)
㈱読売ＩＳ	283	【概要】マーケティング・プランニング体験 他【時期】1月(半日間)
㈱ＣＡＲＴＡ ＨＯＬＤＩＮＧＳ	284	【概要】(総合)デジタルマーケティングに関する講義およびメディアプランニングのワーク【時期】6月上旬～8月下旬(複数回)
㈱読売広告社	285	【概要】広告会社のシゴト体験【時期】11～12月(3日間)
㈱大広	286	【概要】(1)DAIKO SUMMER CAMP INTERNSHIP(2)DAIKO WINTER CAMP(3)DAIKO CREATIVE CAMP【時期】(1)8月(1日)(2)2月(3日)(3)8月(3日)
㈱ＡＯＩ Ｐｒｏ．	287	【概要】Dive！ Production(プロダクションマネージャーのアシスタント業務)【時期】8～9月(約2週間)1～3月(約2週間)
㈱博報堂プロダクツ	288	【概要】(1)コースの受講を通して自己分析力、アイディア発想力、コミュニケーション能力が身につく(2)映像制作を疑似体験(企画の考え方 撮影・編集 他)【時期】(1)7月22日 8月26日 8月28日(2)8月23日 8月24日
㈱電通ＰＲコンサルティング	288	【概要】(1)1st：PRと当社オリジナルPRメソッドについて学ぶ(2)2nd：PRメソッドを使ったGWとフィードバック(3)鬱憤構文ワークショップ：当社メソッドを使ったアイデア発想GWとフィードバック(4)デジタルPR：PRのデジタル分野について学び、GWとフィードバック【時期】(1)7～2月(半日×10回)(2)8～2月(半日×5回)(3)(4)2月(半日)

●新聞●

会社名		コース概要
㈱日本経済新聞社	289	【概要】記者の仕事の面白さを体験：取材経験が豊富で報道の世界を熟知した編集委員やデスクなどが指導員となり、テーマごとに班を組み、最新のモノ・コトを取材して記事を執筆、書いた記事は指導員が添削指導【時期】夏季(2日間×複数回)
㈱朝日新聞社	290	【概要】(1)ジャーナリストコース：取材・執筆体験を通し、記者業務を体験(2)ビジネスコース：ワークを通し、幅広いビジネス系業務を体験(3)エンジニアコース：メディアテックの最先端の仕事を体験(4)障がいのある方向け：編集業務体験ワークや障がいのある社員による仕事紹介、職場見学など【時期】(1)8月(3日間)冬(1日間・予定)(2)8～9月(5日間)冬(1日間・予定)(3)8月 冬(1日)(4)9月(1日)

会社名　（掲載ページ）		コース概要
読売新聞社	290	【概要】(1)新聞社の業務紹介(2)記者：事件・事故の取材体験(写真記者、校閲記者も予定)(3)＜事業＞読売ジャイアンツの興行や展覧会の開催についてのGW＜ビジネス(広告)＞ビジネス局の仕事紹介、営業同行＜経営管理＞経理部門のGW 他＜DX＞読売IDについてプレゼン、GW 他(4)業務系(ビジネス(広告)・販売戦略・経営管理・ME・DX)：GWによる企画立案 他【時期】(1)6～8月(2)8～11月(3)9～12月(4)9～2月
㈱毎日新聞社	291	【概要】(1)一般記者：記事執筆などの記者体験、社員との交流など(2)エンジニア：座談会、グループワーク、業務体験など(3)ビジネス：座談会、グループワークなど【時期】(1)8～9月(2日間)(2)8月(1日)(3)9月(1日)
㈱中日新聞社	291	【概要】(1)総合技術：紙面制作システムの体験 若手・中堅との懇親会 他(2)記者：模擬取材 原稿執筆・講評 見出しつけ・講評 先輩社員座談会 他(3)ビジネス：販売店訪問 クライアント訪問 主催展覧会見学 打ち合わせ参加 他(4)写真・映像：模擬取材 送稿体験作業 同行取材 他【時期】(1)8月下旬(1日)1月下旬(1日)(2)2月(2日間×3日程)(3)2月中下旬(2日間)(4)2月中下旬(1日)
㈱産業経済新聞社	292	【概要】各職種ごとに会社全体の理解を深める(職種によって内容は異なる)【時期】未定
㈱北海道新聞社	292	【概要】(1)記者職：座談会 作文講座(2)記者・営業融合型：座談会 各職種体験ワーク(3)ビジネス職：座談会 企画提案ワーク【時期】(1)(2)9月中旬(1日間)(3)2月上旬～中旬(1日間)
㈱河北新報社	293	【概要】業界研究、会社紹介、若手記者と懇談、模擬取材、模擬号外作成【時期】8～11月(計5日間)
信濃毎日新聞㈱	293	【概要】(1)取材同行と模擬記事執筆(2)ビジネス職・メディアエンジニア職 夏の1day仕事体験(3)模擬取材と記事執筆を通じた新聞記者体験(4)グループワークによる企画立案などビジネス職体験【時期】(1)8月 9月(平日5日間)(2)8月(1日)(3)(4)2月(2日間)
㈱山陽新聞社	294	【概要】(1)質疑応答(2)新聞記者体験(3)ITエンジニア体験(4)営業体験【時期】(1)6月下旬～7月上旬(2)8～9月(3)9月(4)8月
㈱中国新聞社	294	【概要】(1)1day仕事体験(記者職編)(2)1day仕事体験(ビジネス総合職編)【時期】(1)8月 9月(1日×3回)冬(1日×3回)(2)8月 9月(1日×2回)冬(1日×2回)
㈱西日本新聞社	295	【概要】(1)記者講座：会社紹介 記者講座(約60分)校閲体験 内定者講座(2)ビジネス講座：会社紹介 人事部による新聞社ビジネスの紹介「総合ビジネス部門のお仕事あれこれ」講座 内定者講座ほか(3)記者体験：会社紹介 社内見学 取材体験 執筆体験 校閲体験 講評 座談会ほか(4)ビジネス体験：会社紹介 社内見学 若手社員との交流(座談会)仕事体験(模擬ワークショップ)ほか【時期】(1)8月8日(1日)(2)8月27日(1日)(3)9月9～10日(2日)(4)9月12～13日

●通信社●

会社名		コース概要
(一社)共同通信社	295	【概要】(1)(2)取材実技 若手記者座談会 会社説明 記事執筆と記者によるフィードバック【時期】(1)8月下旬～9月(2日間×6回)(2)10月下旬(2日間×2回)
㈱時事通信社	296	【概要】(1)(2)記者(3)営業【時期】(1)8月(2)(3)12月

●出版●

会社名		コース概要
㈱ＫＡＤＯＫＡＷＡ	296	【概要】(1)就業体験(出版)(2)就業体験(アニメ)(3)就業体験(実写)(4)就業体験(営業・宣伝・イベント・デジタル)【時期】(1)～(4)通年(最大1年)
㈱講談社	297	【概要】現場社員3名によるパネルトーク(業務紹介、企業紹介)質問会 業務体験ワークとフィードバック【時期】9月2日 4日 6日(いずれか1日に参加)
㈱東洋経済新報社	297	【概要】(1)記者職：記事執筆体験 他(2)メディアエンジニア・データサイエンティスト職：データ分析体験 他(3)データビジネス職：業界研究、事業紹介 他【時期】(1)12月(1日)(2)12月(1～2日間)(3)10月 2月(1日)
学研グループ	298	【概要】学研グループ合同オープンカンパニー【時期】6月13・14日 8月26日・9月5日(2日間×2)
㈱文溪堂	299	【概要】編集職にて職業体験。業務理解、体験、グループワークを通して企画をプレゼンテーション【時期】8月26～30日(5日間)

●メディア・映像・音楽●

会社名		コース概要
㈱サイバーエージェント	300	【概要】(1)総合職(ビジネスコース)(2)技術職(エンジニアコース デザイナー クリエイターコース)【時期】(1)8～12月(3日間)(2)6月～未定
スカパーＪＳＡＴ㈱	300	【概要】(1)会社説明会(2)新規事業立案1DAY(3)新規事業立案3DAYS(4)宇宙技術業務体験3DAYS【時期】(1)6～1月(1日)(2)6～9月(1日)(3)10～1月(3日間)(4)12～1月(3日間)
ソニーミュージックグループ	301	【概要】(1)エンタテインメントビジネス体験(会社紹介、座談会 他)(2)エンタテインメントビジネス体験(会社紹介、職種研究、ワークショップ、座談会 他)【時期】(1)9月上旬(5日間)(2)12月中旬(3日間)

会社名 *(掲載ページ)*		コース概要
●電機・事務機器●		
㈱日立製作所	*304*	【概要】(1)技術系：研究・設計等の仕事を体感(2)技術系キャリア教育：仕事のやりがいや醍醐味、キャリアステップ等に関して理解を深める(3)事務系：営業、経理財務、法務、人事等の仕事を体感(4)事務系キャリア教育：日立の社会イノベーション事業や職種に関する理解を深める【時期】(1)8～9月 12～2月(2～3週間)(2)8～9月 12～2月(1～3日間)(3)9月 2月(2週間)(4)12～2月(半日)
三菱電機㈱	*304*	【概要】(1)技術系・職場実習型(製作所・研究所での技術系職種の就業体験)(2)技術系・会社理解型(ソリューション事例等を通じた会社理解ワーク)(3)事務系・会社理解型(社員交流等を通じた会社理解ワーク)(4)事務系・製作所実習型／理解型(製作所での事務系職種の就業体験／製作所見学等を通じた製作所理解ワーク)【時期】(1)8～9月 12月(5日間～2週間)(2)7～12月(1日×複数回)(3)8～9月(1日×2回)(4)8～9月(2～5日間)1～2月(2～5日間)
富士通㈱	*305*	【概要】(1)Seasonal Internship ：特定のテーマに対して提案・開発実践等を行う5日以上の就業体験(2)Professional Internship ：一社員として特定業務を担う(3)Fujitsu Job Experience Internship：ワークショップ型インターンシップ【時期】(1)8月中旬～9月中旬(5日間・10日間・15日間)(2)8月～(1～6カ月程度)(3)7～9月上旬
ＮＥＣ	*305*	【概要】(1)(2)職場受入型／技術系：NECの最先端技術を用いた設計、企画、プログラミングなどの技術職体験。職場受入型／事務系：NECのこれからのビジネスを創出・提案していく営業職・ビジネスデザイン職体験【時期】(1)8月下旬～9月上旬(5～10日間)(2)12月(3～15日間)
㈱東芝	*306*	【概要】(1)職場受入型(事務系：営業、生産管理、人事・総務、財務・経理、調達、法務、知的財産等)(2)職場受入型(技術系：研究開発、開発設計、生産技術、各種エンジニア、品質管理、知的財産等)【時期】(1)(2)8月下旬～9月中旬(1週間・2週間より選択)
ソニーグループ㈱	*306*	【概要】(1)ソフトウェア、ハードウェア、メディカルサイエンスなどの各職場にて実務的なテーマに取り組む職場密着型(2)起業家インターン(3)長期有給インターン(4)リアルなビジネス体験をテーマにしたBusiness Master Program・職場訪問、交流会を含むオープンハウス【時期】(1)8～9月 2～3月(2)10～11月(3)随時(4)1～2月
パナソニックグループ	*307*	【概要】(1)OJT インターンシップ(文理不問)(2)BUSINESS WORKSHOP(文理不問)(3)CREATIVE WORKSHOP(全学部学科対象)【時期】(1)8～9月 1～2月(約1～2週間)(2)8～9月 1～2月(2日間)(3)8～9月
シャープ㈱	*307*	【概要】(1)技術系就業体験：実際の職場での検討・設計・開発・評価(2)ビジネス系就業体験：実際の職場での業務(3)(4)社員の仕事紹介および座談会【時期】(1)(2)8～9月(1～2週間)(3)7～9月(2日間、回数未定)(4)10～2月(1日、回数未定)
㈱ニコン	*308*	【概要】(1)夏期：ワークショップ(2)夏期：職場体験(高専本科生のみ)(3)夏期：ワークショップ(デザイン系学生のみ)(4)冬期：職場体験【時期】(1)8月下旬～9月中旬(1日)(2)8月下旬～9月上旬(1週間程度)(3)8月上旬(3日間)(4)1～2月(3日間程度)
㈱デンソーテン	*308*	【概要】(1)職場体験型：技術者と肩を並べ、プロの仕事体験(2)オープンカンパニー型：ソフトウェアエンジニア職1day仕事体験(3)座談会：技術系(ソフト・ハード)・生産技術系・事務系【時期】(1)8月(1週間)(2)6月以降(1日)(3)年内予定(1日)
㈱ＪＶＣケンウッド	*309*	【概要】商品の企画ワークショップ【時期】1月(2日)2月(1日)
カシオ計算機㈱	*309*	【概要】(1)商品企画ワークショップ(2)(理系)ソフトウェア開発体験：アプリ・AI(3)(理系)ハードウェア開発職 機構開発職 品質保証職等の体験(4)DX推進職の体験【時期】(1)6～9月(原則毎週開催)(2)9月(2日間)(3)(4)11月(3～4日間)
象印マホービン㈱	*310*	【概要】(1)設計開発職：象印製品の設計開発体験および社員との交流(2)営業職：グループワークによる国内営業職の仕事理解および社員との交流【時期】(1)8月(2日間×5回)12月下旬(2日間×2回)1月中旬(2日間×2回)(2)8月(2日間×4回)9月(2日間×8回)11月(2日間×8回)1月(2日間×4回)2月(2日間×8回)
キヤノン㈱	*310*	【概要】(1)(技術系)グループワークによる新規事業立案ワーク(2)(事務系)職種理解ワーク(3)(事務系)グループワークによる新規事業立案ワーク(4)(技術系)製品事業別ワーク【時期】(1)7月下旬～8月下旬(1日)(2)8月上旬～下旬(1日)(3)2月上旬～中旬(3日間)(4)1月中旬～2月中旬(1～5日間×複数回)
富士フイルムビジネスイノベーション㈱	*311*	【概要】(1)事務系：世の中の仕事に対する理解を深める(2)技術系：自分に合った企業・職種を見つけるために自身の原動力を明確にする(3)事務系：事業推進をテーマとしたワーク他(4)技術系：ハードウェア・ソフトウェア・マテリアル他の実践型ワーク【時期】(1)6～7月(1日)(2)6～8月(1日)(3)10～2月(3日間)(4)10～2月(複数日)
㈱リコー	*311*	【概要】(1)技術系部門での現場業務体験(全21コース)(2)あなたの知らないリコーを知る1day(3)リコーのはたらくを知る1day(4)オンライン座談会【時期】(1)8～9月(3～10日間)(2)8～9月(1日)(3)12～2月(1日)(4)6～8月 11～3月(1時間半)
セイコーエプソン㈱	*312*	【概要】(1)(理系)職場受入型(2)(理系)ハイブリッド型2days(3)Web短期(4)(理系)女性エンジニア向け【時期】(1)8～9月 1～2月(5日間または2週間)(2)8～10月(2日間)(3)9月 1月(複数回)(4)8月 9月 1月 2月
コニカミノルタ㈱	*312*	【概要】(1)ビジネス系仕事体験(物流・海外営業・国内営業・新製品企画)：社員からの講義、ワーク 他(2)技術系仕事体験(画像IoT・ソフトウェア・メカ開発・エレキ・材料開発・物理光学)：社員からの講義、ワーク 他(3)5DAYS・受入れ型(IoT系事業部など)(4)長期・受入れ型【時期】(1)(2)8～9月(1日)(3)11～12月(5日間)(4)11～12月(2週間以上)

会社名　（掲載ページ）	コース概要
ブラザー工業㈱　313	【概要】(1)事務系：商品企画・営業企画、財務系職種、国内営業の楽しさを知る講演 他(2)技術系：情報系エンジニアの働き方を知る仕事体験(3)事務系：工作機械の国内営業について学ぶ講演 他(4)技術系：価値創出を体感するワークショップ 他【時期】(1)7～8月(半日×複数回)(2)9月(5日間)(3)10～11月(半日×複数回)(4)9月(1日×複数回)
東芝テック㈱　313	【概要】(1)理系：ソフト・ハード(希望別)開発・研究体験(2)文系・理系：モノづくり企画体験【時期】(1)(2)8～9月(2日間)
京セラドキュメントソリューションズ㈱　314	【概要】(1)技術開発、生産技術、品質保証、社内SE、技術営業などの業務体験、先輩社員座談会 他(21コース)(2)技術開発、生産技術、品質保証、社内SE、営業、経理などの業務体験、先輩社員座談会 他(複数コース)【時期】(1)8～9月(5日間)(2)1～2月(1～2日間)
沖電気工業㈱　314	【概要】(1)1day仕事体験(モノづくり)(2)1day仕事体験(ソリューション営業)(3)1day仕事体験(システムエンジニア)(4)先輩社員座談会(文理別)【時期】(1)8～9月 12～2月(1日)(2)(3)8～9月 12～2月(半日間)(4)8～9月 12～2月(数時間)
㈱ＰＦＵ　315	【概要】(1)開発エンジニア・知的財産・サプライチェーンマネジメント・システムエンジニア・営業：業務体験、工場見学 他(2)全職種：会社説明、チームワークを学ぶGW 他(3)主力製品の理解を深める(4)キャリア形成、就活ポイント、同期座談会、仕事紹介 他 会社見学会【時期】(1)8～9月(2日間×8回)(2)8～9月(2日間×4回)(3)10～1月(1日×6回)(4)11～2月(1日×6回)
マックス㈱　315	【概要】グループワークによるチームワーク体験【時期】8～2月(1日)
理想科学工業㈱　316	【概要】(1)技術系：メカトロ体験(2)技術系仕事体験：インク開発について(3)技術系仕事体験：生産技術職体験(4)ビジネス系：プロモーション企画体験【時期】(1)8～9月(3日間×4回)12月(1日×3回)(2)12～1月(1日×2回)(3)12～1月(1日×3回)(4)8～9月(2日間×2回)11～12月
千代田インテグレ㈱　316	【概要】会社説明 工場見学 ものづくり体験【時期】9月5日(1日)
富士電機㈱　317	【概要】(1)技術系仕事体験(2)短期：拠点・部門理解を深めるためのGW 社員交流(3)事務系社員の仕事を知る各種ワーク 社員交流【時期】(1)8月下旬～9月(3日間～2週間)2月上旬～中旬(3日間～2週間)(2)10月(半日)2月中旬～3月上旬(半日)(3)8月下旬～9月中旬(2日間)2月(2日間)
㈱キーエンス　317	【概要】(1)営業職 体験プログラム(2)理系学生 1day仕事体験(3)S職(事務職)仕事体験プログラム【時期】(1)6～12月(2)(3)9～12月
オムロン㈱　318	【概要】(1)開発・生産職種を中心とした就業体験(2)ワーク型ショップ(人総・理財)【時期】(1)8月下旬～9月中旬(2週間)(2)9月(1カ月のうち対面集合は3日)
㈱安川電機　318	【概要】(1)技術部門(研究開発、生産技術、サーボモータ、インバータ、ロボット)の就業体験(2)品質サービス部門(フィールドエンジニア職)の就業体験(3)調達部門の就業体験(4)営業部門の就業体験【時期】(1)8月下旬～11月上旬(5日間)(2)8月下旬(5日間)(3)12月下旬(5日間)(4)11月下旬～12月中旬(5日間)
㈱島津製作所　319	【概要】(1)技術系職場体験型(2)事務系職場体験型(3)事務系向け仕事体験(4)技術系向け仕事体験【時期】(1)9月下旬(1～2週間)(2)8月下旬～9月上旬(1～2週間)(3)7月～(最大3日間×回数未定)(4)10月～(最大2日間×回数未定)
㈱堀場製作所　319	【概要】(1)実習型：分析計測機器の研究開発等、複数のテーマから選択式(2)オンライン：会社見学、社員との座談会 他【時期】(1)8～9月(1～3週間)(2)9～3月(1日)
㈱明電舎　320	【概要】(1)文理不問：業界研究グループワーク(2)文理不問：職種紹介イベント(座談会あり)(3)事務系：会社紹介セミナー 工場見学(4)技術系：仕事研究セミナー プラ本セミナー 工場見学【時期】(1)6～1月(半日)(2)12月(半日～1日)(3)11～2月(半日)2月(1日×2回)(4)1～3月(半日)
㈱ＴＭＥＩＣ　320	【概要】(1)製品設計実習コース(技術系)(2)本社技術営業実習コース(技術系)(3)仕事理解ワークコース(事務系)：本社見学 会社紹介 営業事例ワーク 社員座談会(4)組織理解オープンカンパニー(技術系)：本社・工場見学 会社紹介 社員座談会【時期】(1)(2)8月下旬～9月中旬(5日間)1月下旬～2月上旬(3日間・5日間)(3)(4)8月下旬～9月中旬(1日)1月下旬～2月中旬(1日)
㈱ダイヘン　321	【概要】(1)事務職限定：BtoBメーカーの脱炭素ソリューション営業体験(2Days)(2)理系限定：エンジニアの働き方がわかる社員座談会(3)Web企業研究セミナー(4)Web社員座談会【時期】(1)9～12月(2日間)計4回(2)6～2月(半日×月2回)(3)6～2月(1時間×月1回)(4)7～2月(1時間×月1回)
日本電子㈱　321	【概要】(1)製造職としての実業務体験、装置の製造や部品加工等(2)フィールドサービス職としての実務体験、装置の修理体験や客先訪問等(3)開発職としての実務体験、装置評価及び解析等(4)機械設計、電気設計、システム設計等の各職種に基づいた実務体験等【時期】(1)(3)(4)8月中下旬(1週間)(2)8月中下旬(1週間)9月上旬
日東工業㈱　322	【概要】(1)(理系)開発職を体験(グループワーク)(2)(理系)設計職を体験(3DCAD)(3)(学部不問)営業職を体験(職場・製品見学、座談会)(4)(全学部)業界・企業理解のための説明会【時期】(1)8～9月 12～1月(1日)(2)8～9月(1日)(3)＜東京＞7月＜大阪＞8月(4)6月以降随時
㈱イシダ　322	【概要】(1)事務系職種の仕事体験(2)就業型：5daysインターン『あますことなく経験する開発設計職』(3)開発設計職の仕事体験(4)システムエンジニアの仕事体験【時期】(1)1日または3日間(2)5日間(3)1日(4)1日または5日間
日新電機㈱　323	【概要】(1)理系向け職場体験長期インターンシップ(2)会社紹介・仕事体験【時期】(1)8月下旬～9月(5日間)(2)8～12月(1日)
㈱日立パワーソリューションズ　323	【概要】(1)(2)(理系)会社紹介 事業部門での就業体験 成果報告会(3)(4)(理系)業界研究 先輩社員との座談会【時期】(1)8月26～30日(5日間)(2)1月下旬(5日間または10日間)(3)7月22日～8月6日(うち7日間)(4)1月(うち7日間程度)

会社名　*(掲載ページ)*	コース概要
能美防災㈱　*324*	【概要】(1)仕事理解・理系 Job mission：防災システム納入プロジェクト体感ワーク(2)仕事理解・文系 Job mission：能美防災の安全提供のプロセスを実践(3)企業理解・文理対象 My mission：能美防災を例に企業分析の手法を学ぶ(4)未来創造・文理対象 Creative vision：能美防災が実現したい未来とは？企画過程を体感【時期】(1)～(4)6～2月(複数日程)
古野電気㈱　*324*	【概要】(1)研究開発職体験：研究開発部門で開発テーマの一部を経験(2)技術職体験：生産技術、技術サービス等の技術職部門で開発テーマの一部を経験(3)FURUNO WORKSHOP：文系職種向けの業界および職種研究 会社紹介 先輩社員座談 他(4)オンライン業界・職種理解：業界研究 会社紹介 先輩社員座談 他【時期】(1)(2)8～9月 12～1月(5～10日)(3)8～9月 12～1月(1日)(4)8～9月 12～1月(半日)
日本信号㈱　*325*	【概要】(1)技術系：インフラ業界について学び、メーカーとしての事業内容・製品等について理解を深める(2)事務系：インフラ業界について学び、メーカーとしての事業内容・製品等について理解を深める【時期】(1)(2)8～9月 11～12月
アジレント・テクノロジー㈱　*325*	【概要】開発、営業、サービスの各部門での就業体験【時期】6～2月(5日間)

●電子部品・機器●

会社名　*(掲載ページ)*	コース概要
ニデック㈱　*326*	【概要】(1)モータ製作、プレゼンテーション発表、職場見学、先輩社員座談会(2)ワーク、職場見学、先輩社員座談会(3)仕事紹介、質問会(4)職場体験(研究、開発、生産技術、知的財産、情報システム、法務)【時期】(1)8～9月(5日間)(2)(3)9～12月(1日)(4)<法務以外>8～9月(10日間)<法務>1～2月(5日間)
ＴＤＫ㈱　*326*	【概要】(1)装置開発職仕事体験(2)ノイズ対策体験(3)材料開発体験(4)IT職仕事体験【時期】(1)(2)9～2月(1日×6回予定)(3)9月 2月(5日間)(4)8～2月(1日×6回予定)
京セラ㈱　*327*	【概要】(1)グループワークを通して、京セラの経営手法・技術・事業・働き方を理解(文理別)(2)(理系のみ)現場実習型インターンシップ 技術部門の就業体験(3)(理系／修士・博士が対象)研究型インターンシップ 技術(研究)部門の就業体験 ※専門性を重視(4)(文理)現場実習型インターンシップ 営業・管理部門の就業体験【時期】(1)7～9月(2)8～9月(3)テーマにより異なる(4)2月
㈱村田製作所　*327*	【概要】(1)技術系：実務実践型(2)事務系：課題解決型(3)事務系：実務実践型【時期】(1)8月下旬～9月中旬 2月(5日間～2週間程度)(2)1月下旬～2月上旬(3日間)(3)2月(3～8日間程度)
ルネサスエレクトロニクス㈱　*328*	【概要】(1)(理系)デジタル製品開発、アナログ製品開発、ソフトウェア開発、回路設計、装置を使用した実験、評価などの体験など(2)経理、人事総務、サプライチェーンマネジメント【時期】(1)9月(5～10日間)2月(5日間)(2)2月(5日間)
ミネベアミツミ㈱　*328*	【概要】(1)(理系)主力製品に関する機構設計 制御設計 特性解析 製品の構造理解やサンプル作成体験 他(2)(理系)GWによる新製品立案コンテスト(3)(理系)GWによる新製品企画立案仕事体験(4)(理系)技術体験ワークショップ【時期】(1)8～9月(5～10日間)(2)9～2月(2日間)(3)7～2月(1日)(4)9～2月(1日)
キオクシア㈱　*329*	【概要】(1)技術系職種希望者向け会社紹介 グループワーク 社員座談会等(2)事務系職種希望者向け会社紹介 グループワーク等【時期】(1)(2)7月～(1日×複数回)
アルプスアルパイン㈱　*329*	【概要】1day仕事体験：各職種の仕事を分担し、チームで課題解決するワーク【時期】6～2月(1日)
日東電工㈱　*330*	【概要】(1)(理系)研究開発部門での就業体験(2)(理系)生産技術部門での就業体験(3)管理部門での就業体験(4)1Dayワークショップ～Nittoの働き方を体感しよう～【時期】(1)9～1月(2日間～2週間)(2)12月(1週間～2週間)(3)12～2月(1週間)(4)8～2月(1日)
日亜化学工業㈱　*330*	【概要】(理系)技術業務体験コース(LED開発、LED製造技術、LD開発、電池材料開発、装置設計、IT開発、金型開発・ものつくり、品質保証、品質評価技術)：技術部署紹介、実習、先輩社員座談会【時期】8月～12月(1日)
ローム㈱　*331*	【概要】(1)技術系：研究開発、商品開発、製造技術開発、生産システム開発など、各部門にて開発業務を体験(2)技術系：商品開発体験(3)営業・管理系：BtoB営業体験【時期】(1)8月下旬～9月上旬(7日間)(2)9月下旬～11月上旬(3)10月中旬～11月上旬
イビデン㈱　*331*	【概要】(1)未来戦略プロジェクト体感ワーク：GWと発表、個別フィードバックを通して、電子・セラミック業界の理解、企業理解を深める(2)電子開発職体感ワーク：過去の事例に基づくGWと発表、個別のフィードバックを通して、当社電子開発職の働き方、顧客との共同開発の進め方を疑似体験(3)就業型インターン(1)電子開発職・品質保証職(2)電子生産技術／製造／要素技術職(3)技術開発職(バイオ)(4)技術開発職(EV向けセラミック分野)(5)知財【時期】(1)8～10月(1日)(2)9～11月(1日)(3)9月9～13日(5日間)
太陽誘電㈱　*332*	【概要】(1)(3)会社紹介 職種理解 先輩社員座談会 本社見学(オンラインの場合はなし)(2)グループワークを通して技術系職種の仕事を体験(職種別での実施)先輩社員座談会 事業所見学【時期】(1)8～9月上旬(1日)(2)10～11月(1日)(3)12～2月(1日)
シチズン時計㈱　*333*	【概要】(1)アイデアソン型：グループワークによる製品、サービスの企画提案(2)職種体験型：グループワーク主体で技術、営業、商品企画の各職種を体験(3)(理系学生)現場体験型：現場実習体験とグループワークを通じて技術職を体験【時期】(1)9月(2日間)(2)7～2月(1日)(3)8～9月(3日間)

会社名 (掲載ページ)		コース概要
アズビル㈱	333	【概要】(1)実務型5Days：研究開発拠点・事業所で社員と共に製品開発・研究開発・生産技術・SEなどを体験(2)2職種体験2Days：研究開発拠点・事業所で開発・セールスエンジニアの仕事を学ぶ(3)業界研究1Day：計測・制御の業界を幅広く知ることができ、将来を考えるきっかけになるワークショップ(4)職種理解1Day：ビルや工場・プラントの自動化を実現する様々な職種を体感するワークショップ、先輩社員座談会【時期】(1)8～9月(5日間)(2)8～9月(2日間)(3)8～2月(1日)(4)10～2月(1日)
セイコーグループ㈱	334	【概要】(1)SEIKO Career Academy：企業研究で押さえたい4つのポイントを通じ、学生自身の「就職活動の軸」を明確にし、キャリアについて考える(2)SEIKO Business Academy：グループ各社のビジネスや仕事を疑似体験するGW、先輩社員(若手～管理職)への質問会(3)特別イベント：セイコーグループ株式会社の広報・採用担当として、動画制作を通じてブランディング活動を体験【時期】(1)5月～(半日間)(2)7月～(半日間)(3)11月(1日)
サンケン電気㈱	334	【概要】(1)(理系)技術部門での就業体験 半導体の設計開発業務 試作品等の実験・測定・評価・考察(2)(理系)技術部門での1日仕事体験 半導体の設計開発業務 試作品等の測定・評価業務 生産技術業務を体験(3)(理系)半導体エンジニアによる技術講座(4)半導体業界研究、会社紹介、先輩社員座談会【時期】(1)9月(2週間)(2)(3)7～9月(1日)(4)12～2月(1日)
日本航空電子工業㈱	335	【概要】(理系)技術系職種の開発業務体験【時期】8月 9月(1日)1月 2月(1日)
浜松ホトニクス㈱	335	【概要】(1)理系・オープンカンパニー：会社概要紹介、インターンシップ概要説明、質疑応答(2)理系：開発・設計、量産化・自動化等の生産技術、基礎・要素技術開発等業務体験(オープンカンパニー参加者限定)(3)理系：業界理解・企業理解を深める懇談、VR見学、レポート提出、グループワーク【時期】(1)6月 7月(1日×複数回)(2)8月下旬、9月上旬(5日間)(3)8～2月(日数未定)
㈱ソシオネクスト	336	【概要】(1)(理系)LSIの性能評価体験(2)(理系)LSIデジタル回路の物理設計体験(3)(理系)最先端LSIの解析体験(4)(理系)LSIのプログラム開発体験【時期】(1)～(4)7月中旬～9月中旬(1日)11月下旬～1月中旬(1日)
㈱トプコン	336	【概要】(1)オンラインショールーム見学(2)ソフト系インターンシップ：製品を用いて点群処理に関する要件定義,アルゴリズム構築,実装,発表を行う【時期】(1)12～1月(1日)(2)8～9月 1～2月(1～2週間)
新光電気工業㈱	337	【概要】(1)実際の生産工場・開発現場で当社の最先端技術に触れたり、実際の製品が作られていく過程に携わり、自分自身の手で成果を生み出すことを経験できるプログラム。全34テーマから専攻に応じてテーマを選択(2)当社のものづくりに必要な問題解決の考え方や解決手法を学べるプログラム。グループワークでは実際にエンジニア職の業務で発生する問題を解決へ導く手法を体験(3)自己分析・業界研究ワーク(オープンカンパニー)(4)半導体業界研究セミナー他(オープンカンパニー)【時期】(1)7月下旬～10月上旬(1～2週間)(2)7月中旬～9月中旬(2日間)(3)7月中旬～9月上旬(半日)(4)9月中旬～翌年4月上旬(半日)
㈱三井ハイテック	337	【概要】(1)(理系)企業説明、社員との座談会、グループワーク、工場見学(2)(文系)企業説明、社員との座談会、グループワーク(3)企業説明、社員との座談会、グループワーク【時期】(1)8月～(2日間)(2)(3)8月～(1日)
ニチコン㈱	338	【概要】(1)～(3)技術系・仕事に対する理解を深めるコース：会社・事業紹介、オンライン工場見学、各種製品技術紹介、グループワーク、座談会 他【時期】(1)8月下旬～9月中旬(1日×8回)(2)12月(1日×7回)(3)2月(1日×4回)
㈱メイコー	338	【概要】基板技術職：業界研究、会社紹介、バーチャル工場見学、設計業務体験 他【時期】7～9月 11～1月(1日)
マブチモーター㈱	339	【概要】(1)理系対象オンライン仕事体験：モーターの開発・生産に関するグループワーク 座談会 他(2)文系対象オンライン仕事体験：営業・生産管理業務に関するグループワーク 座談会 他【時期】(1)8月(3日間)9月(3日間)(2)8月(1日間)
ＮＩＳＳＨＡ㈱	339	【概要】(1)業界研究 会社説明 先輩社員座談会 ワークショップ 他(2)(機械・電気・情報系対象)製品開発体験：仕様検討から設計、試作、評価、報告など一連の開発工程を体験【時期】(1)8月下旬～9月中旬(複数回)(2)9月中旬
ヒロセ電機㈱	340	【概要】(1)設計開発・生産技術業務体験(技術系)(2)実習体験、技術部門見学(営業系)(3)業務紹介、現場見学(技術系)(4)業務体験、先輩社員座談会(営業系)【時期】(1)8月下旬(2週間)(2)9月上旬(3日間)(3)12月中旬(2日間)(4)2月上旬(2日間)
日本ケミコン㈱	340	【概要】(1)電気電子・機械系：コンデンサの分解調査とマイコンのソフト作成(2)化学材料系：電気二重層キャパシタの開発業務を体験(3)電気電子：コンデンサの分解調査とPLCプログラムの開発(4)機械系：日本ケミコンの生産技術力を体験 他に化学材料・電気電子系、化学材料系プログラムあり【時期】(1)8月5～9日(5日間)(2)～(4)9月2～6日(5日間)
マクセル㈱	341	【概要】(1)モノづくり系職種体験(半日オープンカンパニー)(2)技術系職種体験(半日オープンカンパニー)(3)事務・営業系職種体験(半日オープンカンパニー)【時期】(1)～(3)8～9月
フォスター電機㈱	341	【概要】(1)オープンカンパニー 会社説明、インターンシップ紹介(2)(文理で別日程)かんたんスピーカー制作体験、 会社説明、先輩社員座談会、試聴体験(3)(理系)設備開発仕事紹介、 CAD体験、設備組み立て、 会社説明、先輩社員座談会、試聴体験(4)(理系)スピーカー設計開発仕事紹介、 会社説明、先輩社員座談会、試聴体験【時期】(1)6～7月 11～12月(1日)(2)8～9月 12～2月(1日)(3)9月 12～2月(2日間)(4)9月(3日間)
アンリツ㈱	342	【概要】(1)開発部門での設計開発体験(2)営業・事務系部門での職場体験(3)(4)各職種の仕事理解、社員との座談会【時期】(1)8～9月(1～2週間)(2)8～9月(5日間)(3)(4)8～9月 12～2月(1日)
㈱タムラ製作所	342	【概要】(1)電子部品の開発実習(2)電子化学材料の開発実習【時期】(1)(2)半日

会社名 （掲載ページ）	コース概要
シンフォニアテクノロジー㈱ 343	【概要】BtoB業界を中心とした業界・企業研究【時期】7～2月(1日×複数回)
新電元工業㈱ 343	【概要】技術職オンライン座談会 文系オンライン座談会【時期】夏期～冬期
富士通フロンテック㈱ 344	【概要】(1)全職種希望者向けの業界研究・ビジネスコミュニケーション(2)SE希望者(文理不問)向けの職種研究(3)全職種希望者向けの就活対策(4)長期受入の就業体験【時期】(1)(2)通年(半日)(3)6～1月(半日)(4)8月下旬～9月上旬
日本シイエムケイ㈱ 344	【概要】(1)見積もり体験(2)商品企画(3)人事採用方法の考案【時期】(1)～(3)随時(1日 月2回)
㈱タムロン 345	【概要】(1)オンライン企業研究：当社事業と業務説明、先輩社員との座談会 他(2)オンライン仕事体験：当社事業と業務説明、グループワーク 他(3)当社内各職場での業務体験 他【時期】(1)5～7月(1日)秋季以降(1日)(2)8～9月(1日)冬季(1日)(3)8～10月(3～5日間)冬季(3～5日間)
オリエンタルモーター㈱ 345	【概要】(1)技術部門での就業体験(製品評価業務 他)(2)営業部門での就業体験(営業同行 他)(3)業界研究・仕事疑似体験グループワーク【時期】(1)8～9月(5～10日間)(2)8～9月(5日間)(3)7～2月(1日×複数回)
㈱日立国際電気 346	【概要】(1)(3)研究開発の仕事体験(実務型)(2)(4)SEの仕事体験(実務型)【時期】(1)(2)8月(5日間)(3)(4)2月(5日間)
東京計器㈱ 346	【概要】(1)新製品開発をテーマにした課題検討(2)マイクロマシニングの基礎的なプロセスを実際に行い、圧力計などの簡単な素子を作製、評価を行う(3)最先端の技術と品質を支える加工技術、生産設計、品質保証を担う部署での実習【時期】(1)8～9月(1日)(2)(3)8～9月(1週間)
SMK㈱ 347	【概要】座談会【時期】随時・単日
メクテック㈱ 348	【概要】(1)(理系)研究・開発・設計・生産技術職の就業体験(2)職種体験グループワーク(3)工場見学(4)BtoBメーカーの職種体験シミュレーションゲーム【時期】(1)9月(2週間)(2)(3)8～2月(1日)(4)8～2月(各回1日)
㈱ナカヨ 348	【概要】(1)通信の未来を考えるワーク(2)(理系のみ)職場体験【時期】(1)7月 8月(2)9月上旬(3日間)
㈱エヌエフホールディングス 349	【概要】会社・業界紹介 設計・開発体験【時期】8月(2回)
日本テキサス・インスツルメンツ(合同) 349	【概要】(1)夏季インターン(2)冬季インターン(3)1日仕事体験【時期】(1)7～9月(2)12～1月
東京エレクトロン㈱ 350	【概要】(1)開発エンジニアの業務体験・社員座談会(2)(理系のみ)メカエンジニアの業務体験＆演習・社員座談会(3)営業の業務体験＆グループワーク(4)AI部門での実務型インターンシップ【時期】(1)7～2月(1日)(2)10～12月(2日間)(3)8～2月(1日)(4)12月(2週間or3週間)
横河電機㈱ 350	【概要】(1)データ分析基板を用いたデータパイプラインの検討・構築(2)電池電極やフィルムなどの厚さを測定するシステムの評価や生産ツールの検討を通じた工業設計習得(3)制御システム等のアプリケーション制作と検証(4)新しいビジネスの可能性についての事情調査および調査に基づくビジネス提案【時期】(1)～(4)8～9月(3週間程度)
㈱SCREENホールディングス 351	【概要】(1)仕事体験GW(理系)(2)情報系職種：制御・ソフトウェア設計をテーマにしたもの(3)電気系職種：半導体製造装置 電気設計技術者仕事体験(4)外観検査装置へのAI適用に関する体験【時期】(1)6～10月(1日)(2)8～9月(1日)(3)8～9月(5日間)(4)8～9月(3日間)
㈱アドバンテスト 351	【概要】開発現場を想定した研究開発実習【時期】夏(5日間)冬(1～2日間)
㈱ディスコ 352	【概要】採用担当や社員との交流を通して、弊社の制度や文化、業務内容をより深く理解できるコンテンツを選択可能【時期】7～12月(複数日程選択可能)
㈱アルバック 352	【概要】会社紹介、装置製造の基本作業レクチャー、GW、社員懇談会【時期】8月(1日×3回)
㈱KOKUSAI ELECTRIC 353	【概要】(1)会社および業界紹介、職種ごとの業務紹介と社員とのディスカッション(2)富山事業所および当社製品の実機見学【時期】(1)8月上旬(2日間)8月下旬(2日間)9月上旬(2日間)(2)8月下旬(1日間)9月上旬(1日間)9月中旬(1日間)
ウシオ電機㈱ 354	【概要】(1)＜対面＞技術系・営業管理系向け メーカー・ものづくりの流れを体感するワーク 社員座談会、会社見学(2)＜WEB＞技術系向け ウシオ電機の製品開発で発生した課題事例をもとに、ウシオ電機の製品や技術力を学ぶワーク、社員座談会【時期】(1)8～10月(1日)(2)9～12月(1日)
㈱東京精密 354	【概要】業界・企業研究、開発プロジェクト体感ワーク、エンジニア仕事体感ワーク(理系のみ)先輩社員懇親会【時期】7～9月 11～2月(1日×25回程度)
ローツェ㈱ 355	【概要】(1)JOBインターンシップ(2)5Daysインターンシップ(3)3Daysインターンシップ【時期】(1)8月(5日間)(2)9月(5日間)(3)9月(3日間)

●住宅・医療機器他●

会社名 （掲載ページ）	コース概要
ホーチキ㈱ 355	【概要】(1)オープン・カンパニー(2)職種体験型仕事体験(3)工場見学【時期】(1)6～9月(2)8月上旬(3)8～9月
アイホン㈱ 356	【概要】(1)理系向け：就業体験(2)文系向け：就業体験型ワークショップ【時期】(1)8月(3日間)(2)9～2月(1日)

会社名	（掲載ページ）	コース概要
オリンパス㈱	356	【概要】(1)生産技術開発コース：生産技術開発職場で、実習テーマに沿った仕事体験(2)グローバルコース：サービス技術開発職場で、実習テーマに沿った仕事体験(3)研究・開発コース：研究開発職場で、実習テーマに沿った仕事体験【時期】(1)～(3)2週間
テルモ㈱	357	【概要】(1)企画営業：会社紹介、仕事理解・体験、座談会(2)開発技術：会社紹介、仕事理解・体験、座談会(3)SE：会社紹介、仕事理解・体験、座談会【時期】(1)～(3)8～10月(数日～5日間)
ニプロ㈱	357	【概要】(高専生)メンテナンス部門での就業体験【時期】8月下旬～9月上旬(5日間)
キヤノンメディカルシステムズ㈱	358	【概要】(1)(理系)研究・開発職：就業体験(2)企画営業職：GWによる業界理解・仕事理解(3)知的財産職：就業体験(4)プロジェクトコーディネーション(建築職)：3D図面作成体験等の仕事理解(建築系)【時期】(1)9月(2週間)2月(1週間)(2)8～9月 2月(1日)(3)9月 2月(各1週間)(4)8～12月(1日)
シスメックス㈱	358	【概要】(1)製品開発職体感型(2)全15職種体感型(3)フィールドサービスエンジニア職体感型(4)知的財産職体感型【時期】(1)8月(2日間)12月(2日間)(2)9月(1日×2回)2月(1日×2回)(3)10月(1日)(4)9月(1日)
日本光電	359	【概要】(1)営業IS：営業に特化したワーク 他(2)技術IS：技術に特化したワーク 他(3)サービスIS：サービスエンジニアに特化したワーク 他(4)社員交流会：様々な職種の先輩社員との交流【時期】(1)～(3)8月中旬～9月(秋冬にも実施)(4)定期的に実施(1日)
日機装㈱	359	【概要】(1)オープンカンパニー：会社概要・事業内容紹介 パネルディスカッション 先輩社員との座談会(2)日機装研究会：部長級社員による講演 座談会【時期】(1)8月20日 22日 28日 9月6日(2月開催日は未定)(2)9月12日 12月16日 2月18日

●自動車●

会社名	（掲載ページ）	コース概要
本田技研工業㈱	360	【概要】(1)事務系部門(営業 購買 人事等)就業体験(2)技術系部門(研究開発 生産部門等)就業体験【時期】(1)8～9月(5日間)12月(5日間)(2)9月(5日間)11～12月(5日間)
日産自動車㈱	361	【概要】グローバルリーダー養成塾 グローバルエンジニア養成塾【時期】8月下旬～9月上旬 冬季(1～2日間)
スズキ㈱	361	【概要】(1)技術：業務を疑似体験(2)デザイン：業務を疑似体験(2輪または4輪)(3)技術：半日仕事体験(4)文系：半日仕事体験【時期】(1)8～9月(5日間)(2)<2輪>8月上旬(5日間)<4輪>8月下旬(5日間)(3)8～9月中旬 11月中旬～2月上旬(半日)(4)6～12月(半日)
マツダ㈱	362	【概要】(1)Technical Tour(技術系向け50コース)：特定の部門や仕事について深く学ぶ。業務紹介や座談会 職場見学 課題発表 他(2)Business Tour(事務系向け10コース)：特定の部門や仕事について深く学ぶ。業務紹介や座談会 職場見学 課題発表 他【時期】(1)8～9月(5～15日間)(2)9月(5～7日間)2月(5日間)
㈱SUBARU	362	【概要】(1)1Dayオープンカンパニー(2)領域特化1Dayオープンカンパニー(3)5Dayインターンシップ(4)社員座談会／トークセッション【時期】(1)7～8月(半日)(2)10～11月(1日間)(3)11～12月(5日間)(4)10～3月(1日間)
三菱自動車工業㈱	363	【概要】(1)会社紹介 グループワーク 先輩社員座談会(2)自動車会社における専門領域の業務の一端【時期】(1)7～11月(半日～1日)(2)8～9月(5日間)
ダイハツ工業㈱	363	【概要】(1)謎解きイベント、キャリアワーク(2)社員交流会(3)生産技術職場見学会(4)5daysインターンシップ【時期】(1)8月中旬(1日)(2)8月下旬 12月上旬(1日)(3)8月下旬 10月中旬(1日)(4)8月下旬～9月初旬 11～2月(5日間)
いすゞ自動車㈱	364	【概要】(1)理系：仕事体験 オープンカンパニー(2)文系：仕事体験 オープンカンパニー(3)インターンシップ(複数コース)【時期】(1)(2)8～9月(2日間)(3)8～9月(1週間程度)
日野自動車㈱	364	【概要】(1)理系・技術職：会社紹介、部署紹介、仕事内容に関する講義、GW 他(2)～(4)理系・技術職：会社紹介、部署紹介、仕事内容に関する講義、実務疑似体験、会社見学、車両試乗会 他【時期】(1)8月～12月 各1日(2)9月(3日間)(3)9月(5日間)(4)9月(10日間)
UDトラックス㈱	365	【概要】(1)技術系・事務系部門での実習体験(2)1dayオンラインセッション(3)UDエクスペリエンスツアー(大型トラック試乗会 工場見学)【時期】(1)8月28日～9月8日(10日間)(2)(3)7～3月(1日×複数回)
ヤマハ発動機㈱	365	【概要】(1)秋季インターンシップ：開発、研究(2)冬季インターンシップ：開発、貿易管理、生産技術、品質保証、アフターサービス、生産戦略企画【時期】(1)11月4～8日(4～5日間)(2)2月3～7日(4～5日間)
カワサキモータース㈱	366	【概要】(1)実際の職場に配属後、開発・製造など、各職場にて設定されたカリキュラムで業務を体験(2)「カーボンニュートラルへの挑戦」というテーマで、バイクの新機種開発業務を体験するグループワーク。開発責任者からのフィードバックも(3)カワサキモータースが実際に開発したバイクを題材とした体感ワーク。実際の技術開発業務をワーク形式で体感(事務系・技術系)【時期】(1)8月26日～9月6日(10日間)(2)9月9～13日(5日間)※冬季に追加開催の可能性あり(3)7～12月随時(予定)(半日間)

会社名 （掲載ページ）	コース概要
●自動車部品●	
トヨタ車体㈱ 366	【概要】(1)1DAY仕事体験(2)職場配属型6daysインターンシップ【時期】(1)8～2月(1日)(2)8～9月 12月(6日間)
ダイハツ九州㈱ 367	【概要】(1)オープンカンパニー オンラインでの会社説明など(2)技術職 設計開発業務、生産技術業務の体験(3)事務・企画職 総合職企画業務としての体験【時期】(1)6～3月(30分程度)(2)8～9月 11～3月(1日)8月(5日間)(3)8～9月 11～3月(1日)
日産車体㈱ 367	【概要】(1)(3)技術職：開発・生産部門の就業体験・職場見学(2)(4)ビジネス職：管理部門の就業体験・職場見学【時期】(1)8～9月(対面2日間×3回)10～12月(オンライン半日1回／月)(2)8月(対面2日間×2回)(3)2月(対面2日間×2回)(4)2月(対面2日間×1回)
トヨタ自動車東日本㈱ 368	【概要】(1)開発エンジニア：開発業務説明、車両開発のGW 他(2)生産エンジニア：生産技術業務説明、生産方法検討のGW 他(3)事務職：事務業務説明、ケーススタディ 他(4)企業研究セミナー 技術職、事務職各コース開催：業務説明、先輩社員との交流会【時期】(1)(2)8～9月 12月 2月(1日)(3)9月 2月(1日)(4)6～8月 10～12月 3月(1日)
マザーサンヤチヨ・オートモーティブシステムズ㈱ 368	【概要】(1)理系限定 2Dayお仕事体験 開発職についての職場見学・体験・社員との座談会(2)1Dayお仕事体験 各職種社員との座談会、仕事紹介【時期】(1)8月 11月 1月(2日間)(2)8月 11月 1月(1日間)
㈱デンソー 369	【概要】(1)(3)事務系：仕事体験ワークショップ(2)(4)技術系：仕事体験ワークショップ【時期】(1)9～10月(2)8～9月(3)11～12月(4)12～1月
㈱アイシン 369	【概要】一人ひとりに社員がつき、相談しながら進める業務体感・受入型。100前後のテーマ数を準備し、自分が興味のあるテーマを選択【時期】8月29日～9月9日
㈱豊田自動織機 370	【概要】(1)対面式：グループワークを通じた企画業務への挑戦、社員座談会(2)対面式：グループワークを通じた企画業務への挑戦、工場／施設見学(3)オンライン：グループワークを通じた企画業務への挑戦、社員座談会【時期】(1)8月下旬(8日間)(2)8～9月下旬(1日)(3)8～2月上旬(1日)
豊田合成㈱ 370	【概要】(1)企業研究：グループディスカッションを通じた業務体験・社員との座談会(2)実際に職場に来て実務を体験【時期】(1)8～2月(1日)(2)9～11月(5日間)
㈱東海理化 371	【概要】(1)企業研究セミナー：会社紹介、事業紹介、グループワークによる課題解決(2)業界研究会：会社紹介、グループワーク(3)就業体験型インターンシップ【時期】(1)(2)8月～不定期(1日)(3)8～9月
㈱GSユアサ 371	【概要】(1)学科系統を分けて開催・会社説明及び若手社員3名とパネルディスカッション形式の懇談会(2)理系対象・工場見学会(3)理系・5daysインターンシップ(4)文系・人事スタッフとの懇談会【時期】(1)7月 9月 11月 1月(半日)(2)7月 8月 10月(半日)(3)9月(5日間)(4)10月 11月 12月 1月 2月(1時間)
㈱ブリヂストン 372	【概要】(1)技術系職種にて実際の部門業務を体験する業務体験型インターンシップ(2)技術系エンジニアとしてタイヤ開発業務を体験するワークショップ【時期】(1)8月中旬～9月(2週間)(2)12～1月
住友ゴム工業㈱ 372	【概要】(1)技術系職種別受け入れインターンシップ(タイヤセンシング部門 タイヤ生産部門 スポーツ設計部門 産業品設計・生産部門)(2)技術系職種別受け入れインターンシップ(タイヤ設計・実験部門)【時期】(1)8～9月(5日程度)(2)8月下旬(2週間程度)
横浜ゴム㈱ 373	【概要】(1)タイヤ構造設計体験、先輩社員座談会(2)タイヤ材料設計体験、先輩社員座談会(3)営業部門実務体験(グループワーク)先輩社員座談会(4)タイヤ研究開発体験【時期】(1)9月上旬 2月上旬(2日間)(2)9月上旬 2月中旬(1日)(3)9月上旬 2月上旬(1日)(4)8～9月上旬(2週間)
ＴＯＹＯ ＴＩＲＥ㈱ 373	【概要】(1)技術職種就業体験(2)社内システム企画提案(3)タイヤ技術開発体験 生産技術開発体験(4)業務体験グループワーク【時期】(1)8～9月(1～2週間)(2)～(4)9～2月(1日間)
住友理工㈱ 374	【概要】(1)夏季仕事体感(2)工場見学会(3)機電限定仕事体感(4)ジョブ型長期インターンシップ【時期】(1)～(3)8月中旬～11月(1日)(4)8月 9月
テイ・エス テック㈱ 374	【概要】(1)就職活動や自動車部品を知るオープンカンパニー(文理混合)(2)業界・企業・職種研究と自己分析ワーク(文理別)(3)開発秘話やグループワークを通じた仕事体験、先輩社員との座談会(文理別)【時期】(1)5～9月(1日)(2)7～9月(1日)(3)12～2月(理系2日間 文系1日)
㈱タチエス 375	【概要】職場見学・工場見学・開発業務体験・先輩社員との座談会【時期】1～2月
㈱ミツバ 376	【概要】(1)理工系1week：技術系部門の就業体験(2)理工系1Day仕事体験：ソフトウェア開発体験「モーターの原理を知る」体験プログラム 他(3)文理合同1Day仕事体験：グループワーク 先輩社員座談会 他(4)理工系2Day仕事体験【時期】(1)8～9月(5日間)(2)(3)8～9月(1日)11～2月(1日)(4)8～9月(2日間)11～2月(2日間)
㈱ハイレックスコーポレーション 376	【概要】(1)自動車・自動車部品の業界研究・説明・課題発掘、当社製品の説明・新製品の提案(フィードバック有)、後日社員との交流・会社見学(2)当社について、自動車業界について 後日、社員との交流【時期】(1)(2)募集期間中は随時、半日
住友電装㈱ 377	【概要】(1)理系：就労体験型(2)理系：半日型グループワーク 社員座談会(3)文系対象ビジネススキル向上(全学部・学科)【時期】(1)8月26日～8月30日(2)6月 8月 11月 2月(半日)(3)8月下旬
矢崎総業㈱ 377	【概要】(1)(4)技術系：会社紹介、技術系部署での職場体験(開発系、設計系、生産技術系)(2)理系：自動車業界研究、会社紹介、GW 他(3)文理不問：自動車業界研究、会社紹介、GW 他【時期】(1)8月上旬～9月中旬(5日間)(2)(3)10～2月(1日)(4)12月中旬～下旬(2.5日間)

会社名 （掲載ページ）		コース概要
ＮＯＫ㈱	378	【概要】(1)(理系)研究・開発・設計・生産技術職の就業体験(2)職種体験グループワーク(3)工場見学(4)BtoBメーカーの職種体験シミュレーションゲーム【時期】(1)9月(2週間)(2)(3)8～2月(1日)(4)8～2月(各回1日)
イーグル工業㈱	378	【概要】(1)(理系)研究・開発・設計・生産技術職の就業体験(2)職種体験グループワーク(3)工場見学(4)BtoBメーカーの職種体験シミュレーションゲーム【時期】(1)9月(2週間)(2)(3)8～2月(1日)(4)8～2月(各回1日)
スタンレー電気㈱	379	【概要】(1)(2)(技術系)理系：グループワークによる製品開発職体感ワーク(3)(事務系)グループワークによる開発営業職ビジネスシミュレーションワーク【時期】(1)(3)8～9月(1日)(2)7～9月(1日)
フタバ産業㈱	379	【概要】業務を疑似体験しながら、フタバのコア技術を学ぶ【時期】11月～2月(1DAY)
㈱三五	380	【概要】(1)技術・新規向け：設備見学・体験 社員懇談会 GW 他(2)技術・リピーター向け：OB懇談会 開発アイテム紹介 プレスワーク製作 GW 他(3)事務・夏季オープンカンパニー：自己分析 業界研究 企業紹介 仕事体験(教育制度の立案)就活対策 他(4)事務・冬季オープンカンパニー：自己分析 業界研究 企業紹介 仕事体験(人事制度の立案)就活対策 他【時期】(1)8月 11月 2月(2)11月 2月(3)7月 8月 9月(4)12～2月
豊田鉄工㈱	380	【概要】(1)自動車部品メーカーの開発・設計体験(2)自動車部品メーカーの生準業務体験(3)生産準備仕事体験～安く安く徹底的に原価を追求せよコース～(4)当社のものづくりの中におけるTPS一日体験【時期】(1)(2)9月(3日間×2回)(3)(4)7月中旬～12月上旬 随時(1日)
東プレ㈱	381	【概要】(1)自動車技術開発(2)金型技術(3)製品設計・解析(4)生産技術【時期】(1)～(4)8～9月(5日間)11～2月(5日間)
㈱ジーテクト	381	【概要】会社紹介、工場見学、就業体験、座談会【時期】6月下旬～2月(1～2日間)
ユニプレス㈱	382	【概要】自動車業界の変革やEV化で変化する部品の理解を深めるグループワーク、会社紹介、社員座談会【時期】9月 12月 1月 2月(各1日)
トピー工業㈱	382	【概要】(1)技術系：設計、生産技術、研究開発、 設備技術 他(2)事務仕事体験：営業、生産管理、購買 他(3)文理合同仕事体験：営業、生産管理、設計開発 他【時期】(1)8～9月(1～5日間×複数回)(2)8～9月(1日×複数回)(3)8～2月(1日×複数回)
太平洋工業㈱	383	【概要】(1)5Daysインターンシップ(2)1DAY仕事体験(3)オープンカンパニー(4)工場見学会【時期】(1)1週間(2)6時間(3)(4)90分
プレス工業㈱	384	【概要】(1)職業体験：会社説明・グループワーク・ディスカッション(2)理系向け：職場体験実習・実習報告【時期】(1)7～2月(1日、各月2回)(2)8～9月中旬(10日間)
㈱アドヴィックス	384	【概要】(1)<理系向け>当社技術部署にて実際の研究開発を体験(2)<理系向け>当社社員の仕事内容をもとに作成した「仕事体感ワークショップ」先輩社員座談会(3)<文系向け>会社への理解を深めるワークショップ【時期】(1)2週間(2)(3)半日
ジヤトコ㈱	385	【概要】(理系)1day仕事体験：ものづくり設計体験、性能設計体験、エンジニアとの懇談【時期】8月 9月 12月 2月(1日間)
日清紡ホールディングス㈱	385	【概要】(1)職場体験型長期インターンシップ(2)就職活動の軸を知る。1dayイベント(3)事務系1dayイベント(4)事業所見学会【時期】(1)8～9月上旬 1月下旬～2月上旬(1～2週間程度)(2)10～2月中旬(1日)(3)12～2月(1日)(4)11～2月上旬(1日)
日本発条㈱	386	【概要】会社紹介 文理合同のグループワークによる仕事体験ワーク 先輩社員との座談会【時期】6～2月(半日×複数回)
㈱ヨロズ	386	【概要】(1)オープンカンパニー 業界企業説明会(2)3次元測定機を使用した1day品質保証業務体験(3)3D CADソフトを使用した1day生産技術業務体験(4)3D CADソフトを使用した1day設計業務体験【時期】(1)7月(2週間)12月(2週間)(2)～(4)8月(1日×5回)12月(1日×5回)
中央発條㈱	387	【概要】(理系)仕事体験・職場見学・先輩社員座談会【時期】8～9月(1日)
カヤバ㈱	387	【概要】(1)製造業における職種および仕事の流れ(ビジネスフロー)に関するワーク(2)製造業における業界理解・企業研究を学ぶワーク(3)製造業における各職種の仕事内容についてケーススタディを通じて体感(4)技術部門における就業体験【時期】(1)8～2月(1日×5回)(2)10～2月(1日×4回)(3)10～12月(1日×5回)(4)8～9月(1週間)
愛三工業㈱	388	【概要】短期：設計開発疑似体験 生産技術疑似体験 組込みソフトウエア開発疑似体験 電子回路設計疑似体験【時期】8～12月(1日)
武蔵精密工業㈱	388	【概要】(1)ムサシエンジニア体験(2)ムサシ管理系職種体験(3)新規事業立案仕事体験(4)業種別インターンシップ(研究開発、AI、植物バイオ)【時期】(1)(2)8月 9月(1日)(3)8月28～30日(3日間)(4)8月26日～9月6日(10日間)
㈱エクセディ	389	【概要】(1)新製品開発業務体験：電動化製品の先行開発、モータ設計等の開発業務体験(2)生産技術体験：工程設計、設備開発などの生産技術業務体験(3)ITエンジニア体験：プログラミング、製造DXなどITエンジニアの仕事体験(4)設計体験：設計FMEA体験【時期】(1)8月26～30日(5日間)(2)9月2～6日(5日間)(3)8月21～23日(3日間)(4)8～2月(1日×複数回)
㈱エフテック	389	【概要】(1)業界・会社説明 オープンカンパニー(2)業界・会社説明 工場見学 GW 他(文系向け：事務職(購買)を体験)(3)開発部門(足回り部品設計・解析)を体験 インターンシップ(5days)(4)ES・面接対策 会社説明 オープンカンパニー【時期】(1)6～10月(1時間)(2)9月(1日)(3)8月(5日)(4)12～1月(1時間)

会社名　（掲載ページ）		コース概要
㈱エフ・シー・シー	390	【概要】(1)FCCの事業内容について知る座談会(2)(4)実際の職場で仕事内容や働き方を知る(3)FCCの働き方について知る座談会【時期】(1)8～9月上旬(複数日程)(2)9月上旬～中旬 1月中旬～2月上旬(1日)(3)12月下旬～2月(複数日程)(4)2月上旬～中旬(3日間程度)
大同メタル工業㈱	390	【概要】(1)(2)技術部門での就業体験(3)事務部門での就業体験【時期】(1)8～9月(2日間)(2)1～2月(3)12～1月
オートリブ㈱	391	【概要】(1)会社紹介 業界研究 製品紹介 仕事体験ワーク(フィードバック付)テクニカルセンター見学 座談会(2)(4)会社紹介 業界研究 仕事体験ワーク 座談会(3)会社紹介 業界研究 仕事体験ワーク テクニカルセンター見学 座談会【時期】(1)8月上旬 下旬(3日間、各1回)(2)8月(1日)(3)9月 10月(1日、各1回)(4)9月(1日)
バンドー化学㈱	391	【概要】全職種：会社紹介・会社見学・座談会 インターンシップ【時期】7～ 1月
三ツ星ベルト㈱	392	【概要】(1)(理系のみ)技術職体験コース(2)営業同行コース(3)情報職体験コース【時期】(1)9月(2日)×2回 2月(2日)×2回(2)9月(5日)(3)10月(2日)2月(2日)
㈱ニフコ	392	【概要】(1)設計職：就業体験(2)業界・会社研究会【時期】(1)2月(3日間予定)(2)8月 9月上旬 12月上旬 1月中旬～下旬(各1～2日間)
ダイキョーニシカワ㈱	393	【概要】(1)技術系職種の就業体験、自動車業界研究、会社紹介、会社・工場見学 他(2)業界研究、会社紹介、東広島の魅力紹介、就職活動アドバイス、先輩社員との懇談会(3)(4)業界研究、会社紹介、職種研究、会社見学、先輩社員との懇談会【時期】(1)8～9月(5日間)(2)7～9月(1日)(3)10～3月(1日)(4)12～1月(1日)
リョービ㈱	393	【概要】(1)仕事体験(対面)少人数で疑問や不安に答えながら当社で働くイメージを持つ。鋳造とは何か、実際に体験しダイカスト業界への理解を深める(2)仕事体験(対面)少人数で疑問や不安に答えながら当社で働くイメージを持つ。設計、品質保証などの職種を体験し、理解を深める【時期】(1)8～12月(約10回)(2)8～12月(約6回)
㈱アーレスティ	394	【概要】(1)理系向け・2Daysものづくり体感型・対面：会社説明、業界研究、先輩社員座談会、技術勉強会、工場見学、GW(2)文系限定・1day仕事体験・対面：会社説明、業界研究、先輩社員座談会、GW(3)文理合同・1day仕事体験・対面：会社説明、業界研究、先輩社員座談会、GW(4)オープンカンパニー【時期】(1)8～9月 12～1月(2日間)(2)(3)8～9月 12～1月(1日)(4)7月～(1日)
ＴＰＲ㈱	394	【概要】(1)【1day】＜技術系＞先輩社員座談会(理系のみ)(2)【1day】＜管理営業系＞先輩社員座談会(文理不問)(3)【2days・実務型】パワトレ製品の現品調査体験(理系のみ)(4)【1day・グループワーク形式】ナノ素材事業の製品開発プロセス体験(理系のみ)【時期】(1)(2)8～9月 11～1月(1day、4回／月)(3)8月下旬(2days)9月上旬(2days)9月中旬(2days)(4)8月下旬(1day)、9月上旬(1day)

●輸送用機器●

会社名		コース概要
今治造船㈱	395	【概要】(1)(2)オレンジフェリー乗船インターンシップ：フェリー船中泊、船内見学、造船所見学、職種体感グループワーク 他(3)1DAY工場見学会：造船所見学 グループワーク 他【時期】(1)8月21～23日 8月28～30日(3日間)(2)12月4～6日 12月18～20日 2月19～21日(3日間)(3)9月26日 9月27日 1月17日
㈱三井Ｅ＆Ｓ	395	【概要】(1)技術系職向け：職場・工場実習(汎用的能力活用型)(2)技術系職向け：会社紹介・工場見学・社員懇談会(オープン・カンパニー)(3)技術系職・事務系職向け：オンラインでの会社紹介・業界研究・社員懇談会(オープン・カンパニー)【時期】(1)8～9月 2月(2週間または5日間程度)(2)12～2月(1日)(3)8～9月 12～2月(1日)
ジャパン マリンユナイテッド㈱	396	【概要】(1)工場見学 営業業務体験設計 他(2)(4)工場見学 設計業務体験 他(3)工場見学 製造業務体験 他【時期】(1)9月 12～1月(1日)(2)9月上旬(4日間)(3)9月中旬(3～4日間)(4)12月中旬～1月(1～2日間)
㈱名村造船所	396	【概要】(1)船づくりインターンシップ(2)橋づくりインターンシップ(3)オープンカンパニー【時期】(1)8月26日～9月6日(10日間)(2)7月上旬(5日間)(3)7～9月
新明和工業㈱	397	【概要】(1)新事業企画業務体験(2)(技術系のみ)各事業部概要説明・課題演習・若手社員座談会(3)(技術系のみ)事業部実務体験(4)(事務系向け)職種別業務体験(営業・人事総務・経理財務)【時期】(1)6～2月(半日 月1回程度)(2)7～2月(1週間程度)(3)7～2月(5日間～10日程度)(4)8～2月(2日間)
極東開発工業㈱	397	【概要】(1)特装車の受注活動や仕様検討をオンラインにて疑似体験！仕事体験型コース(営業・設計)(2)社員との座談会コース(営業・技術・管理)(3)特装車の設計・開発業務がわかる体験型(4)特装車のモノづくりの魅力を体感する工場見学会【時期】(1)6月下旬～2月予定(1日)(2)9月～2月予定(1日)(3)8月(5日間)(4)12～3月予定(1日)
㈱モリタホールディングス	398	【概要】(1)理系(機械・電気・情報系)：工場見学 エンジニアによるGW 社員懇談会 他(2)営業職(学部不問)：業界・仕事研究 社員座談会(工場見学)【時期】(1)8月下旬～9月上旬(2日間×3回)12月下旬～1月中旬(1日×3回)(2)8月下旬～9月上旬(1日間×4回)12月下旬～2月(1日×3回)
三菱ロジスネクスト㈱	398	【概要】(1)(3)会社紹介、施設見学、設計・開発／品証業務体験、先輩社員座談会(2)会社紹介、DX／ITに関わるワーク、先輩社員座談会(4)会社紹介、国内営業／調達業務に関わるワーク、先輩社員座談会【時期】(1)8～9月(1日～5日間)(2)8月(2日間)(3)1～2月(1日～5日間)(4)2月(1日)
㈱シマノ	399	【概要】(1)仕事探求セミナー・リーダー交流会(2)デザイナー：デザインコンセプト・スケッチワークショップ(3)高専本科生対象【時期】(1)7月～11月(1日×複数回)(2)8月 3月下旬(4日間)12月(5日間)(3)9月上旬(5日間)

会社名 (*掲載ページ*)		コース概要
●機械●		
三菱重工業㈱	*399*	【概要】(1)(理系)職場受入れ型(2)(文理不問)オープンカンパニー1dayワークショップ(3)(文理不問)プロジェクト体感型ワークショップ(4)(文理不問)財務ワークショップ【時期】(1)8～9月 12～2月(5～10日間)(2)8～9月(1日間)(3)8～9月(3日間)12月(2日間)(4)12月(2日間)
川崎重工業㈱	*400*	【概要】(1)(事務系)業界理解 キャリア理解を深めるワーク(2)(技術系)会社理解を深めるワーク(3)(技術系)設計 研究開発 製造などの実務体験【時期】(1)8月～(2日間)(2)8月～(5日間)(3)8月下旬～9月(2週間)
㈱ＩＨＩ	*400*	【概要】(1)技術系(理系学部)：各職場に配属し、業務を体験(2)事務系・技術系：事業理解を深めるオンラインセミナー(3)事務系：業界研究、会社紹介、先輩社員パネルディスカッション(4)事務系：ワークショップ型【時期】(1)8月下旬～9月上旬(1～2週間)12月中旬(1週間)(2)9月中旬～下旬(1日)(3)8月下旬(1日)(4)2月(2日間)
三井海洋開発㈱	*401*	【概要】エンジニア志望学生・文系学生向け1Day仕事体験：海上プラントFPSO・海洋石油生産ビジネスを知る【時期】7月中旬～2月末(1日)
㈱クボタ	*401*	【概要】(1)オープンカンパニー 自己理解セミナー・企業説明会(2)総合職向けインターンシップ(事務・技術系)グループワーク、社員交流会、役員講話、工場見学 他(3)職場(5職種)での就業体験 該当職種：法務・品質保証・知的財産 イノベーション・研究開発(4)デザイン系インターンシップ デザインワーク、プレゼンテーション 他【時期】(1)6～8月 10～11月上旬 12～1月(2)9～ 12月(5日間)(3)9月(5日間)(4)2月(5日間)
日立建機㈱	*402*	【概要】技術系職種向け：会社概要説明、各職種概要説明、GW、先輩社員交流会【時期】12～2月(1日)
ヤンマーホールディングス㈱	*402*	【概要】(1)(2)技術系職種の就業体験、実務型グループワーク 他(3)(4)事務系職種の就業体験、実務型グループワーク 他【時期】(1)8月(5日間×2回)(2)9月(2日間×2回)(3)8月 9月(2日間×2回)(4)8月(2日間)
コベルコ建機㈱	*403*	【概要】(1)技術系：職場受入型インターンシップ 開発・生産・品証・サービス・ICTなど各部門へ配属、実習(2)技術系：1DAY仕事体験(実地型)工場見学、実機試乗、グループワーク、社員座談会(3)事務系：1DAY仕事体験(WEB型)会社紹介、グループワーク、社員座談会【時期】(1)8～9月 12月(5日間)(2)8～9月 12～2月(1日)(3)8～9月 12～2月(半日)
㈱タダノ	*403*	【概要】(1)(理系大生・院生)開発：構造物設計の開発業務体験(2)(理系大生・院生・高専生)カスタマーサポート：製品知識の習得、業務内容理解(3)営業：営業職体験ワークショップ(4)事務：自己分析ワーク、業界研究、座談会【時期】(1)8月下旬(5日間)(2)8～9月(5日間)(3)8～9月(2日間)(4)8～9月(1日)
古河機械金属㈱	*404*	【概要】(1)理系学生：1日仕事体験(2)資源開発用ドリルマシン開発体験(3)トラック搭載型クレーン開発体験(4)インフラ用産業機械開発体験【時期】(1)6月～(各月)(2)～(4)8～9月(5日間)
井関農機㈱	*404*	【概要】会社説明 GW 展示会見学 農業機械搭乗【時期】9月上旬(1日×2回)
㈱やまびこ	*405*	【概要】(1)(理系のみ)小型屋外作業機械の運転・分解組立、実験施設の見学 他(2)(理系のみ)小型屋外作業機械を用いた工程設計や治具の検討、生産施設の見学 他(3)(理系のみ)一般産業機械の運転・分解組立、工場見学 他(4)(理系のみ)自律走行作業ロボット研究・試作機を使用した試験、実験施設見学 他【時期】(1)1月中旬(1日)(2)(4)8月下旬、1月上旬(各1日)(3)9月下旬、12月中旬(各1日)
ダイキン工業㈱	*405*	【概要】(1)選抜型文理融合(2)各職種仕事体感OJT型(3)国内高専生向け実習型【時期】(1)7～9月(5日間)(2)8～9月(3週間)(3)8～9月(5日間)
コマツ	*406*	【概要】理系：実務に近いテーマ(データ解析、シミュレーション、製品の実験等)について取り組む就業体験型(技術系対象)【時期】8月下旬～9月上旬(2週間)
ホシザキ㈱	*406*	【概要】(1)(理系)開発設計職インターンシップ ：設計部門での実習(機械設計、電子設計)(2)1day仕事体験(理系)開発設計コース：業務体験ワーク、座談会(文理不問)管理部門コース・経営戦略立案ワークコース：業務体験ワーク、座談会(3)2days仕事体験(理系)工場技術コース：業務体験(生産技術、品質保証)、座談会(4)ホシザキセミナー 企画管理系職・技術系職：会社紹介、座談会【時期】(1)8～9月(5日間×複数回)(2)8～9月(1日)12月(1日×複数回)(3)8～9月(2日間×複数回)(4)6～2月(毎月2回)
㈱富士通ゼネラル	*407*	【概要】(1)業界研究、企業研究、GW(2)(理系)開発体験(エアコンの組立分解、回路設計、プログラミング等)、施設紹介、社員懇談会(3)(理系)理系女性向け説明 女性社員座談会 GW(4)(理系)長期【時期】(1)通年(1日×20回)(2)8～9月 12月(1日×6回)(3)8～9月 10～11月(1日×4回)(4)8月(1～2週間)
㈱キッツ	*407*	【概要】(1)理系向け技術職仕事体験：会社紹介 技術系職種紹介 GW(2)理系向け技術職仕事体験：問題解決業務体験 新製品開発業務体験 座談会(3)営業職仕事体験：会社紹介 営業系職種紹介 GW【時期】(1)8～9月(1日)(2)12～2月(2日間)(3)12～2月(1日)
アマノ㈱	*408*	【概要】(1)理系：ソフトウェア開発部門における就業体験、社員座談会(2)理系：生産技術部門における就業体験、工場見学(3)システムエンジニア職の業務内容紹介、作業体験(4)理系：集塵システム等のプラント設計体験、工場見学【時期】(1)(2)8～9月(3日間)(3)8～9月(1日)(4)8～9月(2日間)

会社名 *(掲載ページ)*		コース概要
フクシマガリレイ㈱	*408*	【概要】(1)営業系：ただのモノ売りではない！付加価値を提供する提案営業体験(2)技術系(交通・宿泊補助あり)：製品開発体験(3)技術系(交通・宿泊補助あり)：SE／PG体験(4)全職種：GALILEIの事業内容を知る！丸わかりセミナー【時期】(1)8月～随時(半日)(2)8～9月(3～5日間)(3)8～9月(3日間)(4)6月～随時(1.5時間)
㈱東光高岳	*409*	【概要】(1)(2)会社紹介、再エネを利用した地域マイクログリッド構築ワーク、若手社員との座談会(3)会社紹介、日本のEV用充電インフラ普及拡大に向けた検討ワーク、若手社員との座談会【時期】(1)8月(計2回)(2)9月上旬(1回)(3)冬季(予定)
中外炉工業㈱	*409*	【概要】(1)(2)水素バーナ燃焼体験 会社紹介 エンジニア業務体験(グループワーク／機電)他【時期】(1)8～9月(2日間、5日間)(2)12～2月(2日間、5日間)
㈱ジェイテクト	*410*	【概要】(1)企業説明型オープンカンパニー：ジェイテクトのほぼすべての職種を合同企業説明会形式で説明(2)自動車コース：業務紹介、社員交流会他(3)営業職コース：業務紹介、社員交流会他(4)生産技術コース：業務紹介、社員交流会他【時期】(1)各1日(2)～(4)1～2日間
ＮＴＮ㈱	*410*	【概要】(1)(技術系)ベアリング開発体験コース：軸受基礎技術講座 アイデア検討会他(2)(技術系)研究・開発体験コース：業務体験 工場見学(対面のみ)他(3)(事務系 文理不問)仕事研究(営業／企画／生産管理／財務・経理・ICT)：各業種の業務体験他【時期】(1)6～10月(2)8～10月(2～5日間)(3)8～9月 11～2月(1日)
日本精工㈱	*411*	【概要】(1)技術開発部門での実習(軸受内部の挙動可視化とシミュレーション技術)(2)工場生産部門での実習(ベアリング製造における加工技術開発)(3)製造業の仕事理解 キャリアパス理解 他(4)事務系部門での実習(広報記事作成のための社員インタビューと記事発信)【時期】(1)(2)8～9月(10日間)(3)9～2月(1日)(4)2月(3日間)
ＴＨＫ㈱	*411*	【概要】1Day仕事研究セミナー：会社紹介、業界研究体験、職種別の先輩社員との座談会等を通して業界や仕事への理解を深める【時期】8～11月(1日×3回／月)
㈱不二越	*412*	【概要】(1)理系・会社全体紹介：会社概況、事業所見学、福利厚生施設案内、就業体験、社員との懇談(2)理系・希望事業部のみ：会社概況、事業所見学、福利厚生施設案内、就業体験、社員との懇談(3)理系・文系：会社概況、福利厚生施設案内【時期】(1)8月下旬(5日間)2月中旬(5日間)(2)9月中旬(2日間)1月上旬(2日間)(3)5～2月(半日間)
㈱日本製鋼所	*412*	【概要】(1)工場での技術系向け就業体験(2)各拠点での文理共通・技術系向けワークショップ(3)オンラインワークショップ【時期】(1)7～9月(1～2週間)(2)6～2月(2日間前後)(3)8～2月(1日)
オイレス工業㈱	*413*	【概要】(1)「一般産業向け軸受事業部の技術部」の業務体験(2)就職応援支援セミナー(3)「軸受・免制震業界」が分かる業界紹介【時期】(1)8月20日 8月26日 9月5日 2月(2回)(2)7～11月(各月2～3日)(3)6月～(1日×月3～4回程度)
住友重機械工業㈱	*413*	【概要】(1)(理系のみ)設計部門などでの就業体験を伴うインターンシップコース(2)(理系のみ)製造所単位での部門・職種理解(3)就業体験を伴う事業部門別での業界・製品・職種・技術理解(4)社員座談会を含む職種理解【時期】(1)8月下旬～9月中旬(5日間)(2)6～7月 9月(1日)(3)7～12月(2日-3日)(4)8月～2025年2月(1日)
ＳＭＣ㈱	*414*	【概要】(1)技術センターでの設計開発業務体験(2)工場での設備設計体験(3)技術センター・工場見学会(4)オープンカンパニー(営業所ショールーム見学)【時期】(1)(2)8～9月(5日間)(3)2月(半日間)(4)9月(半日間)
㈱マキタ	*414*	【概要】(1)技術職(機械・電気・研究・生産技術・品質保証)各職種紹介、プロジェクトストーリー、若手座談会、各テーマに沿った業務体験(2)システム職(生産システム・情報システム)各職種紹介、プロジェクトストーリー、若手座談会、各テーマに沿った業務体験(3)国際財務職(4)海外営業職【時期】(1)7～12月(1～2日間)(2)9～11月(1日)(3)8月 12月(4)9月 1月
㈱ダイフク	*415*	【概要】(1)エンジニアリング業務体験ワーク(2)ソフトウェア設計業務体験ワーク(3)事務系職体験ワーク(4)(理系のみ)設計・開発・エンジニアリング・フィールドエンジニア業務体験【時期】(1)9月下旬～1月(2日間)(2)7月下旬～1月(3日間)(3)10月中旬～1月(2日間)(4)8月中旬～9月中旬(5日間)
村田機械㈱	*415*	【概要】(1)技術系：職場受入型インターンシップ(2)技術系：オープンカンパニー(3)営業・スタッフ系：オープンカンパニー【時期】(1)8～9月 11～12月(2)(3)6～12月
三菱電機ビルソリューションズ㈱	*416*	【概要】(1)当社のビジネスモデルを通じて、企業研究に役立つフレームワークを学ぶ(2)当社の職種と仕事の流れを学び、ビルメンテナンス業界への理解を深める(3)稲沢ビルシステム製作所インターン：職場実習を通じて、昇降機やビルマネジメントシステムの開発設計等の職種について理解を深める(4)オープンカンパニー：世界トップレベルの エレベーター、エスカレーター、空調冷熱、 ビルシステムのメンテナンスを知る【時期】(1)6月～(半日間)(2)9月～(半日間)(3)9月 1月下旬～2月(2週間)(4)8月～(1泊2日)
グローリー㈱	*416*	【概要】(1)BtoBメーカーの提案型営業がわかる2DAYS(2)フィールドエンジニア職コース1DAY(3)設計職コース5DAYS(4)設計職コース1DAY【時期】(1)8月中旬～下旬 12月中旬～下旬(2DAYS)(2)8月中旬～下旬 12月中旬～下旬(1DAY)(3)9月上旬 12月上旬(5DAYS)(4)8月(1DAY)
ナブテスコ㈱	*417*	【概要】(1)(2)(理系のみ)先輩社員に帯同し設計開発業務体験や社内会議参加等の実務体験(3)社内研修制度を元にしたメーカーにおける品質理解を目的とした座学、GW(4)(理系)DXを用いた社内業務体験【時期】(1)8月下旬～9月中旬旬(5日間)(2)8月下旬～9月中旬(1日間×15回)(3)10月上旬、2月上旬(半日×2回)(4)11月上旬

業種別・インターン 1,222 社

会社名 （掲載ページ）		コース概要
㈱椿本チエイン	417	【概要】(1)(理系)1day・ツバキの技術を知る：工場見学、事業部社員による座談会・事業紹介・職務体験(2)(理系)1week・ツバキの技術を体験： 工場見学、技術職業務体験(各事業部にて研究・開発実務などを体験)(3)(理系)2week・バキの技術を体験：工場見学、技術職業務体験(各事業部にて研究・開発実務などを体験)(4)(理系)1day・ツバキの技術を知る： 工場見学、事業部社員による座談会・事業紹介・職務体験【時期】(1)7月初旬(1日×3回)(2)8～9月(5日間×3回)(3)8～9月(10日間)(4)11月中旬(1日×3回)
フジテック㈱	418	【概要】(1)営業職コース：エレベータの提案体験(2)メンテナンスエンジニアコース：エレベータのメンテナンス体験(3)開発・設計コース：施設見学 開発・設計業務体験(4)生産系職種コース：メーカーのモノづくりの流れを体験【時期】(1)(2)8月 12～2月(1日)(3)(4)9月 12～2月(1日)
オーエスジー㈱	418	【概要】(1)技術職向け：会社紹介、ワークによる仕事理解、工場見学(2)技術職向け：会社説明会、社員交流会(3)情報系向け：会社紹介、情報系部署紹介、社員交流(4)営業職向け：会社紹介、ワークによる会社理解、営業所見学【時期】(1)(2)6～9月 11～2月(1日)(3)6～8月(1日)(4)10～2月(2日)
㈱ミツトヨ	419	【概要】(1)(理系)職種別に実施 会社紹介、職場見学、先輩社員座談会(2)(理系)長期、業務体験【時期】(1)8～12月(1日×複数回)(2)8月(5日×複数回)
サトーホールディングス㈱	419	【概要】(1)サトーを知ろう：会社説明、就活初心者への就活のコツ、業界研究のコツ、メーカー営業の魅力の説明(2)仕事を知ろう：会社説明、職種説明(3)仕事を体験してみよう：仕事体験(ワーク)、座談会(4)5Days開発インターンシップ 職種体験【時期】(1)9～10月(週2回)(2)10～12月(週2回予定)(3)11月 2月(各1回)(4)8月26～30日
ＣＫＤ㈱	420	【概要】(1)技術職の就業体験：実務実習(2)技術職の体験：製品の技術を用いての仕事体験(3)営業・スタッフ職の体験：グループワークによる仕事体験【時期】(1)夏(2週間)(2)夏秋(2日間)秋冬(1日)(3)夏秋(1日)秋冬(1日)
㈱ＦＵＪＩ	420	【概要】(1)(理系)機械系・電気系・ソフト系を中心に、専門別のプログラムを複数(30種類ほど)用意し、FUJIの製品や技術の開発・設計業務をリアルに体験(2)(文系)ショールーム見学会と複数名の職種の異なる文系先輩社員との座談会【時期】(1)8月中旬～9月上旬(実働15日間)(2)半日
新東工業㈱	421	【概要】(1)人事の広報業務体験：当社の技術や働き方に触れたのち、学生への会社紹介の資料づくりを体験(2)(理系)要素技術から新たなアイデアを提案する開発業務体験：当社の要素技術を見て、触れて理解をし、新しい製品を企画(3)企業理解セミナー、先輩社員座談会(4)(理系)機械設計の基礎を学び、製図するインターンシップ【時期】(1)(2)7～9月 12～2月(1日)(3)6～9月 12～2月(2時間)(4)8月(5日)
㈱小森コーポレーション	421	【概要】会社説明 工場見学会 技術職の仕事体験【時期】8～2月(1日)
ＪＵＫＩ㈱	422	【概要】(1)(文理)縫製機器・産業装置を学ぶ(2)(理系)JUKIの開発職がわかる(3)JUKIの仕事、業界についてわかる(4)(理系)ハイブリット型、工場見学【時期】(1)7月(1日×10 回)12～2月(1日×8～10回)(2)1月中旬(1日×3回)2月上旬(1日×2回)(3)9月(10日間×2回)(4)7月～2月(月1回)
ホソカワミクロン㈱	422	【概要】(1)(理系)技術、実証テスト部門での就業体験 他(2)(文系)営業、実証テスト部門での就業体験 他(3)(高専)メンテナンス、生産 実証テスト、技術での就業体験 他【時期】(1)8月下旬～9月上旬 2月中旬(2日間)(2)9月上旬 2月中旬(1日)※夏季は千葉・柏のみ(3)8月下旬(5日間)
サノヤスホールディングス㈱	423	【概要】(1)文系対象(2)理系対象【時期】(1)(2)10月 11月 12月 1月 2月(各2日)
富士精工㈱	423	【概要】(1)オリエンテーション(会社説明)、3Dプリンタ作業体験、CADによる部品設計体験(2)OBとの面談【時期】(1)8月(5日間)9月(2日間)(2)12～2月(1日)
三木プーリ㈱	424	【概要】(1)(3)商談のロールプレイングを通して、顧客へ最適な製品提案。営業の仕事体験＋先輩社員と少人数座談会(2)顧客の要望を叶える製品選定。技術の仕事体験＋先輩社員と少人数座談会(4)製品開発・製品組立体験。技術の仕事体験＋先輩社員と少人数座談会【時期】(1)～(4)8～2月(1日)
ファナック㈱	424	【概要】(1)研究開発部門の紹介・グループワーク・工場案内(2)事務系部門の紹介・グループワーク・工場案内(3)保守サービス業務体験・生産技術業務体験・工場案内【時期】(1)(2)8～2月(2日間)(3)8～9月(5日間)
ＤＭＧ森精機㈱	425	【概要】(1)夏期：部署配属型(2)冬期：部署配属型(3)通年：部署配属型(4)通年：工場見学会【時期】(1)8～11月(5～10日間)(2)1～3月(5日間)(3)通年(日数は都度相談)(4)通年(1日)
㈱アマダ	425	【概要】(1)業界研究、会社紹介、グループワークを通じた業務体験(2)展示場でのマシン見学、グループワークを通じた業務体験(3)各部署での加工体験やアイデア出しなどの業務体験【時期】(1)5月中旬～2月(1日)(2)5～2月(1日)(3)8月下旬 9月上旬(5日間)
オークマ㈱	426	【概要】(1)オークマを知る5days(2)工作機械・業界を知る5days(3)工作機械・業界を知る0.5day(4)営業仕事体験2days【時期】(1)8月(5日間)(2)7～9月(5日間)(3)8月(半日)(4)8月(2日間)
㈱牧野フライス製作所	426	【概要】(1)理系1week：設計開発、加工技術、IT関係など理系職種の中から希望する部門に応募(2)文系1week：営業や企画の仕事を体験【時期】(1)(2)8月下旬～9月(5日間程度)
芝浦機械㈱	427	【概要】(1)Web業界研究セミナー(2)Webオープンカンパニー：若手社員交流会＆会社説明会(3)女性活躍コース：女性社員交流会＆会社説明会(4)(理系)仕事体験：対面での設計および研究開発業務を体験【時期】(1)6～9月(半日×複数回)(2)(3)7～9月(半日×複数回)(4)8～9月(2日間×複数回)
㈱荏原製作所	427	【概要】メーカ業務体験【時期】8月下旬～9月上旬(5日間、3日間)

会社名 （掲載ページ）	コース概要
カナデビア㈱ 428	【概要】(1)(理系・高専)各事業の開発・設計・運営管理等の業務体験(2)(理系)ごみ焼却施設／水処理施設の設計・計画業務(3)(理系)鉄構造物全般の設計・計画業務(4)(理系)風力発電施設の設計・計画業務【時期】(1)8〜9月(2週間)(2)〜(4)9月(1週間)
栗田工業㈱ 428	【概要】(1)設計職仕事体験、研究所見学、企業・業界説明、水処理体験、先輩社員座談会(2)研究開発職仕事体験、研究所見学、企業・業界説明、水処理体験、先輩社員座談会(3)技術営業職仕事体験、研究所見学、企業・業界説明、水処理体験、先輩社員座談会【時期】(1)9月初旬(3日間)(2)9月中旬(2日間)(3)8月下旬(2日間)
メタウォーター㈱ 429	【概要】(1)上下水道施設における電気設備の基本設計業務 水処理プラントの制御回路設計実習 水処理設備の容量計算作成 浄水場膜ろ過設備の設計実習 汚泥処理設備の設計実習(2)水ビジネスの企画設計体験等 計4コース【時期】(1)8月下旬〜9月上旬(2週間)(2)7〜2月(1日間)
三浦工業㈱ 429	【概要】(1)会社理解、営業・フィールドエンジニア・技術職の仕事紹介、各事業所紹介(2)総合職向け(技術コース)：先輩社員と実験、成果発表会 他(3)総合職向け(フィールドエンジニアコース)：シーケンス体験、実機体験 他(4)総合職向け：会社理解、GW 他【時期】(1)9〜2月(1日×複数回)(2)(3)8〜9月(5日間×複数回)(4)1〜2月(各会場1回)
オルガノ㈱ 430	【概要】(1)水処理とオルガノがわかるインターンシップ(業界研究：オンライン、事業理解：オンライン、仕事体験：対面、職場見学：対面、社員座談会：オンライン)(2)水処理とオルガノがわかる仕事体験(全てオンライン。業界研究、事業理解、仕事体験、社員座談会)【時期】(1)5月中旬〜9月(隔日、計1週間)(2)5月中旬〜1月(隔日、1日〜4日間)
㈱タクマ 430	【概要】(1)受入れ部署(計画・設計部署等)での就業体験・業務補助(2)プラントエンジニアリング体感グループワーク【時期】(1)8月下旬(10日間)(2)8〜1月(1日)
㈱神鋼環境ソリューション 431	【概要】(1)(理系))プラントの設計業務、冷却塔設計業務体験、プロセス機器設計業務体験(2)地域の課題をテーマに解決策を立案(3)当社の環境プラントの特徴や、プロジェクトを受注するまでの流れの中で生じる課題の解決を体験【時期】(1)8〜9月(3日間)(2)(3)8〜9月 12〜1月(1日)

●食品・水産●

会社名 （掲載ページ）	コース概要
サントリーホールディングス㈱ 434	【概要】(1)夏期：エンジニア(2)冬期：基盤研究(3)冬期：商品開発(4)冬期：財経・ブラマネ・セールス【時期】(1)8月下旬〜9月上旬(1週間程度)(2)11月下旬〜12月上旬(3日間程度)(3)2月上旬〜中旬(4)2月中旬〜下旬
アサヒビール㈱ 434	【概要】(1)(マーケ)仕事の醍醐味・やりがいを感じ、働くイメージの具体化へと繋げる・インターンシップ型(2)(営業)同・ワークショップ型(3)(生産研究)同・インターンシップ型(4)(エンジニア)同・オープンカンパニー型【時期】(1)12〜1月(5日間)(2)1〜2月(3日間×2ターム)(3)12〜1月(5日間×2ターム)(4)1〜2月(1日×3ターム)
キリンホールディングス㈱ 435	【概要】(1)(理系)エンジニアリングコース ワークショップ(2)(4)マーケティングコース ワークショップ(3)人事コース インターンシップ【時期】(1)9月上旬(3日間)(2)9月上中旬(3日間)(3)12月中旬(5日間)(4)1月下旬(3日間)
サッポロビール㈱ 435	【概要】(1)家庭用営業インターンシップ(2)業務用営業インターンシップ(3)マーケティングインターンシップ(4)エンジニアリングインターンシップ【時期】(1)(4)9月下旬 10月中旬 11月中旬(1DAY)(2)10月上旬 12月中旬 1月上旬(1DAY)(3)1月中旬(2DAYS)
宝ホールディングス㈱ 436	【概要】会社説明 パネルトーク等【時期】7月(1day計6回)10〜11月(1day計6回)
コカ・コーラ ボトラーズジャパン㈱ 436	【概要】(1)オープンカンパニー(2)HRインターンシップ【時期】(1)7月下旬〜10月上旬(2)11〜12月
㈱ヤクルト本社 437	【概要】(1)(理系)生産部門：工場見学 グループワーク 先輩社員座談会 他(2)営業・管理部門：グループワーク 先輩社員座談会 他【時期】(1)9〜10月上旬(2日間)12月下旬〜2月上旬(2日間)(2)1月(1日)
㈱伊藤園 437	【概要】業界・会社理解を深めるオープンカンパニー【時期】9月上旬〜中旬(半日×8回)12月上旬〜中旬(半日×8回)
ダイドードリンコ㈱ 438	【概要】(1)キャリアデザインワークショップ 会社紹介(2)先輩社員パネルディスカッション(3)先輩社員座談会(4)ケーススタディによる営業職体験 営業戦略・戦術の企画立案【時期】(1)9月(1日)(2)10月(1日)(3)11月(1日)(4)2月(5日間)
味の素ＡＧＦ㈱ 439	【概要】会社概要 コーヒー基礎知識ワーク 現場社員との座談会【時期】12月上旬(2日間)
キーコーヒー㈱ 439	【概要】(1)提案営業体験、業界研究(SCAJ視察)(2)工場職場体験(3)ルート営業職場体験【時期】(1)9月(1日×3)(2)1月(2日間)(3)11月(3日間)
雪印メグミルク㈱ 440	【概要】(1)製造部門での就業体験(2)営業部門での就業体験(3)(理系)工務・生産技術部門での就業体験【時期】(1)8月下旬(各2日間)(2)(3)8月上旬(1日間)
森永乳業㈱ 440	【概要】(1)研究開発職について体験を通じて学ぶ(2)生産技術職の仕事を学べる工場見学(3)エンジニアリング職についてグループワークを通じて学ぶ【時期】(1)9月(3日間)(2)8月(利根 神戸対面 オンライン各1日)10・11月(神戸対面)※A社員向け 2月(利根神戸対面 オンライン各1日)(3)1月(2日間)
ＪＴ 441	【概要】(1)Summer Internship：自分を知るワークショップ JTの事業概要およびJTの考え方の紹介 嗜好品の価値を体感するワークショップ(2)Tobacco R&D Workshop 2024：心の豊かさを題材とした講義・グループワーク・グループディスカッション【時期】(1)8月(3日間)(2)8〜10月(2日間)※複数回実施予定

業種別・インターン 1,222 社

会社名 (掲載ページ)		コース概要
味の素㈱	441	【概要】(1)Sales/Business ワークショップ(2)R&D ワークショップ【時期】(1)2月(3日間×3回)(2)1月(2日間×2回)
㈱明治	442	【概要】<生産技術>当社のものづくりについて深く学べるワークショップ:会社紹介、グループディスカッション、工場見学、社員座談会【時期】9月中旬(3日間)
ニチレイグループ	442	【概要】(1)(2)キャリアイメージワーク:グループ社員のストーリーをもとにキャリアをイメージするセミナー(3)グループオープンセミナー秋:グループ各社の人事が、各社の説明や学生の質問に回答(4)グループオープンセミナー冬:各事業会社の社員が、若手・中堅・女性社員とテーマごとに学生の質問に回答【時期】(1)8月上旬(2日間)(2)9月上旬(2日間)(3)10月下旬(2日間)(4)11月下旬(2日間)
不二製油㈱	443	【概要】(1)会社説明 仕事理解ワーク 若手社員との座談会(営業)(2)会社説明 仕事理解ワーク 若手社員との座談会(研究開発)(3)会社説明 仕事理解ワーク 若手社員との座談会(新技術開発・エンジニアリング)【時期】(1)～(3)8～12月(半日～1日×複数回)
日清オイリオグループ㈱	443	【概要】(1)(研究・開発職コース)研究・開発の仕事がわかる1day仕事体験(2)(生産職コース)生産の仕事がわかる1day仕事体験(3)(営業職コース)営業の仕事がわかる1day仕事体験【時期】(1)9月 12月中旬～下旬(1日)(2)8月下旬 11月下旬(1日)(3)12月中旬～下旬 2月上旬～中旬(1日)
ハウス食品㈱	444	【概要】(1)品質職の仕事紹介、生産課題検討ワーク(2)生産技術職の仕事紹介、工場設計ワーク(3)マーケティング・プロモーション設計ワーク(4)生産技術職の仕事体験ワーク、工場見学【時期】(1)(2)9月(半日×複数回)(3)1月(3日間)(4)1月(2日間)
㈱J-オイルミルズ	444	【概要】(1)～(3)1DAY仕事体験【時期】(1)8～9月(1日×複数回)(2)11月(1日×複数回)(3)1～2月(1日×複数回)
カゴメ㈱	445	【概要】(1)キャリアワークショップ:カゴメ総合職のキャリアについて考えるグループワーク(2)生産技術系(理系)ワークショップ:生産調達の仕事紹介 先輩社員との座談会 お仕事体験グループワーク(3)研究系(理系)ワークショップ:研究の仕事紹介 先輩社員との座談会 お仕事体験グループワーク【時期】(1)8月(1日)(2)(3)1月中旬(1日)
アサヒグループ食品㈱	445	【概要】(1)1day仕事体験:食品メーカーのビジネスモデルやモノづくりの基礎について、グループワークを通じて体感(2)生産部門職志望者向け:実際の工場設備における課題解決ワークに取り組み、アサヒグループ食品生産部門職の業務を体感【時期】(1)12～2月(1日×5日程)(2)11～12月(複数回)
テーブルマーク㈱	446	【概要】(1)オープンカンパニー:企業説明、各職種紹介、座談会(2)営業職・職業体験会:企業説明、営業(家庭用・業務用)の商談を体験(3)開発職・職業体験会(理系限定):付加価値商品の商品企画等の実践型(4)製造技術職・職業体験会:製造業務の説明、実際にライン設計を考える【時期】(1)6月25日 7月18日 7月23日(2)9月10日 9月12日 10月11日(1日)年明け(3)9月5日 10月9日(4)9月11日 9月13日 10月10日
味の素冷凍食品㈱	446	【概要】(1)<生産技術・管理系> 食品業界・企業紹介 業務紹介 業務体感ワーク 社員座談会(2)<研究・開発系> 食品業界・企業紹介 業務紹介 業務体感ワーク 質疑応答【時期】(1)(2)8月下旬(1day)11月下旬(1day)
ホクト㈱	447	【概要】(1)営業コース(2)研究コース【時期】(1)(2)1月下旬～
エスビー食品㈱	448	【概要】(1)1日仕事体験(会社案内 研究開発職仕事体験ワーク 先輩社員座談会)(2)1日仕事体験(会社案内 営業職仕事体験ワーク 先輩社員座談会)【時期】(1)(2)11月(1日間×2日程)
キッコーマン㈱	448	【概要】(1)会社説明、営業職のケーススタディ、商品企画グループワーク、工場見学(2)会社説明、エンジニアリング職のケーススタディ、工場見学【時期】(1)8月 11月 2月(4～5日間)(2)9月下旬(5日間)
キユーピー㈱	449	【概要】(1)営業系仕事体験(2)研究開発系仕事体験(3)生産・品質保証系仕事体験【時期】(1)8月下旬～9月上旬(1日間)予定(2)(3)12月(2日間)予定
日本食研ホールディングス㈱	449	【概要】(1)営業職:会社概要説明 試作・試食体験 仕事体験GW 先輩社員座談会(2)研究職(開発・品質保証):会社概要説明 試食体験 仕事体験GW 先輩社員座談会(3)生産技術職:会社概要説明 宮殿工場見学 試食体験 仕事体験GW 先輩社員座談会(4)IT・システム開発職:会社概要説明 社内SEの仕事体験GW 先輩社員座談会【時期】(1)～(3)7月中旬～8月下旬(1日)(4)7月中旬～8月下旬(2日間)
ケンコーマヨネーズ㈱	450	【概要】業界・企業理解を目的とした概要説明 業務理解を促進するGW【時期】8月下旬～9月上旬(1日間)
理研ビタミン㈱	450	【概要】(1)化成品営業オープンカンパニー(2)(理系)化成品改良剤オープンカンパニー(3)(理系)食品改良剤1日仕事体験【時期】(1)～(3)1～2月(1日)
日清食品㈱	451	【概要】(1)マーケティング仕事体験:新商品企画などの業務体験(2)(理系)R&D仕事体験:新商品企画などの開発業務体験(3)(理系)生産仕事体験:工場製造ライン見学、社員座談会、試食ワーク(4)セールス仕事体験:模擬商談ワーク、セールス業務体験【時期】(1)12月(5日間)(2)12月(3日間)(3)1月(1日)(4)1月(3日間)
日本ハム㈱	452	【概要】総合職:2days、研究職:1dayイベント(予定)【時期】11月下旬～12月(予定)
伊藤ハム米久ホールディングス㈱	452	【概要】(1)営業職向けオープンカンパニー型イベント(2)営業職向け1day仕事体験(3)生産技術職向け1day仕事体験【時期】(1)9月(1日×2回)(2)12月(1日×2回)(3)8、9月(1日×2回)

会社名	（掲載ページ）	コース概要
プリマハム㈱	453	【概要】(1)営業・管理系 1DAY×4 1DAY×2仕事体験 食肉加工メーカーの営業管理の仕事について(2)技術系 1DAY仕事体験 独自の機械開発や生産性の高さについて(3)製造系 製造ラインでの業務やそのコントロールについて(4)品質管理・開発系 1DAY仕事体験 当社の品質管理・研究・開発の仕事について【時期】(1)8～12月→各1日ずつ開催(計4回)11～12月→各1日ずつ開催(計2回)(2)8月(1日)1月(1日)(3)1～2月(1日)(4)10月(1日)
江崎グリコ㈱	454	【概要】(1)生活者の課題解決のためのマーケティング企画立案(2)＜デジタル推進＞食×AIをテーマにしたハッカソン等の仕事体験(3)商談ロールプレイなどショッパーベースセリングの体験(4)＜研究＞基礎応用、商品技術開発研究の仕事体験【時期】(1)夏・冬(5日間)(2)冬(2日間)(3)夏・冬(3日間)(4)冬(2～3日間)
森永製菓㈱	455	【概要】(1)研究開発系総合職(2)生産技術系総合職【時期】(1)12月(2日間)(2)1月(2日間)
㈱ロッテ	455	【概要】(1)(4)営業部門の職業理解および就業体験(2)研究部門の職業理解および就業体験(3)ICT部門の職業理解および就業体験【時期】(1)9月上旬(1日)(2)9月上旬(2日間)(3)1月下旬(1日)(4)2月中旬(1日)
亀田製菓㈱	456	【概要】(1)営業コース(2)商品開発コース(3)設備開発コース(4)研究コース【時期】(1)～(4)8月(1日間)12月(1日間)
井村屋グループ㈱	456	【概要】仕事体験：食品会社の技術職を理解する【時期】3日間
日清製粉グループ	457	【概要】(1)日清製粉グループ生産技術研究所2weeksインターンシップ(2)日清製粉グループ5Daysインターンシップ(事務系)(3)NBCメッシュテック技術系対象5daysインターンシップ(4)日清製粉グループ5Daysインターンシップ(食化系)【時期】(1)8～9月(2週間)(2)10～11月(5日間)(3)7～12月(5日間)(4)12～2月(5日間)
㈱ニップン	457	【概要】(1)1day仕事体験 事務・食品化学系コース(2)＜設備系＞1day仕事体験(Web)(3)＜設備系＞(早期選考)：1day仕事体験(工場実施)【時期】(1)8～1月(各月上旬～下旬予定、1day)(2)7月17日 8月20日 8月29日(1day)(3)9月6日 9月12日 11月中旬予定(1day)
昭和産業㈱	458	【概要】(1)説明会およびキャリア紹介(職種別)(2)(理系)設備技術職の方向け工場見学会、社員座談会(3)社員座談会(職種別)【時期】(1)8～1月(各月1日)(2)9月(2日間)(3)1～2月(各月1日)
山崎製パン㈱	458	【概要】(1)生産技術職：製パン講義(実演による基礎理論と当社の技術力紹介)仕事紹介、 質疑応答(2)営業職：仕事紹介、フリートーク、 質疑応答(3)エンジニアリング職：工場見学会(4)(コース1参加者のみ応募可)製パン実技体験会：ベイク体験、製パン講義、質疑応答【時期】(1)10月26日(2)1月下旬(3)(4)未定(1日)
敷島製パン㈱	459	【概要】(1)生産職社員の業務体験(製造工程表の作成)、先輩社員との座談会(2)営業職社員の業務体験(棚割り表の作成)、先輩社員との座談会(3)自己分析×企業分析セミナー【時期】(1)8月(1日)(2)11月(1日)(3)11月 2月
㈱ＹＫベーキングカンパニー	459	【概要】(1)工場設備を支えるエンジニア職体験コース：工場見学 エンジニア職体験、先輩社員座談会(2)パンメーカーの営業職体験コース：売り場づくり体験、先輩社員座談会等(3)パンづくりを支える生産職体験コース：新製品企画体験、先輩社員座談会等【時期】(1)9月10日、12日(2)8月29日(3)9月6日
フジパングループ本社㈱	460	【概要】(1)生産職：製パンメーカーのパンづくり、中食業界(デリカ)について(2)営業職：製パンメーカーの営業(3)エンジニア職：製パンメーカーの機械メンテナンス(4)物流職：物流業界について【時期】(1)～(4)8～1月(1日)
マルハニチロ㈱	460	【概要】(1)食品業界・会社概要・水産商社事業の紹介 社員講話 商品開発GW 座談会(2)食品業界・会社概要・食品事業の紹介 社員講話 商品開発GW 座談会(3)(4)食品業界・水産業界・会社概要の紹介 商品開発GW 座談会【時期】(1)(2)8月中旬～(3日間)(3)8月中旬～9月上旬(2日間×3回)(4)12月下旬～1月上旬(1日×7回)
㈱ニッスイ	461	【概要】(1)食品営業(家庭用食品・業務用食品)の仕事体験(2)水産営業(水産品の営業・調達)の仕事体験(3)エンジニアのインターンシップ(ライン設計や実際の機械を利用する体験等)(4)食品工場(生産管理・品質管理)の仕事体験【時期】(1)8月下旬(1日×2回)(2)9月下旬(1日×2回)(3)9月中旬(5日間)(4)12月上旬(1日)
㈱極洋	461	【概要】(1)(2)食品・水産業界を学ぶ：グループワークによる提案営業体験【時期】(1)8～9月 12月(2)9月 12月
フィード・ワン㈱	462	【概要】(1)営業体験コース：営業ロールプレイングワーク(2)ビジネスモデル理解コース：経営体感型ビジネスゲーム、社員との座談会(3)配合飼料 業界・企業セミナー：業界、配合飼料についての紹介、会社紹介【時期】(1)9～10月(半日×5日程)12～1月(半日×5日程)(2)8～9月(半日×8日程)12～1月(半日×2日程)(3)8～9月(半日×4日程)12～1月(半日×4日程)
●農林●		
㈱サカタのタネ	462	【概要】(1)営業企画コース(2)研究開発Challengeコース(3)研究開発Basicコース(4)サプライチェーンコース【時期】(1)(3)8～9月 11～12月(1日)(2)8～9月(2日間)(4)9月中旬(1日)
カネコ種苗㈱	463	【概要】(1)知ってワクワクする“食”を支えている農業(体験型)(2)“食”を支えている農業をもっと知る研究所見学(3)“食”を支える農業総合企業の営業を体験できる1日営業体験(4)オープンカンパニーと先輩交流会【時期】(1)12月(2日間)(2)11月(1日×3日間)(3)9月(1日)(4)7月(1日)8月(1日)

会社名　（掲載ページ）		コース概要
●印刷・紙パルプ●		
TOPPANホールディングス㈱	463	【概要】(1)企画提案型ワークショップ(2)職場実習型インターンシップ【時期】(1)7月～(2日間)(2)9月～(5日間)
大日本印刷㈱	464	【概要】(1)ビジネス創造型(2)技術系向け受入(3)社員座談会(4)デザイン系向け受入【時期】(1)(2)(4)8月下旬～9月上旬(5日間)(3)6～11月(1日)
TOPPANエッジ㈱	464	【概要】(1)全コース対象：SE職の体験ワーク(2)事務系コース：ロールプレイング形成での営業職体験ワーク(3)技術系コース：生産技術職の体験ワーク(4)技術系コース：研究開発職の体験ワーク【時期】(1)(3)(4)9月中(1日×2回開催)(2)8月下旬～9月上旬(2日間×2回開催)
共同印刷㈱	465	【概要】会社紹介 先輩社員座談会(予定)【時期】8月～10月(1日)(予定)
王子ホールディングス㈱	466	【概要】(1)事務職対象：1Day・2Days 仕事体験(2)研究職対象：研究所での就業体験(3)エンジニア職対象：工場での就業体験【時期】(1)2月(1日or2日×複数回)(2)(3)1～2月(2日間×複数回)
日本製紙㈱	466	【概要】(1)【理系限定】研究所見学会(会社概要説明、研究所見学、先輩社員座談会)(2)【理系限定】工場仕事体験(会社概要説明、仕事内容説明、工場見学、業務体験、先輩社員座談会)【時期】(1)9月中旬(半日×2回)(2)9月上旬 10月(合計5日間)
レンゴー㈱	467	【概要】(1)新規パッケージを考える提案営業体験(2)(理系のみ)パッケージの素材研究体験(3)(理系のみ)生産設備の改善提案体験(4)IT部門の業務改善提案体験【時期】(1)6月下旬～12月中旬(1日)(2)8月上旬～11月下旬(1日)(3)7月上旬～11月下旬(1日)(4)7月上旬～ 11月下旬(1日)
大王製紙㈱	467	【概要】(1)(理系)機械・電気電子系：世界最大級の製紙工場でエンジニア体験！5daysインターンシップ(2)(理系)化学系：2days商品開発インターンシップ、1day商品開発仕事体験(オンライン)(3)事務・営業系：2days営業体験コース(4)(理系)電気電子系：1day会社説明会(工場見学会付)【時期】(1)9月(5日間)(2)8～9月(1～2日間)(3)8～1月(2日間)(4)7月～12月のうち毎月(1日)
●化粧品・トイレタリー●		
㈱資生堂	468	【概要】(1)資生堂マーケティングのケーススタディに取り組み、マーケティング業務を学ぶ(2)資生堂セールスのケーススタディに取り組み、セールス業務を学ぶ(3)資生堂ファイナンスのケーススタディに取り組み、ファイナンス業務を学ぶ(4)資生堂サプライチェーンのケーススタディに取り組み、サプライチェーン業務を学ぶ【時期】(1)8月(3日間)(2)9月(2日間)(3)11月(1日)(4)11月(2日間)
㈱コーセー	468	【概要】検討中【時期】NA
㈱ファンケル	469	【概要】(1)GWや顧客へのインタビュー、社員フィードバック、社員交流会をベースに、新規事業編、マーケティング編、デジタル編の3コース(2)商品体験・GWを通じた顧客への商品提案、企業研究、キャリアワーク(3)研究職社員による業務紹介と実験、会社説明、総合研究所見学(4)生産技術職社員による業務紹介、会社説明、千葉工場見学【時期】(1)12～1月(3日間)(2)9月(1日)(3)(4)11月(1日)
㈱ポーラ	469	【概要】(1)総合コース(夏)先輩社員と共に課題に取り組む仕事体験(2)総合コース(冬)先輩社員と共に課題に取り組む仕事体験(3)百貨店販売コース グループワークと先輩社員交流で企業の個性を知る【時期】(1)9～10月(3Days)(2)12～1月(3Days)(予定)(3)2～3月(1Day)(予定)
㈱ミルボン	470	【概要】(1)(長期)採用直結型：ハイパフォーマー育成、徹底的フィードバック、自己成長支援、当社・美容業界の理解 他(2)本選考直結型：研究職限定現場体験型、社員座談会、研究所見学(3)営業体験ワーク、個店対応課題解決提案型活動他(4)オープンカンパニー、会社説明会【時期】(1)8～11月(2)11月(3)5～7月(1日)(4)5～7月
花王㈱	470	【概要】(1)技術系研究職：研究所における研究開発業務(実験・解析等)の実務体験(2)システム系：オフィスでの交流・グループワーク(3)事務系職種オープンカンパニー【時期】(1)8月末～9月中(土日除く10日間)(2)1月中旬～2月中旬(3日間)(3)1月中旬～2月上旬
ユニ・チャーム㈱	471	【概要】(1)営業職(2)マーケティング職(3)パーソナルケア商品開発職(4)ペットフード商品開発職【時期】(1)(2)夏季 秋季 冬季(3)夏季 冬季(4)冬季
ライオン㈱	471	【概要】(1)研究職：仕事体験ワーク(2)営業・スタッフ職：仕事体験ワーク(3)生産技術職：生産技術研究コース仕事体験ワーク(プロセス開発徹底研究)【時期】(1)9月中旬～下旬(2)9月上旬(3)10月下旬(半日×3回)2月中旬(半日×2回)
アース製薬㈱	472	【概要】(1)研究所・工場の裏側へ招待、研究職特別インターンシップ(2)営業職わくわくインターンシップ(3)モノづくりの現場へ招待、生産職特別インターンシップ【時期】(1)～(3)1～2月(複数回)
●医薬品●		
田辺三菱製薬㈱	472	【概要】(1)MR職コース：会社説明／業務紹介／社員交流など(2)創薬研究職・技術研究職コース：会社説明／業務紹介／研究所紹介／グループワーク／社員交流など(3)開発職コース：会社説明／業務紹介／グループワーク／社員交流など(4)PV職コース：会社説明／業務紹介／社員交流など【時期】(1)未定(2)10～11月(1～2日間)予定(3)11月(1～2日間)予定(4)12～1月(1～2日間)予定
アステラス製薬㈱	473	【概要】(1)(理系)PV職仕事体験(2)(理系)開発職仕事体験(3)(理系)製薬技術研究職仕事体験【時期】(1)(2)11月(2日間)(3)10～11月(コースごとの実施)

会社名　*（掲載ページ）*		コース概要
中外製薬㈱	*473*	【概要】(1)(職種により薬系・理系のみ)仕事の説明と理解を深めるためのグループワーク　疑似仕事体験　社員との座談会　※職種により内容が異なる(2)(3)(一部、薬系・理系のみ)データサイエンティスト向けの疑似仕事体験　成果発表会(4)(職種により薬系・理系のみ)仕事の説明と理解を深めるためのグループワーク　疑似仕事体験　社員との座談会　成果発表会　※職種により内容が異なる【時期】(1)8～9月(1～2日間)(2)8～10月(1カ月)(3)8～10月(2カ月)(4)12～3月(5～6日間)
エーザイ㈱	*474*	【概要】(1)研究開発部門での製剤研究(2)臨床開発部門でのプランニング・モニタリング就業体験(3)生産部門での就業体験(4)営業部門でのMR職就業体験【時期】(1)11月、12月(3日間)(2)11月、12月(4日間)(3)12月(2日間)(4)8月～1月(最大3日間)
小野薬品工業㈱	*474*	【概要】(1)研究職、開発職、MR職による職種混合での会社研究(2)PV職の業務紹介(3)開発職の職種研究【時期】(1)8月下旬(3日間)(2)9月中旬(1日)(3)9月中旬(2日)
塩野義製薬㈱	*475*	【概要】(1)就業型インターンシップ(2)研究職　オープンカンパニー(3)開発職　オープンカンパニー(4)営業職　オープンカンパニー【時期】(1)8月(約2週間)(2)1月(1～2日)(3)12月(1日)(4)2月(半日)
ロート製薬㈱	*476*	【概要】(1)製剤技術職の業務体験と工場見学(2)マーケティング部門における就業体験(3)マーケティング部門におけるプロジェクト型就業体験(4)品質職の業務体験と工場見学【時期】(1)12月中旬(2日間)(2)12月(3～5日間)(3)5～8月(7日間)(4)9月(1日)
東和薬品㈱	*477*	【概要】(1)MRとの同行による職業体験　フィードバック(2)(理系)業界・企業研究セミナー　先輩社員からの「研究技術職」業務紹介　先輩社員との座談会(3)業界・企業研究セミナー　先輩社員からの「MR職」業務紹介　先輩社員とのロールプレイング【時期】(1)8～9月(1日)10～2月(1日)(2)(3)9月頃(1日)1月頃(1日)
Ｍｅｉｊｉ Ｓｅｉｋａ ファルマ㈱	*477*	【概要】(1)(2)MR職：座学・先輩社員との座談会　MR職体験ロールプレイ(3)研究職・生産技術職(理系学部)：座学　先輩社員との座談会　業務体験【時期】(1)8月　9月　12月下旬(各月2日程)(2)東京：8月下旬　11月下旬　大阪：8月下旬　11月下旬(3)12月中旬
大正製薬㈱	*478*	【概要】(理系)生産技術職コース：グループワーク、社員座談会　他【時期】8～9月(2日間)
㈱ツムラ	*478*	【概要】(1)育薬研究職の業務理解(2)MR(営業)職の就業体験を通じて業務理解(3)生産技術職の業務理解(品質管理職／品質・製剤研究職・エンジニアリング職)(4)生薬調達・研究職の業務理解【時期】(1)～(4)6月下旬～7月　12月中旬～1月(2日間)
日本新薬㈱	*479*	【概要】製薬業界の仕事を学ぶ～職種別仕事体験～(内容は未定)【時期】未定
杏林製薬㈱	*479*	【概要】(1)(2)MR就業体験：製薬業界、杏林製薬という会社、MR職、そして、杏林製薬の特徴である「チーム制」が知れる就業体験【時期】(1)7月1日～8月31日(1～2日間)(2)1月24日～2月14日(1～2日間)
ゼリア新薬工業㈱	*480*	【概要】オープンカンパニー(文系)営業職志望向け業界・会社・職種紹介【時期】6月下旬(半日)8月下旬(半日)
扶桑薬品工業㈱	*481*	【概要】(1)MR職の理解が深まる先輩社員同行1day体験(2)OPEN COMPANY(3)若手MRと座談会【時期】(1)10～12月(2)9月20日(3)10月～(複数回)
佐藤製薬㈱	*482*	【概要】(1)MR(OTC／医療用)の現場を体感：職種説明　グループワーク　若手社員との座談会　他(2)製薬会社の品質管理職・製造職を知る：職種説明　グループワーク　工場見学　若手社員との座談会　他(3)製薬業界でのキャリアプランを見つけよう！：製薬業界研究　職種紹介　若手社員との座談会　他【時期】(1)～(3)9～2月(1日×複数回)
日本ケミファ㈱	*482*	【概要】(1)(2)研究部門での就業体験【時期】(1)11月(1日)(2)1月(1日)
●化学●		
三菱ケミカル㈱	*483*	【概要】(1)オープンカンパニー【プロセスエンジニア職向け事業所見学会】(2)オープンカンパニー【設備管理エンジニア職・ユーティリティ職向け事業所見学会】【時期】(1)(2)1日
富士フイルム㈱	*483*	【概要】(1)技術系：情報系開発型長期インターンシップ(2)技術系：職務体験ワーク(3)事務系：個人活動を通じた理念体感ワーク(4)事務系：企業への理解を深めるグループワーク【時期】(1)8～3月(2週間)(2)8～3月(5日間)(3)8～2月(延べ約1カ月)(4)12～2月(延べ約1カ月)
旭化成グループ	*484*	【概要】(1)技術系職種での就業体験(2)事務系職種での業務体験(グループワーク)(3)MR職種での業務体験(グループワーク)【時期】(1)9月上旬(2週間)(2)(3)10～12月(半日)
東レ㈱	*484*	【概要】(1)技術系(化学工学系)：名古屋・東海事業(工)場の部署にて実習(2)技術系(機械・電気系)：滋賀事業場の部署にて実習(3)事務系(営業系、財務・経理系)：業務体感ワーク、座談会(4)技術系(化学系、化学工学系、機械・電気系、情報システム系)：業務紹介・座談会【時期】(1)8～9月(3週間)(2)8～9月(2週間)(3)1～2月(1日)(4)12月(1～2日)2月(1日)
住友化学㈱	*485*	【概要】(1)医農薬コース(2)プラントエンジニアコース(3)MI(マテリアルズ・インフォマティクス)・PI(プロセス・インフォマティクス)コース(4)工場見学会(半日)【時期】(1)12月　1月(1日間)(2)8月下旬～9月(5日間)(3)12月中旬(5日間)(4)11～1月(半日)
信越化学工業㈱	*485*	【概要】(1)5daysインターンシップ：研究所、製造部、プラントエンジニアリング部門での就業体験(2)1day仕事体験：技術系社員とのグループワーク　他(3)1day仕事体験：事務系社員とのグループワーク　他【時期】(1)12～2月(5日間)(2)8～9月(1日)(3)10月

業種別・インターン 1,222 社

会社名　(掲載ページ)		コース概要
三井化学㈱	486	【概要】(1)事務系総合職：戦略立案、自己内省、キャリア研修(2)研究職：研究所見学、社員座談会、事業立案GW(3)AI-MI系：研究所見学、社員座談会、業務体験(課題検討)(4)設備エンジ：工場見学、社員座談会、業務体験(設計検討)【時期】(1)1～2月(4日間)(2)(3)9月(2日間)(4)8～9月(2日間)
㈱レゾナック	486	【概要】(1)パッケージングソリューションセンター ラボツアー、実験体験、座談会(2)生産技術系業務体験、職場・製造現場ツアー、座談会(3)モビリティ アルミニウム冷却器の設計、構造部材シミュレーション、押出ダイス設計(4)モノづくりITシステムの構築から運用設計と全体統制検討【時期】(1)8月22日(2)9月17～18日 9月12～13日(3)8月29～30日(4)9月9～10日
積水化学工業㈱	487	【概要】(1)(住宅)事務系：就業体験(営業)、間取り作成ワーク 他(2)(住宅)技術系(建築系、機械系、電気系)：現場社員との対話、ワーク 他(3)(環境・ライフライン)理系(機械系、電気系)：工場見学、ワーク 他(4)(高機能プラスチックス)理系(機械、電気、情報系)：工場見学 他【時期】(1)5～12月(2日間選択)(2)5～12月(1日)(3)8月(2日間)(4)8月 9月(1日)
帝人㈱	487	【概要】(1)素材研究開発・生産技術職 仕事体験会(2)プラントエンジニア職 仕事体験会(3)ヘルスケア営業職 仕事体験会(4)素材研究開発職・生産技術職 インターンシップ【時期】(1)～(4)未定
東ソー㈱	488	【概要】(1)会社紹介 事業計画立案(全学部対象)(2)事務系職種体験ワーク(事務系)(3)技術系職種体験ワーク(理系)【時期】(1)8～9月(1日×複数回)(2)(3)12～1月(1日×複数回)
三菱ガス化学㈱	488	【概要】(1)機電系：工場での業務体感(2)化工系：工場での業務体感(3)技術系：ビジネスゲーム 会社紹介 社員座談会(4)事務系：ビジネスゲーム 会社紹介 社員座談会【時期】(1)9月(1日×1回)(2)9月(1日×複数回)(3)8～12月(2日間×複数回)(4)12～2月(2日間×複数回)
㈱クラレ	489	【概要】(1)事務系：素材業界の営業体験、新規用途開拓、成果発表他(2)事務系：素材の用途提案、成果発表他(3)技術系(化学工学、機械工学、電気電子系)：素材を生み出すプロセス体験他(4)技術系(化学、化学工学系)：研究センターにおける研究開発業務の体験、研究成果発表他【時期】(1)8～9月(5日間)(2)10～11月(1日間)(3)8～12月(1日間)(4)9月(2週間)
㈱カネカ	489	【概要】(1)事務系：営業体感型グループワーク(2)技術系：研究・製造課題に一定期間、社員とともに取り組む現場受入型の就業体験(3)技術系：研究職や製造技術職などの技術系職種のモデル課題を通じた業務体験(4)高専：2工場を跨いだ現場体験型【時期】(1)8月 10月(2日間)(2)6～2月(2週間～数カ月)(3)10～2月(2日間)(4)8～9月(実働10日間)
㈱ダイセル	490	【概要】(1)事務(営業系 経理系)：会社・業務紹介 社員との交流 就業体験(GW)(2)技術系(化学 化学工学 機電情・土建系)：会社・業務紹介 社員との交流 就業体験(GW)【時期】(1)7～9月 11～12月(1日)(2)8～9月 11～12月(5日および1日)
ＵＢＥ㈱	490	【概要】(1)化学工学系の業務体験(2)機械工学系の業務体験【時期】(1)(2)12月 1月(2日間)
東洋紡㈱	491	【概要】(1)営業職・スタッフ職(2)プラントエンジニア職(3)研究・技術開発職【時期】(1)(2)9月頃(3)1月頃
ＪＳＲ㈱	491	【概要】(1)技術系／事務系：オンラインでの企業経営グループワーク(2)技術系：オンラインでの職種体感ワーク(3)社員座談会(4)会社説明会【時期】(1)7月下旬～9月 12～1月予定(1日間×複数回)(2)9月中旬～下旬 12～1月予定(半日間×複数回)(3)10～3月(1日)(4)6～2月(1日)
㈱ＡＤＥＫＡ	492	【概要】(1)(3)研究開発職のイメージを掴む(技術系)(2)(4)生産技術職のイメージを掴む(技術系)【時期】(1)8～10月(2日間または1日)(2)8月(5日間)(3)11～12月(2日間または1日)(4)11～12月(1日)
デンカ㈱	492	【概要】業界比較ワーク【時期】12～1月(1日)
日本ゼオン㈱	493	【概要】(1)仕事体験：コミュニケーションゲームを通じた企業・業界理解(2)オンライン仕事体験：パネルディスカッションを通じた企業・業界理解(3)仕事体験：事業所見学・先輩社員座談会【時期】(1)(2)8～9月(1日)(3)10月下旬～12月
㈱トクヤマ	493	【概要】(1)化学メーカー事務系の1Dayセミナー：業界・会社・職種説明、自己分析支援(2)化学メーカー事務系の仕事体験セミナー：業界・会社説明、グループワーク(ロールプレイングゲーム)パネルディスカッション(3)化学メーカー仕事体験(化学・化工・機械・電子・情報)：専攻別に化学メーカーでの働き方を学ぶ【時期】(1)8～9月(半日)(2)11～1月(半日)(3)8月(半日)11～12月(半日)
住友ベークライト㈱	494	【概要】(1)技術系・事務系：業界・会社説明会(2)技術系：静岡工場での仕事体験(工場見学、グループワーク 他)(3)技術系：宇都宮工場での仕事体験(工場見学、グループワーク 他)(4)技術系：社員座談会【時期】(1)各月1回(2)8月27日 9月12日(1日)(3)8月30日 9月5日(1日)(4)10～11月頃
リンテック㈱	494	【概要】(1)業界研究 質問会(人事担当者との面談)(2)粘着素材概要説明 事業所見学 先輩社員座談会(3)テクノロジーセンター仕事体験、職場見学【時期】(1)8月下旬～9月上旬(1日×3回)(2)12月下旬～2月(1日×6回)(3)11月下旬～12月中旬(1日×2回)
アイカ工業㈱	495	【概要】(1)総合職：仕事体感ワーク、グループワーク(2)技術系総合職：開発体感実験ワーク(3)総合職：ショールーム見学会(4)技術系総合職：会社紹介、先輩社員座談会【時期】(1)8月(2日間)10月(2日間)(2)8～9月(2日間)10～11月(2日間)(3)8～2月(1日)(4)11月 1月(2日)
㈱エフピコ	495	【概要】(1)(文理不問)企画営業と製品機能を体感。グループワークによる課題解決・発表・フィードバック。社員との座談会(2)(理系)技術系社員との交流を通じて、仕事内容や研究開発の進め方を学ぶ【時期】(1)10月下旬～12月(1日×複数回)(2)7～9月(1日×複数回)
日本化薬㈱	496	【概要】セイフティシステムズ事業開発研究職の1day職業体験【時期】11月以降(1日×5回程度)

会社名 *(掲載ページ)*	コース概要
㈱イノアックコーポレーション *496*	【概要】(1)(理系)技術系部門での就業体験：自動車部品の生産技術、高機能を付与した素材開発他(2)(理系)高機能を付与した新素材の開発体験：ウレタンを用いた製品企画、物性値想定、配合検討(3)(理系)化学素材を用いた製品開発体験：自動車部品生産の工程設計体験、自己分析(4)事務系職種：市場分析〜製品企画を体験、自己分析【時期】(1)8〜9月(5日間)(2)(3)9月(1日)(4)8月(1日)
東京応化工業㈱ *497*	【概要】技術系職種を対象としたR&D拠点の事業所見学会、若手社員との座談会【時期】12月下旬(1日)
クミアイ化学工業㈱ *497*	【概要】農薬研究コース(化学系／生物系)：会社紹介、研究室紹介、研究所見学、仕事体験、先輩社員座談会【時期】11月 12月(1day)
三洋化成工業㈱ *498*	【概要】プロセス・設備エンジニア職：仕事体験【時期】9月中旬(5日間)
タキロンシーアイ㈱ *498*	【概要】(1)事務系職種・仕事体験プログラム(2)技術系職種・仕事体験プログラム(3)研究開発・仕事体験プログラム【時期】(1)8月下旬(1日)12月中旬(1日)(2)8月下旬 9月中旬 11月下旬 12月中旬(1日)(3)9月上旬 12月上旬(2日間)
ＺＡＣＲＯＳ㈱ *499*	【概要】(1)理系限定：技術系職種の仕事体験(既存製品を改良設計コンセプトの立案)(2)事務系職種の仕事体験(製品の販売促進アイディアの立案)(3)オープンカンパニー(会社紹介・若手社員との座談会)【時期】(1)〜(3)8〜9月 1〜2月(1日)
堺化学工業㈱ *500*	【概要】実務を想定したグループワーク、先輩社員からのフィードバック・座談会(開発業務体験：理系対象)【時期】8〜9月(1日)
藤倉化成㈱ *500*	【概要】(1)研究所内での実験の様子を撮影した動画や画像を用いた仕事紹介 先輩社員を交えた座談会(2)研究所での実験作業を含めた所内見学(一部実体験含む)や製品開発に関する技術的な座学 先輩社員を交えた座談会【時期】(1)12〜2月(半日)(2)12〜2月(1日)
ニチバン㈱ *501*	【概要】(1)営業職：グループワークによる職業体験(2)研究・開発・技術職：グループワークによる職業体験(3)文理合同：グループワークによる職業体験(4)研究・開発・技術職：グループワークによるビジネスゲーム【時期】(1)(2)8月(1回オンライン)9月(1日×2回)(3)8月(2回)(4)11月下旬〜12月
大陽日酸㈱ *501*	【概要】(1)技術系：プラントエンジニアリングインターン(空気分離装置 関連)(2)事務系：産業ガス会社の経営ゲーム(3)技術系：つくば事業所インターン(研究開発 関連)【時期】(1)〜(3)8〜2月
㈱日本触媒 *502*	【概要】(1)事務系：営業体感ワーク キャリアイメージワーク 座談会(2)機電系：会社紹介 製造所紹介 座談会(3)研究開発系：会社紹介 研究所紹介 座談会(4)生産技術系：会社紹介 部署紹介 座談会【時期】(1)〜(4)10〜2月(1日)
日産化学㈱ *503*	【概要】(1)未来創造×SDGs：未来の社会課題解決ストーリーを描くグループワークセッション(研究開発職、生産技術職・事務系総合職)(2)1day工場見学会：未来創造を支える生産現場のリアル見学・社員座談会(生産技術職)【時期】(1)9月下旬〜10月(3日間)(2)11月(3拠点にて別日程)
日油㈱ *503*	【概要】(1)仕事研究セミナー(会社紹介・社員座談会)(2)工場見学会(工場見学・社員座談会)【時期】(1)8月 12月(1日)(2)9月 11月(1日)
高砂香料工業㈱ *504*	【概要】業界説明 市場品の香りの評価 社員座談会【時期】12〜2月(1日×10回)
㈱クレハ *504*	【概要】(1)化学業界研究、自己分析、技術系社員(若手〜中堅)との座談会(2)いわき事業所・研究所見学会、技術系社員(若手〜中堅)との座談会(3)技術系社員(若手〜幹部クラス)との座談会(4)技術・製造または研究部門での技術管理業務体験【時期】(1)8〜12月(半日×5回)(2)10〜2月(半日×6回)(3)12〜2月(半日×4回)(4)8月(本科生：5日間 専攻科生：10日間)
東亞合成㈱ *505*	【概要】(1)事務系：化学メーカーの事務系の仕事体験(2)研究：研究開発体験(3)エンジニアリング：化学プラント設計ワーク【時期】(1)9月上旬〜中旬(1日)1〜2月(1日)(2)9月(1日)1月(1日)(3)8月中旬(1日)12月(1日)
日本曹達㈱ *505*	【概要】(1)BtoBメーカーの営業体験を通じ、社会人のものの考え方、理系出身者のアドバンテージを体感(2)企業研究現場における先輩社会人の考え方や研究の進め方を体感(研究分野ごとに実施)【時期】(1)11〜12月(2時間程度)(2)11〜12月(2〜3時間程度)
日本パーカライジング㈱ *506*	【概要】理系のみ：会社紹介、仕事理解・企業理解を深めるグループワーク、社員座談会【時期】12月中旬(2日間)1月中旬(2日間)
日本農薬㈱ *506*	【概要】(1)農業、農薬の未来を考える1dayセミナー(2)農薬メーカー研究員1day仕事体験【時期】(1)9〜2月(1日)(2)10〜12月(1日)
荒川化学工業㈱ *507*	【概要】(1)(理系大学院)研究開発の魅力を知る：研究開発職の役割、仕事内容を学ぶグループワーク(2)(理系大学院)研究開発職を体験：現場社員による当社の素材を扱った実験を含む実地研修(3)化学メーカー営業職を体験：顧客先への製品提案体験グループワーク(4)人事部 採用業務を体験：企画立案グループワーク、面接官体験【時期】(1)(4)7〜9月(1日)(2)10〜12月(2日間)(3)9〜10月(1日)
日本ペイントホールディングス㈱ *507*	【概要】(1)文系インターンシップ(2)理系インターンシップ【時期】(1)2月(1日)(2)12月 1月 2月(1〜2日)
ＤＩＣ㈱ *508*	【概要】(1)技術系・生産系：技術部門・生産部門での就業体験(2)事務系：営業・経理財務・ITでの就業体験(3)生産系：生産技術とプラントエンジの魅力を知るグループワークショップ、社員座談会(4)事務系：化学メーカーにおけるグローバルビジネス体験【時期】(1)9月(2週間)(2)9月(1週間)(3)9月(1日)(4)12〜1月(1日)
ａｒｔｉｅｎｃｅ㈱ *509*	【概要】(1)(2)会社紹介、製品開発についてのGW、先輩社員座談会(3)会社紹介、生産部門での就業体験、先輩社員座談会(高専生のみ)【時期】(1)9月(2日間)(2)12月(1日間)(3)8月下旬(5日間)

会社名 （掲載ページ）		コース概要
大日精化工業㈱	510	【概要】(1)化学業界の営業がわかる(2)身近な素材であるウレタンを知る(3)フッ素樹脂用着色剤メーカーのモノづくりを体験(4)インクジェット印刷用インクの研究開発業務体験【時期】(1)7〜12月(2)〜(4)10〜12月
●衣料・繊維●		
クラボウ	510	【概要】(1)業界研究セミナー(2)技術系社員座談会(3)ロボットセンシングを体験！クラボウ先進技術センターにて(4)半導体関連分光計測を体験！クラボウ先進技術センターにて【時期】(1)(2)8月上旬〜下旬(1日)(3)(4)9月2〜6日(5days)
セーレン㈱	511	【概要】(1)技術開発系(素材・機械電気情報の2コース)(2)技術開発系仕事体験(素材・機械電気・情報の3コース)(3)オープン・カンパニー(文理不問)【時期】(1)8〜9月(2日間・1週間)(2)8〜9月(2日間・1週間)12〜1月(2日間)(3)8〜9月 12〜1月(半日)
グンゼ㈱	511	【概要】(1)営業職：模擬商談体験 社員座談会(2)経理職・労務職：ケーススタディ(経理職 内部統制の仕組みを考える 労務職 育児休職の申し出を受けたときの対応を考える)社員座談会(3)開発職：就業体験(グループワークによる新商品開発企画提案)社員座談会(4)生産技術職：就業体験(肌着の製造方法を学び 自分だけのオリジナルパンツを作る)社員座談会【時期】(1)10〜1月(1日×6回)(2)2月中旬(1日×各1回)(3)2月上旬(2日間)(4)2月下旬(2日間)
岡本㈱	512	【概要】(1)1DAYプログラム：自己分析ワーク 商品提案ワーク 広告体験(CM制作体験)他(2)企画コース：商品企画提案ワーク(3)営業コース：課題解決型営業体験 売場提案プロジェクト(4)開発・技術・研究コース：R&D本部の実際の仕事内容を対話を通して体感【時期】(1)8月 10〜12月(1日)(2)〜(4)8〜12月(半日)
㈱オンワード樫山	513	【概要】(1)講義・視聴・GW等を通じてファッションビジネスの仕組みや職種を学ぶ(2)ファッション業界の仕事内容を学ぶ(3)ファッションマーケティングを学ぶ1DAY仕事体験(4)アパレル財務を学ぶ1DAY仕事体験【時期】(1)9月上旬〜中旬(5日間)(2)10月 1〜2月(1日)(3)8月下旬(2日間)(4)9月中旬(1日)
クロスプラス㈱	514	【概要】(1)GWによる企画型商品提案にて商談体験。より実践に近い商談内容を体験することで営業を経験、繊維商社の業務について理解(2)オープンカンパニー、30分ほどでの業界説明会【時期】(1)8月上旬職場体験(7日間)9月中旬職場体験(4日間)(2)8月上旬(5日間)9月中旬(2日間)
●ガラス・土石●		
ＡＧＣ㈱	514	【概要】(1)技術系向け(2)事務系向け【時期】(1)8〜9月 11〜12月(各回2〜5日間×複数回)(2)8〜9月 11〜12月(各回1〜1日間×複数回)
日本板硝子㈱	515	【概要】(1)1日仕事体験会(会社紹介 ガラス技術を知るワークショップ 座談会)(2)2days対面仕事体験会(事業所見学、就業体験、座談会)(3)会社説明・先輩社員座談会【時期】(1)8月 11月(1日間)(2)9月 12月(2日間)(3)3月(1日間)
日本電気硝子㈱	515	【概要】(1)(理系)ガラスの魅力発見＆製品考案ワーク(2)(理系)特殊ガラスの製造設備に触れるワーク(3)特殊ガラスの営業系・管理系体験ワーク(4)特殊ガラスセミナー(ガラスの歴史・業界を知るセミナー)【時期】(1)7〜1月(1日、毎月1〜2回)(2)7〜1月(1日、毎月1回)(3)12〜1月(1日、毎月2回)(4)6〜12月(毎月1回)
セントラル硝子㈱	516	【概要】(1)技術系(工場)(2)技術系(研究所)【時期】(1)8〜9月(1日×2回)(2)(1)8月(5日間×1回)(2)8月(5日間×1回、2日間×1回)(3)8月(1日×2回)
日東紡	516	【概要】(1)理系学生を対象とした工場見学・座談会(2)事務系職種希望者を対象としたオフィスツアー・座談会【時期】(1)8〜1月(各回1日)(2)11月(1日)
太平洋セメント㈱	517	【概要】(1)(機電・化学 化学工学・資源系)仕事体験：設備技術職・生産技術職・資源技術職希望者向け(2)(機電・化学 化学工学・資源系)工場見学会 鉱山見学会(3)(化学・土木建築系)女子学生向け中央研究所見学会 仕事体験：研究開発・技術営業職希望者向け(4)(事務系)工場見学会 仕事体験：事務系職種希望者向け【時期】(1)10〜12月(1日)(2)8〜1月 3月(1日)(3)10月 1月 3月(1日)(4)10月 12月 2月(1日)
ＵＢＥ三菱セメント㈱	517	【概要】(1)会社紹介、業務紹介、座談会(2)生産技術や設備設計に関する業務体験(3)セメント・コンクリートの研究開発に関する業務体験(4)会社見学会【時期】(1)8〜2月(半日)(2)(3)10月 11月(2日間)(4)10〜12月(半日)
住友大阪セメント㈱	518	【概要】(1)理系向け：大規模なセメントプラントでエンジニアリング体験(2)理系向け：日本最大級の鉱山見学会(3)理系向け：研究所で最先端の研究開発を体験(4)文系向け：業界・職種紹介、GW、座談会【時期】(1)〜(4)8月以降随時(1日)
日本特殊陶業㈱	518	【概要】(1)新規事業立案：社会課題を解決するために、当社の強みを活かして新規事業を立案(2)職種別の事例を体感する仕事体験：具体的に働くことを自己投影させる【時期】(1)7〜8月(2日)(2)10月(1日)
日本ガイシ㈱	519	【概要】(1)技術系・営業管理系：「未来創造ワーク」会社・事業説明、製品開発体感ワーク、製品営業体感ワーク(2)技術系：「仕事体感ワーク」仕事の理解を深めるコース別イベント(3)営業管理系：「事業理解ワーク」事業紹介や企業理念を体感【時期】(1)6〜10月(1日)(2)8〜11月(1日)(3)9〜11月(1日)
東海カーボン㈱	519	【概要】1Day仕事体験【時期】8〜9月(1日)

会社名 （掲載ページ）		コース概要
ニチアス㈱	520	【概要】(1)理文共通：製品選定体験 社員との懇談 グループワーク(2)研究所見学 技術紹介 社員との懇談(3)工場見学 生産技術仕事紹介 社員との懇談【時期】(1)7～1月(1日)(2)8月 9月(2日間)(3)9月 11月(3日間)
黒崎播磨㈱	520	【概要】(1)(理系)「耐火物」を学ぶ工場見学会(2)(文系)「耐火物」を学ぶ工場・職場見学会(3)(理系)企業研究&業界研究セミナー(4)(文系)企業研究&業界研究セミナー【時期】(1)7月 8月 10月 1月(2日間)(2)8月 12月(2日間)(3)(4)6～1月(週1回、30分程度)
吉野石膏㈱	521	【概要】(1)ショールーム見学 工場見学(理系)(2)ショールーム見学 グループワーク(文系)【時期】(1)(2)8～2月(1日)
ノリタケ㈱	521	【概要】(1)(理系対象)研削加工の体験実習(2)(全学部、一部理系)工場見学・社員座談会(3)BtoBメーカーの営業を理解するワーク(4)キャリアデザインワーク【時期】(1)8～9月(5日間)(2)～(4)8～9月 12～2月(1日)
日本コークス工業㈱	522	【概要】(1)(文理不問)業界研究、企画営業体験ワーク、社員座談会(2)(理系)化工機事業：業界研究、工場見学、社員座談会(3)(理系)コークス事業：業界研究、工場見学、社員座談会【時期】(1)～(3)7～2月(1日)

●金属製品●

会社名		コース概要
㈱ＬＩＸＩＬ	522	【概要】(1)ハウジング部門の商品開発・生産技術職体験 先輩社員座談会(2)水まわり部門(トイレ 水栓 タイル 浴室)の商品開発・生産技術体験 先輩社員座談会 工場見学(3)会社紹介 ショールーム見学 ワーク 社員座談会等(4)会社紹介 工場見学 ワーク 社員座談会等【時期】(1)8月下旬～9月上旬(5日間)(2)9月上旬(5日間)(3)8月下旬(1日)複数回実施(4)10月～2月(1日)複数回実施
東洋製罐グループホールディングス㈱	523	【概要】(1)研究・開発職体験インターンシップ(2)全学部共通ビジネスモデルワークショップ(オープンカンパニー)(3)選抜型未来創出ワークショップ(オープンカンパニー)【時期】(1)8月(5日間)(2)5～3月(1日)(3)9～2月(1日)
ＹＫＫ㈱	523	【概要】(1)事務系／技術系 2daysインターンシップ(2)技術系 夏季職場体験型インターンシップ(3)技術系 冬季職場体験型インターンシップ(4)管理系 職場体験型インターンシップ【時期】(1)事務系1月 2月(2日間)技術系8月 9月(2日間)(2)8月(4～10日間)(3)2月(4～10日間)(4)2月(5日間)
ＹＫＫ ＡＰ㈱	524	【概要】(1)就業体験型：技術部門(生産、開発等)での就業体験 他(2)就業体験型：営業・管理部門(IT、経理等)での就業体験 他(3)就業体験型：技術部門(生産・開発等)での就業体験 他(4)就業体験型：営業・管理部門(施工等)での就業体験 他【時期】(1)(2)8～9月(5日間)(3)(4)1～2月(5日間)
㈱ＳＵＭＣＯ	524	【概要】(1)技術系：会社説明、工場見学、業務説明(材料・化学系)社員との懇親会 他(2)技術系：会社説明、工場見学、業務説明・開発実習(材料・化学・設備系)社員との懇親会 他(3)技術系：会社説明、業務説明(材料・化学・設備系・システム系)他(4)事務系：会社説明、グループワーク 発表、若手社員懇親会 他【時期】(1)8～11月(半日)(2)8～9月(5日間)(3)8～12月(各月2回程度)(4)12～1月(各月2回程度)
三協立山㈱	525	【概要】(1)会社紹介、グループワークによるアルミの新商品企画(2)マテリアル事業の実際の職場で業務を体験(3)設計・施工管理、マテリアル、営業、商品開発、情報システムの各希望コースごとの業務説明、社員座談会【時期】(1)7月(1回)8月(3回)(2)9月(1週間)(3)2月予定
三和シヤッター工業㈱	525	【概要】(1)シャッター業界の説明と会社説明および仕事体験(2)シャッター業界の説明と会社説明および文系と理系に分かれた実務体験【時期】(1)9月上旬(1日間)(2)9月上旬(5日間)
文化シヤッター㈱	526	【概要】(1)(3)(4)営業同行、会社・製品紹介、製品試験場見学(2)(理系)工場・試験場見学、製品説明、取付、試作試験立ち合い、CADによる作図、強度計算【時期】(1)(3)(4)8月(1週間)(2)8月(2週間)
アルインコ㈱	526	【概要】(1)(2)就活準備から企業戦略分析まで幅広く学べる1day仕事体験(3)メーカーでの設計開発職を体験できる1day仕事体験(製品開発業務体験、会社及び弊社開発部門紹介)(4)メーカーでの電子回路設計職を体験できる1day仕事体験(電子回路設計業務体験、会社及び弊社設計部門紹介)【時期】(1)8～1月(1日×12回)(2)9月(1日×1回)(3)8月 9月(1日×各月2回)(4)8月 9月(1日×各月1回)

●鉄鋼●

会社名		コース概要
日本製鉄㈱	527	【概要】(1)(2)技術系：1人1テーマ・職場配属型(工場設備の見学・立ち合い実験、データ解析・提案プレゼン 他)(3)事務系：会社紹介、業界研究他(4)事務系：職場配属型【時期】(1)7～9月(2週間×3回)(2)12～1月(3)8～9月(2日間×複数回)(4)8月以降
ＪＦＥスチール㈱	527	【概要】(1)製造技術開発部門・設備技術開発部門・研究開発部門での就業体験、改善テーマ学習(2)営業職の業務体験グループワーク、社員交流会【時期】(1)8月下旬～9月(5日間・12日間)1月下旬(5日間)(2)8月下旬～9月上旬(1日)1～2月(1日)
㈱神戸製鋼所	528	【概要】(1)(理系)研究・設計・生産技術など各部門での就業体験(2)(文理不問)自己分析ワーク(3)(理系)研究開発職、機械設計職M生産技術職の働き方体感ワーク(4)(文系)業界理解ワーク【時期】(1)8月下旬～9月中旬(2週間)2月(1週間)(2)(4)7～2月(2回／月)・3時間／回(3)10～2月(1日)
合同製鐵㈱	528	【概要】技術系：工場見学、若手社員との座談会、グループワーク(課題発見・発表)【時期】7～9月 11～1月(1日)
㈱プロテリアル	529	【概要】1day仕事体験(グループワーク 先輩社員との交流会(技術系))【時期】10～1月(1日)

業種別・インターン 1,222 社

会社名 (*掲載ページ*)		コース概要
大同特殊鋼(株)	*529*	【概要】(1)文系：素材業界の魅力を体感する就業体験(2)理系：特殊鋼の研究開発・設備設計・改善の就業実務体験【時期】(1)8月下旬 9月上旬(3日間)(2)8月19日～8月30日(10日間)
山陽特殊製鋼(株)	*530*	【概要】(1)インターンシップ概要説明会、業界・企業紹介(2)文理：工場見学、カーボンニュートラルカードゲーム、製造工程改善ワーク、業界・会社紹介、先輩社員座談会(3)文系：営業体験、カーボンニュートラルカードゲーム、業界・会社紹介、先輩社員座談会【時期】(1)8～9月 1～2月(1日×10回程度)(2)(3)8～9月 1～2月(1日×12回程度)
愛知製鋼(株)	*530*	【概要】(1)文系：文系職種体験(工場見学・職種体験ワーク)(2)理系：研究開発、生産技術、設備技術、IT等の職種体験(職種体験ワーク・工場見学・職場見学)(3)理系：研究開発、生産技術、設備技術等部署での実習形式(4)文理：オープンカンパニー(業界研究、会社説明)【時期】(1)8月(1日×複数回)(2)8～9月(1日×複数回)(3)8～9月(2週間)(4)6～7月、10～11月
三菱製鋼(株)	*531*	【概要】(1)製造現場および研究開発部門での職場体験(2)業界および仕事紹介【時期】(1)(2)8月以降随時(1日～1カ月)
(株)淀川製鋼所	*531*	【概要】(1)会社紹介、職業体験、先輩社員座談会(2)会社紹介、工場見学、職業体験、先輩社員座談会【時期】(1)8月 9月(半日×10回)(2)8月 9月(1日×3回)
(株)栗本鐵工所	*532*	【概要】(1)技術系：若手技術社員主催(全8コース)(2)文系：短期間【時期】(1)8～9月(3～5日間)12～1月(1日)(2)12～1月(1日)

●非鉄●

会社名		コース概要
住友電気工業(株)	*532*	【概要】(1)職場体験型(2)事務系3daysワークショップ：投資計画立案ワーク 営業体感ワーク 工場見学 社員との交流 他(3)部門・職種別の働き方を体験(4)技術系2days：新規事業提案GWを通じ、住友電工の事業スタンスを体感【時期】(1)8～9月(1～4週間)(2)8～9月(3日間)(3)7～2月(1日)(4)8～9月(2日間)
古河電気工業(株)	*533*	【概要】(1)<理系>オンライン 1dayワークショップ・事業所見学ツアー＆仕事体験ワーク <文系>事業企画または海外営業体験1dayワークショップ(グループワーク含む)(2)<理系>研究開発や設備開発部門等での就業体験【時期】(1)7～10月(1日)(2)随時
(株)フジクラ	*533*	【概要】(1)仕事体験(夏・冬)(2)(理系)実務体験型(3)仕事体験・工場見学【時期】(1)7～1月(1日、随時)(2)8月下旬～9月上旬(1～2週間程度)(3)12月下旬～1月上旬(2日間)
ＳＷＣＣ(株)	*534*	【概要】(1)～(3)開発や製造などの技術系職場実習【時期】(1)8月(2日間)9月(2日間)(2)9月(2日間×2開催)(3)8月(2日間×2開催)9月(2日間×2開催)
三菱マテリアル(株)	*534*	【概要】(1)会社紹介、社員座談会、ワークショップ等の要素を含めたセミナー(2)就業体験可能な5days前後のインターンシップ【時期】(1)5月以降随時(数時間～1日)(2)7月以降随時(5日間前後)
ＪＸ金属(株)	*535*	【概要】(1)技術系向け課題解決ワークショップ(2)技術系向け(3)職種理解ワークショップ【時期】(1)8～9月(1日×6回)(2)8月下旬～9月中旬(5日間×9コース)(3)1～2月(1日×17回)
住友金属鉱山(株)	*535*	【概要】(1)技術系：業務体験、工場・鉱山見学、社員懇親会(予定)(2)事務系：オリジナル業務体験ゲーム、工場見学、社員座談会(予定)【時期】(1)8～2月(1～5日間)(2)8～12月(1～2日間)
ＤＯＷＡホールディングス(株)	*536*	【概要】(1)技術系：操業・研究開発部門での就業体験、拠点見学、現地社員との座談会(2)技術系：生産技術部門での就業体験、拠点見学、現地社員との座談会(3)事務系：会社紹介、社員業務紹介、社員との座談会、事業理解ワーク【時期】(1)～(3)8～9月 12～1月(半日～1日)
三井金属	*536*	【概要】(1)機械・電気・土建系(お仕事体験)：プラントエンジニア職の働き方(2)資源系(お仕事体験)：国内外鉱山での働き方(3)文系(お仕事体験)：経理 人事総務 営業職の働き方(4)材料系学生(お仕事体験)：研究職 開発職の働き方【時期】(1)8～11月(1日)(2)8～10月(1日)(3)1月(1日)(4)8～9月(1日)
田中貴金属グループ	*537*	【概要】(1)就業体験型インターンシップ：会社紹介 就業体験 発表 懇談会(2)1Dayオンラインワーク：業界比較・企業理解・キャリアイメージ ジュエリー販売等 グループワークを中心に会社理解を深める【時期】(1)7月下旬～9月上旬(5日間)(2)5月下旬～2月(1日)
日鉄鉱業(株)	*537*	【概要】(1)鉱山見学(2)鉱山操業ワークショップ(対面・オンラインどちらか)(3)ビジネスモデルワーク【時期】(1)8～9月(10日間)(2)1～2月(半日)(3)8～9月(半日)
(株)フルヤ金属	*538*	【概要】(1)技術職：貴金属加工体験(2)技術職：薄膜材料製造体験(3)技術職：熱電対の設計・提案、製造・測温試験体験(4)営業職：営業のマーケティング体験【時期】(1)～(4)8月 12月または1月(1日×複数回)
(株)ＵＡＣＪ	*539*	【概要】(1)(理系)研究部門での就業体験(2)本社における各職種の就業体験(3)(理系)工場における就業体験【時期】(1)8～9月(10日間)(2)11～2月(1日間)(3)10～3月(1日間)
日本軽金属(株)	*539*	【概要】(1)(2)理系：工場実習コース(3)理系：オンライン商品設計体験コース(機械系限定)(4)理系：オンライン商品企画体験コース(専攻不問)【時期】(1)8～9月(2週間)(2)8～9月(1～5日間)(3)8月(2日間)1～2月(2日間)(4)9月(2日間)1～2月(2日間)

●その他メーカー●

会社名		コース概要
(株)アシックス	*540*	【概要】(1)各部門紹介、グループワークによる新事業立案(2)研究職の職場体験、グループワーク、個人ワーク(3)開発職の職場体験、グループワーク【時期】(1)～(3)9～12月(3日間～2カ月間)
デサントジャパン(株)	*540*	【概要】事業内容説明 グループワーク 社員懇談会【時期】9～10月(2日間)
ヨネックス(株)	*541*	【概要】会社理解を深めるグループワーク 先輩社員との座談会【時期】未定

会社名 （掲載ページ）	コース概要
㈱タカラトミー 541	【概要】<タカラトミー>「アソビ」を学ぶ1day仕事セミナー：おもちゃのマーケティング戦略コース おもちゃの企画開発コース おもちゃの設計技術・生産コース【時期】9月上旬
㈱バンダイ 542	【概要】(1)マーケティング戦略論：『ONE PIECEカードゲーム』や『新型プラモデル』を生み出したマーケティング術について講義とワークを通じて学ぶ(2)プロダクト創造論：『ガシャポン』『フィギュア』『たまごっち』などのバンダイ流ものづくりについて講義とワークを通じて学ぶ(3)マーケット開拓論：『チョコビ』『ウルトラマン』『プラモデル』の新市場開拓戦略について講義とワークを通じて学ぶ【時期】(1)8月上旬(1日)(2)8月下旬(1日)(3)12月上旬(1日)
ピジョン㈱ 542	【概要】(1)会社紹介、開発部門説明会、先輩社員座談会、グループワーク(2)会社紹介、営業部門説明会、先輩社員座談会、グループワーク(3)会社紹介、先輩社員座談会、新規製品・サービスの立案と発表【時期】(1)9月6日(2)9月9日(3)11月下旬(事前説明1日)12月(発表1日)
ヤマハ㈱ 543	【概要】(1)業務体験型(2)デザイナー(3)ピアノ調律技術【時期】(1)2月(1～2週間)(2)2月(1週間)(3)3月(1～2週間)
ローランド㈱ 543	【概要】3dayインターンシップ 製品企画、ローランドミュージアム紹介、質問会 他【時期】8月中旬～9月中旬(3日間程度×複数回)
㈱河合楽器製作所 544	【概要】(1)(2)職種別仕事体験【時期】(1)(2)1月(1日)
パラマウントベッド㈱ 544	【概要】(1)全学生向け：業界研究、会社理解 他(2)事務系総合職向け：仕事体験&社員交流(マーケティング・セールス)他(3)技術系総合職向け：仕事体験&社員交流(開発・生産技術)他【時期】(1)6～2月(1～2日間 他)(2)(3)8～10月 1～2月(1～2日間 他)
フランスベッド㈱ 545	【概要】仕事体験：社内研修体験や実際の商品に触れながらの接客演習 他【時期】7～1月(1日、各月各地域1～3回程度)
大建工業㈱ 545	【概要】(1)提案営業体験コース：製品のセールスポイントの考え方について学び、ロールプレイで提案営業を体験(2)研究開発体験コース：R&Dセンターでの実習とディスカッションを通じて、研究開発職の仕事理解を深める(3)製品開発オンラインコース：オンライン工場見学と仕事紹介を通じて、製品開発職の仕事理解を深める(4)テクニカル体験コース：製品を見学しながら開発経緯や役割用途を学び、製品開発職の仕事について理解を深める【時期】(1)8月(2日間×3回)12～1月(2日間×3回)(2)9月 12月(3日間)(3)8～9月(1日×2回)12～1月(1日×2回)(4)8～9月(1日×2回)11～12月(1日×2回)
㈱ウッドワン 546	【概要】(1)営業部門・技術部門での就業体験 グループワーク、座談会の実施(2)会社情報を30分で伝える企業研究セミナー【時期】(1)8月下旬～1月中旬(1日)(2)7～12月
㈱パロマ 546	【概要】(1)(理系)技術職・モノづくり体験コース：ガス機器の設計・試験・製造などの一連の流れを体験(2)営業職・営業体験コース：業界分析の方法・GW・製品を触る体験【時期】(1)8～9月(3日間・2週間)11～12月(1日)(2)8～9月(2日間)11～12月(1日)
TOTO㈱ 547	【概要】(1)<1>業務紹介 職場見学 事業・部門体験ワーク他<2>モノづくり追体験ワーク他(2)企画職向け部門体験ワーク 他(3)業務紹介 職場見学 事業・部門体験ワーク 他【時期】(1)<1>9月(2～3日間×3コース)<2>10月(1日)(2)9月(1日)(3)12～1月(2日～3日間×6コース)
リンナイ㈱ 547	【概要】(1)技術系：会社・部門紹介、職場見学、各部門実務体験(開発・生産技術)、社員座談会(2)技術系：会社・部門紹介、職場見学、部門別仕事体験ワーク(開発・生産技術・製造・情報)社員座談会(3)事務系：会社・部門紹介、職場見学、部門別仕事体験ワーク(国内営業・海外事業・管理)社員座談会(4)事務系：業界・会社・職種紹介、学生交流会【時期】(1)8月(3日間)(2)8～12月(1日間)(3)9～12月(1日間)(4)6～12月(半日)
㈱ノーリツ 548	【概要】(1)開発拠点見学(2)キャリアデザインワークショップ(3)営業体験ワーク(グループワーク)【時期】(1)8月 10月 11月 1月(1日)(2)9月 12月(1日)(3)11月 1月(1日)
タカラスタンダード㈱ 548	【概要】(1)営業・ショールームアドバイザーの仕事体験GW(2)(理系)生産技術・生産現場でのプロジェクト参加体験(3)製品開発・キッチンの企画業務体験(4)社内SE・新しい働き方の推進に向けたシステム提案体験【時期】(1)6～9月 12～2月(1日)(2)8～9月(5日間)(3)8～9月(1日)(4)9～11月(1日)
クリナップ㈱ 549	【概要】(1)住宅設備業界研究、BtoBメーカー体感GW、営業提案ワーク、座談会(2)住宅設備業界研究、ショールーム見学、企画提案体感GW、座談会(3)住宅設備業界研究、接客提案体感GW、ロールプレイング、座談会(4)住宅設備業界研究、開発企画アイデア立案GW、社内見学、座談会【時期】(1)11月 12月(1日)(2)8～9月 12～2月(1日)(3)12月(1日)(4)11月(1日)
コクヨ㈱ 549	【概要】(1)事務系：ワークスタイルコンサル営業を体感する5daysインターンシップ コクヨの各事業の新しい価値の生み出し方／届け方を体感するインターンシップ(2)技術系：コクヨの技術系職種を体験し、ものづくりの真髄に触れる5+2days メーカーの利益の源泉を司る生産技術職を知るワークショップ1day(3)建築系(施工管理・製作設計)：国内TOPクラスの内装設計を行う一級建築士事務所！！施工管理・製作設計の仕事を体験する！(4)デジタル系：「EC×GPT」をテーマに、最先端の技術を活用したECサイトにおける新機能開発の体験【時期】(1)8月(1day)9月(5days)(2)8～9月(5+2days)9月(1day)(3)8月(5days)(4)9月(5days)
㈱パイロットコーポレーション 550	【概要】(1)技術系1day仕事体験(2)1day仕事体験(主に文系)(3)業界研究セミナー(主に文系)(4)(技術系)業界研究セミナー【時期】(1)(2)未定(3)(4)8月(2日間)
㈱オカムラ 551	【概要】(1)デザイン職：オフィス空間デザイン、店舗デザイン、プロダクトデザイン(2)技術職：生産設計・生産技術・生産管理、物流システム(3)技術職：情報システム(4)技術職(施工管理)、営業職【時期】(1)6～7月(1day)8～9月 1～2月(5days)(2)7～8月(1day)1～2月(5days)(3)9月 1～2月(5days)(4)7月～(1day複数回予定)

会社名 （掲載ページ）		コース概要
㈱イトーキ	551	【概要】(1)営業(2)空間デザイン(3)機械設計・生産技術【時期】(1)9～10月(5日間×6回)(2)8～9月(5日間×4回)(3)7～8月(1日×6回)8～9月(5日間×2回)
●建設●		
鹿島	554	【概要】(1)事務系：現場事務体感ワーク、Web現場見学会、社員座談会 他(2)事務系：職場受入型の就業体験(3)技術系(土木系、建築技術系、建築設備(施工)系、建築設備(設計)系、エンジニアリング系、機械・電気系、環境系、数理系、開発系)：現場見学会 他【時期】(1)4～12月(2日間)(2)8～9月(5日間)(3)6～2月(種別ごとに異なる)
㈱大林組	554	【概要】(1)文系コース：就業体験、現場見学(Web、実地)座談会 他(2)理系コース(土木職、建築職、設備職、機電職、エンジニアリング系、情報系)：就業体験、現場見学(Web、実地)座談会 他【時期】(1)7～2月(2)6～2月
清水建設㈱	555	【概要】就業体験(建築 土木 設計 事務等18職種)【時期】7月末～2月
大成建設㈱	555	【概要】(1)建築系職種(建築創造エンジニア、環境設備エンジニア、エンジニアリング)：建築作業所での就業体験(2)土木系職種(土木、機械・電気)：土木作業所での就業体験(3)事務系職種・作業所見学会：業界研究、建築・土木作業所の見学(4)都市開発系：業界研究、社員懇談会、職場見学、就業体験、GW【時期】(1)8～9月(2日間)(2)8～9月(5日間)(3)8～9月(1日)(4)8～9月(3日間)
㈱竹中工務店	556	【概要】(1)就業体験：建築設計、構造設計、建築技術、設備 他(2)グループワークを通して建設業・作業所の仕事を理解する(技術系・事務系とも)【時期】(1)8～9月(5～10日間)(2)8～2月(1日)
㈱長谷工コーポレーション	556	【概要】(1)技術系・施工管理コース：施工管理業務の紹介、現場巡回業務体験、現業社員・職人との座談会 他(2)技術系・設計コース：現業体験、課題取組、フィードバック、現業社員座談会 他(3)事務系：業界全体の紹介、事業の流れ紹介、グループワーク、現業社員座談会 他【時期】(1)～(3)7～2月
前田建設工業㈱	557	【概要】(1)施工管理の仕事理解ができるワーク(半日)(2)現場での施工管理職業体験【時期】(1)7月下旬～11月(2)8月上旬～12月
㈱フジタ	557	【概要】(1)建設現場・各事業所での就業体験(建築施工系、建築積算系、建築設備系、建築設計系、土木系、機械電気系、研究開発系、経営管理・営業系)(2)建設業界について理解を深める(3)まちづくり事業について理解を深める(4)建築工事現場Web見学会【時期】(1)8～9月(5日間程度)(2)6～2月(1日)(3)(4)9～2月(1日)
戸田建設㈱	558	【概要】(1)(建土系学生)現場での施工管理業務体験(2)現場見学会(3)会社説明 職種説明 座談会(4)グループワークによるプロジェクト体験 会社説明 座談会【時期】(1)8～9月(5～10日)(2)8～2月(1日)(3)7～2月(1日)(4)7～9月(1日)
三井住友建設㈱	558	【概要】(1)(3)土木系施工管理体験コース(2)(4)建築系施工管理体験コース【時期】(1)(2)8月中旬～9月中旬(5日間×複数回)(3)2月上旬～中旬(1日×複数回)(4)12月下旬～2月(1日×複数回)
㈱熊谷組	559	【概要】(1)土木・建築施工管理業務(2)建築設計業務(3)機械電気業務(土木)(4)設備電気業務(建築)【時期】(1)～(4)7～11月(1～14日間)
西松建設㈱	559	【概要】(1)Web実施型会社紹介セミナー(2)1dayインターンシップ(3)対面実施型(短期)会社紹介セミナー(4)5Daysインターンシップ【時期】(1)5～2月(2)8～3月(1日)(3)8～2月(4)8～9月(5日間)
安藤ハザマ	560	【概要】(1)土木・建築の各現場における施工管理体験(2)全職種(土木・建築・設備・機電・事務)：会社紹介・先輩社員座談会(3)機電職：現場・技研等の業務体験(4)設備職：設計・積算・施工等の業務体験【時期】(1)8～9月(1～2週間)(2)7～9月 12～1月(1日)(3)8月下旬(2週間)(4)8～9月(2週間)
㈱奥村組	560	【概要】(1)建設工事現場における施工管理業務体験(2)総合建設会社における設計業務体験【時期】(1)7～9月(1～10日間)10～3月(1日)(2)8月下旬～9月(1～10日間)
東急建設㈱	561	【概要】(1)現場見学会(土木・建築・機電)技術研究所見学会(2)仕事理解GW・現場見学(広域エリア)(3)仕事理解GW・座談会(土木設計 設備 建築エンジニアリング ICT 機電)土木ICT、環境技術、建築BIMデジタル、新規事業開発(4)施工管理仕事体感セミナー(五大管理の体験ワーク、自己分析サポートワーク、仕事に合った人物像を見極め仕事とのマッチングを判断するワーク)【時期】(1)24年4月～25年4月(1日×複数回／月)(2)9～4月(1日×1回／月)(3)7～3月(1日×複数回／月)(4)8～4月(1日×複数回／月)
㈱鴻池組	561	【概要】(1)技術系：施工管理、設計、技術開発、環境分野、機材・各業務体験(2)事務系：店内管理系業務体験【時期】(1)(2)1～5日程度
鉄建建設㈱	562	【概要】(1)土木系施工管理コース：土木工事現場における施工管理業務体験(2)建築系施工管理コース：建築工事現場における施工管理業務体験【時期】(1)(2)8～2月(1～10日間程度)
㈱福田組	562	【概要】(1)会社説明、業務内容の説明、測量実務体験、現場見学会、先輩社員との座談会、建設現場での就業体験、振り返り(2)会社説明、業務内容の説明、測量実務体験、現場見学会、先輩社員との座談会(3)現場見学会(4)会社説明、業務内容の説明、先輩社員との座談会【時期】(1)8～9月(3～5日間)(2)8～9月(1日)(3)2月(1日)(4)10～2月(1日)
佐藤工業㈱	563	【概要】(1)(2)土木・建築の施工管理業務等就業体験(3)業界研究セミナー：業界及び当社の建設に関する考え方を説明(4)仕事を知るセミナー：職種(施工管理・建築設計・設備・事務職)ごとに具体的な仕事内容を体験するケースワーク【時期】(1)8～9月(5日間)(2)7～2月(1日)(3)6～12月(半日)(4)5～2月(半日)

会社名　（掲載ページ）	コース概要
ピーエス・コンストラクション㈱ 563	【概要】施工管理・設計業務体験（土木・建築）【時期】8～2月（1～5日間）
㈱錢高組 564	【概要】(1)建設工事現場（土木・建築）における施工管理業務体験(2)グループワークによる屋内型施工管理業務体験(3)若手社員座談会【時期】(1)6～2月（1日）8～9月（5日間）(2)(3)6～2月（1日）
矢作建設工業㈱ 564	【概要】(1)建設工事現場での施工管理業務体験(2)設計・事務営業など職種別のグループワーク【時期】(1)8～9月　11～2月（1日）(2)8～9月（1日）
松井建設㈱ 565	【概要】(1)1日仕事体験：当社施工中の現場で施工している様子の実況中継、所長・所員との座談会(2)当社施工中の現場で行う就労体験（5日間）(3)オープンカンパニー（業界研究、企業研究）【時期】(1)6～2月中旬（1日）(2)8～9月（5日間）(3)4月下旬～2月
五洋建設㈱ 565	【概要】(1)(2)（理系）職種別就業体験：現場での施工管理体験　内勤部署での業務体験　他(3)現場見学会　社員座談会（1day現場見学会）(4)（建築系学生）現場施工管理体験（短期仕事体験）【時期】(1)8～9月（5日間×2回　一部10日間×1回）(2)8～9月（2日間×2回）(3)9～2月（1日）(4)10～2月（各回1～2日間）
東亜建設工業㈱ 566	【概要】(1)施工管理を体験するグループワーク、現場見学(2)（理系）現場施工管理体験または技術研究開発補助【時期】(1)5～2月（1日）(2)8～9月（5日間前後）
東洋建設㈱ 566	【概要】(1)全職種：クルーズ船に乗船し船上から工事現場・構造物の見学+職員との座談会(2)建築：施工中の工事現場の見学+職員との座談会(3)土木・建築：建設工事現場における施工管理業務の就業体験(4)土木・建築：設計・研究業務の就業体験【時期】(1)(2)5～3月（1日）(3)8～9月（3～5日間）(4)随時
㈱横河ブリッジホールディングス 567	【概要】(1)技術系（橋梁事業）：就業体験（橋梁の設計・製作・架設計画他）他(2)技術系（建築事業）：就業体験（システム建築の構造設計・生産設計・生産管理）他(3)技術系：仕事研究（設計・製作・架設計画・施工管理・システム開発）他(4)事務系：グループワークによる営業・総務部署就業体験他【時期】(1)(2)8～9月（5日間）(3)9～12月（1日）(4)8～9月（1～2日間）
飛島建設㈱ 567	【概要】(1)現場体験型：建設現場における施工管理業務体験(2)セミナー型：施工管理に関するグループワーク(3)(4)仕事体験：建設現場見学や若手職員とのディスカッション【時期】(1)8～9月（5～10日間）(2)8月下旬～9月初旬（5日間）(3)8～9月（1日）(4)6～12月（1日）
ライト工業㈱ 568	【概要】現場見学、施工管理業務体験、社員との座談会（土木・建築）【時期】8～2月（1～10日間）
㈱ＮＩＰＰＯ 568	【概要】(1)現場実務体験　舗装材料試験　舗装材料製造体験　品質管理　他(2)就業体験（施工工法の紹介　最新の舗装技術体験）現場見学会(3)Web1day仕事体験【時期】(1)8月下旬（5～10日間）(2)(3)6～2月（1日間）
前田道路㈱ 569	【概要】(1)（理系）研修センターで舗装の基礎知識や施工管理・品質管理について実習　現場見学(2)仕事体験として企画営業を実施(3)仕事体験としてCM企画を実施【時期】(1)8月下旬　9月中旬（5日間）(2)7月～2月（1日）(3)8～12月（1日）
日本道路㈱ 569	【概要】(1)現場仕事体験：舗装についての講義　近隣の施工現場での測量・写真管理・現場試験等の仕事体験　若手社員との座談会(2)土浦テクノBASEでの仕事体験(3)Web仕事体験：施工現場映像の配信　現場で使用する計算方法の実習　若手社員との座談会(4)3DAYS仕事体験！道路会社への理解が深まるプログラム【時期】(1)8月～（1日）(2)7月～（1日）(3)6月～（1日）(4)10月～（3日）
東亜道路工業㈱ 570	【概要】施工現場にて座学・測量・写真撮影・品質管理などの仕事体験、会社説明、社員懇談会【時期】8～9月（1～3日間）
大成ロテック㈱ 570	【概要】(1)施工現場および技術研究所での就業体験（測量・写真管理　他）(2)道路業界・会社紹介　職種の詳細説明　実務に基づいた体験型ワーク　他(3)施工現場及び当社拠点での就業体験（現場パトロール　他）(4)技術研究所での就業体験【時期】(1)8～9月（5日間、月1～3回程度）8～2月（1日間、月1～2回程度）(2)6～2月（1日、月2回程度）(3)8月（15日間）(4)7月下旬～9月上旬（10～20日間）
大林道路㈱ 571	【概要】(1)～(3)道路・土木工事における施工管理就業体験【時期】(1)随時（1日）(2)随時（5～10日間）(3)随時（半日）
世紀東急工業㈱ 571	【概要】(1)(2)現場・試験所・混合所にて就業体験　測量・丁張・　配合設計　他(3)<対面>現場にて測量<オンライン>数量計算・安全管理(4)<事務営業職>就業体験　請求書・精算処理　営業情報収集のやり方【時期】(1)8月（10日間または5日間）(2)8～9月（5日間または3日間）(3)(4)8～2月（1日）
日揮ホールディングス㈱ 572	【概要】(1)GW、会社・業界研究、実務研修、座談会(2)GW、会社・業界研究、座談会(3)会社・業界研究、座談会(4)ビジネス体感ボードゲーム：グループワーク、会社・業界研究【時期】(1)8～9月（1週間×3期）1月（1週間×1期）(2)8～9月（2日間×複数回）(3)8～3月（1日×複数回）(4)9～3月（1日×複数回）
ＪＦＥエンジニアリング㈱ 572	【概要】(1)（理系）就業体験：本社・現場での就業体験（職種・商品別）(2)（理系）EPC体感ワーク：業界・仕事理解のグループワーク、社員座談会(3)（文系）EPC体感ワーク：業界・仕事理解のグループワーク、社員座談会(4)（文理合同）1day：業界・仕事理解のグループワーク【時期】(1)8月　9月（1週間）(2)8月　9月（3日間）(3)9月（3日間）2月（2日間）(4)7～11月（半日）
千代田化工建設㈱ 573	【概要】(1)(2)会社説明、事業紹介、各部署（各種設計、工事建設、品質管理、コスト・スケジュール管理、IT／DX、医薬プロジェクト等）に配属して就業体験【時期】(1)8月中旬　9月上旬（5日間）(2)9月中旬（2日間）
日鉄エンジニアリング㈱ 573	【概要】(1)技術系対象（機械、電気、化学、建築、土木）：業務の理解を深めるワーク(2)事務系対象：業務の理解を深めるワーク【時期】(1)(2)8～9月
東洋エンジニアリング㈱ 574	【概要】短期：EPCシミュレーションゲーム、社員との懇談会【時期】6～10月　12～1月（複数回）

会社名　(掲載ページ)		コース概要
レイズネクスト㈱	574	【概要】(1)業界・会社説明 プラント見学 エンジニアリング実習 他(2)業界・会社説明 プラント見学 GW(採用選考体験・自己分析)他(3)業界・会社説明 職場見学 GW(設計業務体験)他(4)(1)業界・会社説明 職場見学他(2)GW(採用選考体験・自己分析)他【時期】(1)8～9月(5日間)(2)9月(3日間)(3)8～9月(1日)12～2月(1日)(4)(1)10月(1日)(2)11～12月(1日)
太平電業㈱	575	【概要】1day全学部対象：プラント建設業界がわかる業界研究コース【時期】6～2月(1日×月1～2回程度)
㈱ＮＴＴファシリティーズ	575	【概要】(1)(建築職)業界・企業紹介(簡単な事前学習有り・学生と双方向コミュニケーション)(2)(総合職)業界・企業紹介(簡単な事前学習有り・学生と双方向コミュニケーション)(3)(建築職のみ)グループワークによる建物計画立案及び社員座談会(4)職種紹介 社員座談会 オフィスツアー【時期】(1)～(4)複数日程
新菱冷熱工業㈱	576	【概要】(1)技術系：スタートアップセミナー、業界研究セミナー、BIM操作体験、施工現場やイノベーションハブ等の見学、先輩社員座談会他(2)技術系：2daysIS(会社説明、DX紹介＜研究内容紹介、保護具着用体験、グループワーク 他)(3)技術系：5daysIS(BIM操作体験、施工現場やイノベーションハブ等の見学、先輩社員座談会 他)(4)事務系：スタートアップセミナー、営業体験ワーク、施工物件ツアー、グループワーク、先輩社員座談会 他【時期】(1)4月～(1日)(2)7月(2日間)(3)8月～(5日間)(4)5月～(1日)
三機工業㈱	576	【概要】(1)建築設備事業本部の5daysインターンシップ：(会社説明、設計研修、安全研修、施設見学、グループワーク、現場研修)(2)環境システム・機械システム事業部での就業体験(3)ファシリティシステム事業部での就業体験(4)現場での施工管理体験【時期】(1)8月中旬(5日間)9月上旬(5日間)(2)(3)8～12月(1日間)(4)7～2月(1日)
東芝プラントシステム㈱	577	【概要】(1)プラントエンジニアリング業界研究5日間コース(2)プラントエンジニアリング業界研究1日間コース【時期】(1)8月22～28日 9月5日～9月11日(5日間)(2)8月7日 8月20日 9月3日 9月19日(1日間)
三建設備工業㈱	577	【概要】(1)環境建築を学ぶ仕事体験(2)設備設計を一から学ぶ特別プログラム【時期】(1)8月下旬～9月上旬(1～5日間)(2)9月中旬(1～5日間)
㈱朝日工業社	578	【概要】(1)空調・衛生設備の設計・施工管理について学ぶインターンシップ(2)空調・衛生設備の設計について学ぶ仕事体験【時期】(1)8月下旬(5日間または10日間)(2)8～2月(1日)
高砂熱学工業㈱	578	【概要】(1)2Days仕事体験： 高砂熱学イノベーションセンター見学 BIM操作体験 グループワーク(2)5Daysインターン： 高砂熱学イノベーションセンター見学 T-Base®見学、現場見学 BIM操作体験 グループワーク、社員交流会(3)1Day仕事体験： CAD体験、VR体験 高砂熱学イノベーションセンター見学 T-Base®見学【時期】(1)7～9月(2日間×7回)(2)8～9月(5日間×4回)(3)9～2月(半日間)
㈱大気社	579	【概要】(1)(理系)グループワークによる施工管理疑似体験コース(Web型)(2)(3)(理系)グループワークによる施工管理疑似体験コース(集合型)【時期】(1)8～2月(半日)(2)8～2月(1日)(3)8～9月(3日間)
ダイダン㈱	579	【概要】施工管理職体験コース：施工管理職について理解するワーク【時期】6月～(1日)
新日本空調㈱	580	【概要】(1)(理系)設備全般(空調・衛生・電気・消防 他)に関する座学及び施工現場見学、設計業務の実務体験を実施(2)(3)設備全般(空調・衛生・電気・消防 他)について現場を体験、動画・写真を用いたワークや設計業務体験、技術系職員によるフィードバック【時期】(1)8月19～30日(5～10日間)(2)8～9月(半日～1日)(3)11～1月(半日～1日)
東洋熱工業㈱	580	【概要】技術系コース：簡易負荷計算、空調システム設計・機器選定・プレゼンテーション・施工管理概要【時期】夏 秋 冬(1日)
エクシオグループ㈱	581	【概要】(1)(2)通信キャリア・都市インフラの施工現場の見学・作業体験 他(3)ITコンサル・営業・ビジネスマネジメント向け(4)選考直結セミナー【時期】(1)8月下旬(5日間×2コース)(2)8月下旬(3日間×2コース)(3)8月 12月 2月(1～2日間)(4)7月～
㈱ミライト・ワン	581	【概要】(1)通信建設業界研究、会社紹介(2)通信建設業界研究、エンジニア体験(光ファイバー通信網の設計他)、新規ビジネス企画立案ワークショップ(3)営業職体験 他(4)＜総合＞通信インフラ、モバイル等のエンジニア体験(光ファイバ融着の模擬体験他)＜土木＞土木エンジニア体験(現場見学、土木設計の模擬体験他)＜電気＞電気エンジニア体験(現場見学等)【時期】(1)7月下旬～(1日)(2)11月下旬～(1日)(3)11月上旬～(1日)(4)8～9月 他(5日間)
日本コムシス㈱	582	【概要】(1)NTT基幹通信設備のための大規模電力設備構築 ETCや情報掲示板などの電気通信設備構築(2)通信基盤(通信トンネル)の構築 耐震性を備えた水道管への移行プロジェクト(3)建築：建物内の間仕切工事や仕上げ 模様替工事、仮設足場設置工事他 機械設備：大型空調機の設置工事及び調整工事及び各種試験、ダクト等設置工事、消火設備工事他(4)光ファイバ、無線基地局をはじめとした街の通信設備工事に参加 ETCや情報掲示板といった電気通信設備工事に参加 通信基盤(通信ケーブル専用トンネル)、上下水道をはじめとする社会インフラ構築に参加 ITインフラと呼ばれるサーバ、クラウド、ネットワークの構築を体験【時期】(1)～(4)8～9月(5日間)
日本電設工業㈱	582	【概要】(1)(電気系・機械系)現場見学 設計・積算実習 仕事体感ワーク等を通じて施工管理や業界の理解を深める(2)鉄道電気設備について学ぶ研修施設見学会 社員座談会(3)施工管理について学ぶ仕事体感GW(4)施工物件見学会 社員座談会【時期】(1)9月上旬(5日間)(2)8月～3月中旬(1日)(3)7月下旬～2月上旬(1日)(4)10月下旬～2月上旬(1日)
住友電設㈱	583	【概要】(1)～(3)各種設備工事の現場(施工管理)体験【時期】(1)8月中旬～9月上旬(2日間、一部1日)(2)12月上旬(1日)(3)2月

会社名 (掲載ページ)		コース概要
東光電気工事㈱	583	【概要】(1)業界研究説明、価値観理解ワーク(2)業界研究説明、第一種もしくは第二種電気工事士技能試験体験(3)業界研究説明、工事現場見学(4)業界研究説明、現場実習など施工管理職体験【時期】(1)8月中旬～2月上旬(1日)(2)8～9月中旬(1日)(3)11月中旬～2月(1日)(4)8月中旬(5日間)
㈱HEXEL Works	584	【概要】(1)体験型:レゴブロックを使用して施工管理の仕事内容を疑似体験(2)実践型:建設途中の現場での業務を通じて、施工管理への仕事理解を深める(品質・安全・書類管理、CAD体験他)(3)見学型:建設途中の現場を見学し、工事の工程や施工管理業務の流れを学ぶ(4)対話型:座談会を通して、実際に働く社員にシゴトのリアルを聞く【時期】(1)5～2月(1日)(2)通年(1～5日間※現場状況により変動)(3)(4)通年(1日)
㈱きんでん	584	【概要】(1)1day仕事体験 基礎編(事務系)(2)1day仕事体験 基礎編(技術系)(3)1day仕事体験 応用編(事務系)(4)1day仕事体験 応用編(技術系)【時期】(1)6～8月(1日)(2)6～9月(1日)(3)(4)10～12月(1日)
㈱関電工	585	【概要】(1)(理系)現場体験(2)(土木系)現場体験(3)技術職オープンカンパニー(4)(文系)事務職オープン・カンパニー【時期】(1)8～9月(5日間)(2)8～9月(10日間)(3)6～11月(1日)(4)8～11月(1日)
㈱九電工	585	【概要】(1)技術系対象・施工管理仕事体験:企業紹介、施工済物件・研修所の見学、グループワーク、座談会などを通して、設備工事の施工管理業務を体験(2)技術系対象・施工管理仕事体験:企業紹介、施工済物件・施工中現場見学、グループワーク、CAD体験、座談会などを通して、設備工事の施工管理業務を体験【時期】(1)8月下旬～2月中旬(1日×複数回)(2)8月下旬～2月中旬(5日×複数回)
㈱トーエネック	586	【概要】(1)業界研究ワーク 先輩社員座談会(2)(3)GW 仕事概要 就業体験(施工管理)先輩社員座談会【時期】(1)6～7月 10～11月(1日×7回)(2)8～9月(1日×5回)(3)11～2月(1日×6回)(半日×6回)
㈱ユアテック	586	【概要】(1)事務職コース(2)技術職(電気・電子・通信コース)(3)技術職(機械・建築・土木コース)(4)事務職・技術職 Webコース【時期】(1)～(4)8月 2月
㈱中電工	587	【概要】(1)技術系(屋内電気・空調管工事)就業体験(2)事務系就業体験(3)技術系(屋内電気・情報通信・空調管工事)座談会(4)技術系(配電線・送変電地中線工事)座談会【時期】(1)8月下旬～9月上旬(1日)12月 2月(1日)(2)12月(1日)(3)(4)12月 2月(1日)
大和リース㈱	587	【概要】(1)施工管理職、生産管理職(2)(3)技術職(1日仕事体験)(4)技術職(オープンカンパニー)【時期】(1)8月下旬～9月中旬(5日間)(2)(3)8～9月中旬(1日)(4)4～7月上旬(1日)

●住宅・マンション●

会社名 (掲載ページ)		コース概要
大和ハウス工業㈱	588	【概要】(1)企業理解を深めるためのGWや先輩社員座談会(予定)(2)(理系)施工現場見学会。住宅系・建築系2カ所の施工現場見学(予定)(3)(電気・機械・環境・建築系)設備職に特化したコース。GWや社員との交流会(予定)【時期】(1)～(3)8～9月(1日)
積水ハウス㈱	588	【概要】(1)営業職:GW、先輩社員座談会、施設見学 他(2)総合企画職:GW、先輩社員座談会、施設見学、他(3)設計・施工管理:GW、先輩社員座談会、施設見学、事業所訪問 他(4)オープンカンパニー:企業仕事理解促進、積水ハウスグループ合同イベント 他【時期】(1)7～10月(5日間)(2)(3)7～9月(5日間)(4)5～2月
住友林業㈱	589	【概要】(1)建築技術職:クイックパース体験ワーク 即日設計プレゼン 施工管理体験ワーク(2)住宅営業職:業界理解ワーク、ヒアリング体験、契約獲得ワーク(3)業務企画職:脱炭素に関する理解を深めるワーク、当社の新たな価値創造ワーク【時期】(1)7～10月(5日間)2月(5日間)(2)8～9月(2日間)9～12月(5日間)12月(2日間)2月(2日間)(3)9～2月(5日間)2月(2日間)
大東建託㈱	589	【概要】(1)技術職オンライン仕事体験(2)1day(営業・管理・ルームアドバイザー)オンライン仕事体験(3)技術職有給インターンシップ(4)営業職5daysインターンシップ【時期】(1)(2)6～12月(3)7～2月(4)8～9月
旭化成ホームズ㈱	590	【概要】(1)事務系(営業職)5daysインターンシップ(2)技術系5daysインターンシップ【時期】(1)9月(2)8～1月
㈱一条工務店	590	【概要】(1)(3)営業職体験(2)(4)<建築・土木学生対象>技術職体験【時期】(1)(2)7月下旬～9月(2日間)11～2月(2日間)(3)(4)8～9月(半日)
ミサワホーム㈱	591	【概要】(1)総合:住宅営業体験ワーク、住宅営業スキルを学ぶワーク(2)技術:顧客の要望を形にする設計職体験ワーク(3)技術:構造や素材を学ぶワーク(施工管理職希望者向け)【時期】(1)(2)8月下旬～9月 11～12月中旬(2日間)(3)11～12月中旬(1日)
パナソニック ホームズ㈱	591	【概要】(1)設計・施工管理職コース(建築系)(2)住宅営業職コース(3)住宅営業職コース(Web)(4)住宅設計職コース(Web)【時期】(1)8～9月(5日間)(2)8～9月(2日間)(3)(4)12月
三井ホーム㈱	592	【概要】(1)業界・会社理解の座学 住宅体感ワーク GDで実際に住まいを提案する実践型ワーク チーム毎のフィードバック 社員・内定者座談会(2)業界・会社理解の座学 複数人による住まいづくり体感ゲーム(パズル形式)【時期】(1)7～2月(2日間)(2)5月下旬～6月(半日間)
トヨタホーム㈱	592	【概要】(1)理系:商品企画コース 春日井事業所の工場や体験型施設見学、GW(2)全学部:営業企画コース 春日井事業所の工場や体験型施設見学、GW※オンラインはGWのみ(3)全学部:創造デザインコース 本社の体験型施設見学、GW【時期】(1)8～9月 12～1月(1日×2回)(2)8～9月 12～1月(1日を3回)(3)8～9月 12～1月(1日を2回)
一建設㈱	593	【概要】(1)分譲用地のプランニング(2)施工管理を体験するワークショップ【時期】(1)(2)1月(1日)

会社名 （掲載ページ）		コース概要
三井不動産レジデンシャル㈱	593	【概要】アイディアを形にする街づくりに挑戦【時期】8月中旬～下旬 11月中旬～下旬(4日間×4日程)
穴吹興産㈱	594	【概要】(1)オープンカンパニー：自己分析：不動産業界と自分はマッチしているのか過去の自分と未来の自分を見つけてポイントを探そう(2)仕事体験：半日でマンション営業を学ぶ：当社マンション営業を細分化してミニワークを通しながら契約までの流れを理解する(3)仕事体験：2日かけて営業職を理解した上で、契約までの一連の流れをロールプレイングをもちいて疑似体験する(4)インターシップ：計5日間かけて自己分析(コース1)・マンション営業疑似体験(コース3)・対面での営業体験(高松会場or大阪会場)・面接対策【時期】(1)～(3)6～2月(1日)(4)6～2月(5日)
㈱大京	594	【概要】(1)(25卒)STEP1(2days)→STEP2(1day)：業界・会社研究 GWを中心としたマンション事業の主要業務体験 他(2)(25卒)STEP1(1day)→STEP2(1day)：業界・会社研究 GWを中心としたマンション事業の主要業務体験 他(3)(25卒)オープンカンパニー：会社説明、GWを伴う企業理解ワーク 他(4)(24卒)STEP1→STEP2(両方1day)【時期】(1)8～9月(2日間×5回)9～10月(1日×4回)(2)12～1月(1日×6回)2～3月(1日×4回)(3)7月～8月(半日×7回)10月～12月(半日×9回)(4)10～1月 11～2月(1日×31回)
㈱東急コミュニティー	595	【概要】(1)長期：営業職・設備職・建築職の各職種別。就労体験 見学 仕事体験グループワーク 他(2)半日程度で各職種別 会社説明 自己分析ワーク 仕事体験グループワーク 他【時期】(1)8～9月(5日間)(2)9～2月(1日)
日本総合住生活㈱	595	【概要】(1)<理系>10日間インターンシップ：業界・会社紹介 技術開発研究所見学 新規事業施設見学 大型工事現場見学 就業体験(OJT研修)(2)1day仕事体験：業界・会社紹介 ワークショップ3種類【時期】(1)8月下旬(10日間)(2)6～2月(1日間)
日本ハウズイング㈱	596	【概要】(1)5Daysインターンシップ(2)1Day仕事体験(3)理系限定インターンシップ【時期】(1)8月5～9日 8月22～28日(5日間)(2)6～2月(1日)(3)8月22～28日 9月2日～9月6日
スターツグループ	597	【概要】(1)総合職：自己分析 業界研究 パネルディスカッション(2)総合職：就業体験(現場同行)(3)(建設技術)総合職：建設現場体験(4)(建設技術)総合職：建設業界研究 自己分析 現場見学【時期】(1)5月～(半日×33回)(2)8～9月(2日間×8回)(3)8～9月(3日間×2回 2日間×3回)(4)6～7月(半日×4回)

●不動産●

会社名		コース概要
三井不動産㈱	597	【概要】街歩き・街づくりの企画構想体験 新規事業立案 海外を舞台とした開発「持続可能な社会実現」を自分事化して考える リアル×テクノロジーで不動産ビジネスの可能性をさぐる【時期】8月(2日間×3回、3日間×3回)9月(3日間×1回)
三菱地所㈱	598	【概要】(1)(2)ワークショップ形式で、総合デベロッパーについて理解【時期】(1)8月予定(3日間×2日程)(2)1月予定(3日間)
東急不動産㈱	598	【概要】(1)100年に一度と言われる渋谷の“街づくり”を体感する(2)現場配属型【時期】(1)夏頃(3日間)(2)冬(4日間)
住友不動産㈱	599	【概要】会社説明、グループワークによる事業計画立案(現場社員からのフィードバックあり)、物件見学会、社員懇親会 他【時期】9月(3日間×4ターム)11月下旬～12月(3日間×4ターム)
(独法)都市再生機構	599	【概要】(1)都市再生をテーマにしたまちづくり提案(2)団地再生(賃貸住宅)をテーマにしたまちづくり提案【時期】(1)(2)7～12月(1日×30回程度)
野村不動産㈱	600	【概要】(1)各事業部に配属し実際の業務を現場で体験(2)ワークを通じて再開発事業を体験【時期】(1)9月頃 11月頃(5日間)(2)2月頃(3日間)
ヒューリック㈱	600	【概要】不動産デベロッパーの仕事やヒューリックらしさについて学ぶ。各グループに社員1人インストラクターとしてつきサポート【時期】8月、12月(各3日間×4日程)
イオンモール㈱	601	【概要】(1)ディベロッパー業務体感「テナントサポートを知る」(2)ハートフル・サステナブル企画を立案(3)リニューアルプランを企画立案【時期】(1)7～1月(半日×複数回)(2)7～2月(半日×複数回)(3)7～2月(2日間×複数回)
東京建物㈱	601	【概要】(1)(2)グループワークによる企画立案(3)各部署への現場配属による就業体験【時期】(1)8～9月(2日間×複数回)(2)10～11月(2日×複数回)(3)1～2月(4日間×複数回)
森ビル㈱	602	【概要】(1)全専攻学生向け：森ビルの全般的な部署の業務理解を目的とする(グループワーク 部署配属 他)(2)建築系院卒学生向け：建築系院卒学生の活躍フィールドの理解を目的とする(グループワーク 他)【時期】(1)8月下旬(5日間)(2)9月上旬(5日間)
日鉄興和不動産㈱	602	【概要】(1)業界体験：1日でデベロッパーの仕事が体感できる「業界体感型」ワーク 社員座談会(2)街づくり見学(3)都市開発の就業体験と都市＆地方の大規模地域開発 新規事業創造を体感【時期】(1)7月上旬～7月中旬(1日×10回)(2)8～9月(1日×3回)(3)1月下旬～2月中旬(5日間)
森トラスト㈱	603	【概要】(1)都内における開発シミュレーション等のGW(2)都市やリゾート地における開発シミュレーション等のGW【時期】(1)8月 9月(1日×複数回)(2)12月 1月(3日間×複数回)
ＮＴＴ都市開発㈱	603	【概要】現場受入型、実際のプロジェクトを題材にしたワークで、リアルな不動産デベロッパーの街づくり、業務を体験【時期】8～9月(3日間)1～2月(4日間)
㈱サンケイビル	604	【概要】(1)フィールドワークあり事業体験コース(2)事業体験ワークショップ【時期】(1)9月中旬(3日間)(2)1月(1日)

会社名　*（掲載ページ）*		コース概要
大成有楽不動産㈱	604	【概要】(1)施設管理事業ビル管理／リニューアル：WEB仕事体験(2)施設管理事業ビル管理コース：現場見学(3)不動産事業デベロッパーコース：開発業務体験（用地仕入）(4)不動産事業デベロッパーコース：開発業務体験（事業推進）【時期】(1)10月上旬～1月下旬（半日×複数回）(2)9月（1日×2回）(3)10月（半日×複数回）(4)12月（半日×複数回）
㈱アトレ	605	【概要】SC業界説明、企業説明、先輩社員質問会、仕事体験ワーク 他【時期】1月 2月
東京都住宅供給公社	605	【概要】(1)団地建替事業ワークショップ 建替現場見学(2)建築設備の設計体験ワーク 現場見学(3)住宅リニューアルワークショップ 現場見学(4)団地建替事業ワークショップ 建築設備見学【時期】(1)9月（1日）(2)8月（1日）(3)(4)12月（1日）
東急リバブル㈱	606	【概要】(1)2daysインターンシップ（東京は一部1dayの日あり）(2)(3)不動産購入編(4)現場体験【時期】(1)7月～（2日間）(2)(3)7月～（1日）(4)8月～（1～5日間）
三井不動産リアルティ㈱	606	【概要】(1)グループワークでの不動産コンサルティング体験・フィールドワーク(2)(3)グループワークでの不動産購入希望者への営業体験(4)インタラクティブ動画による業界理解、不動産売却体験ワーク【時期】(1)6月下旬～8月上旬（2日）(2)8月上旬～10月中旬（1日）(3)10月中旬～1月中旬（1日）(4)10～2月

●電力・ガス●

会社名		コース概要
北海道電力㈱	608	【概要】(1)業界研究コース（事務・技術）：会社概要 業務説明 グループワーク(2)部門別コース（事務）：業務概要 グループワーク 座談会(3)部門別コース（技術）：業務概要 施設見学 座談会(4)各種プレミアムコース：社員座談会 他【時期】(1)7～8月 11～1月（1日）(2)(3)8～9月 1～2月（1日・2日間）(4)10～1月（1日）
東北電力㈱	608	【概要】(1)建築部門・土木部門の就業体験(2)ネットワーク部門（給電、変電、送電、配電、通信）の就業体験(3)発電部門（火力、原子力、水力）の就業体験(4)事業創出部門・ソーシャルコミュニケーション部門・リビング営業部の就業体験【時期】(1)8月（各3日間）(2)(3)8月（5日間）(4)9月（各1日間）
東京電力ホールディングス㈱	609	【概要】(1)電力流通部門：設備見学・グループワーク(2)技術開発部門(3)営業部門：就業体験・グループワーク(4)原子力部門・再エネ発電部門：設備見学・グループワーク【時期】(1)(2)(4)7月下旬～9月上旬（3～10日間）1月中旬～2月上旬（5日間）(3)7月下旬～9月上旬（1.5日間）1月中旬～2月上旬（1.5～5日間（予定））
㈱ＪＥＲＡ	609	【概要】(1)業界変化とJERAの特徴などを理解したうえで グループワークにより「JERAの未来像」を描くワーク(2)発電所の"リアル""最新技術"を体感できる見学会ツアー(3)デジタル戦略の中核を担うICT部門の業務を体感できるワーク(4)リケジョによる 自立的キャリアを考えるワーク【時期】(1)1月（2日間）(2)2月（1日間）(3)1月（1日間）(4)10月 1月（1日間）
J-POWER	610	【概要】(1)技術系：キャリアワーク、仕事体験(2)事務系・技術系：グループワークによる業界・企業理解(3)事務系・技術系：グループワークによる仕事理解【時期】(1)8～9月（1日）(2)10月下旬～11月(3)12月～2月
北陸電力㈱	610	【概要】(1)業務体験コース：会社概要説明、部門ごとの業務実習、座談会(2)ミニセミナー：会社概要の説明、先輩社員との座談会(3)施設・職場見学会、先輩社員との座談会(4)仕事体験コース：会社概要の説明、部門ごとの業務実習、座談会【時期】(1)7～9月（2～5日間）(2)10～12月（1日）(3)11月（1日）(4)12～2月（1～2日間）
中部電力㈱	611	【概要】(1)事務系（夏期）(2)技術系（前期）(3)事務系（冬期）(4)技術系（後期）【時期】(1)7～9月（2日間）(2)8～9月（5日間）＆8～9月（2日間）(3)11～12月（2日間）(4)10月（2日間）
関西電力㈱	611	【概要】(1)事務系・技術コンサルティング(2)（理系）技術系【時期】(1)(2)8～2月
中国電力㈱	612	【概要】(1)本社・事業所等での就業体験(2)冬季：未定【時期】(1)8～9月（5日間以上）(2)12月下旬
中国電力ネットワーク㈱	612	【概要】(1)<対面>本社・事業所等での就業体験、グループワーク<オンライン>事業紹介、グループワーク(2)<対面>本社での就業体験<オンライン>事業紹介、グループワーク【時期】(1)<対面>8～9月（5日間×4回）<オンライン>9月（1日×3回）(2)12月下旬（1日）
四国電力㈱	613	【概要】(1)事務総合職：企画・営業・事業開発の就業・企画立案体験（GW、座談会 他）(2)事務エリア職：営業就業体験（GW、座談会 他）(3)技術部門別の就業体験（発電・電力ネットワーク・情報通信・土木建築・事業開発・エネルギーソリューション）(4)（高専）技術部門別の就業体験（電気・機械・化学・土木）【時期】(1)7～9月 12～1月（1日～）(2)7～9月 12～1月（1日）(3)7～10月 12～2月（1日～）(4)8～9月 12～2月（1日～）
沖縄電力㈱	613	【概要】(1)（理系学生のみ）発電部門での就業体験(2)（理系学生のみ）送配電部門での就業体験(3)（文系学生のみ）事務系部門での就業体験(4)（理系学生のみ）送変電部門での就業体験【時期】(1)～(3)8月下旬～10月中旬（5日間）2月中旬（1日間）(4)8月下旬（1日間）
京葉瓦斯㈱	614	【概要】企画立案業務体験、先輩社員との座談会、業界説明他【時期】8～9月 11～1月（1日）（予定）
東京ガス㈱	614	【概要】(1)2daysミライキカク ワークショップ：グループワークによる事業・サービスの企画立案や座談会等を通した会社・仕事・社風の理解(2)職場受入型インターンシップ：データ分析、デジタルマーケティング 他【時期】(1)8～9月（2日間）1～2月（2日間）(2)12～2月予定（5日間）
アストモスエネルギー㈱	615	【概要】<DAY1>ワークショップ型のサプライチェーンゲームを通じて、当社のビジネスモデルや強みと課題を知る<DAY2>ロープレワークを通し、当社の実際の業務の一端を体感。理系限定回では低脱炭素社会化を踏まえた新規事業立案ワーク【時期】11～2月（2日間）

業種別・インターン 1,222 社

会社名	*（掲載ページ）*	コース概要
ＥＮＥＯＳグローブ㈱	*615*	【概要】(1)動画で業務内容やLPガスの商流を説明、質疑を通じて理解を深める。社員との質疑で、仕事の魅力や社風を感じる(2)気軽に参加できる会社説明会 プロパンガスや福利厚生を含む会社概要、直近の会社の取り組みを30分で紹介【時期】(1)8月 9月 11月 12月 2月 3月(半日間、各月数回)(2)6月28日 7月4日 7月9日
静岡ガス㈱	*616*	【概要】(1)分野別の業務体験 業界・企業研究 社員座談会(2)(3)業界・企業研究 グループワークによる新事業企画立案 社員座談会【時期】(1)8月下旬(3日間×2回)(2)9月(1日×2回)(3)11月下旬～12月上旬(1日×4回)
大阪ガス㈱	*617*	【概要】(1)現場実習を通じて、具体的な業務内容や社風等を知る(2)オンラインでのグループワークや座談会等を通じて、当社の取り組みや社風等を知る【時期】(1)8～9月(5日間)2月(5日間)(2)7～3月(1日)
西部ガス㈱	*617*	【概要】(1)プロジェクトストーリー体感型(2)営業体感プログラム(3)技術体感プログラム【時期】(1)8月(2日間×4回)(2)12月～(1日×3回)(3)12月～(1日×4回)

●石油●

会社名	*（掲載ページ）*	コース概要
ＥＮＥＯＳ㈱	*618*	【概要】(1)新規事業創出ワーク(2)事業部の業務体験(3)経営体感型のシミュレーションワーク(4)デザイン思考ワーク【時期】(1)11月(1～2週間)(2)8～9月(1カ月間)(3)8～9月(2日間)(4)7月(2日間)
出光興産㈱	*618*	【概要】(1)(3)＜事務系＞1コース 職種理解ワーク 社員座談会(2)＜技術系＞全7コース 職種理解ワーク 製油所・研究所見学 社員座談会(4)＜技術系＞全4コース 実習 製油所・研究所見学 社員座談会(コースによって異なる)【時期】(1)8月下旬(2日間)(2)8月下旬～10月初旬(1日～4日間)(3)11月下旬(2日間)(4)10月中旬～11月(0.5日～2日間)
コスモ石油㈱	*619*	【概要】(1)会社説明(2)(理系)技術系社員の業務体験ワークと現場見学(3)(文理不問)提案型コンサルティング営業業務体験(4)(理系)石油開発系社員とのコミュニケーションワーク【時期】(1)11～1月(半日)(2)10～11月(3日間)(3)10～12月(2日間)(4)9月(半日)
富士石油㈱	*619*	【概要】(1)脱硫装置の触媒の寿命管理方法に関する説明と模擬体験(理系)(2)設備保全に関するケーススタディ(機械・工学系学生)【時期】(1)10月7日(1日)(2)10月21日(1日)
㈱ＩＮＰＥＸ	*620*	【概要】(1)プロジェクト紹介、エネルギー開発ビジネスについての講義(2)(理系)脱炭素化の取組み 石油・天然ガスの探鉱・開発・生産・HSEにおける業務理解(3)(理系)コース2に加え、より専門に特化した講義・ワーク、再エネ・新エネ分野の概要を学ぶ(4)(理系)コース2に加え、技術研究所ツアー、現場見学、部署での実習他【時期】(1)7月～(半日、随時)(2)8～9月(1日)(3)8～9月(3日間)(4)7～9月(2週間)
石油資源開発㈱	*620*	【概要】(1)事・技合同：業界理解セミナー(2)技術系：技術研究所インターンシップ(3)地球科学系：4days仕事体験(4)事・技合同：新規事業に係る新事業企画立案GW【時期】(1)8月下旬～9月中旬(4日程)(2)8月下旬(1週間程度)(3)11月下旬～12月(4日間)(4)12月(1日×2回)

●デパート●

会社名	*（掲載ページ）*	コース概要
㈱大丸松坂屋百貨店	*622*	【概要】(1)1dayワークショップ：若手社員との交流・重点戦略に基づくグループワーク(2)2days職種体験プログラム：事業説明を踏まえた業務体験・グループワーク【時期】(1)9～10月(1日)(2)11～1月(2日間)
㈱高島屋	*622*	【概要】(1)百貨店業界や高島屋についての紹介、人事部への質問会(2)販売担当職の業務を体感できるグループワーク、人事部との座談会(3)百貨店ならではのさまざまな職務(バイヤー、企画宣伝、EC事業等)を体感できるグループワーク、社内講師による講演会、若手社員との座談会(予定)【時期】(1)6月22日・29日(半日)(2)8～9月(半日)(3)12～1月(半日～1日)(予定)
㈱三越伊勢丹	*623*	【概要】(1)仕事理解を深める企画立案GW(2)2DAYS価値創造型ワークショップ(3)3DAYS新規事業創造型ワークショップ(4)(コース2・3参加者限定)5DAYSインターン【時期】(1)7～2月(1日×12回)(2)7月 8月 10月 2月(2日間×4回)(3)9月 11月(3日間×2回)(4)5日間×1回
㈱丸井グループ	*623*	【概要】(1)(2)ビジネスを通じた社会課題解決を体感【時期】(1)8～9月(2日間×10クール)(2)秋(検討中)
㈱阪急阪神百貨店	*624*	【概要】(1)(2)オープンカンパニー(1DAY)(3)他 計画中【時期】(1)7月(1日間)(2)8～9月(1日間×計7回)(3)10～1月
㈱近鉄百貨店	*624*	【概要】グループワークによる企画立案、先輩社員との懇親会【時期】8月 9月 10月 11月 2月
㈱東急百貨店	*625*	【概要】グループワークによる企画体験、座談会【時期】8月以降(1日間)
㈱そごう・西武	*625*	【概要】(1)グループワークによる採用情報サイトの新コンテンツ提案(2)グループワークによる企業広告のポスター作製(3)グループワークによる訪日客向けの新しい価値提供について企画立案(4)会社紹介【時期】(1)8月(1日)(2)12月(1日)(3)1月(3日間)(4)2月(1日)
㈱松屋	*626*	【概要】(1)リモート座談会：先輩社員との座談会、質問会(2)キャリア研究セミナー(3)1Day仕事体験：業界、会社についての説明、人事部社員との交流会【時期】(1)7～10月(1日)(2)12～1月(1日)(3)8～2月(1日)

会社名 (掲載ページ)	コース概要
●コンビニ●	
㈱ローソン 627	【概要】(1)1dayインターンシップ「コンサルティング」×「没入感」！動画解説やドラマ映像、GWを用いてスーパーバイザーのコンサルティング体感プログラムコース、分析力 企画力 課題解決力 コミュニケーション力を磨く(2)2daysインターンシップ【時期】(1)7～2月(2)8月～未定
㈱セブン-イレブン・ジャパン 627	【概要】(1)サマーインターンシップ(OFC体感ワーク)(2)グローバルインターンシップ(3)商品部インターンシップ【時期】(1)～(3)8月 9月(1日×2回)
㈱ファミリーマート 628	【概要】小売業界研究 企業紹介 問題解決型未来構想ワーク【時期】6月下旬～1月(1日)
ミニストップ㈱ 628	【概要】会社概要・業務理解セミナー【時期】1日間
●スーパー●	
ユニー㈱ 629	【概要】(1)衣・食・住・余暇にわたる総合小売業チェーンストアとして、どのような考えのもと事業を運営しているのか、どのような想いで仕事に取り組んでいるのかをワークショップを通じて学び、企業理解を深める(2)総合小売業チェーンストアとして、どのような考えや想いで事業を運営しているのか、実際の「商売」の醍醐味を学びながら体験【時期】(1)6～2月(1日)(2)8月(2日)
㈱イトーヨーカ堂 629	【概要】商売の面白さ、商売の奥深さを体感し、成長できるカリキュラム【時期】6月上旬～2月上旬(半日)
㈱フジ 630	【概要】(1)小売業の仕事体験：「売る」ことの奥深さを体験(2)経営視点・マーケティング体験：「バーチャルフジを開店せよ」(3)鮮魚部門の仕事体験：商品を「作る」面白さを体験【時期】(1)～(3)8～9月 11～12月 1～2月(1日)
㈱イズミ 630	【概要】(1)小売業にかかわる様々な職種を体験：売場担当者・バイヤー商品仕入れ担当者他(2)仕事体験：業界理解・企業理解 売場マネジメントの基本的な考え方を体験(売場責任者業務体験)【時期】(1)8月(広島、5日間)9月(福岡、5日間)(2)6～9月 12～2月(1日)
㈱平和堂 631	【概要】(1)オリエンテーション 店舗業務体験 課題発表 先輩社員交流会(2)(3)オリエンテーション 業務体験 グループワーク 課題発表 フィードバック【時期】(1)8月下旬(5日間)(2)8月中旬～12月(2日間)(3)12月中旬～2月中旬(1日)
㈱Ｏｌｙｍｐｉｃグループ 631	【概要】(1)新商品提案コース(2)会社紹介(3)SNSコース【時期】(1)随時(3日間～)(2)(3)随時(1日)
㈱ユニバース 632	【概要】業界研究、会社説明会、店舗見学、データ分析体験、ケーススタディ 他【時期】7～2月(1日×複数回)
㈱ヨークベニマル 632	【概要】(1)ヨークベニマルで起こる事業のケーススタディに取り組む(2)商品開発のコンセプト設計(3)実店舗で商品企画から販売までを行う(4)弁当・パンづくり体験【時期】(1)(2)6～1月(1日)(3)8～1月(2日間)(4)8月 10月 12月(1日)
㈱カスミ 633	【概要】(1)【オープンカンパニー、1Day仕事体験】・店舗の仕事体験(販売計画、新店企画)・本社の仕事体験(IT、広報、食育など)・就活準備セミナー(自己分析、業界研究)他(2)【オープンカンパニー】・企業の最新を知る店舗見学会(3)【1Day仕事体験】商品の製造体験 ・デリカコース ・ベーカリーコース ・鮮魚コース(4)【インターンシップ】・カスミのIT活用を知る ・カスミの商品調達(バイヤー業務)を知る【時期】(1)4～2月(半日)(2)8月、9月、2月(1日)(3)8月、2月(1日)(4)8月、9月(5日間)
㈱ベイシア 633	【概要】(1)モチベーショングラフや適職診断を用いた自己分析(2)グループワークによる商品開発立案(3)グループワークによる売場企画立案(4)自己理解の促進、グループワークによる出店戦略と売場PR立案【時期】(1)～(3)随時(半日)(4)5月 8月～9月(3日間)
㈱ヤオコー 634	【概要】(1)現場での仕事をイメージ：特殊キットを使ったグループワーク(食生活提案)(2)現場での販売チャレンジ：1店舗あたり2～4名を配属、計画から加工・販売等すべての工程に携わる【時期】(1)6～2月(1日)(2)8～9月 1～2月(5日間)
㈱ベルク 634	【概要】(1)販売業務：店舗の役割と仕事紹介、作業体験、GWによる販売計画立案、発表 他(2)教育・製造：寿司、おはぎ製造体験 他(3)本社マーケティング：マーケティングの仕事紹介、GWによる販促企画立案、プレゼンテーション 他(4)本社商品開発：商品開発の仕事紹介、GWによる商品企画立案、プレゼンテーション 他【時期】(1)～(4)6～2月(1日)
㈱マミーマート 635	【概要】(1)WEB売場構築編(2)接客応対編【時期】(1)(2)約4時間
サミット㈱ 635	【概要】小売・流通業の業界研究 試食販売実習体験 本部先輩社員との座談会 販促物作成 チームビルディング 就活準備講座 他【時期】8～9月 12月～2月(半日、1日、5日間)
㈱いなげや 636	【概要】(1)会社紹介、店舗視察と本社職場見学会、社員登壇、広告チラシ作成(2)会社紹介、店舗視察、広告チラシ作成(3)店舗視察・企業理解、精肉部門または鮮魚部門の新入社員研修を一部体験(4)店舗視察・企業理解、精肉部門と鮮魚部門の新入社員研修を一部体験、事業開発の販促業務を体験【時期】(1)6～12月(2日間)(2)6～12月(1日)(3)6～9月(2日間)(4)7～8月(5日間)
㈱東急ストア 636	【概要】(1)店舗業務体験(2)仕事体感ワーク【時期】(1)8月中旬(5日間)(2)6～1月(1日)
㈱スーパーアルプス 637	【概要】(1)店舗における商品の製造、販売(就業)体験(2)先輩社員との座談会【時期】(1)(2)8月 9月
アクシアル リテイリンググループ 637	【概要】(1)5日間キャリア体験(販売・提案～開発まで)(2)商品開発業務体験(3)店舗運営業務体験(4)部門運営業務体験【時期】(1)8月26～8月31日(5日)(2)～(4)8月中旬～1月(1日)

会社名 (掲載ページ)		コース概要
マックスバリュ東海㈱	638	【概要】(1)オンライン会社説明会(2)1day/オンライン：店舗経営ビジネスシミュレーションゲームを通じたマネジメント体験(3)2days/オンライン：会社紹介、グループワークによる商品戦略立案(4)5days/リアル・オンライン：会社紹介、調理加工体験、グループワークによる新規事業立案【時期】(1)6～10月(1日)(2)6～12月(1日)(3)6～12月(2日間)(4)8月末(5日間)9月末(5日間)
㈱ハートフレンド	638	【概要】実務実習グループワーク【時期】8月(2週間)
㈱ライフコーポレーション	639	【概要】業界研究セミナー・仕事体験グループワークなどを通じて食品流通の最前線を体感し、商売の面白さと食品スーパー日本一の売上高を誇るライフの戦略を学ぶ【時期】5月下旬～2月(1日)
㈱神戸物産	639	【概要】業界研究、会社紹介、仕事体験、GW 他【時期】11月
㈱関西スーパーマーケット	640	【概要】(1)(1日目)会社説明・業界研究(2～5日目)店舗実習(2)会社説明 業界研究 惣菜実務体験【時期】(1)8月下旬(5日間)(2)毎月1～2回(1日間)
㈱ハローズ	640	【概要】(1)商品開発体験(2)マーケティング(販売戦略)体験(3)自己分析・企業研究セミナー(4)グループワークによる小売業への理解を深めるセミナー【時期】(1)～(4)1日

●外食・中食●

会社名 (掲載ページ)		コース概要
日本マクドナルド㈱	641	【概要】(1)オンラインインターンシップ(2)対面インターンシップ【時期】(1)8～2月中旬(2)9月(3日間×3回)
㈱モスフードサービス	641	【概要】(1)講義(飲食業界研究とモスバーガー事業の特徴)グループワーク(データ分析 企画立案)(2)講義(外食業界研究とモスバーガー事業の特徴)個人ワーク(データ分析)(3)講義(キャリアガイダンス 自己分析)(4)会社見学会(本社オフィス見学、質問会)【時期】(1)7～8月(3時間×3日程)(2)8～9月(90分×4日程)(3)4月26日(2時間×1日程)(4)6月～25年1月(90分×16日程)
㈱松屋フーズ	642	【概要】(1)店舗でのマネジメントについて学ぶ(1日仕事体験)(2)弊社における商品開発の流れを学び、また新たな商品を企画する(1日仕事体験)【時期】(1)(2)1日
㈱ドトールコーヒー	642	【概要】(1)オープンカンパニー(2)1dayお仕事体験(3)5daysインターンシップ：オペレーション体験 コーヒー体験 店長会議の見学 先輩社員交流会 他(4)パートナー限定コース【時期】(1)6月中旬～2月(1日)(2)8～2月(1日)(3)8月(5日間)(4)6～12月(1日)
テンアライド㈱	643	【概要】業界研究、会社紹介、飲食店経営を学ぶワーク【時期】8月中旬～9月中旬(4日)
㈱Genki Global Dining Concepts	643	【概要】飲食業界の各キャリア・役職における「あるある」解決ワークショップ【時期】11～2月(各月3回程度)
㈱プレナス	644	【概要】(1)1day仕事体験：店舗マネジメント就業体験・特注弁当の企画立案(2)1day仕事体験：店舗マネジメント就業体験・シフト作成(3)オープンカンパニー：食品業界・プレナスについて(4)業界理解セミナー：食品業界理解+志望動機の作成方法【時期】(1)(2)7～2月(3時間)(3)(4)7～2月(1.5時間)
㈱ロック・フィールド	644	【概要】業界研究【時期】7～12月(1日)

●家電量販・薬局・HC●

会社名 (掲載ページ)		コース概要
㈱エディオン	645	【概要】(オープンカンパニー)シゴト体感セミナー：GW セミナー 座談会 見学 他(地域 日程による)【時期】7月下旬～2月中旬(半日×70～80回)
㈱マツキヨココカラ&カンパニー	646	【概要】(1)総合職：架空の店舗が舞台のケーススタディで、問題発見と課題解決の視点を学ぶ(2)総合職：ドラッグストアの店舗開発の視点から、出店戦略やマーケティングを体験(3)薬剤師職：業界分析、決算数値分析、OTC体験、店舗見学(4)薬剤師職：学べる・成長できる調剤環境とは、ドラッグストアの調剤薬剤師体験、服薬指導のコツ伝授【時期】(1)6～11月(1日)(2)7～11月(1日)(3)6～12月(1日)(4)5～8月(1日)
㈱スギ薬局	646	【概要】(1)総合職：店舗マネジメント(管理栄養士含む)セミナー、BA体験セミナー、業界研究セミナー、店舗見学セミナー 他(2)薬剤師職：業界研究セミナー、キャリア体験セミナー、専門性セミナー、在宅セミナー、店舗見学セミナー 他【時期】(1)(2)5～2月(1日)(コースにより開始は異なる)
㈱ツルハ	647	【概要】(1)ドラッグストア業界説明、マネジメント業務説明、先輩社員との座談会(2)ドラッグストア業界説明、接客販売業務説明、先輩社員との座談会(3)ドラッグストア業界説明、管理栄養士業務説明、先輩社員との座談会(4)ドラッグストア業界説明、自己分析、先輩社員との座談会【時期】(1)9～11月(1日×17回)(2)6～10月(1日×23回)(3)6～10月(1日×10回)(4)7～11月(1日×17回)
㈱クリエイトエス・ディー	647	【概要】ドラッグストアで働く仕事、研修、ヤリガイを体験(グループワーク、講義形式)半日、複数テーマに参加が可能【時期】6～9月上旬
㈱カワチ薬品	648	【概要】薬学生対象：(1)調剤業務体験(投薬、疑義照会、処方解析)(2)OTC業務体験(3)接客ロールプレイング(4)現場薬剤師による実務実習の心得講座(5)オンライン薬局見学会 薬学生以外対象：(1)実際の店舗での店舗運営・マネジメント体験(2)グループワークによる売場立案(3)管理栄養士・栄養士の業務体験(4)化粧品担当の業務体験【時期】6月～(1日、5～30日間)
総合メディカル㈱	648	【概要】(1)総合職：医療業界研究・会社紹介(セミナー方式)(2)総合職：医療モールにおける開業体験、医療業界における営業体験(3)薬剤師職：薬剤師業務体験、研修体験、医薬連携体験、社員座談会(4)薬剤師職：専門薬剤師紹介(制度、取り組み)、専門薬剤師業務体験【時期】(1)6～8月(1日)(2)8～10月(1日)(3)11月(5日間)(4)6～1月(1日)

会社名　（掲載ページ）	コース概要
㈱キリン堂　649	【概要】(1)自己分析＆売場の法則(2)企画作成【時期】(1)9月〜(1日)(2)7月〜(2日間、毎月1〜2開催)
㈱サッポロドラッグストアー　649	【概要】(1)業界研究 GWによるプレゼンテーション 店舗見学 座談会(2)業界研究 GWによる新規事業立案 店舗見学 座談会(3)業界研究 GWによる店舗マネジメント体験 店舗見学 座談会(4)業界研究 GWによる新規事業立案 店舗見学 座談会 他【時期】(1)7月下旬〜9月(1日×12回)(2)7〜8月(3日間×3回)1月(3日間×1回)(3)11月中旬〜2月(1日×12回)(4)2月中旬(1日×2回)
㈱カインズ　650	【概要】(1)企業セミナー(2)就活セミナー(3)企業説明とGW(4)企業説明 GW 業務体験【時期】(1)〜(3)1日(4)2日
ＤＣＭ㈱　650	【概要】(1)オープンカンパニー：業界や仕事内容を学ぶ(2)1日仕事体験(企業研究コース)：企業分析の視点を学ぶ(3)1日仕事体験(マーケティングコース)：顧客視点の商品開発を学ぶ(4)DCMで未来を創造する：新規事業立案【時期】(1)6〜2月(1日)(2)(3)5〜2月(1日)(4)8〜10月 1月(5日間、うちオンライン2日間)
コーナン商事㈱　651	【概要】(1)会社説明会、模擬グループディスカッション、売場作り体験ワーク、社員座談会(2)会社説明会、模擬グループディスカッション、店舗見学、各種業務体験ワーク(売場作り、店長、販売促進部、営業企画部、社員座談会)(3)会社説明会、社員座談会【時期】(1)6〜3月(1日)(2)7〜9月(2日間)(3)6〜3月(2時間)
アークランズ㈱　651	【概要】(1)店舗での売り場づくりを体験(2)グループワークによる売場改善活動を体験(3)小売業とホームセンターの業界研究(4)自分をことばで表現する自己分析【時期】(1)8／22〜3日間 8／27〜5日間(2)〜(4)7月〜随時(1日)
㈱ハンズ　652	【概要】(1)企画売場・イベント企画の仕事体験ワーク(2)2days店舗ツアー＆仕事体験ワーク(3)企業研究・キャリア研究＆座談会(4)モノ・ヒト・コトの仕事体験ワーク【時期】(1)8〜12月(1日間)(2)9月中旬(2日間)(3)11月〜12月(1日間)(4)12月(1日間)

●その他小売業●

会社名　（掲載ページ）	コース概要
㈱ドン・キホーテ　652	【概要】(1)販売戦略や商品企画など、ワークショップを通じて学び、小売業界への理解を深める(2)グループ全体の事業領域や、海外事業における今後の展望を学ぶ(3)実際の店舗を通して、特徴的な商品の演出、販売戦略や商品企画などを学び、企業理解を深める(4)実際の店舗を通して、店舗運営の方法を学び、今後のお店としての課題や取り組みなど企業理解を深める【時期】(1)(2)6〜2月(1日)(3)8月(5日)(4)7〜8月(1日)
㈱ミスターマックス・ホールディングス　653	【概要】(1)1DAYインターン：売場作成ワークとフィードバック(2)業界研究セミナー：小売業の違い、企業選びのポイント、計算されつくした小売業の秘密を解説(3)企業の選び方と志望動機の作り方セミナー【時期】(1)8〜9月(3時間)(2)8〜9月(1時間)(3)8〜9月(3時間半)
㈱ファーストリテイリング　653	【概要】(1)(グローバルヘッドクオーター主催)海外渡航での事業体験・課題解決型プログラム(2)(IT部門等)就業体験プログラム(3)(グローバルヘッドクオーター主催)事業体験・課題解決型プログラム(4)(グローバルヘッドクオーター主催)事業／ブランド理解・課題解決型プログラム【時期】(1)(3)随時(1週間)(2)随時(1〜3カ月)(4)随時(2〜3日)
㈱しまむら　654	【概要】(1)商談見学(Web・対面)(2)グループワークを通じた疑似体験(3)オープン・カンパニー【時期】(1)〜(3)6〜1月(半日×40回)
㈱ハニーズ　654	【概要】(1)アパレル業界研究WEBセミナー(オープン・カンパニー)(2)店舗での業務体験 先輩社員との座談会【時期】(1)8月上旬〜9月(2)8月 11〜2月
㈱エービーシー・マート　655	【概要】(1)グループワークを中心とした 店舗スタッフ・店長体感ワーク(2)グループワークを中心とした小売業界研究【時期】(1)6月〜(毎月1〜4回程度)(2)8月〜(毎月1〜4回程度)
㈱レリアン　655	【概要】コーディネート提案体験【時期】未定
㈱西松屋チェーン　656	【概要】オープンカンパニー：チェーンストア業界の説明 西松屋の経営シミュレーションGW GWフィードバック【時期】6〜9月(4時間)
青山商事㈱　656	【概要】(1)仕事体験 お客様の真のニーズを引き出し、自分の強みや個性を活かして、ニーズを叶える提案をする(2)仕事体験 お客様の人生の節目に携わる様々なニーズやライフスタイルに沿った提案販売を体感(3)仕事体験 スーツの商品知識をつけ、お客様のニーズを叶え、付加価値を生み出すお店作りをチームで考え実践する【時期】(1)(2)6〜2月(1日)(3)6〜9月(2日間)
㈱ＡＯＫＩホールディングス　657	【概要】(1)5daysインターンシップ 企業説明 社会ワーク 店舗見学及び就業体験(2)オープンカンパニー(提供価値創造コース)新サービスの起案ワーク(3)オープンカンパニー(スタイリスト体験コース)接客の模擬体験(4)就活講座 自己分析講座 面接講座【時期】(1)7〜11月(計2日間×2クール)(2)〜(4)6月〜
㈱コナカ　657	【概要】(1)業界研究、会社紹介、スーツ着こなし講座、就活準備講座、先輩社員座談会 他(2)業界研究、会社紹介、実店舗での就業体験 他【時期】(1)(2)6月下旬〜1月中旬(1日)
はるやま商事㈱　658	【概要】商品開発体験【時期】6〜10月(1日×回数未定)12〜1月(1日×8回)
㈱ヤナセ　658	【概要】(1)営業で重要なステップやヤナセの営業について学ぶ(2)グループワーク(顧客ニーズの確認の仕方)ロールプレイによる営業模擬体験(3)企業、仕事理解促進(予定)【時期】(1)8〜12月(半日間×複数回)(2)10〜12月(1日間×複数回)(3)未定
㈱ＡＴグループ　659	【概要】(1)営業職体験型(2)1dayインターンシップ【時期】(1)8月下旬(5日間)(2)7〜1月(1日)
㈱エフ・ディ・シィ・プロダクツ　659	【概要】モノづくりを体感する商品企画ワーク【時期】各月(2〜3回)

会社名 (掲載ページ)		コース概要
㈱ヴァンドームヤマダ	660	【概要】(1)オープンカンパニー(販売職)(2)グループワークによる販売職の就業体験【時期】(1)6月 7月 8月(1日×1～2回)12月上旬(1日×2回)2月(1日×4回)(2)8月下旬(1日×1回)1月中旬(1日×3回)
㈱アルペン	660	【概要】(1)総合職 1Day オープン・カンパニー:スポーツ業界・会社説明 グループワーク 先輩社員との交流 店舗見学(2)総合職 1Day オープン・カンパニー:スポーツ業界・会社説明 グループワーク 先輩社員との交流(3)総合職 0.5Day オープン・カンパニー:スポーツ業界・会社説明 グループワーク(4)物流職 1Day オープン・カンパニー:物流業界・会社説明 倉庫見学 先輩社員との交流【時期】(1)7～9月(1日)(2)(3)7～2月中旬(1日)(4)8月(1日)
ゼビオ㈱	661	【概要】(1)オープンカンパニー 業界研究ワーク パネルディスカッション(2)インターンシップ ビジネス思考に基づいたバイヤー 商品開発 新規事業立案ワーク【時期】(1)7月 8月 11月 12月 計10回予定(2)8月5～9日 計5日間
つるや㈱	661	【概要】(1)店舗・練習場業務(2)店舗業務【時期】(1)(2)8月(1週間程度)
㈱三洋堂ホールディングス	662	【概要】会社紹介 職場体験【時期】9月 11月 1月
ブックオフコーポレーション㈱	662	【概要】リユース業界とブックオフの仕事の考え方について【時期】7～12月(10日間)
ニトリグループ	663	【概要】(1)配転教育の疑似体験、4つの部署で就業体験(2)ニトリの未来を創る企画を立案し、会社のトップにプレゼン(3)実際の店舗運営部で就業体験(4)システム開発を企画し、IT部門の業務を体感【時期】(1)4～12月(1日)(2)8～12月(対面3日間・オンライン2日間)(3)9月(5日間)(4)5～12月(1～2日間)
㈱良品計画	663	【概要】(1)事業戦略立案を通して無印良品の店長のミッションを体感するワークショップ(2)事業戦略立案を通して商品開発を体感するワークショップ(3)会社紹介、社員への質疑応答セッション(4)自己分析を深めて自身のキャリアを考えるワークショップ【時期】(1)(2)8～9月(3)6～9月(4)5～7月
アスクル㈱	664	【概要】(1)総合職コース:アスクルで注文する各業種ごとに注文者目線に立ち、ビックデータを活用しながら売場改善案を考える(2)エンジニア職コース:実務型インターン(全4コース:フロントエンドコース、バックエンドコース、インフラコース、データサイエンティストコース)【時期】(1)8月(1日)12月(1日)(2)8月中旬(2週間)
㈱ベルーナ	664	【概要】(1)会社紹介、企画・マーケティング体感ワーク、社員座談会(2)データベースマーケティング体感ワーク、先輩社員フィードバック※コース1参加者のみ対象(3)社員セッション※コース1参加者のみ対象【時期】(1)8～1月(1日)(2)10～11月(2日間)(3)11月 12月(1日)
ジュピターショップチャンネル㈱	665	【概要】総合職 グループワークを通じての業界やTV通販のビジネス研究 現場社員との交流会を通じて企業理解を深める座談会【時期】8～2月(半日)
㈱あさひ	665	【概要】(1)就業体験:あさひブランド(自社オリジナル商品)が企画開発→発売されていく様子を、実際に業務に携わる先輩と一緒に体験(2)就業体験:新規事業の企画・立案を体験、商品開発業務を体験(3)就業体験:顧客に貢献する接客・販売業務を体験、新規事業の企画・立案を体験他(4)業界研究セミナー:業界や企業のことを深く知る【時期】(1)9月(5日間)(2)8～9月(2日間)(3)7～1月(半日)(4)1～2月(半日)
㈱はせがわ	666	【概要】(1)仕事体験～接遇体感コース～(2)仕事体験～企画開発コース～【時期】(1)(2)1日・2日間
●ゲーム●		
㈱バンダイナムコエンターテインメント	669	【概要】主軸となるゲーム事業における仕事の進め方、当社の強みや特徴。IPと仕事をすることの面白さ/やりがいを実感できるようなプログラム【時期】8月27日 9月10日(2回)
●人材・教育●		
㈱メイテック	669	【概要】(1)(技術職)<プロエンジニア仕事体験型コース>設計開発エンジニアのキャリア・仕事のイメージを深める<キャリアステップ体感型コース>カードゲームを通じて自身のキャリア志向や価値観を知る(ともに理系限定)(2)(総合職)製造業の顧客が抱える課題に対し、ソリューションを提案するワーク【時期】(1)6～2月(1日間)(2)7～2月(1日間)
㈱アルプス技研	670	【概要】(1)開発設計インターンシップ(5days)(2)課題解決型インターンシップ(2days)(3)開発設計お仕事体験(1day)【時期】(1)7月～(5日間)(2)7月～(2日間)(3)1月～(1日)
(学校法人)北里研究所	671	【概要】人事部部署長挨拶 人事部からの法人紹介 先輩職員の仕事紹介 先輩職員との懇談会 グループワーク フィードバック 質疑応答【時期】12月中旬～2月上旬(1日)
(学校法人)立命館	672	【概要】グループワークによる企画立案【時期】9月上旬(1日)
(学校法人)明治大学	672	【概要】会社説明 仕事体感型グループワーク 職員交流会【時期】9月上旬(半日または1日)
(学校法人)中央大学	673	【概要】(1)1Dayワークショップ:学生対応シミュレーション(予定)(2)先輩職員によるパネルトーク(予定)【時期】(1)9月17日・18日・10月18日・19日(各半日×2回)(2)11月16日(1回)
(学校法人)立教学院	674	【概要】学校職員の仕事を体験しよう 2Daysセミナー【時期】9月(2日間)2月(2日間)
(学校法人)東洋大学	674	【概要】(1)大学業界研究(2)(3)大学業界研究・グループワーク(4)座談会【時期】(1)7月下旬 8月上旬(2)9月上旬(半日×4回)(3)10月下旬(半日×4回)(4)12月中旬
(学校法人)龍谷大学	675	【概要】(1)大学コンソーシアム京都インターンシップ:業界理解、就業体験(2)1DAY仕事体験:大学概要、仕事事務紹介、グループワーク【時期】(1)8月下旬～9月上旬(10日間)(2)2月初旬(2日間)

会社名 *(掲載ページ)*	コース概要
㈱ベネッセコーポレーション *676*	【概要】(1)企画が本職の「事業会社」の企画メソッドを学ぶ(2)新デジタル商品企画(3)経営戦略・マーケティングを学べる大学生向けビジネススクール(4)個人開発・言語不問のハッカソン【時期】(1)～(4)8～9月(1～3日間)
㈱公文教育研究会 *677*	【概要】(1)コンサル業務を現場で学ぶ(2)コンサル業務と公文式学習法について学ぶ(3)自己分析、KUMONの概要説明、質疑応答(4)教室コンサル業務体験、公文式学習法を学ぶ、リクルート業務体験【時期】(1)9月 11月(5日程×2ターム)(2)8～9月(1日×複数回)(3)4～7月(複数回)(4)10～3月(1日×複数回)
㈱ナガセ *677*	【概要】(1)(2)人財育成の仕事がわかる：事業企画型(事前課題、レクチャー、ディスカッション、新規企画提案、フィードバック、座談会)(3)ナガセキャリア研究会：部門・部署別仕事理解、座談会【時期】(1)7～8月(2日間)(2)(3)7～2月(1日)
㈱ステップ *678*	【概要】(1)業界研究：学習塾の仕事の面白さを知ろう(2)教師職：授業をつくろう(3)職種別WEB形式・先輩と話そう：教師職・チューター職・スクールキャスト職・ステップキッズ職【時期】(1)～(3)6～2月中旬(1日)
㈱秀英予備校 *678*	【概要】(1)トーク研修体験：授業前のトークで生徒のモチベーションを高めるコツを伝授(2)小学生授業体験：授業準備・生徒出迎えなど、実際の業務に関わる。社員の授業を見学する【時期】(1)(2)6月下旬以降(1日)
㈱昴 *679*	【概要】(1)教室現場での就業体験(2)授業をつくる仕事体験【時期】(1)7月下旬～8月(18日間)(2)6月(1日間)7月(1日間)
㈱クリップコーポレーション *679*	【概要】学習塾体験ツアー、理科実験教室、授業体験、若手社員との座談会【時期】7月 8月 1月 2月(1日)
●ホテル●	
㈱西武・プリンスホテルズワールドワイド *680*	【概要】(1)会社概要説明 社員講話 施設見学 GW プレゼンテーション(2)会社概要説明 施設見学 社員座談会 GW プレゼンテーション(3)会社概要説明 GW 社員質問会【時期】(1)8月下旬～9月上旬(5日間)(2)12～1月上旬(半日×4回)(3)2月上旬(半日×2回)
㈱ニュー・オータニ *681*	【概要】(1)企画(2)年末年始インターンシップ(料飲)(3)年末年始インターンシップ(イベント)【時期】(1)8月 9月(1日)(2)12月下旬～1月初旬(予定)(3)12月下旬～2月初旬(予定)
藤田観光㈱ *681*	【概要】(1)経団連観光インターンシップ：会社紹介、業界研究、施設見学、実習(2)就業体験【時期】(1)9月(5日間)(2)8月 9月(1回)
㈱帝国ホテル *682*	【概要】会社紹介、グループワークによる就業体験、実務担当者からのフィードバック、実務担当者のパネルディスカッション【時期】11～12月(半日)
●レジャー●	
㈱エイチ・アイ・エス *683*	【概要】(1)生成AIを用いたアプリ開発体験(2)システム担当者として新規店舗の立ち上げ体験【時期】(1)(2)8月(5日間)
㈱阪急交通社 *683*	【概要】ツアー企画体験：会社業界説明、ツアー企画体験、先輩社員による解説、質問会【時期】7～12月(1日)
㈱日本旅行 *684*	【概要】顧客の求める価値を実現する「顧客と地域のソリューション企業グループ」を目指し、旅行はもちろん、日々様々な企画・提案を行っている。その現場における企画や提案を体験する【時期】10～12月(1日)
㈱ジェイアール東海ツアーズ *685*	【概要】会社紹介、業務内容紹介、グループワーク・座談会【時期】8～2月(予定)
日本中央競馬会 *685*	【概要】(1)事務職仕事体験(2)技術職仕事体験【時期】(1)6月 7月 9月 年明けも随時(1日)(2)未定
㈱オリエンタルランド *686*	【概要】(1)専門職(技術)(2)総合職【時期】(1)8～9月(5日間)(2)8月(1日)
㈱ラウンドワンジャパン *686*	【概要】(1)1日支配人体験編(2)エンタメクリエイター編(3)ラウンドワンまるわかり編(4)店舗ツアー(キカッチャ)【時期】(1)～(3)6～12月(4)7月 11月 12月(予定)
㈱バンダイナムコアミューズメント *687*	【概要】会社紹介、ファンマーケティング講座、グループワーク、社員とのパネルディスカッション【時期】10月中旬、11月中旬(各半日)
㈱東京ドーム *687*	【概要】(1)エンターテインメント×新規事業ビジネスコンテスト：エンターテインメント・ビジネスのアイデアをゼロから創り上げる体験をし、最終審査では東京ドームシティでプレゼンテーション(2)エンターテインメント×マーケティング：東京ドームシティの体験価値を向上させる施策を立案、発表、フィードバック(3)エンターテインメント×アイデア発想：1dayプログラム(オンライン)講義とグループワークを通じて、東京ドームシティに新しい体験価値を創造し企画を立案。社員への発表とフィードバック【時期】(1)8～12月(複数日程)(2)(3)9月 12月 1月(各1日)
東宝㈱ *688*	【概要】(1)映画コース(2)演劇コース(3)アニメコース(4)不動産コース【時期】(1)～(4)8月(5日間)
東映㈱ *688*	【概要】映画企画・宣伝・営業等の仕事体験【時期】9月上旬(5日間)
松竹㈱ *689*	【概要】グループワークによる企画立案型ワークショップ【時期】8月～10月(5日間)
セントラルスポーツ㈱ *689*	【概要】スポーツクラブ指導業務体験、店舗見学、社員講話【時期】未定(1日×複数回)
㈱ルネサンス *690*	【概要】(1)接客ロールプレイ等による就業体験 他(2)グループワーク等による施策立案 他【時期】(1)9月中旬(1日×2回)(2)2月上旬～中旬(1日×2回)

会社名 （掲載ページ）		コース概要
●海運・空運●		
日本郵船(株)	*690*	【概要】(1)日本郵船キャリアスクール：陸上事務編(2)(理系)同：陸上技術編(3)同：海上基礎編(4)同：海上発展編【時期】(1)7～1月(1日×20回)(2)7～1月(1日×5回)(3)9～1月(1日×11回)(4)11～1月(1日×8回)
(株)商船三井	*691*	【概要】(1)技術系(2)事務系(3)自社養成【時期】(1)8月～(複数日)(2)7月～ 11月～(複数日)(3)9月～ 11月～(複数日)
川崎汽船(株)	*691*	【概要】海運ビジネスゲーム、座談会(いずれもオープンカンパニーとして開催)【時期】9～1月(2日間)
ＮＳユナイテッド海運(株)	*692*	【概要】営業部門オペレーション業務体験【時期】半日
飯野海運(株)	*692*	【概要】(1)会社紹介(2)社員・内定者座談会【時期】(1)8～12月(1日)(2)11～1月(1日)
全日本空輸(株)	*693*	【概要】会社紹介 業務紹介 グループディスカッション 社員座談会 施設見学 他【時期】5日間
日本航空(株)	*693*	【概要】(1)運航乗務職志望者向けの業務体験。パイロットの安全運航への使命感、サステナブルな社会を実現するための取り組み、その場に応じた予測や判断力など、操縦の技術に加えてパイロットに求められる能力などについて、模擬体験なども取り入れながら学ぶ(2)業務企画職志望者向け(1)デジタル推進・システム企画、マイレージ事業などの領域で、データ分析や最新テクノロジーを駆使する業務を体験(2)GWや社員との交流を中心とした企業研究編と職場での業務体験などを含めた実践編に分けて実施。 経理・財務、空港企画、安全や運航などに関する業務など、航空会社の幅広い業務について学ぶ(3)業務企画職志望者向け。 職場見学や業務研究を中心とした企業研究編と職場での業務体験などを含めた実践編に分けて実施。 JALの圧倒的な機材品質を創りつつ、世界の航空技術の発展を担うエアラインエンジニアコースの業務が対象(4)客室乗務職志望者向け。GWや社員との交流を中心とした企業研究編と職場での業務体験などの実践編に分ける。 保安要員・サービス要員としての業務の理解や職業体験をとおして、客室乗務職として活躍するうえで必要なスキルや魅力を学ぶ【時期】(1)8～10月(1日×複数ターム)(2)9月(2～4日間)2月中旬(3日間)および、冬季に予定(3)9月(2日間)1～2月(3日間)および、冬季に予定(4)9月(2日間)2月中旬(3日間)および、冬季に予定
朝日航洋(株)	*694*	【概要】(1)オープンカンパニー：会社紹介、福利厚生や働き方の紹介 他(2)1day仕事体験：事業紹介、福利厚生や働き方についての紹介 他(3)航空事業(航空整備職)：ヘリコプターに関わる整備職の仕事内容を座学・体験(4)空間情報事業(空間情報・国土保全・システム開発)【時期】(1)(2)1日×4回(3)8月下旬(5日間)(4)7～9月(5日間)
●運輸・倉庫●		
日本通運(株)	*694*	【概要】(1)課題解決グループワーク：グループワークを通じて当社の事業・ロジスティクスについて学ぶ(2)戦略的ロジスティクス提案コース：物流全般を網羅的に学び、グループワークによるロジスティクスソリューションの提案作成を行う(3)重機建設・重量品輸送コース：グループワークや座談会を通じて重機建設・重量品輸送の事業内容を学ぶ 他【時期】(1)5～12月(1日)(2)8～9月(5日間予定)(3)6～11月(1日)12月 2月(2日間)8月(3日間)
西濃運輸(株)	*695*	【概要】(1)オンライン職場見学：会社紹介、職場見学ライブ配信、グループワーク、質疑応答(2)営業体験：当社サービス内容を理解し、グループワークに取り組む【時期】(1)8～12月(1日×33回)(2)11～1月(1日×6回)
福山通運(株)	*695*	【概要】(1)ボードゲームを用いたシミュレーションを通して物流の仕事の流れを体験(2)業界説明 先輩社員インタビュー【時期】(1)9月上旬(1日)(2)6月～定期開催(1日)
トナミ運輸(株)	*696*	【概要】1日完結型、事業所での見学及び説明【時期】10月以降
ロジスティード(株)	*696*	【概要】(1)物流・3PL業界説明、会社紹介、グループワークの1day仕事体験(2)(コース1参加者のみ)事業紹介・施設見学、グループワーク、座談会の1day仕事体験(3)事業・業務紹介、グループワーク、現場社員との座談会の1day仕事体験(3PL編／DX編)【時期】(1)6～12月(3時間30分×複数回)(2)12月中旬 1月中旬(3時間×複数回)(3)1月下旬～2月(3時間×複数回)
センコー(株)	*697*	【概要】(1)5daysインターンシップ(大学協定型・公募型)物流に関するグループワーク 物流の未来についての講話 新入社員座談会 営業所での業務実習(2)2days仕事体験 物流センター見学(対面)企業研究・物流関するワーク(オンライン)(3)オープンカンパニー(業界研究・企業研究)【時期】(1)8月下旬(5日間)(2)8月中旬～10月下旬(2日間)(3)6月下旬～2月中旬(1日)
山九(株)	*697*	【概要】(1)プラント業界ガイダンス(2)プラント業界ガイダンス、鉄鋼・化学プラントの見学、社員座談会(3)プラント業界ガイダンス、鉄鋼・化学プラントの見学、社員座談会、業務体験【時期】(1)8月(1日間)(2)9月中旬(2日間)(3)8月下旬(5日間)
鴻池運輸(株)	*698*	【概要】(1)企業研究WEBセミナー：企業説明 総合職の仕事説明 パネルディスカッション 質疑応答(2)グループワーク：実際の事例を基にした総合職の業務体験ワーク 社員からのフィードバック【時期】(1)6～1月(1日)(2)8～12月(1日)
阪神高速道路(株)	*698*	【概要】(1)事務系：就業体験(グループワーク)(2)土木系：就業体験(現場見学 グループワーク 社員座談会 他)(3)電気・電子・通信系、建築系、機械系：就業体験(現場見学 グループワーク 社員座談会 他)【時期】(1)8～9月(半日×5日間)12月(未定、半日×複数回)2月(未定、半日×複数回)(2)(3)8月(5日間×1回)12月(未定、1日×複数回)

会社名 (掲載ページ)		コース概要
日本梱包運輸倉庫㈱	699	【概要】(1)会社説明 倉庫見学 グループワーク 社員との座談会(2)オープンカンパニー会社説明 社員との座談会【時期】(1)(2)7～2月(1日)
㈱キユーソー流通システム	699	【概要】外勤営業(物流提案)・営業業務(司令塔)の実務体験グループワーク、食品物流業界・会社紹介【時期】7～2月(1日)
㈱日新	700	【概要】(1)模擬業務体験(2)業務体験【時期】(1)6～2月(1日)(2)8月中旬～下旬(5日間)
丸全昭和運輸㈱	700	【概要】1day仕事体験(会社紹介 実務体験型グループワーク 社員座談会)【時期】6月下旬 7月 8月 9月 10月 11月下旬 12月上旬 1月 2月上旬(1日)
㈱近鉄エクスプレス	701	【概要】(1)国際物流業界理解ワーク(2)夏季職業体験ワーク(3)先輩社員座談会(4)フォワーディング体験ワーク【時期】(1)7月下旬～9月上旬(12日間程度)(2)8月上旬～9月上旬(12日間程度)(3)10月下旬(6日程度)(4)11月中旬～12月上旬(12日間程度)
郵船ロジスティクス㈱	701	【概要】業界会社説明 仕事体験 グループワーク 社員座談会【時期】7～9月(1～3日)1月(1日)
関西エアポート㈱	702	【概要】(1)技術系1weekインターンシップ 技術系業務(土木・建築・設備・IT・環境系)を対象としたプログラム。空港内の施設見学および業務体験、オフィスツアー、技術系社員との座談会、グループワーク(2)エアポートオペレーションに関する1dayプログラム 業務説明及び現場見学、空港運用部の現場業務および企画、調整業務体験、グループワーク【時期】(1)9月(5日間)(2)8月(1日間)
㈱阪急阪神エクスプレス	702	【概要】(1)業界・企業研究 業務体感ワーク 物流現場体験 先輩社員交流(2)業界・企業研究 業務体感ワーク 先輩社員交流(3)業界・企業説明 業務体感ワーク【時期】(1)8月26日～30日(5日間)(2)6～11月(最大4日間)(3)12月(1日)
㈱上組	703	【概要】業界説明 体験型GW(営業・通関)社員座談会【時期】8月 12月(1日×複数回)
名港海運㈱	703	【概要】物流プランニングワークショップ、フォアマン体感ワークショップ【時期】8月(6日間)1～2月(6日間)
三井倉庫ホールディングス㈱	704	【概要】(1)会社紹介 物流業界研究 現場見学(2)会社紹介 情報システム部門での仕事体験 社員座談会(3)会社紹介 物流業界研究 社員座談会【時期】(1)9月(1日)(2)12月(1日)(3)1月(1日)
三菱倉庫㈱	705	【概要】仕事体験【時期】8～9月 12～1月(1日間)
㈱住友倉庫	705	【概要】ビジネスモデル体感ワーク【時期】1～2月(予定)(1day)
日本トランスシティ㈱	706	【概要】(1)インターンシップ(5日間)(2)(3)オープンカンパニー(1日間)【時期】(1)8～9月(2)11月(2回)(3)12～1月(4回)
安田倉庫㈱	707	【概要】(1)物流業界を知る：会社紹介や物流業界の講義を通じて、物流の魅力等を紹介(2)社風を感じる：倉庫案内動画視聴・若手社員との座談会を通じて当社の社風や物流・倉庫管理の理解を深める(3)現場を体験する：倉庫見学・営業所職員との交流【時期】(1)8月～(1日)(2)9月～(1日)(3)2月(1日)
両備ホールディングス㈱	707	【概要】(1)自己分析 他己分析 グループワーク(2)バス・トラック・タクシー運転体験 業界研究 座談会(3)業界研究 会社紹介 座談会(4)職場訪問 社員座談会【時期】(1)5月～(1日)(2)(3)6月～(1日)(4)8月～(1日)
●鉄道●		
北海道旅客鉄道㈱	708	【概要】(1)レールウェイアカデミー：鉄道車両、電力・信号通信、土木・線路の職場見学・座談会(2)ワークショップ：鉄道利用促進、列車ダイヤ作成、線路施工管理、電気設備設計に関するグループワーク(3)オープンカンパニー【時期】(1)8月(1～5日間)(2)9～11月(各1日間)(3)7月(1日間×2日)
西武鉄道㈱	708	【概要】(1)<技術系コース> 会社概要説明、施設見学、部門ごとの就業体験、グループワーク、プレゼンテーション(2)<DXコース> 会社概要説明、施設見学、部門ごとの就業体験、グループワーク、プレゼンテーション(3)<沿線価値創造コース> 会社概要説明、施設見学、部門ごとの就業体験、グループワーク、プレゼンテーション(4)<1Day仕事体験>(旅客サービス・技術サービス(電気・車両・土木・建築))会社概要説明 施設見学 社員座談会、グループワーク【時期】(1)(2)8月19～23日(5日間)(3)8月26～30日(5日間)(4)7月30日～8月5日のうち各1日
京成電鉄㈱	709	【概要】(1)電気・機械コース： 現場見学、業務体験、グループワーク(2)土木・建築コース： 現場見学、業務体験、グループワーク(3)オープン・カンパニー【時期】(1)8月 9月(5日間)(2)9月(5日間)(3)7月(1日間)
東日本旅客鉄道㈱	709	【概要】(1)オープンカンパニー(2)汎用能力活用型(3)体験型セミナー(4)専門活用型【時期】(1)5月下旬～6月下旬(1日×6回)(2)8月下旬～9月中旬(1週間×2回)(3)11～12月(1日×3回)(4)2月(2週間)
東海旅客鉄道㈱	710	【概要】採用系統別(事務・運輸・車両機械・施設・電気システム)施設見学、座談会、グループワーク 他【時期】8月～
東急㈱	710	【概要】(1)理系向け事業部受け入れ型インターンシップ(2)文理不問向け1DAYインターンシップ(3)建築専攻向け開発インターンシップ(4)理系向け鉄道インターンシップ【時期】(1)8月下旬(5日間)(2)8～9月(1日×10回)11月(1日×3回)(3)12月上旬(2日間)(4)12月上旬(1日)
東武鉄道㈱	711	【概要】鉄道・開発施設のフィールドワーク、新規事業立案とグループワーク【時期】8月中旬～下旬 11月下旬～12月中旬(3日間または1日)

会社名 (掲載ページ)		コース概要
㈱西武ホールディングス	711	【概要】(1)グループ経営戦略：会社説明、施設見学、GW、プレゼンテーション(2)DX戦略：会社説明、データ分析基礎理解・実施、GW、最終発表 他(3)法務：会社説明、企業法務業務体験(契約書審査・商標審査等)、GW、最終発表 他【時期】(1)8月(5日間)(2)9月(5日間)(3)9月(3日間)
小田急電鉄㈱	712	【概要】(1)(2)総合職事務系：新規事業紹介、社員懇談会、グループワーク(3)(4)総合職技術系：事業・仕事紹介、社員懇談会、実際のプロジェクトを使用したグループワーク【時期】(1)9月(半日程度×6回)(2)11月 2月(1週間)(3)8月 12月(1週間×3回)(4)9月(1日程度×3回)
京王電鉄㈱	712	【概要】(1)事務系コース(2)技術系コース【時期】(1)(2)9月 2月(3日間)
東京地下鉄㈱	713	【概要】(1)事務系・デジタル系・技術系：GWによる新事業企画立案、社員との座談会、現場見学 他(2)技術系：個人ワークやGWによる企画業務、現場視察、社員との座談会 他(3)エキスパート職・技術職種：職種概要説明、GW、社員との座談会、現場見学、業務体験 他【時期】(1)8～9月(1日)(2)11～12月(5～7日間)(3)8月(1日)
日本貨物鉄道㈱	713	【概要】(1)(理系)会社紹介、仕事体験(理系職種)、社員座談会(2)会社紹介、物流体感ボードゲーム、仕事体験(運輸・営業)、社員座談会(3)会社紹介、現場見学、社員座談会【時期】(1)11月(2日間)(2)8～9月(2日間)(3)11～12月(1日)
京浜急行電鉄㈱	714	【概要】(1)(学部不問)三浦半島活性化に関する事業提案 事務系総合職社員との座談会(2)(学部不問)沿線における不動産開発事業提案 事務系総合職社員との座談会(3)(土木・建築・電気電子情報・機械工学系)将来の鉄道運行・土木構造物保守・駅舎に関するグループワーク 沿線施設・駅舎の見学 技術系総合職社員との座談会【時期】(1)＜予定＞8月9月(3日間)2月(3日間)(2)＜予定＞8月(2日間)2月(2日間)(3)8月(2日間)9月(2日間)
富士急行㈱	714	【概要】(1)企画立案型5daysインターンシップ(2)就業体験型5daysインターンシップ(3)仕事体験コース(講義、ワークショップなど)【時期】(1)8月下旬～9月上旬(5日間)(2)9月上旬(5日間)(3)未定
名古屋鉄道㈱	715	【概要】(1)総合職(事務系)：企画体験グループワーク 座談会 他(2)総合職(技術系)：施設見学 企画体験ワーク 座談会 他(3)職種別業務内容説明 座談会 他【時期】(1)7月下旬～9月上旬 12月(2日間×複数回)(2)10月中旬(2日間)(3)1～2月(1日×複数回)
西日本旅客鉄道㈱	715	【概要】(1)会社・業務説明、事業担当者によるワークショップ・フィードバック、先輩社員座談会、職場見学 他(2)会社・業務説明、先輩社員座談会、職場見学 他【時期】(1)8月初旬～9月(5日間)(2)8～2月(1日)
近鉄グループホールディングス㈱	716	【概要】(1)全職種共通：グループの事業紹介、仕事体験GW、社員との座談会 他(2)総合職情報系：仕事内容・DXの取り組み紹介、仕事体験GW、社員との座談会 他【時期】(1)8月下旬～9月上旬(4日間)12月上旬(1日)(2)8月下旬(3日間)
阪急阪神ホールディングス㈱	716	【概要】(1)(3)当社の事業を体感し、総合職の働き方を知る(2)電気電子・機械・情報系専攻対象：当社の鉄道技術や、DXプロジェクト等をテーマに、総合職の働き方を知る(4)電気電子・機械・情報・土木・建築系専攻対象：当社の鉄道技術や、DXプロジェクト等をテーマに、総合職の働き方を知る【時期】(1)8～9月 11月(4日間・1日)(2)8～9月 12月(5日間)(3)12～2月(4日間)(4)11月(1日)12月(5日間)
京阪ホールディングス㈱	717	【概要】(1)施設見学 会社紹介 座談会 GW(2)施設見学、会社紹介、座談会、GW【時期】(1)8～9月(2日間)(2)12月(5日間)1月(5日間)
南海電気鉄道㈱	717	【概要】(1)マネジメントコース(4コース)(2)エキスパートコース(2コース)【時期】(1)夏・秋・冬(1日×複数回)(2)冬(3日間×1回)
大阪市高速電気軌道㈱	718	【概要】(1)(鉄道技術)企業説明、先輩社員の業務紹介、採用担当への質問会・座談会(2)(女性)企業説明、先輩社員の業務紹介、採用担当への質問会・座談会(3)(都市型MaaS)企業説明、先輩社員の業務紹介、グループワーク、本社見学、採用担当への質問会・座談会(4)(鉄道技術)企業説明、先輩社員の業務紹介、グループワーク、現場見学、本社見学、採用担当への質問会・座談会【時期】(1)(2)12月(1日)(3)2月(1日)(4)2月(2日間)
京阪電気鉄道㈱	718	【概要】(1)(2)施設見学 会社紹介 座談会 仕事体験GW【時期】(1)8～9月(1日または2日)(2)1～2月(2日間以上を想定)
四国旅客鉄道㈱	719	【概要】(1)(3)鉄道車両・線路設備・土木構造物・建築物・電気設備・設備機械に関するメンテナンス実習・現場見学(各系統ごと)(2)事業開発・地域連携業務に関するグループワーク実習(各業務ごと)(4)観光列車企画・事業開発・地域連携業務に関するグループワーク実習(各業務ごと)【時期】(1)(2)8～9月(複数日)(3)(4)12～1月(複数日)
九州旅客鉄道㈱	719	【概要】(1)＜事務系＞駅乗務員・鉄道営業・事業開発(事務)・ITマネジメント・デジタル推進 ※秋季も実施予定あり(2)＜技術系＞車両・運輸・建築(鉄道)建築(事業開発)機械 ※秋季も実施予定あり(3)＜技術系＞保線・土木 ※秋季も実施予定あり(4)＜技術系＞電気・鉄道システム ※秋季も実施予定あり【時期】(1)(2)8～9月(3日間×3回)(3)(4)8～9月(4日間×3回)
西日本鉄道㈱	720	【概要】(1)地域マーケット部門(事務系)：GW 他(2)地域マーケット部門(技術系)：現場見学 GW 他(3)国際物流部門：業務体験プログラム 座談会 他【時期】(1)7～9月上旬 12月 2月(各1日間)(2)8月下旬 1月(1～3日間)(3)8～9月 冬期(各1日間)

●その他サービス●

会社名 (掲載ページ)		コース概要
東日本高速道路㈱	720	【概要】高速道路の管理運営事業・建設事業等の就業体験や現場見学 GD 他【時期】8～12月(1～2日間)

会社名 *（掲載ページ）*	コース概要
首都高速道路㈱ *721*	【概要】(1)事務コース：会社紹介 グループワーク 社員座談会 現場見学 他(2)土木コース：現場見学 グループワーク 社員座談会 他(3)建築・機械・電気コース：グループワーク 社員座談会 他【時期】(1)9月(1日×複数回)12月(1日×複数)(2)8月(2週間)11〜2月(未定)(3)8〜9月 11月(いずれも半日×複数回)
中日本高速道路㈱ *721*	【概要】(1)夏季(5days)：就業体験 事業現場実習 課題解決型グループワーク(2)夏季(3days)：就業体験 事業現場実習 課題解決型グループワーク(3)冬季仕事体験：課題解決型グループワーク【時期】(1)8〜9月(5日間×2回)(2)8〜9月(3日間×4回)(3)1〜2月(1日×複数回)
西日本高速道路㈱ *722*	【概要】(1)事務系：就業体験(2)事務系：グループワーク 職場見学 座談会 他(3)事務系仕事体験：グループワーク 座談会 他(4)技術系仕事体験：建設現場紹介 グループワーク 座談会 他【時期】(1)8〜9月(5日間×4地域)(2)9月(3日間×1回)(3)10〜2月(1日×3回)(4)9〜12月(1日×7回)
日本郵政㈱ *722*	【概要】(1)座学による事業理解、グループワーク、座談会および企画業務の体験(2)座学による事業理解、グループワーク、座談会および専門職種の企画業務の体験(3)座学による事業理解、パネルディスカッション【時期】(1)7月下旬〜1月中旬(計5日間)(2)8月下旬〜1月中旬(計5日間)(3)6月中旬〜10月(1時間半)
全国農業協同組合連合会 *723*	【概要】(1)ビジネスマップ作成ワーク(2)購買・販売事業体感ワーク【時期】(1)7月中旬〜2月(1日)(2)8〜2月中旬(1日)
日本生活協同組合連合会 *723*	【概要】(1)日本生協連の仕事やキャリア形成・協同組合としての価値観を考える就業体験(2)日本生協連の「営業」の仕事を知る就業体験【時期】(1)7〜2月中旬(1日・回数は検討中)(2)8月〜(1日・回数は検討中)
(国研)産業技術総合研究所 *724*	【概要】(1)総合職業務体験ワーク(新規制度企画)(2)総合職業務体験ワーク(技術マーケティング・ブランド戦略)(3)総合職業務体験ワーク(広報・産学官契約)(4)計量標準5daysインターンシップ【時期】(1)9月(4日間)12月(4日間)(2)8月(2日間×各テーマ毎に1回)12月(2日間×各テーマ毎に1回)(3)9月(1日×各テーマ毎に2回)11月(1日×各テーマ毎に2回)1月(1日×各テーマ毎に2回)(4)8月上旬(5日間×1回)
日本自動車連盟 *724*	【概要】(1)自己理解ワーク、会社紹介(2)会社理解ワーク、会社紹介、企画部門の体験、先輩職員との座談会(3)自己理解、会社理解ワーク、会社紹介、企画部門の体験、営業部門の体験、先輩職員との座談会、キャリア理解ワーク(4)価値観・キャリア理解ワーク、会社紹介【時期】(1)6月〜7月(1日)(2)8月(2日間)(3)6〜11月(5日間)(4)11月(1日)
(一財)日本品質保証機構 *725*	【概要】(1)営業部署での就業体験(2)技術部署での就業体験【時期】(1)(2)8〜9月(2日間)1〜2月(2日間)
(一財)関東電気保安協会 *725*	【概要】(1)技術職：技術研修所での高圧電気設備見学・保護継電器、発電機等の操作体験、事業本部での年次点検見学、高圧電気設備の操作体験、先輩職員座談会(2)事務職：業界研究、会社研究、先輩職員座談会【時期】(1)(2)1日
(一財)日本海事協会 *726*	【概要】業界及び企業の理解促進へつなげる説明会【時期】10〜12月(1日)(予定)
日本商工会議所 *726*	【概要】(1)1day仕事体験：会社紹介、政策提言事務体験グループワーク、先輩社員座談会他(2)オープンカンパニー：会社紹介、業界研究【時期】(1)8〜2月(1日)(2)7〜2月(1日)
東京商工会議所 *727*	【概要】(1)弊所の概要、特に経営支援活動の詳細な事業と仕事内容の紹介、経営相談業務に関するスキルのレクチャー、グループワークによる経営改善提案業務の疑似体験(2)弊所の概要 特に地域振興活動の事業と仕事内容の紹介 地域振興に係る業務に関するレクチャー グループワークによる地域振興企画立案業務の疑似体験(3)職員座談会(4)業界・企業研究セミナー【時期】(1)(2)8〜9月 11月もしくは1月(2日間)(3)9月 10月 12月 2月(半日)(4)9月 12月 2月(半日)
(国研)宇宙航空研究開発機構 *727*	【概要】各現場における就業体験【時期】5〜10日間
(独法)国際協力機構 *728*	【概要】(1)JICA職員の仕事を体感(2)共創・革新の視点で事業構想を体験(3)国際協力の現場を体験【時期】(1)8月下旬〜9月中旬(半日)(2)2月(5日間)(3)8〜3月(2週間〜3カ月程度)
(独法)国際交流基金 *729*	【概要】(1)オープンカンパニー・導入編：組織概要説明・事業紹介・キャリアパス紹介 他(2)オープンカンパニー・海外編：海外事務所での仕事紹介・海外事務所で働く職員の登壇 他(3)オープンカンパニー：若手職員による就職活動の経験や業務の紹介 他(4)オープンカンパニー：人事課採用担当者が参加者の質問に回答【時期】(1)9月(1日)(2)11月(1日)(3)1月(1日)(4)2月(1日)
(独法)鉄道建設・運輸施設整備支援機構 *729*	【概要】(1)(理系)土木系専攻者：鉄道建設の現場(2)(理系)機械系専攻者：鉄道施設の設計、施工監理(3)(理系)建築系専攻者：鉄道施設(駅)の計画(4)(理系)電気系専攻者：鉄道建設の設計、施工管理【時期】(1)8月26〜30日(5日間)(2)〜(4)8〜1月(1日)
(独法)エネルギー・金属鉱物資源機構 *730*	【概要】(1)事務系：機構紹介 座談会 金属資源の調査プロジェクト組成GW(冬季インターンは地熱開発におけるプロジェクト組成GW)(2)技術系：機構紹介 座談会 経済性評価GW 現場作業見学(3)技術系：機構紹介 座談会 現地調査・データ分析 他(4)技術系：機構紹介 座談会 事業評価GW【時期】(1)8〜9月 1〜2月(1日×6回)(2)8〜9月(5日間)(3)(4)9月(5日間)
(独法)日本貿易振興機構 *730*	【概要】(1)日本企業の海外展開支援 イベント対応 商談同席や商談データの分析等(2)JETRO業務体験ワークショップ【時期】(1)3週間〜1カ月程度(2)9月上旬(半日)他
(独法)中小企業基盤整備機構 *731*	【概要】(1)(3)Web上での就業疑似体験(2)事業研究【時期】(1)8月(2週間)9月(2週間)(2)9月上旬(半日)10月上旬(半日)(3)1月(2週間)
日本年金機構 *731*	【概要】公的年金と日本年金機構についての講義、先輩職員との座談会、グループワーク【時期】8月26日〜9月20日(18日間)冬季は調整中

会社名　（掲載ページ）	コース概要
セコム㈱　732	【概要】(1)営業体験：営業員就業体験(GW)、座談会(2)企画型仕事研究：会社紹介、企画業務体験(GW)、座談会(3)セキュリティ職・バックオフィス職・営業職の就業体験、座談会(4)国際事業部就業体験：イノベーティブな施策の立案(GW)、座談会【時期】(1)6～2月(1日×複数回)(2)8月 9月(各2日間)(3)8月(5日間)(4)8月 1月(1日)
ＡＬＳＯＫ　732	【概要】(1)就活や社会人として必ず役立つ自己分析体験(2)AI、ロボットなど最先端セキュリティシステム構築体験(3)セキュリティシステム設計を体験(4)営業の仕事について学ぶグループワーク体験【時期】(1)(4)5～2月(1日×複数回)(2)(3)6～2月(1日×複数回)
㈱カナモト　733	【概要】営業職体験(フィードバックあり)、職場見学、社員座談会、就活サポート【時期】6～2月(1日)
西尾レントオール㈱　734	【概要】(1)営業系：営業同行 現場見学 建機整備体験 受注対応体験 他(2)技術系：建機整備・点検体験 ICT分野・新システム関連業務体験 他【時期】(1)(2)8月中旬～(1週間または2週間)
ジェコス㈱　734	【概要】(1)夏季インターンシップ：会社説明 設計実習 現場見学 営業打合せ同行 見積実習 先輩社員座談会 採用講座 他(2)夏季オープンカンパニー：現場見学 先輩社員座談会【時期】(1)8～9月上旬(5日間)(2)8～9月上旬(1日)
サコス㈱　735	【概要】(1)営業・技術・業務職の疑似職体験(2)社員対談、工場・職場見学(3)業界研究会【時期】(1)8～10月(2)9～12月(3)1～2月
三菱電機エンジニアリング㈱　735	【概要】(1)職場体験：職場での回路・機械・ソフトウェア設計体験(2)1Day仕事体験：工場見学・技術者座談会・ワーク 他【時期】(1)8～9月 12～2月(2～5日間)(2)8～9月 12～2月(1日)
日本空調サービス㈱　736	【概要】ビルメンテナンス業界の理解 空調基礎の理解 福利厚生ワークショップ 他【時期】2月(1Day)
㈱マイスターエンジニアリング　736	【概要】(1)(理系)対話力を身につけるGW(2)(理系)エンジニア職種体験型ワーク(3)(理系)実習主体の職場体験型(機械設計・フィールドエンジニア・組込みソフト・マシンビジョンコース)(4)(理系)実習主体の職場体験型。機械設計・フィールドエンジニア・組込みソフトを掛け合わせたコース【時期】(1)5～7月(半日)(2)5～9月(半日)(3)8～9月(2日間)10～2月(1日)(4)8～9月(5日間)
㈱ダスキン　737	【概要】企業・仕事紹介 先輩社員座談会 施設見学会他【時期】8月中旬～11月
㈱白洋舎　737	【概要】オープン・カンパニー：会社概要説明 先輩社員座談会 社内見学 他【時期】未定
㈱トーカイ　738	【概要】(1)営業職について学ぶ(営業同行2日間を含む)(2)営業職を中心に学ぶ(営業同行1日間を含む)(3)(営業職・事務職)主力3事業について学ぶ模擬仕事体験(4)生産技術職仕事体験【時期】(1)8～9月(5日間)(2)9月(3日間)(3)8～9月 12～1月(1日)(4)8～9月(1日・3日間)
シミックグループ　738	【概要】(1)グループワークを通じた業界理解・職種体験(2)グループワークによる新事業企画・職種説明(3)(留学生限定)グループワークを通じた業界理解・職種体験(4)製薬業界セミナー【時期】(1)8月下旬～9月上旬(5日間)(2)6～2月(1日)(3)8月上旬(3日間)(4)9月上旬
㈱コベルコ科研　739	【概要】仕事体験ワークショップ【時期】9月～(1日)
コンパスグループ・ジャパン㈱　739	【概要】業界研究、会社紹介、業務紹介、先輩社員交流【時期】7月下旬～9月中旬(計9回)12月下旬～2月中旬(計8回)
㈱テイクアンドギヴ・ニーズ　740	【概要】(1)新規事業提案体験(2)ウェディング業界のマーケティングの仕事紹介(3)ウェディングプランナーの仕事紹介・体験(4)2days Summer Internship：ブティックホテル(TRUNK HOTEL)の裏側、コンセプトワーク、各事業(ハウスウェディング、レストラン、ドレス)体感、超現実的事業提案体験、先輩社員座談会【時期】(1)6月(1日間)(2)7月(1日間)(3)6～1月(1日間)(4)8月(2日間)
ワタベウェディング㈱　740	【概要】(1)リゾートウェディングプランナーコース：エリア・会場提案 リゾ婚PR(2)ドレスコーディネーターコース：衣裳提案、商品企画(3)フォトアドバイザーコース：撮影提案、商品企画【時期】(1)～(3)6月中旬(1日)
㈱ノバレーゼ　741	【概要】(1)1dayブライダル仕事体験インターンシップ(グループワーク・パネルディスカッション)(2)3days婚礼同行インターンシップ【時期】(1)6月以降、横浜・大阪・オンラインで各月1回の開催(2)8月以降で選考通過者のスケジュールに合わせて開催
㈱共立メンテナンス　741	【概要】(1)ホテル新棟開発：有名リゾート地の新規ホテルコンセプトを考える(2)学生寮営業：大学に最適な住まいを提案する(3)ドーミーイン・共立リゾート：ホテル見学、社員座談会、チェックイン体験等(4)ドーミーイン・共立リゾート：会社理解、仕事理解、グループワーク等【時期】(1)(2)8～9月(5日間)(3)(4)通年
㈱ベネフィット・ワン　742	【概要】(1)1営業体験＝BtoBの新規営業体感 2新規事業提案＝福利厚生の歴史研究～新規事業を立案 3自己分析＝これまでの自分を振り返り、未来の自分について考察・模擬面接体験(全コンテンツロールプレイング・個別フィードバック付)(2)5日間の営業同行体験(外勤新規営業、外勤既存営業、内勤営業、マーケティング(営業企画、広報)、バイヤー)5つの職種の実際の商談に同行できる(3)新規サービス立案 コンテスト形式にて自社福利厚生サービスの改善提案・新規サービス提案【時期】(1)7月～(1日×複数回)(2)7月～(5日間×複数回)(3)8月～(1カ月間)
ＪＰホールディングスグループ　742	【概要】(1)本部・保育士：GWによる社内イベントの企画立案(その後希望者のみイベント時参加)(2)保育士：業界研究・会社紹介(3)全職種：業界研究・会社紹介【時期】(1)10月(2日間)(2)10～12月(3)週1日
㈱リクルート　743	【概要】(1)ITプロダクトを通じた社会課題解決について提案する事業立案型(2)(エンジニア向け)リクルートの現場で開発・解析に挑戦(3)(データスペシャリスト向け)リクルートの現場で開発・解析に挑戦【時期】(1)7月下旬(1週間程度×2ターム)(2)8月以降(1カ月弱×3ターム)(3)7月以降(1カ月弱×5ターム)

会社名 (*掲載ページ*)		コース概要
ぴあ㈱	*743*	【概要】会社説明・GWでの企画立案体験【時期】8～11月(3日間×5回)
㈱乃村工藝社	*744*	【概要】(1)オープンカンパニー(会社説明・紹介型ワーク)(2)職種別(各職種理解・先輩社員交流)(3)2days(グループワーク形式の企画提案・先輩社員交流)職種別(各職種理解・先輩社員交流)(4)冬季(各職種理解・先輩社員交流・技能選考体験)【時期】(1)7月(約3時間)(2)9～10月(約3時間)(3)10～11月(2日間)(4)12～2月(約3時間)
㈱パスコ	*745*	【概要】(1)技術・営業部門における就業体験(2)ワークを通じた事業や仕事の理解・体験、若手社員座談会、会社紹介【時期】(1)7月下旬～9月(5～10日間)(2)7月下旬～2月上旬(1日×全15回程度)
㈱エフアンドエム	*745*	【概要】(1)コンサルティング業界の説明、自社の事業説明(2)グループワークによるコンサルティング体験、人事担当者との座談会【時期】(1)5～1月(1日)(2)6月上旬～1月(1日)

実施動向を知る

通年採用 ジョブ型雇用

業種別・通年採用、ジョブ型雇用 580 社

会社名 （掲載ページ）		通年採用	ジョブ型雇用
●商社・卸売業●			
三井物産㈱	83	総 実施済み	総 実施予定なし
丸紅㈱	84	総 検討中	総 実施済み
双日㈱	85	総 実施済み	総 実施予定なし
阪和興業㈱	86	総 検討中	総 実施予定なし
日鉄物産㈱	87	総 検討中	総 検討中
㈱ホンダトレーディング	88	総 検討中	総 未定
小野建㈱	90	総 実施済み	総 未定
ユアサ商事㈱	92	総 検討中	総 検討中
㈱ミスミ	93	総 技 未定	総 技 検討中
㈱守谷商会	95	総 実施済み	総 実施予定なし
㈱日立ハイテク	96	総 技 検討中	総 技 実施済み
キヤノンマーケティングジャパン㈱	97	総 技 検討中	総 技 検討中
シークス㈱	98	総 技 未定	総 技 実施済み
㈱ＲＹＯＤＥＮ	98	総 技 検討中	総 技 未定
㈱立花エレテック	99	総 技 実施予定なし	総 技 検討中
エプソン販売㈱	100	総 技 検討中	総 技 検討中
㈱カナデン	100	総 実施済み	総 実施予定なし
三信電気㈱	104	総 技 実施済み	総 技 検討中
ＣＢＣ㈱	106	総 検討中	総 NA
オー・ジー㈱	106	総 検討中	総 実施予定なし
ＪＫホールディングス㈱	107	総 実施済み	総 実施予定なし
渡辺パイプ㈱	108	総 実施済み	総 未定
㈱デザインアーク	110	総 技 検討中	総 技 検討中
三菱食品㈱	111	総 未定	総 検討中
国分グループ	111	総 検討中	総 検討中
スターゼン㈱	115	総 実施済み	総 未定
カナカン㈱	117	総 実施済み	総 未定
㈱トーハン	119	総 検討中	総 実施予定なし
㈱メディセオ	120	総 検討中	総 未定
アルフレッサ㈱	120	総 技 未定	総 技 検討中
興和㈱	123	総 技 実施済み	総 技 未定
蝶理㈱	124	総 検討中	総 未定
帝人フロンティア㈱	125	総 技 実施予定なし	総 技 検討中
㈱ＧＳＩクレオス	125	総 検討中	総 実施予定なし
スタイレム瀧定大阪㈱	126	総 検討中	総 実施予定なし
三愛オブリ㈱	128	総 技 検討中	総 技 検討中
三谷商事㈱	129	総 実施済み	総 実施済み
㈱ＥＮＥＯＳフロンティア	129	総 実施済み	総 実施予定なし
鈴与商事㈱	131	総 検討中	総 検討中
メルセデス・ベンツ日本（合同）	133	総 実施済み	総 実施済み
松田産業㈱	133	総 技 未定	総 未定 技 実施済み
新生紙パルプ商事㈱	135	総 検討中	総 実施予定なし
㈱オートバックスセブン	135	総 実施済み	総 未定

業種別・通年採用、ジョブ型雇用 580 社

会社名	(掲載ページ)	通年採用	ジョブ型雇用
●シンクタンク●			
㈱日本総合研究所	140	[総] 実施済み	[総] 実施済み
㈱三菱総合研究所	141	[総] 実施済み	[総] 検討中
三菱ＵＦＪリサーチ＆コンサルティング㈱	142	[総] 実施済み	[総] 実施予定なし
●コンサルティング●			
㈱日本Ｍ＆Ａセンター	143	[総] 実施予定なし	[総] 実施済み
㈱ビジネスコンサルタント	144	[総] 実施済み	[総] 未定
ＩＤ＆Ｅグループ	144	[総] [技] 実施済み	[総] [技] 実施予定なし
㈱建設技術研究所	145	[総] 実施予定なし [技] 検討中	[総] 実施予定なし [技] 検討中
パシフィックコンサルタンツ㈱	145	[総] [技] 実施済み	[総] [技] 実施予定なし
㈱オリエンタルコンサルタンツグローバル	146	[総] [技] 実施済み	[総] [技] 未定
●リサーチ●			
㈱インテージ	146	[総] [技] 実施予定なし	[総] 未定 [技] 実施済み
㈱マクロミル	147	[総] 実施済み	[総] 未定
●通信サービス●			
日本電信電話㈱	150	[技] 実施済み	[技] 未定
㈱ＮＴＴドコモ	150	[総] [技] 未定	[総] [技] 実施済み
ソフトバンク㈱	151	[総] [技] 実施済み	[総] [技] 実施済み
ＫＤＤＩ㈱	151	[総] [技] 実施済み	[総] [技] 実施済み
楽天グループ㈱	152	[総] 未定 [技] 実施済み	[総] 未定 [技] 実施済み
ＮＴＴ東日本	152	[総] [技] 検討中	[総] [技] 実施済み
ＮＴＴ西日本	153	[総] 実施予定なし	[総] 検討中
ＪＣＯＭ㈱	153	[総] [技] 実施済み	[総] [技] 未定
㈱ＭＩＸＩ	155	[総] [技] 実施済み	[総] 実施予定なし [技] 実施済み
㈱ディー・エヌ・エー	155	[総] [技] 実施済み	[総] [技] NA
インフォコム㈱	156	[総] [技] 検討中	[総] [技] 検討中
●システム・ソフト●			
㈱大塚商会	158	[総] [技] 実施済み	[総] 未定 [技] 実施済み
ＴＩＳ㈱	159	[総] 実施予定なし [技] 実施済み	[総] [技] 検討中
ＳＣＳＫ㈱	159	[総] [技] 検討中	[総] [技] 検討中
㈱日立システムズ	160	[総] [技] 未定	[総] 未定 [技] 実施済み
ＢＩＰＲＯＧＹ㈱	160	[総] [技] 実施済み	[総] [技] 実施予定なし
ＮＥＣネッツエスアイ㈱	161	[総] [技] 検討中	[総] [技] 検討中
ＮＥＣソリューションイノベータ㈱	162	[技] 実施予定なし	[技] 検討中
ＧＭＯインターネットグループ㈱	163	[総] 検討中 [技] 来年度以降実施予定	[総] 検討中 [技] 実施済み
日本オラクル㈱	164	[総] 実施予定なし	[総] 実施済み
エフサステクノロジーズ㈱	164	[技] 未定	[技] 検討中
ネットワンシステムズ㈱	165	[総] [技] 検討中	[総] [技] 実施済み
㈱日立ソリューションズ	165	[総] [技] 実施済み	[総] [技] 実施済み
㈱トヨタシステムズ	166	[総] 未定 [技] 実施済み	[総] 実施予定なし [技] 実施済み
京セラコミュニケーションシステム㈱	166	[総] [技] 実施済み	[総] [技] 未定

会社名 （掲載ページ）		通年採用	ジョブ型雇用
都築電気㈱	168	総 技 検討中	総 技 検討中
㈱インテック	169	総 技 実施予定なし	総 技 検討中
㈱オービック	170	総 技 検討中	総 技 未定
三菱ＵＦＪインフォメーションテクノロジー㈱	171	技 実施予定なし	技 実施済み
㈱ＴＫＣ	173	総 技 検討中	総 技 検討中
ＪＦＥシステムズ㈱	174	総 技 検討中	総 技 実施予定なし
㈱ＪＳＯＬ	176	技 実施済み	技 検討中
ＮＴＴテクノクロス㈱	176	総 技 検討中	総 技 未定
ｔｄｉグループ	178	総 技 未定	総 技 実施済み
トーテックアメニティ㈱	183	総 技 検討中	総 技 実施予定なし
㈱ビジネスブレイン太田昭和	183	総 実施済み	総 実施済み
㈱ソフトウェア・サービス	184	総 技 検討中	総 技 実施済み
㈱ＩＤホールディングス	184	技 実施済み	技 未定
㈱シーエーシー	186	技 実施予定なし	技 検討中
さくら情報システム㈱	188	技 検討中	技 検討中
ＡＧＳ㈱	189	総 技 検討中	総 技 未定
㈱ジャステック	190	技 検討中	技 実施済み
ＮＣＳ＆Ａ㈱	192	総 検討中	総 検討中
㈱東邦システムサイエンス	194	技 検討中	技 検討中
㈱クロスキャット	194	総 技 検討中	総 技 検討中
㈱リンクレア	195	総 技 検討中	総 技 実施予定なし
㈱ＳＩ&Ｃ	196	技 実施済み	技 未定

●銀行●

会社名 （掲載ページ）		通年採用	ジョブ型雇用
㈱みずほ銀行	200	総 実施済み	総 検討中
㈱三井住友銀行	200	総 実施済み	総 実施予定なし
りそなグループ	201	総 実施済み	総 実施済み
ＳＢＩ新生銀行グループ	202	総 技 実施済み	総 技 実施済み
㈱あおぞら銀行	202	総 技 実施済み	総 未定 技 実施済み
三井住友信託銀行㈱	203	総 実施済み	総 実施済み
㈱北海道銀行	205	総 実施済み	総 未定
㈱常陽銀行	209	総 実施済み	総 実施予定なし
㈱群馬銀行	210	総 検討中	総 検討中
㈱千葉銀行	211	総 実施済み	総 NA
㈱きらぼし銀行	213	総 実施済み	総 未定
㈱北陸銀行	216	総 技 実施済み	総 技 実施済み
㈱北國フィナンシャルホールディングス	216	総 実施予定なし	総 実施済み
㈱福井銀行	217	総 実施済み 技 実施予定なし	総 技 未定
㈱山梨中央銀行	217	総 実施予定なし	総 実施済み
㈱大垣共立銀行	218	総 未定	総 実施済み
㈱静岡銀行	219	総 実施済み	総 未定
㈱百五銀行	222	総 技 検討中	総 検討中 技 実施済み
㈱滋賀銀行	223	総 検討中	総 実施予定なし
㈱京都銀行	223	総 実施済み	総 未定

業種別・通年採用、ジョブ型雇用 580 社

会社名 (*掲載ページ*)		通年採用	ジョブ型雇用
㈱山陰合同銀行	*225*	総 実施済み	総 未定
㈱中国銀行	*226*	総 実施済み	総 未定
㈱広島銀行	*226*	総 実施済み	総 未定
㈱百十四銀行	*227*	総 検討中	総 未定
㈱佐賀銀行	*230*	総 技 検討中	総 技 未定
㈱肥後銀行	*231*	総 実施済み	総 実施済み
㈱鹿児島銀行	*231*	総 検討中	総 未定
㈱沖縄銀行	*232*	総 検討中	総 検討中
●政策金融・金庫●			
商工中金	*233*	総 検討中	総 検討中
㈱国際協力銀行	*233*	総 実施済み	総 未定
㈱日本貿易保険	*234*	総 検討中	総 実施予定なし
●証券●			
大和証券グループ	*237*	総 実施済み	総 実施済み
ＳＢＩホールディングス㈱	*238*	総 実施済み	総 実施済み
野村證券㈱	*238*	総 実施済み	総 実施済み
みずほ証券㈱	*239*	総 実施済み	総 NA
ＳＭＢＣ日興証券㈱	*239*	総 実施済み	総 実施済み
三菱ＵＦＪモルガン・スタンレー証券㈱	*240*	総 実施済み	総 未定
㈱日本取引所グループ	*240*	総 実施済み	総 未定
東海東京フィナンシャル・ホールディングス㈱	*241*	総 未定	総 検討中
水戸証券㈱	*243*	総 検討中	総 実施予定なし
●生保●			
第一生命保険㈱	*244*	総 実施済み	総 検討中
日本生命保険(相)	*245*	総 実施済み	総 実施済み
明治安田生命保険(相)	*246*	総 実施済み	総 検討中
ソニー生命保険㈱	*247*	総 検討中	総 未定
アフラック生命保険㈱	*247*	総 検討中	総 来年度以降実施予定
大樹生命保険㈱	*248*	総 未定	総 検討中
アクサ生命保険㈱	*248*	総 実施済み	総 実施済み
大同生命保険㈱	*249*	総 実施済み	総 検討中
太陽生命保険㈱	*250*	総 技 検討中	総 実施予定なし 技 実施済み
富国生命保険(相)	*250*	総 実施予定なし	総 検討中
三井住友海上あいおい生命保険㈱	*251*	総 未定	総 実施済み
オリックス生命保険㈱	*251*	総 検討中	総 検討中
ＳＯＭＰＯひまわり生命保険㈱	*252*	総 実施済み	総 検討中
朝日生命保険(相)	*252*	総 検討中	総 検討中
●損保●			
東京海上日動火災保険㈱	*253*	総 実施予定なし	総 実施済み
損害保険ジャパン㈱	*253*	総 実施済み	総 実施済み
三井住友海上火災保険㈱	*254*	総 検討中	総 実施済み

業種別・通年採用、ジョブ型雇用 580 社

会社名 （掲載ページ）		通年採用	ジョブ型雇用
あいおいニッセイ同和損害保険㈱	254	総 検討中	総 検討中
ソニー損害保険㈱	256	総 実施済み	総 NA
日新火災海上保険㈱	256	総 実施済み	総 実施済み
●代理店●			
㈱アドバンスクリエイト	257	総 検討中	総 検討中
●信販・カード・リース他●			
オリックス㈱	258	総 実施予定なし	総 検討中
三井住友ファイナンス＆リース㈱	258	総 検討中	総 未定
三菱ＨＣキャピタル㈱	259	総 検討中	総 検討中
東京センチュリー㈱	259	総 検討中	総 実施済み
三井住友トラスト・パナソニックファイナンス㈱	263	総 検討中	総 検討中
ＮＥＣキャピタルソリューション㈱	264	総 検討中	総 検討中
㈱クレディセゾン	267	総 技 未定	総 未定 技 実施済み
トヨタファイナンス㈱	267	総 検討中	総 実施済み
㈱オリエントコーポレーション	268	総 検討中	総 検討中
アイフル㈱	270	総 技 実施済み	総 来年度以降実施予定 技 実施済み
●ラジオ●			
㈱ニッポン放送	279	総 技 検討中	総 技 実施予定なし
●広告●			
㈱電通	280	総 実施済み	総 実施予定なし
㈱博報堂	280	総 実施済み	総 検討中
㈱朝日広告社	283	総 検討中	総 未定
㈱セプテーニ・ホールディングス	284	総 技 実施済み	総 技 検討中
㈱ＣＡＲＴＡ ＨＯＬＤＩＮＧＳ	284	総 技 実施予定なし	総 技 検討中
㈱大広	286	総 検討中	総 検討中
㈱ＡＯＩ Ｐｒｏ.	287	総 実施予定なし	総 実施済み
㈱博報堂プロダクツ	288	総 実施済み	総 実施済み
㈱電通プロモーションプラス	289	総 実施済み	総 実施済み
●新聞●			
㈱中日新聞社	291	総 実施予定なし 技 検討中	総 技 実施予定なし
㈱産業経済新聞社	292	総 技 未定	総 技 実施済み
㈱山陽新聞社	294	総 技 実施済み	総 技 実施予定なし
●通信社●			
(一社)共同通信社	295	総 技 実施済み	総 技 未定
●出版●			
㈱ＫＡＤＯＫＡＷＡ	296	総 実施済み	総 実施予定なし
㈱医学書院	298	総 実施済み	総 実施予定なし

業種別・通年採用、ジョブ型雇用 580 社

会社名 （*掲載ページ*）		通年採用	ジョブ型雇用
●メディア・映像・音楽●			
㈱サイバーエージェント	*300*	総 技 実施済み	総 技 未定
スカパーＪＳＡＴ㈱	*300*	総 技 未定	総 技 検討中
●電機・事務機器●			
㈱日立製作所	*304*	総 技 実施済み	総 技 実施済み
三菱電機㈱	*304*	総 技 実施済み	総 技 実施済み
富士通㈱	*305*	総 技 実施済み	総 技 実施済み
ＮＥＣ	*305*	総 技 検討中	総 技 実施済み
ソニーグループ㈱	*306*	総 技 NA	総 技 実施済み
パナソニックグループ	*307*	総 技 実施済み	総 技 実施済み
シャープ㈱	*307*	総 技 実施済み	総 技 未定
㈱ニコン	*308*	総 技 未定	総 技 実施済み
㈱デンソーテン	*308*	総 技 実施予定なし	総 未定 技 実施済み
㈱ＪＶＣケンウッド	*309*	総 技 検討中	総 技 検討中
キヤノン㈱	*310*	総 技 実施予定なし	総 技 実施済み
㈱リコー	*311*	総 技 未定	総 技 実施済み
セイコーエプソン㈱	*312*	総 技 検討中	総 技 検討中
コニカミノルタ㈱	*312*	総 技 検討中	総 技 検討中
ブラザー工業㈱	*313*	総 技 実施済み	総 技 検討中
東芝テック㈱	*313*	総 技 未定	総 技 実施済み
京セラドキュメントソリューションズ㈱	*314*	総 実施済み 技 来年度以降実施予定	総 技 実施予定なし
沖電気工業㈱	*314*	総 技 検討中	総 技 未定
㈱ＰＦＵ	*315*	総 検討中 技 実施済み	総 技 検討中
理想科学工業㈱	*316*	総 技 検討中	総 技 実施予定なし
㈱島津製作所	*319*	総 技 検討中	総 技 検討中
㈱明電舎	*320*	総 実施予定なし 技 実施済み	総 未定 技 実施済み
㈱ＴＭＥＩＣ	*320*	総 技 実施予定なし	総 技 実施済み
日新電機㈱	*323*	総 技 検討中	総 技 未定
古野電気㈱	*324*	総 技 実施予定なし	総 技 実施済み
日本信号㈱	*325*	総 技 検討中	総 技 検討中
●電子部品・機器●			
ニデック㈱	*326*	総 技 実施済み	総 技 検討中
ＴＤＫ㈱	*326*	総 技 実施済み	総 技 検討中
京セラ㈱	*327*	総 技 実施済み	総 技 検討中
ルネサスエレクトロニクス㈱	*328*	総 技 未定	総 技 実施済み
ミネベアミツミ㈱	*328*	総 技 検討中	総 技 検討中
キオクシア㈱	*329*	総 技 検討中	総 実施済み 技 検討中
アルプスアルパイン㈱	*329*	総 技 実施済み	総 技 検討中
日東電工㈱	*330*	総 技 検討中	総 技 検討中
日亜化学工業㈱	*330*	総 未定 技 実施済み	総 技 未定
ＮＥＣプラットフォームズ㈱	*332*	総 技 実施予定なし	総 技 来年度以降実施予定
太陽誘電㈱	*332*	総 技 検討中	総 技 実施済み

会社名 (掲載ページ)		通年採用	ジョブ型雇用
アズビル㈱	333	総 技 実施済み	総 技 実施予定なし
セイコーグループ㈱	334	総 実施予定なし	総 検討中
サンケン電気㈱	334	総 技 検討中	総 技 未定
浜松ホトニクス㈱	335	総 技 検討中	総 技 未定
㈱ソシオネクスト	336	総 技 未定	総 技 実施済み
㈱トプコン	336	総 技 未定	総 技 実施済み
新光電気工業㈱	337	総 未定 技 実施済み	総 技 未定
㈱三井ハイテック	337	総 技 実施済み	総 技 未定
ニチコン㈱	338	総 技 実施済み	総 技 未定
マブチモーター㈱	339	総 技 実施済み	総 技 検討中
ヒロセ電機㈱	340	総 技 検討中	総 技 未定
フォスター電機㈱	341	総 技 検討中	総 技 検討中
アンリツ㈱	342	総 技 実施済み	総 技 未定
㈱タムラ製作所	342	総 技 実施済み	総 技 実施済み
新電元工業㈱	343	総 技 検討中	総 技 未定
富士通フロンテック㈱	344	総 技 検討中	総 技 未定
㈱タムロン	345	総 技 実施済み	総 技 実施済み
ＳＭＫ㈱	347	総 技 実施済み	総 技 実施予定なし
㈱アイ・オー・データ機器	347	総 技 検討中	総 技 検討中
㈱エヌエフホールディングス	349	総 技 検討中	総 技 実施予定なし
日本テキサス・インスツルメンツ(合同)	349	総 技 実施済み	総 技 実施済み
東京エレクトロン㈱	350	総 技 未定	総 技 実施済み
横河電機㈱	350	総 技 検討中	総 技 検討中
㈱ＳＣＲＥＥＮホールディングス	351	総 技 実施予定なし	総 実施済み 技 実施予定なし
㈱アドバンテスト	351	総 技 未定	総 技 実施済み
㈱ディスコ	352	総 技 実施済み	総 技 実施予定なし
レーザーテック㈱	353	技 実施済み	技 実施済み
㈱ＫＯＫＵＳＡＩ ＥＬＥＣＴＲＩＣ	353	総 技 実施予定なし	総 技 実施済み
ウシオ電機㈱	354	総 技 検討中	総 実施予定なし 技 検討中
ローツェ㈱	355	技 未定	技 検討中
●住宅・医療機器他●			
オリンパス㈱	356	総 技 検討中	総 技 実施済み
テルモ㈱	357	総 技 実施済み	総 技 実施済み
シスメックス㈱	358	総 技 実施済み	総 技 実施済み
日本光電	359	総 技 検討中	総 技 実施済み
日機装㈱	359	総 技 検討中	総 技 未定
●自動車●			
日産自動車㈱	361	総 技 実施済み	総 実施済み 技 検討中
マツダ㈱	362	総 技 検討中	総 未定 技 検討中
いすゞ自動車㈱	364	総 技 未定	総 技 検討中
日野自動車㈱	364	総 技 実施済み	総 検討中 技 来年度以降実施予定
ＵＤトラックス㈱	365	総 技 実施済み	総 技 実施済み

会社名	（掲載ページ）	通年採用	ジョブ型雇用
ヤマハ発動機㈱	365	総 技 未定	総 技 実施済み
●自動車部品●			
トヨタ車体㈱	366	総 技 検討中	総 技 NA
ダイハツ九州㈱	367	総 技 未定	総 技 実施済み
㈱デンソー	369	総 技 実施済み	総 技 未定
㈱ＧＳユアサ	371	総 技 検討中	総 技 検討中
㈱ブリヂストン	372	総 技 検討中	総 未定 技 実施済み
住友ゴム工業㈱	372	総 技 実施予定なし	総 技 実施済み
ＴＯＹＯ ＴＩＲＥ㈱	373	総 技 実施済み	総 技 実施予定なし
住友理工㈱	374	総 技 検討中	総 検討中 技 実施済み
テイ・エス テック㈱	374	総 技 実施済み	総 技 未定
㈱タチエス	375	総 技 検討中	総 技 実施済み
アイシンシロキ㈱	375	総 技 検討中	総 技 未定
㈱ミツバ	376	総 技 検討中	総 技 未定
㈱ハイレックスコーポレーション	376	総 技 検討中	総 技 検討中
住友電装㈱	377	総 技 検討中	総 技 実施済み
㈱三五	380	総 技 実施済み	総 技 実施予定なし
㈱ジーテクト	381	総 技 検討中	総 技 検討中
太平洋工業㈱	383	総 技 実施済み	総 技 未定
日本発条㈱	386	総 技 検討中	総 技 検討中
中央発條㈱	387	総 技 実施済み	総 技 実施予定なし
愛三工業㈱	388	総 技 実施予定なし	総 技 実施済み
武蔵精密工業㈱	388	総 技 実施済み	総 検討中 技 実施済み
㈱エクセディ	389	総 技 検討中	総 技 検討中
大同メタル工業㈱	390	総 技 検討中	総 技 実施済み
バンドー化学㈱	391	総 技 検討中	総 技 実施予定なし
㈱ニフコ	392	総 実施予定なし 技 実施済み	総 技 実施済み
ダイキョーニシカワ㈱	393	総 技 検討中	総 技 検討中
㈱アーレスティ	394	総 技 検討中	総 技 未定
ＴＰＲ㈱	394	総 技 検討中	総 技 未定
●輸送用機器●			
今治造船㈱	395	総 技 検討中	総 技 検討中
㈱三井Ｅ＆Ｓ	395	総 技 検討中	総 技 未定
㈱シマノ	399	総 技 検討中	総 技 検討中
●機械●			
川崎重工業㈱	400	総 技 検討中	総 技 未定
㈱ＩＨＩ	400	総 技 検討中	総 技 検討中
ヤンマーホールディングス㈱	402	総 技 検討中	総 技 検討中
古河機械金属㈱	404	総 技 検討中	総 技 未定
ダイキン工業㈱	405	総 技 実施済み	総 技 実施済み

会社名	（掲載ページ）	通年採用	ジョブ型雇用
㈱キッツ	407	総 技 検討中	総 実施済み 技 検討中
フクシマガリレイ㈱	408	総 技 実施済み	総 技 実施済み
㈱ジェイテクト	410	総 技 検討中	総 技 検討中
ＮＴＮ㈱	410	総 技 検討中	総 技 検討中
日本精工㈱	411	総 技 検討中	総 技 実施予定なし
㈱不二越	412	総 技 検討中	総 技 検討中
㈱日本製鋼所	412	総 技 実施済み	総 技 未定
村田機械㈱	415	総 技 実施予定なし	総 技 検討中
ナブテスコ㈱	417	総 技 実施済み	総 技 実施予定なし
㈱椿本チエイン	417	総 技 未定	総 実施予定なし 技 実施済み
フジテック㈱	418	総 技 検討中	総 技 検討中
オーエスジー㈱	418	総 技 実施予定なし	総 実施予定なし 技 実施済み
㈱ミツトヨ	419	総 技 検討中	総 技 未定
サトーホールディングス㈱	419	総 技 検討中	総 技 検討中
ＪＵＫＩ㈱	422	総 技 実施済み	総 技 実施予定なし
富士精工㈱	423	総 技 実施済み	総 技 未定
ＤＭＧ森精機㈱	425	総 技 実施済み	総 技 来年度以降実施予定
オークマ㈱	426	総 実施予定なし 技 実施済み	総 技 実施予定なし
芝浦機械㈱	427	総 技 検討中	総 技 未定
カナデビア㈱	428	総 技 検討中	総 技 未定
栗田工業㈱	428	技 検討中	技 未定
メタウォーター㈱	429	総 技 検討中	総 技 検討中
オルガノ㈱	430	総 技 検討中	総 技 検討中
㈱タクマ	430	総 技 実施予定なし	総 実施予定なし 技 検討中
㈱神鋼環境ソリューション	431	総 技 検討中	総 技 実施予定なし

●食品・水産●

会社名	（掲載ページ）	通年採用	ジョブ型雇用
サントリーホールディングス㈱	434	総 技 未定	総 実施済み 技 未定
キリンホールディングス㈱	435	総 技 実施予定なし	総 技 実施済み
サッポロビール㈱	435	総 技 実施予定なし	総 実施済み 技 実施予定なし
コカ・コーラ ボトラーズジャパン㈱	436	総 技 検討中	総 技 実施済み
㈱伊藤園	437	総 技 実施済み	総 技 未定
キーコーヒー㈱	439	総 技 実施済み	総 技 未定
ＪＴ	441	総 検討中	総 検討中
ハウス食品㈱	444	技 検討中	総 技 実施予定なし
㈱J-オイルミルズ	444	総 技 検討中	総 技 検討中
ミツカングループ	447	総 技 未定	総 技 実施済み
キッコーマン㈱	448	総 技 検討中	総 技 検討中
キユーピー㈱	449	総 技 検討中	総 技 NA
ケンコーマヨネーズ㈱	450	総 技 実施済み	総 技 未定
理研ビタミン㈱	450	総 技 検討中	総 技 未定
江崎グリコ㈱	454	総 技 実施済み	総 技 実施済み
山崎製パン㈱	458	総 技 実施予定なし	総 技 実施済み
敷島製パン㈱	459	総 技 検討中	総 技 検討中
マルハニチロ㈱	460	総 検討中	総 検討中

会社名 （掲載ページ）		通年採用	ジョブ型雇用
●印刷・紙パルプ●			
TOPPANホールディングス㈱	463	総 技 実施済み	総 技 実施済み
大日本印刷㈱	464	総 技 実施済み	総 技 実施済み
TOPPANエッジ㈱	464	総 技 未定	総 技 実施済み
共同印刷㈱	465	総 技 実施済み	総 未定 技 検討中
日本製紙㈱	466	総 技 検討中	総 技 未定
レンゴー㈱	467	総 技 実施予定なし	総 実施予定なし 技 実施済み
大王製紙㈱	467	総 技 検討中	総 技 未定
●化粧品・トイレタリー●			
㈱資生堂	468	総 技 実施予定なし	総 技 実施済み
㈱ポーラ	469	総 実施予定なし	総 検討中
花王㈱	470	総 技 検討中	総 技 検討中
ライオン㈱	471	総 技 検討中	総 技 検討中
●医薬品●			
アステラス製薬㈱	473	総 未定 技 実施済み	総 技 未定
中外製薬㈱	473	総 実施予定なし 技 実施済み	総 技 実施済み
小野薬品工業㈱	474	総 技 検討中	総 技 実施予定なし
住友ファーマ㈱	475	総 技 NA	総 技 実施済み
参天製薬㈱	476	総 技 実施予定なし	総 技 実施済み
ロート製薬㈱	476	総 技 検討中	総 技 実施済み
㈱ツムラ	478	総 技 検討中	総 技 検討中
杏林製薬㈱	479	総 技 検討中	総 技 未定
扶桑薬品工業㈱	481	総 技 検討中	総 技 実施予定なし
●化学●			
富士フイルム㈱	483	総 技 実施済み	総 技 実施予定なし
旭化成グループ	484	総 技 検討中	総 技 検討中
東レ㈱	484	総 技 検討中	総 技 検討中
住友化学㈱	485	総 技 実施済み	総 技 検討中
信越化学工業㈱	485	総 技 検討中	総 技 検討中
三井化学㈱	486	総 技 未定	総 検討中 技 実施済み
㈱レゾナック	486	総 技 未定	総 技 実施済み
積水化学工業㈱	487	総 技 実施済み	総 技 検討中
三菱ガス化学㈱	488	総 実施予定なし 技 実施済み	総 技 未定
㈱クラレ	489	総 技 実施予定なし	総 技 実施済み
東洋紡㈱	491	総 技 検討中	総 技 未定
デンカ㈱	492	総 技 検討中	総 技 未定
日本ゼオン㈱	493	総 技 実施予定なし	総 技 検討中
住友ベークライト㈱	494	総 技 実施予定なし	総 実施予定なし 技 検討中
リンテック㈱	494	総 技 検討中	総 技 検討中
㈱エフピコ	495	総 技 検討中	総 技 検討中
日本化薬㈱	496	総 技 実施予定なし	総 技 実施済み

業種別・通年採用、ジョブ型雇用 580 社

会社名（*掲載ページ*）		通年採用	ジョブ型雇用
㈱イノアックコーポレーション	*496*	総 技 実施済み	総 実施済み 技 検討中
三洋化成工業㈱	*498*	総 技 検討中	総 技 実施予定なし
タキロンシーアイ㈱	*498*	総 技 実施済み	総 技 実施予定なし
ＺＡＣＲＯＳ㈱	*499*	総 技 実施済み	総 技 実施予定なし
エア・ウォーター㈱	*502*	総 技 検討中	総 技 検討中
㈱クレハ	*504*	総 技 検討中	総 技 検討中
ＤＩＣ㈱	*508*	総 技 未定	総 実施済み 技 未定
ａｒｔｉｅｎｃｅ㈱	*509*	総 技 検討中	総 技 未定
●ガラス・土石●			
日本板硝子㈱	*515*	総 技 検討中	総 技 検討中
太平洋セメント㈱	*517*	総 技 検討中	総 技 未定
住友大阪セメント㈱	*518*	総 技 検討中	総 技 実施予定なし
日本特殊陶業㈱	*518*	総 技 未定	総 技 実施済み
吉野石膏㈱	*521*	総 技 実施済み	総 技 実施予定なし
ノリタケ㈱	*521*	総 技 未定	総 未定 技 実施済み
日本コークス工業㈱	*522*	総 技 未定	総 技 検討中
●金属製品●			
㈱ＬＩＸＩＬ	*522*	総 技 未定	総 技 実施済み
東洋製罐グループホールディングス㈱	*523*	総 技 検討中	総 技 検討中
ＹＫＫ ＡＰ㈱	*524*	総 技 実施済み	総 技 実施済み
㈱ＳＵＭＣＯ	*524*	総 技 実施済み	総 技 実施予定なし
三和シヤッター工業㈱	*525*	総 技 検討中	総 技 検討中
●鉄鋼●			
日本製鉄㈱	*527*	総 技 実施済み	総 技 NA
ＪＦＥスチール㈱	*527*	総 技 実施済み	総 技 検討中
㈱神戸製鋼所	*528*	総 技 検討中	総 技 検討中
愛知製鋼㈱	*530*	総 技 実施予定なし	総 実施予定なし 技 実施済み
三菱製鋼㈱	*531*	総 技 検討中	総 技 検討中
㈱淀川製鋼所	*531*	総 技 実施済み	総 技 実施予定なし
㈱栗本鐵工所	*532*	総 技 検討中	総 技 未定
●非鉄●			
㈱フジクラ	*533*	総 技 検討中	総 技 検討中
ＳＷＣＣ㈱	*534*	総 技 未定	総 技 検討中
ＪＸ金属㈱	*535*	総 技 検討中	総 技 検討中
ＤＯＷＡホールディングス㈱	*536*	総 技 実施済み	総 技 未定
三井金属	*536*	総 技 未定	総 技 検討中
㈱フルヤ金属	*538*	総 技 検討中	総 技 検討中
日本軽金属㈱	*539*	総 技 実施済み	総 技 未定
●その他メーカー●			
㈱アシックス	*540*	総 技 実施済み	総 技 未定
㈱タカラトミー	*541*	総 実施済み 技 実施予定なし	総 技 実施済み

業種別・通年採用、ジョブ型雇用 580 社

会社名（掲載ページ）		通年採用	ジョブ型雇用
ヤマハ㈱	543	総 技 実施予定なし	総 技 検討中
大建工業㈱	545	総 技 実施予定なし	総 実施予定なし 技 検討中
㈱パロマ	546	総 技 検討中	総 技 未定
TOTO㈱	547	総 技 実施済み	総 技 検討中
㈱ノーリツ	548	総 技 実施済み	総 技 検討中
●建設●			
㈱大林組	554	総 技 実施済み	総 技 未定
清水建設㈱	555	総 技 実施済み	総 技 検討中
大成建設㈱	555	総 技 実施済み	総 技 実施予定なし
前田建設工業㈱	557	総 実施予定なし 技 検討中	総 技 実施予定なし
戸田建設㈱	558	総 技 検討中	総 技 検討中
三井住友建設㈱	558	総 技 実施済み	総 技 未定
西松建設㈱	559	総 技 検討中	総 技 実施予定なし
安藤ハザマ	560	総 技 検討中	総 技 検討中
㈱奥村組	560	総 技 検討中	総 技 未定
東急建設㈱	561	総 技 実施済み	総 技 未定
鉄建建設㈱	562	総 技 検討中	総 技 検討中
五洋建設㈱	565	総 技 実施済み	総 技 実施予定なし
東洋建設㈱	566	総 技 実施済み	総 技 実施予定なし
飛島建設㈱	567	総 実施予定なし 技 実施済み	総 技 実施予定なし
前田道路㈱	569	総 技 検討中	総 技 未定
大成ロテック㈱	570	総 技 実施済み	総 技 実施予定なし
大林道路㈱	571	総 技 検討中	総 技 実施予定なし
世紀東急工業㈱	571	総 実施予定なし 技 実施済み	総 技 実施予定なし
日揮ホールディングス㈱	572	総 技 検討中	総 技 検討中
千代田化工建設㈱	573	総 技 実施済み	総 技 未定
日鉄エンジニアリング㈱	573	総 技 検討中	総 技 検討中
三建設備工業㈱	577	総 技 実施済み	総 技 検討中
新日本空調㈱	580	総 技 実施済み	総 技 実施済み
東洋熱工業㈱	580	総 実施予定なし 技 実施済み	総 技 実施予定なし
エクシオグループ㈱	581	総 技 実施済み	総 技 未定
日本コムシス㈱	582	総 技 実施済み	総 技 実施予定なし
住友電設㈱	583	総 技 検討中	総 技 実施予定なし
東光電気工事㈱	583	総 技 実施済み	総 技 実施予定なし
㈱HEXEL Works	584	総 技 実施済み	総 技 実施予定なし
㈱きんでん	584	総 技 実施済み	総 技 実施予定なし
㈱九電工	585	総 技 検討中	総 技 検討中
㈱トーエネック	586	総 技 実施済み	総 技 検討中
大和リース㈱	587	総 技 実施済み	総 技 実施予定なし
●住宅・マンション●			
大和ハウス工業㈱	588	総 技 実施予定なし	総 技 実施済み
住友林業㈱	589	総 技 実施済み	総 技 実施予定なし
大東建託㈱	589	総 実施済み 技 検討中	総 技 実施予定なし

業種別・通年採用、ジョブ型雇用 580 社

会社名 （掲載ページ）		通年採用	ジョブ型雇用
旭化成ホームズ㈱	590	総 技 実施予定なし	総 技 検討中
パナソニック ホームズ㈱	591	総 技 未定	総 技 実施済み
一建設㈱	593	総 技 実施済み	総 技 実施済み
穴吹興産㈱	594	総 実施済み	総 検討中
㈱東急コミュニティー	595	総 技 検討中	総 技 実施予定なし
●不動産●			
住友不動産㈱	599	総 検討中	総 検討中
東京都住宅供給公社	605	総 実施予定なし 技 検討中	総 技 実施予定なし
●電力・ガス●			
東京電力ホールディングス㈱	609	総 技 検討中	総 技 未定
㈱ＪＥＲＡ	609	総 技 検討中	総 技 未定
Ｊ-ＰＯＷＥＲ	610	総 技 検討中	総 技 未定
関西電力㈱	611	総 技 実施済み	総 技 未定
東京ガス㈱	614	総 技 実施予定なし	総 技 検討中
●石油●			
ＥＮＥＯＳ㈱	618	総 技 実施済み	総 未定 技 実施済み
出光興産㈱	618	総 技 実施済み	総 技 実施予定なし
コスモ石油㈱	619	総 技 実施済み	総 技 実施済み
●デパート●			
㈱大丸松坂屋百貨店	622	総 検討中	総 実施予定なし
●コンビニ●			
㈱ローソン	627	総 技 実施済み	総 技 実施予定なし
㈱セブン-イレブン・ジャパン	627	総 検討中	総 検討中
㈱ファミリーマート	628	総 実施予定なし	総 実施済み
ミニストップ㈱	628	総 実施済み	総 実施予定なし
●スーパー●			
㈱Ｏｌｙｍｐｉｃグループ	631	総 実施済み	総 実施予定なし
㈱ユニバース	632	総 検討中	総 検討中
㈱ヨークベニマル	632	総 実施済み	総 実施済み
㈱カスミ	633	総 実施済み	総 検討中
㈱ヤオコー	634	総 検討中	総 実施済み
㈱ベルク	634	総 技 実施済み	総 技 実施予定なし
サミット㈱	635	総 実施済み	総 検討中
㈱東急ストア	636	総 実施済み	総 実施予定なし
㈱スーパーアルプス	637	総 実施済み	総 実施予定なし
アクシアル リテイリンググループ	637	総 検討中	総 未定
マックスバリュ東海㈱	638	総 検討中	総 検討中
㈱神戸物産	639	総 実施済み	総 NA
㈱関西スーパーマーケット	640	総 実施済み	総 実施予定なし
㈱ハローズ	640	総 実施済み	総 実施予定なし

業種別・通年採用、ジョブ型雇用 580 社

会社名 (*掲載ページ*)		通年採用	ジョブ型雇用
●外食・中食●			
日本マクドナルド㈱	*641*	総 実施済み	総 未定
㈱モスフードサービス	*641*	総 検討中	総 検討中
㈱松屋フーズ	*642*	総 実施済み	総 検討中
テンアライド㈱	*643*	総 実施済み	総 未定
㈱Genki Global Dining Concepts	*643*	総 実施済み	総 NA
㈱プレナス	*644*	総 技 実施予定なし	総 実施予定なし 技 実施済み
㈱ロック・フィールド	*644*	総 検討中	総 検討中
●家電量販・薬局・HC●			
㈱ノジマ	*645*	総 技 未定	総 技 検討中
㈱マツキヨココカラ&カンパニー	*646*	総 検討中	総 検討中
㈱スギ薬局	*646*	総 技 実施予定なし	総 実施済み 技 実施予定なし
㈱ツルハ	*647*	総 技 実施済み	総 技 検討中
㈱クリエイトエス・ディー	*647*	総 実施済み	総 実施予定なし
総合メディカル㈱	*648*	総 検討中 技 実施済み	総 技 検討中
㈱サッポロドラッグストアー	*649*	総 実施済み	総 未定
㈱カインズ	*650*	総 実施済み	総 実施済み
DCM㈱	*650*	総 検討中	総 未定
●その他小売業●			
㈱ドン・キホーテ	*652*	総 実施予定なし	総 検討中
㈱ミスターマックス・ホールディングス	*653*	総 検討中	総 実施予定なし
㈱ファーストリテイリング	*653*	総 技 実施済み	総 実施予定なし 技 実施済み
㈱ハニーズ	*654*	総 検討中	総 未定
㈱西松屋チェーン	*656*	総 実施済み	総 実施予定なし
青山商事㈱	*656*	総 実施予定なし	総 実施済み
はるやま商事㈱	*658*	総 検討中	総 検討中
㈱ヤナセ	*658*	総 技 検討中	総 技 検討中
ゼビオ㈱	*661*	総 検討中	総 実施予定なし
つるや㈱	*661*	総 実施済み	総 未定
ニトリグループ	*663*	総 実施済み 技 実施予定なし	総 実施予定なし 技 実施済み
㈱良品計画	*663*	総 実施済み	総 実施予定なし
アスクル㈱	*664*	総 技 実施予定なし	総 実施予定なし 技 実施済み
㈱あさひ	*665*	総 実施済み	総 来年度以降実施予定
㈱はせがわ	*666*	総 検討中	総 検討中
●ゲーム●			
任天堂㈱	*668*	総 実施予定なし 技 実施済み	総 技 未定
コナミグループ	*668*	総 技 実施済み	総 技 未定
●人材・教育●			
㈱アルプス技研	*670*	総 技 実施済み	総 技 未定
(学校法人)立命館	*672*	総 実施済み	総 検討中

業種別・通年採用、ジョブ型雇用 580 社

会社名　（掲載ページ）		通年採用	ジョブ型雇用
㈱ステップ	678	総 実施済み	総 実施予定なし
㈱秀英予備校	678	総 実施済み	総 実施予定なし
㈱昴	679	総 実施済み	総 検討中
㈱クリップコーポレーション	679	総 実施予定なし	総 検討中
●ホテル●			
藤田観光㈱	681	総 検討中	総 実施予定なし
●レジャー●			
セントラルスポーツ㈱	689	総 検討中	総 未定
●海運・空運●			
川崎汽船㈱	691	総 技 検討中	総 技 未定
日本航空㈱	693	総 技 検討中	総 技 実施済み
朝日航洋㈱	694	総 技 検討中	総 技 実施済み
●運輸・倉庫●			
日本通運㈱	694	総 実施済み	総 検討中
西濃運輸㈱	695	総 実施済み	総 実施予定なし
福山通運㈱	695	総 実施済み	総 実施済み
トナミ運輸㈱	696	総 実施済み	総 実施予定なし
山九㈱	697	総 技 実施済み	総 技 検討中
日本梱包運輸倉庫㈱	699	総 検討中	総 未定
㈱近鉄エクスプレス	701	総 検討中	総 検討中
㈱阪急阪神エクスプレス	702	総 実施済み	総 検討中
㈱上組	703	総 実施済み	総 検討中
日本トランスシティ㈱	706	総 実施済み	総 実施予定なし
安田倉庫㈱	707	総 来年度以降実施予定	総 未定
両備ホールディングス㈱	707	総 実施済み	総 実施予定なし
●鉄道●			
西武鉄道㈱	708	総 技 検討中	総 技 検討中
京成電鉄㈱	709	総 実施済み	総 実施予定なし
東日本旅客鉄道㈱	709	総 技 実施済み	総 技 実施済み
㈱西武ホールディングス	711	総 検討中	総 検討中
小田急電鉄㈱	712	総 技 検討中	総 技 検討中
名古屋鉄道㈱	715	総 技 未定	総 技 検討中
南海電気鉄道㈱	717	総 技 検討中	総 技 検討中
●その他サービス●			
全国農業協同組合連合会	723	総 技 検討中	総 技 未定
(国研)産業技術総合研究所	724	総 技 未定	総 未定 技 実施済み
(一財)関東電気保安協会	725	総 実施予定なし 技 検討中	総 技 実施予定なし
(一財)日本海事協会	726	総 技 検討中	総 技 検討中
(国研)宇宙航空研究開発機構	727	総 技 検討中	総 技 未定
(独法)エネルギー・金属鉱物資源機構	730	総 技 検討中	総 未定 技 検討中

業種別・通年採用、ジョブ型雇用 580 社

会社名 *（掲載ページ）*		通年採用	ジョブ型雇用
セコム㈱	*732*	総 技 実施済み	総 技 検討中
ＡＬＳＯＫ	*732*	総 技 実施済み	総 技 検討中
㈱アクティオ	*733*	総 技 実施済み	総 技 検討中
㈱カナモト	*733*	総 技 実施済み	総 技 未定
ジェコス㈱	*734*	総 技 検討中	総 技 未定
サコス㈱	*735*	総 技 実施済み	総 技 未定
㈱マイスターエンジニアリング	*736*	総 技 実施済み	総 技 未定
㈱ダスキン	*737*	総 検討中	総 未定
㈱トーカイ	*738*	総 技 検討中	総 技 検討中
シミックグループ	*738*	技 未定	技 実施済み
コンパスグループ・ジャパン㈱	*739*	総 実施済み	総 実施済み
㈱共立メンテナンス	*741*	総 検討中	総 実施済み
㈱ベネフィット・ワン	*742*	総 実施済み	総 未定
ＪＰホールディングスグループ	*742*	総 実施済み	総 実施予定なし
㈱リクルート	*743*	総 技 実施済み	総 技 実施予定なし
㈱パスコ	*745*	総 技 検討中	総 技 検討中

就職人気企業ランキング300社

就職人気企業ランキングの活用法

毎年発表される「人気企業ランキング」には、その年ごとの就活市場の傾向が大きく表れる。調査による差はあるが、新卒採用市場全体の傾向を掴むにはうってつけのデータだ。前年の先輩（25年卒）のランキングデータから、その活用法と傾向について解説する。

選択肢を狭めない企業選び

2025年卒の就活生による「総合」ランキングでは、商社や金融業界が引き続き上位に位置しているが、一部の企業や業界に対する志望が集中しがちな点には注意が必要である。近年、就職活動の早期化やオンライン化が進む中で、視野を広げて企業選びをする機会が減少しつつある。就活生は自分の興味や志望に固執せず、幅広い業界に目を向けることが大切だ。限られた選択肢だけでなく、多様な業界の動向を調べることで、より適切なキャリアパスを描くことが可能となる。

業界全体の将来性を見極める

上位にランクインしている企業は、安定性や知名度が高く評価されるが、就活生にとって重要なのは、企業だけでなく業界全体の将来性を見極めることだ。特に商社や金融業界は引き続き強い人気があるものの、テクノロジーや環境問題など新たな分野に目を向けた業界も注目を集めつつある。個別の企業ではなく、業界全体の動向や成長性を把握し、自分が貢献できるフィールドを見つけることが、長期的なキャリア成功への鍵となる。

様々な業界の情報を収集する

ランキング上位の企業ばかりに注目してしまうと、自分に合った企業を見逃してしまう可能性がある。特に選考が早期化する中で、限られた選択肢だけでなく、異なる業界の情報を積極的に収集することが重要だ。競争が激しい業界に固執せず、幅広い分野の情報を比較検討することで、より多くの選択肢が開け、自分に最適なキャリアを築くための準備ができるだろう。

■就職人気企業ランキング（1～40位）

総合順位	企業	業種	文系	理系	男子	女子
1	伊藤忠商事	商社（総合）	1	3	1	1
2	日本生命保険	生命保険	3	16	3	3
3	大和証券グループ	証券	2	27	2	7
4	博報堂／博報堂DYメディアパートナーズ	広告	5	60	11	5
5	東京海上日動火災保険	損害保険	4	91	5	8
6	ソニーミュージックグループ	音楽・芸能	6	38	32	2
7	バンダイ	ゲーム・アミューズメント機器	9	7	14	4
8	三菱商事	商社（総合）	8	19	4	16
9	丸紅	商社（総合）	7	161	6	32
10	大日本印刷	印刷	10	49	42	6
11	任天堂	ゲーム・アミューズメント機器	28	4	7	38
12	みずほフィナンシャルグループ	都市銀行・旧長期系銀行	11	70	15	19
13	ソニー	総合電機	88	1	8	63
14	味の素	食品	31	10	34	11
15	三井物産	商社（総合）	27	20	9	65
16	SMBC日興証券	証券	17	61	13	36
17	第一生命保険	生命保険	12	103	21	15
18	富士フイルムグループ	化学	51	5	16	30
19	Sky	ソフトウェア	40	11	18	20
20	三井住友信託銀行	信託銀行	14	125	17	22
21	明治グループ（明治・Meiji Seika ファルマ）	食品	57	6	66	9
22	NTTデータ	ソフトウェア	114	2	10	100
23	読売新聞社	新聞	13	194	26	21
24	住友商事	商社（総合）	22	42	12	83
25	ニュー・オータニ	ホテル	15	180	22	23
26	集英社	出版	18	143	45	14
27	講談社	出版	16	198	71	10
28	日鉄ソリューションズ	情報処理	86	12	20	62
29	花王	化学	110	8	52	29
30	国分グループ	商社（食品）	24	120	40	40
31	りそなグループ	都市銀行・旧長期系銀行	20	250	55	28
32	ジェイアール東日本企画	広告	21	247	56	31
33	あおぞら銀行	都市銀行・旧長期系銀行	19	342	35	47
34	キッコーマン	食品	50	29	116	13
35	三井住友銀行	都市銀行・旧長期系銀行	30	75	23	78
36	テルモ	医療機器	78	22	38	51
37	東京地下鉄（東京メトロ）	鉄道	37	59	27	79
38	日立ソリューションズ	ソフトウェア	63	28	46	41
39	TOPPAN	印刷	35	65	72	24
40	太陽生命保険	生命保険	25	197	47	39

■就職人気企業ランキング（41～80位）

総合順位	企業	業種	文系	理系	男子	女子
41	三菱UFJ銀行	都市銀行・旧長期系銀行	36	62	28	88
42	レバレジーズ	インターネット関連	44	58	44	44
43	阪和興業	商社（総合）	23	306	30	79
44	東日本電信電話（NTT東日本）	通信	82	25	41	55
45	全日本空輸（ANA）	航空	26	319	172	12
46	大和総研	シンクタンク・調査	72	30	49	50
47	ロッテ	食品	59	39	91	27
48	アビームコンサルティング	専門コンサルタント	83	26	39	68
49	住友生命保険	生命保険	29	164	48	54
50	KADOKAWA	出版	34	111	102	25
51	バンダイナムコエンターテインメント	ゲーム・アミューズメント機器	48	66	58	45
52	アクセンチュア	専門コンサルタント	92	24	19	144
53	東日本旅客鉄道（JR東日本）	鉄道	54	57	29	126
54	パナソニック　グループ	総合電機	143	13	24	137
55	三井住友海上火災保険	損害保険	32	165	63	43
56	JCOM	通信	47	105	74	46
57	日本航空（JAL）	航空	33	265	176	17
58	NTTドコモ	通信	76	46	61	59
59	ミリアルリゾートホテルズ	ホテル	38	317	261	18
60	キヤノンマーケティングジャパン	商社（コンピュータ・通信機器）	41	309	65	77
61	JTBグループ	旅行	39	332	155	35
62	カゴメ	食品	109	35	174	26
63	オリエンタルランド	レジャー・アミューズメント	46	287	167	34
64	住友林業	建設・住宅	91	43	50	107
65	ソニー生命保険	生命保険	43	315	95	56
66	そごう・西武	百貨店	45	308	106	53
67	東海旅客鉄道（JR東海）	鉄道	118	31	75	69
68	大広	広告	42	375	97	57
69	アサヒ飲料	食品	89	48	73	74
70	トヨタ自動車	自動車・輸送機器	218	14	25	344
71	AGC	ゴム・ガラス・セラミックス・セメント	210	17	33	198
72	野村総合研究所	シンクタンク・調査	173	21	37	190
73	日立製作所	総合電機	224	15	31	235
74	電通	広告	49	239	87	64
75	PwC　Japanグループ	専門コンサルタント	93	51	57	111
76	コクヨ	文具・事務機器	75	94	163	37
77	ポニーキャニオン	音楽・芸能	61	160	128	48
78	パレスホテル	ホテル	53	294	122	52
79	日本郵船	海運	62	166	80	86
80	損害保険ジャパン	損害保険	58	207	99	70

■就職人気企業ランキング（81～120位）

総合順位	企業	業種	文系	理系	男子	女子
81	サントリーホールディングス	食品	80	93	70	104
82	グーグル	インターネット関連	-	9	136	49
83	ユニバーサル　ミュージック	音楽・芸能	56	326	284	33
84	アサヒビール	食品	112	55	62	128
85	全国共済農業協同組合連合会（JA共済連）	政府系・系統金融機関	60	262	88	91
86	日本M&Aセンター	専門コンサルタント	55	358	51	158
87	旭化成グループ	化学	283	18	36	320
88	朝日生命保険	生命保険	52	-	77	108
89	野村證券	証券	69	211	67	133
90	楽天グループ	インターネット関連	90	88	64	138
91	NECネッツエスアイ	情報処理	123	56	60	153
92	双日	商社（総合）	68	231	78	119
93	ジェーシービー	クレジット・信販	67	269	135	61
94	鹿島建設	建設・住宅	234	23	43	246
95	東宝	音楽・芸能	66	299	120	72
96	コカ・コーラ　ボトラーズジャパン	食品	79	167	98	102
97	タカラトミーグループ	ゲーム・アミューズメント機器	100	74	89	110
98	ANA　X	旅行	70	272	81	122
99	タキヒヨー	商社（繊維・アパレル）	71	294	132	67
100	東急エージェンシー	広告	73	266	124	76
101	東海東京フィナンシャル・ホールディングス	証券	65	-	85	124
102	中央労働金庫	労金・信金・信組	64	-	94	113
103	小学館	出版	74	283	159	60
104	明治安田生命保険	生命保険	81	199	119	82
105	東日本高速道路（NEXCO東日本）	その他サービス	85	156	84	129
106	セイコーエプソン	コンピュータ・通信機器	116	80	59	204
107	富士通	コンピュータ・通信機器	174	36	54	232
108	パーソルプロセス&テクノロジー	情報処理	122	78	101	125
109	JSOL	情報処理	94	128	129	84
110	極洋	水産・農林	151	53	68	184
111	星野リゾート	ホテル	77	381	165	66
112	長瀬産業	商社（化学）	105	101	86	141
113	伊藤園	食品	125	82	118	103
114	松竹	音楽・芸能	84	288	210	58
115	資生堂	医薬品・化粧品	141	72	372	42
116	セガグループ	ゲーム・アミューズメント機器	133	90	121	121
117	日清食品	食品	127	96	164	85
118	江崎グリコ	食品	152	77	214	73
119	日本政策投資銀行	政府系・系統金融機関	101	217	126	131
120	クボタ	機械	286	33	53	-

■就職人気企業ランキング（121〜160位）

総合順位	企業	業種	文系	理系	男子	女子
121	フジテレビジョン	放送・映像	95	298	137	119
122	三井不動産	不動産	115	168	140	116
123	大塚商会	情報処理	99	236	235	71
124	信金中央金庫	政府系・系統金融機関	87	-	108	176
125	TBSテレビ	放送・映像	102	235	181	89
126	雪印メグミルク	食品	163	67	242	75
127	ヤクルト本社	食品	148	95	208	81
128	日本銀行	政府系・系統金融機関	96	363	92	220
129	ソフトバンクグループ	通信	156	85	152	118
130	マルハニチロ	食品	325	34	193	92
131	新潮社	出版	113	232	202	90
132	岩谷産業	その他商社	111	256	115	163
133	伊藤忠テクノソリューションズ（CTC）	ソフトウェア	154	92	133	136
134	エイベックス	音楽・芸能	98	339	198	93
135	住友重機械工業	機械	347	32	69	-
136	アパホテル	ホテル	120	206	161	113
137	MS&ADシステムズ	情報処理	147	110	144	134
138	コマツ（小松製作所）	機械	180	64	113	181
139	商工組合中央金庫	政府系・系統金融機関	108	296	137	135
140	リゾートトラスト	レジャー・アミューズメント	104	312	183	99
141	読売広告社	広告	103	327	180	101
142	日本年金機構	公社・官庁	97	391	175	105
143	豊田通商	商社（総合）	121	221	125	154
144	INPEX	鉱業	247	44	76	366
145	コーエーテクモホールディングス	ゲームソフト	226	54	82	279
146	兼松	商社（総合）	107	351	83	287
147	SCSK	ソフトウェア	166	81	139	142
148	日本IBMグループ	情報処理	316	37	93	256
149	住友金属鉱山	非鉄金属	179	69	107	219
150	東急不動産	不動産	144	142	96	254
151	KDDI	通信	186	68	150	140
152	富士ソフト	ソフトウェア	153	114	134	151
153	コナミグループ	ゲームソフト	126	234	90	316
154	スカイマーク	航空	142	155	184	111
155	カルビー	食品	182	79	149	147
156	デロイトトーマツコンサルティング	専門コンサルタント	187	76	109	241
157	アトレ	専門店（複合）	106	-	212	106
158	日揮ホールディングス	プラント・エンジニアリング	329	40	110	232
159	アイリスオーヤマ	家電・AV機器	146	157	255	97
160	大同生命保険	生命保険	129	242	261	98

■就職人気企業ランキング（161～200位）

総合順位	企業	業種	文系	理系	男子	女子
161	積水ハウス	建設・住宅	137	196	152	146
162	イオン	スーパー・ストア	117	384	146	161
163	本田技研工業	自動車・輸送機器	227	63	79	-
164	商船三井	海運	164	107	130	186
165	東急	鉄道	208	73	100	315
166	デンソー	自動車・輸送機器	372	41	105	309
167	サッポロビール	食品	161	123	145	169
168	三菱地所	不動産	195	83	114	239
169	ルミネ	専門店（複合）	119	-	334	87
170	一条工務店	建設・住宅	289	52	104	331
171	森永製菓	食品	172	98	316	93
172	スクウェア・エニックス	ゲームソフト	145	220	117	237
173	パーソルテンプスタッフ	職業紹介・人材派遣	132	321	202	132
174	三菱UFJ信託銀行	信託銀行	130	343	158	162
175	バンダイナムコアミューズメント	レジャー・アミューズメント	138	277	162	160
176	東映	音楽・芸能	136	320	173	149
177	横浜銀行	地方銀行	124	-	264	123
178	東京ドーム	レジャー・アミューズメント	131	-	243	130
179	ニトリ	専門店（建材・インテリア）	139	325	200	139
180	アイシン	自動車・輸送機器	-	47	103	-
181	東映アニメーション	放送・映像	134	-	294	117
182	農林中央金庫	政府系・系統金融機関	128	-	186	152
183	ADKホールディングス	広告	162	187	170	179
184	アミューズ	音楽・芸能	149	296	274	127
185	東京エレクトロングループ	半導体・電気・電子機器	-	50	111	-
186	日本テレビ放送網	放送・映像	150	274	221	143
187	テレビ朝日	放送・映像	140	-	-	96
188	コーセー	医薬品・化粧品	192	126	-	95
189	リクルート	その他サービス	158	263	189	169
190	キリンホールディングス	食品	211	117	251	145
191	阪急交通社	旅行	135	-	392	109
192	JX金属	非鉄金属	169	200	148	252
193	三菱UFJモルガン・スタンレー証券	証券	155	313	146	268
194	カプコン	ゲームソフト	181	174	123	384
195	日本放送協会（NHK）	放送・映像	160	318	247	155
196	JFE商事	商社（鉄鋼・金属）	157	363	142	302
197	キユーピー	食品	236	113	-	113
198	KPMGコンサルティング	専門コンサルタント	159	358	131	368
199	ブリヂストン	ゴム・ガラス・セラミックス・セメント	-	45	112	-
200	アース製薬	化学	219	141	156	259

■就職人気企業ランキング（201～240位）

総合順位	企業	業種	文系	理系	男子	女子
201	伊藤ハム	食品	268	102	196	196
202	NTTコミュニケーションズ	通信	191	213	294	148
203	TIS	ソフトウェア	275	100	188	206
204	森永乳業	食品	274	118	280	178
205	国際自動車	陸運	168	368	171	268
206	クラレ	化学	-	71	154	349
207	村田製作所	半導体・電気・電子機器	365	89	160	334
208	クラシエ	化学	241	151	307	166
209	サイバーエージェント	インターネット関連	177	347	165	324
210	京セラ	半導体・電気・電子機器	311	99	127	-
211	阪急阪神ホールディングス	鉄道	293	112	157	357
212	ユニ・チャーム	化学	229	175	332	156
213	サカタのタネ	水産・農林	287	119	177	279
214	博報堂プロダクツ	広告	170	-	321	172
215	NTT都市開発	不動産	165	-	288	194
216	住友不動産	不動産	167	-	190	282
217	ニッスイ	食品	270	154	197	274
218	文藝春秋	出版	200	315	312	187
219	ホリプロ	音楽・芸能	176	-	311	188
220	吉本興業	音楽・芸能	178	-	349	168
221	伊藤忠エネクス	商社（石油）	237	210	223	244
222	京王電鉄	鉄道	297	140	178	337
223	テレビ東京	放送・映像	199	350	346	177
224	NECソリューションイノベータ	ソフトウェア	265	171	269	216
225	豊田自動織機	自動車・輸送機器	-	86	141	-
226	U−NEXT HOLDINGS	通信	184	-	214	268
227	アルフレッサ	商社（医薬品）	196	389	312	195
228	TOTO	ゴム・ガラス・セラミックス・セメント	-	84	151	-
229	日本政策金融公庫	政府系・系統金融機関	171	-	235	254
230	川崎重工業	自動車・輸送機器	277	163	143	-
231	千葉銀行	地方銀行	175	-	384	172
232	エーザイ	医薬品・化粧品	-	87	369	180
233	オリックス	リース	185	-	269	236
234	日本生活協同組合連合会	生活協同組合	189	-	299	210
235	森ビル	不動産	233	281	324	201
236	コストコホールセールジャパン	専門店（複合）	183	-	219	304
237	ライオン	化学	258	224	263	247
238	アマゾンジャパン	インターネット関連	298	158	225	296
239	日清製粉グループ	食品	321	148	380	184
240	出前館	インターネット関連	204	-	289	232

■就職人気企業ランキング（241～280位）

総合順位	企業	業種	文系	理系	男子	女子
241	ヤマハ	その他メーカー	278	203	273	251
242	ニチレイグループ	食品	-	115	-	174
243	ANAエアポートサービス	航空	190	-	-	150
244	日本郵政グループ	その他金融	207	-	252	274
245	エステー	化学	394	122	247	293
246	三井住友カード	クレジット・信販	188	-	-	175
247	ワーナーミュージックジャパン	音楽・芸能	198	-	302	225
248	カネカ	化学	-	104	223	323
249	三菱電機	総合電機	366	139	201	368
250	日本製鉄	鉄鋼	294	188	245	298
251	帝国ホテル	ホテル	205	-	367	192
252	ANAウイングス	航空	201	-	-	165
253	ビクターエンタテインメント	音楽・芸能	246	273	328	209
254	ハウス食品	食品	375	133	345	199
255	AOI　Pro.	放送・映像	232	335	367	193
256	ADEKA	化学	331	153	231	316
257	戸田中央メディカルケアグループ	医療・福祉	253	257	-	158
258	JALスカイ	航空	194	-	-	183
259	大成建設	建設・住宅	382	129	241	306
260	サンケイビル	不動産	197	-	297	238
261	JFEスチール	鉄鋼	303	184	191	-
262	サイボウズ	ソフトウェア	256	258	240	311
263	ベルーナ	通信販売・ネット販売	202	-	349	200
264	ニデック	重電・産業用電気機器	281	227	210	368
265	きらぼし銀行	地方銀行	193	-	277	263
266	ファーストリテイリング	専門店（ファッション・服飾）	206	-	318	226
267	古河電気工業	半導体・電気・電子機器	310	173	206	384
268	プリントパック	印刷	215	-	272	276
269	豊島	商社（繊維・アパレル）	203	-	279	266
270	ニフコ	化学	245	300	268	282
271	日本アクセス	商社（食品）	243	303	331	212
272	日産自動車	自動車・輸送機器	-	108	168	-
273	伊藤忠食品	商社（食品）	220	-	319	228
274	川崎汽船	海運	255	270	283	265
275	大東建託グループ	建設・住宅	261	261	228	342
276	ANA成田エアポートサービス	航空	209	-	-	182
277	東京建物	不動産	260	267	238	339
278	Sansan	インターネット関連	299	204	191	-
279	TDK	半導体・電気・電子機器	-	121	169	-
280	山崎製パン	食品	313	189	344	213

■就職人気企業ランキング（281～300位）

総合順位	企業	業種	文系	理系	男子	女子
281	ニッポン放送	放送・映像	248	324	286	276
282	アマダグループ	機械	282	244	214	390
283	住友電気工業	非鉄金属	336	170	206	-
284	三井不動産リアルティ	不動産	213	-	359	208
285	UBE	化学	-	136	184	-
286	SBI新生銀行	都市銀行・旧長期系銀行	216	-	231	368
287	セコム	セキュリティ・メンテナンス	254	310	231	379
288	セブンーイレブン・ジャパン	コンビニエンスストア	239	363	256	321
289	DMG森精機	機械	337	176	214	398
290	パーソルキャリア	職業紹介・人材派遣	266	284	239	365
291	日本取引所グループ	証券	235	387	249	346
292	伊藤忠丸紅鉄鋼	商社（鉄鋼・金属）	326	185	297	267
293	岡谷鋼機	商社（半導体・電気・電子機器）	264	292	194	-
294	アシックス	スポーツ・レジャー用品	249	337	245	353
295	JERA	電気・ガス・エネルギー	338	179	195	-
296	大林組	建設・住宅	-	137	250	352
297	レゾナック	化学	393	145	199	-
298	レンゴー	紙・パルプ	308	211	269	316
299	リコージャパン	商社（コンピュータ・通信機器）	231	-	258	330
300	清水建設	建設・住宅	-	131	287	292

（注）社名表記は調査時点のもの。

■2025入社希望者対象　就職活動［後半］　就職ブランドランキング調査

調査主体	文化放送キャリアパートナーズ　就職情報研究所
調査対象	2025年春入社希望の「ブンナビ」会員（現大学4年生、現大学院2年生）
調査方法	文化放送キャリアパートナーズ運営の就職サイト「ブンナビ」上でのWebアンケート 同社主催の就職イベント会場でのアプリアンケート・オンラインイベントアンケート ＊投票者1名が最大5票を有し、志望企業を1位から5位まで選択する形式
調査期間	2024年3月16日～2024年6月30日
回答数	14,970（うち男子7715・女子7255／文系11135・理系3835） 総得票数　40,391票

くらべて分かる!

注目データの最新動向

くらべて分かる!

注目データの最新動向

社員一人ひとりの働き方（データ）を切り取っても、あまり参考にならないかもしれませんが、全社員のデータをひとまとめにすると、会社の実態が見えてきます。とはいっても、ただ1社1社のデータを眺めるだけでは、良し悪しを判断できません。何社も比べることではじめてデータを見る目が育つのです。次のページ以降に、先輩たちが注目したデータを「業種別平均」と「データ分布」にまとめました。気になる業界や会社の立ち位置を把握しておきましょう。

1．業種別掲載社数（社）

商社・卸売業	**111**
商社・卸売業	111
コンサルティング・シンクタンク・リサーチ	**17**
シンクタンク	6
コンサルティング	7
リサーチ	4
情報・通信・同関連ソフト	**95**
通信サービス	15
システム・ソフト	80
金融	**142**
銀行	66
政策金融・金庫	5
共済	4
証券	14
生保	17
損保	8
代理店	2
信販・カード・リース他	26
マスコミ・メディア	**59**
テレビ	15
ラジオ	1
広告	19
新聞	12
通信社	2
出版	7
メディア・映像・音楽	3
メーカー（電機・自動車・機械）	**255**
電機・事務機器	44
電子部品・機器	59
住宅・医療機器他	9
自動車	13
自動車部品	57
輸送用機器	9
機械	64
メーカー（素材・身の回り品）	**236**
食品・水産	57
農林	2
印刷・紙パルプ	9
化粧品・トイレタリー	9
医薬品	21
化学	55
衣料・繊維	8
ガラス・土石	16
金属製品	9
鉄鋼	11
非鉄	15
その他メーカー	24
建設・不動産	**106**
建設	68
住宅・マンション	19
不動産	19
エネルギー	**26**
電力・ガス	20
石油	6
小売	**89**
デパート	10
コンビニ	4
スーパー	24
外食・中食	8
家電量販・薬局・HC	15
その他小売業	28
サービス	**156**
ゲーム	3
人材・教育	21
ホテル	6
レジャー	15
海運・空運	8
運輸・倉庫	27
鉄道	25
その他サービス	51
合計	1292

2-1. 業種別有休取得日数（日／年）の平均

商社・卸売業	12.5
商社・卸売業	12.5
コンサルティング・シンクタンク・リサーチ	13.5
シンクタンク	14.6
コンサルティング	13.3
リサーチ	12.1
情報・通信・同関連ソフト	14.6
通信サービス	15.0
システム・ソフト	14.5
金融	14.8
銀行	14.2
政策金融・金庫	13.8
共済	15.6
証券	14.2
生保	15.9
損保	16.8
代理店	13.1
信販・カード・リース他	15.4
マスコミ・メディア	13.0
テレビ	12.0
ラジオ	―
広告	11.6
新聞	14.5
通信社	―
出版	15.4
メディア・映像・音楽	14.8

メーカー（電機・自動車・機械）	15.6
電機・事務機器	15.7
電子部品・機器	15.2
住宅・医療機器他	13.8
自動車	17.5
自動車部品	16.3
輸送用機器	16.1
機械	15.1
メーカー（素材・身の回り品）	14.1
食品・水産	13.4
農林	13.4
印刷・紙パルプ	13.8
化粧品・トイレタリー	14.3
医薬品	13.5
化学	15.1
衣料・繊維	12.5
ガラス・土石	15.2
金属製品	13.0
鉄鋼	15.4
非鉄	15.3
その他メーカー	12.6
建設・不動産	13.0
建設	12.9
住宅・マンション	12.5
不動産	13.9

エネルギー	17.1
電力・ガス	17.0
石油	17.2
小売	11.5
デパート	14.4
コンビニ	10.9
スーパー	10.5
外食・中食	10.4
家電量販・薬局・HC	10.9
その他小売業	11.9
サービス	13.6
ゲーム	15.0
人材・教育	12.5
ホテル	11.3
レジャー	12.6
海運・空運	13.4
運輸・倉庫	12.6
鉄道	17.0
その他サービス	13.2
有効回答(条件なし)1208社	14.1

2-2. 有休取得日数（日／年）の分布

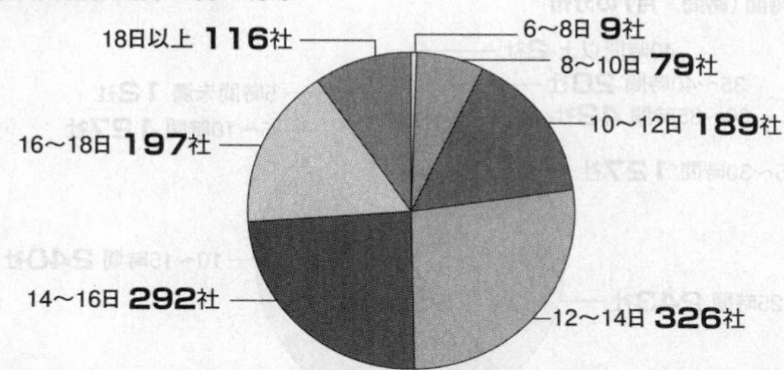

掲載会社平均は14.1日で昨年に比べ0.5日増となった。過去20年のデータでは最高の数字で、企業のホワイト化が進んでいると言えるだろう。分布を見ると12〜16日が全体の約5割となっている。月に1日強の有休が取得できる会社が多いようだ。業種別では**自動車**が17.5日でトップ。**石油**、**電力・ガス**、**鉄道**といったインフラ産業も上位だ。一方、ワーストは**外食・中食**の10.4日となった。

3-1. 業種別残業時間（時間／月）の平均

商社・卸売業	**17.2**
商社・卸売業	17.2
コンサルティング・シンクタンク・リサーチ	**22.3**
シンクタンク	22.7
コンサルティング	27.6
リサーチ	15.0
情報・通信・同関連ソフト	**19.9**
通信サービス	19.7
システム・ソフト	19.9
金融	**16.2**
銀行	12.9
政策金融・金庫	18.9
共済	12.9
証券	24.1
生保	14.6
損保	17.5
代理店	15.6
信販・カード・リース他	19.7
マスコミ・メディア	**22.1**
テレビ	―
ラジオ	―
広告	19.8
新聞	12.5
通信社	―
出版	23.8
メディア・映像・音楽	38.6
メーカー（電機・自動車・機械）	**18.8**
電機・事務機器	18.2
電子部品・機器	17.7
住宅・医療機器他	21.2
自動車	21.5
自動車部品	18.7
輸送用機器	23.5
機械	18.9
メーカー（素材・身の回り品）	**15.5**
食品・水産	19.0
農林	9.2
印刷・紙パルプ	17.4
化粧品・トイレタリー	13.8
医薬品	11.2
化学	14.1
衣料・繊維	7.7
ガラス・土石	14.2
金属製品	18.4
鉄鋼	16.5
非鉄	17.2
その他メーカー	15.2
建設・不動産	**25.3**
建設	27.0
住宅・マンション	20.7
不動産	23.4
エネルギー	**20.3**
電力・ガス	20.1
石油	21.1
小売	**14.8**
デパート	8.4
コンビニ	16.7
スーパー	18.7
外食・中食	20.0
家電量販・薬局・HC	10.7
その他小売業	13.8
サービス	**18.7**
ゲーム	25.0
人材・教育	15.1
ホテル	18.7
レジャー	13.4
海運・空運	20.3
運輸・倉庫	23.0
鉄道	16.8
その他サービス	19.5
有効回答(条件なし)1108社	18.3

3-2. 残業時間（時間／月）の分布

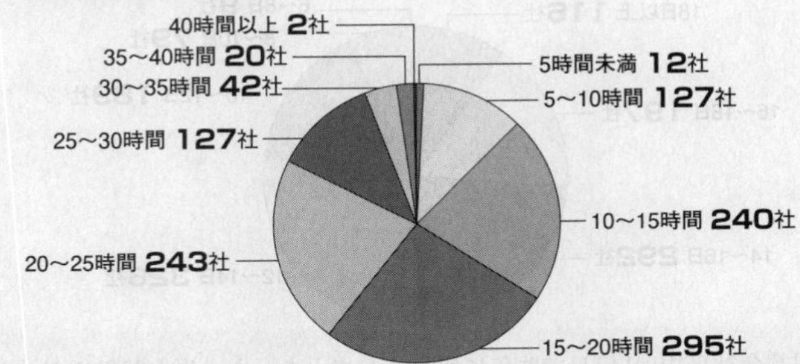

掲載会社平均は18.3時間で昨年調査と同水準となった。1日あたりに換算すると1時間弱ということになる。分布を見ると、約6割の企業は20時間未満におさまっている。一方、30時間以上（1日あたり1時間半以上）の会社も64社ある。

4-1．業種別新卒３年後離職率（%）の平均

商社・卸売業	17.1
商社・卸売業	17.1
コンサルティング・シンクタンク・リサーチ	17.1
シンクタンク	13.7
コンサルティング	17.4
リサーチ	35.2
情報・通信・同関連ソフト	18.2
通信サービス	12.4
システム・ソフト	19.2
金融	15.8
銀行	18.3
政策金融・金庫	15.3
共済	7.9
証券	16.2
生保	19.2
損保	11.0
代理店	31.8
信販・カード・リース他	10.4
マスコミ・メディア	8.5
テレビ	5.2
ラジオ	25.0
広告	10.7
新聞	12.2
通信社	15.0
出版	0.7
メディア・映像・音楽	4.2

メーカー（電機・自動車・機械）	12.1
電機・事務機器	10.2
電子部品・機器	12.6
住宅・医療機器他	15.2
自動車	10.3
自動車部品	15.5
輸送用機器	12.3
機械	9.4
メーカー（素材・身の回り品）	12.1
食品・水産	14.1
農林	11.7
印刷・紙パルプ	11.4
化粧品・トイレタリー	14.0
医薬品	11.4
化学	8.7
衣料・繊維	20.3
ガラス・土石	13.0
金属製品	12.1
鉄鋼	14.5
非鉄	11.6
その他メーカー	11.8
建設・不動産	14.3
建設	15.1
住宅・マンション	19.5
不動産	7.0

エネルギー	9.2
電力・ガス	9.6
石油	7.2
小売	33.6
デパート	27.0
コンビニ	34.2
スーパー	34.3
外食・中食	44.9
家電量販・薬局・HC	29.9
その他小売業	34.0
サービス	15.3
ゲーム	5.1
人材・教育	12.3
ホテル	31.5
レジャー	15.3
海運・空運	10.1
運輸・倉庫	20.2
鉄道	8.0
その他サービス	17.6
有効回答(条件なし)1066社	15.2

4-2．新卒３年後離職率（%）の分布

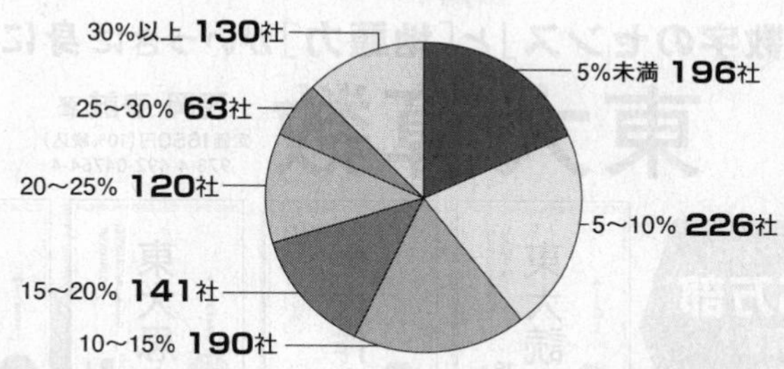

掲載会社平均は15.2%で昨年比0.6ポイント増となった。目安と言われる30%未満に約9割の企業が収まったが、NA（非回答）の企業も約180社存在するため注意が必要だ。なお、採用人数（分母）が少ない企業は離職率の振れ幅が大きくなる。必ず2期分の数字を確認しておこう。

総合索引

★ 総合索引（50音順）★

社名前の●印は上場企業、社名太字（ゴチック）は本編に掲載した企業を示す

〔ア〕

〔ウ〕

〔オ〕

〔カ〕

〔キ〕

〔サ〕

〔シ〕

〔ス〕

〔チ〕

〔ツ〕

〔テ〕

［ト］

〔ナ〕

〔ニ〕

〔ヌ〕

〔ネ〕

〔ノ〕

〔ヘ〕

〔ホ〕

〔ム〕

◇人手不足や物価高を背景に、企業の積極的な賃上げが続いています。巻頭に掲載の「平均年収ベスト100」ランキングでは、上位100社はすべて平均年収1,000万円以上となりました。直近3号では、「平均年収1,000万円」の大台を超えた企業の数は、68社→84社→119社と右肩上がりで増えています。私が就職活動をしていた頃は、「年収1,000万円」が高給取りの基準だと思っていましたが、そろそろその感覚もアップデートが必要なのかもしれません。

◇この本は採用広告媒体ではありません。したがって企業からの掲載料は一切いただいておりません。就活生の「知りたい」というニーズをもとに、中立、独立、客観的な立場から制作しています。

◇この本の趣旨にご賛同いただき、ご多忙の中、煩雑なアンケート調査および取材にご協力いただいた各社のご担当者各位に厚くお礼申し上げます。この本が刊行できるのも、そうした皆さんのご理解、ご協力、ご声援のおかげです。最後になりますが、本を一緒に作り上げてくださった制作スタッフの皆さんにも心から感謝しています。

（青地）

就職四季報　2026-2027年版

2024年12月10日　第１刷発行

編　　者　東洋経済新報社
発 行 者　田北浩章

発行所　〒103-8345　東京都中央区日本橋本石町1-2-1　東洋経済新報社
電話　東洋経済カスタマーセンター03（6386）1040
振替　00130-5-6518　　印刷・製本　大日本印刷

ISBN 978-4-492-97141-3

AD

朝日生命保険相互会社

https://www.asahi-life.co.jp/
〒160-8570　東京都新宿区四谷１－６－１
問い合わせ：人事部採用担当　asahiseimei7844@al.asahi-life.co.jp

webページを見

朝日生命
生きるを支え、
導く人へ。
Road to the future

人生100年時代、介護保険が強みの生命保険会社

朝日生命は、1888年（明治21年）に帝国生命という社名で日本で二番目の近代的生命保険会社としてスタートし、多くのお客様からのご支援のもと2024年3月で創業136年を迎えました。2012年に発売した「あんしん介護」は、2013年10月には生命保険商品としては初のグッドデザイン賞を受賞し、「人生100年時代」の“不安”を“あんしん”に変えるべく、現在は「あんしん介護」シリーズとして充実したラインナップの商品を展開しています。最近では、「あんしん介護」と「あんしん介護 認知症保険」が『2024年 オリコン顧客満足度（R）調査 介護保険商品ランキング』および『2024年オリコン顧客満足度（R）調査 認知症保険商品ランキング』において、それぞれ総合１位を受賞しました。

さらに今後は、社会課題のなかでも、高齢化に伴う医療費・介護負担の不安や気候変動問題の深刻化といった問題に対して、医療や介護・認知症に対する経済的サポート・サービス提供、お客様の人生を豊かにする地球環境づくりに取り組むことで、お客様の“生きる”を支え続けます。

Cinnamoroll
© 2024 SANRIO CO., LTD.
APPROVAL NO. L654531

POINT

経営の基本理念『まごころの奉仕』

経営の基本理念は『まごころの奉仕』です。「お客様」「社会」「従業員」に対する責任を果たしていくことを企業活動のベースとしています。お客様に対しては、客様満足の向上を最優先とした経営の実践を、社会対してはゆたかな社会づくりにかかわり続けることよる社会との共生を、従業員に対しては、人が育つ場づくり、働きやすい職場づくりを通じた従業員満の向上に日々取り組んでいます。

幅広い活躍フィールドと挑戦を応援する環境

朝日生命では商品の開発・販売から保険金のお支払い資産運用、システム開発など多くの業務を行ってお強みを活かしながら、幅広いフィールドで活躍するとが可能です。また挑戦したい分野に手を挙げて応することができる制度として『ジョブ・トライ・シスム』があります。「ステップアップを早期に目指したい「活躍のフィールドを広げたい」「社外で視野を広げたいなど、皆さんの挑戦を会社が応援します。

入社後教育の充実

総合職（全国型・ブロック型）は、入社後６ヵ月間研修を実施し、配属前に基礎知識の習得やお客様対応マネジメントスキルの向上に取り組みます。

総合職（地域型）は、入社後に８日間研修を行い、そ後は配属先での教育と２週間おきの全国・ブロック型の合同研修を行っています。（2024 年度入社の場合）

総合職（地域型）（募集職制）は、入社後３ヵ月の研修を行い、保険に関する基礎知識やプレゼンスキルの向上に取り組みます。（2024年度入社の場合）

充実した教育とワークライフバランス等に応じたフォロープログラムで新入職員の可能性を最大限に引き出します。

コーポレートDATA（実績）

事業…保険業
設立…1888年3月1日
基金…2570億円（基金償却積立金を含む）
保険料収入:3672億円（保険料等収入）（2024年3月）
従業員数…18,724人（2024年3月）
代表者…代表取締役社長　石島 健一郎
事業所…・本社（東京3拠点）
・統括支社、支社（全国58拠点）
・営業所（全国560拠点）
採用人数…95名（2025年卒予定）
募集職種…・総合職（全国型）
・総合職（ブロック型）
・総合職（地域型）
・総合職（地域型）（募集職制）

初任給…総合職（全国型）:282,000円（予定）
総合職（ブロック型）:272,000円（予定）
総合職（地域型）:208,000円（予定）
総合職（地域型）（募集職制）:244,450円（予定）
昇給・賞与…昇給年1回・賞与年2回
勤務時間…9:00～17:00
休日・休暇…完全週休2日、祝日（年末年始および夏季は別途暇あり）
年次有給休暇20日（初年度16日）　等
福利厚生…各種社会保険、財形貯蓄制度、独身寮・社宅貸与
教育制度…新入職員研修
入社年次や職位に応じた階層別の研修
経営マネジメント力強化プログラム
DX人財の育成に向けた教育プログラム

AD

アルフレッサ株式会社

nttps://www.alfresa.co.jp/
〒101-8512　東京都千代田区神田美土代町７番地　住友不動産神田ビル13階
問い合わせ：人事部 人材採用グループ TEL：03-3292-3831　メールアドレス：saiyou@alfresa.co.jp

webページを見る

医療の専門商社」として地域をつなぐ役割を目指し、もがいきいきとした人生を送れる社会を支えます

私たちの企業念として「すての人に、いいきとした生を創造しお届する」を掲げ、の実現のため、健やかな生活に必要となる生命関連商品の安定供給、ーズに合わせた情報提供、時代の変化に即した地域医に貢献することで誰もがいきいきとした人生を送れ社会を支えています。具体的には医療機関様へ医薬品お届けするだけでなく、最新の医療情報の提供についもクイックレスポンスを実現するための体制を充実せています。また、当社独自の情報ツールの開発や経に関するコンサルティングを行うために、「医療経営士」資格取得の推進などを行っております。これからのアフレッサは、医療の進化へ対応した「高度なロジスティス」の確立と、地域医療の良きパートナーとして、医品だけでなく、医療情報、地域情報までお届けできる医療の専門商社」を目指していきます。その時代を生き人に「いきいきとした生活」を届けるために、他業種企業様とも手を取って明日を作り、様々な技術を積極に取り入れながら地域のニーズに合わせた柔軟な対を行うことで、患者様、医療機関様に頼られるアルフッサを目指していきます。

物流、情報、地域をつなぐ活動」

【物流】大規模な物流センター9拠点を中心に全国71支店（2024年3月31日現在）の物流ネットワーク通じ、時代の要請に応えた体制を整備しています。関エリアにおける医薬品物流の更なる高度化と効率化図るため2024年5月より茨城県つくば市に当グルー最大のつくば物流センターが稼働しました。

【情報】日々更新される膨大な医薬品の最新情報を、常に把握していなければなりません。そのためアルフレッサは様々なシステムやサポートコンテンツを医療機関に提供しています。【地域】幅広い医療の現場に関わる卸の立場を活かし、地域一体となった健康づくりを進めています。

「将来を見据えた取り組み」

★医療ニーズの変化に対応すべく地域の医療をリードする「医療経営士」の充実を図り、地域の課題に対してより具体的な解決策を提案するソリューション型の営業を目指しています。新しいアイデアや手法、商品など、形にこだわらず医療や社会に対し様々な価値を提供していきます。

★医療の進歩に伴い、個別化医療、再生医療流通への取り組みが行われています。医薬品卸として次世代の『高度なロジスティクス』をテーマに医療機関へ安心してお届けできる体制を整えています。

「多彩な研修で全社員をフォロー」

常にモチベーション高く働ける企業であるために、社員の成長の機会を設け、知識・経験・スキルアップの支援に取り組んでいます。新入社員に対しては社会人としてのマナー習得、医療関連商品を取り扱う上での基礎知識を学んでいただきます。その後は職種ごとに業務に対応

した部署から継続した研修を実施し知識をつけていきます。また階層別の研修、優秀な社員に対する表彰式、グループ会社間での研修などを通して社員のレベルアップを図ります。

ーポレートDATA（実績）

業…商社（医薬品）
立…1949年8月10日
本金…40億円
上高…2兆3,331億円（2024年3月）
業員数…5,834人（2024年3月現在）
表者…代表取締役社長　福神 雄介
業所…東京、神奈川、千葉、埼玉、茨城、栃木、群馬、山梨、長野、新潟、愛知、静岡、滋賀、三重、和歌山、岐阜、奈良、京都、大阪、兵庫、福岡、大分、長崎、熊本、宮崎、鹿児島、北海道
用人数…営業職 80名程度（2025年卒予定者）
　薬剤師職 15名程度（2025年卒予定者）
集職種…営業職（学部学科不問）
　薬剤師職（要薬剤師免許取得予定者）
　一般事務(本社)：学部不問
初任給…営業職：基本給220,000円
　月給例（大卒・残業20時間の場合）：256,667円
　薬剤師職：基本給240,000円
　月給例：265,000円（薬剤師手当20,000円・5月より支給、役割手当5,000円含む）
　一般事務職（本社）：基本給220,000円
　月給例：220,000円
昇給・賞与…昇給年1回・賞与年2回
勤務時間…営業職：フレックスタイム制
　（標準労働時間）7時間30分、（備考）月残業平均20時間程度
　薬剤師職、一般事務（本社）：固定時間制・標準労働時間制
　（勤務時間）8:30～17:00（休憩：1時間）
休日・休暇…完全週休2日制（土日）、祝日、夏季休暇、年末年始休暇、特別休暇、有給休暇、慶弔休暇、リフレッシュ休暇、育児・介護休業、産前産後休業
福利厚生…各種保険完備、確定給付年金、退職金制度、借上社宅制度、保養所、交通費支給、通信教育補助、ベネフィットステーション
教育制度…新人研修、フォロー研修、1年目研修、2年目研修、3年目研修、5年目研修、OJT指導員研修、マネジメント研修、ビジネススタンス研修、薬剤師研修、コンプライアンス研修、病院営業研修、女性営業職研修等

AD

伊藤忠商事株式会社

https://www.itochu.co.jp/ja/
〒107-8077　東京都港区北青山2丁目5番1号
問い合わせ：人事・総務部 itochu-career@itochu.co.jp

webページを見

ひとりの商人、無数の使命

伊藤忠商事は、1858年初代伊藤忠兵衛が麻布の行商で創業しました。現在はディビジョンカンパニー制という組織体制を導入しています。「繊維」「機械」「金属」「エネルギー・化学品」「食料」「住生活」「情報・金融」「第8」の8つのディビジョンカンパニーがそれぞれの事業領域において経営の責任を負うとともに、総本社が全社戦略の策定・総合管理を行うことで、ディビジョンカンパニーの自主経営と全社戦略のバランスのとれた、効率性の高い経営体制を構築しています。世界を舞台にビジネスを繰り広げている伊藤忠商事の最大の経営資源は人材であり、重要な経営基盤です。伊藤忠商事の強さである卓越した「個の力」を活かし、社員一人ひとりが、ビジネスの現場で、マーケットが求めている商品やサービスをお届けし、広く社会に豊かさを提供し続けることが、創業者である伊藤忠兵衛をはじめとする近江商人の経営哲学である「三方よし」と一致する持続的発展の道筋であり、当社が果たすべき「使命」です。これからも常に「商人魂」を原点に据えながら、売り手にも、買い手にも、世間にも、よりよい商いをめざし、社会に対しての責任である「無数の使命」を果たしていきます。

POINT

挑戦を繰り返すその先に

伊藤忠商事は、160年以上前から「商い」を続け、幾多の困難に直面しながらも、常に「今」できることを考え、世界中でビジネスを展開してきました。そして、存の"常識"にとらわれることなく、新技術を大胆にり込みながら、「商い」の力で人々の生活に新たな価を提供し続けています。伊藤忠商事は、このような代だからこそ、「今」を生き、生活する人々を一番にいながら、「未来」を変えていきます。

入社1年目から主体的に挑戦できる成長環境

研究設備や製造設備を持たない総合商社にあるものは「人」のみ。だからこそ、社員一人ひとりが徹底的に分の頭で考え、創意工夫をしながら行動していくこが重要です。特に五大商社の中で最も社員数が少な伊藤忠商事は、若手から失敗を恐れず、常に主体的にチレンジすることができます。決して楽な環境ではあませんが、社会に対して新たな価値を提供できた時や自分自身の成長を実感できた時は、大きなやりがい感じることができます。

生活に寄り添った総合商社

2019年7月1日には、"新たな商社像"を目指し、社の新組織として「第8カンパニー」を新設しました。「化」のスピードが目覚ましい世の中で、より生活する人のニーズを捉えるためには、現行の商品・タテ割り組では対応が難しくなってきています。新カンパニーでは特定の商品・サービスという型にはめず、「マーケットンの発想」でコンシューマービジネスを開拓していま

コーポレートDATA（実績）

事業…商社
設立…1949年12月1日
資本金…253,448百万円（2023年3月31日現在）
売上高…14兆299億円（2024年3月）
従業員数…4,190名（2024年4月1日現在）
代表者…代表取締役会長CEO　岡藤 正広
事業所…国内7店、海外87店
採用人数…総合職130名程度　事務職20名程度
募集職種…総合職・事務職
初任給… 総合職：大卒325,000円、院卒360,000円
　事務職：大卒・院卒225,000円
昇給・賞与… 昇給：職務・職責・成果に応じ決定
　賞与：年2回（夏期、冬期）※ 業績に連動
勤務時間… 朝型フレックスタイム制度適用
　・コアタイム：9時～15時
　・フレキシブルタイム（始業）：5時～9時
　・フレキシブルタイム（終業）：15時～20時
　・休憩時間：12時～13時　・標準勤務時間：7時間15
休日・休暇…年間122日（2024年度）、完全週休2日制（日）、有給休暇（初年度14日・最高20日）、年末始休日（12月29日～1月3日）、慶弔休暇、リフレシュ休暇、ボランティア休暇、アニバーサリー休暇特別休暇 他
福利厚生…従業員持株会、慶弔見舞金、確定拠出年金制度、児介護支援制度、福利厚生サービス会社（ベネフィワン）提携 など
教育制度…■研修制度（入社1年目）
　新入社員研修、語学研修、貿易実務、実務法務、経理財務
　■研修制度（入社2～5年目）
　新人海外派遣制度（入社8年以内に全員を海外へ遣）、海外実務実習、4年目研修、語学レッスン 他

AD

キヤノンマーケティングジャパン株式会社

ıttps://canon.jp/
〒108-8011　東京都港区港南2-16-6　キヤノンSタワー
問い合わせ：採用課　recruit@canon-mj.co.jp

webページを見る

想いと技術をつなぎ、
想像を超える未来を切り拓く

私たちは、キヤノング
ープの一員として、国
でのマーケティング活
やソリューション提案
担っています。「イメー
ングとITの技術力」「顧
基盤」「人材力」といっ
強みを生かし、大手や
小企業、個人のお客さ
にまで、それぞれに最
な価値を提供していま
。また、キヤノン製品
ITソリューションを組
合わせることにより、
決できる社会課題の領
を広げ続けています。
今、気候変動や少子高齢化等、社会課題は複雑化・深
化しています。私たちは、マーケティングの力でよ
広範な未来の社会課題を解決し続けていくため、こ
たび「未来マーケティング企業」を宣言しました。そ
て、社員の志を一つにし、社会課題解決を加速する
くパーパスを制定しました。
「想いと技術をつなぎ、想像を超える未来を切り拓く」
のパーパスには、私たちとお客さまの想いに、これ
で培ってきた強みと多様なパートナーが持つ技術を
なぎ、イノベーションを生み出すことで、希望と喜
に満ちた未来の実現に向かい取り組んでいくという
志を込めています。
このパーパスを胸に、時代の先を見据えた新たな価
を創造し、想像を超える未来を切り拓いていきます。

POINT

For Business

私たちは、独自の強みを持つ製品と技術を磨き上げ、業種・業態に合わせたソリューションを提供しています。デジタルドキュメントサービスや映像ソリューション、ローコード開発、高度な数理技術を活用したソリューション、セキュリティやITO、BPOを含む幅広いサービスを提供することにより、お客様のビジネスに新たな価値を創出し事業の成長を支えます。

For Consumer

私たちは高度なイメージング技術を基盤に、幅広い製品・サービス、きめ細かなサポートを通じて豊かな映像文化を醸成し、その可能性を切りひらいてきました。一般のお客さまからプロフェッショナルまで、多くの人々が写真や映像を楽しめる多彩なサービスにより、感動と創造性に満ちた未来を実現します。

For Professional

スマートフォンや車、家電製品等、身の回りのあらゆるものから通信や交通といった社会インフラまで、生活を支えている半導体。私たちは世界中から半導体製造装置や計測装置などの産業機器を輸入して国内の半導体メーカー等プロフェッショナルのお客様に提供しています。単にモノを売るだけではなく、機器の導入・設置・メンテナンスまで一貫した技術サービスを提供することで安定稼働をサポート。「技術商社」の役割を担うことで日本のモノづくりを支えます。

Canon
キヤノンマーケティングジャパン株式会社

ーポレートDATA（実績）

種…商社・卸売業
立…1968年2月1日
本金…73,303百万円
上高… 連結：6095億円 単独：4285億円（2023年12月期）
業員数… 連結：16,089名 単独：4,528名（2023年12月31日現在）
表者…代表取締役社長　足立 正親
業所… 本社：東京（品川）
支店：札幌、仙台、名古屋、大阪、広島、福岡
その他事業所・営業所：全国主要都市32カ所
用人数…約150名（2025年卒予定）
集職種…総合職（営業系・技術系・事務系）
任給… 修士了：26万8,500円、学部卒：24万5,000円
高専卒：21万8,500円（2024年4月初任給実績）
給・賞与… 昇給：年1回（業績昇給／4月）
賞与：年2回（6月／12月）

勤務時間…9時～17時30分（休憩60分）
※前後1時間のシフト勤務あり
休日・休暇…年間休日125日、完全週休2日制、サマーバカンス 連続5日（年1回、土日含め最大9日間）、フリーバカンス 連続5日（年1回、土日含め最大9日間）、リフレッシュ休暇 5日～16日（5年毎、土日含む）、年次慰労休暇（初年度13日、2年目以降20日）、時間単位休暇、傷病積立休暇、特別休暇（結婚・忌引・配偶者出産）など
福利厚生… 持株会制度、社会保険（雇用保険、労災保険、健康保険、厚生年金保険）、保養所、共済会制度など
教育制度…新入社員研修（4～5月）、2年次研修、5年次研修、その他部門による専門教育、IT系資格取得支援制度、AI・データサイエンス教育、基礎スキル向上に向けた通信教育、TOEIC受験料補助等

商工中金(株式会社商工組合中央金庫)

https://www.shokochukin.co.jp/
〒104-0028　東京都中央区八重洲二丁目10番17号
問い合わせ：キャリアサポート部採用グループ

webページを見

「中小企業専門」の総合金融機関として、あらゆる経営課題解決に注力する

商工中金は中小企業による中小企業専門の総合金融機関です。1936年に政府と中小企業組合の共同出資によって設立されましたが、昭和初期の度重なる恐慌により多くの中小企業が危機的状況に陥った際、中小企業を専門にサポートする金融機関を望む声が背景にあります。

日本の全企業数の99%以上、雇用の約7割を占め、付加価値創出の約5割を担っているのが中小企業です。政府系の金融機関というと「保守的」「堅い」というイメージがあるかもしれませんが、中小企業のあらゆる課題解決を専門的に担える金融機関であり続けるべく、お客さまと真摯に向き合い、スピード感を持って自らの変革を継続してきました。

2023年6月には民営化にかかる改正法案が国会において成立し更なる転機を迎えています。「出資業務の強化」「人財サービス」「DX支援」などの「業務範囲の拡大」と「経営環境の変化にスピーディ対応できるガバナンス体制」を企図しており、これからも中小企業が抱える課題・ニーズに適切に対応するため、中小企業と共に考え、変わり続けていきます。

POINT

中小企業金融に対する高い専門性

設立以来85年超にわたり、中小企業金融のノウハウを専門的に蓄積してきました。企業の財務情報に加えて、ビジネスモデル上の優位性や経営者の手腕などの非財務情報も含めて総合的に評価・分析する「事業性評価」を軸に、オーダーメイド型の金融サービスを提供しています。

PURPOSE
企業の未来を支えていく。日本を変化につよくする。

MISSION
安心と豊かさを生みだすパートナーとして、ともに考え、ともに創り、ともに変わりつづける

具体的にはコーポレートファイナンスを中心に、トラクチャードファイナンスや投資業務、スタートアップ支援やM＆A支援など専門性の高い広範なソリューションメニューを有しています。

全国・海外に広がる営業基盤

国内では102の拠点を有し、全都道府県をカバーしています。特定地域に偏ることなく資金を供給し、境変化につよい融資ポートフォリオを構築していますこの強みを活かして広域での事業承継候補先やビジスマッチング候補先の情報提供等に取り組んでいます

海外では5拠点を有し、海外現地法人の資金調達加え、JETROやタイ投資委員会等と連携し必要な情を提供するなど、中小企業の海外展開をフルサポーしています。

ソリューション提供を支える多様な人財

原則として入社2年目から中小企業の法人営業を当し、経営者とビジネスを行うことで、若手のうちら様々な経験をしてスキルを磨き、中小企業の課題決に努めていきます。多様化する中小企業の経営課に対応するため、社員の自律的な学びを積極的にサポトするほか、高度な専門スキルを身に着けるための部出向や留学制度も有しています。

またDE＆Iも推進しており、キャリア採用や女性の採用も積極的に実施しています。

コーポレートDATA(実績)

業種…銀行
設立…1936年11月1日
資本金…218,653百万円(2024年3月)
従業員数…3383人(2024年3月)
代表者…代表取締役　関根 正裕
事業所…本支店93ヵ所(うち海外1)　出張所3ヵ所
営業所7ヵ所　海外駐在員事務所4ヵ所
合計107ヵ所(うち海外5ヵ所)
採用人数…100～120人(2026年卒予定)
募集職種…総合職(フリーコース又はエリアコース)
初任給…4年制大学又は大学院卒
260,000円(2024年4月実績)
昇給・賞与…昇給年1回・賞与年2回(6月・12月)
勤務時間…8:40～17:10(休憩1時間含む)
休日・休暇…土曜、日曜、祝日、年末年始休暇(4日)、有給休暇(14日～21日)、育児・介護・産前産後休暇など
福利厚生…【社会保険】健康保険、労働保険、雇用保険、厚年金など
【育児支援制度】出産休暇、育児休業制度、育児ための短時間勤務制度など
【舎宅】独身用、世帯用完備(エリアコースは対象
教育制度…【内部研修】新入社員研修、階層別研修(若手社中堅社員、初級管理者、中級管理者など)、職能研修(企業診断講座、選択型スキル研修など)
【外部研修・留学】海外・国内大学院(MBA)、日生産性本部、中小企業大学校など
【通信教育・外部資格取得】各種奨励制度あり、ラーニング制度あり

AD

住友重機械工業株式会社

https://www.shi.co.jp/saiyo/
〒141-6025　東京都品川区大崎２丁目１番１号　ThinkPark Tower

webページを見る

一流を、世界へ。

医療・半導体分野精密機械や輸送搬機械、建設機械、境プラントを事業域とした総合機械ーカーです。

1888（明治21）、別子銅山で使用する機械・器具の製作と修理を担う工作方」として創業。伝統の中で培ってきたモノづくり精神は、「動かし、制御する」確かな技術をナノテクノジーから巨大構造物まで様々な分野へ展開し、日本のならず世界中のお客様に、一流の商品とサービスで社や産業の基盤を支えています。

かな技術に支えられた住友重機械の製品は世界の求られる市場に広まり、家庭、病院、エレベーター、エカレーターなどの生活シーンや自動車工場、半導体工、造船所などの産業活動シーンで活躍しています。

POINT

化に対応し組織を強化できる企業風土

1888年（明治21）の創業以来、モづくり企業とし製品・サービスの供を通じてお客や社会の抱える題の解決に取りんできました。こ長きにわたる歴の中で蓄積した高い技術力、経営力、組織能力は当の強みです。

長く培ってきた変革に挑戦し続ける企業風土により、会価値と企業価値の創出を実現する高い経営力を駆して、さらに継続的な企業価値向上を図っていきます。

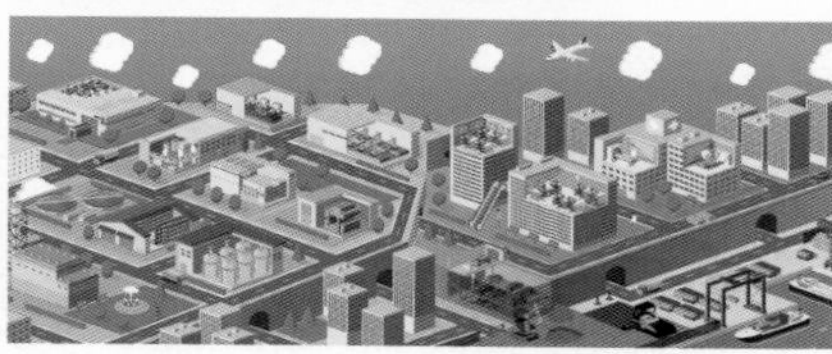

多様な人材が能力を発揮できる体制・環境の整備

社員一人一人が個性や能力を最大限に発揮し活躍するためには、働きやすさと働きがいの両方を満たす働き方が重要と考えています。効率的な働き方や、育児や介護、主体的な活動などを支援するための各種制度の整備、導入を進めています。

▶フレックス制度・テレワーク制度
▶定時退社日の設定
▶有給休暇・積立休暇の利用促進
▶育児休業・育児短時間勤務、男性の育休取得促進
▶副業（プラスキャリア制度）

事業部別採用の実施

学生の方々のニーズに最大限応えるべく、あらかじめ採用予定事業部・職種を明示した採用を行っております。選考時にお伺いした部門毎に選考を行います。携われる技術、製品、業界が明確です。

理系出身者は研究開発、システムエンジニアのほかに各事業部門にて開発、設計、生産技術、品質保証などに、文系出身者は法務、経理、人事、資材調達のほかに各事業部門にて営業、企画、生産管理などの職種に就いています。

コーポレートDATA（実績）

業…機械メーカー
立…1934年11月1日
本金…308億7,165万円（2023年12月31日現在）
上高…連結:1,081,533百万円（2023.12月期末）
業員数…単体:4,033名／連結:25,303名（2023.12月末）
表者…代表取締役社長　下村 真司
業所…・本社／東京都　・研究所／神奈川県、愛媛県
・国内製造所／東京都、千葉県、神奈川県、愛知県、岡山県、愛媛県　・事務所／東京都
用人数…141名(2025年3月卒予定)
集職種…理系:研究・開発、設計、生産技術、品質保証、情報システムほか
文系:営業（国内・海外）、企画管理、生産管理、資材・調達、財務・経理、人事ほか

初任給…博士了　月給300,190円、修士了　月給280,440円、大学卒　月給260,190円（2024年4月初任給実績）
昇給・賞与…昇給:年1回（1月）、賞与:年2回（6月・12月）
勤務時間…所定労働時間8時間（フレックスタイム制あり）
※勤務地によって始終業時間が異なります
休日・休暇…週休2日（土・日）、国民の祝日、メーデー（5月1日）、年末年始、夏季休暇、リフレッシュ休暇、慶弔休暇、看護休暇、介護休暇など、年次有給休暇22日（年度途中の入社の場合は入社日付に応じ按分）
福利厚生…独身寮、住宅手当制度、財形貯蓄制度、育児・介護支援制度、持株会　など
教育制度…新入社員研修、1年目フォロー研修、2年目研修、3年目研修、新任2級職研修、新任1級職研修、新任経基職研修　ほか

住友商事株式会社

https://www.sumitomocorp.com/ja/jp/
〒100-8601　東京都千代田区大手町二丁目３番２号 大手町プレイス イーストタワー
問い合わせ：03-6285-5000

webページを見

商品・サービスの販売、国内外における事業投資など、多角的な事業活動を展開

住友商事グループは当社の強みを結集する９つの「グループ」のもと、グローバルに幅広い産業分野で事業活動を展開しています。

強固なビジネス基盤と多様で高度な機能を戦略的・有機的に統合することで、変化を先取りし、既存の枠組みを超えて社会課題を解決し、新たな価値を創造していきます。

住友商事グループの「経営理念」は、住友400年の歴史に培われた「住友の事業精神」をベースに、今日的かつグローバルな視点を加えて、平易かつ体系的に整理されています。

住友商事グループの社会的使命は、健全な事業活動を通じて、株主、取引先、地域社会の人々、そして社員も含め、世界中の人々の経済的・精神的な豊かさと夢を実現することであると考えています。また、個々人の人格を尊重し、「住友の事業精神」の真髄である「信用を重んじ確実を旨とする」という経営姿勢を貫き、一人一人の主体性、創造性が発揮され、改革と革新が不断に生み出されるような企業文化を大切にしています。

POINT

世界各地で安心・安全な水資源の提供を

住友商事は現在2,000万人以上の人々に対して、上下水に関わるサービスを提供しています。

中国では下水処理事業を手掛けています。経済成長による生活水準の向上とそれに伴う環境保護意識の高まりを背景に、今後さらなる事業拡大を目指していきます。

住友商事は、これまでの事業で培ったノウハウを生かし、さらなる水イフラ環境向上のため、さまざまな機能を提供していきます

アジアの人々の健康や食を支え
安全で快適な生活に寄与するリテイル事業

スーパーマーケットチェーン「サミット」、ドラッグスト「トモズ」、この２社は当社100パーセント子会社であり現在の住友商事の小売事業を代表する２大ブランドです

これらを中核として、住友商事は消費者向けビジネスに継続的に取り組み、消費者との接点をつくり続けてきました。

国内事業のサミットやトモズの経営で蓄積したノウハを駆使して、小売り事業市場全体のバリューアップを現するのが当社の役割です。

ミャンマーのお客さまにとって
最も身近なプラットフォーマーへ

2014年９月より住友商事は、海外での事業経験をかし、KDDIと共に、ミャンマー国営郵便電気通信事業（以下、MPT）の通信事業運営をサポートしています。

14年時点で10パーセント程度の携帯電話普及率は現在100パーセントを超えるまでに急成長しており、者がスマートフォンを持つ姿も日本と変わりません。通

事業を通じ、報化社会の実によるミャンマ国民の豊かさ各種産業の発に寄与していたいと考えてます。

コーポレートDATA（実績）

業種…総合商社
設立…1919年12月24日
資本金…2,204億円（2024年4月）
売上総利益…13,425億円（2023年度）
従業員数…5,152※人（連結ベース79,692人）
※海外支店・事務所が雇用する従業員135人を含みます。
代表者…代表取締役 社長執行役員 CEO：上野 真吾
事業所…東京、大阪、名古屋など　国内および海外
採用人数…100名（2026卒予定）
募集職種…プロフェッショナル職
初任給…初任給 学卒：305,000円　院了：340,000円
※2024年度
昇給・賞与…年2回（6月、12月）
勤務時間…スーパーフレックスタイム制度導入
総所定勤務時間（7時間15分×清算期間の営業日数）
※清算期間は毎月1日から同月末日までの1か月間。
勤務時間が6時間を超える場合は、休憩1時間。
休日・休暇…完全週休2日制（土・日）、祝祭日、年末年始
年次有給休暇、その他各種有給休暇制度有り
福利厚生…終身年金制度、従業員持株会制度、選択型福利生制度（カフェテリアプラン）、産前産後欠勤（産6週間、産後8週間）、育児休職制度、介護休職制度高度医療見舞金制度など
社員一人ひとりの、仕事を含めた生活全体の充実資するようなワークライフマネジメント施策を推進ています。
教育制度…住友商事ビジネスカレッジ（SBC）
経営人材育成 長期・選抜プログラム
選択式プログラム
グローバル人材育成プログラム
階層別プログラム
国内・海外グループ会社独自プログラム

AD

住友林業株式会社

nttps://sfc.jp/
〒100-8270　東京都千代田区大手町一丁目３番２号　経団連会館８階
問い合わせ：人事部採用グループ　https://mypage.plus.i-web.jpn.com/sumirinpage2025/ihelper

webページを見る

続可能で豊かな社会の実現に向けて、
と地球環境にやさしい「木」を活かした事業を展開

日本の国土の約1/800にも及ぶ社有林を持つ住友林は、木を植えて育てるという「山林経営」を礎に、総合生活関連事業をグローバルに展開しています。
界各地の生産・流通拠点を結び、あらゆる事業へ必要木材や建材を届ける「木材・建材事業」を行う商社部においては、日本国内において取扱高NO.1の地位をいています。
また、木の良さを最大限に活かし、お客様の夢の家づりをお手伝いする「住宅事業」では、プラン・デザインの設計力の高さに加え、独自の構造・技術により災害強い住まいを提供しています。「建築・不動産事業」で米国・豪州・東南アジアを中心に、各地の気候風土やーケットのニーズに合った住宅・不動産事業を展開しています。
このように住友林業では木を植え、育て、木材・建材生産し、住宅などの建築を行います。再生可能な資源ある木を活かし、持続可能なビジネスモデルを有するとが特徴的な企業です。このビジネスモデルを活かし、の利活用・需要を高めることによる「経済的価値」の出に加えて、環境問題などの社会課題を解決する「公的価値」を創出する企業として成長を目指します。

POINT

事業とESGへの取り組みの一体化を推進。

荒廃した山林の再生に取り組んだ1894年策定の『大造林計画』を礎とする住友林業の事業。私たちはESGという言葉がなかった150年以上前から、それを当たり前のこととして取り組んできました。サステナビリティがより求められる今、更なる企業価値向上に結び付けていくため、事業とESGへの取り組みの一体化を推進しています。社会から求められている役割を認識し、経営理念を実践し続けることで、持続的な成長を図っています。

サステナブルなビジネスモデルを、世界へ。

木を植え、育て、木材・建材を生産し、家をつくる。伐採した後に再び木を植え、豊かな森林を維持する。再生可能な資源である木を活かした、住友林業独自のサステナブルなビジネスモデルは世界各地で顕在化しつつある社会・環境課題に貢献します。住友林業は、「山林事業」「流通・製造事業」「住宅・不動産事業」の各事業を海外でも展開し、世界各地のニーズに応える新たな価値を提供しています。

コーポレートDATA（実績）

業…建設業
立…1948年2月20日
本金…550億8800万円（2023年12月）
上高…1兆7,332億円（2023年12月）
業員数…24,815名（2023年12月）
表者…代表取締役社長　光吉 敏郎
業所…本社：東京都千代田区大手町１−３−２　経団連会館
　その他全国各事業所
用人数…約230名（2025年卒予定）
集職種…住宅営業職・建築技術職・業務企画職
任給…博士卒：月給/284,000円
　（20.5時間分の残業代41,795円を含む）
　修士卒：月給/274,000円
　（20.5時間分の残業代40,309円を含む）
　大　卒：月給/264,000円
　（20.5時間分の残業代38,848円を含む）
　高専卒：月給/254,000円
　（20.5時間分の残業代37,362円を含む）
昇給・賞与…昇給 年1回（4月）・賞与 年2回（6月、12月）
勤務時間…フレックスタイム制
休日・休暇…完全週休２日制（職種により曜日は異なる）、有給休暇（リフレッシュ休暇制度、ファミリーフレンドリーday）、特別休暇等
福利厚生…財形貯蓄、従業員持株、退職金、永年勤続休暇、慶弔見舞金、社宅制度、介護・育児休業制度など
教育制度…入社時研修、四国山林研修、フォロー研修、階層別研修、役職別研修、目的別研修、資格別研修、職種別研修等

AD

大日本印刷株式会社

https://www.dnp.co.jp/
〒162-8001　東京都新宿区市谷加賀町1－1－1
問い合わせ：採用ホームページの「お問い合わせフォーム」からご連絡ください。

未来のあたりまえをつくる。
DNP

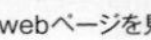

持続可能なより良い社会、
より心豊かな暮らしを実現していく
新しい価値の創出に挑戦し続ける総合印刷会社

DNPは常に、社会に貢献し、人々の暮らしを豊かにしていく「志」を持ち続けています。その思いを「未来のあたりまえをつくる。」という言葉に込め、DNPの製品・サービスが「欠かせない価値」として、世界の人々の身近に「あたりまえ」に存在し続けるように努めています。魅力あるコンテンツ、高セキュリティサービス、スマートフォン等の部材、環境に優しいパッケージや生活空間用製品、写真や体験型のサービスなどを数多く展開しています。

また、環境・社会・経済の変化を事業拡大の大きなチャンスと捉え、DNP自身が変化を起こすことで、“より良い未来”をつくっていきたいと考えています。その実現には、【高い志を持ってビジョンを描き、「未来のあたりまえ」を自ら体現できる皆さん】の力が必要です。

DNPは、社会課題を解決するとともに、人々の期待に応える価値を生み出すため、独自の「P&I（印刷と情報）」の強みを掛け合わせ、多様なパートナーとの連携を深めています。そこに皆さんの力をさらに掛け合わせていきたい。ともに“より良い未来”をつくり出していく新しい仲間を私たちは待っています。

ライフスタイルの変化に応じて、自らの働き方を選ぶ

DNPは、社員自身のライフスタイルが変化した場合も、どのように自分を磨き続けたいかを考え、選択できる多様な仕組みを提供しています。出産・育児の場合、産前・産後休業や、子どもが2歳になるまでの期間で育児休業を取得できます。男性の育児休業取得率も2023年度は約99%となりました。

POINT

【スマートコミュニケーション部門】
～心地よく安全・安心な「対話」を支える～

○DXの推進による人々の体験価値(CX)の向上
○リアルとバーチャルの空間を融合するXRコミュニケ
　ション事業の推進
○知を支え、心を豊かにするコンテンツ事業の展開
○ハイブリッド型総合書店「honto」等の事業拡大
○子供からシニアまで生涯にわたる教育を支援
○安全な情報基盤を支える認証・セキュリティ事業
○証明写真機「Ki-Re-i」等を活かした価値創出、ほか

【ライフ&ヘルスケア部門】
～衣食住、さまざまな生活シーンを支える～

○環境に配慮した「GREEN PACKAGING」等で脱
　素社会・循環型社会・自然共生社会の実現に貢献
○多様な人々を包摂するインクルーシブデザインの推
○快適で機能的なあらゆる生活空間の構築に向けて
　多様な高付加価値製品を開発・提供
○次世代モビリティ社会に向けた製品・サービスの開
○リチウムイオン電池や太陽電池の部材など、エネルギ
　関連の課題解決に向けた価値の創出、ほか

【エレクトロニクス部門】
～最先端技術で次世代の電子機器等を支える～

○IoTの進展や情報機器の進化を支える製品群
○5G通信の付加価値を高める製品の開発・提供
　• 世界トップ：有機ELディスプレイ用メタルマス
　• 市場拡大が続く半導体向け各種製品
○製造時の消費電力を減らして環境に優しい半導体
　造方法ナノインプリントリソグラフィの展開、ほか

コーポレートDATA（実績）

業種…総合印刷業
設立…1894（明治27）年1月19日
資本金…1,144億64百万円（2024年3月31日現在）
売上高…1兆4,248億22百万円（連結）（2024年3月期）
従業員数…36,911名（連結）（2024年3月31日現在）
代表者…代表取締役社長　北島 義斉
事業所…東京都新宿区市谷加賀町一丁目1番1号
採用人数…200名（2025年卒予定）
募集職種…【事務系総合職】営業、企画、コーポレートスタッフ
　【技術系総合職】研究開発、製品・プロセス開発、システム開発
　【デザイン系総合職】クリエイター
初任給…【大都市圏】大卒・高専（専攻科）卒 252,000円／修士了 272,000円／高専（本科）卒 226,000円
　【大都市圏以外】大卒・高専（専攻科）卒 247,000円／修士了 267,000円／高専（本科）卒 221,000円
　（2024年度、キャリア自律支援金10,000円含む）
昇給・賞与…昇給年1回・賞与年2回
勤務時間…フレックス勤務制（コアタイムなし）
休日・休暇…完全週休2日制（土・日）、祝祭日、社休日（5月1日、6月16日）、夏期休暇、年末年始休暇、有給休暇ほか
福利厚生…企業年金、個人積立年金、提携住宅資金融資、業員持株会、共済会、財形貯蓄（補助制度あり）、各種団体保険（生保・損保）制度、ジョブ・リター制度、産休制度、育児制度、介護制度、寮制度な
教育制度…導入教育、職種別専門教育、階層別専門教育、己啓発通信教育制度、資格取得奨励制度ほか

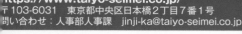

太陽生命保険株式会社

nttps://www.taiyo-seimei.co.jp/
〒103-6031　東京都中央区日本橋２丁目７番１号
問い合わせ：人事部人事課　jinji-ka@taiyo-seimei.co.jp

webページを見る

くのお客様の元気･長生きを支える会社

太陽生命は創業131年歴史ある会社です。太生命の前身となる名古生命保険株式会社が誕したのは、1893年。そ15年後に本店を東京にし、太陽生命保険株式社に商号を変更。1948に太陽生命保険相互会として再発足。その後、時代の変化を先取りる太陽生命には、変化恐れずに挑戦する独自個性が育っていきました。さらに、家庭マーケットにい太陽生命と、中小企業マーケットに強い大同生命が務提携を行い、「T＆D保険グループ」が誕生したのが、999年です。2003年に相互会社から株式会社へ組織更を行い、東京証券取引所市場第一部に株式を上場しした。

2004年4月には、当社、大同生命およびT＆Dフィンシャル生命が共同で、株式移転により生命保険業を核事業とする保険持株会社として「T＆Dホールディグス」を設立しました。

また現在、太陽生命は従来の営業職員チャネルのみでく、法人営業チャネルや金融機関代理店チャネルなど広く展開しています。さらに、インターネットで申込が完結する「スマ保険」と呼ばれるインターネットチャルも展開しており、常にお客様に最優の商品をお届け来るように進化を続けています。

POINT

代の変化を先取りした商品・サービスを提供

変化を恐れず新しいことに挑戦し続けるのが太陽生命個性です。時代の変化やお客様のニーズの変化にいち早く対応した、商品・サービスの提供に取り組んでいます。

お客様の元気・長生きをサポートする予防保険シリーズ、出産・育児を応援するための「出産保険」などを提供し、非常にご好評いただいています。

また、予防保険シリーズでは認知症やがん、重大疾病などの「早期予防」「早期発見」につながる仕組みやサービスを提供し、お客様の元気・長生きをサポートしています。

太陽の元気プロジェクト

太陽生命では「健康寿命の延伸」すなわち“健康で長生きする”という社会的課題に応えるために、2016年より「従業員」「お客様」「社会」のすべてを元気にする取組み、「太陽の元気プロジェクト」を推進しています。従業員がいきいきと働くことができる元気な職場づくりや、お客様・社会の元気に向けた商品・サービスの提供などに取り組んでいます。この取組みは外部からも評価され、経済産業省が運営する「健康経営優良法人（ホワイト500）」に8年連続で認定されています。

少数精鋭

太陽生命の特徴は、少数精鋭。全国各地に140以上ある営業拠点では、総合職の場合、入社2年目には大半の従業員が係長という役割を持ち、最短で6年目には業務・教育課長という管理職に登用されます。さらに8年目には支社次長、10年目には支社長に登用される従業員もいます。また31部署ある本社においても、若手のうちからリーダー業務を任せ、メンバーの個性や能力を引き出す力を磨き、影響力ある人材への成長を後押ししています。

コーポレートDATA（実績）

業…生命保険業
立…1948年2月1日
本金…625億円（2024年3月末）
上高…7,028億円（2023年度）
業員数…11,699名（2024年3月末）
表者…代表取締役社長　副島 直樹
業所…支社
143支社･6営業所（2023年8月時点）
用人数…100名程度（2025年卒予定）
集職種…○総合職
○一般職
○担当職（法人営業担当）
任給…総合職：280,000円
一般職：212,300円（首都圏）
担当職：243,040円（首都圏）
※一般職･担当職は地域によって異なります。

昇給･賞与…昇給：年1回（4月）
賞与：年2回（6月･12月）
勤務時間…9:00～17:00（休憩1時間）
休日･休暇…完全週休2日制、祝日、年末年始
年次有給休暇20日（初年度15日）
特別休暇（慶弔休暇、育児休暇、リフレッシュ休暇など）
通院休暇、看護休暇および介護休暇　など
福利厚生…独身寮･社宅制度、退職一時金制度
確定給付企業年金制度、住宅資金融資制度
従業員持株会制度、厚生寮など
教育制度…新入社員導入研修、年次別研修、職種別研修
管理職候補者研修、新任管理職研修
ビジネススクール派遣、海外留学、社外留学　など

AD

東京地下鉄株式会社

https://www.tokyometro.jp/index.html
〒110-8614　東京都台東区東上野三丁目19番6号

webページを見

「東京を走らせる力」というグループ理念のもと世界有数の都市東京に集う人々の生活や経済活動を支える

東京メトロは、鉄道事業を中心とした事業を行い、世界有数の都市東京に集う人々の生活を支えている会社です。東京都心部を中心に9路線、180駅、195.0㎞の地下鉄を運営し、昨年度は一日652万人のお客様にご利用いただいています。当社は、さらなる安全・快適な輸送の実現のために、自然災害対策をはじめ、ホームドアの設置や新型車両の導入、駅の大規模改修などを積極的に行っております。また、沿線地域の魅力・活力を一層引き出せるような不動産・駅ナカ開発や新規事業にも積極的に取り組んでいます。

POINT

『首都東京の都市機能を支える』

鉄道事業においては、MaaSといったモビリティサービスの導入やTIMA（車両情報監視・分析システム）をはじめとしたCBM（状態基準保全）等、新技術・DXの活用によって鉄道事業を進化させていく取り組みを進めています。さらには、有楽町線延伸や南北線延伸といった新線建設により、ネットワークの拡充を図るとともに、沿線まちづくりへの寄与、東京圏の国際競争力の強化に貢献していきます。

『新たな魅力を発信し、東京に集う人々の生活を彩る』

鉄道事業だけではなく、不動産や駅ナカ開発に代表される不動産・流通事業、これまで培ってきたノウハウや国際協力の経験を活かした、海外での新たな事業展開にも力を入れています。近年で新規事業として、東京メトロが保有する経営資源とスタートアップ企業のアイデアや技術を組み合わせ生まれ漫画と謎解きをかけ合わせた「メトロタイムゲート」展開といった新たな領域にも幅広く挑戦しています。

『東京メトロで実現できる働き方』

総合職には部門横断的なジョブローテーションがり、社内の異動はもちろん、出向など社外も含めて様な仕事に携わり、多角的な視野を養うことができ、また大きな仕事を若手のうちから任せてもらえます。他にも英会話やビジネススクールなどの外部機関研修や社提案制度を通して、歩みたいキャリアを自らの手で現することも可能です。また、福利厚生面においては児・介護を含めた休暇/休職制度が充実しており、男の育児休職取得も積極的に推進しています。近年ではテレワークや時差出勤制度を導入し、ライフスタイルに合った働き方ができる環境を整備しています。

コーポレートDATA（実績）

事業…鉄道（運輸）
設立…2004年4月1日
資本金…581億円
売上高…3,704億円（2023年度）
従業員数…9,551人（2024年3月末時点）
代表者…代表取締役社長　山村 明義
事業所…東京上野本社及び首都圏各所
採用人数…総合職20名（2025卒予定）
募集職種…【総合職】
●事務系（運輸営業部門、都市・生活創造部門、一般管理部門など）
●デジタル系
●技術系　車両、電気、土木、建築
【エキスパート職】
●運輸職種（駅係員、車掌、運転士）
●技術職種　車両、電気、土木、建築

初任給…2024年4月入社初任給実績
●総合職（大卒・院卒）月給244,800円以上
●エキスパート職（大卒・院卒・短大卒・2年制専卒・高専卒
月給211,800円以上
昇給・賞与…賞与／年2回（6月・12月）※昨年度実績
勤務時間…本社／9:20～17:40
現業／管理区により異なる（実働時間:7時間35分
休日・休暇…休日／完全週休2日制（曜日は配属により異なる）
国民の祝日、年末年始他
休暇／年次有給、慶弔休暇、リフレッシュ休暇等
福利厚生…各種社会保険（健康保険、厚生年金、雇用保険、労災保
制度／財形貯蓄、持家融資、退職年金、カフェテアプラン等
施設／独身アパート（入寮条件あり）、健康支援センター
教育制度…新入社員研修、階層別研修、外部機関研修（ビジネススクール等）等

株式会社ニュー・オータニ

ttps://www.newotani.co.jp/
〒102-8578　東京都千代田区紀尾井町4-1
問い合わせ：人事総務部　人事課　hr.career@newotani.co.jp

webページを見る

新しいホテルスタンダードを、ニュー"オータニから世界へ

1964年、東京で開催された大規模スポーツイベントに向け、政府の要請を受けて誕生したホテルニューオータニ。

最新のフォーブス・トラベルガイドにおいて格付けされた、高いホスピタリティー・施設力から、誕生から60年近くの間に、東京サミットや「即位の礼 晩さん会」など歴史的なイベントの舞台になってきました。

社名に冠される「NEW」の精神のもと、常に新しくあり続けるホテルニューオータニ。

「進化する伝統、揺るがない誇り」その想いを胸に、これからのホテルニューオータニを創り上げていくことが私たちの使命です。

世界のＶＩＰに愛され、これからも「選ばれる」ホテルとしての誇りを持ち、「人と人とをつなぐ」「海外と日本との架け橋」となり世界に通用する国際基準第一級のおもてなしを提供する「ホテル」として、また観光立国日本を支える「企業」の二つの顔を合わせ持つ「株式会社ニュー・オータニ」において、皆さまの活躍できる可能性は無限大です！

POINT

常に新しくあり続ける使命がある THE NEW OTANI～

私たちは、世界に通用する国際基準第一級のおもてなしを提供する「ホテル」として、そして真の観光立国を目指す日本を支える「企業」として世界と日本をつなぐ社会貢献をしていきたいと思っております。

今まで培ったゆるぎない「伝統」と新しいアイディア、そしてそれを叶えることの出来る最高の環境を武器に、「攻め」の姿勢を忘れず今後さらなる「進化」を目指しています。

「攻め」の姿勢で「選ばれるホテル」へ

ホテルニューオータニ（東京）内にある「エグゼクティブハウス 禅」は、同じホテルにありながらも、異なったコンセプトを持つ"ホテル・イン・ホテル"という新しい発想を基に2007年に開業いたしました。また今年、厳格な審査項目により一流のホスピタリティを格付けする世界有数のトラベルガイド「フォーブス・トラベルガイド」2024年度格付け評価ホテル部門において、エグゼクティブハウス 禅が5年連続で最高評価の5つ星を、ザ・メインが4年連続4つ星獲得。"9つ星" 獲得ホテルとして「日本で生まれ育ったホテル」であるという利点を最大限に活用し、リーディングホテルとして「攻めの姿勢」を今後も継続いたします

"家族団欒から国際会議まで" おもてなしの最上級を積み重ねて

ホテルニューオータニは千代田区紀尾井町にて、1964年に誕生いたしました。

以来、充実の施設やおもてなしの心により、多くの国際会議や歴史的な晩餐会、各界著名人の披露宴の舞台に選ばれ、国内外の賓客の方々をお迎えしてまいりました。

その歴史と伝統は今も受け継がれています。

コーポレートDATA（実績）

業…ホテル
立…1963年1月18日
本金…34億6,200万円
上高…491億6,800万円（2024年3月期）
業員数…1,512名（2024年4月現在）
表者…代表取締役社長　大谷 和彦
業所…グループホテル：国内13ホテル、海外1ホテル（北京）
　　　営業所：国内4ヵ所、海外1ヵ所（ニューヨーク）
用人数…約40名（2025卒予定）
集職種…職種無限定
テルの最前線でお客様にサービスを提供する宿泊部門（ベルや客室係）や料飲部門（レストランや宴会場でのサービス）、国外のお客さまにホテルの客室や宴会場、ウエディング等のご利を提案する営業部門、ホテルにお越しいただくきっかけ作りをる企画/広報部門、企業としてのホテルのマネジメントに携わる営管理部門等、幅広いキャリアがあります。

初任給…219,600円～
昇給・賞与…年1回・年2回（7月・12月）
勤務時間…１日実働８時間（休憩１時間）、週40時間を基本とし、1ヵ月単位の変形労働時間制
休日・休暇…年間107日（閏年は108日）/ 1ヵ月に9日（2月のみ8日、閏年は9日）・有給休暇・慶弔休暇・育児、介護休暇
福利厚生…各種社会保険加入、制服・ロッカー付与、社員寮従業員食堂、各種研修制度、ホテル施設の割引等特典あり、福利厚生制度（リロクラブ）加入、コンビニエンスストアあり
教育制度…階層別研修（新入社員研修、2～3年目研修、役職者研修など）・コーネル大学サマースクール派遣・コミュニケーション研修・立ち居振る舞いセミナー・マナー・プロトコール検定・コンプライアンス研修　他・多数あり

AD

パーソルビジネスプロセスデザイン株式会社（旧パーソルプロセス&テクノロジー株式会社）

https://www.persol-bd.co.jp/
〒135-0061　東京都江東区豊洲3-2-20 豊洲フロント7F
問い合わせ：新卒採用グループ　recruit-ppt@persol.co.jp

webページを見

PERSOL パーソル ビジネスプロセスデザイン

あらゆる仕事と組織を革新し、
『より良いはたらく環境』があふれる社会をつくる

「はたらいて、笑おう。」というビジョンのもと、総合人材サービスを提供しているパーソルグループの一員です。

私たちは、BPO（ビジネスプロセスアウトソーシング）事業、CX（カスタマー・エクスペリエンス）事業、コンサルティング事業、BPaaS（ビジネス・プロセス・アズ・ア・サービス）・プロダクト事業を展開しています。

労働人口の減少やテクノロジーの急速な進化など社会や市場の変化が激しさを増す中、多種多様なお客様に対し、お客様の課題に応じたコンサルティングやAIなどの最新のテクノロジーを掛け合わせたBPOサービスを提供しています。

私たちの提供価値は、生産性向上に留まりません。組織が目指す未来へ前進し、はたらく人が自分らしく活躍できる「より良いはたらく環境」を社会全体に広げることが私たちの使命です。

パーソルビジネスプロセスデザインは、BPOサービスを通じて、あらゆる仕事と組織を革新し、「はたらいて、笑おう。」の実現を目指します。

POINT

パーソルビジネスプロセスデザインの強み

私たちの強みは、ビジネスを理想的な形に導くプロセスデザイン力。人の力を最大限に活かし、組織の価値を最大化するマネジメント力。培った学びや経験からさらなる業務変革を可能にする人材育成力。この3つの力に、抜本的な進化を可能にするテクノロジーを掛け合わたサービスが提供できることです。

また、お客様のニーズに合わせた伴走型支援は、実際に多くのお客様から信頼され、選ばれているポイントです。

「はたらいて、笑おう。」を大切にするカルチャー

挑戦と変革を積極的に行う風通しの良い社風で、社員が「はたらいて、笑おう。」を体現できるよう、さまざまな研修制度やイベント、キャリア支援、学びの機会などを整えています。

IT企業魅力度ランキング※では、「経営者・ビジョンに共感」「社員が魅力的だった」「社風・居心地が良さそう」にて1位を獲得しております。

※みん就 2025年卒 IT業界新卒就職人気企業ランキングより

自分の“はたらく”は、自分で決める。

私たちは、「自分の“はたらく”は、自分で決める。」という考え方を大事にしており、興味のあるコースを選択できるよう、職種別採用を実施しています。また、入社後も、コースに限らずグループ会社・事業部の垣根を越えて、興味がある職種に自ら手を挙げてチャレンジできる制度も整えています。

コーポレートDATA（実績）

業種…IT・アウトソーシング
設立…1977年9月24日
資本金…3億1,000万円
従業員数…18,253名（2024年7月時点）
代表者…代表取締役社長　市村 和幸
事業所…国内31拠点
東京、北海道、宮城、愛知、岐阜、大阪、兵庫、福岡、長崎、宮崎
募集職種…総合職、地域限定職
初任給…【総合職】
大学院卒：245,000円
大学、専門卒：240,000円
【地域限定職】220,000円
※2025年卒実績

勤務時間…勤務時間は各コース配属先に準じます。
9:00～18:00（一部シフト制あり）
休日・休暇…週休2日（曜日は配属先に準ずる）、特別休暇（5日間）、年末年始休暇（12/30～1/3）、年次有給休暇、その他休暇
※2024年4月実績
福利厚生…保養所（健康保険組合）、団体長期障害所得補償保険、財形貯蓄制度、確定拠出年金制度、持ち株、法人向けレジャー・宿泊施設優遇・スポーツクラブ補助等
※2024年4月実績
教育制度…入社前研修、入社時コース別研修、事業部・階層別研修、イーラーニング研修、社員主催勉強会
※2024年4月実績

阪和興業株式会社

https://www.hanwa.co.jp/
〒104-8429　東京都中央区築地1-13-1 銀座松竹スクエア
問い合わせ：人事部　人材開発課　hksaiyo@hanwa.co.jp

webページを見る

立系商社として多角的にビジネスを展開

阪和興業は鉄鋼、リサイクルメタル・プライマリータル、エネルギー・生活資材、食品、木材、機械など広いビジネスを展開する独立系商社です。当社の仕の醍醐味は若手から裁量権を持って仕事ができるこです。若手のうちから失敗と成功を繰り返しながら、らの商売感を養っていきます。また、国内外問わず前線の現場に足を運び、眼で見て、実際に話をして、ジネスを創り上げていきます。リアルなビジネスをじられる環境に身を置いてプロフェッショナルなスルを身に付けるからこそ、社員の成長スピードが早とも言われています。

この独立系商社ならではのフットワークの良さを生して、顧客第一の精神の下、多様なニーズに応え、時と市場の変化に迅速に対応することで事業の拡大を目指します。さら現在、多様化するニーズに応えるく、64ヵ所の海外事業所ネットークを駆使し、事業拡大および新市場開拓を進めています。今後は生可能エネルギー関連事業やリイクル事業を強化するとともに、&Aによる事業拡大、グローバル材の育成を推進していきます。

POINT

企業内大学～Hanwa Business School～

2022年4月、企業内大学を開校し人材強化に必要な研修制度を大幅に拡充することで、社員が様々な挑戦をする機会を設けています。ITレベルを高める理工学部や、自社の歴史を学ぶ文学部、ビジネススキルを高める商学部や経営学部、英語や中国語、スペイン語を学べる外国語学部など、社員が各学部の学びたいカリキュラムを自由に選択し、いつでもどこからでも学習を進めていくことで『Management＆Professional&Global』な人材の育成を目指します。

魅力的な人材

「固定観念に縛られず、自由な発想でビジネスを作る」「予測や判断の難しいことにも、物怖じせずに果敢に取り組む」「困難な状況にもあきらめずに、粘り強くその壁を乗り越える術を考える」そんな人材が阪和興業の営業力を支えています。一人ひとりの熱い思いが会社を成長させてきた阪和興業はまさに「商社の財産は人」と言い切れる会社です。

コーポレートDATA（実績）

業…商社
立…1947年4月1日
本金…456億円（2024年3月）
上高…2兆4319億円（2024年3月）
業員数…1,656名（2024年3月）
表者…代表取締役社長　中川 洋一
業所…〈本社〉東京、大阪〈支社〉名古屋、九州
〈国内事業所〉18か所〈海外事業所〉64か所
用人数…132名（2024年卒実績）
集職種…総合職：営業、財務、経理、法務、人事、システム他
一般職：営業事務、財務、経理、法務、人事、システム他
任給…総合職（4年制大学卒）300,000円
（大学院卒）300,000円
一般職（4年制大学卒）220,000円
給・賞与…昇給年1回・賞与年2回
勤務時間…8:45～17:00（休憩一時間）
休日・休暇…完全週休2日制、祝日、年末年始休暇、有給休暇（初年度10日、6年以上20日）、特別休暇、リフレッシュ休暇ほか
福利厚生…制度/健保組合、企業年金基金、自社株投資会、財形貯蓄・個人年金制度、互助会、育児介護休業、寮・社宅/東京、大阪、名古屋の各地区に完備、各種クラブ活動/サッカー、テニス、ゴルフ、野球、華道ほか、各種手当
教育制度…ファシリテーション研修、ロジカルプレゼンテーション研修、問題解決研修、データ分析、リーダーシップ研修、貿易実務研修、新入社員集合・フォローアップ研修、新人指導員制度、メンター制度、与信研修、経理研修、管理職階層別各種研修、海外語学留学制度、海外トレーニー制度、OAスキルアップ研修、語学研修（英語・中国語・スペイン語等）、各種通信教育など

AD

三菱ＵＦＪトラストシステム株式会社

https://www.musk.co.jp/
〒108-0075　東京都港区港南二丁目9-8　三菱UFJ信託銀行港南ビル
問い合わせ：管理本部人事部　recruit@musk.co.jp

webページを見

ＭＵＦＧの一員として三菱ＵＦＪ信託銀行グループの幅広い業務をＩＴで支えています

当社は、三菱ＵＦＪ信託銀行・日本マスタートラスト信託銀行の多様な業務をIT面から支えています。
信託銀行は、預金、貸出等の銀行業務に加えて、資産運用・管理、不動産、証券代行、相続関連業務など大変幅広い業務を行っています。

私たちは、こうした業務を金融ITのプロフェッショナルとして、システムの開発・運用全般にわたり受託しており、当社への期待と信頼に対して的確かつスピード感をもって応えていくことを常日頃心掛けております。

金融もITも日々進歩し続けていることは申し上げるまでもありませんが、『技術を磨き、人を磨く』を合言葉に「金融×IT」のスペシャリスト集団として、日々の業務に取り組むとともに、未来に向かって進化を追求し続けます。

POINT

変化と創造へのチャレンジ

ITは変化が激しく、だからこそ面白い世界です。私たちは正面からITに取り組み、新しいことにチャレンジしながら変化を創り出しています。システム開発には「バイモーダル（2つの流儀）IT」という考え方があり、安心・安全な社会インフラとして、高い品質と信頼性が求められるITを“モード１”、新たなビジネス価値創造を担うITを“モード２”と言います。当社はこの両方に対応しています。両モードに関わるようなプロジェクトとして、既存システムに最新技術を適用すること（モダナイゼーション）なども検討が始まっています。

MUFG
三菱UFJトラストシステム

「人こそ財産」。業界トップクラスの社員教育制度

金融SEとして信託銀行の幅広い業務に対応するためには、IT技術だけでなく、信託銀行業務にも精通することが求められます。したがって「技術教育」「金融・信託業務教育」「ヒューマンスキル教育」の3つの領域をバランスよく実施していくことで、幅広い業務知識、IT知識を持つ技術者を育成していきます。個々人が自ら成長し自己実現を図る、すなわち能力を開発し発揮することが当社の企業価値の向上に繋がるものと考え、人材育成体系にもとづく計画的な教育・研修を実施しています。

「自分らしく」働くことが出来る環境

育児や介護等のライフイベントを乗り越えてSEとして活躍しているほか、所定労働時間が7時間20分のため、ワークライフバランスを実現しやすい環境です。資格取得支援制度も充実しており、一人一人の挑戦をバックアップできる環境が整備されているため、平均勤続年数が長く、定年まで勤務する社員が多数います。

コーポレートDATA（実績）

業種…情報処理
設立…1984年12月1日
資本金…1億円
売上高…214億81百万円（2023年度）
従業員数…1,025名（2024年4月現在）
代表者…取締役社長　木村 智広
事業所…〒108-0075　東京都港区港南二丁目9-8
三菱UFJ信託銀行港南ビル
採用人数…35名
募集職種…システムエンジニア（SE）
初任給…大学卒業：月給27万円/大学院卒業：月給28万円
昇給・賞与…昇給：年1回　賞与：年2回（6月/12月）
勤務時間…8:50～17:10（1時間の休憩を含む、実働7時間20分）
休日・休暇…年間休日125日以上、完全週休2日制（土・日）、祝日、年末年始、年次有給休暇最大20日（初年度最大17日）、上期・下期連続休暇、半日休暇、時間単位年休、フレッシュアップ休暇（勤続満10年・満20年の長期勤務休暇）、慶弔休暇
福利厚生…退職金・企業年金制度（DB・DC）、財産形成貯蓄制度、慶弔見舞金制度、育児休業制度、介護休業制度、短時間勤務制度、ベビーシッター費用補助制度、定期健康診断、会員制福利厚生サービス（ベネフィットワン）
※施設：食堂完備、三菱UFJ信託銀行保養所、契約保養所、会員制スポーツクラブ
教育制度…制度あり、入社後約3か月間（現場配属まで）
<新人>新入社員研修（IT、ビジネススキル、ヒューマンスキル、信託業務の基礎を習得）配属後は成長に応じた研修体制を用
<若手>初級技術研修、OJT、若手育成研修、業務研修
<中堅>中堅技術研修、中堅社員研修、業務トレーニー
<上級>上級技術研修、マネージャ研修、管理職研修
その他、社外講習・セミナー等も活用